MW00651480
RAMBAN
פירוש הרמב"ן על התורה

The ArtScroll Series®

פירוש הרמב"ן

RAMBAN

על התורה

Rabbi Nosson Scherman / Rabbi Meir Zlotowitz
General Editors

A PROJECT OF THE

Mesorah Heritage Foundation

ספר בראשית

Bereishis/Genesis

VOLUME I

The ArtScroll Series®

Published by

Mesorah Publications, ltd

THE TORAH: WITH RAMBAN'S COMMENTARY TRANSLATED, ANNOTATED, AND ELUCIDATED

by Rabbi Yaakov Blinder

in collaboration with

Rabbi Yoseph Kamenetsky

Contributing Editors:

Rabbi Yehudah Bulman,

Rabbi Avie Gold,

Rabbi Avrohom Kleinkaufman,

Rabbi Meir Zlotowitz

Coordinating Editor:

Rabbi Avrohom Biderman

Designed by

Rabbi Sheah Brander

FIRST EDITION
First Impression . . . October 2004

Published and Distributed by
MESORAH PUBLICATIONS, Ltd.
4401 Second Avenue
Brooklyn, New York 11232

Distributed in Europe by
LEHMANNS
Unit E, Viking Business Park
Rolling Mill Road
Jarrow, Tyne & Wear NE32 3DP
England

Distributed in Australia & New Zealand by
GOLDS WORLD OF JUDAICA
3-13 William Street
Balaclava, Melbourne 3183
Victoria Australia

Distributed in Israel by
SIFRIATI / A. GITLER — BOOKS
6 Hayarkon Street
Bnei Brak 51127

Distributed in South Africa by
KOLLEL BOOKSHOP
Shop 8A Norwood Hypermarket
Norwood 2196, Johannesburg, South Africa

ARTSCROLL SERIES®

RAMBAN — NACHMANIDES / COMMENTARY ON THE TORAH

VOLUME 1 — BEREISHIS / GENESIS PART 1

ISBN: 1-57819-425-3

Typography by Compuscribe at ArtScroll Studios, Ltd.
Custom bound by **Sefercraft, Inc.,** Brooklyn, N.Y.

This volume is dedicated in memory of our dear father and grandfather

Mr. Pinchas (Fred) Herzka ע״ה

ר׳ פנחס ב״ר יעקב ע״ה

ט׳ אלול תשס״ב

Steeped in the wealthy mesorah of the great kehillos of Vienna and Pressburg, where he was born and raised, our father always kept דמות דיוקנם של אבותיו – the vivid image of his forebears – in his mind's eye. Painstakingly, he adhered to every detail of their sacred minhagim. Their example was his guiding light, in raising his family without a trace of compromise at great personal sacrifice, and in serving his community faithfully in countless endeavors.

Even after he was transplanted into a new world by the tempest of the Holocaust, our father never lost sight of the majesty of the world that was. He worked tirelessly to perpetuate the memory of the ravaged communities and make future generations aware of the extent of the loss. His devotion bore fruit after years of effort, when he succeeded in initiating the recitation of special Tishah B'Av Kinnos lamenting the destruction of European Jewry.

His primary life's mission, however, was to transmit to his offspring the legacy in which he was nurtured. The noblest tribute to our father's memory is that this legacy lives on in children, grandchildren and great-grandchildren, whom he proudly witnessed following in his footsteps as bearers of the mesorah, בדרך ישראל סבא.

and in honor of תבלח״ט our dear mother and grandmother

Mrs. Feigi Herzka שתחי׳

A scion of the distinguished Czuker family of Beregszaz, descendants of the revered Rav of that city, the saintly Kol Aryeh זצ״ל, she carries the regal standard of her illustrious forebears with dignity and grace. The Holocaust orphaned her and cast her into Auschwitz at a young age, yet numerous survivors of that camp and the infamous "death march" credit their survival to her courageous assistance.

In the years since, she has not ceased giving of herself tirelessly as a devoted wife, mother, sister and communal worker. Not only did she stand by our father's side for fifty-six years as an able partner, she graciously invited his parents into her home, and for more than two decades honored her mother-in-law with the role of matriarch in that home. Today, she herself is deservedly the honored matriarch of our family.

May Hashem grant her good health, and may He enable her to derive richly-earned nachas from all her offspring עד מאה ועשרים.

Hashi and Miriam Herzka

Baruch and Chayale   Yanki and Adina   Eli

Menachem   Moishe   Yehoshua   Batsheva

PATRONS OF THE RAMBAN

The publishers and editors are grateful to the dedicators whose vision and generosity have made it possible for this monumental work to be created.

BEREISHIS / GENESIS I:

Hashi and Miriam Herzka

Baruch and Chayale Yanki and Adina Eli

Menachem Moishe Yehoshua Batsheva

In memory of their dear father and grandfather

ר׳ פנחס ב״ר יעקב ע״ה

Mr. Pinchas (Fred) Herzka ע״ה

and in honor of תבלח״ט their dear mother and grandmother

Mrs. Feigi Herzka שתחי׳

BEREISHIS / GENESIS II:

Stanley and Ellen Wasserman and Family

In loving memory of their parents and their sisters

יוסף בן דוב בער ע״ה בילא בת יעקב ע״ה

Joseph and Bess Wasserman ע״ה

שמריהו בן משה הלוי ע״ה רבקה בת הרב יוסף הכהן ע״ה

Sascha and Regina (Czaczkes) Charles ע״ה

חיה פייגע בת ר׳ שמריהו הלוי ע״ה — Viola Charles ע״ה

רות גאלדע בת ר׳ שמריהו הלוי ע״ה — Ruth Schreiber ע״ה

לאה בת ר׳ יוסף ע״ה — Leatrice Salzverg ע״ה

SHEMOS / EXODUS I:

SHEMOS / EXODUS II:

PATRONS OF THE RAMBAN

The publishers and editors are grateful to the dedicators whose vision and generosity have made it possible for this monumental work to be created.

VAYIKRA / LEVITICUS:

BAMIDBAR / NUMBERS:

DEVARIM / DEUTERONOMY I:

DEVARIM / DEUTERONOMY II:

◆§ *Table of Contents*

◈ Publisher's Preface

This is the first volume of an undertaking that we hope, with God's help, will be a monumental contribution not only to a deeper understanding of Chumash, but also to a better grasp of the basic beliefs of *Klal Yisrael.* After Rashi, Ramban is universally acknowledged to be the Jewish people's *rebbi* in Chumash. The depth and breadth of his analysis and the clarity of his thought are breathtaking. Thanks to the brilliant and dedicated work of the translators and editors of this volume and the seven more that will follow it in this series, Ramban's commentary will find its way into countless more homes and minds, with the result that our people's knowledge and understanding of Torah will be enriched beyond measure.

That this Chumash-Ramban project is now coming to fruition is testimony to the success of, and the need for, such a Torah literature in English. The imminent *siyum* of the SCHOTTENSTEIN EDITION OF THE TALMUD shows how eager the Jewish public is for works that illuminate our eternal Torah, and it also shows that the Torah community possesses a rich store of talented and dedicated *talmidei chachamim* who are capable of removing the language barrier that has prevented so many English-speaking Jews from enjoying their heritage. Another example is the very popular SAPIRSTEIN EDITION OF CHUMASH-RASHI, and the DAVIS EDITION OF BAAL HATURIM, which in many ways are the models for this treatment of Ramban.

As the English Talmud is completed in a few months, more exceptional scholars will become available for major projects, of which this Ramban is an example. Work is already underway on the unprecedented 47-volume SCHOTTENSTEIN EDITION OF TALMUD YERUSHALMI, and at some time in the not-too-distant future, we expect, *b'ezras Hashem,* to begin an elucidation of *Midrash Rabbah* and *Ein Yaakov*. Who could have foreseen in 1976 that the publication of ArtScroll's *Megillas Esther* would lead to such an explosion of Torah literature in the vernacular and that Torah study would become an integral part of the day for thousands upon thousands of Jews? For this we are grateful to the many supporters who have dedicated volumes or helped in other ways, and to the scholars and colleagues who labor with an eye not on the clock, but on eternity.

This inaugural volume has been dedicated by MR. AND MRS. HASHI HERZKA, who were the first to have the vision to recognize the significance of this work. Himself a *talmid chacham* to whom Ramban's commentary is a weekly companion, Hashi is a generous supporter of many Torah causes. We are proud that he and Mrs. Herzka have become part of the "ArtScroll family." Likewise, we are grateful to MR. AND MRS. STANLEY WASSERMAN of New Rochelle, dear personal friends and long-time supporters of the Foundation's work, who have dedicated the forthcoming volume two of Ramban. They are dedicators of several volumes of the Talmud Bavli, and were among the very first to dedicate a volume in the forthcoming Talmud Yerushalmi.

The translation and elucidation of this volume were written by RABBI YAAKOV BLINDER in collaboration with RABBI YOSEPH KAMENETSKY. RABBI YEHUDAH BULMAN, RABBI AVIE GOLD and RABBI AVROHOM KLEINKAUFMAN were the contributing editors. The quality of their scholarship speaks for itself. What may not be as evident from the printed page is how much effort, research, consultation and uncomromising striving for accuracy they poured into their work. *Klal Yisrael* is fortunate to have people of such caliber who devote themselves to presenting Torah to the nation of Torah.

The beautiful page layout helps the reader master the content to a great degree. It was designed by our friend and colleague R' SHEAH BRANDER, who has justly earned his reputation as the standard setter in a demanding field. The complex typography was painstakingly executed by MOISHE DEUTSCH, and is a tribute to his talent.

ELI KROEN and HERSHY FEUERWERKER of our graphics staff assisted in numerous ways. Many members of our staff helped to insure the accuracy of the text and vowelization, and they made important suggestions in many areas of the work. They all share in the credit for the excellence of the finished product. They are: RABBI MENACHEM DAVIS, RABBI MOSHE ROSENBLUM and RABBI AVROHOM SHERESHEVSKY. We were fortunate that RABBI SHLOMO COHEN, a noted scholar, graciously made himself available for consultation. RABBI AMI COHEN and R' EFRAIM PERLOWITZ offered important comments.

We are grateful to the typesetting staff: R' MORDECHAI GUTMAN, MRS. CHUMIE LIPSCHITZ, MRS. ESTHER FEIERSTEIN, MRS. TOBY GOLDZWEIG, MRS. RUCHIE REIFER and SARA RIVKA SPIRA. And we are grateful to MRS. JUDI DICK, MRS. MINDY STERN and MRS. FAIGIE WEINBAUM, who read painstakingly under pressure, with dedication and good cheer.

Our colleague in Jerusalem, SHMUEL BLITZ, managed the flow of material from Israel with his customary dedication and efficiency. The coordinating editor of this project was R' AVROHOM BIDERMAN. He skillfully coordinated many facets of the project and he offered editorial assistance and insights as well. MENDY HERZBERG assisted in managing the flow of the work.

Finally, we cannot adequately express our thanks to the *Borei Olam* for granting us the inestimable privilege of being the quill that brings His Torah to His people. May we be worthy of His blessings to continue doing so.

Rabbi Meir Zlotowitz / Rabbi Nosson Scherman

⧫§ Translator's Preface

It is difficult to overstate the importance of Ramban's Torah commentary and its impact upon Jewish thought and scholarship over the ages. Second only to Rashi's classic commentary, it has been learned and cherished by generations of laymen and scholars alike. It is rarely studied as a complete work, however, because of the relative difficulty and vast scope of the commentary. Rather, people tend to focus on select, well-known excerpts on the weekly Torah portion. In order to make Ramban's masterpiece more available to the public, we have undertaken the daunting task of rendering the commentary into English, accompanied with copious notes and explanatory interpolations, to guide the reader through this monumental work.

It is with great trepidation that we approach this mission, and this is for two main reasons. The first is that in his commentary Ramban very often discusses the most critical issues of Jewish theology and faith, and in such important matters, even the slightest deviation or misunderstanding can lead to disastrous misrepresentations of these basic, crucial concepts. The second is that Ramban is known for his terse, almost cryptic style of writing. In just a few words, he is able to embody, through implication and insinuation, an implied question, a possible answer and a rejection of that answer. Thus, it is at times difficult to ascertain whether, in a given phrase, Ramban is raising a question, giving an answer, proving a point, avoiding a difficulty, etc. Because of these considerations, translating Ramban's commentary – and in the process explaining each word he uses – is an even more challenging undertaking than the translation of other Hebrew classics.

Text, Translation and Elucidation

As in other translations in the ArtScroll Series, the Hebrew text is presented phrase by phrase, followed by the English explanation, consisting of the literal translation of Ramban's words in bold type face and explanatory interpolations in regular type. When Ramban alludes to a person or object without mentioning it explicitly, that reference is identified in square brackets, where this was deemed necessary for the sake of clarity.

A new feature in this translation is the insertion of an "introductory comment" before most paragraphs, in order to introduce the reader to what Ramban is setting out to do – ask a question, further develop or prove a previous point, go off into a tangential discussion, make a grammatical point, etc. Due to Ramban's difficult, terse style (see above), it would be extremely difficult to navigate his commentary without the inclusion of such guideposts. At the end of especially complicated pieces, a summary (or, on occasion, a chart) is provided for further clarification and simplification.

The transliteration of Hebrew words into English follows the system used in other ArtScroll works: The consonants are reproduced in accordance with the Ashkenazic pronunciation, while the vowels correspond to the Sephardic tradition, as Ashkenazic vowels are difficult to represent accurately with English orthography.

Sources

Unlike Rashi's Torah commentary, Ramban's work does not have the wealth of supercommentaries available, analyzing and elucidating his every word. The contemporary Ramban commentators *Beis HaYayin* (by Rabbi Yehudah Meir Devir), *Tuv Yerushalayim* (by Rabbi Pinchas Yehudah Lieberman) were consulted extensively, as were the slightly older works by Rabbi Chaim Dov Chavel (Mosad HaRav Kook, 1959) and Rabbi Menachem Zvi Eisenstadt (1958-1962). Many other sources were used as well, too numerous to list. Nevertheless, in the final analysis this remains a mostly original work, and for this reason we implore the reader who finds difficulties or inconsistencies in this book to place the blame squarely upon us and not on any other author or, heaven forbid, on Ramban himself.

Stylistic Citations

For stylistic effect, Ramban very frequently weaves Biblical idioms and phrases – either verbatim or modified – into his commentary. Indeed, hardly a single line of Ramban is written without some sort of subtle or overt Biblical (or Rabbinic) phraseological expression. Usually such quotes go unnoticed in the English translation, and thus are not pointed out. Sometimes, however, they can mislead the reader if he is not apprised of the fact that it is a literary device, and not meant to be taken literally. Throughout this translation such instances will be noted as "stylistic citations."

Kabbalah

One of Ramban's greatest impacts upon Jewish thought lies in the fact that he was the first "mainstream" Jewish sage to include Kabbalistic (mystical) ideas into material that was intended for the general public. In his introduction, however, he issues a stern warning that his Kabbalistic comments cannot possibly be understood by the uninitiated, and that any attempt to do so would only result in distortion of lofty theological matters. For this reason, we have not translated Ramban's Kabbalistic comments into English (although they can be found in full in the all-Hebrew Ramban text on the page).

The dividing line between "ordinary" commentary and Kabbalistic material is not always clear, and we hope and pray that the judgment we have used in deciding which pieces should be left untranslated was wise and justified.

Hebrew Text

Due to the popularity of Ramban's commentary, it was copied many times, by hand, and, with the introduction of the printing press, was published in numerous editions. For this reason, there are many textual variants in Ramban's commentary, and no two texts are identical. We have taken great care in formulating the most accurate Hebrew text possible, choosing the best of all the various sources available to us. The text corresponds mostly to the Lisbon (1489) edition, with reference to the *editio princeps* (Rome, 1480), and other, more recent editions noted for their accuracy. On many occasions manuscripts were consulted (either directly or through secondary sources), as well. The result is, we hope, one of the most accurate texts of Ramban published to date.

Despite the enormous challenges involved in the preparation of this book, it is our fervent hope that it will serve as a positive contribution toward the dissemination of Torah knowledge and toward a better understanding of the depth and profundity of the Chumash.

Yaakov Blinder/Yoseph Kamenetsky

Aseres Y'mei Teshuvah 5765
September 2004

☙ *Biographical Note*

R' Moshe Ben Nachman/Ramban [Nachmanides]
ר׳ מֹשֶׁה בֶּן נַחְמָן (רמב״ן)

Born in Verona, Spain, in 1194, Ramban was a scion of a prominent Rabbinical family and a relative of the illustrious R' Yonah Gerondi. Ramban was a disciple of R' Yehudah ben Yakar and R' Nassan ben Meir of Trinquetaille, and received Kabbalistic instruction from R' Ezra and R' Azriel, both of Verona. He also studied medicine, which later became his profession.

At the age of only fifteen, Ramban compiled *Hilchos Nedarim* and *Hilchos Bechoros* in the style of *Sefer HaHalachos* of R' Yitzchak Alfasi (Rif), because Rif had omitted these two tractates from his code.

Most of Ramban's life was spent in Verona disseminating Torah to his many disciples, among whom were R' Aharon Halevi (Ra'ah) and R' Shlomo ben Aderes (Rashba), the leader of the next generation of Spanish Jewry. Ramban was acknowledged as the foremost halachic authority in Spain, and his decisions were respected in other countries as well. In the words of R' Yom Tov ben Avraham (Ritva), one of the major Talmudic commentators two generations after Ramban, "His works strengthen the foundation of the Torah; his words bear the stamp of truth."

In 1238, at the relatively young age of forty-four, Ramban was called upon to mediate the great controversy regarding Rambam's philosophical work, *Moreh Nevuchim*, which many of the great scholars of France and Germany felt should be banned. In response, Ramban praised the scholarship of R' Shlomo of Montpellier, who headed the opposition to Rambam, and severely chastised all who would insult this great Talmudist for his zeal. At the same time, however, Ramban criticized the vehemence of the personal criticism of Rambam, by pointing out that his *Mishneh Torah* shows no leniency in interpreting halachah. As for *Moreh Nevuchim,* Ramban explained that it was not intended for public use, but only for those who had been led astray by philosophy. He also pointed out that while the work might be unnecessary for, and even injurious to, the Jews of France and Germany, it was of vital necessity to the Sephardic community of Spain, where the Jews studied more philosophy. Accordingly, he beseeched the promulgators of the ban to revoke it and to permit the study of *Moreh Nevuchim* and the philosophical sections of *Sefer HaMada* in *Mishneh Torah.* Ramban agreed, however, that public study groups of the *Moreh* should be discouraged, for even Rambam had himself branded such dissemination of what he considered "the secrets of the Torah" as unworthy and sacrilegious.

Ramban's great deference for Torah scholars of earlier periods led him to write several works that defended earlier classics against criticism. In *Hasagos HaRamban,* he defends *Halachos Gedolos* (Behag), a work of the Geonic era, against the criticism of Rambam in *Sefer HaMitzvos*; in his popular *Milchamos Hashem,* Ramban defends the decisions of Rif against the refutations of R' Zerachiah HaLevi in *Sefer HaMaor;* and in *Sefer HaZechus,* Ramban defends Rif against the refutations of Ravad III. Nevertheless, Ramban does not unquestionably accept Rif's rulings; when unable to reconcile them with his own Talmudic interpretation, he sets forth the halachah as he understands it.

Ramban also wrote novellae (*chiddushim)* on most of the Talmud in the style of the Tosafists; these have became standard texts in academies of higher learning. His other works include: *Toras HaAdam,* a compendium of the laws of mourning which includes *Shaar HaGemul,* a treatise discussing reward and punishment and the resurrection of the dead; *Iggeres HaMussar,* an ethical epistle addressed to his son; *Sefer HaGeulah,* on the coming of the Messiah; a commentary on Job; *Mishpat HaCherem,* on the laws of excommunication, which was printed in *Kol Bo; Hilchos Bedikah* (cited by Rashbatz), on the laws governing the examination of the animal's lungs after ritual slaughter; *Hilchos Challah* (printed with *Hilchos Bechoros);* and *Hilchos Niddah* (printed with his *chiddushim* to Tractate *Niddah*). A Kabbalistic treatise, *HaEmunah VeHaBitachon* (Venice, 1801), and *Iggeres HaKodesh,* on the sanctity and significance of marriage, are ascribed to him, but this is disputed.

In 1263, Ramban was ordered by King James of Aragon to hold a religious disputation with a Jewish apostate, Pablo Christiani, at Barcelona. The king and his court, including many dignitaries of the church, attended the debate, in which Ramban demolished the arguments of Pablo. So impressed was King James with Ramban's performance that he gave him an award of 300 coins. The fanatical Dominican priests, however, began spreading the rumor that their side had won the debate. Ramban responded by publishing a verbatim account of the disputation, under the title *Sefer HaVikuach.* The Dominicans presented selected passages from this treatise to the king, charging that they were blasphemies against Christianity. Ramban admitted the charge, but contended that he had only written what he said during the disputation in the presence the king, who had granted him freedom of expression. The Pope intervened, demanding that the king punish Ramban. *Sefer HaVikuach* was condemned to be burned and, Ramban, at the age of seventy, was expelled from Aragon.

For three years, he sojourned in Castille or Provence, where he began writing his monumental *Chumash* commentary, unique in that it not only interprets the individual verses, but also analyzes the topics, presenting them in a Torah perspective, frequently intermingled with Aggadic and Kabbalistic interpretations, and expounds at length on many basic foundations of Jewish faith. His comments often begin by quoting Rashi, of whom Ramban says, "His is the right of the firstborn," and Ibn Ezra. Ramban frequently disagrees with their comments, and such later authors as Mizrachi and Maharal wrote responses defending Rashi. Ramban's commentary includes careful examinations of Rambam and Ibn Ezra, whom he often criticizes for an overrational approach which, in his opinion, deviated from the true Talmudic and Kabbalistic interpretations. The great Kabbalist, Arizal, testified to the depth and reliability of the mystical portion of Ramban's commentary, and considered Ramban the last of the ancient Kabbalistic school, which received direct transmission of mystical secrets that were later concealed.

Many supercommentaries were written on the Ramban's Torah commentary, among them, *Meiras Einayim* (by R' Yitzchak of Acco, a 13th-century work, most recently published in Jerusalem, 1975) and *Keser Shem Tov* (by R' Shem Tov ibn Gaon, a 14th-century work last published in Leghorn, 1839). In addition, such classic commentaries as *Rabbeinu Bachya* and *Peirush HaTur HaAroch* cite and often expound upon Ramban. In the early 19th century, the *Chasam Sofer* pioneered the weekly study of *Chumash* with Ramban. In his Responsa, Chasam Sofer describes it as "the foundation of faith and the roots of religion." In his will, Chasam Sofer exhorts his descendants to study Ramban with their children, because it is a preeminent work in instilling faith in God and the Torah.

At the age of seventy-two, Ramban decided to settle in *Eretz Yisrael.* Before departing, he gave a dissertation on *Ecclesiastes,* lauding the Holy Land and the precept of charity. After a difficult journey and much suffering, he arrived in Acco [Acre] in Elul, 1267. He spent Rosh Hashanah in Jerusalem, which was in a deplorable condition as a result of the havoc wrought by the Crusaders and the Egytians who conquered the city from them. There was no functioning synagogue, only a small Sabbath *minyan* in a private house. In a letter to his son describing conditions in the country, Ramban wrote "the greater a place's holiness, the greater its degradation." Ramban designated a desolate Jerusalem house as a synagogue, a synagogue that is still in use today, more than seven centuries later, and brought a Torah scroll from Shechem. There, he gave a *derashah* on the laws of *shofar,* and exhorted the inhabitants of *Eretz Yisrael* to be exceedingly careful to act righteously, for they are like servants in the King's palace. Thanks to his initiative, the Jewish community in Jerusalem, which had all but ceased to exist, began its revival.

Ramban himself settled in Acco, a Torah center at the time, and gathered about him a circle of pupils. Here he completed the editing of his monumental Torah commentary, the last of his works. During his years in *Eretz Yisrael* he kept in close contact with his family in Spain, telling them of conditions in the Holy Land, and admonishing them to ethical behavior and fear of the Almighty.

He died on 11 Nissan 5070/1270. The location of his final resting place is in dispute; various opinions place it near the Cave of Machpelah in Hebron, in Haifa, in Acco, or in Jerusalem. He was greatly revered by all succeeding generations. Rivash writes of him, "All his words are like sparks of fire, and the entire communities of Castille rely upon his halachic ruling as if given directly from the Almighty to Moses."

ברכות התורה / Blessings of the Torah

The reader shows the *oleh* (person called to the Torah) the place in the Torah. The *oleh* touches the Torah with a corner of his *tallis,* or the belt or mantle of the Torah, and kisses it. He then begins the blessing, bowing at בָּרְכוּ,*'Bless,' and straightening up at* 'ה*, HASHEM.*

Bless HASHEM, the blessed One.

בָּרְכוּ אֶת יהוה הַמְּבֹרָךְ.

Congregation, followed by *oleh,* responds bowing at בָּרוּךְ, *'Blessed,'* and straightening up at HASHEM.

Blessed is HASHEM, the blessed One, for all eternity.

בָּרוּךְ יהוה הַמְּבֹרָךְ לְעוֹלָם וָעֶד.

Oleh continues:

Blessed are You, HASHEM, our God, King of the universe, Who selected us from all the peoples and gave us His Torah. Blessed are You, HASHEM, Giver of the Torah.

(Cong. – Amen.)

בָּרוּךְ אַתָּה יהוה אֱלֹהֵינוּ מֶלֶךְ הָעוֹלָם, אֲשֶׁר בָּחַר בָּנוּ מִכָּל הָעַמִּים, וְנָתַן לָנוּ אֶת תּוֹרָתוֹ. בָּרוּךְ אַתָּה יהוה, נוֹתֵן הַתּוֹרָה.

(קהל – אָמֵן)

After his Torah portion has been read, the *oleh* recites:

Blessed are You, HASHEM, our God, King of the universe, Who gave us the Torah of truth and implanted eternal life within us. Blessed are You, HASHEM, Giver of the Torah.

(Cong. – Amen.)

בָּרוּךְ אַתָּה יהוה אֱלֹהֵינוּ מֶלֶךְ הָעוֹלָם, אֲשֶׁר נָתַן לָנוּ תּוֹרַת אֱמֶת, וְחַיֵּי עוֹלָם נָטַע בְּתוֹכֵנוּ. בָּרוּךְ אַתָּה יהוה, נוֹתֵן הַתּוֹרָה.

(קהל – אָמֵן)

טעמי המקרא / Cantillation Marks

פַּשְׁטָא֙ מֻנַּ֣ח זַרְקָא֮ מֻנַּ֣ח סֶגוֹל֒ מֻנַּ֣ח ׀ מֻנַּ֣ח רְבִיעִ֗י מַהְפַּ֤ךְ
פַּשְׁטָא֙ זָקֵף־קָטֹ֔ן זָקֵף־גָּד֕וֹל מֵרְכָ֥א טִפְּחָ֖א מֻנַּ֣ח אֶתְנַחְתָּ֑א
פָּזֵ֡ר תְּלִישָא־קְטַנָּה֩ תְּלִישָא־גְדוֹלָה֠ קַדְמָ֨א וְאַזְלָ֜א
אַזְלָא־גֵּ֜רֵשׁ גֵּרְשַׁ֞יִם דַּרְגָּ֧א תְּבִ֛יר יְ֚תִיב פְּסִיק ׀ סוֹף־פָּסֽוּק׃
שַׁלְשֶׁ֓לֶת קַרְנֵי־פָרָ֟ה מֵרְכָא־כְפוּלָ֦ה יֵרֶח־בֶּן־יוֹמ֪וֹ׃

THE NAMES OF GOD

The Four-Letter Name of HASHEM [י־ה־ו־ה] indicates that God is timeless and infinite, since the letters of this Name are those of the words הָיָה הֹוֶה וְיִהְיֶה, *He was, He is, and He will be.* This Name appears in some editions with vowel points [יְ־הֹ־וָ־ה] and in others, such as the present edition, without vowels. In either case, this Name is *never* pronounced as it is spelled.

During prayer, or when a blessing is recited, or when Torah verses are read, the Four-Letter Name should be pronounced as if it were spelled אֲדֹנָי, *Adōnoy,* the Name that identifies God as the Master of All. At other times, it should be pronounced הַשֵּׁם, *Hashem,* literally, "the Name."

According to the *Shulchan Aruch,* one should have both meanings – the Master of All and the Timeless, Infinite One – in mind when reciting the Four-Letter Name during prayer (*Orach Chaim* Ch. 5). According to the *Vilna Gaon,* however, one need have in mind only the meaning of the Name as it is pronounced – the Master of All (ibid.).

When the Name is spelled אֲדֹנָי in the prayer or verse, all agree that one should have in mind that God is the Master of All.

The Name אֱלֹהִים, *Elōhim, God,* refers to Him as the One Who is all-powerful and Who is in direct overlordship of the universe (ibid.). This is also used as a generic name for the angels, a court, rulers, and even idols. However, when the term אֱלֹהִים is used for the God of Israel, it means the One Omniscient God, Who is uniquely identified with His Chosen People.

In this work, the Four-Letter Name of God is translated "HASHEM," the pronunciation traditionally used for the Name to avoid pronouncing it unnecessarily. This pronunciation should be used when studying the meanings of the prayers. However, if one prays in English, he should say "God"or "Lord" or he should pronounce the Name in the proper Hebrew way – *Adōnoy* – in accord with the ruling of most halachic authorities.

PRONOUNCING THE NAMES OF GOD

The following table gives the pronunciations of the Name when it appears with a prefix. In all these cases, the accent is on the last syllable (*noy*). The phrase "מֹשֶׁה" מוֹצִיא "וְכָלֵב" מַכְנִיס is used as a mnemonic. The prefixes מ, ש, and ה do not absorb or assimilate the vowel from the first letter of God's name, while the prefixes ו, כ, ל, and ב do absorb the vowel that follows.

בַּי־ה־ו־ה – *Ba-dōnoy*
הַי־ה־ו־ה – *Ha-adōnoy*
וַי־ה־ו־ה – *Va-dōnoy*
כַּי־ה־ו־ה – *Ka-dōnoy*
לַי־ה־ו־ה – *La-dōnoy*
מֵי־ה־ו־ה – *May-adōnoy*
שֶׁי־ה־ו־ה – *She-adōnoy*

Sometimes the Name appears with the vowelization יֱ־הֹ־וִ־ה. This version of the Name is pronounced as if it were spelled אֱלֹהִים, *Elōhim,* the Name that refers to God as the One Who is all-powerful. When it appears with a prefix לֵי־הֹ־וִ־ה, it is pronounced *Lay-lōhim.* We have translated this Name as HASHEM/ELOHIM to indicate that it refers to the aspects inherent in each of those Names.

הקדמת הרמב״ן לפירושו על התורה
Ramban's Introduction to His Torah Commentary

בְּשֵׁם הָאֵל הַגָּדוֹל הַגִּבּוֹר וְהַנּוֹרָא[1]

In the name of God – the great,
the mighty and the awesome[1] *—*

אַתְחִיל לִכְתּוֹב חִדּוּשִׁים בְּפֵרוּשׁ הַתּוֹרָה[2]

I shall begin to write original
insights in interpreting the Torah.[2]

בְּאֵימָה בְּיִרְאָה בְּרֶתֶת בְּזִיעַ[3] בְּמוֹרָא

With fear, with awe, with trepidation,
with trembling,[3] *with reverence,*

מִתְפַּלֵּל וּמִתְוַדֶּה
בְּלֵב נִדְכֶּה וְנֶפֶשׁ שְׁבוּרָה

Praying and confessing [my shortcomings]
with crushed heart and broken spirit,

שׁוֹאֵל סְלִיחָה מְבַקֵּשׁ מְחִילָה וְכַפָּרָה[4]

Asking forgiveness,
seeking pardon and atonement,[4]

בְּקִדָּה בִּכְרִיעָה בְּהִשְׁתַּחֲוָיָה
עַד שֶׁיִּתְפַּקְּקוּ כָּל חוּלְיוֹת שֶׁבַּשִּׁדְרָה[5]

With bowing, with kneeling,
with prostration,
until the entire
spine protrudes.[5]

וְנַפְשִׁי יוֹדַעַת מְאֹד יְדִיעָה בְּרוּרָה

My soul knows well,
with clear knowledge,

שֶׁאֵין בֵּיצַת הַנְּמָלָה
כְּנֶגֶד הַגַּלְגַּל הָעֶלְיוֹן צְעִירָה

That an ant's egg is not any smaller
compared with the
outermost heavenly sphere,

כַּאֲשֶׁר חָכְמָתִי קְטַנָּה וְדַעְתִּי קְצָרָה

Than my wisdom is small
and my knowledge is short,

כְּנֶגֶד סִתְרֵי תּוֹרָה
הַצְּפוּנִים בְּבֵיתָהּ הַטְּמוּנִים בְּחַדְרָהּ[6]

Compared to the Torah's secrets —
hidden in its house,
secreted in its chamber.[6]

---

1. *Deuteronomy* 10:17. Some editions omit the term הַגִּבּוֹר, *the mighty;* the citation is then from *Daniel* 9:4.

2. The first two lines (בְּשֵׁם ... הַתּוֹרָה, *In the name of ... the Torah*) are absent in some early printed editions.

3. The Talmud (*Berachos* 22a) uses this expression to describe the mood of the Jews standing at Mount Sinai to receive the Torah, and as a prescription for the earnestness with which Torah should be taught and studied in all generations.

4. For the presumptuousness of writing a commentary on the Torah (*Karan Pnei Moshe*).

5. Literally, *until all the vertebrae of the spine protrude.* The Talmud (*Berachos* 28b) uses this expression to describe how one should bow during the recitation of *Shemoneh Esrei.*

6. To summarize the last four lines: I know that my Torah knowledge pales before the entirety of Torah, even more than the size of an ant's egg pales in the vastness of the universe.

Ramban speaks of "the secrets hidden in the Torah's chambers" in his Introduction to *Genesis.*

For everything precious and every wonder, *every deep mystery and all splendid wisdom*	כִּי כָל יְקָר וְכָל פֶּלֶא כָּל סוֹד עָמוֹק וְכָל חָכְמָה מְפוֹאָרָה
Is hidden within it, *sealed in its storehouse*[7] *—*	כָּמוּס עִמָּהּ חָתוּם בְּאוֹצָרָהּ[7]
In allusion, in word, in writing *or in statement.*	בְּרֶמֶז בְּדִבּוּר בִּכְתִיבָה וּבַאֲמִירָה
As the glorious prophet [David] said — *he of royal garb and the crown,*	כַּאֲשֶׁר אָמַר הַנָּבִיא הַמְפוֹאָר בִּלְבוּשׁ מַלְכוּת וְהָעֲטָרָה
The anointed one of the God of Jacob, *the pleasing composer of song:*[8]	מְשִׁיחַ אֱלֹהֵי יַעֲקֹב וּנְעִים הַזְּמִירָה[8]
"For every thing finite I have seen an end, but Your commandment is exceedingly broad."[9]	"לְכָל תִּכְלָה רָאִיתִי קֵץ רְחָבָה מִצְוָתְךָ מְאֹד"[9]
And it is stated: Your testimonies are wonders; therefore my soul guards them.[10]	וְנֶאֱמַר "פְּלָאוֹת עֵדְוֹתֶיךָ עַל כֵּן נְצָרָתַם נַפְשִׁי"[10]
But what shall I do? For my *soul yearns for the Torah!*[11]	אֲבָל מָה אֶעֱשֶׂה וְנַפְשִׁי חָשְׁקָה בַּתּוֹרָה[11]
And in my heart there is like a fire, *consuming and devouring,* *pent up in my thoughts,*[12]	וְהִיא בְלִבִּי כְּאֵשׁ אוֹכֶלֶת בּוֹעֲרָה בְּכִלְיוֹתַי עֲצוּרָה[12]
To go forth in the steps of [my] *predecessors, the lions of the group,*[13]	לָצֵאת בְּעִקְבֵי הָרִאשׁוֹנִים אֲרָיוֹת שֶׁבַּחֲבוּרָה[13]
The eminent ones of the [preceding] generations, *possessors of might in wisdom;*	גְּאוֹנֵי הַדּוֹרוֹת בַּעֲלֵי גְבוּרָה

7. This stich is a paraphrase of *Deuteronomy* 32:34.

8. This stich is a paraphrase of *II Samuel* 23:1.

9. *Psalms* 119:96.

10. Ibid. v. 129.

11. When asked why he never married, the Talmudic Sage Ben Azzai replied, "But what shall I do? For my soul yearns for the Torah! The world can be preserved [i.e., populated] through others" (*Yevamos* 63b).

12. This stich is a paraphrase of *Jeremiah* 20:9.

13. The Talmud (*Shabbos* 111b) describes one of the Sages as "the lion of the group [of scholars]."

To enter with them into [bearing] the thick beam;[14]	לְהִכָּנֵס עִמָּם בְּעוֹבִי הַקּוֹרָה[14]
To write, as they did, explanations for Scriptures, Midrashim and Aggados, fully arranged and guarded.[15]	לִכְתּוֹב כָּהֶם פְּשָׁטִים בַּכְּתוּבִים וּמִדְרָשִׁים וַאֲגָדָה עֲרוּכָה בַכֹּל וּשְׁמֻרָה[15]
I shall set as the light of my face the lights of the pure Menorah —	וְאָשִׂים לִמְאוֹר פָּנַי נֵרוֹת הַמְּנוֹרָה הַטְּהוֹרָה
The commentaries of Rabbi Shlomo [(Rashi)], crown of delight and diadem of splendor;[16]	פֵּרוּשֵׁי רַבֵּינוּ שְׁלֹמֹה עֲטֶרֶת צְבִי וּצְפִירַת תִּפְאָרָה[16]
Crowned with excellent repute in [his knowledge of Scripture], Mishnah and Gemara;	מֻכְתָּר בְּנִמּוּסִי בְּמִקְרָא בְּמִשְׁנָה וּבִגְמָרָא
To him belongs the right of the firstborn.[17]	לוֹ מִשְׁפַּט הַבְּכֹרָה[17]
I will contemplate his words and absorb myself in their love,[18] *and about them we will conduct discussion, examination and analysis —*	בִּדְבָרָיו אֶהְגֶּה בְּאַהֲבָתָם אֶשְׁגֶּה[18] וְעִמָּהֶם יִהְיֶה לָנוּ מַשָּׂא וּמַתָּן דְּרִישָׁה וַחֲקִירָה
About his explanations and his expositions, and every formidable Aggadah	בִּפְשָׁטָיו וּמִדְרָשָׁיו וְכָל אַגָּדָה בְּצוּרָה
That are mentioned in his commentary.	אֲשֶׁר בְּפֵרוּשָׁיו זְכוּרָה
And with Rabbi Avraham ben Ezra	וְעִם רַבִּי אַבְרָהָם בֶּן עֶזְרָא
We will have [both] open remonstration and hidden admiration.[19]	תִּהְיֶה לָנוּ תּוֹכַחַת מְגֻלָּה וְאַהֲבָה מְסֻתָּרָה[19]

14. That is, "I wish to join them in bearing the burden of explaining and teaching the Torah to the nation." The phraseology is borrowed from the Talmud (*Berachos* 64a), where it is used in a different context.

15. Stylistic citation from *II Samuel* 23:5.

16. Stylistic paraphrase from *Isaiah* 28:5.

17. Stylistic citation from *Deuteronomy* 21:17.

18. Stylistic paraphrase from *Proverbs* 5:19.

19. Stylistic paraphrase from ibid. 27:5.

And may God, Whom alone I fear,	וְהָאֵל אֲשֶׁר מִמֶּנּוּ לְבַדּוֹ אִירָא
Save me from the day of wrath,[20]	יַצִּילֵנוּ מִיּוֹם עֶבְרָה[20]
Spare me from mistakes and from all *[manner of sin] and misdeed,*[21]	יַחְשְׂכֵנִי מִשְּׁגִיאוֹת וּמִכָּל חֵטְא וַעֲבֵירָה[21]
And guide me along the straight path[22]	וְיַדְרִיכֵנִי בְּדֶרֶךְ יְשָׁרָה[22]
And open the gates of light for us	וְיִפְתַּח לָנוּ שַׁעֲרֵי אוֹרָה
And grant us the merit of [witnessing] *the day of good tidings,*	וִיזַכֵּנוּ לְיוֹם הַבְּשׂוֹרָה
As it is written: How pleasant *are the feet of the herald* *upon the mountains,* *announcing peace,* *bearing good tidings,* *announcing salvation,* *saying to Zion,* *"Your God reigns!"*[23]	כְּדִכְתִיב: "מַה נָּאווּ עַל הֶהָרִים רַגְלֵי מְבַשֵּׂר מַשְׁמִיעַ שָׁלוֹם מְבַשֵּׂר טוֹב מַשְׁמִיעַ יְשׁוּעָה אוֹמֵר לְצִיּוֹן מָלַךְ אֱלֹהָיִךְ"[23]
Your word is very pure *and Your servant loves it.*[24]	"צְרוּפָה אִמְרָתְךָ מְאֹד וְעַבְדְּךָ אֲהֵבָהּ"[24]
Your righteousness is eternally righteous *and Your teaching is true.*[25]	"צִדְקָתְךָ צֶדֶק לְעוֹלָם וְתוֹרָתְךָ אֱמֶת"[25]
The justness of Your testimonies is forever; *grant me understanding that I may live.*[26]	"צֶדֶק עֵדְוֹתֶיךָ לְעוֹלָם הֲבִינֵנִי וְאֶחְיֶה":[26]

20. See *Zephaniah* 1:15.
21. Stylistic paraphrase from *Psalms* 19:13-14
22. Stylistic paraphrase from ibid. 107:7.
23. *Isaiah* 52:7.
24. *Psalms* 119:140.
25. Ibid. v. 142.
26. Ibid. v. 144.

הקדמת הרמב״ן לספר בראשית

Ramban's Introduction to Bereishis / Genesis

רמב״ן

סֵפֶר בְּרֵאשִׁית.

מֹשֶׁה רַבֵּינוּ[1] כָּתַב הַסֵּפֶר הַזֶּה[2] עִם הַתּוֹרָה כֻּלָּהּ מִפִּיו שֶׁל הַקָּדוֹשׁ בָּרוּךְ הוּא. וְהַקָּרוֹב שֶׁכְּתָבוֹ בְּהַר סִינַי[3], כִּי שָׁם נֶאֱמַר לוֹ ״עֲלֵה אֵלַי הָהָרָה וֶהְיֵה שָׁם, וְאֶתְּנָה לְךָ אֶת לֻחֹת הָאֶבֶן וְהַתּוֹרָה וְהַמִּצְוָה אֲשֶׁר כָּתַבְתִּי לְהוֹרֹתָם״ [שמות כד, יב]. כִּי ״לֻחֹת הָאֶבֶן״ יִכְלֹל הַלֻּחוֹת וְהַמִּכְתָּב, כְּלוֹמַר עֲשֶׂרֶת הַדִּבְּרוֹת, וְ״הַמִּצְוָה״ מִסְפַּר הַמִּצְוֹת כֻּלָּן, עֲשֵׂה וְלֹא תַעֲשֶׂה. אִם כֵּן ״הַתּוֹרָה״ יִכְלֹל הַסִּפּוּרִים מִתְּחִלַּת בְּרֵאשִׁית[4], כִּי הוּא מוֹרֶה אֲנָשִׁים בַּדֶּרֶךְ בְּעִנְיַן הָאֱמוּנָה.

וּבְרִדְתּוֹ מִן הָהָר כָּתַב מִתְּחִלַּת הַתּוֹרָה עַד סוֹף סִפּוּר הַמִּשְׁכָּן[5]. וּגְמַר הַתּוֹרָה[6] כָּתַב בְּסוֹף שְׁנַת הָאַרְבָּעִים, כַּאֲשֶׁר אָמַר ״לָקֹחַ אֵת סֵפֶר הַתּוֹרָה הַזֶּה וְשַׂמְתֶּם אֹתוֹ מִצַּד אֲרוֹן בְּרִית ה׳ אֱלֹהֵיכֶם״ [דברים לא, כו].

RAMBAN ELUCIDATED

סֵפֶר בְּרֵאשִׁית – Ramban's Introduction to the Book of Genesis

[Many of the Books of the Prophets begin with a brief description of the author, his city and the period in which he flourished.[1] The opening verses of the Torah, however, omit any such biographical information. Ramban explains why:]

מֹשֶׁה רַבֵּינוּ כָּתַב הַסֵּפֶר הַזֶּה עִם הַתּוֹרָה כֻּלָּהּ מִפִּיו שֶׁל הַקָּדוֹשׁ בָּרוּךְ הוּא – Our teacher Moses committed this Book (*Genesis*) **to writing,**[2] **along with the entire Torah,** after hearing it directly **from the mouth of the Holy One, Blessed is He. וְהַקָּרוֹב שֶׁכְּתָבוֹ בְּהַר סִינַי – It is most likely that he wrote** [*Genesis*] at Mount Sinai,[3] **כִּי שָׁם נֶאֱמַר לוֹ – for it was there that it was said to him, ״עֲלֵה אֵלַי הָהָרָה וֶהְיֵה שָׁם, וְאֶתְּנָה לְךָ אֶת לֻחֹת הָאֶבֶן וְהַתּוֹרָה וְהַמִּצְוָה אֲשֶׁר כָּתַבְתִּי לְהוֹרֹתָם״ – *Ascend to Me to the mountain and remain there, and I shall give you the stone Tablets and the instruction and the commandment that I have written, to teach them*** (*Exodus* 24:12). **כִּי ״לֻחֹת הָאֶבֶן״ יִכְלֹל הַלֻּחוֹת וְהַמִּכְתָּב, כְּלוֹמַר עֲשֶׂרֶת הַדִּבְּרוֹת – For** the phrase ***the stone Tablets*** **includes the Tablets** themselves **and the writing** on them, **meaning the Ten Statements** (i.e., the "Ten Commandments"); **וְ״הַמִּצְוָה״ מִסְפַּר הַמִּצְוֹת כֻּלָּן, עֲשֵׂה וְלֹא תַעֲשֶׂה – and** the phrase ***the commandment*** refers to **the totality of the commandments, positive and negative. אִם כֵּן ״וְהַתּוֹרָה״ יִכְלֹל הַסִּפּוּרִים מִתְּחִלַּת בְּרֵאשִׁית – Thus,** the phrase וְהַתּוֹרָה, ***and the instruction** (Torah),* **includes the** collection of **narratives from the beginning of *Genesis*,**[4] **כִּי הוּא מוֹרֶה אֲנָשִׁים בַּדֶּרֶךְ בְּעִנְיַן הָאֱמוּנָה** – which is called "the instruction" **because it "instructs** (*moreh*)" (i.e., guides) **people along the path in matters of faith.**

וּבְרִדְתּוֹ מִן הָהָר כָּתַב מִתְּחִלַּת הַתּוֹרָה עַד סוֹף סִפּוּר הַמִּשְׁכָּן – Then, after [Moses'] descent from the mountain, where he received the entire Torah, **he committed** the text **to writing, from the beginning of the Torah until the end of the narrative of the Tabernacle.**[5] **וּגְמַר הַתּוֹרָה כָּתַב בְּסוֹף שְׁנַת הָאַרְבָּעִים – And the completion of the Torah**[6] **he wrote at the end of the fortieth year** of the Israelites' wandering, **כַּאֲשֶׁר אָמַר ״לָקֹחַ אֵת סֵפֶר הַתּוֹרָה הַזֶּה וְשַׂמְתֶּם אֹתוֹ מִצַּד אֲרוֹן בְּרִית ה׳ אֱלֹהֵיכֶם״ – as he said** at that time to the Levites, ***Take this Book of the Torah and place it at the side of the Ark***

1. For instance, the Book of Jeremiah opens with an introduction: *The words of Jeremiah son of Hilkiah, of the Kohanim of Anathoth, in the land of Benjamin, to whom the word of HASHEM came in the days of Josiah son of Amon, king of Judah, in the thirteenth year of his reign.*

2. Although Moses' name is not mentioned anywhere in *Genesis*, and although all the events recorded in it predate his birth.

3. See Ramban on *Exodus* 24:1 for a different opinion and for Ramban's reason for favoring the opinion found here.

4. Since the expression וְהַתּוֹרָה cannot be referring to the legal component of the Torah, which has already been mentioned in the verse, it must be referring to the narrative component.

5. When Ramban writes "after descending from the mountain" he means "in the months following his descent from the mountain," for, otherwise, it would not have been possible for Moses to write the story of the construction of the Tabernacle, before it was even built. (See *Beis HaYayin* and Rabbi Chavel.)

6. Presumably, Ramban means from the beginning of *Leviticus,* for from that point, the Torah begins to speak of God's word being communicated to Moses in "the Tent of Meeting" (the Tabernacle), i.e., after the revelation at Sinai.

רמב"ן

וְזֶה כְּדִבְרֵי הָאוֹמֵר תּוֹרָה מְגִלָּה מְגִלָּה נִתְּנָה [גיטין ס, א][6a]. אֲבָל לְדִבְרֵי הָאוֹמֵר [שם] תּוֹרָה חֲתוּמָה נִתְּנָה - נִכְתַּב הַכֹּל בִּשְׁנַת הָאַרְבָּעִים, כְּשֶׁנִּצְטַוָּה "כִּתְבוּ לָכֶם אֶת הַשִּׁירָה הַזֹּאת וְלַמְּדָהּ אֶת בְּנֵי יִשְׂרָאֵל שִׂימָהּ בְּפִיהֶם" [דברים לא, יט], וְצִוָּה "לָקֹחַ אֵת סֵפֶר הַתּוֹרָה הַזֶּה וְשַׂמְתֶּם אֹתוֹ מִצַּד אֲרוֹן בְּרִית ה' אֱלֹהֵיכֶם" [שם פסוק כו].

וְעַל כָּל פָּנִים הָיָה נָכוֹן שֶׁיִּכְתֹּב בִּתְחִלַּת סֵפֶר בְּרֵאשִׁית "וַיְדַבֵּר אֱלֹהִים אֶל מֹשֶׁה[6b] אֵת כָּל הַדְּבָרִים הָאֵלֶּה לֵאמֹר". אֲבָל הָיָה הָעִנְיָן לְהִכָּתֵב סְתָם מִפְּנֵי שֶׁלֹּא כָּתַב מֹשֶׁה רַבֵּינוּ הַתּוֹרָה כִּמְדַבֵּר בְּעַד עַצְמוֹ, כַּנְּבִיאִים שֶׁמַּזְכִּירִים עַצְמָם, כְּמוֹ שֶׁנֶּאֱמַר בִּיחֶזְקֵאל תָּמִיד "וַיְהִי דְבַר ה' אֵלַי, בֶּן אָדָם"[7], וּכְמוֹ שֶׁנֶּאֱמַר בְּיִרְמְיָה [א, ד]: "וַיְהִי דְבַר ה' אֵלַי לֵאמֹר". אֲבָל מֹשֶׁה רַבֵּינוּ כָּתַב תּוֹלְדוֹת כָּל הַדּוֹרוֹת הָרִאשׁוֹנִים, וְיִחוּס עַצְמוֹ וְתוֹלְדוֹתָיו וּמִקְרָיו, כִּשְׁלִישִׁי הַמְדַבֵּר. וְלָכֵן יֹאמַר [שמות ו, ב]: "וַיְדַבֵּר אֱלֹהִים אֶל מֹשֶׁה וַיֹּאמֶר אֵלָיו", כִּמְדַבֵּר בְּעַד שְׁנַיִם אֲחֵרִים. וּמִפְּנֵי שֶׁהָעִנְיָן כֵּן - לֹא נִזְכַּר מֹשֶׁה בַּתּוֹרָה עַד שֶׁנּוֹלַד, וְנִזְכַּר כְּאִלּוּ אַחֵר מְסַפֵּר עָלָיו.

וְאַל יִקְשֶׁה עָלֶיךָ עִנְיַן מִשְׁנֵה הַתּוֹרָה שֶׁמְּדַבֵּר בְּעַד עַצְמוֹ: "וָאֶתְחַנַּן אֶל ה' בָּעֵת הַהִוא" [דברים ג, כג],

RAMBAN ELUCIDATED

of the Covenant of HASHEM, your God (*Deuteronomy* 31:26). וְזֶה כְּדִבְרֵי הָאוֹמֵר תּוֹרָה מְגִלָּה מְגִלָּה נִתְּנָה – **This** account of Moses' writing of the Torah **is in accordance with the [Sage] who maintains** that **the Torah was given as a series of smaller documents** (*Gittin* 60a).[6a] אֲבָל לְדִבְרֵי הָאוֹמֵר תּוֹרָה חֲתוּמָה נִתְּנָה – **However, according to the one who maintains** (ibid.) that **the Torah was given** as a single **sealed** (i.e., complete) document," נִכְתַּב הַכֹּל בִּשְׁנַת הָאַרְבָּעִים כְּשֶׁנִּצְטַוָּה "כִּתְבוּ לָכֶם אֶת הַשִּׁירָה הַזֹּאת וְלַמְּדָהּ אֶת בְּנֵי יִשְׂרָאֵל שִׂימָהּ בְּפִיהֶם" – **all** of the Torah **was committed to writing in the fortieth year, when the command was given to [Moses], *"So now, write this song for yourselves, and teach it to the Children of Israel; place it in their mouth"*** (*Deuteronomy* 31:19), וְצִוָּה "לָקֹחַ אֵת סֵפֶר הַתּוֹרָה הַזֶּה וְשַׂמְתֶּם אוֹתוֹ מִצַּד אֲרוֹן בְּרִית ה' אֱלֹהֵיכֶם" – **and [Moses] commanded, *"Take this Book of the Torah and place it at the side of the Ark of the covenant of HASHEM, your God"*** (ibid. v. 26).

[Ramban now explains why Moses' name does not appear at the beginning of the Torah:[6b]]

וְעַל כָּל פָּנִים הָיָה נָכוֹן שֶׁיִּכְתֹּב בִּתְחִלַּת סֵפֶר בְּרֵאשִׁית "וַיְדַבֵּר אֱלֹהִים אֶל מֹשֶׁה אֵת כָּל הַדְּבָרִים הָאֵלֶּה לֵאמֹר" – **In either event, it would have been appropriate to write at the beginning of the Book of *Genesis*, "And God spoke to Moses all these things, saying ..."** אֲבָל הָיָה הָעִנְיָן לְהִכָּתֵב סְתָם מִפְּנֵי שֶׁלֹּא כָּתַב מֹשֶׁה רַבֵּינוּ הַתּוֹרָה כִּמְדַבֵּר בְּעַד עַצְמוֹ, כַּנְּבִיאִים שֶׁמַּזְכִּירִים עַצְמָם – **However, the reason it was written** in this **anonymous** manner **is that our teacher Moses did not write the Torah in the first person, like the prophets who mention themselves** in their prophecies, כְּמוֹ שֶׁנֶּאֱמַר בִּיחֶזְקֵאל תָּמִיד "וַיְהִי דְבַר ה' אֵלַי, בֶּן אָדָם" – **as it says repeatedly in Ezekiel, *And the word of HASHEM came to me, saying: "Son of Man,"***[7] וּכְמוֹ שֶׁנֶּאֱמַר בְּיִרְמְיָה: "וַיְהִי דְבַר ה' אֵלַי לֵאמֹר" – **and as is said regarding** the prophet **Jeremiah: *The word of HASHEM came to me, saying*** (*Jeremiah* 1:4, etc.). אֲבָל מֹשֶׁה רַבֵּינוּ כָּתַב תּוֹלְדוֹת כָּל הַדּוֹרוֹת הָרִאשׁוֹנִים וְיִחוּס עַצְמוֹ וְתוֹלְדוֹתָיו וּמִקְרָיו, כִּשְׁלִישִׁי הַמְדַבֵּר – **Rather, our teacher Moses recorded the events of all the earlier generations and his own genealogy and events and biography in the third person.** וְלָכֵן יֹאמַר: "וַיְדַבֵּר אֱלֹהִים אֶל מֹשֶׁה וַיֹּאמֶר אֵלָיו", כִּמְדַבֵּר בְּעַד שְׁנַיִם אֲחֵרִים – **Therefore it says, *And God spoke to Moses and said to him*** (*Exodus* 6:2), **as a narrator speaking about two other people.**

וּמִפְּנֵי שֶׁהָעִנְיָן כֵּן, לֹא נִזְכַּר מֹשֶׁה בַּתּוֹרָה עַד שֶׁנּוֹלַד, וְנִזְכַּר כְּאִלּוּ אַחֵר מְסַפֵּר עָלָיו – **And because this is the case, Moses is not mentioned in the Torah until he is born, and** even then **he is mentioned as if someone else is speaking about him.**

[Having explained that Moses does not speak in the first person in the Torah, Ramban now explains why in the Book of *Deuteronomy* he is depicted as the speaker:]

וְאַל יִקְשֶׁה עָלֶיךָ עִנְיַן מִשְׁנֵה הַתּוֹרָה שֶׁמְּדַבֵּר בְּעַד עַצְמוֹ – **Now, you should not find difficult the style of *Deuteronomy*, in which [Moses] does speak in the first person,** "וָאֶתְחַנַּן אֶל ה' בָּעֵת הַהִוא" – as

6a. That is, Moses wrote each portion of the Torah at the time it was transmitted to him. At the end of the forty years, Moses joined together all the parchments upon which he had written the various portions, thereby forming a complete Torah scroll (*Rashi, Gittin* 60a).

6b. See above, with footnote 1.

7. This expression and variations of it are found dozens of times throughout the Book of *Ezekiel*.

רמב"ן

"וָאֶתְפַּלֵּל אֶל ה' וָאֹמַר" [דברים ט, כו][8], כִּי תְּחִלַּת הַסֵּפֶר הַהוּא: "אֵלֶּה הַדְּבָרִים אֲשֶׁר דִּבֶּר מֹשֶׁה אֶל כָּל יִשְׂרָאֵל" [שם א, א][9]. וְהִנֵּה הוּא כִּמְסַפֵּר דְּבָרִים בִּלְשׁוֹן אֹמְרָם.

וְהַטַּעַם לִכְתִיבַת הַתּוֹרָה בְּלָשׁוֹן זֶה, מִפְּנֵי שֶׁקָּדְמָה לִבְרִיאַת הָעוֹלָם, אֵין צָרִיךְ לוֹמַר לְלֵידָתוֹ שֶׁל מֹשֶׁה רַבֵּינוּ - כְּמוֹ שֶׁבָּא לָנוּ בַּקַּבָּלָה שֶׁהָיְתָה כְּתוּבָה בְּאֵשׁ שְׁחוֹרָה עַל גַּבֵּי אֵשׁ לְבָנָה[10]. הִנֵּה מֹשֶׁה כְּסוֹפֵר הַמַּעְתִּיק מִסֵּפֶר קַדְמוֹן וְכוֹתֵב, וְלָכֵן כָּתַב סְתָם. אֲבָל זֶה אֱמֶת וּבָרוּר הוּא[11] שֶׁכָּל הַתּוֹרָה - מִתְּחִלַּת סֵפֶר בְּרֵאשִׁית עַד "לְעֵינֵי כָּל יִשְׂרָאֵל" [שם לד, יב] - נֶאֶמְרָה מִפִּיו שֶׁל הַקָּדוֹשׁ בָּרוּךְ הוּא לְאָזְנָיו שֶׁל מֹשֶׁה, כְּעִנְיָן שֶׁאָמַר לְהַלָּן: "מִפִּיו יִקְרָא אֵלַי אֵת כָּל הַדְּבָרִים הָאֵלֶּה וַאֲנִי כֹּתֵב עַל הַסֵּפֶר בַּדְּיוֹ" [ירמיה לו, יח][12].

הוֹדִיעוֹ תְּחִלָּה עִנְיַן בְּרִיאַת הַשָּׁמַיִם וְהָאָרֶץ וְכָל צְבָאָם, כְּלוֹמַר בְּרִיאַת כָּל נִבְרָא הָעֶלְיוֹנִים וְהַתַּחְתּוֹנִים.

RAMBAN ELUCIDATED

in, ***I implored Hashem at that time*** (3:23), "וָאֶתְפַּלֵּל אֶל ה' וָאֹמַר" – and in, **and *I prayed to Hashem and said*** (9:26),[8] כִּי תְּחִלַּת הַסֵּפֶר הַהוּא "אֵלֶּה הַדְּבָרִים אֲשֶׁר דִּבֶּר מֹשֶׁה אֶל כָּל יִשְׂרָאֵל" – **for the beginning of that Book** speaks in the third person, ***These are the words that Moses spoke to all Israel*** (*Deuteronomy* 1:1),[9] וְהִנֵּה הוּא כִּמְסַפֵּר דְּבָרִים בִּלְשׁוֹן אֹמְרָם – **so that** [**the Book of *Deuteronomy***] **relates** Moses' **words in the language of the one who spoke them.**

[Having explained that the Torah was purposely written in an anonymous style, Ramban explains why that form of expression was chosen:]

וְהַטַּעַם לִכְתִיבַת הַתּוֹרָה בְּלָשׁוֹן זֶה – **The reason for writing the Torah in this** anonymous, third-person **style** מִפְּנֵי שֶׁקָּדְמָה לִבְרִיאַת הָעוֹלָם – **is that it preceded the creation of the world** אֵין צָרִיךְ לוֹמַר לְלֵידָתוֹ שֶׁל מֹשֶׁה רַבֵּינוּ – **and it goes without saying** that it preceded **the birth of our teacher Moses,** כְּמוֹ שֶׁבָּא לָנוּ בַּקַּבָּלָה שֶׁהָיְתָה כְּתוּבָה בְּאֵשׁ שְׁחוֹרָה עַל גַּבֵּי אֵשׁ לְבָנָה – **in accordance with what has come to us by tradition, that** [**the Torah**] **was written** before Creation **"in black fire upon white fire."**[10] הִנֵּה מֹשֶׁה כְּסוֹפֵר הַמַּעְתִּיק מִסֵּפֶר קַדְמוֹן וְכוֹתֵב – **Thus, Moses was** merely **like a scribe copying and transcribing from an ancient book;** וְלָכֵן כָּתַב סְתָם – **therefore** [**the Torah**] **is written anonymously.** אֲבָל זֶה אֱמֶת וּבָרוּר הוּא – **But it is true and clear**[11] שֶׁכָּל הַתּוֹרָה מִתְּחִלַּת סֵפֶר בְּרֵאשִׁית עַד "לְעֵינֵי כָּל יִשְׂרָאֵל" נֶאֶמְרָה מִפִּיו שֶׁל הַקָּדוֹשׁ בָּרוּךְ הוּא לְאָזְנָיו שֶׁל מֹשֶׁה – **that the entire Torah, from the beginning of the Book of *Genesis* to** [the last words of the Torah], ***before the eyes of all Israel*** – (*Deuteronomy* 34:12), **was uttered by the mouth of the Holy One, Blessed is He, into the ears of Moses.** כְּעִנְיָן שֶׁאָמַר לְהַלָּן: "מִפִּיו יִקְרָא אֵלַי אֵת כָּל הַדְּבָרִים הָאֵלֶּה וַאֲנִי כֹּתֵב עַל הַסֵּפֶר בַּדְּיוֹ" – This is **similar to what is stated elsewhere, *He would dictate all these things to me and I would write them down on the parchment with ink*** (*Jeremiah* 36:18).[12]

[Ramban now discusses the content of the opening section of *Genesis*:]

הוֹדִיעוֹ תְּחִלָּה עִנְיַן בְּרִיאַת הַשָּׁמַיִם וְהָאָרֶץ וְכָל צְבָאָם כְּלוֹמַר בְּרִיאַת כָּל נִבְרָא הָעֶלְיוֹנִים וְהַתַּחְתּוֹנִים – **[God] initially informed [Moses] of the matter of the creation of the heavens and the earth and all their hosts, i.e., the creation of all created things, in the upper realms and the lower realms.**

8. The fact that much of *Deuteronomy* has Moses speaking in the first person might give the impression that the rest of the Torah, where Moses is only mentioned in the third person, was not written by him.

9. That is: *Deuteronomy* is also written in third person, as if someone other than Moses is the narrator. For that Book declares in its very first verse that it records the words of Moses. Accordingly, Moses' words are couched in the first person. Similarly, we find the words of Abraham (*Genesis* 15:2), Joseph (ibid. 40:15), Pharaoh (41:15) and many others often cited using the first person when they are being quoted directly.

10. That is, the Torah was inscribed in letters of black fire on a surface of white fire (*Talmud Yerushalmi*, *Shekalim* 6:1; *Midrash Tanchuma*, *Bereishis* 1). The general idea that the Torah predated the creation of the world is found in many places in rabbinic literature, throughout the Talmud and the Midrashim (see, e.g., *Shabbos* 88b, *Zevachim* 116a).

11. Whether the letters of that "Torah of fire" were divided into words like the Torah we have today or were written, as Ramban suggests below, without any separation between words, is immaterial, for it was dictated by God in any event.

12. Ramban cites this verse to describe the function of Moses as the "writer" of the Torah: He did no more than commit to writing the words dictated to him by God. The Talmud (*Bava Basra* 15a) makes the same comparison between the roles of Moses and Jeremiah's scribe.

רמב"ן

וְגַם כֵּן כָּל הַנֶּאֱמָר בִּנְבוּאָה מִמַּעֲשֵׂה מֶרְכָּבָה [יחזקאל פרק א][13] וּמַעֲשֵׂה בְרֵאשִׁית וְהַמְקֻבָּל בָּהֶם לַחֲכָמִים, עִם תּוֹלְדוֹת אַרְבַּע הַכֹּחוֹת שֶׁבַּתַּחְתּוֹנִים - כֹּחַ הַמַּחְצָבִים, וְכֹחַ צֶמַח הָאֲדָמָה, וְנֶפֶשׁ[14] הַתְּנוּעָה, וְהַנֶּפֶשׁ הַמְדַבֶּרֶת - בְּכֻלָּם נֶאֱמַר לְמֹשֶׁה רַבֵּינוּ בְּרִיאָתָם, וְכֹחוֹתָם, וּמַהוּתָם, וּמַעֲשֵׂיהֶם, וַאֲפִיסַת הַנִּפְסָדִים מֵהֶם, וְהַכֹּל נִכְתַּב בַּתּוֹרָה בְּפֵרוּשׁ אוֹ בְּרֶמֶז.

וּכְבָר אָמְרוּ רַבּוֹתֵינוּ [ראש השנה כא, ב]: חֲמִשִּׁים שַׁעֲרֵי בִינָה נִבְרְאוּ בָעוֹלָם, וְכֻלָּם נִמְסְרוּ לְמֹשֶׁה חוּץ מֵאֶחָד, שֶׁנֶּאֱמַר [תהלים ח, א]: "וַתְּחַסְּרֵהוּ מְעַט מֵאֱלֹהִים". יֹאמְרוּ כִּי בִּבְרִיאַת הָעוֹלָם חֲמִשִּׁים שְׁעָרִים שֶׁל בִּינָה, כְּאִלּוּ נֹאמַר, שֶׁהָיָה בִּבְרִיאַת הַמַּחְצָב שַׁעַר בִּינָה אֶחָד בְּכֹחוֹ וְתוֹלְדוֹתָיו, וּבִבְרִיאַת צֶמַח הָאֲדָמָה שַׁעַר בִּינָה אֶחָד, וּבִבְרִיאַת הָאִילָנוֹת שַׁעַר אֶחָד, וּבִבְרִיאַת הַחַיּוֹת שַׁעַר אֶחָד, וּבִבְרִיאַת הָעוֹפוֹת שַׁעַר אֶחָד, וְכֵן בִּבְרִיאַת הַשְּׁרָצִים וּבִבְרִיאַת הַדָּגִים. וְיַעֲלֶה זֶה לִבְרִיאַת בַּעֲלֵי נֶפֶשׁ הַמְדַבֶּרֶת, שֶׁיִּתְבּוֹנֵן סוֹד הַנֶּפֶשׁ וְיֵדַע מַהוּתָהּ וְכֹחָהּ בְּ"הֵיכָלָהּ"[15], יַגִּיעַ לְמָה שֶׁאָמְרוּ [היכלות רבתי א, ג]: גָּנַב אָדָם - יוֹדֵעַ וּמַכִּיר בּוֹ; נָאַף אָדָם - יוֹדֵעַ וּמַכִּיר בּוֹ;

RAMBAN ELUCIDATED

וְגַם כֵּן כָּל הַנֶּאֱמָר בִּנְבוּאָה מִמַּעֲשֵׂה מֶרְכָּבָה וּמַעֲשֵׂה בְרֵאשִׁית וְהַמְקֻבָּל בָּהֶם לַחֲכָמִים – **In addition,** God informed him of **all that was said in the prophecy of the "account of the** Divine **Chariot"** (*Ezekiel,* Chap. 1)[13] **and the "account of Creation" and** all the oral traditions **that were received by the Sages concerning them,** עִם תּוֹלְדוֹת אַרְבַּע הַכֹּחוֹת שֶׁבַּתַּחְתּוֹנִים – **along with the natural properties of the four powers of the lower realms,** כֹּחַ הַמַּחְצָבִים, וְכֹחַ צֶמַח הָאֲדָמָה, וְנֶפֶשׁ הַתְּנוּעָה, וְהַנֶּפֶשׁ הַמְדַבֶּרֶת – i.e., **the power of minerals, the power of the vegetation of the earth, the soul**[14] **of mobility, and the soul of speech** (intelligence). בְּכֻלָּם נֶאֱמַר לְמֹשֶׁה רַבֵּינוּ בְּרִיאָתָם וְכֹחוֹתָם וּמַהוּתָם וּמַעֲשֵׂיהֶם וַאֲפִיסַת הַנִּפְסָדִים מֵהֶם – **Concerning all of these, our teacher Moses was told** the details of **their creation, their capabilities, their essence, their activities, and the disintegration of those of them that are subject to decomposition,** וְהַכֹּל נִכְתַּב בַּתּוֹרָה בְּפֵרוּשׁ אוֹ בְּרֶמֶז – **and all** of this **is written in the Torah, either explicitly or by allusion.**

וּכְבָר אָמְרוּ רַבּוֹתֵינוּ: – This is what **our Sages have already said:** חֲמִשִּׁים שַׁעֲרֵי בִינָה נִבְרְאוּ בָעוֹלָם – **Fifty portals** (categories) **of wisdom were created in the world,** וְכֻלָּם נִמְסְרוּ לְמֹשֶׁה חוּץ מֵאֶחָד – **and all of them were transmitted to Moses except for one,** שֶׁנֶּאֱמַר: "וַתְּחַסְּרֵהוּ מְעַט מֵאֱלֹהִים" – **as it is said** (*Psalms* 8:1), ***You made him only slightly less than the angels*** (*Rosh Hashanah* 21b). יֹאמְרוּ כִּי בִּבְרִיאַת הָעוֹלָם חֲמִשִּׁים שְׁעָרִים שֶׁל בִּינָה – In this dictum **[the Sages] are saying that there are fifty portals of wisdom concerning the creation of the world.** כְּאִלּוּ נֹאמַר שֶׁהָיָה בִּבְרִיאַת הַמַּחְצָב שַׁעַר בִּינָה אֶחָד בְּכֹחוֹ וְתוֹלְדוֹתָיו – It is **as if we would say,** for instance, **that concerning the creation of the mineral** power **there is one portal of wisdom relating to its nature and capabilities;** וּבִבְרִיאַת צֶמַח הָאֲדָמָה שַׁעַר בִּינָה אֶחָד – **and concerning the creation of the vegetation of the earth** there is **one portal of wisdom;** וּבִבְרִיאַת הָאִילָנוֹת שַׁעַר אֶחָד – **and concerning the creation of the trees, one portal;** וּבִבְרִיאַת הַחַיּוֹת שַׁעַר אֶחָד – **and concerning the creation of the wild animals, one portal;** וּבִבְרִיאַת הָעוֹפוֹת שַׁעַר אֶחָד – **and concerning the creation of the birds, one portal;** וְכֵן בִּבְרִיאַת הַשְּׁרָצִים וּבִבְרִיאַת הַדָּגִים – **and, so too, concerning the creation of the crawling creatures and concerning the creation of the fish.** וְיַעֲלֶה זֶה לִבְרִיאַת בַּעֲלֵי נֶפֶשׁ הַמְדַבֶּרֶת – **It continues** thus **in ascending order to the** portal of wisdom concerning the **creation of those possessing the soul of speech** (i.e., humans); שֶׁיִּתְבּוֹנֵן סוֹד הַנֶּפֶשׁ וְיֵדַע מַהוּתָהּ וְכֹחָהּ בְּהֵיכָלָהּ – **through [that portal] one can comprehend the secret of the soul** of any particular individual **and know its essence and its potential in its "palace,"**[15] יַגִּיעַ לְמָה שֶׁאָמְרוּ: – **and reach** the level of **which [the Sages] have said:** גָּנַב אָדָם יוֹדֵעַ וּמַכִּיר בּוֹ – **If a person committed theft, he** (i.e., the one who has purified his soul to the ultimate degree) **would know and recognize** this **in [that person]** by looking at his face ... ; נָאַף אָדָם יוֹדֵעַ וּמַכִּיר בּוֹ – **if a person committed adultery, he would know and recognize** this **in him ... ;**

13. This vision is considered the epitome of revelation of knowledge of the Divine.

14. The last two "powers," or forces, are called "souls." The question as to whether or not the second power is called a "soul" is discussed by Ramban on *Genesis* 1:20.

15. The body is the "palace" of the soul that dwells therein. (See *Zichron Yitzchak*, based on Ibn Ezra, *Deuteronomy* 32:1.)

רמב"ן

נֶחְשַׁד עַל הַנִּדָּה[16] - יוֹדֵעַ וּמַכִּיר בּוֹ. גְּדוֹלָה מִכֻּלָּן - שֶׁמַּכִּיר בְּכָל בַּעֲלֵי כְשָׁפִים. וּמִשָּׁם יַעֲלֶה לַגַּלְגַּלִּים[17] וְלַשָּׁמַיִם וְצִבְאֵיהֶם[18], כִּי בְּכָל אֶחָד מֵהֶם שַׁעַר חָכְמָה אַחֵר שֶׁלֹּא כְּחָכְמָתוֹ שֶׁל חֲבֵרוֹ. וּמִסְפָּרָם מְקֻבָּל לָהֶם, עֲלֵיהֶם הַשָּׁלוֹם, שֶׁהֵם חֲמִשִּׁים חוּץ מֵאֶחָד[18a]. וְאֶפְשָׁר שֶׁיִּהְיֶה הַשַּׁעַר הַזֶּה בִּידִיעַת הַבּוֹרֵא יִתְבָּרַךְ, שֶׁלֹּא נִמְסַר לְנִבְרָא.

וְאַל תִּסְתַּכֵּל בְּאָמְרָם "נִבְרְאוּ בָּעוֹלָם"[18b], כִּי עַל הָרוֹב יְדַבֵּר, וְהַשַּׁעַר הָאֶחָד לֹא נִבְרָא. וְהַמִּסְפָּר הַזֶּה רָמוּז בַּתּוֹרָה - בִּסְפִירַת הָעֹמֶר [ויקרא כג, טז], וּבִסְפִירַת הַיּוֹבֵל [שם כה, י], כַּאֲשֶׁר אַגִּיד בּוֹ סוֹד בְּהַגִּיעִי שָׁם[19], בִּרְצוֹן הַקָּדוֹשׁ בָּרוּךְ הוּא.

וְכָל הַנִּמְסָר לְמשֶׁה רַבֵּינוּ בְּשַׁעֲרֵי הַבִּינָה הַכֹּל נִכְתַּב בַּתּוֹרָה בְּפֵרוּשׁ, אוֹ שֶׁרְמוּזָה בַּתֵּיבוֹת אוֹ בְּגִימַטְרִיָּאוֹת[20], אוֹ בְּצוּרַת הָאוֹתִיּוֹת הַכְּתוּבוֹת כְּהִלְכָתָן אוֹ הַמִּשְׁתַּנּוֹת בְּצוּרָתָן, כְּגוֹן הַלְּפוּפוֹת וְהָעֲקוּמוֹת וְזוּלָתָן[21], אוֹ בְּקוֹצֵי

RAMBAN ELUCIDATED

נֶחְשַׁד עַל הַנִּדָּה יוֹדֵעַ וּמַכִּיר בּוֹ – if someone was suspected of transgressing the laws of **the *niddah*,**[16] **he would know and recognize** this **in him. גְּדוֹלָה מִכֻּלָּן שֶׁמַּכִּיר בְּכָל בַּעֲלֵי כְשָׁפִים – Greater than all these** aforementioned aspects of knowledge **is that he can recognize all the practitioners of sorcery** (*Heichalos Rabbasi* 1:3). **וּמִשָּׁם יַעֲלֶה לַגַּלְגַּלִּים וְלַשָּׁמַיִם וְצִבְאֵיהֶם – Then [the procession of portals] continues, in ascending order, to the** portal concerning the **spheres**[17] **and the heavens and their hosts** (the angels),[18] **כִּי בְּכָל אֶחָד מֵהֶם שַׁעַר חָכְמָה אַחֵר שֶׁלֹּא כְּחָכְמָתוֹ שֶׁל חֲבֵרוֹ – for regarding each of them there is a** unique **portal of wisdom** associated with it **that is unlike the** portal of **wisdom associated with the other. וּמִסְפָּרָם מְקֻבָּל לָהֶם, עֲלֵיהֶם הַשָּׁלוֹם, שֶׁהֵם חֲמִשִּׁים חוּץ מֵאֶחָד – The number** of these portals **was received** through tradition **by [the Sages] – peace be upon them – as fifty minus one.**[18a] **וְאֶפְשָׁר שֶׁיִּהְיֶה הַשַּׁעַר הַזֶּה בִּידִיעַת הַבּוֹרֵא יִתְבָּרַךְ שֶׁלֹּא נִמְסַר לְנִבְרָא – It is possible that this** additional **portal concerns the knowledge of the Creator, Blessed be He, which was never transmitted to any created being.**

וְאַל תִּסְתַּכֵּל בְּאָמְרָם "נִבְרְאוּ בָּעוֹלָם" – Now do not pay attention to the fact that they said "[fifty portals of wisdom] **were *created* in the world,"** which suggests that they do not include Godly wisdom, which is not "created,"[18b] **כִּי עַל הָרוֹב יְדַבֵּר וְהַשַּׁעַר הָאֶחָד לֹא נִבְרָא – for [this expression] speaks of the majority** of the portals, which were indeed "created" in the world; **however, one portal of the** fifty, that of Knowledge of God, **was not created. וְהַמִּסְפָּר הַזֶּה רָמוּז בַּתּוֹרָה בִּסְפִירַת הָעֹמֶר, וּבִסְפִירַת הַיּוֹבֵל – This number** fifty **is** in fact **alluded to in the Torah, in the counting of** the fifty days of **the *Omer*** (*Leviticus* 23:16), **and in the counting of** fifty years toward **the Jubilee** (ibid. 25:10), **כַּאֲשֶׁר אַגִּיד בּוֹ סוֹד בְּהַגִּיעִי שָׁם בִּרְצוֹן הַקָּדוֹשׁ בָּרוּךְ הוּא – in accordance with the mystical concept that I will reveal when I arrive there** at those verses,[19] **by the will of the Holy One, Blessed is He.**

וְכָל הַנִּמְסָר לְמשֶׁה רַבֵּינוּ בְּשַׁעֲרֵי הַבִּינָה – Now, everything that was transmitted to our teacher Moses concerning these portals of wisdom – הַכֹּל נִכְתַּב בַּתּוֹרָה בְּפֵרוּשׁ אוֹ שֶׁרְמוּזָה בַּתֵּיבוֹת אוֹ בְּגִימַטְרִיָּאוֹת אוֹ בְּצוּרַת הָאוֹתִיּוֹת הַכְּתוּבוֹת כְּהִלְכָתָן אוֹ הַמִּשְׁתַּנּוֹת בְּצוּרָתָן – all was written in the Torah, explicitly, or by allusion through certain **words, either through *gematrios***[20] **or the forms of the letters, when they are written normally, or in an unusual form, כְּגוֹן הַלְּפוּפוֹת וְהָעֲקוּמוֹת וְזוּלָתָן – such as the winding** letters **and the crooked** letters **and others like them,**[21] **אוֹ בְּקוֹצֵי**

16. A menstruating woman, for whom marital relations are forbidden until she has immersed herself in a *mikveh* (*Leviticus* 18:19).

17. In the terminology of the *Rishonim*, the "spheres" refer to eight (or nine) heavenly invisible spheres that surround the earth, and contain the sun, the moon, the five visible planets and the stars.

18. Ramban (on *Genesis* 2:1) writes that the expression "hosts of the heavens" can refer either to the heavenly bodies (stars, planets, etc.) or to the angels. Here Ramban is referring to the latter sense of the word.

18a. That is, there are fifty, of which only forty-nine were revealed to Moses, as stated in the Talmudic passage (*Rosh Hashanah* 21b) cited earlier.

18b. Such wisdom is innate in God, Who is eternal. Thus, that wisdom must also be eternal.

19. See Ramban on *Leviticus* 25:2.

20. Numerical values assigned to each letter of the *aleph-beis*.

21. These unusually written letters are mentioned by many authorities, but they are no longer found in today's Torah scrolls. (See *Masechas Sefer Torah* 3:6; Rambam, *Hilchos Sefer Torah* 7:8-9; see also *Teshuvos*

רמב״ן

הָאוֹתִיּוֹת[22] וּבְכִתְרֵיהֶם[23], כְּמוֹ שֶׁאָמְרוּ [מנחות כט, ב]: כְּשֶׁעָלָה מֹשֶׁה לַמָּרוֹם מְצָאוֹ לְהַקָּדוֹשׁ בָּרוּךְ הוּא שֶׁהָיָה קוֹשֵׁר כְּתָרִים לָאוֹתִיּוֹת. אָמַר לוֹ ״אֵלּוּ לָמָּה״? אָמַר לוֹ: ״עָתִיד אָדָם אֶחָד לִדְרֹשׁ בָּהֶם תִּלֵּי תִלִּים שֶׁל הֲלָכוֹת״. עַד ״זוֹ מִנַּיִן לְךָ?״ אָמַר לָהֶם: ״הֲלָכָה לְמֹשֶׁה מִסִּינַי״[24]. כִּי הָרְמָזִים הָאֵלּוּ לֹא יִתְבּוֹנְנוּ אֶלָּא מִפֶּה אֶל פֶּה, עַד מֹשֶׁה מִסִּינַי. וּמִזֶּה אָמְרוּ בְּשִׁיר הַשִּׁירִים רַבָּה[25] בְּחִזְקִיָּהוּ: ״סֵפֶר תַּגֵּי הֶרְאָה לָהֶם״[26], וְהַסֵּפֶר הַזֶּה הוּא יָדוּעַ וּמָצוּי אֵצֶל כָּל אָדָם[27], יְפָרֵשׁ בּוֹ כַּמָּה אַלְפִי״ן יֵשׁ בַּתּוֹרָה בְּתָגִין, וְכַמָּה בֵּיתִי״ן וּשְׁאָר הָאוֹתִיּוֹת, וּמִסְפַּר הַתָּגִין שֶׁל כָּל אַחַת וְאַחַת. וְאֵין הַשֶּׁבַח בְּסִפְרוֹ עַל הַסֵּפֶר הַזֶּה וְגִלּוּי הַסּוֹד שֶׁהָיָה בּוֹ לְחִזְקִיָּהוּ מִפְּנֵי הַתָּגִין עַצְמָן,

RAMBAN ELUCIDATED

הָאוֹתִיּוֹת וּבְכִתְרֵיהֶם – **or through the** various **letters' protruding lines**[22] **and crowns,**[23] כְּמוֹ שֶׁאָמְרוּ: – **as [the Sages] said:** כְּשֶׁעָלָה מֹשֶׁה לַמָּרוֹם מְצָאוֹ לְהַקָּדוֹשׁ בָּרוּךְ הוּא שֶׁהָיָה קוֹשֵׁר כְּתָרִים לָאוֹתִיּוֹת – **When Moses ascended on high, he found the Holy One, Blessed is He, attaching crowns on letters.** אָמַר לוֹ ״אֵלּוּ לָמָּה״? – **[Moses] said to [God], "What are these for?"** אָמַר לוֹ ״עָתִיד אָדָם אֶחָד לִדְרֹשׁ בָּהֶם תִּלֵּי תִלִּים שֶׁל הֲלָכוֹת״ – **[God] answered [Moses], "There is destined to arise a man** (Rabbi Akiva) **who will expound through them mounds upon mounds of laws."** עַד ״זוֹ מִנַּיִן לְךָ״ – The Talmud's narrative continues **until** some students asked Rabbi Akiva concerning a law that he had expounded, **"And how do you know this?"** אָמַר לָהֶם ״הֲלָכָה לְמֹשֶׁה מִסִּינַי״ – **He answered them, "It is a law** that was revealed **to Moses at Sinai"** (*Menachos* 29b).[24] כִּי הָרְמָזִים הָאֵלּוּ לֹא יִתְבּוֹנְנוּ אֶלָּא מִפֶּה אֶל פֶּה עַד מֹשֶׁה מִסִּינַי – **For these allusions** found in the lines and crowns of letters in the Torah **cannot be comprehended except by** tradition passed on **orally, going back to Moses at Sinai.**

וּמִזֶּה אָמְרוּ בְּשִׁיר הַשִּׁירִים רַבָּה בְּחִזְקִיָּהוּ: ״סֵפֶר תַּגֵּי הֶרְאָה לָהֶם״ – **It is regarding this that they said in *Shir HaShirim Rabbah*,**[25] **concerning Hezekiah: "He showed them *Sefer Tagei*** (*The Book of Crownlets*)."[26] וְהַסֵּפֶר הַזֶּה הוּא יָדוּעַ וּמָצוּי אֵצֶל כָּל אָדָם – **Now this book, *Sefer Tagei*, is known, and is available to everyone.**[27] יְפָרֵשׁ בּוֹ כַּמָּה אַלְפִי״ן יֵשׁ בַּתּוֹרָה בְּתָגִין וְכַמָּה בֵּיתִי״ן וּשְׁאָר הָאוֹתִיּוֹת וּמִסְפַּר הַתָּגִין שֶׁל כָּל אַחַת וְאַחַת – We find **enumerated in [that book]: How many letters** א **in the Torah have crownlets; how many letters** ב and how many **other letters** have crownlets, **and the number of crownlets on each and every one.** וְאֵין הַשֶּׁבַח בְּסִפְרוֹ עַל הַסֵּפֶר הַזֶּה וְגִלּוּי הַסּוֹד שֶׁהָיָה בּוֹ לְחִזְקִיָּהוּ מִפְּנֵי הַתָּגִין עַצְמָן – **The exceptional praise that [the Sages] attach to this book and the** inappropriate

Chasam Sofer, Yoreh Deah, Vol. 2, 265.)

See also the Introduction to the *Baal HaTurim Chumash* (Rabbi Avie Gold; ArtScroll/Mesorah Publications; second edition, pp. xvii-xviii).

22. Lit., "thorns."

23. Crown-like decorations on top of certain letters. (See below, note 27.)

24. [Ramban's presentation differs slightly from the passage found in extant versions of the Talmud.]

25. Ramban is apparently referring to *Shir HaShirim Rabbah* on verse 3:1, where several opinions are offered as to what Hezekiah showed his guests. However, the passage cited by Ramban is not found in extant editions of the Midrash.

26. Isaiah rebuked Hezekiah for showing his בֵּית נְכֹתֹה, *his treasure house,* to a delegation of Babylonian ambassadors (*II Kings* 20:13). The Midrash presents various interpretations of what treasure Hezekiah inappropriately showed these men.

27. תָּגִין, *tagin* (sing., תָּג, *tag*), are crownlets, tittles or serifs that are attached to some letters of the alphabet script used to write Torah scrolls. According to the Talmud (*Menachos* 29b), seven of the twenty-two letters of the *aleph-beis*, identified by the mnemonic שַׁעַטְנֵ״ז גַּ״ץ, are adorned with three *tagin* (in the form of three miniature letters ז), in the regular Torah script. Some Kabbalistic works (e.g., *Peri Eitz Chaim, Shaar Kerias Sefer Torah* 1) state that each of the six letters בֶּדֶ״ק חַיָּ״ה should be adorned with one *tag*, and the remaining nine, מְלֶאכֶ״ת סוֹפֵ״ר, are written without *tagin*. (See illustration.)

שעטנז גץ	בדק חיה	מלאכת סופר
Letters with three *tagin*	Letters with one *tag*	Letters with no *tagin*

According to ancient tradition, about 1,800 specific letters in the Torah scrolls should [preferably] be writ-ten with an other-than-usual number of *tagin* or with unusually shaped *tagin*. Those anomalous letters are understood as an indication that an allusion [usually relating to the number or shape of the *tagin*] is hidden in the letter, word or phrase in which they appear.

Sefer Tagei (also called *Sefer Tagin*) is a compilation which lists, in alphabetical order, the words in which these unusually crowned letters appear. First pub-

רמב״ן

אֶלָּא בִּידִיעָתָן בְּפֵירוּשֵׁיהֶן סוֹדוֹת רַבִּים עֲמוּקִים מְאֹד[28].

וְשָׁם בְּמִדְרַשׁ שִׁיר הַשִּׁירִים [א, ד] אָמְרוּ: כְּתִיב "וַיַּגֵּד לָכֶם אֶת בְּרִיתוֹ" [דברים ד, יג] - וַיַּגֵּד לָכֶם אֶת סֵפֶר בְּרֵאשִׁית, שֶׁהוּא תְּחִלַּת בְּרִיָּתוֹ שֶׁל עוֹלָם. "אֲשֶׁר צִוָּה אֶתְכֶם לַעֲשׂוֹת עֲשֶׂרֶת הַדְּבָרִים" [שם] - אֵלּוּ עֲשֶׂרֶת הַדִּבְּרוֹת[28a], עֲשָׂרָה לְמִקְרָא וַעֲשָׂרָה לְתַלְמוּד[29]. וְכִי מִנַּיִן יָבֹא אֱלִיהוּא בֶּן בַּרַכְאֵל הַבּוּזִי וִיגַלֶּה לָהֶם לְיִשְׂרָאֵל חַדְרֵי בְּהֵמוֹת [איוב מ, טו ואילך][30] וְלִוְיָתָן [שם פסוק כב ואילך], וּמִנַּיִן יָבֹא יְחֶזְקֵאל וִיגַלֶּה לָהֶם חַדְרֵי מֶרְכָּבָה [פרק א][31]? אֶלָּא הָדָא הוּא דִכְתִיב [שיר השירים א, ד]: "הֱבִיאַנִי הַמֶּלֶךְ חֲדָרָיו". כְּלוֹמַר, שֶׁהַכֹּל נִלְמָד מֵהַתּוֹרָה.

וּשְׁלֹמֹה הַמֶּלֶךְ, שֶׁנָּתַן לוֹ אֱלֹהִים "הַחָכְמָה וְהַמַּדָּע" [דברי הימים-ב א, יב], הַכֹּל מִן הַתּוֹרָה הָיָה לוֹ, וּמִמֶּנָּה לָמַד עַד סוֹף כָּל הַתּוֹלָדוֹת, וַאֲפִלּוּ כֹּחוֹת הָעֲשָׂבִים וּסְגֻלָּתָם, עַד שֶׁכָּתַב בָּהֶם אֲפִילוּ סֵפֶר רְפוּאוֹת[32], וּכְעִנְיָן שֶׁכָּתוּב [מלכים-א ה, יג]: "וַיְדַבֵּר עַל הָעֵצִים מִן הָאֶרֶז אֲשֶׁר בַּלְּבָנוֹן וְעַד הָאֵזוֹב אֲשֶׁר יֹצֵא בַּקִּיר".

RAMBAN ELUCIDATED

disclosure of its secrets that Hezekiah committed was not because of the crownlets themselves listed in the book, **אֶלָּא בִּידִיעָתָן בְּפֵירוּשֵׁיהֶן סוֹדוֹת רַבִּים עֲמוּקִים מְאֹד – but because in the knowledge of [the letters] with their explanations are contained many extremely profound mysteries.**[28]

וְשָׁם בְּמִדְרַשׁ שִׁיר הַשִּׁירִים אָמְרוּ: – There, in *Midrash Shir HaShirim,* they also said: כְּתִיב "וַיַּגֵּד לָכֶם אֶת בְּרִיתוֹ" – It is written, *He told you His covenant* [בְּרִיתוֹ] (*Deuteronomy* 4:13), which means, **וַיַּגֵּד לָכֶם אֶת סֵפֶר בְּרֵאשִׁית שֶׁהוּא תְּחִלַּת בְּרִיָּתוֹ שֶׁל עוֹלָם – He told you the Book of *Genesis*, which is the beginning of the creation** (בְּרִיָּתוֹ) of the world; **"אֲשֶׁר צִוָּה אֶתְכֶם לַעֲשׂוֹת עֲשֶׂרֶת הַדְּבָרִים" אֵלּוּ עֲשֶׂרֶת הַדִּבְּרוֹת, עֲשָׂרָה לְמִקְרָא וַעֲשָׂרָה לְתַלְמוּד – *that He commanded you to observe, the Ten Statements*** (ibid.) **– these are the Ten Statements** (Commandments),[28a] **ten for** written **Scripture and ten for** oral **instruction.**[29] **וְכִי מִנַּיִן יָבֹא אֱלִיהוּא בֶּן בַּרַכְאֵל הַבּוּזִי וִיגַלֶּה לָהֶם לְיִשְׂרָאֵל חַדְרֵי בְּהֵמוֹת וְלִוְיָתָן – Now, from where would Elihu son of Barachel the Buzite** have attained the knowledge that enabled him to **come and reveal to Israel the inner secrets**[30] **of the Behemoth** (*Job* 40:15 ff.) **and Leviathan** (ibid. 40:25 ff.)? **וּמִנַּיִן יָבֹא יְחֶזְקֵאל וִיגַלֶּה לָהֶם חַדְרֵי מֶרְכָּבָה – And from where would** the prophet **Ezekiel** have attained the knowledge that enabled him to **come and reveal to them the secrets of the** Divine **Chariot** [*Ezekiel* Chap. 1]?[31] **אֶלָּא הָדָא הוּא דִכְתִיב "הֱבִיאַנִי הַמֶּלֶךְ חֲדָרָיו" – Rather, this is** the meaning of **what is written** (*Song of Songs* 1:4), ***The King brought me into His "chambers"*** (*Shir HaShirim Rabbah* 1:4). **כְּלוֹמַר, שֶׁהַכֹּל נִלְמָד מֵהַתּוֹרָה – That is, everything can be learned from the Torah.**

וּשְׁלֹמֹה הַמֶּלֶךְ, שֶׁנָּתַן לוֹ אֱלֹהִים "הַחָכְמָה וְהַמַּדָּע" – King Solomon as well, to whom God gave *wisdom and knowledge* (*II Chronicles* 1:12), **הַכֹּל מִן הַתּוֹרָה הָיָה לוֹ וּמִמֶּנָּה לָמַד עַד סוֹף כָּל הַתּוֹלָדוֹת – all of it came to him from the Torah, and he studied it** deeply **until** he knew **all** the secrets **of nature, וַאֲפִלּוּ כֹּחוֹת הָעֲשָׂבִים וּסְגֻלָּתָם – even the powers of herbs and their properties, עַד שֶׁכָּתַב בָּהֶם אֲפִילוּ סֵפֶר רְפוּאוֹת – and eventually he even wrote a *Book of Cures* about them,**[32] **וּכְעִנְיָן שֶׁכָּתוּב "וַיְדַבֵּר עַל הָעֵצִים מִן הָאֶרֶז אֲשֶׁר בַּלְּבָנוֹן וְעַד הָאֵזוֹב אֲשֶׁר יֹצֵא בַּקִּיר" – as is written, *He spoke of the trees, from the cedar that is in Lebanon, down to the hyssop that grows out of the wall*** (*I Kings* 5:13).

lished in 1866, from a manuscript copy in the royal library of Paris, it has been included as an appendix to Rabbi Yaakov K. Reinitz's edition of the *Baal HaTurim*. A version of this work is included in *Machzor Vitry*.

28. And Hezekiah apparently revealed those mysteries to the Babylonians.

28a. Both the masculine form דְּבָרִים (used by the Torah) and the feminine form דִּבְּרוֹת (used by the Sages) are synonymous; both mean *statements*.

29. The Ten Commandments consisted of the words engraved on the two Tablets and the explanations that accompanied them orally.

30. Lit., "the chambers." (See Radal ad loc.)

31. Surely all this information could only be known from Divine revelation, transmitted at Sinai.

32. The Talmud (*Pesachim* 56a) mentions a *Book of Cures* that was extant at the time of King Hezekiah. Some commentators (see Rambam's Mishnah Commentary ad loc.; Responsa of Rashba, Vol. I, 413) ascribe the authorship of that book to Solomon, and apparently Ramban is referring to that book.

רמב״ן

וְרָאִיתִי הַסֵּפֶר הַמִּתְרְגָּם הַנִּקְרָא ״חָכְמְתָא רַבְּתָא דִּשְׁלֹמֹה״, וְכָתוּב בּוֹ [ז, ה-ח][33]: ״וְלָא מִמְּתוּם הֲוַת תּוֹלַדְתָּא חֲדִיתָא לְמֶלֶךְ אוֹ לְשַׁלִּיט, דְּחַדִיו מַעֲלָנָא דְּכָל בַּר נָשׁ לְעָלְמָא וּמַפְּקָנָא שְׁוִיאַת חַדִיו. מְטוּל כֵּן צַלֵּית וְאִיתְיְהִיבַת לִי רוּחָא דְּחָכְמְתָא, וּקְרֵית וְאָתַת לִי רוּחָא דְּאִידַעְתָּא, צְבִית בָּהּ יַתִּיר מִן שִׁבְטָא וְכָרְסָוָתָא.״ יֹאמַר, כִּי לֹא מְדַבֵּר תִּהְיֶה תּוֹלֶדֶת מְיֻחֶדֶת לַמֶּלֶךְ אוֹ לַשַּׁלִּיט; אֶחָד הוּא בִּיאַת כָּל אִישׁ בָּעוֹלָם, וִיצִיאָה שָׁוָה לְכֻלָּם יַחַד. וּבַעֲבוּר כֵּן הִתְפַּלַּלְתִּי וְנִתַּן לִי רוּחַ חָכְמָה; וְקָרָאתִי וּבָא לִי רוּחַ דַּעַת, בָּחַרְתִּי בָּהּ יוֹתֵר מִן הַשֵּׁבֶט וְהַכִּסֵּא.

וְנֶאֱמַר שָׁם [ז, יז-כא]: ״וְהוּא דְּיָהֵב אִידַעְתָּא דְּלָא דַגָּלוּתָא, לְמֵידַע הֵיכָן קָם עָלְמָא וְעוֹבָדֵיהוֹ דְּמַזָּלָתָא, שׁוּרָיָא וְשׁוּלְמָא וּמְצַעֲתְהוֹן דִּזְמָנֵי, שׁוּלְחָפֵי דְּזִנְבוּתָא, וּדְהֵיכָן עָבְדֵי זִמְנֵי רִיהֲטֵיהוֹן דִּשְׁמַיָּא, וְקַבְעֵיהוֹן דְּכֹכְבַיָּא, מִתְנָא דִּבְעִירָא וְחֵימְתָא דְּחֵיוָאתָא, עוּזֵיהוֹן דְּרוּחֵי וּמַחְשַׁבְתְּהוֹן דִּבְנֵי אֱנָשָׁא, גִּינְסֵי דִּנְצִבְתָא וְחֵילֵיהוֹן דְּעִקָּרֵי, כָּל מִדַּעַם דִּכְסֵי וְכָל מִדַּעַם דִּגְלֵי יָדְעִית״. יֹאמַר, שֶׁהָאֱלֹהִים הוּא הַנּוֹתֵן דַּעַת שֶׁאֵין בּוֹ שֶׁקֶר, לֵידַע אֵיךְ קָם הָעוֹלָם, וּמַעֲשֵׂה הַמַּזָּלוֹת, הָרֹאשׁ וְהַסּוֹף וְאֶמְצָעוּת הַזְּמַנִּים, וַאֲלַכְסוֹנוֹת הַזְּנָבוֹת, וְאֵיךְ יַעֲשׂוּ הַזְּמַנִּים מְרוּצַת הַשָּׁמַיִם וּקְבִיעוּת הַכּוֹכָבִים, לַחוּת[33a] הַבְּהֵמוֹת וַחֲמַת הַחַיּוֹת[33b], תֹּקֶף הָרוּחוֹת, וּמַחְשְׁבוֹת אָדָם, יַחֲסֵי הָאִילָנוֹת, וְכֹחוֹת הַשָּׁרָשִׁים; כָּל דָּבָר מְכֻסֶּה וְכָל דָּבָר מְגֻלֶּה יָדַעְתִּי. וְכָל זֶה יָדַע בַּתּוֹרָה, וְהַכֹּל מָצָא בָהּ בְּפֵירוּשֶׁיהָ, בְּדִקְדּוּקֶיהָ, וְאוֹתִיּוֹתֶיהָ, וּבְקוֹצֶיהָ, כַּאֲשֶׁר הִזְכַּרְתִּי.

RAMBAN ELUCIDATED

[Ramban elaborates on the extent of Solomon's knowledge:]

וְרָאִיתִי הַסֵּפֶר הַמִּתְרְגָּם הַנִּקְרָא ״חָכְמְתָא רַבְּתָא דִּשְׁלֹמֹה״, וְכָתוּב בּוֹ – I saw the book, translated into Aramaic, **called *The Great Wisdom of Solomon,* and in it is written:**[33] **״וְלָא מִמְּתוּם הֲוַת תּוֹלַדְתָּא חֲדִיתָא לְמֶלֶךְ אוֹ לְשַׁלִּיט דְּחַדִיו מַעֲלָנָא דְּכָל בַּר נָשׁ לְעָלְמָא וּמַפְּקָנָא שְׁוִיאַת חַדִיו. מְטוּל כֵּן צַלֵּית וְאִיתְיְהִיבַת לִי רוּחָא דְּחָכְמְתָא, וּקְרֵית וְאָתַת לִי רוּחָא דְּאִידַעְתָּא, צְבִית בָּהּ יַתִּיר מִן שִׁבְטָא וְכָרְסָוָתָא״.** **יֹאמַר** – Translated into Hebrew **this** passage **says: כִּי לֹא מְדַבֵּר תִּהְיֶה תּוֹלֶדֶת מְיֻחֶדֶת לַמֶּלֶךְ אוֹ לַשַּׁלִּיט –** "Know **that there is nothing unique about the birth of a king or ruler; אֶחָד הוּא בִּיאַת כָּל אִישׁ בָּעוֹלָם וִיצִיאָה שָׁוָה לְכֻלָּם יַחַד – the entry of every human being into the world is the same, and the exit** from the world **is the same for all of them together. וּבַעֲבוּר כֵּן הִתְפַּלַּלְתִּי וְנִתַּן לִי רוּחַ חָכְמָה – Therefore, I** (Solomon) **prayed, and the spirit of wisdom was granted to me; וְקָרָאתִי וּבָא לִי רוּחַ דַּעַת בָּחַרְתִּי בָּהּ יוֹתֵר מִן הַשֵּׁבֶט וְהַכִּסֵּא – I called out and there came to me a spirit of knowledge, which I prefer over the** royal **scepter or throne."**

וְנֶאֱמַר שָׁם – And it is said there further (7:17-21): **״וְהוּא דְּיָהֵב אִידַעְתָּא דְּלָא דַגָּלוּתָא, לְמֵידַע הֵיכָן קָם עָלְמָא וְעוֹבָדֵיהוֹ דְּמַזָּלָתָא, שׁוּרָיָא וְשׁוּלְמָא וּמְצַעֲתְהוֹן דִּזְמָנֵי, שׁוּלְחָפֵי דְּזִנְבוּתָא, וּדְהֵיכָן עָבְדֵי זִמְנֵי רִיהֲטֵיהוֹן דִּשְׁמַיָּא, וְקַבְעֵיהוֹן דְּכֹכְבַיָּא, מִתְנָא דִּבְעִירָא וְחֵימְתָא דְּחֵיוָאתָא, עוּזֵיהוֹן דְּרוּחֵי וּמַחְשַׁבְתְּהוֹן דִּבְנֵי אֱנָשָׁא, גִּינְסֵי דִּנְצִבְתָא וְחֵילֵיהוֹן דְּעִקָּרֵי, כָּל מִדַּעַם דִּכְסֵי וְכָל מִדַּעַם דִּגְלֵי יָדְעִית״.** **יֹאמַר** – Translated into Hebrew, **this** passage **says: שֶׁהָאֱלֹהִים הוּא הַנּוֹתֵן דַּעַת שֶׁאֵין בּוֹ שֶׁקֶר – "It is God Who grants** me **knowledge in which there is no falsehood: לֵידַע אֵיךְ קָם הָעוֹלָם – to know how the world arose; וּמַעֲשֵׂה הַמַּזָּלוֹת – the activity of the constellations; הָרֹאשׁ וְהַסּוֹף וְאֶמְצָעוּת הַזְּמַנִּים –** their relative positions at **the beginning, the end and the middle of the seasons; וַאֲלַכְסוֹנוֹת הַזְּנָבוֹת – the intersections of stellar orbits;**[33a] **וְאֵיךְ יַעֲשׂוּ הַזְּמַנִּים מְרוּצַת הַשָּׁמַיִם – and how the seasons traverse their course through the heavens; וּקְבִיעוּת הַכּוֹכָבִים – the positions of the stars; לַחוּת הַבְּהֵמוֹת וַחֲמַת הַחַיּוֹת – the vitality**[33b] **of the animals and the rage of the wild beasts; תֹּקֶף הָרוּחוֹת – the might of the winds; וּמַחְשְׁבוֹת אָדָם – the thoughts of man; יַחֲסֵי הָאִילָנוֹת וְכֹחוֹת הַשָּׁרָשִׁים – the relationships of the trees and the potential properties of** various **roots. כָּל דָּבָר מְכֻסֶּה וְכָל דָּבָר מְגֻלֶּה יָדַעְתִּי – All things hidden and all things revealed have I known." וְכָל זֶה יָדַע בַּתּוֹרָה וְהַכֹּל מָצָא בָהּ בְּפֵירוּשֶׁיהָ בְּדִקְדּוּקֶיהָ וְאוֹתִיּוֹתֶיהָ וּבְקוֹצֶיהָ כַּאֲשֶׁר הִזְכַּרְתִּי – All of this [Solomon] knew through the Torah, and he found everything in it – in its explanations, in its nuances and its letters, and its serifs, as I have** already **mentioned.**

33. The quote is from the Apocryphal book חָכְמַת שְׁלֹמֹה, *Wisdom of Solomon* (7:5-8). Ramban first cites the Aramaic version, then proceeds to translate it into Hebrew.

33a. See *Ruach Chein* to *Chochmas Shlomo* 7:18.

33b. Lit., "the moistness."

רמב"ן

וְכֵן אָמַר בּוֹ הַכָּתוּב [מלכים־א ה, י]: "וַתֵּרֶב חָכְמַת שְׁלֹמֹה מֵחָכְמַת כָּל בְּנֵי קֶדֶם", כְּלוֹמַר, שֶׁהָיָה בָּקִי מֵהֶם בִּקְסָמִים וּבִנְחָשִׁים, שֶׁזּוֹ הִיא חָכְמָתָם, שֶׁנֶּאֱמַר [ישעיה ב, ו]: "כִּי מָלְאוּ מִקֶּדֶם וְעֹנְנִים כַּפְּלִשְׁתִּים". וְכָךְ אָמְרוּ: מָה הָיְתָה חָכְמָתָן שֶׁל בְּנֵי קֶדֶם? שֶׁהָיוּ יוֹדְעִים וַעֲרוּמִים בְּטַיִר[34]. "וּמִכֹּל חָכְמַת מִצְרָיִם" [מלכים־א ה, יט] - שֶׁהָיָה בָּקִי בִּכְשָׁפִים, שֶׁהִיא חָכְמַת מִצְרַיִם, וּבְטֶבַע הַצּוֹמֵחַ, כַּיָּדוּעַ מִ"סֵּפֶר הָעֲבוֹדָה הַמִּצְרִית" [34a] שֶׁהָיוּ בְּקִיאִין מְאֹד בְּעִנְיַן הַזְּרִיעוֹת וְהַהַרְכָּבָה בְּמִינִין. וְכָךְ אָמְרוּ[35]: אֲפִילוּ פִּלְפְּלִין נָטַע שְׁלֹמֹה בְּאֶרֶץ יִשְׂרָאֵל. וְכֵיצַד הָיָה נוֹטְעָן[36]? אֶלָּא שְׁלֹמֹה חָכָם הָיָה, וְהָיָה יוֹדֵעַ עִקַּר מַשְׁתִּיתוֹ שֶׁל עוֹלָם. לָמָּה[36a]? "מִצִּיּוֹן מִכְלַל יֹפִי אֱלֹהִים הוֹפִיעַ [תהלים נ, ב]", מִצִּיּוֹן נִשְׁתַּכְלֵל כָּל הָעוֹלָם כֻּלּוֹ. כֵּיצַד? לָמָּה נִקְרֵאת אֶבֶן שְׁתִיָּה[37]? שֶׁמִּמֶּנָּה נִשְׁתַּת הָעוֹלָם[38]. וְהָיָה שְׁלֹמֹה יוֹדֵעַ אֵיזֶהוּ גִּיד שֶׁהוּא הוֹלֵךְ לְכוּשׁ, וְנָטַע עָלָיו פִּלְפְּלִין, וּמִיָּד הָיוּ עוֹשִׂין פֵּירוֹת, שֶׁכֵּן הוּא אוֹמֵר [קהלת ב, ה]: "וְנָטַעְתִּי בָהֶם עֵץ כָּל פֶּרִי".

RAMBAN ELUCIDATED

וְכֵן אָמַר בּוֹ הַכָּתוּב: "וַתֵּרֶב חָכְמַת שְׁלֹמֹה מֵחָכְמַת כָּל בְּנֵי קֶדֶם" – Similarly, Scripture says of him, *Solomon's wisdom was greater than the wisdom of all the people of the East* *and [greater] than all the wisdom of Egypt* (*I Kings* 5:10), **כְּלוֹמַר שֶׁהָיָה בָּקִי מֵהֶם בִּקְסָמִים וּבִנְחָשִׁים – which means that he was more of an expert than they were in divination and augury, שֶׁזּוֹ הִיא חָכְמָתָם, שֶׁנֶּאֱמַר: "כִּי מָלְאוּ מִקֶּדֶם וְעֹנְנִים כַּפְּלִשְׁתִּים" – for this is their wisdom, as it is stated, *for they were more replete [with divination] than*** *the people of* **the East; and** *were* ***diviners like the Philistines*** (*Isaiah* 2:6). **וְכָךְ אָמְרוּ: מָה הָיְתָה חָכְמָתָן שֶׁל בְּנֵי קֶדֶם? שֶׁהָיוּ יוֹדְעִים וַעֲרוּמִים בְּטַיִר – And similarly [the Sages] said: What was "the wisdom of the people of the East"? That they were knowledgeable and clever in bird-divination.**[34] **"וּמִכֹּל חָכְמַת מִצְרָיִם", שֶׁהָיָה בָּקִי בִּכְשָׁפִים, שֶׁהִיא חָכְמַת מִצְרַיִם – And** when that verse (*I Kings* 5:10) says that Solomon's wisdom ***[was greater] than all*** **the wisdom of Egypt,** it means **that he was an expert in sorcery, which is the wisdom of Egypt, וּבְטֶבַע הַצּוֹמֵחַ כַּיָּדוּעַ מִסֵּפֶר הָעֲבוֹדָה הַמִּצְרִית שֶׁהָיוּ בְּקִיאִין מְאֹד בְּעִנְיַן הַזְּרִיעוֹת וְהַהַרְכָּבָה בְּמִינִין – and** in the knowledge of **the natural properties of vegetation, as is known from the book *Egyptian Labor,*[34a] that they were very knowledgable in the subject of sowing and cross-breeding various species. וְכָךְ אָמְרוּ: אֲפִילוּ פִּלְפְּלִין נָטַע שְׁלֹמֹה בְּאֶרֶץ יִשְׂרָאֵל – And so [the Sages] said:[35] Solomon planted even peppers in the Land of Israel. וְכֵיצַד הָיָה נוֹטְעָן – And how did he plant them?** After all, peppers do not usually grow in *Eretz Yisrael!*[36] **אֶלָּא שְׁלֹמֹה חָכָם הָיָה וְהָיָה יוֹדֵעַ עִקַּר מַשְׁתִּיתוֹ שֶׁל עוֹלָם – However, Solomon was a wise man, and he knew the principle of the foundation of the world. לָמָּה "מִצִּיּוֹן מִכְלַל יֹפִי אֱלֹהִים הוֹפִיעַ", מִצִּיּוֹן נִשְׁתַּכְלֵל כָּל הָעוֹלָם כֻּלּוֹ – In what way?**[36a] ***From Out of Zion, perfection of beauty, God appeared*** (*Psalms* 50:2) – i.e., **from Zion the entire world was perfected** (or ***built up***). **כֵּיצַד? לָמָּה נִקְרֵאת אֶבֶן שְׁתִיָּה? שֶׁמִּמֶּנָּה נִשְׁתַּת הָעוֹלָם – How** is this so? The answer is as follows: **Why was it called "the Stone of Foundation"?[37] Because out of it the world is founded.**[38] **וְהָיָה שְׁלֹמֹה יוֹדֵעַ אֵיזֶהוּ גִּיד שֶׁהוּא הוֹלֵךְ לְכוּשׁ וְנָטַע עָלָיו פִּלְפְּלִין וּמִיָּד הָיוּ עוֹשִׂין פֵּירוֹת – And Solomon knew which vein** (i.e., subterranean channel) **went to Ethiopia, and he planted pepper plants on it, and they would immediately produce fruit, שֶׁכֵּן הוּא אוֹמֵר "וְנָטַעְתִּי בָהֶם עֵץ כָּל פֶּרִי" – for so it says, *And I planted in them every kind of fruit tree*** (*Ecclesiastes* 2:5).

---

34. *Pesikta deRav Kahana, Parah,* ד"ה ותרב.

34a. See Ramban's comment on *Genesis* 11:28, with footnote 28.

35. *Midrash Tanchuma, Kedoshim,* 10

36. Cf. *Berachos* 36b.

36a. Lit., "Why?"

37. The reference is to the rock that protrudes from the ground on the Temple Mount, known as אֶבֶן שְׁתִיָּה, *the Foundation Rock* (*Yoma* 53b).

38. All places in the world are nurtured, through various subterranean channels, from this rock in Zion.

36	35	34	33	32	31	30	29	28	27	26	25	24	23	22	21	20	19	18	17	16	15	14	13	12	11	10	9	8	7	6	5	4	3	2	1
מ	כ	ל	י	ו	ל	א	ר	ש	י	ה	נ	ח	מ	י	נ	פ	ל	כ	ל	ה	ה	מ	י	ה	ל	א	ה	כ	א	ל	מ	ע	ס	י	ו
נ	ו	ה	ח	ש	כ	ו	י	א	ר	א	ת	ה	ל	י	ל	ה	ו	ל	א	ק	ר	ב	ז	ה	א	ל	ז	ה	כ	ל	ה	ל	י	ל	ה
ד	ק	ח	ו	ר	ב	מ	י	ה	ת	א	ה	ו	ה	י	כ	ל	ו	י	ו	מ	י	ה	ל	ע	ו	ד	י	ת	א	ה	ש	מ	ט	י	ו

רמב״ן

עוד יֵש בְּיָדֵינוּ קַבָּלָה שֶׁל אֱמֶת, כִּי כָּל הַתּוֹרָה כֻּלָּהּ שְׁמוֹתָיו שֶׁל הַקָּדוֹשׁ בָּרוּךְ הוּא. שֶׁהַתֵּיבוֹת מִתְחַלְּקוֹת לְשֵׁמוֹת[38a] בְּעִנְיָן אַחֵר. כְּאִלּוּ תַּחֲשֹׁב עַל דֶּרֶךְ מָשָׁל, כִּי פָּסוּק בְּרֵאשִׁית יִתְחַלֵּק לְתֵיבוֹת אֲחֵרוֹת כְּגוֹן ״בְּרֹאשׁ יִתְבְּרָא אֱל הַיָּם״[39], וְכָל הַתּוֹרָה כֵּן. מִלְּבַד צֵירוּפֵיהֶן וְגִימַטְרִיּוֹתֵיהֶן שֶׁל שֵׁמוֹת. וּכְבָר כָּתַב רַבֵּינוּ שְׁלֹמֹה בְּפֵירוּשָׁיו בַּתַּלְמוּד עִנְיַן הַשֵּׁם הַגָּדוֹל שֶׁל ע״ב בְּאֵיזֶה עִנְיָן הוּא בִּשְׁלֹשָׁה פְּסוּקִים ״וַיִּסַּע״ ״וַיָּבֹא״ ״וַיֵּט״ [שמות יד, יט-כא][40]. וּמִפְּנֵי זֶה סֵפֶר תּוֹרָה שֶׁטָּעָה בּוֹ בְּאוֹת אַחַת, בְּמָלֵא אוֹ בְּחָסֵר - פָּסוּל[41]. כִּי זֶה הָעִנְיָן יְחַיֵּב אוֹתָנוּ לִפְסוֹל סֵפֶר תּוֹרָה שֶׁיֶּחְסַר בּוֹ ו׳ אֶחָד מִמְּלַאת אוֹתָם, שֶׁבָּאוּ מֵהֶם ל״ט מְלֵאִים בַּתּוֹרָה, אוֹ שֶׁיִּכְתֹּב הַו׳ בְּאֶחָד מִשְּׁאָר הַחֲסֵרִים[42]. וְכֵן כַּיּוֹצֵא בָּזֶה, אַף עַל פִּי שֶׁאֵינוֹ מַעֲלֶה וְלֹא מוֹרִיד כְּפִי הָעוֹלֶה בַּמַּחֲשָׁבָה. וְזֶה הָעִנְיָן שֶׁהֵבִיא גְּדוֹלֵי

RAMBAN ELUCIDATED

[Ramban raises another point concerning the hidden, underlying profundity of the Torah:]

עוֹד יֵשׁ בְּיָדֵינוּ קַבָּלָה שֶׁל אֱמֶת כִּי כָּל הַתּוֹרָה כֻּלָּהּ שְׁמוֹתָיו שֶׁל הַקָּדוֹשׁ בָּרוּךְ הוּא – We also possess a true tradition that the Torah in its entirety consists of Names of the Holy One, Blessed is He. שֶׁהַתֵּיבוֹת מִתְחַלְּקוֹת לְשֵׁמוֹת בְּעִנְיָן אַחֵר – For the words of the Torah **can be divided in a different way into** other **words.**[38a] **כְּאִלּוּ תַּחֲשֹׁב עַל דֶּרֶךְ מָשָׁל כִּי פָּסוּק בְּרֵאשִׁית יִתְחַלֵּק לְתֵיבוֹת אֲחֵרוֹת כְּגוֹן ״בראש יתברא אל הים״ – Consider, for instance, that** the letters of **the stich** בְּרֵאשִׁית בָּרָא אֱלֹהִים **(“In the begin-ning** [God created]”) (*Genesis* 1:1) **can be separated into different words** than the way the letters are divided into words in the Torah, **such as** בְּרֹאשׁ יִתְבְּרָא אֱל הַיָּם,[39] **וְכָל הַתּוֹרָה כֵּן – and so too for the entire Torah; מִלְּבַד צֵירוּפֵיהֶן וְגִימַטְרִיּוֹתֵיהֶן שֶׁל שֵׁמוֹת –** and this **besides the combinations and numerical values of the** various Divine **Names. וּכְבָר כָּתַב רַבֵּינוּ שְׁלֹמֹה בְּפֵירוּשָׁיו בַּתַּלְמוּד עִנְיַן הַשֵּׁם הַגָּדוֹל שֶׁל ע״ב בְּאֵיזֶה עִנְיָן הוּא בִּשְׁלֹשָׁה פְּסוּקִים ״וַיִּסַּע״ ״וַיָּבֹא״ ״וַיֵּט״ – Rashi already wrote in his Talmud commentary** (on *Succah* 45a) **the description of the Great Name of seventy-two** words, **how it is** hidden **in the three verses:** ***And*** [the angel] ***moved; It came;*** **[Moses]** ***stretched out*** (*Exodus* 14:19, 20, 21).[40] **וּמִפְּנֵי זֶה סֵפֶר תּוֹרָה שֶׁטָּעָה בּוֹ בְּאוֹת אַחַת, בְּמָלֵא אוֹ בְּחָסֵר, פָּסוּל – This is why a Torah scroll in which [the scribe] erred by** spelling a word **full** when it is supposed to be incomplete, **or by** spelling it **incomplete** when it is supposed to be full, **is invalid.**[41] **כִּי זֶה הָעִנְיָן יְחַיֵּב אוֹתָנוּ לִפְסוֹל סֵפֶר תּוֹרָה שֶׁיֶּחְסַר בּוֹ ו׳ אֶחָד מִמְּלַאת אוֹתָם שֶׁבָּאוּ מֵהֶם ל״ט מְלֵאִים בַּתּוֹרָה – For this matter requires us to invalidate a Torah scroll that is missing a single ו from the word** אוֹתָם, *them*, a full spelling **that occurs thirty-nine times in the Torah, אוֹ שֶׁיִּכְתֹּב הַו׳ בְּאֶחָד מִשְּׁאָר הַחֲסֵרִים – or if he writes a** ו in one of the other occurrences of אֹתָם **which are** supposed to be written **incomplete.**[42] **וְכֵן כַּיּוֹצֵא בָּזֶה אַף עַל פִּי שֶׁאֵינוֹ מַעֲלֶה וְלֹא מוֹרִיד כְּפִי הָעוֹלֶה בַּמַּחֲשָׁבָה – And so on like this, even though it would seem that such** a deviation **should not make any difference one way or another. וְזֶה הָעִנְיָן שֶׁהֵבִיא גְּדוֹלֵי**

38a. Lit., “names.”

39. See *Tikkunei Zohar*, *Tikkun* 45.

40. Each of these verses consists of seventy-two letters. The Name is formed by joining the first letter of verse 19 with the last letter of verse 20 and the first letter of verse 21, giving a three-letter combination (והי״ו), and so on until seventy-two such three-letter “words” are formed (see illustration).

41. Certain vowel sounds may be written with or without a ו or a י. For example, אוֹתָם (*Genesis* 41:8) and אֹתָם (ibid. 1:17) have the same pronunciation and the same meaning; similarly, גְּבוּלְךָ (*Exodus* 7:27) and גְּבֻלְךָ (ibid. 10:4); הַשְּׁבִיעִי (*Genesis* 2:2) and הַשְּׁבִעִי (*Exodus* 12:15). These alternate spellings do not affect the meaning of the word in any manner. Nevertheless, the traditional spellings of each word must be followed, Ramban explains, for the letters of the Torah can also be regrouped to form different words, and in that case these “insignificant” letters can play a crucial role. (See also Rambam, *Hilchos Sefer Torah* 7:11.)

42. *Masorah Gedolah* on *Genesis* 41:8. (The *Masorah Gedolah* is a compilation of ancient masoretic notes that elaborate on the exact spellings of the words of the Scriptures.)

72	71	70	69	68	67	66	65	64	63	62	61	60	59	58	57	56	55	54	53	52	51	50	49	48	47	46	45	44	43	42	41	40	39	38	37
מ	ה	י	ר	ח	א	מ	ד	מ	ע	י	ו	מ	ה	י	נ	פ	מ	נ	נ	ע	ה	ד	ו	מ	ע	ע	ס	י	ו	מ	ה	י	ר	ח	א
ו	י	ב	א	ב	י	נ	מ	ח	נ	ה	מ	צ	ר	י	מ	ו	ב	י	נ	מ	ח	נ	ה	י	ש	ר	א	ל	ו	י	ה	י	ה	ע	נ
מ	י	מ	ה	ו	ע	ק	ב	י	ו	ה	ב	ר	ח	ל	מ	י	ה	ת	א	מ	ש	י	ו	ה	ל	י	ל	ה	ל	כ	ה	ז	ע	מ	י

רמב״ן

הַמִּקְרָא לִמְנוֹת כָּל מָלֵא וְכָל חָסֵר בְּכָל הַתּוֹרָה וְהַמִּקְרָא, וּלְחַבֵּר סְפָרִים בַּמָּסֹרֶת, עַד עֶזְרָא הַסּוֹפֵר הַנָּבִיא שֶׁנִּשְׁתַּדֵּל בָּזֶה, כְּמוֹ שֶׁדָּרְשׁוּ [מגילה ג, א] מִפָּסוּק ״וַיִּקְרְאוּ בַסֵּפֶר בְּתוֹרַת הָאֱלֹהִים מְפֹרָשׁ וְשׂוֹם שֶׂכֶל וַיָּבִינוּ בַּמִּקְרָא״ [נחמיה ח, ח].

וְנִרְאֶה, שֶׁהַתּוֹרָה הַכְּתוּבָה בְּאֵשׁ שְׁחוֹרָה עַל גַּבֵּי אֵשׁ לְבָנָה[43] - בְּעִנְיָן הַזֶּה שֶׁהִזְכַּרְנוּ הָיָה, שֶׁהָיְתָה הַכְּתִיבָה רְצוּפָה בְּלִי הֶפְסֵק תֵּיבוֹת, וְהָיָה אֶפְשָׁר בִּקְרִיאָתָהּ שֶׁתִּקָּרֵא עַל דֶּרֶךְ הַשֵּׁמוֹת, וְתִקָּרֵא עַל דֶּרֶךְ קְרִיאָתֵנוּ בְּעִנְיַן הַתּוֹרָה וְהַמִּצְוָה. וְנִתְּנָה לְמֹשֶׁה רַבֵּינוּ עַל דֶּרֶךְ חִלּוּק קְרִיאַת הַמִּצְוֹת, וְנִמְסַר לוֹ עַל פֶּה קְרִיאָתָהּ בַּשֵּׁמוֹת. וְכֵן יִכְתְּבוּ הַשֵּׁם הַגָּדוֹל שֶׁהִזְכַּרְתִּי כֻּלּוֹ רָצוּף, וְיִתְחַלֵּק לְתֵיבוֹת שֶׁל שָׁלֹשׁ שָׁלֹשׁ אוֹתִיּוֹת וּלְחִלּוּקִים אֲחֵרִים רַבִּים, כְּפִי הַשִּׁמּוּשׁ לְבַעֲלֵי הַקַּבָּלָה.

וְעַתָּה דַּע וּרְאֵה מָה אָשִׁיב שׁוֹאֲלֵי דָבָר בִּכְתִיבַת פֵּרוּשׁ הַתּוֹרָה! אֲבָל אֶתְנַהֵג כְּמִנְהַג הָרִאשׁוֹנִים - לְהָנִיחַ דַּעַת הַתַּלְמִידִים יְגִיעֵי הַגָּלוּת וְהַצָּרוֹת, הַקּוֹרְאִים בַּסְּדָרִים בַּשַּׁבָּתוֹת וּבַמּוֹעֲדִים, וְלִמְשֹׁךְ לִבָּם בִּפְשָׁטִים וּבִקְצָת דְּבָרִים נְעִימִים לַשּׁוֹמְעִים וְלַיּוֹדְעִים חֵן[44]. וְאֵל חַנּוּן יְחָנֵּנוּ וִיבָרְכֵנוּ, וְנִמְצָא חֵן וְשֵׂכֶל טוֹב בְּעֵינֵי אֱלֹהִים וְאָדָם[44a]!

RAMBAN ELUCIDATED

לִמְנוֹת הַמִּקְרָא – **It is this concept that induced the "masters of Scriptural text"** (the Masoretes) כָּל מָלֵא וְכָל חָסֵר בְּכָל הַתּוֹרָה וְהַמִּקְרָא – **to enumerate each "full" and each "incomplete" spelling in the entire Torah and** the rest of **Scripture,** וּלְחַבֵּר סְפָרִים בַּמָּסֹרֶת – **and to compose books about the Masorah,** עַד עֶזְרָא הַסּוֹפֵר הַנָּבִיא שֶׁנִּשְׁתַּדֵּל בָּזֶה – **going back to Ezra the Scribe, the prophet who exerted himself in this** endeavor, כְּמוֹ שֶׁדָּרְשׁוּ מִפָּסוּק ״וַיִּקְרְאוּ בַסֵּפֶר בְּתוֹרַת הָאֱלֹהִים מְפֹרָשׁ וְשׂוֹם שֶׂכֶל וַיָּבִינוּ בַּמִּקְרָא״ – **as [the Sages] expounded** (*Megillah* 3a) **from the verse,** ***They read from the scroll, from God's Torah, clearly, applying wisdom, elucidating the text*** (*Nehemiah* 8:8).

וְנִרְאֶה שֶׁהַתּוֹרָה הַכְּתוּבָה בְּאֵשׁ שְׁחוֹרָה עַל גַּבֵּי אֵשׁ לְבָנָה בְּעִנְיָן הַזֶּה שֶׁהִזְכַּרְנוּ הָיָה – **It would appear that the Torah,** which had been **written in black fire upon white fire** before Creation,[43] **was** written **in this manner that we have mentioned,** שֶׁהָיְתָה הַכְּתִיבָה רְצוּפָה בְּלִי הֶפְסֵק תֵּיבוֹת – namely, **that the writing was** a stream of **contiguous** letters, **without division into words,** וְהָיָה אֶפְשָׁר בִּקְרִיאָתָהּ שֶׁתִּקָּרֵא עַל דֶּרֶךְ הַשֵּׁמוֹת, וְתִקָּרֵא עַל דֶּרֶךְ קְרִיאָתֵנוּ בְּעִנְיַן הַתּוֹרָה וְהַמִּצְוָה – **so that it was possible, when it was read, to be read in the manner of** Divine **Names or to be read in the manner of our reading, which concerns the Torah and the commandments.** וְנִתְּנָה לְמֹשֶׁה רַבֵּינוּ עַל דֶּרֶךְ חִלּוּק קְרִיאַת הַמִּצְוֹת – **Then it was given to our teacher Moses in the manner of dividing** the letters into words **so that it could be read as commandments,** as we read it today, וְנִמְסַר לוֹ עַל פֶּה קְרִיאָתָהּ בַּשֵּׁמוֹת – **and the** manner of **reading it as** Divine **Names** by regrouping the letters **was transmitted to him orally.** וְכֵן יִכְתְּבוּ הַשֵּׁם הַגָּדוֹל שֶׁהִזְכַּרְתִּי כֻּלּוֹ רָצוּף – **Similarly, they write the Great** Seventy-two-word **Name that I mentioned** above **completely contiguously,** as one long, 216-letter word, וְיִתְחַלֵּק לְתֵיבוֹת שֶׁל שָׁלֹשׁ שָׁלֹשׁ אוֹתִיּוֹת וּלְחִלּוּקִים אֲחֵרִים רַבִּים כְּפִי הַשִּׁמּוּשׁ לְבַעֲלֵי הַקַּבָּלָה – **and it is** then **divided up into "words" of three letters each, or by many other various** methods of **divisions, according to its usage by the masters of Kabbalah.**

[Ramban now explains the overall goals of his commentary:]

וְעַתָּה דַּע וּרְאֵה מָה אָשִׁיב שׁוֹאֲלֵי דָבָר בִּכְתִיבַת פֵּרוּשׁ הַתּוֹרָה – **Now, you should know and see what answer I shall give to those who ask me concerning the writing of a commentary on the Torah!** אֲבָל אֶתְנַהֵג כְּמִנְהַג הָרִאשׁוֹנִים – **Indeed, I shall conduct myself in the manner of the early** commentators לְהָנִיחַ דַּעַת הַתַּלְמִידִים יְגִיעֵי הַגָּלוּת וְהַצָּרוֹת – **to put at ease the minds of the students** of the Torah, who **are wearied from** suffering **exile and adversity,** הַקּוֹרְאִים בַּסְּדָרִים בַּשַּׁבָּתוֹת וּבַמּוֹעֲדִים – **who read the Torah portions on Sabbaths and holidays,** וְלִמְשֹׁךְ לִבָּם בִּפְשָׁטִים וּבִקְצָת דְּבָרִים נְעִימִים לַשּׁוֹמְעִים וְלַיּוֹדְעִים חֵן – **and to attract their hearts with plain interpretations** of verses **and sometimes with comments that are** intended to be **pleasing for those who understand and know "grace."**[44] וְאֵל חַנּוּן יְחָנֵּנוּ וִיבָרְכֵנוּ וְנִמְצָא חֵן וְשֵׂכֶל טוֹב בְּעֵינֵי אֱלֹהִים וְאָדָם – **May the Gracious God show us grace and bless us, "and may we find grace and goodly wisdom in the eyes of God and man!"**[44a]

43. This was referred to earlier in the Introduction.

44. This is a common expression used by Ramban when referring to people with Kabbalistic knowledge. The term חֵן, *grace,* is used as an acronym for חָכְמָה נִסְתֶּרֶת, *hidden wisdom,* an allusion to Kabbalah.

44a. Stylistic paraphrase from *Proverbs* 3:4.

רמב״ן

וַאֲנִי הִנְנִי מֵבִיא בִּבְרִית נֶאֱמָנָה – וְהִיא הַנּוֹתֶנֶת עֵצָה הוֹגֶנֶת – לְכָל מִסְתַּכֵּל בַּסֵּפֶר הַזֶּה, לְבַל יִסְבֹּר סְבָרָה וְאַל יַחֲשׁוֹב מַחֲשָׁבוֹת בְּדָבָר מִכָּל הָרְמָזִים אֲשֶׁר אֲנִי כּוֹתֵב בְּסִתְרֵי הַתּוֹרָה. כִּי אֲנִי מוֹדִיעוֹ נֶאֱמָנָה שֶׁלֹּא יֻשְּׂגוּ דְּבָרַי וְלֹא יִוָּדְעוּ כְּלָל בְּשׁוּם שֵׂכֶל וּבִינָה, זוּלָתִי מִפִּי מְקֻבָּל חָכָם לְאֹזֶן מְקַבֵּל מֵבִין. וְהַסְּבָרָא בָּהֶן אִוֶּלֶת, מַחֲשָׁבָה מוֹעֶלֶת[45], רַבַּת הַנְּזָקִין מְנוּעַת הַתּוֹעֶלֶת. אַל יַאֲמֵן בַּשָּׁוְא נִתְעָה, כִּי לֹא תְבוֹאֵהוּ בִּסְבָרוֹתָיו רַק רָעָה[46], כִּי יְדַבְּרוּ אֶל ה׳ סָרָה אֲשֶׁר לֹא יוּכְלוּ כַּפְּרָה, שֶׁנֶּאֱמַר [משלי כא, טז]: ״אָדָם תּוֹעֶה מִדֶּרֶךְ הַשְׂכֵּל בִּקְהַל רְפָאִים יָנוּחַ״. אַל יֶהֶרְסוּ אֶל ה׳ לִרְאוֹת [שמות יט, כא][47], כִּי ה׳ אֵשׁ אוֹכְלָה הוּא אֵל קַנָּאוֹת [ראה דברים ד, כד][48],

RAMBAN ELUCIDATED

[Ramban now issues a warning regarding the mystical, Kabbalistic aspects of his commentary:]

וַאֲנִי הִנְנִי מֵבִיא בִּבְרִית נֶאֱמֶנֶת –
I hereby bring into a faithful covenant,

וְהִיא הַנּוֹתֶנֶת –
One that provides,

עֵצָה הוֹגֶנֶת –
Excellent advice,

לְכָל מִסְתַּכֵּל בַּסֵּפֶר הַזֶּה – **to anyone who looks into this book,** לְבַל יִסְבֹּר סְבָרָה וְאַל יַחֲשׁוֹב מַחֲשָׁבוֹת בְּדָבָר מִכָּל הָרְמָזִים אֲשֶׁר אֲנִי כּוֹתֵב בְּסִתְרֵי הַתּוֹרָה – **that he should not devise logical approaches nor apply** ideas based on logical **thought concerning any one of all the** Kabbalistic **allusions that I will write regarding the mystical concepts of the Torah.** כִּי אֲנִי מוֹדִיעוֹ נֶאֱמָנָה שֶׁלֹּא יֻשְּׂגוּ דְּבָרַי וְלֹא יִוָּדְעוּ כְּלָל בְּשׁוּם שֵׂכֶל וּבִינָה – **For I am hereby informing him with certainty that my words** concerning such topics ***cannot*** **be understood or known at all,** on any level, **by means of applying intellect and wisdom,** i.e., logic, זוּלָתִי מִפִּי מְקֻבָּל חָכָם לְאֹזֶן מְקַבֵּל מֵבִין – **but** can be understood **only** when it is explained **from the mouth of a wise master of Kabbalah into the ear of an understanding person who is capable of receiving Kabbalistic knowledge.**

וְהַסְּבָרָא בָּהֶן אִוֶּלֶת –
Applying **logic to them is foolishness;**

מַחֲשָׁבָה מוֹעֶלֶת –
Thought about them **causes misunderstanding;**[45]

רַבַּת הַנְּזָקִין מְנוּעַת הַתּוֹעֶלֶת –
Great is the damage, devoid of accomplishment.

אַל יַאֲמֵן בַּשָּׁוְא נִתְעָה –
Let [the reader] not put his reliance on erroneous folly,

כִּי לֹא תְבוֹאֵהוּ בִּסְבָרוֹתָיו רַק רָעָה –
For naught will come of his logic, save evil,[46]

כִּי יְדַבְּרוּ אֶל ה׳ סָרָה –
For [such people] will inevitably **speak unseemly things against God,**

אֲשֶׁר לֹא יוּכְלוּ כַּפָּרָה –
For which they cannot atone,

שֶׁנֶּאֱמַר ״אָדָם תּוֹעֶה מִדֶּרֶךְ הַשְׂכֵּל בִּקְהַל רְפָאִים יָנוּחַ״ – **as it is said,** ***A person who wanders from the intelligent way will rest in the congregation of dead spirits*** (*Proverbs* 21:16).

אַל יֶהֶרְסוּ אֶל ה׳ לִרְאוֹת –
Let them not "rush forward to God to see"[47]

כִּי ה׳ אֵשׁ אוֹכְלָה הוּא אֵל קַנָּאוֹת –
For HASHEM our God "is a consuming fire, a jealous God"[48]

45. See *Sanhedrin* 26b, with Rashi.

46. In line with Ramban's strong admonition, the Kabbalistic comments of Ramban have been left untranslated and unexplained in the elucidation of his commentary in this work. Nevertheless, they do appear in the Hebrew text.

47. Stylistic citation from *Exodus* 19:21.

48. Stylistic citation from *Deuteronomy* 4:24.

רמב״ן

וְהוּא יַרְאֶה אֶת רְצוּיָיו מִתּוֹרָתוֹ נִפְלָאוֹת[49]. אֲבָל יֶחֱזוּ בְּפֵירוּשֵׁינוּ חִדּוּשִׁים, בִּפְשָׁטִים וּבְמִדְרָשִׁים, יִקְחוּ מוּסָר מִפִּי רַבּוֹתֵינוּ הַקְּדוֹשִׁים [בראשית רבה ח, ב][50]: ״בְּגָדוֹל מִמְּךָ אַל תִּדְרשׁ, בְּחָזָק מִמְּךָ בַּל תַּחְקוֹר, בְּמֻפְלָא מִמְּךָ בַּל תֵּדַע, בִּמְכֻסֶּה מִמְּךָ בַּל תִּשְׁאַל, בַּמֶּה שֶׁהוּרְשֵׁיתָ הִתְבּוֹנֵן, אֵין לְךָ עֵסֶק בְּנִסְתָּרוֹת״.

RAMBAN ELUCIDATED

וְהוּא יַרְאֶה אֶת רְצוּיָיו מִתּוֹרָתוֹ נִפְלָאוֹת –
And He will show "wonders from His Torah"[49] to those He favors.

אֲבָל יֶחֱזוּ בְּפֵירוּשֵׁינוּ חִדּוּשִׁים בִּפְשָׁטִים וּבְמִדְרָשִׁים –
However, they (the uninitiated) ***will*** **see in our commentary novel** explanations **and expositions.**

יִקְחוּ מוּסָר מִפִּי רַבּוֹתֵינוּ הַקְּדוֹשִׁים –
Let them take to heart this admonition uttered by our holy Sages (*Bereishis Rabbah* 8:2):[50]

בְּגָדוֹל מִמְּךָ אַל תִּדְרשׁ – **That which is greater than you do not investigate;** בְּחָזָק מִמְּךָ בַּל תַּחְקוֹר – **that which is stronger than you do not probe;** בְּמֻפְלָא מִמְּךָ בַּל תֵּדַע – **that which is beyond you do not seek to know;** בִּמְכֻסֶּה מִמְּךָ בַּל תִּשְׁאַל – **about that which is concealed from you do not inquire.** בַּמֶּה שֶׁהוּרְשֵׁיתָ הִתְבּוֹנֵן – **Contemplate that which you are permitted** to study; אֵין לְךָ עֵסֶק בְּנִסְתָּרוֹת – **you have no concern with hidden matters.**

49. Stylistic paraphrase from *Psalms* 119:18.

50. The Midrash (as well as the Talmud in *Chagigah* 13a) cites this quote from (or based upon) the *Book of Ben Sira* (3:21-22).

פרשת בראשית
Parashas Bereishis

א א בְּרֵאשִׁית בָּרָא אֱלֹהִים אֵת הַשָּׁמַיִם וְאֵת הָאָרֶץ:

א בְּקַדְמִין בְּרָא יְיָ יָת שְׁמַיָּא וְיָת אַרְעָא:

רש"י

(א) **בראשית.** אמר רבי יצחק, לא היה צריך להתחיל את התורה אלא מהחדש הזה לכם שהיא מצוה ראשונה שנצטוו בה ישראל, ומה טעם פתח בבראשית, משום כח מעשיו הגיד לעמו לתת להם נחלת גוים (תהלים קיא:ו; תנחומא ישן יא) שאם יאמרו אומות העולם לישראל ליסטים אתם שכבשתם ארצות שבעה גוים, הם אומרים להם כל הארץ של הקב"ה היא, הוא בראה ונתנה לאשר ישר בעיניו, ברצונו נתנה להם, וברצונו נטלה מהם ונתנה לנו (ב"ר א:ג): **בראשית ברא.** אין המקרא הזה אומר אלא דורשני, כמ"ש רז"ל בשביל התורה שנקראת ראשית דרכו (משלי ח:כב; תנחומא ישן ה) ובשביל ישראל שנקראו ראשית תבואתה (ירמיה ב:ג; תנחומא ישן ג; ויק"ר לו:ד). ואם באת לפרשו כפשוטו כך פרשהו, בראשית בריאת שמים וארץ והארץ היתה תהו ובהו וחשך ויאמר אלהים יהי אור. ולא בא המקרא להורות סדר הבריאה לומר שאלו קדמו, שאם בא להורות כך, היה לו לכתוב בראשונה ברא את השמים וגו', שאין לך ראשית במקרא שאינו דבוק לתיבה שלאחריו, כמו בראשית ממלכת יהויקים (ירמיה כז:א) ראשית ממלכתו (להלן י:י) ראשית דגנך (דברים יח:ד). אף כאן אתה אומר בראשית ברא אלהים וגו' כמו בראשית ברוא, ודומה לו תחלת דבר ה' בהושע (הושע א:ב) כלומר תחלת דבורו של הקב"ה בהושע ויאמר ה' אל הושע וגו'. וא"ת להורות בא שאלו תחלה נבראו, ופירושו בראשית הכל ברא אלו, ויש לך מקראות שמקצרים לשונם וממעטים תיבה אחת, כמו כי לא סגר דלתי בטני (איוב ג:י) ולא פירש מי הסוגר, וכמו ישא את חיל דמשק (ישעיה ח:ד) ולא פירש מי ישאנו, וכמו אם יחרוש בבקרים (עמוס ו:יב) ולא פירש אם יחרוש אדם בבקרים, וכמו מגיד מראשית אחרית (ישעיה מו:י) ולא פירש מגיד מראשית דבר אחרית דבר, אם כן תמה על עצמך, שהרי המים קדמו, שהרי כתיב ורוח אלהים מרחפת על פני המים, ועדיין לא גילה המקרא בריאת המים מתי היתה, הא למדת שקדמו המים לארץ, ועוד, שהשמים מאש ומים נבראו (חגיגה יב.), על כרחך לא לימד המקרא בסדר המוקדמים והמאוחרים כלום: **ברא אלהים.** ולא נאמר ברא ה', שבתחלה עלה במחשבה לבראתו במדת הדין וראה שאין העולם מתקיים, הקדים מדת רחמים ושתפה למדת הדין. והיינו דכתיב ביום עשות ה' אלהים ארץ ושמים (להלן ב:ד; ב"ר יב:טו, יד:א; ש"ר ל:יג; פס"ר מ (קסו:)):

רמב"ן

א [א] בְּרֵאשִׁית בָּרָא אֱלֹהִים. אָמַר רַבִּי יִצְחָק לֹא הָיָה צָרִיךְ לְהַתְחִיל הַתּוֹרָה אֶלָּא מֵ"הַחֹדֶשׁ הַזֶּה לָכֶם" [שמות יב, ב], שֶׁהִיא מִצְוָה רִאשׁוֹנָה שֶׁנִּצְטַוּוּ בָּהּ יִשְׂרָאֵל[1]. וּמַה טַּעַם פָּתַח בִּבְרֵאשִׁית? מִשּׁוּם "כֹּחַ מַעֲשָׂיו הִגִּיד לְעַמּוֹ וגו'" [תהלים קיא, ו]. שֶׁאִם יֹאמְרוּ אֻמּוֹת הָעוֹלָם לִסְטִים אַתֶּם, שֶׁכְּבַשְׁתֶּם לָכֶם אַרְצוֹת שִׁבְעָה גוֹיִם! הֵם אוֹמְרִים לָהֶם: כָּל הָאָרֶץ שֶׁל הַקָּדוֹשׁ בָּרוּךְ הוּא הִיא, הוּא בְרָאָהּ וּנְתָנָהּ לַאֲשֶׁר יָשָׁר בְּעֵינָיו, וּבִרְצוֹנוֹ נְתָנָהּ לָהֶם, וּבִרְצוֹנוֹ נְטָלָהּ מֵהֶם וּנְתָנָהּ לָנוּ! וְזוֹ אַגָּדָה בְּלָשׁוֹן שֶׁכְּתָבָהּ רַבֵּנוּ שְׁלֹמֹה בְּפֵרוּשָׁיו[2].

RAMBAN ELUCIDATED

1.

1. בְּרֵאשִׁית בָּרָא אֱלֹהִים – ***IN THE BEGINNING GOD CREATED.***

[Ramban opens his commentary on the Torah with an exposition on why the Torah records the act of Creation. He begins by citing and discussing Rashi's opening comment:]

אָמַר רַבִּי יִצְחָק – Rabbi Yitzchak said: לֹא הָיָה צָרִיךְ לְהַתְחִיל הַתּוֹרָה אֶלָּא מֵ"הַחֹדֶשׁ הַזֶּה לָכֶם" – [God] need not have begun the Torah but from the verse, ***This month shall be for you*** *the beginning of the months* (*Exodus* 12:2), **שֶׁהִיא מִצְוָה רִאשׁוֹנָה שֶׁנִּצְטַוּוּ בָּהּ יִשְׂרָאֵל – because it is the first commandment that Israel was commanded.**[1] **וּמַה טַּעַם פָּתַח בִּבְרֵאשִׁית – So what is the reason that He began with *In the beginning***, i.e., the whole account of Creation, the Flood, etc.? **מִשּׁוּם "כֹּחַ מַעֲשָׂיו הִגִּיד לְעַמּוֹ וגו'" – Because** He wished to convey the message of the verse, ***The power of His acts He told to His people,*** *in order to give them the estate of nations* (*Psalms* 111:6). **שֶׁאִם יֹאמְרוּ אֻמּוֹת הָעוֹלָם לִסְטִים אַתֶּם שֶׁכְּבַשְׁתֶּם לָכֶם אַרְצוֹת שִׁבְעָה גוֹיִם – So that if the nations of the world will say [to Israel], "You are robbers, for you conquered for yourselves the lands of** the seven Canaanite **nations!" הֵם אוֹמְרִים לָהֶם, כָּל הָאָרֶץ שֶׁל הַקָּדוֹשׁ בָּרוּךְ הוּא הִיא – [Israel] will say to them, "The whole world belongs to the Holy One, Blessed is He; הוּא בְרָאָהּ וּנְתָנָהּ לַאֲשֶׁר יָשָׁר בְּעֵינָיו – He created it, and He gave it to the one who was proper in His eyes. וּבִרְצוֹנוֹ נְתָנָהּ לָהֶם, וּבִרְצוֹנוֹ נְטָלָהּ מֵהֶם וּנְתָנָהּ לָנוּ – By His wish He gave it to them, and by His wish He took it from them and gave it to us!" וְזוֹ אַגָּדָה שֶׁכְּתָבָהּ רַבֵּנוּ שְׁלֹמֹה בְּפֵרוּשָׁיו – This is a homiletical comment** of the Sages, **that Rabbi Shlomo** (Rashi) **wrote in his commentary.**[2]

1. That is: The Torah could have contained only the commandments and laws given by God to Moses. Why was the account of Creation included?

2. Rashi's quote of Rabbi Yitzchak's statement is apparently an amalgam of *Midrash Tanchuma* (Buber ed.) 1:11 and *Bereishis Rabbah* 1:2.

1 [1] *In the beginning God created the heavens and the earth.*

רמב״ן

וְיֵשׁ לִשְׁאֹל בָּהּ, כִּי צֹרֶךְ גָּדוֹל הוּא לְהַתְחִיל הַתּוֹרָה בְּ״בְרֵאשִׁית בָּרָא אֱלֹהִים״, כִּי הוּא שֹׁרֶשׁ הָאֱמוּנָה, וְשֶׁאֵינוֹ מַאֲמִין בָּזֶה, וְחוֹשֵׁב שֶׁהָעוֹלָם קַדְמוֹן - הוּא כּוֹפֵר בָּעִיקָּר, וְאֵין לוֹ תּוֹרָה כְּלָל!

וְהַתְּשׁוּבָה: מִפְּנֵי שֶׁמַּעֲשֵׂה בְרֵאשִׁית סוֹד עָמֹק, אֵינוֹ מוּבָן מִן הַמִּקְרָאוֹת, וְלֹא יִוָּדַע עַל בֻּרְיוֹ אֶלָּא מִפִּי הַקַּבָּלָה עַד מֹשֶׁה רַבֵּנוּ מִפִּי הַגְּבוּרָה, וְיוֹדְעָיו חַיָּבִין לְהַסְתִּיר אוֹתוֹ. לָכֵן אָמַר רַבִּי יִצְחָק שֶׁאֵין לְהַתְחָלַת הַתּוֹרָה צֹרֶךְ בִּבְרֵאשִׁית בָּרָא אֱלֹהִים, וְהַסִּפּוּר בְּמָה שֶׁנִּבְרָא בְּיוֹם רִאשׁוֹן וּמַה שֶּׁנַּעֲשָׂה[3] בְּיוֹם שֵׁנִי וּשְׁאָר הַיָּמִים, וְהָאֲרִיכוּת בִּיצִירַת אָדָם וְחַוָּה, וְחֶטְאָם וְעָנְשָׁם, וְסִפּוּר גַּן עֵדֶן וְגֵרוּשׁ אָדָם מִמֶּנּוּ, כִּי כָּל זֶה לֹא יוּבַן בִּינָה שְׁלֵמָה מִן הַכְּתוּבִים. וְכָל שֶׁכֵּן סִפּוּר דּוֹר הַמַּבּוּל וְהַפַּלָּגָה, שֶׁאֵין הַצֹּרֶךְ בָּהֶם גָּדוֹל. וְיַסְפִּיק לְאַנְשֵׁי הַתּוֹרָה בִּלְעֲדֵי הַכְּתוּבִים הָאֵלֶּה, וְיַאֲמִינוּ בִּכְלָל הַנִּזְכָּר בָּהֶם בַּעֲשֶׂרֶת הַדִּבְּרוֹת [שמות כ, יא]: ״כִּי שֵׁשֶׁת יָמִים עָשָׂה ה׳ אֶת הַשָּׁמַיִם וְאֶת הָאָרֶץ, אֶת הַיָּם וְאֶת כָּל אֲשֶׁר בָּם, וַיָּנַח בַּיּוֹם הַשְּׁבִיעִי״, וְתִשָּׁאֵר הַיְדִיעָה לִיחִידִים שֶׁבָּהֶם ״הֲלָכָה לְמֹשֶׁה מִסִּינַי״ עִם הַתּוֹרָה שֶׁבְּעַל פֶּה.

RAMBAN ELUCIDATED

[Ramban raises an objection to the very premise of Rabbi Yitzchak's question:]

וְיֵשׁ לִשְׁאֹל בָּהּ – **But there is** a question **to be asked on [this Midrash].** כִּי צֹרֶךְ גָּדוֹל הוּא לְהַתְחִיל הַתּוֹרָה בְּ״בְרֵאשִׁית בָּרָא אֱלֹהִים״ – **For there is** in fact **a great need to begin the Torah with** ***In the beginning God created***, כִּי הוּא שֹׁרֶשׁ הָאֱמוּנָה – **for [the account of Creation] is the basis of** all **faith,** וְשֶׁאֵינוֹ מַאֲמִין בָּזֶה וְחוֹשֵׁב שֶׁהָעוֹלָם קַדְמוֹן, הוּא כּוֹפֵר בָּעִיקָּר וְאֵין לוֹ תּוֹרָה כְּלָל – **and someone who does not believe in [Creation], but thinks that the world** has existed **eternally** without beginning, **denies a main principle** of Judaism, **and has no** connection to the **Torah at all.**

[Ramban resolves his objection to Rabbi Yitzchak's question:]

וְהַתְּשׁוּבָה: – **The answer** to this objection **is:** מִפְּנֵי שֶׁמַּעֲשֵׂה בְרֵאשִׁית סוֹד עָמֹק אֵינוֹ מוּבָן מִן הַמִּקְרָאוֹת – **Since the account of Creation is a deep mystery, which** in any case **cannot be understood from** merely reading **the verses,** וְלֹא יִוָּדַע עַל בֻּרְיוֹ אֶלָּא מִפִּי הַקַּבָּלָה עַד מֹשֶׁה רַבֵּנוּ מִפִּי הַגְּבוּרָה – **and cannot be known with clarity except through** knowledge of **the tradition that goes back to** that which **our teacher Moses** heard **from the mouth of the Almighty,** וְיוֹדְעָיו חַיָּבִין לְהַסְתִּיר אוֹתוֹ – **and** moreover, **those who know [this tradition] are duty bound to conceal it,** לָכֵן אָמַר רַבִּי יִצְחָק שֶׁאֵין לְהַתְחָלַת הַתּוֹרָה צֹרֶךְ בִּבְרֵאשִׁית בָּרָא אֱלֹהִים – **therefore Rabbi Yitzchak said that there was no need for the starting portion of the Torah to** include ***In the beginning God created;*** וְהַסִּפּוּר בְּמָה שֶׁנִּבְרָא בְּיוֹם רִאשׁוֹן וּמַה שֶּׁנַּעֲשָׂה בְּיוֹם שֵׁנִי וּשְׁאָר הַיָּמִים – **or the account of what was created** out of nothing **on the first day and what was made**[3] **on the second day and the other days;** וְהָאֲרִיכוּת בִּיצִירַת אָדָם וְחַוָּה, וְחֶטְאָם וְעָנְשָׁם – **or the lengthy** narrative **about the creation of Adam and Eve, their sin and their punishment;** וְסִפּוּר גַּן עֵדֶן וְגֵרוּשׁ אָדָם מִמֶּנּוּ – **or the story of the Garden of Eden and Adam's banishment from it.** כִּי כָּל זֶה לֹא יוּבַן בִּינָה שְׁלֵמָה מִן הַכְּתוּבִים – **For all of this cannot be understood fully from** merely reading **the verses,** so why was it included? וְכָל שֶׁכֵּן סִפּוּר דּוֹר הַמַּבּוּל וְהַפַּלָּגָה, שֶׁאֵין הַצֹּרֶךְ בָּהֶם גָּדוֹל – **And all the more so** is this true **for the story of the generation of the Flood and** the generation of **the Dispersion, which are not of such great necessity** for theological purposes. וְיַסְפִּיק לְאַנְשֵׁי הַתּוֹרָה בִּלְעֲדֵי הַכְּתוּבִים הָאֵלֶּה – **It would have sufficed for the people of the Torah without these verses,** וְיַאֲמִינוּ בִּכְלָל הַנִּזְכָּר בָּהֶם בַּעֲשֶׂרֶת הַדִּבְּרוֹת – **and they would believe in the general statement mentioned concerning [the six days of Creation] in the Ten Commandments:** ״כִּי שֵׁשֶׁת יָמִים עָשָׂה ה׳ אֶת הַשָּׁמַיִם וְאֶת הָאָרֶץ אֶת הַיָּם וְאֶת כָּל אֲשֶׁר בָּם וַיָּנַח בַּיּוֹם הַשְּׁבִיעִי״ – ***For in six days Hashem made the heavens and the earth, the sea and all that is in them, and He rested on the seventh day*** (*Exodus* 20:11), וְתִשָּׁאֵר הַיְדִיעָה לִיחִידִים שֶׁבָּהֶם הֲלָכָה לְמֹשֶׁה מִסִּינַי עִם הַתּוֹרָה שֶׁבְּעַל פֶּה – **and the** specific **knowledge** of this six-day Creation **could**

3. Ramban distinguishes between the Hebrew verbs ברא and עשה or יצר, although all of these words may be translated as "create." As he explains below, ברא is used only to indicate that something has been created out of nothing, while the other words are used to describe making a product out of a pre-existing raw material. This is why he says "was created" when describing the first day of Creation, and "was made"

רמב״ן

וְנָתַן רַבִּי יִצְחָק טַעַם לָזֶה, כִּי הִתְחִילָה הַתּוֹרָה בִּבְרֵאשִׁית בָּרָא אֱלֹהִים וְסִפֵּר כָּל עִנְיַן הַיְצִירָה עַד בְּרִיאַת אָדָם, וְשֶׁהִמְשִׁילוֹ בְּמַעֲשֵׂה יָדָיו וְכֹל שָׁת תַּחַת רַגְלָיו[4], וְגַן עֵדֶן שֶׁהוּא מִבְחַר הַמְּקוֹמוֹת הַנִּבְרָאִים בָּעוֹלָם הַזֶּה נַעֲשָׂה מָכוֹן לְשִׁבְתּוֹ[4a], עַד שֶׁגֵּרֵשׁ אוֹתוֹ חֶטְאוֹ מִשָּׁם, וְאַנְשֵׁי דּוֹר הַמַּבּוּל בְּחֶטְאָם גֹּרְשׁוּ מִן הָעוֹלָם כֻּלּוֹ, וְהַצַּדִּיק בָּהֶם לְבַדּוֹ נִמְלַט הוּא וּבָנָיו, וְזַרְעָם - חֶטְאָם גָּרַם לָהֶם לַהֲפִיצָם בִּמְקוֹמוֹת וּלְזָרוֹתָם בָּאֲרָצוֹת, וְתָפְשׂוּ לָהֶם הַמְּקוֹמוֹת לְמִשְׁפְּחוֹתָם בְּגוֹיֵיהֶם כְּפִי שֶׁנִּזְדַּמֵּן לָהֶם. אִם כֵּן, רָאוּי הוּא, כַּאֲשֶׁר יוֹסִיף הַגּוֹי לַחֲטֹא - שֶׁיֹּאבַד מִמְּקוֹמוֹ וְיָבוֹא גּוֹי אַחֵר לָרֶשֶׁת אֶת אַרְצוֹ, כִּי כֵן הוּא מִשְׁפַּט הָאֱלֹהִים בָּאָרֶץ מֵעוֹלָם[5]. וְכָל שֶׁכֵּן עִם הַמְסֻפָּר בַּכָּתוּב [להלן ט, כז], כִּי כְנַעַן מְקֻלָּל וְנִמְכַּר לְעֶבֶד עוֹלָם, וְאֵינוֹ רָאוּי שֶׁיִּירַשׁ מִבְחַר מְקוֹמוֹת הַיִּשּׁוּב[6], אֲבָל יִירָשׁוּהָ עַבְדֵי ה׳, זֶרַע אוֹהֲבוֹ[7], כְּעִנְיָן שֶׁכָּתוּב [תהלים קה, מד-מה]: ״וַיִּתֵּן לָהֶם אַרְצוֹת גּוֹיִם, וַעֲמַל לְאֻמִּים יִירָשׁוּ, בַּעֲבוּר יִשְׁמְרוּ חֻקָּיו וְתוֹרֹתָיו יִנְצֹרוּ״.

RAMBAN ELUCIDATED

have been left for the unique individuals among them to ponder, **as a "law given to Moses from Sinai"** together **with the** rest of the **Oral Torah.**

[Having analyzed and explained Rabbi Yitzchak's question, Ramban now elucidates Rabbi Yitzchak's answer:]

וְנָתַן רַבִּי יִצְחָק טַעַם לָזֶה כִּי הִתְחִילָה הַתּוֹרָה בִּבְרֵאשִׁית בָּרָא אֱלֹהִים – **And Rabbi Yitzchak gave a reason for this** inclusion of the account of Creation in the Torah: He explains **why the Torah started with *In the beginning God created*** **וְסִפֵּר כָּל עִנְיַן הַיְצִירָה עַד בְּרִיאַת אָדָם** – **and recounted the entire matter of Creation until the creation of man;** **וְשֶׁהִמְשִׁילוֹ בְּמַעֲשֵׂה יָדָיו וְכֹל שָׁת תַּחַת רַגְלָיו** – **and** the fact **that He "gave [man] dominion over His handiwork and placed everything under his feet";**[4] **וְגַן עֵדֶן שֶׁהוּא מִבְחַר הַמְּקוֹמוֹת הַנִּבְרָאִים בָּעוֹלָם הַזֶּה נַעֲשָׂה מָכוֹן לְשִׁבְתּוֹ, עַד שֶׁגֵּרֵשׁ אוֹתוֹ חֶטְאוֹ מִשָּׁם** – **and** that **the Garden of Eden, which is the choicest of places created in This World, became "the foundation of His dwelling,"**[4a] **until [Adam's] sin drove him from there;** **וְאַנְשֵׁי דּוֹר הַמַּבּוּל בְּחֶטְאָם גֹּרְשׁוּ מִן הָעוֹלָם כֻּלּוֹ** – **and** that **the men of the generation of the Flood, in their sins, were driven from the world altogether;** **וְהַצַּדִּיק בָּהֶם לְבַדּוֹ נִמְלַט הוּא וּבָנָיו** – **and** how **only the most righteous man** (Noah) **among them survived, He along with his children;** **וְזַרְעָם, חֶטְאָם גָּרַם לָהֶם לַהֲפִיצָם בִּמְקוֹמוֹת וּלְזָרוֹתָם בָּאֲרָצוֹת** – **and** the account of **their offspring, whose sins caused them to be scattered to** many different **places and to be dispersed to** many different **lands,** **וְתָפְשׂוּ לָהֶם הַמְּקוֹמוֹת לְמִשְׁפְּחוֹתָם בְּגוֹיֵיהֶם כְּפִי שֶׁנִּזְדַּמֵּן לָהֶם** – **and they took possession of** various **places, by their families and according to their nations, in accordance with whatever became available to them.** **אִם כֵּן, רָאוּי הוּא כַּאֲשֶׁר יוֹסִיף הַגּוֹי לַחֲטֹא** – The Torah records all this in order to teach that **because** all **this is so, it is fitting that if a nation should sin yet** again, **שֶׁיֹּאבַד מִמְּקוֹמוֹ וְיָבוֹא גּוֹי אַחֵר לָרֶשֶׁת אֶת אַרְצוֹ** – **it should be removed from its place** of settlement, **and that [God] should bring another nation to take possession of its land,** **כִּי כֵן הוּא מִשְׁפַּט הָאֱלֹהִים בָּאָרֶץ מֵעוֹלָם** – **for this had been the law of God in the world for all time.**[5] **וְכָל שֶׁכֵּן עִם הַמְסֻפָּר בַּכָּתוּב כִּי כְנַעַן מְקֻלָּל וְנִמְכַּר לְעֶבֶד עוֹלָם** – **And all the more so** is this true **taking into account what is related in Scripture, that Canaan was cursed and sold as an eternal slave** (below, 9:27), **וְאֵינוֹ רָאוּי שֶׁיִּירַשׁ מִבְחַר מְקוֹמוֹת הַיִּשּׁוּב** – **and it would** thus **be unbefitting for him to inherit the choicest of the inhabited places** in the world;[6] **אֲבָל יִירָשׁוּהָ עַבְדֵי ה׳ זֶרַע אוֹהֲבוֹ** – **rather, the servants of God should inherit it, "the offspring of** Abraham, **the one who loved Him."**[7] **כְּעִנְיָן שֶׁכָּתוּב ״וַיִּתֵּן לָהֶם אַרְצוֹת גּוֹיִם וַעֲמַל לְאֻמִּים יִירָשׁוּ בַּעֲבוּר יִשְׁמְרוּ חֻקָּיו וְתוֹרֹתָיו יִנְצֹרוּ״** – This **is like the concept that is written** in the verse, ***He gave***

when mentioning the other days, as explained in his commentary later in our verse. In our translation of Ramban on this chapter, we will translate ברא (where necessary) as "**to create** out of nothing."

4. Stylistic paraphrase from *Psalms* 8:7.

4a. Stylistic paraphrase from *Exodus* 15:17.

5. The lesson of the Garden of Eden, the Flood, and the generation of Dispersion was that when a person (or group) sins, he is driven out of his land as punishment. This explains why the Canaanites lost their right to live in *Eretz Yisrael*.

6. This refers to *Eretz Yisrael*, the *cherished land, a possession coveted by the multitudes of nations* (*Jeremiah* 3:19).

7. Stylistic paraphrase of *II Chronicles* 20:7: *Behold, You are our God, Who drove out the inhabitants of this land from before Your people Israel, giving it over*

רמב״ן

כְּלוֹמַר, שֶׁגֵּרֵשׁ מִשָּׁם מוֹרְדָיו, וְהִשְׁכִּין בּוֹ עוֹבְדָיו שֶׁיֵּדְעוּ כִּי בַּעֲבוֹדָתוֹ יִנְחָלוּהָ, וְאִם יֶחֶטְאוּ לוֹ תָּקִיא אוֹתָם הָאָרֶץ, כַּאֲשֶׁר קָאָה אֶת הַגּוֹי אֲשֶׁר לִפְנֵיהֶם[8].

וַאֲשֶׁר יְבָאֵר הַפֵּרוּשׁ שֶׁכָּתַבְתִּי - לְשׁוֹנָם בִּבְרֵאשִׁית רַבָּה [א, ב], שֶׁאֲמָרוּהָ שָׁם בַּלָּשׁוֹן הַזֶּה:

רַבִּי יְהוֹשֻׁעַ דְּסִכְנִין בְּשֵׁם רַבִּי לֵוִי פָּתַח: "כֹּחַ מַעֲשָׂיו הִגִּיד לְעַמּוֹ" [תהלים קיא, ו] - מַה טַּעַם גִּלָּה לָהֶם הַקָּדוֹשׁ בָּרוּךְ הוּא לְיִשְׂרָאֵל מַה שֶּׁנִּבְרָא בְּיוֹם רִאשׁוֹן וּמַה שֶּׁנִּבְרָא בְּיוֹם שֵׁנִי? מִפְּנֵי ז' אֻמּוֹת, שֶׁלֹּא יִהְיוּ מוֹנִין אֶת יִשְׂרָאֵל וְאוֹמְרִים לָהֶם: הֲלֹא אֻמָּה שֶׁל בְּזִיזוֹת אַתֶּם! וְיִשְׂרָאֵל מְשִׁיבִין לָהֶם: וְאַתֶּם, הֲלֹא בְּזוּזָה הִיא בְּיֶדְכֶם! הֲלֹא "כַּפְתֹּרִים הַיֹּצְאִים מִכַּפְתֹּר הִשְׁמִידֻם וַיֵּשְׁבוּ תַחְתָּם" [דברים ב, כג]! הָעוֹלָם וּמְלוֹאוֹ שֶׁל הַקָּדוֹשׁ בָּרוּךְ הוּא הוּא. כְּשֶׁרָצָה - נְתָנוֹ לָכֶם; כְּשֶׁרָצָה - נְטָלוֹ מִכֶּם וּנְתָנוֹ לָנוּ! הֲדָא הוּא דִכְתִיב: "לָתֵת לָהֶם נַחֲלַת גּוֹיִם" [תהלים קיא, ו] - "כֹּחַ מַעֲשָׂיו הִגִּיד לְעַמּוֹ", בִּשְׁבִיל "לָתֵת לָהֶם נַחֲלַת גּוֹיִם" הִגִּיד לָהֶם אֶת "בְּרֵאשִׁית"[9].

RAMBAN ELUCIDATED

them the lands of nations, and they inherited the toil of peoples, so that they might safeguard His statutes and observe His teachings (*Psalms* 105:44-45), כְּלוֹמַר שֶׁגֵּרֵשׁ מִשָּׁם מוֹרְדָיו, וְהִשְׁכִּין בּוֹ עוֹבְדָיו – **meaning that He drove out those who rebelled against Him and placed those who serve Him to dwell there** instead, שֶׁיֵּדְעוּ כִּי בַּעֲבוֹדָתוֹ יִנְחָלוּהָ – **so that they should know that it is through the service of [God] that they inherited it,** וְאִם יֶחֶטְאוּ לוֹ תָּקִיא אוֹתָם הָאָרֶץ, כַּאֲשֶׁר קָאָה אֶת הַגּוֹי אֲשֶׁר לִפְנֵיהֶם – and that **if they would sin to Him, "the land would disgorge them, as it disgorged the nation that was before them."**[8]

[Ramban brings a proof to his interpretation of the Midrash cited by Rashi:]

וַאֲשֶׁר יְבָאֵר הַפֵּרוּשׁ שֶׁכָּתַבְתִּי – **What clearly supports the explanation that I have written** לְשׁוֹנָם בִּבְרֵאשִׁית רַבָּה שֶׁאֲמָרוּהָ שָׁם בַּלָּשׁוֹן הַזֶּה – **is [the Sages'] language in** ***Bereishis Rabbah*** (1:2), **for they said there the following words:**

רַבִּי יְהוֹשֻׁעַ דְּסִכְנִין בְּשֵׁם רַבִּי לֵוִי פָּתַח – **Rabbi Yehoshua of Sichnin in the name of Rabbi Levi opened** his lesson thus: "כֹּחַ מַעֲשָׂיו הִגִּיד לְעַמּוֹ": מַה טַּעַם גִּלָּה לָהֶם הַקָּדוֹשׁ בָּרוּךְ הוּא לְיִשְׂרָאֵל מַה שֶּׁנִּבְרָא בְּיוֹם רִאשׁוֹן וּמַה שֶּׁנִּבְרָא בְּיוֹם שֵׁנִי – ***The power of His acts He told to His people*** (*Psalms* 111:6): **For what reason did the Holy One, Blessed is He, reveal to Israel what was created on the first day and what was created on the second day?** מִפְּנֵי ז' אֻמּוֹת, שֶׁלֹּא יִהְיוּ מוֹנִין אֶת יִשְׂרָאֵל וְאוֹמְרִים לָהֶם: הֲלֹא אֻמָּה שֶׁל בְּזִיזוֹת אַתֶּם – **Because of the seven nations, that they should not taunt Israel and say to them, "Behold, you are a plunderous nation!"** וְיִשְׂרָאֵל מְשִׁיבִין לָהֶם: – **For Israel could respond to them:** וְאַתֶּם הֲלֹא בְּזוּזָה הִיא בְּיֶדְכֶם – **"And what about you – is [the land] not plundered in your hands?** הֲלֹא "כַּפְתֹּרִים הַיֹּצְאִים מִכַּפְתֹּר הִשְׁמִידֻם וַיֵּשְׁבוּ תַחְתָּם" – **Behold,** ***Caphtorim who went out of Caphtor destroyed [the Avvim] and dwelled in their place*** (*Deuteronomy* 2:23)! הָעוֹלָם וּמְלוֹאוֹ שֶׁל הַקָּדוֹשׁ בָּרוּךְ הוּא הוּא – **The world and all that is in it belong to the Holy One, Blessed is He.** כְּשֶׁרָצָה נְתָנוֹ לָכֶם, כְּשֶׁרָצָה נְטָלוֹ מִכֶּם וּנְתָנוֹ לָנוּ – **When He wished He gave it to you; when He wished he took it away from you and gave it to us!"** הֲדָא הוּא דִכְתִיב "לָתֵת לָהֶם נַחֲלַת גּוֹיִם" – **This is** the meaning of **what is written,** ***To give them the estate of nations*** (*Psalms* 111:6). "כֹּחַ מַעֲשָׂיו הִגִּיד לְעַמּוֹ"; בִּשְׁבִיל "לָתֵת לָהֶם נַחֲלַת גּוֹיִם" הִגִּיד לָהֶם אֶת "בְּרֵאשִׁית" – ***The power of His acts He told to His people*** (ibid.): **In order** ***to give them the estate of nations,*** **He told them "*In the beginning* ..."**[9]

---

permanently to the **offspring of Abraham, who loved You**.

8. Stylistic paraphrase of *Leviticus* 18:28.

9. The way Rashi presented the Midrash, one might have understood Rabbi Yitzchak's question to be, "Why is it important for the Torah to tell us that God created the world"? Ramban (above) dismissed this understanding of the Midrash, and explained that the question was really, "Why must we know the details of Creation – what was created on the first day, the second day, etc.? Why was the brief, general statement concerning Creation, written in Ten Commandments, not sufficient?" By citing the actual wording of *Bereishis Rabbah*, Ramban proves the correctness of this interpretation, for the Midrash says: "For what reason did the Holy One, Blessed is He, reveal to Israel *what was created on the first day and what was created on the second day*?" The Midrash answers that all the episodes of Genesis, involving reward and punishment and banishment from one's land, were necessary to establish the claim of

רמב״ן

וּכְבָר בָּא לָהֶם בְּמָקוֹם אַחֵר עוֹד הָעִנְיָן שֶׁהִזְכַּרְתִּי בְּהַעֲלָמוֹת מַעֲשֵׂה בְרֵאשִׁית. אָמְרוּ רַבּוֹתֵינוּ ז״ל[10]: ״כֹּחַ מַעֲשָׂיו הִגִּיד לְעַמּוֹ״, לְהַגִּיד כֹּחַ מַעֲשֵׂה בְּרֵאשִׁית לְבָשָׂר וָדָם אִי אֶפְשָׁר, לְפִיכָךְ סָתַם לְךָ הַכָּתוּב ״בְּרֵאשִׁית בָּרָא אֱלֹהִים״. אִם כֵּן נִתְבָּאֵר מַה שֶּׁאָמַרְנוּ בָּזֶה[11].

☐ **בְּרֵאשִׁית בָּרָא אֱלֹהִים.** כָּתַב רַשִׁ״י: אֵין הַמִּקְרָא הַזֶּה אוֹמֵר אֶלָּא דָּרְשֵׁנִי[12], כְּמוֹ שֶׁדְּרָשׁוּהוּ רַבּוֹתֵינוּ[13]: בִּשְׁבִיל[14] הַתּוֹרָה שֶׁנִּקְרֵאת רֵאשִׁית, שֶׁנֶּאֱמַר [משלי ח, כב]: ״ה׳ קָנָנִי רֵאשִׁית דַּרְכּוֹ״, וּבִשְׁבִיל יִשְׂרָאֵל שֶׁנִּקְרְאוּ רֵאשִׁית, שֶׁנֶּאֱמַר [ירמיה ב, ג]: ״קֹדֶשׁ יִשְׂרָאֵל לַה׳ רֵאשִׁית תְּבוּאָתוֹ״.

וְהַמִּדְרָשׁ הַזֶּה לְרַבּוֹתֵינוּ סָתוּם וְחָתוּם מְאֹד, כִּי דְּבָרִים רַבִּים מָצְאוּ שֶׁנִּקְרְאוּ רֵאשִׁית, וּבְכֻלָּם לָהֶם מִדְרָשִׁים, וּקְטַנֵּי אֲמָנָה יְסַפְּרוּ לָהֶם לְרֻבָּם[15]. אָמְרוּ [ב״ר א, ד]: בִּזְכוּת ג׳ דְּבָרִים נִבְרָא הָעוֹלָם, בִּזְכוּת חַלָּה[16], בִּזְכוּת מַעַשְׂרוֹת, וּבִזְכוּת בִּכּוּרִים[17]. ״בְּרֵאשִׁית בָּרָא אֱלֹהִים״ - אֵין רֵאשִׁית אֶלָּא חַלָּה, שֶׁנֶּאֱמַר

RAMBAN ELUCIDATED

[Ramban brings a further proof for his approach, from a different Midrash:]

וּכְבָר בָּא לָהֶם בְּמָקוֹם אַחֵר עוֹד הָעִנְיָן שֶׁהִזְכַּרְתִּי בְּהַעֲלָמוֹת מַעֲשֵׂה בְרֵאשִׁית – The matter that I have mentioned, concerning the mysteries of the account of Creation, already appears in yet another place, as follows. **אָמְרוּ רַבּוֹתֵינוּ ז״ל: – Our Sages of blessed memory said:**[10] **״כֹּחַ מַעֲשָׂיו הִגִּיד לְעַמּוֹ״, לְהַגִּיד כֹּחַ מַעֲשֵׂה בְּרֵאשִׁית לְבָשָׂר וָדָם אִי אֶפְשָׁר** – ***The power of His acts He told to His people*** **– To** fully **"tell the power" of the account of Creation to mortal human beings is impossible; לְפִיכָךְ סָתַם לְךָ הַכָּתוּב ״בְּרֵאשִׁית בָּרָא אֱלֹהִים״ – therefore Scripture stated vaguely for you:** ***In the beginning God created.*** **אִם כֵּן נִתְבָּאֵר מַה שֶּׁאָמַרְנוּ בָּזֶה – Thus, what we have said about this** matter **is corroborated.**[11]

☐ **בְּרֵאשִׁית בָּרָא אֱלֹהִים** – ***IN THE BEGINNING GOD CREATED.***

[Ramban discusses another Midrash cited by Rashi:]

כָּתַב רַשִׁ״י – Rashi writes:

אֵין הַמִּקְרָא הַזֶּה אוֹמֵר אֶלָּא דָּרְשֵׁנִי – This verse says nothing but, "Expound me!"[12] **כְּמוֹ שֶׁדְּרָשׁוּהוּ רַבּוֹתֵינוּ:** – It is to be understood **as our Sages expounded it:**[13] **בִּשְׁבִיל הַתּוֹרָה שֶׁנִּקְרֵאת רֵאשִׁית, שֶׁנֶּאֱמַר ״ה׳ קָנָנִי רֵאשִׁית דַּרְכּוֹ״** – The world was created **for the sake of**[14] **the Torah which is called** רֵאשִׁית, ***beginning*****, as it says,** ***Hashem has acquired me*** (the Torah) ***as the beginning of His way*** (*Proverbs* 8:22), **וּבִשְׁבִיל יִשְׂרָאֵל שֶׁנִּקְרְאוּ רֵאשִׁית, שֶׁנֶּאֱמַר ״קֹדֶשׁ יִשְׂרָאֵל לַה׳ רֵאשִׁית תְּבוּאָתוֹ״ – and for the sake of Israel, who are called** רֵאשִׁית, ***beginning*****,** as it says, ***Israel is holy to Hashem, the beginning*** (i.e., first produce) ***of His crop*** (*Jeremiah* 2:3).

[Ramban raises a question concerning the Midrash cited by Rashi:]

וְהַמִּדְרָשׁ הַזֶּה לְרַבּוֹתֵינוּ סָתוּם וְחָתוּם מְאֹד – Now, this Midrash of our Sages is extremely vague and enigmatic. כִּי דְּבָרִים רַבִּים מָצְאוּ שֶׁנִּקְרְאוּ רֵאשִׁית – For they found many things that are called רֵאשִׁית, ***beginning*****,** in the *Tanach*, **וּבְכֻלָּם לָהֶם מִדְרָשִׁים – and they have Midrashim about all of them. וּקְטַנֵּי אֲמָנָה יְסַפְּרוּ לָהֶם לְרֻבָּם** – In fact, **those of little faith enumerate them** condescendingly **because they are so many.**[15] **אָמְרוּ: בִּזְכוּת ג׳ דְּבָרִים נִבְרָא הָעוֹלָם, בִּזְכוּת חַלָּה בִּזְכוּת מַעַשְׂרוֹת וּבִזְכוּת בִּכּוּרִים – They said** (*Bereishis Rabbah* 1:4): **"In the merit of three things the world was created: in the merit of** ***challah*****,**[16] **in the merit of the tithes and in the merit of** ***bikkurim*****.**[17]

---

the Jewish people to *Eretz Yisrael*.

10. This dictum of the Sages is not found in any extant Midrash, although it is cited also by Rambam [Maimonides] in the introduction to his *Moreh Nevuchim*.

11. This second Midrash proves another point that Ramban had made – that the Sages considered the Torah's account of Creation to be vague and beyond the full comprehension of ordinary people.

12. The difficulty with interpreting the verse simply, *In the beginning God created,* is discussed by both Rashi and Ramban later in their respective comments on this verse.

13. See *Midrash Tanchuma* (Buber) 1:3.

14. This Midrash, as well as the others cited by Ramban below, interpret the ב of the word בְּרֵאשִׁית to mean *for the sake of* rather than *in*.

15. This is an apparent allusion to Ibn Ezra, who cites these Midrashim (in the introduction to his Commentary) as an illustration that "there is no end to the Midrashim that can be expounded."

16. The dough-offering of *Numbers* 15:20.

17. The first-ripening produce (*Exodus* 23:19; *Num-*

רמב״ן

״רֵאשִׁית עֲרִסֹתֵיכֶם״ [במדבר טו, כ]; וְאֵין רֵאשִׁית אֶלָּא מַעַשְׂרוֹת, שֶׁנֶּאֱמַר ״רֵאשִׁית דְּגָנְךָ״ [דברים יח,ד]; וְאֵין רֵאשִׁית אֶלָּא בִּכּוּרִים, שֶׁנֶּאֱמַר ״רֵאשִׁית בִּכּוּרֵי אַדְמָתְךָ״ [שמות כג, יט]. וְעוֹד אָמְרוּ בִּזְכוּת מֹשֶׁה, שֶׁנֶּאֱמַר ״וַיַּרְא רֵאשִׁית לוֹ״ [דברים לג, כא].

וְכַוָּנָתָם זוֹ, שֶׁמִּלַּת בְּרֵאשִׁית תִּרְמֹז כִּי בְּעֶשֶׂר סְפִירוֹת נִבְרָא הָעוֹלָם [עַיֵּן סֵפֶר יְצִירָה א יד], וְרָמַז לַסְּפִירָה הַנִּקְרֵאת חָכְמָה שֶׁבָּהּ יְסוֹד כֹּל, כְּעִנְיָן שֶׁנֶּאֱמַר [משלי ג יט] ״ה׳ בְּחָכְמָה יָסַד אָרֶץ״, הִיא הַתְּרוּמָה וְהִיא קֹדֶשׁ, אֵין לָהּ שִׁעוּר לְמִעוּט הִתְבּוֹנְנוּת הַנִּבְרָאִים בָּהּ, וְכַאֲשֶׁר יִמְנֶה אָדָם עֶשֶׂר מִדּוֹת וְיַפְרִישׁ אַחַת מֵעֶשֶׂר, רֶמֶז לְעֶשֶׂר סְפִירוֹת, יִתְבּוֹנְנוּ הַחֲכָמִים בָּעֲשִׂירִית וִידַבְּרוּ בָּהּ, וְהַחַלָּה מִצְוָה יְחִידָה בָּעִסָּה תִּרְמֹז לָזֶה. וְיִשְׂרָאֵל שֶׁנִּקְרְאוּ רֵאשִׁית הִיא כְּנֶסֶת יִשְׂרָאֵל, הַמְּשׁוּלָה בְּשִׁיר הַשִּׁירִים לְכַלָּה, שֶׁקְּרָאָהּ הַכָּתוּב בַּת וַאֲחוֹת וָאֵם, וּכְבָר בָּא לָהֶם זֶה בַּמִּדְרָשׁ [שהש״ר ג כא] בַּעֲטָרָה שֶׁעִטְּרָה לוֹ אִמּוֹ [שם ג יא], וּבִמְקוֹמוֹת רַבִּים וְכֵן וַיַּרְא רֵאשִׁית לוֹ דְמֹשֶׁה, יִסְבְּרוּ כִּי מֹשֶׁה רַבֵּינוּ נִסְתַּכֵּל בְּאִסְפַּקְלַרְיָא הַמְּאִירָה [יבמות מט:] וְרָאָה רֵאשִׁית לוֹ, וְלָכֵן זָכָה לַתּוֹרָה. הַכֹּל כַּוָּנָה אַחַת לָהֶם, וְאִי אֶפְשָׁר לְהַאֲרִיךְ בְּפֵרוּשׁ זֶה הָעִנְיָן בְּמִכְתָּב, וְהָרֶמֶז רַב הַנֵּזֶק, כִּי יִסְבְּרוּ בוֹ סְבָרוֹת אֵין בָּהֶם אֱמֶת. אֲבָל הִזְכַּרְתִּי זֶה לִבְלֹם פִּי קְטַנֵּי אֲמָנָה מְעוּטֵי חָכְמָה, הַמַּלְעִיגִים עַל דִּבְרֵי רַבּוֹתֵינוּ:

בְּרֵאשִׁית. כָּתַב רַשִׁ״י וְאִם בָּאתָ לְפָרְשׁוֹ כִּפְשׁוּטוֹ - כָּךְ פָּרְשֵׁהוּ: בְּרֵאשִׁית בְּרִיַּת שָׁמַיִם וָאָרֶץ [פסוק א], וְהָאָרֶץ[18] הָיְתָה תֹהוּ וָבֹהוּ[19], וְחֹשֶׁךְ [פסוק ב] ... וַיֹּאמֶר אֱלֹהִים יְהִי אוֹר [פסוק ג][20]. אִם כֵּן, הַכֹּל נִמְשָׁךְ לִבְרִיאַת הָאוֹר.

RAMBAN ELUCIDATED

״בְּרֵאשִׁית בָּרָא אֱלֹהִים״ – How do we know this? Because it says, ***In the beginning God created,*** **אֵין רֵאשִׁית אֶלָּא חַלָּה שֶׁנֶּאֱמַר ״רֵאשִׁית עֲרִסֹתֵיכֶם״** – and the term רֵאשִׁית, ***beginning***, as used in our verse, **refers to *challah*, as it says, *the beginning of your dough*** (*Numbers* 15:20); **וְאֵין רֵאשִׁית אֶלָּא מַעַשְׂרוֹת שֶׁנֶּאֱמַר ״רֵאשִׁית דְּגָנְךָ״** – **and** also the term רֵאשִׁית, ***beginning,*** as used in our verse, **refers to tithes, as it says, *the beginning of your grain*** (*Deuteronomy* 18:4); **וְאֵין רֵאשִׁית אֶלָּא בִּכּוּרִים שֶׁנֶּאֱמַר ״רֵאשִׁית בִּכּוּרֵי אַדְמָתְךָ״** – **and** the term רֵאשִׁית, ***beginning,*** as used in our verse, **refers to *bikkurim*, as it says, *the beginning of the first-ripening produce of your land*** (*Exodus* 23:19). **וְעוֹד אָמְרוּ בִּזְכוּת מֹשֶׁה, שֶׁנֶּאֱמַר ״וַיַּרְא רֵאשִׁית לוֹ״** – **And they said further** (ibid.), The world was created **in the merit of Moses, as it says, *he chose the beginning portion for himself*** (*Deuteronomy* 33:21).

[Ramban shows that far from being a word game, these Midrashim all allude to the same deep Kabbalistic concept (which is beyond the scope of this elucidation). In the Hebrew text, Ramban's words appear in the paragraph beginning וְכַוָּנָתָם זוֹ and ending עַל דִּבְרֵי רַבּוֹתֵינוּ.]

☐ **בְּרֵאשִׁית** – ***IN THE BEGINNING.***

[Ramban cites Rashi's "simple" (non-Midrashic) explanation of the opening phrase of the Torah:]

כָּתַב רַשִׁ״י – **Rashi writes:**

וְאִם בָּאתָ לְפָרְשׁוֹ כִּפְשׁוּטוֹ כָּךְ פָּרְשֵׁהוּ: – **If you come to explain it according to its simple meaning, explain it as follows:** **בְּרֵאשִׁית בְּרִיַּת שָׁמַיִם וָאָרֶץ, וְהָאָרֶץ הָיְתָה תֹהוּ וָבֹהוּ וְחֹשֶׁךְ... וַיֹּאמֶר אֱלֹהִים יְהִי אוֹר** – ***In the beginning of the creation of the heavens and the earth*** (v. 1), ***and***[18] ***the earth was emptiness and void***[19] **and darkness ...** (v. 2) ***and God said: "Let there be light"*** (v. 3).[20]

[Ramban summarizes Rashi's point:]

אִם כֵּן הַכֹּל נִמְשָׁךְ לִבְרִיאַת הָאוֹר – **If so, the whole** of the first two verses **is drawn in** as an introduction **to the creation of light** in the third verse.

---

bers 18:13), which was taken to the Temple and given to the Kohen.

18. The word "and" is somewhat out of place in this interpretation, as Ramban soon notes.

19. This is the classical translation of ״תֹהוּ וָבֹהוּ״ based on Onkelos, Rashi (according to Mizrachi), and many other commentators.

20. The main thrust of Rashi's explanation is that בָּרָא, usually translated, *He created,* should be understood here as a noun: *the creation of.* (He adduces other verses in which past-tense verbs are used as nouns.)

רמב״ן

וְרַבִּי אַבְרָהָם פֵּרֵשׁ כְּעִנְיָן זֶה בְּעַצְמוֹ[21], אֲבָל תִּקֵּן כִּי הַוָּ״ו בְּמִלַּת ״וְהָאָרֶץ״ אֵינָהּ מְשַׁמֶּשֶׁת, וְרַבּוֹת כֵּן בַּמִּקְרָאוֹת[22]. וְהַטַּעַם כִּי בְּרֵאשִׁית בְּרִיאַת הָרָקִיעַ וְהַיַּבָּשָׁה[23] לֹא הָיָה בָּאָרֶץ יִשּׁוּב, אֲבָל הָיְתָה תֹהוּ וָבֹהוּ מְכֻסָּה בְּמַיִם. ״וַיֹּאמֶר אֱלֹהִים יְהִי אוֹר״.

וּלְפִי דַעְתּוֹ לֹא נִבְרָא בְּיוֹם רִאשׁוֹן רַק הָאוֹר[24].

וְהַקֻּשְׁיָא לְרַשִׁ״י בַּפֵּרוּשׁ הַזֶּה כִּי אָמַר, שֶׁאִם בָּא לְהוֹרוֹת סֵדֶר הַבְּרִיאָה בְּאֵלּוּ לוֹמַר שֶׁהֵם קָדְמוּ - הָיָה לוֹ לִכְתֹּב ״בָּרִאשׁוֹנָה״, שֶׁאֵין ״רֵאשִׁית״ בַּמִּקְרָא שֶׁאֵינוֹ סָמוּךְ[25].

וְהִנֵּה ״מַגִּיד מֵרֵאשִׁית אַחֲרִית״ [ישעיה מו, י]! וְאִם יִסְמֹךְ אוֹתוֹ לְ״דָבָר״ - גַּם זֶה תִּסְמֹךְ אוֹתוֹ[26]!

RAMBAN ELUCIDATED

[Ramban notes that Rashi is not alone in interpreting the opening words of the Torah in this manner:]

וְרַבִּי אַבְרָהָם פֵּרֵשׁ כְּעִנְיָן זֶה בְּעַצְמוֹ – Rabbi Avraham Ibn Ezra (on 1:2) **explains** these verses **exactly in like manner,**[21] **אֲבָל תִּקֵּן כִּי הַוָּ״ו בְּמִלַּת ״וְהָאָרֶץ״ אֵינָהּ מְשַׁמֶּשֶׁת – except that he made an improvement** in noting **that the** prefix וְ (usually rendered *and*) **in the word** וְהָאָרֶץ **(*"and" the land*) does not serve any function** in our verse. **וְרַבּוֹת כֵּן בַּמִּקְרָאוֹת – And there are many such** examples (of such ו prefixes) **in** Scriptural **verses.**[22] **וְהַטַּעַם כִּי בְּרֵאשִׁית בְּרִיאַת הָרָקִיעַ וְהַיַּבָּשָׁה לֹא הָיָה בָּאָרֶץ יִשּׁוּב – The idea** of our passage, says Ibn Ezra, **is that in the beginning of the creation of the firmament and the dry land,**[23] **there was no human settlement in the land; אֲבָל הָיְתָה תֹהוּ וָבֹהוּ מְכֻסָּה בְּמַיִם – rather, it was emptiness and void, covered with water. ״וַיֹּאמֶר אֱלֹהִים יְהִי אוֹר״ – Then *God said: Let there be light.***

[Ramban calls attention to the gist of Ibn Ezra's interpretation:]

וּלְפִי דַעְתּוֹ לֹא נִבְרָא בְּיוֹם רִאשׁוֹן רַק הָאוֹר – According to [Ibn Ezra's] opinion nothing was created on the first day except the light.[24]

[Ramban now discusses the problem that deterred Rashi from translating the opening verse of the Torah simply as, *In the beginning, God created the heavens and the earth*:]

וְהַקֻּשְׁיָא לְרַשִׁ״י בַּפֵּרוּשׁ הַזֶּה – The difficulty that Rashi had which led him to opt **for this interpretation כִּי אָמַר – is, as he has stated, שֶׁאִם בָּא לְהוֹרוֹת סֵדֶר הַבְּרִיאָה בְּאֵלּוּ לוֹמַר שֶׁהֵם קָדְמוּ – that if [the verse] meant to teach the order of Creation of these things** (the heavens, the earth, etc.), **saying that they were** created **first, הָיָה לוֹ לִכְתֹּב ״בָּרִאשׁוֹנָה״ – it should have written** בָּרִאשׁוֹנָה, ***at first,*** rather than בְּרֵאשִׁית, **שֶׁאֵין ״רֵאשִׁית״ בַּמִּקְרָא שֶׁאֵינוֹ סָמוּךְ – for there is no** instance of **רֵאשִׁית** in Scripture **that is not attached** to the following word.[25]

[Ramban adduces two counter-examples to prove that רֵאשִׁית is not always attached to the following word:]

וְהִנֵּה ״מַגִּיד מֵרֵאשִׁית אַחֲרִית״ – But there is this verse: ***from the beginning*** (מֵרֵאשִׁית) ***[I] tell the end*** (*Isaiah* 46:10), where מֵרֵאשִׁית does not mean *from the beginning "of"*! **וְאִם יִסְמֹךְ אוֹתוֹ לְ״דָבָר״ – And if,** in order to answer this question **one would attach [רֵאשִׁית] to** the implied word **"thing,"** so that the verse would be translated, *from the beginning of a thing, I tell the end of a thing,* **גַּם זֶה תִּסְמֹךְ אוֹתוֹ – then** in **this** verse **as well you can attach it to** an implied word and translate, *In the*

21. Insofar as Rashi's interpretation of the first three words of the Torah as "In the beginning of God's creation," Ibn Ezra is in full agreement with him. However, there is an important difference between the two commentators' understanding of the verse as a whole; see below, note 24.

22. Ibn Ezra states that the *vav* is like the Arabic *fa*, which is an untranslatable particle used as an introduction to a statement. He uses this approach to explain a superfluous ו prefix no fewer than eighteen times in his *Tanach* commentary. (Radak likewise occasionally uses this approach in his commentary.)

23. Ibn Ezra paraphrases the verse by substituting these synonyms for *the heavens and the earth*.

24. According to Ibn Ezra, *the heavens*, *the earth*, *the deep* and *the water*, all of which are mentioned in verses 1-2, were *not* created on the first day. Rather, what the Torah means to say in the first three verses is that "Before the heavens and the earth, etc. were created (on their respective days), God created light (on the first day)." [In this he differs from Rashi, who maintains that the heavens and the earth, water, wind, and many other things were created on the first day.]

25. This is a quote from Rashi himself. He means that

רמב״ן

וְעוֹד, ״וַיַּרְא רֵאשִׁית לוֹ״ [דברים לג, כא]! וְטָעַן בָּזֶה עוֹד טְעָנוֹת.

וְעַתָּה שְׁמַע פֵּרוּשׁ הַמִּקְרָא עַל פְּשׁוּטוֹ נָכוֹן וּבָרוּר: הַקָּדוֹשׁ בָּרוּךְ הוּא בָּרָא כָּל הַנִּבְרָאִים מֵאֲפִיסָה מֻחְלֶטֶת, וְאֵין אֶצְלֵנוּ בִּלְשׁוֹן הַקֹּדֶשׁ בְּהוֹצָאַת הַיֵּשׁ מֵאַיִן אֶלָּא לְשׁוֹן ״בָּרָא״. וְאֵין כָּל הַ״נַּעֲשֶׂה תַּחַת הַשֶּׁמֶשׁ״[27], אוֹ לְמַעְלָה, הוֹוֶה מִן הָאַיִן הַתְחָלָה רִאשׁוֹנָה. אֲבָל הוֹצִיא מִן הָאֶפֶס הַגָּמוּר הַמֻּחְלָט יְסוֹד דַּק מְאֹד, אֵין בּוֹ מַמָּשׁ, אֲבָל הוּא כֹּחַ מַמְצִיא, מוּכָן לְקַבֵּל הַצּוּרָה וְלָצֵאת מִן הַכֹּחַ אֶל הַפּוֹעַל, וְהוּא הַחֹמֶר הָרִאשׁוֹן, נִקְרָא לַיְּוָנִים ״הִיוּלִי״. וְאַחַר הַהִיוּלִי לֹא בָּרָא דָּבָר, אֲבָל ״יָצַר״ וְ״עָשָׂה״[28], כִּי מִמֶּנּוּ הִמְצִיא הַכֹּל, וְהִלְבִּישׁ הַצּוּרוֹת וְתִקֵּן אוֹתָן.

RAMBAN ELUCIDATED

beginning of "everything" God created;[26] **וְעוֹד ״וַיַּרְא רֵאשִׁית לוֹ״** – **and also** we may adduce the verse, ***He chose the beginning*** **(**רֵאשִׁית**)** ***for himself*** (*Deuteronomy* 33:21), where the verse does not specify "beginning of" what.

[Ramban notes that this argument (that רֵאשִׁית must be attached to the following word) is not the only problem that Rashi had with the "standard" interpretation:]

וְטָעַן בָּזֶה עוֹד טְעָנוֹת – **And [Rashi] offered other arguments against this** interpretation, in which בָּרָא is translated *He created*, as well.

[Ramban now puts forth his own interpretation of the opening verses of the Torah:]

וְעַתָּה שְׁמַע פֵּרוּשׁ הַמִּקְרָא עַל פְּשׁוּטוֹ נָכוֹן וּבָרוּר – **Now listen to the interpretation of the verse, according to its simple meaning,** in a **sound and clear** manner: **הַקָּדוֹשׁ בָּרוּךְ הוּא בָּרָא כָּל הַנִּבְרָאִים מֵאֲפִיסָה מֻחְלֶטֶת** – **The Holy One, Blessed is He, created all creations from absolute nihility.** **וְאֵין אֶצְלֵנוּ בִּלְשׁוֹן הַקֹּדֶשׁ בְּהוֹצָאַת הַיֵּשׁ מֵאַיִן אֶלָּא לְשׁוֹן ״בָּרָא״** – **We do not have** any word **in the Holy Tongue** (Hebrew) to express the idea **of bringing forth something out of nothing except for the word** **בָּרָא**, usually rendered, *to create.* **וְאֵין כָּל הַ״נַּעֲשֶׂה תַּחַת הַשֶּׁמֶשׁ״, אוֹ לְמַעְלָה, הוֹוֶה מִן הָאַיִן הַתְחָלָה רִאשׁוֹנָה** – **Now, nothing that is "made under the sun,"**[27] **or above** it, **initially comes into existence from nothingness;** **אֲבָל הוֹצִיא מִן הָאֶפֶס הַגָּמוּר הַמֻּחְלָט יְסוֹד דַּק מְאֹד, אֵין בּוֹ מַמָּשׁ** – **rather, [God] brought into being from complete, absolute nihility an exceedingly fine primary essence with** practically **no substance.** **אֲבָל הוּא כֹּחַ מַמְצִיא, מוּכָן לְקַבֵּל הַצּוּרָה, וְלָצֵאת מִן הַכֹּחַ אֶל הַפּוֹעַל** – **But this** essence **is the potential for bringing forth** other things, **ready to receive form and to emerge from the potential to the actual.** **וְהוּא הַחֹמֶר הָרִאשׁוֹן, נִקְרָא לַיְּוָנִים ״הִיוּלִי״** – **This is the primary substance called by the Greeks ulh** (*hule*). **וְאַחַר הַהִיוּלִי לֹא בָּרָא דָּבָר** – **And after this *hule*, [God] did not create anything** out of nothing; **אֲבָל יָצַר וְעָשָׂה** – **rather, He "formed" and "made"** things,[28] **כִּי מִמֶּנּוּ הִמְצִיא הַכֹּל וְהִלְבִּישׁ הַצּוּרוֹת וְתִקֵּן אוֹתָן** – **for He brought all things into being from [the *hule*], endowed** them with **forms and perfected them.**

רֵאשִׁית is in the construct form and means *the beginning of*; it must therefore be followed by some noun, so that the combined phrase would mean "beginning of something." The way our verse is written, it would have to be translated "In the beginning of God created the heavens and the earth." Since this is impossible, Rashi was forced to reinterpret בָּרָא (usually translated *He created*) as *creation,* so that the verse reads, "In the beginning of God's creation of the heavens and the earth ..."

26. In our versions of Rashi, he himself asks Ramban's question from *Isaiah* 46:10 and proposes Ramban's answer (that he attaches the implied word דָּבָר, *thing,* to רֵאשִׁית) as well as his counter-argument (that the same approach could be used in our verse as well). It seems that Ramban did not have all of this in his version of Rashi.

27. Stylistic citation from *Ecclesiastes* 8:9.

28. As noted above (see note 3), Ramban distinguishes between the Hebrew verbs ברא, *to create* – which is used only to indicate that something has been created out of nothing – and עשה, *to make,* or יצר, *to form,* which are used to describe the making of something out of a pre-existing material. Noting that the word ברא is used only in connection with the beginning of Creation (although exceptions will be noted shortly), whereas subsequently the other verbs are used, Ramban explains that, at the very beginning of Creation, God *created* (out of nothing) the primary essence *hule*, and thereafter He *made* (out of the pre-existing material *hule*) all other beings.

Ibn Ezra, citing "many commentators," mentions the notion that ברא must only refer to creating something out of nothing, but rejects it because the root ברא appears twice in our chapter (v. 21, v. 27) with

רמב״ן

וְדַע כִּי הַשָּׁמַיִם וְכָל אֲשֶׁר בָּהֶם חֹמֶר אֶחָד, וְהָאָרֶץ וְכָל אֲשֶׁר בָּהּ חֹמֶר אֶחָד, וְהַקָּדוֹשׁ בָּרוּךְ הוּא בָּרָא אֵלּוּ שְׁנֵיהֶם מֵאַיִן, וּשְׁנֵיהֶם לְבַדָּם נִבְרָאִים, וְהַכֹּל נַעֲשִׂים מֵהֶם. וְהַחֹמֶר הַזֶּה, שֶׁקָּרְאוּ הִיוּלִי, נִקְרָא בִּלְשׁוֹן הַקֹּדֶשׁ ״תֹּהוּ״. וְהַמִּלָּה נִגְזְרָה מִלְּשׁוֹנָם ״בְּתוֹהֵא עַל הָרִאשׁוֹנוֹת״ [קדושין מ, ב], מִפְּנֵי שֶׁאִם בָּא אָדָם לִגְזוֹר בּוֹ שֵׁם - תּוֹהֵא וְנִמְלָךְ לְקוֹרְאוֹ בְּשֵׁם אַחֵר, כִּי לֹא לָבַשׁ צוּרָה שֶׁיִּתְפַּשׁ בָּהּ הַשֵּׁם כְּלָל[29]. וְהַצּוּרָה הַנִּלְבֶּשֶׁת לַחֹמֶר הַזֶּה נִקְרֵאת בִּלְשׁוֹן הַקֹּדֶשׁ ״בֹּהוּ״. וְהַמִּלָּה מֻרְכֶּבֶת, כְּלוֹמַר: בּוֹ הוּא, כְּמִלַּת ״לֹא תוּכַל עֲשֹׂהוּ״ [שמות יח, יח], שֶׁמְּחֻסָּר הַוָּ״ו וְהָאָלֶ״ף, עֲשׂוֹ הוּא[29a]. וְזֶהוּ שֶׁאָמַר הַכָּתוּב [ישעיה לד, יא]: ״וְנָטָה עָלֶיהָ קַו תֹהוּ וְאַבְנֵי בֹהוּ״ כִּי הַקַּו הוּא אֲשֶׁר בּוֹ יִתְחֹם הָאֻמָּן מַחְשֶׁבֶת בִּנְיָנוֹ וּמַה שֶּׁיְּקַוֶּה לַעֲשׂוֹת[30], נִגְזַר מִן ״קַוֵּה אֶל ה׳״ [תהלים כז, יד], וְהָאֲבָנִים הֵם צוּרוֹת בְּבִנְיָן[31]. וְכֵן כָּתוּב [ישעיה מ, יז]: ״מֵאֶפֶס וָתֹהוּ נֶחְשְׁבוּ לוֹ״, כִּי הַתֹּהוּ אַחַר הָאֶפֶס, וְאֵינֶנּוּ דָּבָר. וְכָךְ אָמְרוּ בְּסֵפֶר יְצִירָה [ב, ו]: ״יָצַר מִתֹּהוּ מַמָּשׁ וְעָשָׂה אֵינוֹ יֶשְׁנוֹ״[32].

RAMBAN ELUCIDATED

[Ramban continues to discuss the nature of the primary substance *hule*:]

וְדַע כִּי הַשָּׁמַיִם וְכָל אֲשֶׁר בָּהֶם חֹמֶר אֶחָד – You should know that the heavens and all that is in them are of **one** primary **substance, וְהָאָרֶץ וְכָל אֲשֶׁר בָּהּ חֹמֶר אֶחָד – and the land and all that is in it are** of **one** different primary **substance. וְהַקָּדוֹשׁ בָּרוּךְ הוּא בָּרָא אֵלּוּ שְׁנֵיהֶם מֵאַיִן – The Holy One, Blessed is He, created both of these from nothing. וּשְׁנֵיהֶם לְבַדָּם נִבְרָאִים – These two things alone were created** from nothing, **וְהַכֹּל נַעֲשִׂים מֵהֶם – and everything** else in the universe **is made from them. וְהַחֹמֶר הַזֶּה, שֶׁקָּרְאוּ הִיוּלִי, נִקְרָא בִּלְשׁוֹן הַקֹּדֶשׁ ״תֹּהוּ״ – Now, this substance, which [the Greeks] called *hule,* is called *tohu* in the Holy Tongue** (Hebrew). **וְהַמִּלָּה נִגְזְרָה מִלְּשׁוֹנָם ״בְּתוֹהֵא עַל הָרִאשׁוֹנוֹת״ – The word** *tohu* **is related to** the word תּוֹהֵא, *regrets,* found in **[the Sages'] expression, "when he regrets his first deeds"** (*Kiddushin* 40b). **מִפְּנֵי שֶׁאִם בָּא אָדָם לִגְזוֹר בּוֹ שֵׁם, תּוֹהֵא וְנִמְלָךְ לְקוֹרְאוֹ בְּשֵׁם אַחֵר** – It is called this **because if a person tries to coin a word for [this *hule*], he regrets** his choice **and changes his mind to call it by another name, כִּי לֹא לָבַשׁ צוּרָה שֶׁיִּתְפַּשׁ בָּהּ הַשֵּׁם כְּלָל – for it has not taken on any form that a name should be applicable to it at all.**[29] **וְהַצּוּרָה הַנִּלְבֶּשֶׁת לַחֹמֶר הַזֶּה נִקְרֵאת בִּלְשׁוֹן הַקֹּדֶשׁ ״בֹּהוּ״ – And the form that is taken on by this** *hule* **substance is called in the Holy Tongue *bohu.* וְהַמִּלָּה מֻרְכֶּבֶת, כְּלוֹמַר: בּוֹ הוּא – The word is a** con-tracted **compound word, as if it said,** בּוֹ הוּא, *it is in it,* that is, "there is form in this *hule.*" **כְּמִלַּת ״לֹא תוּכַל עֲשֹׂהוּ״ שֶׁמְּחֻסָּר הַוָּ״ו וְהָאָלֶ״ף, עֲשׂוֹ הוּא** – It is **like the word** עֲשֹׂהוּ in ***you will not be able to do it*** (עֲשֹׂהוּ) *alone* (*Exodus* 18:18), **which is missing the** letters **ו and א,** but is understood as if it were written **עֲשׂוֹ הוּא**; here, too, the word בֹּהוּ, is missing the letters ו and א.[29a] **וְזֶהוּ שֶׁאָמַר הַכָּתוּב: ״וְנָטָה עָלֶיהָ קַו תֹהוּ וְאַבְנֵי בֹהוּ״ – This is** the meaning of **what Scripture says, *He will stretch out over it a rope-line of "tohu" and stones of "bohu"*** (*Isaiah* 34:11). **כִּי הַקַּו הוּא אֲשֶׁר בּוֹ יִתְחֹם הָאֻמָּן מַחְשֶׁבֶת בִּנְיָנוֹ וּמַה שֶּׁיְּקַוֶּה לַעֲשׂוֹת – For the rope-line** (קַו) is that instrument **with which the builder out-lines his building plan and what he hopes** (יְקַוֶּה) **to accomplish.**[30] **נִגְזַר מִן ״קַוֵּה אֶל ה׳״ – It is related to** the similar word in the phrase, ***Hope*** (קַוֵּה) ***to Hashem*** (*Psalms* 27:14). **וְהָאֲבָנִים הֵם צוּרוֹת בְּבִנְיָן – And the stones** of the verse in *Isaiah* **are the forms** used **for building.**[31] **וְכֵן כָּתוּב: ״מֵאֶפֶס וָתֹהוּ נֶחְשְׁבוּ לוֹ״ – Similarly, it is written, *they are considered of nihility and "tohu" before Him*** (*Isaiah* 40:17), **כִּי הַתֹּהוּ אַחַר הָאֶפֶס, וְאֵינֶנּוּ דָּבָר – for *tohu* is** a step **beyond nihility, yet it is not a substantive entity. וְכָךְ אָמְרוּ בְּסֵפֶר יְצִירָה: – And so they said in *Sefer Yetzirah*** (2:6): **יָצַר מִתֹּהוּ מַמָּשׁ וְעָשָׂה אֵינוֹ יֶשְׁנוֹ – [God] formed a substance from *tohu,*** and thus **made "a nothing"** into **"a something."**[32]

---

reference to the making of beings out of pre-existing material. Ramban deals with those exceptions below (v. 21).

29. Since *hule* lacks any describable attributes, it is difficult to assign it a name.

29a. That is, just as the word עֲשֹׂהוּ is a contraction of the two words עֲשׂוֹ, *to do,* and הוּא, *it,* with the letters ו of עשׂו and א of הוא omitted, so is the word בֹּהוּ a contraction of the words בּוֹ, *in it,* and הוּא, *it (is),* with the ו of בּוֹ and the א of הוּא omitted.

30. The lines are called "lines of *tohu*" because they are used for planning, and not in the actual building process. They represent the potential, as opposed to the actual.

31. The stones are called "stones of *bohu*" because, as opposed to the rope-line, they are used in the actual building.

32. Ramban would interpret this statement to mean,

רמב״ן

וְעוֹד אָמְרוּ בְּמִדְרַשׁ רַבִּי נְחוּנְיָא בֶּן הַקָּנֶה [ב][33]: אָמַר רַבִּי בֶּרֶכְיָה: מַאי דִּכְתִיב ״וְהָאָרֶץ הָיְתָה תֹהוּ וָבֹהוּ״? מַאי מַשְׁמַע ״הָיְתָה״[34]? שֶׁכְּבָר הָיְתָה תֹהוּ. וּמַאי ״בֹהוּ״? אֶלָּא תֹהוּ הָיְתָה - וּמַאי ״תֹהוּ״? דָּבָר הַמַּתְהֶא בְּנֵי אָדָם. וְחָזְרָה לְבֹהוּ - וּמַאי בֹהוּ? דָּבָר שֶׁיֵּשׁ בּוֹ מַמָּשׁ, דִּכְתִיב ״בּוֹ הוּא״.

וְאָמַר **אֱלֹהִים** - ״בַּעַל הַכֹּחוֹת כֻּלָּם״[35]. כִּי הַמִּלָּה עִקָּרָהּ ״אֵל״, שֶׁהוּא כֹּחַ, וְהִיא מִלָּה מֻרְכֶּבֶת, ״אֵל הֵם״, כְּאִלּוּ ״אֵל״ סָמוּךְ, וְ״הֵם״ יִרְמֹז לְכָל שְׁאָר הַכֹּחוֹת[36], כְּלוֹמַר: ״כֹּחַ הַכֹּחוֹת כֻּלָּם״. וְעוֹד יִתְבָּאֵר סוֹד זֶה[37].

אִם כֵּן, יִהְיֶה פְּשַׁט הַכְּתוּבִים עַל נָכוֹן. מַשְׁמָעוּתוֹ: בִּתְחִלָּה[38] ״בָּרָא אֱלֹהִים אֶת הַשָּׁמַיִם,״ כִּי הוֹצִיא חֹמֶר שֶׁלָּהֶם מֵאַיִן, ״וְאֵת הָאָרֶץ,״ שֶׁהוֹצִיא הַחֹמֶר שֶׁלָּהּ מֵאַיִן.

RAMBAN ELUCIDATED

וְעוֹד אָמְרוּ בְּמִדְרַשׁ רַבִּי נְחוּנְיָא בֶּן הַקָּנֶה – And they said further, in the Midrash of Rabbi Nechunia ben Hakaneh[33] (sec. 2): **אָמַר רַבִּי בֶּרֶכְיָה, מַאי דִּכְתִיב ״וְהָאָרֶץ הָיְתָה תֹהוּ וָבֹהוּ״ – Rabbi Berechiah said: What** is meant by what **is written,** ***and the land was "tohu" and "bohu"?*** **מַאי מַשְׁמַע ״הָיְתָה״ – What is the meaning of** ***was?***[34] **שֶׁכְּבָר הָיְתָה תֹהוּ – That it was** ***tohu*** **beforehand. וּמַאי ״בֹהוּ״ – And what is** meant by ***bohu?*** **אֶלָּא תֹהוּ הָיְתָה – However,** the Torah is telling us that **it was** ***tohu*** at first – **וּמַאי ״תֹהוּ״, דָּבָר הַמַּתְהֶא בְּנֵי אָדָם – and what is** ***tohu?*** **Something that brings astonishment to people – וְחָזְרָה לְבֹהוּ – and** then **it changed into** ***bohu.*** **וּמַאי בֹהוּ, דָּבָר שֶׁיֵּשׁ בּוֹ מַמָּשׁ, דִּכְתִיב ״בּוֹ הוּא״ – And what is** ***bohu?*** **Something that has substance, as** if it were **written** בּוֹ הוּא, ***there is*** *substance* ***in it.***

[Ramban now discusses the use of this particular Name of God (*Elohim*) in the context of the six days of Creation:]

וְאָמַר ״אֱלֹהִים״, בַּעַל הַכֹּחוֹת כֻּלָּם – [Scripture] says the Name of God ***Elohim***, which indicates **"the Master of All Powers."**[35] **כִּי הַמִּלָּה עִקָּרָהּ ״אֵל״, שֶׁהוּא כֹּחַ – For the root of [the word] is** אֵל**, which means "power." וְהִיא מִלָּה מֻרְכֶּבֶת ״אֵל הֵם״ –** ***[Elohim]*** **is a compound word** of the two elements אֵל and הֵם, ***Power*** and ***them,*** **כְּאִלּוּ ״אֵל״ סָמוּךְ – as if** אֵל, ***Power,*** **were attached** to the following word, הֵם, *them,* and means "the Power of them," **וְ״הֵם״ יִרְמֹז לְכָל שְׁאָר הַכֹּחוֹת –** with the pronoun ***them*** **referring to all other powers.**[36] **כְּלוֹמַר: כֹּחַ הַכֹּחוֹת כֻּלָּם – In other words,** *Elohim* means **"Power over all powers." וְעוֹד יִתְבָּאֵר סוֹד זֶה – This mystical concept will be explained further** elsewhere in this commentary.[37]

[Having finished his digression concerning the word *Elohim*, Ramban now returns to his explanation of our passage in terms of God's creation of *tohu* and *bohu*:]

אִם כֵּן יִהְיֶה פְּשַׁט הַכְּתוּבִים עַל נָכוֹן – If so, the simple explanation of the verses is based **upon a sound** interpretation. **מַשְׁמָעוּתוֹ: בִּתְחִלָּה ״בָּרָא אֱלֹהִים אֶת הַשָּׁמַיִם״, כִּי הוֹצִיא חֹמֶר שֶׁלָּהֶם מֵאַיִן – Its meaning is:** ***In the beginning,***[38] ***God created*** *out of nothing* ***the heavens,*** **for He brought their** primary **matter** (*hule*) **into existence out of nothing, ״וְאֵת הָאָרֶץ״, שֶׁהוֹצִיא הַחֹמֶר שֶׁלָּהּ מֵאַיִן –** ***and the earth,*** **for He brought its** primary **matter** (*hule*) **into existence out of nothing** as well.

"[God] formed an actual substance (i.e., *bohu*) from *tohu*, making something that had no form into something that had form."

33. Also known as *Sefer HaBahir*.

34. Even if הָיְתָה had not been written, "was" would have been self-understood, as in the end of the verse, *and darkness was upon the face of the earth,* where the word "was" is not written in the Hebrew. The same is true for מְרַחֶפֶת, *was hovering*. Why, then, did the Torah write הָיְתָה, *was,* in connection with *tohu*?

35. Scripture uses this Name here because it is describing God's creation of the primary *hule,* which contained within it the potential power of all things subsequently brought into existence from it.

36. This is in contradistinction to Ibn Ezra's explanation that אֱלֹהִים is simply the plural form of אֱלוֹהַּ. (See Rabbeinu Bachya and *Kur Zahav,* who explain why there is a י in the word according to Ramban.)

37. See Ramban below, on 14:18.

38. According to Ramban, then, the word בְּרֵאשִׁית means simply "in the beginning," or "at first"; it does not mean "in the beginning of" something, as Rashi maintains. (See Ramban's essay, *"Toras Hashem Temimah,"* Mosad Harav Kook, p. 156.)

רמב"ן

וְהָאָרֶץ תִּכְלֹל אַרְבָּעָה הַיְסוֹדוֹת כֻּלָּם[39], כְּמוֹ "וַיְכֻלּוּ הַשָּׁמַיִם וְהָאָרֶץ וְכָל צְבָאָם" [לקמן ב, א], שֶׁתִּכְלֹל כָּל הַכַּדּוּר הַתַּחְתּוֹן[40]. וְכֵן "הַלְלוּ אֶת ה' מִן הָאָרֶץ, תַּנִּינִים וְכָל תְּהֹמוֹת" [תהלים קמח, ז][41], וְזוּלָתָם רַבִּים.

וְהִנֵּה בַּבְּרִיאָה הַזֹּאת, שֶׁהִיא כִּנְקֻדָּה קְטַנָּה דַּקָּה וְאֵין בָּהּ מַמָּשׁ, נִבְרְאוּ כָּל הַנִּבְרָאִים בַּשָּׁמַיִם וּבָאָרֶץ.

וּמִלַּת **אֵת**[42] כְּמוֹ עֶצֶם הַדָּבָר. וְדָרְשׁוּ[43] בָּהּ שֶׁהִיא לְעוֹלָם לְרַבּוֹת, כִּי הִיא נִגְזְרָה מִן "אָתָא בֹקֶר וְגַם לָיְלָה" [ישעיה כא, יב][44]. וְכֵן אָמְרוּ רַבּוֹתֵינוּ "אֵת הַשָּׁמַיִם" - לְרַבּוֹת חַמָּה וּלְבָנָה, כּוֹכָבִים וּמַזָּלוֹת; "וְאֵת הָאָרֶץ" -

RAMBAN ELUCIDATED

□ [הָאָרֶץ – *THE EARTH.*]

וְ"הָאָרֶץ" תִּכְלֹל אַרְבָּעָה הַיְסוֹדוֹת כֻּלָּם – The word ***the earth,*** as it used in this verse, **includes all of the four elements.**[39] **כְּמוֹ "וַיְכֻלּוּ הַשָּׁמַיִם וְהָאָרֶץ וְכָל צְבָאָם", שֶׁתִּכְלֹל כָּל הַכַּדּוּר הַתַּחְתּוֹן** – It is **like *the heavens and the earth were finished, and all their hosts*** (below, 2:1), **where ["earth"] includes the entire lower sphere.**[40] **וְכֵן "הַלְלוּ אֶת ה' מִן הָאָרֶץ תַּנִּינִים וְכָל תְּהֹמוֹת"** – **And similarly,** we find ***Praise Hashem from the earth, you giant sea creatures and all of the deep waters***[41] (*Psalms* 148:7), **וְזוּלָתָם רַבִּים** – **and many other** examples **like them.**

וְהִנֵּה בַּבְּרִיאָה הַזֹּאת – **Now, with this creation** of *hule,* **שֶׁהִיא כִּנְקֻדָּה קְטַנָּה דַּקָּה וְאֵין בָּהּ מַמָּשׁ** – **which was like a small fine speck and had no substance, נִבְרְאוּ כָּל הַנִּבְרָאִים בַּשָּׁמַיִם וּבָאָרֶץ** – **were created,** in potential, **all the creations in the heavens and on the earth.**

□ [אֵת.[42]]

[Ramban explains the function of the word אֵת, and shows how it is to be understood in the context of our verse, in light of his preceding comment:]

וּמִלַּת "אֵת" כְּמוֹ עֶצֶם הַדָּבָר – **The word** אֵת is like the phrase, **"the essence of that thing,"** i.e., "that very thing itself." **וְדָרְשׁוּ בָּהּ שֶׁהִיא לְעוֹלָם לְרַבּוֹת** – **[The Sages] expounded this** word, asserting **that it always is** meant **to include** something extra not mentioned in the verse explicitly.[43] **כִּי הִיא נִגְזְרָה מִן "אָתָא בֹקֶר וְגַם לָיְלָה"** – **For it is related to** the word אָתָא, *has come,* in the verse, ***morning has come, and also night*** (*Isaiah* 21:12).[44] **וְכֵן אָמְרוּ רַבּוֹתֵינוּ** – **And so too** in explaining our verse, **our Sages said: "אֵת הַשָּׁמַיִם" לְרַבּוֹת חַמָּה וּלְבָנָה כּוֹכָבִים וּמַזָּלוֹת** – The term **אֵת** is used with reference to ***the heavens*** **to include the sun, moon, stars and constellations** of the heavens; **"וְאֵת הָאָרֶץ",**

39. According to the system of physical analysis used by the *Rishonim,* all matter in the world is made up of various combinations of four basic elements. Ramban enumerates them below: הָאֵשׁ, *fire;* וְהַמַּיִם, *water;* וְהֶעָפָר, *earth;* וְהָאֲוִיר, *and air.* Ramban's point here is that when the Torah speaks of *earth* in our verse, it does not refer to the element earth, or to the ground which is made up of that element, but to "earth" in its broader sense: everything that exists in the world.

This is in contradistinction to the opinion of Ibn Ezra, who maintains that *earth* in our verse refers to the ground, the same *dry land* mentioned in vv. 9-10, which God called "earth."

Ramban's explanation of *earth* in our verse as a broad term containing all four elements is based on Rambam, in his *Moreh Nevuchim* (II:30). The idea of separate *hules* for heaven and earth is also found there. (Ramban explicitly cites this source in his essay *"Toras Hashem Temimah,"* Mosad Harav Kook, p. 157.)

40. That verse, *The heavens and the earth were finished, and all their hosts,* means to say that all of Creation had been completed. If *earth* is taken to mean only the dry land (as Ibn Ezra maintains), the verse would not be including the seas and all that is found in them. Yet the verse speaks of Creation as being completely *finished* in all its detail. Thus, Ramban concludes that the term, *the earth,* there must include the seas as well, and should not be taken in its narrow sense of "the ground."

By "lower sphere" Ramban means the earth, water, air and fire found beneath the heavens ("upper spheres"). (See Ramban on *Leviticus* 26:4.)

41. That verse, too, shows that the word "earth" can include the seas as well.

42. The word את (or אֵת) has no equivalent in English. It is most commonly used to indicate that the following word or phrase is the direct object of the verb in its sentence.

43. See *Pesachim* 22b and *Kiddushin* 57a. Since the addition of this word, indicating "that very thing," contributes nothing to the clarity and meaning of a word, the Sages consider it a superfluity to be expounded upon in some manner.

44. Just as the Hebrew verb אתא means *to come,* so does אֵת indicate that there is something extra "coming into" the verse.

רמב״ן

לְרַבּוֹת הָאִילָנוֹת וּדְשָׁאִים [ב״ר א, יד], וְגַן עֵדֶן. וְאֵלּוּ כְּלַל כָּל הַנִּבְרָאִים בַּעַל הַגּוּף[45].

וְאַחַר שֶׁאָמַר כִּי בַּתְּחִלָּה, בְּמַאֲמָר אֶחָד, בָּרָא אֱלֹהִים הַשָּׁמַיִם וְהָאָרֶץ וְכָל צְבָאָם[46] - חָזַר וּפֵרֵשׁ, כִּי הָאָרֶץ אַחַר הַבְּרִיאָה הַזּוֹ ״הָיְתָה תֹהוּ״, כְּלוֹמַר חֹמֶר אֵין בּוֹ מַמָּשׁ, ״וְהָיְתָה ... בֹהוּ״, כִּי הִלְבִּישׁ אוֹתָהּ צוּרָה[47].

וּפֵרֵשׁ שֶׁבַּצּוּרָה הַזּוֹ צוּרַת ד׳ יְסוֹדוֹת שֶׁהֵם הָאֵשׁ וְהַמַּיִם וְהֶעָפָר וְהָאֲוִיר. וּמִלַּת ״הָאָרֶץ״ תִּכְלֹל אַרְבַּעַת אֵלֶּה[48,49]. וְהָאֵשׁ נִקְרֵאת ״חֹשֶׁךְ״ מִפְּנֵי שֶׁהָאֵשׁ הַיְסוֹדִית חֲשׁוּכָה[50]; וְאִלּוּ הָיְתָה אֲדֻמָּה - הָיְתָה מַאֲדִימָה לָנוּ הַלַּיְלָה[51]. וְהַמַּיִם שֶׁנִּגְבַּל בָּהֶם הֶעָפָר יִקָּרֵא ״תְּהוֹם״, וְלָכֵן יִקָּרְאוּ מֵי הַיָּם ״תְּהוֹמוֹת״[52], כְּדִכְתִיב: ״תְּהֹמֹת יְכַסְיֻמוּ״ [שמות טו, ה], ״קָפְאוּ תְהֹמֹת״ [שם פסוק ח], ״תְּהוֹם יְסֹבְבֵנִי״ [יונה ב, ו].

RAMBAN ELUCIDATED

לְרַבּוֹת הָאִילָנוֹת וּדְשָׁאִים וְגַן עֵדֶן – and the term **וְאֵת** is used with reference to ***the earth*** **to include the trees, vegetation, and the Garden of Eden,** all of which are located on the earth (*Bereishis Rabbah* 1:14). **וְאֵלּוּ כְּלַל כָּל הַנִּבְרָאִים בַּעֲלֵי הַגּוּף** – **These** things enumerated by the Sages **include all the creations that have a physical form.**[45]

וְאַחַר שֶׁאָמַר כִּי בַּתְּחִלָּה בְּמַאֲמָר אֶחָד בָּרָא אֱלֹהִים הַשָּׁמַיִם וְהָאָרֶץ וְכָל צְבָאָם – **Then, after [Scripture] said that in the beginning God, in one utterance, created the heavens and the earth and all their hosts,**[46] **חָזַר וּפֵרֵשׁ, כִּי הָאָרֶץ אַחַר הַבְּרִיאָה הַזּוֹ ״הָיְתָה תֹהוּ״, כְּלוֹמַר חֹמֶר אֵין בּוֹ מַמָּשׁ** – **it went back to elucidate,** in v. 2, **that the earth, after this creation** out of nothingness, ***was tohu,*** **meaning that it was matter without substance** (*hule*), **״וְהָיְתָה ... בֹהוּ״, כִּי הִלְבִּישׁ אוֹתָהּ צוּרָה** – **and that** subsequently ***it was bohu,*** **for He endowed it with form.**[47]

וּפֵרֵשׁ שֶׁבַּצּוּרָה הַזּוֹ צוּרַת ד׳ יְסוֹדוֹת – After this, **[Scripture] elaborates** further **that this form included the form of four elements,** **שֶׁהֵם הָאֵשׁ** – **which are fire,** **וְהַמַּיִם** – **water,** **וְהֶעָפָר** – **earth** **וְהָאֲוִיר** – **and air.** **וּמִלַּת ״הָאָרֶץ״ תִּכְלֹל אַרְבַּעַת אֵלֶּה** – **The word** הָאָרֶץ, ***the earth,*** in *the earth was "tohu" and "bohu,"* **encompasses these four elements,**[48] as indicated by the subsequent phrase: *with "darkness" upon the surface of the "tehom," and a "wind" from God hovered upon the surface of the waters*, as will be explained presently.[49] **וְהָאֵשׁ נִקְרֵאת ״חֹשֶׁךְ״ מִפְּנֵי שֶׁהָאֵשׁ הַיְסוֹדִית חֲשׁוּכָה** – **Fire is called *darkness*** in this verse **because the essential fire is dark;**[50] **וְאִלּוּ הָיְתָה אֲדֻמָּה הָיְתָה מַאֲדִימָה לָנוּ הַלַּיְלָה** – **if [fire] were red** inherently **it would redden the night for us.**[51] **וְהַמַּיִם שֶׁנִּגְבַּל בָּהֶם הֶעָפָר יִקָּרֵא ״תְּהוֹם״** – **Now, water into which earth has been intermingled is called *tehom*** (usually translated as "the deep") in Hebrew. **וְלָכֵן יִקָּרְאוּ מֵי הַיָּם ״תְּהוֹמוֹת״** – **This is why the waters of the sea are called *tehomos*** (pl. of *tehom*, also usually translated as "the deep"),[52] **כְּדִכְתִיב ״תְּהֹמֹת יְכַסְיֻמוּ״, ״קָפְאוּ תְהֹמֹת״, ״תְּהוֹם יְסֹבְבֵנִי״** – **as it is written, *deep waters*** (*tehomos*) ***covered them*** (*Exodus*

45. As Ramban explained above, the word ברא refers to creating something out of nothing; in our verse, it is used to refer to the *hule* of heaven and the *hule* of earth. Everything found in the heavens and on the earth was produced from those *hules.* The two words אֵת allude to the potential power of this production, which lay in the *hule*, as Ramban explained earlier in his comment.

When Ramban says "all the creations that have a physical form" he means to exclude angels, etc., which do not have physical form. This is in contradistinction to the alternative interpretation he offers below (on v. 8).

46. The "hosts" of heaven are the sun, moon, etc., and the "hosts" of earth are the trees and vegetation, etc., mentioned by Ramban in the preceding paragraph (see also below, 2:1). The first verse describes the creation (out of nothingness) of the *hule* of heaven and earth, which embodied the potential of all physical matter on heaven and earth.

47. The first phrase of the second verse, then, describes the transformation of *tohu* (*hule*) into *bohu* (actual matter with form).

48. As was true for the same word (הָאָרֶץ) in verse 1 (see Ramban above, s.v., הָאָרֶץ, and note 37).

49. This exposition, too, is taken from Rambam's *Moreh Nevuchim* (II:30).

50. It is dark in the sense that it is not visible (i.e., it is transparent – Rambam, ibid.). The only reason fire usually appears to glow with a reddish or orange color is that it is not pure, essential fire that we see, rather, we see fire with an admixture of other elements.

[This discussion of the transparent nature of fire is also from *Moreh Nevuchim* (ibid.).]

51. According to the four-element system, there is a sphere of essential fire that envelops the atmosphere (as Ramban explains below). The fact that we do not see this sphere aglow at night proves that fire is inherently invisible.

52. The waters of the ocean are called *tehom(os)* because they are not pure water, but contain admixtures of earth and minerals.

ב וְהָאָ֗רֶץ הָיְתָ֥ה תֹ֙הוּ֙ וָבֹ֔הוּ וְחֹ֖שֶׁךְ עַל־פְּנֵ֣י תְה֑וֹם וְר֣וּחַ אֱלֹהִ֔ים מְרַחֶ֖פֶת עַל־פְּנֵ֥י הַמָּֽיִם׃

ב וְאַרְעָא הֲוָת צַדְיָא וְרֵיקָנְיָא וַחֲשׁוֹכָא עַל אַפֵּי תְהוֹמָא וְרוּחָא מִן קֳדָם יְיָ מְנַשְּׁבָא עַל אַפֵּי מַיָּא:

רש"י

(ב) תהו ובהו. תהו לשון תמה ושממון, שאדם תוהה ומשתומם על בהו שבה: **תהו.** אשטורדישו"ן בלע"ז: **בהו.** לשון ריקות ולדו (אונקלוס): **על פני תהום.** על פני המים שעל הארץ: **ורוח אלהים מרחפת.** כסא הכבוד עומד באויר ומרחף על פני המים ברוח פיו של הקב"ה ובמאמרו כיונה המרחפת על הקן (חגיגה טו.; מדרש תהלים נג:ה) אקובטי"ר בלע"ז:

רמב"ן

וְיִקָּרֵא קַרְקַע הַיָּם "תְּהוֹם"[53]: "וַיִּגְעַר בְּיַם סוּף וַיֶּחֱרָב וַיּוֹלִיכֵם בַּתְּהֹמוֹת כַּמִּדְבָּר" [תהלים קו, ט]; "מוֹלִיכָם בַּתְּהֹמוֹת כַּסּוּס בַּמִּדְבָּר" [ישעיה סג, יג]. וְהָאֲוִיר יִקָּרֵא "רוּחַ"[54].

וּכְבָר נוֹדַע כִּי הַיְסוֹדוֹת הָאַרְבָּעָה מִקְשָׁה אַחַת[55]. וְהָעַמּוּד שֶׁלָּהּ הוּא עִגּוּל הָאָרֶץ, וְהַמַּיִם מַקִּיפִין עַל הָאָרֶץ, וְהָאֲוִיר מַקִּיף עַל הַמַּיִם, וְהָאֵשׁ מַקִּיף עַל הָאֲוִיר. וְאָמַר הַכָּתוּב כִּי הָאָרֶץ לָבְשָׁה צוּרָה, וְהָיָה הָאֵשׁ מַקִּיף לְמַעְלָה עַל הַמַּיִם וְהֶעָפָר הַמְעֹרָבִים, וְהָרוּחַ מְנַשֶּׁבֶת וְתִכָּנֵס בַּחֹשֶׁךְ וּתְרַחֵף עַל הַמַּיִם. וְיֵרָאֶה לִי, שֶׁהַנְּקֻדָּה הַזֹּאת, בְּלָבְשָׁהּ הַצּוּרָה וְהָיְתָה בֹהוּ - הִיא שֶׁהַחֲכָמִים קוֹרִין אוֹתָהּ "אֶבֶן שְׁתִיָּה", שֶׁמִּמֶּנָּה נִשְׁתַּת הָעוֹלָם [יומא נד, ב].

RAMBAN ELUCIDATED

15:5); *the deep waters* (*tehomos*) *congealed* (ibid. v. 8); and *the deep water* (*tehom*) *whirled around me* (*Jonah* 2:6). וְיִקָּרֵא קַרְקַע הַיָּם "תְּהוֹם" – **And the floor of the sea is** also **called** ***tehom,***[53] as it is written, "וַיִּגְעַר בְּיַם סוּף וַיֶּחֱרָב וַיּוֹלִיכֵם בַּתְּהֹמוֹת כַּמִּדְבָּר" – ***He roared at the Sea of Reeds and it became dry, and He led them across the seabed*** (*tehomos*) ***as through a desert*** (*Psalms* 106:9); "מוֹלִיכָם בַּתְּהֹמוֹת כַּסּוּס בַּמִּדְבָּר" – and, ***He led them across the seabed*** (*tehomos*) ***as a horse walks through the desert*** (*Isaiah* 63:13). וְהָאֲוִיר יִקָּרֵא "רוּחַ" – **And air is referred to** in our verse by the term רוּחַ, ***wind.***[54]

[Ramban discusses the arrangement of the four elements and the bearing of this information on our verse:]

וּכְבָר נוֹדַע כִּי הַיְסוֹדוֹת הָאַרְבָּעָה מִקְשָׁה אַחַת – **It is well known that the four elements are** found together **in one mass.**[55] וְהָעַמּוּד שֶׁלָּהּ הוּא עִגּוּל הָאָרֶץ – **The foundation,** i.e., nucleus, **of [this mass] is the sphere of the earth;** וְהַמַּיִם מַקִּיפִין עַל הָאָרֶץ – **water envelops the earth;** וְהָאֲוִיר מַקִּיף עַל הַמַּיִם – **air envelops the water;** וְהָאֵשׁ מַקִּיף עַל הָאֲוִיר – **and fire envelops the air.** וְאָמַר הַכָּתוּב כִּי הָאָרֶץ לָבְשָׁה צוּרָה – **So** our **verse says that** at Creation, **the earth** (i.e., the four elements) **took on form** (*and the earth was "bohu"*), וְהָיָה הָאֵשׁ מַקִּיף לְמַעְלָה עַל הַמַּיִם וְהֶעָפָר הַמְעֹרָבִים – **and** that **the fire** (*darkness*) **enveloped the mixture of water and earth from above** (*with darkness upon the surface of the "tehom"*), וְהָרוּחַ מְנַשֶּׁבֶת וְתִכָּנֵס בַּחֹשֶׁךְ וּתְרַחֵף עַל הַמַּיִם – **and the wind was blowing and entering into the darkness and hovering over the water** (*and a wind from God hovered upon the surface of the waters*). The order of elements was thus fire (darkness) in the outermost sphere, then beneath this the sphere of air, which was directly above the spheres of water and earth.

[Ramban makes a parenthetical observation in connection with *bohu*:]

וְיֵרָאֶה לִי שֶׁהַנְּקֻדָּה הַזֹּאת בְּלָבְשָׁהּ הַצּוּרָה וְהָיְתָה בֹהוּ – **It seems to me that this speck** of *hule*, **when it took on form and became** ***bohu,*** הִיא שֶׁהַחֲכָמִים קוֹרִין אוֹתָהּ "אֶבֶן שְׁתִיָּה" – **is what the Sages refer to as "the stone of foundation,"** שֶׁמִּמֶּנָּה נִשְׁתַּת הָעוֹלָם – so called **because from it the world was founded** (*Yoma* 54b).

[Ramban summarizes his interpretation of the first two verses:]

53. This is because the ocean floor is also a mixture of earth and water, although the percentage of earth in the mixture is of course much greater than in the sea water.

Ramban's point is that the word תְּהוֹם in our verse alludes to the elements of *earth* and *water*.

54. Ramban has thus shown that the four elements are alluded to in the second half of verse 2: *with darkness* (fire) *upon the face of the tehom* (water and earth), *and a wind* (air) *from God*

55. That is, one mass consisting of four distinct layers, as Ramban proceeds to explain.

2 *And the earth was tohu and bohu, with darkness upon the surface of the deep, and a wind from God hovered upon the surface of the waters.*

רמב״ן

וְהִנֵּה שִׁעוּר הַכְּתוּבִים: בְּתְחִלָּה בָּרָא אֱלֹהִים מֵאַיִן אֶת הַשָּׁמַיִם, וּבָרָא מֵאַיִן אֶת הָאָרֶץ [פסוק א]. וְהָאָרֶץ בְּהִבָּרְאָהּ הָיְתָה תֹהוּ, וְהָיְתָה בֹהוּ, וּבָהֶם חֹשֶׁךְ וּמַיִם וְעָפָר וְרוּחַ נוֹשֶׁבֶת עַל הַמַּיִם. וְהִנֵּה הַכֹּל "נִבְרָא" "וְנַעֲשָׂה"[56].

וְסָמַךְ הָ"רוּחַ" לֶ"אֱלֹהִים" בַּעֲבוּר שֶׁהִיא דַּקָּה מִכֻּלָּם, וּלְמַעְלָה מֵהֶם, רַק שֶׁהִיא "מְרַחֶפֶת עַל פְּנֵי הַמָּיִם" בְּמַאֲמָרוֹ שֶׁל הַקָּדוֹשׁ בָּרוּךְ הוּא[56a].

וְאִם תְּבַקֵּשׁ בְּרִיאָה לַמַּלְאָכִים שֶׁאֵינָם גּוּף - לֹא נִתְפָּרֵשׁ זֶה בַּתּוֹרָה[57], וְדָרְשׁוּ בָהֶם [ב"ר א, ג] שֶׁנִּבְרְאוּ בְּיוֹם שֵׁנִי[58], שֶׁלֹּא תֹאמַר שֶׁסִּיְּעוּ בִּבְרִיאַת הָעוֹלָם.

RAMBAN ELUCIDATED

וְהִנֵּה שִׁעוּר הַכְּתוּבִים – **Thus, the sense of the verses is** as follows: בְּתְחִלָּה בָּרָא אֱלֹהִים מֵאַיִן אֶת הַשָּׁמַיִם, וּבָרָא מֵאַיִן אֶת הָאָרֶץ – **"In the beginning, God created the** (*hule* of the) **heavens out of nothing, and He created the** (*hule* of the) **earth out of nothing** (v. 1). וְהָאָרֶץ בְּהִבָּרְאָהּ הָיְתָה תֹהוּ וְהָיְתָה בֹהוּ – **And the earth, when it was created** from nothing, **was** at first ***tohu*** (*hule*), **and** then **it was *bohu*** (endowed with form), וּבָהֶם חֹשֶׁךְ וּמַיִם וְעָפָר וְרוּחַ נוֹשֶׁבֶת עַל הַמַּיִם – **and in [this *bohu*] were darkness** (fire), **water, earth, and wind blowing over the water."**
וְהִנֵּה הַכֹּל נִבְרָא וְנַעֲשָׂה – **Thus, everything was both "created** from nothingness" **and "made** from pre-existing material."[56]

[Why is the wind in our verse described as *a wind from God*? Weren't *all* the four elements "from God"?]

וְסָמַךְ הָ"רוּחַ" לֶ"אֱלֹהִים" – **[Scripture] attaches** the word ***wind*** **to** the word ***God*** בַּעֲבוּר שֶׁהִיא דַּקָּה מִכֻּלָּם, וּלְמַעְלָה מֵהֶם – **because it is more intangible than all the other [elements], and is above them** all, רַק שֶׁהִיא "מְרַחֶפֶת עַל פְּנֵי הַמָּיִם" בְּמַאֲמָרוֹ שֶׁל הַקָּדוֹשׁ בָּרוּךְ הוּא – **except that** here **it *was hovering over the surface of the water* by the command of the Holy One, Blessed is He.**[56a]

[Having established that *the heavens and the earth* include all the physical entities of the world, Ramban now turns his attention to beings that are not physical entities – angels:]

וְאִם תְּבַקֵּשׁ בְּרִיאָה לַמַּלְאָכִים שֶׁאֵינָם גּוּף – **Now, if you will seek** a reference in the verses to the **creation of the angels, which are not material bodies,** you will not find it, for לֹא נִתְפָּרֵשׁ זֶה בַּתּוֹרָה – **this was not mentioned explicitly in the Torah.**[57] וְדָרְשׁוּ בָהֶם שֶׁנִּבְרְאוּ בְּיוֹם שֵׁנִי – **However, [the Sages]** (*Bereishis Rabbah* 1:3) **expounded concerning them,** basing themselves on various biblical verses, **that they were created on the second day** of Creation,[58] שֶׁלֹּא תֹאמַר שֶׁסִּיְּעוּ בִּבְרִיאַת הָעוֹלָם – **so that**, as the Midrash explains, **you should not say that they assisted** God **in the creation of the world.**

[The next part of Ramban's comment discusses the Kabbalistic concepts implicit in the word בְּרֵאשִׁית and in the word order of the Torah's opening phrase. It is not within the scope of this elucidation. In the Hebrew text, Ramban's words appear in the paragraph beginning אֲבָל אִם תִּזְכֶּה and ending מְכְתֶּרֶת בְּכֶתֶר בֵּי"ת וְתָבִין.]

56. Ramban is apparently alluding to the verb root ברא, *to create,* and עשה, *to make,* in 2:4 below: *These are the products of the heavens and the earth when they were "created"* (בְּהִבָּרְאָם) *on the day that* HASHEM *God "made"* (עֲשׂוֹת) *earth and heaven.*

56a. By its nature, *air* is the lightest of the elements and should have been above *fire*; however, through God's intervention it was lowered beneath *fire* to the point where it *hovered over the surface of the water.* This is why it is called *a wind "from God."*

57. This "difficulty" is alleviated according to Ramban's alternative interpretation below, on verse 8 (see above, note 45).

58. The Midrash (ibid.) actually cites two opinions: the second day or the fifth day. What Ramban means is that they were not created any earlier than the second day.

ג וַיֹּ֥אמֶר אֱלֹהִ֖ים יְהִ֣י א֑וֹר וַֽיְהִי־אֽוֹר׃ ג וַאֲמַר יְיָ יְהֵי נְהוֹרָא וַהֲוָה נְהוֹרָא׃

רמב״ן

אֲבָל אִם תִּזְכֶּה וְתָבִין סוֹד מִלַּת ״בְּרֵאשִׁית״, וְלָמָּה לֹא הִקְדִּים לוֹמַר ״אֱלֹהִים בָּרָא בְּרֵאשִׁית״, תֵּדַע כִּי עַל דֶּרֶךְ הָאֱמֶת הַכָּתוּב יַגִּיד בַּתַּחְתּוֹנִים וְיִרְמֹז בָּעֶלְיוֹנִים, וּמִלַּת ״בְּרֵאשִׁית״ תִּרְמֹז בְּחָכְמָה, שֶׁהִיא רֵאשִׁית הָרֵאשִׁים, כַּאֲשֶׁר הִזְכַּרְתִּי. וּלְכָךְ תִּרְגְּמוּ בְּתַרְגּוּם יְרוּשַׁלְמִי בְּחָכְמְתָא, וְהַמִּלָּה מְכֻתֶּרֶת בְּכֶתֶר בֵּי״ת:

[ג] וַיֹּאמֶר אֱלֹהִים[59] יְהִי אוֹר. מִלַּת ״אֲמִירָה״ בְּכָאן לְהוֹרוֹת עַל הַחֵפֶץ, כְּדֶרֶךְ ״מַה תֹּאמַר נַפְשְׁךָ וְאֶעֱשֶׂה לָּךְ״ [שמואל־א כ, ד], מַה תִּרְצֶה וְתַחְפֹּץ; וְכֵן: ״וּתְהִי אִשָּׁה לְבֶן אֲדֹנֶיךָ כַּאֲשֶׁר דִּבֶּר ה׳״ [להלן כד, נא][60], כַּאֲשֶׁר רָצָה. כִּי כֵן הוּא הָרָצוֹן לְפָנָיו[61].

אוֹ הוּא כְּגוֹן מַחֲשָׁבָה[62], כְּמוֹ ״הָאֹמְרָה בִּלְבָבָהּ״ [ישעיה מז, ח], ״וְאָמְרוּ אַלֻּפֵי יְהוּדָה בְּלִבָּם״ [זכריה יב, ה][63], לוֹמַר שֶׁלֹּא הָיָה בְּעָמָל[63a]. וְכָךְ קָרְאוּ רַבּוֹתֵינוּ לָזֶה ״מַחֲשָׁבָה״; אָמְרוּ [ב״ר יב, יד][64]: ״מַחֲשָׁבָה בַּיּוֹם, הַמַּעֲשֶׂה עִם דִּמְדּוּמֵי חַמָּה״[65]. וְהוּא לְהוֹרוֹת עַל דָּבָר מְחֻשָּׁב, שֶׁיֵּשׁ בּוֹ טַעַם, לֹא חֵפֶץ פָּשׁוּט בִּלְבָד.

RAMBAN ELUCIDATED

3. וַיֹּאמֶר אֱלֹהִים יְהִי אוֹר – *GOD SAID, "LET THERE BE LIGHT."*

[Ramban has just stated that the angels were not created until the second day. If so, to whom did God say, "Let there be light," on the first day?[59] Ramban offers two possible explanations. The first:] **מִלַּת ״אֲמִירָה״ בְּכָאן לְהוֹרוֹת עַל הַחֵפֶץ – The word "saying" here indicates desire** rather than actual speech, **כְּדֶרֶךְ ״מַה תֹּאמַר נַפְשְׁךָ וְאֶעֱשֶׂה לָּךְ״, מַה תִּרְצֶה וְתַחְפֹּץ – in the manner of** the term תֹּאמַר, *it says,* in the verse, ***Whatever your soul says I shall do for you*** (*I Samuel* 20:4), where *whatever it "says"* means **"whatever it *wills and desires,"*** **וְכֵן ״וּתְהִי אִשָּׁה לְבֶן אֲדֹנֶיךָ כַּאֲשֶׁר דִּבֶּר ה׳״, כַּאֲשֶׁר רָצָה – and similarly, *and let her be a wife for your master's son as Hashem has spoken***[60] (below, 24:51), where *as He has "spoken"* means **"as He has *willed."*** **כִּי כֵן הוּא הָרָצוֹן לְפָנָיו – For such was [God's] will,** that there should be light.[61]

[The second explanation:]

אוֹ הוּא כְּגוֹן מַחֲשָׁבָה – Alternatively: ["Saying"] is to be understood **as "thought,"**[62] **כְּמוֹ ״הָאֹמְרָה בִּלְבָבָהּ״ – as** in the verses, ***she who says in her heart,*** "Only I and none but me!" (*Isaiah* 47:8); and **״וְאָמְרוּ אַלֻּפֵי יְהוּדָה בְּלִבָּם״ – *And the captains of Judah will say in their hearts,*** "The inhabitants of Jerusalem are a source of strength for me" (*Zechariah* 12:5).[63] **וְהָעִנְיָן – The reason** Scripture uses this word is **לוֹמַר שֶׁלֹּא הָיָה בְּעָמָל – to tell us that it was** done **without any toil** on God's part.[63a] **וְכָךְ קָרְאוּ רַבּוֹתֵינוּ לָזֶה ״מַחֲשָׁבָה״ – Our Sages, too, referred to this** "saying" **as "thought";** **אָמְרוּ: ״מַחֲשָׁבָה בַּיּוֹם, הַמַּעֲשֶׂה עִם דִּמְדּוּמֵי חַמָּה״ – they said:**[64] **The thought** of Creation took place **during the day,** and **the completion** of Creation took place **with the dimming of the sun** at the end of the day.[65] **וְהוּא לְהוֹרוֹת עַל דָּבָר מְחֻשָּׁב, שֶׁיֵּשׁ בּוֹ טַעַם, לֹא חֵפֶץ פָּשׁוּט בִּלְבָד – It indicates** actual **words, with definite meanings, that are thought out, not a simple** unverbalized **desire,** as opposed to the first

59. [Whenever Scripture writes "God said" or "God spoke" it is to be taken as a metaphor, for no physical action can be attributed to God in the literal sense (see *Moreh Nevuchim* I:65). Usually, however, the meaning of the metaphor is obvious; "God said" means that "God communicated His will to a prophet" or to some other person or being. Here, however, this interpretation is impossible, as there was no other being in the world to receive God's communication.]

60. דִּבֶּר cannot be understood literally as "has spoken," for God did not say anything about the girl being Isaac's wife.

61. This interpretation is cited by Ibn Ezra in the name of Rav Saadiah Gaon. It is adopted by Rambam (Maimonides) in *Moreh Nevuchim* (I:65) as well.

62. According to this interpretation, God did not simply desire that there should be light (as in the first interpretation); He actually thought the words, "Let there be light."

63. In the two examples brought by Ramban, the "thinker" thinks the actual words attributed to him, as evidenced by the use of the first person ("Only *I*," "for *me*").

63a. See *Bereishis Rabbah* 12:10.

64. Three opinions on this matter appear in extant versions of *Bereishis Rabbah* 12:14; however, none of them are in full agreement with Ramban's citation.

65. Scripture never uses the word "think" in connection with Creation, so when the Midrash speaks of "the thought of Creation," it must be referring to the Torah's expression "God *said.*"

3 *God said, "Let there be light," and there was light.*

רמב״ן

וּמִלַּת הֲוָיָה מוֹרָה עַל מַעֲשֶׂה הַזְּמַן הָעוֹמֵד, כְּמוֹ: "וְאַתָּה הֹוֶה לָהֶם לְמֶלֶךְ" [נחמיה ו, ו][66]. וְלָכֵן אָמַר הַכָּתוּב כִּי כְּשֶׁבָּרָא חֹמֶר הַשָּׁמַיִם אָמַר שֶׁיִּהְיֶה מִן הַחֹמֶר הַהוּא דָּבָר מַזְהִיר, קָרָאוֹ אוֹר[67].

וַיְהִי אוֹר. לֹא אָמַר "וַיְהִי כֵן", כְּאָמוּר בִּשְׁאָר הַיָּמִים[68], לְפִי שֶׁלֹּא עָמַד הָאוֹר בִּתְכוּנָה הַזֹּאת כָּל הַיָּמִים[69] כִּשְׁאָר מַעֲשֵׂה בְרֵאשִׁית. וְיֵשׁ לְרַבּוֹתֵינוּ בָּזֶה מִדְרָשׁ[70] בְּסוֹד נֶעְלָם.

וְדַע, כִּי הַיָּמִים הַנִּזְכָּרִים בְּמַעֲשֵׂה בְרֵאשִׁית - הָיוּ בִּבְרִיאַת הַשָּׁמַיִם וְהָאָרֶץ יָמִים מַמָּשׁ, מְחֻבָּרִים מִשָּׁעוֹת וּרְגָעִים, וְהָיוּ שִׁשָּׁה כְּשֵׁשֶׁת יְמֵי הַמַּעֲשֶׂה[71], כִּפְשׁוּטוֹ שֶׁל מִקְרָא.

RAMBAN ELUCIDATED

interpretation, in which *said* refers to God's desire.

[Ramban now elucidates the meanings of the words, *Let there be light*:]

וּמִלַּת הֲוָיָה מוֹרָה עַל מַעֲשֶׂה הַזְּמַן הָעוֹמֵד – The word expressing **"to be"** (i.e., יְהִי, *let there be*) in our verse **indicates something happening in the present,** כְּמוֹ: "וְאַתָּה הֹוֶה לָהֶם לְמֶלֶךְ" – **as in** the verse, ***And you are becoming their king*** (*Nehemiah* 6:6). וְלָכֵן אָמַר הַכָּתוּב כִּי כְּשֶׁבָּרָא חֹמֶר הַשָּׁמַיִם – **Therefore,**[66] we interpret that **which Scripture says** to mean **that when [God] created the material** (*hule*) **of the heavens,** אָמַר שֶׁיִּהְיֶה מִן הַחֹמֶר הַהוּא דָּבָר מַזְהִיר קָרָאוֹ אוֹר – **He** subsequently **said that there should come into being out of that material a shining thing, which He called "light."**[67]

□ **וַיְהִי אוֹר** – ***AND THERE WAS LIGHT.***

[Ramban notes a difference in wording between this act of creation and the others that followed on the subsequent days:]

לֹא אָמַר "וַיְהִי כֵן" כְּאָמוּר בִּשְׁאָר הַיָּמִים – [Scripture] did not say, *and it was so,* as it says for the other days of Creation,[68] לְפִי שֶׁלֹּא עָמַד הָאוֹר בִּתְכוּנָה הַזֹּאת כָּל הַיָּמִים כִּשְׁאָר מַעֲשֵׂה בְרֵאשִׁית – **because the light did not remain in this state** in which it was created **for all time,**[69] **as** was the case with **the rest of the account of Creation.** וְיֵשׁ לְרַבּוֹתֵינוּ בָּזֶה מִדְרָשׁ בְּסוֹד נֶעְלָם – **Concerning this, there is a Midrash of our Sages**[70] **that** contains **a hidden mystery.**

[Having established that the light of the first day was not the light of the sun and moon, which were not created until the fourth day, Ramban explains how time was measured without the movements of these heavenly bodies:]

וְדַע כִּי הַיָּמִים הַנִּזְכָּרִים בְּמַעֲשֵׂה בְרֵאשִׁית הָיוּ בִּבְרִיאַת הַשָּׁמַיִם וְהָאָרֶץ יָמִים מַמָּשׁ – You should know that the "days" mentioned in the account of Creation, concerning the creating of heaven and earth, were real days, מְחֻבָּרִים מִשָּׁעוֹת וּרְגָעִים – **made up of hours and minutes,** וְהָיוּ שִׁשָּׁה כְּשֵׁשֶׁת יְמֵי הַמַּעֲשֶׂה – **and there were six of them, like the** regular **six days of the work**week,[71] כִּפְשׁוּטוֹ שֶׁל מִקְרָא – **in accordance with the simple understanding of the verse.**

66. One of the basic difficulties with our verse is that we are told here that the light was created on the first day. Yet below (v. 16) we read that the sun was not created until the fourth day. How could there be light without the sun? According to Rashi, the answer is that God created the sun in some potential sense – but not actually – on the first day. Then, on the fourth day, the sun came into being in actuality (see also Abarbanel). Ramban, however, has just explained that יְהִי refers to something coming into being immediately, at the present time. Therefore, he explains, we must say that the light was created and came into full, actual existence at this time, and was independent from the sun, which was created later (*Yekev Ephraim*; cf. *Kur Zahav,* Rav Chavel).

67. The phrase "*Let there be light*" cannot be a direct quote, for "light" had no meaning as yet. Rather, God meant, "Let a shiny thing come into existence. And I am calling that shining thing 'light.' " [This may be compared to Ramban's difficulty with the verse, *She conceived and bore Cain* (4:1): Cain did not have this name the moment he was born; rather, the verse means, "She conceived and bore a son, whom she subsequently named Cain."]

68. See below, vv. 7, 9, 11, 15, 24, 30.

69. See Ramban below, v. 14.

70. The reference is apparently to *Sefer HaBahir,* either sec. 190 or 18:25 (in the R' Reuven Margolios/ Mosad HaRav Kook edition).

71. Although there was no sun or moon for the first three days, so "day" cycles as we know them today did

ד וַיַּ֧רְא אֱלֹהִ֛ים אֶת־הָא֖וֹר כִּי־ט֑וֹב ד וַחֲזָא יְיָ יָת נְהוֹרָא אֲרֵי טָב

רש"י

(ד) וירא אלהים את האור כי טוב ויבדל. אף בזה אנו צריכין לדברי אגדה, ראהו שאינו כדאי להשתמש בו רשעים והבדילו לצדיקים לעתיד לבא (חגיגה יב.; ב"ר ג:ז). ולפי פשוטו כך פרשהו, ראהו כי טוב ואין נאה לו ולחשך שיהיו משתמשין בערבוביא,

רמב"ן

וּבִפְנִימִיּוּת הָעִנְיָן יִקָּרְאוּ "יָמִים" הַסְּפִירוֹת הָאֲצוּלוֹת מֵעֶלְיוֹן, כִּי כָּל מַאֲמָר פֹּעַל הֲוָיָה תִּקְרָא "יוֹם" - וְהָיוּ שִׁשָּׁה, כִּי לַה׳ הַגְּדוּלָּה וְהַגְּבוּרָה, וְהַמַּאֲמָרִים עֲשָׂרָה, כִּי הָרִאשׁוֹנוֹת אֵין שֵׁם "יוֹם" נִתְפָּס בָּהֶם וְהַפֵּרוּשׁ בְּסִדּוּר הַכְּתוּבִים בָּזֶה נִשְׂגָּב וְנֶעֱלָם, וְדַעְתֵּינוּ בּוֹ פָּחוֹת מִטִּפָּה מִן הַיָּם הַגָּדוֹל:

[ד] וַיַּרְא אֱלֹהִים אֶת הָאוֹר כִּי טוֹב. כָּתַב רַשִׁ"י: אַף בָּזֶה אָנוּ צְרִיכִין לְדִבְרֵי אַגָּדָה: רָאָה שֶׁאֵינוֹ כְּדַאי לְהִשְׁתַּמֵּשׁ בּוֹ רְשָׁעִים, וְהִבְדִּילוֹ לַצַּדִּיקִים לֶעָתִיד לָבוֹא. וּלְפִי פְּשׁוּטוֹ כָּךְ פָּרְשֵׁהוּ: רָאָהוּ כִּי טוֹב, וְאֵין נָאֶה לוֹ וְלַחֹשֶׁךְ לְהִשְׁתַּמֵּשׁ בְּעִרְבּוּבְיָא, וְקָבַע לָזֶה תְּחוּמוֹ בַּיּוֹם וְלָזֶה תְּחוּמוֹ בַּלַּיְלָה.

וְרַבִּי אַבְרָהָם אָמַר: "וַיַּרְא", כְּמוֹ "וְרָאִיתִי אָנִי" [קהלת ב, יג], וְהִיא בְּמַחְשֶׁבֶת הַלֵּב. וְטַעַם "וַיַּבְדֵּל" - בִּקְרִיאַת הַשֵּׁמוֹת.

וְאֵין דִּבְרֵי שְׁנֵיהֶם נְכוֹנִים. שֶׁאִם כֵּן, יֵרָאֶה כְּעִנְיַן הַמְלָכָה וְעֵצָה חֲדָשָׁה[72], שֶׁיֹּאמַר כִּי אַחֲרֵי שֶׁאָמַר אֱלֹהִים

RAMBAN ELUCIDATED

[The next part of Ramban's comment presents a Kabbalistic interpretation of the six "days" of Creation and is not within the scope of this elucidation. In the Hebrew text, Ramban's words appear in the paragraph beginning וּבִפְנִימִיּוּת הָעִנְיָן and ending מִן הַיָּם הַגָּדוֹל.]

4. וַיַּרְא אֱלֹהִים אֶת הָאוֹר כִּי טוֹב – *GOD SAW THAT THE LIGHT WAS GOOD [AND GOD SEPARATED BETWEEN THE LIGHT AND THE DARKNESS].*

[Ramban explains why God *separated* between light and darkness, and what that separation entailed. He begins by citing Rashi:]

כָּתַב רַשִׁ"י – Rashi writes:

אַף בָּזֶה אָנוּ צְרִיכִין לְדִבְרֵי אַגָּדָה: – In this, too, we need the words of Aggadah (homiletical interpretation): **רָאָה שֶׁאֵינוֹ כְּדַאי לְהִשְׁתַּמֵּשׁ בּוֹ רְשָׁעִים וְהִבְדִּילוֹ לַצַּדִּיקִים לֶעָתִיד לָבוֹא – He saw that it was not fitting that the wicked should make use of it, so He set it aside for the righteous for** their use in **the future. וּלְפִי פְּשׁוּטוֹ כָּךְ פָּרְשֵׁהוּ: – But according to its simple meaning, explain it as follows: רָאָהוּ כִּי טוֹב וְאֵין נָאֶה לוֹ וְלַחֹשֶׁךְ לְהִשְׁתַּמֵּשׁ בְּעִרְבּוּבְיָא – He saw that it is good, and it is not proper for it and the darkness to function in disorder, וְקָבַע לָזֶה תְּחוּמוֹ בַּיּוֹם וְלָזֶה תְּחוּמוֹ בַּלַּיְלָה – so He assigned to this one its jurisdiction during the day and to this** (other) **one its jurisdiction during the night.**

[Ramban now cites Ibn Ezra's approach to this verse:]

וְרַבִּי אַבְרָהָם אָמַר: – Rabbi Avraham Ibn Ezra **explains:**

וַיַּרְא, כְּמוֹ "וְרָאִיתִי אָנִי", וְהִיא בְּמַחְשֶׁבֶת הַלֵּב – The term וַיַּרְא, ***and [God] saw,*** is to be understood **in the same way as** the phrase, ***and I saw*** (*Ecclesiastes* 2:13), **which refers to a thought of the heart,** not to actual sight. **וְטַעַם "וַיַּבְדֵּל", בִּקְרִיאַת הַשֵּׁמוֹת – And the meaning of *and [God] separated*** *between the light and the darkness* **is through** His **assigning of names** to these two things.

[Ramban expresses his opinion concerning Rashi's and Ibn Ezra's interpretations:]

וְאֵין דִּבְרֵי שְׁנֵיהֶם נְכוֹנִים – But the words of both of them are not sound. שֶׁאִם כֵּן יֵרָאֶה כְּעִנְיַן הַמְלָכָה וְעֵצָה חֲדָשָׁה – For if it were so, it would appear as if there were a change of heart and a new thought on the part of God **in the matter.**[72] **שֶׁיֹּאמַר כִּי אַחֲרֵי שֶׁאָמַר אֱלֹהִים "יְהִי אוֹר", וְהָיָה אוֹר – For**

not exist then, nevertheless the six days of creation were six periods of twenty-four hours each.

[There are those (e.g., Ibn Ezra, Maimonides, Albo), who write that the heavenly spheres performed their daily rotations even before the creation of the sun and the moon, and it was such a revolution that the Torah calls "a day." However, it appears that Ramban does not subscribe to that view.]

72. The implication of Rashi's understanding is that God did not realize at first that the light was too good

4 *God saw that the light was good,*

רמב״ן

יְהִי אוֹר, וְהָיָה אוֹר - רָאָה אוֹתוֹ כִּי טוֹב הוּא, וְלָכֵן הִבְדִּיל בֵּינוֹ וּבֵין הַחֹשֶׁךְ, כְּעִנְיָן בְּאָדָם שֶׁלֹּא יָדַע טִיבוֹ שֶׁל דָּבָר עַד הֱיוֹתוֹ.

אֲבָל הַסֵּדֶר בְּמַעֲשֵׂה בְּרֵאשִׁית כִּי הוֹצָאַת הַדְּבָרִים אֶל הַפֹּעַל יִקָּרֵא "אֲמִירָה": "וַיֹּאמֶר אֱלֹהִים יְהִי אוֹר", "וַיֹּאמֶר ... יְהִי רָקִיעַ [פסוק ו]", "וַיֹּאמֶר ... תַּדְשֵׁא הָאָרֶץ" [פסוק יא]. וְקִיּוּמָם יִקָּרֵא "רְאִיָּה", כְּעִנְיָן "וְרָאִיתִי אָנִי" דְּקֹהֶלֶת [ב, יג], וְכֵן "וַתֵּרֶא הָאִשָּׁה כִּי טוֹב הָעֵץ לְמַאֲכָל" [לקמן ג, ו][73]. וְהוּא כְּעִנְיָן שֶׁאָמְרוּ [כתובות קח, ב]: "רוֹאֶה אֲנִי אֶת דִּבְרֵי אַדְמוֹן", וְכָמוֹהוּ: "וַיֹּאמֶר הַמֶּלֶךְ אֶל צָדוֹק הַכֹּהֵן: הֲרוֹאֶה אַתָּה? שֻׁבָה הָעִיר בְּשָׁלוֹם" [שמואל-ב טו, כז]. וְהָעִנְיָן לְהוֹרוֹת כִּי עֲמִידָתָם בְּחֶפְצוֹ, וְאִם הַחֵפֶץ יִתְפָּרֵד רֶגַע מֵהֶם - יִהְיוּ לְאַיִן[74]. וְכַאֲשֶׁר אָמַר בְּכָל מַעֲשֶׂה, יוֹם וָיוֹם, "וַיַּרְא אֱלֹהִים כִּי טוֹב", וּבַשִּׁשִּׁי, כַּאֲשֶׁר נִשְׁלַם הַכֹּל: "וַיַּרְא אֱלֹהִים אֶת כָּל אֲשֶׁר עָשָׂה וְהִנֵּה טוֹב מְאֹד" [פסוק לא], כֵּן אָמַר בַּיּוֹם הָרִאשׁוֹן בִּהְיוֹת הָאוֹר "וַיַּרְא אֱלֹהִים ... כִּי טוֹב", שֶׁרָצָה בְּקִיּוּמוֹ לָעַד.

RAMBAN ELUCIDATED

according to them, **after God said, *"Let there be light"* and there was light,** רָאָה אוֹתוֹ כִּי טוֹב הוּא, וְלָכֵן הִבְדִּיל בֵּינוֹ וּבֵין הַחֹשֶׁךְ – **He saw that it was good and therefore separated between it and the darkness,** כְּעִנְיָן בְּאָדָם שֶׁלֹּא יָדַע טִיבוֹ שֶׁל דָּבָר עַד הֱיוֹתוֹ – **like a human being who does not know the nature of a thing until it comes into being** and he sees the result before him.

[Ramban now presents his own opinion:]

אֲבָל הַסֵּדֶר בְּמַעֲשֵׂה בְּרֵאשִׁית – **Rather, the method** used **in the account of Creation** is כִּי הוֹצָאַת הַדְּבָרִים אֶל הַפֹּעַל יִקָּרֵא "אֲמִירָה" – **that** God's **bringing things** from their potential state **into their actual state is called "saying,"** "וַיֹּאמֶר אֱלֹהִים יְהִי אוֹר" – such as in the verses, ***[God] said, "Let there be light";*** "וַיֹּאמֶר ... יְהִי רָקִיעַ" – ***[God] said, "Let there be a firmament*** (v. 6)"; "וַיֹּאמֶר ... תַּדְשֵׁא הָאָרֶץ" – ***[God] said, "Let the earth sprout vegetation"*** (v. 11). וְקִיּוּמָם יִקָּרֵא "רְאִיָּה" – **And** the establishment of **the permanent existence** of those things **is called "seeing"** that it is good," כְּעִנְיָן "וְרָאִיתִי אָנִי" דְּקֹהֶלֶת, – **similar to the idea in** the verse, ***And I saw,* of *Ecclesiastes*** (2:13), וְכֵן "וַתֵּרֶא הָאִשָּׁה כִּי טוֹב הָעֵץ לְמַאֲכָל" – **and similarly, *And the woman saw that the tree was good for eating*** (below, 3:6).[73] וְהוּא כְּעִנְיָן שֶׁאָמְרוּ: "רוֹאֶה אֲנִי אֶת דִּבְרֵי אַדְמוֹן" – **It is similar to that which [the Sages] said, "I see the words of Admon"** (*Kesubos* 108b), meaning "I conclude that Admon's opinion is correct." וְכָמוֹהוּ: "וַיֹּאמֶר הַמֶּלֶךְ אֶל צָדוֹק הַכֹּהֵן, הֲרוֹאֶה אַתָּה שֻׁבָה הָעִיר בְּשָׁלוֹם" – **Similar to it is, *The king said to Zadok the priest: "Do you see*** (i.e., *concur*)? ***Return to the city in peace"*** (*II Samuel* 15:27). וְהָעִנְיָן לְהוֹרוֹת כִּי עֲמִידָתָם בְּחֶפְצוֹ – **The idea is to indicate that the continued existence** of all things **is by [God's] desire,** וְאִם הַחֵפֶץ יִתְפָּרֵד רֶגַע מֵהֶם, יִהְיוּ לְאַיִן – **and that if His desire would depart from them for an instant, they would cease to exist.**[74] וְכַאֲשֶׁר אָמַר בְּכָל מַעֲשֶׂה, יוֹם וָיוֹם, "וַיַּרְא אֱלֹהִים כִּי טוֹב" – **And just as [Scripture] says for each act, day after day, *And God saw that it was good,*** וּבַשִּׁשִּׁי כַּאֲשֶׁר נִשְׁלַם הַכֹּל: "וַיַּרְא אֱלֹהִים אֶת כָּל אֲשֶׁר עָשָׂה וְהִנֵּה טוֹב מְאֹד" – **and on the sixth day, when everything was finished,** it says, ***And God saw all that He had made, and behold, it was very good*** (v. 31), כֵּן אָמַר בַּיּוֹם הָרִאשׁוֹן בִּהְיוֹת הָאוֹר: "וַיַּרְא אֱלֹהִים ... כִּי טוֹב" – **so did He say on the first day, when the light came into existence, *God saw*** *that the light* ***was good,*** שֶׁרָצָה בְּקִיּוּמוֹ לָעַד – meaning **that He willed its permanent existence.**

for the wicked or that it was inappropriate for the light and the darkness to function in disorder. The implication of Ibn Ezra's explanation is that God did not know that the light would be good until He thought about it. Both interpretations are difficult, because it is impossible to attribute any sort of lack of knowledge whatsoever to God.

73. In these two examples, "to see" means "to come to a conclusion." Here, too, when the Torah says that God "saw" something it means that He brought it to a conclusion, fixing it in a permanent state.

74. This is why it is insufficient for an object to be brought into existence by God (indicated by the words "God said"); God must also endow it with permanence (as indicated by the words "God saw") in order for it to continue to exist.

וַיַּבְדֵּל אֱלֹהִים בֵּין הָאוֹר וּבֵין הַחֹשֶׁךְ: וְאַפְרֵשׁ יְיָ בֵּין נְהוֹרָא וּבֵין חֲשׁוֹכָא:

רמב"ן

וְהוֹסִיף בְּכָאן "אֶת הָאוֹר", שֶׁאִלּוּ אָמַר סְתָם "וַיַּרְא אֱלֹהִים כִּי טוֹב" - הָיָה חוֹזֵר עַל בְּרִיאַת הַשָּׁמַיִם וְהָאָרֶץ, וְלֹא גָּזַר בָּהֶן עֲדַיִן הַקִּיּוּם, כִּי לֹא עָמְדוּ כָּכָה, אֲבָל מִן הַחֹמֶר הַנִּבְרָא בָּרִאשׁוֹן נַעֲשָׂה בַּשֵּׁנִי רָקִיעַ, וּבַשְּׁלִישִׁי נִפְרְדוּ הַמַּיִם וְהֶעָפָר וְנַעֲשֵׂית הַיַּבָּשָׁה שֶׁקְּרָאָהּ "אֶרֶץ", וְאָז גָּזַר בָּהֶם הַקִּיּוּם, וְאָמַר בָּהֶם "וַיַּרְא אֱלֹהִים כִּי טוֹב" [פסוק י][75].

וַיַּבְדֵּל אֱלֹהִים בֵּין הָאוֹר וּבֵין הַחֹשֶׁךְ. אֵינֶנּוּ הַחֹשֶׁךְ הַנִּזְכָּר בַּפָּסוּק הָרִאשׁוֹן [פסוק ב], שֶׁהוּא הָאֵשׁ, אֲבָל הוּא אֲפִיסַת הָאוֹר[76]. כִּי נָתַן אֱלֹהִים מִדָּה לָאוֹר, וְשֶׁיִּהְיֶה נֶעְדָּר אַחַר כֵּן עַד שׁוּבוֹ[77].

וְאָמְרוּ קְצָת הַמְפָרְשִׁים[78,79] כִּי הָאוֹר הַזֶּה נִבְרָא לְפָנָיו שֶׁל הַקָּדוֹשׁ בָּרוּךְ הוּא, כְּאִלּוּ בְּמַעֲרָב,

RAMBAN ELUCIDATED

[Ramban has asserted that the specific statement, *God saw that "the light" was good,* of our verse, is to be interpreted in the same way as the statement, *God saw that "it" was good,* which is repeated several times (vv. 10, 12, 18, 21 and 25) throughout the account of Creation. Now he will explain why our verse mentions "the light" explicitly, in place of the general formula *"it" was good* used elsewhere:]

וְהוֹסִיף בְּכָאן "אֶת הָאוֹר" – **[Scripture] added here** the words ***the light,*** **שֶׁאִלּוּ אָמַר סְתָם "וַיַּרְא אֱלֹהִים כִּי טוֹב", הָיָה חוֹזֵר עַל בְּרִיאַת הַשָּׁמַיִם וְהָאָרֶץ** – **because if [Scripture] had said just, *and God saw that "it" was good,*** as in the rest of the narrative, the pronoun **"it" would** seem to **refer to the creation of the heavens and the earth** mentioned in verse 1. **וְלֹא גָּזַר בָּהֶן עֲדַיִן הַקִּיּוּם** – **Whereas,** in fact, **[God] had not yet decreed permanent existence for them,** i.e., for heaven and earth, **כִּי לֹא עָמְדוּ כָּכָה** – **for they did not remain thus** as they were on the first day; **אֲבָל מִן הַחֹמֶר הַנִּבְרָא בָּרִאשׁוֹן נַעֲשָׂה בַּשֵּׁנִי רָקִיעַ** – **rather, the firmament was made on the second** day **from the matter** (*hule*) **created on the first** day; **וּבַשְּׁלִישִׁי נִפְרְדוּ הַמַּיִם וְהֶעָפָר וְנַעֲשֵׂית הַיַּבָּשָׁה שֶׁקְּרָאָהּ "אֶרֶץ"** – **then, on the third** day, **the water and the ground were separated and the dry land, which was called "earth," was made.** **וְאָז גָּזַר בָּהֶם הַקִּיּוּם, וְאָמַר בָּהֶם "וַיַּרְא אֱלֹהִים כִּי טוֹב"** – **And then He decreed permanent existence for them, and [Scripture] said about them, *and God saw that it was good*** (v. 10).[75]

□ **וַיַּבְדֵּל אֱלֹהִים בֵּין הָאוֹר וּבֵין הַחֹשֶׁךְ** – ***AND GOD SEPARATED BETWEEN THE LIGHT AND THE DARKNESS.***

[Ramban elaborates on the meaning of *darkness* in this verse and on the nature of its "separation" from the light:]

אֵינֶנּוּ הַחֹשֶׁךְ הַנִּזְכָּר בַּפָּסוּק הָרִאשׁוֹן, שֶׁהוּא הָאֵשׁ – The term הַחֹשֶׁךְ, ***[the darkness],*** in this verse **is not** the same as **the darkness** referred to as וְחֹשֶׁךְ **in the earlier verse** (v. 2), **for** in that verse, [חֹשֶׁךְ] **refers to the** elemental **fire.**[76] **אֲבָל הוּא אֲפִיסַת הָאוֹר** – Here, **however,** [חֹשֶׁךְ] refers to **the absence of light,** i.e., "darkness" in the ordinary sense of the word. **כִּי נָתַן אֱלֹהִים מִדָּה לָאוֹר** – **For God designated a specific** time **period for the light,** **וְשֶׁיִּהְיֶה נֶעְדָּר אַחַר כֵּן עַד שׁוּבוֹ** – **and** decreed **that it should disappear after that** period expired, **until it would return** on the following day.[77]

[What is the relationship between the creation of light and darkness on the first day and the statement (v. 5): *there was evening and there was morning*?[78] Ramban presents several explanations:]

וְאָמְרוּ קְצָת הַמְפָרְשִׁים כִּי הָאוֹר הַזֶּה נִבְרָא לְפָנָיו שֶׁל הַקָּדוֹשׁ בָּרוּךְ הוּא, כְּאִלּוּ בְּמַעֲרָב – **Some commenta-**

75. According to Ramban, then, when verse 10 says, *and God saw that it was good,* "it" refers to the heavens and the earth (whose creation began on the first day), and not just to the "work of creation of water" as Rashi (on v. 7) says.

76. See Ramban above, with footnote 50.

77. This is the meaning of God's separation of light from dark: He decreed that the light should cease to shine at particular times, thus giving rise to a distinct period of darkness.

78. On the first day God created light, and then "separated" light from darkness, meaning (as Ramban has explained) that He decreed that the light should subside at some point and thus usher in a period of

and God separated between the light and the darkness.

רמב״ן

וְשִׁקְעוֹ מִיָּד כְּדֵי מִדַּת לַיְלָה, וְאַחֲרֵי כֵן הֵאִיר כְּמִדַּת יוֹם. וְזֶה טַעַם ״וַיְהִי עֶרֶב וַיְהִי בֹקֶר״ [פסוק ה], שֶׁקֹּדֶם הָיָה לַיְלָה וְאַחַר כָּךְ יוֹם, וּשְׁנֵיהֶם אַחֲרֵי הֲוָיַת הָאוֹר[80].

וְאֵינֶנּוּ נָכוֹן כְּלָל, כִּי יוֹסִיפוּ עַל שֵׁשֶׁת יְמֵי בְּרֵאשִׁית יוֹם קָצָר[81].

אֲבָל יִתָּכֵן שֶׁנֹּאמַר, כִּי הָאוֹר נִבְרָא לְפָנָיו יִתְבָּרֵךְ וְלֹא נִתְפַּשֵּׁט בַּיְסוֹדוֹת הַנִּזְכָּרִים[82], וְהִבְדִּיל בֵּינוֹ וּבֵין הַחֹשֶׁךְ שֶׁנָּתַן לִשְׁנֵיהֶם מִדָּה, וְעָמַד לְפָנָיו כְּמִדַּת לַיְלָה, וְאַחַר כָּךְ הִזְרִיחַ אוֹתוֹ עַל הַיְסוֹדוֹת. וְהִנֵּה קָדַם הָעֶרֶב לַבֹּקֶר[83].

וְעוֹד יִתָּכֵן שֶׁנֹּאמַר, כִּי מִשֶּׁיָּצְאוּ הַשָּׁמַיִם וְהָאָרֶץ מִן הָאֶפֶס אֶל הַיֵּשׁ הַנִּזְכָּר בַּפָּסוּק הָרִאשׁוֹן - נִהְיָה זְמָן. כִּי אַף עַל פִּי שֶׁזְּמַנֵּנוּ בִּרְגָעִים וְשָׁעוֹת, שֶׁהֵם בְּאוֹר וּבְחֹשֶׁךְ, מִשֶּׁיִּהְיֶה יֵשׁ - יִתָּפֵשׂ בּוֹ זְמָן. וְאִם כֵּן, נִבְרְאוּ שָׁמַיִם

RAMBAN ELUCIDATED

tors[79] **say that this light was created by the Holy One, Blessed is He, in His presence, as if it were** the sun **in the west** about to set, **וְשִׁקְעוֹ מִיָּד כְּדֵי מִדַּת לַיְלָה – and He caused** this light **to subside immediately, for the duration of a night's length, וְאַחֲרֵי כֵן הֵאִיר כְּמִדַּת יוֹם – and after this it shone** again **for the duration of a day's length. וְזֶה טַעַם ״וַיְהִי עֶרֶב וַיְהִי בֹקֶר״ – And this,** according to them, **is the meaning of** the phrase, ***and there was evening, and there was morning*** (v. 5), **שֶׁקֹּדֶם הָיָה לַיְלָה וְאַחַר כָּךְ יוֹם – that first there was night, and afterwards day, וּשְׁנֵיהֶם אַחֲרֵי הֲוָיַת הָאוֹר – but both of these,** i.e., day and night, took place **after the light came into being.**[80]

[Ramban rejects this opinion:]

וְאֵינֶנּוּ נָכוֹן כְּלָל – But this **is not sound at all, כִּי יוֹסִיפוּ עַל שֵׁשֶׁת יְמֵי בְּרֵאשִׁית יוֹם קָצָר – for they** thus **add on to the six days of Creation another short day** prior to the first day of Creation.[81]

[Ramban presents his own view on the matter:]

אֲבָל יִתָּכֵן שֶׁנֹּאמַר, כִּי הָאוֹר נִבְרָא לְפָנָיו יִתְבָּרֵךְ וְלֹא נִתְפַּשֵּׁט בַּיְסוֹדוֹת הַנִּזְכָּרִים – However, it is possible for us to say that the light was created by [the Holy One], Blessed be He, in His presence, but it did not radiate onto the above-**mentioned elements,**[82] **וְהִבְדִּיל בֵּינוֹ וּבֵין הַחֹשֶׁךְ שֶׁנָּתַן לִשְׁנֵיהֶם מִדָּה – and [God] separated between [the light] and the darkness by assigning a set time to each of the two,** as explained above, **וְעָמַד לְפָנָיו כְּמִדַּת לַיְלָה – and [the light] remained before Him,** hidden from the elements, **for a period of a night**'s length, **וְאַחַר כָּךְ הִזְרִיחַ אוֹתוֹ עַל הַיְסוֹדוֹת – and afterwards He caused it to shine onto the elements. וְהִנֵּה קָדַם הָעֶרֶב לַבֹּקֶר – Thus, the evening preceded the morning.**[83]

[Ramban presents another possible interpretation:]

וְעוֹד יִתָּכֵן שֶׁנֹּאמַר כִּי מִשֶּׁיָּצְאוּ הַשָּׁמַיִם וְהָאָרֶץ מִן הָאֶפֶס אֶל הַיֵּשׁ הַנִּזְכָּר בַּפָּסוּק הָרִאשׁוֹן – It is also possible for us to say that once the heavens and the earth emerged from nihility into existence, as mentioned in the first verse, נִהְיָה זְמָן – time came into being. כִּי אַף עַל פִּי שֶׁזְּמַנֵּנוּ בִּרְגָעִים וְשָׁעוֹת שֶׁהֵם בְּאוֹר וּבְחֹשֶׁךְ – For even though our time today is measured **in minutes and hours, which are** defined as portions of cycles **of light and of darkness, מִשֶּׁיִּהְיֶה יֵשׁ יִתָּפֵשׂ בּוֹ זְמָן –** neverthe-less, **once some entity has come into existence time is applicable to it. וְאִם כֵּן נִבְרְאוּ שָׁמַיִם**

darkness. If so, light was followed by darkness. Why, then, does the Torah say, "There was evening and there was morning," with the order reversed?

79. The reference is apparently to Rabbi Yehudah HaLevi's *Kuzari*, 2:20 (*Kesef Mezukak*; *Kol Yehudah* on *Kuzari* ibid.).

80. There was a brief period of light, and then darkness ("evening"), followed again by light ("morning"). Thus, all the relevant verses are resolved.

81. If the *evening* and *morning* of verse 5 began after the newly created light shone for a short while before subsiding, then the first day of creation was actually preceded by another fragment of a day.

82. See Ramban above, with notes 39 and 48.

83. According to this interpretation, the light was created during, not before, the "evening" period of the phrase *there was evening and there was morning*. However, since it did not shine out on the world, but remained hidden with God, it was still "evening" in the world after the light came into being. This evening was followed by the morning of the first day, when the light shone out onto the elements.

ה וַיִּקְרָא אֱלֹהִים ׀ לָאוֹר יוֹם וְלַחֹשֶׁךְ קָרָא לָיְלָה וַיְהִי־עֶרֶב וַיְהִי־בֹקֶר יוֹם אֶחָד: פ

ה וּקְרָא יְיָ לִנְהוֹרָא יְמָמָא וְלַחֲשׁוֹכָא קְרָא לֵילְיָא וַהֲוָה רְמַשׁ וַהֲוָה צְפַר יוֹמָא חָד:

רש"י

וקבע לזה תחומו ביום ולזה תחומו בלילה (ב"ר שם; פסחים ב.): (ה) **יום אחד.** לפי סדר לשון הפרשה היה לו לכתוב יום ראשון כמו שכתוב בשאר הימים, שני, שלישי, רביעי, למה כתב אחד, לפי שהיה הקב"ה יחיד בעולמו, שלא נבראו המלאכים עד יום

רמב"ן

וָאָרֶץ וְעָמְדוּ כֵּן כְּמִדַּת לַיְלָה, מִבְּלִי אוֹר, וְאָמַר "יְהִי אוֹר, וַיְהִי אוֹר", וְגָזַר עָלָיו שֶׁיַּעֲמֹד כְּמִדַּת הָרִאשׁוֹן, וְאַחַר כָּךְ יֶעְדַּר מִן הַיְסוֹדוֹת - "וַיְהִי עֶרֶב וַיְהִי בֹקֶר"[84].

[ה] וַיִּקְרָא אֱלֹהִים לָאוֹר יוֹם. יֹאמַר כִּי נִבְרָא הַזְּמָן, וְעָשָׂה מִדַּת יוֹם וּמִדַּת לַיְלָה[85].

וְעִנְיַן "וַיִּקְרָא", מִפְּנֵי שֶׁהָאָדָם קָרָא הַשֵּׁמוֹת [להלן ב, יט], אָמַר בְּאֵלּוּ שֶׁנַּעֲשׂוּ קֹדֶם הֱיוֹתוֹ כִּי הָאֱלֹהִים קָרָא לָהֶם שֵׁמוֹת. וְזֶה דַּעַת רַבִּי אַבְרָהָם[86].

וְהַנָּכוֹן, שֶׁעִנְיַן "קְרִיאָה" בְּאֵלּוּ בְּכָאן הִיא הַהַבְדָּלָה הַמְּגַבֶּלֶת בָּהֶם כְּשֶׁלָּבְשׁוּ צוּרָתָם. וְכָךְ אָמְרוּ [ב"ר ג, ו]: יוֹם יְהֵא תְּחוּמָךְ, וְלַיְלָה יְהֵא תְּחוּמָךְ.

RAMBAN ELUCIDATED

וָאָרֶץ וְעָמְדוּ כֵּן כְּמִדַּת לַיְלָה מִבְּלִי אוֹר – **If so, the heavens and the earth were created and remained in that state, for a period of a night**'s length, **without light.** וְאָמַר "יְהִי אוֹר, וַיְהִי אוֹר" – **And then** [God] **said,** ***"Let there be light," and there was light,*** and that was "morning." וְגָזַר עָלָיו שֶׁיַּעֲמֹד כְּמִדַּת הָרִאשׁוֹן – **And He decreed that [the light] should remain** functioning for the same duration **as the first period** of darkness, וְאַחַר כָּךְ יֶעְדַּר מִן הַיְסוֹדוֹת – **and subsequently withdraw from** shining upon **the elements** of the earth. "וַיְהִי עֶרֶב וַיְהִי בֹקֶר" – **And** thus ***there was evening, and*** *then* ***there was morning.***[84]

5. וַיִּקְרָא אֱלֹהִים לָאוֹר יוֹם – ***GOD CALLED THE LIGHT "DAY."***

[יוֹם, *day,* usually refers to the period when the sun shines. But whereas the sun had not yet been created at this point (see vv. 14-18 below), what does the term יוֹם mean in this verse?]

יֹאמַר כִּי נִבְרָא הַזְּמָן וְעָשָׂה מִדַּת יוֹם וּמִדַּת לַיְלָה – [Scripture] is saying that time was created, and [God] set the length of the period of day and the length of the period of night.[85]

[Having explained that the phrase *God called the light day* does not mean that God gave the light the name "day," Ramban explains why the Torah uses the term וַיִּקְרָא, *He called*:]

וְעִנְיַן "וַיִּקְרָא" – **The reason for *and He called* is:** מִפְּנֵי שֶׁהָאָדָם קָרָא הַשֵּׁמוֹת – **because** it was **Adam** who subsequently **gave names** to the various objects of the world (below, 2:19), אָמַר בְּאֵלּוּ שֶׁנַּעֲשׂוּ קֹדֶם הֱיוֹתוֹ – **[Scripture] says concerning these** things **that were made before [Adam] had come into being,** כִּי הָאֱלֹהִים קָרָא לָהֶם שֵׁמוֹת – **that God gave them names.** וְזֶה דַּעַת רַבִּי אַבְרָהָם – **And this is the opinion of Rabbi Avraham** Ibn Ezra.[86]

[Ramban presents his own explanation of the expression *God called*:]

וְהַנָּכוֹן – **The soundest** interpretation, however, is שֶׁעִנְיַן "קְרִיאָה" בְּאֵלּוּ בְּכָאן הִיא הַהַבְדָּלָה הַמְּגַבֶּלֶת בָּהֶם כְּשֶׁלָּבְשׁוּ צוּרָתָם – **that the concept of** God's **"calling"** these things **here refers** not to giving them names, but **to the separation limiting [the light and the darkness]** to their respective domains **when they took on their** respective **forms.** וְכָךְ אָמְרוּ: – **And so they said** in the Midrash (*Bereishis Rabbah* 3:6): יוֹם יְהֵא תְּחוּמָךְ, וְלַיְלָה יְהֵא תְּחוּמָךְ – God said to the light, **"The day will be your boundary," and** to the darkness He said, **"The night will be your boundary."**

84. According to this interpretation, the "evening" of the phrase *there was evening and there was morning* refers to the period before light was created altogether. The "darkness," referred to in verse 4, which followed the creation of light, did not occur until after the first day came to an end.

85. When the Torah writes that God *called the light day* it means that He put into effect a regular cycle of light and darkness, which corresponded to the time-periods of "day" and "night."

86. In his commentary on verse 8. According to Ibn Ezra, then, God actually gave the name "day" to the light and "night" to the darkness. Ramban has already rejected this idea, however, so he reiterates his own understanding of the verse – that it is to be understood figuratively.

5 *God called the light "day," and the darkness He called "night." And there was evening and there was morning, one day.*

רמב״ן

וַיְהִי עֶרֶב וַיְהִי בֹקֶר יוֹם אֶחָד[87,88]. הָיָה עֶרֶב וְהָיָה בֹּקֶר שֶׁל יוֹם אֶחָד[89]. וְיִקָּרֵא תְּחִלַּת הַלַּיְלָה "עֶרֶב" בַּעֲבוּר שֶׁיִּתְעָרְבוּ בּוֹ הַצּוּרוֹת[89a] וּתְחִלַּת הַיּוֹם "בֹּקֶר" שֶׁיְּבַקֵּר[89b] אָדָם בֵּינוֹתָם[90]. כָּךְ פֵּרֵשׁ רַבִּי אַבְרָהָם.

וְעַל דֶּרֶךְ הַפְּשָׁט[91], לֹא יִתָּכֵן לוֹמַר "יוֹם רִאשׁוֹן", בַּעֲבוּר שֶׁעֲדַיִן לֹא נַעֲשָׂה הַשֵּׁנִי. כִּי הָ"רִאשׁוֹן" קוֹדֵם לַ"שֵּׁנִי" בְּמִנְיָן אוֹ בְּמַעֲלָה, אֲבָל שְׁנֵיהֶם נִמְצָאִים, וְהָ"אֶחָד" לֹא יוֹרֶה עַל "שֵׁנִי"[92].

RAMBAN ELUCIDATED

☐ **וַיְהִי עֶרֶב וַיְהִי בֹקֶר יוֹם אֶחָד** – ***THERE WAS EVENING AND THERE WAS MORNING, ONE DAY.***

[The meaning of this sentence seems to be that this "evening" and this "morning" combined together to form "one day."[87] This interpretation is rejected by Ibn Ezra, however, on the grounds that the word "day" has just been defined (in the previous verse) as the time when light shines.[88] Thus, it would be self-contradictory for it to say now that the "day" consisted of "*evening* and morning." Ramban cites the interpretation that Ibn Ezra puts forth to resolve this difficulty:]

הָיָה עֶרֶב וְהָיָה בֹּקֶר שֶׁל יוֹם אֶחָד – **There passed the evening and there passed the morning of one day.**[89]

[Ramban also cites Ibn Ezra's explanation of the terms עֶרֶב and בֹּקֶר:]

וְיִקָּרֵא תְּחִלַּת הַלַּיְלָה "עֶרֶב" בַּעֲבוּר שֶׁיִּתְעָרְבוּ בּוֹ הַצּוּרוֹת – **The beginning of night is called** עֶרֶב**, because,** to the eye of the observer, **forms mingle at that** time.[89a] וּתְחִלַּת הַיּוֹם "בֹּקֶר" שֶׁיְּבַקֵּר אָדָם בֵּינוֹתָם – **And the beginning of the day** is called בֹּקֶר**, because a person can distinguish**[89b] **between [forms]** at that time.[90] כָּךְ פֵּרֵשׁ רַבִּי אַבְרָהָם – **This is how Rabbi Avraham** Ibn Ezra **explains** these terms.

[Ramban now addresses Scripture's use of the cardinal number, יוֹם אֶחָד, *one day*, rather than the ordinal number, יוֹם רִאשׁוֹן, *the first day*:]

וְעַל דֶּרֶךְ הַפְּשָׁט לֹא יִתָּכֵן לוֹמַר "יוֹם רִאשׁוֹן" – **According to the simple understanding** of the verse,[91] **it is not possible to say "the first day,"** בַּעֲבוּר שֶׁעֲדַיִן לֹא נַעֲשָׂה הַשֵּׁנִי – **because the second** day **had not yet been made.** כִּי הָרִאשׁוֹן קוֹדֵם לַשֵּׁנִי בְּמִנְיָן אוֹ בְּמַעֲלָה, אֲבָל שְׁנֵיהֶם נִמְצָאִים – **For** calling something **the first** indicates that it **precedes the** thing that is **second in number or in status, but** only when **both of them** already **exist.** וְהָ"אֶחָד" לֹא יוֹרֶה עַל שֵׁנִי – **The** word **"one,"** however, **does not indicate a second** thing.

[Ramban presents another interpretation, one that resolves Ibn Ezra's difficulties with the initial interpretation of the phrase,[92] as well as explaining Scripture's usage of a cardinal number:]

87. This interpretation would have the advantage of answering the question (see Rashi) as to why the verse refers to first day of Creation with a cardinal number, יוֹם אֶחָד, *one day,* rather than with an ordinal number יוֹם רִאשׁוֹן, *the first day*: It is because Scripture is informing us that the two components (evening and morning), when taken together as a unit, comprised "one [complete] day."

88. By rejecting this interpretation, we are again faced with the question of why the Torah writes "one day" rather than "the first day" (see previous note).

89. That is, the sentence should be understood as follows: "Thus passed by the evening and the morning of one day." It does not mean to imply that the evening and morning together constituted a "day," for "evening" is not a part of "day."

[The phrase *evening of one day* is not difficult, however. The night before a particular day is called "that day's evening," though it is not an integral part of the day, just as when we speak of "a man's book," it does not indicate that the book is an integral part of the man.]

89a. The verb root ערב can mean *to mingle, to confuse.*

89b. The verb root בקר can mean *to examine, to distinguish.*

90. This is a second reason that led Ibn Ezra to reject the initial interpretation (see introductory note to this comment): It is impossible to say that "evening" and "morning" taken together comprise one full day, for "evening" refers only to the beginning of nighttime, and "morning" refers only to the beginning of daytime. These two brief time periods, even when considered together, obviously do not add up to a complete day.

91. As opposed to the Midrashic interpretation cited by Rashi to answer this question.

92. Briefly recapitulating these matters:

The "initial interpretation" of וַיְהִי עֶרֶב וַיְהִי בֹקֶר יוֹם אֶחָד is "the evening and the morning, together, comprised

ו וַיֹּ֣אמֶר אֱלֹהִ֔ים יְהִ֥י רָקִ֖יעַ בְּת֣וֹךְ הַמָּ֑יִם

ו וַאֲמַר יְיָ יְהֵי רְקִיעָא בִּמְצִיעוּת מַיָּא

רש"י

שני. כך מפורש בב"ר (ג:ח): **(ו) יהי רקיע.** יחזק הרקיע, שאע"פ שנבראו שמים ביום הראשון עדיין לחים היו וקרשו בשני מגערת הקב"ה באמרו יהי רקיע, וזהו שכתוב עמודי שמים ירופפו (איוב כו:יא) כל יום ראשון, ובשני יתמהו מגערתו (שם) כאדם שמשתומם ועומד מגערת המאיים עליו (ב"ר ד:ב, ז, יב:י; חגיגה יב.): **בתוך המים.** באמצע המים, שיש הפרש בין מים העליונים

רמב"ן

וְיֵשׁ[92] מְפָרְשִׁים[93] כִּי זֶה רֶמֶז לִתְנוּעַת הַגַּלְגַּל עַל פְּנֵי כָּל הָאָרֶץ בְּעֶשְׂרִים וְאַרְבַּע שָׁעוֹת, שֶׁבְּכָל רֶגַע מֵהֶם בֹּקֶר בִּמְקוֹמוֹת מִשְׁתַּנִּים, וְעֶרֶב בִּמְקוֹמוֹת שֶׁכְּנֶגְדָּם[94]. וְאִם כֵּן, יִרְמֹז לַאֲשֶׁר יִהְיֶה בָּרָקִיעַ אַחֲרֵי הִנָּתֵן הַמְּאוֹרוֹת בִּרְקִיעַ הַשָּׁמַיִם[95].

[ו] יְהִי רָקִיעַ. הַחֹמֶר[97] הַהֹוֶה בַּתְּחִלָּה, שֶׁבְּרָאוֹ מֵאַיִן, אָמַר שֶׁיִּהְיֶה רָקִיעַ[98], מָתוּחַ כְּאֹהֶל[99] בְּתוֹךְ הַמַּיִם, וְיִהְיֶה "מַבְדִּיל בֵּין מַיִם לָמָיִם". וְשֶׁמָּא לָזֶה כִּוְּנוּ בְּאָמְרָם [ב"ר ד, א. ראה גם רש"י כאן]: רַב אָמַר: לַחִים הָיוּ שָׁמַיִם בַּיּוֹם הָרִאשׁוֹן, וּבַיּוֹם הַשֵּׁנִי קָרְשׁוּ[100]. רַב אָמַר: "יְהִי רָקִיעַ" - יֶחֱזַק הָרָקִיעַ[101]. רַבִּי יְהוּדָה בְּרַבִּי סִימוֹן אָמַר: יֵעָשֶׂה

RAMBAN ELUCIDATED

וְיֵשׁ מְפָרְשִׁים כִּי זֶה רֶמֶז לִתְנוּעַת הַגַּלְגַּל עַל פְּנֵי כָּל הָאָרֶץ בְּעֶשְׂרִים וְאַרְבַּע שָׁעוֹת – There are those[93] **who explain that this** verse **is an allusion to the movement of the** heavenly **sphere over the surface of the entire earth in a twenty-four-hour** period, **שֶׁבְּכָל רֶגַע מֵהֶם בֹּקֶר בִּמְקוֹמוֹת מִשְׁתַּנִּים, וְעֶרֶב בִּמְקוֹמוֹת שֶׁכְּנֶגְדָּם – for** in **every moment of [this period] it is** simultaneously **morning in varying places, and evening in places** that are **opposite them** on the globe.[94] **וְאִם כֵּן יִרְמֹז לַאֲשֶׁר יִהְיֶה בָּרָקִיעַ אַחֲרֵי הִנָּתֵן הַמְּאוֹרוֹת בִּרְקִיעַ הַשָּׁמַיִם – If this is so, [Scripture] refers to that which would be in the firmament after the luminaries would be placed in the firmament of heaven.**[95]

6. יְהִי רָקִיעַ – *LET THERE BE A FIRMAMENT.*[96]

[Scripture uses the term הַשָּׁמַיִם, *the heavens,* with regard to the first day, in verse 1, yet verses 6 and 8 state that God made the רָקִיעַ, *firmament,* on the second day and called it שָׁמַיִם, *heavens.* Ramban explains:]

הַחֹמֶר הַהֹוֶה בַּתְּחִלָּה שֶׁבְּרָאוֹ מֵאַיִן – Concerning **the matter,** i.e., the *hule,*[97] **that came into being initially, which He created out of nothing, אָמַר שֶׁיִּהְיֶה רָקִיעַ – [God] said that it should become a firmament,**[98] **מָתוּחַ כְּאֹהֶל בְּתוֹךְ הַמַּיִם – "stretched out like a tent,"**[99] **in the middle of the water, וְיִהְיֶה "מַבְדִּיל בֵּין מַיִם לָמָיִם" – and should be a *separation between water and water.* וְשֶׁמָּא לָזֶה כִּוְּנוּ בְּאָמְרָם: – Perhaps [the Sages] had this in mind when they stated** (*Bereishis Rabbah* 4:1; see also Rashi here): **רַב אָמַר: לַחִים הָיוּ שָׁמַיִם בַּיּוֹם הָרִאשׁוֹן, וּבַיּוֹם הַשֵּׁנִי קָרְשׁוּ – Rav said: The heavens were in liquid form on the first day, and on the second day they coagulated.**[100] **רַב אָמַר: "יְהִי רָקִיעַ", יֶחֱזַק הָרָקִיעַ – Rav** also **said: *Let there "be" a firmament*** means **"Let the firmament be**

one complete day."

Ibn Ezra's two difficulties with this interpretation are: (a) A "day" (as the first part of our verse itself defines it) is the time when there is light, so it cannot include "evening"; and (b) "evening" is a small fraction of nighttime, as is "morning" of daytime, and these two small fragments cannot be said to add up to a full day when taken together.

93. See Ibn Ezra ("Alternate Version"); *HaMaor HaKatan* on Alfasi, *Rosh Hashanah* 20b.

94. *There was "evening"* is thus no longer a contradiction to *one "day,"* for even when it is "evening" in one place in the world, it is "day" in another. Furthermore, although "evening" and "morning" are small fractions of the day in any one locality, they are taking place constantly – twenty-four hours a day – throughout the globe. Ibn Ezra's difficulties are now resolved, and the "initial interpretation" (see notes 87 and 88 above) may be adopted again.

95. The situation described by this interpretation, in which it is always daytime somewhere in the world and nighttime on the opposite side of the globe, actually commenced on the fourth day, when the luminaries were placed into the rotating spheres that create this phenomenon.

96. The Hebrew word רָקִיעַ actually denotes "that which is stretched out," an "expanse." However, "firmament" is the commonly used translation for this word.

97. See Ramban above, v. 1.

98. See note 96 above.

99. Stylistic paraphrase of *Isaiah* 40:22.

100. This corresponds with Ramban's explanation of the formation of the firmament on the second day. (Ramban would explain that when Rav said "liquid

6 *God said, "Let there be a firmament in the midst of the waters,*

רמב"ן

מַטְלִית הָרָקִיעַ[102], כְּמָה דְּאַתְּ אָמַר [שמות לט, ג]: "וַיְרַקְּעוּ אֶת פַּחֵי הַזָּהָב וְגוֹ'".

□ **בְּתוֹךְ הַמָּיִם.** בְּאֶמְצַע הַמַּיִם, בֵּין הַמַּיִם הָעֶלְיוֹנִים לַמַּיִם הַתַּחְתּוֹנִים[102a]. כְּמוֹ שֶׁיֵּשׁ הֶפְרֵשׁ בֵּין הָרָקִיעַ לַמַּיִם שֶׁעַל הָאָרֶץ, כָּךְ יֵשׁ הֶפְרֵשׁ בֵּין מַיִם הָעֶלְיוֹנִים לָרָקִיעַ[103]. הָא לָמַדְתָּ שֶׁהֵן תְּלוּיִים בְּמַאֲמָר.[103a] בְּרֵאשִׁית רַבָּה [ד, ג], וּכְתָבָהּ רַשִׁ"י[104].

וְזֶה מֵעִנְיַן "מַעֲשֵׂה בְרֵאשִׁית" הוּא[105], וְאַל תְּקַוֶּה מִמֶּנִּי שֶׁאֶכְתֹּב בּוֹ דָּבָר[106], שֶׁהָעִנְיָן הוּא מִסִּתְרֵי הַתּוֹרָה. וְאֵין הַפְּסוּקִים צְרִיכִים לַבֵּאוּר הַזֶּה, כִּי לֹא יַאֲרִיךְ הַכָּתוּב בְּעִנְיָנוֹ, וְהַפֵּרוּשׁ אָסוּר לְיוֹדְעָיו - וְכָל שֶׁכֵּן אֵלֵינוּ!

RAMBAN ELUCIDATED

strengthened."[101] רַבִּי יְהוּדָה בְּרַבִּי סִימוֹן אָמַר יֵעָשֶׂה מַטְלִית הָרָקִיעַ – **Rabbi Yehudah son of Rabbi Simon said:** It means **"Let the firmament become like a** thin **piece of fabric,"**[102] כְּמָה דְּאַתְּ אָמַר: "וַיְרַקְּעוּ אֶת פַּחֵי הַזָּהָב וְגוֹ'" – **as you say,** ***They hammered thin*** [וַיְרַקְּעוּ] ***the sheets of gold*** (*Exodus* 39:3).

□ **בְּתוֹךְ הַמָּיִם** – ***IN THE MIDST OF THE WATERS.***

[Why does the verse use the longer phrase בְּתוֹךְ הַמָּיִם, *in the midst of the waters,* rather than the shorter phrase בַּמָּיִם, *in the waters?* Ramban cites a Midrash as it is presented by Rashi:]

בְּאֶמְצַע הַמַּיִם – This means **in the middle of the water,** בֵּין הַמַּיִם הָעֶלְיוֹנִים לַמַּיִם הַתַּחְתּוֹנִים – **between the upper waters and the lower waters.**[102a] כְּמוֹ שֶׁיֵּשׁ הֶפְרֵשׁ בֵּין הָרָקִיעַ לַמַּיִם שֶׁעַל הָאָרֶץ – For **just as there is a separation between the firmament and the waters which are upon the earth,** כָּךְ יֵשׁ הֶפְרֵשׁ בֵּין מַיִם הָעֶלְיוֹנִים לָרָקִיעַ – **so is there a separation between the upper waters and the firmament.**[103] הָא לָמַדְתָּ שֶׁהֵן תְּלוּיִים בְּמַאֲמָר – **Thus you learn that [the upper waters] are suspended by the word** of the King.[103a]

בְּרֵאשִׁית רַבָּה וּכְתָבָהּ רַשִׁ"י – This is from ***Bereishis Rabbah*** (4:3), **and is quoted by Rashi.**

[Ramban understands the Midrash differently from Rashi,[104] but does not reveal his own interpretation:]

וְזֶה מֵעִנְיַן מַעֲשֵׂה בְרֵאשִׁית הוּא – **This is one of the subjects of "the account of Creation,"**[105] וְאַל תְּקַוֶּה מִמֶּנִּי שֶׁאֶכְתֹּב בּוֹ דָּבָר – **so do not expect me to write anything about it!**[106] שֶׁהָעִנְיָן הוּא מִסִּתְרֵי הַתּוֹרָה – **For the matter is one of the hidden mysteries of the Torah,** וְאֵין הַפְּסוּקִים צְרִיכִים לַבֵּאוּר הַזֶּה – **and the verses do not require any such elaboration** for a superficial understanding, כִּי לֹא יַאֲרִיךְ הַכָּתוּב בְּעִנְיָנוֹ – **for Scripture** itself **does not go to any length in** discussing **this matter,** וְהַפֵּרוּשׁ אָסוּר לְיוֹדְעָיו – **and elaboration** on it **is forbidden** even **to those who** truly **understand it,** וְכָל שֶׁכֵּן אֵלֵינוּ – **and all the more so** is it forbidden **to us!**

form" he meant "rudimentary, amorphous form," i.e., *hule.*)

101. *Let there be a firmament* (called "heaven" in v. 8) seems to imply that there was no heaven before this; this seems to contradict v. 1, *In the beginning God created the heavens.* Rav therefore explains that יְהִי רָקִיעַ really means that the previously existing firmament was to become strengthened.

102. Rav Yehudah does not disagree with Rav; he merely elaborates on the basic meaning of רָקִיעַ.

102a. The phrase "between the upper waters and the lower waters" does not appear in extant editions of Rashi. [It is possible that it was added by Ramban by way of explanation.]

103. The phrase "in the waters" implies that the firmament was submerged, touching the water above it and below it. By saying *in the midst of the waters,* Scripture tells us that this is not the case; there are spaces between the firmament and both the upper and lower waters, for it is suspended between them.

103a. Extant editions of Rashi read בְּמַאֲמָרוֹ שֶׁל מֶלֶךְ, *by the word of the King.*

104. Ramban agrees with Rashi that there is a need for an explanation of Scripture's use of the words *in the midst of* (see Ramban below, 2:9). His point is that the answer to this question is Kabbalistic in nature.

105. Of which the Sages said (*Chagigah* 11b), "One may not expound upon the account of Creation, even to [a small group of] two people," and it may certainly not be explained to the general public.

106. Maimonides, too, writes that the matter of the "upper and lower waters" cannot be understood in its literal sense, but refers to an underlying profound concept. Cf. Radak, however, who, basing himself on Ibn Ezra's interpretation, explains the idea of "upper waters" in a rationalistic manner.

ז וִיהִ֥י מַבְדִּ֖יל בֵּ֥ין מַ֖יִם לָמָֽיִם׃ וַיַּ֣עַשׂ אֱלֹהִים֮
אֶת־הָרָקִיעַ֒ וַיַּבְדֵּ֗ל בֵּ֤ין הַמַּ֙יִם֙ אֲשֶׁר֙ מִתַּ֣חַת
לָרָקִ֔יעַ וּבֵ֣ין הַמַּ֔יִם אֲשֶׁ֖ר מֵעַ֣ל לָרָקִ֑יעַ וַֽיְהִי־כֵֽן׃

וִיהִי מַפְרִישׁ בֵּין מַיָּא לְמַיָּא:
ז וַעֲבַד יְיָ יָת רְקִיעָא וְאַפְרֵישׁ
בֵּין מַיָּא דִי מִלְרַע לִרְקִיעָא וּבֵין
מַיָּא דִי מֵעַל לִרְקִיעָא וַהֲוָה כֵן:

רש"י

לרקיע כמו בין הרקיע למים שעל הארץ. הא למדת שהם תלוים במאמרו של מלך (ב"ר ד:ג): (ז) **ויעש אלהים את הרקיע.** תקנו על עמדו והיא עשייתו, כמו ועשתה את צפרניה (דברים כא:יב): **מעל לרקיע.** על הרקיע לא נאמר אלא מעל לרקיע, לפי שהן תלוין באויר (ב"ר שם). ומפני מה לא נאמר כי טוב ביום שני, לפי שלא היה נגמר מלאכת המים עד יום שלישי והרי התחיל בה בשני, ודבר שלא נגמר אינו במלואו וטובו. ובשלישי שנגמר מלאכת המים והתחיל וגמר מלאכה אחרת כפל בו כי טוב שני פעמים,

רמב"ן

[ז] וַיַּעַשׂ אֱלֹהִים אֶת הָרָקִיעַ. לְשׁוֹן עֲשִׂיָּה בְּכָל מָקוֹם תִּקּוּן הַדָּבָר עַל מַתְכֻּנְתּוֹ[107].

□ **וַיְהִי כֵן.** הִכְתִּיב בָּרִאשׁוֹן "וַיְהִי אוֹר" אַחַר "וַיֹּאמֶר אֱלֹהִים יְהִי אוֹר" - אַחַר הָאֲמִירָה פֵּרֵשׁ שֶׁיָּצָא אֶל הַפֹּעַל וְהָיָה כַּאֲשֶׁר נִגְזַר[108]. אֲבָל בְּכָאן - אַחַר אֲמִירַת "יְהִי רָקִיעַ" כָּתוּב "וַיַּעַשׂ אֱלֹהִים אֶת הָרָקִיעַ וַיַּבְדֵּל", וְלָמָּה הוֹסִיף "וַיְהִי כֵן"? אֲבָל הוּא לוֹמַר שֶׁהָיָה כֵּן תָּמִיד כָּל יְמֵי עוֹלָם[109].

וְרַבִּי אַבְרָהָם פֵּרֵשׁ כִּי הוּא דָּבֵק עִם הַבָּא אַחֲרָיו [פסוק ח]: כַּאֲשֶׁר הָיָה כֵן - קָרָא לָרָקִיעַ שָׁמַיִם[110].

RAMBAN ELUCIDATED

7. וַיַּעַשׂ אֱלֹהִים אֶת הָרָקִיעַ – *SO GOD MADE THE FIRMAMENT.*

[Ramban explains the implications of the verb root עשה, *to make,* as opposed to ברא, *to create,* which was used in verse 1:]

לְשׁוֹן עֲשִׂיָּה בְּכָל מָקוֹם – The expression "making" in every instance **תִּקּוּן הַדָּבָר עַל מַתְכֻּנְתּוֹ** – refers to **perfecting something according to its** desired **properties.**[107]

□ **וַיְהִי כֵן** – *AND IT WAS SO.*

[Ramban questions the purpose of this seemingly superfluous statement:]

הִכְתִּיב בָּרִאשׁוֹן "וַיְהִי אוֹר" אַחַר "וַיֹּאמֶר אֱלֹהִים יְהִי אוֹר" – **On the first** day **[Scripture] wrote** the phrase ***and there was light*** **after** the phrase ***God said: Let there be light.*** **אַחַר הָאֲמִירָה פֵּרֵשׁ שֶׁיָּצָא אֶל הַפֹּעַל וְהָיָה כַּאֲשֶׁר נִגְזַר** – **After** recording **the utterance** of God, **[Scripture] specified that [the command] was carried out and that it happened as it was decreed.**[108] **אֲבָל בְּכָאן, אַחַר אֲמִירַת "יְהִי רָקִיעַ" כָּתוּב "וַיַּעַשׂ אֱלֹהִים אֶת הָרָקִיעַ וַיַּבְדֵּל"** – **Here, however, after the utterance of, *Let there be a firmament,* is written, *God made the firmament, and separated.*** **וְלָמָּה הוֹסִיף "וַיְהִי כֵן"** – **Why, then, does it add, *and it was so?***

[Ramban explains the phrase in a different way:]

אֲבָל הוּא לוֹמַר שֶׁהָיָה כֵּן תָּמִיד כָּל יְמֵי עוֹלָם – **In truth, this** phrase **is** used **to indicate that it became so permanently,** for **all the days of the world.**[109]

[Ramban cites Ibn Ezra's interpretation of the phrase:]

וְרַבִּי אַבְרָהָם פֵּרֵשׁ כִּי הוּא דָּבֵק עִם הַבָּא אַחֲרָיו – **Rabbi Avraham** Ibn Ezra **explains that it is attached to what comes after it** (v. 8), as follows: **כַּאֲשֶׁר הָיָה כֵן קָרָא לָרָקִיעַ שָׁמַיִם** – **When it was so, He called the firmament "heaven."**[110]

---

107. That is, the verb עשה, *to make,* refers to taking pre-existing material and transforming it into a new entity, as opposed to ברא, *to create* something out of nothing. (See Ramban above, 1:1.)

108. The same may be said for all the other instances of the phrase, *and it was so* (vv. 9, 11, 15, 24, 30). Ramban's question refers specifically to the use of that phrase in our verse.

109. The phrase *and it was so* does not mean simply, "After God decreed it, it came about." Rather, it means, "After God decreed it, it became permanently entrenched in the natural order of the world." Hence, it is not superfluous in our verse. After telling us that God made the firmament, Scripture informs us that it became a permanent fixture of the world. (See Ramban above, v. 3, s. v., וַיְהִי אוֹר.)

110. According to Ibn Ezra, וַיְהִי כֵן does not mean simply to state that the firmament came into being as God had decreed. Rather, it is an introduction to the subsequent statement: "*When it became so*, God called ...".

and let it separate between water and water." 7 *So God made the firmament, and separated between the waters which were beneath the firmament and the waters which were above the firmament. And it was so.*

רמב"ן

וְאֵינוֹ נָכוֹן[111].

וּבִבְרֵאשִׁית רַבָּה [ד, ו] אָמְרוּ: "וַיַּעַשׂ אֱלֹהִים אֶת הָרָקִיעַ" - זוֹ אַחַת מִן הַמִּקְרָאוֹת שֶׁהִרְעִישׁ בֶּן זוֹמָא אֶת הָעוֹלָם: "וַיַּעַשׂ אֱלֹהִים וְכוּ'" וַהֲלֹא בְּמַאֲמָר, "בִּדְבַר ה' שָׁמַיִם נַעֲשׂוּ"[112]!

וְאֵין הַהַרְעָשָׁה הַזּוֹ מִלְּשׁוֹן "וַיַּעַשׂ" לְבַדּוֹ, שֶׁהֲרֵי בָּרְבִיעִי וּבַשִּׁשִּׁי כָּתוּב "וַיַּעַשׂ"[113]. אֲבָל הָיָה מִזֶּה שֶׁאָמַרְתִּי: בַּעֲבוּר כִּי בִּשְׁאָר הַיָּמִים כָּתוּב אַחַר הָאֲמִירָה "וַיְהִי כֵן", לוֹמַר שֶׁנִּהְיָה כֵּן מִיָּד, תֵּכֶף אַחַר הָאֲמִירָה, אֲבָל כָּאן אַחַר "וַיֹּאמֶר אֱלֹהִים" כָּתוּב "וַיַּעַשׂ"[114]. זוֹ הִיא קֻשְׁיָתוֹ. וְאוּלַי הָיָה לוֹ פֵּרוּשׁ נִסְתָּר לֹא רָצָה לְגַלּוֹת סוֹדוֹ[115], וְזֶה עִנְיַן הָרַעַשׁ.

RAMBAN ELUCIDATED

[Ramban does not accept Ibn Ezra's interpretation:]

וְאֵינוֹ נָכוֹן – But this is not sound.[111]

[Ramban now cites a Midrash on our verse:]

וּבִבְרֵאשִׁית רַבָּה אָמְרוּ – In *Bereishis Rabbah* (4:6) **they said: "וַיַּעַשׂ אֱלֹהִים אֶת הָרָקִיעַ" – *So God made the firmament* – זוֹ אַחַת מִן הַמִּקְרָאוֹת שֶׁהִרְעִישׁ בֶּן זוֹמָא אֶת הָעוֹלָם – this is one of the verses through which Ben Zoma shook the earth. "וַיַּעַשׂ אֱלֹהִים וְכוּ'"** – He asked what the verse means by ***so God made.*** **וַהֲלֹא בְּמַאֲמָר "בִּדְבַר ה' שָׁמַיִם נַעֲשׂוּ" – For was it not through an utterance** that it was made? For thus is it written, ***By the word of Hashem, the heavens were made*** (*Psalms* 33:6).

[Ramban explains the Midrash in accordance with his statement at the beginning of this comment:][112]

וְאֵין הַהַרְעָשָׁה הַזּוֹ מִלְּשׁוֹן "וַיַּעַשׂ" לְבַדּוֹ, שֶׁהֲרֵי בָּרְבִיעִי וּבַשִּׁשִּׁי כָּתוּב "וַיַּעַשׂ" – This "earth-**shaking" is not** only **because of the word *He made*, for on the fourth and sixth** days as well **it is written *and He made.***[113] **אֲבָל הָיָה מִזֶּה שֶׁאָמַרְתִּי – Rather, it was because of this** point **that I stated** above: **בַּעֲבוּר כִּי בִּשְׁאָר הַיָּמִים כָּתוּב אַחַר הָאֲמִירָה "וַיְהִי כֵן" לוֹמַר שֶׁנִּהְיָה כֵּן מִיָּד תֵּכֶף אַחַר הָאֲמִירָה – Because on the other days [the phrase *and it was so*] is written** immediately **after [God's] utterance, indicating that it became so immediately, directly after the utterance, אֲבָל כָּאן אַחַר "וַיֹּאמֶר אֱלֹהִים" כָּתוּב "וַיַּעַשׂ" – whereas here, after** the term ***God said* is written [*God*] *made***, and only after that does the phrase *and it was so*[114] appear. **זוֹ הִיא קֻשְׁיָתוֹ – This was [Ben Zoma's] difficulty. וְאוּלַי הָיָה לוֹ פֵּרוּשׁ נִסְתָּר לֹא רָצָה לְגַלּוֹת סוֹדוֹ – Perhaps he had some mystical explanation** for this, **and he did not want to reveal its secret,**[115] **וְזֶה עִנְיַן הָרַעַשׁ – and this is the meaning of the "shaking of the earth."**

111. Ramban apparently finds difficulty with combining sentences from two separate verses into a single long sentence.

112. A superficial reading of the Midrash would lead one to understand Ben Zoma's question thus: The word וַיַּעַשׂ, *He made*, seems to imply that a physical action was involved, whereas the verse in *Psalms* states that it was by God's *word* that the heavens were created. Ramban shows that this is *not* the intent of Ben Zoma's question.

113. It is not only the heavens that were made by God's word, as the verse in *Psalms* states, but all of Creation, as Scripture makes clear by repeating the phrase וַיֹּאמֶר ה', *and God said,* at every step. Thus, Ben Zoma should have wondered about the use of the word וַיַּעַשׂ, *He made,* wherever it appears in the account of Creation, and not just in our verse. The fact that Ben Zoma addressed his question specifically to our verse shows that he had a different intent altogether, as Ramban now explains.

114. In the other two verses in question, Scripture first writes, וַיֹּאמֶר ה' ... וַיְהִי כֵן, *God said ... and it was so* (implying that the item came into existence as soon as God decreed it), and after that it continues, וַיַּעַשׂ ה', *God made* (meaning "God made through His utterance"). In our verse, however, the order is וַיֹּאמֶר ה' ... וַיַּעַשׂ ה', *God said ... God made*, and only after that, וַיְהִי כֵן, *and it was so*, implying that there was something more than a simple utterance involved in the creation of the firmament.

115. It should be noted that the Midrash adduced by Ramban uncharacteristically provides no answer for Ben Zoma's question, but leaves it unresolved.

[The Talmud records that Ben Zoma was one of the four Sages who entered the "orchard" of the mystical concepts of Scripture (*Chagigah* 14b); and also relates that Ben Zoma contemplated the concept of the separation between the upper and lower waters (ibid. 15a).]

ח וַיִּקְרָא אֱלֹהִים לָרָקִיעַ שָׁמָיִם וַיְהִי־עֶרֶב וַיְהִי־בֹקֶר יוֹם שֵׁנִי: פ

ח וּקְרָא יְיָ לִרְקִיעָא שְׁמַיָּא וַהֲוָה רְמַשׁ וַהֲוָה צְפַר יוֹם תִּנְיָן:

רש״י

אחד לגמר מלאכת השני ואחד לגמר מלאכת היום (שם ו): (ח) ויקרא אלהים לרקיע שמים. שא מים, שם מים, אש ומים, שערבן זה בזה ועשה מהם שמים (שם ז; חגיגה יב.):

רמב״ן

[ח] וַיִּקְרָא אֱלֹהִים לָרָקִיעַ שָׁמָיִם. בַּיּוֹם הַשֵּׁנִי קְרָאָם בַּשֵּׁם הַזֶּה, כַּאֲשֶׁר הִלְבִּישׁ אוֹתָם צוּרַת רָקִיעַ[116]. כִּי בָּרִאשׁוֹן הָיוּ שָׁמַיִם בִּבְרִיאָה, אֲבָל אֵין הַשֵּׁם נִתְפָּשׂ בָּהֶם עַד שֶׁלָּבְשׁוּ הַצּוּרָה הַזּוֹ[117].

וּפֵרוּשׁ הַשֵּׁם הַזֶּה כְּאִלּוּ הוּא נָקוּד בְּסֶגוֹל תַּחַת הַשִּׁי״ן, כְּמִלַּת ״שַׁלָּמָה אֶהְיֶה כְּעֹטְיָה״ [שיר השירים א, ז][118]. כְּאִלּוּ אָמַר שֶׁמַּיִם הֵם שֶׁנִּרְקְעוּ וְנִמְתְּחוּ כְּאֹהֶל[119] בְּתוֹךְ הַמַּיִם הָעֶלְיוֹנִים וְהַתַּחְתּוֹנִים[120]. הוֹדִיעַ בַּשֵּׁם הַזֶּה סוֹד יְצִירָתָם.

וּבַגְּמָרָא בְּמַסֶּכֶת חֲגִיגָה [יב, א] אָמְרוּ: מַאי שָׁמַיִם? ״שָׁם מַיִם״[120a]. וְאִם כֵּן הוּא, יֶחְסַר מֵ״ם אֶחָד לְהִתְחַבְּרוּת

RAMBAN ELUCIDATED

8. וַיִּקְרָא אֱלֹהִים לָרָקִיעַ שָׁמָיִם – *GOD CALLED THE FIRMAMENT "HEAVEN."*

["The heavens" were already created on the first day (v. 1). Why did God wait for the second day to name them?]

בַּיּוֹם הַשֵּׁנִי קְרָאָם בַּשֵּׁם הַזֶּה כַּאֲשֶׁר הִלְבִּישׁ אוֹתָם צוּרַת רָקִיעַ – He called [the heavens] by this name on the second day, when He invested [the *hule*] with the form of the firmament.[116] **כִּי בָּרִאשׁוֹן הָיוּ שָׁמַיִם בִּבְרִיאָה – For on the first** day, **the heavens were in** the state called בְּרִיאָה, *coming into* ***creation,*** **אֲבָל אֵין הַשֵּׁם נִתְפָּשׂ בָּהֶם עַד שֶׁלָּבְשׁוּ הַצּוּרָה הַזּוֹ – but a name could not be applied to them until they acquired this form.**[117]

[Ramban now explains the etymology of the name שָׁמַיִם, *shamayim,* given to the heavens:]

וּפֵרוּשׁ הַשֵּׁם הַזֶּה כְּאִלּוּ הוּא נָקוּד בְּסֶגוֹל תַּחַת הַשִּׁי״ן – This name is to be explained as if it were vowelized with a *segol* under the ש, שֶׁ, instead of שָׁ, i.e., the letter ש is a prefix, **כְּמִלַּת ״שַׁלָּמָה אֶהְיֶה כְּעֹטְיָה״ – as** is the letter שַׁ **of the word** שַׁלָּמָה, *for why, in the verse,* ***for why should I be as one veiled*****?** (*Song of Songs* 1:7).[118] **כְּאִלּוּ אָמַר שֶׁמַּיִם הֵם שֶׁנִּרְקְעוּ וְנִמְתְּחוּ כְּאֹהֶל בְּתוֹךְ הַמַּיִם הָעֶלְיוֹנִים וְהַתַּחְתּוֹנִים** – It is **as if He had said "that they are water"** (שֶׁמַּיִם) **which was pulled and "stretched out like a tent"**[119] **in the middle of the lower and upper waters.**[120] **הוֹדִיעַ בַּשֵּׁם הַזֶּה סוֹד יְצִירָתָם – [Scripture]** thus **informed** us **with this name the secret of their creation.**

[Ramban now cites the Talmud analysis of the derivation of the name שָׁמַיִם, *shamayim,* to prove that it refers to the heavens being formed from מַיִם, *water*:]

וּבַגְּמָרָא בְּמַסֶּכֶת חֲגִיגָה אָמְרוּ – In the Gemara, in Tractate *Chagigah* (12a) **they said:** **מַאי שָׁמַיִם, ״שָׁם מַיִם״ – What is** the meaning of the term שָׁמַיִם, ***shamayim?*** It means, שָׁם, ***the name of,*** מַיִם, ***water.***[120a] **וְאִם כֵּן הוּא יֶחְסַר מֵ״ם אֶחָד לְהִתְחַבְּרוּת שְׁתֵּי אוֹתִיּוֹת שָׁווֹת – If so,** we would expect it to be

116. As Ramban explained above (on v. 1), when the Torah states, *God created the heavens,* on the first day, it means that He created (out of nothing) the primary matter called *hule,* from which He would form everything in the heavens. Now, on the second day, he formed the firmament out of the *hule.*

117. Ramban explained above (ibid.) that *hule* is inherently unnamable, due to its lack of identifying characteristics.

118. Ramban maintains that the name שָׁמַיִם, *heavens,* should be understood as if it were pronounced שֶׁמַּיִם, which means, *that [they are] water.* He adduces a verse from *Song of Songs* to prove that the prepositional prefix ש is not necessarily vowelized שֶׁ, but may also be vowelized שַׁ, as in שַׁלָּמָה. The same is then true of שָׁ, as in the word שָׁמַיִם.

119. Stylistic paraphrase of *Isaiah* 40:22.

120. Ramban here (and in the following paragraph) asserts that the heavens were made from water. This seems to contradict his interpretation of verse 1 (see ibid.), which he alludes to just several lines ago (see note 116), that the heavens were created out of a special *hule*-substance, distinct from the *hule*-substance that formed the four elements of the earth (of which water is one). See *Beis HaYayin* and *Yekev Ephraim.*

120a. Extant editions of Tractate *Chagigah* read שֶׁשָּׁם מַיִם (see Mesorah/ArtScroll Schottenstein edition). See

8 *God called the firmament "heaven." And there was evening and there was morning, a second day.*

רמב״ן

שְׁתֵּי אוֹתִיּוֹת שָׁווֹת, כְּמִלַּת ״יְרֻבַּעַל״[120b] [שופטים ו, לב]. וְיֹאמַר ״שֵׁם מַיִם,״ כְּלוֹמַר שֵׁם שֶׁקָּרָא לַמַּיִם בְּלָבְשָׁם צוּרָה אַחֶרֶת. וְזֶה פְּשַׁט הַכְּתוּבִים עַל הַדֶּרֶךְ הַזֶּה שֶׁכָּתַב רַשִׁ״י[121], וְהוּא דַּעַת רַב שֶׁהִזְכַּרְנוּ[122]. וִיהִי שֵׁם ״הַשָּׁמַיִם״ וְ״הָאָרֶץ״ בַּפָּסוּק הָרִאשׁוֹן עַל הֶעָתִיד לִקְרֹא לָהֶם, כִּי לֹא יִתָּכֵן לְהוֹדִיעָם רַק בַּלָּשׁוֹן הַזֶּה.

אֲבָל יוֹתֵר נָכוֹן לְפִי פְּשַׁט הַכְּתוּבִים שֶׁנֹּאמַר כִּי הַשָּׁמַיִם הַנִּזְכָּרִים בַּפָּסוּק הָרִאשׁוֹן הֵם הַשָּׁמַיִם הָעֶלְיוֹנִים, שֶׁאֵינָם מִכְּלַל הַגַּלְגַּלִּים[123]. אֲבָל הֵם לְמַעְלָה מִן הַמֶּרְכָּבָה, כְּעִנְיָן ״וּדְמוּת עַל רָאשֵׁי הַחַיָּה רָקִיעַ כְּעֵין הַקֶּרַח הַנּוֹרָא נָטוּי עַל רָאשֵׁיהֶם מִלְמָעְלָה״ [יחזקאל א, כב], וּמֵהֶם נִקְרָא הַקָּדוֹשׁ בָּרוּךְ הוּא ״רֹכֵב שָׁמַיִם״ [דברים לג, כו]. וְלֹא סִפֵּר הַכָּתוּב בִּבְרִיאָתָם דָּבָר, כַּאֲשֶׁר לֹא הִזְכִּיר הַמַּלְאָכִים וְחַיּוֹת הַמֶּרְכָּבָה וְכָל דָּבָר נִפְרָד שֶׁאֵינוֹ בַּעַל

RAMBAN ELUCIDATED

spelled with five letters – שממים – however, **it is missing one מ** in the middle of the word, **because of the merging of two identical letters,** i.e., ממ, **כְּמִלַּת ״יְרֻבַּעַל״ – as** in **the word *Jerubaal*.**[120b] **וְיֹאמַר שֵׁם מַיִם, כְּלוֹמַר שֵׁם שֶׁקָּרָא לַמַּיִם בְּלָבְשָׁם צוּרָה אַחֶרֶת** – Accordingly, **[Scripture] refers to** the name of the firmament as **"the name of water," meaning "the name that [God] called the water when it acquired a different form."**

[Ramban notes that his entire analysis up to this point has been in accordance with Rashi's opinion, that the term שָׁמַיִם, *heavens,* of verse 1 is identical with the term שָׁמַיִם, *heavens,* that became the name of the firmament:]

וְזֶה פְּשַׁט הַכְּתוּבִים עַל הַדֶּרֶךְ הַזֶּה שֶׁכָּתַב רַשִׁ״י – This is the simple meaning of the verses, following this approach that Rashi wrote,[121] **וְהוּא דַּעַת רַב שֶׁהִזְכַּרְנוּ – and it is the opinion of Rav that we cited** above (on v. 6).[122] **וִיהִי שֵׁם ״הַשָּׁמַיִם״ וְ״הָאָרֶץ״ בַּפָּסוּק הָרִאשׁוֹן עַל הֶעָתִיד לִקְרֹא לָהֶם** – According to them, **the names** הַשָּׁמַיִם, ***hashamayim,*** for the heavens, **and** הָאָרֶץ, ***haaretz,*** for the earth, mentioned **in the first verse are** based **on what they were to be called in the future.** It is not so farfetched to say this, **כִּי לֹא יִתָּכֵן לְהוֹדִיעָם רַק בַּלָּשׁוֹן הַזֶּה – for it is not possible to refer to them** in any other way **except with this terminology.**

[Ramban now introduces a new approach, according to which the terms הַשָּׁמַיִם, *the heavens,* of verse 1 and שָׁמַיִם, *heaven,* of verse 8 are not identical, thereby obviating the need to account for the apparent contradiction as to the day on which they were created:]

אֲבָל יוֹתֵר נָכוֹן לְפִי פְּשַׁט הַכְּתוּבִים – However, it is more sound, according to the simple understanding of the verses, שֶׁנֹּאמַר כִּי הַשָּׁמַיִם הַנִּזְכָּרִים בַּפָּסוּק הָרִאשׁוֹן הֵם הַשָּׁמַיִם הָעֶלְיוֹנִים – that we should say that *the heavens* mentioned in the first verse refers to the upper heavens, שֶׁאֵינָם מִכְּלַל הַגַּלְגַּלִּים – which are not included in the celestial **spheres.**[123] **אֲבָל הֵם לְמַעְלָה מִן הַמֶּרְכָּבָה – Rather, they are above the** Divine **Chariot, כְּעִנְיָן ״וּדְמוּת עַל רָאשֵׁי הַחַיָּה רָקִיעַ כְּעֵין הַקֶּרַח הַנּוֹרָא נָטוּי עַל רָאשֵׁיהֶם מִלְמָעְלָה״ – like the matter** described in Ezekiel's vision of the Divine Chariot, ***There was a likeness of a "firmament" above the heads of the Chayos-angels, like the semblance of an awesome sheet of ice, spread out over their heads from above*** (*Ezekiel* 1:22), **וּמֵהֶם נִקְרָא הַקָּדוֹשׁ בָּרוּךְ הוּא ״רֹכֵב שָׁמַיִם״ – and it is because of these** heavens **that the Holy One, Blessed is He, is called *He Who rides the heavens*** (*Deuteronomy* 33:26). **וְלֹא סִפֵּר הַכָּתוּב בִּבְרִיאָתָם דָּבָר – Scripture did not relate anything about the creation of [these]** upper heavens, **כַּאֲשֶׁר לֹא הִזְכִּיר הַמַּלְאָכִים וְחַיּוֹת הַמֶּרְכָּבָה וְכָל דָּבָר נִפְרָד שֶׁאֵינוֹ בַּעַל גּוּף – just as it did not mention** anything about the creation of

---

also Rashi here, Mesorah/ArtScroll Sapirstein edition.

120b. In *Judges* 6:32 this name יְרֻבַּעַל, *Jerubaal,* is explained as a contraction of יָרֶב בַּעַל, *he quarrels [with] Baal.* We would thus expect his name to be spelled ירבבעל. However, the doubled letter בב is merged into one.

121. On v. 6.

122. See above, note 101.

123. According to the geocentric model of astronomy used by the *Rishonim* (the Torah scholars of the late middle ages, 11th-15th centuries), the earth is surrounded by rotating concentric spheres – one containing the moon, one containing the sun, and others containing the planets and the stars. (See Rambam,

רמב״ן

גוף,124 רק הזכיר בשמים שהם נבראים, כלומר שקדמותם אפס. ואמר בשני שיהיה רקיע בתוך המים, כלומר שיתהוה מן המים הנזכרים, שהזכיר בריאתם, דבר מרקע מבדיל ביניהם125. וקרא גם לאלו הכדורים "שמים", כשם השמים העליונים הראשונים126. ולכן יקראם בפרשה "רקיע השמים": "ויתן אותם אלהים ברקיע השמים"126a [פסוק יז], לבאר שאינם הנזכרים בשם "השמים", רק הרקיעים שקראם "שמים"127.

וגם זה דעת רבותינו, הזכירוהו בבראשית רבה [ד, ב], אמרו: כל רבנין אמרין לה בשם רבי חנניה, ורבי פנחס ורבי יעקב ברבי אבין בשם רבי שמואל ברבי נחמן: בשעה שאמר הקדוש ברוך הוא "יהי רקיע בתוך המים" גלדה טפה האמצעית, ונעשו שמים התחתונים ושמי השמים העליונים.

RAMBAN ELUCIDATED

the angels, the Chayos of the Divine **Chariot or any** other **separate entity that is non-corporeal;**[124] רַק הִזְכִּיר בְּשָׁמַיִם שֶׁהֵם נִבְרָאִים, כְּלוֹמַר שֶׁקַּדְמוּתָם אֶפֶס – **it only mentions, concerning the heavens, that they were created, that is, before them there was nothing.** וְאָמַר בַּשֵּׁנִי שֶׁיִּהְיֶה רָקִיעַ בְּתוֹךְ הַמָּיִם – **Then [God] said on the second** day **that there should be** ***a firmament in the midst of the water,*** כְּלוֹמַר שֶׁיִּתְהַוֶּה מִן הַמַּיִם הַנִּזְכָּרִים, שֶׁהִזְכִּיר בְּרִיאָתָם, דָּבָר מְרֻקָּע מַבְדִּיל בֵּינֵיהֶם – **meaning that there should come into existence out of the** previously-**mentioned water** (v. 2), **whose creation has** also been **mentioned, a stretched out entity separating between them.**[125] וְקָרָא גַּם לְאֵלּוּ הַכַּדּוּרִים "שָׁמַיִם" כְּשֵׁם הַשָּׁמַיִם הָעֶלְיוֹנִים הָרִאשׁוֹנִים – **And He called these spheres, too, "heavens" just like the previously** created **upper heavens.**[126] וְלָכֵן יִקְרָאֵם בַּפָּרָשָׁה רְקִיעַ הַשָּׁמַיִם, "וַיִּתֵּן אוֹתָם אֱלֹהִים בִּרְקִיעַ הַשָּׁמַיִם" – **This is why in our section [Scripture] calls them "the firmament of the heavens":**[126a] ***And God set them in the firmament of the heavens*** (v. 17), לְבָאֵר שֶׁאֵינָם הַנִּזְכָּרִים בְּשֵׁם "הַשָּׁמַיִם" – **to make it clear that [these heavens] are not the same ones mentioned by the name** ***"the heavens"*** in verse 1; רַק הָרְקִיעִים שֶׁקְּרָאָם שָׁמַיִם – **rather,** they are **the firmaments, which were** also **called *"heavens."***[127]

[Ramban notes that this interpretation has a basis in the words of the Sages as well:]

וְגַם זֶה דַּעַת רַבּוֹתֵינוּ, הִזְכִּירוּהוּ בִּבְרֵאשִׁית רַבָּה, אָמְרוּ – **This, too, is an opinion of our Sages, mentioned in *Bereishis Rabbah*** (4:2), where **they said:** כָּל רַבָּנִין אָמְרִין לָהּ בְּשֵׁם רַבִּי חֲנַנְיָה, וְרַבִּי פִּנְחָס וְרַבִּי יַעֲקֹב בְּרַבִּי אָבִין בְּשֵׁם רַבִּי שְׁמוּאֵל בְּרַבִּי נַחְמָן – **All the rabbis say this in the name of Rabbi Chananiah, but Rabbi Pinchas and Rabbi Yaakov son of Rabbi Avin** say it **in the name of Rabbi Shmuel son of Rabbi Nachman:** בְּשָׁעָה שֶׁאָמַר הַקָּדוֹשׁ בָּרוּךְ הוּא "יְהִי רָקִיעַ בְּתוֹךְ הַמָּיִם" – **At the time that the Holy One, Blessed is He, said, *"Let there be a firmament in the midst of the waters,"*** גָּלְדָה טִפָּה הָאֶמְצָעִית וְנַעֲשׂוּ שָׁמַיִם הַתַּחְתּוֹנִים וּשְׁמֵי הַשָּׁמַיִם הָעֶלְיוֹנִים – **the middle drop** of water **congealed and the lower heavens and the upper, highest heavens were made.**

Mishneh Torah, Hil. Yesodei Hatorah 3:1.) The "upper heavens," to which Ramban refers here are beyond the spheres.

According to Ramban's interpretation here, the *heavens* of verse 1 and the *heavens* of our verse are two completely separate entities. Verse 1 refers to the Heaven of God's abode, and our verse refers to the celestial spheres.

[It should be noted that Ramban himself, in his commentary on verse 1, interpreted "heaven" of that verse as referring to the heavenly spheres, and not the Heaven of God's abode, as he asserts here. There he explained that *In the beginning God created the heavens* means that at first God created (from nothingness) a primary substance, "heaven-*hule*," from which the heavenly bodies (sun, moon, planets, etc.) and the light subsequently emerged. This heaven-*hule*, he explained, was a completely distinct essence from the earth-*hule*, for the heavenly bodies are not made of the same elements as earth. According to the explanation given by Ramban now, however, it is no longer necessary to posit that the heavenly bodies are made of different elements than earth (*Zichron Yitzchak; Emes LeYaakov*). This interpretation is, of course, in closer accordance with today's scientific theory (*Emes LeYaakov*).]

124. See Ramban above, verse 1, s.v., אֵת.

125. This "firmament" refers to the spheres described above, in note 123.

126. The "heavens" of verse 1 were created on the first day, and a completely different entity, the "heavens" of the firmament, were created on the second day. There is thus no contradiction between verses 1 and 8.

126a. Verses 14, 15, 17, 20.

127. Since there were two separate entities called "heavens," in order to avoid confusion, Scripture often refers to the second "heavens" (the spheres) as רְקִיעַ הַשָּׁמַיִם, *the firmament of the heavens*.

רמב״ן

וּמַאֲמָר זֶה יִתְפַּשֵּׁט לְכַדּוּרֵי הַגַּלְגַּלִּים שֶׁבָּהֶם תַּחְתּוֹנִים וְעֶלְיוֹנִים[128], נִקְרָאִים ״שְׁמֵי הַשָּׁמַיִם״[129], כִּדְכְתִיב [תהלים קמח ג, ד]: ״הַלְלוּהוּ שֶׁמֶשׁ וְיָרֵחַ, הַלְלוּהוּ כָּל כּוֹכְבֵי אוֹר, הַלְלוּהוּ שְׁמֵי הַשָּׁמָיִם וְהַמַּיִם אֲשֶׁר מֵעַל הַשָּׁמָיִם״. אֲבָל הַשָּׁמַיִם הַנִּזְכָּרִים בָּרִאשׁוֹן, שֶׁשָּׁם כִּסְאוֹ שֶׁל הַקָּדוֹשׁ בָּרוּךְ הוּא, דִּכְתִיב [ישעיה סו, א]: ״הַשָּׁמַיִם כִּסְאִי״ - הֵם הַנִּזְכָּרִים בִּתְחִלַּת זֶה הַמִּזְמוֹר [פסוקים א-ב]: ״הַלְלוּ אֶת ה׳ מִן הַשָּׁמַיִם, הַלְלוּהוּ בַּמְּרוֹמִים, הַלְלוּהוּ כָּל מַלְאָכָיו״.

וְזֶה הַלָּשׁוֹן נָכוֹן בִּפְשַׁט הַכָּתוּב, עִם מַה שֶּׁיֵּשׁ עוֹד בְּשֵׁם הַשָּׁמַיִם וּבְשֵׁם הַכִּסֵּא סוֹד נִשְׂגָּב וְנֶעֱלָם, כִּי יֵשׁ שָׁמַיִם לַשָּׁמַיִם וְכִסֵּא לַכִּסֵּא. וּמִזֶּה אוֹמְרִים הַחֲכָמִים [ברכות יג, א]: כְּדֵי לְקַבֵּל עָלָיו ״עֹל מַלְכוּת שָׁמַיִם״, וְאָמְרוּ [שם ז, ב]: ״יִרְאַת שָׁמַיִם״, וְהַכָּתוּב אָמַר [דניאל א, כג]: ״דִּי שַׁלִּטִן שְׁמַיָּא״. וְיֵשׁ לָהֶם מִדְרָשׁ נִפְלָא [ספר הבהיר אות ק] בְּמָה שֶׁכָּתוּב דְּ״אַתָּה תִּשְׁמַע הַשָּׁמַיִם״ [מלכים-א ח, לב]. וְכָל זֶה יִרְאֵנוּ נִרְמָז בַּפָּסוּק הָרִאשׁוֹן, הַזּוֹכֶה לוֹ.

וְהִנֵּה בֵּאֲרוּ הַכְּתוּבִים כִּי הַנִּבְרָאִים הָרִאשׁוֹנִים הֵם מֵאַיִן, וְהַשְּׁאָר מוֹצָאָם מִן הַחֹמֶר הָרִאשׁוֹן הַנִּבְרָא. וְאַל יִקְשֶׁה עָלֶיךָ מַאֲמַר רַבִּי אֱלִיעֶזֶר הַגָּדוֹל שֶׁאָמַר [פרקי דר׳ אליעזר ג]: ״שָׁמַיִם מֵהֵיכָן נִבְרְאוּ? מֵאוֹר לְבוּשׁוֹ שֶׁל הַקָּדוֹשׁ בָּרוּךְ הוּא״[129a], וְכֵן הוּא בִּבְרֵאשִׁית רַבָּה [ראה א, ו; י, ג] עוֹד[130].

RAMBAN ELUCIDATED

[Ramban explains which "heavens" the Sages were referring to in this dictum:]

וּמַאֲמָר זֶה יִתְפַּשֵּׁט לְכַדּוּרֵי הַגַּלְגַּלִּים שֶׁבָּהֶם תַּחְתּוֹנִים וְעֶלְיוֹנִים – Now, this statement is to be understood as applying **to the circular spheres, in which there are "upper" and "lower"** parts,[128] **נִקְרָאִים ״שְׁמֵי הַשָּׁמַיִם״** – and which **are called "the highest heavens,"**[129] **כִּדְכְתִיב ״הַלְלוּהוּ שֶׁמֶשׁ וְיָרֵחַ הַלְלוּהוּ כָּל כּוֹכְבֵי אוֹר הַלְלוּהוּ שְׁמֵי הַשָּׁמַיִם וְהַמַּיִם אֲשֶׁר מֵעַל הַשָּׁמַיִם״ – as it is written, *Praise Him, sun and moon; praise Him, all bright stars. Praise Him, "highest heavens" and the waters that are above the heavens*** (*Psalms* 148:3-4). **אֲבָל הַשָּׁמַיִם הַנִּזְכָּרִים בָּרִאשׁוֹן, שֶׁשָּׁם כִּסְאוֹ שֶׁל הַקָּדוֹשׁ בָּרוּךְ הוּא, דִּכְתִיב ״הַשָּׁמַיִם כִּסְאִי״ – But the heavens that are mentioned in connection with the first** day, **where God's Throne is – as it is written, *The Heavens are My Throne*** (*Isaiah* 66:1) – **הֵם הַנִּזְכָּרִים בִּתְחִלַּת זֶה הַמִּזְמוֹר – are** already **mentioned at the beginning of this psalm: ״הַלְלוּ אֶת ה׳ מִן הַשָּׁמַיִם הַלְלוּהוּ בַּמְּרוֹמִים הַלְלוּהוּ כָּל מַלְאָכָיו״ – *Praise Hashem "from the heavens"; praise Him in the heights; praise Him, "all His angels"*** (ibid. vv. 1-2).

[Ramban notes that there is a mystical interpretation of our verse as well, which fits well with his last interpretation. The deep, esoteric concepts discussed here are not within the scope of this elucidation. In the Hebrew text, Ramban's words appear in the paragraph beginning וְזֶה הַלָּשׁוֹן and ending in הַזּוֹכֶה לוֹ.]

[Ramban now explains another Midrash with a restatement of his basic premise:]

וְהִנֵּה בֵּאֲרוּ הַכְּתוּבִים כִּי הַנִּבְרָאִים הָרִאשׁוֹנִים הֵם מֵאַיִן – Thus, the verses have specified that the first creations (the *hules*) **were "something out of nothing,"** **וְהַשְּׁאָר מוֹצָאָם מִן הַחֹמֶר הָרִאשׁוֹן הַנִּבְרָא – and everything else was extracted from** this **primary matter that was created** out of nothing. **וְאַל יִקְשֶׁה עָלֶיךָ מַאֲמַר רַבִּי אֱלִיעֶזֶר הַגָּדוֹל שֶׁאָמַר – Now, do not be troubled by the dictum of Rabbi Eliezer the Great, who stated** (*Pirkei deRabbi Eliezer*, Chap. 3): **שָׁמַיִם מֵהֵיכָן נִבְרְאוּ? מֵאוֹר לְבוּשׁוֹ שֶׁל הַקָּדוֹשׁ בָּרוּךְ הוּא – "From what were the heavens created? – From the light of the raiment of the Holy One, Blessed is He.** And from what was the earth created? – From the snow that is under [God's] Throne of Glory."[129a] **וְכֵן הוּא בִּבְרֵאשִׁית רַבָּה עוֹד – And so it is in *Bereishis Rabbah*** (see 1:6, 10:3) as well.[130]

128. By "upper, highest heavens" the Sages did not mean the Heaven of God's abode, but the spheres of the universe. Ramban brings two proofs for this. The first is that the dictum speaks of "upper and lower heavens," but the Heaven of God's abode does not consist of upper and lower regions, while the nine heavenly spheres obviously have higher and lower sections.

129. Ramban's second proof (see previous note) is that the term "highest heavens" (שְׁמֵי הַשָּׁמַיִם, lit., *the heavens of the heavens*) is used in *Psalms* to refer to the heaven of the celestial spheres and not to the Heaven of God's abode, as Ramban proceeds to show.

129a. This conclusion of the passage from *Pirkei deRabbi Eliezer* is not quoted by Ramban, but he refers to it below.

130. *Bereishis Rabbah* also describes the process of creation of the earth as having been the result of the

ט וַיֹּאמֶר אֱלֹהִים יִקָּווּ הַמַּיִם מִתַּחַת הַשָּׁמַיִם אֶל־מָקוֹם אֶחָד וְתֵרָאֶה הַיַּבָּשָׁה וַיְהִי־כֵן:

ט וַאֲמַר יְיָ יִתְכַּנְּשׁוּן מַיָּא מִתְּחוֹת שְׁמַיָּא לַאֲתַר חַד וְתִתְחֲזֵי יַבֶּשְׁתָּא וַהֲוָה כֵן:

רש"י

(ט) **יקוו המים.** שטוחין היו על פני כל הארץ והקוום באוקינוס הוא הים הגדול שבכל הימים (פדר"א פ"ה; ב"ר ה:ב; ת"כ שמיני פרשתא ג):

רמב"ן

כִּי בַּעֲבוּר שֶׁיִּרְצוּ הַחֲכָמִים עוֹד לְהַעֲלוֹת הַחֹמֶר הָרִאשׁוֹן עַד תַּכְלִית, וְלַעֲשׂוֹתוֹ דַּק מִן הַדַּקִּים[131] - לֹא יִרְאוּ שֶׁהַשָּׁמַיִם, שֶׁהֵם גּוּף מִתְנוֹעֵעַ בַּעַל חֹמֶר וְצוּרָה, הֵם הַנִּבְרָאִים מִן הָאַיִן[132]. אֲבָל אוֹר הַלְּבוּשׁ הוּא הַנִּבְרָא הָרִאשׁוֹן, וּמִמֶּנּוּ יָצָא חֹמֶר הַמַּמָּשׁ בַּשָּׁמַיִם[133]. וְנָתַן לָאָרֶץ חֹמֶר אַחֵר, וְאֵינֶנּוּ כְּדַקּוּת הָרִאשׁוֹן[134], וְהוּא שֶׁלֶג שֶׁתַּחַת כִּסֵּא הַכָּבוֹד. כִּי כִּסֵּא הַכָּבוֹד נִבְרָא[135], וּמִמֶּנּוּ הָיָה הַשֶּׁלֶג שֶׁתַּחְתָּיו[136], וּמִמֶּנּוּ נַעֲשָׂה חֹמֶר הָאָרֶץ, וְהִנֵּה הוּא שְׁלִישִׁי בַּבְּרִיאָה[137].

RAMBAN ELUCIDATED

[The statements of the Sages just cited seem to contradict Ramban's explanation that everything originated from the amorphous *hule*. Ramban resolves this difficulty:]

כִּי בַּעֲבוּר שֶׁיִּרְצוּ הַחֲכָמִים עוֹד לְהַעֲלוֹת הַחֹמֶר הָרִאשׁוֹן עַד תַּכְלִית וְלַעֲשׂוֹתוֹ דַּק מִן הַדַּקִּים – This is **because the Sages wanted to elevate** the depiction of **the primary matter** (*hule*) **to the greatest possible extent,** i.e., to give us a sense of its ethereality, **and describe it as exceedingly subtle.**[131] **לֹא יִרְאוּ שֶׁהַשָּׁמַיִם, שֶׁהֵם גּוּף מִתְנוֹעֵעַ בַּעַל חֹמֶר וְצוּרָה, הֵם הַנִּבְרָאִים מִן הָאַיִן** – **They do not consider** it possible **that the heavens, which are a moving, physical body, possessing matter and form, should be created** directly **from nothingness.**[132] **אֲבָל אוֹר הַלְּבוּשׁ הוּא הַנִּבְרָא הָרִאשׁוֹן** – **Rather,** they say, **the "light of** God's **raiment" was the first creation,** i.e. the *hule,* **וּמִמֶּנּוּ יָצָא חֹמֶר הַמַּמָּשׁ בַּשָּׁמַיִם** – **and from it emerged actual matter in the heavens.**[133] **וְנָתַן לָאָרֶץ חֹמֶר אַחֵר וְאֵינֶנּוּ כְּדַקּוּת הָרִאשׁוֹן** – **And [Rabbi Eliezer] attributed to the earth another** type of primary **matter, which is not as ethereal as the first,**[134] **וְהוּא שֶׁלֶג שֶׁתַּחַת כִּסֵּא הַכָּבוֹד** – **and this is** what he calls the **"snow that is under the Throne of Glory." כִּי כִּסֵּא הַכָּבוֹד נִבְרָא** – **For the Throne of Glory was created** from nothingness,[135] **וּמִמֶּנּוּ הָיָה הַשֶּׁלֶג שֶׁתַּחְתָּיו** – **and from it emerged the "snow" that is under it,**[136] **וּמִמֶּנּוּ נַעֲשָׂה חֹמֶר הָאָרֶץ** – **and from [the snow] was made the matter of the earth, וְהִנֵּה הוּא שְׁלִישִׁי בַּבְּרִיאָה** – **so that [the earth] is the third** step **after creation** from nothingness.[137]

transformation of previous matter (snow, etc.) into earth.

131. [Lit., *the thinnest of the thin.*] Ramban explains that "the light of God's raiment" is in fact the *hule* out of which the heavens were made. It is described in this manner in order to stress its extremely ethereal quality.

132. And therefore they asked, "From what were the heavens created?" They could not have been created out of nothingness!

133. It was the "light of God's raiment," Rabbi Eliezer explains, that was created out of nothingness, and it was from this primary material that the heavens were made.

[It should be noted that Ramban has now reverted to his original position, that the celestial spheres and heavenly bodies are made of a separate *hule*, and are not made of the same elements as the earth. (See above, note 123.)]

134. Ramban is referring to the second part of this passage from *Pirkei deRabbi Eliezer*: "And from what was the earth created? – From the snow that is under [God's] Throne of Glory."

135. [Ramban's position, that the Throne of Glory is a created entity, as opposed to being eternally existent, is corroborated in *Pesachim* 54a. Rambam (*Moreh Nevuchim* II:26), in his discussion of this passage from *Pirkei deRabbi Eliezer*, debates both sides of this issue.]

136. This being the Sages' metaphor for earth-*hule*.

137. As opposed to the heavens, which are only two steps removed from creation from nothingness.

[Above (on 1:1) Ramban explained that the heaven-*hule* and the earth-*hule* were created out of nothing, while here he writes that the earth-*hule* actually emerged from a pre-existing creation, God's Throne. This apparent contradiction is noted by Ritva in his *Sefer HaZikkaron. Tuv Yerushalayim* suggests that whereas the Throne is itself incorporeal, it is considered "nothingness" in comparison with actual matter, and even in comparison with *hule*.]

9 God said, "Let the waters be gathered from beneath the heaven to one area, and let the dry land appear." And it was so.

רמב״ן

[ט] יִקָּווּ הַמַּיִם מִתַּחַת הַשָּׁמַיִם. הָיָה הַתְּהוֹם שֶׁהוּא מַיִם וְעָפָר כְּעֵין הַמַּיִם הָעֲכוּרִים[139], וְגָזַר עַל הַמַּיִם שֶׁיִּקָּווּ בְּמָקוֹם אֶחָד, מְסוֹבֵב כָּל הַפֵּאוֹת[140], וְגָזַר[141] עַל הֶעָפָר שֶׁיַּעֲלֶה עַד שֶׁיֵּרָאֶה עַל הַמַּיִם וְיִיבַשׁ, וְתִהְיֶה יַבָּשָׁה שְׁטוּחָה רְאוּיָה לְיִשּׁוּב[142]. וְכֵן כָּתוּב [תהלים קלו, ו]: "לְרֹקַע הָאָרֶץ עַל הַמָּיִם"[143]. אוֹ שֶׁמָּא שֶׁתִּהְיֶה כַּדּוּרִית, מִקְצָתָהּ מְגֻלָּה וְרֻבָּהּ מְשֻׁקַּעַת אֲשֶׁר יְדַמּוּ הַיְּוָנִים בְּמוֹפְתֵיהֶם הַנִּרְאִים אוֹ הַמְפַתִּים.

וְהִנֵּה הֵן שְׁתֵּי גְּזֵרוֹת[144], כְּלוֹמַר, שְׁנֵי עִנְיָנִים נַעֲשִׂים בְּחֵפֶץ אֱלֹהִים הֵפֶךְ מִן הַנָּאוֹת בְּטִבְעָם. כִּי הָרָאוּי לִכְבֵדוּת הֶעָפָר וּלְקַלּוּת הַמַּיִם כְּנֶגְדָּהּ לִהְיוֹת עַמּוּד הָאָרֶץ אֶמְצָעִי, וְהַמַּיִם מְכַסִּים עָלֶיהָ מַקִּיפִים אוֹתָהּ מִכָּל צַד. וְעַל כֵּן אָמַר "יִקָּווּ הַמַּיִם מִתַּחַת הַשָּׁמַיִם"[145], כְּלוֹמַר אֶל מְקוֹם שִׁפְלוּת, וְאָמַר "וְתֵרָאֶה הַיַּבָּשָׁה".

RAMBAN ELUCIDATED

9. יִקָּווּ הַמַּיִם מִתַּחַת הַשָּׁמַיִם – ***LET THE WATERS BE GATHERED FROM BENEATH THE HEAVEN*** *[TO ONE AREA, AND LET THE DRY LAND APPEAR].*

[Once God decreed that *the waters be gathered into one area*, it seems that there was no longer any need for Him to decree that *the dry land should appear*. This would happen automatically as a result of the water's gathering to one place.[138] Ramban explains:]

הָיָה הַתְּהוֹם שֶׁהוּא מַיִם וְעָפָר כְּעֵין הַמַּיִם הָעֲכוּרִים – **The *tehom*, which is water and earth** (i.e., soil) mixed together,[139] **was like muddled water, וְגָזַר עַל הַמַּיִם שֶׁיִּקָּווּ בְּמָקוֹם אֶחָד, מְסוֹבֵב כָּל הַפֵּאוֹת** – **and [God] decreed[140] that the water should be gathered together in one place, surrounding** the earth **on all sides, וְגָזַר עַל הֶעָפָר שֶׁיַּעֲלֶה עַד שֶׁיֵּרָאֶה עַל הַמַּיִם וְיִיבַשׁ** – **and He decreed** further[141] **that the soil should rise until it would appear higher than the water** level **and would dry out, וְתִהְיֶה יַבָּשָׁה שְׁטוּחָה רְאוּיָה לְיִשּׁוּב** – **so that there would be dry land spread out and fit for habitation.**[142] **וְכֵן כָּתוּב: "לְרֹקַע הָאָרֶץ עַל הַמָּיִם"** – **And so it is written, *To the One Who spread out the land upon the water*** (*Psalms* 136:6).[143] **אוֹ שֶׁמָּא שֶׁתִּהְיֶה כַּדּוּרִית מִקְצָתָהּ מְגֻלָּה וְרֻבָּהּ מְשֻׁקַּעַת** – **Or perhaps** the second decree was that **[the land] should be a sphere, partially revealed and mostly submerged, אֲשֶׁר יְדַמּוּ הַיְּוָנִים בְּמוֹפְתֵיהֶם הַנִּרְאִים אוֹ הַמְפַתִּים** – **as the Greeks theorize** based **on their visible** – **or** logically **appealing** – **proofs.**

[Ramban elaborates further on the nature of the two decrees in these phrases:]

וְהִנֵּה הֵן שְׁתֵּי גְּזֵרוֹת – **Now, these were two decrees.**[144] **כְּלוֹמַר שְׁנֵי עִנְיָנִים נַעֲשִׂים בְּחֵפֶץ אֱלֹהִים הֵפֶךְ מִן הַנָּאוֹת בְּטִבְעָם** – **That is, at God's desire, two things** happened to the water and the soil **that were the opposite of what befit their nature. כִּי הָרָאוּי לִכְבֵדוּת הֶעָפָר וּלְקַלּוּת הַמַּיִם כְּנֶגְדָּהּ** – **For it should have been fitting, given the heaviness of the soil and the corresponding lightness of the water, לִהְיוֹת עַמּוּד הָאָרֶץ אֶמְצָעִי, וְהַמַּיִם מְכַסִּים עָלֶיהָ מַקִּיפִים אוֹתָהּ מִכָּל צַד** – **that a column of earth should be in the middle, with the water** completely **covering it and surrounding it on all sides,** leaving the earth completely submerged. **וְעַל כֵּן אָמַר "יִקָּווּ הַמַּיִם מִתַּחַת הַשָּׁמַיִם"** – **Therefore, [God] said, *"Let the waters be gathered from beneath the heavens,"* כְּלוֹמַר אֶל מְקוֹם שִׁפְלוּת** – **which means, "to a place of lowness."**[145] **וְאָמַר "וְתֵרָאֶה הַיַּבָּשָׁה"** – **And** then **[God] said, *"and let the dry land appear,"*** which was the second decree.

---

138. This question is raised by *Daas Zekeinim* as well.

139. See Ramban above, 1:1, s. v., [את].

140. When He said, "*Let the waters be gathered*"

141. When He said, "*and let the dry land appear*."

142. The earth was originally made up of nothing but mud. Then God decreed that the soil and water that comprised the mud should separate from each other, and the soil should rise to the surface and coagulate there.

143. That verse seemingly indicates that the dry earth is spread out upon a foundation of underlying water (as opposed to the Greek opinion cited here by Ramban).

144. The "two decrees" Ramban refers to are (a) that the water should fall to the bottom and (b) that the earth should rise to the top and coagulate there (Rabbeinu Bachya).

145. *Beneath the heavens* indicates a high place, as close to the heavens as possible. If God decreed that the waters were to move *from* there to another place, it follows that they were to sink to a lower position.

י וַיִּקְרָא אֱלֹהִים ׀ לַיַּבָּשָׁה אֶרֶץ וּלְמִקְוֵה הַמַּיִם
יא קָרָא יַמִּים וַיַּרְא אֱלֹהִים כִּי־טוֹב: וַיֹּאמֶר
אֱלֹהִים תַּדְשֵׁא הָאָרֶץ דֶּשֶׁא עֵשֶׂב מַזְרִיעַ

י וּקְרָא יְיָ לְיַבֶּשְׁתָּא אַרְעָא וּלְבֵית כְּנִישׁוּת מַיָּא קְרָא יַמְמֵי וַחֲזָא יְיָ אֲרֵי טָב: יא וַאֲמַר יְיָ תַּדְאֵית אַרְעָא דִּיתְאָה עִסְבָּא דְּבַר זַרְעֵהּ

רש"י

(י) קרא ימים. והלא ים אחד הוא, אלא אינו דומה טעם דג העולה מן הים בעכו לדג העולה מן הים באספמיא (ב"ר ה ח): (יא) תדשא הארץ דשא עשב. לא דשא לשון עשב ולא עשב לשון דשא, ולא היה לשון המקרא לומר תעשיב הארץ, שמיני דשאין מחולקין כל אחד לעצמו נקרא עשב פלוני, ואין לשון למדבר לומר דשא פלוני, שלשון דשא היא לבישת הארץ בעשבים כשהיא מתמלאת בדשאים: תדשא הארץ. תתמלא ותתכסה לבוש עשבים (ר"ה יא.). בלשון לע"ז נקרא דשא ארבדי"ץ כולן

רמב"ן

וְקָרָא לָהֶם שֵׁמוֹת בִּהְיוֹתָם לוֹבְשִׁים הַצּוּרוֹת הָאֵלּוּ, כִּי מִתְּחִלָּה הָיָה שְׁמָם "תְּהוֹם".

[י] וַיִּקְרָא אֱלֹהִים לַיַּבָּשָׁה אֶרֶץ. יֹאמַר כִּי שְׁמָהּ הָרָאוּי לָהּ "יַבָּשָׁה", כִּי בְּהִפָּרֵד הַמַּיִם מִן הֶעָפָר הִיא יְבֵשָׁה. אֲבָל יִקְרָא אוֹתָהּ "אֶרֶץ", כְּשֵׁם כְּלַל הַיְסוֹדוֹת הַנִּבְרָא בָּרִאשׁוֹן[146]. וְהַטַּעַם, כִּי בַּעֲבוּרָהּ נִבְרְאוּ, שֶׁתִּהְיֶה יִשּׁוּב לָאָדָם, שֶׁאֵין בַּתַּחְתּוֹנִים מַכִּיר בּוֹרְאוֹ זוּלָתוֹ[147].

☐ **[וּלְמִקְוֵה הַמַּיִם קָרָא יַמִּים.]** וְקָרָא לְמִקְוֵה הַמַּיִם "יַמִּים", כְּאִלּוּ הוּא "יַם מַיִם"[148], לְפִי שֶׁקַּרְקַע הַמִּקְוֶה נִקְרָא "יָם"[149], כְּדִכְתִיב [ישעיה יא, ט]: "כַּמַּיִם לַיָּם מְכַסִּים", וְכֵן: "וְאֶת הַיָּם הוֹרִיד מֵעַל הַבָּקָר" [מלכים־ב טז, יז],

RAMBAN ELUCIDATED

וְקָרָא לָהֶם שֵׁמוֹת בִּהְיוֹתָם לוֹבְשִׁים הַצּוּרוֹת הָאֵלּוּ – Then [God] called them new **names because they were now endowed with these new forms, כִּי מִתְּחִלָּה הָיָה שְׁמָם "תְּהוֹם" – for previously their name had been *"tehom."***

10. וַיִּקְרָא אֱלֹהִים לַיַּבָּשָׁה אֶרֶץ – *GOD CALLED THE DRY LAND "EARTH."*

[Ramban explains the significance of this name:]

יֹאמַר כִּי שְׁמָהּ הָרָאוּי לָהּ "יַבָּשָׁה" – [Scripture] is saying that the name most **befitting it is "dry land," כִּי בְּהִפָּרֵד הַמַּיִם מִן הֶעָפָר הִיא יְבֵשָׁה – for when the water separated from the soil, [the earth] became dry. אֲבָל יִקְרָא אוֹתָהּ "אֶרֶץ" כְּשֵׁם כְּלַל הַיְסוֹדוֹת הַנִּבְרָא בָּרִאשׁוֹן – Nevertheless, He called it "earth," like the name of the set of elements that was created on the first day.**[146] **וְהַטַּעַם, כִּי בַּעֲבוּרָהּ נִבְרְאוּ, שֶׁתִּהְיֶה יִשּׁוּב לָאָדָם – The reason** for this name **is that it was because of [this dry land] that [the four elements] were created, so that it could be a place of habitation for man. שֶׁאֵין בַּתַּחְתּוֹנִים מַכִּיר בּוֹרְאוֹ זוּלָתוֹ – For there is no** creature **in the lower realms that recognizes his Creator except for [man].**[147]

☐ [וּלְמִקְוֵה הַמַּיִם קָרָא יַמִּים – *THE GATHERING OF WATER HE CALLED "YAMMIM."*]

[The term מִקְוֵה הַמַּיִם, *gathering of water,* is in the singular; why did God call it by the plural name יַמִּים, literally, *seas,* rather than by the singular יָם, *sea*? (See Rashi, Ibn Ezra.) Ramban explains:]

וְקָרָא לְמִקְוֵה הַמַּיִם "יַמִּים" – And He called the gathering of water by the seemingly plural term **יַמִּים, *yammim,* כְּאִלּוּ הוּא** – which is to be understood **as if it were** compounded of the two words, **"יַם מַיִם" – a *yam* of water,**[148] **לְפִי שֶׁקַּרְקַע הַמִּקְוֶה נִקְרָא "יָם" – for the floor of the gathering** of water **is called *yam,***[149] **כְּדִכְתִיב: "כַּמַּיִם לַיָּם מְכַסִּים" – as it is written, *like the water, which covers the "yam"*** (*Isaiah* 11:9), **וְכֵן: "וְאֶת הַיָּם הוֹרִיד מֵעַל הַבָּקָר" – and similarly, *he removed the "yam" from***

146. See Ramban above, (v. 1), where he explains that the word הָאָרֶץ, *the earth,* in the first verse refers to the four elements of which everything in the world is composed. God now renamed the dry land אֶרֶץ, *earth,* for the reason Ramban proceeds to explain.

147. The only purpose God had for creating the world was so that man, the only creature on earth that recognizes God's existence, could come into being. The four elements and everything that is made from them were created only to serve the interests of man. The dry land, which was to be the place of man's habitation (for man cannot live in the water), was thus called אֶרֶץ, *earth,* just as the set of the four elements is called אֶרֶץ.

148. יַמִּים, usually rendered *seas,* does not have that meaning in our verse. It is not the plural form of the word יָם, *sea*; rather, it is compounded of the two words יָם, *yam,* and מַיִם, *mayim.*

149. That is, technically it is not the sea itself that Scripture refers to as יָם; rather, it is the *floor* of the sea. [The sea itself is also sometimes referred to as יָם

[10] *God called the dry land "earth," and the gathering of waters He called "yammim." And God saw that it was good.* [11] *God said, "Let the earth sprout forth sprouts of plants yielding*

רמב״ן

כִּי מִפְּנֵי שֶׁהוּא מִקְוֵה מַיִם גָּדוֹל נִקְרָא כֵן[150].

□ **וַיַּרְא אֱלֹהִים כִּי טוֹב.** הוּא קִיּוּמָם בְּחֶפְצוֹ. וְהָעִנְיָן, כִּי כַּאֲשֶׁר הִלְבִּישָׁם הַצּוּרָה הַזּוֹ - חָפֵץ בָּהֶם, וְהָיָה הַקִּיּוּם, כְּמוֹ שֶׁפֵּרַשְׁתִּי[151]. וְזֶה מַה שֶּׁאָמְרוּ רַבּוֹתֵינוּ [ב״ר ד,ו]: מִפְּנֵי מָה לֹא נֶאֱמַר ״כִּי טוֹב״ בַּשֵּׁנִי? לְפִי שֶׁלֹּא נִגְמְרָה מְלֶאכֶת הַמַּיִם; לְפִיכָךְ כָּתוּב ״כִּי טוֹב״ בַּשְּׁלִישִׁי שְׁנֵי פְּעָמִים - אֶחָד לִמְלֶאכֶת הַמַּיִם, וְאֶחָד לִמְלֶאכֶת הַיּוֹם[152].

[יא] וַיֹּאמֶר אֱלֹהִים תַּדְשֵׁא הָאָרֶץ דֶּשֶׁא. גָּזַר שֶׁיִּהְיֶה בְּתוֹלְדוֹת הָאָרֶץ[153] כֹּחַ הַצּוֹמֵחַ וּמוֹלִיד זֶרַע, כְּדֵי שֶׁיִּהְיֶה הַמִּין קַיָּם לָעַד[154].

RAMBAN ELUCIDATED

upon the oxen (*II Kings* 16:17), כִּי מִפְּנֵי שֶׁהוּא מִקְוֵה מַיִם גָּדוֹל נִקְרָא כֵן – **for because it was a large gathering of water it was called this.**[150]

□ וַיַּרְא אֱלֹהִים כִּי טוֹב – ***AND GOD SAW THAT IT WAS GOOD.***

[Ramban explains the deeper meaning of this expression:]

הוּא קִיּוּמָם בְּחֶפְצוֹ – **This** expression denotes **the permanent establishment [of the dry land and the sea]** in their respective states, in accord **with His desire.** וְהָעִנְיָן, כִּי כַּאֲשֶׁר הִלְבִּישָׁם הַצּוּרָה הַזּוֹ חָפֵץ בָּהֶם וְהָיָה הַקִּיּוּם – **The idea is that when [God] endowed [the land and the seas] with this form, He desired them** to remain in that form, **and** their **permanent state was established,** כְּמוֹ שֶׁפֵּרַשְׁתִּי – **as I have** already **explained.**[151] וְזֶה מַה שֶּׁאָמְרוּ רַבּוֹתֵינוּ: – **This is** the meaning of **what our Sages said** (*Bereishis Rabbah* 4:6): מִפְּנֵי מָה לֹא נֶאֱמַר ״כִּי טוֹב״ בַּשֵּׁנִי – **Why is** the sentence, *God saw* **that it is good, not stated with regard to the second** day of Creation? לְפִי שֶׁלֹּא נִגְמְרָה מְלֶאכֶת הַמַּיִם – **Because** God's **work with the water was not** yet **finished** on that day; לְפִיכָךְ כָּתוּב ״כִּי טוֹב״ בַּשְּׁלִישִׁי שְׁנֵי פְּעָמִים – **therefore,** *God saw* **that it was good** is written twice on the third day, אֶחָד לִמְלֶאכֶת הַמַּיִם וְאֶחָד לִמְלֶאכֶת הַיּוֹם – **once for the** completion of the **work of the water, and once for the work** unique **to the** third **day.**[152]

11. וַיֹּאמֶר אֱלֹהִים תַּדְשֵׁא הָאָרֶץ דֶּשֶׁא – ***GOD SAID, "LET THE EARTH SPROUT FORTH SPROUTS."***

[Until this point, each thing came into being by God's decree, "Let such-and-such come into being." Here, however, with regard to the vegetation, God did not use the formula, "Let there be vegetation"; rather, He said, "*Let the **earth** sprout forth sprouts.*" Why did God address His command to the earth rather than to the vegetation itself?]

גָּזַר שֶׁיִּהְיֶה בְּתוֹלֶדֶת הָאָרֶץ כֹּחַ הַמַּצְמִיחַ וּמוֹלִיד זֶרַע כְּדֵי שֶׁיִּהְיֶה הַמִּין קַיָּם לָעַד – **[God] decreed that there should be** incorporated **into the nature of the land**[153] **a capability of sprouting** vegetation **and bearing seed, so that the** various **species** of vegetation **should exist forever.**[154]

because it lies within the seabed.]

150. The verse refers to a giant tank made by Solomon to hold water in the Temple. It stood on twelve pillars, which were in the shape of oxen (*I Kings* 7:23-27) and was called Solomon's "sea" on account of the huge volume of water that it held. Ramban shows from this verse that it was the basin itself that was called *yam*, and not the water that it contained. This is a further proof that יָם, *yam,* technically refers to the bottom of the sea, not the water that fills the sea.

151. See Ramban above, v. 4, s. v., וַיַּרְא אֱלֹהִים, where Ramban elaborates on this concept.

152. This corroborates Ramban's explanation of the expression *God saw that it was good* as a confirmation and an endowment of permanence to a given state, which is only possible, of course, after the item under discussion has reached completion.

153. By "land" Ramban means "the dry land," as אֶרֶץ is defined in the previous verse.

154. This is in contradistinction to Rashi's interpretation, which is that תַּדְשֵׁא הָאָרֶץ means *let the earth become covered with vegetation.* According to Rashi the earth was passive and played no role in the formation of the plants, whereas according to Ramban the earth was endowed with the capability of sprouting forth plants.

זֶ֣רַע עֵ֣ץ פְּרִ֞י עֹ֤שֶׂה פְּרִי֙ לְמִינ֔וֹ אֲשֶׁ֥ר זַרְעוֹ־
יב בּ֖וֹ עַל־הָאָ֑רֶץ וַֽיְהִי־כֵֽן׃ וַתּוֹצֵ֨א הָאָ֜רֶץ דֶּ֠שֶׁא
עֵ֣שֶׂב מַזְרִ֤יעַ זֶ֙רַע֙ לְמִינֵ֔הוּ וְעֵ֧ץ עֹֽשֶׂה־פְּרִ֛י

מִזְדְּרַע אִילַן פֵּירִין עָבֵד פֵּירִין לִזְנֵהּ
דִּי בַר זַרְעֵהּ בֵּהּ עַל אַרְעָא וַהֲוָה כֵן:
יב וְאַפֵּקַת אַרְעָא דִּיתְאָה עִסְבָּא דְּבַר
זַרְעֵהּ מִזְדְּרַע לִזְנוֹהִי וְאִילַן עָבֵד פֵּירִין

רש"י

בערבוביא, וכל שרש לעצמו נקרא עשב: **מזריע זרע.** שיגדל בו זרעו לזרוע ממנו במקום אחר: **עץ פרי.** שיהא טעם העץ כטעם הפרי, והיא לא עשתה כן אלא ותוצא הארץ וגו׳ ועץ עושה פרי, ולא העץ פרי, לפיכך כשנתקלל אדם על עונו נפקדה גם היא על עונה ונתקללה (ב"ר ה:ט): **אשר זרעו בו.** הן גרעיני כל פרי שמהן האילן צומח כשנוטעים אותו: **(יב) ותוצא הארץ וגו׳.** אע"פ שלא נאמר למינהו בדשאים בצוויין, שמעו שנצטוו האילנות על כך ונשאו ק"ו בעצמן, כמפורש באגדה בשחיטת חולין (ס.):

רמב"ן

וְיִתָּכֵן שֶׁיִּרְמֹז בָּאָרֶץ הַנִּזְכֶּרֶת בַּפָּסוּק הָרִאשׁוֹן[155], שֶׁיִּמָּשֵׁךְ מִמֶּנָּה כֹּחַ מַצְמִיחַ. וְהִנֵּה נֶאֶצְלוּ מִכֹּחָהּ הַיְסוֹדוֹת לְמִינֵיהֶם, וּמֵהֶם צָמְחוּ בְּגַן עֵדֶן דְּשָׁאִים וְאִילָנוֹת, וּמֵהֶם בָּעוֹלָם[156]. וְזֶהוּ שֶׁאָמְרוּ [ב"ר יא, ט]: בַּשְּׁלִישִׁי בָּרָא שָׁלֹשׁ בְּרִיּוֹת: אִילָנוֹת, וּדְשָׁאִים, וְגַן עֵדֶן[157]. וְעוֹד אָמְרוּ [שם י, ו]: אֵין לְךָ כָּל עֵשֶׂב וָעֵשֶׂב מִלְּמַטָּה שֶׁאֵין לוֹ מַזָּל בָּרָקִיעַ וּמַכֶּה אוֹתוֹ וְאוֹמֵר לוֹ: גְּדַל! הָדָא הוּא דִכְתִיב [איוב לח, לג]: "הֲיָדַעְתָּ חֻקּוֹת שָׁמַיִם, אִם תָּשִׂים מִשְׁטָרוֹ בָאָרֶץ?" שׁוֹטֵר. וְאָמַר שֶׁיִּהְיֶה כָּל זֶה "לְמִינֵהוּ", וְהוּא אִסּוּר הַכִּלְאַיִם, כִּי הַזּוֹרֵעַ אוֹתָם מַכְחִישׁ כֹּחַ מַעֲשֵׂה בְרֵאשִׁית[158], וְעוֹד אֲבָאֵר בּוֹ בְּעֶזְרַת הַשֵּׁם[159].

RAMBAN ELUCIDATED

[Ramban now gives an alternative interpretation of this phrase:]

וְיִתָּכֵן שֶׁיִּרְמֹז לָאָרֶץ הַנִּזְכֶּרֶת בַּפָּסוּק הָרִאשׁוֹן – It is also **possible that it refers to the "earth" that was mentioned in the first verse,**[155] **שֶׁיִּמָּשֵׁךְ מִמֶּנָּה כֹּחַ מַצְמִיחַ – that a power to cause growth should emerge from it. וְהִנֵּה נֶאֶצְלוּ מִכֹּחָהּ הַיְסוֹדוֹת לְמִינֵיהֶם – Thus, the various elements emanated from the potential of [this *hule*], וּמֵהֶם צָמְחוּ בְּגַן עֵדֶן דְּשָׁאִים וְאִילָנוֹת – and from them vegetation and trees sprouted in the Garden of Eden וּמֵהֶם בָּעוֹלָם – and from them** trees and vegetation sprouted elsewhere **in the world** as well.[156] **וְזֶהוּ שֶׁאָמְרוּ: בַּשְּׁלִישִׁי בָּרָא שָׁלֹשׁ בְּרִיּוֹת, אִילָנוֹת וּדְשָׁאִים וְגַן עֵדֶן – This is** the meaning of **what [the Sages] said** (*Bereishis Rabbah* 11:9)**: On the third** day **He created three creations: trees, vegetation and the Garden of Eden.**[157] **וְעוֹד אָמְרוּ: – And they said** there **further** (ibid. 10:6): **אֵין לְךָ כָּל עֵשֶׂב וָעֵשֶׂב מִלְּמַטָּה שֶׁאֵין לוֹ מַזָּל בָּרָקִיעַ וּמַכֶּה אוֹתוֹ וְאוֹמֵר לוֹ גְּדַל – There is not a single plant down below** (on earth) **that does not have a constellation in the heavens which strikes it and says to it, "Grow!" הָדָא הוּא דִכְתִיב "הֲיָדַעְתָּ חֻקּוֹת שָׁמַיִם אִם תָּשִׂים מִשְׁטָרוֹ בָאָרֶץ" – This is** the meaning of **what it says: *Do you know the laws of the heavens, or did you place its rule over the land?*** (*Job* 38:33). **שׁוֹטֵר –** The expression תָּשִׂים מִשְׁטָרוֹ indicates **"to strike."**

וְאָמַר שֶׁיִּהְיֶה כָּל זֶה "לְמִינֵהוּ" – [God] said that all this should be *after its kind*. וְהוּא אִסּוּר הַכִּלְאַיִם – And this is the basis of **the prohibition of *kilayim*** (mixtures of different species of seeds planted together), **כִּי הַזּוֹרֵעַ אוֹתָם מַכְחִישׁ כֹּחַ מַעֲשֵׂה בְרֵאשִׁית – for someone who sows *[kilayim]* impairs the power of Creation.**[158] **וְעוֹד אֲבָאֵר בּוֹ בְּעֶזְרַת הַשֵּׁם – And I will elaborate on this further, with God's help.**[159]

155. That is, the earth-*hule*, the raw material out of which the four elements emerged.

156. Ramban writes below (on 2:8): "Plants and all living things are dependent upon primary supernal forces, which supply their power of growth, and it is through the sacrificial offerings that the flow of blessing passes to these supernal forces, and from them it passes on to the plants of the Garden of Eden."

157. The Midrash states that besides the creation of trees and vegetation there was yet another creation on the third day – the Garden of Eden. But the Garden of Eden itself is nothing more than a collection of trees and vegetation; why do the Sages classify it as a distinct creation of the third day? Ramban explains that the "Garden of Eden" in this passage refers to the supernal forces, created on the third day, which serve as sources for our earthly trees and vegetation. Then he adduces another Midrash to bolster his opinion. (For further elaboration on this concept, see Ramban below, on 2:8.)

158. Each living being (animal or vegetable) is nurtured by a spiritual source. The prohibition of *kilayim* is intended to prevent intermingling of these various spiritual forces (*Zichron Yitzchak*, from *Maareches HaElokus*, Chapter 13).

159. See Ramban on *Leviticus* 19:19.

seed, fruit trees yielding fruit each after its kind, containing its own seed on the earth." And it was so. [12] *And the earth brought forth vegetation: herbage yielding seed after its kind, and trees yielding*

רמב״ן

□ **[דֶּשֶׁא עֵשֶׂב.]** וְכָתַב רַשִׁ״י: ״דֶּשֶׁא עֵשֶׂב״ - לֹא דֶּשֶׁא לְשׁוֹן עֵשֶׂב, וְלֹא עֵשֶׂב לְשׁוֹן דֶּשֶׁא. שֶׁלְּשׁוֹן דֶּשֶׁא לְבִישַׁת הָאָרֶץ בַּעֲשָׂבִים[159a], וְאֵין לוֹמַר דֶּשֶׁא פְּלוֹנִי[160], וְכָל שֹׁרֶשׁ לְעַצְמוֹ נִקְרָא עֵשֶׂב.

וְאֵין דְּבָרוֹ זֶה נָכוֹן, שֶׁאִם כֵּן לְשׁוֹן ״דֶּשֶׁא״ לֹא יִתְרַבֶּה, וַחֲכָמִים אוֹמְרִים [חולין ס, א]: ״הִרְכִּיב שְׁנֵי מִינֵי דְשָׁאִים, מַהוּ?״. וְהָרַב עַצְמוֹ מַזְכִּיר דְּשָׁאִים[161].

אֲבָל דֶּשֶׁא הוּא הַקָּטָן הַצּוֹמֵחַ, וְעֵשֶׂב הוּא הַגָּדוֹל, הַמַּזְרִיעַ. וְלָכֵן יֹאמַר ״תַּדְשֵׁא הָאָרֶץ״, וְלֹא יִתָּכֵן לוֹמַר ״תַּעֲשִׂיב״[162]. וְכָל קָטָן הַצּוֹמֵחַ מִן הָאָרֶץ יִקָּרֵא ״דֶּשֶׁא״ אַף בָּאִילָנוֹת[163], וְלָכֵן יִמְשׁוֹךְ תַּדְשֵׁא הָאָרֶץ עֵץ פְּרִי[164]. כִּי לֹא אָמַר ״תַּדְשֵׁא הָאָרֶץ דֶּשֶׁא עֵשֶׂב וְתוֹצִיא עֵץ פְּרִי״. וְהִנֵּה הוּא כְּטַעַם צְמִיחָה.

RAMBAN ELUCIDATED

□ [דֶּשֶׁא עֵשֶׂב – *SPROUTS OF PLANTS.*]

[Ramban examines the exact definitions of these terms, דֶּשֶׁא and עֵשֶׂב, beginning by citing Rashi:]

וְכָתַב רַשִׁ״י: – **Rashi writes:**

״דֶּשֶׁא עֵשֶׂב״ – ***Vegetation of plants*** – לֹא דֶּשֶׁא לְשׁוֹן עֵשֶׂב וְלֹא עֵשֶׂב לְשׁוֹן דֶּשֶׁא – דֶּשֶׁא **does not mean the same as** עֵשֶׂב, **nor does** עֵשֶׂב **mean the same as** דֶּשֶׁא. שֶׁלְּשׁוֹן דֶּשֶׁא לְבִישַׁת הָאָרֶץ בַּעֲשָׂבִים[159a] – **For the term** דֶּשֶׁא refers to **the earth's mantle of vegetation.** וְאֵין לוֹמַר דֶּשֶׁא פְּלוֹנִי – **And one cannot say, "Such-and-such a** דֶּשֶׁא.**"**[160] וְכָל שֹׁרֶשׁ לְעַצְמוֹ נִקְרָא עֵשֶׂב – **But each plant by itself is called** עֵשֶׂב.

[Ramban disagrees with Rashi's approach:]

וְאֵין דְּבָרוֹ זֶה נָכוֹן – **But this statement of his is not sound,** for it implies that דֶּשֶׁא is a collective noun, שֶׁאִם כֵּן לְשׁוֹן ״דֶּשֶׁא״ לֹא יִתְרַבֶּה – **but if that were so, the term** דֶּשֶׁא **should not have a plural form,** וַחֲכָמִים אוֹמְרִים: הִרְכִּיב שְׁנֵי מִינֵי דְשָׁאִים, מַהוּ – **yet the Sages say, "If a person grafts two types of** דְּשָׁאִים (plural of דֶּשֶׁא) **together, what is [the law]?"** (*Chullin* 60a). וְהָרַב עַצְמוֹ מַזְכִּיר דְּשָׁאִים – In fact, **the Rav** (Rashi) **himself mentions** the plural form דְּשָׁאִים in his comment here![161]

[Ramban presents his own definitions of the terms:]

אֲבָל דֶּשֶׁא הוּא הַקָּטָן הַצּוֹמֵחַ, וְעֵשֶׂב הוּא הַגָּדוֹל הַמַּזְרִיעַ – **Rather,** דֶּשֶׁא **refers to small,** undeveloped plants **that sprout, while** עֵשֶׂב **refers to large,** mature plants, **which bear seed.** וְלָכֵן יֹאמַר ״תַּדְשֵׁא הָאָרֶץ״ – **This is why [Scripture] says, *Let the earth sprout*** (תַּדְשֵׁא), using a verb related to the noun דֶּשֶׁא, וְלֹא יִתָּכֵן לוֹמַר ״תַּעֲשִׂיב״ – **but it is not possible to say "Let [the earth] sprout** (תַּעֲשִׂיב)**"** using a verb related to the noun עֵשֶׂב.[162] וְכָל קָטָן הַצּוֹמֵחַ מִן הָאָרֶץ יִקָּרֵא ״דֶּשֶׁא״ אַף בָּאִילָנוֹת – **Every small thing that sprouts from the ground is called** דֶּשֶׁא, **even among the trees,**[163] וְלָכֵן יִמְשׁוֹךְ ״תַּדְשֵׁא הָאָרֶץ״ ״עֵץ פְּרִי״ – **and therefore** the words ***let the earth sprout*** **apply to** the words ***fruit trees*** as well.[164] כִּי לֹא אָמַר ״תַּדְשֵׁא הָאָרֶץ דֶּשֶׁא עֵשֶׂב וְתוֹצִיא עֵץ פְּרִי״ – **For [Scripture] did not say, "Let the earth sprout forth sprouts of plants, and let it *bring forth* fruit trees,"** but rather used the same verb תַּדְשֵׁא for the trees as well as the plants. וְהִנֵּה הוּא כְּטַעַם צְמִיחָה – **Thus, [the**

159a. Extant editions of Rashi read בִּדְשָׁאִים in place of Ramban's בַּעֲשָׂבִים. (There are several other minor differences between today's editions of Rashi and Ramban's citation.)

160. That is, דֶּשֶׁא is a collective noun, a generic term referring to vegetation as a whole.

161. Rashi says in the course of his comment: שֶׁמִּינֵי דְשָׁאִין מִתְחַלְּקִין כָּל אֶחָד לְעַצְמוֹ נִקְרָא עֵשֶׂב פְּלוֹנִי, *for distinct types of vegetation* (pl.), *each by itself, is called a such-and-such plant.*

162. When the plants began to sprout, they were, by definition, just sprouts and only afterwards grew into full-grown plants. This is why the Torah, when describing their emergence from the earth, uses a verb based on דֶּשֶׁא, *sprout*, rather than a verb based on עֵשֶׂב, *plant.*

[Rashi also writes that according to *his* interpretation it is impossible to use the word תַּעֲשִׂיב, but apparently for a different reason.]

163. A newly sprouting tree is also called דֶּשֶׁא.

164. The verse says: *Let the earth sprout forth sprouts of plants yielding seeds [and] fruit trees yielding fruit.* Thus, the verb תַּדְשֵׁא, *sprout forth,* is used to describe both *sprouts of plants* and *fruit trees.*

אֲשֶׁר זַרְעוֹ־בוֹ לְמִינֵהוּ וַיַּרְא אֱלֹהִים כִּי־טוֹב:
יג וַיְהִי־עֶרֶב וַיְהִי־בֹקֶר יוֹם שְׁלִישִׁי: פ
יד וַיֹּאמֶר אֱלֹהִים יְהִי מְאֹרֹת בִּרְקִיעַ הַשָּׁמַיִם

דְּבַר זַרְעֵהּ בֵּהּ לִזְנוֹהִי וַחֲזָא יְיָ
אֲרֵי טָב: יג וַהֲוָה רְמַשׁ וַהֲוָה
צְפַר יוֹם תְּלִיתָאי: יד וַאֲמַר יְיָ
יְהוֹן נְהוֹרִין בִּרְקִיעָא דִשְׁמַיָּא

רש"י

(יד) יהי מארת וגו׳. מיום ראשון נבראו וברביעי צוה עליהם להתלות ברקיע (חגיגה יב.) וכן כל תולדות שמים וארץ נבראו ביום ראשון וכל אחד ואחד נקבע ביום שנגזר עליו (תנחומא ישן א-ב; ב"ר יב:ד). הוא שכתוב את השמים לרבות תולדותיהם ואת הארץ לרבות תולדותיה (ב"ר א:יד): **יהי מארת.** חסר וי"ו כתיב, על שהוא יום מארה ליפול אסכרה בתינוקות. הוא ששנינו ברביעי היו מתענים על אסכרה שלא תפול בתינוקות (תענית כז:; מס׳ סופרים פי"ז):

רמב"ן

וְכֵן "כִּי דָשְׁאוּ נְאוֹת מִדְבָּר, כִּי עֵץ נָשָׂא פִרְיוֹ"[165] [יואל ב, כב].

וַאֲנִי תָמֵהַּ, אֵיךְ לֹא הִזְכִּיר הַכָּתוּב אִילָנֵי סְרָק, וְאֵיךְ צִוָּה בְּעֵץ פְּרִי לְבַדּוֹ. וְאוּלַי בָּזֶה נִתְעוֹרְרוּ רַבּוֹתֵינוּ, שֶׁאָמְרוּ [ב"ר ה, ט]: אַף אִילָנֵי סְרָק עָשׂוּ פֵּרוֹת[166]. וְאִם כֵּן, נֹאמַר כִּי מִקִּלְלַת "אֲרוּרָה הָאֲדָמָה" [להלן ג, יז] הָיוּ סְרָק.

וְיִתָּכֵן שֶׁיִּהְיֶה פֵּרוּשׁ הַכָּתוּב: תַּצְמִיחַ הָאָרֶץ צֶמַח, וְעֵשֶׂב מַזְרִיעַ זֶרַע, וְעֵץ עוֹשֶׂה פְּרִי[167]. וְהִנֵּה בִּתְחִלָּה גָּזַר בְּעִשְׂבֵי הַסְּרָק וּבְאִילָנֵי הַסְּרָק.

וּמִמַּה שֶׁאָמַר "עֹשֶׂה פְּרִי אֲשֶׁר זַרְעוֹ בוֹ" [פסוק יב], נִלְמַד כִּי כָל הָאִילָנוֹת יִצְמְחוּ מִזַּרְעָם, אַף עַל פִּי שֶׁהַמִּנְהָג בְּמִקְצָתָם לִטַּע מֵהֶם הֶעָנָף.

RAMBAN ELUCIDATED

root דשא] has the same meaning as the root צמח, ***to sprout*****.** **וְכֵן "כִּי דָשְׁאוּ נְאוֹת מִדְבָּר כִּי עֵץ נָשָׂא פִרְיוֹ" – Similarly,** we find, ***for the desert regions have sprouted*** grass, ***for the trees have borne their fruit*** (*Joel* 2:22).[165]

[Ramban raises a question and answers it:]

וַאֲנִי תָמֵהַּ, אֵיךְ לֹא הִזְכִּיר הַכָּתוּב אִילָנֵי סְרָק – Now, I am perplexed why Scripture did not mention barren trees, וְאֵיךְ צִוָּה בְּעֵץ פְּרִי לְבַדּוֹ – and why [God] commanded only fruit trees into existence. **וְאוּלַי בָּזֶה נִתְעוֹרְרוּ רַבּוֹתֵינוּ שֶׁאָמְרוּ: – Perhaps our Sages were bothered by this when they said** on our verse: **אַף אִילָנֵי סְרָק עָשׂוּ פֵּרוֹת – Even the barren trees produced fruit** at first (*Bereishis Rabbah* 5:9).[166] **וְאִם כֵּן נֹאמַר כִּי מִקִּלְלַת "אֲרוּרָה הָאֲדָמָה" הָיוּ סְרָק – If so, we must say that it was as a result of the curse of *accursed is the ground*** *because of you* (below, 3:17) **that [these trees] became barren** as they are today.

[Ramban presents a new interpretation, which also addresses his question about the omission of barren trees:]

וְיִתָּכֵן שֶׁיִּהְיֶה פֵּרוּשׁ הַכָּתוּב: – It is also **possible that the explanation of the verse is: תַּצְמִיחַ הָאָרֶץ צֶמַח, וְעֵשֶׂב מַזְרִיעַ זֶרַע, וְעֵץ עוֹשֶׂה פְּרִי – "Let the earth sprout forth sprouts, *and* plants that produce seeds, and trees yielding fruits."**[167] **וְהִנֵּה בִּתְחִלָּה גָּזַר בְּעִשְׂבֵי הַסְּרָק וּבְאִילָנֵי הַסְּרָק – Thus, at first,** with the words תַּדְשֵׁא הָאָרֶץ דֶּשֶׁא, **He decreed for the barren plants and the barren trees** that they should come into existence.

[Ramban makes a tangential observation:]

וּמִמַּה שֶּׁאָמַר "עֹשֶׂה פְּרִי אֲשֶׁר זַרְעוֹ בוֹ" – And from the fact that [Scripture] says, *trees **yielding fruit, each containing its seed*** (v. 12), **נִלְמַד כִּי כָל הָאִילָנוֹת יִצְמְחוּ מִזַּרְעָם, אַף עַל פִּי שֶׁהַמִּנְהָג בְּמִקְצָתָם לִטַּע מֵהֶם הֶעָנָף – we can learn that all trees can grow from their seeds, even though there are some of them that are customarily** propagated by **planting a branch** into the ground.

165. That verse proves that the verb דשא means to sprout anew, for *desert regions* had no vegetation at all previously.

166. So there was no such thing as a barren tree when the vegetation of the world came into being.

167. According to this interpretation, the word דֶּשֶׁא is not attached to עֵשֶׂב (as it was in the first explanation: *sprout of plants*); rather, they are the first two items on a list of three (the third being the trees). According to this explanation, דֶּשֶׁא refers to *barren forms of vegetation* (plants and trees alike). The next two items – עֵשֶׂב, *plants*, and עֵץ, *trees* – on the other hand,

fruit, each containing its seed after its kind. And God saw that it was good. 13 *And there was evening and there was morning, a third day.*
14 *God said, "Let there be luminaries in the firmament of the heaven*

רמב״ן

[יב] וַיַּרְא אֱלֹהִים כִּי טוֹב. קִיּוּם הַמִּינִין לָעַד[168].

וְהִנֵּה לֹא נִתְיַחֵד יוֹם לַמַּאֲמָר הַזֶּה לְבַדּוֹ, מִפְּנֵי שֶׁאֵינֶנּוּ מַעֲשֶׂה מְיֻחָד, כִּי הָאָרֶץ כַּאֲשֶׁר תַּצְמִיחַ אוֹ שֶׁתִּהְיֶה אֶרֶץ מְלֵיחָה - אַחַת הִיא[169].

[יד] יְהִי מְאֹרֹת. הִנֵּה הָאוֹר נִבְרָא בְּיוֹם רִאשׁוֹן וְהֵאִיר בַּיְּסוֹדוֹת, וְכַאֲשֶׁר נַעֲשָׂה הָרָקִיעַ בַּשֵּׁנִי - הִפְסִיק בָּאוֹר וּמָנַע אוֹתוֹ מֵהָאִיר בַּיְּסוֹדוֹת הַתַּחְתּוֹנִים. וְהִנֵּה, כַּאֲשֶׁר נִבְרֵאת הָאָרֶץ בַּשְּׁלִישִׁי - הָיָה בָּהּ "חֹשֶׁךְ וְלֹא אוֹר"[170]. וְעַתָּה בָּרְבִיעִי רָצָה הַקָּדוֹשׁ בָּרוּךְ הוּא שֶׁיִּהְיוּ בָּרָקִיעַ מְאוֹרוֹת מַגִּיעִים אוֹר לָאָרֶץ. וְזֶה טַעַם "בִּרְקִיעַ הַשָּׁמַיִם לְהָאִיר עַל

RAMBAN ELUCIDATED

12. וַיַּרְא אֱלֹהִים כִּי טוֹב – ***AND GOD SAW THAT IT WAS GOOD.***

קִיּוּם הַמִּינִין לָעַד – This refers to the **permanent existence of the species,** as explained above.[168]

[The phrase וַיֹּאמֶר אֱלֹהִים, *And God said,* is used repeatedly in the narrative of Creation as an introduction to each new phase of Creation. With the exception of the third day where it appears twice (vv. 9 and 11), the phrase appears once each day: day one (v. 3), day two (v. 6), day four (v. 14), day five (v. 20) and day six (v. 24; although the phrase appears again in verse 26, in that verse it does not refer to an act of Creation). Accordingly, each phase of Creation introduced by, *And God said,* was assigned its own day, except for the creation of vegetation. Ramban explains why that act was not assigned a unique day unto itself, as were the others:]

וְהִנֵּה לֹא נִתְיַחֵד יוֹם לַמַּאֲמָר הַזֶּה לְבַדּוֹ – **Now, a separate day was not designated solely for this utterance** of Creation, which concerned the sprouting forth of vegetation, **מִפְּנֵי שֶׁאֵינֶנּוּ מַעֲשֶׂה מְיֻחָד** – **because it was not an independent accomplishment** of Creation, **כִּי הָאָרֶץ כַּאֲשֶׁר תַּצְמִיחַ אוֹ שֶׁתִּהְיֶה אֶרֶץ מְלֵיחָה אַחַת הִיא** – **for the earth, whether it sprouts forth** vegetation **or remains arid land, is the same** earth.[169]

14. יְהִי מְאֹרֹת – ***LET THERE BE LUMINARIES.***

[Light was created on the first day (v. 3). Why, then, was there a need for these new luminaries? Ramban explains:]

הִנֵּה הָאוֹר נִבְרָא בְּיוֹם רִאשׁוֹן וְהֵאִיר בַּיְּסוֹדוֹת – **Now, the light was created on the first day and shone upon the elements** of the earth, **וְכַאֲשֶׁר נַעֲשָׂה הָרָקִיעַ בַּשֵּׁנִי הִפְסִיק בָּאוֹר וּמָנַע אוֹתוֹ מֵהָאִיר בַּיְּסוֹדוֹת הַתַּחְתּוֹנִים** – **but when the firmament was made on the second** day **it obstructed the light and prevented it from shining onto the lower elements.** **וְהִנֵּה כַּאֲשֶׁר נִבְרֵאת הָאָרֶץ בַּשְּׁלִישִׁי הָיָה בָּהּ חֹשֶׁךְ וְלֹא אוֹר** – **Thus, when the land was created on the third** day, **there was "darkness and not light"**[170] **in it.** **וְעַתָּה בָּרְבִיעִי רָצָה הַקָּדוֹשׁ בָּרוּךְ הוּא שֶׁיִּהְיוּ בָּרָקִיעַ מְאוֹרוֹת מַגִּיעִים אוֹר לָאָרֶץ** – **And now, on the fourth** day, **the Holy One, Blessed is He, desired that there should be luminaries in the firmament whose light would reach the earth.** **וְזֶה טַעַם "בִּרְקִיעַ הַשָּׁמַיִם לְהָאִיר עַל**

refer to seed-bearing plants and fruit-bearing trees, as the Torah states explicitly.

168. On v. 4.

169. As Ramban explained above (v. 11), God's utterance, "*Let the earth sprout forth,* etc.," means that He endowed the soil with the power to produce vegetation. This power was not an independent creation; rather, it was a new detail added to something already in existence (the earth). For this reason, this "act" was not assigned its own day.

[If so, why did the acts of bringing forth fish and fowl from the water (v. 20) and animals from the earth (v. 24) merit unique days? On those days, the water and the earth were not "endowed" with the power to produce these things on a regular basis; rather, the fish, fowl and animals were brought into being from the water and from the earth one time, and were themselves endowed with the power to reproduce their own species, independent of the earth and the water, which were merely the media that God used to bring the fish and animals into being. Thus, those creative acts, unlike the sprouting forth of vegetation, were each performed on a different day. (See *Beis HaYayin.*)]

170. Stylistic citation from *Amos* 5:18 (and elsewhere).

לְהַבְדִּיל בֵּין הַיּוֹם וּבֵין הַלָּיְלָה לְאַפְרָשָׁא בֵּין יְמָמָא וּבֵין לֵילְיָא

רש"י

להבדיל בין היום ובין הלילה. משנגנז האור הראשון, אבל בשבעת (ילק"ש מז; ב"ר יא:ב, יב:ו) [ס"א בששת] [ס"א בשלשת (ב"ר ג:ו; סדר א"ז כא)] ימי בראשית שמשו האור והחשך הראשונים זה ביום וזה בלילה (ב"ר ג:ו; פסחים ב.; חגיגה יב.) [ס"א [שניהם] יחד

רמב"ן

הָאָרֶץ", כִּי הָאוֹר הָיָה לְמַעְלָה מִן הָרָקִיעַ וְלֹא הֵאִיר עַל הָאָרֶץ.

וְעִנְיַן "יְהִי מְאֹרֹת", כִּי מֵחֹמֶר הַשָּׁמַיִם גָּזַר בָּרִאשׁוֹן שֶׁיִּהְיֶה אוֹר מְשַׁמֵּשׁ בְּמִדַּת הַיּוֹם[171]. וְעַתָּה גָּזַר שֶׁיִּתְגַּשֵּׁם, וְיִתְהַוֶּה מִמֶּנּוּ גּוּף מֵאִיר בַּיּוֹם, גָּדוֹל הָאוֹרָה, וְגוּף אַחֵר קָטָן הָאוֹרָה הַמֵּאִיר בַּלַּיְלָה, וְיִתָּלוּ שְׁנֵיהֶם בִּרְקִיעַ הַשָּׁמַיִם, שֶׁיָּאִירוּ גַּם לְמַטָּה[172].

וְיִתָּכֵן, כִּי כְּמוֹ שֶׁשָּׂם בָּאָרֶץ כֹּחַ הַצְּמִיחָה בִּמְקוֹמוֹת מִמֶּנָּה[173], כֵּן שָׂם בָּרָקִיעַ מְקוֹמוֹת מוּכָנִים וּמְזֻמָּנִים לְקַבֵּל הָאוֹרָה. וְהַגּוּפִים הָאֵלֶּה מְקַבְּלֵי אוֹר מַזְהִירִים, כְּגוֹן הָאַסְפַּקְלַרְיָאוֹת[174] וְאַבְנֵי הַשֹּׁהַם[175]. וְלָכֵן יִקְרָאֵם מְאוֹרוֹת, לֹא אוֹרִים[176], אַף עַל פִּי שֶׁקְּרָאָם הַמִּזְמוֹר [תהלים קלו, ז] כֵּן.

RAMBAN ELUCIDATED

הָאָרֶץ" – **This is the meaning of** the statement, ... ***in the firmament of the heavens to shine upon the earth*** (v. 15), **כִּי הָאוֹר הָיָה לְמַעְלָה מִן הָרָקִיעַ וְלֹא הֵאִיר עַל הָאָרֶץ – for the** original **light was *above* the firmament and did *not* shine upon the earth.**

[Having explained the need for these new luminaries, Ramban now explains what happened to the "old" light from the first day:]

וְעִנְיַן "יְהִי מְאֹרֹת" – The explanation of *Let there be luminaries* is **כִּי מֵחֹמֶר הַשָּׁמַיִם גָּזַר בָּרִאשׁוֹן שֶׁיִּהְיֶה אוֹר מְשַׁמֵּשׁ בְּמִדַּת הַיּוֹם – that [God] decreed on the first** day **that light should come into existence out of the** primary **matter** (*hule*) **of the heavens, functioning for the duration of the length of a day,** as explained above.[171] **וְעַתָּה גָּזַר שֶׁיִּתְגַּשֵּׁם וְיִתְהַוֶּה מִמֶּנּוּ גּוּף מֵאִיר בַּיּוֹם, גָּדוֹל הָאוֹרָה – And now He decreed that [this light] should take on physical form and that from it should come into being a body of great light that would shine by day, וְגוּף אַחֵר קָטָן הָאוֹרָה הַמֵּאִיר בַּלַּיְלָה – and another body of smaller light that would shine by night, וְיִתָּלוּ שְׁנֵיהֶם בִּרְקִיעַ הַשָּׁמַיִם, שֶׁיָּאִירוּ גַּם לְמַטָּה – and that both of them should be suspended in the firmament of the heavens, so that they would shine also below** onto the earth.[172]

[Ramban presents a second possible interpretation:]

וְיִתָּכֵן, כִּי כְּמוֹ שֶׁשָּׂם בָּאָרֶץ כֹּחַ הַצְּמִיחָה בִּמְקוֹמוֹת מִמֶּנָּה – It is also **possible that just as He set within the earth,** i.e., **within parts of it, the power to sprout vegetation,**[173] **כֵּן שָׂם בָּרָקִיעַ מְקוֹמוֹת מוּכָנִים וּמְזֻמָּנִים לְקַבֵּל הָאוֹרָה – so did He set within the firmament** certain **places that were prepared and equipped to receive light** from the original source of light. **וְהַגּוּפִים הָאֵלֶּה מְקַבְּלֵי אוֹר מַזְהִירִים – And these bodies, which receive** that **light,** then **shine forth, כְּגוֹן הָאַסְפַּקְלַרְיָאוֹת וְאַבְנֵי הַשֹּׁהַם – like specularia,**[174] **and onyx stones.**[175] **וְלָכֵן יִקְרָאֵם מְאוֹרוֹת, לֹא אוֹרִים – This is why they are called** מְאוֹרוֹת, ***luminaries***, and **not** אוֹרִים, ***lights,***[176] **אַף עַל פִּי שֶׁקְּרָאָם הַמִּזְמוֹר כֵּן – although the psalm** (*Psalms* 136:7) **does** in fact **call them so** [אוֹרִים].

□ **לְהַבְדִּיל בֵּין הַיּוֹם וּבֵין הַלָּיְלָה – *TO SEPARATE BETWEEN THE DAY AND THE NIGHT.***

[On the first day, *God separated between the light and the darkness* (above, v. 4). Why now, on the fourth day, was there a need for these heavenly bodies to *separate between the night and the day*? Ramban cites Rashi, who apparently addresses this question:]

171. On v. 4.

172. According to this interpretation, the light of the first day became transformed into the physical luminaries and ceased to exist in its original form.

173. As explained above, v. 11.

174. A kind of luminescent mineral.

175. See note 172 above. According to this second interpretation, the original light still exists; it shines down on the heavenly luminaries and in turn causes them to glow and shine forth.

176. אוֹר has the connotation of a source of light, while מָאוֹר is anything that shines, even if it only reflects light from a different source.

to make a distinction between the day and the night;

רמב״ן

□ **לְהַבְדִּיל בֵּין הַיּוֹם וּבֵין הַלָּיְלָה.** כָּתַב רַשִׁ״י: מִשֶּׁנִּגְנַז הָאוֹר הָרִאשׁוֹן. אֲבָל בְּשֵׁשֶׁת[176a] יְמֵי בְּרֵאשִׁית שִׁמְּשׁוּ הָאוֹר וְהַחֹשֶׁךְ זֶה בַּיּוֹם וְזֶה בַּלַּיְלָה[177].

וְאֵינִי רוֹאֶה שֶׁיִּהְיֶה זֶה דַּעַת רַבּוֹתֵינוּ, הַמַּזְכִּירִים "גְּנִיזָה" עַל הָאוֹר הָרִאשׁוֹן. אֲבָל לְדַעְתָּם הָאוֹר הָרִאשׁוֹן שִׁמֵּשׁ שְׁלֹשָׁה יָמִים, וּבָרְבִיעִי נֶאֱצַל מִמֶּנּוּ וְנַעֲשׂוּ בוֹ אָז מִמֶּנּוּ שְׁנֵי הַמְּאוֹרוֹת הָאֵלֶּה[178], כְּמוֹ שֶׁאָמְרוּ [ב״ר יז, ה]: "נוֹבֶלֶת אוֹרָה שֶׁל מַעְלָה - גַּלְגַּל חַמָּה". כִּי לְפִי שֶׁלֹּא הָיָה הָעוֹלָם הַזֶּה רָאוּי לְהִשְׁתַּמֵּשׁ בָּאוֹר הַהוּא בְּלִי אֶמְצָעִי[179] - גְּנָזוֹ לַצַּדִּיקִים לָעוֹלָם הַבָּא, וְשִׁמְּשׁוּ בַּנּוֹבֶלֶת הַזּוּ מִיּוֹם רְבִיעִי וָאֵילָךְ.

כָּךְ אָמְרוּ בִּבְרֵאשִׁית רַבָּה [ג, ו]: תְּנֵי: אוֹרָה שֶׁנִּבְרֵאת בְּשֵׁשֶׁת יְמֵי בְרֵאשִׁית, לְהָאִיר בַּיּוֹם - אֵינָהּ יְכוֹלָה, מִפְּנֵי שֶׁהִיא מַכְהָה גַּלְגַּל חַמָּה; בַּלַּיְלָה - אֵינָהּ יְכוֹלָה, שֶׁלֹּא נִבְרֵאת לְהָאִיר אֶלָּא בַּיּוֹם. וְהֵיכָן הִיא? נִגְנְזָה. וְהֵיכָן הִיא[179a]? מְתֻקֶּנֶת לַצַּדִּיקִים לֶעָתִיד לָבֹא, שֶׁנֶּאֱמַר [ישעיה ל, כו]: "וְהָיָה אוֹר הַלְּבָנָה כְּאוֹר הַחַמָּה, וְאוֹר

RAMBAN ELUCIDATED

כָּתַב רַשִׁ״י: – Rashi writes:

מִשֶּׁנִּגְנַז הָאוֹר הָרִאשׁוֹן – This held true only **after the original light had been stored away** after the end of the Creation. **אֲבָל בְּשֵׁשֶׁת יְמֵי בְּרֵאשִׁית שִׁמְּשׁוּ הָאוֹר וְהַחֹשֶׁךְ זֶה בַּיּוֹם וְזֶה בַּלַּיְלָה – But during the six[176a] days of Creation, the** original **light and darkness functioned, one by day and the other by night.**[177]

[Ramban does not accept Rashi's comment:]

וְאֵינִי רוֹאֶה שֶׁיִּהְיֶה זֶה דַּעַת רַבּוֹתֵינוּ הַמַּזְכִּירִים "גְּנִיזָה" עַל הָאוֹר הָרִאשׁוֹן – But I do not see that this is the opinion of our Sages, who mention "hiding away" in connection with the original light. אֲבָל לְדַעְתָּם הָאוֹר הָרִאשׁוֹן שִׁמֵּשׁ שְׁלֹשָׁה יָמִים – Rather, according to their opinion, the original light functioned for three days, וּבָרְבִיעִי נֶאֱצַל מִמֶּנּוּ וְנַעֲשׂוּ בוֹ אָז מִמֶּנּוּ שְׁנֵי הַמְּאוֹרוֹת הָאֵלֶּה – and on the fourth day **there emanated** light **from it and at that time there were made from it these two luminaries,**[178] **כְּמוֹ שֶׁאָמְרוּ: "נוֹבֶלֶת אוֹרָה שֶׁל מַעְלָה גַּלְגַּל חַמָּה" – as they said: The sphere of the sun is a miniature version of the upper light** (*Bereishis Rabbah* 17:5). **כִּי לְפִי שֶׁלֹּא הָיָה הָעוֹלָם הַזֶּה רָאוּי לְהִשְׁתַּמֵּשׁ בָּאוֹר הַהוּא בְּלִי אֶמְצָעִי – For, since this world was not** deemed **fit to make use of that** original **light**[179] **without an intermediary, גְּנָזוֹ לַצַּדִּיקִים לָעוֹלָם הַבָּא – [God] stored it away for the use of righteous in the Next World, וְשִׁמְּשׁוּ בַּנּוֹבֶלֶת הַזּוּ מִיּוֹם רְבִיעִי וָאֵילָךְ – and this miniature version was used from the fourth day** of Creation **and onwards.**

[Ramban brings a proof for his position from the Midrash:]

כָּךְ אָמְרוּ בִּבְרֵאשִׁית רַבָּה: – This is what [the Sages] said in *Bereishis Rabbah* (3:6): **תְּנֵי: אוֹרָה שֶׁנִּבְרֵאת בְּשֵׁשֶׁת יְמֵי בְרֵאשִׁית – It was taught** regarding the original light: **The light that was created in the six days of Creation לְהָאִיר בַּיּוֹם אֵינָהּ יְכוֹלָה – could not shine during the day מִפְּנֵי שֶׁהִיא מַכְהָה גַּלְגַּל חַמָּה – because it would dim the** light of the **sun; בַּלַּיְלָה אֵינָהּ יְכוֹלָה – it could not** shine **during the night שֶׁלֹּא נִבְרֵאת לְהָאִיר אֶלָּא בַּיּוֹם – because it was created only for shining during the day. וְהֵיכָן הִיא – So where is it** now? **נִגְנְזָה – It has been stored away. וְהֵיכָן הִיא – For what** purpose **is it** stored away[179a]? **מְתֻקֶּנֶת לַצַּדִּיקִים לֶעָתִיד לָבֹא – It is prepared for the** use of the **righteous in the Next World,** שֶׁנֶּאֱמַר: "וְהָיָה אוֹר הַלְּבָנָה כְּאוֹר הַחַמָּה וְאוֹר

176a. Most extant editions of Rashi read: בְּשִׁבְעַת יְמֵי בְּרֵאשִׁית, *but during the seven days of Creation;* and that is the reading found in most supercommentaries on Rashi. Moreover, *Be'er BaSadeh* cites that version when he quotes Ramban.

177. According to Rashi, then, the original light (of the first day) functioned in the world for the first seven days of the world's existence. Ramban, however, cannot accept that assertion, for he has stated (in his previous comment) that "when the firmament was made on the second day it obstructed the (original) light and prevented it from shining onto the lower elements," so that the original light was not functional at all (on earth) since the second day.

178. This concurs with the first interpretation in the previous comment.

179. See Rashi on v. 4 above.

179a. The translation of these words is in accordance with the Midrash commentary ascribed to Rashi.

טו וְהָיוּ לְאֹתֹת וּלְמוֹעֲדִים וּלְיָמִים וְשָׁנִים: וְהָיוּ
לִמְאוֹרֹת בִּרְקִיעַ הַשָּׁמַיִם לְהָאִיר עַל־הָאָרֶץ

וִיהוֹן לְאָתִין וּלְזִמְנִין וּלְמִימְנֵי בְהוֹן יוֹמִין וּשְׁנִין: טו וִיהוֹן לִנְהוֹרִין בִּרְקִיעָא דִשְׁמַיָּא לְאַנְהָרָא עַל אַרְעָא

רש"י

בין ביום ובין בלילה]: **והיו לאתת.** כשהמאורות לוקין סימן רע הוא לעולם, שנאמר מאותות השמים אל תחתו וגו' (ירמיה י:ב) בעשותכם רצון הקב"ה אין אתם צריכין לדאוג מן הפורענות (סוכה כט.): **ולמועדים.** ע"ש העתיד, שעתידים ישראל להצטוות על המועדות והם נמנים למולד הלבנה (ב"ר ו:א, ש"ר טו:ל): **ולימים.** שמוש החמה חצי יום ושמוש הלבנה חציו, הרי יום שלם: **ושנים.** לסוף שס"ה ימים [ורביע יום] יגמרו מהלכן בי"ב מזלות המשרתים אותם, והיא שנה (ברכות לב:) [וחוזרים ומתחילים פעם שניה לסבב בגלגל כמהלכן הראשון]: **(טו) והיו למאורת.** עוד זאת ישמשו שיאירו לעולם:

רמב"ן

הַחַמָּה יִהְיֶה שִׁבְעָתַיִם, כְּאוֹר שִׁבְעַת הַיָּמִים" שִׁבְעָה? אֶתְמְהָה[180]! לֹא שְׁלֹשָׁה הֵן[180a]? כְּאִינָשׁ דְּאָמַר "כֵּן וְכֵן אֲנָא מַפְקִיד לְשִׁבְעָה יוֹמֵי דְּמִשְׁתּוּתִי" כְּלוֹמַר, לְשׁוֹן בְּנֵי אָדָם הוּא שֶׁיֹּאמַר "אֲנִי מַפְקִיד וְשׁוֹמֵר זֶה הַבָּשָׂר לְשִׁבְעַת יְמֵי הַמִּשְׁתֶּה שֶׁלִּי". לֹא שֶׁיַּסְפִּיק לוֹ לַשִּׁבְעָה כֻּלָּם, אֶלָּא שֶׁיּוֹצִיא אוֹתוֹ בְּתוֹכָם. וְכָךְ אָמְרוּ "שִׁבְעַת הַיָּמִים", כְּאוֹר שֶׁהָיָה בַּיָּמִים הָהֵם בְּמִקְצָתָם.

וְשָׁם [ב"ר ג, ו] אָמְרוּ עוֹד: וַיַּבְדֵּל, רַבִּי יְהוּדָה בְּרַבִּי סִימוֹן אָמַר: הִבְדִּילוֹ לוֹ, וְרַבָּנָן אָמְרִין הִבְדִּילוֹ לַצַּדִּיקִים לֶעָתִיד לָבֹא. וְאִם תּוּכַל לָדַעַת כַּוָּנָתָם בְּאָמְרָם בְּבִרְכַּת הַלְּבָנָה [סנהדרין מב, ב]: "עֲטֶרֶת תִּפְאֶרֶת לַעֲמוּסֵי בָטֶן", תֵּדַע סוֹד הָאוֹר הָרִאשׁוֹן, וְהַגְּנִיזָה, וְהַהַבְדָּלָה שֶׁאָמַר הִבְדִּילוֹ לוֹ, וְסוֹד שְׁנֵי הַמְּלָכִים הַמִּשְׁתַּמְּשִׁים בְּכֶתֶר אֶחָד [חולין ס, ב], כַּאֲשֶׁר בַּסּוֹף שֶׁיִּהְיֶה אוֹר הַלְּבָנָה כְּאוֹר הַחַמָּה, אַחַר שֶׁיִּהְיֶה אוֹר הַחַמָּה שִׁבְעָתַיִם.

□ **וְהָיוּ לְאֹתֹת.** הַשִּׁנּוּי שֶׁיּוֹלִידוּ[181], וְיֵעָשׂוּ מִמֶּנּוּ אוֹתוֹת וּ"מוֹפְתִים בַּשָּׁמַיִם וּבָאָרֶץ, דָּם וָאֵשׁ וְתִמְרוֹת עָשָׁן"[182], כִּלְשׁוֹן "וּמֵאֹתוֹת הַשָּׁמַיִם אַל תֵּחָתּוּ"[183] [ירמיה י, ב].

RAMBAN ELUCIDATED

הַחַמָּה יִהְיֶה שִׁבְעָתַיִם כְּאוֹר שִׁבְעַת הַיָּמִים" – as it says, ***The light of the moon will be like the light of the sun, and the light of the sun will be seven times as strong, like the light of the seven days*** (*Isaiah* 30:26). **שִׁבְעָה אֶתְמְהָה – Seven** days?![180] **לֹא שְׁלֹשָׁה הֵן – Are they not** merely ***three*** days?[180a] **כְּאִינָשׁ דְּאָמַר "כֵּן וְכֵן אֲנָא מַפְקִיד לְשִׁבְעָה יוֹמֵי דְּמִשְׁתּוּתִי"** – The prophet is speaking **like one who says, "I am setting such-and-such aside for the seven days of celebration** of my wedding." **כְּלוֹמַר, לְשׁוֹן בְּנֵי אָדָם הוּא שֶׁיֹּאמַר "אֲנִי מַפְקִיד וְשׁוֹמֵר זֶה הַבָּשָׂר לְשִׁבְעַת יְמֵי הַמִּשְׁתֶּה שֶׁלִּי" – This** Midrash **means to say, [the term *seven* days] is an expression that people use, saying, "I am setting aside and watching this meat for my seven days of celebration." לֹא שֶׁיַּסְפִּיק לוֹ לַשִּׁבְעָה כֻּלָּם, אֶלָּא שֶׁיּוֹצִיא אוֹתוֹ בְּתוֹכָם** – He does **not** mean **that it will suffice him for all seven** days, **but that he will use it** some time ***during*** **[those days]. וְכָךְ אָמְרוּ "שִׁבְעַת הַיָּמִים" – Similarly, when [Scripture] says,** *like the light of* ***the seven days,*** it means **כְּאוֹר שֶׁהָיָה בַּיָּמִים הָהֵם, בְּמִקְצָתָם – "like the light that functioned during those** seven **days," i.e., during *some* of [those]** seven days.

[Ramban cites a second Midrash concerning the "storing away" of the original light, and hints at its Kabbalistic meaning. The deep, esoteric concepts discussed are not within the scope of this elucidation. In the Hebrew text, Ramban's words appear in the paragraph beginning וְשָׁם אָמְרוּ and ending אוֹר הַחַמָּה שִׁבְעָתַיִם.]

□ **וְהָיוּ לְאֹתֹת** – ***AND THEY SHALL SERVE AS SIGNS.***

[What kind of "signs" do the luminaries provide? Ramban explains:]

הַשִּׁנּוּי שֶׁיּוֹלִידוּ – This refers **to the anomalies that they will bring about,**[181] **וְיֵעָשׂוּ מִמֶּנּוּ אוֹתוֹת וּמוֹפְתִים בַּשָּׁמַיִם וּבָאָרֶץ דָּם וָאֵשׁ וְתִמְרוֹת עָשָׁן – from which come about signs and "portents in the heavens and on earth – blood, fire and pillars of smoke."**[182] **כִּלְשׁוֹן "וּמֵאֹתוֹת הַשָּׁמַיִם אַל תֵּחָתּוּ"** – It

180. The word אֶתְמְהָה, lit., *wonderment!*, is often used in *Bereishis Rabbah* to serve as an exclamation mark in the unpunctuated text.

180a. For, as Ramban noted earlier, the original light no longer functioned from the fourth day on.

181. Anomalies (uncommon astrological phenomena such as eclipses, shooting stars, etc.) are brought about by the movements of the heavenly bodies. These are called "signs" for the reason Ramban will now explain. (See Rabbeinu Bachya.)

182. The quote is from *Joel* 3:3. The following verse states, *The sun will turn to darkness and the moon to*

and they shall serve as signs, and for seasons and for days and years; 15 *and they shall serve as luminaries in the firmament of the heaven to shine upon the earth."*

רמב״ן

□ **וּלְמוֹעֲדִים.** זֶרַע וְקָצִיר, וְקֹר וָחֹם, וְקַיִץ וָחֹרֶף[184] [להלן ח, כב].

□ **וּלְיָמִים.** מִדַּת יוֹם וּמִדַּת לַיְלָה[185] [ראה חגיגה יב, א].

□ **וְשָׁנִים.** שֶׁיַּשְׁלִימוּ מַהֲלָכָם, וְיוֹסִיפוּ שֵׁנִית לָשׁוּב בַּדֶּרֶךְ אֲשֶׁר הָלְכוּ בָּהּ וּשְׁנַת הַחַמָּה כְּשס״ה יוֹם, וּשְׁנַת הַלְּבָנָה כִּשְׁלֹשִׁים יוֹם[186].

[טו] וְהָיוּ לִמְאוֹרֹת בִּרְקִיעַ הַשָּׁמַיִם לְהָאִיר עַל הָאָרֶץ. הוֹסִיף שֶׁיִּהְיֶה אוֹרָם מַגִּיעַ לָאָרֶץ,

RAMBAN ELUCIDATED

is **like the word** אותות in the verse, ***do not be concerned over the signs*** (אותות) ***of the heavens*** (*Jeremiah* 10:2).[183]

□ **וּלְמוֹעֲדִים** – *AND FOR SEASONS.*

"זֶרַע וְקָצִיר וְקֹר וָחֹם וְקַיִץ וָחֹרֶף" – This refers to ***seedtime and harvest, cold and heat, summer and winter*** (below, 8:22).[184]

□ **וּלְיָמִים** – *AND FOR DAYS.*

מִדַּת יוֹם וּמִדַּת לַיְלָה – This refers to **the duration of the day and the duration of the night.**[185]

□ **וְשָׁנִים** – *AND YEARS.*

[Ramban explains what *years* means here:]

שֶׁיַּשְׁלִימוּ מַהֲלָכָם – This means **that they would complete** a full cycle of **their course** **וְיוֹסִיפוּ שֵׁנִית לָשׁוּב בַּדֶּרֶךְ אֲשֶׁר הָלְכוּ בָּהּ** – **and continue once again** (שֵׁנִית) on the same **path that they had traveled** before, **וּשְׁנַת הַחַמָּה כְּשס״ה יוֹם, וּשְׁנַת הַלְּבָנָה כִּשְׁלֹשִׁים יוֹם** – **the repeated journey** (שָׁנָה) of the sun lasting **approximately three hundred sixty-five days, and the repeated journey of the moon approximately thirty days.**[186]

15. וְהָיוּ לִמְאוֹרֹת בִּרְקִיעַ הַשָּׁמַיִם לְהָאִיר עַל הָאָרֶץ – ***AND THEY SHALL SERVE AS LUMINARIES IN THE FIRMAMENT OF THE HEAVEN TO SHINE UPON THE EARTH.***

[Ramban explains what this verse adds to what was already said previously:]

הוֹסִיף שֶׁיִּהְיֶה אוֹרָם מַגִּיעַ לָאָרֶץ – **[This verse] adds** the command to the luminaries **that their light**

---

blood [red], before the coming of the great and awesome day of God. These unusual celestial phenomena, portents of coming events, are examples of the *signs* to which our verse refers.

[The term וּבָאָרֶץ, *and on earth,* is omitted in Rabbeinu Bachya's comment. Even Ramban, who does include this word, does so only because it is part of the quote in the verse from *Joel.* Ramban's point concerns the existence of "signs and portents" in the heavens, not those that occur on earth.]

183. Like Rashi, Ramban explains the *signs* of our verse to refer to unusual celestial phenomena, which serve as portents. This is in contradistinction to the opinion of Ibn Ezra (followed by Radak), who explains the "signs" as markers for calculating the time of day or night.

184. This is in contradistinction to the opinion of Rashi, who writes that *seasons* refers to the calculation of the times for the Torah's holidays, which are determined by the cycles of the moon.

185. People will be able to measure the duration of events, saying that "this took an entire day" or "it lasted an entire night," by referring to the sun's presence or absence. This is in contradistinction to the opinion of Radak, that *days* here refers to the calculation of the days of the month.

186. Ramban explains that the word שָׁנָה, *year*, is derived from the root שנה, meaning *to repeat* (related to שֵׁנִי, *second*), and actually means *cycle*. In the case of the sun, its cycle is an actual year, and in the case of the moon, the cycle is a month. The plural שָׁנִים thus refers to two kinds of cycle – the solar and the lunar.

[Ramban's comment appears to be a direct repudiation of Radak's interpretation, which also sees שָׁנִים as a reference to the cycles of both the sun and the moon, but explains the lunar cycle as having a duration of 354 days, the number of days in twelve consecutive lunar months. Ramban apparently rejects this, because this 354-day-period does not represent a single full cycle of any celestial body.]

טז וַיְהִי־כֵן: וַיַּעַשׂ אֱלֹהִים אֶת־שְׁנֵי הַמְּאֹרֹת
הַגְּדֹלִים אֶת־הַמָּאוֹר הַגָּדֹל לְמֶמְשֶׁלֶת הַיּוֹם
וְאֶת־הַמָּאוֹר הַקָּטֹן לְמֶמְשֶׁלֶת הַלַּיְלָה וְאֵת
יז הַכּוֹכָבִים: וַיִּתֵּן אֹתָם אֱלֹהִים בִּרְקִיעַ הַשָּׁמָיִם
יח לְהָאִיר עַל־הָאָרֶץ: וְלִמְשֹׁל בַּיּוֹם וּבַלַּיְלָה

וַהֲוָה כֵן: טז וַעֲבַד יְיָ יָת תְּרֵין
נְהוֹרַיָּא רַבְרְבַיָּא יָת נְהוֹרָא
רַבָּא לְמִשְׁלַט בִּימָמָא וְיָת
נְהוֹרָא זְעֵרָא לְמִשְׁלַט
בְּלֵילְיָא וְיָת כּוֹכְבַיָּא: יז וִיהַב
יָתְהוֹן יְיָ בִּרְקִיעָא דִשְׁמַיָּא
לְאַנְהָרָא עַל אַרְעָא:
יח וּלְמִשְׁלַט בִּימָמָא וּבְלֵילְיָא

רש"י

(טז) **המארת הגדלים.** שוים נבראו ונתמעטה הלבנה על שקטרגה ואמרה אי אפשר לשני מלכים שישתמשו בכתר אחד (חולין ס:): **ואת הכוכבים.** ע"י שמיעט את הלבנה הרבה צבאיה להפיס דעתה (ב"ר ו:ד):

רמב"ן

כִּי אֶפְשָׁר שֶׁיֵּרָאֶה לָהֶם אוֹר בַּשָּׁמַיִם וְיַעֲשׂוּ כָּל הַמַּעֲשִׂים הַנִּזְכָּרִים מִבְּלִי שֶׁיָּאִירוּ בָּאָרֶץ[187]. לְכָךְ אָמַר שֶׁיִּהְיוּ "לִמְאוֹרֹת בִּרְקִיעַ הַשָּׁמַיִם", וּמַבִּיט בָּאָרֶץ וְיָאִירוּ עָלֶיהָ.

[טז-יז] וַיַּעַשׂ אֱלֹהִים ... וַיִּתֵּן אוֹתָם אֱלֹהִים. מְלַמֵּד שֶׁלֹּא נִהְיוּ אֵלּוּ הַמְּאוֹרוֹת מִגּוּף הָרָקִיעַ, אֲבָל גּוּפִים נִקְבָּעִים בּוֹ.

[יח] וְלִמְשֹׁל בַּיּוֹם וּבַלַּיְלָה. עִנְיַן הַמֶּמְשָׁלָה[188] דָּבָר אַחֵר, מִבְּלִי הָאוֹרָה שֶׁהִזְכִּיר, כִּי יִכְלֹל מַה שֶּׁאָמַר תְּחִלָּה "וְהָיוּ לְאֹתֹת וּלְמוֹעֲדִים"[188a], כִּי יֵשׁ לָהֶם מֶמְשָׁלָה בָּאָרֶץ בַּשִּׁנּוּיִים אֲשֶׁר יוֹלִידוּ בָּהּ[188b],

RAMBAN ELUCIDATED

should reach the earth, כִּי אֶפְשָׁר שֶׁיֵּרָאֶה לָהֶם אוֹר בַּשָּׁמַיִם וְיַעֲשׂוּ כָּל הַמַּעֲשִׂים הַנִּזְכָּרִים מִבְּלִי שֶׁיָּאִירוּ בָּאָרֶץ **– for it is possible for them to be seen as a light in the heavens and for them to accomplish all the matters mentioned** in the previous verse **without** their light **shining upon the earth.**[187] לְכָךְ אָמַר שֶׁיִּהְיוּ "לִמְאוֹרֹת בִּרְקִיעַ הַשָּׁמַיִם" הַמַּבִּיט בָּאָרֶץ **– Therefore it says that they should serve *as luminaries in the firmament of the heaven,* which overlooks the earth,** וְיָאִירוּ עָלֶיהָ **– and they should shine upon [the earth].**

16-17. וַיַּעַשׂ אֱלֹהִים ... וַיִּתֵּן אוֹתָם אֱלֹהִים – *AND GOD MADE ... AND GOD SET THEM.*

[Ramban draws a conclusion based on the wording of the verse.]

מְלַמֵּד שֶׁלֹּא נִהְיוּ אֵלּוּ הַמְּאוֹרוֹת מִגּוּף הָרָקִיעַ **– This** (*and God set them*) **teaches that these luminaries did not come into being from the firmament itself,** אֲבָל גּוּפִים נִקְבָּעִים בּוֹ **– rather** they are extrinsic **physical bodies attached to it.**

18. וְלִמְשֹׁל בַּיּוֹם וּבַלַּיְלָה – *TO DOMINATE BY DAY AND BY NIGHT.*

[The previous verse already stated that the luminaries were *to give light upon the earth*. What, then, does this verse mean by the "dominion" of the luminaries?[188] Ramban explains:]

עִנְיַן הַמֶּמְשָׁלָה דָּבָר אַחֵר מִבְּלִי הָאוֹרָה שֶׁהִזְכִּיר **– This concept of the dominion** of the luminaries **includes something else, not just the** luminaries' function as givers of **light that [the previous verse] mentioned,** כִּי יִכְלֹל מַה שֶּׁאָמַר תְּחִלָּה "וְהָיוּ לְאֹתֹת וּלְמוֹעֲדִים" **– for it includes what [Scripture] said earlier, *And they shall serve as signs and for seasons*,**[188a] כִּי יֵשׁ לָהֶם מֶמְשָׁלָה בָּאָרֶץ בַּשִּׁנּוּיִים אֲשֶׁר יוֹלִידוּ בָּהּ **– for they have dominion in the earth through the changes that they**

187. People on earth would be able to look at the celestial bodies and ascertain all the information provided by these bodies (as they in fact do at night), even if their light would not illuminate the earth.

188. The dominion of the luminaries was already mentioned above, in verse 16, but there "dominion" can be understood as referring to their ability to shine light upon the earth. This cannot be its meaning here, however, for that function of the luminaries has already been mentioned in verse 17, which grammatically forms one sentence with our verse.

188a. Ramban explained these terms above (v. 14) as follows: The term *signs* refers to unusual astrological phenomena, which act as portents for momentous events on earth; while the term *seasons* refers to the agricultural cycle of the year, dependent upon the climatic changes of the seasons. Ramban now states that it is these two functions of the luminaries that Scripture refers to as their "dominion."

And it was so. 16 *And God made the two great luminaries, the greater luminary to dominate the day and the lesser luminary to dominate the night; and the stars.* 17 *And God set them in the firmament of the heavens to give light upon the earth,* 18 *to dominate by day and by night,*

רמב״ן

וּמֶמְשָׁלָה בַּהֲוָיָה וּבְהֶפְסֵד בְּכָל הַשְּׁפָלִים[188c]. כִּי הַשֶּׁמֶשׁ בְּמֶמְשַׁלְתּוֹ בַּיּוֹם יַצְמִיחַ וְיוֹלִיד וִיגַדֵּל בְּכָל הַחַמִּים וְהַיְבֵשִׁים, וְהַיָּרֵחַ בְּמֶמְשַׁלְתּוֹ יַפְרֶה בַּמַּעְיָנוֹת וּבַיַּמִּים וּבְכָל הַלַּחִים וְהַקָּרִים. וְעַל כֵּן אָמַר סְתָם ״וְלִמְשֹׁל בַּיּוֹם וּבַלַּיְלָה״, כִּי מֶמְשֶׁלֶת הַשְּׁפָלִים לָהֶם[189].

וְיִתָּכֵן שֶׁהַמֶּמְשָׁלָה עוֹד כֹּחַ אֲצִילוּתָם, שֶׁהֵם מַנְהִיגֵי הַתַּחְתּוֹנִים וּבְכֹחָם יִמְשֹׁל כָּל מוֹשֵׁל[190], וְהַמַּזָּל הַצּוֹמֵחַ בַּיּוֹם יִמְשֹׁל בּוֹ, וְהַמַּזָּל הַצּוֹמֵחַ בַּלַּיְלָה יִמְשֹׁל בָּהּ, כְּעִנְיָן שֶׁכָּתוּב [דברים ד, יט]: ״אֲשֶׁר חָלַק ה׳ אֱלֹהֶיךָ אוֹתָם לְכֹל הָעַמִּים״[191]. וְהוּא מַה שֶּׁאָמַר הַכָּתוּב [תהלים קמז, ד]: ״מוֹנֶה מִסְפָּר לַכּוֹכָבִים, לְכֻלָּם שֵׁמוֹת יִקְרָא״, וְכֵן ״לְכֻלָּם בְּשֵׁם יִקְרָא״ [ישעיה מ, כו], כִּי קְרִיאַת הַשֵּׁמוֹת הִיא הַהַבְדָּלָה בְּכֹחוֹתָם - לָזֶה כֹּחַ הַצֶּדֶק וְהַיֹּשֶׁר,

RAMBAN ELUCIDATED

bring about in it,[188b] **וּמֶמְשָׁלָה בַּהֲוָיָה וּבְהֶפְסֵד בְּכָל הַשְּׁפָלִים** – **and dominion through the coming into being and demise of all the lowly** beings on earth.[188c] **כִּי הַשֶּׁמֶשׁ בְּמֶמְשַׁלְתּוֹ בַּיּוֹם יַצְמִיחַ וְיוֹלִיד וִיגַדֵּל בְּכָל הַחַמִּים וְהַיְבֵשִׁים** – **For the sun, in its dominion during the day, causes sprouting and birth and growth in all the warm and dry entities,** **וְהַיָּרֵחַ בְּמֶמְשַׁלְתּוֹ יַפְרֶה בַּמַּעְיָנוֹת וּבַיַּמִּים וּבְכָל הַלַּחִים וְהַקָּרִים** – **and the moon, in its dominion, causes abundance in springs and seas and in all** other **wet and cool entities.** **וְעַל כֵּן אָמַר סְתָם ״וְלִמְשֹׁל בַּיּוֹם וּבַלַּיְלָה״** – **And that is why it said with generality,** ***and to dominate by day and by night***, **כִּי מֶמְשֶׁלֶת הַשְּׁפָלִים לָהֶם** – **for they have the dominion over the lowly** beings on earth.[189]

[Ramban presents a second possible interpretation of this "dominion":]

וְיִתָּכֵן שֶׁהַמֶּמְשָׁלָה עוֹד כֹּחַ אֲצִילוּתָם שֶׁהֵם מַנְהִיגֵי הַתַּחְתּוֹנִים – **It is further possible that the dominion** of the heavenly bodies refers **to the power that is emanated to them** by the heavenly powers (angels), **which are the determiners of** the affairs of **the lower world,** **וּבְכֹחָם יִמְשֹׁל כָּל מוֹשֵׁל** – **and through their power "every ruler rules."**[190] **וְהַמַּזָּל הַצּוֹמֵחַ בַּיּוֹם יִמְשֹׁל בּוֹ, וְהַמַּזָּל הַצּוֹמֵחַ בַּלַּיְלָה יִמְשֹׁל בָּהּ** – **The constellation that ascends by day rules on that** day, **and the constellation that ascends at night rules on that** night, **כְּעִנְיָן שֶׁכָּתוּב: ״אֲשֶׁר חָלַק ה׳ אֱלֹהֶיךָ אוֹתָם לְכֹל הָעַמִּים״** – **as it says,** *the sun, the moon and the stars, the entire legion of heaven* ***that Hashem, your God, has apportioned to all the peoples*** (*Deuteronomy* 4:19).[191] **וְהוּא מַה שֶּׁאָמַר הַכָּתוּב ״מוֹנֶה מִסְפָּר לַכּוֹכָבִים לְכֻלָּם שֵׁמוֹת יִקְרָא״** – **This is what the verse** means when it **says, *He counts the number of the stars; to all of them He assigns names*** (*Psalms* 147:4), **וְכֵן ״לְכֻלָּם בְּשֵׁם יִקְרָא״** – **and the same** is true **for** the verse, ***to each of them He assigns a name*** (*Isaiah* 40:26). **כִּי קְרִיאַת הַשֵּׁמוֹת הִיא הַהַבְדָּלָה בְּכֹחוֹתָם** – **For the "calling of names"** of the stars **refers to distinguishing between their** individual **powers,** **לָזֶה כֹּחַ הַצֶּדֶק וְהַיֹּשֶׁר** – assigning **to this one the power of righteousness and**

188b. The uncommon celestial phenomena (*signs*) bring about parallel momentous changes in world events. In this sense the celestial bodies *dominate* matters on earth.

188c. The celestial bodies also regulate the ordinary physiological processes that occur on earth (such as *seasons* and the "coming into being" and the "demise" of physical matter), as Ramban proceeds to explain.

189. The general expression *to dominate by day and by night* embodies many different aspects of domination, as Ramban has explained. That is why this particular expression was used.

190. Stylistic paraphrase of *Ezekiel* 16:44. As Ramban writes in *Deuteronomy* 18:9, each heavenly body that plays a role in determining events on earth is controlled by a מַלְאָךְ, *angel*, or שַׂר, *master*. It is this astrological control of man's fate – which ultimately emanates from the angels that rule over the heavenly bodies – to which our verse refers.

191. Ramban explains this verse (in his commentary to *Leviticus* 19:25) to mean that the fortunes of all the nations (other than Israel) are for the most part governed by astrological influences, each nation having a star or constellation associated with it.

וְלְהַבְדִּיל בֵּין הָאוֹר וּבֵין הַחֹשֶׁךְ וַיַּרְא אֱלֹהִים
יט כִּי־טוֹב: וַיְהִי־עֶרֶב וַיְהִי־בֹקֶר יוֹם רְבִיעִי: פ
כ וַיֹּאמֶר אֱלֹהִים יִשְׁרְצוּ הַמַּיִם שֶׁרֶץ נֶפֶשׁ חַיָּה

וּלְאַפְרָשָׁא בֵּין נְהוֹרָא וּבֵין חֲשׁוֹכָא
וַחֲזָא יְיָ אֲרֵי טָב: יט וַהֲוָה רְמַשׁ
וַהֲוָה צְפַר יוֹם רְבִיעָאי: כ וַאֲמַר יְיָ
יִרְחֲשׁוּן מַיָּא רְחֵשׁ נַפְשָׁא חַיְתָא

רש"י

(כ) **נפש חיה.** שיהא בה חיות: **שרץ.** כל דבר חי שאינו גבוה מן הארץ קרוי שרץ. בעוף כגון זבובים (תרגום יונתן ויקרא יא:כ). בשקצים כגון נמלים (מכות טז:) וחיפושים ותולעים (ת"כ שמיני פרק יב). ובבריות כגון חולד ועכבר

רמב"ן

וְלָזֶה כֹּחַ הַדָּם וְהַחֶרֶב[192], וְכֵן בְּכָל הַכֹּחוֹת, כַּיָּדוּעַ בָּאִצְטַגְנִינוּת. וְהַכֹּל בְּכֹחַ עֶלְיוֹן וְלִרְצוֹנוֹ, וּלְכָךְ אָמַר "גָּדוֹל אֲדוֹנֵנוּ וְרַב כֹּחַ" [תהלים שם, ה], כִּי הוּא גָּדוֹל עַל כֻּלָּם וְרַב כֹּחַ עֲלֵיהֶם. וְכֵן אָמַר: "מֵרֹב אוֹנִים וְאַמִּיץ כֹּחַ" [ישעיה שם]. וְעַל דֶּרֶךְ הַסּוֹד שֶׁרָמַזְתִּי לְךָ[193] תִּהְיֶה מֶמְשָׁלָה גְמוּרָה בֶּאֱמֶת.

☐ **וּלְהַבְדִּיל בֵּין הָאוֹר וּבֵין הַחֹשֶׁךְ.** אָמַר רַבִּי אַבְרָהָם, כִּי בְּצֵאת הַשֶּׁמֶשׁ בַּיּוֹם וְאוֹר הַלְּבָנָה בַּלַּיְלָה יַבְדִּילוּ בֵּין הָאוֹר וּבֵין הַחֹשֶׁךְ.

וּלְפִי דַעְתִּי כִּי הָ"אוֹר" הַנִּזְכָּר בְּכָאן הוּא הַיּוֹם וְהַ"חֹשֶׁךְ" הוּא הַלַּיְלָה, כִּי כֵן שְׁמָם, כְּמוֹ שֶׁאָמַר [לעיל פסוק ה]: "וַיִּקְרָא אֱלֹהִים לָאוֹר יוֹם וְלַחֹשֶׁךְ קָרָא לָיְלָה"[194].

וְהִנֵּה בְּכָל מַעֲשֵׂה בְרֵאשִׁית יַזְכִּיר הַכָּתוּב הַצַּוָּאָה וִיסַפֵּר הַמַּעֲשֶׂה, וּבְכָאן צִוָּה "וְהָיוּ לִמְאֹרֹת" [לעיל

RAMBAN ELUCIDATED

uprightness, **וְלָזֶה כֹּחַ הַדָּם וְהַחֶרֶב – and to this one the power of blood and war,**[192] **וְכֵן בְּכָל הַכֹּחוֹת – and so on for all the** various **powers,** **כַּיָּדוּעַ בָּאִצְטַגְנִינוּת – as is known in astrology.** **וְהַכֹּל בְּכֹחַ עֶלְיוֹן וְלִרְצוֹנוֹ – But all** those assigned powers remain **under the power of the Supreme One and** subject **to His will.** **וּלְכָךְ אָמַר "גָּדוֹל אֲדוֹנֵנוּ וְרַב כֹּחַ" – This is why [the next verse in *Psalms*] says, *Great is our Lord and abundant in power*** (*Psalms* 147:5), **כִּי הוּא גָּדוֹל עַל כֻּלָּם וְרַב כֹּחַ עֲלֵיהֶם – for He is greater than all of [the powers]** endowed in the stars **and is abundant in power over them.** **וְכֵן אָמַר "מֵרֹב אוֹנִים וְאַמִּיץ כֹּחַ" – Similarly, it says, *By His abundant might and powerful strength*** (*Isaiah* 40:26). **וְעַל דֶּרֶךְ הַסּוֹד שֶׁרָמַזְתִּי לְךָ תִּהְיֶה מֶמְשָׁלָה גְמוּרָה בֶּאֱמֶת – And according to the mystical approach, which I** have just **alluded to you,**[193] **[the "dominion"] is** to be understood as **a complete, actual dominion.**

☐ **וּלְהַבְדִּיל בֵּין הָאוֹר וּבֵין הַחֹשֶׁךְ** – ***AND TO MAKE A DISTINCTION BETWEEN THE LIGHT AND THE DARKNESS.***

[In what sense do the heavenly bodies *separate between the light and the darkness*? Ramban explains, beginning with a citation from Ibn Ezra:]

אָמַר רַבִּי אַבְרָהָם – Rabbi Avraham Ibn Ezra **says** **כִּי בְּצֵאת הַשֶּׁמֶשׁ בַּיּוֹם וְאוֹר הַלְּבָנָה בַּלַּיְלָה יַבְדִּילוּ בֵּין הָאוֹר וּבֵין הַחֹשֶׁךְ – that by the emergence of the sun during the day and of the light of the moon** that shines **at night, they *separate between the light and the darkness.***

[Ramban presents his own interpretation:]

וּלְפִי דַעְתִּי כִּי הָ"אוֹר" הַנִּזְכָּר בְּכָאן הוּא הַיּוֹם – In my opinion the *"light"* mentioned here refers to the day, **וְהַ"חֹשֶׁךְ" הוּא הַלַּיְלָה – and the *"darkness"* refers to the night,** **כִּי כֵן שְׁמָם – for these,** after all, **are their names,** **כְּמוֹ שֶׁאָמַר: "וַיִּקְרָא אֱלֹהִים לָאוֹר יוֹם וְלַחֹשֶׁךְ קָרָא לָיְלָה" – as it says, *And God called the light "day" and the darkness He called "night"*** (above, v. 5).[194]

[To elaborate on his previous explanation, Ramban compares God's commands for the heavenly bodies (vv. 14-15) with the description of the fulfillment of those commands (vv. 16-18):]

וְהִנֵּה בְּכָל מַעֲשֵׂה בְרֵאשִׁית יַזְכִּיר הַכָּתוּב הַצַּוָּאָה וִיסַפֵּר הַמַּעֲשֶׂה – Now, throughout the account of Creation, Scripture mentions [God's] command and then **relates the action** that was the

192. [Lit., *the sword.*] See *Shabbos* 156a.

193. See footnote 190; Ramban on *Deuteronomy* 18:9.

194. The "separation" of our verse thus describes a separation between day and night (not light and darkness), as Ramban proceeds to explain.

and to make a distinction between the light and the darkness. And God saw that it was good. 19 *And there was evening and there was morning, a fourth day.*

20 *God said, "Let the waters bring forth swarming creatures with live*

רמב״ן

פסוק טו], וְסִפֵּר ״וַיִּתֵּן אֹתָם אֱלֹהִים״ [לעיל פסוק יז]. וְאָמַר ״וְלִמְשֹׁל בַּיּוֹם וּבַלַּיְלָה״ [פסוק יח] שֶׁיִּהְיֶה זֶה מוֹשֵׁל בַּיּוֹם וְזֶה מוֹשֵׁל בַּלַּיְלָה; וְהַמֶּמְשָׁלָה הִיא מַה שֶּׁצִּוָּה ״וְהָיוּ לְאֹתֹת וּלְמוֹעֲדִים״ [פסוק יד]. וְסִפֵּר שֶׁאֵין מֶמְשֶׁלֶת שְׁנֵיהֶם שָׁוָה, אֲבָל ״לְהַבְדִּיל בֵּין הָאוֹר וּבֵין הַחֹשֶׁךְ״, כִּי הַגָּדוֹל יִמְשֹׁל בַּיּוֹם, וְיִהְיֶה כֻּלּוֹ אוֹר - גַּם בְּמָקוֹם שֶׁאֵין הַשֶּׁמֶשׁ מַגִּיעַ; וְהַקָּטָן יִמְשֹׁל בַּלַּיְלָה, וְיִהְיֶה חֹשֶׁךְ - זוּלָתִי הַיָּרֵחַ שֶׁיַּגִּיהַּ חָשְׁכּוֹ. וְהִיא הַצַּוָּאָה שֶׁאָמַר ״לְהַבְדִּיל בֵּין הַיּוֹם וּבֵין הַלַּיְלָה״ [פסוק יד], כְּמוֹ ״וַיַּבְדֵּל אֱלֹהִים בֵּין הָאוֹר וּבֵין הַחֹשֶׁךְ״ [לעיל פסוק ד][195].

[כ] יִשְׁרְצוּ הַמַּיִם שֶׁרֶץ. כָּתַב רַשִׁ״י[196]: כָּל דָּבָר חַי שֶׁאֵינוֹ גָּבוֹהַּ מִן הָאָרֶץ קָרוּי שֶׁרֶץ[196a]: בְּעוֹף[197] - כְּגוֹן

RAMBAN ELUCIDATED

fulfillment of that command. **וּבְכָאן צִוָּה ״וְהָיוּ לִמְאֹרֹת״, וְסִפֵּר ״וַיִּתֵּן אֹתָם אֱלֹהִים״** – **Here** as well, **He commanded,** ***they shall serve as luminaries*** (above, v. 15), **and [Scripture] relates,** ***and God set them*** *in the firmament to give light* (above, v. 17). **וְאָמַר ״וְלִמְשֹׁל בַּיּוֹם וּבַלַּיְלָה״** – **It** also **says** in the description of the fulfillments of the commands, ***and to dominate by day and by night*** (v. 18), **שֶׁיִּהְיֶה זֶה מוֹשֵׁל בַּיּוֹם וְזֶה מוֹשֵׁל בַּלַּיְלָה** – meaning **that the one** body **should dominate during the day and the other one should dominate during the night; וְהַמֶּמְשָׁלָה הִיא מַה שֶּׁצִּוָּה ״וְהָיוּ לְאֹתֹת וּלְמוֹעֲדִים״** – **and that dominion corresponds to what He commanded,** ***And they shall serve as signs and for seasons*** (v. 14), as I have explained above (on v. 18). **וְסִפֵּר שֶׁאֵין מֶמְשֶׁלֶת שְׁנֵיהֶם שָׁוָה** – **And** now **[Scripture] relates that the dominion of those two** luminaries **is not equal, אֲבָל ״לְהַבְדִּיל בֵּין הָאוֹר וּבֵין הַחֹשֶׁךְ״** – **but** it is necessary ***to make a distinction between the light and the darkness,*** i.e., between the day and the night. **כִּי הַגָּדוֹל יִמְשֹׁל בַּיּוֹם וְיִהְיֶה כֻּלּוֹ אוֹר** – **For the large** body **would dominate during the day, and it will all be light, גַּם בְּמָקוֹם שֶׁאֵין הַשֶּׁמֶשׁ מַגִּיעַ** – **even in those places where the sunlight does not reach** directly; **וְהַקָּטָן יִמְשֹׁל בַּלַּיְלָה וְיִהְיֶה חֹשֶׁךְ** – **but the smaller** body **would dominate by night, when it will be dark, זוּלָתִי הַיָּרֵחַ שֶׁיַּגִּיהַּ חָשְׁכּוֹ** – **except for the moon, which would light up [night's] darkness** where it shines directly. **וְהִיא הַצַּוָּאָה שֶׁאָמַר ״לְהַבְדִּיל בֵּין הַיּוֹם וּבֵין הַלַּיְלָה״** – **And this** corresponds to **the command** in which **[God] said,** ***to make a distinction between the day and the night*** (v. 14). **כְּמוֹ ״וַיַּבְדֵּל אֱלֹהִים בֵּין הָאוֹר וּבֵין הַחֹשֶׁךְ״** – It is **similar to,** ***God separated between the light and the darkness*** (above, v. 4), which means "He made a distinction between them."[195]

20. יִשְׁרְצוּ הַמַּיִם שֶׁרֶץ – ***LET THE WATERS BRING FORTH SWARMING CREATURES.***

[The verb יִשְׁרְצוּ and the noun שֶׁרֶץ represent two forms of the root שרץ. Ramban seeks to establish an exact definition of that root. He begins by citing Rashi's understanding of the word:]

כָּתַב רַשִׁ״י: – **Rashi writes:**[196]

כָּל דָּבָר חַי שֶׁאֵינוֹ גָּבוֹהַּ מִן הָאָרֶץ קָרוּי שֶׁרֶץ – **Any living thing that does not** walk **high off the ground is called a** ***sheretz***[196a] (creeping creature): **בְּעוֹף כְּגוֹן זְבוּבִים** – **Among flying creatures,**[197] **for**

---

195. To summarize, Ramban writes that the three command statements [(i) *they shall serve as luminaries*, (ii) *they shall serve as signs and for seasons*, and (iii) *making a distinction between the day and the night*] correspond respectively to the three statements of the fulfillment [(i) *God set them in the firmament to give light*, (ii) *to dominate by day and by night*, and (iii) *making a distinction between the light and the darkness*]. Each of the three latter statements is actually an elaboration of the statement that precedes it: Although the sun dominated by day and the moon by night, there was a vast distinction between them, for in daytime there is light even where the sun does not shine, while at night there is light only where the moon shines directly.

196. According to Rashi the term שרץ refers to creeping, and that is how the elucidation will translate nouns of that root in Ramban's discussion of Rashi's comment; verbs, however, will be transliterated as *sharotz*.

196a. Plural, *sheratzim*.

197. The "flying *sheretz*" is mentioned in *Leviticus* 11:20 ff.

רמב"ן

זְבוּבִים; בִּשְׁקָצִים[198] - כְּגוֹן[198a] נְמָלִים וְתוֹלָעִים; בִּבְרִיּוֹת[199] - כְּגוֹן חֹלֶד וְעַכְבָּר[199a] וְכַיּוֹצֵא בָּהֶם, וְכָל הַדָּגִים[200].
וּמָה יֹּאמַר הָרַב בַּפָּסוּק "וְאַתֶּם פְּרוּ וּרְבוּ שִׁרְצוּ[201] בָאָרֶץ וּרְבוּ בָהּ" [להלן ט,ז], שֶׁנֶּאֱמַר בְּנֹחַ וּבָנָיו[202]. וְכֵן "אֲשֶׁר שָׁרְצוּ הַמַּיִם" [לקמן פסוק כא], רָאוּי לְפִי הַדַּעַת הַזּוֹ שֶׁיֹּאמַר "אֲשֶׁר שָׁרְצוּ בַמַּיִם"[203]. וְעוֹפוֹת רַבִּים שֶׁאֵינָם גְּבוֹהִים מִן הָאָרֶץ כְּגֹבַהּ הַחֹלֶד וְהָעַכְבָּר, וְהָעֲטַלֵּף[203a] קְטַן הָרַגְלַיִם מְאֹד, וְלָמָּה לֹא יִקָּרֵא "שֶׁרֶץ הָעוֹף"[204]?
וְדַעַת אֻנְקְלוּס שֶׁעִנְיַן שְׁרִיצָה כְּטַעַם תְּנוּעָה. אָמַר בְּשֶׁרֶץ וּבְרֶמֶשׂ "רִחֲשָׁא דְּרָחֵישׁ"[205]. וְיָפֶה פֵּרֵשׁ.

RAMBAN ELUCIDATED

example, flies; בִּשְׁקָצִים כְּגוֹן נְמָלִים וְתוֹלָעִים – **among** ***shekatzim*** (crawling or slithering creatures),[198] **for example,**[198a] **ants and worms;** בִּבְרִיּוֹת כְּגוֹן חֹלֶד וְעַכְבָּר וְכַיּוֹצֵא בָּהֶם – **among** other **creatures,**[199] **for example,** the **weasel,** the **mouse,**[199a] **and the like.** וְכָל הַדָּגִים – **And** likewise **all fish**[200] are referred to as *sheratzim.*

[Ramban poses three questions on Rashi's definition. The first:]

וּמָה יֹּאמַר הָרַב בַּפָּסוּק "וְאַתֶּם פְּרוּ וּרְבוּ שִׁרְצוּ בָאָרֶץ וּרְבוּ בָהּ" – **Now, what would the Rav** (Rashi) **say about the verse,** ***And you, be fruitful and multiply; sharotz***[201] ***on the earth and multiply on it*** (below, 9:7), שֶׁנֶּאֱמַר בְּנֹחַ וּבָנָיו – **which is stated concerning Noah and his children?**[202]

[Ramban's second question:]

וְכֵן "אֲשֶׁר שָׁרְצוּ הַמַּיִם" – **Similarly,** in the phrase, *every living thing that creeps,* ***which the waters sharotz-ed*** (below, v. 21), רָאוּי לְפִי הַדַּעַת הַזּוֹ שֶׁיֹּאמַר "אֲשֶׁר שָׁרְצוּ בַמַּיִם" – **according to this opinion,** it **would have been more appropriate to say, "which sharotz-ed *in* the water."**[203]

[Ramban's third question:]

וְעוֹפוֹת רַבִּים שֶׁאֵינָם גְּבוֹהִים מִן הָאָרֶץ כְּגֹבַהּ הַחֹלֶד וְהָעַכְבָּר – Furthermore, **there are many flying creatures that are not any higher off the ground than the height of the weasel and the mouse,** וְהָעֲטַלֵּף קְטַן הָרַגְלַיִם מְאֹד – for example, **the bat,**[203a] **which has very short legs** and stands lower than a weasel; וְלָמָּה לֹא יִקָּרֵא "שֶׁרֶץ הָעוֹף" – **why, then is it not called "a flying creeping creature"?**[204]

[Ramban now presents Onkelos' interpretation, with which he agrees:]

וְדַעַת אֻנְקְלוּס שֶׁעִנְיַן שְׁרִיצָה כְּטַעַם תְּנוּעָה – **The opinion of Onkelos is that words of the root** שרץ **refer to movement.** אָמַר בְּשֶׁרֶץ וּבְרֶמֶשׂ – For **he states** as the Aramaic translation **for both** שֶׁרֶץ **and** רֶמֶשׂ, רִחֲשָׁא דְּרָחֵישׁ – ***moving things that move.***[205] וְיָפֶה פֵּרֵשׁ – **He interpreted** this word **well.**

198. See ibid. 11:41 ff.

198a. Extant editions of Rashi include וְחִפּוּשִׁים, *and beetles.*

199. See ibid. 11:29 ff.

199a. Extant editions of Rashi include וְחֹמֶט, *and the snail.*

200. See ibid. 11:10.

201. See Rashi on *Exodus* 1:7.

During Ramban's analysis of the verb שרץ, the word will be left untranslated; instead, it will be transliterated as *sharotz.*

202. If, as Rashi maintains, the noun שֶׁרֶץ means *creeping creature,* it follows that the verb form should have a related meaning (*to creep*). Yet in the adduced verse it is used to describe human beings.

[Mizrachi, indeed, explains that according to Rashi the verb שרץ does not correspond with the noun שֶׁרֶץ, but refers to reproducing in great numbers; thus, שרץ, *to teem.*]

203. If the verb שרץ means *to creep* according to Rashi (see footnote 202), the subject of this verb should not be "the water" where the *sheratzim* teem, but the *sheratzim* themselves. It makes no sense to speak of water creeping.

203a. [We have translated עֲטַלֵּף as *bat* in accordance with the commonly accepted usage of the word, and as stated by Rashi in his Talmud commentary (see *Beitzah* 7a, *Sanhedrin* 98b, *Bechoros* 7b). Cf., however, Rashi on *Leviticus* 11:18.]

204. In *Leviticus* Chap. 11, the Torah lists a number of birds by name (vv. 13-19), and afterwards (vv. 20-23) begins to discuss "flying *sheratzim.*" The הָעֲטַלֵּף, *the bat,* is included in the first category (v. 19), not the second, as we would expect according to Rashi's definition of the term *sheretz.*

205. This is Onkelos' rendering of the two phrases רֶמֶשׂ הָרוֹמֵשׂ (v. 26, etc.) and שֶׁרֶץ הַשּׁוֹרֵץ (below, 7:21, etc.). Thus, according to Onkelos, both the noun and verb forms of the root שרץ connote "movement."

רמב״ן

וְיִקָּרְאוּ הַשְּׁרָצִים כֵּן בַּעֲבוּר שֶׁתְּנוּעָתָם תְּמִידִית. וְיִתָּכֵן שֶׁהוּא לָשׁוֹן מֻרְכָּב, יִקָּרֵא שֶׁרֶץ ״שֶׁהוּא רָץ״, וְ״רֶמֶשׂ״ שֶׁהוּא רוֹמֵשׂ[206] הָאָרֶץ, לֹא יִשְׁקֹט וְלֹא יָנוּחַ.

וְדַע כִּי כָּל הָעוֹף אֲשֶׁר לוֹ אַרְבַּע רַגְלַיִם יִקָּרֵא ״שֶׁרֶץ הָעוֹף״ [ויקרא יא, כ-כג], מִפְּנֵי שֶׁבְּרַגְלָיו יִסְמֹךְ וְיָנוּעַ כַּשְּׁרָצִים, וַאֲשֶׁר אֵינֶנּוּ כֵּן יִקָּרֵא ״עוֹף כָּנָף״ [להלן א, כא], שֶׁעִקַּר תְּנוּעָתוֹ לְעוֹפֵף[207].

וְיִהְיֶה טַעַם ״וְשָׁרְצוּ[207a] בָאָרֶץ וּפָרוּ וְרָבוּ עַל הָאָרֶץ״ [להלן ח, יז], שֶׁיִּהְיוּ מִתְהַלְּכִים בְּכֻלָּהּ וְיִפְרוּ וְיִרְבּוּ עָלֶיהָ. ״שִׁרְצוּ בָאָרֶץ וּרְבוּ בָהּ״ [להלן ט, ז] - הִתְנוֹעֲעוּ בְּכֻלָּהּ וְתִרְבּוּ בָהּ וְהוּא טַעַם הַכֵּפֶל ״וּרְבוּ״ שְׁנֵי פְּעָמִים בַּפָּסוּק [ט,ז][208]. וְאִם כֵּן, נְפָרֵשׁ ״אֲשֶׁר שָׁרְצוּ הַמַּיִם״ [פסוק כא] - אֲשֶׁר הֵנִיעוּ וְהוֹלִיכוּ הַמַּיִם[209], וְכֵן ״וְשָׁרַץ הַיְאֹר צְפַרְדְּעִים״

RAMBAN ELUCIDATED

[Ramban explains the connection between "movement" – which is the primary sense of the root שרץ – and low, creeping creatures, which are called *sheratzim*:]

וְיִקָּרְאוּ הַשְּׁרָצִים כֵּן בַּעֲבוּר שֶׁתְּנוּעָתָם תְּמִידִית – ***Sheratzim*** **are called by this** name **because of their** seemingly **constant motion.** **וְיִתָּכֵן שֶׁהוּא לָשׁוֹן מֻרְכָּב** – **It is** also **possible that it is a compound word:** **יִקָּרֵא שֶׁרֶץ ״שֶׁהוּא רָץ״** – **It is called** שֶׁרֶץ as a contraction of the words שֶׁהוּא רָץ, **that which runs.** **וְ״רֶמֶשׂ״ שֶׁהוּא רוֹמֵשׂ הָאָרֶץ, לֹא יִשְׁקֹט וְלֹא יָנוּחַ** – **And** it is called **רֶמֶשׂ because it treads**[206] **the ground** constantly; **it does not cease or rest.**

[Ramban now explains the criteria by which flying creatures are classified as "flying *sheratzim*" (see his third question on Rashi, above):]

וְדַע כִּי כָּל הָעוֹף אֲשֶׁר לוֹ אַרְבַּע רַגְלַיִם יִקָּרֵא ״שֶׁרֶץ הָעוֹף״ – **You should know that any flying creature that has four** or more **legs is called "a flying *sheretz*"** (*Leviticus* 11:20-23), **מִפְּנֵי שֶׁבְּרַגְלָיו יִסְמֹךְ וְיָנוּעַ כַּשְּׁרָצִים** – **because it supports itself with its legs and moves around** on them **in the manner of** *sheratzim,* **וַאֲשֶׁר אֵינֶנּוּ כֵּן יִקָּרֵא ״עוֹף כָּנָף״** – **but** a flying creature **that is not like that is called "a winged bird"** (below, 1:21), **שֶׁעִקַּר תְּנוּעָתוֹ לְעוֹפֵף** – **because its primary** means of **movement is by flying.**[207]

[After analyzing and explaining the noun שֶׁרֶץ, Ramban turns to the meaning of the verb שרץ, *sharotz*:]

וְיִהְיֶה טַעַם ״וְשָׁרְצוּ בָאָרֶץ וּפָרוּ וְרָבוּ עַל הָאָרֶץ״ – If so, **the meaning of** the verse, ***let them***[207a] ***sharotz on the earth and be fruitful and multiply on the earth*** (below, 8:17) **is** **שֶׁיִּהְיוּ מִתְהַלְּכִים בְּכֻלָּהּ וְיִפְרוּ וְיִרְבּוּ עָלֶיהָ** – **that they should travel throughout [the earth] and be fruitful and multiply on it.** **״שִׁרְצוּ בָאָרֶץ וּרְבוּ בָהּ״** – Similarly, when God told Noah, ***[You shall] sharotz on the earth and multiply in it"*** (below, 9:7), He meant, **הִתְנוֹעֲעוּ בְּכֻלָּהּ וְתִרְבּוּ בָהּ** – **"Move about throughout [the earth] and multiply in it."** **וְהוּא טַעַם הַכֵּפֶל ״וּרְבוּ״ שְׁנֵי פְּעָמִים בַּפָּסוּק** – **And that is the reason for the repetition of** the word וּרְבוּ, ***and multiply,*** which is written **twice in that verse** (9:7).[208]

[Ramban now turns to the verses (vv. 20-21), in which *water* is the subject of verbs with the root שרץ (see Ramban's second question on Rashi, above):]

וְאִם כֵּן נְפָרֵשׁ ״אֲשֶׁר שָׁרְצוּ הַמַּיִם״, אֲשֶׁר הֵנִיעוּ וְהוֹלִיכוּ הַמַּיִם – **If so, we must interpret *which the waters sharotz*** (v. 21) as **"which the waters caused to move back and forth,"**[209] **וְכֵן ״וְשָׁרַץ הַיְאֹר צְפַרְדְּעִים״** – **and similarly** the verse, ***the river shall sharotz*** *with* ***frogs*** (*Exodus* 7:28) means "And the river shall cause frogs to move about."

206. The root רמש, as Ramban explains later, is related to the root רמס, *to tread.*

207. This is why a bat is classified as a bird, and not a "flying *sheretz*" in *Leviticus* 11:19.

207a. The pronoun "them" refers to the animals leaving Noah's Ark.

208. The verse reads in full: *And you, be fruitful* **and multiply**; *move about on the earth* **and multiply** *in it.* Ramban explains that the first *and multiply* implies that the people should multiply as long as they remain where they were; the second *and multiply* implies that even after they would spread out over the earth, they should continue to multiply.

209. Until now Ramban has been interpreting שרץ as an intransitive verb (*to move about*). In order to explain some of the verses, he asserts that the verb can have a transitive sense as well (*to cause something to move about*).

וְעוֹף֙ יְעוֹפֵ֣ף עַל־הָאָ֔רֶץ עַל־פְּנֵ֖י רְקִ֥יעַ הַשָּׁמָֽיִם׃

וְעוֹפָא יְפָרַח עַל אַרְעָא עַל אַפֵּי רְקִיעָא דִשְׁמַיָּא׃

רש"י

וחומט וכיוצא בהם (ויקרא יא:כט-ל) וכל [ס"א וכן] הדגים:

רמב"ן

[שמות ז, כח], וְכֵן "פָּרוּ וַיִּשְׁרְצוּ" [שם א, ז] - שֶׁפָּרוּ וְרָבוּ וַיָּנוּעוּ לְרֻבָּם, עַד שֶׁ"תִּמָּלֵא הָאָרֶץ מֵהֶם" [ראה שם]. אֲבָל אֻנְקְלוּס פָּתַר בְּ"שִׁרְצוּ בָאָרֶץ" [להלן ט, ז] עִנְיַן תּוֹלָדָה, "אִתְיְלִידוּ בְּאַרְעָא", כִּי הוּא עָשָׂה הַלָּשׁוֹן מֻשְׁאָל מִן הַשְּׁרָצִים: וְאַתֶּם פְּרוּ וּרְבוּ כִּשְׁרָצִים בָּאָרֶץ, וּרְבוּ בָהּ. וְכֵן "פָּרוּ וַיִּשְׁרְצוּ" [שמות א, ז], שֶׁהָיוּ בְּתוֹלְדוֹתָם כִּשְׁרָצִים לָרֹב[210].

□ **וְעוֹף יְעוֹפֵף עַל הָאָרֶץ**[211]. בַּיּוֹם הַזֶּה הָיָה מַאֲמַר הַבְּרִיאָה בַּמַּיִם, וְהָיָה בַּיּוֹם הַשִּׁשִּׁי בָּאָרֶץ. אִם כֵּן פֵּרוּשׁ "וְעוֹף יְעוֹפֵף עַל הָאָרֶץ" נִמְשָׁךְ: יִשְׁרְצוּ הַמַּיִם שֶׁרֶץ נֶפֶשׁ חַיָּה, וְעוֹף שֶׁיְּעוֹפֵף[212]. וְהַכָּתוּב שֶׁאָמַר [לקמן ב, יט]: "וַיִּצֶר ה' אֱלֹהִים מִן הָאֲדָמָה כָּל חַיַּת הַשָּׂדֶה וְאֵת כָּל עוֹף הַשָּׁמַיִם", כְּאִלּוּ אָמַר "וַיִּצֶר ה' אֱלֹהִים אֶת כָּל חַיַּת הַשָּׂדֶה מִן הָאֲדָמָה, וַיִּצֶר אֵת כָּל עוֹף הַשָּׁמַיִם". וְרַבִּים כָּמוֹהוּ[213].

RAMBAN ELUCIDATED

[Ramban cites one more example of a verb with the root שרץ:]

וְכֵן "פָּרוּ וַיִּשְׁרְצוּ" – **Similarly,** ***they*** (the Children of Israel) ***were fruitful and were sharotz*** (ibid. 1:7) שֶׁפָּרוּ וְרָבוּ וַיָּנוּעוּ לְרֻבָּם, עַד שֶׁ"תִּמָּלֵא הָאָרֶץ" מֵהֶם – means **that they were fruitful and multiplied and moved about** the country **because of their abundance, until** ***the land became filled*** **with them** (ibid.).

[Ramban analyzes Onkelos' treatment of verbs of the root שרץ:]

אֲבָל אֻנְקְלוּס פָּתַר בְּ"שִׁרְצוּ בָאָרֶץ" עִנְיַן תּוֹלָדָה – **However, Onkelos interpreted,** ***sharotz on the earth*** (below, 9:7) **as an expression of childbearing,** for he rendered it "אִתְיְלִידוּ בְּאַרְעָא" – **"beget children on the earth."** כִּי הוּא עָשָׂה הַלָּשׁוֹן מֻשְׁאָל מִן הַשְּׁרָצִים – He says this **because he regarded [the verb] as a borrowed form of the** noun ***sheratzim,*** as if the verse had said, וְאַתֶּם פְּרוּ וּרְבוּ כִּשְׁרָצִים בָּאָרֶץ וּרְבוּ בָהּ – **"You, be fruitful and multiply** and be **like** ***sheratzim*** **in the land, and multiply in it."** וְכֵן "פָּרוּ וַיִּשְׁרְצוּ" – **Similarly,** Onkelos translated the word וַיִּשְׁרְצוּ, in the verse, ***they were fruitful and they were sharotz*** (*Exodus* 1:7) as וְאִתְיְלִידוּ, *and they gave birth,* interpreting the Hebrew, שֶׁהָיוּ בְּתוֹלְדוֹתָם כִּשְׁרָצִים לָרֹב – **for they were like** ***sheratzim,*** **with respect to their abundant progeny.**[210]

□ וְעוֹף יְעוֹפֵף עַל הָאָרֶץ – ***AND FOWL [THAT] WILL FLY ABOUT OVER THE EARTH.***

[This verse does not specify from what source the fowl were created.[211] Ramban elaborates on this issue:]

בַּיּוֹם הַזֶּה הָיָה מַאֲמַר הַבְּרִיאָה בַּמַּיִם – **On this** fifth **day** of creation, God's **utterance of Creation concerned** only **the water,** וְהָיָה בַּיּוֹם הַשִּׁשִּׁי בָּאָרֶץ – **and on the sixth day it concerned the land.** אִם כֵּן פֵּרוּשׁ "וְעוֹף יְעוֹפֵף עַל הָאָרֶץ" נִמְשָׁךְ – **If so, the explanation of** ***fowl will fly about over the earth*** **is that it is a continuation** of the previous phrase, to be understood as follows: יִשְׁרְצוּ הַמַּיִם שֶׁרֶץ נֶפֶשׁ חַיָּה וְעוֹף שֶׁיְּעוֹפֵף – **"Let the waters bring forth swarming living creatures, and fowl that**[212] **will fly about."** וְהַכָּתוּב שֶׁאָמַר: "וַיִּצֶר ה' אֱלֹהִים מִן הָאֲדָמָה כָּל חַיַּת הַשָּׂדֶה וְאֵת כָּל עוֹף הַשָּׁמַיִם" – **And the verse that says,** ***Now,*** **H*ASHEM*** ***God had formed "out of the ground" every beast of the field and every bird of the sky*** (below, 2:19), which seems to indicate that the fowl were created *from the ground*, is to be understood כְּאִלּוּ אָמַר "וַיִּצֶר ה' אֱלֹהִים אֶת כָּל חַיַּת הַשָּׂדֶה מִן הָאֲדָמָה וַיִּצֶר אֵת כָּל עוֹף הַשָּׁמַיִם" – **as if it had been stated** in an inverted order, **"Now, HASHEM God had formed every**

210. To summarize:

Concerning the verb שרץ: Ramban explains it as *to move about* or *to cause something to move about.* Onkelos generally uses that meaning, but sometimes assigns a secondary meaning to the word, *to reproduce abundantly like sheratzim.* Rashi (as Ramban understands him) interprets the verb to mean *to creep along the ground.*

Concerning the noun שֶׁרֶץ, *sheretz:* Ramban explains it as *a constantly moving creature.* Rashi explains it as *a creature that creeps along the ground.*

211. See 2:19 below, and Rashi ad loc.

212. By adding the prefix -שֶׁ (*that*) to יְעוֹפֵף (*will fly about*), Ramban makes it clear that this phrase is a

souls, and fowl [that] will fly about over the earth across the expanse of the heavens."

רמב"ן

וְכֵן דַּעַת רַבִּי אֱלִיעֶזֶר הַגָּדוֹל בְּפִרְקָיו [פרקי דרבי אליעזר פרק ט], שֶׁאָמַר: בַּחֲמִישִׁי הִשְׁרִיץ מִן הַמַּיִם כָּל עוֹף כָּנָף.

אֲבָל בַּגְּמָרָא [חולין כז, ב] נֶחְלְקוּ בּוֹ: יֵשׁ אוֹמְרִין כֵּן, שֶׁמִּן הַמַּיִם נִבְרְאוּ, וְיֵשׁ אוֹמְרִין שֶׁהָעוֹף מִשְּׁנֵיהֶם נִבְרָא; אָמְרוּ: מֵהָרְקָק נִבְרְאוּ[214]. וְאִם כֵּן, בַּעֲבוּר שֶׁתּוֹלְדוֹתָם הָיְתָה בַּמַּיִם, וְהָרְקָק בְּקַרְקַע הַיָּם הוּא - מִפְּנֵי זֶה הָיָה הַמַּאֲמָר בָּהֶם בַּיּוֹם הַחֲמִישִׁי.

וְהִנֵּה אָמַר "יִשְׁרְצוּ הַמַּיִם שֶׁרֶץ נֶפֶשׁ חַיָּה"[214a], כִּי הַדָּגִים גּוּפָם וְנַפְשָׁם מִן הַמַּיִם, בִּדְבַר הָאֱלֹהִים שֶׁהֵבִיא לָהֶם רוּחַ מִן הַיְסוֹדוֹת, לֹא כְּאָדָם שֶׁהִפְרִיד גּוּפוֹ מִנַּפְשׁוֹ, כְּמוֹ שֶׁאָמַר [לקמן ב, ז]: "וַיִּיצֶר ה' אֱלֹהִים אֶת הָאָדָם עָפָר מִן הָאֲדָמָה וַיִּפַּח בְּאַפָּיו נִשְׁמַת חַיִּים" [להלן ב, ז][215].

RAMBAN ELUCIDATED

beast of the field out of the ground, and He had formed every bird of the sky," with the words *out of the ground* referring only to the beasts, not to the birds. **וְרַבִּים כְּמוֹהוּ – And there are many** other examples of "inverted verses" **like this.**[213]

[Ramban adduces a Midrash that agrees with his interpretation:]

וְכֵן דַּעַת רַבִּי אֱלִיעֶזֶר הַגָּדוֹל בְּפִרְקָיו – And this is the opinion of Rabbi Eliezer the Great as well, in his "Chapters" (*Pirkei deRabbi Eliezer*, beginning of Chap. 9), **שֶׁאָמַר: בַּחֲמִישִׁי הִשְׁרִיץ מִן הַמַּיִם כָּל עוֹף כָּנָף – for he says: On the fifth** day **[God] caused all the winged birds to move forth** ***from the water.***

[The Talmud records a dispute regarding this issue:]

אֲבָל בַּגְּמָרָא נֶחְלְקוּ בּוֹ: – In the Gemara (*Chullin* 27b), **however, [the Sages] are divided over this** issue: **יֵשׁ אוֹמְרִין כֵּן, שֶׁמִּן הַמַּיִם נִבְרְאוּ – There are those who state this,** as we have asserted above, **that [the fowl] were created from the water, וְיֵשׁ אוֹמְרִין שֶׁהָעוֹף מִשְּׁנֵיהֶם נִבְרָא, אָמְרוּ מֵהָרְקָק נִבְרְאוּ – but there are** also **those who maintain that the fowl were created from both [water and ground],** for **they state that they were created from the mud,** a mixture of earth and water.[214]

[According to the Talmudic opinion that the fowl were created from mud (earth and water), why were they created on the fifth day, with the fish that were created from water, rather than on the sixth day, along with the animals that were created from the ground?]

וְאִם כֵּן בַּעֲבוּר שֶׁתּוֹלְדוֹתָם הָיְתָה בַּמַּיִם – If so, it was **because their origin was in the water, וְהָרְקָק בְּקַרְקַע הַיָּם הוּא – for the mud is** found **at the bottom of the sea – מִפְּנֵי זֶה הָיָה הַמַּאֲמָר בָּהֶם בַּיּוֹם הַחֲמִישִׁי – for this reason, the utterance concerning them was on the fifth day.**

☐ [נֶפֶשׁ חַיָּה – *WITH LIVE SOULS.*]

וְהִנֵּה אָמַר "יִשְׁרְצוּ הַמַּיִם שֶׁרֶץ נֶפֶשׁ חַיָּה" – Now, [Scripture] said in regard to the fish, ***Let the water bring forth swarming creatures with live souls,***[214a] **כִּי הַדָּגִים גּוּפָם וְנַפְשָׁם מִן הַמַּיִם בִּדְבַר הָאֱלֹהִים שֶׁהֵבִיא לָהֶם רוּחַ מִן הַיְסוֹדוֹת – for** when it comes to **the fish, their bodies and souls are** both **from the water, by the word of God, Who provided them** their **spirit from the elements** of the earth. **לֹא כְּאָדָם שֶׁהִפְרִיד גּוּפוֹ מִנַּפְשׁוֹ –** They are **not like man, whose body He made distinct from his soul, כְּמוֹ שֶׁאָמַר: "וַיִּיצֶר ה' אֱלֹהִים אֶת הָאָדָם עָפָר מִן הָאֲדָמָה וַיִּפַּח בְּאַפָּיו נִשְׁמַת חַיִּים" – as it says,** ***And HASHEM God formed the man of dust "from the ground," and He blew into his nostrils the soul of life*** (below, 2:7).[215]

---

continuation of the previous one, and is not a new, unrelated clause.

213. See below, 15:13, where Ramban elaborates on this phenomenon, citing several examples.

214. This opinion accommodates both our verse (which implies that the fowl were created out of water) and 2:19 below (which seems to state that they were created out of the ground).

214a. This implies that the water brought forth fish with live souls, i.e., the body and soul of the fish were created as one.

215. In the case of man, then, his body came from the elements of the earth, but his soul came from a purely spiritual origin, from God Himself.

כא וַיִּבְרָא אֱלֹהִים אֶת־הַתַּנִּינִם הַגְּדֹלִים וְאֵת כָּל־נֶפֶשׁ
הַחַיָּה ׀ הָרֹמֶשֶׂת אֲשֶׁר שָׁרְצוּ הַמַּיִם לְמִינֵהֶם
וְאֵת כָּל־עוֹף כָּנָף לְמִינֵהוּ וַיַּרְא אֱלֹהִים כִּי־טוֹב:

כא וּבְרָא יְיָ יָת תַּנִּינַיָּא
רַבְרְבַיָּא וְיָת כָּל נַפְשָׁא חַיְתָא
דְּרָחֲשָׁא דִּי אַרְחִישׁוּ מַיָּא
לִזְנֵיהוֹן וְיָת כָּל עוֹפָא דְּפָרַח
לִזְנוֹהִי וַחֲזָא יְיָ אֲרֵי טָב:

רש"י

(כא) התנינם. דגים גדולים שבים. ובדברי אגדה, הוא לויתן ובן זוגו, שבראם זכר ונקבה והרג את הנקבה ומלחה לצדיקים לעתיד לבא, שאם יפרו וירבו לא יתקיים העולם בפניהם [התנינם כתיב (ב"ר ז:ד)] (בבא בתרא עד:): **נפש החיה.** נפש שיש בה חיות:

רמב"ן

וְלֹא הִזְכִּיר בַּשְּׁלִישִׁי בַּצּוֹמֵחַ נֶפֶשׁ כְּלָל, לֹא "נֶפֶשׁ חַיָּה" וְלֹא "נֶפֶשׁ" סְתָם כִּי אֵין כֹּחַ הַגִּדּוּל נֶפֶשׁ; רַק בְּבַעֲלֵי הַתְּנוּעָה בִּלְבַד הִיא[216].

וְעַל דַּעַת הַיְּוָנִים, שֶׁאוֹמְרִים כְּשֵׁם שֶׁאֵין הַגִּדּוּל בַּמִּתְנוֹעֵעַ רַק בַּנֶּפֶשׁ, כָּךְ בַּצּוֹמֵחַ בַּנֶּפֶשׁ יִגְדַּל - יִהְיֶה הֶפְרֵשׁ: כִּי זֹאת "נֶפֶשׁ חַיָּה", כְּלוֹמַר נֶפֶשׁ שֶׁיֵּשׁ בּוֹ חִיּוּת; כִּי יֵשׁ נֶפֶשׁ אֵין בָּהּ חִיּוּת, וְהִיא נֶפֶשׁ הַצּוֹמַחַת[217]. וְהִזְכִּירוּ רַבּוֹתֵינוּ [ב"ר מא, א] בְּאִילָנֵי הַתְּמָרִים תַּאֲוָה[218]. וְאוּלַי הוּא כֹּחַ בִּצְמִיחָתָם, לֹא יִקָּרֵא נֶפֶשׁ.

[כא] וַיִּבְרָא אֱלֹהִים אֶת הַתַּנִּינִם הַגְּדֹלִים[219]. בַּעֲבוּר גֹּדֶל הַנִּבְרָאִים הָאֵלֶּה, שֶׁיֵּשׁ מֵהֶם אָרְכָּם

RAMBAN ELUCIDATED

[Ramban notes that this is the first time that the concept of נֶפֶשׁ, *soul,* is mentioned:]

וְלֹא הִזְכִּיר בַּשְּׁלִישִׁי בַּצּוֹמֵחַ נֶפֶשׁ כְּלָל – It did not mention the **"soul" at all on the third** day, **in regard to the vegetation** that was created on that day, **לֹא "נֶפֶשׁ חַיָּה" וְלֹא "נֶפֶשׁ" סְתָם – neither "live soul" nor simply "soul," כִּי אֵין כֹּחַ הַגִּדּוּל נֶפֶשׁ – for the capability of growth,** which plants have, **is not** called **a "soul"; רַק בְּבַעֲלֵי הַתְּנוּעָה בִּלְבַד הִיא – rather [a soul] is** found **only in mobile organisms.**[216]

[Ramban notes that the Greek philosophers disagree with the assertion he has just made concerning the complete lack of a soul in vegetation:]

וְעַל דַּעַת הַיְּוָנִים – But even **according to the view of the Greek** philosophers, **שֶׁאוֹמְרִים כְּשֵׁם שֶׁאֵין הַגִּדּוּל בַּמִּתְנוֹעֵעַ רַק בַּנֶּפֶשׁ – who say** that **just as the growth of mobile organisms requires a soul, כָּךְ בַּצּוֹמֵחַ בַּנֶּפֶשׁ יִגְדַּל – so too, the growth of plants requires a soul, יִהְיֶה הֶפְרֵשׁ – there is** nevertheless **a difference** between these two souls: namely, **כִּי זֹאת "נֶפֶשׁ חַיָּה", כְּלוֹמַר נֶפֶשׁ שֶׁיֵּשׁ בּוֹ חִיּוּת – that this [soul of a mobile organism] is** called **a** ***"living soul,"*** **meaning a soul that has life in it, כִּי יֵשׁ נֶפֶשׁ אֵין בָּהּ חִיּוּת, וְהִיא נֶפֶשׁ הַצּוֹמַחַת – for there is** also such a thing as **a soul that does** ***not*** **have life in it, and that is the soul of vegetation.**[217]

[Ramban shows that the Sages also seem to attribute characteristics of the soul (i.e., feelings) to plants:]

וְהִזְכִּירוּ רַבּוֹתֵינוּ בְּאִילָנֵי הַתְּמָרִים תַּאֲוָה – Our Sages (*Bereishis Rabbah* 41:1) **mention, concerning date-palm trees,** the concept of **"desire."**[218] **וְאוּלַי הוּא כֹּחַ בִּצְמִיחָתָם, לֹא יִקָּרֵא נֶפֶשׁ – Perhaps that** desire **is a force in their growth,** but **it is** still **not called a "soul."**

21. וַיִּבְרָא אֱלֹהִים אֶת הַתַּנִּינִם הַגְּדֹלִים – *AND GOD CREATED THE GREAT SEA-GIANTS.*

[Ramban has stated earlier (on 1:1 above) that Scripture uses the verb ברא, *to create,* to describe the creation of something out of absolute nothingness. Why, then, does this verse use the verb וַיִּבְרָא, *and He created,* with regard to the sea-giants, which God made from a pre-existing substance (i.e., water)?[219]]

בַּעֲבוּר גֹּדֶל הַנִּבְרָאִים הָאֵלֶּה – Because of the great size of these creatures, שֶׁיֵּשׁ מֵהֶם אָרְכָּם

216. Although plants are considered "alive," their life force is not referred to as a "soul."

217. And this is why the Torah does not use the word נֶפֶשׁ, which connotes a soul with life, in connection with vegetation of the third day of Creation.

218. Unlike monoecious species, in which both male flowers and female flowers grow on the same tree, the date-palm is dioecious, with male flowers growing on some trees and female flowers on others. Thus, since the female tree must be pollinated from the male tree, it is said to "have a desire" for it.

219. Ibn Ezra (on 1:1), in fact, adduces this verse as a counterexample to disprove Ramban's assertion that ברא must always refer to creation out of nothingness.

21 *And God created the great sea-giants and every living being that creeps, which the waters brought forth after their kinds; and all winged fowl of every kind. And God saw that it was good.*

רמב״ן

פַּרְסָאוֹת[220] רַבּוֹת - הִגִּידוּ הַיְּוָנִים בְּסִפְרֵיהֶם שֶׁיָּדְעוּ מֵהֶם אֲרֻכִּים חֲמֵשׁ מֵאוֹת פַּרְסָה, וְרַבּוֹתֵינוּ [בבא בתרא עג, ב] גַּם כֵּן הִפְלִיגוּ בָּהֶם - בַּעֲבוּר זֶה יִחֵס בָּהֶם הַבְּרִיאָה לֵאלֹהִים, כִּי הוּא שֶׁהִמְצִיאָם מֵאַיִן מִבְּרֵאשִׁית, כַּאֲשֶׁר פֵּרַשְׁתִּי לְשׁוֹן בְּרִיאָה [פסוק א][221]. וְכֵן יַעֲשֶׂה בָּאָדָם - לְמַעֲלָתוֹ, לְהוֹדִיעַ כִּי הוּא מוֹצָא מֵאַיִן עִם דַּעְתּוֹ וְשִׂכְלוֹ.

וַאֲנִי תָּמֵהַּ, לָמָּה לֹא אָמַר בַּיּוֹם הַזֶּה "וַיְהִי כֵן"? וְאוּלַי לֹא יִתָּכֵן לְהַזְכִּיר "וַיִּבְרָא" אַחֲרֵי "וַיְהִי כֵן", כִּי מִבָּרִאשׁוֹנָה יְדַבֵּר[223].

וְרַבּוֹתֵינוּ אָמְרוּ [בבא בתרא עד, ב] כִּי הַתַּנִּינִים הַגְּדוֹלִים הוּא לִוְיָתָן וּבַת זוּגוֹ, שֶׁבְּרָאָם זָכָר וּנְקֵבָה, וְהָרַג הַנְּקֵבָה וּמְלָחָהּ לַצַּדִּיקִים לֶעָתִיד לָבֹא. וְאֶפְשָׁר כִּי מִפְּנֵי זֶה לֹא הָיָה רָאוּי שֶׁיֹּאמַר בָּהֶם "וַיְהִי כֵן", כִּי לֹא עָמְדוּ עוֹד[224].

RAMBAN ELUCIDATED

פַּרְסָאוֹת רַבּוֹת – **for some of them are many** ***parsahs***[220] **long,** הִגִּידוּ הַיְּוָנִים בְּסִפְרֵיהֶם שֶׁיָּדְעוּ מֵהֶם אֲרֻכִּים חֲמֵשׁ מֵאוֹת פַּרְסָה – and **the Greeks** even **relate in their books that they knew of some that were five hundred** ***parsahs*** **long,** וְרַבּוֹתֵינוּ גַּם כֵּן הִפְלִיגוּ בָּהֶם – **and our Sages** (*Bava Basra* 73b) **also described them with hyperbole,** בַּעֲבוּר זֶה יִחֵס בָּהֶם הַבְּרִיאָה לֵאלֹהִים – **because of this [Scripture] attributes their creation to God.** כִּי הוּא שֶׁהִמְצִיאָם מֵאַיִן מִבְּרֵאשִׁית – **For He was the One Who brought them about from nothingness, from the time of** the original **Creation,** כַּאֲשֶׁר פֵּרַשְׁתִּי לְשׁוֹן בְּרִיאָה – **as I explained the verb** ברא, ***to create,*** above (on v. 1).[221]

[The same question may be posed concerning the term ברא in verse 27, which describes the creation of man.[222] Ramban explains:]

וְכֵן יַעֲשֶׂה בָּאָדָם לְמַעֲלָתוֹ – **And [Scripture] does the same for man, because of his pre-eminence,** לְהוֹדִיעַ כִּי הוּא מוֹצָא מֵאַיִן עִם דַּעְתּוֹ וְשִׂכְלוֹ – **to inform** us **that he was brought forth from nothingness, notwithstanding his knowledge and intelligence.**

[Ramban notes an apparent omission in the Torah's description of this fifth day of Creation:]

וַאֲנִי תָּמֵהַּ לָמָּה לֹא אָמַר בַּיּוֹם הַזֶּה "וַיְהִי כֵן" – **I am perplexed as to why [Scripture] did not say for this day,** ***and it was so,*** at the end of verse 20, as it did for all other days of Creation after relating that God decreed, "*Let there be.*" וְאוּלַי לֹא יִתָּכֵן לְהַזְכִּיר "וַיִּבְרָא" אַחֲרֵי "וַיְהִי כֵן", כִּי מִבָּרִאשׁוֹנָה יְדַבֵּר – **Perhaps it is not possible to mention** ***and [God] created*** **after** ***and it was so,*** **for [the phrase** ***"God created"]*** **speaks about what had happened in the Beginning.**[223]

[Ramban suggests another answer as to why the phrase *and it was so* is omitted on this day:]

וְרַבּוֹתֵינוּ אָמְרוּ כִּי הַתַּנִּינִים הַגְּדוֹלִים הוּא לִוְיָתָן וּבַת זוּגוֹ – **Our Sages** (*Bava Basra* 74b) **maintained that the** ***great sea-giants*** of our verse **are the Leviathan and its mate.** שֶׁבְּרָאָם זָכָר וּנְקֵבָה, וְהָרַג הַנְּקֵבָה וּמְלָחָהּ לַצַּדִּיקִים לֶעָתִיד לָבֹא – **For [God] created them male and female, but killed the female and preserved it for the righteous for a future time.** וְאֶפְשָׁר כִּי מִפְּנֵי זֶה לֹא הָיָה רָאוּי שֶׁיֹּאמַר בָּהֶם "וַיְהִי כֵן" – **Perhaps,** then, **it was because of this that it was not** deemed **proper that [Scripture] should say of them,** ***and it was so,*** כִּי לֹא עָמְדוּ עוֹד – **for they did not continue to exist.**[224]

220. A *parsah* is approximately 2.5 miles.

221. Ramban explained there that God created the primordial matter *hule* out of nothingness, and that within that matter lay the potential of all future creations. Our verse uses the verb ברא, which connotes creation out of nothingness, to stress that despite the enormity of these creatures, they, too, were included within God's original act of בְּרִיאָה, *creation from nothingness.*

222. See footnote 219 above.

223. As Ramban has just explained, the phrase *God created the great sea-giants* alludes to the creation of the *hule* out of nothingness on the first day of Creation. But if the phrase, *and it was so,* appeared before that, the implication would be that first *it* (*Let the waters bring forth swarming creatures*) *was so,* and then God created the sea-giants.

224. As Ramban wrote above (v. 3, v. 7), the Torah's expression *it was so* indicates that something was permanently established in its current state. Since the "great sea-giants" did not remain in the state in which they were created, Scripture did not say *it was so* to describe the creations of the fifth day.

כב וַיְבָרֶךְ אֹתָם אֱלֹהִים לֵאמֹר פְּרוּ וּרְבוּ וּמִלְאוּ
כג אֶת־הַמַּיִם בַּיַּמִּים וְהָעוֹף יִרֶב בָּאָרֶץ: וַיְהִי־
עֶרֶב וַיְהִי־בֹקֶר יוֹם חֲמִישִׁי: פ

כב וּבָרִיךְ יָתְהוֹן יְיָ לְמֵימַר פּוּשׁוּ וּסְגוּ וּמְלוֹ יָת מַיָּא בְּיַמְמַיָּא וְעוֹפָא יִסְגֵּי בְּאַרְעָא: כג וַהֲוָה רְמַשׁ וַהֲוָה צְפַר יוֹם חֲמִישָׁאי:

רש״י

(כב) **ויברך אתם.** לפי שמחסרים אותם וצדין מהם ואוכלין אותם הוצרכו לברכה, ואף החיות הוצרכו לברכה, אלא מפני הנחש שעתיד לקללה לכך לא ברכן שלא יהא הוא בכלל (מדרש תדשא א; מדרש אגדה): **פרו.** לשון פרי, כלומר עשו פירות: [**ורבו.** אם לא אמר אלא פרו היה אחד מוליד א׳ ולא יותר, ובא ורבו שאחד מוליד הרבה:]

רמב״ן

[כב] **וַיְבָרֶךְ אֹתָם אֱלֹהִים לֵאמֹר.** גָּזַר בָּהֶם הַבְּרָכָה[225], וְאָמַר בָּהֶם שֶׁיִּפְרוּ וְיִרְבּוּ[226], כְּלוֹמַר שֶׁיַּעֲשׂוּ פֵּרוֹת רַבִּים, שֶׁיּוֹצִיא הָאֶחָד רַבִּים כְּמוֹתוֹ[227]. וְעִנְיַן הַבְּרָכָה - בִּילִידָה, כְּעִנְיָן שֶׁאָמַר [להלן יז, טז]: ״וּבֵרַכְתִּיהָ וְהָיְתָה לְגוֹיִם״[227a]. וְגַם בַּצְּמָחִים תָּבֹא לְשׁוֹן בְּרָכָה: ״וְצִוִּיתִי אֶת בִּרְכָתִי לָכֶם בַּשָּׁנָה הַשִּׁשִּׁית״ [ויקרא כה, כא]. אֲבָל לֹא נֶאֱמַר כֵּן בַּשְּׁלִישִׁי, לְפִי שֶׁהַנִּבְרָאִים בְּכָל בַּעֲלֵי הַנֶּפֶשׁ הָיוּ שְׁנַיִם בִּלְבַד, זָכָר וּנְקֵבָה לְמִינֵיהֶם, כְּעִנְיָן בָּאָדָם, וְהֻצְרְכוּ לִבְרָכָה שֶׁיִּרְבּוּ מְאֹד. אֲבָל בַּצְּמָחִים צָמְחוּ עַל פְּנֵי כָּל הָאֲדָמָה רַבִּים מְאֹד, כַּאֲשֶׁר הֵם הַיּוֹם.

RAMBAN ELUCIDATED

22. וַיְבָרֶךְ אֹתָם אֱלֹהִים לֵאמֹר – *GOD BLESSED THEM, SAYING, ["BE FRUITFUL AND MULTIPLY"].*

[*Be fruitful and multiply* seems to be a command, not a blessing! Ramban explains":]

גָּזַר בָּהֶם הַבְּרָכָה וְאָמַר בָּהֶם שֶׁיִּפְרוּ וְיִרְבּוּ – [God] decreed a blessing for them,[225] **saying about them that they would *be fruitful and multiply.***[226]

[Ramban explains the concept of "being fruitful and multiplying":]

כְּלוֹמַר שֶׁיַּעֲשׂוּ פֵּרוֹת רַבִּים, שֶׁיּוֹצִיא הָאֶחָד רַבִּים כְּמוֹתוֹ – This means that they should produce many "fruits" (i.e., progeny), **that each individual should bring forth many** others **like itself.**[227]

[Ramban explains the concept of "blessing":]

וְעִנְיַן הַבְּרָכָה בִּילִידָה – The idea of "blessing" relates to birth (i.e., fertility), **כְּעִנְיָן שֶׁאָמַר ״וּבֵרַכְתִּיהָ וְהָיְתָה לְגוֹיִם״ – similar to what [God] said, *"I will bless her and she shall give rise to nations"*** (below, 17:16).[227a]

[Why were the fish and fowl given this blessing, but not the plants created on the previous day? Ramban explains:]

וְגַם בַּצְּמָחִים תָּבֹא לְשׁוֹן בְּרָכָה – Concerning plants, too, the expression "blessing" appears, ״וְצִוִּיתִי אֶת בִּרְכָתִי לָכֶם בַּשָּׁנָה הַשִּׁשִּׁית״ – as we find in the verse, ***I will ordain My blessing for you in the sixth year*** *and it will yield a crop sufficient for the three-year period (Leviticus* 25:21). **אֲבָל לֹא נֶאֱמַר כֵּן בַּשְּׁלִישִׁי – Nevertheless, [a blessing]** for the plants **was not stated on the third** day, **לְפִי שֶׁהַנִּבְרָאִים בְּכָל בַּעֲלֵי הַנֶּפֶשׁ הָיוּ שְׁנַיִם בִּלְבַד, זָכָר וּנְקֵבָה לְמִינֵיהֶם, כְּעִנְיָן בָּאָדָם – because the** initially **created** members of every species **possessing a soul** (i.e., the fish and fowl) **numbered only two,** one **male and** one **female for their species,** just **as it was with man, וְהֻצְרְכוּ לִבְרָכָה שֶׁיִּרְבּוּ מְאֹד – and they required a blessing in order that they should multiply greatly. אֲבָל בַּצְּמָחִים צָמְחוּ עַל פְּנֵי כָּל הָאֲדָמָה רַבִּים מְאֹד כַּאֲשֶׁר הֵם הַיּוֹם – The plants, however, sprouted up over the entire face of the earth, in great abundance, as they are today,** so they did not require a specific blessing for copious reproduction.

[Having explained why the animal species required blessing, but not the plant species, Ramban

225. The blessing did not simply represent God's "good wishes" that the fish and fowl should be numerous. Rather, He decreed that they should have within them the capability to reproduce and multiply (see Ramban below, v. 28), for "blessing" here, as Ramban clarifies later in this comment, denotes fecundity.

226. Although the verbs are in the imperative form, God meant here to bless them that "they *would be* fruitful, etc."

227. "Being fruitful" connotes the idea of producing like offspring; "multiply" specifies that those offspring should be numerous. (In our editions, Rashi expresses this same idea. However, early editions of Rashi do not have that comment, and it seems that Ramban did not have it either.)

227a. See Ramban below, 1:28.

22 *God blessed them, saying, "Be fruitful and multiply, and fill the waters in the seas; but the fowl shall increase on the earth."* 23 *And there was evening and there was morning, a fifth day.*

רמב״ן

וְלֹא אָמַר בַּבְּהֵמוֹת וּבַחַיּוֹת בְּרָכָה[228], שֶׁמּוֹצָאת הַגְּזֵרָה שֶׁגָּזַר בְּבַעֲלֵי הַנֶּפֶשׁ הַתְּנוּעָה[229] שֶׁבַּמַּיִם הָרִבּוּי - נִתְרַבּוּ בַּעֲלֵי נֶפֶשׁ הַתְּנוּעָה שֶׁבָּאָרֶץ[230], כִּי בַּעֲלֵי נֶפֶשׁ חַיָּה שֶׁאֵינָהּ מְדַבֶּרֶת[231] כֻּלָּם עִנְיָן אֶחָד בִּבְרִיאָתָם.

וְרַבּוֹתֵינוּ אָמְרוּ [ב״ר יא, ג, הובא ברש״י כאן], כִּי בַּעֲבוּר הֱיוֹת בְּנֵי אָדָם צָדִים מֵהֶם וְאוֹכְלִים - הֻצְרְכוּ לִבְרָכָה[232].

□ **וּמִלְאוּ אֶת הַמַּיִם בַּיַּמִּים.** בֵּרַךְ אוֹתָם שֶׁיְּמַלְּאוּ לְרָבָּם הַיַּמִּים, אַף כִּי הַנְּחָלִים וְהָאֲגַמִּים. אוֹ שֶׁמְּלוֹאָם בַּיַּמִּים הוּא, כִּי בַּנְּחָלִים מְעַטִּים הֵם[233].

RAMBAN ELUCIDATED

now elucidates why this blessing was given only to the fish and fowl, but not to the animals created on the sixth day:[228]]

וְלֹא אָמַר בַּבְּהֵמוֹת וּבַחַיּוֹת בְּרָכָה – But [Scripture] does not state a blessing concerning the animals and wild beasts, שֶׁמּוֹצָאת הַגְּזֵרָה שֶׁגָּזַר בְּבַעֲלֵי הַנֶּפֶשׁ הַתְּנוּעָה שֶׁבַּמַּיִם הָרִבּוּי – because by the same **decree for fecundity that [God] decreed for the** organisms **possessing souls of mobility**[229] **in the water,** i.e., the fish and fowl, **נִתְרַבּוּ בַּעֲלֵי נֶפֶשׁ הַתְּנוּעָה שֶׁבָּאָרֶץ – the** organisms **possessing souls of mobility on the earth multiplied** as well.[230] **כִּי בַּעֲלֵי נֶפֶשׁ חַיָּה שֶׁאֵינָהּ מְדַבֶּרֶת כֻּלָּם עִנְיָן אֶחָד בִּבְרִיאָתָם – For all the** organisms **possessing living, non-speaking, souls**[231] **are of one category in their creation,** so that the blessing for one applied to all.

[Ramban presents another reason to explain why a blessing was required for the fish and fowl but not the plants:]

וְרַבּוֹתֵינוּ אָמְרוּ כִּי בַּעֲבוּר הֱיוֹת בְּנֵי אָדָם צָדִים מֵהֶם וְאוֹכְלִים הֻצְרְכוּ לִבְרָכָה – And our Sages say (*Bereishis Rabbah* 11:3; cited in Rashi on v. 22) **that it was because human beings hunt them and eat** them **that [the fish and fowl] required a blessing** to maintain their numbers.[232]

□ **וּמִלְאוּ אֶת הַמַּיִם בַּיַּמִּים** – ***AND FILL THE WATERS IN THE SEAS.***

[Why did God mention only the seas? There are fish in many other bodies of waters besides the seas. Ramban explains:]

בֵּרַךְ אוֹתָם שֶׁיְּמַלְּאוּ לְרָבָּם הַיַּמִּים אַף כִּי הַנְּחָלִים וְהָאֲגַמִּים – [God] blessed [the fish] that they should fill the seas with their abundance, and all the more so the streams and lakes, which are smaller bodies of water and easier to fill. **אוֹ שֶׁמְּלוֹאָם בַּיַּמִּים הוּא – Alternatively: The fullness of [the fish]** is found **in the seas, כִּי בַּנְּחָלִים מְעַטִּים הֵם – for they are few in the streams.**[233]

□ **וְהָעוֹף יִרֶב בָּאָרֶץ** – ***BUT THE FOWL SHALL INCREASE ON THE EARTH.***

[Ramban explained above that the fowl were created out of water, not earth. Why, then, was their *increase* to take place *on the earth*?]

228. See Rashi on v. 22, who also discusses why the land animals did not get a blessing.

229. There are three kinds of souls (*nefesh*) in living organisms (see Ramban below, 2:7): (i) נֶפֶשׁ הַצּוֹמַחַת, *The vegetative soul*, by which the organism nourishes itself, grows and reproduces. This soul is possessed by all living beings – vegetable, animal and human. (See Ramban above, however, who suggests that this elementary life-force may not be technically considered a "soul.") (ii) נֶפֶשׁ הַבְּהֵמָה, *The animal soul*, which endows the organism with sensation and mobility. This soul is possessed by animals and humans. (iii) הַנֶּפֶשׁ הַמַּשְׂכֶּלֶת, *The rational soul* (also called *neshamah*), which provides man, and man only, with the ability to reason, as epitomized by the capability of speech (see Ibn Ezra on *Ecclesiastes* 7:3). Ramban's phrase נֶפֶשׁ הַתְּנוּעָה, *soul of mobility,* refers to the animal soul.

230. The "blessing" for the fish and fowl affected the other animals as well, so another blessing was not needed. Man, however, who possesses the third kind of soul (see footnote 229) was in a different category from the animals, and required a distinct blessing.

231. That is, all organisms that possess an animal soul (see footnote 229).

232. Fruits and vegetables, however, can be picked without killing the parent plant.

233. Fish life is more abundant in the seas than in streams, and it is only the seas that one can say are "filled" with fish.

כד וַיֹּ֣אמֶר אֱלֹהִ֗ים תּוֹצֵ֨א הָאָ֜רֶץ נֶ֤פֶשׁ חַיָּה֙
לְמִינָ֔הּ בְּהֵמָ֥ה וָרֶ֛מֶשׂ וְחַֽיְתוֹ־אֶ֖רֶץ לְמִינָ֑הּ
כה וַֽיְהִי־כֵֽן׃ וַיַּ֣עַשׂ אֱלֹהִ֡ים אֶת־חַיַּ֨ת הָאָ֜רֶץ
לְמִינָ֗הּ וְאֶת־הַבְּהֵמָה֙ לְמִינָ֔הּ וְאֵ֛ת כָּל־רֶ֥מֶשׂ
הָֽאֲדָמָ֖ה לְמִינֵ֑הוּ וַיַּ֥רְא אֱלֹהִ֖ים כִּי־טֽוֹב׃

כד וַאֲמַר יְיָ תַּפֵּק אַרְעָא
נַפְשָׁא חַיְתָא לִזְנַהּ בְּעִיר
וּרְחֵשׁ וְחֵיוַת אַרְעָא לִזְנַהּ
וַהֲוָה כֵן׃ כה וַעֲבַד יְיָ
יָת חֵיוַת אַרְעָא לִזְנַהּ
וְיָת בְּעִירָא לִזְנַהּ וְיָת
כָּל רִחֲשָׁא דְאַרְעָא
לִזְנוֹהִי וַחֲזָא יְיָ אֲרֵי טָב׃

רש"י

(כד) **תוצא הארץ.** הוא שפירשתי שהכל נברא מיום ראשון ולא הוצרכו אלא להוציאם (תנחומא ישן א–ב; ב"ר יב:ז): **נפש חיה.** שיש בה חיות: **ורמש.** הם שרצים שהם נמוכים ורומשים על הארץ ונראים כאילו נגררים שאין הלוכן ניכר. כל לשון רמש ושרץ בלשונו קונמוברי"ש: (כה) **ויעש.** תקנם בצביונם [בתקונן] ובקומתן (חולין ס.):

רמב"ן

□ **וְהָעוֹף יִרֶב בָּאָרֶץ.** אַף עַל פִּי שֶׁבְּרִיאָתוֹ מִן הַמַּיִם[234], בִּרְכָתוֹ תִּהְיֶה בָּאָרֶץ, שֶׁיִּפְרוּ וְיִרְבּוּ עָלֶיהָ, כִּי אֵין בָּעוֹף שֶׁיָּטִיל בֵּיצָיו בַּמַּיִם וְיִגְדְּלוּ שָׁם; רַק הַשּׁוֹכְנִים תָּמִיד בַּמַּיִם וְנִיזּוֹנִים מֵהֶם - עוֹשִׂים קִנֵּיהֶם בָּאָרֶץ וְנוֹלָדִים בָּהּ.

[כד] בְּהֵמָה הֵם הַמִּינִים הָאוֹכְלִים עֵשֶׂב, בֵּין יְשׁוּבִי בֵּין מִדְבָּרִי. **וְחַיְתוֹ אֶרֶץ** - אוֹכְלֵי הַבָּשָׂר, יִקָּרְאוּ חַיּוֹת, וְכֻלָּם יִטְרְפוּ[235].

□ **וָרֶמֶשׂ.** כָּתַב רַשִׁ"י: הֵם שְׁרָצִים נְמוּכִים וְרוֹמְשִׂים עַל הָאָרֶץ, נִרְאִין כְּאִלּוּ נִגְרָרִין.

RAMBAN ELUCIDATED

אַף עַל פִּי שֶׁבְּרִיאָתוֹ מִן הַמַּיִם – Although [the fowl's] creation was out of water,[234] **בִּרְכָתוֹ תִּהְיֶה בָּאָרֶץ שֶׁיִּפְרוּ וְיִרְבּוּ עָלֶיהָ** – nevertheless **its blessing** for fecundity **was to be in the land, that they should be fruitful and multiply upon it, כִּי אֵין בָּעוֹף שֶׁיָּטִיל בֵּיצָיו בַּמַּיִם וְיִגְדְּלוּ שָׁם – for there are none among the fowl that lay their eggs in the water and grow there; רַק הַשּׁוֹכְנִים תָּמִיד בַּמַּיִם וְנִיזּוֹנִים מֵהֶם עוֹשִׂים קִנֵּיהֶם בָּאָרֶץ וְנוֹלָדִים בָּהּ – rather,** even **those** fowl **that always live in water and get their food from [the water] make their nests on the land and** their young **are born on [the land].**

24. [בְּהֵמָה ... וְחַיְתוֹ אֶרֶץ – *ANIMALS ... AND BEASTS OF THE LAND.*]

[Ramban gives precise definitions for these terms:]

"בְּהֵמָה" הֵם הַמִּינִים הָאוֹכְלִים עֵשֶׂב, בֵּין יְשׁוּבִי בֵּין מִדְבָּרִי – The term בְּהֵמָה, ***animal*, refers to those species that are herbivorous, whether domesticated or wild. "וְחַיְתוֹ אֶרֶץ", אוֹכְלֵי הַבָּשָׂר יִקָּרְאוּ חַיּוֹת, וְכֻלָּם יִטְרְפוּ – And** as for the term ***beasts of the land:* Carnivorous** animals **are called** חַיּוֹת, ***beasts*, and all of them** are beasts of **prey.**[235]

□ **וָרֶמֶשׂ** – ***AND MOVING CREATURES.***

[Ramban seeks a definition of this term. He begins by citing Rashi:]

כָּתַב רַשִׁ"י: – Rashi writes:

הֵם שְׁרָצִים נְמוּכִים וְרוֹמְשִׂים עַל הָאָרֶץ, נִרְאִין כְּאִלּוּ נִגְרָרִין – They (רְמָשִׂים) **are swarming things that are of**

234. See Ramban above, v. 20, s.v., וְעוֹף, *and fowl.*

235. Ibn Ezra gives the more classical definition that "animals" are domesticated, while "beasts" are wild. (See also *Shenos Eliyahu* on *Kilayim* 8:6.)

[The commentators on Ramban note that a deer would be considered a בְּהֵמָה according to him. This is an extremely difficult position, for it contradicts the Talmud (*Bava Kamma* 19b, *Chullin* 71a). It is possible that Ramban does not mean to give this definition for חַיָּה in general; rather, he is speaking specifically of the phrase חַיַּת הָאָרֶץ (or חַיְתוֹ אֶרֶץ) that appears in verses 24 and 25.]

[Ramban writes elsewhere (below, v. 29, etc.) that there were no carnivorous animals at the time of Creation; the instinctual desire of certain animals to eat meat came into being only after the Flood. Therefore, we must view Ramban's definition of these terms as applying to a later time, and not to the time referred to by our verse (*Techeiles Mordechai*).]

24 God said, "Let the earth bring forth [creatures with] live souls, each according to its kind: animals, and moving creatures, and beasts of the land each according to its kind." And it was so. 25 God made the beasts of the earth according to their kind, and the animals according to their kind, and all the treading creatures of the ground according to their kind. And God saw that it was good.

רמב"ן

וְהִנֵּה בַּפָּרָשָׁה הַזֹּאת [פסוק כח]: "וּבְכָל הַחַיָּה הָרֹמֶשֶׂת עַל הָאָרֶץ" [פסוק כח][236], וּכְתִיב [להלן ז, כא]: "וַיִּגְוַע כָּל בָּשָׂר הָרֹמֵשׂ עַל הָאָרֶץ בָּעוֹף וּבִבְהֵמָה וּבַחַיָּה וּבְכָל הַשֶּׁרֶץ הַשֹּׁרֵץ עַל הָאָרֶץ", וּכְתִיב [תהלים קד, כ]: "בּוֹ תִרְמֹשׂ כָּל חַיְתוֹ יָעַר".

אֲבָל פֵּרוּשׁ "רְמִישָׂה" כְּעִנְיַן בְּסָמֶ"ךְ, מִן "תִּרְמְסֶנָּה רָגֶל" [ישעיה כו, ו] וַחֲבֵרָיו[237]. וְאָמַר בַּחַיָּה וּבִבְהֵמָה "רֹמֵשׂ עַל הָאָרֶץ" [פסוק כח], וּבַשְּׁרָצִים[237a] הַנִּגְרָרִים "רֶמֶשׂ הָאֲדָמָה" [פסוק כה] בַּעֲבוּר שֶׁדְּרִיכָתָם בַּאֲדָמָה בְּכָל גּוּפָם[238].

RAMBAN ELUCIDATED

low stature and creep on the earth, and appear as if they are dragging themselves along the ground.

[Ramban adduces several verses that use the verb root רמש,[235a] in a manner not compatible with Rashi's definition of the noun רֶמֶשׂ:]

וְהִנֵּה בַּפָּרָשָׁה הַזֹּאת: "וּבְכָל הַחַיָּה הָרֹמֶשֶׂת עַל הָאָרֶץ" – **But** we find **in this** very **section,** *and every beast that ramos* ***on the earth***[236] (v. 28), where "creeping" is inappropriate; **וּכְתִיב: "וַיִּגְוַע כָּל בָּשָׂר הָרֹמֵשׂ עַל הָאָרֶץ בָּעוֹף וּבִבְהֵמָה וּבַחַיָּה וּבְכָל הַשֶּׁרֶץ הַשֹּׁרֵץ עַל הָאָרֶץ"** – **and** similarly **it is written,** ***And all flesh that ramos upon the earth expired, among the birds, the animals, the beasts, and all the creeping things that creep upon the earth*** (below, 7:21); **וּכְתִיב: "בּוֹ תִרְמֹשׂ כָּל חַיְתוֹ יָעַר"** – **and** similarly **it is written,** ***in which all the beasts of the forest ramos*** (*Psalms* 104:20).

[Having questioned Rashi's view, Ramban presents his own:]

אֲבָל פֵּרוּשׁ "רְמִישָׂה" כְּעִנְיַן בְּסָמֶ"ךְ – **Rather, the explanation of** the Hebrew root **רמש**, ending with the letter שׂ, **is the same as** that of the root רמס, *to trample,* spelled **with a** ס, **מִן "תִּרְמְסֶנָּה רָגֶל" וַחֲבֵרָיו** – which can be understood **from** the phrase תִּרְמְסֶנָּה רָגֶל, ***feet will trample it*** (*Isaiah* 26:6) **and similar** verses.[237]

[Ramban has stated his opinion that רֶמֶשׂ does not mean "that which walks low on the ground," as Rashi maintains, but rather "that which treads on the ground" – that is, any dry-land animal. Nevertheless, Ramban notes that in context the word can have the former connotation:]

וְאָמַר בַּחַיָּה וּבִבְהֵמָה רֹמֵשׂ עַל הָאָרֶץ – **[Scripture] says regarding beasts and animals, "treading upon the earth"** (v. 28), **וּבַשְּׁרָצִים הַנִּגְרָרִים "רֶמֶשׂ הָאֲדָמָה"** – **but regarding** *sheratzim*[237a] **that drag themselves** along the ground, **it says** ***the treading creatures of the ground*** (v. 25), **בַּעֲבוּר שֶׁדְּרִיכָתָם בַּאֲדָמָה בְּכָל גּוּפָם** – **because their walking upon the ground is** done **with their entire body.**[238]

235a. For purposes of the discussion, verbs of the root רמש adduced by Ramban will not be translated; rather they will be rendered as *ramos.*

236. Ramban assumes that the verbs of the root רמש must be similar in meaning to the noun רֶמֶשׂ. Rashi apparently disagrees with this assertion. See Ramban above, verse 20, with footnote 202, where we find a similar dispute between Rashi and Ramban regarding the noun שֶׁרֶץ and the verb root שרץ.

237. The noun רֶמֶשׂ should thus be translated *that which treads,* or *a moving creature.*

237a. See Ramban above, verse 20.

238. Ramban maintains that the root רמש means nothing more than *treading.* However, when this word is used in the phrase רֶמֶשׂ הָאֲדָמָה, *treading creatures of the ground*, it refers to low, slithering creatures, who are called by this name because their entire body appears to touch the ground as they walk. [Thus it emerges that according to both Rashi and Ramban רֶמֶשׂ הָאֲדָמָה has basically the same meaning, *low, creeping creatures,* however, they arrive at that meaning in different ways.]

כו וַיֹּאמֶר אֱלֹהִים נַעֲשֶׂה אָדָם בְּצַלְמֵנוּ כִּדְמוּתֵנוּ

כו וַאֲמַר יְיָ נַעֲבֵיד אֱנָשָׁא בְּצַלְמַנָא כִּדְמוּתָנָא

רש"י

(כו) **נעשה אדם.** ענותנותו של הקב"ה למדנו מכאן, לפי שהאדם בדמות המלאכים ויתקנאו בו (פדר"א יג) לפיכך נמלך בהן, וכשהוא דן את המלכים הוא נמלך בפמליא שלו, שכן מצינו באחאב שאמר לו מיכה ראיתי את ה' יושב על כסאו וכל צבא השמים עומד עליו מימינו ומשמאלו (מלכים א כב:יט) וכי יש ימין ושמאל לפניו, אלא אלו מימינים לזכות ואלו משמאילים לחובה. וכן בגזירת עירין פתגמא ומאמר קדישין שאלתא (דניאל ד:יד). אף כאן בפמליא שלו נמלך ונטל רשות (תנחומא שמות יח; סנהדרין לח:) א"ל יש בעליונים כדמותי אם אין כדמותי בתחתונים הרי יש קנאה במעשה בראשית (ב"ר ח:יא; ברכות לג:): **נעשה אדם.** אע"פ שלא סייעוהו ביצירתו ויש מקום למינים לרדות, לא נמנע הכתוב מללמד דרך ארץ ומדת ענוה שיהא הגדול נמלך ונוטל רשות מן הקטן, ואם כתב אעשה אדם לא למדנו שהיה מדבר עם בית דינו אלא עם עצמו. ותשובת המינים כתובה בצדו ויברא את האדם ולא כתב ויבראו (סנהדרין שם; ב"ר שם ח–ט): **בצלמנו.** בדפוס שלנו: **כדמותנו.** להבין ולהשכיל (ב"ר שם יא; חגיגה טז.):

רמב"ן

[כו] **וַיֹּאמֶר אֱלֹהִים נַעֲשֶׂה אָדָם.** נִתְיַחֵד בַּעֲשִׂיַּת הָאָדָם מַאֲמָר בַּעֲבוּר גֹּדֶל מַעֲלָתוֹ, כִּי אֵין טִבְעוֹ כְּטֶבַע הַחַיָּה וְהַבְּהֵמָה אֲשֶׁר בָּרָא בַּמַּאֲמָר הַקּוֹדֵם לוֹ.

וְהַפְּשָׁט הַנָּכוֹן בְּמִלַּת "נַעֲשֶׂה" הוּא: מִפְּנֵי שֶׁכְּבָר הָרְאֵיתָ לָדַעַת כִּי הָאֱלֹהִים בָּרָא יֵשׁ מֵאַיִן בַּיּוֹם הָרִאשׁוֹן לְבַדּוֹ, וְאַחַר כָּךְ מִן הַיְסוֹדוֹת הָהֵם הַנִּבְרָאִים יָצַר וְעָשָׂה. וְכַאֲשֶׁר נָתַן בַּמַּיִם כֹּחַ הַשֵּׁרוּץ לִשְׁרֹץ נֶפֶשׁ חַיָּה וְהָיָה הַמַּאֲמָר בָּהֶם "יִשְׁרְצוּ הַמַּיִם", וְהָיָה הַמַּאֲמָר בַּבְּהֵמָה "תּוֹצֵא הָאָרֶץ" - אָמַר בָּאָדָם "נַעֲשֶׂה", כְּלוֹמַר: אֲנִי וְהָאָרֶץ הַנִּזְכֶּרֶת נַעֲשֶׂה אָדָם[239], שֶׁתּוֹצִיא הָאָרֶץ הַגּוּף מִיסוֹדֶיהָ כַּאֲשֶׁר עָשְׂתָה בַּבְּהֵמָה וּבַחַיָּה, כְּדִכְתִיב [לקמן ב, ז]: "וַיִּיצֶר ה' אֱלֹהִים אֶת הָאָדָם עָפָר מִן הָאֲדָמָה", וְיִתֵּן הוּא יִתְבָּרַךְ הָרוּחַ מִפִּי עֶלְיוֹן[240], כְּדִכְתִיב [שם]: "וַיִּפַּח בְּאַפָּיו נִשְׁמַת חַיִּים".

RAMBAN ELUCIDATED

26. וַיֹּאמֶר אֱלֹהִים נַעֲשֶׂה אָדָם – ***AND GOD SAID, "LET US MAKE MAN."***

[Ramban notes that man was created by an independent act of Creation:]

נִתְיַחֵד בַּעֲשִׂיַּת הָאָדָם מַאֲמָר – A separate utterance was devoted to the making of man, i.e., he was not created together with the animals, **בַּעֲבוּר גֹּדֶל מַעֲלָתוֹ – because of his exalted status, כִּי אֵין טִבְעוֹ כְּטֶבַע הַחַיָּה וְהַבְּהֵמָה אֲשֶׁר בָּרָא בַּמַּאֲמָר הַקּוֹדֵם לוֹ – for his nature is not like the nature of the beasts and animals that [God] created with the preceding utterance.**

[Ramban now addresses the difficult issue of the plural verb (*let* **us** *make man*) used by God here:]

וְהַפְּשָׁט הַנָּכוֹן בְּמִלַּת "נַעֲשֶׂה" הוּא: – The most sound explanation for the plural form of the **word** נַעֲשֶׂה, ***let us make,*** **is** as follows: **מִפְּנֵי שֶׁכְּבָר הָרְאֵיתָ לָדַעַת כִּי הָאֱלֹהִים בָּרָא יֵשׁ מֵאַיִן בַּיּוֹם הָרִאשׁוֹן לְבַדּוֹ – For you have already been shown in order to know that God created something out of nothingness on the first day** of creation **only, וְאַחַר כָּךְ מִן הַיְסוֹדוֹת הָהֵם הַנִּבְרָאִים יָצַר וְעָשָׂה – and after this, he "formed" and "made"** things **from those elements that were created** from nothingness on the first day. **וְכַאֲשֶׁר נָתַן בַּמַּיִם כֹּחַ הַשֵּׁרוּץ לִשְׁרֹץ נֶפֶשׁ חַיָּה וְהָיָה הַמַּאֲמָר בָּהֶם "יִשְׁרְצוּ הַמַּיִם" – Thus, just as when [God] gave to the water the capability of bringing forth living souls, the utterance** directed **toward them was, *"Let the waters bring forth,"*** **וְהָיָה הַמַּאֲמָר בַּבְּהֵמָה "תּוֹצֵא הָאָרֶץ"** – and just as **the utterance regarding the animals was, *"Let the earth bring forth,"*** **אָמַר בָּאָדָם "נַעֲשֶׂה"** – so too, **He said concerning man, *"Let us make,"*** **כְּלוֹמַר: אֲנִי וְהָאָרֶץ הַנִּזְכֶּרֶת נַעֲשֶׂה אָדָם – meaning, "I,** together **with the aforementioned earth, will make man."**[239] **שֶׁתּוֹצִיא הָאָרֶץ הַגּוּף מִיסוֹדֶיהָ כַּאֲשֶׁר עָשְׂתָה בַּבְּהֵמָה וּבַחַיָּה** – By this He meant **that the earth should bring forth [man's] body from its elements, as it did for the animals and beasts, כְּדִכְתִיב: "וַיִּיצֶר ה' אֱלֹהִים אֶת הָאָדָם עָפָר מִן הָאֲדָמָה"** – as it is written, ***And Hashem God formed the man of dust from the ground*** (below, 2:7), **וְיִתֵּן הוּא יִתְבָּרַךְ הָרוּחַ מִפִּי עֶלְיוֹן – while He, Blessed be He, would supply the spirit "from the mouth of the Supreme One,"**[240] **כְּדִכְתִיב: "וַיִּפַּח בְּאַפָּיו נִשְׁמַת חַיִּים"** – as it is written further in that same verse, ***and He blew into his nostrils the soul of life.***

239. When God created the fish and fowl He told the water to bring them forth; when He created the animals He told the earth to bring them forth. Now, in creating man, He told the earth to bring man forth in conjunction with God Himself, as Ramban explains.

240. Stylistic citation from *Lamentations* 3:38.

26 *And God said, "Let us make Man in Our image, after Our likeness.*

רמב״ן

וְאָמַר ״בְּצַלְמֵנוּ כִּדְמוּתֵנוּ״, כִּי יִדְמֶה לִשְׁנֵיהֶם: בְּמַתְכֹּנֶת גּוּפוֹ לָאָרֶץ אֲשֶׁר לֻקַּח מִמֶּנָּה, וְיִדְמֶה בָּרוּחַ לָעֶלְיוֹנִים, שֶׁאֵינָהּ גּוּף וְלֹא תָּמוּת[241].

וְאָמַר בַּכָּתוּב הַשֵּׁנִי [פסוק כז]: ״בְּצֶלֶם אֱלֹהִים בָּרָא אוֹתוֹ״, לְסַפֵּר הַפֶּלֶא אֲשֶׁר נִפְלָא בּוֹ מִשְּׁאָר הַנִּבְרָאִים[242]. וְזֶה פְּשַׁט הַמִּקְרָא הַזֶּה, מְצָאתִיו לְרַבִּי יוֹסֵף הַקִּמְחִי, וְהוּא הַנִּרְאֶה מִכָּל מַה שֶּׁחָשְׁבוּ בּוֹ[243].

וּפֵרוּשׁ ״צֶלֶם״ כְּמוֹ תֹּאַר: ״וּצְלֵם אַנְפּוֹהִי אֶשְׁתַּנִּי״ [דניאל ג, יט], וְכֵן: ״אַךְ בְּצֶלֶם יִתְהַלֶּךְ אִישׁ״ [תהלים לט, ז][244]; ״בָּעִיר צַלְמָם תִּבְזֶה״ [שם עג, כ]. תֹּאַר מַרְאִיתָם וּ״דְמוּת״ הוּא דִּמְיוֹן בְּצוּרָה וּבְמַעֲשֶׂה, כִּי הַקְּרוֹבִים בְּעִנְיָן יִקָּרְאוּ דּוֹמִים[245] זֶה לָזֶה.

RAMBAN ELUCIDATED

[Ramban now turns to the doubly difficult phrase, *in our image, after our likeness*. The two difficulties are: (i) It is axiomatic that God has no "image" or "likeness" (see Rashi); and (ii) God is once again referring to Himself in the plural. Ramban explains:]

וְאָמַר ״בְּצַלְמֵנוּ כִּדְמוּתֵנוּ״ – [God] said, *"in our image, after our likeness,"* **כִּי יִדְמֶה לִשְׁנֵיהֶם – so that [man] would resemble both [God and the earth]:** **בְּמַתְכֹּנֶת גּוּפוֹ לָאָרֶץ אֲשֶׁר לֻקַּח מִמֶּנָּה – in his physical makeup,** he would resemble **the earth from which [his body] was taken,** **וְיִדְמֶה בָּרוּחַ לָעֶלְיוֹנִים, שֶׁאֵינָהּ גּוּף וְלֹא תָּמוּת – and in his spirit he would resemble the upper** spiritual **realms, in that it is incorporeal and immortal.**[241]

[Having explained that man was created in the image of *both* God and the earth, Ramban explains why verse 27 repeats that man was created *in the image of God*:]

וְאָמַר בַּכָּתוּב הַשֵּׁנִי ״בְּצֶלֶם אֱלֹהִים בָּרָא אוֹתוֹ״ – And it says in the second verse (v. 27), ***in the image of God He created him*** (v. 27), **לְסַפֵּר הַפֶּלֶא אֲשֶׁר נִפְלָא בּוֹ מִשְּׁאָר הַנִּבְרָאִים – to relate** (i.e., to stress) **the remarkable phenomenon that distinguished [man] from** all **the rest of the creations.**[242] **וְזֶה פְּשַׁט הַמִּקְרָא הַזֶּה מְצָאתִיו לְרַבִּי יוֹסֵף הַקִּמְחִי – This is the simple explanation of the** use of the plural in **this verse, which I found** propounded **by Rabbi Yosef Kimchi,** **וְהוּא הַנִּרְאֶה מִכָּל מַה שֶּׁחָשְׁבוּ בּוֹ – and it is the most plausible of all** the alternatives **that [the other commentators] have considered for it.**[243]

[Ramban now seeks to provide definitions of the words צֶלֶם (translated here as *image*) and דְּמוּת (translated here as *likeness*):]

וּפֵרוּשׁ ״צֶלֶם״ כְּמוֹ ״תֹּאַר״ – The meaning of the word **צֶלֶם** is like the word תֹּאַר, ***appearance,*** **״וּצְלֵם אַנְפּוֹהִי אֶשְׁתַּנִּי״** – as in, ***and the appearance*** [וּצְלֵם] ***of his face became contorted*** (*Daniel* 3:19). **וְכֵן: ״אַךְ בְּצֶלֶם יִתְהַלֶּךְ אִישׁ״ – And similarly,** we find, ***Only with an appearance*** [בְּצֶלֶם] ***man walks***[244] (*Psalms* 39:7); **״בָּעִיר צַלְמָם תִּבְזֶה״** – and ***in the city You will despise their appearance*** [צַלְמָם] (ibid. 73:20), **תֹּאַר מַרְאִיתָם** – where צַלְמָם means **"their appearance."** **וּ״דְמוּת״ הוּא דִּמְיוֹן בְּצוּרָה וּבְמַעֲשֶׂה – And דְּמוּת denotes a similarity in form or deed,** **כִּי הַקְּרוֹבִים בְּעִנְיָן יִקָּרְאוּ דוֹמִים זֶה לָזֶה – for things that are comparable** to each other **in some sense are called** דּוֹמִים, ***"similar,"***[245] **to each other.**

[Having established that the plural pronouns in this verse (*us, our*) refer to "God and the earth," and having defined צֶלֶם as *appearance,* Ramban explains the meaning of בְּצַלְמֵנוּ, literally, *in our*

241. Thus, Ramban has explained both the plural and the basic meaning of the terms "our image" and "our likeness." Man has the earth's "likeness and image" in his physical body, and God's "likeness and image" in his immortal soul.

242. It is true that man resembled the earth in his physical makeup, but the same could be said for the animals as well. This verse seeks to stress what man possessed that the animals did not – i.e., a divine soul. This is why only the Godly aspect of man (*in the image of God*) is mentioned there.

243. Rabbi Yosef Kimchi's explanation is cited by his son, Radak, in the latter's commentary to *Bereishis* and in his work on grammar, *Michlol* (p. 7 in the Ritenberg edition).

244. Many commentators translate צֶלֶם in that verse as *darkness* (related to צֵל, *shadow*), rather than "appearance."

245. דּוֹמִים, *similar,* is an adjective derived from the same root as דְּמוּת, *likeness*.

וְיִרְדּוּ בִדְגַת הַיָּם וּבְעוֹף הַשָּׁמַיִם וּבַבְּהֵמָה
וּבְכָל־הָאָרֶץ וּבְכָל־הָרֶמֶשׂ הָרֹמֵשׂ עַל־
כז הָאָרֶץ: וַיִּבְרָא אֱלֹהִים ׀ אֶת־הָאָדָם בְּצַלְמוֹ

וְיִשְׁלְטוּן בְּנוּנֵי יַמָּא וּבְעוֹפָא
דִשְׁמַיָּא וּבִבְעִירָא וּבְכָל אַרְעָא
וּבְכָל רִחֲשָׁא דְּרָחֵשׁ עַל אַרְעָא:
כז וּבְרָא יְיָ יָת אָדָם בְּצַלְמֵהּ

רש"י

וירדו בדגת הים. יש בלשון הזה לשון רידוי ולשון ירידה. זכה, רודה בחיות ובבהמות. לא זכה, נעשה ירוד לפניהם והחיה מושלת בו (ב"ר שם יב): **(כז) ויברא אלהים את האדם בצלמו.** בדפוס העשוי לו (כתובות ח.) שהכל נברא במאמר והוא נברא בידים, שנאמר ותשת עלי כפכה (תהלים קלט:ה; אדר"נ סוף פ"א). נעשה בחותם כמטבע העשויה ע"י רושם שקורין קוי"ן בלע"ז וכן הוא אומר תתהפך כחומר חותם (איוב לח:יד; סנהדרין לח.):

רמב"ן

וְהִנֵּה הָאָדָם דּוֹמֶה לַתַּחְתּוֹנִים וְלָעֶלְיוֹנִים בְּתֹאַר וְהָדָר[246], כִּדִכְתִיב "וְכָבוֹד וְהָדָר תְּעַטְּרֵהוּ" [תהלים ח, ו][247], וְהוּא מְגַמַּת פָּנָיו בְּחָכְמָה וּבְדַעַת וְכִשְׁרוֹן הַמַּעֲשֶׂה[248]. וּבִדְמוּת מַמָּשׁ, שֶׁיִּדְמֶה גוּפוֹ לֶעָפָר וְנַפְשׁוֹ לָעֶלְיוֹנִים[249].

☐ **וְיִרְדּוּ בִדְגַת הַיָּם.** בַּעֲבוּר הֱיוֹתוֹ זָכָר וּנְקֵבָה [פסוק כז] אָמַר "וְיִרְדּוּ" בִדְגַת הַיָּם, לְשׁוֹן רַבִּים.

וּבִבְרֵאשִׁית רַבָּה [ז, ה] אָמְרוּ: "תּוֹצֵא הָאָרֶץ נֶפֶשׁ חַיָּה לְמִינָהּ", אָמַר רַבִּי אֶלְעָזָר: "נֶפֶשׁ חַיָּה" זוֹ רוּחוֹ שֶׁל אָדָם הָרִאשׁוֹן.

וְלֹא יִתָּכֵן שֶׁיֹּאמַר רַבִּי אֶלְעָזָר כִּי "תּוֹצֵא הָאָרֶץ" יִתְפָּרֵשׁ בְּנַפְשׁוֹ שֶׁל אָדָם הָרִאשׁוֹן כְּלָל, אֶלָּא שֶׁיִּתְכַּוֵּן

RAMBAN ELUCIDATED

appearance, and כִּדְמוּתֵנוּ, *after our likeness:*]

וְהִנֵּה הָאָדָם דּוֹמֶה לַתַּחְתּוֹנִים וְלָעֶלְיוֹנִים בְּתֹאַר וְהָדָר – Now, man is similar to the lower realms and to the upper realms: in appearance to the lower realms **and** in **splendor** to the upper realms,[246] **כִּדִכְתִיב: "וְכָבוֹד וְהָדָר תְּעַטְּרֵהוּ" – as it is written, *With glory and splendor You have crowned him*** (man) (*Psalms* 8:6),[247] **וְהוּא מְגַמַּת פָּנָיו בְּחָכְמָה וּבְדַעַת וְכִשְׁרוֹן הַמַּעֲשֶׂה – and that** refers to **[man's] facial expression,** which is an expression of **wisdom and knowledge and perfection of deed,**[248] and that is the meaning of בְּצַלְמֵנוּ, *in our image.* **וּבִדְמוּת מַמָּשׁ, שֶׁיִּדְמֶה גוּפוֹ לֶעָפָר וְנַפְשׁוֹ לָעֶלְיוֹנִים – And** man is similar to both God and the earth **in actual *likeness,* for his body is similar to the dust** of the earth, **while his soul** is similar **to the upper worlds.**[249]

☐ **וְיִרְדּוּ בִדְגַת הַיָּם** – *THEY SHALL RULE OVER THE FISH OF THE SEA.*

[The verse speaks of a single man, נַעֲשֶׂה אָדָם, *Let us make **man***, yet uses that as the subject of the plural verb וְיִרְדּוּ, ***they** shall rule*. Ramban explains:]

בַּעֲבוּר הֱיוֹתוֹ זָכָר וּנְקֵבָה אָמַר "וְיִרְדּוּ" בִדְגַת הַיָּם, לְשׁוֹן רַבִּים – Because [man] was actually **male and female** (v. 27), **[God] said, *"They" shall rule,*** using **the plural form.**

[Ramban cites a Midrash and expounds on it:]

וּבִבְרֵאשִׁית רַבָּה אָמְרוּ: "תּוֹצֵא הָאָרֶץ נֶפֶשׁ חַיָּה לְמִינָהּ" – And in *Bereishis Rabbah* (7:5), **they explained** the verse, ***Let the earth bring forth [creatures with] live souls, each according to its kind*** (v. 24): **אָמַר רַבִּי אֶלְעָזָר: "נֶפֶשׁ חַיָּה" זוֹ רוּחוֹ שֶׁל אָדָם הָרִאשׁוֹן – Rabbi Elazar said:** The phrase ***live souls*** (lit., *a live soul*) **refers to the spirit of Adam, the first** man.

[Now, that Midrash seems to contradict verse 2:7, which states that man's soul was blown into man by God Himself; it was not a product of the earth. Ramban explains:]

וְלֹא יִתָּכֵן שֶׁיֹּאמַר רַבִּי אֶלְעָזָר כִּי "תּוֹצֵא הָאָרֶץ" יִתְפָּרֵשׁ בְּנַפְשׁוֹ שֶׁל אָדָם הָרִאשׁוֹן כְּלָל – It is not at all possible that Rabbi Elazar should be saying that *let the earth bring forth* should be interpreted as a reference to the soul of Adam, the first man **at all.** **אֶלָּא שֶׁיִּתְכַּוֵּן לְמַה שֶּׁהִזְכַּרְתִּי – Rather, his inten-**

246. Man resembles other creatures of the earth in his physical anatomy, and resembles the Divine in his "splendor," which Ramban defines shortly.

247. This verse proves that man is endowed with "splendor" from on high.

248. This is the definition of the "splendor" mentioned by Ramban earlier, and mentioned in the verse that he cited.

249. This is what is meant by בִּדְמוּתֵנוּ, *in our likeness* – man resembles both God (in his soul) and earth (in his body).

They shall rule over the fish of the sea, the birds of the sky, and over the animals, the whole earth, and every moving thing that treads upon the earth." 27 So God created Man in His image,

רמב"ן

לְמַה שֶׁהִזְכַּרְתִּי, לוֹמַר כִּי יְצִירַת הָאָדָם בְּרוּחוֹ, הוּא הַנֶּפֶשׁ אֲשֶׁר בַּדָּם[250] - נַעֲשָׂה מִן הָאָרֶץ בְּמַאֲמַר הַחַיָּה וְהַבְּהֵמָה[251]. כִּי כָּל נַפְשׁוֹת הַתְּנוּעָה[252] נַעֲשׂוּ יַחַד, וְאַחַר כֵּן בָּרָא לָהֶם גּוּפוֹת[253]: עָשָׂה תְּחִלָּה גּוּפֵי הַבְּהֵמָה וְהַחַיָּה [פסוק כה], וְאַחַר כָּךְ גּוּף הָאָדָם [פסוק כז], וְנָתַן בּוֹ הַנֶּפֶשׁ הַזוֹ [פסוק כד]. וְאַחַר כֵּן נָפַח בּוֹ נְשָׁמָה עֶלְיוֹנִית, כִּי הַנֶּפֶשׁ הַנִּפְרֶדֶת אֲשֶׁר בּוֹ[254], הִיא שֶׁנִּתְיַחֵד בָּהּ מַאֲמַר אַחֵר אֶל הָאֱלֹהִים אֲשֶׁר נְתָנָהּ[255], כְּדִכְתִיב [לקמן ב, ז]: "וַיִּפַּח בְּאַפָּיו נִשְׁמַת חַיִּים".

וְדֶרֶךְ הָאֱמֶת בְּפָסוּק הַזֶּה יוֹדֵעַ לַמַּשְׂכִּיל בְּפָסוּק הַשֵּׁנִי, וְאֶפְשָׁר שֶׁנִּתְכַּוֵּן לוֹ רַבִּי אֶלְעָזָר וְדָרַשׁ בְּ"תוֹצֵא הָאָרֶץ" אֶרֶץ הַחַיִּים, שֶׁתּוֹצֵא נֶפֶשׁ חַיָּה לְמִינָהּ לְעוֹלָם עוֹמֶדֶת. וְכֵן מַה שֶּׁאָמַר "זָכָר וּנְקֵבָה בָּרָא אוֹתָם", כִּי הָיְתָה הַבְּרִיאָה מִתְּחִלָּה מִזָּכָר וּנְקֵבָה וְנִשְׁמָתוֹ כְּלוּלָה בָּהֶם, אֲבָל הַיְצִירָה הָיְתָה יְצִירָה לְאָדָם וּבִנְיַן צֶלַע לְאִשָּׁה כַּאֲשֶׁר יְסַפֵּר בַּסּוֹף. וְלָכֵן הִזְכִּיר כָּאן "בְּרִיאָה" וּבְפָרָשָׁה שֶׁל מַטָּה הִזְכִּיר "יְצִירָה". וְהַמַּשְׂכִּיל יָבִין.

וְטַעַם "וְיִרְדּוּ", שֶׁיִּמְשְׁלוּ בְּחָזְקָה בַּדָּגִים וּבָעוֹף וּבַבְּהֵמָה וּבְכָל הָרֶמֶשׂ. וְ"הַבְּהֵמָה" תִּכְלֹל הַחַיָּה[256].

RAMBAN ELUCIDATED

tion is what I have mentioned: **לוֹמַר כִּי יְצִירַת הָאָדָם בְּרוּחוֹ, הוּא הַנֶּפֶשׁ אֲשֶׁר בַּדָּם** – He means **to say that the creation of man's spirit, which is the soul that lies in the blood,**[250] **נַעֲשָׂה מִן הָאָרֶץ בְּמַאֲמַר הַחַיָּה וְהַבְּהֵמָה** – **was made from the earth, in the** same **utterance as the beasts and animals.**[251] **כִּי כָּל נַפְשׁוֹת הַתְּנוּעָה נַעֲשׂוּ יַחַד** – **For all souls of mobility**[252] **were made** by God **at one time,** **וְאַחַר כֵּן בָּרָא לָהֶם גּוּפוֹת** – **and after that [God] created bodies for [those]** souls:[253] **עָשָׂה תְּחִלָּה גּוּפֵי הַבְּהֵמָה וְהַחַיָּה** – **First He made the bodies of the animals and the beasts** (v. 25); **וְאַחַר כָּךְ גּוּף הָאָדָם** – **and afterwards** He made **the body of man** (v. 27), **וְנָתַן בּוֹ הַנֶּפֶשׁ הַזוֹ** – **and He placed within him this** animal **soul** that had been created from earth beforehand (v. 24). **וְאַחַר כֵּן נָפַח בּוֹ נְשָׁמָה עֶלְיוֹנִית** – **After that He blew a supernal soul into him** from above (2:7), **כִּי הַנֶּפֶשׁ הַנִּפְרֶדֶת אֲשֶׁר בּוֹ, הִיא שֶׁנִּתְיַחֵד בָּהּ מַאֲמַר אַחֵר אֶל הָאֱלֹהִים אֲשֶׁר נְתָנָהּ** – **for** it is because of **this separate soul within [man]**[254] **that a distinct utterance was attributed to God, Who gave it** to him,[255] **כְּדִכְתִיב: "וַיִּפַּח בְּאַפָּיו נִשְׁמַת חַיִּים"** – **as it is written,** ***and He blew into his nostrils the soul of life*** (below, 2:7).

[Ramban continues with a Kabbalistic explanation for the use of the plural verb וְיִרְדּוּ, *they shall rule,* in our verse. That explanation is not within the scope of this elucidation. In the Hebrew text, Ramban's words appear in the paragraph beginning וְדֶרֶךְ הָאֱמֶת בְּפָסוּק הַזֶּה and ending וְהַמַּשְׂכִּיל יָבִין.]

[Ramban now explains the term וְיִרְדּוּ, *they shall rule*:]

וְטַעַם "וְיִרְדּוּ" שֶׁיִּמְשְׁלוּ בְּחָזְקָה בַּדָּגִים וּבָעוֹף וּבַבְּהֵמָה וּבְכָל הָרֶמֶשׂ – **The explanation of *they shall rule* is that they should assert control by force over the fish, the fowl, the animals and all the creeping creatures.** **וְהַ"בְּהֵמָה" תִּכְלֹל הַחַיָּה** – The word **וּבַבְּהֵמָה**, *and over **the animals,*** in our verse **includes the beasts** as well, although they are often listed separately.[256]

250. Ramban is referring to the "animal soul," described above, in footnote 229 to verse 22. The Torah writes several times that the soul of an animal is "in its blood" (*Leviticus* 17:11, etc.). According to Ramban, when Rabbi Elazar speaks of the "spirit (רוּחַ) of Adam," he is referring to that soul, not to man's unique soul (the "rational soul," see footnote 229), which was invested in him from on High.

251. Man's "animal soul" was created along with the animals' "animal soul," with the same act (or "utterance") of Creation.

252. "Soul of mobility" is the term Ramban uses to describe the animal soul; see above, v. 22, with footnote 229.

253. That is, He made both the bodies (a) of the animals and the beasts and (b) of man.

254. The rational soul or *neshamah* (see footnote 229 above).

255. It was only because of man's unique rational soul that he was not created along with the animals, but through a separate act (utterance) of Creation. This is why that soul was created only after man's physical body.

256. The Talmud (*Chullin* 71a), based on *Deuteronomy* 14:4-5, in fact, states a general rule that the term בְּהֵמָה, *animal,* can include חַיָּה, *beasts,* as well.

בְּצֶלֶם אֱלֹהִים בָּרָא אֹתוֹ זָכָר וּנְקֵבָה בָּרָא
כח אֹתָם: וַיְבָרֶךְ אֹתָם אֱלֹהִים וַיֹּאמֶר לָהֶם
אֱלֹהִים פְּרוּ וּרְבוּ וּמִלְאוּ אֶת־הָאָרֶץ וְכִבְשֻׁהָ
וּרְדוּ בִּדְגַת הַיָּם וּבְעוֹף הַשָּׁמַיִם וּבְכָל־חַיָּה

בְּצַלְם אֱלָהִין בְּרָא יָתֵהּ דְּכַר וְנוּקְבָא בְּרָא יָתְהוֹן: כח וּבָרִיךְ יָתְהוֹן יְיָ וַאֲמַר לְהוֹן יְיָ פּוּשׁוּ וּסְגוּ וּמְלוּ יָת אַרְעָא וּתְקוּפוּ עֲלַהּ וּשְׁלוּטוּ בְּנוּנֵי יַמָּא וּבְעוֹפָא דִשְׁמַיָּא וּבְכָל חַיְתָא

רש"י

בצלם אלהים ברא אותו. פירש לך שאותו צלם המתוקן לו צלם דיוקן יוצרו הוא (ב"ב נח.): **זכר ונקבה ברא אותם.** ולהלן הוא אומר ויקח אחת מצלעותיו וגו' (להלן ב:כא). מדרש אגדה, שבראו שני פרצופים בבריאה ראשונה ואח"כ חלקו (ב"ר ח:א). ופשוטו של מקרא, כאן הודיעך שנבראו שניהם בששי, ולא פירש לך כיצד ברייתן ופירש לך במקום אחר (ברייתא דל"ב מדות יג): **(כח) וכבשה.** חסר וי"ו, ללמדך שהזכר כובש את הנקבה שלא תהא יצאנית (ב"ר שם). ועוד ללמדך שהאיש שדרכו לכבוש מצווה על

רמב"ן

וְאָמַר "וּבְכָל הָאָרֶץ", שֶׁיִּמְשְׁלוּ בָּאָרֶץ עַצְמָהּ לַעֲקֹר וְלִנְתֹּץ וְלַחְפֹּר וְלַחְצֹב נְחֹשֶׁת וּבַרְזֶל. וּלְשׁוֹן "רְדִיָּה" - מֶמְשֶׁלֶת הָאָדוֹן בְּעַבְדּוֹ.

[כח] וַיְבָרֶךְ אוֹתָם אֱלֹהִים. זוֹ בְּרָכָה מַמָּשׁ[257], לְפִיכָךְ כָּתוּב בָּהּ "וַיֹּאמֶר לָהֶם אֱלֹהִים"[258], אֲבָל לְמַעְלָה [פסוק כב] כָּתוּב: "וַיְבָרֶךְ אוֹתָם אֱלֹהִים לֵאמֹר", יְפָרֵשׁ שֶׁהַבְּרָכָה הִיא הַמַּאֲמָר שֶׁנָּתַן בָּהֶם כֹּחַ הַתּוֹלָדָה[259], לֹא דִּבּוּר אַחֵר שֶׁיִּהְיוּ בוֹ מְבֹרָכִים.

□ **וּמִלְאוּ אֶת הָאָרֶץ.** בְּרָכָה שֶׁיְּמַלְאוּ אֶת הָעוֹלָם לְרֻבָּם. וּלְפִי דַּעְתִּי, יְבָרֵךְ אוֹתָם שֶׁיְּמַלְאוּ כָּל הָאָרֶץ,

RAMBAN ELUCIDATED

[Our verse states, *They shall rule over the fish of the sea, the birds of the sky, and over the animals, the whole earth.* Now, one can "rule over animals, etc." by trapping them or putting them to use for various tasks. But what is meant by "ruling over the earth"?]

וְאָמַר "וּבְכָל הָאָרֶץ", שֶׁיִּמְשְׁלוּ בָּאָרֶץ עַצְמָהּ – [Scripture] states, *rule over* ***the whole earth***, which means **that they should rule over the earth itself, לַעֲקֹר וְלִנְתֹּץ וְלַחְפֹּר וְלַחְצֹב נְחֹשֶׁת וּבַרְזֶל – uprooting** plants, **smashing** rocks, etc., **digging** in the earth, **and mining copper and iron. וּלְשׁוֹן "רְדִיָּה" מֶמְשֶׁלֶת הָאָדוֹן בְּעַבְדּוֹ – Words with the root רדה** connote **the control of a master over his slave.**

28. וַיְבָרֶךְ אוֹתָם אֱלֹהִים – ***GOD BLESSED THEM.***

[Ramban explains the implications of this blessing:]

זוֹ בְּרָכָה מַמָּשׁ – This refers to an actual blessing,[257] **לְפִיכָךְ כָּתוּב בָּהּ "וַיֹּאמֶר לָהֶם אֱלֹהִים" – and therefore** the phrase ***And God said to them*** **is written with regard to it.**[258] **אֲבָל לְמַעְלָה כָּתוּב: "וַיְבָרֶךְ אוֹתָם אֱלֹהִים לֵאמֹר" – Above** (v. 22), **however, it is written, *God blessed them, saying ...*, יְפָרֵשׁ שֶׁהַבְּרָכָה הִיא הַמַּאֲמָר שֶׁנָּתַן בָּהֶם כֹּחַ הַתּוֹלָדָה – specifying that the "blessing"** consisted of **the utterance by which He placed in them the capability of reproducing;**[259] **לֹא דִּבּוּר אַחֵר שֶׁיִּהְיוּ בוֹ מְבֹרָכִים** – the blessing was **not a separate statement by which they would be blessed.**

□ **וּמִלְאוּ אֶת הָאָרֶץ** – ***AND FILL THE EARTH.***

[Ramban explains how mankind will fill the earth:]

בְּרָכָה שֶׁיְּמַלְאוּ אֶת הָעוֹלָם לְרֻבָּם – This was **a blessing that they should fill the world with their abundance.**

[Ramban presents an alternative explanation:]

וּלְפִי דַּעְתִּי יְבָרֵךְ אוֹתָם שֶׁיְּמַלְאוּ כָּל הָאָרֶץ – In my opinion, [God] is blessing them here **that they should**

257. As opposed to the same expression in verse 22 (see Ramban with the footnotes there).

258. First, *God blessed them* with a blessing, the content of which is not revealed in Scripture; *and* [then] *God said* [something else] *to them, ...* In citing this comment of Ramban, *Tur* states that the blessing was that they should rule over the earth. Rabbeinu Bachya, based on *Megillas HaMegalleh*, understands the unwritten blessing in a different manner.

259. In that verse, as the wording indicates, God's "blessing" and "saying" were one and the same, unlike our verse in which they were two distinct statements.

in the image of God He created him; male and female He created them.

[28] *God blessed them and God said to them, "Be fruitful and multiply, fill the earth and subdue it; and rule over the fish of the sea, the birds of the sky, and every living thing*

רמב"ן

וְיִפָּרְדוּ הַגּוֹיִם לְמִשְׁפְּחוֹתָם בְּקַצְוֵי תֵּבֵל לְרֻבָּם[260], וְלֹא יִהְיוּ בְּמָקוֹם אֶחָד כְּמַחְשֶׁבֶת אַנְשֵׁי דוֹר הַפַּלָּגָה [להלן יא,ד].

□ **וְכִבְשֻׁהָ.** נָתַן לָהֶם כֹּחַ וּמֶמְשָׁלָה בָּאָרֶץ לַעֲשׂוֹת כִּרְצוֹנָם בַּבְּהֵמוֹת וּבַשְּׁרָצִים וְכָל זוֹחֲלֵי עָפָר, וְלִבְנוֹת, וְלַעֲקֹר נָטוּעַ, וּמֵהֲרָרֶיהָ לַחְצֹב נְחֹשֶׁת, וְכַיּוֹצֵא בָּזֶה. וְזֶה יִכְלֹל מַה שֶּׁאָמַר [לעיל פסוק כו]: "וּבְכָל הָאָרֶץ"[261].

□ **וּרְדוּ בִּדְגַת הַיָּם.** אָמַר שֶׁיִּהְיוּ רוֹדִים גַּם בִּדְגֵי הַיָּם הַנִּכְסִים מֵהֶם, וּבְעוֹף הַשָּׁמַיִם שֶׁאֵינָם עִמָּהֶם בָּאֲדָמָה, גַּם בְּכָל חַיָּה רָעָה[262]. וְסִדֵּר אוֹתָם כִּבְרִיאָתָם[263]: הַדָּגִים וְהָעוֹף תְּחִלָּה, וְהַחַיָּה אַחַר כֵּן.

RAMBAN ELUCIDATED

fill the entire earth, וְיִפָּרְדוּ הַגּוֹיִם לְמִשְׁפְּחוֹתָם בְּקַצְוֵי תֵּבֵל לְרֻבָּם – **and that the** various **nations** destined to come into existence **would separate into their** respective **families to the ends of the earth in their abundance,**[260] וְלֹא יִהְיוּ בְּמָקוֹם אֶחָד כְּמַחְשֶׁבֶת אַנְשֵׁי דוֹר הַפַּלָּגָה – **and they** all **should not be** together **in** just **one place as was the plan of the people of the generation of the Dispersion** (below, 11:4).

□ **וְכִבְשֻׁהָ** – ***[FILL THE EARTH] AND SUBDUE IT.***

[Ramban explains how man is to "subdue" the earth:]

נָתַן לָהֶם כֹּחַ וּמֶמְשָׁלָה בָּאָרֶץ – With these words **[God] gave them power and dominion over the earth,** לַעֲשׂוֹת כִּרְצוֹנָם בַּבְּהֵמוֹת וּבַשְּׁרָצִים וְכָל זוֹחֲלֵי עָפָר – **to do as they wished with the animals, the creeping creatures and all the creatures that slither on the ground,** וְלִבְנוֹת, וְלַעֲקוֹר נָטוּעַ, וּמֵהֲרָרֶיהָ לַחְצֹב נְחֹשֶׁת, וְכַיּוֹצֵא בָּזֶה – **and to build, to uproot that which is planted, and to mine copper from its mountains, and the like.** וְזֶה יִכְלֹל מַה שֶּׁאָמַר: "וּבְכָל הָאָרֶץ" – **This includes what it said** above (v. 26), *They shall rule over the fish* ***and over all the earth.***[261]

□ **וּרְדוּ בִּדְגַת הַיָּם** – ***AND RULE OVER THE FISH OF THE SEA.***

[Ramban explains what this phrase adds to the previous term וְכִבְשֻׁהָ, *and subdue it*:]

אָמַר שֶׁיִּהְיוּ רוֹדִים גַּם בִּדְגֵי הַיָּם הַנִּכְסִים מֵהֶם – **[God] said that they should rule even over the fish of the sea, which are hidden from them,** וּבְעוֹף הַשָּׁמַיִם שֶׁאֵינָם עִמָּהֶם בָּאֲדָמָה – **and** even **over the birds of the sky, which are not with them on the ground** and thus are beyond immediate reach, גַּם בְּכָל חַיָּה רָעָה – **and even over all the evil** (wild) **beasts.**[262] וְסִדֵּר אוֹתָם כִּבְרִיאָתָם, הַדָּגִים וְהָעוֹף תְּחִלָּה, וְהַחַיָּה אַחַר כֵּן – **He arranged [these things] according to their** order of **creation:**[263] **the fish**

260. According to this second interpretation, the blessing was not that human beings should actually fill up the entire world with their vast numbers; rather, it means that they should form separate communities in far-flung areas.

261. Above (v. 26), before creating man, God said that they would *"rule over the fish, the birds, the [herbivorous] animals, the whole earth, and every [carnivorous] beast that treads upon the earth"* Now (v. 28), when giving man His blessing, He tells him to *"rule over the fish, the birds, and every living thing that treads upon the earth."* There are several items that appear on the first list, but not on the second: *the [herbivorous] animals; the whole earth* (which Ramban explained above [on v. 26] to be a reference to building, demolishing, mining copper, etc.); and *creeping things.* Ramban now explains that the reason for these omissions in our verse is that the extra word וְכִבְשֻׁהָ, *and subdue [the earth],* here includes all these items and renders their repetition unnecessary.

262. The term וְכִבְשֻׁהָ, *and subdue it,* refers, as Ramban noted previously, to dominion over that which is easily within man's grasp (animals, creeping creatures, building, uprooting, mining copper). The phrase וּרְדוּ בִּדְגַת הַיָּם, *and rule over the fish, etc.,* broadens the concept of domination to include those members of the animal kingdom that are more difficult to dominate: The fish and birds, which are out of easy reach, and wild animals, which are dangerous to humans.

263. According to Ramban's interpretation, we might have expected them to be listed in order of increasing unavailability. (The three items are in fact listed in exactly the opposite manner – from least available to most available.)

כט הָרֹמֵשׂ עַל־הָאָרֶץ: וַיֹּאמֶר אֱלֹהִים הִנֵּה
נָתַתִּי לָכֶם אֶת־כָּל־עֵשֶׂב ׀ זֹרֵעַ זֶרַע אֲשֶׁר עַל־
פְּנֵי כָל־הָאָרֶץ וְאֶת־כָּל־הָעֵץ אֲשֶׁר־בּוֹ פְרִי־
ל עֵץ זֹרֵעַ זָרַע לָכֶם יִהְיֶה לְאָכְלָה: וּלְכָל־חַיַּת
הָאָרֶץ וּלְכָל־עוֹף הַשָּׁמַיִם וּלְכֹל ׀ רוֹמֵשׂ עַל־
הָאָרֶץ אֲשֶׁר־בּוֹ נֶפֶשׁ חַיָּה אֶת־כָּל־יֶרֶק עֵשֶׂב

דְּרָחֵשָׁא עַל אַרְעָא: כט וַאֲמַר יְיָ
הָא יְהָבִית לְכוֹן יָת כָּל עִסְבָּא
דְּבַר זַרְעֵהּ מִזְדְּרַע דִּי עַל אַפֵּי
כָל אַרְעָא וְיָת כָּל אִילָנָא דִּי בֵהּ
פֵּירֵי אִילָנָא דְּבַר זַרְעֵהּ מִזְדְּרַע
לְכוֹן יְהֵא לְמֵיכָל: ל וּלְכָל חֵיוַת
אַרְעָא וּלְכָל עוֹפָא דִשְׁמַיָּא
וּלְכֹל דְּרָחֵשׁ עַל אַרְעָא דִּי בֵהּ
נַפְשָׁא חַיְתָא יָת כָּל יְרוֹק עִסְבָּא

רש"י

פריה ורביה ולא האשה (יבמות סה:): **(כט-ל) לכם יהיה לאכלה. ולכל חית הארץ.** השוה להם בהמות וחיות למאכל, ולא הרשה לאדם ולאשתו להמית בריה ולאכול בשר, אך **כל ירק עשב** יאכלו יחד כלם (בראשית רבתי להלן י:ט; מדרש אגדה). וכשבאו בני נח התיר להם בשר, שנאמר כל רמש אשר הוא חי וגו׳ כירק עשב, שהתרתי לאדם הראשון, נתתי לכם את כל (להלן ט:ג; סנהדרין נט:):

רמב"ן

וְכָךְ אָמַר הַכָּתוּב [תהלים ח, ז-ט]: "תַּמְשִׁילֵהוּ בְּמַעֲשֵׂי יָדֶךָ, כֹּל שַׁתָּה תַחַת רַגְלָיו: צֹנֶה וַאֲלָפִים כֻּלָּם, וְגַם בַּהֲמוֹת[264] שָׂדָי, צִפּוֹר שָׁמַיִם וּדְגֵי הַיָּם וְגוֹ׳" [תהלים ח, ז-ט][265]. וְרַבּוֹתֵינוּ שָׂמוּ הֶפְרֵשׁ בֵּין "כִּבְישָׁה" וּ"רְדִיָּה"[266].
[כט] הִנֵּה נָתַתִּי לָכֶם אֶת כָּל עֵשֶׂב זֹרֵעַ זֶרַע. "לֹא הִרְשָׁה לְאָדָם וּלְאִשְׁתּוֹ לְהָמִית בְּרִיָּה וְלֶאֱכֹל בָּשָׂר; אַךְ כָּל יֶרֶק עֵשֶׂב יֹאכְלוּ יַחְדָּו כֻּלָּם [פסוק ל]. וּכְשֶׁבָּאוּ בְּנֵי נֹחַ - הִתִּיר לָהֶם בָּשָׂר, שֶׁנֶּאֱמַר [להלן ט, ב]: "כָּל רֶמֶשׂ אֲשֶׁר הוּא חַי לָכֶם יִהְיֶה לְאָכְלָה; כְּיֶרֶק עֵשֶׂב נָתַתִּי לָכֶם אֶת כֹּל" - כְּיֶרֶק עֵשֶׂב שֶׁהִתַּרְתִּי לְאָדָם הָרִאשׁוֹן, הִתַּרְתִּי לָכֶם אֶת כֹּל[267]. לְשׁוֹן רַשִׁ"י.

RAMBAN ELUCIDATED

and fowl first, and the beasts afterwards. **וְכָךְ אָמַר הַכָּתוּב: "תַּמְשִׁילֵהוּ בְּמַעֲשֵׂי יָדֶךָ כֹּל שַׁתָּה תַחַת רַגְלָיו צֹנֶה וַאֲלָפִים כֻּלָּם וְגַם בַּהֲמוֹת שָׂדָי. צִפּוֹר שָׁמַיִם וּדְגֵי הַיָּם וְגוֹ׳"** – **And so** too **did Scripture state,** ***You gave him dominion over Your handiwork, You placed everything under his feet: all the sheep and cattle, and even the beasts***[264] ***of the field; the birds of the sky and the fish of the sea*** (*Psalms* 8:7-9).[265] **וְרַבּוֹתֵינוּ שָׂמוּ הֶפְרֵשׁ בֵּין כִּבְישָׁה וּרְדִיָּה** – **Our Sages,** however, **drew a distinction between "subduing" and "ruling."**[266]

29. הִנֵּה נָתַתִּי לָכֶם אֶת כָּל עֵשֶׂב זֹרֵעַ זֶרַע – ***BEHOLD, I HAVE GIVEN TO YOU ALL HERBAGE YIELDING SEED.***

[In this verse and the next God informs man and the animals regarding which foods He has designated for them to eat. Ramban begins his interpretation of these verses by citing Rashi:]

לֹא הִרְשָׁה לְאָדָם וּלְאִשְׁתּוֹ לְהָמִית בְּרִיָּה וְלֶאֱכֹל בָּשָׂר – **[God] did not permit Adam and his wife to put any creature to death and to eat** its **flesh;** **אַךְ "כָּל יֶרֶק עֵשֶׂב" יֹאכְלוּ יַחְדָּו כֻּלָּם** – **rather, they were all** (man and the animals) **as one, to eat** ***all green herbage*** (v. 30). **וּכְשֶׁבָּאוּ בְּנֵי נֹחַ הִתִּיר לָהֶם בָּשָׂר** – **But when the sons of Noah came** along, i.e., after the Flood, **He permitted meat for them,** **שֶׁנֶּאֱמַר: "כָּל רֶמֶשׂ אֲשֶׁר הוּא חַי לָכֶם יִהְיֶה לְאָכְלָה כְּיֶרֶק עֵשֶׂב נָתַתִּי לָכֶם אֶת כֹּל"** – **as it says,** ***Every moving thing that lives shall be food for you; like the green herbage I have given you everything*** (below, 9:2), meaning: **כְּיֶרֶק עֵשֶׂב שֶׁהִתַּרְתִּי לְאָדָם הָרִאשׁוֹן, הִתַּרְתִּי לָכֶם אֶת כֹּל** – **"Like the green herbage that I permitted for Adam, the first** man, so **have I** now **permitted everything,** even meat, **for you."**[267] **לְשׁוֹן רַשִׁ"י** – This is a **quote from Rashi.**

264. Although the Hebrew word is בַּהֲמוֹת, which usually denotes domesticated or herbivorous animals, in that verse it refers to wild beasts (*Kur Zahav*; see Ibn Ezra ad loc.).

265. In that verse the use of the word "even," and the arrangement of the items exactly in order of increasing unavailability, lend support to Ramban's interpretation.

266. According to the simple understanding of the verse, כִּבְשֻׁהָ is another word for *domination*, similar to רְדוּ, but the Sages understand it to mean *conquering in war* (*Yevamos* 65b) or *concealing* (*Bereishis Rabbah* 8:14) (*Tuv Yerushalayim*).

267. Ramban's citation of Rashi differs slightly from extant editions, however, those differences do not affect the meanings of Rashi's comment.

that treads upon the earth."
29 *God said, "Behold, I have given to you all herbage yielding seed that is on the surface of the entire earth, and every tree that has seed-yielding fruit; it shall be yours for food.* 30 *And to every beast of the earth, to every bird of the sky, and to everything that moves on the earth, within which there is a living soul, all green herbage*

רמב"ן

וְכֵן פֵּרֵשׁ הָרַב בְּמַסֶּכֶת סַנְהֶדְרִין [נט,ב ד"ה לא הותר]: "וּלְכָל חַיַּת הָאָרֶץ",[267a] לָכֶם וְלַחַיּוֹת נָתַתִּי הָעֲשָׂבִים וְאֶת הָאִילָנוֹת וְאֶת כָּל יֶרֶק עֵשֶׂב לְאָכְלָה.

וְאִם כָּךְ, יִהְיֶה פֵּרוּשׁ "אֶת כָּל יֶרֶק עֵשֶׂב לְאָכְלָה" [פסוק ל] "וְאֶת כָּל יֶרֶק עֵשֶׂב"[268].

וְאֵינוֹ כֵן. אֲבָל נָתַן לְאָדָם וּלְאִשְׁתּוֹ "כָּל עֵשֶׂב זֹרֵעַ זֶרַע" "וְכָל ... פְּרִי עֵץ"[269], וּלְחַיַּת הָאָרֶץ וּלְעוֹף הַשָּׁמַיִם נָתַן "כָּל יֶרֶק עֵשֶׂב"[270] - לֹא פְּרִי הָעֵץ וְלֹא הַזְּרָעִים[271]. וְאֵין מַאֲכָלָם יַחַד כֻּלָּם בְּשָׁוֶה.

אַךְ הַבָּשָׂר לֹא הֻרְשׁוּ בּוֹ עַד בְּנֵי נֹחַ כְּדַעַת רַבּוֹתֵינוּ [סנהדרין שם], וְהוּא פְּשׁוּטוֹ שֶׁל מִקְרָא. וְהָיָה זֶה,

RAMBAN ELUCIDATED

[Ramban notes that Rashi's comment here is consistent with the position expressed in his Talmud commentary:]

וְכֵן פֵּרֵשׁ הָרַב בְּמַסֶּכֶת סַנְהֶדְרִין: – **And so, too, did the Rav** (Rashi) **explain in** his commentary to **Tractate *Sanhedrin*** (59b, s.v., לֹא הוּתַּר): **"וּלְכָל חַיַּת הָאָרֶץ"** – ***And to every beast of the earth***[267a] – **לָכֶם וְלַחַיּוֹת נָתַתִּי הָעֲשָׂבִים וְאֶת הָאִילָנוֹת וְאֶת כָּל יֶרֶק עֵשֶׂב לְאָכְלָה** – **To you and to the beasts I have given the herbage and the trees and all the green herbage for eating.**

[Ramban disagrees with Rashi's interpretation:]

וְאִם כָּךְ יִהְיֶה פֵּרוּשׁ "אֶת כָּל יֶרֶק עֵשֶׂב לְאָכְלָה" "וְאֶת כָּל יֶרֶק עֵשֶׂב" – **And if this is so, the explanation of *all green herbage is for food*** (v. 30) **is "*and* all green herbage** is for food."[268] **וְאֵינוֹ כֵן** – **But it is not so.** **אֲבָל נָתַן לְאָדָם וּלְאִשְׁתּוֹ "כָּל עֵשֶׂב זֹרֵעַ זֶרַע" "וְכָל ... פְּרִי עֵץ"** – **Rather, [God] gave to Adam and his wife *all herbage yielding seed, and every tree* that has ... *fruit*,**[269] **וּלְחַיַּת הָאָרֶץ וּלְעוֹף הַשָּׁמַיִם נָתַן "כָּל יֶרֶק עֵשֶׂב"** – **but to the beasts of the earth and to the birds of the sky He gave *all green herbage*,"**[270] **לֹא פְּרִי הָעֵץ וְלֹא הַזְּרָעִים** – but **not the fruits of the trees and not the seeds.**[271] **וְאֵין מַאֲכָלָם יַחַד כֻּלָּם בְּשָׁוֶה** – **And,** thus, **their food was not altogether the same.**

[In any event, Ramban concludes, man was originally intended to have been vegetarian. Ramban explains why this was so:]

אַךְ הַבָּשָׂר לֹא הֻרְשׁוּ בּוֹ עַד בְּנֵי נֹחַ כְּדַעַת רַבּוֹתֵינוּ – **However, [people] were not permitted** to eat **meat until** it was permitted to **the sons of Noah, in accordance with the opinion of the Sages** (*Sanhedrin* ibid.); **וְהוּא פְּשׁוּטוֹ שֶׁל מִקְרָא** – **and that is the plain explanation of Scripture** as well.

267a. [In our printed editions, these words do not appear explicitly in Rashi; rather, Rashi quotes an earlier part of the verse, adding "etc.," to allude to these words.]

268. In verses 29-30 God tells two parties (man and beast) that they may eat three things: 29. *Behold, I have given to you (i) all herbage yielding seed and (ii) every tree that has seed-yielding fruit; it shall be for you for food.* 30. *And for every beast of the earth and for every bird of the sky and for everything that moves on the earth within which there is a living soul, (iii) all green herbage is for food.* According to Rashi (as Ramban understands him; cf. Mizrachi), all three items are intended for both parties, and the two verses are to be explained as one long sentence: *Behold, I have given to you (i) all herbage yielding seed and (ii) every tree that has seed-yielding fruit; it shall be for you for food and for every beast of the earth and for every bird of the sky and for everything that moves on the earth within which there is a living soul, (iii) [and also] all green herbage is for food.* Ramban notes that according to Rashi, the words *and also* must be interpolated into the explanation of the verse. Ramban's own interpretation that verse 29 is addressed only to man and verse 30 is addressed only to the animals avoids this problem.

269. That is, items (i) and (ii), as explained in the previous footnote.

270. That is, item (iii), as explained in footnote 268.

271. According to Ramban, then, man's food was to be seeds and fruits, but not the plants themselves; those were to be food for the animals.

לא לְאָכְלָה וַיְהִי־כֵן: וַיַּרְא אֱלֹהִים֙ אֶת־כָּל־אֲשֶׁ֣ר
עָשָׂה וְהִנֵּה־ט֖וֹב מְאֹ֑ד וַֽיְהִי־עֶ֥רֶב וַֽיְהִי־בֹ֖קֶר
י֥וֹם הַשִּׁשִּֽׁי: פ

לְמֵיכַל וַהֲוָה כֵן: לא וַחֲזָא יְיָ יָת כָּל דִּי עֲבַד וְהָא תַקִּין לַחֲדָא וַהֲוָה רְמַשׁ וַהֲוָה צְפַר יוֹם שְׁתִיתָאי:

רש"י

(לא) **יום הששי.** הוסיף ה"א בששי בגמר מעשה בראשית לומר שהתנה עמהם ע"מ שיקבלו עליהם ישראל חמשה חומשי תורה (תנחומא א). ד"א, יום הששי, כלם תלויים ועומדים עד יום הששי הוא ששי בסיון [ס"א שביום ו' בסיון שקבלו ישראל התורה נתחזקו כל יצירות בראשית ונחשב כאילו נברא העולם עתה, וזהו יום הששי בה"א, שהוא יום ו' בסיון (פס"ר כא (ק.); שהש"ר א:ט)]

רמב"ן

מִפְּנֵי שֶׁבַּעֲלֵי נֶפֶשׁ הַתְּנוּעָה[272] יֵשׁ לָהֶם קְצָת מַעֲלָה בְּנַפְשָׁם, נִדְמוּ בָּהּ לְבַעֲלֵי הַנֶּפֶשׁ הַמַּשְׂכֶּלֶת[273], וְיֵשׁ לָהֶם בְּחִירָה בְּטוֹבָתָם וּמְזוֹנֵיהֶם, וְיִבְרְחוּ מִן הַצַּעַר וְהַמִּיתָה. וְהַכָּתוּב אוֹמֵר [קהלת ג, כא]: "מִי יוֹדֵעַ רוּחַ בְּנֵי הָאָדָם הָעֹלָה הִיא לְמָעְלָה וְרוּחַ הַבְּהֵמָה הַיֹּרֶדֶת הִיא לְמַטָּה לָאָרֶץ" [קהלת ג, כא][274].

וְכַאֲשֶׁר חָטְאוּ, וְ"הִשְׁחִית כָּל בָּשָׂר אֶת דַּרְכּוֹ עַל הָאָרֶץ" [להלן ו, יב], וְנִגְזַר שֶׁיָּמוּתוּ בַּמַּבּוּל, וּבַעֲבוּר נֹחַ הִצִּיל מֵהֶם לְקִיּוּם הַמִּין - נָתַן לָהֶם רְשׁוּת לִשְׁחֹט וְלֶאֱכֹל, כִּי קִיּוּמָם בַּעֲבוּרוֹ. וְעִם כָּל זֶה לֹא נָתַן לָהֶם הָרְשׁוּת בַּנֶּפֶשׁ, וְאָסַר לָהֶם אֵבֶר מִן הַחַי[275]. וְהוֹסִיף לָנוּ בַּמִּצְוֹת לֶאֱסֹר כָּל דָּם, מִפְּנֵי שֶׁהוּא מַעֲמָד לַנֶּפֶשׁ, כִּדִכְתִיב [ויקרא יז, יד]: "כִּי נֶפֶשׁ כָּל בָּשָׂר דָּמוֹ בְנַפְשׁוֹ הוּא, וָאֹמַר לִבְנֵי יִשְׂרָאֵל: דַּם כָּל בָּשָׂר לֹא תֹאכֵלוּ, כִּי נֶפֶשׁ כָּל בָּשָׂר דָּמוֹ הוּא". כִּי הִתִּיר הַגּוּף בַּחַי שֶׁאֵינוֹ מְדַבֵּר[276], אַחַר הַמִּיתָה, לֹא הַנֶּפֶשׁ עַצְמָהּ. וְזֶה טַעַם הַשְּׁחִיטָה,

RAMBAN ELUCIDATED

וְהָיָה זֶה, מִפְּנֵי שֶׁבַּעֲלֵי נֶפֶשׁ הַתְּנוּעָה יֵשׁ לָהֶם קְצָת מַעֲלָה בְּנַפְשָׁם – This was because organisms **possessing souls of mobility**[272] **have a modicum of distinction to their souls,** נִדְמוּ בָּהּ לְבַעֲלֵי הַנֶּפֶשׁ הַמַּשְׂכֶּלֶת – **by which they resemble those who possess rational souls,**[273] וְיֵשׁ לָהֶם בְּחִירָה בְּטוֹבָתָם וּבִמְזוֹנוֹתֵיהֶם, וְיִבְרְחוּ מִן הַצַּעַר וְהַמִּיתָה – **and they**, like man, **have** the ability to exercise **choice** in matters concerning **their welfare and their food, and they,** like man, **flee from** threat of **pain and death.** וְהַכָּתוּב אוֹמֵר: "מִי יוֹדֵעַ רוּחַ בְּנֵי הָאָדָם הָעֹלָה הִיא לְמָעְלָה וְרוּחַ הַבְּהֵמָה הַיֹּרֶדֶת הִיא לְמַטָּה לָאָרֶץ" – **And Scripture states:** ***Who fathoms that it is the spirit of man that ascends on high, while it is the spirit of the beast that descends down into the earth?***[274] (*Ecclesiastes* 3:21).

[Having explained why it was originally ordained that man should not eat the flesh of animals, Ramban now explains why that restriction was removed:]

וְכַאֲשֶׁר חָטְאוּ, וְ"הִשְׁחִית כָּל בָּשָׂר אֶת דַּרְכּוֹ עַל הָאָרֶץ", וְנִגְזַר שֶׁיָּמוּתוּ בַּמַּבּוּל – **But when [the animals] sinned, and** ***"all flesh" had corrupted its way upon the earth*** (below, 6:12), **and it was decreed that they should die in the Flood,** וּבַעֲבוּר נֹחַ הִצִּיל מֵהֶם לְקִיּוּם הַמִּין – **and** only **because of Noah [God] saved** some **of them for the preservation of the species,** נָתַן לָהֶם רְשׁוּת לִשְׁחֹט וְלֶאֱכֹל, כִּי קִיּוּמָם בַּעֲבוּרוֹ – **He gave [Noah and his descendants] permission to slaughter** them **and to eat** their meat, **for [the animals'] preservation was** only **for [Noah's] sake.** וְעִם כָּל זֶה לֹא נָתַן לָהֶם הָרְשׁוּת בַּנֶּפֶשׁ – **Yet, despite all this, He** still **did not give them permission to** "**eat the soul,"** וְאָסַר לָהֶם אֵבֶר מִן הַחַי – **and** so **he forbade them** to eat **a limb** taken **from a living animal.**[275] וְהוֹסִיף לָנוּ בַּמִּצְוֹת לֶאֱסֹר כָּל דָּם – **And He added for us,** i.e., for the Jewish people, **among the commandments, the forbidding of all blood,** מִפְּנֵי שֶׁהוּא מַעֲמָד לַנֶּפֶשׁ – **because it is the station of the soul,** כִּדְכְתִיב: "כִּי נֶפֶשׁ כָּל בָּשָׂר דָּמוֹ בְנַפְשׁוֹ הוּא וָאֹמַר לִבְנֵי יִשְׂרָאֵל דַּם כָּל בָּשָׂר לֹא תֹאכֵלוּ כִּי נֶפֶשׁ כָּל בָּשָׂר דָּמוֹ הוּא" – **as it is written,** ***For the life of any creature, its blood represents its life, so I say to the Children of Israel, You shall not consume the blood of any creature; for the life of any creature is its blood*** (*Leviticus* 17:14). כִּי הִתִּיר הַגּוּף בַּחַי שֶׁאֵינוֹ מְדַבֵּר אַחַר הַמִּיתָה – **For [God] permitted** for consumption, for non-Jews, **the**

272. That is, the animal soul, as defined above in footnote 229.

273. The loftiest of the souls, as described above in footnote 229. By "those who possess rational souls" Ramban means human beings.

274. The two souls – that of man and that of the animal – are thus closely related. That is why it is considered reprehensible for man to eat the flesh of animals.

275. After the Flood, God told Noah and his sons that they could eat meat, *"But flesh,* ***with its soul*** *its blood, you shall not eat"* (below, 9:4; see Ramban there).

is for food." And it was so. 31 *And God saw all that He had made, and behold it was very good. And there was evening and there was morning, the sixth day.*

רמב"ן

ומה שֶׁאָמְרוּ צַעַר בַּעֲלֵי חַיִּים דְּאוֹרַיְתָא [בבא מציעא לב, ב]. וְזוֹ בִּרְכָתֵנוּ שֶׁנְּבָרֵךְ: "אֲשֶׁר קִדְּשָׁנוּ בְּמִצְוֹתָיו וְצִוָּנוּ עַל הַשְּׁחִיטָה"[277]. וְעוֹד אֲדַבֵּר בְּעִנְיַן הַמִּצְוָה בַּדָּם בְּהַגִּיעִי שָׁם [ויקרא יז, יא-יד], אִם גּוֹמֵר הַשֵּׁם עָלַי[278].

וְטַעַם "אֶת כָּל עֵשֶׂב זֹרֵעַ זֶרַע... וְאֶת כָּל הָעֵץ אֲשֶׁר בּוֹ פְרִי עֵץ זֹרֵעַ זָרַע, לָכֶם יִהְיֶה לְאָכְלָה" - שֶׁיֹּאכְלוּ זֵרוּעֵי הָעֵשֶׂב, כְּגַרְגְּרֵי הַחִטָּה וְהַשְּׂעוֹרָה וְהַקִּטְנִיּוֹת[279] וְזוּלָתָם, וְיֹאכְלוּ כָּל פְּרִי הָעֵץ. אֲבָל הָעֵץ עַצְמוֹ אֵינוֹ לָהֶם לְאָכְלָה, וְגַם לֹא הָעֵשֶׂב[280], עַד שֶׁנִּתְקַלֵּל אָדָם וְנֶאֱמַר לוֹ "וְאָכַלְתָּ אֶת עֵשֶׂב הַשָּׂדֶה" [לקמן ג, יח][281].

[לא] וְהִנֵּה טוֹב מְאֹד. הוּא הַקִּיּוּם, כַּאֲשֶׁר פֵּרַשְׁתִּי.

RAMBAN ELUCIDATED

body **of any non-speaking living being,**[276] **after death,** לֹא הַנֶּפֶשׁ עַצְמָהּ – but **not the *soul* itself.** וְזֶה טַעַם הַשְּׁחִיטָה – **This is** also **the reason for *shechitah*,** וּמַה שֶּׁאָמְרוּ צַעַר בַּעֲלֵי חַיִּים דְּאוֹרַיְתָא – **and** the reason for **what [the Sages] have said:** The prohibition of **causing pain to an animal is ordained by the Torah** (*Bava Metzia* 32b). וְזוֹ בִּרְכָתֵנוּ שֶׁנְּבָרֵךְ: "אֲשֶׁר קִדְּשָׁנוּ בְּמִצְוֹתָיו וְצִוָּנוּ עַל הַשְּׁחִיטָה" – **And this is our blessing that we recite** before performing *shechitah*: "[Blessed are You] **Who has sanctified us with His commandments, and has commanded us regarding *shechitah*."**[277] וְעוֹד אֲדַבֵּר בְּעִנְיַן הַמִּצְוָה בַּדָּם בְּהַגִּיעִי שָׁם – **I will speak further concerning the commandment of** refraining from eating **blood when I reach** the relevant verses (*Leviticus* 17:11-14), אִם גּוֹמֵר הַשֵּׁם עָלַי – **if** God **"fulfills** His kindness **for me."**[278]

[Ramban now explains what exactly the diet of man was to consist of:]

וְטַעַם "אֶת כָּל עֵשֶׂב זֹרֵעַ זֶרַע ... וְאֶת כָּל הָעֵץ אֲשֶׁר בּוֹ פְרִי עֵץ זֹרֵעַ זָרַע לָכֶם יִהְיֶה לְאָכְלָה" – **The explanation for *all herbage yielding seed and every tree that has seed-yielding fruit; it shall be yours for food*** שֶׁיֹּאכְלוּ זֵרוּעֵי הָעֵשֶׂב כְּגַרְגְּרֵי הַחִטָּה וְהַשְּׂעוֹרָה וְהַקִּטְנִיּוֹת וְזוּלָתָם – **is that they should eat the seeds of plants, such as the kernels of wheat and barley and legumes,**[279] **and others like them,** וְיֹאכְלוּ כָּל פְּרִי הָעֵץ – **and they should eat any fruit of a tree.** אֲבָל הָעֵץ עַצְמוֹ אֵינוֹ לָהֶם לְאָכְלָה – **But the tree itself was not to be food for them,** but only its fruit, וְגַם לֹא הָעֵשֶׂב – **nor was the plant** itself, but only its seed.[280] עַד שֶׁנִּתְקַלֵּל אָדָם וְנֶאֱמַר לוֹ "וְאָכַלְתָּ אֶת עֵשֶׂב הַשָּׂדֶה" – This was the situation **until Adam was cursed, when it was said to him, *And you shall eat the herbs of the field*** (below, 3:18).[281]

31. וְהִנֵּה טוֹב מְאֹד – ***AND BEHOLD, IT WAS VERY GOOD.***

[Ramban explains the connotation of this statement:]

הוּא הַקִּיּוּם כַּאֲשֶׁר פֵּרַשְׁתִּי – **This** expression denotes **permanent establishment, as I have explained** (above, on vv. 4, 10, 12, regarding the phrase כִּי טוֹב, *that it was good*).

[If וְהִנֵּה טוֹב, *and behold, it was good,* is nothing more than God's command that the particular creation under discussion be permanently established in its present state, how does the word מְאֹד, *very,* apply to this concept? Ramban explains:]

276. A "non-speaking living being" is any being other than man.

277. There is no "commandment" per se to perform *shechitah*; it is only required if someone wants to eat meat. Ramban explains that nevertheless, there *is* a commandment to be merciful to animals, and that is what the blessing refers to (*Chasam Sofer*, *Responsa*, *Orach Chaim* 54).

278. Stylistic paraphrase from *Psalms* 57:3.

279. The Hebrew קִטְנִיּוֹת refers to any food plant (other than grain) of which the seed is the main edible part – such as beans, peas, maize, lentils, etc.

280. Just as when the Torah writes, *every tree that has seed-yielding fruit*, this of course does not mean that the tree itself was to serve as food (but only its fruit), so too, when it writes, *herbage yielding seed*, it does not refer to the herbage (but only to its seed).

281. That verse shows that it was only after Adam sinned that herbs were added to his diet. This is in contradistinction to Rashi's opinion (discussed by Ramban earlier on this verse) that one of the things originally designated for man to eat was "green herbage," i.e., the plant itself.

ב א־ב וַיְכֻלּוּ הַשָּׁמַיִם וְהָאָרֶץ וְכָל־צְבָאָם: וַיְכַל אֱלֹהִים
בַּיּוֹם הַשְּׁבִיעִי מְלַאכְתּוֹ אֲשֶׁר עָשָׂה וַיִּשְׁבֹּת
בַּיּוֹם הַשְּׁבִיעִי מִכָּל־מְלַאכְתּוֹ אֲשֶׁר עָשָׂה:
ג וַיְבָרֶךְ אֱלֹהִים אֶת־יוֹם הַשְּׁבִיעִי וַיְקַדֵּשׁ אֹתוֹ

א וְאִשְׁתַּכְלָלוּ שְׁמַיָּא וְאַרְעָא וְכָל חֵילֵיהוֹן: ב וְשֵׁיצִי יְיָ בְּיוֹמָא שְׁבִיעָאָה עֲבִדְתֵּהּ דִּי עֲבַד וְנָח בְּיוֹמָא שְׁבִיעָאָה מִכָּל עֲבִדְתֵּהּ דִּי עֲבָד: ג וּבָרִיךְ יְיָ יָת יוֹמָא שְׁבִיעָאָה וְקַדִּישׁ יָתֵהּ

רש"י

המוכן למתן תורה (שבת פח.): (ב) **ויכל אלהים ביום השביעי.** ר' שמעון אומר, בשר ודם שאינו יודע עתיו ורגעיו צריך להוסיף מחול על הקודש, אבל הקב"ה שיודע עתיו ורגעיו נכנס בו כחוט השערה ונראה כאלו כלה בו ביום. ד"א, מה היה העולם חסר, מנוחה, באת שבת באת מנוחה, כלתה ונגמרה המלאכה (ב"ר י:ט; ור' פירש"י מגילה ט. ד"ה ויכל): (ג) **ויברך ויקדש.** ברכו במן, שכל ימות השבת ירד להם עומר לגלגולת ובששי לחם משנה, וקדשו במן, שלא ירד בו מן כלל (ב"ר יא:ב). והמקרא כתב ע"ש העתיד:

רמב"ן

וְטַעַם "מְאֹד" כְּטַעַם רִבּוּי. וְהוֹסִיף בַּיּוֹם הַזֶּה לֵאמֹר כֵּן, בַּעֲבוּר שֶׁיְּדַבֵּר בַּכְּלָל, וְיִמָּצֵא רַע בִּקְצָתוֹ. וְאָמַר כִּי "טוֹב מְאֹד" - מְאֹדוֹ טוֹב[282]. וְזֶהוּ מַאֲמָרָם בִּבְרֵאשִׁית רַבָּה [ט, ה]: "וְהִנֵּה טוֹב מְאֹד" וְהִנֵּה טוֹב זֶה מָוֶת.

וְכֵן הִזְכִּירוּ [שם ז, יא] זֶה יֵצֶר הָרַע, וְזוֹ מִדַּת פֻּרְעָנוּת[283].

וְלָזֶה גַּם נִתְכַּוֵּן אֻנְקְלוֹס שֶׁאָמַר בְּכָאן "וְהָא תַקִּין לַחֲדָא", יֹאמַר שֶׁהוּא מְתֻקָּן הַסֵּדֶר מְאֹד[284], כִּי הָרַע צָרִיךְ בְּקִיּוּם הַטּוֹב, כְּעִנְיָן שֶׁנֶּאֱמַר [קהלת ג, א]: "לַכֹּל זְמָן וְעֵת לְכָל חֵפֶץ תַּחַת הַשָּׁמָיִם" [קהלת ג, א][285].

וְיֵשׁ מְפָרְשִׁים[286], כִּי מִפְּנֵי מַעֲלַת הָאָדָם הוֹסִיף בְּשֶׁבַח הַיְצִירָה בּוֹ כִּי הוּא "טוֹב מְאֹד".

RAMBAN ELUCIDATED

וְטַעַם "מְאֹד" כְּטַעַם רִבּוּי – The meaning of the word **מְאֹד** is similar to the meaning of רִבּוּי, ***abundance.*** **וְהוֹסִיף בַּיּוֹם הַזֶּה לֵאמֹר כֵּן – On this** sixth **day, [Scripture] added [the term** מְאֹד, ***very*]** **בַּעֲבוּר שֶׁיְּדַבֵּר בַּכְּלָל – because** when it describes the Creation as "good" **it is speaking** of Creation **on the whole** (*"all" that He had made*), **וְיִמָּצֵא רַע בִּקְצָתוֹ –** and some **bad can be found in part of it. וְאָמַר כִּי "טוֹב מְאֹד", מְאֹדוֹ טוֹב – Therefore, it said that** ***it was abundantly good,*** meaning that in all **its abundance,** i.e., taken as a whole, **it was good.**[282] **וְזֶהוּ מַאֲמָרָם בִּבְרֵאשִׁית רַבָּה: – This is** the meaning of **[the Sages'] statement in** ***Bereishis Rabbah*** (9:5): **"וְהִנֵּה טוֹב מְאֹד", וְהִנֵּה טוֹב זֶה מָוֶת** – ***And behold, it was very good.*** This can be expounded as follows: ***And behold it was*** *very* ***good*** – **"[The phrase** וְהִנֵּה טוֹב**] refers to death."**

וְכֵן הִזְכִּירוּ זֶה יֵצֶר הָרַע , וְזוֹ מִדַּת פֻּרְעָנוּת – And similarly, they mentioned elsewhere (ibid. 7:11), **"This refers to** man's **evil inclination," and "This refers to** God's **attribute of retribution."**[283]

[Ramban cites *Targum Onkelos* as a support for his interpretation:]

וְלָזֶה גַּם נִתְכַּוֵּן אֻנְקְלוֹס שֶׁאָמַר בְּכָאן – This is also what Onkelos intended in his Aramaic paraphrase **when he stated here, "וְהָא תַקִּין לַחֲדָא" – "and behold, it was very perfected." יֹאמַר שֶׁהוּא מְתֻקָּן הַסֵּדֶר מְאֹד – He is saying that it was exceedingly perfected in its arrangement.**[284] **כִּי הָרַע צָרִיךְ בְּקִיּוּם הַטּוֹב – For the bad is necessary for the preservation of the good, כְּעִנְיָן שֶׁנֶּאֱמַר "לַכֹּל זְמָן וְעֵת לְכָל חֵפֶץ תַּחַת הַשָּׁמָיִם" – like the matter that is stated,** ***Everything has its season, and there is a time for everything under the heaven*** (*Ecclesiastes* 3:1).[285]

[Ramban cites another explanation of *very good* in our verse:]

וְיֵשׁ מְפָרְשִׁים, כִּי מִפְּנֵי מַעֲלַת הָאָדָם הוֹסִיף בְּשֶׁבַח הַיְצִירָה בּוֹ כִּי הוּא "טוֹב מְאֹד" – There are those[286] **who explain that, because of the** special **distinction of man, [God] added on to the praise of the** entire **creation, in consideration of [Man],** the pinnacle of Creation, **that [the creation] was "*very* good."**

282. There is bad in the world, but only when a particular event is observed as an isolated incident; if understood in the context of the overall Creation, it, too, is seen to be good. (See Radak.)

283. Death, the inclination to sin, and Divine retribution are all very upsetting to us as individuals, but in the broader scheme of Creation they are necessary, and hence good.

284. Onkelos, by rendering the Hebrew טוֹב, *good,* as תַּקִּין, *perfected,* focuses on the complex interrelationship of the various facets of Creation with one another.

285. Even "bad" things like "dying" (*Ecclesiastes* 3:2), "weeping" (v. 4), "hating" (v. 8), etc., have their time, when they are appropriate.

286. See Radak.

2 1 *Thus the heavens and the earth were finished, and all their*
hosts. 2 *By the seventh day God completed His work which He had*
done, and He abstained on the seventh day from all His work
which He had done. 3 *God blessed the seventh day and sanctified it*

רמב״ן

ב [א] **וְכָל צְבָאָם.** ״צְבָא[1] הָאָרֶץ״ הֵם הַנִּזְכָּרִים - בְּהֵמָה וְחַיָּה וָרֶמֶשׂ וְדָגִים וְכָל הַצּוֹמֵחַ, גַּם הָאָדָם. וּ״צְבָא הַשָּׁמַיִם״ - שְׁנֵי הַמְּאוֹרוֹת וְהַכּוֹכָבִים הַנִּזְכָּרִים, כְּעִנְיַן ״וּפֶן תִּשָּׂא עֵינֶיךָ הַשָּׁמַיְמָה וְרָאִיתָ אֶת הַשֶּׁמֶשׁ וְאֶת הַיָּרֵחַ וְאֶת הַכּוֹכָבִים כֹּל צְבָא הַשָּׁמַיִם״ [דברים ד, יט]. גַּם יִכְלֹל הַשְּׂכָלִים הַנִּבְדָּלִים[2], כְּעִנְיַן ״רָאִיתִי אֶת ה׳ יוֹשֵׁב עַל כִּסְאוֹ וְכָל צְבָא הַשָּׁמַיִם עֹמְדִים עַל יְמִינוֹ וּשְׂמֹאלוֹ״ [דברי הימים-ב׳ יח, יח]. וְכֵן: ״יִפְקֹד ה׳ עַל צְבָא הַמָּרוֹם בַּמָּרוֹם״ [ישעיה כד, כא][3]. וְהִנֵּה בְּכָאן רָמַז עַל יְצִירַת הַמַּלְאָכִים בְּמַעֲשֵׂה בְּרֵאשִׁית[4], וְכֵן נַפְשׁוֹת הָאָדָם צְבָא הַשָּׁמַיִם הֵנָּה[5].

[ג] **וַיְבָרֶךְ ... וַיְקַדֵּשׁ.** בֵּרְכוֹ בַּמָּן[5a] וְקִדְּשׁוֹ בַּמָּן[5b], וְהַמִּקְרָא כָּתוּב עַל הֶעָתִיד.

RAMBAN ELUCIDATED

2.

1. וְכָל צְבָאָם – *[THE HEAVENS AND THE EARTH ...]* ***AND ALL THEIR HOSTS.***

[The pronoun "their" of the term צְבָאָם, *"their" hosts,*[1] refers to both the heavens and the earth. Ramban explains what "the host of the heavens" and "the host of the earth" comprise, respectively:]

״צְבָא הָאָרֶץ״ הֵם הַנִּזְכָּרִים, בְּהֵמָה וְחַיָּה וָרֶמֶשׂ וְדָגִים וְכָל הַצּוֹמֵחַ, גַּם הָאָדָם – **The** phrase **"the host of the earth" refers to those things that are mentioned** above (1:16): **animals, wild beasts, creeping creatures, fish, all the vegetation, and man as well; וּ״צְבָא הַשָּׁמַיִם״ שְׁנֵי הַמְּאוֹרוֹת וְהַכּוֹכָבִים הַנִּזְכָּרִים** – and the phrase **"the host of the heavens" refers to the two** great **luminaries and the stars mentioned** earlier (1:16), **כְּעִנְיַן ״וּפֶן תִּשָּׂא עֵינֶיךָ הַשָּׁמַיְמָה וְרָאִיתָ אֶת הַשֶּׁמֶשׁ וְאֶת הַיָּרֵחַ וְאֶת הַכּוֹכָבִים כֹּל צְבָא הַשָּׁמַיִם״** – **according to [its] usage** in the verse, ***Lest you raise your eyes to the heaven and you see the sun, and the moon, and the stars, the entire host of heaven*** (*Deuteronomy* 4:19). **גַּם יִכְלֹל הַשְּׂכָלִים הַנִּבְדָּלִים** – The phrase **["the host of the heavens"] also includes the "separate intelligences"**[2] (angels), **כְּעִנְיַן ״רָאִיתִי אֶת ה׳ יוֹשֵׁב עַל כִּסְאוֹ וְכָל צְבָא הַשָּׁמַיִם עוֹמְדִים עַל יְמִינוֹ וּשְׂמֹאלוֹ״** – **according to [its] usage** in the verse, ***I saw Hashem sitting on His Throne, and all the host of Heaven standing at His right and at His left*** (*II Chronicles* 18:18). **וְכֵן ״יִפְקֹד ה׳ עַל צְבָא הַמָּרוֹם בַּמָּרוֹם״** – **Similarly,** we find, ***Hashem will deal with the host*** [צְבָא] ***of the high*** *heavens* ***that is on high*** (*Isaiah* 24:21), referring to the guardian angels of the various nations.[3] **וְהִנֵּה בְּכָאן רָמַז עַל יְצִירַת הַמַּלְאָכִים בְּמַעֲשֵׂה בְּרֵאשִׁית** – **Thus, [Scripture] alluded here to the creation of the angels in the account of Creation.**[4] **וְכֵן נַפְשׁוֹת הָאָדָם צְבָא הַשָּׁמַיִם הֵנָּה** – **Also, the souls of men are** included in the term ***the host of heaven.***[5]

3. וַיְבָרֶךְ... וַיְקַדֵּשׁ – ***[GOD] BLESSED [THE SEVENTH DAY] AND SANCTIFIED IT.***

[In what sense is the seventh day *blessed* and *sanctified*? Ramban explains, beginning by presenting some interpretations of his predecessors:]

בֵּרְכוֹ בַּמָּן ... וְקִדְּשׁוֹ בַּמָּן ... – **He blessed it with the manna ...**[5a] and He sanctified it with the manna ...[5b] **וְהַמִּקְרָא כָּתוּב עַל הֶעָתִיד** – **So the verse is written with reference to the future.**

---

1. The term צָבָא (and its construct form צְבָא), translated here as *host,* refers to a large multitude of either people or things (see Ramban on *Numbers* 1:2).

2. "Separate intelligences" is a philosophical term used to describe angels. The term indicates that the angels have intelligence, but that it is divorced ("separate") from any corporeal entity, unlike human intelligence, which is associated with one's physical body (Ibn Tibbon, *Explanation of Uncommon Terms*). (The term is also translated as "abstract intelligences.")

3. See Ramban on *Exodus* 12:12.

4. See above, 1:1, where Ramban notes that the creation of the angels is not mentioned explicitly in the account of Creation.

5. Man's soul is not made of earthly elements, but comes from the heavens, as Ramban discusses at length below (on v. 7).

5a. The Midrash (and Rashi) explains the blessing of the manna: All the days of the week an *omer* of manna per person would descend to them; but on the sixth day, double bread, i.e., two *omer* of manna, would descend.

5b. The Midrash (and Rashi) explains the sanctification

כִּי בוֹ שָׁבַת מִכָּל־מְלַאכְתּוֹ אֲשֶׁר־בָּרָא אֱלֹהִים לַעֲשׂוֹת: פ

אֲרֵי בֵהּ נָח מִכָּל עֲבִדְתֵּהּ דִּי בְרָא יְיָ לְמֶעְבַּד:

רש"י

אשר ברא אלהים לעשות. המלאכה שהיתה ראויה לעשות בשבת כפל ועשאה בששי, כמו שמפורש בב"ר (סס ט):

רמב"ן

לְשׁוֹן רַשִׁ"י מִבְּרֵאשִׁית רַבָּה [יא, ב].

וּבְשֵׁם הַגָּאוֹן רַב סְעַדְיָה[6] אָמְרוּ שֶׁהַבְּרָכָה וְהַקִּדּוּשׁ עַל שׁוֹמְרֵי שַׁבָּת, שֶׁיִּהְיוּ מְבֹרָכִים וּמְקֻדָּשִׁים[7].

וְאֵין מַשְׁמַע הַכָּתוּב שֶׁיְּדַבֵּר עַל הֶעָתִיד.

וְרַבִּי אַבְרָהָם אָמַר כִּי הַבְּרָכָה תּוֹסֶפֶת טוֹב, שֶׁיִּתְחַדֵּשׁ בַּגּוּפוֹת יִתְרוֹן כֹּחַ בַּתּוֹלָדוֹת, וּבַנְּשָׁמָה יִתְרוֹן הַשֵּׂכֶל[8]. "וַיְקַדֵּשׁ אוֹתוֹ" - "שֶׁלֹּא עָשָׂה בּוֹ מְלָאכָה כִּשְׁאָר הַיָּמִים.

וְדָבָר זֶה נָכוֹן לַמַּאֲמִינִים בּוֹ, כִּי אֵין זֶה מֻשָּׂג בְּהֶרְגֵּשׁ לָאֲנָשִׁים.

וְהָאֱמֶת, כִּי הַבְּרָכָה בְּיוֹם הַשַּׁבָּת הִיא מַעְיַן הַבְּרָכוֹת, וְהוּא יְסוֹד עוֹלָם. "וַיְקַדֵּשׁ אוֹתוֹ", כִּי יִמְשֹׁךְ מִן הַקֹּדֶשׁ. וְאִם תָּבִין דִּבְרֵי זֶה תֵּדַע מַה שֶּׁאָמְרוּ בִּבְרֵאשִׁית רַבָּה [יא, ח]: "לְפִי שֶׁאֵין לוֹ בֶּן זוּג", וּמַה שֶּׁאָמְרוּ עוֹד: "כְּנֶסֶת יִשְׂרָאֵל תְּהֵא בֶּן זוּגֵךְ", וְתַשְׂכִּיל כִּי בְּשַׁבָּת נֶפֶשׁ יְתֵרָה בֶּאֱמֶת.

RAMBAN ELUCIDATED

לְשׁוֹן רַשִׁ"י מִבְּרֵאשִׁית רַבָּה – This is **a quote from Rashi,** which he has taken **from *Bereishis Rabbah*** (11:2).

וּבְשֵׁם הַגָּאוֹן רַב סְעַדְיָה אָמְרוּ – **And they say in the name of Rav Saadiah Gaon**[6] שֶׁהַבְּרָכָה וְהַקִּדּוּשׁ עַל שׁוֹמְרֵי שַׁבָּת – **that the "blessing" and the "sanctification"** of our verse **refer,** not to the Sabbath itself, but **to those who observe the Sabbath,** שֶׁיִּהְיוּ מְבֹרָכִים וּמְקֻדָּשִׁים – **that they will be blessed and sanctified.**[7]

[Ramban disagrees with these interpretations:]

וְאֵין מַשְׁמַע הַכָּתוּב שֶׁיְּדַבֵּר עַל הֶעָתִיד – **But the verse does not** seem to **imply that it speaks about the future.**

[Ramban now presents Ibn Ezra's interpretation:]

וְרַבִּי אַבְרָהָם אָמַר כִּי הַבְּרָכָה תּוֹסֶפֶת טוֹב – **And Rabbi Avraham** Ibn Ezra **says that "blessing" means "an increase in goodness,"** שֶׁיִּתְחַדֵּשׁ בַּגּוּפוֹת יִתְרוֹן כֹּחַ בַּתּוֹלָדוֹת – meaning **that** on the Sabbath **there occurs a renewal in** men's **bodies** through **an increase in strength in their natures,** וּבַנְּשָׁמָה יִתְרוֹן הַשֵּׂכֶל – **and in** man's **soul** there is a renewal through **an increase in intellect.**[8] "וַיְקַדֵּשׁ אוֹתוֹ", שֶׁלֹּא עָשָׂה בּוֹ מְלָאכָה כִּשְׁאָר הַיָּמִים – And ***And He sanctified it*** means **that He did not do any** creative **work on it as** he did **on the other days.**

[Ramban comments on Ibn Ezra's interpretation:]

וְדָבָר זֶה נָכוֹן לַמַּאֲמִינִים בּוֹ – **This concept is sound for those who believe in it,** כִּי אֵין זֶה מֻשָּׂג בְּהֶרְגֵּשׁ לָאֲנָשִׁים – **for this** physical and mental renewal **is not something that people can perceive** empirically **with their senses.**

[Ramban now gives a Kabbalistic interpretation of the "blessing" and "sanctification" of the seventh day. The deep esoteric concepts discussed here are not within the scope of this elucidation. In the Hebrew text, Ramban's words appear in the paragraph beginning וְהָאֱמֶת and ending נֶפֶשׁ יְתֵרָה בֶּאֱמֶת.]

□ **אֲשֶׁר בָּרָא אֱלֹהִים לַעֲשׂוֹת** – *[BECAUSE ON IT HE ABSTAINED FROM ALL HIS WORK]* ***WHICH GOD CREATED TO MAKE.***

[*Which God created to make* is a difficult phrase. The term לַעֲשׂוֹת, *to make,* seems extraneous and perplexing. Ramban prefaces his interpretation of this phrase by citing Rashi and Ibn Ezra:]

---

of the manna: The manna sanctified the seventh day by not descending on it.

6. This opinion is cited by Ibn Ezra.

7. According to this interpretation, as with Rashi, the blessing and sanctification of the seventh day mentioned in our verse manifested itself only in the future.

8. These special powers of the seventh day were effective immediately, and did not relate only to the

because on it He abstained from all His work which God created to make.

רמב״ן

אֲשֶׁר בָּרָא אֱלֹהִים לַעֲשׂוֹת. מְלָאכָה שֶׁהָיְתָה רְאוּיָה לַעֲשׂוֹת בְּשַׁבָּת - כָּפַל וְעָשָׂה בַּשִּׁשִּׁי, כְּמוֹ שֶׁמְּפֹרָשׁ בִּבְרֵאשִׁית רַבָּה [יא, ט][9]. לְשׁוֹן רַשִׁ״י.

אֲבָל רַבִּי אַבְרָהָם אָמַר כִּפְשׁוּטוֹ, כִּי ״מְלַאכְתּוֹ אֲשֶׁר בָּרָא אֱלֹהִים לַעֲשׂוֹת״ הַשָּׁרָשִׁים בְּכָל הַמִּינִים, שֶׁנָּתַן בָּהֶם כֹּחַ לַעֲשׂוֹת כְּמוֹתָן[10].

וְלִי נִרְאֶה פֵּרוּשׁוֹ[11], שֶׁ״שָּׁבַת מִכָּל מְלַאכְתּוֹ אֲשֶׁר בָּרָא״ יֵשׁ[11a] מֵאַיִן ״לַעֲשׂוֹת״ מִמֶּנּוּ כָּל הַמַּעֲשִׂים הַנִּזְכָּרִים בְּשֵׁשֶׁת הַיָּמִים[12]. וְהִנֵּה אָמַר כִּי שָׁבַת מִבְּרִיאָה וּמִמַּעֲשֶׂה - מִן הַבְּרִיאָה שֶׁבָּרָא בַּיּוֹם הָרִאשׁוֹן, וּמִן הַמַּעֲשֶׂה שֶׁעָשָׂה בִּשְׁאָר הַיָּמִים.

וְיִתָּכֵן שֶׁיִּהְיֶה ״לַעֲשׂוֹת״ נִמְשָׁךְ לְמַעְלָה: ״כִּי בוֹ שָׁבַת מִכָּל מְלַאכְתּוֹ אֲשֶׁר בָּרָא״ מִלַּעֲשׂוֹת[13]. וְכָמוֹהוּ: ״כִּי חָדַל

RAMBAN ELUCIDATED

מְלָאכָה שֶׁהָיְתָה רְאוּיָה לַעֲשׂוֹת בְּשַׁבָּת כָּפַל וְעָשָׂה בַּשִּׁשִּׁי – **The work that appropriately would have been done on the Sabbath, [God] doubled and did on the sixth** day, כְּמוֹ שֶׁמְּפֹרָשׁ בִּבְרֵאשִׁית רַבָּה – **as is explained in *Bereishis Rabbah*** (11:9).[9]

לְשׁוֹן רַשִׁ״י – This is **a quote from Rashi.**

[Next Ramban cites Ibn Ezra:]

אֲבָל רַבִּי אַבְרָהָם אָמַר כִּפְשׁוּטוֹ – **Rabbi Avraham** Ibn Ezra, **however, states [the verse's] simple meaning,** namely, כִּי ״מְלַאכְתּוֹ אֲשֶׁר בָּרָא אֱלֹהִים לַעֲשׂוֹת״ הַשָּׁרָשִׁים בְּכָל הַמִּינִים, שֶׁנָּתַן בָּהֶם כֹּחַ לַעֲשׂוֹת כְּמוֹתָן – **that *His work which God created to make*** refers to the creation of **the** respective **roots of every species,** i.e., **that He placed in them the capability *to make*** others **like themselves.**[10]

[Ramban now presents his own interpretation, which is based on the distinction that he makes[11] between the verbs ברא, *to create something from nothing,* and עשה, *to make something out of preexisting matter*:]

וְלִי נִרְאֶה פֵּרוּשׁוֹ שֶׁ״שָּׁבַת מִכָּל מְלַאכְתּוֹ אֲשֶׁר בָּרָא״ יֵשׁ מֵאַיִן – **To me it seems that its explanation is that [God] *abstained from all of His work*** by ***which He created matter*** (*hule*)[11a] **out of nothingness,** as indicated by the word בָּרָא, ״לַעֲשׂוֹת״ מִמֶּנּוּ כָּל הַמַּעֲשִׂים הַנִּזְכָּרִים בְּשֵׁשֶׁת הַיָּמִים – ***to make*** **from [that matter] all the works that are mentioned in** the account of **the six days** of Creation.[12] וְהִנֵּה אָמַר כִּי שָׁבַת מִבְּרִיאָה וּמִמַּעֲשֶׂה – **[Scripture] thus says that** on the seventh day **[God] abstained** both **from creating** anything out of nothingness **and from making** anything from pre-existing material: מִן הַבְּרִיאָה שֶׁבָּרָא בַּיּוֹם הָרִאשׁוֹן, וּמִן הַמַּעֲשֶׂה שֶׁעָשָׂה בִּשְׁאָר הַיָּמִים – **from the creation** out of nothingness **that He created on the first day, and from making** the things **that He made on the other days.**

[Ramban presents an alternative interpretation for the term לַעֲשׂוֹת, *to make*:]

וְיִתָּכֵן שֶׁיִּהְיֶה ״לַעֲשׂוֹת״ נִמְשָׁךְ לְמַעְלָה: – **It is** also **possible that** the word לַעֲשׂוֹת, ***to make,*** **refers to** what is stated **above,** and should be interpreted as follows: ״כִּי בוֹ שָׁבַת מִכָּל מְלַאכְתּוֹ אֲשֶׁר בָּרָא״ מִלַּעֲשׂוֹת – ***For on it He abstained from all His work that He created*** – **from doing** it.[13] וְכָמוֹהוּ: ״כִּי חָדַל

future. This is the advantage of Ibn Ezra's interpretation over those of Rashi and Rav Saadiah Gaon.

9. *Which God created to make* (or *to do*) implies that as of the end of the sixth day there was still more work to be done. But we know that God did no work on the seventh day. We also know that *the heavens and the earth were finished, and all their hosts* (v. 1), so that there was no work left undone. Hence, it must be that the work which was appropriate to the Sabbath was done before the seventh day had arrived.

10. God "created" all the species during the six days of Creation, and ensured that these species would be able to reproduce, "to make" descendants in their image.

11. Ramban has made this point several times earlier in his commentary (see Ramban on 1:1 with footnote 3).

11a. See above, 1:1 with note 28.

12. *God created to make* thus means that God *created* the primordial matter (*hule*) out of nothingness, in order *to make* all the beings of Creation from that *hule*.

13. מִלַּעֲשׂוֹת, *from doing,* is connected to an earlier phrase in the sentence: כִּי בוֹ שָׁבַת, *for on it He abstained.* It is as if the verse had been written, *because on it He abstained from all His work which God created, [and abstained] from doing it.*

Besides the reapplication of the words "*and ab-*

רמב״ן

לִסְפֹּר״ [להלן מא, מט]; ״וַיַּחְדְּלוּ לִבְנֹת הָעִיר״ [להלן יא, ח]; ״הִשָּׁמְרוּ לָכֶם עֲלוֹת בָּהָר״ [שמות יט, יב]; ״וְלֹא סָרוּ מִצְוַת הַמֶּלֶךְ״ [דברי הימים־ב ח, טו], וְכֵן רַבִּים.

וְדַע, כִּי נִכְלַל עוֹד בְּמִלַּת ״לַעֲשׂוֹת״ כִּי שֵׁשֶׁת יְמֵי בְּרֵאשִׁית הֵם כָּל יְמוֹת עוֹלָם, כִּי קִיּוּמוֹ יִהְיֶה שֵׁשֶׁת אֲלָפִים שָׁנָה[14], שֶׁלְּכָךְ אָמְרוּ [סנהדרין צז, א; ב״ר יט, ח] יוֹמוֹ שֶׁל הַקָּדוֹשׁ בָּרוּךְ הוּא אֶלֶף שָׁנִים[15].

וְהִנֵּה בִּשְׁנֵי הַיָּמִים הָרִאשׁוֹנִים הָיָה הָעוֹלָם כֻּלּוֹ מַיִם, וְלֹא נִשְׁלַם בָּהֶם דָּבָר. וְהֵם רֶמֶז לִשְׁנֵי הָאֲלָפִים הָרִאשׁוֹנִים[16], שֶׁלֹּא הָיָה בָּהֶם קוֹרֵא בְּשֵׁם ה׳. וְכָךְ אָמְרוּ [עבודה זרה ט, א]: שְׁנֵי אֲלָפִים תֹּהוּ[17]. אֲבָל הָיְתָה הַבְּרִיאָה בַּיּוֹם הָרִאשׁוֹן הָאוֹר, כְּנֶגֶד הָאֶלֶף שֶׁל יְמוֹת אָדָם שֶׁהָיָה אוֹרוֹ שֶׁל עוֹלָם, מַכִּיר אֶת בּוֹרְאוֹ.

RAMBAN ELUCIDATED

לִסְפֹּר״ – Similar to this are the phrases: ***until he refrained counting*** (below, 41:49), where לִסְפֹּר, *counting,* must be understood as מִלִּסְפֹּר, *from counting;* **״וַיַּחְדְּלוּ לִבְנֹת הָעִיר״** – and ***and they refrained building the city*** (below, 11:8), where לִבְנֹת, *building,* must be understood as מִלִּבְנֹת, *from building;* **״הִשָּׁמְרוּ לָכֶם עֲלוֹת בָּהָר״** – ***Guard yourself ascending the mountain*** (*Exodus* 19:12), where עֲלוֹת, *ascending,* must be understood as מֵעֲלוֹת, *from ascending;* **״וְלֹא סָרוּ מִצְוַת הַמֶּלֶךְ״** – ***and they did not veer the command of the king*** (*II Chronicles* 8:15), where מִצְוַת, *the command of,* must be understood as מִמִּצְוַת, *from the command of;* **וְכֵן רַבִּים** – **and similarly many** other such verses.

[Ramban gives yet another explanation for בָּרָא אֱלֹהִים לַעֲשׂוֹת; in the process, he provides an entirely new outlook on the account of the six days of Creation:]

וְדַע, כִּי נִכְלַל עוֹד בְּמִלַּת ״לַעֲשׂוֹת״ – You should know that also included in the word לַעֲשׂוֹת**,** ***to make,*** **is** **כִּי שֵׁשֶׁת יְמֵי בְּרֵאשִׁית הֵם כָּל יְמוֹת עוֹלָם** – the concept **that the six days of Creation are** representative of **all the days of the world,** **כִּי קִיּוּמוֹ יִהְיֶה שֵׁשֶׁת אֲלָפִים שָׁנָה** – **for** [the duration of **the world's] existence will be six thousand years,**[14] **שֶׁלְּכָךְ אָמְרוּ יוֹמוֹ שֶׁל הַקָּדוֹשׁ בָּרוּךְ הוּא אֶלֶף שָׁנִים** – **for this** is why **the [the Sages] have said** (*Sanhedrin* 97a; *Bereishis Rabbah* 19:8): God's day is one thousand years.[15]

[Ramban now shows how the history of the world parallels the six days of Creation, day by day.[16] The first two millennia correspond to the first two days:]

וְהִנֵּה בִּשְׁנֵי הַיָּמִים הָרִאשׁוֹנִים הָיָה הָעוֹלָם כֻּלּוֹ מַיִם וְלֹא נִשְׁלַם בָּהֶם דָּבָר – Now, for the first two days of Creation **the world was all water, and nothing was brought to completion during [those days].** **וְהֵם רֶמֶז לִשְׁנֵי הָאֲלָפִים הָרִאשׁוֹנִים שֶׁלֹּא הָיָה בָּהֶם קוֹרֵא בְּשֵׁם ה׳** – **They are** thus **an allusion to the first two thousand years** of the world, **when there was no one who called out in the Name of Hashem.** **וְכָךְ אָמְרוּ שְׁנֵי אֲלָפִים תֹּהוּ** – **And so, too, [the Sages] said** (*Avodah Zarah* 9a): **Two millennia of void.**[17]

[The first day/millennium:]

אֲבָל הָיְתָה הַבְּרִיאָה בַּיּוֹם הָרִאשׁוֹן הָאוֹר – However, the creation on the first day was of light, **כְּנֶגֶד הָאֶלֶף שֶׁל יְמוֹת אָדָם שֶׁהָיָה אוֹרוֹ שֶׁל עוֹלָם מַכִּיר אֶת בּוֹרְאוֹ** – **which corresponds to the** almost **thousand** years **of the lifetime of Adam, who was the "light of the world,"** in that **he recognized his**

stained," Ramban uses another device in this interpretation – he treats לַעֲשׂוֹת, *to do,* as if it were מִלַּעֲשׂוֹת, *from doing,* with the addition of the prefix מ, *from.* Ramban proceeds to show that it is not that unusual in *Tanach* for a word to require the reader to imagine a prefixed *mem* in order to understand it properly.

14. *Rosh Hashanah* 31a, *Avodah Zarah* 9a, *Sanhedrin* 97a.

15. This idea is based on the verse, *A thousand years in Your eyes are like yesterday* (*Psalms* 90:4).

According to the present interpretation, *which God created to make* means that God *created* the world in six days, to *make* the rest of history parallel to those days.

16. Abarbanel writes that the concept of a correspondence between the six days and the six millennia (see note 17), is based on *Megillas HaMegalleh* by Rav Avraham bar Chiya HaNasi (also known by the acronym רַאבַּ״ח, Rabach, and by his Arabic title, Sahib al-Shurta, or the Latin corruption thereof, Savasorda), an older contemporary of Ibn Ezra. [In addition to being a great Torah scholar, Rav Avraham was also a world-renowned mathematician, astronomer and translator.]

17. The full quote of the Sages' statement is: The world will exist for six thousand years: two millennia of void, two millennia of Torah, and then two millennia of the age of the Messiah. However, because of our sins, the years that have elapsed from these [two millennia of the Messiah] have elapsed!

רמב״ן

וְאוּלַי לֹא עָבַד אֱנוֹשׁ עֲבוֹדָה זָרָה[17a] עַד שֶׁמֵּת אָדָם הָרִאשׁוֹן[18].

בַּיּוֹם הַשֵּׁנִי: ״יְהִי רָקִיעַ ... וִיהִי מַבְדִּיל״ [א, ו], שֶׁבּוֹ הָיוּ מֻבְדָּלִין נֹחַ וּבָנָיו הַצַּדִּיקִים מִן הָרְשָׁעִים שֶׁנִּדּוֹנוּ בַּמַּיִם[19].

בַּיּוֹם הַשְּׁלִישִׁי נִרְאֵית הַיַּבָּשָׁה וְהִצְמִיחָה וְעָשְׂתָה פֵּרוֹת, הוּא הָאֶלֶף הַשְּׁלִישִׁי הַמַּתְחִיל בִּהְיוֹת אַבְרָהָם בֶּן מ״ח שָׁנָה[20], וְאָז הוּחַל לִקְרֹא בְּשֵׁם ה׳[20a] וְצֶמַח צֶמַח צַדִּיק[21], כִּי מָשַׁךְ רַבִּים לָדַעַת אֶת ה׳ כְּמוֹ שֶׁדָּרְשׁוּ [להלן יב, ה]: ״וְאֶת הַנֶּפֶשׁ אֲשֶׁר עָשׂוּ בְחָרָן״, וְצִוָּה אֶת בֵּיתוֹ וְאֶת בָּנָיו ״אַחֲרָיו וְשָׁמְרוּ דֶּרֶךְ ה׳ לַעֲשׂוֹת צְדָקָה וּמִשְׁפָּט״ [ראה להלן יח, יט]. וְעָלָה הָעִנְיָן עַד שֶׁקִּבְּלוּ זַרְעוֹ אֶת הַתּוֹרָה בְּסִינַי[21a]. וְנִבְנָה הַבַּיִת בַּיּוֹם הַהוּא[22], וְאָז נִתְקַיְּמוּ כָּל הַמִּצְוֹת[23], שֶׁהֵם פֵּרוֹת הָעוֹלָם[24].

RAMBAN ELUCIDATED

Creator. **וְאוּלַי לֹא עָבַד אֱנוֹשׁ עֲבוֹדָה זָרָה עַד שֶׁמֵּת אָדָם הָרִאשׁוֹן** – **Perhaps Enosh,** Adam's grandson, who introduced idolatry into the world,[17a] **did not practice idol worship until Adam the first** man **died.**[18]

[The second day/millennium:]

בַּיּוֹם הַשֵּׁנִי ״יְהִי רָקִיעַ ... וִיהִי מַבְדִּיל״ – **On the second day,** God said, ***Let there be a firmament and let it separate*** *between water and water* (1:6), **שֶׁבּוֹ הָיוּ מֻבְדָּלִין נֹחַ וּבָנָיו הַצַּדִּיקִים מִן הָרְשָׁעִים שֶׁנִּדּוֹנוּ בַּמַּיִם** – **for it was in it,** i.e., in the second millennium of the world, **that Noah and his sons were *separated* from the wicked, who received their judgment by *water*.**[19]

[The third day/millennium:]

בַּיּוֹם הַשְּׁלִישִׁי נִרְאֵית הַיַּבָּשָׁה וְהִצְמִיחָה וְעָשְׂתָה פֵּרוֹת – **On the third day the dry land became visible, and it sprouted forth** vegetation **and produced fruit.** **הוּא הָאֶלֶף הַשְּׁלִישִׁי הַמַּתְחִיל בִּהְיוֹת אַבְרָהָם בֶּן מ״ח שָׁנָה** – **This corresponds to the third millennium, which begins when Abraham was forty-eight years old,**[20] **וְאָז הוּחַל לִקְרֹא בְּשֵׁם ה׳** – "**and then it was begun** by Abraham **to call out in the Name of God,**"[20a] **וְצֶמַח צֶמַח צַדִּיק** – **and the "sprouts** (spiritual growth) **of the righteous man"**[21] Abraham **sprouted forth,** **כִּי מָשַׁךְ רַבִּים לָדַעַת אֶת ה׳** – **for He attracted many** people **to know God,** **כְּמוֹ שֶׁדָּרְשׁוּ ״וְאֶת הַנֶּפֶשׁ אֲשֶׁר עָשׂוּ בְחָרָן״** – **as [the Sages] expounded** on the verse, ***and the souls that they had made in Haran*** (below, 12:5), **וְצִוָּה אֶת בֵּיתוֹ וְאֶת בָּנָיו ״אַחֲרָיו וְשָׁמְרוּ דֶּרֶךְ ה׳ לַעֲשׂוֹת צְדָקָה וּמִשְׁפָּט״** – **and he** furthermore **commanded his household and his children *after him, that they keep the way of HASHEM, acting with righteousness and justness*** (cf. below, 18:19). **וְעָלָה הָעִנְיָן עַד שֶׁקִּבְּלוּ זַרְעוֹ אֶת הַתּוֹרָה בְּסִינַי** – **And** so **the matter continued to develop until [Abraham's] descendants received the Torah at Sinai.**[21a] **וְנִבְנָה הַבַּיִת בַּיּוֹם הַהוּא, וְאָז נִתְקַיְּמוּ כָּל הַמִּצְוֹת שֶׁהֵם פֵּרוֹת הָעוֹלָם** – Also, **the Temple was built on that "day"** (i.e., the third millennium),[22] **and at that point were fulfilled all the** Torah's **commandments,**[23] **which are the "fruits" of the world.**[24]

17a. See Rashi on 4:26 below.

18. That is, until seventy years after the death of Adam in the year 930 After Creation (A.C.). If so, the first millennium was completely one of "light."

19. The Flood occurred in the year 1656 A.C.

Some manuscripts and printed editions of Ramban add the following sentence here: וְאוּלַי מִפְּנֵי זֶה לֹא אָמַר בַּיּוֹם הַשֵּׁנִי ״כִּי טוֹב״ מִפְּנֵי שֶׁבּוֹ כָּלוּ כָּל מַעֲשֵׂה בְרֵאשִׁית וְחָזַר תֹּהוּ – **Perhaps** it is **because of this** that **[Scripture] did not say** כִּי טוֹב, ***that it was good,*** regarding the second day of Creation, as it did regarding the other days, **because on** [the millennium paralleling **that day] all of the work of Creation perished, and void returned** to the world.

20. Abraham was born in 1948 A.C. Thus, the third millennium actually commenced when Abraham was *fifty-two* years old (*Avodah Zarah* 9a). Ramban notes below, however, that each millennium's historical thrust really began several years before the actual millennium year. Thus, when Abraham was 48 years old, in 1996, the phase of two millennia of Torah began, ushering in the third millennium. The incident of the Tower of Babel took place in that year, and it was then that Abraham began to preach to the world the concept of serving God. The opinion that Abraham "discovered" God at age 48 is found several times in *Bereishis Rabbah* (e.g. 30:8); cf., however, Maimonides' *Mishneh Torah, Hil. Avodah Zarah* 1:3.

20a. Stylistic citation from 4:26 below.

21. Stylistic citation from *Jeremiah* 23:5.

21a. In the year 2448 A.C.

22. The first Temple was built in 2928 A.C.

23. The building of the Temple was the last of the Torah's commandments to be implemented (see *Sanhedrin* 20b).

24. This thus corresponds to the growth of the fruit trees on the third day.

רמב״ן

וְדַע, כִּי מְעַט הֱיוֹת בֵּין הַשְּׁמָשׁוֹת יֵחָשֵׁב כְּיוֹם מָחָר, וְעַל כֵּן יַתְחִיל עִנְיַן כָּל יוֹם קֹדֶם לוֹ מְעַט, כַּאֲשֶׁר נוֹלַד אַבְרָהָם בָּאֶלֶף הַשֵּׁנִי. וְכֵן תִּרְאֶה בְּכָל יוֹם וָיוֹם.

וְהַיּוֹם הָרְבִיעִי נִבְרְאוּ בוֹ הַמְּאוֹרוֹת, הַגָּדוֹל וְהַקָּטָן, וְהַכּוֹכָבִים. יוֹמוֹ יִרְמֹז בָּאֶלֶף הד׳, הוּא הֵחֵל כַּאֲשֶׁר נִבְנָה בֵּית רִאשׁוֹן, ע״ב שָׁנָה[25] אַחֲרֵי בִּנְיָנוֹ, עַד אַחֲרֵי הַבַּיִת הַשֵּׁנִי קע״ב שָׁנָה[26]. וְהִנֵּה בַּיּוֹם הַזֶּה לְכָל בְּנֵי יִשְׂרָאֵל הָיָה אוֹר, כִּי מָלֵא כְבוֹד ה׳ אֶת בֵּית ה׳[27], וְהָיָה אוֹר יִשְׂרָאֵל לְאֵשׁ עַל גַּבֵּי הַמִּזְבֵּחַ, רָבוּץ שָׁם כַּאֲרִי אוֹכֵל הַקָּרְבָּנוֹת[28]. וְאַחֲרֵי כֵן הִקְטִין אוֹרָם וְגָלוּ, כַּאֲשֶׁר יֵעָדֵר בְּמוֹלַד הַלְּבָנָה[29]. וְזָרְחָה לָהֶם כָּל יְמֵי בַּיִת שֵׁנִי, וְהָאֵשׁ עַל גַּבֵּי הַמִּזְבֵּחַ רָבוּץ כְּכֶלֶב[30]. וְשָׁקְעוּ שְׁנֵי הַמְּאוֹרִים בְּעֶרֶב הַיּוֹם, וְחָרַב הַבַּיִת[31].

RAMBAN ELUCIDATED

וְדַע כִּי מְעַט הֱיוֹת בֵּין הַשְּׁמָשׁוֹת יֵחָשֵׁב כְּיוֹם מָחָר – Now, you should know that from the time it becomes twilight on a given day **it is** already **considered the** beginning of the **next day;** **וְעַל כֵּן יַתְחִיל עִנְיַן כָּל יוֹם קֹדֶם לוֹ מְעַט – therefore,** in the six millennia of the world, **each "day's" matter begins a bit before [the "day"]** itself, **כַּאֲשֶׁר נוֹלַד אַבְרָהָם בָּאֶלֶף הַשֵּׁנִי – as** you see that **Abraham,** who belonged to the third millennium, as explained above, **was** actually **born during the second millennium.** **וְכֵן תִּרְאֶה בְּכָל יוֹם וָיוֹם – And so you will see in regard to each and every "day."**

[The fourth day/millennium:]

וְהַיּוֹם הָרְבִיעִי נִבְרְאוּ בוֹ הַמְּאוֹרוֹת, הַגָּדוֹל וְהַקָּטָן, וְהַכּוֹכָבִים – On the fourth day, the luminaries, both, **the greater and the lesser, and the stars were created.** **יוֹמוֹ יִרְמֹז בָּאֶלֶף הד׳, – This day alludes to the fourth millennium,** **הוּא הֵחֵל כַּאֲשֶׁר נִבְנָה בֵּית רִאשׁוֹן, ע״ב שָׁנָה אַחֲרֵי בִּנְיָנוֹ –** which began when the First Temple was built, or, more exactly, **seventy-two years after its building,**[25] **עַד אַחֲרֵי הַבַּיִת הַשֵּׁנִי קע״ב שָׁנָה –** and lasted **until 172 years after the Second Temple** was destroyed.[26] **וְהִנֵּה בַּיּוֹם הַזֶּה לְכָל בְּנֵי יִשְׂרָאֵל הָיָה אוֹר – Thus, on this "day" there was light for all the Children of Israel,** **כִּי מָלֵא כְבוֹד ה׳ אֶת בֵּית ה׳ – for "the glory of Hashem filled the Temple of Hashem,"**[27] **וְהָיָה אוֹר יִשְׂרָאֵל לְאֵשׁ עַל גַּבֵּי הַמִּזְבֵּחַ, רָבוּץ שָׁם כַּאֲרִי אוֹכֵל הַקָּרְבָּנוֹת – and the light of Israel was** symbolized by **a fire upon the Altar, crouching there like a lion consuming the offerings.**[28] **וְאַחֲרֵי כֵן הִקְטִין אוֹרָם וְגָלוּ – And after this,** when the First Temple was destroyed, **their light diminished, and they went into exile,** **כַּאֲשֶׁר יֵעָדֵר בְּמוֹלַד הַלְּבָנָה – just as [the light] disappears at the moon's "birth."**[29] **וְזָרְחָה לָהֶם כָּל יְמֵי בַּיִת שֵׁנִי – But then [the moon] shone for them all the days of the Second Temple,** **וְהָאֵשׁ עַל גַּבֵּי הַמִּזְבֵּחַ רָבוּץ כְּכֶלֶב – and the fire upon the Altar was crouching like a dog.**[30] **וְשָׁקְעוּ שְׁנֵי הַמְּאוֹרִים בְּעֶרֶב הַיּוֹם וְחָרַב הַבַּיִת – Then the two luminaries set at the close of the day and the Temple was destroyed.**[31]

See *Sotah* 46a, where "fruits" are a metaphor for the fulfillment of the Torah's commandments.

25. See note 22 above. Seventy-two years after 2928 was 3000.

[The events of the fourth "day" actually began in 2928, seventy-two years before the onset of the fourth millennium, in accordance with the "twilight" phenomenon explained by Ramban in the previous paragraph.]

26. The Second Temple was destroyed in 3828 A.C. One hundred seventy-two years after 3828 was 4000.

27. Stylistic citation from *I Kings* 8:11.

28. This depiction of the fire on the First Temple's Altar is found in *Yoma* 21b.

[The sun symbolically represents the Davidic dynasty, which ruled throughout the duration of the First Temple. This is explained by Ramban in his essay *Toras Hashem Temimah* (*Kisvei HaRamban*, Mosad Harav Kook, Vol. 1, p. 169).]

29. The point of time at which the moon is positioned exactly between the sun and the earth is called the moon's "birth" (*molad*) in Hebrew. This is the time of the New Moon, when the moon is invisible. (See Rambam, *Hilchos Kiddush HaChodesh* 6:1.)

30. This depiction of the fire on the Altar of the Second Temple is found in *Yoma* 21b. It was less intense than the Altar fire of the First Temple, which was compared to a lion (see above, note 28).

Ramban thus depicts the fourth millennium as a time of bright light (allegorically speaking – referring to the First Temple), then no light (the Destruction and Babylonian exile), then dim light (the Second Temple). This parallels the fourth day, when the sun and the moon (with its various phases, beginning with total darkness) began to function.

31. This sentence is meant allegorically: the light of God's glory, as exemplified by the Temple service, "set" (came to an end) at the end of the fourth "day" (millennium).

רמב״ן

בַּיּוֹם הַחֲמִישִׁי שָׁרְצוּ הַמַּיִם ״נֶפֶשׁ חַיָּה, וְעוֹף יְעוֹפֵף עַל הָאָרֶץ״ [לעיל א, כ]. רָמַז לָאֶלֶף הַחֲמִישִׁי הַמַּתְחִיל קע״ב שָׁנָה אַחַר חֻרְבַּן הַבַּיִת,[31a] כִּי בּוֹ יִמְשְׁלוּ הָאֻמּוֹת, וַיֵּעָשֶׂה אָדָם כִּדְגֵי הַיָּם, כְּרֶמֶשׂ לֹא מֹשֵׁל בּוֹ כֻּלֹּה בְּחַכָּה הֶעֱלָה, יְגֹרֵהוּ בְחֶרְמוֹ וְיַאַסְפֵהוּ בְּמִכְמַרְתּוֹ [חבקוק א,יד-טו]; וְאֵין דּוֹרֵשׁ אֶת ה׳.

בַּיּוֹם הַשִּׁשִּׁי בַּבֹּקֶר ״תּוֹצֵא הָאָרֶץ נֶפֶשׁ חַיָּה לְמִינָהּ בְּהֵמָה וָרֶמֶשׂ וְחַיְתוֹ אֶרֶץ לְמִינָהּ״ [א, כד]. וְהָיְתָה בְּרִיאָתָם קֹדֶם זְרוֹחַ הַשֶּׁמֶשׁ, כְּעִנְיָן שֶׁכָּתוּב [תהלים קד, כב]: ״תִּזְרַח הַשֶּׁמֶשׁ יֵאָסֵפוּן וְאֶל מְעוֹנֹתָם יִרְבָּצוּן״. וְאָז נִבְרָא הָאָדָם בְּצֶלֶם אֱלֹהִים, וְהוּא זְמַן מֶמְשַׁלְתּוֹ, שֶׁנֶּאֱמַר [שם פסוק כג]: ״יֵצֵא אָדָם לְפָעֳלוֹ וְלַעֲבֹדָתוֹ עֲדֵי עָרֶב״. וְהוּא הָאֶלֶף הַשִּׁשִּׁי, כִּי בִּתְחִלָּתוֹ יִמְשְׁלוּ בּוֹ הַחַיּוֹת - הֵם הַמַּלְכֻיּוֹת אֲשֶׁר לֹא יָדְעוּ אֶת ה׳, וְאַחֲרֵי עֲשִׂירִיתוֹ, כְּשִׁעוּר הָנֵץ הַחַמָּה לַיּוֹם[32] - יָבֹא הַגּוֹאֵל, שֶׁנֶּאֱמַר בּוֹ [תהלים פט, לז]: ״וְכִסְאוֹ כַשֶּׁמֶשׁ נֶגְדִּי״[33], זֶהוּ בֶּן דָּוִד הַנַּעֲשֶׂה בְּצֶלֶם אֱלֹהִים[34], כִּדְכְתִיב [דניאל ז, יג-יד]: ״וַאֲרוּ עִם עֲנָנֵי שְׁמַיָּא[35] כְּבַר אֱנָשׁ אָתֵה הֲוָא; וְעַד עַתִּיק יוֹמַיָּא מְטָה, וּקְדָמוֹהִי הַקְרְבוּהִי. וְלֵהּ יְהִיב שָׁלְטָן וִיקָר וּמַלְכוּ״ וְיִהְיֶה זֶה קי״ח שָׁנָה אַחַר חֲמֵשֶׁת אֲלָפִים[36], לִכְלוֹת דְּבַר ה׳ מִפִּי דָנִיֵּאל

RAMBAN ELUCIDATED

[The fifth day/millennium:]

בַּיּוֹם הַחֲמִישִׁי שָׁרְצוּ הַמַּיִם ״נֶפֶשׁ חַיָּה, וְעוֹף יְעוֹפֵף עַל הָאָרֶץ״ – On the fifth day, the waters brought forth *live souls, and fowl [that] will fly about over the earth* (1:20), **רָמַז לָאֶלֶף הַחֲמִישִׁי הַמַּתְחִיל קע״ב שָׁנָה אַחַר חֻרְבַּן הַבַּיִת – an allusion to the fifth millennium, which begins 172 years after the destruction of the Temple**[31a] (240 C.E.). **כִּי בּוֹ יִמְשְׁלוּ הָאֻמּוֹת – For during [this time] the** non-Jewish **nations would rule ...** **וַיֵּעָשֶׂה ״אָדָם כִּדְגֵי הַיָּם, כְּרֶמֶשׂ לֹא מֹשֵׁל בּוֹ. כֻּלֹּה בְּחַכָּה הֶעֱלָה, יְגֹרֵהוּ בְחֶרְמוֹ וְיַאַסְפֵהוּ בְּמִכְמַרְתּוֹ״ – and *man* was made** *as helpless* ***as the fish of the sea, like the creeping things that have no ruler*** *to protect* ***them; he brings them all up with a fishhook; he catches them with his net and gathers them in his trawl*** (*Habakkuk* 1:14-15), **וְאֵין דּוֹרֵשׁ אֶת ה׳ – and there is no one who seeks out God.**

[The sixth day/millennium:]

בַּיּוֹם הַשִּׁשִּׁי בַּבֹּקֶר ״תּוֹצֵא הָאָרֶץ נֶפֶשׁ חַיָּה לְמִינָהּ בְּהֵמָה וָרֶמֶשׂ וְחַיְתוֹ אֶרֶץ לְמִינָהּ״ – On the sixth day, in the morning, God said, ***Let the earth bring forth [creatures with] live souls, each according to its kind: animals, and moving creatures, and the beasts of the land each according to its kind*** (1:24). **וְהָיְתָה בְּרִיאָתָם קֹדֶם זְרוֹחַ הַשֶּׁמֶשׁ – Their creation was before sunrise** of that day, while it was still nighttime, **כְּעִנְיָן שֶׁכָּתוּב: ״תִּזְרַח הַשֶּׁמֶשׁ יֵאָסֵפוּן וְאֶל מְעוֹנֹתָם יִרְבָּצוּן״ – like that which is written, *The sun rises and they are gathered in, and in their dens they crouch*** (*Psalms* 104:22). **וְאָז נִבְרָא הָאָדָם בְּצֶלֶם אֱלֹהִים – And then**, after sunrise, **man was made in the image of God,** **וְהוּא זְמַן מֶמְשַׁלְתּוֹ, שֶׁנֶּאֱמַר: ״יֵצֵא אָדָם לְפָעֳלוֹ וְלַעֲבֹדָתוֹ עֲדֵי עָרֶב״ – for that is the time of [man's] dominion, as it says, *Man goes forth to his work*** (in the morning), ***and to his labor until evening*** (ibid. v. 23). **וְהוּא הָאֶלֶף הַשִּׁשִּׁי – And that** corresponds to **the sixth millennium,** **כִּי בִּתְחִלָּתוֹ יִמְשְׁלוּ בּוֹ הַחַיּוֹת, הֵם הַמַּלְכֻיּוֹת אֲשֶׁר לֹא יָדְעוּ אֶת ה׳ – for at its beginning the "beasts" – which** represent **the kingdoms who do not know God – will reign,** **וְאַחֲרֵי עֲשִׂירִיתוֹ כְּשִׁעוּר הָנֵץ הַחַמָּה לַיּוֹם – and after a tenth of it** has gone by, **corresponding to the proportion** of time **of sunrise to the day** as a whole,[32] **יָבֹא הַגּוֹאֵל שֶׁנֶּאֱמַר בּוֹ: ״וְכִסְאוֹ כַשֶּׁמֶשׁ נֶגְדִּי״ – the redeemer will come, of whom it is said, *his throne shall be like the sun before Me*** (*Psalms* 89:37),[33] **זֶהוּ בֶּן דָּוִד הַנַּעֲשֶׂה בְּצֶלֶם אֱלֹהִים – referring to** the Messiah, **the descendant of David, who is made in the image of God,**[34] **כִּדְכְתִיב: ״וַאֲרוּ עִם עֲנָנֵי שְׁמַיָּא כְּבַר אֱנָשׁ אָתֵה הֲוָא וְעַד עַתִּיק יוֹמַיָּא מְטָה וּקְדָמוֹהִי הַקְרְבוּהִי, וְלֵהּ יְהִיב שָׁלְטָן וִיקָר וּמַלְכוּ״ – as it is written, *Behold, something like a man was coming with the clouds of heaven;*[35] *he came up to the One of Ancient Days, and they brought him before Him. He was given dominion, honor and kingship*** (*Daniel* 7:13-14). **וְיִהְיֶה זֶה קי״ח שָׁנָה אַחַר חֲמֵשֶׁת אֲלָפִים – This will be 118 years after five thousand years** of the world have elapsed,[36] **לִכְלוֹת דְּבַר ה׳ מִפִּי דָנִיֵּאל – when the time for the**

31a. See note 26.

32. The period of time from dawn to sunrise is equal to a tenth of the whole day – 1.2 hours (*Pesachim* 94a).

33. He will thus come at the period of "sunrise" of the sixth "day." Ramban thus predicts the coming of the Messiah for approximately 5100 A.C. (1340 C.E.). Below he provides a more exact time.

34. The appearance of the Messiah in the sixth millennium parallels the creation of man in the image of God on the sixth day.

35. This verse is describing the advent of the Messiah.

36. That is, 5118 A.C., or 1358 C.E. The prediction of

שני ד **אֵ֣לֶּה תוֹלְד֧וֹת הַשָּׁמַ֛יִם וְהָאָ֖רֶץ בְּהִבָּֽרְאָ֑ם בְּי֗וֹם עֲשׂ֛וֹת יהוָ֥ה אֱלֹהִ֖ים אֶ֥רֶץ וְשָׁמָֽיִם׃**

ד אִלֵּין תּוּלְדַת שְׁמַיָּא וְאַרְעָא כַּד אִתְבְּרִיאוּ בְּיוֹמָא דִּי עֲבַד יְיָ אֱלֹהִים אַרְעָא וּשְׁמַיָּא׃

רש"י

(ד) **אלה.** האמורים למעלה: **תולדות השמים והארץ בהבראם ביום עשות ה'.** למדך שכלם נבראו בראשון (תנחומא ישן א-ב; ב"ר יב:ד). ד"א, בהבראם, בה' בראם, שנאמר ביה ה' צור עולמים (ישעיה כו:ד) בב' אותיות הללו של השם יצר שני עולמים. ולמדך כאן שהעולם הזה נברא בה"א [ס"א רמז כמו שהה"א פתוחה למטה כך העולם פתוח לשבים בתשובה (פס"ר כא (קט:)) ועוה"ב נברא ביו"ד לומר שצדיקים שבאותו זמן מועטים כמו י' שהיא קטנה באותיות (מנחות כט:).] רמז שירדו [הרשעים] למטה לראות שחת כה"א זאת שסתומה מכל צדדיה ופתוחה למטה לרדת דרך שם (ב"ר יב:י; מנחות שם):

רמב"ן

[שם יב, יא]: "וּמֵעֵת הוּסַר הַתָּמִיד וְלָתֵת שִׁקּוּץ שׁוֹמֵם יָמִים אֶלֶף וּמָאתַיִם וְתִשְׁעִים"[37].

וְנִרְאֶה מִשִּׁנּוּי הַיָּמִים מִשֶּׁרֶץ הַמַּיִם וְהָעוֹף לְחַיַּת הָאָרֶץ, כִּי בִּתְחִלַּת הָאֶלֶף הַשִּׁשִּׁי[37a] תִּתְחַדֵּשׁ מַלְכוּת אֻמָּה שַׁלֶּטֶת "וְאֵימְתָנִי וְתַקִּיפָא יַתִּירָא"[38], וּמִתְקָרֶבֶת אֶל הָאֱמֶת יוֹתֵר מִן הָרִאשׁוֹנוֹת[39].

הַיּוֹם הַשְּׁבִיעִי שַׁבָּת, רֶמֶז לָעוֹלָם הַבָּא שֶׁכֻּלּוֹ שַׁבָּת וּמְנוּחָה לְחַיֵּי הָעוֹלָמִים.

RAMBAN ELUCIDATED

word of God from the mouth of Daniel has been completed: **"וּמֵעֵת הוּסַר הַתָּמִיד וְלָתֵת שִׁקּוּץ שׁוֹמֵם יָמִים אֶלֶף וּמָאתַיִם וְתִשְׁעִים"** – ***From the time the daily offering was discontinued and the Mute Abomination was put in place, 1290 years*** (ibid. 12:11).[37]

[Ramban makes a prediction based on the progression of the creation of the various creatures on the sixth day:]

וְנִרְאֶה מִשִּׁנּוּי הַיָּמִים מִשֶּׁרֶץ הַמַּיִם וְהָעוֹף לְחַיַּת הָאָרֶץ – **It would appear, from the** fact that there was a **change in days from** the creation of **the moving creatures of the water and the birds,** which was on the fourth day, **to the beasts of the land,** which were created on the fifth day, **כִּי בִּתְחִלַּת הָאֶלֶף הַשִּׁשִּׁי תִּתְחַדֵּשׁ מַלְכוּת אֻמָּה שַׁלֶּטֶת "וְאֵימְתָנִי וְתַקִּיפָא יַתִּירָא"** – **that at the beginning of the sixth millennium**[37a] **a new kingdom will arise, of a domineering nation that is "fearsome and extremely powerful,"**[38] **וּמִתְקָרֶבֶת אֶל הָאֱמֶת יוֹתֵר מִן הָרִאשׁוֹנוֹת** – **which will come closer to the truth than did the earlier ones.**[39]

[The seventh day – the World to Come:]

הַיּוֹם הַשְּׁבִיעִי שַׁבָּת – **The seventh day was the Sabbath,** **רֶמֶז לָעוֹלָם הַבָּא שֶׁכֻּלּוֹ שַׁבָּת וּמְנוּחָה לְחַיֵּי הָעוֹלָמִים** – **an allusion to the World to Come, which is entirely Sabbath and rest, for all eternity.**

---

the Messiah's advent in that year is also based on Rav Avraham bar Chiya's *Megillas HaMegalleh* (see above, footnote 16).

[The *Chasam Sofer* (Responsa, Vol. VI, 61) writes with regard to this passage in Ramban: "Out of his great desire and longing for the advent of the Messiah, he brought his calculation forward so that it should be closer to his own time. (Ramban died in 1270 C.E., thirty years into the sixth millenium – ed.) But (begging forgiveness from his exalted honor!) he made a great error for he overlooked the fact that the day follows the night, so that the first 500 years of the [sixth] millennium were all symbolic of nighttime, the 'evening of the sixth day of Creation,' and it was only after this that the creation of the animals took place. Waiting further for the period of 'sunrise' (one-tenth of the 'daytime hours,' which comes out to fifty years – ed.), this means that [the Messianic time] will be at least 550 years into the sixth millennium (i.e., not before 1790 C.E. – ed.)."]

[See also Ibn Ezra (in his commentary on *Daniel* 11:30).]

37. As Ramban stated above, the destruction of the Second Temple was in the year 3828 A.C.; 1290 years after that would be 5118 A.C.

37a. That is, after 1240 C.E.

38. Stylistic citation from *Daniel* 7:7.

The fifth millennium and the first 118 years of the sixth millennium would be the period of "animals," when those "who do not know God will reign." But these two time periods parallel different days of creation, so there must be some difference between them. Ramban therefore posits that the "beasts" ruling at the start of the sixth millennium would be more fierce than their predecessors, who only paralleled the less vicious fish and fowl.

39. Though fiercer, these rulers would recognize more of the truth of God than did their predecessors, just as

4 These are the products of the heavens and the earth when they were created on the day that HASHEM God made earth and heaven.

רמב"ן

וְהָאֵל יִשְׁמְרֵנוּ בְּכָל הַיָּמִים,
וְיָשִׂים חֶלְקֵנוּ עִם עֲבָדָיו הַתְּמִימִים[40].

[ד] אֵלֶּה תוֹלְדוֹת הַשָּׁמַיִם וְהָאָרֶץ בְּהִבָּרְאָם[41]. יְסַפֵּר תּוֹלְדוֹת הַשָּׁמַיִם וְהָאָרֶץ בְּמָטָר[42] וּבִצְמִיחָה כַּאֲשֶׁר נִבְרְאוּ וְנַעֲשׂוּ כְּתִקּוּנָם[43]. כִּי הַשָּׁמַיִם יִתְּנוּ טַלָּם וּמִטְרָם, וְהָאָרֶץ תִּתֵּן יְבוּלָהּ[43a], וְהֵם קִיּוּם כָּל חַי.

וְרָמַז בְּ"הִבָּרְאָם" מַה שֶּׁאָמְרוּ [מנחות כט, ב]: בְּהֵ"א בְּרָאָם - וּמִפְּנֵי זֶה לֹא הִזְכִּיר עַד הֵנָּה רַק מִלַּת "אֱלֹהִים". וּמְפֹרָשׁ בַּכָּתוּב [ישעיה סו ב]: "וְאֶת כָּל אֵלֶּה יָדִי עָשָׂתָה", וְכֵן אָמַר אִיּוֹב [יב, ט] "מִי לֹא יָדַע בְּכָל אֵלֶּה כִּי יַד ה' עָשְׂתָה זֹּאת". אִם כֵּן תִּרְמֹז "בְּיוֹם עֲשׂוֹת ה' אֱלֹהִים" לְמִלַּת "בְּרֵאשִׁית", כְּמוֹ שֶׁאָמַרְנוּ:

RAMBAN ELUCIDATED

[Ramban closes his exposition on the six millennia with a poetic finale:]

וְהָאֵל יִשְׁמְרֵנוּ בְּכָל הַיָּמִים – May God watch over us on all the days,

וְיָשִׂים חֶלְקֵנוּ עִם עֲבָדָיו הַתְּמִימִים – And place our portion with that of **His wholehearted servants!**[40]

4. אֵלֶּה תוֹלְדוֹת הַשָּׁמַיִם וְהָאָרֶץ בְּהִבָּרְאָם – ***THESE ARE THE PRODUCTS OF THE HEAVENS AND THE EARTH WHEN THEY WERE CREATED.***

[The Torah declares with this verse that it intends to relate to us the "products" of the heavens and the earth, but then it goes on to describe only the growth of vegetation in the world and the creation of the animals and man. What of the "products of the heavens"?[41] Ramban explains:]

יְסַפֵּר תּוֹלְדוֹת הַשָּׁמַיִם וְהָאָרֶץ בְּמָטָר וּבִצְמִיחָה כַּאֲשֶׁר נִבְרְאוּ וְנַעֲשׂוּ כְּתִקּוּנָם – [Scripture] relates the products of the heavens and the earth, referring to rain ("product of the heavens")[42] **and to the vegetation** ("product of the earth") **once they were created** from nothingness **and fashioned into their perfected states.**[43] **כִּי הַשָּׁמַיִם יִתְּנוּ טַלָּם וּמִטְרָם, וְהָאָרֶץ תִּתֵּן יְבוּלָהּ, וְהֵם קִיּוּם כָּל חַי – "For the heavens give forth their dew and their rain, and the land gives forth its produce,"**[43a] **and these are the** basis for the **sustenance of all life.**

[Ramban now presents a Kabbalistic interpretation of our verse. The deep esoteric concepts discussed here are not within the scope of this elucidation. In the Hebrew text, Ramban's words appear in the paragraph beginning וְרָמַז and ending כְּמוֹ שֶׁאָמַרְנוּ.]

---

the beasts of the land are closer to man in their natures than the fish and fowl are.

40. Ramban is alluding to the verse in *Deuteronomy* 18:13, *You shall be wholehearted with HASHEM, your God*, an exhortation not to strive to predict the future by various means, but to put one's full trust in God (see Rashi ad loc.). He is thus stating a caveat regarding the Messianic prediction he has just given. In his *Sefer HaGeulah* Ramban is more explicit in this regard: "for our words concerning the End (the advent of the Messianic era) are speculation, and we do not have any statement about which we can say with certainty that it will be so. For we are not prophets who can say such things concerning God's secrets; rather, we long for the [Messiah's] time and believe in it in a general manner (i.e., without pinpointing any particular date)."

41. It was apparently because of this question that Rashi explains that our verse is referring to what precedes it, i.e., the account of Creation in Chapter 1.

42. The rain is alluded to in verse 6; see Ramban below (on v. 5), concerning the *mist* of that verse.

43. As we have mentioned several times, Ramban makes a crucial distinction between the verbs ברא, *to create*, which connotes the creation of something out of nothing, and עשה, *to make*, or יצר, *to fashion*, which indicate making something out of previously existing matter. Our verse, as Ramban noted above (on 1:1; see note 56 there), mentions both verbs: הַשָּׁמַיִם וְהָאָרֶץ בְּהִבָּרְאָם בְּיוֹם עֲשׂוֹת ה' אֱלֹהִים אֶרֶץ וְשָׁמָיִם, *the heavens and the earth when they were created, on the day that HASHEM, God, made earth and heaven.* Ramban thus explains that our verse describes "the products of the heavens and the earth, as they were when they were *created from nothingness* and then *fashioned* into their perfected states."

43a. Stylistic paraphrase from *Zechariah* 8:12.

ה וְכֹל ׀ שִׂיחַ הַשָּׂדֶה טֶרֶם יִהְיֶה בָאָרֶץ וְכָל־עֵשֶׂב
הַשָּׂדֶה טֶרֶם יִצְמָח כִּי לֹא הִמְטִיר יהוה
אֱלֹהִים עַל־הָאָרֶץ וְאָדָם אַיִן לַעֲבֹד אֶת־
ו הָאֲדָמָה: וְאֵד יַעֲלֶה מִן־הָאָרֶץ וְהִשְׁקָה אֶת־
ז כָּל־פְּנֵי הָאֲדָמָה: וַיִּיצֶר יהוה אֱלֹהִים אֶת־
הָאָדָם עָפָר מִן־הָאֲדָמָה וַיִּפַּח בְּאַפָּיו נִשְׁמַת

ה וְכֹל אִילָנֵי חַקְלָא עַד לָא הֲווֹ
בְאַרְעָא וְכָל עִסְבָּא דְחַקְלָא עַד
לָא צְמַח אֲרֵי לָא אַחִית מִטְרָא יְיָ
אֱלֹהִים עַל אַרְעָא וֶאֱנָשׁ לַיִת
לְמִפְלַח יָת אַדְמְתָא: ו וַעֲנָנָא
הֲוָה סָלֵיק מִן אַרְעָא וְאַשְׁקֵי יָת
כָּל אַפֵּי אַדְמְתָא: ז וּבְרָא יְיָ
אֱלֹהִים יָת אָדָם עַפְרָא מִן
אַדְמְתָא וּנְפַח בְּאַנְפּוֹהִי נִשְׁמְתָא

רש"י

(ה) טרם יהיה בארץ. כל טרם שבמקרא לשון עד לא הוא (אונקלוס) ואינו לשון קודם, ואינו נפעל לומר הטרים כאשר יאמר הקדים, וזה מוכיח, ועוד אחר, כי טרם תיראון (שמות ט:ל) עדיין לא תיראון. ואף זה תפרש, עדיין לא היה בארץ כשנגמרה בריאת העולם בששי קודם שנברא אדם, **וכל עשב השדה** עדיין לא צמח. ובשלישי שכתוב ותוצא הארץ לא יצאו אלא על פתח קרקע עמדו עד יום ששי, **כי לא המטיר**. ומה טעם לא המטיר, לפי שאדם **אין לעבוד את האדמה** ואין מכיר בטובתן של גשמים. וכשבא אדם וידע שהם צורך לעולם התפלל עליהם וירדו, וצמחו האילנות והדשאים (חולין ס:): **ה' אלהים.** [ה'] הוא שמו, אלהים שהוא שליט ושופט על כל [העולם]. וכן פירוש זה בכ"מ לפי פשוטו ה' שהוא אלהים: **(ו) ואד יעלה.** לענין בריאתו של אדם, העלה התהום והשקה עננים לשרות העפר ונברא אדם, כגבל זה שנותן מים ואח"כ לש את העיסה, אף כאן והשקה ואח"כ וייצר (ב"ר יד:א; ש"ר ל:יג): **(ז) וייצר.** שתי יצירות, יצירה לעולם הזה ויצירה לתחיית המתים (ב"ר יד:ה) אבל בבהמה שאינה עומדת לדין לא נכתב ביצירתה שני יודי"ן (תנחומא תזריע א): **עפר מן האדמה.** צבר עפרו מכל האדמה מארבע רוחות, שכל מקום שימות שם תהא קולטתו לקבורה (תנחומא פקודי ג). ד"א, נטל עפרו ממקום שנאמר בו מזבח אדמה תעשה לי (שמות כ:כא) הלואי תהא לו כפרה ויוכל לעמוד (ב"ר יד:ח): **ויפח באפיו.** עשאו מן התחתונים ומן העליונים, גוף מן התחתונים ונשמה מן העליונים. לפי שביום ראשון נבראו שמים וארץ, בשני ברא רקיע לעליונים, בשלישי תראה היבשה לתחתונים, ברביעי ברא מאורות לעליונים, בחמישי ישרצו המים לתחתונים, הוזקק הששי לבראות בו בעליונים ובתחתונים ואם לאו יש קנאה במעשה

רמב"ן

[ה] **וְכֹל שִׂיחַ הַשָּׂדֶה.** עַל דַּעַת רַבּוֹתֵינוּ בִּבְרֵאשִׁית רַבָּה[44], בַּשְּׁלִישִׁי עָמְדוּ עַל פֶּתַח קַרְקַע הָאָרֶץ, וּבַשִּׁשִּׁי צָמְחוּ לְאַחַר שֶׁהִמְטִיר עֲלֵיהֶם.

וְעַל דַּעְתִּי כְּפִי הַפְּשָׁט, כִּי בַּשְּׁלִישִׁי הוֹצִיאָה הָאָרֶץ הָעֵשֶׂב וְעֵץ הַפְּרִי בְּקוֹמָתָם וְצִבְיוֹנָם, כַּאֲשֶׁר צֻוְּתָה בָּהֶם. וְעַכְשָׁיו יְסַפֵּר הַכָּתוּב כִּי אֵין נוֹטֵעַ וְזוֹרֵעַ מֵהֶם. וְהִיא לֹא תַצְמִיחַ עַד אֲשֶׁר עָלָה אֵד מִמֶּנָּה וְהִשְׁקָה אוֹתָהּ,

RAMBAN ELUCIDATED

5. וְכֹל שִׂיחַ הַשָּׂדֶה – *NOW ALL THE TREES OF THE FIELD*.

[This verse describes the events of the sixth day of Creation, when man was created. Now, we have read above (1:12) that all the vegetation and trees were created on the third day, yet here we are told that, as of the *sixth* day, they *had not yet sprouted*. Ramban addresses this question, beginning with the words of the Sages:]

עַל דַּעַת רַבּוֹתֵינוּ בִּבְרֵאשִׁית רַבָּה – According to the opinion of our Sages in *Bereishis Rabbah*,[44] **בַּשְּׁלִישִׁי עָמְדוּ עַל פֶּתַח קַרְקַע הָאָרֶץ – on the third** day of Creation **they stood** poised **at the surface of the ground of the earth, וּבַשִּׁשִּׁי צָמְחוּ לְאַחַר שֶׁהִמְטִיר עֲלֵיהֶם – and on the sixth** day **they sprouted, after [God] brought rain upon them.**

[Ramban presents his own opinion on the matter:]

וְעַל דַּעְתִּי כְּפִי הַפְּשָׁט – In my opinion, according to the simple meaning, כִּי בַּשְּׁלִישִׁי הוֹצִיאָה הָאָרֶץ הָעֵשֶׂב וְעֵץ הַפְּרִי בְּקוֹמָתָם וְצִבְיוֹנָם – the explanation is **that on the third** day **the land brought forth the plants and the fruit trees in their full height and form, כַּאֲשֶׁר צֻוְּתָה בָּהֶם – as was commanded concerning them. וְעַכְשָׁיו יְסַפֵּר הַכָּתוּב כִּי אֵין נוֹטֵעַ וְזוֹרֵעַ מֵהֶם – But now Scripture relates that there was no one to plant or sow any of [these]** plants and trees, **וְהִיא לֹא תַצְמִיחַ עַד אֲשֶׁר עָלָה אֵד מִמֶּנָּה וְהִשְׁקָה אוֹתָהּ – so [the earth] could not "sprout forth,"** i.e., cause growth and proliferation of the existing vegetation, **until a mist ascended from [the earth] and watered**

44. The "opinion of our Sages" as it is cited by Ramban does not appear in extant editions of *Bereishis Rabbah,* but is found in the Talmud (*Chullin* 60b; cited in Rashi here). The same concept does appear in different words

5 Now all the trees of the field were not yet on the earth and all the herbs of the field had not yet sprouted, for HASHEM God had not sent rain upon the earth and there was no man to work the soil. 6 A mist ascended from the earth and watered the whole surface of the soil. 7 And HASHEM God formed the man of dust from the ground, and He blew into his nostrils the soul of life;

רמב"ן

וְנוֹצַר הָאָדָם הָעוֹבֵד אוֹתָהּ לִזְרֹעַ וְלִנְטֹעַ וְלִשְׁמֹר. וְזֶהוּ טַעַם "הַשָּׂדֶה ...", שֶׁלֹּא אָמַר "שִׂיחַ הָאֲדָמָה" כִּי הַמָּקוֹם הַנֶּעֱבָד יִקָּרֵא "שָׂדֶה" - "אֲשֶׁר תִּזְרַע בַּשָּׂדֶה", [שמות כג, טז], "לֹא נַעֲבֹר בְּשָׂדֶה וּבְכֶרֶם"[45] [במדבר כ, יז].

וְזֶהוּ תַּשְׁמִישׁוֹ שֶׁל עוֹלָם שֶׁנִּהְיָה מֵאַחֲרֵי שֵׁשֶׁת יְמֵי בְּרֵאשִׁית וָהָלְאָה, כָּל יְמֵי עוֹלָם. כִּי בְּסִבַּת הָאֵד יַמְטִירוּ הַשָּׁמַיִם, וּבְסִבָּתָם הָאָרֶץ זֵרוּעֶיהָ תַּצְמִיחַ[46].

[ז] וַיִּפַּח בְּאַפָּיו נִשְׁמַת[46a] חַיִּים. יִרְמֹז לָנוּ הַכָּתוּב הַזֶּה מַעֲלַת הַנֶּפֶשׁ, יְסוֹדָהּ וְסוֹדָהּ. כִּי הִזְכִּיר בָּהּ שֵׁם מָלֵא, וְאָמַר כִּי הוּא נָפַח "בְּאַפָּיו נִשְׁמַת חַיִּים", לְהוֹדִיעַ כִּי לֹא בָּאָה בוֹ מִן הַיְסוֹדוֹת, כַּאֲשֶׁר רָמַז בְּנֶפֶשׁ הַתְּנוּעָה [לעיל א, כו][47], גַּם לֹא בְּהִשְׁתַּלְשְׁלוּת מִן הַשְּׂכָלִים הַנִּבְדָּלִים[48]. אֲבָל הִיא רוּחַ הַשֵּׁם

RAMBAN ELUCIDATED

it, **וְנוֹצַר הָאָדָם הָעוֹבֵד אוֹתָהּ לִזְרֹעַ וְלִנְטֹעַ וְלִשְׁמֹר** – **and** until **man, who could work it by sowing and planting and tending** it, **was created** on the sixth day. **"וְזֶהוּ טַעַם "הַשָּׂדֶה ...** – **And this is the explanation of** *the trees **of the field** were not yet on the earth,* **"שֶׁלֹּא אָמַר "שִׂיחַ הָאֲדָמָה** – **for it did not say, "The trees of the *ground,*"** but "trees of the *field.*" **"כִּי הַמָּקוֹם הַנֶּעֱבָד יִקָּרֵא "שָׂדֶה** – **For** only **a place that is cultivated is called a "field,"** **,"אֲשֶׁר תִּזְרַע בַּשָּׂדֶה"** – as in the phrases, ***that you sow in the field*** (*Exodus* 23:16); **"לֹא נַעֲבֹר בְּשָׂדֶה וּבְכֶרֶם"** – and, ***We shall not pass through field or vineyard***[45] (*Numbers* 20:17).

[Having explained that verse 4 is the introduction to this passage describing the products of heaven and earth, i.e., rain and vegetation, respectively, Ramban now explains verse 6 in that light:]

וְזֶהוּ תַּשְׁמִישׁוֹ שֶׁל עוֹלָם שֶׁנִּהְיָה מֵאַחֲרֵי שֵׁשֶׁת יְמֵי בְּרֵאשִׁית וָהָלְאָה כָּל יְמֵי עוֹלָם – **And this is the functioning of the world, which came into being after the six days of Creation and** remains **thereafter all the days of the world.** **כִּי בְּסִבַּת הָאֵד יַמְטִירוּ הַשָּׁמַיִם, וּבְסִבָּתָם הָאָרֶץ זֵרוּעֶיהָ תַּצְמִיחַ** – **For it is by means of the mist that the heavens give rain, and by means of [the heavens'] rains that the land sprouts forth its plants.**[46]

7. וַיִּפַּח בְּאַפָּיו נִשְׁמַת חַיִּים – ***AND HE BLEW INTO HIS NOSTRILS THE SOUL***[46a] ***OF LIFE.***

[Ramban explains the import of this statement:]

יִרְמֹז לָנוּ הַכָּתוּב הַזֶּה מַעֲלַת הַנֶּפֶשׁ יְסוֹדָהּ וְסוֹדָהּ – **This verse alludes to us the exaltedness of the** human **soul, its essence and its mystical source.** **כִּי הִזְכִּיר בָּהּ שֵׁם מָלֵא** – **For it mentions** God's **full Name,** "HASHEM God," in conjunction **with it,** **"וְאָמַר כִּי הוּא נָפַח "בְּאַפָּיו נִשְׁמַת חַיִּים** – **and says that "He" blew *into his nostrils the soul of life,*** **לְהוֹדִיעַ כִּי לֹא בָּאָה בוֹ מִן הַיְסוֹדוֹת, כַּאֲשֶׁר רָמַז בְּנֶפֶשׁ הַתְּנוּעָה** – **to inform** us **that [this soul] did not come to [man] from the** physical **elements, as it alluded to concerning the "soul of mobility"** (above, 1:26),[47] **גַּם לֹא בְּהִשְׁתַּלְשְׁלוּת מִן הַשְּׂכָלִים הַנִּבְדָּלִים** – **nor**

in *Bereishis Rabbah* (13:1; see also 12:4), however.

45. It is evident from the juxtaposition of שָׂדֶה, *field,* to כֶּרֶם, *vineyard,* that the verse refers not to unfarmed land, but to a cultivated plot of land.

46. The process depicted in verse 6 is not a description of an event that took place once, during Creation, but is a description of an ongoing course of nature that continues to this day, as Ramban explained above in the introductory verse to this passage, verse 4. This is in contradistinction to Radak's view, that the verse refers to events relevant to the creation of the vegetation on the third day. It is also in contradistinction to Rashi, who interprets the verse in an entirely different manner.

46a. The Hebrew word here is נְשָׁמָה (*neshamah*), rather than נֶפֶשׁ (*nefesh*). Both words are translated into English as "soul," for lack of other adequate equivalents.

47. The "soul of mobility" (see above, 1:22, with note 229) does come from the elements, as Ramban explained above, 1:26. See also Ramban above, 1:20.

רמב״ן

הַגָּדוֹל, ״מִפִּיו דַּעַת וּתְבוּנָה״ [משלי ב, ו], כִּי הַנּוֹפֵחַ בְּאַפֵּי אַחֵר מִנִּשְׁמָתוֹ יִתֵּן בּוֹ[49]. וְזֶהוּ שֶׁנֶּאֱמַר ״וְנִשְׁמַת שַׁדַּי תְּבִינֵם״ [איוב לב, ח].

כִּי הִיא מִיסוֹד הַבִּינָה בְּדֶרֶךְ אֱמֶת וֶאֱמוּנָה, וְהוּא מַאֲמָרָם בְּסִפְרֵי [רֵישׁ פָּרָשַׁת מַטּוֹת]: נְדָרִים - כְּנִשְׁבָּע בְּחַיֵּי הַמֶּלֶךְ; שְׁבוּעוֹת - כְּנִשְׁבָּע בַּמֶּלֶךְ עַצְמוֹ; אַף עַל פִּי שֶׁאֵין רְאָיָה לַדָּבָר - זֵכֶר לַדָּבָר: חַי ה׳ וְחֵי נַפְשְׁךָ וְגוֹ׳״ [מלכים-ב ב, ב, וְעוֹד]. וּבְמִדְרָשׁוֹ שֶׁל רַבִּי נְחֻנְיָא בֶּן הַקָּנָה [סֵפֶר הַבָּהִיר אוֹת נז]: מַאי ״וַיִּנָּפַשׁ״ [שמות לא, יז]? מְלַמֵּד שֶׁיּוֹם הַשַּׁבָּת מְקַיֵּם כָּל הַנְּפָשׁוֹת, שֶׁנֶּאֱמַר: ״וַיִּנָּפַשׁ״. וּמִכָּאן תָּבִין ״דִּבְרַת שְׁבוּעַת אֱלֹהִים״ [קהלת ח, ב]. וְהַמַּשְׂכִּיל יָבִין[50].

וְדַע[51], כִּי הַמִּתְחַכְּמִים בְּמֶחְקָר נֶחְלְקוּ בָּאָדָם. מֵהֶם יֹאמְרוּ כִּי בָּאָדָם שָׁלֹשׁ נְפָשׁוֹת נֶפֶשׁ הַגִּדּוּל כְּצוֹמֵחַ, אוֹ תֵּאָמֵר בְּזוֹ כֹּחַ הַגִּדּוּל[52]. וּבוֹ עוֹד נֶפֶשׁ הַתְּנוּעָה, שֶׁהִזְכִּירָהּ הַכָּתוּב בְּדָגִים וּבְחַיָּה וּבְכָל רוֹמֵשׂ עַל הָאָרֶץ. וְהַשְּׁלִישִׁית - הַנֶּפֶשׁ הַמַּשְׂכֶּלֶת[52a]. וּמֵהֶם יֹאמְרוּ כִּי זֹאת הַנֶּפֶשׁ אֲשֶׁר בָּאָדָם מִפִּי עֶלְיוֹן - בָּהּ יִמָּצְאוּ שָׁלֹשׁ הַכֹּחוֹת הָאֵלֶּה, וְרַק הִיא יְחִידָה[52b].

וְהַכָּתוּב הַזֶּה כְּפִי מַשְׁמָעוֹ יִרְמֹז כֵּן, כִּי יֹאמַר שֶׁיָּצַר הַשֵּׁם ״אֶת הָאָדָם עָפָר מִן הָאֲדָמָה״, וְהָיָה מֻטָּל גֹּלֶם

RAMBAN ELUCIDATED

did it come to him **through descent from the "separate intelligences."**[48] **אֲבָל הִיא רוּחַ הַשֵּׁם הַגָּדוֹל, ״מִפִּיו דַּעַת וּתְבוּנָה״ – Rather, it is the spirit of the Great God, *from Whose mouth*** *come* ***knowledge and understanding*** (*Proverbs* 2:6). **כִּי הַנּוֹפֵחַ בְּאַפֵּי אַחֵר מִנִּשְׁמָתוֹ יִתֵּן בּוֹ – For when someone blows into someone else's nostrils, he gives him of his own breath.**[49] **וְזֶהוּ שֶׁנֶּאֱמַר ״וְנִשְׁמַת שַׁדַּי תְּבִינֵם״ – And this is what is said, *and it is the breath of the Almighty that gives them understanding*** (*Job* 32:8).

[Ramban now discusses the source of the soul in the Kabbalistic sense. The deep esoteric concepts discussed here are not within the scope of this elucidation. In the Hebrew text, Ramban's words appear in the paragraph beginning כִּי הִיא and ending וְהַמַּשְׂכִּיל יָבִין.][50]

[Ramban now discusses the tripartite nature of the human soul.[51] He begins by citing the dispute between Plato and Aristotle regarding this matter:]

וְדַע כִּי הַמִּתְחַכְּמִים בְּמֶחְקָר נֶחְלְקוּ בָּאָדָם – You should know that the scholars of philosophy are in disagreement concerning the soul of **man. מֵהֶם יֹאמְרוּ כִּי בָּאָדָם שָׁלֹשׁ נְפָשׁוֹת – Some of them say that man has three souls: נֶפֶשׁ הַגִּדּוּל כְּצוֹמֵחַ, אוֹ תֵּאָמֵר בְּזוֹ כֹּחַ הַגִּדּוּל** – (i) **The soul of growth, as** possessed even by **vegetation (or this might be called "power of growth"** instead of soul of growth).[52] **וּבוֹ עוֹד נֶפֶשׁ הַתְּנוּעָה שֶׁהִזְכִּירָהּ הַכָּתוּב בְּדָגִים וּבְחַיָּה וּבְכָל רוֹמֵשׂ עַל הָאָרֶץ** – (ii) **And there is also a soul of mobility in him, which Scripture mentioned in connection with the fish and the beasts and all the creatures that tread the earth. וְהַשְּׁלִישִׁית הַנֶּפֶשׁ הַמַּשְׂכֶּלֶת** – (iii) **And the third** one **is the rational soul**, and it is this third soul that our verse speaks of as being "blown into man's nostrils."[52a]

[Ramban now cites the second opinion about the human soul, and brings support for it from our verse:]

וּמֵהֶם יֹאמְרוּ כִּי זֹאת הַנֶּפֶשׁ אֲשֶׁר בָּאָדָם מִפִּי עֶלְיוֹן – But some of them maintain that this soul in man, which comes **from the mouth of the Supreme One, בָּהּ יִמָּצְאוּ שָׁלֹשׁ הַכֹּחוֹת הָאֵלֶּה – contains within it** all **these three powers, וְרַק הִיא יְחִידָה – nevertheless, it is a *single*** soul.[52b] **וְהַכָּתוּב הַזֶּה כְּפִי מַשְׁמָעוֹ יִרְמֹז כֵּן – The implication of this verse, according to its simple meaning, is like this** second opinion. **כִּי יֹאמַר שֶׁיָּצַר הַשֵּׁם ״אֶת הָאָדָם עָפָר מִן הָאֲדָמָה״ וְהָיָה מֻטָּל גֹּלֶם**

48. That is, the angels. See above, 2:1, with note 2.

49. The term נְשָׁמָה means both "breath" and "soul." [See *Nefesh HaChaim,* I, Ch. 15 for further elaboration of the concept of man's soul originating from God's "breath."]

50. עיין בדברי רבינו במדבר ל:ג וגם בדברי רבינו בחידושיו על מס׳ שבועות דף כט

51. See above, 1:22, with note 229.

52. Ramban above (1:20) wrote that it is possible that this most primitive life force might not be considered a "soul" at all. Thus, he writes here that instead of calling it "*soul* of growth," we might call it "*power* of growth."

52a. This is the opinion of Plato (*Zichron Yitzchak*).

52b. This is the opinion of Aristotle (*Zichron Yitzchak*). See also Rambam (Maimonides) in the first

רמב״ן

כְּאֶבֶן דוֹמֵם, וְהַקָּדוֹשׁ בָּרוּךְ הוּא נָפַח בְּאַפָּיו נִשְׁמַת חַיִּים, וְאָז חָזַר הָאָדָם לִהְיוֹת "נֶפֶשׁ חַיָּה", שֶׁיִּתְנוֹעֵעַ בָּהּ, כְּמוֹ הַחַיּוֹת וְהַדָּגִים שֶׁאָמַר בָּהֶם "יִשְׁרְצוּ הַמַּיִם שֶׁרֶץ נֶפֶשׁ חַיָּה" [לעיל א, כ], וְ"תוֹצֵא הָאָרֶץ נֶפֶשׁ חַיָּה" [שם פסוק כד][53]. וְזֶה טַעַם "לְנֶפֶשׁ חַיָּה", כְּלוֹמַר שֶׁשָּׁב הָאָדָם לִהְיוֹת נֶפֶשׁ בָּהּ חַיִּים אַחֲרֵי שֶׁהָיָה חֶרֶשׂ אֶת חַרְשֵׂי אֲדָמָה[54]. כִּי הַלָּמֶ"ד תָּבֹא בַּהֲפוּכִים, כְּמוֹ "וְהָיוּ לְדָם בַּיַּבָּשֶׁת" [שמות ד, ט][55]; "וַיְהִי לְנָחָשׁ" [שם פסוק ג][56]; "וַיָּשֶׂם אֶת הַיָּם לֶחָרָבָה" [שם יד, כא][57].

אֲבָל אֻנְקְלוֹס אָמַר "וַהֲוָת בְּאָדָם לְרוּחַ מְמַלְּלָא"[58]. נִרְאֶה שֶׁדַּעְתּוֹ כְּדִבְרֵי הָאוֹמְרִים שֶׁהֵם בּוֹ נְפָשׁוֹת שׁוֹנוֹת[58a], וְזֹאת הַנֶּפֶשׁ הַמַּשְׂכֶּלֶת אֲשֶׁר נְפָחָהּ הַשֵּׁם בְּאַפָּיו הָיְתָה בוֹ לְנֶפֶשׁ מְדַבֶּרֶת[59].

RAMBAN ELUCIDATED

כְּאֶבֶן דוֹמֵם – **For it states that God formed** ***man of dust from the ground,*** implying that **he was lying there, a lifeless lump, like a silent stone,** וְהַקָּדוֹשׁ בָּרוּךְ הוּא נָפַח בְּאַפָּיו נִשְׁמַת חַיִּים – **and the Holy One, Blessed is He,** then **blew into his nostrils the soul of life,** וְאָז חָזַר הָאָדָם לִהְיוֹת "נֶפֶשׁ חַיָּה" שֶׁיִּתְנוֹעֵעַ בָּהּ – **and** only **then did man become "a living soul," by means of which he was able to move about,** כְּמוֹ הַחַיּוֹת וְהַדָּגִים שֶׁאָמַר בָּהֶם "יִשְׁרְצוּ הַמַּיִם שֶׁרֶץ נֶפֶשׁ חַיָּה" וְ"תוֹצֵא הָאָרֶץ נֶפֶשׁ חַיָּה" – **like the beasts and the fish, of whom it says,** respectively, ***Let the waters bring forth swarming creatures with live souls*** (above, 1:20), **and** ***Let the earth bring forth creatures with live souls*** (ibid. 1:24).[53] וְזֶה טַעַם "לְנֶפֶשׁ חַיָּה", כְּלוֹמַר שֶׁשָּׁב הָאָדָם לִהְיוֹת נֶפֶשׁ בָּהּ חַיִּים – **And this is the meaning of** ***became a living being;*** **it means that man** became **transformed into a being in which there was life** אַחֲרֵי שֶׁהָיָה חֶרֶשׂ אֶת חַרְשֵׂי אֲדָמָה – **after having been** as lifeless as **"a shard among the shards of the earth."**[54] כִּי הַלָּמֶ"ד תָּבֹא בַּהֲפוּכִים – **For the** prefix -לְ, ***into,*** when it follows the verb היה or a similar verb, **indicates opposites,** i.e., a complete transformation from a previous state "into" a new one, כְּמוֹ "וְהָיוּ לְדָם בַּיַּבָּשֶׁת" – **as in** the verses, ***and it will become blood when it is on the dry land*** (*Exodus* 4:9);[55] "וַיְהִי לְנָחָשׁ" – ***and it became a snake*** (ibid. 4:3);[56] "וַיָּשֶׂם אֶת הַיָּם לֶחָרָבָה" – and ***and He turned the sea to dried land*** (ibid. 14:21).[57]

[Ramban now turns to the *first* approach (that man has three souls) and cites various Sages whose words bolster that view.[58a] He begins with Onkelos:]

אֲבָל אֻנְקְלוֹס אָמַר – **But Onkelos** paraphrases the verse and **renders,** "וַהֲוָת בְּאָדָם לְרוּחַ מְמַלְּלָא" – ***and it*** [the "soul of life"] ***became in Adam a spirit of speech.***[58] נִרְאֶה שֶׁדַּעְתּוֹ כְּדִבְרֵי הָאוֹמְרִים שֶׁהֵם בּוֹ נְפָשׁוֹת שׁוֹנוֹת – **It appears that his opinion is in agreement with those who say that [the three]** faculties described above **are separate souls in [man],**[58a] וְזֹאת הַנֶּפֶשׁ הַמַּשְׂכֶּלֶת אֲשֶׁר נְפָחָהּ הַשֵּׁם בְּאַפָּיו הָיְתָה בוֹ לְנֶפֶשׁ מְדַבֶּרֶת – **and this** third one, the **"rational soul" that God blew into his nostrils, became in him a "spirit of speech."**[59]

---

chapter of *Shemoneh Perakim.*

53. The same words, נֶפֶשׁ חַיָּה, *live soul,* are used to describe the creation of the fish and beasts and to describe man after God blew the soul into his nostrils. Ramban reasons that just as with regard to fish and animals, the term "live soul" refers to the faculty of mobility, so too does it refer to mobility when it is used in regard to man. In other words, it was only after God blew into man's nostrils the soul of life that he was able to move about. According to the first school of thought mentioned above, however, man was already a living creature, capable of growth and movement, even before God blew the "soul of life" into him, and thus נֶפֶשׁ חַיָּה means something different here than it did when it was mentioned above in connection with the fish and animals.

54. Stylistic citation from *Isaiah* 45:9

55. What was previously water was transformed into blood.

56. What was previously a stick was transformed into a snake.

57. Just as these examples indicate a complete transformation into an altered state, so too when our verse says of man וַיְהִי לְנֶפֶשׁ חַיָּה, *he became a living being,* it indicates that he was not alive at all beforehand.

58. The capability of speech is the definitive indicator of the faculty of reason. The soul that God blew into Adam's nostrils, then, was the "soul of rationality."

58a. [This first approach appears to be favored by Ramban above (1:26) as well.]

59. According to Onkelos, who maintains that what God blew into Adam at this point was the "soul of speech," Adam was apparently already a living, mobile being, though not quite human, before God provided him with this soul of rationality.

חַיִּים וַיְהִי הָאָדָם לְנֶפֶשׁ חַיָּה: דַּהֲוַת בְּאָדָם לְרוּחַ מְמַלְּלָא:

רש"י

בראשית, שיהיו אלו רבים על אלו בבריאת יום אחד (שם יב:ח): **לנפש חיה.** אף בהמה וחיה נקראו נפש חיה אך זו של אדם חיה

רמב"ן

וְכֵן נִרְאֶה לִי מִדַּעַת רַבּוֹתֵינוּ מִמַּה שֶּׁאָמְרוּ [סנהדרין סה, ב]: רַבָּא בְּרָא גַּבְרָא[60]. שַׁדְרֵיהּ לְקַמֵּיהּ דְּרַבִּי זֵירָא. הֲוָה מִשְׁתַּעֵי לֵיהּ וְלָא אִשְׁתַּעֵי, אָמַר: דְּמִן חַבְרַיָּא אַתְּ, תּוּב לְעַפְרָךְ[61]! וּבְוַיִּקְרָא רַבָּה [לב, ב]: אָמַר רַבִּי אָבִין: בְּשָׁעָה שֶׁאָדָם יָשֵׁן - הַגּוּף אוֹמֵר לַנְּשָׁמָה, וְהַנְּשָׁמָה אוֹמֶרֶת לַנֶּפֶשׁ, וְהַנֶּפֶשׁ אוֹמֶרֶת לַמַּלְאָךְ[62]. וְכֵן "רוּחוֹ וְנִשְׁמָתוֹ אֵלָיו יֶאֱסֹף" [איוב לד, יד] יוֹרֶה, כְּפִי מַשְׁמָעוֹ, שֶׁהֵן שְׁתַּיִם[63].

וְאִם כֵּן יֹאמַר הַכָּתוּב: "וַיִּיצֶר ה' אֱלֹהִים אֶת הָאָדָם", יְצִירַת תְּנוּעָה. שֶׁהָיָה הָאָדָם נוֹצָר, כְּלוֹמַר בַּעַל תְּנוּעָה, כִּי הַיְצִירָה הִיא הַחִיּוּת וְהַהֶרְגֵּשׁ[64], שֶׁבָּהֶם הוּא אָדָם, לֹא גְּבוּל הֶעָפָר. וּכְמוֹ שֶׁאָמַר: "וַיִּצֶר ה' אֱלֹהִים מִן הָאֲדָמָה כָּל חַיַּת הַשָּׂדֶה ... וַיָּבֵא אֶל הָאָדָם" [לקמן פסוק יט][65]. וְאַחֲרֵי שֶׁיְּצָרוֹ בְּהַרְגָּשָׁה

RAMBAN ELUCIDATED

[Ramban notes that the other Sages shared Onkelos's view as well:]

וְכֵן נִרְאֶה לִי מִדַּעַת רַבּוֹתֵינוּ – And so it appears to me from the opinion of our Talmudic **Sages** as well, **מִמַּה שֶּׁאָמְרוּ: רַבָּא בָּרָא גַּבְרָא – from what they said** (*Sanhedrin* 65b)**: Rabbah created a man.**[60] **שַׁדְרֵיהּ לְקַמֵּיהּ דְּרַבִּי זֵירָא – He sent it** to stand **before Rabbi Zeira, הֲוָה מִשְׁתַּעֵי לֵיהּ וְלָא אִשְׁתַּעֵי – who spoke to it, but it did not speak** in return. **אָמַר: דְּמִן חַבְרַיָּא אַתְּ, תּוּב לְעַפְרָךְ – He said** to it, **"You are** a creation **of the colleagues** (the rabbis)! Return to the dust from which you came!"[61]

וּבְוַיִּקְרָא רַבָּה: – And in *Vayikra Rabbah* (32:2) we find: **אָמַר רַבִּי אָבִין, בְּשָׁעָה שֶׁאָדָם יָשֵׁן – Rabbi Avin said: When a person sleeps, הַגּוּף אוֹמֵר לַנְּשָׁמָה, וְהַנְּשָׁמָה אוֹמֶרֶת לַנֶּפֶשׁ וְהַנֶּפֶשׁ אוֹמֶרֶת לַמַּלְאָךְ – the body speaks to the *neshamah*-soul and the *neshamah*-soul speaks to the *nefesh*-soul, and the *nefesh*-soul speaks to an angel.**[62]

[Ramban brings further support for the first approach mentioned above from Scripture itself:]

וְכֵן "רוּחוֹ וְנִשְׁמָתוֹ אֵלָיו יֶאֱסֹף" יוֹרֶה כְּפִי מַשְׁמָעוֹ שֶׁהֵן שְׁתַּיִם – Also, the verse ***He would gather up his spirit and his soul to Himself*** (*Job* 34:14) **indicates, seemingly, that they are two** separate entities.[63]

[Ramban now explains the meaning of our verse according to this first approach:]

וְאִם כֵּן – Now, if this is so, יֹאמַר הַכָּתוּב: "וַיִּיצֶר ה' אֱלֹהִים אֶת הָאָדָם", יְצִירַת תְּנוּעָה – when [our] verse says, *HASHEM God formed the man,* it refers to **the "forming" of** his **mobility. שֶׁהָיָה הָאָדָם נוֹצָר, כְּלוֹמַר בַּעַל תְּנוּעָה – For man was "formed," i.e.,** he became a being **possessing mobility, כִּי הַיְצִירָה הִיא הַחִיּוּת וְהַהֶרְגֵּשׁ, שֶׁבָּהֶם הוּא אָדָם, לֹא גְּבוּל הֶעָפָר – for "forming"** here **refers to** imparting **life and sentience,**[64] **for with [these]** qualities **he became a man as opposed to an earthen clump. וּכְמוֹ שֶׁאָמַר: "וַיִּצֶר ה' אֱלֹהִים מִן הָאֲדָמָה כָּל חַיַּת הַשָּׂדֶה ... וַיָּבֵא אֶל הָאָדָם" –** This is the meaning of "forming," **as it says, *And HASHEM God had "formed" out of the ground every beast of the field and He brought them to the man*** (below, v. 19).[65] **וְאַחֲרֵי שֶׁיְּצָרוֹ בְּהַרְגָּשָׁה – Then, after He "formed" him** by

60. Using the Kabbalistic powers of *Sefer Yetzirah* (Rashi ibid.).

61. This story shows that it is possible to have a being (possessing the soul of mobility) which is human in physical form but which does not possess the soul of rationality, as evidenced by the fact that this creature did not have the faculty of speech (Rabbeinu Bachya).

62. It is clear from this Midrash that there are at least two distinct souls in man.

[Although the Midrash seems to imply that there are only two souls, *Yefei Nof* explains that when the Midrash speaks of "the body," the "*neshamah*-soul" and the "*nefesh*-soul," it refers to the "soul of growth," the "soul of mobility" and the "soul of rationality," respectively.]

63. Because the verse mentions both רוּחַ, *spirit,* and נְשָׁמָה, *soul*, in speaking of one person.

64. "Life and sentience" being associated, respectively, with the "vegetative soul" and the "soul of mobility" (see above, 1:22, with note 229).

65. The verb יצר, *to form*, is used to describe the creation of the animals, and in that case it certainly refers to the endowment of life and sentience, no more (the endowment of intellect) and no less (the formation of a lifeless body). Here, too, Ramban explains, when speaking of man, the verb יצר means just the endowment of life and sentience.

and man became a living soul.

רמב״ן

נָפַח בְּאַפָּיו "נִשְׁמַת חַיִּים" מִפִּי עֶלְיוֹן, לְהוֹסִיף הַנֶּפֶשׁ הַזֹּאת עַל הַיְצִירָה הַנִּזְכֶּרֶת.

"וַיְהִי[66] הָאָדָם" כֻּלּוֹ[67] "לְנֶפֶשׁ חַיָּה"[68], כִּי בִּנְשָׁמָה הַזֹּאת יַשְׂכִּיל וִידַבֵּר, וּבָהּ יַעֲשֶׂה כָּל מַעֲשָׂיו, וְכָל הַנְּפָשׁוֹת וְכחוֹתָן לָהּ תִּהְיֶינָה. וְהַלָּמֶ"ד הַזּוֹ לָמֶ"ד הַקִּנְיָן[69] כְּמוֹ "אֲדֹנִי הַמֶּלֶךְ לְךָ אֲנִי וְכָל אֲשֶׁר לִי", [מלכים-א כ, ד]: "לַקֹּנֶה אֹתוֹ לְדֹרֹתָיו", [ויקרא כה, ל]; "לְךָ אֲנִי הוֹשִׁיעֵנִי" [תהלים קיט, צד].

אוֹ יֹאמַר שֶׁחָזַר כֻּלּוֹ נֶפֶשׁ חַיָּה, וְנֶהְפַּךְ לְאִישׁ אַחֵר[70], כִּי כָּל יְצִירוֹתָיו[71] הָיוּ עַתָּה לְנֶפֶשׁ הַזֹּאת.

RAMBAN ELUCIDATED

endowing him **with sentience,** **נָפַח בְּאַפָּיו "נִשְׁמַת חַיִּים" מִפִּי עֶלְיוֹן** – **He blew into his nostrils** ***the soul of life*** **from the mouth of the Supreme One,** **לְהוֹסִיף הַנֶּפֶשׁ הַזֹּאת עַל הַיְצִירָה הַנִּזְכֶּרֶת** – **to add on this "soul** of life," i.e., man's rational soul, **to the aforementioned "formation,"** i.e., the man-like creature that possessed only life and sentience.

[Ramban explains the closing phrase of the verse, as it is to be understood according to the first approach:][66]

"וַיְהִי הָאָדָם" כֻּלּוֹ "לְנֶפֶשׁ חַיָּה" – **And** then, **"man became"** – **in his entirety**[67] – **"of a living soul."**[68] **כִּי בִּנְשָׁמָה הַזֹּאת יַשְׂכִּיל וִידַבֵּר, וּבָהּ יַעֲשֶׂה כָּל מַעֲשָׂיו** – **For with this soul He reasons and speaks, and with it he does all of his actions,** **וְכָל הַנְּפָשׁוֹת וְכחוֹתָן לָהּ תִּהְיֶינָה** – **and all the souls** of man **and their capabilities "belong" to it.** **וְהַלָּמֶ"ד הַזּוֹ לָמֶ"ד הַקִּנְיָן** – **For this** -לְ prefix (in לְנֶפֶשׁ) **is the** ל **of possession,**[69] **כְּמוֹ "אֲדֹנִי הַמֶּלֶךְ לְךָ אֲנִי וְכָל אֲשֶׁר לִי"** – **as in** the verses, ***My lord the king, I and all I own*** [לִי] ***are yours*** [לְךָ] (*I Kings* 20:4); **"לַקֹּנֶה אֹתוֹ לְדֹרֹתָיו"** – *owned* ***by the one who possessed*** [לַקּוֹנֶה] ***it, for his generations*** (*Leviticus* 25:30); **"לְךָ אֲנִי הוֹשִׁיעֵנִי"** – and ***I am Yours*** [לְךָ]; ***save me!*** (*Psalms* 119:94).

[Ramban provides a second possible explanation of the verse's closing phrase in accordance with the first approach:]

אוֹ יֹאמַר שֶׁחָזַר כֻּלּוֹ נֶפֶשׁ חַיָּה, וְנֶהְפַּךְ לְאִישׁ אַחֵר – **Alternatively: [The verse] is saying that [man]** – **in his entirety** – **became a live soul, and turned into another man,**[70] **כִּי כָּל יְצִירוֹתָיו הָיוּ עַתָּה לְנֶפֶשׁ הַזֹּאת** – **for all his "formings,"**[71] i.e., the "formings" involved in his creation until this point, **now became this soul.**

66. Ramban is trying to resolve the difficulty that he mentioned above, namely, that the phrase וַיְהִי הָאָדָם לְנֶפֶשׁ חַיָּה, *[He blew into his nostrils the soul of life] and man became a living soul,* seems to imply that before God blew into him "the soul of life" man was not alive at all, while according to the "first approach" man was alive and sentient before this "soul of life" was breathed into him.

Onkelos resolved this difficulty by rendering the phrase "and it [the 'soul of life'] became in Adam a spirit of speech," making the subject of the verb *became* "the soul of life" rather than "man," and changing הָאָדָם, *the man*, into בְּאָדָם, *in Adam*. But Ramban finds that alteration of the Hebrew interpretational and irreconcilable with the original Hebrew. Ramban therefore proposes two alternative translations, both of which are in accord with the Hebrew, and according to which the difficulty mentioned above is resolved. See *Nefesh HaChaim* 1:4.

67. This new being that now contained all three kinds of soul.

68. When Ramban says "man became *of* a living soul," he means "man now belonged to his living soul," meaning that *everything* man does is ultimately determined by his "living soul," i.e., his rational soul, as Ramban proceeds to explain.

69. Above, in expounding the second approach, Ramban explained that this -לְ prefix connotes something undergoing a radical change. (In his words: "For the ל indicates opposites.") In order to accommodate the first approach he must change this line of interpretation. He therefore posits now that it is the "ל of possession," i.e., it means *belonging to* or *of* and not *into,* as he proceeds to explain.

70. According to this interpretation, Ramban interprets the -לְ prefix of לְנֶפֶשׁ as "the ל of opposites," as he did earlier in discussing the first approach. The transformation of Adam from what he was before being infused with "the soul of rationality" into what he became after he was infused with it was so great that it warrants the use of this "ל of opposites." After this rational soul was blown into his nostrils, his essence became wholly subordinated to that new soul.

71. Earlier in this verse, God's endowment of man with life and sentience are referred to as "formings," as Ramban has explained above.

ח וַיִּטַּ֞ע יְהוָ֧ה אֱלֹהִ֛ים גַּן־בְּעֵ֖דֶן מִקֶּ֑דֶם וַיָּ֣שֶׂם שָׁ֔ם
ט אֶת־הָאָדָ֖ם אֲשֶׁ֥ר יָצָֽר׃ וַיַּצְמַ֞ח יְהוָ֤ה אֱלֹהִים֙

ח וּנְצִיב יְיָ אֱלֹהִים גִּינְתָא בְעֵדֶן מִלְּקַדְמִין וְאַשְׁרֵי תַמָּן יָת אָדָם דִּי בְרָא: ט וְאַצְמַח יְיָ אֱלֹהִים

רש"י

שבכולן, שנתוסף בו דעה ודבור (אונקלוס): **(ח) מקדם.** במזרחו של עדן נטע את הגן. ואם תאמר, הרי כבר נאמר ויברא וגו' את האדם וגו'. ראיתי בברייתא של ר' אליעזר בנו של ר' יוסי הגלילי מל"ב מדות שהתורה נדרשת (מדה יג) וזו אחת מהן, כלל שלאחריו מעשה הוא פרטו של ראשון. ויברא את האדם וגו' זהו כלל, סתם בריאתו מהיכן וסתם מעשיו, חזר ופירש וייצר ה' אלהים וגו' ויצמח לו גן עדן ויניחהו בגן עדן ויפל עליו תרדמה, השומע סבור שהוא מעשה אחר, ואינו אלא פרטו של ראשון. וכן אצל הבהמה חזר וכתב ויצר ה' וגו' מן האדמה כל חית השדה (להלן פסוק יט) כדי לפרש ויבא אל האדם לקרות שם, וללמד על העופות שנבראו מן הרקק (חולין כז:): **(ט) ויצמח.** לענין הגן הכתוב מדבר (ב"ר יג:א):

רמב"ן

[ח] וַיִּטַּע ה' אֱלֹהִים גַּן בְּעֵדֶן מִקֶּדֶם. פֵּרַשׁ רַשִׁ"י: בְּמִזְרָחוֹ שֶׁל עֵדֶן נָטַע הַגַּן[72].
וְאֻנְקְלוּס תִּרְגֵּם: "מִלְּקַדְמִין", וְכָךְ אָמְרוּ בִּבְרֵאשִׁית רַבָּה [טו, ג], וְהוּא הַנָּכוֹן[73].
וְאֵין טַעַם "וַיִּטַּע"[74] שֶׁהֵבִיא הָאִילָנוֹת מִמָּקוֹם אַחֵר וּנְטָעָן שָׁם[75], כִּי מִן הַמָּקוֹם הַהוּא הִצְמִיחָם, כְּמוֹ
שֶׁנֶּאֱמַר [פסוק ט]: "וַיַּצְמַח ה' אֱלֹהִים וְגוֹ'". אֲבָל עִנְיַן "וַיִּטַּע ה' אֱלֹהִים" לְהַגִּיד שֶׁהָיוּ מַטַּע ה'[76], כִּי טֶרֶם שֶׁגָּזַר
עַל הָאָרֶץ "תַּדְשֵׁא הָאָרֶץ דֶּשֶׁא" גָּזַר בַּמָּקוֹם הַהוּא שֶׁיִּהְיֶה שָׁם גַּן, וְאָמַר: "בְּכָאן יִהְיֶה אִילָן פְּלוֹנִי וּבְכָאן אִילָן

RAMBAN ELUCIDATED

8. וַיִּטַּע ה' אֱלֹהִים גַּן בְּעֵדֶן מִקֶּדֶם – ***HASHEM GOD PLANTED A GARDEN IN EDEN AT FIRST.***

[The word קֶדֶם can mean either *before* or *east.* Ramban clarifies the meaning of the term מִקֶּדֶם in this verse. He begins by citing Rashi:]

פֵּרַשׁ רַשִׁ"י: – **Rashi explains: בְּמִזְרָחוֹ שֶׁל עֵדֶן נָטַע הַגַּן** – **In the east of Eden He planted the garden.**[72]

[Ramban now cites Onkelos's interpretation of the word:]

וְאֻנְקְלוּס תִּרְגֵּם: – **But Onkelos translates "מִלְּקַדְמִין"** – **beforehand. וְכָךְ אָמְרוּ בִּבְרֵאשִׁית רַבָּה, וְהוּא הַנָּכוֹן** – **This is what they stated in *Bereishis Rabbah*** (15:3) as well, and it is the most sound explanation.[73]

[Ramban now discusses the meaning of the word וַיִּטַּע, *and He planted*, in light of his interpretation of מִקֶּדֶם:[74]]

וְאֵין טַעַם "וַיִּטַּע" שֶׁהֵבִיא הָאִילָנוֹת מִמָּקוֹם אַחֵר וּנְטָעָן שָׁם – **The meaning of *and He planted* cannot be that He brought trees from a different place and planted them there,**[75] **כִּי מִן הַמָּקוֹם הַהוּא הִצְמִיחָם** – **for it was in that very place that He caused them to sprout** from the ground, **כְּמוֹ שֶׁנֶּאֱמַר: "וַיַּצְמַח ה' אֱלֹהִים וְגוֹ'"** – **as it says, *And HASHEM God caused to sprout*** *from the ground every tree*, **etc.** (v. 9). **אֲבָל עִנְיַן "וַיִּטַּע ה' אֱלֹהִים" לְהַגִּיד שֶׁהָיוּ מַטַּע ה'** – **But the purpose of** the phrase ***HASHEM God "planted"*** in our verse **is to inform** us **that [the trees]** of the Garden **were the "orchard of God,"**[76] **כִּי טֶרֶם שֶׁגָּזַר עַל הָאָרֶץ "תַּדְשֵׁא הָאָרֶץ דֶּשֶׁא"** – **for before He decreed for the earth, *"The earth should bring forth sprouts,"*** **גָּזַר בַּמָּקוֹם הַהוּא שֶׁיִּהְיֶה שָׁם גַּן** – **He decreed** that **in that place there would be a garden, וְאָמַר: "בְּכָאן יִהְיֶה אִילָן פְּלוֹנִי וּבְכָאן אִילָן פְּלוֹנִי" כַּעֲרוּגוֹת הַמַּטָּעִים** – **and he said** specifically, **"Here shall be such-and-such a tree, and here such-and-such a tree," like plots**

72. Rashi, then, interprets מִקֶּדֶם to mean "at the east."

73. "Beforehand" is also a common meaning for קֶדֶם; see *Lamentations* 5:21. According to this interpretation, the verse means to say that the Garden of Eden had been planted before something else – namely, before Adam. (The Midrash alluded to by Ramban here maintains that it was created on the third day. Ramban, in his comments on 1:11, cited another Midrash [*Bereishis Rabbah* 11:9] to that effect. Cf., however, *Pesachim* 54a.)

74. According to Rashi (that קֶדֶם means "east") it is possible that the Garden of Eden was planted on the sixth day, from saplings taken from elsewhere. According to Ramban, however, the Garden was planted on the third day, when there were no preexisting saplings. How, then, did God "plant" this Garden?

75. The Hebrew verb נטע, *to plant,* generally connotes placing a plant or sapling into the ground, as opposed to the verbs זרע, *to sow [seeds],* or הצמיח, *to cause to sprout.*

76. Stylistic citation from *Isaiah* 61:3.

8 *HASHEM God planted a garden in Eden at first, and placed there the man whom He had formed.* 9 *And HASHEM God caused to*

רמב"ן

פְלוֹנִי" כַּעֲרוּגוֹת הַמַּטָּעִים. וְלֹא הָיָה כְּדֶרֶךְ שְׁאָר מְקוֹמוֹת הָאָרֶץ, שֶׁאָמַר [לעיל א, יא]: "תַּדְשֵׁא הָאָרֶץ דֶּשֶׁא וְעֵץ פְּרִי", וְהִצְמִיחָה בְּלֹא סֵדֶר[77].

וְהִנֵּה אִילָנֵי גַּן עֵדֶן גָּזַר בָּהֶם לַעֲשׂוֹת עָנָף וְלָשֵׂאת פְּרִי לָעַד לְעוֹלָם; לֹא יַזְקִין בָּאָרֶץ שָׁרְשָׁם, וּבֶעָפָר לֹא יָמוּת גִּזְעָם[78]. אֵין צְרִיכִין לְעוֹבֵד וְזוֹמֵר, שֶׁאִלּוּ הָיוּ צְרִיכִין עֲבוֹדָה - אַחֲרֵי שֶׁגֹּרַשׁ הָאָדָם מִשָּׁם מִי עֹבֵד אוֹתָם? גַּם זֶה טַעַם "וַיִּטַּע ה' אֱלֹהִים" - שֶׁהָיוּ מַטָּעָיו מַעֲשֵׂה יָדָיו, וְקַיָּמִים לְעוֹלָמִים, כְּעִנְיָן שֶׁנֶּאֱמַר [יחזקאל מז, יב]: "לֹא יִבּוֹל עָלֵהוּ וְלֹא יִתֹּם פִּרְיוֹ וְכוּ', כִּי מֵימָיו מִן הַמִּקְדָּשׁ הֵמָּה יוֹצְאִים"[79].

אִם כֵּן, מַה טַּעַם "וַיַּנִּחֵהוּ בְגַן עֵדֶן לְעָבְדָהּ וּלְשָׁמְרָהּ" [לקמן פסוק טו]? שֶׁהִנִּיחוֹ שָׁם לִהְיוֹת זוֹרֵעַ לוֹ חִטִּים וּמִינֵי תְּבוּאוֹת וְכָל עֵשֶׂב זוֹרֵעַ זֶרַע, וַעֲרוּגוֹת הַבְּשָׂמִים, וְקוֹצֵר וְתוֹלֵשׁ וְאוֹכֵל כִּרְצוֹנוֹ. וְזֶה טַעַם לְשׁוֹן "לְעָבְדָהּ[80] וּלְשָׁמְרָהּ": לַעֲבֹד אַדְמַת הַגַּן[81], הָעֲרוּגוֹת שֶׁיַּעֲשֶׂה שָׁם. כִּי הַגַּן, שֶׁהֵם הָאִילָנוֹת - לֹא יֵעָבְדוּ.

RAMBAN ELUCIDATED

in an orchard. וְלֹא הָיָה כְּדֶרֶךְ שְׁאָר מְקוֹמוֹת הָאָרֶץ – **But [the planting of Eden] was not like that of the other places on the earth,** שֶׁאָמַר: "תַּדְשֵׁא הָאָרֶץ דֶּשֶׁא וְעֵץ פְּרִי" – **of which He said,** ***"Let the earth sprout forth sprouts and fruit trees"*** (above, 1:11), וְהִצְמִיחָה בְּלֹא סֵדֶר – whereupon it **sprouted** them **forth** randomly, **without** specific **order.**[77]

[Ramban now presents another reason for the use of the word וַיִּטַּע, *He planted*:]

וְהִנֵּה אִילָנֵי גַּן עֵדֶן גָּזַר בָּהֶם לַעֲשׂוֹת עָנָף וְלָשֵׂאת פְּרִי לָעַד לְעוֹלָם – **Now,** regarding **the trees of the Garden of Eden, [God] decreed that they should produce branches and bear fruit forever and ever;** לֹא יַזְקִין בָּאָרֶץ שָׁרְשָׁם, וּבֶעָפָר לֹא יָמוּת גִּזְעָם – **"their root would not become old in the ground, their trunk would not die in the dirt."**[78] אֵין צְרִיכִין לְעוֹבֵד וְזוֹמֵר – **They do not require anyone to cultivate and prune** them. שֶׁאִלּוּ הָיוּ צְרִיכִין עֲבוֹדָה – **For if they would need cultivation,** then אַחֲרֵי שֶׁגֹּרַשׁ הָאָדָם מִשָּׁם מִי עֹבֵד אוֹתָם – **after man was driven out from there, who cultivated them?** גַּם זֶה טַעַם "וַיִּטַּע ה' אֱלֹהִים" – **This is also** the meaning of ***HASHEM God planted*** – שֶׁהָיוּ מַטָּעָיו מַעֲשֵׂה יָדָיו וְקַיָּמִים לְעוֹלָמִים – **that they were His plantings, the work of His hands, and** thus were **to last forever,** כְּעִנְיָן שֶׁנֶּאֱמַר: "לֹא יִבּוֹל עָלֵהוּ וְלֹא יִתֹּם פִּרְיוֹ וְכוּ' – **similar to what is said** concerning the growth on the banks of the stream that would issue forth from the Temple in the future: ***its leaves will not wither and its fruit will not fail, etc.,*** כִּי מֵימָיו מִן הַמִּקְדָּשׁ הֵמָּה יוֹצְאִים" – ***for its waters will emerge from the Temple*** (*Ezekiel* 47:12).[79]

[Ramban raises a difficulty with this interpretation, and resolves it:]

אִם כֵּן מַה טַּעַם "וַיַּנִּחֵהוּ בְגַן עֵדֶן לְעָבְדָהּ וּלְשָׁמְרָהּ" – **If so,** that the trees in Eden were eternal and not in need of care, **what is the meaning of** ***and He placed [Adam] in the Garden of Eden "to work it and to guard it"*** (below, v. 15)? שֶׁהִנִּיחוֹ שָׁם לִהְיוֹת זוֹרֵעַ לוֹ חִטִּים וּמִינֵי תְּבוּאוֹת וְכָל עֵשֶׂב זוֹרֵעַ זֶרַע וַעֲרוּגוֹת הַבְּשָׂמִים – What it means is **that He placed him there that he should sow wheat and** other **kinds of grain and all kinds of seed-bearing plants, and** that he should plant **beds of spices,** וְקוֹצֵר וְתוֹלֵשׁ וְאוֹכֵל כִּרְצוֹנוֹ – **harvesting, picking and eating** them **as he desired.** וְזֶה טַעַם לְשׁוֹן "לְעָבְדָהּ וּלְשָׁמְרָהּ" – **This is the reason for the** feminine **expression** ***to work it*** (lit., *her*)[80] ***and to guard it*** (lit., *her*): לַעֲבֹד אַדְמַת הַגַּן, הָעֲרוּגוֹת שֶׁיַּעֲשֶׂה שָׁם – **to cultivate the** ***ground*** **of the garden,**[81] i.e., **the agricultural plots that he would make there.** כִּי הַגַּן, שֶׁהֵם הָאִילָנוֹת, לֹא יֵעָבְדוּ – **For the "garden"** itself, **which refers to the trees, did not require cultivation.**

77. וַיִּטַּע here thus means, *He planned out an orchard,* rather than *He planted [saplings].*

78. Stylistic paraphrase of *Job* 14:8.

79. Just as those trees were eternal because they were watered by God's stream (as it were), so too were the trees of the Garden of Eden eternal, having been planted personally by God.

80. Hebrew (like many other languages) has no word for "it." *All* objects are related to as either masculine ("he") or feminine ("she"). The word גַּן, *garden,* is usually treated as a masculine noun (see, e.g., *Song of Songs* 4:12). Here, however, it is referred to by a feminine pronoun.

81. And the word אֲדָמָה, *ground,* is feminine.

[Ramban specifies "the ground *of the garden*" in

מִן־הָאֲדָמָה כָּל־עֵץ נֶחְמָד לְמַרְאֶה וְטוֹב לְמַאֲכָל וְעֵץ הַחַיִּים בְּתוֹךְ הַגָּן וְעֵץ הַדַּעַת טוֹב וָרָע׃

מִן אַרְעָא כָּל אִילָן דִּמְרַגַּג לְמֶחֱזֵי וְטָב לְמֵיכַל וְאִילַן חַיַּיָּא בִּמְצִיעוּת גִּינְתָא וְאִילַן דְּאָכְלִין פֵּירוֹהִי חַכִּימִין בֵּין טָב לְבִישׁ׃

רש"י

בתוך הגן. באמצע הגן (אונקלוס):

רמב"ן

וְיִתָּכֵן שֶׁכִּנָּה הַגָּן בִּלְשׁוֹן נְקֵבָה, כְּמוֹ "וּכְגַנָּה זֵרוּעֶיהָ תַצְמִיחַ" [ישעיה סא,יא][81a]; "וְנִטְעוּ גַנּוֹת" [ירמיה כט,ה][82,83]. וְרַבּוֹתֵינוּ נִתְעוֹרְרוּ בָּזֶה. אָמְרוּ בִּבְרֵאשִׁית רַבָּה [טז, ה]: "לְעָבְדָהּ וּלְשָׁמְרָהּ" - אֵלּוּ הַקָּרְבָּנוֹת, שֶׁנֶּאֱמַר: "תַּעַבְדוּן[84] אֶת הָאֱלֹהִים" [שמות ג, יב]. הָדָא הוּא דִכְתִיב: "תִּשְׁמְרוּ לְהַקְרִיב לִי[84a] בְּמוֹעֲדוֹ" [במדבר כח, ב][85]. וְהַכַּוָּנָה לָהֶם בָּזֶה לוֹמַר כִּי הַצְּמָחִים וְכָל בַּעֲלֵי חַיִּים צְרִיכִים לְכֹחוֹת הָעֶלְיוֹנִים, וּמֵהֶם יָבֹא לָהֶם הַגִּדּוּל[86]. וּבַקָּרְבָּנוֹת יִהְיֶה מֶשֶׁךְ הַבְּרָכָה לָעֶלְיוֹנִים, וּמֵהֶם לְצִמְחֵי גַּן עֵדֶן, וּמֵהֶם יִהְיוּ וְיִחְיוּ בָּעוֹלָם בְּגִשְׁמֵי רָצוֹן

RAMBAN ELUCIDATED

[Ramban proposes an alternative explanation for the feminine pronoun used in reference to the garden:]

וְיִתָּכֵן שֶׁכִּנָּה הַגָּן בִּלְשׁוֹן נְקֵבָה – It is also **possible that [Scripture] referred to the Garden with the feminine, כְּמוֹ "וּכְגַנָּה זֵרוּעֶיהָ תַצְמִיחַ" – just as in** the verses, ***and like a garden sprouts forth its*** (lit., *her*) ***seedlings*** (*Isaiah* 61:11)[81a] **"וְנִטְעוּ גַנּוֹת" –** ***and plant gardens*** *and eat their*[82] *fruits* (*Jeremiah* 29:5).[83]

[Ramban cites the Midrash in which the Sages were troubled by this same question: Surely the Garden of Eden did not require Adam to *work it and guard it*!]

וְרַבּוֹתֵינוּ נִתְעוֹרְרוּ בָּזֶה – Our Sages were bothered by this. אָמְרוּ בִּבְרֵאשִׁית רַבָּה: – They said in *Bereishis Rabbah* (16:5): **"לְעָבְדָהּ וּלְשָׁמְרָהּ", אֵלּוּ הַקָּרְבָּנוֹת, שֶׁנֶּאֱמַר: "תַּעַבְדוּן אֶת הָאֱלֹהִים" – *To work it*** [לְעָבְדָהּ] ***and to guard it*** [וּלְשָׁמְרָהּ] **– These refer to the offerings, as it says, *You will serve*** [תַּעַבְדוּן][84] ***God*** (*Exodus* 3:12). **הָדָא הוּא דִכְתִיב: "תִּשְׁמְרוּ לְהַקְרִיב לִי בְּמוֹעֲדוֹ" – This is** the meaning of **what is written, *you shall be on guard*** [תִּשְׁמְרוּ] ***to offer to Me***[84a] ***in its appointed time*** (*Numbers* 28:2)."[85]

[Ramban now explains the meaning of this rather enigmatic Midrash:]

וְהַכַּוָּנָה לָהֶם בָּזֶה לוֹמַר כִּי הַצְּמָחִים וְכָל בַּעֲלֵי חַיִּים צְרִיכִים לְכֹחוֹת הָעֶלְיוֹנִים – Their intention with this comment **is to say that plants and all living things are dependent upon supernal forces, וּמֵהֶם יָבֹא לָהֶם הַגִּדּוּל – and from them their growth emanates.**[86] **וּבַקָּרְבָּנוֹת יִהְיֶה מֶשֶׁךְ הַבְּרָכָה לָעֶלְיוֹנִים, וּמֵהֶם**

order to answer Ibn Ezra's question (in his commentary on v. 15): If the antecedent of the pronoun in "to work *it*" (v. 15) is "the ground" (v. 9), then Adam was already given the task of "working the ground" before his sin; why, then, does it say in 3:23 that God "banished him from the Garden of Eden to work the ground," as if it were a new development? Ramban resolves this by explaining that verse 15 refers to working the ground *of the garden*, for he would grow produce there. After his sin and his banishment from Eden, however, he was to work the ground in general, which entailed greater toil (*Beis HaYayin*).]

81a. Since the word גַּן sometimes appears with the feminine suffix ה ָ, Ramban concludes that גַּן itself can also be treated as a feminine noun.

82. Hebrew distinguishes between "their"/masculine and "their"/feminine. Here the feminine pronoun (פִּרְיָן rather than פִּרְיָם) is used.

[The mere fact that גַּנּוֹת ends with the וֹת feminine ending would not prove its femininity; there are scores of masculine words that take this ending (אָבוֹת, שֵׁמוֹת, שֻׁלְחָנוֹת, וכו'). Furthermore, the word גַּנּוֹת appears in the Torah (*Numbers* 24:6), and Ramban did not have to resort to such an obscure verse to prove the existence of this word.]

83. Unlike the previous interpretation, this interpretation understands the feminine pronoun to refer to the Garden itself, which, grammatically, can be either masculine or feminine.

84. The Hebrew verb עבד may mean *work, serve* or *worship.*

84a. This verse refers to the *tamid,* daily Altar offering.

85. Ramban asserts that it was this very question (Why was it necessary for Adam *to work and guard* the Garden?) that prompted the Sages to interpret our verse in a figurative, rather than literal, manner.

86. As Ramban will show shortly.

sprout from the ground every tree that was pleasing to the sight and good for food; also the Tree of Life in the midst of the garden, and the Tree of Knowledge of Good and Bad.

רמב״ן

וּבְרָכָה[87], שֶׁיִּגְדְּלוּ בָּהּ, כְּמוֹ שֶׁאָמְרוּ [ב״ר טו, א]: ״יִשְׂבְּעוּ עֲצֵי ה׳ אַרְזֵי לְבָנוֹן אֲשֶׁר נָטָע״ [תהלים קד, טז] - אָמַר רַבִּי חֲנִינָא: יִשְׂבְּעוּ חַיֵּיהֶן, יִשְׂבְּעוּ מֵימֵיהֶן, יִשְׂבְּעוּ מַטַּעְתָּן. כִּי ״חַיֵּיהֶן״ יְסוֹדוֹתָם הָעֶלְיוֹנִים, וּ״מֵימֵיהֶם״ אוֹצָרוֹ הַטּוֹב[88] הַמּוֹרִיד הַגֶּשֶׁם, וּ״מַטַּעְתָּן״ כֹּחָם בַּשָּׁמַיִם. כְּמוֹ שֶׁאָמְרוּ [ב״ר י, ז]: אֵין לְךָ כָּל עֵשֶׂב וָעֵשֶׂב מִלְּמַטָּה שֶׁאֵין לוֹ מַזָּל בָּרָקִיעַ, וְהוּא מַכֶּה אוֹתוֹ וְאוֹמֵר לוֹ ״גְּדַל!״ שֶׁנֶּאֱמַר [איוב לח, לג]: ״הֲיָדַעְתָּ חֻקּוֹת שָׁמַיִם, אִם תָּשִׂים מִשְׁטָרוֹ בָאָרֶץ? שׁוֹטֵר[89].

[ט] וְעֵץ הַחַיִּים בְּתוֹךְ הַגָּן וְעֵץ הַדַּעַת טוֹב וָרָע. בַּעֲבוּר שֶׁאָמַר הַכָּתוּב ״וְעֵץ הַחַיִּים בְּתוֹךְ הַגָּן״, וְלֹא אָמַר ״בַּגָּן״, וְעוֹד, שֶׁאָמַר ״וּמִפְּרִי הָעֵץ אֲשֶׁר בְּתוֹךְ הַגָּן אָמַר אֱלֹהִים לֹא תֹאכְלוּ״ [לקמן ג, ג], שֶׁלֹּא הִזְכִּירוֹ וְלֹא הוֹדִיעוֹ בְּשֵׁם אַחֵר, נֹאמַר לְפִי פְּשׁוּטוֹ שֶׁהוּא מָקוֹם יָדוּעַ בַּגָּן, שֶׁהוּא בַּתָּוֶךְ[90], וּלְכָךְ תִּרְגֵּם אֻנְקְלוֹס

RAMBAN ELUCIDATED

לִצְמְחֵי גַן עֵדֶן – **And it is through the offerings** that **the flow of blessing passes to** these **supernal** forces, **and from them** it passes on **to the plants of the Garden of Eden,** וּמֵהֶם יִהְיוּ וְיִחְיוּ בָּעוֹלָם בְּגִשְׁמֵי רָצוֹן וּבְרָכָה שֶׁיִּגְדְּלוּ בָּהּ – **and from [these plants] come into being and exist [all living things] in this world, through "the rains of** God's **goodwill and blessing,"**[87] **that they may grow through [the blessing]** of the offerings, כְּמוֹ שֶׁאָמְרוּ: ״יִשְׂבְּעוּ עֲצֵי ה׳ אַרְזֵי לְבָנוֹן אֲשֶׁר נָטָע״ – **as [the Sages] said** (*Bereishis Rabbah* 15:1) regarding the verse, ***The trees of Hashem*** (i.e., the trees that He planted in the Garden of Eden) ***are sated, the cedars of Lebanon that He has planted*** (*Psalms* 104:16). אָמַר רַבִּי חֲנִינָא יִשְׂבְּעוּ חַיֵּיהֶן, יִשְׂבְּעוּ מֵימֵיהֶן, יִשְׂבְּעוּ מַטַּעְתָּן – **Rabbi Chanina said: They are *sated* with their life, they are *sated* with their water, they are *sated* with their plant status.** כִּי ״חַיֵּיהֶן״ יְסוֹדוֹתָם הָעֶלְיוֹנִים – **Now,** Rabbi Chanina's term **"their life"** refers to **their supernal foundation** in the upper realms; וּ״מֵימֵיהֶם״ אוֹצָרוֹ הַטּוֹב הַמּוֹרִיד הַגֶּשֶׁם – **and** his term **"their water"** refers to **[God's] "goodly storage place"**[88] **that produces rainfall,** וּ״מַטַּעְתָּן״ כֹּחָם בַּשָּׁמַיִם – **and** his term **"their plant status"** refers to **the heavenly power** that controls them. כְּמוֹ שֶׁאָמְרוּ: אֵין לְךָ כָּל עֵשֶׂב וָעֵשֶׂב מִלְּמַטָּה שֶׁאֵין לוֹ מַזָּל בָּרָקִיעַ וְהוּא מַכֶּה אוֹתוֹ וְאוֹמֵר לוֹ גְּדַל – **As they said** (*Bereishis Rabbah* 10:7): There is not a single plant down below (on earth) **that does not have a** corresponding **constellation in the firmament that strikes it and says, "Grow!"** שֶׁנֶּאֱמַר: ״הֲיָדַעְתָּ חֻקּוֹת שָׁמַיִם אִם תָּשִׂים מִשְׁטָרוֹ בָאָרֶץ״, שׁוֹטֵר – This **is** the meaning of **what it says: *Do you know the laws of the heavens, or did you place its rule over the land?*** (*Job* 38:33). This expression (תָּשִׂים מִשְׁטָרוֹ) indicates **"to strike."**[89]

9. **וְעֵץ הַחַיִּים בְּתוֹךְ הַגָּן וְעֵץ הַדַּעַת טוֹב וָרָע** – ***ALSO THE TREE OF LIFE IN THE MIDST OF THE GARDEN, AND THE TREE OF KNOWLEDGE OF GOOD AND BAD.***

[What is the exact meaning of *in the midst of the garden*? Ramban explains:]

בַּעֲבוּר שֶׁאָמַר הַכָּתוּב ״וְעֵץ הַחַיִּים בְּתוֹךְ הַגָּן״, וְלֹא אָמַר ״בַּגָּן״ – **Because Scripture said, *and the Tree of Life "in the midst" of the garden,* and did not say** simply, "the tree of life **in the garden,"** וְעוֹד, שֶׁאָמַר ״וּמִפְּרִי הָעֵץ אֲשֶׁר בְּתוֹךְ הַגָּן אָמַר אֱלֹהִים לֹא תֹאכְלוּ״ – **and furthermore, because it said, *of the fruit of the tree which is in the midst of the garden God has said: "You shall not eat"*** (below, 3:3), שֶׁלֹּא הִזְכִּירוֹ וְלֹא הוֹדִיעוֹ בְּשֵׁם אַחֵר – **where [Scripture] did not mention it and did not identify it by any other name,** נֹאמַר לְפִי פְּשׁוּטוֹ שֶׁהוּא מָקוֹם יָדוּעַ בַּגָּן שֶׁהוּא בַּתָּוֶךְ – **we must say that, according to the simple meaning of [the verse], it** (*the midst of the Garden*) **is a specific place in the Garden, which was in** its **center.**[90] וּלְכָךְ תִּרְגֵּם אֻנְקְלוֹס – **This is why Onkelos translated**

87. Stylistic paraphrase of *Ezekiel* 34:26.

88. This is an expression used in *Deuteronomy* 28:12 to denote the source of rain for the world.

89. For further elaboration on the theme of all growth stemming from supernal forces, see Ramchal's *Daas Tevunos*, sec. 100.

90. בְּתוֹךְ, like its English counterpart, *in the midst of*, can mean either "inside of" or "at the center of." Because the word is used as a means of identification for the Tree of Knowledge, Ramban deduces that here it means "at the center." (This view is in accord with that of Rashi and Radak.)

רמב״ן

״בְּמְצִיעוּת גִּנְתָא״. וְהִנֵּה לִדְבָרָיו עֵץ הַחַיִּים וְעֵץ הַדַּעַת שְׁנֵיהֶם הָיוּ בְּאֶמְצַע[91]. וְאִם כֵּן, נֹאמַר שֶׁהוּא כְּאִלּוּ תַּעֲשֶׂה בְּאֶמְצַע הַגַּן עֲרוּגָה אַחַת סוּגָה, וּבָהּ שְׁנֵי הָאִילָנוֹת הָאֵלֶּה. וְיִהְיֶה הָאֶמְצַע הַזֶּה אֶמְצַע רָחָב, כִּי אֶמְצַע הַדַּק כְּבָר אָמְרוּ שֶׁאֵין יוֹדֵעַ בּוֹ אֲמִתַּת הַנְּקֻדָּה בִּלְתִּי הַשֵּׁם לְבַדּוֹ[92]. וְעֵץ הַחַיִּים - אִילָן פִּרְיוֹ נוֹתֵן לְאוֹכְלָיו חַיִּים אֲרֻכִּים. וְעֵץ הַדַּעַת טוֹב וָרָע - אָמְרוּ הַמְפָרְשִׁים[93] כִּי הָיָה פִּרְיוֹ מוֹלִיד תַּאֲוַת הַמִּשְׁגָּל, וְלָכֵן כִּסּוּ מַעֲרוּמֵיהֶם אַחֲרֵי אָכְלָם מִמֶּנּוּ [להלן ג, ז]. וְהֵבִיאוּ לוֹ דּוֹמֶה בִּלְשׁוֹן זֶה מִמַּאֲמַר בַּרְזִלַּי הַגִּלְעָדִי [שמואל-ב יט, לו]: ״הַאֵדַע בֵּין טוֹב לְרָע?״, כִּי בָּטְלָה מִמֶּנּוּ הַתַּאֲוָה הַהִיא.

וְאֵינֶנּוּ נָכוֹן אֶצְלִי, בַּעֲבוּר שֶׁאָמַר [לקמן ג, ה]: ״וִהְיִיתֶם כֵּאלֹהִים יֹדְעֵי טוֹב וָרָע״[94]. וְאִם תֹּאמַר כִּחֵשׁ לָהּ - הִנֵּה ״וַיֹּאמֶר ה׳ אֱלֹהִים: הֵן הָאָדָם הָיָה כְּאַחַד מִמֶּנּוּ לָדַעַת טוֹב וָרָע״ [שם פסוק כב]. וּכְבָר אָמְרוּ[95]: שְׁלֹשָׁה אָמְרוּ אֱמֶת וְאָבְדוּ מִן הָעוֹלָם, וְאֵלּוּ הֵן: נָחָשׁ וְדוֹאֵג וּמְרַגְּלִים[96].

RAMBAN ELUCIDATED

these words into Aramaic as ״בְּמְצִיעוּת גִּנְתָא״ – in the ***center*** **of the garden.** וְהִנֵּה לִדְבָרָיו עֵץ הַחַיִּים וְעֵץ הַדַּעַת שְׁנֵיהֶם הָיוּ בְּאֶמְצַע – **Now, according to his words, the Tree of Life and the Tree of Knowledge were both in the center** of the Garden,[91] and it is, of course, impossible for both trees to be located at the exact center point of the Garden. וְאִם כֵּן נֹאמַר שֶׁהוּא כְּאִלּוּ תַּעֲשֶׂה בְּאֶמְצַע הַגַּן עֲרוּגָה אַחַת סוּגָה, וּבָהּ שְׁנֵי הָאִילָנוֹת הָאֵלֶּה – **If so, we must say that it is as if you would make one plot in the middle of the Garden, set apart, and in [that plot] were these two trees.** וְיִהְיֶה הָאֶמְצַע הַזֶּה אֶמְצַע רָחָב – **This "center" would thus be a broad center,** כִּי אֶמְצַע הַדַּק כְּבָר אָמְרוּ שֶׁאֵין יוֹדֵעַ בּוֹ אֲמִתַּת הַנְּקֻדָּה בִּלְתִּי הַשֵּׁם לְבַדּוֹ – **for** in regard to **the exact center [the mathematicians] have already said that none can know the actual** center **point** of any area **with the exception of God alone.**[92]

[Ramban now explains exactly what the "Tree of Life" and the "Tree of Knowledge of Good and Bad" were, and what powers their fruits had. He begins by citing "the commentators":]

וְעֵץ הַחַיִּים, אִילָן פִּרְיוֹ נוֹתֵן לְאוֹכְלָיו חַיִּים אֲרֻכִּים – **The Tree of Life is a tree whose fruit grants long life to whoever eats of it.** וְעֵץ הַדַּעַת טוֹב וָרָע – **And** as for **the "Tree of Knowledge of Good and Bad,"** אָמְרוּ הַמְפָרְשִׁים כִּי הָיָה פִּרְיוֹ מוֹלִיד תַּאֲוַת הַמִּשְׁגָּל – **the commentators**[93] **have said that its fruit produced sexual desire,** וְלָכֵן כִּסּוּ מַעֲרוּמֵיהֶם אַחֲרֵי אָכְלָם מִמֶּנּוּ – **and this is why [Adam and Eve] covered their nakedness** immediately **after they ate from it** (below, 3:7). וְהֵבִיאוּ לוֹ דּוֹמֶה בִּלְשׁוֹן זֶה מִמַּאֲמַר בַּרְזִלַּי הַגִּלְעָדִי – **And they adduced a similar expression** (*knowledge of good and bad*) referring to that drive **from the statement of Barzillai of Gilead:** ״הַאֵדַע בֵּין טוֹב לְרָע״ – ***Can I know*** the difference ***between good and bad?*** (*II Samuel* 19:36), כִּי בָּטְלָה מִמֶּנּוּ הַתַּאֲוָה הַהִיא – by which he meant **that that desire had subsided in him** because of his old age.

[Ramban disputes this interpretation:]

וְאֵינֶנּוּ נָכוֹן אֶצְלִי בַּעֲבוּר שֶׁאָמַר ״וִהְיִיתֶם כֵּאלֹהִים יֹדְעֵי טוֹב וָרָע״ – **But this** interpretation **is not sound in my opinion, because,** concerning the consequences of eating of the Tree of Knowledge, **[Scripture] states,** ***and you will be like God, knowing good and bad*** (below, 3:5).[94] וְאִם תֹּאמַר כִּחֵשׁ לָהּ – **And if you say that [the serpent],** who said those words to Eve, **lied to her,** purposely attributing false powers to the fruit of the tree, הִנֵּה ״וַיֹּאמֶר ה׳ אֱלֹהִים הֵן הָאָדָם הָיָה כְּאַחַד מִמֶּנּוּ לָדַעַת טוֹב וָרָע״ – nevertheless, **you see that** after Adam and Eve ate the fruit, the verse states, ***And Hashem God said, Behold, Man has become like the Unique One among us, knowing good and bad*** (ibid. 3:22). וּכְבָר אָמְרוּ: שְׁלֹשָׁה אָמְרוּ אֱמֶת וְאָבְדוּ מִן הָעוֹלָם, וְאֵלּוּ הֵן: נָחָשׁ וְדוֹאֵג וּמְרַגְּלִים – **Furthermore, [the Sages] have already said:**[95] **Three told the truth** in essence, **but perished from the world, and**

91. The verse says, *also the Tree of Life in the midst* (i.e., center) *of the garden and the Tree of Knowledge of Good and Bad.* Ramban understands this to mean that the word בְּתוֹךְ, *in the center,* refers to both trees (this view is in accord with that of Ibn Ezra and Radak).

92. That is, it is a point that has no dimensions and is, by definition, unknowable.

93. This is the opinion of Ibn Ezra (below, 3:17, and here in the "Alternate Version"). It is mentioned by Radak (2:17) as well.

94. Ibn Ezra's definition of "knowledge of good and bad" is obviously impossible to apply in this context.

95. The source of this dictum is the aggadic work *Maaseh Torah* of Rabbi Yehudah HaNasi.

[In the printed editions of *Maaseh Torah* there is no reference to the serpent, the third item in the list being instead "the sons of Rimmon the Beerothite," referring to the incident described in *II Samuel* Chap. 4. *Techeiles*

רמב״ן

וְהַיָּפֶה בְּעֵינַי, כִּי הָאָדָם הָיָה עוֹשֶׂה בְּטִבְעוֹ מַה שֶּׁרָאוּי לַעֲשׂוֹת כְּפִי הַתּוֹלֶדֶת, כַּאֲשֶׁר יַעֲשׂוּ הַשָּׁמַיִם וְכָל צְבָאָם[97], שֶׁהֵם פּוֹעֲלֵי אֱמֶת, שֶׁפְּעֻלָּתָם אֱמֶת, וְלֹא יְשַׁנּוּ אֶת תַּפְקִידָם[98], וְאֵין לָהֶם בְּמַעֲשֵׂיהֶם אַהֲבָה אוֹ שִׂנְאָה. וּפְרִי הָאִילָן הַזֶּה הָיָה מוֹלִיד הָרָצוֹן וְהַחֵפֶץ, שֶׁיִּבְחֲרוּ אוֹכְלָיו בַּדָּבָר אוֹ בְּהֶפְכּוֹ לְטוֹב אוֹ לְרַע, וְלָכֵן נִקְרָא ״עֵץ הַדַּעַת טוֹב וָרָע״. כִּי הַ״דַּעַת״ יֵאָמֵר בִּלְשׁוֹנֵנוּ עַל הָרָצוֹן, כִּלְשׁוֹנָם [פסחים ו, א]: ״לֹא שָׁנוּ אֶלָּא שֶׁדַּעְתּוֹ לַחֲזוֹר״ וְ״שֶׁדַּעְתּוֹ לְפַנּוֹתוֹ״ [שם]. וּבִלְשׁוֹן הַכָּתוּב [תהלים קמד, ג]: ״מָה אָדָם וַתֵּדָעֵהוּ״, תַּחְפֹּץ וְתִרְצֶה בּוֹ; ״יְדַעְתִּיךָ בְשֵׁם״, [שמות לג, יב] - בְּחַרְתִּיךָ מִכָּל הָאָדָם; וְכֵן מַאֲמַר בַּרְזִלַּי[99] ״הַאֵדַע בֵּין טוֹב לְרָע״ - שֶׁאָבַד מִמֶּנּוּ כֹּחַ הָרַעְיוֹן, לֹא הָיָה בּוֹחֵר בְּדָבָר וְלֹא קָץ בּוֹ, וְהָיָה אוֹכֵל מִבְּלִי שֶׁיִּטְעַם וְשׁוֹמֵעַ מִבְּלִי שֶׁיִּתְעַנֵּג בַּשִּׁיר[100].

RAMBAN ELUCIDATED

they are: the serpent, Doeg the Edomite **and the spies.**[96]

[Ramban now proposes his own explanation:]

וְהַיָּפֶה בְּעֵינַי – The best interpretation **in my opinion is כִּי הָאָדָם הָיָה עוֹשֶׂה בְּטִבְעוֹ מַה שֶּׁרָאוּי לַעֲשׂוֹת כְּפִי הַתּוֹלֶדֶת – that man would do naturally whatever was appropriate to do according to his instinct, כַּאֲשֶׁר יַעֲשׂוּ הַשָּׁמַיִם וְכָל צְבָאָם – just as do the heavens and all their hosts,**[97] **שֶׁהֵם פּוֹעֲלֵי אֱמֶת שֶׁפְּעֻלָּתָם אֱמֶת וְלֹא יְשַׁנּוּ אֶת תַּפְקִידָם – being "faithful workers, whose work is faithful, and they do not deviate from their tasks,"**[98] **וְאֵין לָהֶם בְּמַעֲשֵׂיהֶם אַהֲבָה אוֹ שִׂנְאָה – and they have neither** feelings of **love nor hate in what they do,** and that is how Adam acted before eating of the tree. **וּפְרִי הָאִילָן הַזֶּה הָיָה מוֹלִיד הָרָצוֹן וְהַחֵפֶץ שֶׁיִּבְחֲרוּ אוֹכְלָיו בַּדָּבָר אוֹ בְּהֶפְכּוֹ לְטוֹב אוֹ לְרַע – But the fruit of this tree would produce** the factors of **will and volition, so that whoever ate it would** then be able to **choose one thing or its opposite, either for good or for bad. וְלָכֵן נִקְרָא ״עֵץ הַדַּעַת טוֹב וָרָע״ – This is why it is called "the Tree of Knowledge of Good and Bad." כִּי הַ״דַּעַת״ יֵאָמֵר בִּלְשׁוֹנֵנוּ עַל הָרָצוֹן – For "knowledge" is used in our language** (Hebrew) **to describe will** and desire, **כִּלְשׁוֹנָם: ״לֹא שָׁנוּ אֶלָּא שֶׁדַּעְתּוֹ לַחֲזוֹר״ – as [the Sages] said: They did not teach this** rule **except when his desire** (דַּעְתּוֹ, lit., *his knowledge,* i.e., his intention) **is to return** (*Pesachim* 6a); **וְ״שֶׁדַּעְתּוֹ לְפַנּוֹתוֹ״ – or when his desire** (דַּעְתּוֹ) **is to empty it out** (ibid.). **וּבִלְשׁוֹן הַכָּתוּב ״מָה אָדָם וַתֵּדָעֵהוּ״, תַּחְפֹּץ וְתִרְצֶה בּוֹ – In the language of Scripture** we find this meaning as well, in the verse, ***What is man, that You know him*** [וַתֵּדָעֵהוּ]? (*Psalms* 144:3), meaning "What is man, **that You desire him and are pleased with him?" ״יְדַעְתִּיךָ בְשֵׁם״, בְּחַרְתִּיךָ מִכָּל הָאָדָם –** and ***I have known you*** [יְדַעְתִּיךָ] ***by name*** (*Exodus* 33:12), meaning **"I have chosen** (i.e., *desired*) **you from all people." וְכֵן מַאֲמַר בַּרְזִלַּי ״הַאֵדַע בֵּין טוֹב לְרָע״ – And so it is with Barzillai's statement,**[99] **"Can I distinguish between good and bad?" שֶׁאָבַד מִמֶּנּוּ כֹּחַ הָרַעְיוֹן –** It means **that he had lost the capability of contemplation, לֹא הָיָה בּוֹחֵר בְּדָבָר וְלֹא קָץ בּוֹ – so that he could no** longer **choose something or reject it** based on its appeal, **וְהָיָה אוֹכֵל מִבְּלִי שֶׁיִּטְעַם וְשׁוֹמֵעַ מִבְּלִי שֶׁיִּתְעַנֵּג בַּשִּׁיר – and he**

Mordechai notes that there is a manuscript of *Maaseh Torah* that includes the serpent (as Ramban cites it) in place of the spies, with the sons of Rimmon as the third example.]

96. In all these three instances, the party involved essentially said a true statement, but "embellished" it with falsehood or distortion. Thus, the serpent did not deceive Eve when it said, *You will be like God, knowing good and bad.*

97. At first glance, Ramban seems to be asserting that man had no free choice (the capability to decide between doing what is right and doing what is wrong) before eating the forbidden fruit. This, however, is impossible, for the entire purpose for man's existence is to overcome the temptation to evil and to choose good (see Ramban in *Deuteronomy* 30:6 and 32:26). (This question is raised by *Akeidas Yitzchak*, *Shaar* 7.) Furthermore, if Adam had no free choice of action, how could he eat of the forbidden fruit? (See also Rav Eliyahu Dessler's *Michtav MeEliyahu*, Vol. 2, p. 147.)

Rav Yerucham Levovitz (*Daas Chochmah U'Mussar* Vol. 3, 28) explains that Ramban's intention is something else entirely: Adam, before the sin, was capable of deciding whether to embrace evil or good; however, he was inherently disinclined to choose evil. (He cites this example as an illustration: A person is *capable* of going naked in the street, but he is *mentally* inhibited from doing so.)

Rav Chaim Volozhiner (*Nefesh HaChaim* I:6; see also *Michtav MeEliyahu*, Vol. 2, p. 138), in his discussion of Adam's sin, writes that Adam was naturally disinclined to sin. (His example is: A person is *capable* of jumping into a fire, but he is *instinctively* loath to do so.)

98. This statement is taken from the Talmud (*Sanhedrin* 42a, see *Tosafos* there). However, Ramban's wording varies slightly from that of extant editions of the Talmud.

99. Which Ibn Ezra had adduced as a proof for his interpretation.

י וְנָהָר֙ יֹצֵ֣א מֵעֵ֔דֶן לְהַשְׁק֖וֹת אֶת־הַגָּ֑ן
וּמִשָּׁם֙ יִפָּרֵ֔ד וְהָיָ֖ה לְאַרְבָּעָ֥ה רָאשִֽׁים:
יא שֵׁ֥ם הָֽאֶחָ֖ד פִּישׁ֑וֹן ה֣וּא הַסֹּבֵ֗ב אֵ֚ת
כָּל־אֶ֣רֶץ הַֽחֲוִילָ֔ה אֲשֶׁר־שָׁ֖ם הַזָּהָֽב:

י וְנַהֲרָא הֲוָה נָפֵיק מֵעֵדֶן לְאַשְׁקָאָה יָת גִּינְתָא וּמִתַּמָּן יִתְפָּרַשׁ וַהֲוָא לְאַרְבְּעָה רֵישֵׁי נַהֲרִין: יא שׁוּם חַד פִּישׁוֹן הוּא מַקִּיף יָת כָּל אֲרַע דַּחֲוִילָה דִּי תַמָּן דַּהֲבָא:

רש"י

(יא) פישון. הוא נילוס נהר מצרים, וע"ש שמימיו מתברכין ועולין ומשקין את הארץ נקרא פישון כמו ופשו פרשיו (חבקוק א:ח). ד"א פישון שהוא מגדל פשתן שנאמר אצל מצרים ובשו עובדי פשתים (ישעיה יט:ט; ב"ר טז:ב):

רמב"ן

וְהִנֵּה בָּעֵת הַזֹּאת לֹא הָיָה בֵּין אָדָם וְאִשְׁתּוֹ הַמִּשְׁגָּל לְתַאֲוָה, אֲבָל בְּעֵת הַהוֹלָדָה יִתְחַבְּרוּ וְיוֹלִידוּ. וְלָכֵן הָיוּ הָאֵבָרִים כֻּלָּם בְּעֵינֵיהֶם כַּפָּנִים וְהַיָּדַיִם, וְלֹא יִתְבּוֹשְׁשׁוּ בָּהֶם. וְהִנֵּה אַחֲרֵי אָכְלוֹ מִן הָעֵץ הָיְתָה בְּיָדוֹ הַבְּחִירָה, וּבִרְצוֹנוֹ לְהָרַע אוֹ לְהֵטִיב בֵּין לוֹ בֵּין לַאֲחֵרִים. וְזוֹ מִדָּה אֱלֹהִית מִצַּד אֶחָד[101], וְרָעָה לָאָדָם בִּהְיוֹת לוֹ בָּהּ יֵצֶר וְתַאֲוָה. וְאֶפְשָׁר שֶׁנִּתְכַּוֵּן הַכָּתוּב לְעִנְיָן הַזֶּה כְּשֶׁאָמַר [קהלת ז, כט]: "אֲשֶׁר עָשָׂה הָאֱלֹהִים אֶת הָאָדָם יָשָׁר וְהֵמָּה בִקְשׁוּ חִשְּׁבֹנוֹת רַבִּים". הַיֹּשֶׁר - שֶׁיֹּאחַז דֶּרֶךְ אַחַת יְשָׁרָה[102], וְהַבַּקָּשָׁה בְּחִשְּׁבוֹנוֹת רַבִּים - שֶׁיְּבַקֵּשׁ לוֹ מַעֲשִׂים מִשְׁתַּנִּים בִּבְחִירָה מִמֶּנּוּ.

RAMBAN ELUCIDATED

would eat without tasting and listen to music **without enjoying the song.**[100]

[Having disputed Ibn Ezra's contention that the fruit of the Tree of Knowledge produced sexual desire, Ramban must now explain why Adam and Eve were suddenly embarrassed by their nakedness (below, 3:7) immediately after they ate that fruit:]

וְהִנֵּה בָּעֵת הַזֹּאת לֹא הָיָה בֵּין אָדָם וְאִשְׁתּוֹ הַמִּשְׁגָּל לְתַאֲוָה – **Now, at this time** (before eating the fruit) **sexual intimacy was not a matter of desire between Adam and his wife,** אֲבָל בְּעֵת הַהוֹלָדָה יִתְחַבְּרוּ וְיוֹלִידוּ – **rather, at the time of procreation they would join together and produce a child** without any personal emotion. וְלָכֵן הָיוּ הָאֵבָרִים כֻּלָּם בְּעֵינֵיהֶם כַּפָּנִים וְהַיָּדַיִם וְלֹא יִתְבּוֹשְׁשׁוּ בָּהֶם – **Therefore, all the parts of their bodies were just like the face and the hands in their view, and they were not embarrassed by them.** וְהִנֵּה אַחֲרֵי אָכְלוֹ מִן הָעֵץ הָיְתָה בְּיָדוֹ הַבְּחִירָה – **Now, after [Adam] ate from the Tree** of Knowledge **he had the ability to choose,** וּבִרְצוֹנוֹ לְהָרַע אוֹ לְהֵטִיב בֵּין לוֹ בֵּין לַאֲחֵרִים – **and he gained the will to do bad or good, either toward himself or toward others.** וְזוֹ מִדָּה אֱלֹהִית מִצַּד אֶחָד – **Now, this is a God-like attribute in one sense,**[101] וְרָעָה לָאָדָם בִּהְיוֹת לוֹ בָּהּ יֵצֶר וְתַאֲוָה – **but it is a bad thing for man, in that he has drives and desires because of it.**

[Ramban interprets another Scriptural verse in light of his explanation of the function of the Tree of Knowledge:]

וְאֶפְשָׁר שֶׁנִּתְכַּוֵּן הַכָּתוּב לְעִנְיָן הַזֶּה – **It is possible that Scripture had this matter in mind** כְּשֶׁאָמַר: "אֲשֶׁר עָשָׂה הָאֱלֹהִים אֶת הָאָדָם יָשָׁר וְהֵמָּה בִקְשׁוּ חִשְּׁבֹנוֹת רַבִּים" – **when it said,** ***God made man straightforward, but they sought many intrigues*** (*Ecclesiastes* 7:29). הַיֹּשֶׁר, שֶׁיֹּאחַז דֶּרֶךְ אַחַת יְשָׁרָה – **The "straightforwardness"** referred to in that verse **is that he should adhere to one straight path,**[102] וְהַבַּקָּשָׁה בְּחִשְּׁבוֹנוֹת רַבִּים, שֶׁיְּבַקֵּשׁ לוֹ מַעֲשִׂים מִשְׁתַּנִּים בִּבְחִירָה מִמֶּנּוּ – **and the "seeking many intrigues" is that** instead **he seeks for himself actions that vary according to his own choice.**

100. As Barzillai himself said (ibid.): *I am eighty years old today; can I distinguish good from bad? Does your servant taste what he eats or drinks at all? Can I still hear the sound of male or female singers?* According to Ramban, what follows Barzillai's statement of *"Can I distinguish good from bad?"* is an elaboration on that same statement.

101. God is not bound by inhibition or instinct against taking any course of action He desires. And that was true of Adam after his sin as well (see note 97). That is what the serpent meant when it said, *"You will be like God, knowing good and bad."*

102. That is the way "God made man" at first.

10 *A river issues forth from Eden to water the garden, and from there it is divided and becomes four branches.* 11 *The name of the first is Pishon, the one that encircles the whole land of Havilah, where the gold is.*

רמב"ן

וְכַאֲשֶׁר צִוָּהוּ הַקָּדוֹשׁ בָּרוּךְ הוּא עַל הָעֵץ שֶׁלֹּא יֹאכַל מִמֶּנּוּ - לֹא הוֹדִיעוֹ כִּי בוֹ הַמִּדָּה הַזֹּאת[103], רַק אָמַר לוֹ סְתָם "וּמִפְּרִי הָעֵץ אֲשֶׁר בְּתוֹךְ הַגָּן" [ג, ג] - כְּלוֹמַר, הַיָּדוּעַ בְּאֶמְצָעוּתוֹ[103a] - "לֹא תֹאכַל מִמֶּנּוּ"; וְהוּא מַאֲמַר הָאִשָּׁה אֶל הַנָּחָשׁ. וְהַכָּתוּב שֶׁאָמַר: "וּמֵעֵץ הַדַּעַת טוֹב וָרָע לֹא תֹאכַל מִמֶּנּוּ" [להלן פסוק יז] - הִזְכִּירוֹ הַכָּתוּב אֵלֵינוּ בִּשְׁמוֹ[103b].

[יא] אֶרֶץ הַחֲוִילָה אֲשֶׁר שָׁם הַזָּהָב. לְבָאֵר שֶׁאֵינָהּ חֲוִילָה שֶׁל מִצְרַיִם שֶׁאָמַר בָּהּ "וַיִּשְׁכְּנוּ מֵחֲוִילָה עַד שׁוּר" [להלן כה, יח], כִּי זוֹ מִזְרַח הַמִּזְרָח[104].

RAMBAN ELUCIDATED

[Ramban discusses whether Adam knew what would happen to him if he ate the forbidden fruit:]

וְכַאֲשֶׁר צִוָּהוּ הַקָּדוֹשׁ בָּרוּךְ הוּא עַל הָעֵץ שֶׁלֹּא יֹאכַל מִמֶּנּוּ – Now, when the Holy One, Blessed is He, commanded [Adam] that he not eat from the tree, לֹא הוֹדִיעוֹ כִּי בוֹ הַמִּדָּה הַזֹּאת – He did not inform him that it had this attribute of knowledge and choice **in it.**[103] **רַק אָמַר לוֹ סְתָם "וּמִפְּרִי הָעֵץ אֲשֶׁר בְּתוֹךְ הַגָּן" – Rather, He said to him vaguely,** ***Of the fruit of the tree which is in the midst*** (or *center*) ***of the garden*** (3:3) – **כְּלוֹמַר, הַיָּדוּעַ בְּאֶמְצָעוּתוֹ "לֹא תֹאכַל מִמֶּנּוּ" – meaning** the tree **whose identity is known by its location in the center** of the garden[103a] – ***you must not eat thereof;*** **וְהוּא מַאֲמַר הָאִשָּׁה אֶל הַנָּחָשׁ – this is the statement made by the woman** (Eve) **to the serpent. וְהַכָּתוּב שֶׁאָמַר: "וּמֵעֵץ הַדַּעַת טוֹב וָרָע לֹא תֹאכַל מִמֶּנּוּ" – And** regarding **the verse that states,** ***And from the Tree of Knowledge of Good and Bad, you must not eat thereof*** (below, v. 17) – **הִזְכִּירוֹ הַכָּתוּב אֵלֵינוּ בִּשְׁמוֹ – that verse mentions [the tree]** ***to us*** **by its name.**[103b]

11. אֶרֶץ הַחֲוִילָה אֲשֶׁר שָׁם הַזָּהָב – *THE LAND OF HAVILAH, WHERE THE GOLD IS.*

[Ramban explains why Scripture includes this detail (as well as those of verse 12) concerning the land of Havilah, yet gives no similar description about the other lands mentioned in verses 13 and 14:]

לְבָאֵר שֶׁאֵינָהּ חֲוִילָה שֶׁל מִצְרַיִם שֶׁאָמַר בָּהּ "וַיִּשְׁכְּנוּ מֵחֲוִילָה עַד שׁוּר" – The Torah includes the phrase *where the gold is* **to clarify that [this Havilah] is not the Havilah of Egypt, of which [Scripture] says,** ***They dwelt from Havilah to Shur,*** *which is near Egypt* (below, 25:18). **כִּי זוֹ מִזְרַח הַמִּזְרָח – For this** Havilah **is far to the east,** while Egypt is to the west (of *Eretz Yisrael*).[104]

---

103. It would have been impossible for Adam to understand the concept of "knowledge" – i.e., the ability to choose between good and bad courses of action – before he ate from the tree.

103a. God did not even identify the tree as the Tree of Knowledge, but only as "the tree that is exactly in the center of the garden."

103b. The verse that records God's command to Adam not to eat of the forbidden fruit and refers to the tree as "the Tree of Knowledge" is not a direct quote of God's words to Adam. Rather, the Torah inserted the name of the Tree for *our* information, for we *are* aware of the properties of this tree.

104. There are two Havilahs mentioned among the descendants of Noah. One (below, 10:7) was the grandson of Ham and the nephew of Mizraim (= Egypt); the other (ibid. 10:29) was a sixth-generation descendant of Shem and the brother of Ophir. The territory of Ophir is mentioned many times in *Tanach* as being famous for its gold (see, e.g., *I Kings* 9:28). By specifying that Havilah was a land of *good gold*, Scripture means to identify this Havilah as the one associated with Ophir, as opposed to the one mentioned in connection with Egypt (see *Bechor-Shor*). Thus, Ramban states that the land of Havilah is in the east, because that is where Shem's descendant Havilah settled – near *the Mountain of the East* (below, 10:30).

[Cf. Ibn Ezra, who understands that *where the gold is* does not refer to the land of Havilah, but to the river Pishon. This description of Pishon is mentioned, he explains, in praise of this river which emerged from the Garden of Eden. See next note.]

יב וּזֲהַ֛ב הָאָ֥רֶץ הַהִ֖וא ט֑וֹב שָׁ֥ם הַבְּדֹ֖לַח וְאֶ֥בֶן
יג הַשֹּֽׁהַם׃ וְשֵֽׁם־הַנָּהָ֥ר הַשֵּׁנִ֖י גִּיח֑וֹן ה֣וּא
יד הַסּוֹבֵ֔ב אֵ֖ת כָּל־אֶ֥רֶץ כּֽוּשׁ׃ וְשֵׁ֨ם הַנָּהָ֤ר
הַשְּׁלִישִׁי֙ חִדֶּ֔קֶל ה֥וּא הַהֹלֵ֖ךְ קִדְמַ֣ת אַשּׁ֑וּר
טו וְהַנָּהָ֥ר הָרְבִיעִ֖י ה֥וּא פְרָֽת׃ וַיִּקַּ֛ח יְהוָ֥ה
אֱלֹהִ֖ים אֶת־הָֽאָדָ֑ם וַיַּנִּחֵ֣הוּ בְגַן־עֵ֔דֶן
טז לְעָבְדָ֖הּ וּלְשָׁמְרָֽהּ׃ וַיְצַו֙ יְהוָ֣ה אֱלֹהִ֔ים
עַל־הָֽאָדָ֖ם לֵאמֹ֑ר מִכֹּ֥ל עֵֽץ־הַגָּ֖ן אָכֹ֥ל
יז תֹּאכֵֽל׃ וּמֵעֵ֗ץ הַדַּ֙עַת֙ ט֣וֹב וָרָ֔ע לֹ֥א תֹאכַ֖ל
מִמֶּ֑נּוּ כִּ֗י בְּי֛וֹם אֲכָלְךָ֥ מִמֶּ֖נּוּ מ֥וֹת תָּמֽוּת׃

יב וְדַהֲבָא דְּאַרְעָא הַהִיא טָב
תַּמָּן בְּדֻלְחָא וְאַבְנֵי בוּרְלָא׃
יג וְשׁוּם נַהֲרָא תִנְיָנָא גִּיחוֹן הוּא
מַקִּיף יָת כָּל אַרְעָא דְכוּשׁ׃
יד וְשׁוּם נַהֲרָא תְּלִיתָאָה דִּיגְלַת
הוּא מְהַלֵּךְ לְמַדִּנְחָא דְאַתּוּר
וְנַהֲרָא רְבִיעָאָה הוּא פְרָת׃
טו וּדְבַר יְיָ אֱלֹהִים יָת אָדָם
וְאַשְׁרֵהּ בְּגִינְתָא דְעֵדֶן
לְמִפְלְחַהּ וּלְמִטְרַהּ׃ טז וּפַקִּיד
יְיָ אֱלֹהִים עַל אָדָם לְמֵימָר
מִכֹּל אִילַן גִּינְתָא מֵיכַל
תֵּיכוּל׃ יז וּמֵאִילָן דְּאָכְלִין
פֵּירוֹהִי חַכִּימִין בֵּין טַב לְבִישׁ
לָא תֵיכוּל מִנֵּהּ אֲרֵי בְּיוֹמָא
דְּתֵיכוּל מִנֵּהּ מֵימַת תְּמוּת׃

רש״י

[(יג) **גיחון.** שהיה הולך והומה והמייתו גדולה מאד, כמו וכי יגח (שמות כא:כח) שמנגח והולך והומה:] **(יד) [חדקל.** שמימיו חדין וקלין (ברכות נט:): **פרת.** שמימיו פרין ורבין (שם; ב״ר שם ג,ד) ומברין את האדם (כתובות עז:):] **כוש ואשור.** עדיין לא היו וכתב המקרא ע״ש העתיד (ב״ר שם ג; כתובות י:): **קדמת אשור.** למזרחה של אשור (אונקלוס): **הוא פרת.** החשוב על כולם הנזכר על שם א״י (ספרי דברים ו; ב״ר שם): **(טו) ויקח.** לקחו בדברים נאים ופתהו ליכנס (ב״ר שם ה):

רמב״ן

וְהִזְכִּיר עוֹד ״שָׁם הַבְּדֹלַח״, לְשֶׁבַח הַנָּהָר[105], כִּי בַּחוֹל אֲשֶׁר בּוֹ וְעַל שְׂפָתוֹ יִמָּצֵא הַזָּהָב הַהוּא הַטּוֹב וְהַבְּדֹלַח וְהַשֹּׁהַם. כִּי כֵן יִמָּצֵא בַּנְּהָרוֹת, מֵהֶם שֶׁיִּמָּצֵא שָׁם הַזָּהָב, וּמֵהֶם אֲשֶׁר יִמָּצֵא בָּהֶם הַכֶּסֶף וְכֵן הַבְּדֹלַח וְהָאֲבָנִים הַטּוֹבוֹת בַּנְּהָרוֹת יִמָּצְאוּ רֻבָּם. וְעַל דַּעַת הָרִאשׁוֹנִים[106] פִּישׁוֹן הוּא נִילוּס מִצְרַיִם[107] יְסוֹבֵב כָּל אֶרֶץ הַחֲוִילָה הַזֹּאת[107a], וְיָבֹא מִשָּׁם עַל פְּנֵי כָל אֶרֶץ מִצְרַיִם, עַד נָפְלוֹ בַּיָּם הַגָּדוֹל בְּאַלֶּכְּסַנְדְּרִיָא שֶׁל מִצְרַיִם.

RAMBAN ELUCIDATED

וְהִזְכִּיר עוֹד ״שָׁם הַבְּדֹלַח״, לְשֶׁבַח הַנָּהָר – And it mentions further, ***bedolach is there*** *and the shoham stone* (v. 12), **in praise of the** Pishon **River,**[105] **כִּי בַּחוֹל אֲשֶׁר בּוֹ וְעַל שְׂפָתוֹ יִמָּצֵא הַזָּהָב הַהוּא הַטּוֹב וְהַבְּדֹלַח וְהַשֹּׁהַם – for in its sand and along its banks this "good gold" is to be found, and** so, too, **the** ***bedolach*** **and the** ***shoham*** stones. **כִּי כֵן יִמָּצֵא בַּנְּהָרוֹת – For such** things **are** commonly **found in rivers: מֵהֶם שֶׁיִּמָּצֵא שָׁם הַזָּהָב, וּמֵהֶם אֲשֶׁר יִמָּצֵא בָּהֶם הַכֶּסֶף – There are some in which gold is found; and there are some in which silver is found; וְכֵן הַבְּדֹלַח וְהָאֲבָנִים הַטּוֹבוֹת בַּנְּהָרוֹת יִמָּצְאוּ רֻבָּם – and so, too, the majority of** ***bedolach*** **and** other **precious stones are found in rivers.**

[Ramban now identifies the Pishon River:]

וְעַל דַּעַת הָרִאשׁוֹנִים פִּישׁוֹן הוּא נִילוּס מִצְרַיִם – According to the opinion of the early authorities,[106] **Pishon is the Nile of Egypt.**[107] **יְסוֹבֵב כָּל אֶרֶץ הַחֲוִילָה הַזֹּאת וְיָבֹא מִשָּׁם עַל פְּנֵי כָל אֶרֶץ מִצְרַיִם – It** ***encircles the whole land*** **of this Havilah** in the east,[107a] as described above**, and from there traverses all across the land of Egypt, עַד נָפְלוֹ בַּיָּם הַגָּדוֹל בְּאַלֶּכְּסַנְדְּרִיָא שֶׁל מִצְרַיִם – until it flows into the Great** (Mediterranean) **Sea near Alexandria, Egypt.**

105. By describing the gold and precious stones found in Havilah, Scripture is implicitly praising that land's river (Pishon), for it is in rivers that these commodities are found, as Ramban proceeds to explain.

In summary, Havilah's gold is mentioned to identify the land, and its precious stones are mentioned in praise of Pishon.

106. Rav Saadiah Gaon (quoted in Ibn Ezra). See also Rashi here.

107. This position does not necessarily contradict what Ramban said above, that Havilah is in the east; see Ramban below, 3:22, where he elaborates on the course of the Pishon/Nile.

107a. That is, this Havilah as opposed to the one in the west (see footnote 104).

12 *The gold of that land is good; the bedolach is there, and
the shoham stone.* 13 *The name of the second river is Gihon,
the one that encircles the whole land of Cush.* 14 *The name of
the third river is Hiddekel, the one that flows toward the east
of Assyria; and the fourth river is the Euphrates.*
15 *HASHEM God took the man and placed him in the Garden
of Eden, to work it and to guard it.* 16 *And HASHEM God
commanded the man, saying, "Of every tree of the
garden you may freely eat;* 17 *but of the Tree of Knowledge
of Good and Bad, you must not eat thereof; for on the day
you eat of it, you shall surely die."*

רמב״ן

[יז] לֹא תֹאכַל מִמֶּנּוּ. מִן הַפְּרִי יַזְהִירֶנּוּ, כִּי הָעֵץ אֵינוֹ נֶאֱכָל[108] וְכֵן אָמַר לְמַטָּה [ג, ג]: ״מִפְּרִי הָעֵץ אֲשֶׁר בְּתוֹךְ הַגָּן״. וְכָמוֹהוּ: ״וְאִכְלוּ אִישׁ גַּפְנוֹ וְאִישׁ תְּאֵנָתוֹ״ [מלכים־ב יח, לא]. וְכֵן: ״בְּעִצָּבוֹן תֹּאכְלֶנָּה״ [לקמן ג, יז], תֹּאכַל פִּרְיָהּ.

☐ **בְּיוֹם אֲכָלְךָ מִמֶּנּוּ מוֹת תָּמוּת.** בְּעֵת שֶׁתֹּאכַל מִמֶּנּוּ תִּהְיֶה בֶּן מָוֶת. וְכָמוֹהוּ: ״בְּיוֹם צֵאתְךָ וְהָלַכְתָּ אָנֶה וָאָנָה יָדֹעַ תֵּדַע כִּי מוֹת תָּמוּת״ [מלכים־א ב, מב], שֶׁאֵין הַכַּוָּנָה שֶׁיָּמוּת מִיָּד בּוֹ בַּיּוֹם. וְאֵין הַכַּוָּנָה לִידִיעָה בִּלְבָד, שֶׁיֵּדַע שֶׁיָּמוּת, ״כִּי הַחַיִּים יוֹדְעִים שֶׁיָּמוּתוּ״ כֻּלָּם [קהלת ט, ה]. אֲבָל הַכַּוָּנָה כִּי בְּעֵת שֶׁיֵּצֵא יִהְיֶה חַיָּב מִיתָה לַמֶּלֶךְ,

RAMBAN ELUCIDATED

17. לֹא תֹאכַל מִמֶּנּוּ – *[OF THE TREE OF KNOWLEDGE OF GOOD AND BAD,]* ***YOU MUST NOT EAT THEREOF.***

[By telling Adam not to eat *of the tree,* God seemed to imply that He was telling him not to eat the tree itself. Ramban explains:]

מִן הַפְּרִי יַזְהִירֶנּוּ – **[God] was warning him against** eating **the fruit,** not the tree itself, **כִּי הָעֵץ אֵינוֹ נֶאֱכָל** – **for the tree** itself **was not edible.**[108] **וְכֵן אָמַר לְמַטָּה: ״וּמִפְּרִי הָעֵץ אֲשֶׁר בְּתוֹךְ הַגָּן״** – **And so it says** explicitly **below** (3:3), ***of the "fruit" of the tree which is in the midst of the garden*** *you shall not eat.* **וְכָמוֹהוּ: ״וְאִכְלוּ אִישׁ גַּפְנוֹ וְאִישׁ תְּאֵנָתוֹ״** – **Similar to [this]** form of expression **is** the verse, ***and each man will eat his grapevine and each man his fig tree*** (*II Kings* 18:31), which means "will eat the *fruit* of his grapevine and the *fruit* of his fig tree." **וְכֵן: ״בְּעִצָּבוֹן תֹּאכְלֶנָּה״, תֹּאכַל פִּרְיָהּ** – **Similarly,** the verse, *accursed is the ground* ***through suffering shall you eat it*** (below, 3:17) means **"you shall eat *its produce,*"** not, of course, the ground itself.

☐ **בְּיוֹם אֲכָלְךָ מִמֶּנּוּ מוֹת תָּמוּת** – ***ON THE DAY YOU EAT OF IT, YOU SHALL SURELY DIE.***

[Adam did not die on the day he ate the forbidden fruit; he lived for another 930 years! Ramban reconciles this fact with our verse:]

בְּעֵת שֶׁתֹּאכַל מִמֶּנּוּ תִּהְיֶה בֶּן מָוֶת – God meant, **"At the time you eat of it, you will incur** the **death** penalty." **וְכָמוֹהוּ: ״בְּיוֹם צֵאתְךָ וְהָלַכְתָּ אָנֶה וָאָנָה יָדֹעַ תֵּדַע כִּי מוֹת תָּמוּת״** – **Similar to this is** the verse, ***On the day that you leave*** *[the city]* ***to go anywhere, you should know well that you shall certainly die*** (*I Kings* 2:42), **שֶׁאֵין הַכַּוָּנָה שֶׁיָּמוּת מִיָּד בּוֹ בַּיּוֹם** – **where the intent** of this statement **is not that he would die on that very day** on which he left the city. **וְאֵין הַכַּוָּנָה לִידִיעָה בִּלְבָד שֶׁיֵּדַע שֶׁיָּמוּת, ״כִּי הַחַיִּים יוֹדְעִים שֶׁיָּמֻתוּ״ כֻּלָּם** – **Nor was the intent** of that statement **merely to** supply him with **the knowledge that he would** eventually **die,** ***for the living know that they will*** **all** ***die*** (*Ecclesiastes* 9:5). **אֲבָל הַכַּוָּנָה כִּי בְּעֵת שֶׁיֵּצֵא יִהְיֶה חַיָּב מִיתָה לַמֶּלֶךְ** – **Rather, the intent** of the statement **was that at the time that he would leave** the city **he would incur the death penalty for** sinning against **the**

108. This is in contradistinction to the understanding of *Bereishis Rabbah* (20:8), that when Eve ate "of the Tree" of Knowledge she indeed ate a piece of the tree itself, not its fruit (*Zichron Yitzchak*). Ramban shows that this is not in accordance with the simple interpretation of the verse.

רמב"ן

והוא יָמִית אותו כַּאֲשֶׁר יִרְצֶה. וְכֵן: "וְלֹא יָבֹאוּ לִרְאוֹת כְּבַלַּע אֶת הַקֹּדֶשׁ וָמֵתוּ" [במדבר ד, כ], "וְלֹא יִשְׂאוּ עָלָיו חֵטְא וּמֵתוּ בוֹ כִּי יְחַלְּלֻהוּ" [ויקרא כב, ט] - אֵין עִנְיָנָם אֶלָּא שֶׁיִּהְיוּ חַיָּבִים מִיתָה וְיָמוּתוּ בְּחֶטְאָם זֶה.

וְעַל דַּעַת אַנְשֵׁי הַטֶּבַע[109] הָיָה הָאָדָם מְעֻתָּד לְמִיתָה מִתְּחִלַּת הַיְצִירָה, מִפְּנֵי הֱיוֹתוֹ מֻרְכָּב[110], אֲבָל גָּזַר עַתָּה שֶׁאִם יֶחֱטָא יָמוּת בְּחֶטְאוֹ, כְּדֶרֶךְ חַיָּבֵי מִיתָה בִּידֵי שָׁמַיִם בַּעֲבֵרוֹת, כְּגוֹן זָר הָאוֹכֵל תְּרוּמָה, וּשְׁתוּיֵ יַיִן, וּמְחֻסְּרֵי בְגָדִים שֶׁשִּׁמְּשׁוּ וְזוּלָתָם[111] שֶׁהַכַּוָּנָה בָּהֶם שֶׁיָּמוּתוּ בְּחֶטְאָם טֶרֶם בֹּא יוֹמָם[112]. וּלְכָךְ אָמַר בָּעֹנֶשׁ [לקמן ג, יט]: "עַד שׁוּבְךָ אֶל הָאֲדָמָה, כִּי מִמֶּנָּה לֻקָּחְתָּ; כִּי עָפָר אַתָּה, וְאֶל עָפָר תָּשׁוּב" בְּטִבְעֲךָ[113]. וְגַם מִתְּחִלָּה הָיָה אוֹכֵל מִפְּרִי הָעֵץ וּמִזֶּרַע הָאָרֶץ[114], אִם כֵּן הָיְתָה בּוֹ הַתָּכָה וְסִבַּת הֲוָיָה וְהֶפְסֵד[115].

RAMBAN ELUCIDATED

king, וְהוּא יָמִית אוֹתוֹ כַּאֲשֶׁר יִרְצֶה – **and he** (the king) **would execute him whenever he would choose** to do so. וְכֵן: "וְלֹא יָבֹאוּ לִרְאוֹת כְּבַלַּע אֶת הַקֹּדֶשׁ וָמֵתוּ" – **Similarly,** the verses, ***They shall not come and look as the holy is inserted lest they die*** (lit., *for they will die*) (*Numbers* 4:20); "וְלֹא יִשְׂאוּ עָלָיו חֵטְא וּמֵתוּ בוֹ כִּי יְחַלְּלֻהוּ" – and ***they shall not bear a sin thereby and die*** (lit., *and they will die*) ***because of it, for they will have desecrated it*** (*Leviticus* 22:9). אֵין עִנְיָנָם אֶלָּא שֶׁיִּהְיוּ חַיָּבִים מִיתָה וְיָמוּתוּ בְּחֶטְאָם זֶה – **[Those verses] do not mean** that the perpetrators would die immediately upon committing the sin, **rather,** they mean **that they would incur the death penalty** immediately **and would** eventually **die because of this sin of theirs.**

[Ramban now discusses the meaning of the punishment, *you shall surely die*:]

וְעַל דַּעַת אַנְשֵׁי הַטֶּבַע הָיָה הָאָדָם מְעֻתָּד לְמִיתָה מִתְּחִלַּת הַיְצִירָה – **According to the opinion of the natural scientists,**[109] **man was destined to die from the beginning of** his **creation,** מִפְּנֵי הֱיוֹתוֹ מֻרְכָּב – **due to his being an amalgamation** of simpler elements.[110] אֲבָל גָּזַר עַתָּה שֶׁאִם יֶחֱטָא יָמוּת בְּחֶטְאוֹ, כְּדֶרֶךְ חַיָּבֵי מִיתָה בִּידֵי שָׁמַיִם בַּעֲבֵרוֹת – **But now [God] decreed that if [Adam] would sin** by eating of the Tree of Knowledge **he would die as a consequence of his sin, like those who incur the penalty of "death by the hand of Heaven" for** other **transgressions,** כְּגוֹן זָר הָאוֹכֵל תְּרוּמָה, וּשְׁתוּיֵ יַיִן, וּמְחֻסְּרֵי בְגָדִים שֶׁשִּׁמְּשׁוּ וְזוּלָתָם – **such as a non-Kohen who eats of the *Terumah*-offering, or [Kohanim] who perform the** Temple **service** after **having drunk wine or** while **lacking** any of **the** requisite priestly **vestments, and other** sins **like these.**[111] שֶׁהַכַּוָּנָה בָּהֶם שֶׁיָּמוּתוּ בְּחֶטְאָם טֶרֶם בֹּא יוֹמָם – **For the intention in [all these]** cases **is that [the sinners] will die for their sin before their** natural **day** of death **would arrive.**[112] וּלְכָךְ אָמַר בָּעֹנֶשׁ: "עַד שׁוּבְךָ אֶל הָאֲדָמָה כִּי מִמֶּנָּה לֻקָּחְתָּ כִּי עָפָר אַתָּה וְאֶל עָפָר תָּשׁוּב" בְּטִבְעֲךָ – **Thus, [God] said, in** pronouncing Adam's **punishment** (below, 3:19), ***until you return to the ground, from which you were taken; for you are dust, and to dust shall you return,*** meaning "you must return to dust **by your** very **nature.**"[113] וְגַם מִתְּחִלָּה הָיָה אוֹכֵל מִפְּרִי הָעֵץ וּמִזֶּרַע הָאָרֶץ – **Furthermore, even before** Adam ate from the Tree of Knowledge **he ate fruits of trees and seeds of the earth,**[114] אִם כֵּן הָיְתָה בּוֹ הַתָּכָה וְסִבַּת הֲוָיָה וְהֶפְסֵד – **so that he experienced** bodily **depletion, and** was subject to **the causes of generation and deterioration** that applied to the other creatures of the world.[115]

---

109. Ibn Ezra (below, 3:7) writes that this fact has been proven conclusively by "one of the Greek physicians." *Megillas HaMegalleh* identifies the Greek source as Galen.

110. And it is axiomatic that any compound that is made up of a conglomeration of elements must eventually decompose back into those elements. (See *Mishneh Torah, Hil. Yesodei Hatorah,* 4:3.)

The implied question is: If man was already destined to die as soon as he was created, then what was to change if he would eat the forbidden fruit? For even after eating it, as Ramban has explained, he would only be destined to die some day in the future.

111. See *Sanhedrin* 83a for a complete list of sins that incur the penalty of "death by the hand of Heaven."

112. Here, too, if Adam would eat the fruit of the Tree of Knowledge, his already destined demise would come at a younger age than if he would not eat of that tree.

113. *You are dust, and to dust shall you return* implies that because Adam was created from the dust of the ground it is natural that he must return to that state.

114. See Ramban above, 1:29.

115. If man had originally been immune to death, why did he have to eat? (Ibn Ezra asks this question more explicitly in the "Alternate Version" here.)

רמב"ן

וְעַל דַּעַת רַבּוֹתֵינוּ [קהלת רבה על ג, יח][116], אִלְמָלֵא שֶׁחָטָא - לֹא מֵת לְעוֹלָם, כִּי הַנְּשָׁמָה הָעֶלְיוֹנִית נוֹתֶנֶת לוֹ חַיִּים לָעַד, וְהַחֵפֶץ הָאֱלֹהִי אֲשֶׁר בּוֹ בְּעֵת הַיְצִירָה יִהְיֶה דָּבֵק בּוֹ תָּמִיד, וְהוּא יְקַיֵּם אוֹתוֹ לָעַד כְּמוֹ שֶׁפֵּרַשְׁתִּי "וַיַּרְא אֱלֹהִים כִּי טוֹב"[117] [לעיל א, ד].

וְדַע כִּי אֵין הַהַרְכָּבָה מוֹרָה עַל הַהֶפְסֵד[118] אֶלָּא לְדַעַת קְטַנֵּי אֲמָנָה הַחוֹשְׁבִים כִּי הַבְּרִיאָה הִיא בְּחִיּוּב[119]. אֲבָל לְדַעַת אַנְשֵׁי הָאֱמוּנָה הָאוֹמְרִים כִּי הָעוֹלָם מְחֻדָּשׁ בְּחֵפֶץ אֱלֹהִי פָּשׁוּט[120] - גַּם הַקִּיּוּם יִהְיֶה בּוֹ לָעַד כָּל יְמֵי הַחֵפֶץ[121]. וְזֶה אֱמֶת בָּרוּר.

אִם כֵּן, "בְּיוֹם אֲכָלְךָ מִמֶּנּוּ מוֹת תָּמוּת" - שֶׁאָז תִּהְיֶה בֶּן מָוֶת, לֹא תִתְקַיֵּם לָעַד בְּחֶפְצִי. וְהָאֲכִילָה הָיְתָה לוֹ מִתְּחִלָּה לְעֹנֶג. וְיִתָּכֵן שֶׁפֵּרוֹת גַּן עֵדֶן נִבְלָעִים בָּאֵבָרִים כְּמָן[122] וּמְקַיְּמִים אֶת אוֹכְלֵיהֶם[123]. וְכַאֲשֶׁר גָּזַר

RAMBAN ELUCIDATED

וְעַל דַּעַת רַבּוֹתֵינוּ אִלְמָלֵא שֶׁחָטָא לֹא מֵת לְעוֹלָם – **According to the opinion of our Sages** (*Koheles Rabbah* on 3:18),[116] however, **if [Adam] had not sinned he would *never* have died,** כִּי הַנְּשָׁמָה הָעֶלְיוֹנִית נוֹתֶנֶת לוֹ חַיִּים לָעַד – **for the supernal soul** that God breathed into him (above, 2:7) **would provide him** with **eternal life,** וְהַחֵפֶץ הָאֱלֹהִי אֲשֶׁר בּוֹ בְּעֵת הַיְצִירָה יִהְיֶה דָּבֵק בּוֹ תָּמִיד – **and the Divine favor toward [man] at the time of** his **creation was to have remained with him always,** וְהוּא יְקַיֵּם אוֹתוֹ לָעַד – **and was to have preserved him forever,** כְּמוֹ שֶׁפֵּרַשְׁתִּי "וַיַּרְא אֱלֹהִים כִּי טוֹב" – **as I explained** about the verse ***and God saw that it was good*** (above, 1:4).[117]

וְדַע כִּי אֵין הַהַרְכָּבָה מוֹרָה עַל הַהֶפְסֵד – **You should know that conglomeration** from basic elements **does not** necessitate **deterioration,**[118] אֶלָּא לְדַעַת קְטַנֵּי אֲמָנָה הַחוֹשְׁבִים כִּי הַבְּרִיאָה הִיא בְּחִיּוּב – **except for the opinion of those of little faith, who think that creation was a necessity** of natural law.[119] אֲבָל לְדַעַת אַנְשֵׁי הָאֱמוּנָה הָאוֹמְרִים כִּי הָעוֹלָם מְחֻדָּשׁ בְּחֵפֶץ אֱלֹהִי פָּשׁוּט – **But in the opinion of men of faith, who say that the world was created anew** *ex nihilo* **by simple Divine desire,**[120] גַּם הַקִּיּוּם יִהְיֶה בּוֹ לָעַד כָּל יְמֵי הַחֵפֶץ – **its preservation is also forever, as long as that** Divine **will** exists.[121] וְזֶה אֱמֶת בָּרוּר – **This is the clear truth.**

[Ramban explains the meaning of *you shall surely die* according to his view that man could have been immortal:]

אִם כֵּן, "בְּיוֹם אֲכָלְךָ מִמֶּנּוּ מוֹת תָּמוּת" – **If so,** the statement ***on the day you eat of it you shall surely die*** means שֶׁאָז תִּהְיֶה בֶּן מָוֶת, לֹא תִתְקַיֵּם לָעַד בְּחֶפְצִי – **that "then you will be *susceptible* to death;** i.e., **you will not exist forever by My desire** as you would if you do not eat of it." וְהָאֲכִילָה הָיְתָה לוֹ מִתְּחִלָּה לְעֹנֶג – **Eating for him was originally**, before the sin, **for pleasure,** not for survival, which was assured in any event. וְיִתָּכֵן שֶׁפֵּרוֹת גַּן עֵדֶן נִבְלָעִים בָּאֵבָרִים כְּמָן וּמְקַיְּמִים אֶת אוֹכְלֵיהֶם – **It is** also **possible that the fruits of the Garden of Eden were** fully **absorbed into the** body's **organs,** and did not produce any waste, **like manna,**[122] **and they preserved those who ate them.**[123] וְכַאֲשֶׁר גָּזַר

116. This idea is alluded to many times in the words of the Sages; see *Shabbos* 55b, *Avodah Zarah* 5a, *Bereishis Rabbah* 9:5, etc.

117. Ramban explains there that Divine favor is what keeps the creations in existence; thus, concerning Adam too, as long as he had Divine favor he would exist.

118. This was the main argument of the "natural scientists" cited in the preceding paragraph. They maintain that man was doomed to die from the moment he was created.

119. That is, they think that the elements of the universe have always existed and that their constant cycle of combination and decomposition is a necessary function of the natural law governing those elements. (See Responsa *Chasam Sofer*, Vol. 6, *Likkutim*, 104.)

120. God's desire is called "simple" (i.e., "pure") because, unlike man's will, it is not subject to extraneous factors (*Sefer HaBris* I:1:2).

121. That is, the elements and their various combinations came into existence by the will of God, Who has the capability of decreeing that a certain conglomeration should remain intact permanently. (See Responsa *Chasam Sofer*, ibid.)

122. *Yoma* 75b.

123. Man was supposed to live forever, but only through the eating of the fruits of the Garden of Eden, which would grant him this immortality.

[Ramban writes in his work *Toras HaAdam* (*Shaar HaGemul*): "We find that people of [exceptionally] pure souls are able to preserve their bodies with rarefied substances (i.e., substances of minimal corporeality), and people who are even more pure [are able to preserve their bodies] with even less than that. For the people [of the Exodus] subsisted on manna, a product of the supernal light, which assumed physical form by

יח וַיֹּ֨אמֶר֙ יְהֹוָ֣ה אֱלֹהִ֔ים לֹא־ט֛וֹב הֱי֥וֹת הָֽאָדָ֖ם
יט לְבַדּ֑וֹ אֶֽעֱשֶׂהּ־לּ֥וֹ עֵ֖זֶר כְּנֶגְדּֽוֹ: וַיִּצֶר֩ יְהֹוָ֨ה אֱלֹהִ֜ים
מִן־הָֽאֲדָמָ֗ה כָּל־חַיַּ֤ת הַשָּׂדֶה֙ וְאֵת֙ כָּל־ע֣וֹף
הַשָּׁמַ֔יִם וַיָּבֵא֙ אֶל־הָ֣אָדָ֔ם לִרְא֖וֹת מַה־יִּקְרָא־ל֑וֹ
וְכֹל֩ אֲשֶׁ֨ר יִקְרָא־ל֧וֹ הָֽאָדָ֛ם נֶ֥פֶשׁ חַיָּ֖ה ה֥וּא שְׁמֽוֹ:

יח וַאֲמַר יְיָ אֱלֹהִים לָא תַקִּין לְמֶהֱוֵי אָדָם בִּלְחוֹדוֹהִי אֶעְבֵּד לֵהּ סָמֵךְ לְקִבְלֵהּ: יט וּבְרָא יְיָ אֱלֹהִים מִן אַרְעָא כָּל חֵיוַת בָּרָא וְיַת כָּל עוֹפָא דִשְׁמַיָּא וְאַיְתֵהּ לְוַת אָדָם לְמֶחֱזֵי מַה יִקְרֵי לֵהּ וְכֹל דִּי הֲוָה קָרֵי לֵהּ אָדָם נַפְשָׁא חַיְתָא הוּא שְׁמֵהּ:

רש"י

(יח) לא טוב היות וגו'. שלא יאמרו שתי רשויות הן, הקב"ה יחיד בעליונים ואין לו זוג וזה יחיד בתחתונים ואין לו זוג (פדר"א יב): **עזר כנגדו.** זכה, עזר. לא זכה, כנגדו להלחם (יבמות סג.; פדר"א שם): **(יט) ויצר וגו' מן האדמה.** היא יצירה היא עשייה האמורה למעלה, ויעש אלהים את חית הארץ וגו' (לעיל א:כה) אלא בא ופי' שהעופות נבראו מן הרקק, לפי שאמר למעלה מן המים נבראו וכאן אמר מן האדמה נבראו (חולין כז:). **ועוד למדך** כאן שבשעת יצירתן מיד [בו ביום] הביאם אל האדם לקרות להם שם (אדר"נ פ"א). ובדברי אגדה, יצירה זו לשון רידוי וכבוש, כמו כי תצור אל עיר (דברים כ:יט), שכבשן תחת ידו של אדם (ב"ר יז:ד): **וכל אשר יקרא לו האדם נפש חיה וגו'.** סרסהו ופרשהו, כל נפש חיה אשר יקרא לו האדם שם הוא שמו לעולם:

רמב"ן

עָלָיו "וְאָכַלְתָּ אֶת עֵשֶׂב הַשָּׂדֶה" [לקמן ג, יח], וּבְזֵעַת אַפָּיו יֹאכַל לֶחֶם הָאֲדָמָה[124] [שם פסוק יט] - הָיָה זֶה סִבָּה לַהֶפְסֵד, כִּי עָפָר הוּא, וְעָפָר יֹאכַל, וְאֶל עָפָר יָשׁוּב[125].

[יח] לֹא טוֹב הֱיוֹת הָאָדָם לְבַדּוֹ. אֵינֶנּוּ נִרְאֶה שֶׁנִּבְרָא הָאָדָם מִתְּחִלָּה לִהְיוֹת יָחִיד בָּעוֹלָם[126] וְלֹא יוֹלִיד, שֶׁכָּל הַנִּבְרָאִים זָכָר וּנְקֵבָה מִכָּל בָּשָׂר נִבְרְאוּ לְהָקִים זֶרַע[127], וְגַם הָעֵשֶׂב וְהָעֵץ זַרְעָם בָּהֶם. אֲבָל יִתָּכֵן לוֹמַר כִּי הָיָה כְּדִבְרֵי הָאוֹמֵר דּוּ פַּרְצוּפִים נִבְרְאוּ [עירובין יח, א], וְנַעֲשׂוּ שֶׁיִּהְיוּ בָהֶם טֶבַע מֵבִיא בְּאֵיבָרֵי

RAMBAN ELUCIDATED

עָלָיו "וְאָכַלְתָּ אֶת עֵשֶׂב הַשָּׂדֶה" וּבְזֵעַת אַפָּיו יֹאכַל לֶחֶם הָאֲדָמָה – But when [God] decreed for him, *You shall eat the herbs of the field* (below, 3:18), and that by the sweat of his brow he would eat the bread **of the ground** (ibid. 3:19),[124] **הָיָה זֶה סִבָּה לַהֶפְסֵד – this** diet **was a cause of deterioration** for him, **כִּי עָפָר הוּא, וְעָפָר יֹאכַל, וְאֶל עָפָר יָשׁוּב – for he was dust, and he would** now **eat** the products of **dust, and to dust he would return.**[125]

18. לֹא טוֹב הֱיוֹת הָאָדָם לְבַדּוֹ – *IT IS NOT GOOD THAT MAN BE ALONE.*

[The implication of this verse seems to be that the creation of a female human being was an afterthought, and that originally man was supposed to live by himself.[126] Ramban explains that this was not the case:]

אֵינֶנּוּ נִרְאֶה שֶׁנִּבְרָא הָאָדָם מִתְּחִלָּה לִהְיוֹת יָחִיד בָּעוֹלָם וְלֹא יוֹלִיד – It does not seem logical that mankind **was originally created that there should be** only **one individual** specimen of the species **in the world, and he would not beget progeny.** **שֶׁכָּל הַנִּבְרָאִים זָכָר וּנְקֵבָה מִכָּל בָּשָׂר נִבְרְאוּ לְהָקִים זֶרַע – For all the created beings were created as "male and female of all flesh,"**[127] **to establish offspring.** **וְגַם הָעֵשֶׂב וְהָעֵץ זַרְעָם בָּהֶם – Even the plants and the trees were** created with **their seeds in them** for reproduction. **אֲבָל יִתָּכֵן לוֹמַר כִּי הָיָה כְּדִבְרֵי הָאוֹמֵר דּוּ פַּרְצוּפִים נִבְרְאוּ – It is possible to say,**

God's will. They merited this because their souls had become elevated through the revelation that they experienced at the Sea of Reeds. And Moses, whose soul became even more exalted and distinguished than theirs in his knowledge of God, did not even require that [manna], for his body subsisted [solely] on the splendor of the Shechinah."]

124. Thus, man would now eat food that grew "in the field" and "in the ground," and not in the Garden of Eden.

125. The verse, *for you are dust, and to dust shall you return* (below, 3:19), was adduced earlier to support the opinion of the natural scientists, for it implies that because man was created from the earth (*the dust*), it was a necessity of nature that he return to the dust, through death. Ramban now explains that what this verse means is that since, on account of his sin, Adam had just been condemned to eat the food *of the dust* (i.e., food that grows in the ground), he was *now* considered "dust" (because of his diet), and *now* was doomed to return to the dust.

126. That is, in fact, Radak's opinion in his commentary here.

127. Stylistic citation from below, 7:16.

18 HASHEM God said, "It is not good that man be alone; I will make him a helper opposite him." 19 Now, HASHEM God had formed out of the ground every beast of the field and every bird of the sky, and He brought them to the man to see what he would call each one; and whatever the man called each living soul, that remained its name.

רמב"ן

הַהוֹלָדָה מִן הַזָּכָר לַנְּקֵבָה כֹּחַ מוֹלִיד - אוֹ תֹאמַר זֶרַע, כְּפִי הַמַּחְלֹקֶת הַיָּדוּעַ בָּעִבּוּר[128] - וְהָיָה הַפַּרְצוּף הַשֵּׁנִי עֵזֶר לָרִאשׁוֹן בְּתוֹלַדְתּוֹ[129]. וְרָאָה הַקָּדוֹשׁ בָּרוּךְ הוּא כִּי טוֹב שֶׁיִּהְיֶה הָעֵזֶר עוֹמֵד לְנֶגְדּוֹ, וְהוּא יִרְאֶנּוּ, וְיִפָּרֵד מִמֶּנּוּ וְיִתְחַבֵּר אֵלָיו כְּפִי רְצוֹנוֹ. וְזֶהוּ שֶׁאָמַר [פסוק יח] "אֶעֱשֶׂה לוֹ עֵזֶר כְּנֶגְדּוֹ"[130].

וְטַעַם "לֹא טוֹב", שֶׁלֹּא יֵאָמֵר בּוֹ "כִּי טוֹב"[131] בִּהְיוֹתוֹ לְבַדּוֹ, שֶׁלֹּא יִתְקַיֵּם כֵּן. בְּמַעֲשֵׂה בְּרֵאשִׁית[132] הַ"טּוֹב" הוּא הַקִּיּוּם, כַּאֲשֶׁר פֵּרַשְׁתִּי בְּמַאֲמַר "וַיַּרְא אֱלֹהִים כִּי טוֹב" [לעיל א, ד].

RAMBAN ELUCIDATED

however, that it was in accordance with [the Sage] who maintains that [Adam and Eve] were created as one being with **two faces,** i.e., two sides, one male and one female, amalgamated into one body (*Eruvin* 18a), וְנַעֲשׂוּ שֶׁיִּהְיוּ בָּהֶם טֶבַע מֵבִיא בְּאֵיבְרֵי הַהוֹלָדָה מִן הַזָּכָר לַנְּקֵבָה כֹּחַ מוֹלִיד – **and they were made in such a way that they had by nature an ability to transport a generative power through the reproductive organs from the male** half **to the female** half – אוֹ תֹאמַר זֶרַע, כְּפִי הַמַּחְלֹקֶת הַיָּדוּעַ בָּעִבּוּר – **or you might say** it was **"seed," depending on the well-known disagreement concerning conception.**[128] וְהָיָה הַפַּרְצוּף הַשֵּׁנִי עֵזֶר לָרִאשׁוֹן בְּתוֹלַדְתּוֹ – **So the second** (female) **side was a "helper" for the first** (male) side **in reproduction.**[129] וְרָאָה הַקָּדוֹשׁ בָּרוּךְ הוּא כִּי טוֹב שֶׁיִּהְיֶה הָעֵזֶר עוֹמֵד לְנֶגְדּוֹ – **But the Holy One, Blessed is He, saw that it would be good if this "helper" would stand *opposite him*** (v. 18), וְהוּא יִרְאֶנּוּ, וְיִפָּרֵד מִמֶּנּוּ וְיִתְחַבֵּר אֵלָיו כְּפִי רְצוֹנוֹ – **so that he could see it, and so that he could be separated from it or joined together with it according to his will,** rather than being permanently attached to it. וְזֶהוּ שֶׁאָמַר "אֶעֱשֶׂה לוֹ עֵזֶר כְּנֶגְדּוֹ" – **And this is what** God meant when **He said, *"I will make him a helper opposite him."***[130]

[Ramban now clarifies the intent of God's statement that "*it is not good* that man be alone":]

וְטַעַם "לֹא טוֹב" – **The meaning of *it is not good*** שֶׁלֹּא יֵאָמֵר בּוֹ "כִּי טוֹב" בִּהְיוֹתוֹ לְבַדּוֹ – **is that it could not be said of [man's situation] *that it was good***[131] **as long as he was alone,** שֶׁלֹּא יִתְקַיֵּם כֵּן – meaning **that [the situation] could not remain this way permanently.** בְּמַעֲשֵׂה בְּרֵאשִׁית הַ"טּוֹב" הוּא הַקִּיּוּם, כַּאֲשֶׁר פֵּרַשְׁתִּי בְּמַאֲמַר "וַיַּרְא אֱלֹהִים כִּי טוֹב" – For **in the account of Creation,**[132] **the** word **"good" indicates permanent establishment, as I have explained in the discussion of** the phrase ***and God saw that it was good*** (above, 1:4).

19. אֲשֶׁר יִקְרָא לוֹ הָאָדָם נֶפֶשׁ חַיָּה – *[AND] WHATEVER THE MAN CALLED EACH LIVING SOUL [THAT REMAINED ITS NAME].*[133]

[The literal meaning of this verse, וְכֹל אֲשֶׁר יִקְרָא לוֹ הָאָדָם, *whatever the man called it,* נֶפֶשׁ חַיָּה, *a living soul,* הוּא שְׁמוֹ, *that is its name,* is extremely difficult. Ramban begins his discussion of this problem by citing Rashi:]

128. In *Leviticus* 12:2, Ramban mentions a dispute between the Sages – who hold that "seed," or reproductive matter, comes from both the male and female – and the Greek philosophers, who believed that a fetus develops solely from female reproductive matter, after it was infused with "generative power" by the male.

129. This is Ramban's explanation of the term "helper" here, throughout the remainder of his commentary on this chapter: a partner for reproduction.

130. Man already had the "helper" – i.e., the partner needed for reproduction – however, it was not "opposite him," but part of him. God now wanted to change this situation and make the helper *opposite him.*

131. This is the phrase used in connection with each step of God's creation (above, 1:4, 1:10, 1:12, 1:18, 1:21, 1:25, 1:31).

132. In all those instances mentioned in the previous footnote.

133. The translation of this phrase follows Rashi's interpretation, which differs from that which Ramban puts forward in the course of this comment.

שלישי כ וַיִּקְרָ֨א הָֽאָדָ֜ם שֵׁמ֗וֹת לְכָל־הַבְּהֵמָה֙ וּלְע֣וֹף
הַשָּׁמַ֔יִם וּלְכֹ֖ל חַיַּ֣ת הַשָּׂדֶ֑ה וּלְאָדָ֕ם לֹֽא־מָצָ֥א
כא עֵ֖זֶר כְּנֶגְדּֽוֹ׃ וַיַּפֵּל֩ יהוה אֱלֹהִ֧ים ׀ תַּרְדֵּמָ֛ה עַל־
הָֽאָדָ֖ם וַיִּישָׁ֑ן וַיִּקַּ֗ח אַחַת֙ מִצַּלְעֹתָ֔יו וַיִּסְגֹּ֥ר בָּשָׂ֖ר
כב תַּחְתֶּֽנָּה׃ וַיִּ֩בֶן֩ יהוה אֱלֹהִ֧ים ׀ אֶֽת־הַצֵּלָ֛ע אֲשֶׁר־
לָקַ֥ח מִן־הָֽאָדָ֖ם לְאִשָּׁ֑ה וַיְבִאֶ֖הָ אֶל־הָֽאָדָֽם׃

כ וּקְרָא אָדָם שְׁמָהָן לְכָל בְּעִירָא וּלְעוֹפָא דִשְׁמַיָּא וּלְכֹל חֵיוַת בָּרָא וּלְאָדָם לָא אַשְׁכַּח סָמֵיךְ לְקִבְלֵהּ׃ כא וּרְמָא יְיָ אֱלֹהִים שִׁינְתָא עַל אָדָם וּדְמֵיךְ וּנְסִיב חֲדָא מֵעִלְעוֹהִי וּמְלֵי בִשְׂרָא תְּחוֹתַהּ׃ כב וּבְנָא יְיָ אֱלֹהִים יָת עִלְעָא דִּנְסִיב מִן אָדָם לְאִתְּתָא וְאַיְתַהּ לְוָת אָדָם׃

רש״י

(כ-כא) ולאדם לא מצא עזר: ויפל ה׳ אלהים תרדמה. כשהביאן הביאן לפניו כל מין ומין זכר ונקבה. אמר, לכלם יש בן זוג ולי אין בן זוג, מיד ויפל (ב״ר יז:ד). **מצלעותיו.** מסטריו כמו ולצלע המשכן (שמות כו:כ) זהו שאמרו שני פרצופים נבראו (ב״ר ח:א): **ויסגור.** מקום החתך (ברכות סא.): **ויישן ויקח.** שלא יראה חתיכת הבשר שממנו נבראת ותתבזה עליו (סנהדרין לט.): **(כב) ויבן.** כבנין, רחבה מלמטה וקצרה מלמעלה לקבל הולד, כאוצר של חטים שהוא רחב מלמטה וקצר מלמעלה שלא יכבד משאו על קירותיו (ברכות סא): **ויבן וגו׳ את הצלע וגו׳ לאשה.** להיות אשה כמו ויעש אותו גדעון לאפוד (שופטים ח:כז) להיות אפוד:

רמב״ן

[יט] אֲשֶׁר יִקְרָא לוֹ הָאָדָם נֶפֶשׁ חַיָּה. לְשׁוֹן רַשִׁ״י: סָרְסֵהוּ[134] וּפָרְשֵׁהוּ: וְכָל נֶפֶשׁ חַיָּה אֲשֶׁר יִקְרָא לוֹ הָאָדָם שֵׁם, הוּא שְׁמוֹ לְעוֹלָם.

וְרַבִּי אַבְרָהָם אָמַר, כִּי לָמֶ״ד ״אֲשֶׁר יִקְרָא לוֹ״[135] נִמְשָׁךְ[136] וְכָל אֲשֶׁר יִקְרָא לוֹ הָאָדָם לְנֶפֶשׁ חַיָּה הוּא שְׁמוֹ לְעוֹלָם[137].

וְיִתָּכֵן שֶׁיִּהְיֶה פֵּרוּשׁוֹ בְּעִנְיַן הָעֵזֶר. וְהַכַּוָּנָה לוֹמַר כִּי הָאָדָם ״נֶפֶשׁ חַיָּה״, כְּמוֹ שֶׁאָמַר ״וַיְהִי הָאָדָם לְנֶפֶשׁ חַיָּה״ [לעיל פסוק ז], וּכְמוֹ שֶׁפֵּרַשְׁתִּי[138] [שם] וְהֵבִיא לְפָנָיו הַמִּינִין כֻּלָּן, וְכָל מִין מֵהֶם שֶׁיִּקְרָאֵנּוּ

RAMBAN ELUCIDATED

לְשׁוֹן רַשִׁ״י – This is **a quote from Rashi:**

סָרְסֵהוּ וּפָרְשֵׁהוּ – **Invert [the wording]** of the verse, moving נֶפֶשׁ חַיָּה ahead to precede אֲשֶׁר **and explain it** as follows: **וְכָל נֶפֶשׁ חַיָּה אֲשֶׁר יִקְרָא לוֹ הָאָדָם שֵׁם, הוּא שְׁמוֹ לְעוֹלָם** – **"And any living soul to which man would give a name, that is its name forever."**

[Rashi thus solves the problem of the difficult word order simply by interpreting the verse according to an inverted word order.[134] Ramban now cites Ibn Ezra:]

וְרַבִּי אַבְרָהָם אָמַר כִּי לָמֶ״ד ״אֲשֶׁר יִקְרָא לוֹ״ נִמְשָׁךְ – **Rabbi Avraham** Ibn Ezra **says that the letter ל of** the word לו in **אֲשֶׁר יִקְרָא לוֹ** (lit., "which he called *to*[135] it") **is reapplied,**[136] so that the verse should be understood as if it were written as follows: **וְכָל אֲשֶׁר יִקְרָא לוֹ הָאָדָם לְנֶפֶשׁ חַיָּה הוּא שְׁמוֹ לְעוֹלָם** – **"and whatever the man called to it – to the living soul – is its name forever."**[137]

[Ramban now presents his own interpretation, according to which the verse can be understood exactly as written:]

וְיִתָּכֵן שֶׁיִּהְיֶה פֵּרוּשׁוֹ בְּעִנְיַן הָעֵזֶר – **It is** also **possible that the explanation of [the verse] concerns the "helper"** that is mentioned in the previous verse. **וְהַכַּוָּנָה לוֹמַר כִּי הָאָדָם ״נֶפֶשׁ חַיָּה״** – **The intent** of the verse **is to say that man is** called **a "living soul,"** **כְּמוֹ שֶׁאָמַר ״וַיְהִי הָאָדָם לְנֶפֶשׁ חַיָּה״, וּכְמוֹ שֶׁפֵּרַשְׁתִּי** – **as [Scripture] said,** ***and man became a living soul*** (above, 2:7), **as I have explained** (ibid.).[138] **וְהֵבִיא לְפָנָיו הַמִּינִין כֻּלָּן** – **[God]** now **brought before him all the** various **species,** **וְכָל מִין מֵהֶם שֶׁיִּקְרָאֵנּוּ**

134. Rashi also needs to hypothetically add the word שֵׁם, *a name,* in order for his interpretation to work.

135. In Hebrew idiom, one does not say that a person "calls something a name," but that he "calls *to* something a name." It is this preposition (*to*, represented in Hebrew by the prefix ל) – which is lost in the English translation – that Ibn Ezra focuses on.

136. That is, it should be regarded as if it were written once again later in the verse, affixed to another word. The grammatical concept of "reapplying" a word (or particle of a word, as here) and regarding it as if it were written twice is used often by Ibn Ezra. (See Ramban below, 6:13 and 24:10.)

137. By "reapplying" the letter ל as if it were prefixed to נֶפֶשׁ חַיָּה, *living soul*, Ibn Ezra avoids understanding the verse as if the word order were inverted, as Rashi did. Nevertheless, his interpretation also calls for hypothetical rearrangement of the text to a degree. Thus, Ramban seeks a further interpretation.

138. Ramban explained there that as applied to man,

20 *And the man assigned names to all the cattle and to the birds of the sky and to every beast of the field; but for man, he did not find a helper opposite him.*
21 *So* HASHEM *God cast a deep sleep upon the man and he slept; and He took one of his sides and He filled in flesh in its place.*
22 *Then* HASHEM *God fashioned the side that He had taken from the man into a woman, and He brought her to the man.*

רמב״ן

הָאָדָם בִּשְׁמוֹ, וְיֹאמַר בּוֹ שֶׁהוּא נֶפֶשׁ חַיָּה כְּמוֹתוֹ - הוּא יִהְיֶה שְׁמוֹ[139] וְיִהְיֶה לוֹ לְעֵזֶר כְּנֶגְדּוֹ[140]. וְהוּא קָרָא לְכֻלָּן, וְלֹא מָצָא לְעַצְמוֹ עֵזֶר שֶׁיִּקְרָא לוֹ ״נֶפֶשׁ חַיָּה״ כִּשְׁמוֹ.

[כ] וּלְאָדָם לֹא מָצָא עֵזֶר כְּנֶגְדּוֹ[140a]. לְשׁוֹן רַשִׁ״י: כְּשֶׁהֱבִיאָן - הֱבִיאָן לְפָנָיו זָכָר וּנְקֵבָה; אָמַר: ״לַכֹּל יֵשׁ בֶּן זוּג וְלִי אֵין בֶּן זוּג״. מִיָּד: ״וַיַּפֵּל ה׳ אֱלֹהִים עָלָיו תַּרְדֵּמָה״.

וְיָפֶה פֵּרֵשׁ, כִּי אֲשֶׁר הִכְנִיס פְּסוּקֵי קְרִיאַת הַשֵּׁמוֹת בְּתוֹךְ דְּבַר הָעֵזֶר יַכְרִיחַ זֶה.

וּקְרִיאַת הַשֵּׁמוֹת, עַל דַּעַת הַמְפָרְשִׁים[141] - כִּפְשׁוּטוֹ, שֶׁיְּהֵא לְכָל אֶחָד שֵׁם לְעַצְמוֹ, כְּדֵי שֶׁיִּהְיוּ יְדוּעִים

RAMBAN ELUCIDATED

הָאָדָם בִּשְׁמוֹ, וְיֹאמַר בּוֹ שֶׁהוּא נֶפֶשׁ חַיָּה כְּמוֹתוֹ – **and any of the species among them that the man would call by his** *own* **name** (i.e., "living soul"), **saying about it that it is a "living soul,"** a rational being, **like him,** הוּא יִהְיֶה שְׁמוֹ – **that would** indeed **be its name,**[139] וְיִהְיֶה לוֹ לְעֵזֶר כְּנֶגְדּוֹ – **and it would be the** sought-after **"helper opposite him."**[140] וְהוּא קָרָא לְכֻלָּן, וְלֹא מָצָא לְעַצְמוֹ עֵזֶר שֶׁיִּקְרָא לוֹ ״נֶפֶשׁ חַיָּה״ כִּשְׁמוֹ – **But [Adam],** as related in v. 20, **called each of [the species]** by a name**, and could not find** among them **a "helper" for himself that he could call "living soul," like his** own **name.**

20. וּלְאָדָם לֹא מָצָא עֵזֶר כְּנֶגְדּוֹ – ***BUT FOR MAN, HE DID NOT FIND A HELPER OPPOSITE HIM.***

[What is the connection between the beginning of this verse, describing Adam's calling names to the animals, and the fact that he could not find a "helper"?[140a] Ramban explains, beginning by citing Rashi:]

לְשׁוֹן רַשִׁ״י – This is **a quote from Rashi:**

כְּשֶׁהֱבִיאָן הֱבִיאָן לְפָנָיו זָכָר וּנְקֵבָה, אָמַר לַכֹּל יֵשׁ בֶּן זוּג וְלִי אֵין בֶּן זוּג – **When He brought them, He brought [each species] before [Adam], male and female; [Adam]** then **said, "All of them have a mate, but I do not have a mate."** מִיָּד ״וַיַּפֵּל ה׳ אֱלֹהִים עָלָיו תַּרְדֵּמָה״ – **Thereupon,** ***HASHEM God cast a deep sleep upon him.***

[Ramban explains Rashi's reasoning:]

וְיָפֶה פֵּרֵשׁ – **He explains well,** כִּי אֲשֶׁר הִכְנִיס פְּסוּקֵי קְרִיאַת הַשֵּׁמוֹת בְּתוֹךְ דְּבַר הָעֵזֶר יַכְרִיחַ זֶה – **for** the fact **that [Scripture] inserts the verses about "calling names"** (vv. 19-20) **into the passage of the "helper" proves** that there is **[a connection]** between the two topics.

[Ramban now analyzes the passage about Adam's "calling of names" according to the opinion of "the commentators":]

וּקְרִיאַת הַשֵּׁמוֹת עַל דַּעַת הַמְפָרְשִׁים כִּפְשׁוּטוֹ – **This "calling of names"** of vv. 19-20, **in the opinion of the commentators,**[141] **is** to be taken **according to its simple meaning,** שֶׁיְּהֵא לְכָל אֶחָד שֵׁם לְעַצְמוֹ, כְּדֵי

the expression *living soul* means that man possessed the "rational soul" – the capability of reasoning.

139. God would accept man's designation of that being as "living soul." (See Ramban below.)

140. If Adam were to find among all the animal species one which was a rational being like himself, God would have altered that being into human form and transformed it into Adam's "helper" (Ramban below, v. 20). Adam did not find any such being, however, as the next verse relates.

The translation of the verse according to this interpretation, then, would be: "And whatever the man would call 'living soul,' that (i.e., 'living soul') would be his name." There is no need for word inversion or reapplication.

140a. Although Ramban has already touched upon this issue, he now elaborates on it, including the opinions of the other commentators.

141. Ramban is referring to Rashi's and Ibn Ezra's interpretation of the previous verse, as discussed by Ramban there.

רמב״ן

וְנִכָּרִים לְתוֹלְדוֹתָיו בַּשֵּׁמוֹת אֲשֶׁר יִקְרָא לָהֶם, כִּי הוּא יִהְיֶה שְׁמוֹ לְעוֹלָם. וְהִנֵּה הַקָּדוֹשׁ בָּרוּךְ הוּא כְּשֶׁרָצָה לַעֲשׂוֹת לוֹ הָעֵזֶר אָז הֱבִיאָם לְפָנָיו, כִּי הָיָה צָרִיךְ לַהֲבִיאָם לוֹ זוּגוֹת לִקְרֹא שֵׁם גַּם לִנְקֵבוֹתֵיהֶם. כִּי מֵהֶם שֶׁקְּרָאָם בְּשֵׁם אֶחָד, וּמֵהֶם חֲלוּקִים, כְּשׁוֹר וּפָרָה, וְתַיִשׁ וְעֵז[142], וְכֶבֶשׂ וְרָחֵל, וְזוּלָתָם. וּכְשֶׁרָאָה אוֹתָם מְזֻוָּגִים זֶה עִם זֶה - נִתְאַוָּה לָהֶם. וְכַאֲשֶׁר לֹא מָצָא בְּתוֹכָם עֵזֶר לְעַצְמוֹ - נֶעֱצַב וַיִּישַׁן. וְהָאֱלֹהִים הִפִּיל עָלָיו תַּרְדֵּמָה[143], שֶׁלֹּא יַרְגִּישׁ בַּהֲסָרַת צֵלָע[144] מִגּוּפוֹ.

וּלְפִי דַעְתִּי, שֶׁקְּרִיאַת הַשֵּׁם הוּא הָ"עֵזֶר"[145]. וְהָעִנְיָן, כִּי הַקָּדוֹשׁ בָּרוּךְ הוּא הֵבִיא כָּל חַיַּת הַשָּׂדֶה וְכָל עוֹף הַשָּׁמַיִם לִפְנֵי אָדָם, וְהוּא הִכִּיר טִבְעָם וְקָרָא לָהֶם שֵׁמוֹת, כְּלוֹמַר הַשֵּׁם הָרָאוּי לָהֶם כְּפִי טִבְעֵיהֶם. וּבַשֵּׁמוֹת נִתְבָּאֵר הָרָאוּי לִהְיוֹת עֵזֶר לַחֲבֵרוֹ, כְּלוֹמַר, הָרְאוּיִם לְהוֹלִיד זֶה מִזֶּה. וַאֲפִלּוּ אִם נַאֲמִין בַּשֵּׁמוֹת שֶׁהֵם

RAMBAN ELUCIDATED

שֶׁיִּהְיוּ יְדוּעִים וְנִכָּרִים לְתוֹלְדוֹתָיו בַּשֵּׁמוֹת אֲשֶׁר יִקְרָא לָהֶם – **that** the animals were brought to Adam so that **each one** of them **should have a name of its own, so that they would be known and recognized to [Adam's] offspring by the names that he called them,** כִּי הוּא יִהְיֶה שְׁמוֹ לְעוֹלָם – **for that would remain its name forever.** וְהִנֵּה הַקָּדוֹשׁ בָּרוּךְ הוּא כְּשֶׁרָצָה לַעֲשׂוֹת לוֹ הָעֵזֶר אָז הֱבִיאָם לְפָנָיו – **Now, the Holy One, Blessed is He, when He wanted to make the "helper"** (mentioned in v. 18) **for [Adam], brought** both males and females of **[each species] before him,** כִּי הָיָה צָרִיךְ לַהֲבִיאָם לוֹ זוּגוֹת לִקְרֹא שֵׁם גַּם לִנְקֵבוֹתֵיהֶם – **for He had to bring them before him by pairs, to give names also to the females among them.** כִּי מֵהֶם שֶׁקְּרָאָם בְּשֵׁם אֶחָד – **For there are some among them that [Adam] called by the same name** for the male and the female, וּמֵהֶם חֲלוּקִים, כְּשׁוֹר וּפָרָה, וְתַיִשׁ וְעֵז, וְכֶבֶשׂ וְרָחֵל, וְזוּלָתָם – **and some of them** have **separate** names for the males and females, such as ***bull*** **and** ***cow, he-goat*** and ***she-goat,***[142] ***ram*** **and** ***ewe,*** **and others like them.** וּכְשֶׁרָאָה אוֹתָם מְזֻוָּגִים זֶה עִם זֶה נִתְאַוָּה לָהֶם – **And when he saw them cohabiting with one another, he became desirous of them.** וְכַאֲשֶׁר לֹא מָצָא בְּתוֹכָם עֵזֶר לְעַצְמוֹ נֶעֱצַב וַיִּישַׁן – **And when he did not find among them a "helper" for himself, he became depressed and fell asleep.** וְהָאֱלֹהִים הִפִּיל עָלָיו תַּרְדֵּמָה שֶׁלֹּא יַרְגִּישׁ בַּהֲסָרַת צֵלָע מִגּוּפוֹ – **Then,** after he was asleep, **God cast a deep sleep upon him,**[143] **so that he should not feel the removal of a rib** (or side)[144] **from his body.**

[Having analyzed the verses according to "the commentators'" interpretation, Ramban returns to his approach (presented earlier) and explains the passage in accordance with it:]

וּלְפִי דַעְתִּי שֶׁקְּרִיאַת הַשֵּׁם הוּא הָעֵזֶר – **In my opinion,** however, **that the "calling of names"** in this story **is the** identifying of a **"helper,"**[145] וְהָעִנְיָן, כִּי הַקָּדוֹשׁ בָּרוּךְ הוּא הֵבִיא כָּל חַיַּת הַשָּׂדֶה וְכָל עוֹף הַשָּׁמַיִם לִפְנֵי אָדָם – **the explanation is that the Holy One, Blessed is He, brought all the beasts of the field and all the birds of the heavens before man,** וְהוּא הִכִּיר טִבְעָם וְקָרָא לָהֶם שֵׁמוֹת – **and he recognized their natures and called them names,** כְּלוֹמַר הַשֵּׁם הָרָאוּי לָהֶם כְּפִי טִבְעֵיהֶם – **meaning names that were appropriate to them according to their natures.** וּבַשֵּׁמוֹת נִתְבָּאֵר הָרָאוּי לִהְיוֹת עֵזֶר לַחֲבֵרוֹ – **And through** these **names it became clarified which** animal **was fitting to be a "helper" for its colleague,** כְּלוֹמַר הָרְאוּיִם לְהוֹלִיד זֶה מִזֶּה – **meaning,** which animals were **fit to bear progeny through one another.** וַאֲפִלּוּ אִם נַאֲמִין בַּשֵּׁמוֹת שֶׁהֵם בְּהַסְכָּמָה לֹא טִבְעִיּוֹת נֹאמַר – **Even if we believe concerning names that they** come about **by convention and not by nature,**[146]

142. In Hebrew, a male goat is a תַּיִשׁ and a female goat is an עֵז, two grammatically unrelated names.

143. Verse 21 states, *So Hashem God cast a deep sleep upon the man and he slept.* Now תַּרְדֵּמָה, *a deep sleep,* is, as the English translation makes clear, a deeper form of sleep than that expressed by the word וַיִּישַׁן, *and he slept* (see Ibn Ezra and Radak). Thus, it seems illogical to say that after Adam was put into a deep sleep, "he slept (lightly)." Ramban therefore explains the verse to mean "God cast a deep sleep upon the man, for he was (already) sleeping." (Concerning translating the prefix ו [usually rendered *and*] in this manner, see Radak on *Isaiah* 64:4.)

144. It is a matter of controversy (see *Eruvin* 18a) as to whether the word צֵלָע in this story refers to an extra rib (or other appendage) taken from the man, or to an entire side as explained by Ramban above, in his comment on verse 18. We have therefore included both possibilities in translating Ramban's words.

145. As Ramban explained above (v. 18), the term "helper" refers to a mate through whom reproduction could be accomplished.

146. That is, people of a given group use certain words to represent particular objects, actions and concepts, and eventually the repeated usage of those words gives

רמב"ן

בְּהַסְכָּמָה, לֹא טִבְעִיּוֹת[146], נֹאמַר שֶׁקְּרִיאַת הַשֵּׁמוֹת הִיא הַבְדָּלַת הַמִּינִים[147]. כִּי עָבְרוּ לְפָנָיו זָכָר וּנְקֵבָה וְהִתְבּוֹנֵן בְּטִבְעָם, אֵיזֶה מֵהֶם עֵזֶר לַחֲבֵרוֹ, כְּלוֹמַר, הַמּוֹלִיד מִמֶּנּוּ[148]. וְהוֹדִיעַ זֶה בְּשֵׁמוֹת, כִּי הַבְּהֵמָה הַדַּקָּה[148a] קָרָא בְּשֵׁם אַחֵר, שֶׁכֻּלָּן עֵזֶר זֶה לָזֶה בְּתוֹלָדָה, שֶׁיּוֹלִידוּ זֶה מִזֶּה, וְהַגַּסָּה[148b] בְּשֵׁם אַחֵר, וְהַחַיָּה בְּשֵׁם אַחֵר, שֶׁלֹּא יוֹלִידוּ מִין זֶה מִזֶּה, וְכֵן כֻּלָּן. וְלֹא מָצָא בְּכֻלָּן שֶׁתִּהְיֶה בְטִבְעָהּ עֵזֶר לוֹ וְתִקָּרֵא בִּשְׁמוֹ, כִּי קְרִיאַת הַשֵּׁמוֹת הִיא הַבְדָּלַת הַמִּינִים וְהַפְרֵד כֹּחוֹתָם זֶה מִזֶּה, כַּאֲשֶׁר פֵּרַשְׁתִּי לְמַעְלָה[149].

RAMBAN ELUCIDATED

שֶׁקְּרִיאַת הַשֵּׁמוֹת הִיא הַבְדָּלַת הַמִּינִים – **we can say that the "calling of names" refers to distinguishing between species.**[147] כִּי עָבְרוּ לְפָנָיו זָכָר וּנְקֵבָה וְהִתְבּוֹנֵן בְּטִבְעָם, אֵיזֶה מֵהֶם עֵזֶר לַחֲבֵרוֹ – **For they passed before him by male and female, and he contemplated their natures,** determining **which of them could be a "helper" for the other one,** כְּלוֹמַר הַמּוֹלִיד מִמֶּנּוּ – **meaning,** which one **could bear progeny from it.**[148] וְהוֹדִיעַ זֶה בְּשֵׁמוֹת, כִּי הַבְּהֵמָה הַדַּקָּה קָרָא בְּשֵׁם אַחֵר – **And he made this known through "names,"** meaning **that he called the small animals,**[148a] for instance, **by a different "name,"** i.e., he assigned them to a separate category, שֶׁכֻּלָּן עֵזֶר זֶה לָזֶה בְּתוֹלָדָה שֶׁיּוֹלִידוּ זֶה מִזֶּה – **for they are all "helpers" to each other in procreation,** meaning **that they can reproduce from one another,** וְהַגַּסָּה בְּשֵׁם אַחֵר, וְהַחַיָּה בְּשֵׁם אַחֵר, שֶׁלֹּא יוֹלִידוּ מִין זֶה מִמִּין זֶה – **and the large** animals **by a different name, and** similar species of **wild animal by a different name,**[148b] **for one category does not procreate with another.** וְכֵן כֻּלָּן – **And so on for all of [the animals].** וְלֹא מָצָא בְּכֻלָּן שֶׁתִּהְיֶה בְטִבְעָהּ עֵזֶר לוֹ וְתִקָּרֵא בִּשְׁמוֹ – **But he could not find among all of them** any animal **whose nature was to be a "helper" for him** (one with whom he could beget offspring) **and that could be called by his "name,"** נֶפֶשׁ חַיָּה (*living soul*, i.e., rational soul). כִּי קְרִיאַת הַשֵּׁמוֹת הִיא הַבְדָּלַת הַמִּינִים וְהַפְרֵד כֹּחוֹתָם זֶה מִזֶּה, כַּאֲשֶׁר פֵּרַשְׁתִּי לְמַעְלָה – **For "calling names" refers to distinguishing of species** from one another **and differentiating their** respective **capabilities from one other, as I have explained above.**[149]

---

birth to a language. This would mean that names of animals do not necessarily reflect any natural characteristic of that animal, but are arbitrarily agreed upon by convention.

[The question of whether the origin of language is conventional (arbitrary) or natural (descriptive) was discussed broadly by the Greek philosophers. Rav Yehudah HaLevi, in his *Kuzari* (IV:25), is of the opinion that the Hebrew language is "natural," while others languages are mostly "conventional." Rambam (Maimonides), in *Moreh Nevuchim* (II:30), however, maintains that words are conventional in origin. Both sages adduce our verse as evidence. Apparently Rav Yehudah HaLevi understood that the names that Adam assigned to the various animals were based on an analysis of the physical properties of each animal, a view endorsed by the Midrash (*Tanchuma*, *Chukkas*, Chap. 6). This would concur with the Ramban's approach here, that Adam's giving of names was a process whereby he contemplated the nature of each animal, looking for a creature that he could call אִשָּׁה, a mate for man (אִישׁ). Rambam, on the other hand, apparently held that the names were randomly chosen by Adam and adduces this verse as proof that words in any language are arbitrary. (This is, of course, incompatible with Ramban's entire understanding that the "calling of names" was part of Adam's search for a mate.) Ramban now suggests a way of interpreting the verse that would be in line with his approach that "calling names" was Adam's search of a mate, and yet would agree with the view that names are arbitrary.]

147. When Scripture says that Adam "called names" to the animals it means only that he distinguished between the different kinds of animals, not that he necessarily coined a name for each one. (This is not how Rambam understands the verse; however, this interpretation does accommodate the opinion that names are "conventional.")

148. The reason God brought the animals – male and female – before Adam was so that he could determine which female animals could mate with which male animals. This is in contradistinction to "the commentators'" explanation (the way Ramban analyzed it), that both males and females were brought to Adam because sometimes males and females of a given species have different names (e.g., cow and bull; etc.).

148a. The term בְּהֵמָה דַקָּה, *small animal,* includes sheep and goats, two species that can theoretically mate with each other (see, e.g., *Bechoros* 12a with Rashi). The term בְּהֵמָה גַסָּה, *large animal,* refers to bovines (cows and bulls).

148b. A wild animal that is similar to a bull (a buffalo or the like) cannot mate with the bull, despite the similarity between the two species; similarly for "small animals," e.g., a goat cannot mate with a gazelle. Thus, Adam assigned these wild beasts new names. (Ramban evidently alludes to *Bechoros* 7a.)

149. See Ramban above, 1:18: "כִּי קְרִיאַת הַשֵּׁמוֹת הִיא הַהַבְדָּלָה בְּכֹחוֹתָם – For the 'calling of names' refers to distinctly identifying their powers."

כג וַיֹּאמֶר֮ הָֽאָדָם֒ זֹ֣את הַפַּ֗עַם עֶ֚צֶם
מֵֽעֲצָמַ֔י וּבָשָׂ֖ר מִבְּשָׂרִ֑י לְזֹאת֙
יִקָּרֵ֣א אִשָּׁ֔ה כִּ֥י מֵאִ֖ישׁ לֻֽקֳחָה־זֹּֽאת:

כג וַאֲמַר אָדָם הָדָא זִמְנָא גַּרְמָא מִגַּרְמַי וּבִסְרָא מִבִּסְרִי לְדָא יִתְקְרֵי אִתְּתָא אֲרֵי מִבַּעְלָא נְסִיבָא דָא:

רש"י

(כג) **זאת הפעם.** מלמד שבא אדם על כל בהמה וחיה ולא נתקררה דעתו בהם (יבמות סג.): **לזאת יקרא אשה כי מאיש וגו'.** לשון נופל על לשון מכאן שנברא העולם בלשון הקדש (ב"ר יח:ד):

רמב"ן

וְאֵין הָעִנְיָן שֶׁיִּהְיֶה בְּיַד הָאָדָם לִמְצֹא בָּהֶם עֵזֶר לוֹ, כִּי בְּטִבְעָם נִבְרְאוּ. אֲבָל, שֶׁאִם יִרְאֶה טִבְעוֹ נָאוֹת בְּאַחַד הַמִּינִים וְיִבְחַר בּוֹ - הָיָה הַקָּדוֹשׁ בָּרוּךְ הוּא מְתַקֵּן טִבְעוֹ אֵלָיו כַּאֲשֶׁר עָשָׂה בַּצֵּלָע[150], וְלֹא יִצְטָרֵךְ לִבְנוֹתוֹ בְּנִנְיָן חָדָשׁ[151]. וְזֶה טַעַם "כָּל אֲשֶׁר יִקְרָא לוֹ הָאָדָם נֶפֶשׁ חַיָּה הוּא שְׁמוֹ": כְּלוֹמַר, הוּא יִהְיֶה שְׁמוֹ, שֶׁהַקָּדוֹשׁ בָּרוּךְ הוּא יְקַיֵּם בּוֹ הַשֵּׁם הַהוּא[152], עַל עִנְיָן שֶׁפֵּרַשְׁתִּי.

וְהַנָּכוֹן בְּעֵינַי, כִּי לֹא הָיָה הַחֵפֶץ לְפָנָיו יִתְבָּרַךְ לָקַחַת צַלְעוֹ מִמֶּנּוּ עַד שֶׁיֵּדַע אָדָם שֶׁאֵין בַּנִּבְרָאִים עֵזֶר לוֹ, וְשֶׁיִּתְאַוֶּה שֶׁיִּהְיֶה לוֹ עֵזֶר כְּמוֹתָם, וּמִפְּנֵי זֶה הָיָה צָרִיךְ לָקַחַת מִמֶּנּוּ אַחַת מִצַּלְעוֹתָיו.

RAMBAN ELUCIDATED

וְאֵין הָעִנְיָן שֶׁיִּהְיֶה בְּיַד הָאָדָם לִמְצֹא בָּהֶם עֵזֶר לוֹ – This does not mean that it would have been possible for the man to find among [the animals] a "helper" for him with which he could beget offspring, **כִּי בְּטִבְעָם נִבְרְאוּ – for they were created according to their own natures**, and it is impossible for any animal to procreate with a human. **אֲבָל, שֶׁאִם יִרְאֶה טִבְעוֹ נָאוֹת בְּאַחַד הַמִּינִים וְיִבְחַר בּוֹ – Rather,** it means **that if he would see** that **the nature of one of the species was appropriate** for him **and he would choose it** as a companion, **הָיָה הַקָּדוֹשׁ בָּרוּךְ הוּא מְתַקֵּן טִבְעוֹ אֵלָיו כַּאֲשֶׁר עָשָׂה בַּצֵּלָע – the Holy One, Blessed is He, would have adapted its physical nature for him, as he did with the rib** (or side),[150] **וְלֹא יִצְטָרֵךְ לִבְנוֹתוֹ בְּנִנְיָן חָדָשׁ – and He would not have had to mold it with a** whole **new construction** as he did for the rib (or side).[151] **וְזֶה טַעַם "כָּל אֲשֶׁר יִקְרָא לוֹ הָאָדָם נֶפֶשׁ חַיָּה הוּא שְׁמוֹ" – And this is the meaning of** ***whatever man would call a "living soul," that would be its name:*** **כְּלוֹמַר, הוּא יִהְיֶה שְׁמוֹ – It means that that** phrase, "living soul," **would be its name, שֶׁהַקָּדוֹשׁ בָּרוּךְ הוּא יְקַיֵּם בּוֹ הַשֵּׁם הַהוּא, עַל עִנְיָן שֶׁפֵּרַשְׁתִּי – for the Holy One, Blessed is He, would establish that name for it,**[152] **in the manner I have explained.**

[Why did God give Adam this futile task of finding a mate for himself among the animals? God knew that he could not succeed in this endeavor! Ramban explains:]

וְהַנָּכוֹן בְּעֵינַי, כִּי לֹא הָיָה הַחֵפֶץ לְפָנָיו יִתְבָּרַךְ לָקַחַת צַלְעוֹ מִמֶּנּוּ – The most sound explanation **in my opinion is that He, Blessed be He, did not want to take [Adam's] rib** (or side) **from** him **עַד שֶׁיֵּדַע אָדָם שֶׁאֵין בַּנִּבְרָאִים עֵזֶר לוֹ** – until **Adam would find out** for himself **that there was no** animal **among the creatures** that could be **his "helper," וְשֶׁיִּתְאַוֶּה שֶׁיִּהְיֶה לוֹ עֵזֶר כְּמוֹתָם – and that he should desire that he should have a helper as they** had. **וּמִפְּנֵי זֶה הָיָה צָרִיךְ לָקַחַת מִמֶּנּוּ אַחַת מִצַּלְעוֹתָיו – It was for this** purpose that **it was necessary for Him to take one of his ribs** (or sides) **from him.**

[Ramban now turns to a difficulty with the wording in our verse, and shows that according to his interpretation of verses 19-20 this difficulty is resolved:]

---

150. See footnote 144.

151. It would have been a less radical alteration to change an animal into a human mate for Adam than it was to change a rib into a human being.

[See above, note 144. Ramban here appears to be following the opinion that Eve was created from an appendage of Adam's body. It should be noted, however, that Ramban above seemed to favor the other opinion, that Eve was originally a fully formed woman attached to Adam's body.]

152. If Adam would find among the animals one that could be termed a "living soul" (a rational being), God would have seen to it that that would indeed become a mate for man, and share his "name," i.e., would be able to reproduce with him.

23 *And the man said, "This time it is bone of my bones and flesh of my flesh. This shall be called 'woman,' for from man was this taken."*

רמב״ן

וְזֶה טַעַם "וּלְאָדָם לֹא מָצָא עֵזֶר כְּנֶגְדּוֹ"[153], כְּלוֹמַר, וּלְשֵׁם הָאָדָם לֹא מָצָא עֵזֶר שֶׁיִּהְיֶה רָאוּי לִהְיוֹת כְּנֶגְדּוֹ וְתִקָּרֵא בִּשְׁמוֹ שֶׁיּוֹלִיד מִמֶּנּוּ[154]. וְאֵין צֹרֶךְ בְּכָאן לְדִבְרֵי הַמְפָרְשִׁים[155] שֶׁאָמְרוּ כִּי יָבֹא בְּכָאן שֵׁם בִּמְקוֹם הַכִּנּוּי - "וְלוֹ לֹא מָצָא עֵזֶר כְּנֶגְדּוֹ"[156], כְּדֶרֶךְ "נְשֵׁי לֶמֶךְ" [לקמן ד, כג], "וְאֶת יִפְתָּח וְאֶת שְׁמוּאֵל" [שמואל-א יב, יא].

וְזֶהוּ שֶׁאָמַר "זֹאת הַפַּעַם", כְּלוֹמַר הַפַּעַם הַזֹּאת מָצָאתִי עֵזֶר לִי שֶׁלֹּא מָצָאתִי עַד הֵנָּה בִּשְׁאָר הַמִּינִים, כִּי הִיא "עֶצֶם מֵעֲצָמַי וּבָשָׂר מִבְּשָׂרִי," וְרָאוּי שֶׁתִּקָּרֵא בִּשְׁמִי מַמָּשׁ[157], כִּי נוֹלִיד זֶה מִזֶּה.

וּבְמִלַּת "זֹאת" סוֹד, יִוָּדַע מִדְּבָרֵינוּ בְּפָרָשַׁת וְזֹאת הַבְּרָכָה [דברים לג, א], אִם יְבָרְכֵנִי צוּרִי לְהַגִּיעַ שָׁם, וּלְכָךְ הֶחֱזִיר "כִּי מֵאִישׁ לֻקֳחָה זֹּאת". וְהָבֵן.

RAMBAN ELUCIDATED

וְזֶה טַעַם "וּלְאָדָם לֹא מָצָא עֵזֶר כְּנֶגְדּוֹ" – **This is the explanation of** the statement, ***but for man, he did not find a helper opposite him.***[153] כְּלוֹמַר וּלְשֵׁם הָאָדָם לֹא מָצָא עֵזֶר שֶׁיִּהְיֶה רָאוּי לִהְיוֹת כְּנֶגְדּוֹ וְתִקָּרֵא בִּשְׁמוֹ שֶׁיּוֹלִיד מִמֶּנּוּ – **It means that for the name** (i.e., *category*) **"man" he could not find a "helper" that would be fitting to be "opposite him"** (i.e., corresponding to him), **and could be called by his name,** meaning **that** it **could bear progeny with him.**[154] וְאֵין צֹרֶךְ בְּכָאן לְדִבְרֵי הַמְפָרְשִׁים – **So there is no need here for the words of the commentators**[155] who seek a solution to this problem, שֶׁאָמְרוּ כִּי יָבֹא בְּכָאן שֵׁם בִּמְקוֹם הַכִּנּוּי – **who say that here a** proper **name is used in place of a pronoun,** וְלוֹ לֹא מָצָא עֵזֶר כְּנֶגְדּוֹ – for it should have said, **"and for *himself* he did not find a helper opposite him,"**[156] כְּדֶרֶךְ "נְשֵׁי לֶמֶךְ" – **in the manner of** the phrases, ***the wives of Lamech*** (below, 4:23), which should have been more properly "*my* wives," for Lamech himself was the speaker; "וְאֶת יִפְתָּח וְאֶת שְׁמוּאֵל" – and, ***and Jephthah and Samuel*** (*I Samuel* 12:11), which should have been more properly "and Jephthah and *me*," for Samuel himself was the speaker.

[Ramban shows how the following verse fits in according to his explanation of this passage, that the entire name-calling process was in fact Adam's search for a mate:]

וְזֶהוּ שֶׁאָמַר "זֹאת הַפַּעַם", כְּלוֹמַר הַפַּעַם הַזֹּאת מָצָאתִי עֵזֶר לִי – **This is why it says, *This time*** *it is bone of my bones and flesh of my flesh*(below, v. 23); **it means that this time I have found a helper for me,** שֶׁלֹּא מָצָאתִי עַד הֵנָּה בִּשְׁאָר הַמִּינִים – **which I have not been able to find until now among the other species** of the world, כִּי הִיא "עֶצֶם מֵעֲצָמַי וּבָשָׂר מִבְּשָׂרִי", וְרָאוּי שֶׁתִּקָּרֵא בִּשְׁמִי מַמָּשׁ, כִּי נוֹלִיד זֶה מִזֶּה – **for she**, unlike them, **is a *bone of my bones and flesh of my flesh,* and it is fitting that she should be called by my name, literally,**[157] **for we will bear progeny from each other.**

[Verse 23 could have made the same point by stating simply הַפַּעַם, which can also mean *this time,* without using the word זאת, *this*. Ramban explains that there is in fact a Kabbalistic significance to the word. The deep, esoteric concepts discussed here are not within the scope of this elucidation. In the Hebrew text, Ramban's words appear in the paragraph beginning וּבְמִלַּת and ending וְהָבֵן.]

153. "The man" has already been mentioned as the subject of this sentence, in the beginning of the verse: *The man assigned names to all the cattle.* He should have been referred to later in the sentence with a pronoun –לוֹ, *for himself* – rather than with the repetition of הָאָדָם, *the man*. The phrase, *but* **for man**, *he did not find a helper opposite him* is thus difficult.

154. According to Ramban's interpretation, we can interpret the verse as follows: "The man (i.e., that person, Adam) assigned names to all the cattle, but for '*man*' (i.e., the category 'man'), he did not find a helper opposite him (i.e., a helper who could bear progeny with him)."

155. Ibn Ezra, Radak.

156. According to the "commentators," there is indeed no reason why the Torah should not have used a pronoun here to refer to Adam; they simply adduce other examples from *Tanach* where a proper name is used instead of an expected pronoun.

157. Not only should she share my "name" in the sense that this concept is used above, i.e., as a possible partner for reproduction, but she should share my name in the literal sense, for she was made from me.

כד עַל־כֵּן יַעֲזָב־אִישׁ אֶת־אָבִיו וְאֶת־אִמּוֹ וְדָבַק
כה בְּאִשְׁתּוֹ וְהָיוּ לְבָשָׂר אֶחָד: וַיִּהְיוּ שְׁנֵיהֶם
עֲרוּמִּים הָאָדָם וְאִשְׁתּוֹ וְלֹא יִתְבֹּשָׁשׁוּ:
ג א וְהַנָּחָשׁ הָיָה עָרוּם מִכֹּל חַיַּת הַשָּׂדֶה אֲשֶׁר
עָשָׂה יהוה אֱלֹהִים וַיֹּאמֶר אֶל־הָאִשָּׁה אַף כִּי־
ב אָמַר אֱלֹהִים לֹא תֹאכְלוּ מִכֹּל עֵץ הַגָּן: וַתֹּאמֶר
ג הָאִשָּׁה אֶל־הַנָּחָשׁ מִפְּרִי עֵץ־הַגָּן נֹאכֵל: וּמִפְּרִי
הָעֵץ אֲשֶׁר בְּתוֹךְ־הַגָּן אָמַר אֱלֹהִים לֹא
תֹאכְלוּ מִמֶּנּוּ וְלֹא תִגְּעוּ בּוֹ פֶּן־תְּמֻתוּן:
ד וַיֹּאמֶר הַנָּחָשׁ אֶל־הָאִשָּׁה לֹא־מוֹת תְּמֻתוּן:
ה כִּי יֹדֵעַ אֱלֹהִים כִּי בְּיוֹם אֲכָלְכֶם מִמֶּנּוּ וְנִפְקְחוּ
עֵינֵיכֶם וִהְיִיתֶם כֵּאלֹהִים יֹדְעֵי טוֹב וָרָע:

כד עַל כֵּן יִשְׁבּוֹק גְּבַר בֵּית מִשְׁכְּבֵי אֲבוּהִי וְאִמֵּהּ וְיִדְבַּק בְּאִתְּתֵהּ וִיהוֹן לְבִסְרָא חָד: כה וַהֲווֹ תַרְוֵיהוֹן עַרְטִילָאִין אָדָם וְאִתְּתֵהּ וְלָא מִתְכַּלְמִין: א וְחִוְיָא הֲוָה חַכִּים מִכֹּל חֵוַת בָּרָא דִּי עֲבַד יְיָ אֱלֹהִים וַאֲמַר לְאִתְּתָא בְּקוּשְׁטָא אֲרֵי אֲמַר יְיָ לָא תֵיכְלוּן מִכֹּל אִילַן גִּינְתָא: ב וַאֲמֶרֶת אִתְּתָא לְחִוְיָא מִפֵּירֵי אִילַן גִּינְתָא נֵיכוּל: ג וּמִפֵּירֵי אִילָנָא דִּי בִּמְצִיעוּת גִּינְתָא אֲמַר יְיָ לָא תֵיכְלוּן מִנֵּהּ וְלָא תִקְרְבוּן בֵּהּ דִּילְמָא תְמוּתוּן: ד וַאֲמַר חִוְיָא לְאִיתְּתָא לָא מוּת תְּמוּתוּן: ה אֲרֵי גְּלֵי קֳדָם יְיָ אֲרֵי בְּיוֹמָא דְּתֵיכְלוּן מִנֵּהּ וְיִתְפַּתְּחָן עֵינֵיכוֹן וּתְהוֹן כְּרַבְרְבִין חַכִּימִין בֵּין טַב לְבִישׁ:

רש"י

(כד) על כן יעזב איש. רוה"ק אומרת כן, לאסור על בני נח את העריות (שם ה; סנהדרין נח.): **לבשר אחד.** הולד נוצר ע"י שניהם ושם נעשה בשרם אחד (שם ושם): **(כה) ולא יתבששו.** שלא היו יודעים דרך צניעות להבחין בין טוב לרע (תרגום ירושלמי) ואע"פ שנתנה בו דעה לקרות שמות (ב"ר יז:ד) לא נתן בו יצר הרע עד אכלו מן העץ ונכנס בו יצר הרע וידע מה בין טוב לרע (עי' שם יט:ט): **(א) והנחש היה ערום.** מה ענין זה לכאן, היה לו לסמוך ויעש לאדם ולאשתו כתנות עור וילבישם. אלא ללמדך מאיזו סבה קפץ הנחש עליהם, ראה אותם ערומים ועסוקים בתשמיש לעין כל ונתאוה להם (שם יח:ו): **ערום מכל.** לפי ערמתו וגדולתו היתה מפלתו, ערום מכל ארור מכל (שם יט:א): **אף כי אמר וגו'.** שמא אמר לכם לא תאכלו מכל וגו', ואע"פ שראה אותם אוכלים משאר פירות, הרבה עליה דברים כדי שתשיבנו ויבא לדבר באותו העץ: **(ג) ולא תגעו בו.** הוסיפה על הצווי לפיכך באה לידי גרעון (סנהדרין כט.), הוא שנאמר אל תוסף על דבריו (משלי ל:ו; ב"ר שם ג): **(ד) לא מות תמתון.** דחפה עד שנגעה בו אמר לה כשם שאין מיתה בנגיעה כך אין מיתה באכילה (ב"ר שם): **(ה) כי יודע.** כל אומן שונא את בני אומנותו, מן העץ אכל וברא את העולם (שם ד): **והייתם כאלהים.** יוצרי עולמות (שם):

רמב"ן

[כד] עַל כֵּן יַעֲזָב אִישׁ אֶת אָבִיו וְאֶת אִמּוֹ וְדָבַק בְּאִשְׁתּוֹ וְגוֹ'. רוּחַ הַקֹּדֶשׁ אוֹמֶרֶת כֵּן לֶאֱסֹר הָעֲרָיוֹת לִבְנֵי נֹחַ[158]. "וְהָיוּ לְבָשָׂר אֶחָד". הַוָּלָד נוֹצָר עַל יְדֵי שְׁנֵיהֶם, וְשָׁם נַעֲשֶׂה בְּשָׂרָם אֶחָד. לְשׁוֹן רַשִׁ"י.
וְאֵין בָּזֶה טַעַם, כִּי גַם הַבְּהֵמָה וְהַחַיָּה יִהְיוּ לְבָשָׂר אֶחָד בְּוַלְדוֹתֵיהֶם[159].

RAMBAN ELUCIDATED

24. עַל כֵּן יַעֲזָב אִישׁ אֶת אָבִיו וְאֶת אִמּוֹ וְדָבַק בְּאִשְׁתּוֹ וְגוֹ' – ***THEREFORE A MAN WILL LEAVE HIS FATHER AND HIS MOTHER AND CLING TO HIS WIFE, ETC.***

[Ramban explains the meaning of this enigmatic verse, beginning by citing Rashi:]

רוּחַ הַקֹּדֶשׁ אוֹמֶרֶת כֵּן לֶאֱסֹר הָעֲרָיוֹת לִבְנֵי נֹחַ – The Divine Spirit says this, to prohibit forbidden relations to the sons of Noah.[158] **"וְהָיוּ לְבָשָׂר אֶחָד", הַוָּלָד נוֹצָר עַל יְדֵי שְׁנֵיהֶם וְשָׁם נַעֲשֶׂה בְּשָׂרָם אֶחָד** – ***And they shall become one flesh*** **– The child is formed through the two of them, and therein their flesh becomes one.**

לְשׁוֹן רַשִׁ"י – This is **a quote from Rashi.**

[Ramban questions Rashi's interpretation:]

וְאֵין בָּזֶה טַעַם, כִּי גַם הַבְּהֵמָה וְהַחַיָּה יִהְיוּ לְבָשָׂר אֶחָד בְּוַלְדוֹתֵיהֶם – **But this** interpretation **is not logical, for**

158. God is the speaker of these words; it is not a continuation of the quote of Adam's words in the previous verse. God decreed that man should "cling to his wife," as opposed to another man's wife, and that he should avoid various other forms of forbidden relations.

[24] *Therefore a man will leave his father and his mother and cling to*
his wife and they will become one flesh.
[25] *They were both naked, the man and his wife, and they were*
not ashamed.
3 [1] *Now the serpent was cunning beyond any beast of the field*
that HASHEM God had made. He said to the woman, "Did, perhaps,
God say: 'You shall not eat of any tree of the garden'?"
[2] *The woman said to the serpent, "Of the fruit of any tree of the*
garden we may eat. [3] *Of the fruit of the tree which is in the midst*
of the garden God has said: 'You shall neither eat of it nor touch it,
lest you die.' "
[4] *The serpent said to the woman, "You will surely not die;* [5] *for*
God knows that on the day you eat of it your eyes will be opened
and you will be like God, knowing good and bad."

רמב"ן

וְהַנָּכוֹן בְּעֵינַי, כִּי הַבְּהֵמָה וְהַחַיָּה אֵין לָהֶם דְּבֵקוּת בִּנְקֵבוֹתֵיהֶן, אֲבָל יָבֹא הַזָּכָר עַל אֵיזֶה נְקֵבָה שֶׁיִּמְצָא, וְיֵלְכוּ לָהֶם. וּמִפְּנֵי זֶה אָמַר הַכָּתוּב כִּי בַּעֲבוּר שֶׁנְּקֵבַת הָאָדָם הָיְתָה עֶצֶם מֵעֲצָמָיו וּבָשָׂר מִבְּשָׂרוֹ [לעיל פסוק כג], וְדָבַק בָּהּ, וְהָיְתָה בְּחֵיקוֹ כִּבְשָׂרוֹ, וְיַחְפֹּץ בָּהּ לִהְיוֹתָהּ תָּמִיד עִמּוֹ - וְכַאֲשֶׁר הָיָה זֶה בְּאָדָם - הוּשַּׂם טִבְעוֹ בְּתוֹלְדוֹתָיו, לִהְיוֹת הַזְּכָרִים מֵהֶם דְּבֵקִים בִּנְשׁוֹתֵיהֶם עוֹזְבִים אֶת אֲבִיהֶם וְאֶת אִמָּם, וְרוֹאִים אֶת נְשׁוֹתֵיהֶן כְּאִלּוּ הֵן עִמָּם לְבָשָׂר אֶחָד. וְכֵן "כִּי אָחִינוּ בְשָׂרֵנוּ הוּא" [להלן לז, כז], "אֶל כָּל שְׁאֵר בְּשָׂרוֹ" [ויקרא יח, ו] - הַקְּרוֹבִים בַּמִּשְׁפָּחָה יִקָּרְאוּ "שְׁאֵר בָּשָׂר". וְהִנֵּה יַעֲזֹב שְׁאֵר אָבִיו וְאִמּוֹ וְקִרְבָתָם, וְיִרְאֶה שֶׁאִשְׁתּוֹ קְרוֹבָה לוֹ מֵהֶם[160].

RAMBAN ELUCIDATED

animals and beasts also become "one flesh" through their offspring.[159]

[Ramban offers his own interpretation:]

וְהַנָּכוֹן בְּעֵינַי, כִּי הַבְּהֵמָה וְהַחַיָּה אֵין לָהֶם דְּבֵקוּת בִּנְקֵבוֹתֵיהֶן – The most sound explanation **in my opinion is that** male **animals and beasts have no attachment to their females; אֲבָל יָבֹא הַזָּכָר עַל אֵיזֶה נְקֵבָה שֶׁיִּמְצָא, וְיֵלְכוּ לָהֶם – rather, the male mates with whichever female he finds, and they** both **go on their way** afterwards. **וּמִפְּנֵי זֶה אָמַר הַכָּתוּב כִּי בַּעֲבוּר שֶׁנְּקֵבַת הָאָדָם הָיְתָה עֶצֶם מֵעֲצָמָיו וּבָשָׂר מִבְּשָׂרוֹ – Therefore Scripture says that because the** first **man's female was the "bone of his bones and flesh of his flesh"** (see above, v. 23), **וְדָבַק בָּהּ, וְהָיְתָה בְּחֵיקוֹ כִּבְשָׂרוֹ** – meaning that **he was attached to her, and she was in his bosom like his** own **flesh, וְיַחְפֹּץ בָּהּ לִהְיוֹתָהּ תָּמִיד עִמּוֹ – and he desired her to be with him all the time – וְכַאֲשֶׁר הָיָה זֶה בְּאָדָם** – hence, **just as this was the case with Adam הוּשַּׂם טִבְעוֹ בְּתוֹלְדוֹתָיו – this nature was placed into his descendants** as well. **לִהְיוֹת הַזְּכָרִים מֵהֶם דְּבֵקִים בִּנְשׁוֹתֵיהֶם** – Thus it became man's nature **that the males among them should be attached to their wives, עוֹזְבִים אֶת אֲבִיהֶם וְאֶת אִמָּם** – that **they leave their father and mother, וְרוֹאִים אֶת נְשׁוֹתֵיהֶן כְּאִלּוּ הֵן עִמָּם לְבָשָׂר אֶחָד – and consider their wives as if they are as one flesh with them. וְכֵן "כִּי אָחִינוּ בְשָׂרֵנוּ הוּא" – Similarly,** we find, ***He is our brother, our own flesh*** (below, 37:27); **"אֶל כָּל שְׁאֵר בְּשָׂרוֹ"** – and ***to his close relative*** (lit., **"to the flesh of his flesh"**) (*Leviticus* 18:6). **הַקְּרוֹבִים בַּמִּשְׁפָּחָה יִקָּרְאוּ "שְׁאֵר בָּשָׂר" – For family relations are called "flesh of flesh."** Here, too, "one flesh" means a close relationship between man and wife. **וְהִנֵּה יַעֲזֹב שְׁאֵר אָבִיו וְאִמּוֹ וְקִרְבָתָם – Thus, [a man] will leave the "flesh"** (i.e., close relationship) **of his father and mother and their closeness, וְיִרְאֶה שֶׁאִשְׁתּוֹ קְרוֹבָה לוֹ מֵהֶם – and will see that his wife is closer to him than they are.**[160]

159. There is nothing unique about the fact that male and female humans produce offspring, that Scripture should make special mention of this fact.

160. This is the meaning of *Therefore a man will leave his father and his mother and cling to his wife, and they will become one flesh.*

ו וַתֵּ֣רֶא הָֽאִשָּׁ֡ה כִּ֣י טוֹב֩ הָעֵ֨ץ לְמַאֲכָ֜ל וְכִ֧י
תַֽאֲוָה־ה֣וּא לָעֵינַ֗יִם וְנֶחְמָ֤ד הָעֵץ֙
לְהַשְׂכִּ֔יל וַתִּקַּ֥ח מִפִּרְי֖וֹ וַתֹּאכַ֑ל וַתִּתֵּ֧ן
ז גַּם־לְאִישָׁ֛הּ עִמָּ֖הּ וַיֹּאכַֽל׃ וַתִּפָּקַ֨חְנָה֙
עֵינֵ֣י שְׁנֵיהֶ֔ם וַיֵּ֣דְע֔וּ כִּ֥י עֵירֻמִּ֖ם הֵ֑ם
וַֽיִּתְפְּרוּ֙ עֲלֵ֣ה תְאֵנָ֔ה וַיַּעֲשׂ֥וּ לָהֶ֖ם חֲגֹרֹֽת׃

ו וַחֲזַת אִתְּתָא אֲרֵי טָב אִילָן
לְמֵיכָל וַאֲרֵי אַסֵּי הוּא לְעֵינִין
וּמְרַגַּג אִילָנָא לְאִסְתַּכָּלָא בֵּהּ
וּנְסִיבַת מֵאִבֵּהּ וַאֲכָלַת וִיהָבַת
אַף לְבַעְלַהּ עִמַּהּ וַאֲכָל:
ז וְאִתְפַּתַּחָא עֵינֵי תַרְוֵיהוֹן
וִידָעוּ אֲרֵי עַרְטִילָאִין
אִינוּן וְחַטִּיטוּ לְהוֹן טַרְפֵי
תְאֵנִין וַעֲבַדוּ לְהוֹן זְרָזִין:

רש"י

(ו) **ותרא האשה.** ראתה דבריו של נחש והנאו לה והאמינתו (שם): **כי טוב העץ.** להיות כאלהים: **וכי תאוה הוא לעינים.** [כמו שאמר לה] ונפקחו עיניכם: **ונחמד העץ להשכיל.** [כמו שאמר לה] יודעי טוב ורע: **ותתן גם לאישה [עמה].** שלא תמות היא ויחיה הוא וישא אחרת (פדר"א יג; ב"ר יט:ה): **גם.** לרבות [כל] בהמה וחיה (ב"ר שם ו): (ז) **ותפקחנה וגו'.** לענין החכמה דבר הכתוב ולא לענין ראיה ממש, וסוף המקרא מוכיח[:] **וידעו כי עירמים הם.** אף הסומא יודע כשהוא ערום[:] [אלא מהו] וידעו כי עירמים הם. מצוה אחת היתה בידם ונתערטלו הימנה (ב"ר שם): **עלה תאנה.** הוא העץ שאכלו ממנו, בדבר שנתקלקלו בו נתקנו (ברכות מ.) אבל שאר העצים מנעום מליטול עליהם. ומפני מה לא נתפרסם העץ, שאין הקב"ה חפץ להונות בריה, שלא יכלימוהו ויאמרו זהו שלקה העולם על ידו. מדרש רבי תנחומא (וירא יד):

רמב"ן

ג [ו] **כִּי טוֹב הָעֵץ לְמַאֲכָל.** הָיְתָה סְבוּרָה כִּי הוּא מַר וְסַם הַמָּוֶת[1], וְלָכֵן יַזְהִירֶנּוּ מִמֶּנּוּ וְעַתָּה רָאֲתָה כִּי הוּא מַאֲכָל טוֹב וּמָתוֹק[2,3].

וְכִי תַאֲוָה הוּא לָעֵינַיִם - שֶׁבּוֹ יִתְאַוֶּה וְיָתוּר אַחֲרֵי עֵינָיו[4].

RAMBAN ELUCIDATED

3.

6. כִּי טוֹב הָעֵץ לְמַאֲכָל – ***THAT THE TREE WAS GOOD FOR EATING.***

[This verse gives three descriptions of the fruit of the Tree of Knowledge: *good for eating*, *passion for the eyes*, and *desirable for awareness*. Ramban explains what each of these characteristics means. The first characteristic:]

הָיְתָה סְבוּרָה כִּי הוּא מַר וְסַם הַמָּוֶת, וְלָכֵן יַזְהִירֶנּוּ מִמֶּנּוּ – **She had thought** at first **that it was bitter and deathly poisonous,**[1] **and** that **this was why [God] had warned [Adam] against** eating **it.** **וְעַתָּה רָאֲתָה כִּי הוּא מַאֲכָל טוֹב וּמָתוֹק** – **But now she saw that it was a "good" and sweet**[2] **food.**[3]

[The second characteristic:]

"וְכִי תַאֲוָה הוּא לָעֵינַיִם" – and that it was passion for the eyes – **שֶׁבּוֹ יִתְאַוֶּה וְיָתוּר אַחֲרֵי עֵינָיו** – She saw **that through** eating **it [a person] would have** ***passions*** **and stray after** the temptations of **his** ***eyes.***[4]

1. She thought that God said, "on the day you eat of it you shall surely die," because the fruit was poisonous. [It should be recalled that Ramban wrote above (2:9) that God never told Adam *why* this fruit was forbidden to him; He did not even reveal to him that it was a "Tree of Knowledge."]

2. Ramban explains the word "good" to mean *good*-tasting, i.e., sweet. This is in contradistinction to Rashi, who writes that "good" means that Eve thought it would be *good* to be "like God" as the serpent claimed.

3. That is, she believed the serpent's explanation as to why God forbade them to eat the fruit, that it was not because it was poisonous.

Ramban above (1:4; see note 73 there) explained the phrase, *the woman* **saw** *that the tree*, as "the woman *came to the conclusion* that the tree." She could not, of course, have "seen," in the literal sense, that the fruit was good-tasting.

4. This expression ("straying after one's eyes") refers to carnal desire (see *Berachos* 12b). Ramban explained above (on 2:9) that before eating the forbidden fruit such desires were not part of human nature.

Ramban's interpretation of this phrase is in contradistinction to that of Rashi, which is that *passion for the eyes* means that Eve longed to experience the "open eyes" that the serpent spoke of in verse 5.

6 And the woman saw that the tree was good for eating
and that it was passion for the eyes, and that the tree was
desirable for awareness, and she took of its fruit and ate;
and she gave also to her husband with her and he
ate. 7 Then the eyes of both of them were opened and they
knew that they were naked; and they sewed together a fig
leaf and made themselves aprons.

רמב״ן

וְנֶחְמָד הָעֵץ לְהַשְׂכִּיל - כִּי בוֹ יַשְׂכִּיל לַחֲמוֹד[5]. וְנִתְּנָה הַתַּאֲוָה לָעֵינַיִם, וְהַחֶמְדָּה בַּשֵּׂכֶל[6]. וְהַכְּלָל, כִּי בוֹ יִרְצֶה וְיַחְפּוֹץ בְּדָבָר אוֹ בְהֶפְכּוֹ[7].

[ז] וַתִּפָּקַחְנָה עֵינֵי שְׁנֵיהֶם. לְעִנְיַן הַחָכְמָה דִבֵּר הַכָּתוּב, וְלֹא לְעִנְיַן רְאִיָּה מַמָּשׁ. וְסוֹפוֹ מוֹכִיחַ: ״וַיֵּדְעוּ כִּי עֵירֻמִּים הֵם״[8] כִּלְשׁוֹן רַשִׁ״י.

וְכֵן: ״גַּל עֵינַי וְאַבִּיטָה נִפְלָאוֹת מִתּוֹרָתֶךָ״ [תהלים קיט, יח].

RAMBAN ELUCIDATED

[The third characteristic:]

״וְנֶחְמָד הָעֵץ לְהַשְׂכִּיל״ – ***and that the tree was desirable for awareness*** – **כִּי בוֹ יַשְׂכִּיל לַחֲמוֹד – For through it [a person] would gain the *awareness* to have *desires.*[5]**

[Ramban notes that the verse's association of תַּאֲוָה, *passion,* with עֵינַיִם, *eyes,* and חֶמְדָּה, *desire,* with שֵׂכֶל, *awareness,* supports his interpretation:]

וְנִתְּנָה הַתַּאֲוָה לָעֵינַיִם וְהַחֶמְדָּה בַּשֵּׂכֶל – Passion is attributed to the eyes and desire to the intellect.[6]

וְהַכְּלָל, כִּי בוֹ יִרְצֶה וְיַחְפּוֹץ בְּדָבָר אוֹ בְהֶפְכּוֹ – The general concept is that through [the fruit] a person **would** have the capability to **want and desire something or its opposite,** which he did not have before eating the fruit.[7]

7. וַתִּפָּקַחְנָה עֵינֵי שְׁנֵיהֶם – ***THEN THE EYES OF BOTH OF THEM WERE OPENED.***

[Adam and Eve were not blind before eating of the forbidden fruit; in what sense, then, were their "eyes opened"? Ramban explains, citing Rashi:]

לְעִנְיַן הַחָכְמָה דִבֵּר הַכָּתוּב, וְלֹא לְעִנְיַן רְאִיָּה מַמָּשׁ – Scripture speaks of "opening of the eyes" **in regard to wisdom, not in regard to "seeing" in the literal sense.** **וְסוֹפוֹ מוֹכִיחַ, ״וַיֵּדְעוּ כִּי עֵירֻמִּים הֵם״ – The next part [of the verse] proves this,** for it says, ***and they knew that they were naked.***[8]

כִּלְשׁוֹן רַשִׁ״י – This is **a quote from Rashi** and is the proper explanation.

וְכֵן ״גַּל עֵינַי וְאַבִּיטָה נִפְלָאוֹת מִתּוֹרָתֶךָ״ – Similarly, we find, ***Uncover my eyes, that I may see wonders from Your Torah*** (*Psalms* 119:18), where the "uncovering of the eyes" is also used figuratively to describe intellectual discovery.

---

5. This is again in contradistinction to Rashi, who writes that the phrase "the tree was desirable for awareness" means that the effect of the fruit would be to impart *awareness* (wisdom). Ramban's view is that the fruit imparted not wisdom but *desire*.

[Ramban interprets this phrase (נֶחְמָד הָעֵץ לְהַשְׂכִּיל, *desirable for awareness*) as a parallel to the preceding phrase (תַּאֲוָה הוּא לָעֵינַיִם, *passion for the eyes*). Just as *passion for the eyes* means "imparting passion to one's eyes," so does *desirable for awareness* mean "imparting the concept of 'desirability' into one's awareness" (see note 4 above).]

6. See Rashi on *Numbers* 15:39: "The heart and the eyes are like scouts in the service of the body. The eye sees, then the heart desires, then the body executes the sin." Base carnal passions are aroused by what man sees; these are translated into desire of the heart and ultimately into deed by the body.

The fact that the Torah mentions "passion" in conjunction with "eyes," and "desire" in conjunction with "intellect" is a support for Ramban's interpretation, that these phrases describe the new feelings that would be imparted to man through the fruit, for according to Rashi there is no reason why Scripture should associate "[open] eyes" with "passion," and "desire" with "intellect" (*Tuv Yerushalayim*).

7. See Ramban above, 2:9.

8. If they had been incapable of seeing beforehand, it should have said that they now "*saw* that they were naked," not that they "*knew* that they were naked" (Radak).

ח וַיִּשְׁמְע֞וּ אֶת־ק֨וֹל יְהוָ֧ה אֱלֹהִ֛ים מִתְהַלֵּ֥ךְ בַּגָּ֖ן
לְר֣וּחַ הַיּ֑וֹם וַיִּתְחַבֵּ֨א הָֽאָדָ֜ם וְאִשְׁתּ֗וֹ מִפְּנֵי֙ יְהוָ֣ה
ט אֱלֹהִ֔ים בְּת֖וֹךְ עֵ֥ץ הַגָּֽן׃ וַיִּקְרָ֛א יְהוָ֥ה אֱלֹהִ֖ים
י אֶל־הָֽאָדָ֑ם וַיֹּ֥אמֶר ל֖וֹ אַיֶּֽכָּה׃ וַיֹּ֕אמֶר אֶת־קֹלְךָ֥
שָׁמַ֖עְתִּי בַּגָּ֑ן וָאִירָ֛א כִּֽי־עֵירֹ֥ם אָנֹ֖כִי וָאֵחָבֵֽא׃
יא וַיֹּ֕אמֶר מִ֚י הִגִּ֣יד לְךָ֔ כִּ֥י עֵירֹ֖ם אָ֑תָּה הֲמִן־
הָעֵ֗ץ אֲשֶׁ֧ר צִוִּיתִ֛יךָ לְבִלְתִּ֥י אֲכָל־מִמֶּ֖נּוּ אָכָֽלְתָּ׃

ח וּשְׁמָעוּ יָת קָל מֵימְרָא דַייָ אֱלֹהִים מְהַלֵּךְ בְּגִינְתָא לִמְנַח יוֹמָא וְאִיטַּמַּר אָדָם וְאִתְּתֵהּ מִן קֳדָם יְיָ אֱלֹהִים בְּגוֹ אִילַן גִּינְתָא: ט וּקְרָא יְיָ אֱלֹהִים לְאָדָם וַאֲמַר לֵהּ אָן אָתְּ: י וַאֲמַר יָת קָל מֵימְרָךְ שְׁמְעִית בְּגִינְתָא וּדְחֵילִית אֲרֵי עַרְטִילַאי אֲנָא וְאִיטַּמָּרִית: יא וַאֲמַר מָן חַוִּי לָךְ אֲרֵי עַרְטִילַאי אָתְּ הֲמִן אִילָנָא דְּפַקֶּדְתָּךְ בְּדִיל דְּלָא לְמֵיכַל מִנֵּהּ אֲכַלְתְּ:

רש״י

(ח) **וישמעו.** יש מדרשי אגדה רבים, וכבר סדרום רבותינו על מכונם בב״ר ובשאר מדרשות, ואני לא באתי אלא לפשוטו של מקרא ולאגדה המישבת דברי המקרא דבר דבור על אפניו, ובמשמעו. שמעו את קול הקב״ה שהיה מתהלך בגן (ב״ר שם ז): **לרוח היום.** לאותו רוח שהשמש באה משם [ס״א לשם] וזו היא מערבית, שלפנות ערב חמה במערב (שם ח) והמה סרחו בעשירית (סנהדרין לח:): (ט) **איכה.** יודע היה היכן הוא, אלא ליכנס עמו בדברים (תנחומא תזריע ט) שלא יהא נבהל להשיב אם יעניׁשהו פתאום (עי׳ דרך ארץ רבה ה). וכן בקין אמר לו אי הבל אחיך (להלן ד:ט), וכן בבלעם מי האנשים האלה עמך (במדבר כב:ט) ליכנס עמהם בדברים, וכן בחזקיהו בשלוחי מרודך בלאדן (ב״ר שם יא): (יא) **מי הגיד לך.** מאין לך לדעת מה בשת יש בעומד ערום: **המן העץ.** בתמיה:

רמב״ן

[ח] וַיִּשְׁמְעוּ אֶת קוֹל ה׳ אֱלֹהִים מִתְהַלֵּךְ בַּגָּן לְרוּחַ הַיּוֹם. אָמְרוּ בִּבְרֵאשִׁית רַבָּה [יט, ז]: אָמַר רַבִּי חִילְפִי, שָׁמַעְנוּ שֶׁיֵּשׁ הִלּוּךְ לְקוֹל, שֶׁנֶּאֱמַר: ״וַיִּשְׁמְעוּ אֶת קוֹל ה׳ אֱלֹהִים מִתְהַלֵּךְ בַּגָּן״[9]. וְכֵן כָּתַב הָרַב בְּמוֹרֵה הַנְּבוּכִים [א, כד]. וְכֵן דַּעַת רַבִּי אַבְרָהָם, כִּי ״מִתְהַלֵּךְ״ כִּנּוּי לְקוֹל, כְּעִנְיַן ״קוֹלָהּ כַּנָּחָשׁ יֵלֵךְ״ [ירמיה מו, כב]. וְהוּא אָמַר כִּי טַעַם ״לְרוּחַ הַיּוֹם״ שֶׁשָּׁמְעוּ הַקּוֹל לִפְנוֹת עֶרֶב[10]. וְהִזְכִּיר בְּשֵׁם רַבִּי יוֹנָה[11] כִּי הַטַּעַם ״וְהָאָדָם מִתְהַלֵּךְ בַּגָּן לְרוּחַ הַיּוֹם״[12].

RAMBAN ELUCIDATED

8. וַיִּשְׁמְעוּ אֶת קוֹל ה׳ אֱלֹהִים מִתְהַלֵּךְ בַּגָּן לְרוּחַ הַיּוֹם – ***THEY HEARD THE SOUND OF HASHEM GOD MOVING*** (lit., *walking*) ***IN THE GARDEN BY THE WIND OF THE DAY.***

[What is the subject of the verb "moving"? Ramban discusses various possibilities:]

אָמְרוּ בִּבְרֵאשִׁית רַבָּה: – **They said in** *Bereishis Rabbah* (19:7): **אָמַר רַבִּי חִילְפִי, שָׁמַעְנוּ שֶׁיֵּשׁ הִלּוּךְ לְקוֹל** – **Rabbi Chilfi said: We have heard that there is** a concept of **"walking" with regard to sound, שֶׁנֶּאֱמַר: ״וַיִּשְׁמְעוּ אֶת קוֹל ה׳ אֱלֹהִים מִתְהַלֵּךְ בַּגָּן״** – **as it says,** ***They heard the sound of Hashem God*** *walking in the garden.*[9]

וְכֵן כָּתַב הָרַב בְּמוֹרֵה הַנְּבוּכִים – **And so, too, does the Rav** (Rambam) **write in** ***Moreh Nevuchim*** (I:24), that the subject of the verb "moving" is "sound." **וְכֵן דַּעַת רַבִּי אַבְרָהָם, כִּי ״מִתְהַלֵּךְ״ כִּנּוּי לְקוֹל, כְּעִנְיַן ״קוֹלָהּ כַּנָּחָשׁ יֵלֵךְ״** – **And this is also the opinion of Rabbi Avraham** Ibn Ezra, **that "moving" is a reference to the sound, similar to the meaning of** the verse, ***her sound will move like a serpent's*** (*Jeremiah* 46:22). **וְהוּא אָמַר כִּי טַעַם ״לְרוּחַ הַיּוֹם״ שֶׁשָּׁמְעוּ הַקּוֹל לִפְנוֹת עֶרֶב** – **[Ibn Ezra] says** further **that the meaning of** ***by the wind of the day*** **is that they heard the sound toward evening.**[10] **וְהִזְכִּיר בְּשֵׁם רַבִּי יוֹנָה כִּי הַטַּעַם וְהָאָדָם מִתְהַלֵּךְ בַּגָּן לְרוּחַ הַיּוֹם** – **He mentions** another opinion **in the name of Rabbi Yonah** Ibn Janach,[11] **that the meaning is "and** ***the man*** **was walking in the garden by the wind of the day."**[12]

[Having presented the views of earlier commentators, Ramban proceeds to put forth his own opinion:]

9. According to the Midrash, then, it was the "sound" that was moving.

10. For at that time there is a breeze blowing in the air. This ("toward evening") is Rashi's interpretation of the phrase *by the wind of the day* as well, but for a completely different reason (see there).

11. One of the foremost Hebrew grammarians of the Middle Ages. He lived in Spain and was born about 990 C.E.

12. The translation of the verse according to him should thus be: "They heard the sound of Hashem God, as he (Adam) was walking in the garden by the wind of the day."

8 *They heard the sound of Hashem God moving in the garden by
the wind of the day; and the man and his wife hid from Hashem
God among the trees of the garden.* 9 *Hashem God called out to the
man and said to him, "Where are you?"*
10 *He said, "I heard the sound of You in the garden, and I was
afraid because I am naked, so I hid."*
11 *And He said, "Who told you that you are naked? Have you
eaten of the tree from which I commanded you not to eat?"*

רמב״ן

וּלְפִי דַעְתִּי, כִּי טַעַם ״מִתְהַלֵּךְ בַּגָּן״ כְּטַעַם ״וְהִתְהַלַּכְתִּי בְּתוֹכְכֶם״[13] [ויקרא כו, יב]; ״וַיֵּלֶךְ ה׳[14] כַּאֲשֶׁר כִּלָּה לְדַבֵּר אֶל אַבְרָהָם״ [להלן יח, לג]; ״אֵלֵךְ אָשׁוּבָה אֶל מְקוֹמִי״ [הושע ה, טו]. וְהוּא עִנְיַן גִּלּוּי שְׁכִינָה בַּמָּקוֹם הַהוּא, אוֹ הִסְתַּלְּקוּתוֹ מִן הַמָּקוֹם שֶׁנִּגְלָה בּוֹ[15].

וְטַעַם ״לְרוּחַ הַיּוֹם״ כִּי בְּהִגָּלוֹת הַשְּׁכִינָה תָּבֹא רוּחַ גְּדוֹלָה וְחָזָק, כְּעִנְיָן שֶׁנֶּאֱמַר [מלכים־א יט, יא]: ״וְהִנֵּה ה׳ עֹבֵר, וְרוּחַ גְּדוֹלָה וְחָזָק מְפָרֵק הָרִים וּמְשַׁבֵּר סְלָעִים לִפְנֵי ה׳״. וְכֵן: ״וַיֵּדֶא עַל כַּנְפֵי רוּחַ״ [תהלים יח, יא] וְכָתוּב בְּאִיּוֹב״ [לח, א]: וַיַּעַן ה׳ אֶת אִיּוֹב מִן הַסְּעָרָה״. וּלְפִיכָךְ אָמַר בְּכָאן כִּי שָׁמְעוּ קוֹל ה׳, שֶׁנִּתְגַּלָּה הַשְּׁכִינָה בַּגָּן כְּמִתְקָרֵב אֲלֵיהֶם - לְרוּחַ הַיּוֹם, כִּי רוּחַ ה׳ נָשְׁבָה בּוֹ בַּגָּן כְּ״רוּחַ הַיָּמִים״ לֹא רוּחַ גְּדוֹלָה וְחָזָק בְּמַחֲזֶה בִּשְׁאָר הַנְּבוּאוֹת, שֶׁלֹּא יִפְחֲדוּ וְיִבָּהֲלוּ. וְאָמַר כִּי אַף עַל פִּי כֵן נִתְחַבְּאוּ מִפְּנֵי מַעֲרֻמֵּיהֶם.

RAMBAN ELUCIDATED

וּלְפִי דַעְתִּי כִּי טַעַם ״מִתְהַלֵּךְ בַּגָּן״ כְּטַעַם ״וְהִתְהַלַּכְתִּי בְּתוֹכְכֶם״ – In my opinion the meaning of "*walking*" *in the garden* [*of Eden*] is like the meaning of the similar expressions in the verses, ***I will walk among you***[13] (*Leviticus* 26:12); **״וַיֵּלֶךְ ה׳ כַּאֲשֶׁר כִּלָּה לְדַבֵּר אֶל אַבְרָהָם״,** – and ***Hashem went*** (or *walked*)[14] ***away when He had finished speaking to Abraham*** (below, 18:33); **״אֵלֵךְ אָשׁוּבָה אֶל מְקוֹמִי״** – and ***I will go*** (or *walk*) ***away and return to My place*** (*Hosea* 5:15). **וְהוּא עִנְיַן גִּלּוּי שְׁכִינָה בַּמָּקוֹם הַהוּא, אוֹ הִסְתַּלְּקוּתוֹ מִן הַמָּקוֹם שֶׁנִּגְלָה בּוֹ** – In all these cases **["walking"]** or "going" **refers to the concept of a manifestation of the Divine Presence in that place or,** in the case of "going *away*," **its departure from a place where it had been manifested.**[15]

[Having explained the meaning of "walking in the garden," Ramban proceeds to discuss the subsequent phrase, *by the wind of the day*:]

וְטַעַם ״לְרוּחַ הַיּוֹם״ כִּי בְּהִגָּלוֹת הַשְּׁכִינָה תָּבֹא רוּחַ גְּדוֹלָה וְחָזָק – The explanation of *by the wind of the day* is that generally **when the Divine Presence is manifested there comes a great, powerful wind, כְּעִנְיָן שֶׁנֶּאֱמַר: ״וְהִנֵּה ה׳ עֹבֵר וְרוּחַ גְּדוֹלָה וְחָזָק מְפָרֵק הָרִים וּמְשַׁבֵּר סְלָעִים לִפְנֵי ה׳ ״ – as it says, *And behold, Hashem passed, and a great, powerful wind, smashing mountains and breaking rocks, went before Hashem*** (*I Kings* 19:11), **״וְכֵן: ״וַיֵּדֶא עַל כַּנְפֵי רוּחַ – and similarly, *He swooped on the wings of the wind*** (*Psalms* 18:11), **וְכָתוּב בְּאִיּוֹב: ״וַיַּעַן ה׳ אֶת אִיּוֹב מִן הַסְּעָרָה – and as it is written in *Job*** (38:1), ***Hashem answered Job out of the tempest*. וּלְפִיכָךְ אָמַר בְּכָאן כִּי שָׁמְעוּ ״קוֹל ה׳״, שֶׁנִּתְגַּלָּה הַשְּׁכִינָה בַּגָּן כְּמִתְקָרֵב אֲלֵיהֶם, ״לְרוּחַ הַיּוֹם״ – Therefore it says here that they heard *the sound of Hashem* –** meaning, as explained above, **that the Divine Presence was manifested in the garden coming near toward them – *by the wind of the day*, כִּי רוּחַ ה׳ נָשְׁבָה בּוֹ בַּגָּן כְּרוּחַ הַיָּמִים, לֹא רוּחַ גְּדוֹלָה וְחָזָק בְּמַחֲזֶה בִּשְׁאָר הַנְּבוּאוֹת – for the wind** accompanying **God blew in the garden like the "wind of the** ordinary **days,"** that is, **not** with **a great, mighty wind as** occurs **in other prophecies** in which God appears to man. **שֶׁלֹּא יִפְחֲדוּ וְיִבָּהֲלוּ** – The reason for this was **so that they should not be afraid and startled. וְאָמַר כִּי אַף עַל פִּי כֵן נִתְחַבְּאוּ מִפְּנֵי מַעֲרֻמֵּיהֶם – But [Scripture]** then **says that nevertheless they hid because of their nakedness.**

13. The speaker of this verse and the verse from *Hosea* (below) is God.

14. Hebrew does not have separate words for "to walk" and "to go"; they are both expressed by the verb הלך.

15. According to Ramban, then, the subject of the verb "moving" (or "walking") is "God." Adam and Eve *heard the sound of Hashem* as He was "walking" (i.e., manifesting His Presence) in the Garden.

יב וַיֹּאמֶר הָאָדָם הָאִשָּׁה אֲשֶׁר נָתַתָּה עִמָּדִי
יג הִוא נָתְנָה־לִּי מִן־הָעֵץ וָאֹכֵל: וַיֹּאמֶר
יהוה אֱלֹהִים לָאִשָּׁה מַה־זֹּאת עָשִׂית
וַתֹּאמֶר הָאִשָּׁה הַנָּחָשׁ הִשִּׁיאַנִי וָאֹכֵל:

יב וַאֲמַר אָדָם אִתְּתָא דִּיהַבְתְּ עִמִּי הִיא יְהָבַת לִי מִן אִילָנָא וַאֲכָלִית: יג וַאֲמַר יְיָ אֱלֹהִים לְאִתְּתָא מַה דָא עֲבַדְתְּ וַאֲמֶרֶת אִתְּתָא חִוְיָא אַטְעֲיַנִי וַאֲכָלִית:

רש"י

(יב) אשר נתתה עמדי. כאן כפר בטובה (ע"ז ה:): (יג) השיאני. הטעני (אונקלוס) כמו אל ישיא לכם חזקיהו (דברי הימים ב

רמב"ן

וּבִבְרֵאשִׁית רַבָּה [יט, ז] נַמֵּי אָמְרוּ: אָמַר רַבִּי אַבָּא בַּר כַּהֲנָא: מְהַלֵּךְ אֵין כָּתוּב כָּאן, אֶלָּא מִתְהַלֵּךְ, מְקַפֵּץ וְעוֹלֶה. הִנֵּה רַבִּי אַבָּא עֲשָׂאוֹ כִּלְשׁוֹן "וַיֵּלֶךְ ה'" [15a] [להלן יח, לג], כְּמוֹ שֶׁפֵּרַשְׁנוּ בִּלְשׁוֹן הַהֲלִיכָה, אֶלָּא שֶׁהוּא פָּתַר הַכָּתוּב לְהִסְתַּלְּקוּת הַשְּׁכִינָה, שֶׁהָיְתָה שׁוֹרָה בְּגַן עֵדֶן וְנִסְתַּלְּקָה מִמֶּנּוּ בְּחֶטְאוֹ שֶׁל אָדָם, כְּעִנְיַן "אֵלֵךְ אָשׁוּבָה אֶל מְקוֹמִי" [הושעי ה, טו], וַאֲנוּ מְפָרְשִׁים אוֹתוֹ לְגִלּוּי הַשְּׁכִינָה בַּמָּקוֹם הַהוּא. וְהוּא הַנָּכוֹן וְהַנָּאוֹת בַּכָּתוּב.

[יב] הָאִשָּׁה אֲשֶׁר נָתַתָּ עִמָּדִי. וְטַעַם "הָאִשָּׁה אֲשֶׁר נָתַתָּ עִמָּדִי" לֵאמֹר, הָאִשָּׁה אֲשֶׁר אַתָּה בִּכְבוֹדְךָ נָתַתָּ אוֹתָהּ לִי לְעֵזֶר - הִיא נָתְנָה לִי מִן הָעֵץ, וְהָיִיתִי חוֹשֵׁב שֶׁכָּל אֲשֶׁר תֹּאמַר אֵלַי יִהְיֶה לִי לְעֵזֶר וּלְהוֹעִיל[16]. וְזֶהוּ מַה שֶּׁאָמַר בְּעָנְשׁוֹ "כִּי שָׁמַעְתָּ לְקוֹל אִשְׁתֶּךָ", שֶׁלֹּא הָיִיתָ רָאוּי לַעֲבוֹר עַל מִצְוָתִי בַּעֲבוּר עֲצָתָהּ[16a].

RAMBAN ELUCIDATED

[Ramban shows that there is an opinion in the Midrash which corroborates his interpretation:]

וּבִבְרֵאשִׁית רַבָּה נַמֵּי אָמְרוּ: – In *Bereishis Rabbah* (19:7) also they said: אָמַר רַבִּי אַבָּא בַּר כַּהֲנָא: מְהַלֵּךְ אֵין כָּתוּב כָּאן אֶלָּא מִתְהַלֵּךְ, מְקַפֵּץ וְעוֹלֶה – Rabbi Abba bar Kahana said: מְהַלֵּךְ (*moving*) **is not written here, but** מִתְהַלֵּךְ ***(moving about),*** indicating that God was **bounding and ascending** from there. [The main place for the Divine Presence was originally on earth; but once man sinned, God's Presence removed Itself from there and ascended to the heavens.]

הִנֵּה רַבִּי אַבָּא עֲשָׂאוֹ כִּלְשׁוֹן "וַיֵּלֶךְ ה'" – Thus, Rabbi Abba made it (i.e., interpreted it) **like the expression, *And Hashem went*** (below, 18:33),[15a] **כְּמוֹ שֶׁפֵּרַשְׁנוּ בִּלְשׁוֹן הַהֲלִיכָה – just as we explained concerning the word "moving," אֶלָּא שֶׁהוּא פָּתַר הַכָּתוּב לְהִסְתַּלְּקוּת הַשְּׁכִינָה – except that he interpreted the verse to refer to the *departure* of the Divine Presence, שֶׁהָיְתָה שׁוֹרָה בְּגַן עֵדֶן וְנִסְתַּלְּקָה מִמֶּנּוּ בְּחֶטְאוֹ שֶׁל אָדָם – which had been resting in the Garden of Eden, but now departed from there because of Adam's sin, כְּעִנְיַן "אֵלֵךְ אָשׁוּבָה אֶל מְקוֹמִי" – like the concept** expressed in the verse, ***I will go away and return to My place*** (*Hosea* 5:15), **וַאֲנוּ מְפָרְשִׁים אוֹתוֹ לְגִלּוּי הַשְּׁכִינָה בַּמָּקוֹם הַהוּא – whereas we explain it to be a reference to the *manifestation* of the Divine Presence in that place. וְהוּא הַנָּכוֹן וְהַנָּאוֹת בַּכָּתוּב – And that** (our interpretation) **is the most sound and appropriate** interpretation **of the verse.**

12. [הָאִשָּׁה אֲשֶׁר נָתַתָּ עִמָּדִי – *THE WOMAN WHOM YOU GAVE TO BE WITH ME.*]

[What was Adam alluding to in his description of Eve as *the woman whom You gave to be with me*? Ramban explains:]

וְטַעַם "הָאִשָּׁה אֲשֶׁר נָתַתָּ עִמָּדִי" – The meaning of the phrase ***the woman whom You gave to be with me*** **לֵאמֹר, הָאִשָּׁה אֲשֶׁר אַתָּה בִּכְבוֹדְךָ נָתַתָּ אוֹתָהּ לִי לְעֵזֶר – is** that Adam meant **to say, "the woman whom You, in Your Glory, gave to me to be a 'helper' – הִיא נָתְנָה לִי מִן הָעֵץ – it was she who gave me** the fruit **from the tree, וְהָיִיתִי חוֹשֵׁב שֶׁכָּל אֲשֶׁר תֹּאמַר אֵלַי יִהְיֶה לִי לְעֵזֶר וּלְהוֹעִיל – and I thought that whatever she tells me must be 'helpful' and beneficial for me."**[16] **וְזֶהוּ מַה שֶּׁאָמַר בְּעָנְשׁוֹ "כִּי שָׁמַעְתָּ לְקוֹל אִשְׁתֶּךָ" – And this is what [God] said** to Adam **in his punishment**: ***Because you listened to the voice of your wife.*** **שֶׁלֹּא הָיִיתָ רָאוּי לַעֲבוֹר עַל מִצְוָתִי בַּעֲבוּר עֲצָתָהּ** – God was implying by this statement **that**

15a. The subject of מִתְהַלֵּךְ, *moving,* is not *the sound of Hashem God;* rather it is *Hashem God.* That is, the verse does not mean, "they heard God's sound (or, voice) moving in the Garden"; it means, "they heard the sound of God's moving."

16. In other words, Adam added the words *whom You gave to be with me* as the basis for an excuse for his accepting the fruit from Eve.

12 *The man said, "The woman whom You gave to be with me — she gave me of the tree, and I ate."*

13 *And HASHEM God said to the woman, "What is this that you have done!"*

The woman said, "The serpent deceived me, and I ate."

רמב״ן

וְרַבּוֹתֵינוּ [עבודה זרה ה, ב] קוֹרִין אוֹתוֹ בָּזֶה "כְּפוּי טוֹבָה". יִרְצוּ לְפָרֵשׁ שֶׁעָנָה אוֹתוֹ: אַתָּה גָּרַמְתָּ לִי הַמִּכְשׁוֹל הַזֶּה, שֶׁנָּתַתָּ לִי אִשָּׁה לְעֵזֶר, וְהִיא יְעָצַתְנִי לְהַרְשִׁיעַ[17].

[יג] וְטַעַם **מַה זֹּאת עָשִׂית** - לַעֲבֹר עַל מִצְוֹתַי[18], כִּי הָאִשָּׁה בִּכְלָל אַזְהָרַת אָדָם[19], כִּי הָיְתָה עֶצֶם מֵעֲצָמָיו [לעיל ב, כג] בָּעֵת הַהִיא, וְכֵן הִיא בִּכְלָל הָעֹנֶשׁ שֶׁלּוֹ.

וְלֹא אָמַר לָאִשָּׁה "וַתֹּאכְלִי מִן הָעֵץ", כִּי הִיא נֶעֶנְשָׁה עַל אֲכִילָתָהּ וְעַל עֲצָתָהּ[20], כַּאֲשֶׁר נֶעֱנַשׁ הַנָּחָשׁ[21]. וְעַל כֵּן אָמְרָה "הַנָּחָשׁ הִשִּׁיאַנִי וָאֹכֵל"[22] כִּי הָעוֹנֶשׁ הַגָּדוֹל עַל הָאֲכִילָה.

RAMBAN ELUCIDATED

"it was not proper for you to transgress My command because of her suggestion."[16a]

[Having presented his interpretation of Adam's words, Ramban notes that the Sages interpreted them in a different vein:]

וְרַבּוֹתֵינוּ קוֹרִין אוֹתוֹ בָּזֶה כְּפוּי טוֹבָה – **Because of this** comment, however, **our Sages** (*Avodah Zarah* 5b; see Rashi here) **call [Adam] "ungrateful."** **יִרְצוּ לְפָרֵשׁ שֶׁעָנָה אוֹתוֹ** – **They mean to explain** the phrase as an indication **that [Adam] answered [God],** **אַתָּה גָּרַמְתָּ לִי הַמִּכְשׁוֹל הַזֶּה** – **"You caused me this mishap,** **שֶׁנָּתַתָּ לִי אִשָּׁה לְעֵזֶר וְהִיא יְעָצַתְנִי לְהַרְשִׁיעַ** – **for You gave me a wife for a helper, and she gave me bad advice."**[17]

13. [מַה זֹּאת עָשִׂית – *WHAT IS THIS THAT YOU HAVE DONE?*]

[Ramban explains why God referred to Eve's sin indirectly – "*What is this* ...?" – rather than confronting her explicitly, "Why did you eat from the forbidden tree?"]

וְטַעַם "מַה זֹּאת עָשִׂית" לַעֲבֹר עַל מִצְוֹתַי – **The meaning of** God's question is, ***"What is this that you have done,*** **transgressing My command** concerning the eating of the forbidden fruit?"[18] **כִּי הָאִשָּׁה בִּכְלָל אַזְהָרַת אָדָם** – **For the woman was included in the warning given to Adam** not to eat the forbidden fruit,[19] **כִּי הָיְתָה עֶצֶם מֵעֲצָמָיו בָּעֵת הַהִיא** – **for she was *bone of his bone*** (above, 2:23) **at that time,** i.e., when the command was given, **וְכֵן הִיא בִּכְלָל הָעֹנֶשׁ שֶׁלּוֹ** – **and so, too, she was included in the punishment** that had been decreed **for him.** **וְלֹא אָמַר לָאִשָּׁה "וַתֹּאכְלִי מִן הָעֵץ"** – **[God] did not say to the woman** more explicitly, "What did you do **that you have eaten from the tree?"** **כִּי הִיא נֶעֶנְשָׁה עַל אֲכִילָתָהּ** – **because she was punished** for two sins, **for her eating** **וְעַל עֲצָתָהּ כַּאֲשֶׁר נֶעֱנַשׁ הַנָּחָשׁ** – **and for her advice** to Adam to eat the fruit,[20] **just as the serpent was punished** for persuading Eve to eat the fruit.[21] **וְעַל כֵּן אָמְרָה "הַנָּחָשׁ הִשִּׁיאַנִי וָאֹכֵל"** – **The reason she said, *"The serpent deceived me, and I ate,"*** making an excuse for the sin of eating the fruit but not for the sin of persuading Adam to do so,[22] **כִּי הָעוֹנֶשׁ הַגָּדוֹל עַל הָאֲכִילָה** – **is because the greater** part of the

16a. Your excuse is not valid, and you will be punished for listening to her voice instead of Mine. As the Talmud (*Sanhedrin* 29a) states in a related context: If you must choose between the words of the Master [i.e., God] and the words of the disciple [in our case, Eve], whose words should you obey?

17. According to this interpretation, when Adam added the words *whom You gave to be with me* it was not an attempt to justify his behavior, but to shift the blame back onto God, which represented the epitome of ingratitude.

18. As opposed to the sin of persuading Adam to sin.

19. Ramban is bothered by the fact that God's command not to eat from the tree (above, 2:17) was apparently addressed to Adam, before Eve was created. (See Ramban below, 19:17, citing Ibn Ezra.)

20. Since her punishment was for two separate offenses, God made His accusation more general: *What is "this" that you have done?*

21. Ramban mentions the serpent to prove that simply persuading another party to sin is also a punishable sin.

22. Eve's statement seems to contradict Ramban's assertion that she committed two distinct sins. Ramban therefore proceeds to resolve this difficulty.

יד וַיֹּאמֶר יהוה אֱלֹהִים ׀ אֶל־הַנָּחָשׁ כִּי עָשִׂיתָ
זֹּאת אָרוּר אַתָּה מִכָּל־הַבְּהֵמָה וּמִכֹּל חַיַּת
הַשָּׂדֶה עַל־גְּחֹנְךָ תֵלֵךְ וְעָפָר תֹּאכַל כָּל־יְמֵי
טו חַיֶּיךָ: וְאֵיבָה ׀ אָשִׁית בֵּינְךָ וּבֵין הָאִשָּׁה וּבֵין
זַרְעֲךָ וּבֵין זַרְעָהּ הוּא יְשׁוּפְךָ רֹאשׁ וְאַתָּה
טז תְּשׁוּפֶנּוּ עָקֵב: ס אֶל־הָאִשָּׁה אָמַר
הַרְבָּה אַרְבֶּה עִצְּבוֹנֵךְ וְהֵרֹנֵךְ בְּעֶצֶב תֵּלְדִי
בָנִים וְאֶל־אִישֵׁךְ תְּשׁוּקָתֵךְ וְהוּא יִמְשָׁל־
יז בָּךְ: ס וּלְאָדָם אָמַר כִּי שָׁמַעְתָּ לְקוֹל

יד וַאֲמַר יְיָ אֱלֹהִים לְחִוְיָא אֲרֵי
עֲבַדְתָּ דָא לִיט אַתְּ מִכָּל בְּעִירָא
וּמִכֹּל חֵוַת בָּרָא עַל מְעָךְ תֵּיזִיל
וְעַפְרָא תֵיכוּל כָּל יוֹמֵי חַיָּיךְ:
טו וּדְבָבוּ אֲשַׁוִּי בֵּינָךְ וּבֵין
אִתְּתָא וּבֵין בְּנָךְ וּבֵין בְּנָהָא
הוּא יְהֵי דְּכִיר לָךְ מַה דַּעֲבַדְתָּ
לֵהּ מִלְּקַדְמִין וְאַתְּ תְּהֵא נָטִיר
לֵהּ לְסוֹפָא: טז לְאִתְּתָא אֲמַר
אַסְגָּאָה אַסְגֵּי צַעֲרִיכִי וְעִדּוּיַיכִי
בִּצְעַר תְּלִידִי בְנִין וּלְוַת
בַּעְלֵךְ תְּהֵא תְּאוּבְתִּיךְ
וְהוּא יִשְׁלַט בִּיךְ: יז וּלְאָדָם
אֲמַר אֲרֵי קַבִּילְתָּ לְמֵימַר

רש"י

לג:טו; ב"ר שם יב): (יד) **כי עשית זאת.** מכאן שאין מהפכים בזכותו של מסית, שאילו שאלו למה עשית זאת היה לו להשיב דברי הרב ודברי התלמיד דברי מי שומעין (שם כ:ב; סנהדרין כט.): **מכל הבהמה ומכל חית השדה.** אם מבהמה נתקלל מחיה לא כל שכן, העמידו רבותינו מדרש זה במסכת בכורות (ח.) ללמד שימי עיבורו של נחש שבע שנים: **על גחנך תלך.** רגלים היו לו ונקצצו (ב"ר כ:ה): (טו) **ואיבה אשית.** אתה לא נתכוונת אלא שימות אדם כשיאכל הוא תחלה ותשא את חוה (שם; אדר"נ א) ולא באת לדבר אל חוה תחלה אלא לפי שהנשים קלות להתפתות ויודעות לפתות את בעליהן (פדר"א שם) לפיכך ואיבה אשית: **ישופך.** יכתתך, כמו (דברים ט:כא) ואכות אותו ותרגומו ושפית יתיה: **ואתה תשופנו עקב.** לא יהא לך קומה ותשכנו בעקבו ואף משם תמיתנו, ולשון תשופנו כמו נשף בהם (ישעיה מ:כד) כשהנחש בא לנשוך הוא נושף כמין שריקה, ולפי שהלשון נופל על הלשון כתב לשון נשיפה בשניהם: (טז) **עצבונך.** זה צער גידול בנים (עירובין ק:): **והרנך.** זה צער העבור (שם): **בעצב תלדי בנים.** זה צער הלידה (שם): **ואל אישך תשוקתך.** [תאוותך] לתשמיש, ואעפ"כ אין לך מצח לתובעו בפה (שם) אלא **הוא ימשל בך,** הכל ממנו ולא ממך: **תשוקתך.** תאוותך, כמו ונפשו שוקקה (ישעיה כט:ח):

רמב"ן

וְהִנֵּה מִכָּאן נוּכַל לִלְמוֹד עֹנֶשׁ לְמַחֲטִיאֵי אָדָם בְּדָבָר, כַּאֲשֶׁר לִמְּדוּנוּ רַבּוֹתֵינוּ [פסחים כב, ב] בַּפָּסוּק "וְלִפְנֵי עִוֵּר לֹא תִתֵּן מִכְשׁוֹל" [ויקרא יט, יד].

[יד] מִכָּל הַבְּהֵמָה וּמִכָּל חַיַּת הַשָּׂדֶה. הִתְבּוֹנֵן רַבִּי יְהוֹשֻׁעַ מִן הַמִּקְרָא הַזֶּה כִּי הַנָּחָשׁ מוֹלִיד לְשֶׁבַע שָׁנִים [בכורות ח, א], וּבָדְקוּ וּמָצְאוּ כִּי כֵן הַדָּבָר[23]. כִּי מִדְרְשֵׁי הַכָּתוּב וְרִמְזֵיהֶם מְקֻבָּלִים[24], וּבָהֶם

RAMBAN ELUCIDATED

punishment was for the sin of **eating**, rather than for the sin of persuading Adam to eat.

[Ramban makes an observation based on our verse:]

וְהִנֵּה מִכָּאן נוּכַל לִלְמוֹד עֹנֶשׁ לְמַחֲטִיאֵי אָדָם בְּדָבָר – **Now, from here we can learn** the applicability of **punishment to those who cause** other **people to sin in any matter,** **כַּאֲשֶׁר לִמְּדוּנוּ רַבּוֹתֵינוּ בַּפָּסוּק "וְלִפְנֵי עִוֵּר לֹא תִתֵּן מִכְשׁוֹל"** – **just as our Sages** (*Pesachim* 22b, etc.) **taught us based on the verse,** ***You shall not place a stumbling block before the blind*** (*Leviticus* 19:14), from which the Sages derived a general prohibition against causing someone to stumble, spiritually as well as physically.

14. מִכָּל הַבְּהֵמָה וּמִכָּל חַיַּת הַשָּׂדֶה – ***BEYOND ALL THE ANIMALS AND BEYOND ALL BEASTS OF THE FIELD.***

הִתְבּוֹנֵן רַבִּי יְהוֹשֻׁעַ מִן הַמִּקְרָא הַזֶּה כִּי הַנָּחָשׁ מוֹלִיד לְשֶׁבַע שָׁנִים – **Rabbi Yehoshua deduced from this verse that the** female **serpent gives birth seven years after** mating (*Bechoros* 8a). **וּבָדְקוּ וּמָצְאוּ כִּי כֵן הַדָּבָר** – **This matter was investigated and found to be true.**[23] **כִּי מִדְרְשֵׁי הַכָּתוּב וְרִמְזֵיהֶם מְקֻבָּלִים** – **For the interpretations and allusions derived from Scripture are received** wisdom,[24] **וּבָהֶם**

23. So it is related in *Bereishis Rabbah* 20:4.

[There is no serpent known today that has a gestation period of seven years. However, it has been shown that female snakes can store sperm in their bodies for several years after mating, before conceiving from it. See Rabbi N. Slifkin's *Mysterious Creatures* (Targum Press), pp. 22-24.]

24. They are not necessarily derived from the verse by

14 *And HASHEM God said to the serpent, "Because you have done this, accursed are you beyond all the animals and beyond all beasts of the field; upon your belly shall you go, and dust shall you eat all the days of your life.* 15 *I will put enmity between you and the woman, and between your offspring and her offspring. He will strike at you in the head, and you will strike at him in the heel."*
16 *To the woman He said, "I will greatly increase your suffering and your childbearing; in pain shall you bear children. And your craving shall be for your husband, but he shall rule over you."* 17 *To Adam He said, "Because you listened to the voice*

רמב״ן

לָהֶם סוֹדוֹת עֲמֻקִּים בַּתּוֹלָדוֹת וּבְכָל דָּבָר, כַּאֲשֶׁר הִזְכַּרְתִּי בִּפְתִיחָתִי[25].

[טו] וְטַעַם תְּשׁוּפֶנּוּ עָקֵב, שֶׁיִּהְיֶה לָאָדָם יִתְרוֹן עָלֶיךָ בָּאֵיבָה, כִּי הוּא יְשׁוּפְךָ רֹאשׁ וְאַתָּה לֹא תְשׁוּפֶנּוּ רַק בַּעֲקֵבוֹ, וִירַצֵּץ מוֹחֲךָ שָׁם[26].

[טז] וְאֶל אִישֵׁךְ תְּשׁוּקָתֵךְ. לְתַשְׁמִישׁ. וְאַף עַל פִּי כֵן אֵין לָךְ מֵצַח לְתָבְעוֹ בַּפֶּה, אֶלָּא הוּא יִמְשָׁל בָּךְ; הַכֹּל מִמֶּנּוּ וְלֹא מִמֵּךְ. לְשׁוֹן רַשִׁ״י.

וְאֵינֶנּוּ נָכוֹן. כִּי זֶה שֶׁבַח בָּאִשָּׁה, כְּמוֹ שֶׁאָמְרוּ [עירובין ק, ב]: ״וְזוֹ מִדָּה יָפָה בְּנָשִׁים״[27].

RAMBAN ELUCIDATED

לָהֶם סוֹדוֹת עֲמֻקִּים בַּתּוֹלָדוֹת וּבְכָל דָּבָר – **and [the Sages] have deep secrets** that are contained **within [these interpretations], about nature and about many** other **matters,** כַּאֲשֶׁר הִזְכַּרְתִּי בִּפְתִיחָתִי – **as I have mentioned in my Introduction** to the Commentary.[25]

15. [תְּשׁוּפֶנּוּ עָקֵב – *YOU WILL STRIKE AT HIM IN THE HEEL.*]

[The ability to strike out against humans is advantageous, and does not seem to belong in the litany of curses pronounced against the serpent. Ramban explains:]

וְטַעַם ״תְּשׁוּפֶנּוּ עָקֵב״ שֶׁיִּהְיֶה לָאָדָם יִתְרוֹן עָלֶיךָ בָּאֵיבָה – The explanation of *you will strike at him in the heel* is that man will have an advantage over you in your mutual **enmity,** **כִּי הוּא יְשׁוּפְךָ רֹאשׁ** **וְאַתָּה לֹא תְשׁוּפֶנּוּ רַק בַּעֲקֵבוֹ – for he will strike at you in the head, but you will** be able to **strike at him only on his heel,** **וִירַצֵּץ מוֹחֲךָ שָׁם – and he will** be able to **crush your brain there.**[26]

16. וְאֶל אִישֵׁךְ תְּשׁוּקָתֵךְ – *AND YOUR CRAVING SHALL BE FOR YOUR HUSBAND.*

[What exactly is the nature of this "craving"? Ramban discusses this, beginning by citing the views of his predecessors:]

לְתַשְׁמִישׁ – This refers to *craving* **for intimate relations.** **וְאַף עַל פִּי כֵן אֵין לָךְ מֵצַח לְתָבְעוֹ בַּפֶּה – But nevertheless you will not have the boldness to verbally demand** it **from him.** **אֶלָּא הוּא יִמְשָׁל בָּךְ, הַכֹּל מִמֶּנּוּ וְלֹא מִמֵּךְ – Rather, *He shall rule over you;* [the initiative] will all be from him and not from you.**

לְשׁוֹן רַשִׁ״י – This is **a quote from Rashi.**

[Ramban disagrees with Rashi's interpretation:]

וְאֵינֶנּוּ נָכוֹן – But it is not a **sound** explanation. **כִּי זֶה שֶׁבַח בָּאִשָּׁה, כְּמוֹ שֶׁאָמְרוּ ״וְזוֹ מִדָּה יָפָה בְּנָשִׁים״ – For** such **[reticence] is praiseworthy for a woman, as [the Sages] said** (*Eruvin* 100b): **"This is a positive trait in women."**[27]

means of pure logical deduction, so that they are subject to rebuttal if the logic is refuted. Rather, often they represent wisdom that was received by tradition, stemming from the Divine revelation at Sinai.

25. See page 5 ff.

26. The import of *you will strike at him in the heel,* then, is, "you will only strike at him in the heel, from where he will be easily able to strike back and kill you." That is undoubtedly a curse.

27. [Mizrachi finds difficulty with Ramban's question

אִשְׁתֶּ֒ךָ֮ וַתֹּאכַל֮ מִן־הָעֵ֔ץ אֲשֶׁ֤ר צִוִּיתִ֙יךָ֙
לֵאמֹ֔ר לֹ֥א תֹאכַ֖ל מִמֶּ֑נּוּ אֲרוּרָ֤ה הָֽאֲדָמָה֙
בַּֽעֲבוּרֶ֔ךָ בְּעִצָּבוֹן֙ תֹּֽאכְלֶ֔נָּה כֹּ֖ל יְמֵ֥י חַיֶּֽיךָ׃
יח וְק֥וֹץ וְדַרְדַּ֖ר תַּצְמִ֣יחַֽ לָ֑ךְ וְאָכַלְתָּ֖ אֶת־עֵ֥שֶׂב
יט הַשָּׂדֶֽה׃ בְּזֵעַ֤ת אַפֶּ֙יךָ֙ תֹּ֣אכַל לֶ֔חֶם עַ֤ד שֽׁוּבְךָ֙
אֶל־הָ֣אֲדָמָ֔ה כִּ֥י מִמֶּ֖נָּה לֻקָּ֑חְתָּ כִּֽי־עָפָ֣ר אַ֔תָּה
כ וְאֶל־עָפָ֖ר תָּשֽׁוּב׃ וַיִּקְרָ֧א הָֽאָדָ֛ם שֵׁ֥ם אִשְׁתּ֖וֹ
כא חַוָּ֑ה כִּ֛י הִ֥וא הָֽיְתָ֖ה אֵ֥ם כָּל־חָֽי׃ וַיַּ֩עַשׂ֩ יהוה
אֱלֹהִ֜ים לְאָדָ֧ם וּלְאִשְׁתּ֛וֹ כָּתְנ֥וֹת ע֖וֹר
וַיַּלְבִּשֵֽׁם׃ פ

אִתְּתָךְ וַאֲכַלְתְּ מִן אִילָנָא דִּי פַקֵּידְתָּךְ לְמֵימַר לָא תֵיכוּל מִנֵּהּ לִיטָא אַרְעָא בְּדִילָךְ בַּעֲמַל תֵּיכְלִינַהּ כָּל יוֹמֵי חַיָּיךְ׃ יח וְכוּבִין וְאַטְדִין תַּצְמַח לָךְ וְתֵיכוּל יָת עִסְבָּא דְחַקְלָא׃ יט בְּזֵעֲתָא דְאַפָּךְ תֵּיכוּל לַחְמָא עַד דְּתֵיתוּב לְאַרְעָא דְּמִנַּהּ אִתְבְּרֵיתָא אֲרֵי עַפְרָא אַתְּ וּלְעַפְרָא תְתוּב׃ כ וּקְרָא אָדָם שׁוּם אִתְּתֵהּ חַוָּה אֲרֵי הִיא הֲוַת אִמָּא דְכָל בְּנֵי אֱנָשָׁא׃ כא וַעֲבַד יְיָ אֱלֹהִים לְאָדָם וּלְאִתְּתֵהּ לְבוּשִׁין דִּיקַר עַל מְשַׁךְ בִּשְׂרֵיהוֹן וְאַלְבֵּישִׁנּוּן׃

רש"י

(יז) ארורה האדמה בעבורך. תעלה לך דברים ארורים כגון זבובים ופרעושים ונמלים. משל ליוצא לתרבות רעה והבריות מקללות שדים שינק מהם (ב"ר ה:ט): **(יח) וקוץ ודרדר תצמיח לך.** הארץ, כשתזרענה מיני זרעים תצמיח קוץ ודרדר קונדס ועכביות (שם כ:י) והן נאכלין ע"י תקון (ביצה לד.): **ואכלת את עשב השדה.** ומה קללה היא זו, והלא בברכה נאמר לו הנה נתתי לכם את כל עשב זורע זרע וגו'. אלא מה אמור כאן בראש הענין, ארורה האדמה בעבורך בעצבון תאכלנה, ואחר העצבון וקוץ ודרדר תצמיח לך, כשתזרענה קטניות או ירקות גנה היא תצמיח לך קוצים ודרדרים ושאר עשבי שדה, ועל כרחך תאכלם: **(יט) בזעת אפיך.** לאחר שתטרח בו הרבה: **(כ) ויקרא האדם.** חזר הכתוב לענינו הראשון ויקרא האדם שמות (לעיל ב:כ) ולא הפסיק אלא ללמדך שעל ידי קריאת שמות נזדווגה לו חוה, כמו שכתוב ולאדם לא מצא עזר כנגדו (שם) לפיכך ויפל תרדמה. וע"י שכתב ויהיו שניהם ערומים (שם כה) סמך לו פרשת הנחש, להודיעך שמתוך שראה אותם ערומים וראה אותם עסוקים בתשמיש נתאוה לה (ב"ר יח:ו) ובא עליהם במחשבה ובמרמה [ס"א זו] (אדר"נ א): **חוה.** נופל על לשון חיה (ב"ר כ:יא) שמחיה את ולדותיה, כאשר תאמר מה הוה לאדם (קהלת ב:כב) בל' היה: **(כא) כתנות עור.** יש דברי אגדה אומרים חלקים כצפורן היו, מדובקים על עורן. וי"א דבר הבא מן העור כגון צמר הארנבים שהוא רך וחם, ועשה להם כתנות ממנו (ב"ר שם יב):

רמב"ן

וְרַבִּי אַבְרָהָם אָמַר: "וְאֶל אִישֵׁךְ תְּשׁוּקָתֵךְ" - מִשְׁמַעְתֵּךְ. וְהַטַּעַם, שֶׁתִּשְׁמְעִי אֶל כָּל אֲשֶׁר יְצַוֶּה עָלַיִךְ, כִּי אַתְּ בִּרְשׁוּתוֹ לַעֲשׂוֹת חֶפְצוֹ.

וְלֹא מָצָאתִי לְשׁוֹן תְּשׁוּקָה רַק בְּחֵשֶׁק וְתַאֲוָה.

RAMBAN ELUCIDATED

[Having questioned Rashi's explanation, Ramban now cites Ibn Ezra:]

וְרַבִּי אַבְרָהָם אָמַר – **And Rabbi Avraham** Ibn Ezra **says:**

"וְאֶל אִישֵׁךְ תְּשׁוּקָתֵךְ", מִשְׁמַעְתֵּךְ – ***And for your husband shall be your craving*** refers to **your obedience.** וְהַטַּעַם שֶׁתִּשְׁמְעִי אֶל כָּל אֲשֶׁר יְצַוֶּה עָלַיִךְ – **The meaning is that you will obey everything that he commands you,** כִּי אַתְּ בִּרְשׁוּתוֹ לַעֲשׂוֹת חֶפְצוֹ – **for you are in his jurisdiction, to fulfill his desire.**

[Ramban rejects Ibn Ezra's interpretation:]

וְלֹא מָצָאתִי לְשׁוֹן תְּשׁוּקָה רַק בְּחֵשֶׁק וְתַאֲוָה – **But I have not found the word** תְּשׁוּקָה used to mean anything **except** ***desire*** **and** ***passion,*** not *obedience.*

---

on Rashi, because the Gemara that Ramban quotes ("this is a positive trait in women") is the very same Gemara that Rashi cited, to the effect that one of Eve's curses was that the husband, and not the wife, would have the boldness to initiate intimate relations. The Gemara evidently did not see any problem with this being both a curse and a "positive trait." What, then, is Ramban's question against Rashi?

Perhaps it can be suggested that Rashi and Ramban understand that Talmudic passage differently. The Gemara discusses the last two phrases of Eve's curses: (i) *your craving shall be for your husband,* concerning which the Talmud states, "This teaches us that a woman longs for her husband when he is away on a

of your wife and ate of the tree about which I commanded you
saying, 'You shall not eat of it,' accursed is the ground because of
you; through suffering shall you eat of it all the days of your
life. 18 *Thorns and thistles shall it sprout for you, and you shall eat*
the herbs of the field. 19 *By the sweat of your brow shall you eat*
bread until you return to the ground, from which you were taken:
For you are dust, and to dust shall you return."
20 *The man called his wife's name Eve, because she had become*
the mother of all the living.
21 *And HASHEM God made for Adam and his wife garments of*
skin, and He clothed them.

רמב"ן

וְהַנָּכוֹן בְּעֵינַי, שֶׁהֶעֱנִישׁ אוֹתָהּ שֶׁתִּהְיֶה נִכְסֶפֶת מְאֹד אֶל בַּעְלָהּ, וְלֹא תָחוּשׁ לְצַעַר הַהֵרָיוֹן וְהַלֵּידָה[28]. וְהוּא יַחֲזִיק בָּהּ כְּשִׁפְחָה, וְאֵין הַמִּנְהָג לִהְיוֹת הָעֶבֶד מִשְׁתּוֹקֵק לִקְנוֹת אָדוֹן לְעַצְמוֹ, אֲבָל יִבְרַח מִמֶּנּוּ בִּרְצוֹנוֹ. וְהִנֵּה זוֹ[29] מִדָּה כְּנֶגֶד מִדָּה כִּי הִיא נָתְנָה "גַּם לְאִישָׁהּ ... וַיֹּאכַל" בְּמִצְוָתָהּ, וְעָנְשָׁהּ שֶׁלֹּא תִּהְיֶה הִיא מְצַוָּה

RAMBAN ELUCIDATED

[Ramban presents his own opinion:]

וְהַנָּכוֹן בְּעֵינַי שֶׁהֶעֱנִישׁ אוֹתָהּ שֶׁתִּהְיֶה נִכְסֶפֶת מְאֹד אֶל בַּעְלָהּ – **The most sound** interpretation **in my view is that He punished her in that she would long very much for** intimacy with **her husband,** וְלֹא תָחוּשׁ לְצַעַר הַהֵרָיוֹן וְהַלֵּידָה – **and would not be concerned about the** ensuing **pain of pregnancy and childbirth** that are direct outcomes of that intimacy.[28] וְהוּא יַחֲזִיק בָּהּ כְּשִׁפְחָה – **And** this will happen even though **he will hold sway over her like a servant,** וְאֵין הַמִּנְהָג לִהְיוֹת הָעֶבֶד מִשְׁתּוֹקֵק לִקְנוֹת אָדוֹן לְעַצְמוֹ – **and it is not the norm that a servant should yearn to acquire a master for himself;** אֲבָל יִבְרַח מִמֶּנּוּ בִּרְצוֹנוֹ – **rather, [the servant's] desire is to flee from [his master].**

[Ramban demonstrates how his explanation of Eve's punishment is most appropriate for her sin:]

וְהִנֵּה זוֹ מִדָּה כְּנֶגֶד מִדָּה – **Now, this** punishment[29] **was measure for measure,** i.e., it corresponded to the sin exactly. כִּי הִיא נָתְנָה "גַּם לְאִישָׁהּ ... וַיֹּאכַל" בְּמִצְוָתָהּ – **For** ***she gave also to her husband ... and he ate*** (v. 6) **by her directive** (i.e., encouragement), וְעָנְשָׁהּ שֶׁלֹּא תִּהְיֶה הִיא מְצַוָּה

journey"; and (ii) *He shall rule over you,* concerning which the Talmud expounds, "This teaches us that a woman's request for intimacy is in the heart, while a man's is expressed by his mouth." The Talmud then adds: "This is a positive trait in women."

Rashi understood this ("a woman longs for her husband when he is away") to refer to a general desire for intimacy, as he writes here (לְתַשְׁמִישׁ). But a woman's desire for intimacy is not a curse. For this reason (as Mizrachi notes) Rashi had to combine the two phrases to form one single curse: Although you will desire this intimacy with your husband, nevertheless you will not have the boldness to demand it from him. Accordingly, the Talmud's statement, "This is a positive trait in women," refers to the compound curse of desiring intimacy, but not being able to express it verbally.

Ramban, however, maintains that the Talmud's statement, "This teaches us that a woman longs for her husband when he is away on a journey," is an independent curse. It does not refer to a craving for intimacy, but to the fact that a wife misses and longs for her husband when he is away for a long time. It is not connected to the next phrase, which is a separate curse: "A woman's request for intimacy is in the heart, while a man's is expressed by his mouth." This latter curse, according to Ramban, means that the man will be able to initiate intimacy even when the wife is not receptive to it. The wife, however, will not have the ability to do this, and it is this fact (which is not a curse) that the Talmud describes as "a positive trait in women." Thus, Ramban does not see the same situation as being both a curse and a positive trait.]

28. This is what is meant by *your craving shall be for your husband.* Ramban now goes on to explain the meaning of the next phrase: *he shall rule over you.*

29. That is, the last of Eve's punishment, *he shall rule over you,* which Ramban has just explained to mean, "he will hold sway over you like a servant."

רביעי כב וַיֹּאמֶר ׀ יהוה אֱלֹהִים הֵן הָֽאָדָם֙ הָיָה֙ כְּאַחַ֣ד מִמֶּ֔נּוּ לָדַ֖עַת ט֣וֹב וָרָ֑ע וְעַתָּ֣ה ׀ פֶּן־יִשְׁלַ֣ח יָד֗וֹ וְלָקַח֙ גַּ֚ם מֵעֵ֣ץ הַֽחַיִּ֔ים וְאָכַ֖ל וָחַ֥י לְעֹלָֽם:

כב וַאֲמַר יְיָ אֱלֹהִים הָא אָדָם הֲוָה יְחִידִי בְּעָלְמָא מִנֵּהּ לְמִידַע טַב וּבִישׁ וּכְעַן דִּילְמָא יוֹשִׁיט יְדֵהּ וְיִסַּב אַף מֵאִילַן חַיַּיא וְיֵכוֹל וְיֵחֵי לְעָלַם:

רש"י

(כב) היה כאחד ממנו. הרי הוא יחיד בתחתונים כמו שאני יחיד בעליונים, ומה היא יחידתו, לדעת טוב ורע, מה שאין כן בבהמה וחיה (אונקלוס; ב"ר כא:ה): ועתה פן ישלח ידו וגו'. ומשיחיה לעולם הרי הוא קרוב להטעות הבריות אחריו ולומר אף הוא אלוה (ב"ר ט:ה). ויש מדרשי אגדה אבל אין מיושבין על פשוטו:

רמב"ן

עָלָיו עוֹד, וְהוּא יְצַוֶּה עָלֶיהָ כָּל רְצוֹנוֹ.

[כב] וְעַתָּה פֶּן יִשְׁלַח יָדוֹ. רָצָה הַקָּדוֹשׁ בָּרוּךְ הוּא שֶׁתִּתְקַיֵּם גְּזֵירָתוֹ בְּמִיתַת הָאָדָם [לעיל ב, יז; ג, יט], וְאִם יֹאכַל מֵעֵץ הַחַיִּים שֶׁנִּבְרָא לָתֵת לְאוֹכְלָיו חַיֵּי עוֹלָם תִּבָּטֵל הַגְּזֵרָה, אוֹ שֶׁלֹּא יָמוּת כְּלָל, אוֹ שֶׁלֹּא יָבֹא יוֹמוֹ בְּעֵת הַנִּגְזָר עָלָיו וְעַל תּוֹלְדוֹתָיו[30]. וְהִנֵּה, עַתָּה שֶׁהָיְתָה לוֹ בְּחִירָה – שָׁמַר הָעֵץ הַזֶּה מִמֶּנּוּ, כִּי מִתְּחִלָּה לֹא הָיָה עוֹשֶׂה אֶלָּא מַה שֶּׁיְּצֻוֶּה, וְלֹא אָכַל מִמֶּנּוּ כִּי לֹא הָיָה צָרִיךְ[31].

RAMBAN ELUCIDATED

עָלָיו עוֹד – so her punishment was that she would no longer command him; וְהוּא יְצַוֶּה עָלֶיהָ כָּל רְצוֹנוֹ – rather, *he* would command *her* regarding **whatever is his desire.**

22. וְעַתָּה פֶּן יִשְׁלַח יָדוֹ – *AND NOW, LEST HE PUT FORTH HIS HAND* [*AND TAKE ALSO OF THE TREE OF LIFE, AND EAT AND LIVE FOREVER*].

[God never forbade Adam to eat from the Tree of Life. Why, then, was He concerned that this might happen now? Ramban explains:]

רָצָה הַקָּדוֹשׁ בָּרוּךְ הוּא שֶׁתִּתְקַיֵּם גְּזֵירָתוֹ בְּמִיתַת הָאָדָם – The Holy One, Blessed is He, wanted that His decree concerning the death of man (above, 2:17, 3:19) **should be fulfilled, וְאִם יֹאכַל מֵעֵץ הַחַיִּים שֶׁנִּבְרָא לָתֵת לְאוֹכְלָיו חַיֵּי עוֹלָם תִּבָּטֵל הַגְּזֵרָה – but if [Adam] would eat from the Tree of Life, which was created to give those who eat it enduring life, the decree** of death **would become annulled, אוֹ שֶׁלֹּא יָמוּת כְּלָל, אוֹ שֶׁלֹּא יָבֹא יוֹמוֹ בְּעֵת הַנִּגְזָר עָלָיו וְעַל תּוֹלְדוֹתָיו** – for **either he would not die at all, or his day** of death **would not come at the time decreed for him and his descendants.**[30] **וְהִנֵּה עַתָּה שֶׁהָיְתָה לוֹ בְּחִירָה שָׁמַר הָעֵץ הַזֶּה מִמֶּנּוּ – Thus, now that [Adam] had free choice** as a result of eating of the Tree of Knowledge of Good and Bad, **He restricted** access to **this Tree** of Life **from him. כִּי מִתְּחִלָּה לֹא הָיָה עוֹשֶׂה אֶלָּא מַה שֶּׁיְּצֻוֶּה, וְלֹא אָכַל מִמֶּנּוּ כִּי לֹא הָיָה צָרִיךְ – For originally,** before eating of the Tree of Knowledge, **[Adam] would do only what he was commanded** to do, **and** therefore **would not have eaten from [the Tree]** of Life, **for he had no need to.**[31]

30. Ramban above (2:17) discussed a dispute between (i) the Sages who hold that Adam was originally supposed to live forever, but, because of his sin, was condemned to die; and (ii) the "natural scientists" who hold that it is impossible for a man to live forever; thus, the moment he was born, Adam was doomed to eventual death; and, if so, the punishment for eating the forbidden fruit must mean that Adam was condemned to die *before his time*. Accordingly, the first opinion maintains that eating from the Tree of Life would allow Adam to regain his original state of immortality ["he would not die at all"]; while the second opinion maintains that eating from that Tree would restore Adam's original longevity, negating the punishment of early death ["his day of death would not come at the (earlier) time decreed for him (as a consequence of eating from the Tree)"] (*Zichron Yitzchak*).

31. That is, man originally did not have any inclination to do anything that his nature did not require him to do (this is what Ramban means by "he would do only what he was commanded to do"; see Ramban above, 2:9). Since he had no need to prolong his life (see previous footnote) he had no reason to eat from the Tree of Life. Now that he had eaten from the Tree of Knowledge, however, he had the motivation to eat from the Tree of Life (to regain his longevity or his immortality), and he also had the capacity to defy God's wishes by succumbing to physical desire.

[22] *And HASHEM God said, "Behold Man has become like the Unique One among us, knowing good and bad; and now, lest he put forth his hand and take also of the Tree of Life, and eat and live forever!"*

רמב״ן

וְדַע וְהַאֲמֵן כִּי גַּן עֵדֶן בָּאָרֶץ, וּבוֹ עֵץ הַחַיִּים וְעֵץ הַדַּעַת, וּמִשָּׁם יֵצֵא הַנָּהָר וְיִפָּרֵד לְאַרְבָּעָה רָאשִׁים [לעיל ב, י] הַנִּרְאִים לָנוּ. כִּי פְּרָת בְּאַרְצֵנוּ וּבִגְבוּלֵנוּ, וּפִישׁוֹן הוּא נִילוּס מִצְרַיִם, כְּדִבְרֵי הָרִאשׁוֹנִים[32].

אֲבָל כַּאֲשֶׁר הֵם בָּאָרֶץ - כֵּן יֵשׁ בַּשָּׁמַיִם דְּבָרִים יִקָּרְאוּ כֵן, וְהֵם לָאֵלֶּה יְסוֹד. כְּמוֹ שֶׁאָמְרוּ [שיר השירים זוטא א, ד]: "הֱבִיאַנִי הַמֶּלֶךְ חֲדָרָיו" [שיר השירים א, ד], מְלַמֵּד שֶׁעָתִיד הַקָּדוֹשׁ בָּרוּךְ הוּא לְהַרְאוֹת אֶת יִשְׂרָאֵל גִּנְזֵי מָרוֹם, חֲדָרִים שֶׁבַּשָּׁמַיִם. דָּבָר אַחֵר "הֱבִיאַנִי הַמֶּלֶךְ חֲדָרָיו" - אֵלּוּ חַדְרֵי גַּן עֵדֶן. מִכָּאן אָמְרוּ: כְּמַעֲשֵׂה הָרָקִיעַ כָּךְ מַעֲשֵׂה גַּן עֵדֶן. וְהַנְּהָרוֹת כְּנֶגֶד אַרְבַּע מַחֲנוֹת שֶׁבַּמָּרוֹם[33], וּמִשָּׁם יִמָּשֵׁךְ כֹּחַ הַמַּלְכֻיּוֹת שֶׁבָּאָרֶץ, כְּמוֹ שֶׁכָּתוּב [ישעיה כד, כא]: "עַל צְבָא הַמָּרוֹם בַּמָּרוֹם וְעַל מַלְכֵי הָאֲדָמָה בָּאֲדָמָה"[34]. כָּךְ אָמְרוּ בִּבְרֵאשִׁית רַבָּה [טז, ד]: אַרְבָּעָה רָאשִׁים - אֵלּוּ ד׳ מַלְכֻיּוֹת[35], שֵׁם הָאֶחָד פִּישׁוֹן - זֶה בָּבֶל, וְכוּ׳.

RAMBAN ELUCIDATED

[Ramban now discusses the essence of the Garden of Eden:]

וְדַע וְהַאֲמֵן כִּי גַּן עֵדֶן בָּאָרֶץ – You should know and believe that the Garden of Eden is a real place **on earth, וּבוֹ עֵץ הַחַיִּים וְעֵץ הַדַּעַת – and that there are** still **in it the Tree of Life and the Tree of Knowledge, וּמִשָּׁם יֵצֵא הַנָּהָר וְיִפָּרֵד לְאַרְבָּעָה רָאשִׁים הַנִּרְאִים לָנוּ – and from there *a river emerges that divides up into four branches*** (above, 2:10), **which are** plainly **visible to us** today. **כִּי פְּרָת בְּאַרְצֵנוּ וּבִגְבוּלֵנוּ, וּפִישׁוֹן הוּא נִילוּס מִצְרַיִם, כְּדִבְרֵי הָרִאשׁוֹנִים – For the Euphrates is within our land and within our boundary** (i.e., in *Eretz Yisrael*), **and Pishon is the Nile of Egypt, as the early authorities**[32] **say. אֲבָל כַּאֲשֶׁר הֵם בָּאָרֶץ כֵּן יֵשׁ בַּשָּׁמַיִם דְּבָרִים יִקָּרְאוּ כֵן – But just as these** things **exist on earth, so too in heaven there are** corresponding **things that are called** by **[these]** names (Garden of Eden, Tree of Knowledge, etc.), **וְהֵם לָאֵלֶּה יְסוֹד – and they are the** spiritual **source for these** earthly items. **כְּמוֹ שֶׁאָמְרוּ: "הֱבִיאַנִי הַמֶּלֶךְ חֲדָרָיו", מְלַמֵּד שֶׁעָתִיד הַקָּדוֹשׁ בָּרוּךְ הוּא לְהַרְאוֹת אֶת יִשְׂרָאֵל גִּנְזֵי מָרוֹם חֲדָרִים שֶׁבַּשָּׁמַיִם** – This is **as [the Sages] have said** in the Midrash (*Shir Hashirim Zuta* 1:4): "The verse, ***The king brought me into his chambers*** (*Song of Songs* 1:4), **teaches** us **that the Holy One, Blessed is He, will** one day **in the future show Israel the 'hidden treasures on high,'** in the **chambers of heaven. דָּבָר אַחֵר, "הֱבִיאַנִי הַמֶּלֶךְ חֲדָרָיו", אֵלּוּ חַדְרֵי גַּן עֵדֶן – Another interpretation: *The king brought me into his chambers* – These are the chambers of the Garden of Eden. מִכָּאן אָמְרוּ: כְּמַעֲשֵׂה הָרָקִיעַ כָּךְ מַעֲשֵׂה גַּן עֵדֶן – Based on this [the Sages] said: The structure of the Garden of Eden corresponds to the structure of the Firmament."**

וְהַנְּהָרוֹת כְּנֶגֶד אַרְבַּע מַחֲנוֹת שֶׁבַּמָּרוֹם – Similarly, **the** four **rivers** that "emerge from Eden" **correspond to the four "heavenly camps."**[33] **וּמִשָּׁם יִמָּשֵׁךְ כֹּחַ הַמַּלְכֻיּוֹת שֶׁבָּאָרֶץ – And from there the power of earthly kingdoms emanates, כְּמוֹ שֶׁכָּתוּב: "עַל צְבָא הַמָּרוֹם בַּמָּרוֹם וְעַל מַלְכֵי הָאֲדָמָה בָּאֲדָמָה" – as it is written,** *On that day HASHEM will deal* ***with the hosts of heaven in heaven and with the kings of the earth on the earth*** (*Isaiah* 24:21).[34] **כָּךְ אָמְרוּ בִּבְרֵאשִׁית רַבָּה: אַרְבָּעָה רָאשִׁים, אֵלּוּ ד׳ מַלְכֻיּוֹת, שֵׁם הָאֶחָד פִּישׁוֹן, זֶה בָּבֶל וְכוּ׳ – Similarly, they said in *Bereisheis Rabbah*** (16:4): ***Four branches*** (lit., *heads*) **– These allude to the four kingdoms** that ruled over Israel throughout history.[35] ***The name of the first is Pishon* – This is Babylonia, etc.**

---

32. The reference is to Rav Saadiah Gaon, who is quoted by Ibn Ezra above, 2:11 (see Ramban there and below).

33. Four "camps" of angels that serve the *Shechinah* (see Rabbeinu Bachya on *Leviticus* 16:4).

34. That verse illustrates the concept that there are heavenly "hosts" (angels) representing each nation and kingdom. See also *Daniel* 10:20. Ramban asserts that these heavenly hosts are represented in the verse by the heavenly "rivers" of Eden.

35. Nebuchadnezzar had a dream (*Daniel* Chap. 2) about Four Kingdoms that would rule consecutively, before Israel would emerge the final victor. Daniel identified the first of those kingdoms as Babylonia, ruled by Nebuchadnezzar himself. The Four Kingdoms also appear in Daniel's dreams, in Chap. 7 and again in

כג וַיְשַׁלְּחֵהוּ יהוה אֱלֹהִים מִגַּן־עֵדֶן לַעֲבֹד
כד אֶת־הָאֲדָמָה אֲשֶׁר לֻקַּח מִשָּׁם: וַיְגָרֶשׁ
אֶת־הָאָדָם וַיַּשְׁכֵּן מִקֶּדֶם לְגַן־עֵדֶן אֶת־
הַכְּרֻבִים וְאֵת לַהַט הַחֶרֶב הַמִּתְהַפֶּכֶת

כג וְשַׁלְּחֵהּ יְיָ אֱלֹהִים מִגִּינְתָא דְעֵדֶן לְמִפְלַח בְּאַרְעָא דְּאִתְבְּרִי מִתַּמָּן: כד וְתָרִיךְ יָת אָדָם וְאַשְׁרֵי מִלְּקַדְמִין לְגִינְתָא דְעֵדֶן יָת כְּרוּבַיָּא וְיָת שְׁנַן חַרְבָּא דְמִתְהַפְּכָא

רש״י

(כד) מקדם לגן עדן. במזרחו של גן עדן חוץ לגן: את הכרובים. מלאכי חבלה (ש"ר ט:יא): החרב המתהפכת. ולה להט, לאיים עליו מליכנס עוד לגן. תרגום של להט שנן, והוא כמו שלף שננא (סנהדרין פב.) ובלשון לע"ז למ"א. ומדרשי אגדה יש, ואני איני בא

רמב״ן

וְהַדְּבָרִים הַנִּקְרָאִים "עֵץ הַחַיִּים" וְ"עֵץ הַדַּעַת" לְמַעְלָה – סוֹדָם נַעֲלֶה וְנִשְׂגָּב[36]. וְהָאָדָם חָטָא בִּפְרִי עֵץ הַדַּעַת – תַּחְתּוֹן וְעֶלְיוֹן, בְּמַעֲשֶׂה וּבְמַחֲשָׁבָה.

וְאִם הָיָה הָעֵץ טוֹב לָאָדָם לְמַאֲכָל וְנֶחְמָד אֵלָיו לְהַשְׂכִּיל, לָמָּה מְנָעוֹ מִמֶּנּוּ? וְהָאֱלֹהִים הוּא הַטּוֹב וְהַמֵּטִיב, לֹא יִמְנַע טוֹב לַהוֹלְכִים בְּתָמִים[37]! וְהַנָּחָשׁ אֵין בּוֹ הַיּוֹם נֶפֶשׁ מְדַבֶּרֶת[38]. וְאִם הָיְתָה בּוֹ מִתְּחִלָּה[39] – הָיָה מַזְכִּיר בְּקִלְלָתוֹ שֶׁיֵּאָלֵם פִּיו, כִּי הִיא הָיְתָה לוֹ קְלָלָה נִמְרֶצֶת מִכֻּלָּן[40]. אֲבָל כָּל אֵלֶּה הַדְּבָרִים כְּפוּלִים, הַגָּלוּי וְהֶחָתוּם בָּהֶם אֱמֶת.

RAMBAN ELUCIDATED

וְהַדְּבָרִים הַנִּקְרָאִים עֵץ הַחַיִּים וְעֵץ הַדַּעַת לְמַעְלָה – As far as the things that are called the "Tree of Life" and the "Tree of Knowledge" on high, in the heavenly analogue of the Garden of Eden **סוֹדָם נַעֲלֶה וְנִשְׂגָּב – their mystical significance is lofty and exalted.**[36] **וְהָאָדָם חָטָא בִּפְרִי עֵץ הַדַּעַת תַּחְתּוֹן וְעֶלְיוֹן, בְּמַעֲשֶׂה וּבְמַחֲשָׁבָה – Now, Adam sinned with the fruit of the Tree of Knowledge** – both that which is **down below** on earth (the terrestrial, physical Tree) **and** that which is **on high** (the supernal, spiritual Tree), **in** both **deed** (below) **and in thought** (above).

[Ramban seeks to prove that the story of the Garden of Eden certainly contains some metaphorical elements:]

וְאִם הָיָה הָעֵץ טוֹב לָאָדָם לְמַאֲכָל וְנֶחְמָד אֵלָיו לְהַשְׂכִּיל לָמָּה מְנָעוֹ מִמֶּנּוּ – Now, if the Tree of Knowledge **was *good for man for eating and desirable for him as a means to awareness*** (above, v. 6), **why did [God] withhold it from him? וְהָאֱלֹהִים הוּא הַטּוֹב וְהַמֵּטִיב, לֹא יִמְנַע טוֹב לַהוֹלְכִים בְּתָמִים – For God is good and benevolent; "He does not withhold good from those who walk in innocence!"**[37] **וְהַנָּחָשׁ אֵין בּוֹ הַיּוֹם נֶפֶשׁ מְדַבֶּרֶת** – Furthermore, **the serpent today has no "soul of speech"**[38] (i.e., no capability of rational thought, as epitomized by the power of speech), so it should not have been able to speak in the manner that the verse (v. 4) describes above. **וְאִם הָיְתָה בּוֹ מִתְּחִלָּה, הָיָה מַזְכִּיר בְּקִלְלָתוֹ שֶׁיֵּאָלֵם פִּיו – And if** you should suggest[39] that **it did originally have [the power of speech],** but that power was removed from it as part of its punishment, **[Scripture] should have mentioned in** the description of **his curse that his mouth would** now **be silenced, כִּי הִיא הָיְתָה לוֹ קְלָלָה נִמְרֶצֶת מִכֻּלָּן – for this would be the most severe curse of all** the curses that were cast upon the serpent! Yet Scripture does not mention such a curse![40] **אֲבָל כָּל אֵלֶּה הַדְּבָרִים כְּפוּלִים – Rather, all these events** described in the story of the Garden of Eden **are** of **dual** significance; **הַגָּלוּי וְהֶחָתוּם בָּהֶם אֱמֶת** – the apparent and the hidden meanings **in them are** both **true.**

Chap. 8, where the second kingdom is identified as Persia/Media and the third as Greece. The fourth kingdom is never identified explicitly by Scripture, but according to tradition it is Edom/Rome.

36. That is, they are too esoteric to be discussed here.

37. *Psalms* 84:12.

Whereas God "does not withhold good," and yet withheld permission for Adam to eat of the Tree of Knowledge, then eating of that Tree could not have been a good thing for Adam to do. Thus we learn that eating from the Tree of Knowledge was an act that brought about much more damage than appears in the simple understanding of the narrative, and that the Garden of Eden, in addition to its actual earthly position, is a metaphor for a heavenly counterpart.

38. See Ramban above, 2:7.

39. As Ibn Ezra does (on 3:1).

40. This is another proof that there is more to this story than the literal meaning.

[23] So HASHEM God banished him from the Garden of Eden, to work the ground from which he was taken. [24] And having driven out the man, He stationed at the east of the Garden of Eden the Cherubim and the flame of the ever-turning sword,

רמב״ן

וּבִבְרֵאשִׁית רַבָּה [טז, ה]: דָּבָר אַחֵר "לְעָבְדָהּ וּלְשָׁמְרָהּ" אֵלּוּ הַקָּרְבָּנוֹת, שֶׁנֶּאֱמַר [שמות ג, יב]: "תַּעַבְדוּן[41] אֶת הָאֱלֹהִים עַל הָהָר הַזֶּה" הֲדָא הוּא דִכְתִיב [במדבר כח, ב]: "תִּשְׁמְרוּ לְהַקְרִיב לִי בְּמוֹעֲדוֹ". רָמְזוּ כִּי הַקָּרְבָּנוֹת יַצְמִיחוּ וִיגַדְּלוּ בְּעֵץ הַחַיִּים וְעֵץ הַדַּעַת וְכָל עֲצֵי גַּן עֵדֶן, וְהֵם הָעֲבוֹדָה וְהַשְּׁמִירָה בָּהֶם[42]. וְרַבִּי אַבְרָהָם [על ב, יא] מַכְחִישׁ מַה שֶּׁאָמְרוּ כִּי פִּישׁוֹן הוּא נִילוּס[43], בַּעֲבוּר שֶׁיִּמְצָאוּהוּ יוֹצֵא מֵהַר הַלְּבָנָה[44], וְלָכֵן יִגְדַּל בִּימֵי הַקַּיִץ[45,46].

וּכְבָר נוֹדְעוּ נְהָרוֹת רַבִּים יֵצְאוּ מִן הַמָּקוֹר וְיִמָּשְׁכוּ הַרְבֵּה, וְאַחַר כֵּן יִכָּנְסוּ בְּתַחְתִּיּוֹת אֶרֶץ מַהֲלַךְ יָמִים,

RAMBAN ELUCIDATED

[Ramban adduces a Midrash to show that Scripture's seemingly simplistic presentation of Adam's habitation of the Garden of Eden is not as straightforward as it appears to be:]

וּבִבְרֵאשִׁית רַבָּה: – And in *Bereishis Rabbah* (16:5) we find: דָּבָר אַחֵר, "לְעָבְדָהּ וּלְשָׁמְרָהּ", אֵלּוּ הַקָּרְבָּנוֹת – Another explanation: *To work it* [לְעָבְדָהּ] *and to guard it* [וּלְשָׁמְרָהּ] – These words **refer to the** altar **offerings, שֶׁנֶּאֱמַר "תַּעַבְדוּן אֶת הָאֱלֹהִים עַל הָהָר הַזֶּה" – as it says, *You will serve* [תַּעַבְדוּן][41] *God on this mountain*** (*Exodus* 3:12). **הֲדָא הוּא דִכְתִיב "תִּשְׁמְרוּ לְהַקְרִיב לִי בְּמוֹעֲדוֹ" – This is** the meaning of **what is written, *you shall be scrupulous*** [תִּשְׁמְרוּ, lit., *you shall guard*] ***to offer to Me in its appointed time*** (*Numbers* 28:2).

רָמְזוּ כִּי הַקָּרְבָּנוֹת יַצְמִיחוּ וִיגַדְּלוּ בְּעֵץ הַחַיִּים וְעֵץ הַדַּעַת וְכָל עֲצֵי גַּן עֵדֶן – In that Midrash **[the Sages] allude** to the fact **that the offerings are the cause of the sprouting and growth of the Tree of Life and the Tree of Knowledge, and of all the trees of the Garden of Eden, וְהֵם הָעֲבוֹדָה וְהַשְּׁמִירָה בָּהֶם – and** that **[the offerings] are the "working" and "guarding" of [these]** trees.[42]

[Returning to the subject of the Pishon mentioned in the beginning of this piece, Ramban cites Ibn Ezra's opinion:[43]]

וְרַבִּי אַבְרָהָם מַכְחִישׁ מַה שֶּׁאָמְרוּ כִּי פִּישׁוֹן הוּא נִילוּס – Rabbi Avraham Ibn Ezra (on 2:11; see Ramban ibid.) **rejects what [the commentators] said about the Pishon being the Nile, בַּעֲבוּר שֶׁיִּמְצָאוּהוּ יוֹצֵא מֵהַר הַלְּבָנָה, וְלָכֵן יִגְדַּל בִּימֵי הַקַּיִץ – because they have found [the Nile] to originate in the Mountains of the Moon,**[44] in the far south of Africa – **which is why its waters swell in the summer**[45] – while the other three rivers emerging from Eden are far to the east, nowhere near Africa.[46]

[Ramban rejects Ibn Ezra's refutation:]

וּכְבָר נוֹדְעוּ נְהָרוֹת רַבִּים יֵצְאוּ מִן הַמָּקוֹר וְיִמָּשְׁכוּ הַרְבֵּה – But many rivers are known to emerge from their true **source and flow great distances, וְאַחַר כֵּן יִכָּנְסוּ בְּתַחְתִּיּוֹת אֶרֶץ מַהֲלַךְ יָמִים – then**

41. The Hebrew verb עבד, *to serve,* can also mean "to work" and "to worship."

42. The Midrash asserts that the offerings somehow "work and guard" the Garden of Eden. Ramban explains that the reference is to the "heavenly version" of the Garden, from which blessing emanates to earth as well. [See Ramban above (2:8), where he elaborates more on this Midrash.]

43. Ramban has just discussed the fact that the Garden of Eden is an actual place on earth, one of his proofs being that the Torah mentions four well-known rivers in connection with it. One of these well-known rivers is identified (by Rav Saadiah Gaon) as the Nile. Ibn Ezra, however, rejects this view, and writes that the true identity of Pishon is unknown to us.

44. Alchemy (*Geography*, Book IV, Chap. 8), whose views were considered authoritative, writes that the headwaters of the Nile rise from the snow-capped "Mountains of the Moon" south of the Equator.

45. For when it is summer (and dry) for us in the northern hemisphere, it is winter (and rainy) in the southern hemisphere.

46. Since the four branches all split off from the same source river, it is impossible for one branch to originate in southern Africa and the others in the east. (Cf. Ibn Ezra on 2:11; Ramban's essay *Torah Hashem Teminah*, ed. Chavel, p. 160.)

ד א לִשְׁמֹּר אֶת־דֶּרֶךְ עֵץ הַחַיִּים: ס וְהָֽאָדָם
יָדַע אֶת־חַוָּה אִשְׁתּוֹ וַתַּהַר וַתֵּלֶד אֶת־קַיִן
ב וַתֹּאמֶר קָנִיתִי אִישׁ אֶת־יהוה: וַתֹּסֶף לָלֶדֶת
אֶת־אָחִיו אֶת־הָבֶל וַיְהִי־הֶבֶל רֹעֵה צֹאן וְקַיִן
ג הָיָה עֹבֵד אֲדָמָה: וַיְהִי מִקֵּץ יָמִים וַיָּבֵא קַיִן

לְמִטַּר יָת אוֹרַח אִילַן חַיַּיָא:
א וְאָדָם יְדַע יָת חַוָּה אִתְּתֵהּ
וְעַדִּיאַת וִילִידַת יָת קַיִן וַאֲמֶרֶת
קְנֵיתִי גַּבְרָא (מִן) קֳדָם יְיָ:
ב וְאוֹסִיפַת לְמֵילַד יָת אֲחוּהִי
יָת הֶבֶל וַהֲוָה הֶבֶל רָעֵי
עָנָא וְקַיִן הֲוָה פָּלַח בְּאַרְעָא:
ג וַהֲוָה מִסּוֹף יוֹמִין וְאַיְתִי קַיִן

רש"י

אלא לפשוטו: (א) **והאדם ידע.** כבר קודם הענין של מעלה, קודם שחטא ונטרד מגן עדן, וכן ההריון והלידה (סנהדרין לח:) שאם כתב וידע אדם נשמע שלאחר שנטרד היו לו בנים: **קין.** על שם קניתי [איש]: **את ה'.** כמו עם ה'. כשברא אותי ואת אישי לבדו בראנו, אבל בזה שותפים אנו עמו (ב"ר כב:ג): **את קין (ב) את אחיו את הבל.** ג' אתים ריבויים הם, מלמד שתאומה נולדה עם קין ועם הבל נולדו שתים, לכך נאמר ותוסף (שם ג): **רעה צאן.** לפי שנתקללה האדמה פירש לו מעבודתה (מדרש אגדה):

רמב"ן

וְיִבְקְעוּ וְיִהְיוּ נוֹבְעִים תַּחַת אַחַד הֶהָרִים בְּמָקוֹם רָחוֹק[47].

ד [א] וַתַּהַר וַתֵּלֶד אֶת קַיִן. עִנְיָנוֹ: וַתֵּלֶד בֵּן וַתִּקְרָא אֶת שְׁמוֹ קַיִן, כִּי אָמְרָה "קָנִיתִי אִישׁ אֶת ה'". וְכֵן "וַתֵּלֶד אֶת חֲנוֹךְ" [להלן ד, יז][1], וְרַבִּים בַּפָּרָשָׁה וּבִמְקוֹמוֹת אֲחֵרִים.

אֶת ה'. עִם ה'[2]. כְּשֶׁבָּרָא אוֹתִי וְאֶת אִישִׁי הוּא לְבַדּוֹ בְּרָאָנוּ, אֲבָל בָּזֶה אָנוּ שֻׁתָּפִין עִמּוֹ. לְשׁוֹן רַשִׁ"י.

RAMBAN ELUCIDATED

וְיִבְקְעוּ וְיִהְיוּ נוֹבְעִים תַּחַת אַחַד הֶהָרִים בְּמָקוֹם רָחוֹק – **subsequently enter underground for** a distance of **several days' journey,** and then burst out over land again **and flow on** from **the foot of some mountain in a place distant** from their true origin.[47]

4.

1. וַתַּהַר וַתֵּלֶד אֶת קַיִן – ***AND SHE CONCEIVED AND BORE CAIN,*** *[AND SHE SAID, "I HAVE ACQUIRED A MAN WITH HASHEM"].*

[The wording of the verse makes it appear as if Cain was born already named, and Eve explained that the name implies, קָנִיתִי, *I have acquired,* as an afterthought. Ramban clarifies the intent of the phrase:]

עִנְיָנוֹ וַתֵּלֶד בֵּן וַתִּקְרָא אֶת שְׁמוֹ קַיִן כִּי אָמְרָה "קָנִיתִי אִישׁ אֶת ה'" – **The meaning of [this phrase] is: She bore a son and called his name Cain, for she said, *"I have acquired a man with Hashem."*** **וְכֵן "וַתֵּלֶד אֶת חֲנוֹךְ" וְרַבִּים בַּפָּרָשָׁה וּבִמְקוֹמוֹת אֲחֵרִים** – **Similarly,** we find, ***And she bore Enoch***[1] (below, 4:17), **and many** other examples **in this section and elsewhere.**

☐ **אֶת ה'** – ***WITH HASHEM.***

[The word אֶת is used in Hebrew to indicate that a direct object follows. Understood in that sense, the translation of our phrase would be, "I have acquired a man, God." This is, of course, an impossible interpretation. Ramban discusses the problematic phrase, beginning by citing Rashi:]

עִם ה' – This means ***with*** **God.**[2] **כְּשֶׁבָּרָא אוֹתִי וְאֶת אִישִׁי הוּא לְבַדּוֹ בְּרָאָנוּ, אֲבָל בָּזֶה אָנוּ שֻׁתָּפִין עִמּוֹ** – Eve is saying, **"When He created me and my husband, He created us by Himself alone, but in** the birth of **this** child, **we are partners *with Him."***

לְשׁוֹן רַשִׁ"י – The above is **a quote from Rashi.**

47. So the Nile could very well originate somewhere in the east, travel underground, and then re-emerge at the foot of the Mountains of the Moon.

1. There, too, the verse means, "she bore a child *and named him* Enoch."

2. The word אֶת can serve two functions: (1) As explained in the introduction, it indicates that what follows it is a direct object (there is no English equivalent to this common word when it is used in this sense, and it is always left untranslated); (2) it is a preposition meaning עִם, *with.* The first meaning is by far the more frequent usage of the word. Therefore Rashi informs us that in our verse it has the second meaning.

to guard the way to the Tree of Life.

4 [1] *Now the man had known his wife Eve, and she conceived and bore Cain, and said, "I have acquired a man with* HASHEM." [2] *And additionally she bore his brother Abel. Abel became a shepherd, and Cain became a tiller of the ground.*

[3] *After a period of time, Cain brought an offering*

רמב"ן

וְהַנָּכוֹן לִי, שֶׁאָמְרָה: "הַבֵּן הַזֶּה יִהְיֶה לִי קִנְיָן לַה'"[3]. כִּי כַּאֲשֶׁר נָמוּת יִהְיֶה בִּמְקוֹמֵנוּ לַעֲבוֹד אֶת בּוֹרְאוֹ". וְכֵן דַּעַת אוּנְקְלוּס, שֶׁאָמַר: "קֳדָם ה'"[4]. וְכָמוֹהוּ: "וְנִרְאָה[5] אֶת הַכֹּהֵן" [ויקרא יג, מט], לַכֹּהֵן; "וַיִּגַּשׁ דָּוִד אֶת הָעָם" [שמואל-א ל, כא], אֶל הָעָם[6]. אוֹ יִהְיֶה "אֶת ה'" כְּמוֹ "וַיִּתְהַלֵּךְ חֲנוֹךְ אֶת הָאֱלֹהִים" [לקמן ה, כב]; "אֶת הָאֱלֹהִים הִתְהַלֶּךְ נֹחַ" [לקמן ו, ט][7].

וְקָרְאָה הָאֶחָד בְּשֵׁם קִנְיָן, וְהַשֵּׁנִי הֶבֶל, כִּי קִנְיַן הָאָדָם לְהֶבֶל דָּמָה[8]. וְלֹא רָצְתָה לְפָרֵשׁ זֶה[9], עַל כֵּן לֹא נִכְתַּב טַעַם בַּשֵּׁם הַשֵּׁנִי.

RAMBAN ELUCIDATED

[Ramban now gives his own interpretation:]

וְהַנָּכוֹן לִי, שֶׁאָמְרָה הַבֵּן הַזֶּה יִהְיֶה לִי קִנְיָן לַה' – **The most sound** interpretation, it seems **to me, is that she said, "This son will be for me an acquisition *for God.*[3] כִּי כַּאֲשֶׁר נָמוּת יִהְיֶה בִּמְקוֹמֵנוּ לַעֲבוֹד אֶת בּוֹרְאוֹ – For when [Adam and I] die he will take our place in serving his Creator." וְכֵן דַּעַת אוּנְקְלוּס שֶׁאָמַר "קֳדָם ה'" – And this is Onkelos' opinion as well, for he says** in his translation into Aramaic, קֳדָם ה', ***before God.***[4] **וְכָמוֹהוּ: "וְנִרְאָה אֶת הַכֹּהֵן",**[5] **לַכֹּהֵן, "וַיִּגַּשׁ דָּוִד אֶת הָעָם", אֶל הָעָם – And similar to [this] is, *and it shall be shown* אֶת *the Kohen,*** (*Leviticus* 13:49) which means "shown ***to*** **the Kohen,"** and ***and David came close* אֶת *the people*** (*I Samuel* 30:21), which means "came close ***to*** **the people."**[6]

[Ramban proposes a second possible interpretation:]

אוֹ יִהְיֶה "אֶת ה'" כְּמוֹ "וַיִּתְהַלֵּךְ חֲנוֹךְ אֶת הָאֱלֹהִים" – Alternatively, the phrase **אֶת ה' is similar to** the phrase אֶת הָאֱלֹהִים in the verses, ***Enoch walked with God*** (below, 5:22), and **"אֶת הָאֱלֹהִים הִתְהַלֶּךְ נֹחַ" – *Noah walked with God*** (below, 6:9).[7]

[The Torah explains the meaning of Cain's name, but does not elaborate on the reason for Abel's name. Ramban explains:]

וְקָרְאָה הָאֶחָד בְּשֵׁם קִנְיָן – She called one son **by a name indicating "acquiring," וְהַשֵּׁנִי הֶבֶל, כִּי קִנְיַן הָאָדָם לְהֶבֶל דָּמָה – and the second one** she called הֶבֶל, ***Abel,* for man's acquisitions are** fleeting **as vapor** *(hevel).*[8] **וְלֹא רָצְתָה לְפָרֵשׁ זֶה, עַל כֵּן לֹא נִכְתַּב טַעַם בַּשֵּׁם הַשֵּׁנִי – But she did not want to say this explicitly,**[9] **therefore no explanation was written for the name of the second** son.

3. See note 2. Ramban contends that אֶת here has yet a third meaning: – it is a preposition that can mean either *to* or *for* (see note 6 below) – and he adduces other verses in which אֶת is used in that sense. Furthermore, according to this interpretation, קָנִיתִי does not mean *I have acquired*, rather, it means *I have arranged an acquisition* [for someone else]."

4. Ramban interprets Onkelos' *before God* to mean "to serve before God," so it agrees with his own interpretation of the word.

5. Presumably this should read וְהָרְאָה אֶת הַכֹּהֵן (*Leviticus* 13:49), but had been confused with וְנִרְאָה אֶל הַכֹּהֵן (ibid. 13:19).

6. The prepositional prefix -ל can mean *to* or *for;* similarly, the preposition אֶת can have those two meanings.

7. According to this interpretation Eve was saying, "I have acquired a man [to walk] with God." אֶת is understood to mean "with," as Rashi says, but in a completely different sense: Eve prayed that Cain would walk *with God*, i.e., follow all the paths that are pleasing to Him. (See Ramban below, 17:1.)

8. The two names given by Eve thus had a single meaning when considered as a combination: These children were acquisitions for her, but she realized that all acquisitions are, after all, transitory.

9. "Here today, gone tomorrow" is not a joyous, auspicious thought appropriate to articulate upon the birth of a son.

ד מִפְּרִי הָאֲדָמָה מִנְחָה לַיהוָה: וְהֶבֶל הֵבִיא
גַם־הוּא מִבְּכֹרוֹת צֹאנוֹ וּמֵחֶלְבֵהֶן וַיִּשַׁע
ה יהוה אֶל־הֶבֶל וְאֶל־מִנְחָתוֹ: וְאֶל־קַיִן וְאֶל־
מִנְחָתוֹ לֹא שָׁעָה וַיִּחַר לְקַיִן מְאֹד וַיִּפְּלוּ
ו פָּנָיו: וַיֹּאמֶר יהוה אֶל־קָיִן לָמָּה חָרָה
ז לָךְ וְלָמָּה נָפְלוּ פָנֶיךָ: הֲלוֹא אִם־תֵּיטִיב
שְׂאֵת וְאִם לֹא תֵיטִיב לַפֶּתַח חַטָּאת
רֹבֵץ וְאֵלֶיךָ תְּשׁוּקָתוֹ וְאַתָּה תִּמְשָׁל־בּוֹ:

מֵאִבָּא דְאַרְעָא תַּקְרֻבְתָּא קֳדָם
יְיָ: ד וְהֶבֶל אַיְתִי אַף הוּא מִבַּכִּירֵי
עָנֵהּ וּמִשַּׁמִּנְהוֹן וַהֲוַת רַעֲוָא מִן
קֳדָם יְיָ לְהֶבֶל וּלְקוּרְבָּנֵהּ: ה וּלְקַיִן
וּלְקוּרְבָּנֵהּ לָא הֲוַת רַעֲוָא וּתְקֵף
לְקַיִן לַחֲדָא וְאִתְכְּבִישׁוּ אַפּוֹהִי:
ו וַאֲמַר יְיָ לְקַיִן לְמָא תְּקִיף לָךְ
וּלְמָא אִתְכְּבִישׁוּ אַפָּיךְ: ז הֲלָא
אִם תֵּיטִיב עוֹבָדָךְ יִשְׁתְּבֵק
לָךְ וְאִם לָא תֵיטִיב עוֹבָדָךְ
לְיוֹם דִּינָא חֲטָאת נְטִיר וְדַעֲתִיד
לְאִתְפְּרָעָא מִנָּךְ אִם לָא
תְתוּב וְאִם תְּתוּב יִשְׁתְּבֵק לָךְ:

רש״י

(ג) **מפרי האדמה.** מן הגרוע (ב״ר כב:ה) ויש אגדה שאומרת זרע פשתן היה (תנחומא ט): (ד) **וישע.** ויפן. וכן ואל מנחתו לא שעה, לא פנה. וכן ואל ישעו (שמות ה:ט) אל יפנו. וכן שעה מעליו (איוב יד:ו) פנה מעליו: **וישע.** ירדה אש ולחכה מנחתו (מדרש אגדה): (ז) **הלא אם תיטיב.** כתרגומו פירושו: **לפתח חטאת רובץ.** לפתח קברך חטאך שמור (אונקלוס): **ואליך תשוקתו.** של חטאת הוא יצר הרע, תמיד שוקק ומתאוה להכשילך (ספרי עקב מה; קדושין ל:): **ואתה תמשל בו.** אם תרצה תתגבר עליו

רמב״ן

וְהַסּוֹד הַמְקֻבָּל בְּעִנְיַן הֶבֶל גָּדוֹל מְאֹד.

[ג־ד] וַיָּבֵא קַיִן מִפְּרִי הָאֲדָמָה מִנְחָה לַה׳ וְהֶבֶל הֵבִיא גַם הוּא. הֵבִינוּ הָאֲנָשִׁים הָאֵלֶּה סוֹד גָּדוֹל מֵהַקָּרְבָּנוֹת וְהַמְּנָחוֹת, וְכֵן נֹחַ [להלן ח, כ]. וְרַבּוֹתֵינוּ אָמְרוּ [עבודה זרה ח, א] שֶׁגַּם אָדָם הָרִאשׁוֹן הִקְרִיב שׁוֹר פָּר. וְזֶה יַחְסוֹם פִּי הַמַּהְבִּילִים בְּטַעַם הַקָּרְבָּנוֹת[10]! וְעוֹד אֶרְמוֹז בּוֹ עִקָּר גָּדוֹל, בִּרְצוֹן הַקָּדוֹשׁ בָּרוּךְ הוּא[11].

[ז] הֲלֹא אִם תֵּיטִיב שְׂאֵת. עַל דַּעַת הַמְפָרְשִׁים[12], שְׂאֵת עֲוֹנְךָ[13]. וְעַל דַּעַת רַבִּי אַבְרָהָם, שְׂאֵת פָּנֶיךָ, כְּנֶגֶד

RAMBAN ELUCIDATED

[Ramban alludes to the Kabbalistic significance of Abel:]

וְהַסּוֹד הַמְקֻבָּל בְּעִנְיַן הֶבֶל גָּדוֹל מְאֹד – **The mystical** significance **received** by tradition **concerning Abel is very great.**

3-4. וַיָּבֵא קַיִן מִפְּרִי הָאֲדָמָה מִנְחָה לַה׳ וְהֶבֶל הֵבִיא גַם הוּא – ***CAIN BROUGHT AN OFFERING TO HASHEM OF THE FRUIT OF THE GROUND; AND AS FOR ABEL, HE ALSO BROUGHT ...***

[Ramban discusses the implications of the fact that offerings were brought by Cain and Abel:]

הֵבִינוּ הָאֲנָשִׁים הָאֵלֶּה סוֹד גָּדוֹל מֵהַקָּרְבָּנוֹת וְהַמְּנָחוֹת, וְכֵן נֹחַ – **These men understood the great mystical significance of the** animal **offerings and the meal-offerings, as did Noah**, who also brought offerings (below, 8:20). **וְרַבּוֹתֵינוּ אָמְרוּ שֶׁגַּם אָדָם הָרִאשׁוֹן הִקְרִיב שׁוֹר פָּר** – Similarly, **our Sages** (*Avodah Zarah* 8a) **say that Adam, the first** man, **also brought a bull** offering. **וְזֶה יַחְסוֹם פִּי הַמַּהְבִּילִים בְּטַעַם הַקָּרְבָּנוֹת** – **This** fact **muzzles the mouth of those who utter sophistry concerning the reason for the offerings!**[10] **וְעוֹד אֶרְמוֹז בּוֹ עִקָּר גָּדוֹל, בִּרְצוֹן הַקָּדוֹשׁ בָּרוּךְ הוּא** – **By the will of the Holy One, Blessed is He, I will further allude** elsewhere[11] **to a major principle concerning [the sacrifices].**

7. הֲלֹא אִם תֵּיטִיב שְׂאֵת – ***SURELY, IF YOU IMPROVE YOURSELF [THERE WILL BE] LIFTING.***

[Ramban explains the meaning of this enigmatic statement:]

עַל דַּעַת הַמְפָרְשִׁים שְׂאֵת עֲוֹנְךָ – **In the opinion of** many **commentators,**[12] **"lifting" means "lifting of your sin."**[13] **וְעַל דַּעַת רַבִּי אַבְרָהָם, שְׂאֵת פָּנֶיךָ, כְּנֶגֶד "לָמָּה נָפְלוּ פָנֶיךָ"** – **In the opinion of Rabbi**

10. The reference is to the approach towards *korbanos* (offerings) presented in *Moreh Nevuchim* (III:46), which is that *korbanos* have no inherent value, but were ordained by God in order to wean the Israelites from the idolatrous reverence for certain animals to which they had been exposed and had become accustomed. Certainly this reasoning cannot be applied to Adam and his sons or to Noah!

11. See Ramban to *Leviticus* 1:9.

12. See Onkelos, Rashi, Radak.

13. The meaning is thus: "If you improve yourself, God

to Hashem of the fruit of the ground; 4 *and as for Abel, he also*
brought of the firstlings of his flock and from their choicest.
Hashem turned to Abel and to his offering, 5 *but to Cain and to his*
offering He did not turn. This upset Cain exceedingly, and his
countenance fell.
6 *And Hashem said to Cain, "Why are you upset, and why has*
your countenance fallen? 7 *Surely, if you improve yourself there*
will be lifting. But if you do not improve yourself, sin crouches at
the door. Its desire is toward you, yet you can conquer it."

רמב״ן

״לָמָּה נָפְלוּ פָנֶיךָ״ [פסוק ו]. כִּי הַמִּתְבַּיֵּשׁ - כּוֹבֵשׁ פָּנִים לְמַטָּה[14], וְכֵן: ״וְאוֹר פָּנַי לֹא יַפִּילוּן״ [איוב כט, כד]. וְהַמְכַבְּדוֹ - כְּאִלּוּ נוֹשֵׂא פָּנָיו לְמַעְלָה, וְזֶה טַעַם ״אוּלַי יִשָּׂא פָנָי״ [להלן לב, כא], ״לֹא תִשָּׂא פְנֵי דָל״ [ויקרא יט, כה].

וְעַל דַּעְתִּי, אִם תֵּיטִיב - יִהְיֶה לְךָ יֶתֶר שְׂאֵת עַל אָחִיךָ, כִּי אַתָּה הַבְּכוֹר. וְזֶה טַעַם ״לָמָּה חָרָה לָךְ״ [פסוק ו], כִּי בְבָשְׁתּוֹ מֵאָחִיו נָפְלוּ פָנָיו, וּבְקִנְאָתוֹ מִמֶּנּוּ הֲרָגוֹ[15]. וְהִנֵּה אָמַר לוֹ: ״לָמָּה חָרָה לָךְ״ עַל אָחִיךָ, ״וְלָמָּה נָפְלוּ פָנֶיךָ״ מִמֶּנּוּ? ״הֲלֹא אִם תֵּיטִיב״ יִהְיֶה לְךָ יֶתֶר ״שְׂאֵת״ עַל אָחִיךָ ״וְאִם לֹא תֵיטִיב״ - לֹא עִמּוֹ בִּלְבַד תְּבוֹאֲךָ רָעָה, כִּי ״לַפֶּתַח״ בֵּיתְךָ[16] ״חַטָּאתְךָ רוֹבֵץ״[17], לְהַכְשִׁילְךָ בְּכָל דְּרָכֶיךָ[18]. ״וְאֵלֶיךָ תְּשׁוּקָתוֹ״, שֶׁהוּא יִשְׁתּוֹקֵק לִהְיוֹת דָּבֵק בְּךָ

RAMBAN ELUCIDATED

Avraham Ibn Ezra, however, it means **"to lift up your countenance** (or *face*)," **corresponding to** the expression immediately preceding this phrase, ***why has your countenance fallen?*** (v. 6). **כִּי הַמִּתְבַּיֵּשׁ כּוֹבֵשׁ פָּנִים לְמַטָּה – For someone who is ashamed pushes his face downward.**[14] **וְכֵן ״וְאוֹר פָּנַי לֹא יַפִּילוּן״ – And so** it says, ***They would not allow the light of my face to fall*** (*Job* 29:24). **וְהַמְכַבְּדוֹ כְּאִלּוּ נוֹשֵׂא פָּנָיו לְמַעְלָה – And when someone pays honor to [that person] it is as if he lifts his face up. וְזֶה טַעַם ״אוּלַי יִשָּׂא פָנָי״, ״לֹא תִשָּׂא פְנֵי דָל״ – This is the explanation of** the verses, ***perhaps he will lift up my face,*** i.e., honor me, (below, 32:21), and ***you shall not lift up the face of,*** i.e., show favor to, ***the poor*** (*Leviticus* 19:25).

[Ramban now presents his own opinion:]

וְעַל דַּעְתִּי, אִם תֵּיטִיב יִהְיֶה לְךָ יֶתֶר שְׂאֵת עַל אָחִיךָ, כִּי אַתָּה הַבְּכוֹר – In my opinion, however, it means: **If you improve yourself you will have added lifting,** i.e., exaltedness, **beyond** that of **your brother, for you are,** after all, **the firstborn. וְזֶה טַעַם ״לָמָּה חָרָה לָךְ״, כִּי בְבָשְׁתּוֹ מֵאָחִיו נָפְלוּ פָנָיו, וּבְקִנְאָתוֹ מִמֶּנּוּ הֲרָגוֹ – And this is the meaning of** the question, ***Why are you upset?*** (v. 6): **For it was out of his embarrassment before his brother that his "countenance fell," and it was out of his jealousy of him that he** subsequently **killed him.**[15] **וְהִנֵּה אָמַר לוֹ: ״לָמָּה חָרָה לָךְ״ עַל אָחִיךָ ״וְלָמָּה נָפְלוּ פָנֶיךָ״ מִמֶּנּוּ – So now [God] said to him, *"Why are you upset"* because of your brother, *and why has your countenance fallen* on account of him? ״הֲלֹא אִם תֵּיטִיב״ יִהְיֶה לְךָ יֶתֶר ״שְׂאֵת״ עַל אָחִיךָ – *Surely if you improve yourself*** you will have added ***exaltedness*** **beyond** that of **your brother. ״וְאִם לֹא תֵיטִיב״ לֹא עִמּוֹ בִּלְבַד תְּבוֹאֲךָ רָעָה – *But if you do not improve yourself,* it is not only through him that evil will befall you, כִּי ״לַפֶּתַח״ בֵּיתְךָ ״חַטָּאתְךָ רוֹבֵץ״ לְהַכְשִׁילְךָ בְּכָל דְּרָכֶיךָ – for *at the door* of your house**[16] ***your sin crouches,***[17] lying in wait, **to trip you up in all your paths** through life.[18] **״וְאֵלֶיךָ תְּשׁוּקָתוֹ״, שֶׁהוּא יִשְׁתּוֹקֵק לִהְיוֹת דָּבֵק בְּךָ כָּל הַיָּמִים – *Its desire is toward you,* for it** (the temptation

will lift (i.e., *forgive*) your sin" (the sin being that he had brought an imperfect offering).

14. Hence, a "fallen countenance" is an expression denoting shame, and "lifting up one's countenance" refers to renewed self-esteem.

15. According to Ramban, then, Cain was *upset* and *his countenance fell* because of his brother. According to Ibn Ezra, however, these emotions were brought about by Cain's dejection over being rejected by God.

16. This is in contradistinction to Rashi, who interprets *the door* to mean "at the entrance of the grave."

17. According to Ramban, *your sin* refers to the *yetzer hara*, the temptation and urge to sin that lies within man's psyche (see Rashi, ד״ה ואליך, Ibn Ezra and Radak). This is in contradistinction to Rashi, ד״ה לפתח, who states that *your sin* refers to the murder of Abel.

18. This, too, is in contradistinction to Rashi, who interprets *the sin crouches* to mean that it remains

ח וַיֹּאמֶר קַיִן אֶל־הֶבֶל אָחִיו וַיְהִי בִּהְיוֹתָם
בַּשָּׂדֶה וַיָּקָם קַיִן אֶל־הֶבֶל אָחִיו וַיַּהַרְגֵהוּ:
ט וַיֹּאמֶר יהוה אֶל־קַיִן אֵי הֶבֶל אָחִיךָ וַיֹּאמֶר
י לֹא יָדַעְתִּי הֲשֹׁמֵר אָחִי אָנֹכִי: וַיֹּאמֶר מֶה
עָשִׂיתָ קוֹל דְּמֵי אָחִיךָ צֹעֲקִים אֵלַי מִן־
יא הָאֲדָמָה: וְעַתָּה אָרוּר אָתָּה מִן־הָאֲדָמָה

ח וַאֲמַר קַיִן לְהֶבֶל אֲחוּהִי וַהֲוָה
בְּמֶהֱוֵיהוֹן בְּחַקְלָא וְקָם קַיִן
בְּהֶבֶל אֲחוּהִי וְקַטְלֵהּ: ט וַאֲמַר
יְיָ לְקַיִן אָן הֶבֶל אָחוּךְ וַאֲמַר
לָא יָדַעְנָא הֲנָטַר אָחִי אֲנָא:
י וַאֲמַר מֶה עֲבַדְתָּא קַל דַּם
זַרְעִין דַּעֲתִידִין לְמִפַּק מִן אָחוּךְ
קָבִילִין קֳדָמַי מִן אַרְעָא:
יא וּכְעַן לִיט אַתְּ מִן אַרְעָא

רש״י

(שם ושם): (ח) **ויאמר קין.** נכנס עמו בדברי ריב ומלה להתגולל עליו להרגו. ויש בזה מדרשי אגדה אך זה ישובו של מקרא: (ט) **אי הבל אחיך.** להכנס עמו בדברי נחת, אולי ישיב ויאמר אני הרגתיו וחטאתי לך (ב״ר יט:יא; במ״ר כ:ו): **לא ידעתי.** נעשה כגונב דעת העליונה (במ״ר שם; תנחומא ישן כה): **השומר אחי.** לשון תימה הוא, וכן כל ה״א הנקודה בחטף פתח: (י) **דמי אחיך.** דמו ודם זרעיותיו (סנהדרין לז.). ד״א שעשה בו פצעים הרבה שלא היה יודע מהיכן נפשו יוצאה (שם לז:): (יא) **מן האדמה.** יותר ממה שנתקללה היא כבר בעוונה (ב״ר ה:ט), וגם בזו הוסיפה לחטוא,

רמב״ן

כָּל הַיָּמִים. אֲבָל ״אַתָּה תִּמְשָׁל בּוֹ״ אִם תַּחְפּוֹץ, כִּי תֵיטִיב דְּרָכֶיךָ וּתְסִירֶנּוּ מֵעָלֶיךָ. הוֹרָהוּ עַל הַתְּשׁוּבָה, שֶׁהִיא נְתוּנָה בְּיָדוֹ לָשׁוּב בְּכָל עֵת שֶׁיִּרְצֶה, וְיִסְלַח לוֹ[19].

[ח] וְטַעַם **וַיֹּאמֶר קַיִן אֶל הֶבֶל אָחִיו,** שֶׁנִּכְנַס עִמּוֹ בְּדִבְרֵי רִיב וּמַצָּה לְהִתְגּוֹלֵל עָלָיו וּלְהָרְגוֹ. לְשׁוֹן רַשִׁ״י.

וְרַבִּי אַבְרָהָם אָמַר, כִּי הַקָּרוֹב אֵלָיו, שֶׁאָמַר לוֹ כָּל הַתּוֹכֵחוֹת שֶׁהוֹכִיחוֹ הַשֵּׁם[20].

וְעַל דַּעְתִּי, שֶׁהוּא דָבֵק עִם ״וַיְהִי בִּהְיוֹתָם בַּשָּׂדֶה״, כִּי אָמַר לוֹ: ״נֵצֵא הַשָּׂדֶה״, וְהָרַג אוֹתוֹ שָׁם בַּסֵּתֶר[21].

RAMBAN ELUCIDATED

to sin) **will desire to cling to you all the days.** אֲבָל ״אַתָּה תִּמְשָׁל בּוֹ״ אִם תַּחְפּוֹץ, כִּי תֵיטִיב דְּרָכֶיךָ וּתְסִירֶנּוּ מֵעָלֶיךָ – **But** ***you will be able to conquer it*** **if you want to, when you rectify your ways and take away [the temptation to sin] from upon yourself.”** הוֹרָהוּ עַל הַתְּשׁוּבָה – **[God] was** thus **instructing him concerning** the concept of **repentance,** telling him שֶׁהִיא נְתוּנָה בְּיָדוֹ לָשׁוּב בְּכָל עֵת שֶׁיִּרְצֶה, וְיִסְלַח לוֹ – **that it was within his capability to repent at any time that he might wish, and [God] would forgive him** for his sin.[19]

8. [וַיֹּאמֶר קַיִן אֶל הֶבֶל אָחִיו – *CAIN SPOKE WITH HIS BROTHER ABEL.*]

[Scripture does not tell us what Cain actually said. Ramban explains, beginning by citing the opinions of his predecessors:]

וְטַעַם ״וַיֹּאמֶר קַיִן אֶל הֶבֶל אָחִיו״ – **The explanation of** ***Cain spoke with his brother Abel,*** **is:** שֶׁנִּכְנַס עִמּוֹ בְּדִבְרֵי רִיב וּמַצָּה לְהִתְגּוֹלֵל עָלָיו וּלְהָרְגוֹ – **that he entered with him into words of quarrel and contention, to find a pretext against him and to kill him.**

לְשׁוֹן רַשִׁ״י – This is **a quote from Rashi.**

וְרַבִּי אַבְרָהָם אָמַר כִּי הַקָּרוֹב אֵלָיו, שֶׁאָמַר לוֹ כָּל הַתּוֹכֵחוֹת שֶׁהוֹכִיחוֹ הַשֵּׁם – **Rabbi Avraham** Ibn Ezra **says that the most likely** explanation seems **to him** to be **that [Cain] told [Abel] all the reproofs with which God had reproved him** (in vv. 6-7).[20]

[Ramban now presents his own opinion:]

וְעַל דַּעְתִּי, שֶׁהוּא דָבֵק עִם ״וַיְהִי בִּהְיוֹתָם בַּשָּׂדֶה״ – **My opinion is that [this phrase] is attached to** the one immediately following it: ***And it happened when then they were in the field ...*** (v. 8) כִּי אָמַר לוֹ נֵצֵא הַשָּׂדֶה – It means **that he said to him, “Let us go out into the field.”** וְהָרַג אוֹתוֹ שָׁם בַּסֵּתֶר – **And**

throughout life, unatoned, and will eventually lead to punishment when the person dies and faces his Day of Judgment.

19. By telling Cain that he could gain ascendancy over his brother if he would improve his ways, God was implying that his sin could be atoned for through repentance.

20. After relating to Abel that God had reprimanded him, he added, “You caused me to be scolded by God!” and a fight ensued (Radak).

8 *Cain spoke with his brother Abel. And it happened when they were in the field, that Cain rose up against his brother Abel and killed him.*

9 *HASHEM said to Cain, "Where is Abel your brother?"*

And he said, "I do not know. Am I my brother's keeper?"

10 *Then He said, "What have you done? The voice of your brother's blood cries out to Me from the ground!* 11 *Therefore, you are cursed from the ground,*

רמב״ן

וְיִתָּכֵן שֶׁנִּתְכַּוֵּן בַּהֲרִיגָתוֹ שֶׁיִּבָּנֶה הָעוֹלָם מִמֶּנּוּ, כִּי חָשַׁב שֶׁלֹּא יִהְיֶה לְאָבִיו זֶרַע אַחֵר עוֹד[22]. גַּם פָּחַד שֶׁלֹּא יִהְיֶה עִקַּר בִּנְיָנוֹ שֶׁל עוֹלָם מֵאָחִיו שֶׁנִּתְקַבְּלָה מִנְחָתוֹ[23].

[יא] אָרוּר אָתָּה מִן הָאֲדָמָה. יוֹתֵר מִמַּה שֶּׁנִּתְקַלְּלָה הִיא כְּבָר [לעיל ג, יז] בַּעֲוֹנָהּ[24]. וְגַם בְּזוֹ הוֹסִיפָה לַחֲטֹא - ״אֲשֶׁר פָּצְתָה אֶת פִּיהָ״, וְהִנְנִי מוֹסִיף לָהּ קְלָלָה. ״לֹא תוֹסֵף תֵּת כֹּחָהּ״[25]. לְשׁוֹן רַשִׁ״י.

וְאֵינֶנּוּ נָכוֹן, כִּי בְּכָאן לֹא אָרַר הָאֲדָמָה בַּעֲבוּרוֹ כַּאֲשֶׁר בְּאָבִיו[26].

RAMBAN ELUCIDATED

then **he killed him there in secret.**[21]

[Ramban now discusses the motive behind Cain's act of murder:]

וְיִתָּכֵן שֶׁנִּתְכַּוֵּן בַּהֲרִיגָתוֹ שֶׁיִּבָּנֶה הָעוֹלָם מִמֶּנּוּ – It is possible that his intention in killing [Abel] was that the world should develop from him alone, **כִּי חָשַׁב שֶׁלֹּא יִהְיֶה לְאָבִיו זֶרַע אַחֵר עוֹד – for he thought that his father would not have further offspring.**[22] **גַּם פָּחַד שֶׁלֹּא יִהְיֶה עִקַּר בִּנְיָנוֹ שֶׁל עוֹלָם מֵאָחִיו שֶׁנִּתְקַבְּלָה מִנְחָתוֹ – Furthermore, he was concerned lest the primary development of the world should be from his brother,** for, after all, **his offering was** the one which was **accepted.**[23]

11. אָרוּר אָתָּה מִן הָאֲדָמָה – *YOU ARE CURSED FROM THE GROUND.*

[Who was being cursed here – Cain or the ground? Ramban explains, beginning by citing Rashi:]

יוֹתֵר מִמַּה שֶּׁנִּתְקַלְּלָה הִיא כְּבָר בַּעֲוֹנָהּ – More than it had already been cursed (above, 3:17) **for its sin.**[24] **וְגַם בְּזוֹ הוֹסִיפָה לַחֲטֹא ״אֲשֶׁר פָּצְתָה אֶת פִּיהָ״ – In this** incident, **too, it sinned again, in that *it opened wide its mouth*** *to receive your brother's blood, etc.,* **וְהִנְנִי מוֹסִיף לָהּ קְלָלָה, ״לֹא תוֹסֵף תֵּת כֹּחָהּ״ – and** therefore **I am hereby giving it an additional curse, that** with regard to Cain **it *shall no longer yield its strength.***[25]

לְשׁוֹן רַשִׁ״י – This is a quote from Rashi.

[Ramban disputes Rashi's explanation:]

וְאֵינֶנּוּ נָכוֹן, כִּי בְּכָאן לֹא אָרַר הָאֲדָמָה בַּעֲבוּרוֹ כַּאֲשֶׁר בְּאָבִיו – But it is not a **sound** interpretation, **for**

21. Hence, וַיֹּאמֶר קַיִן אֶל הֶבֶל אָחִיו וַיְהִי בִּהְיוֹתָם בַּשָּׂדֶה – which literally means: *Cain spoke with his brother Abel. And it happened when they were in the field,* actually means: *Cain said to Abel, "Let us go out into the field."* See Yonasan ben Uzziel, who translates it this way.

22. According to this explanation, Cain did not want to share with Abel the distinction of being a founder of the world, and he therefore killed him.

23. According to this explanation, Cain was concerned that his role in building up the world would be eclipsed by that of his brother, who, apparently, was favored by God.

24. According to the Midrash (*Bereishis Rabbah* 5:19), the earth was commanded to produce trees that not only had edible fruit but were edible themselves (see above, 1:11 and Rashi ad loc.). Because it did not do so, it was cursed along with Adam (above, 3:17).

25. According to Rashi, then, the ground was again cursed at this time, and God told Cain that his curse would be even greater than that pronounced against the ground.

The word מִן (*from*) can also be used to indicate the idea of "more than," and this is how Rashi interprets it here.

[There are some versions of Rashi in which the word אֶצְלְךָ (*for you*) is added after קְלָלָה (*curse*). According to this reading (which Ramban evidently did not have), the ground was cursed not for its own inquity, but, rather for Cain's – that he not reap its full benefits (see *Sefer Zikaron*).]

אֲשֶׁר פָּצְתָה אֶת־פִּיהָ לָקַחַת אֶת־דְּמֵי
יב אָחִיךָ מִיָּדֶךָ: כִּי תַעֲבֹד אֶת־הָאֲדָמָה לֹא־
תֹסֵף תֵּת־כֹּחָהּ לָךְ נָע וָנָד תִּהְיֶה בָאָרֶץ:

דִּפְתַחַת יָת פּוּמַהּ וְקַבִּילַת יָת דְּמָא דַאֲחוּךְ מִן יְדָךְ: יב אֲרֵי תִפְלַח בְּאַרְעָא לָא תוֹסִיף לְמִתַּן חֵילַהּ לָךְ מְטַלְטַל וְגָלֵי תְּהֵא בְּאַרְעָא:

רש"י

אשר פצתה את פיה לקחת את דמי אחיך וגו׳, והנני מוסיף לה קללה [אלכך], לא תוסף תת כחה (מכילתא בשלח שירה פ"ט): (יב) נע ונד. אין לך רשות לדור במקום אחד (אונקלוס):

רמב"ן

אֲבָל אָמַר שֶׁיִּהְיֶה הוּא אָרוּר מִמֶּנָּה[27] וּפֵרַשׁ הַקְּלָלָה: שֶׁלֹּא תוֹסִיף תֵּת כֹּחָהּ אֵלָיו, וְשֶׁיִּהְיֶה נָע וָנָד בָּהּ[28]. וְאָמַר: "כִּי תַעֲבֹד אֶת הָאֲדָמָה"[29], כִּי בְּכָל אֲשֶׁר תִּטְרַח בָּהּ לַעֲבֹד אוֹתָהּ כָּרָאוּי בַּחֲרִישָׁה וְעִדּוּר וּבְכָל עֲבוֹדָה בַּשָּׂדֶה, וְתִזְרַע אוֹתָהּ כַּהֹגֶן - לֹא תוֹסִיף תֵּת כֹּחָהּ לָךְ, אֲבָל תִּזְרַע הַרְבֵּה וְתָבִיא מְעַט. וְזוֹ הִיא הָאֲרִירָה[30], כְּטַעַם "וְאָרוֹתִי אֶת בִּרְכוֹתֵיכֶם" [מלאכי ב, ב][30a]. וְאָמַר כֵּן כְּנֶגֶד אֻמָּנוּתוֹ, כִּי הוּא הָיָה עוֹבֵד אֲדָמָה [פסוק ב], וְהִנֵּה אָרַר מַעֲשָׂיו. וְזֶה טַעַם "לֹא תוֹסֵף תֵּת כֹּחָהּ לָךְ"[31], שֶׁלֹּא תִּתֵּן עוֹד כֹּחָהּ לְךָ כַּאֲשֶׁר הָיְתָה עוֹשָׂה עַד הֵנָּה בִּהְיוֹתְךָ עוֹבֵד אוֹתָהּ. וְכָךְ פֵּרַשׁ רַבִּי אַבְרָהָם[32].

RAMBAN ELUCIDATED

[God] did not curse the ground here because of [Cain], as was the case **with his father** Adam.[26]

[Ramban presents his own interpretation:]

אֲבָל אָמַר שֶׁיִּהְיֶה הוּא אָרוּר מִמֶּנָּה – Rather, [God] said that *he* (Cain) **would be cursed *from* it,**[27] i.e., through it; his curse would involve the earth. **וּפֵרַשׁ הַקְּלָלָה: שֶׁלֹּא תוֹסִיף תֵּת כֹּחָהּ אֵלָיו, וְשֶׁיִּהְיֶה נָע וָנָד בָּהּ – He then specified the curse:**[28] **that [the earth] would no longer yield its strength to him, and that he would become a vagrant and a wanderer on [the earth].** **וְאָמַר "כִּי תַעֲבֹד אֶת הָאֲדָמָה" – And He said, *when you work the ground*,**[29] **כִּי בְּכָל אֲשֶׁר תִּטְרַח בָּהּ לַעֲבֹד אוֹתָהּ כָּרָאוּי** – meaning **that as much as you labor in it to work it suitably,** **בַּחֲרִישָׁה וְעִדּוּר וּבְכָל עֲבוֹדָה בַּשָּׂדֶה וְתִזְרַע אוֹתָהּ כַּהֹגֶן – by plowing and hoeing and with all manner of labor in the field, and you sow it properly,** **לֹא תוֹסִיף תֵּת כֹּחָהּ לָךְ, אֲבָל תִּזְרַע הַרְבֵּה וְתָבִיא מְעַט – it will no longer yield its strength to you, but you will sow much and bring in little.** **וְזוֹ הִיא הָאֲרִירָה, כְּטַעַם "וְאָרוֹתִי אֶת בִּרְכוֹתֵיכֶם" – This is the** implication of **"cursing,"**[30] **like the meaning of** the similar word in the verse, ***I will send a curse into their blessings*** (*Malachi* 2:2).[30a] **וְאָמַר כֵּן כְּנֶגֶד אֻמָּנוּתוֹ, כִּי הוּא הָיָה עוֹבֵד אֲדָמָה, וְהִנֵּה אָרַר מַעֲשָׂיו – [God] uttered this** particular curse to Cain **with reference to his occupation, for He was a *tiller of the ground*** (v. 2); **He thus cursed his livelihood.** **וְזֶה טַעַם "לֹא תוֹסֵף תֵּת כֹּחָהּ לָךְ" – This is the implication of *it shall "no longer" yield its strength to you***[31] – **שֶׁלֹּא תִּתֵּן עוֹד כֹּחָהּ לְךָ כַּאֲשֶׁר הָיְתָה עוֹשָׂה עַד הֵנָּה בִּהְיוֹתְךָ עוֹבֵד אוֹתָהּ – that it will *no longer* yield its strength (i.e., its natural fertility) to you as it used to do until now whenever you worked it.** **וְכָךְ פֵּרַשׁ רַבִּי אַבְרָהָם – This is how**

26. In the case of Adam, God said, ***Accursed is the ground*** *because of you* (3:17). Here, however, He said, ***You*** *are cursed.* Although Cain's curse came about through the ground, the curse was not directed at the ground.

27. Ramban interprets the word מִן to mean "from," rather than "more than," as Rashi understands it.

28. First God told Cain in a general way that his curse would involve the earth in some manner. Then He elucidated what the curse would be specifically. These are not two curses, but a general statement followed by an elucidation.

29. This phrase: כִּי תַעֲבֹד אֶת הָאֲדָמָה, *when you work the ground,* indicates that it was not at the ground that the curse was directed, but rather at the effort and labor that Cain would put into it. The curse would thus not affect the produce which the ground yields without his toil and effort (*Pnei Yerushalayim*).

30. The basic meaning of the Hebrew verb ארר (translated as "to curse") is "to cause a decrease in quantity," just as its antonym, ברך, *to bless,* indicates "an increase in quantity" (as Ramban says many times; see above, 1:28, and below, 25:34, 27:28, etc.).

30a. The phrase *a curse into their blessing* conveys "curse" as a *decrease* in the blessing, as Ramban asserts.

31. The wording of this phrase: *it shall "no longer" yield its strength "to you"* implies a decrease in the yield that Cain's occupation had hitherto enjoyed, as Ramban has asserted.

which opened wide its mouth to receive your brother's blood from your hand. 12 *When you work the ground, it shall no longer yield its strength to you. You shall become a vagrant and a wanderer on earth."*

רמב"ן

וְיִתָּכֵן שֶׁאֵרְרוֹ מִן הָאֲדָמָה, שֶׁלֹּא תִּתֵּן הִיא מֵעַצְמָהּ כֹּחָהּ אֵלָיו - תְּאֵנָה וָגֶפֶן לֹא יִתְּנוּ חֵילָם בַּאֲחֻזָּתוֹ, וְעֵץ הַשָּׂדֶה לֹא יִתֵּן אֵלָיו פִּרְיוֹ[33]. וְחָזַר וְאָמַר: גַּם כֵּן כִּי תַעֲבֹד אוֹתָהּ לַחֲרֹשׁ וְלִזְרֹעַ - לֹא תוֹסֵף תֵּת כֹּחָהּ לָךְ כַּאֲשֶׁר בַּתְּחִלָּה[34]. וְהִנֵּה הֵן שְׁתֵּי קְלָלוֹת בְּאֻמָּנוּתוֹ, וְהַשְּׁלִישִׁית שֶׁיִּהְיֶה נָע וָנָד בָּהּ. וְהַטַּעַם, שֶׁלֹּא יָנוּחַ לִבּוֹ וְלֹא יִשְׁקֹט לַעֲמֹד בְּמָקוֹם אֶחָד מִמֶּנָּה, אֲבָל יִהְיֶה גּוֹלֶה לְעוֹלָם, כִּי עֹנֶשׁ הָרוֹצְחִים גָּלוּת[35].

וְטַעַם "אֲשֶׁר פָּצְתָה אֶת פִּיהָ", לֵאמֹר: "אַתָּה הָרַגְתָּ אֶת אָחִיךָ וְכִסִּיתָ אֶת דָּמוֹ בָּאֲדָמָה; וַאֲנִי אֶגְזוֹר עָלֶיהָ שֶׁתְּגַלֶּה אֶת דָּמֶיהָ, וְלֹא תְכַסֶּה עוֹד עַל הֲרוּגֶיהָ[36], כִּי תֵעָנֵשׁ בָּהּ וּבְכָל אֲשֶׁר תְּכַסֶּה בָּהּ, כְּגוֹן הַזְּרִיעָה

RAMBAN ELUCIDATED

Rabbi Avraham Ibn Ezra **explained** our verse as well.[32]

[Ramban presents another possible interpretation:]

וְיִתָּכֵן שֶׁאֵרְרוֹ מִן הָאֲדָמָה שֶׁלֹּא תִּתֵּן הִיא מֵעַצְמָהּ כֹּחָהּ אֵלָיו – **It is** also **possible that [God]** first **cursed him "from the ground"** meaning **that it would not yield its strength** (i.e., its natural fertility) **to him** ***by itself*** – **תְּאֵנָה וָגֶפֶן לֹא יִתְּנוּ חֵילָם בַּאֲחֻזָּתוֹ, וְעֵץ הַשָּׂדֶה לֹא יִתֵּן אֵלָיו פִּרְיוֹ** – **"the fig tree and vine would not give forth their wealth"**[33] **in his property, and the trees of the field would not give forth their fruit for him. וְחָזַר וְאָמַר:** – **And then,** after this first curse, **He added on** an additional curse **and said, גַּם כֵּן כִּי תַעֲבֹד אוֹתָהּ לַחֲרֹשׁ וְלִזְרֹעַ לֹא תוֹסֵף תֵּת כֹּחָהּ לָךְ כַּאֲשֶׁר בַּתְּחִלָּה** – **"Also, when you work [the land], plowing and sowing** it, **it will no longer yield its strength to you as it did initially."**[34] **וְהִנֵּה הֵן שְׁתֵּי קְלָלוֹת בְּאֻמָּנוּתוֹ** – **Thus, there were two curses pertaining to his occupation. וְהַשְּׁלִישִׁית שֶׁיִּהְיֶה נָע וָנָד בָּהּ** – **And** then **the third** curse **was that he should be *a vagrant and a wanderer*** in **[the land]. וְהַטַּעַם, שֶׁלֹּא יָנוּחַ לִבּוֹ וְלֹא יִשְׁקֹט לַעֲמֹד בְּמָקוֹם אֶחָד מִמֶּנָּה** – **The explanation** of this curse **is that his heart should never rest or be tranquil enough to remain in one place of [the earth], אֲבָל יִהְיֶה גּוֹלֶה לְעוֹלָם, כִּי עֹנֶשׁ הָרוֹצְחִים גָּלוּת** – **but he should be in exile forever, for the punishment for murderers is exile.**[35]

[Having established that it was Cain – and not the ground – that was cursed here, Ramban explains why the Torah refers to *the ground, which opened wide its mouth to receive your brother's blood,* which seems to be a condemnation of the ground's action:]

וְטַעַם "אֲשֶׁר פָּצְתָה אֶת פִּיהָ" לֵאמֹר – **The explanation for *which opened wide its mouth* is** that He was **saying,** in effect: **אַתָּה הָרַגְתָּ אֶת אָחִיךָ וְכִסִּיתָ אֶת דָּמוֹ בָּאֲדָמָה** – **"You killed your brother and covered his blood with the earth; וַאֲנִי אֶגְזוֹר עָלֶיהָ שֶׁתְּגַלֶּה אֶת דָּמֶיהָ, וְלֹא תְכַסֶּה עוֹד עַל הֲרוּגֶיהָ** – **I shall** therefore **decree for it that it should reveal its blood** that it has swallowed up, **and 'no longer cover up its slain ones,'**[36] **כִּי תֵעָנֵשׁ בָּהּ וּבְכָל אֲשֶׁר תְּכַסֶּה בָּהּ, כְּגוֹן הַזְּרִיעָה וְהַנְּטִיעָה** – **for you will be punished through it and through anything that you seek to cover with it, such as** by

32. The idea that מִן הָאֲדָמָה means that Cain's curse was through the ground, that ארר means "decrease," that God's curse to Cain was given in light of his occupation – all these are found in Ibn Ezra.

33. Stylistic citation from *Joel* 2:22.

34. According to this interpretation (as opposed to the first interpretation; see footnote 26), *you are cursed from the ground* (v. 11) and *when you work the ground it shall no longer yield its strength* (v. 12) are two separate curses. The first curse was that those types of produce that do not require cultivation (fruits of trees) would not grow in abundance; the second was that even when Cain toiled in the field to plant crops they would not respond by yielding the normal amounts.

35. As laid down in *Numbers* Chap. 25. [Exile is actually the punishment given to unintentional murderers, while Cain killed Abel deliberately. Perhaps it is for this reason that Cain was sentenced to perpetual exile, while an unintentional murderer settles, but not permanently, in a "city of refuge." Ramban's point is that the punishment of exile is seen as an appropriate punishment for the taking of a life. See *Zichron Yitzchak* for further discussion of this topic.]

36. Stylistic citation from *Isaiah* 26:21.

יג וַיֹּאמֶר קַיִן אֶל־יהוָה גָּדוֹל עֲוֺנִי מִנְּשֹׂא:
יד הֵן גֵּרַשְׁתָּ אֹתִי הַיּוֹם מֵעַל פְּנֵי הָאֲדָמָה
וּמִפָּנֶיךָ אֶסָּתֵר וְהָיִיתִי נָע וָנָד בָּאָרֶץ
טו וְהָיָה כָל־מֹצְאִי יַהַרְגֵנִי: וַיֹּאמֶר לוֹ
יהוָה לָכֵן כָּל־הֹרֵג קַיִן שִׁבְעָתַיִם יֻקָּם

יג וַאֲמַר קַיִן קֳדָם יְיָ סַגִּי חוֹבִי
מִלְּמִשְׁבַּק: יד הָא תָרֵיכְתָּא יָתִי
יוֹמָא דֵין מֵעַל אַפֵּי אַרְעָא וּמִן
קֳדָמָךְ לֵית אֶפְשַׁר לְאִטַּמָּרָא
וְאֱהֵי מְטַלְטַל וְגָלֵי בְּאַרְעָא וִיהֵי
כָל דְּיִשְׁכְּחִנַּנִי יִקְטְלִנַּנִי:
טו וַאֲמַר לֵהּ יְיָ לְכֵן כָּל קָטִיל
קַיִן לְשַׁבְעָא דָרִין יִתְפְּרַע מִנֵּהּ

רש"י

(יג) **גדול עוני מנשוא.** בתמיה, אתה טוען עליונים ותחתונים ועווני אי אפשר לטעון (ב"ר כב:יא): (טו) **לכן כל הורג קין.** זה אחד מן המקראות שקצרו דבריהם ורמזו ולא פירשו. לכן כל הורג קין לשון גערה, כה יעשה לו, כך וכך עונשו, ולא פירש עונשו: **שבעתים יקם.** איני רוצה להנקם מקין עכשיו, לסוף שבעה דורות אני נוקם נקמתי ממנו שיעמוד למך מבני בניו ויהרגהו. וסוף המקרא שאמר שבעתים יוקם והיא נקמת הבל מקין למדנו שתחלת מקרא לשון גערה היא שלא תהא בריה מזיקתו. וכיוצא בו ויאמר דוד כל מכה יבוסי ויגע בצנור (שמואל ב ה:ח) ולא פירש מה יעשה לו. אבל דבר הכתוב ברמז, כל מכה יבוסי ויגע בצנור, ויקרב אל השער ויכבשנו, ואת העורים וגו' (שם), וגם אותם יכה על אשר אמרו העור והפסח לא יבא [דוד]

רמב"ן

וְהַנְּטִיעָה". וְזֶה עֹנֶשׁ כָּל שְׁפִיכוּת דָּם בָּאָרֶץ, כְּעִנְיָן שֶׁכָּתוּב "כִּי הַדָּם הוּא יַחֲנִיף אֶת הָאָרֶץ" [במדבר לה, לג], וַחֲנֻפַּת הָאָרֶץ - מְאֵרָה בְּפֵירוֹתֶיהָ[37], כְּעִנְיַן "מִהְיוֹתָם בָּא אֶל עֲרֵמַת עֶשְׂרִים וְהָיְתָה עֲשָׂרָה, בָּא אֶל הַיֶּקֶב לַחְשֹׂף חֲמִשִּׁים פּוּרָה וְהָיְתָה עֶשְׂרִים" [חגי ב, טז].

[יג] גָּדוֹל עֲוֺנִי מִנְּשֹׂא. בִּתְמִיָּה: אַתָּה טוֹעֵן עֶלְיוֹנִים וְתַחְתּוֹנִים, וַעֲוֺנִי אִי אֶפְשָׁר לִטְעוֹן?

לְשׁוֹן רַשִׁ"י מִבְּרֵאשִׁית רַבָּה [כב, יא].

וְהַנָּכוֹן בִּפְשַׁט שֶׁהוּא וִדּוּי[38]. אָמַר: אֱמֶת כִּי עֲוֺנִי גָּדוֹל מִלִּסְלוֹחַ, וְצַדִּיק אַתָּה ה' וְיָשָׁר מִשְׁפָּטֶיךָ[39]

RAMBAN ELUCIDATED

sowing and planting." וְזֶה עֹנֶשׁ כָּל שְׁפִיכוּת דָּם בָּאָרֶץ, כְּעִנְיָן שֶׁכָּתוּב "כִּי הַדָּם הוּא יַחֲנִיף אֶת הָאָרֶץ" – **And this is the punishment for any shedding of blood on the ground, as it is written,** ***For spilt blood causes the land to be unfaithful*** (*Numbers* 35:33), וַחֲנֻפַּת הָאָרֶץ מְאֵרָה בְּפֵירוֹתֶיהָ – **and "unfaithfulness" when applied to the land refers to a curse,** i.e., deficiency, **in its produce,**[37] כְּעִנְיַן "מִהְיוֹתָם בָּא אֶל עֲרֵמַת עֶשְׂרִים וְהָיְתָה עֲשָׂרָה, בָּא אֶל הַיֶּקֶב לַחְשֹׂף חֲמִשִּׁים פּוּרָה וְהָיְתָה עֶשְׂרִים" – **as the scenario** depicted in the verse, ***When they came to a pile of grain that should have been twenty [units] they found it to be ten; [when they] came to the winepress to draw out fifty [units] from the pit, they found it to be twenty*** (*Haggai* 2:16).

13. גָּדוֹל עֲוֺנִי מִנְּשֹׂא – ***MY INIQUITY IS TOO GREAT TO BE BORNE!***

[Cain's statements present several difficulties. (1) What did he mean by *My iniquity is too great to be borne*? (2) Why did he say that he had been *banished from the face of the earth*? (3) What did he mean by saying that he would be *hidden from God's presence*? (4) Why was he suddenly afraid that "whoever met him would kill him," and what exactly did he fear? Ramban addresses all these problems, beginning with a citation from Rashi:]

בִּתְמִיָּה – This (*My iniquity is too great to be borne*) was said **in astonishment,** i.e., it is a rhetorical question: **אַתָּה טוֹעֵן עֶלְיוֹנִים וְתַחְתּוֹנִים, וַעֲוֺנִי אִי אֶפְשָׁר לִטְעוֹן** – **You, [God], bear the upper realms and the lower realms** upon Yourself, **yet my iniquity is impossible** for You **to bear?!**

לְשׁוֹן רַשִׁ"י מִבְּרֵאשִׁית רַבָּה – This is **a quote from Rashi,** citing **from** ***Bereishis Rabbah*** (22:11).

[Ramban present his own interpretation:]

וְהַנָּכוֹן בִּפְשַׁט שֶׁהוּא וִדּוּי – **The soundest** explanation **according to the simple meaning is that it is a confession.**[38] **אָמַר, אֱמֶת כִּי עֲוֺנִי גָּדוֹל מִלִּסְלוֹחַ, וְצַדִּיק אַתָּה ה' וְיָשָׁר מִשְׁפָּטֶיךָ** – **He said,** in effect, **"Indeed**

37. The ground is "unfaithful" in the sense that it does not do what is expected of it. See Ramban on *Numbers* 35:33.

38. It is not a defiant complaint, as Rashi understands it.

13 Cain said to HASHEM, "My iniquity is too great to be
borne! 14 Behold, You have banished me this day from
the face of the earth, and I shall be hidden from Your presence. I must become a vagrant and a wanderer on earth;
whoever meets me will kill me!" 15 HASHEM said to him,
"Therefore, whoever slays Cain will be punished sevenfold."

רמב״ן

[תהלים קיט, קלז], אַף עַל פִּי שֶׁעֲנַשְׁתָּ אוֹתִי הַרְבֵּה מְאֹד, וְהִנֵּה ״גֵּרַשְׁתָּ אוֹתִי הַיּוֹם מֵעַל פְּנֵי הָאֲדָמָה״, כִּי בִּהְיוֹתִי נָע וָנָד וְלֹא אוּכַל לַעֲמוֹד בְּמָקוֹם אֶחָד הִנֵּה אָנֹכִי מְגֹרָשׁ מִן הָאֲדָמָה וְאֵין מָקוֹם לִמְנוּחָתִי[40], וּמִפָּנֶיךָ אֶסָּתֵר, כִּי לֹא אוּכַל לַעֲמוֹד לְפָנֶיךָ לְהִתְפַּלֵּל אוֹ לְהַקְרִיב קָרְבָּן וּמִנְחָה[41], כִּי בֹשְׁתִּי וְגַם נִכְלַמְתִּי כִּי נָשָׂאתִי חֶרְפַּת נְעוּרָי[42]. אֲבָל מָה אֶעֱשֶׂה? כִּי כָל מוֹצְאִי יַהַרְגֵנִי, וְאַתָּה בַּחֲסָדֶיךָ הָרַבִּים לֹא חִיַּבְתָּ אוֹתִי מִיתָה!

וְהָעִנְיָן, שֶׁאָמַר לְפָנָיו: הִנֵּה חֶטְאִי גָּדוֹל וְהִרְבֵּיתָ עָלַי עֹנֶשׁ, אֲבָל שָׁמְרֵנִי שֶׁלֹּא אֵעָנֵשׁ יוֹתֵר מִמַּה שֶּׁחִיַּבְתָּ אוֹתִי! כִּי בַּעֲבוּר שֶׁאֶהְיֶה נָע וָנָד וְלֹא אֶבְנֶה לִי בַּיִת וּגְדֵרוֹת בְּשׁוּם מָקוֹם - יַהַרְגוּנִי הַחַיּוֹת[43], כִּי סָר צִלְּךָ[44] מֵעָלַי. הוֹדָה כִּי הָאָדָם אֵינֶנּוּ נִשְׂגָּב וְנִמְלָט בְּכֹחוֹ, רַק בִּשְׁמִירַת עֶלְיוֹן עָלָיו[45].

RAMBAN ELUCIDATED

my sin is too great to forgive! And 'You, HASHEM, are great, and Your judgments are fair' (*Psalms* 119:137),[39] **אַף עַל פִּי שֶׁעֲנַשְׁתָּ אוֹתִי הַרְבֵּה מְאֹד – even though You have punished me very severely. וְהִנֵּה ״גֵּרַשְׁתָּ אוֹתִי הַיּוֹם מֵעַל פְּנֵי הָאֲדָמָה״ – And *behold, You have banished me this day from the face of the earth,*** **כִּי בִּהְיוֹתִי נָע וָנָד וְלֹא אוּכַל לַעֲמוֹד בְּמָקוֹם אֶחָד – for by my being *a vagrant and a wanderer,* and not being able to stay in one place** for any length of time, **הִנֵּה אָנֹכִי מְגֹרָשׁ מִן הָאֲדָמָה וְאֵין מָקוֹם לִמְנוּחָתִי – I am in effect banished from the earth, and I have no place to rest.**[40] **וּמִפָּנֶיךָ אֶסָּתֵר, כִּי לֹא אוּכַל לַעֲמוֹד לְפָנֶיךָ לְהִתְפַּלֵּל אוֹ לְהַקְרִיב קָרְבָּן וּמִנְחָה – And** furthermore, ***I will be hidden from Your presence,*** meaning **that I will not be able to** bring myself, out of shame, to **stand before You in prayer or to bring** animal **offerings and meal-offerings** to You,[41] **כִּי בֹשְׁתִּי וְגַם נִכְלַמְתִּי כִּי נָשָׂאתִי חֶרְפַּת נְעוּרָי – for 'I am ashamed and embarrassed, for I bear the disgrace of my youth.'**[42] **אֲבָל מָה אֶעֱשֶׂה כִּי כָל מוֹצְאִי יַהַרְגֵנִי – However,** despite my confession and contrition, **what can I do** to survive? **For *whoever meets me will kill me,*** **וְאַתָּה בַּחֲסָדֶיךָ הָרַבִּים לֹא חִיַּבְתָּ אוֹתִי מִיתָה – And You, in Your abundant mercy, did not make me liable for** a penalty of **death!"**

וְהָעִנְיָן, שֶׁאָמַר לְפָנָיו: הִנֵּה חֶטְאִי גָּדוֹל וְהִרְבֵּיתָ עָלַי עֹנֶשׁ – The concept behind this last statement was **that he was saying before [God]: "Indeed my sin is great, and You have given me,** deservedly, **a considerable punishment, אֲבָל שָׁמְרֵנִי שֶׁלֹּא אֵעָנֵשׁ יוֹתֵר מִמַּה שֶּׁחִיַּבְתָּ אוֹתִי – but** please **safeguard me that I should not be punished beyond that which You have decreed for me! כִּי בַּעֲבוּר שֶׁאֶהְיֶה נָע וָנָד וְלֹא אֶבְנֶה לִי בַּיִת וּגְדֵרוֹת בְּשׁוּם מָקוֹם – For due to the fact that I will be *a vagrant and a wanderer*** and consequently **will not build for myself a house and enclosures anywhere, יַהַרְגוּנִי הַחַיּוֹת – the animals will kill me** due to my lack of security,[43] **כִּי סָר צִלְּךָ מֵעָלַי – for Your protection**[44] **has departed from me." הוֹדָה כִּי הָאָדָם אֵינֶנּוּ נִשְׂגָּב וְנִמְלָט בְּכֹחוֹ, רַק בִּשְׁמִירַת עֶלְיוֹן עָלָיו – He** thereby **acknowledged that man does not survive or escape** from harm **by his** own **strength, but only by the Supreme One's protection of him.**[45]

39. This is the answer to question (1) of the introductory comment: What did he mean by *My iniquity is too great to be borne*?

40. This is the answer to question (2) of the introductory comment: Why did he say that he had been *banished from the face of the earth*?

41. This is the answer to question (3) of the introductory comment: What did he mean by saying that he would be *hidden from God's presence*?

42. Stylistic citation from *Jeremiah* 31:18.

43. This is the answer to question (4) of the introductory comment: Why was he suddenly afraid that "whoever met him would kill him," and what exactly did he fear? [Cf. Ramban on *Leviticus* 26:6.]

44. Lit., "shade," which is a metaphor for God's providence and protection (see *Numbers* 14:9 and *Psalms* 121:5).

45. When Cain complained to God that *whoever meets me will kill me* he was in effect asking God to help him by ensuring that such a fate – which was beyond the

וַיָּשֶׂם יְהוָה לְקַיִן אוֹת לְבִלְתִּי הַכּוֹת־אֹתוֹ
טז כָּל־מֹצְאוֹ: וַיֵּצֵא קַיִן מִלִּפְנֵי יְהוָה וַיֵּשֶׁב
יז בְּאֶרֶץ־נוֹד קִדְמַת־עֵדֶן: וַיֵּדַע קַיִן אֶת־
אִשְׁתּוֹ וַתַּהַר וַתֵּלֶד אֶת־חֲנוֹךְ וַיְהִי בֹּנֶה
עִיר וַיִּקְרָא שֵׁם הָעִיר כְּשֵׁם בְּנוֹ חֲנוֹךְ:

וְשַׁוִּי יְיָ לְקַיִן אָתָא בְּדִיל דְּלָא לְמִקְטַל יָתֵהּ כָּל דְּיִשְׁכְּחִנֵּהּ: טז וּנְפַק קַיִן מִן קֳדָם יְיָ וִיתִיב בְּאַרְעָא גָּלֵי וּמִטַּלְטַל דַּהֲוַת עֲבִידָא עֲלוֹהִי מִלְּקַדְמִין כְּגִינְתָא (נ״א דְגִינְתָא) דְעֵדֶן: יז וִידַע קַיִן יָת אִתְּתֵהּ וְעַדִּיאַת וִילִידַת יָת חֲנוֹךְ וַהֲוָה בָּנֵי קַרְתָּא וּקְרָא שְׁמָא דְקַרְתָּא כְּשׁוּם בְּרֵהּ חֲנוֹךְ:

רש״י

אל תוך הבית, המכה את אלו אני אעשנו ראש ושר. כאן קצר דבריו, ובדברי הימים (א יא:ו) פירש יהיה לראש ולשר: **וישם ה׳ לקין אות.** חקק לו אות משמו במצחו (תרגום יונתן): **(טז) ויצא קין.** יצא בהכנעה כגונב דעת העליונה (ב״ר כב:יג): **בארץ נוד.** בארץ שכל הגולים נדים שם: **קדמת עדן.** שם גלה אביו כשגורש מגן עדן שנאמר וישכן מקדם לגן עדן (לעיל ג:כד) לשמור את שמירת דרך מבוא הגן, שיש ללמוד שהיה אדם שם. ומצינו רוח מזרחית קולטת בכל מקום את הרוצחים, שנאמר אז יבדיל משה וגו׳ מזרחה שמש (דברים ד:מא; ב״ר כא:ט). דבר אחר בארץ נוד כל מקום שהולך היתה הארץ מזדעזעת תחתיו והבריות אומרים סורו מעליו זהו שהרג את אחיו (תנחומא ט): **(יז) ויהי.** קין **בנה עיר ויקרא שם העיר** לזכר **בנו חנוך** (ב״ר כג:א):

רמב״ן

[טו] וּמִפְּנֵי שֶׁאָמַר **וַיָּשֶׂם ה׳ לְקַיִן אוֹת,** וְלֹא אָמַר: ״וַיִּתֵּן לוֹ הַשֵּׁם אוֹת״, אוֹ ״וַיַּעַשׂ״ - יוֹרֶה שֶׁשָּׂם לוֹ אוֹת קָבוּעַ שֶׁיִּהְיֶה עִמּוֹ תָּמִיד[46]. אוּלַי כְּשֶׁהָיָה נוֹסֵעַ מִמָּקוֹם לְמָקוֹם הָיָה לוֹ אוֹת מֵאֵת ה׳, מוֹרֶה לוֹ הַדֶּרֶךְ אֲשֶׁר יֵלֵךְ בָּהּ, וּבָזֶה יָדַע שֶׁלֹּא יִקְרָאֶנּוּ אָסוֹן בַּדֶּרֶךְ הַהוּא.

וּבִבְרֵאשִׁית רַבָּה [כב, יב] אָמְרוּ כְּעִנְיָן זֶה: ״רַבִּי אַבָּא אָמַר: כֶּלֶב מָסַר לוֹ.״ כִּי מִפְּנֵי שֶׁהָיָה פַּחְדּוֹ מִן הַחַיּוֹת - מָסַר לוֹ אַחַת מֵהֶן שֶׁתֵּלֵךְ לְפָנָיו[47], וְלַמָּקוֹם שֶׁיִּפְנֶה הַכֶּלֶב לָלֶכֶת - יָדַע כִּי שָׁם צִוָּה לוֹ הַשֵּׁם, וְלֹא יֵהָרֵג בָּהּ. הִזְכִּירוּ בּוֹ הַחֲכָמִים אוֹת נִבְזֶה, כָּרָאוּי לוֹ[48], אֲבָל הַכַּוָּנָה שֶׁהָיָה עִמּוֹ הָאוֹת תָּמִיד לְהוֹרוֹת לְפָנָיו הַדֶּרֶךְ שֶׁיֵּלֵךְ

RAMBAN ELUCIDATED

15. [**וַיָּשֶׂם ה׳ לְקַיִן אוֹת** – *HASHEM PLACED A SIGN FOR CAIN.*]

[What exactly was the nature of this *sign*? (See Rashi.) Ramban explains:]

וּמִפְּנֵי שֶׁאָמַר ״וַיָּשֶׂם ה׳ לְקַיִן אוֹת״ – **Because [Scripture] said, *Hashem "placed" a sign for Cain,*** **וְלֹא אָמַר ״וַיִּתֵּן לוֹ הַשֵּׁם אוֹת״, אוֹ ״וַיַּעַשׂ״** – **and did not say, "and God *gave* him a sign," or "He *made*** him a sign," **יוֹרֶה שֶׁשָּׂם לוֹ אוֹת קָבוּעַ שֶׁיִּהְיֶה עִמּוֹ תָּמִיד** – **it indicates that He placed a permanent sign for him, which would always be with him.**[46] **אוּלַי כְּשֶׁהָיָה נוֹסֵעַ מִמָּקוֹם לְמָקוֹם הָיָה לוֹ אוֹת מֵאֵת ה׳** – **Perhaps** it consisted of the fact that **whenever he would travel from place to place he had a sign from God,** **מוֹרֶה לוֹ הַדֶּרֶךְ אֲשֶׁר יֵלֵךְ בָּהּ** – **showing him the road on which he should go,** **וּבָזֶה יָדַע שֶׁלֹּא יִקְרָאֶנּוּ אָסוֹן בַּדֶּרֶךְ הַהוּא** – **and through this** sign **he knew that no mishap would occur to him on that road.**

[Ramban presents the Midrash's interpretation of Cain's "sign" and explains it:]

וּבִבְרֵאשִׁית רַבָּה אָמְרוּ כְּעִנְיָן זֶה: – **And in *Bereishis Rabbah*** (22:12) **they said about this matter:** **רַבִּי אַבָּא אָמַר כֶּלֶב מָסַר לוֹ** – **"Rabbi Abba said: [God] assigned him a dog."** **כִּי מִפְּנֵי שֶׁהָיָה פַּחְדּוֹ מִן הַחַיּוֹת, מָסַר לוֹ אַחַת מֵהֶן שֶׁתֵּלֵךְ לְפָנָיו** – **For because his fear was of the animals** (as explained above), **[God] assigned him one of them** (i.e., an animal) **to walk before him** as a guide,[47] **וְלַמָּקוֹם שֶׁיִּפְנֶה הַכֶּלֶב לָלֶכֶת יָדַע כִּי שָׁם צִוָּה לוֹ הַשֵּׁם וְלֹא יֵהָרֵג בָּהּ** – **and toward whichever place the dog would turn to go, [Cain] would know it was there that God had commanded him** to go, **and that he would not be killed there.** **הִזְכִּירוּ בּוֹ הַחֲכָמִים אוֹת נִבְזֶה כָּרָאוּי לוֹ** – **The Sages mentioned concerning [Cain] a loathsome sign** (a dog),[48] **as befitted him,** **אֲבָל הַכַּוָּנָה שֶׁהָיָה עִמּוֹ הָאוֹת תָּמִיד לְהוֹרוֹת לְפָנָיו הַדֶּרֶךְ שֶׁיֵּלֵךְ**

bounds of God's decreed punishment – would not occur, as Ramban explained above.

46. This is in contradistinction to Ibn Ezra's interpretation, namely, that God gave Cain some sign to prove to him that He would indeed protect him from harm. The sign was thus a one-time event, such as the signs performed by Moses to prove that God had sent him (*Exodus* Chap. 4). Ramban rejects this, because in such cases the verb used with "sign" is always עשה (*to do*) or נתן (*to give*), and not שום (*to place*), as here.

47. See Ramban on *Numbers* 21:9.

48. A dog is considered loathsome; see *Deuteronomy* 23:19; *I Samuel* 24:14; *II Samuel* 3:8, 9:8, 16:9; *Proverbs* 26:11; *Ecclesiastes* 9:4.

And HASHEM placed a sign for Cain, so that none that meet him might kill him. [16] *Cain left the presence of HASHEM and settled in the land of Nod, east of Eden.*

[17] *And Cain knew his wife, and she conceived and bore Enoch. He was building a city, and he named the city after his son Enoch.*

רמב״ן

בָּהּ, כִּי כֵן לְשׁוֹן ״וַיָּשֶׂם״[49].

[טז] וְטַעַם **וַיֵּצֵא קַיִן מִלִּפְנֵי ה׳**, כִּי עוֹד לֹא עָמַד לְפָנָיו לְעוֹלָם, כְּטַעַם שֶׁאָמַר ״וּמִפָּנֶיךָ אֶסָּתֵר״ [פסוק יד][50].

וְטַעַם **וַיֵּשֶׁב בְּאֶרֶץ נוֹד**, שֶׁלֹּא הָלַךְ בְּכָל הָעוֹלָם, אֲבָל בְּאוֹתָהּ הָאָרֶץ יָשַׁב, נוֹדֵד תָּמִיד, לֹא יָנוּחַ בְּמָקוֹם מִמֶּנָּה כְּלָל. וְנִקְרֵאת ״אֶרֶץ נוֹד״ עַל שְׁמוֹ לְעוֹלָם[51].

[יז] וְטַעַם **וַיְהִי בּוֹנֶה עִיר וַיִּקְרָא שֵׁם הָעִיר כְּשֵׁם בְּנוֹ חֲנוֹךְ**, כִּי מִתְּחִלָּה הָיָה חוֹשֵׁב לִהְיוֹת עֲרִירִי בַּעֲוֹנוֹ[52],

RAMBAN ELUCIDATED

בָּהּ – **but** their main **intention is** to explain **that the sign was constantly with [Cain] to show him the path that he should go on,** as I explained above, כִּי כֵן לְשׁוֹן ״וַיָּשֶׂם״ – **for this is** the indication of **the term** ***and he placed***.[49]

16. [וַיֵּצֵא קַיִן מִלִּפְנֵי ה׳ – *CAIN LEFT THE PRESENCE OF HASHEM.*]

[How can one "leave the presence of HASHEM" Who is Omnipresent? Ramban explains:]

וְטַעַם ״וַיֵּצֵא קַיִן מִלִּפְנֵי ה׳״ – **The meaning of** ***Cain left the presence of HASHEM*** כִּי עוֹד לֹא עָמַד לְפָנָיו לְעוֹלָם, כְּטַעַם שֶׁאָמַר ״וּמִפָּנֶיךָ אֶסָּתֵר״ – **is that he never again stood before [God]. This is similar to the meaning of what he** himself **had said,** ***I shall be hidden from Your presence*** (v. 14).[50]

☐ [וַיֵּשֶׁב בְּאֶרֶץ נוֹד – *AND HE SETTLED IN THE LAND OF NOD.*]

[Cain was cursed to be a *wanderer and in exile* all his life (above, v. 4); how, then, did he come to "settle" in the land of Nod? Ramban explains:]

וְטַעַם ״וַיֵּשֶׁב בְּאֶרֶץ נוֹד״ שֶׁלֹּא הָלַךְ בְּכָל הָעוֹלָם, אֲבָל בְּאוֹתָהּ הָאָרֶץ יָשַׁב נוֹדֵד תָּמִיד – **The explanation of** ***and he settled in the land of Nod*** **is that he did not travel throughout the whole world, but settled in that land, constantly wandering;** לֹא יָנוּחַ בְּמָקוֹם מִמֶּנָּה כְּלָל – **he found no rest anywhere in [that land] at all.** וְנִקְרֵאת ״אֶרֶץ נוֹד״ עַל שְׁמוֹ לְעוֹלָם – **And [that land] was forever called** ***the land of Nod*** ("Land of Wandering") **because of him.**[51]

17. [וַיֵּדַע קַיִן אֶת אִשְׁתּוֹ וַתַּהַר וַתֵּלֶד אֶת חֲנוֹךְ, וַיְהִי בֹּנֶה עִיר וַיִּקְרָא שֵׁם הָעִיר כְּשֵׁם בְּנוֹ חֲנוֹךְ – *AND CAIN KNEW HIS WIFE, AND SHE CONCEIVED AND BORE ENOCH. HE WAS BUILDING A CITY, AND HE NAMED THE CITY AFTER HIS SON ENOCH.*]

[This verse gives rise to several questions: (1) Why did Cain build a city altogether, seeing that he was doomed to wander from place to place, and why did he wait to build it until after he had a child? (2) Why does it say, *He was* **building** *a city*, and not simply, "He *built* a city"? (3) What significance is there to the fact that he named the city after his son? Ramban explains the verse, resolving all these questions:]

וְטַעַם ״וַיְהִי בּוֹנֶה עִיר וַיִּקְרָא שֵׁם הָעִיר כְּשֵׁם בְּנוֹ חֲנוֹךְ״ – **The explanation of** ***He was building a city, and he named the city after his son Enoch*** **is** כִּי מִתְּחִלָּה הָיָה חוֹשֵׁב לִהְיוֹת עֲרִירִי בַּעֲוֹנוֹ – **that originally he**

49. As explained above, in note 46.

50. As Ramban explained these words above, Cain declared that "I will not be able to bring myself to stand before You in prayer or to bring animal-offerings and meal-offerings to You, for I am ashamed and embarrassed." Hence, *he left the presence of HASHEM* forever.

51. The area in which Cain wandered about was subsequently called "Nod" (*Wandering*) after Cain "settled" there.

יח וַיִּוָּלֵד לַחֲנוֹךְ֙ אֶת־עִירָ֔ד וְעִירָ֕ד יָלַ֖ד אֶת־
מְחֽוּיָאֵ֑ל וּמְחִיּיָאֵ֗ל יָלַד֙ אֶת־מְת֣וּשָׁאֵ֔ל
חמישי יט וּמְתֽוּשָׁאֵ֖ל יָלַ֥ד אֶת־לָֽמֶךְ׃ וַיִּֽקַּֽח־ל֥וֹ לֶ֖מֶךְ שְׁתֵּ֣י
נָשִׁ֑ים שֵׁ֤ם הָֽאַחַת֙ עָדָ֔ה וְשֵׁ֥ם הַשֵּׁנִ֖ית צִלָּֽה׃

יח וְאִתְיְלִיד לַחֲנוֹךְ יָת עִירָד
וְעִירָד אוֹלִיד יָת מְחוּיָאֵל
וּמְחִיָּאֵל אוֹלִיד יָת מְתוּשָׁאֵל
וּמְתוּשָׁאֵל אוֹלִיד יָת לָמֶךְ׃
יט וּנְסִיב לֵהּ לֶמֶךְ תַּרְתֵּין נְשִׁין
שׁוּם חֲדָא עָדָה וְשׁוּם תִּנְיֵתָא צִלָּה׃

רש"י

(יח) ועירד ילד. יש מקום שהוא אומר בזכר הוליד ויש מקום שהוא אומר ילד, שהלידה משמשת שתי לשונות, לידת האשה, נייסטר"א בלע"ז, וזריעת תולדות האיש, אינייינדרי"ר בלע"ז. כשהוא אומר הוליד בלשון הפעיל מדבר בלידת האשה, פלוני הוליד את אשתו בן או בת. כשהוא אומר ילד מדבר בזריעת האיש: **(יט) ויקח לו למך.** לא היה לו לפרש כל זה אלא ללמדנו מסוף הענין שקיים הקב"ה הבטחתו שאמר שבעתים יקם קין. עמד למך לאחר שהוליד בנים ועשה דור שביעי והרג את קין, זהו שאמר כי איש הרגתי לפצעי וגו' (להלן פסוק כג; תנחומא יא): **שתי נשים.** כך היה דרכן של דור המבול, אחת לפריה ורביה ואחת לתשמיש. זו שהיא לתשמיש משקה כוס של עקרין כדי שתעקר ומקושטת ככלה ומאכילה מעדנים, וחברתה נזופה כאלמנה. וזהו שפירש איוב (כד:כא) רועה עקרה לא תלד ואלמנה לא ייטיב, כמו שמפורש באגדת חלק (שם ליתא, והוא בב"ר כג:ב): **עדה.** היא של פריה ורביה, ועל שם שמגונה עליו ומוסרת מאצלו [ס"א ממאכלו]. עדה תרגום של סורה (שם): **צלה.** היא של תשמיש, על שם שיושבת תמיד בצלו. דברי אגדה הם בבראשית רבה (שם):

רמב"ן

וְאַחֲרֵי שֶׁנּוֹלַד לוֹ זֶרַע הֵחֵל לִבְנוֹת עִיר לִהְיוֹת בְּנוֹ יוֹשֵׁב בָּהּ[53]. וּבַעֲבוּר כִּי הוּא אָרוּר, וּמַעֲשָׂיו לֹא יַצְלִיחוּ - קְרָאוֹ "חֲנוֹךְ"[54], לְהַגִּיד כִּי לֹא בְּנָאָהּ לְעַצְמוֹ - כִּי הוּא אֵין לוֹ עִיר וּמוֹשָׁב בָּאָרֶץ, כִּי נָע וָנָד הוּא - אֲבָל יִהְיֶה הַבִּנְיָן לַחֲנוֹךְ, וּכְאִלּוּ חֲנוֹךְ בְּנָאָהּ לְנַפְשׁוֹ[55].

וּמִפְּנֵי שֶׁלֹּא אָמַר "וַיִּבֶן עִיר", כַּאֲשֶׁר יֹאמַר "וַיִּבֶן אֶת נִינְוֵה" [להלן י, יא] "וַיִּבְנוּ בְנֵי גָד אֶת דִּיבֹן" [במדבר לב, לד] - יוֹרֶה כִּי הָיָה כָּל יָמָיו בּוֹנֶה הָעִיר[56], כִּי מַעֲשָׂיו אֲרוּרִים, יִבְנֶה מְעַט בְּטֹרַח וְעָמָל, וְיָנוּעַ וְיָנוּד מִן הַמָּקוֹם הַהוּא, וְיַחֲזֹר שָׁם וְיִבְנֶה מְעַט, וְלֹא יַצְלִיחַ אֶת דְּרָכָיו.

RAMBAN ELUCIDATED

thought that he would be childless for his sin,[52] **וְאַחֲרֵי שֶׁנּוֹלַד לוֹ זֶרַע הֵחֵל לִבְנוֹת עִיר לִהְיוֹת בְּנוֹ יוֹשֵׁב בָּהּ – but after a child was born to him he began to build a city for his son to live in.**[53] **וּבַעֲבוּר כִּי הוּא אָרוּר וּמַעֲשָׂיו לֹא יַצְלִיחוּ קְרָאוֹ "חֲנוֹךְ"** – **And because** he realized that **he was accursed and** he felt that **his actions would never succeed,**[54] **he named [the city] "Enoch,"** **לְהַגִּיד כִּי לֹא בְּנָאָהּ לְעַצְמוֹ, כִּי הוּא אֵין לוֹ עִיר וּמוֹשָׁב בָּאָרֶץ, כִּי נָע וָנָד הוּא – to indicate that he did not build it for himself – for he had no** need for a **city or a dwelling place in the land, because he was *a vagrant and a wanderer*** – **אֲבָל יִהְיֶה הַבִּנְיָן לַחֲנוֹךְ – but the building** of the city **was for Enoch,** **וּכְאִלּוּ חֲנוֹךְ בְּנָאָהּ לְנַפְשׁוֹ – so that it would be as if Enoch built it for himself.**[55]

וּמִפְּנֵי שֶׁלֹּא אָמַר "וַיִּבֶן עִיר" – Because it does not say simply, **"He built a city,"** **כַּאֲשֶׁר יֹאמַר "וַיִּבֶן אֶת נִינְוֵה", "וַיִּבְנוּ בְנֵי גָד אֶת דִּיבֹן" – as it says, *and he built Nineveh*** (below, 10:11), and ***The children of Gad built Dibon*** (*Numbers* 32:34), **יוֹרֶה כִּי הָיָה כָּל יָמָיו בּוֹנֶה הָעִיר – it indicates that all of his days he was** involved in **building the city.**[56] **כִּי מַעֲשָׂיו אֲרוּרִים, יִבְנֶה מְעַט בְּטֹרַח וְעָמָל – For** all **his actions were cursed, so he would build a bit with** great **toil and exertion,** **וְיָנוּעַ וְיָנוּד מִן הַמָּקוֹם הַהוּא, וְיַחֲזֹר שָׁם וְיִבְנֶה מְעַט – then move on and wander from that place, and then return there and build a bit** more, **וְלֹא יַצְלִיחַ אֶת דְּרָכָיו – and he would not have any success in his endeavors.**

52. For he had caused Abel to die without children.

53. He did not build the city for himself, but for his son. This answers question (1) of the introductory comment: Why did Cain build a city altogether, seeing that he was doomed to wander from place to place, and why did he wait to build it until after he had a child?

54. Having been cursed by God and thus deprived of His blessing, Cain felt that he would never succeed in any endeavor, although his curse explicitly mentioned only agricultural failure.

55. Cain hoped that this would somehow divert the curse from this undertaking. The ruse did not work, however, as Ramban mentions below.

This answers question (3) of the introductory comment: What significance is there to the fact that he named the city after his son?

56. This answers question (2) of the introductory comment: Why does it say, *He was* **building** *a city*, and not simply, "He *built* a city"?

18 *To Enoch was born Irad, and Irad begot Mehujael, and*
Mehujael begot Methushael, and Methushael begot Lamech.
19 *Lamech took to himself two wives: The name of one*
was Adah, and the name of the second was Zillah.

רמב״ן

וְנִכְתְּבוּ תּוֹלְדוֹת קַיִן וּמַעֲשָׂיו[57], לְהוֹדִיעַ כִּי ה׳ אֶרֶךְ אַפַּיִם [שמות לד, ו] וְהֶאֱרִיךְ לוֹ, כִּי הוֹלִיד בָּנִים וּבְנֵי בָנִים. וְהִזְכִּיר כִּי פָּקַד עֲוֹן אָבוֹת עַל בָּנִים[58], וְנִכְרַת זַרְעוֹ. וְרַבּוֹתֵינוּ אָמְרוּ [שמות רבה לא, יז], שֶׁחָיָה שָׁנִים רַבּוֹת וּמֵת בַּמַּבּוּל, וְלֹא הוֹרִיד שֵׂיבָתוֹ בְּשָׁלוֹם שְׁאוֹל[59], רַק רָאָה בְּהִכָּרֵת הוּא וְכָל זַרְעוֹ אִתּוֹ[60].

וְהַקָּרוֹב, כִּי לֹא הָיוּ תּוֹלְדוֹתָיו רַק שִׁשָּׁה דוֹרוֹת[61] עַד הַמַּבּוּל, וְהָיוּ בְּתוֹלְדוֹת שֵׁת[61a] שְׁנֵי דוֹרוֹת יוֹתֵר[62]. אוֹ שֶׁלֹּא הָיָה צָרִיךְ לְסַפֵּר בָּהֶם, וְסִפֵּר בְּאֵלֶּה לְהוֹדִיעַ מִי הָיוּ הַמַּתְחִילִים בְּבִנְיַן הֶעָרִים, וּבְמִרְעֵה הַצֹּאן[63], וְחָכְמַת הַנִּגּוּן, וּמְלֶאכֶת הַמַּתָּכוֹת.

RAMBAN ELUCIDATED

[Now Ramban addresses a more general question: Why does the Torah record these various historical events involving Cain and his descendants, whose lineage came to an end at the Flood in any event?[57]]

וְנִכְתְּבוּ תּוֹלְדוֹת קַיִן וּמַעֲשָׂיו, לְהוֹדִיעַ כִּי ה׳ אֶרֶךְ אַפַּיִם וְהֶאֱרִיךְ לוֹ – **Cain's descendants and deeds were recorded** in the Torah **to inform** us **that God is patient in anger,** this being one of God's attributes (see *Exodus* 34:6), **and He delayed for him** his punishment, **כִּי הוֹלִיד בָּנִים וּבְנֵי בָנִים** – **for he begot children and grandchildren** before dying. **וְהִזְכִּיר כִּי פָּקַד עֲוֹן אָבוֹת עַל בָּנִים וְנִכְרַת זַרְעוֹ** – **And it mentions** these things furthermore to show us **that [God]** nevertheless **"visited the sin of the fathers upon the children,"[58] and [Cain's] offspring were** totally **eradicated** in the Flood. **וְרַבּוֹתֵינוּ אָמְרוּ שֶׁחָיָה שָׁנִים רַבּוֹת וּמֵת בַּמַּבּוּל** – **Our Sages say** (*Shemos Rabbah* 31:17) **that [Cain] lived for many years and died in the Flood, וְלֹא הוֹרִיד שֵׂיבָתוֹ בְּשָׁלוֹם שְׁאוֹל רַק רָאָה בְּהִכָּרֵת הוּא וְכָל זַרְעוֹ אִתּוֹ** – **and he did not "take down his old age to the grave in peace,"[59] but rather witnessed the eradication of himself and all of his descendants along with him** during the Flood.[60]

[If the Torah wants to stress that Cain, despite his sin, was allowed to produce many generations of descendants, why does it tell us only about six of these generations?[61] Ramban explains:]

וְהַקָּרוֹב, כִּי לֹא הָיוּ תּוֹלְדוֹתָיו רַק שִׁשָּׁה דוֹרוֹת עַד הַמַּבּוּל – **The most likely** explanation **is that [Cain's] descendants consisted of only six generations up to the Flood, וְהָיוּ בְּתוֹלְדוֹת שֵׁת שְׁנֵי דוֹרוֹת יוֹתֵר** – **although Seth's[61a] descendants had two more generations** than that up to the Flood.[62] **אוֹ שֶׁלֹּא הָיָה צָרִיךְ לְסַפֵּר בָּהֶם** – **Alternatively,** there were in fact more generations than these six, but **it was not necessary to recount** anything **about them, וְסִפֵּר בְּאֵלֶּה** – **for [Scripture] told** us **about these** particular descendants of Cain **לְהוֹדִיעַ מִי הָיוּ הַמַּתְחִילִים בְּבִנְיַן הֶעָרִים וּבְמִרְעֵה הַצֹּאן וְחָכְמַת הַנִּגּוּן וּמְלֶאכֶת הַמַּתָּכוֹת** – only in order **to inform** us **who were the first people to** master **building cities, tending flocks,[63] the art of music, and the craft of metalworking.**

[Having established that the Torah's purpose in recording these particular descendants of Cain is in order to inform us of the important contributions of these men, Ramban now explains why the Torah bothers to record the story of Lamech and his two wives:]

57. The history of Noah and his children, and even of his ancestors (Seth, Enosh, etc.) is somewhat more relevant, in that they were the forebears of Abraham, Isaac and Jacob. But what point is there in knowing anything about Cain and his offspring?

58. Stylistic paraphrase of *Exodus* 20:5.

59. Stylistic citation from *I Kings* 2:6.

60. This Midrash proves both of the points that Ramban has just made – that God showed patience to Cain and allowed him to live a very long time, and that he ultimately saw all his descendants eradicated.

61. (1) Enoch (2) Irad (3) Mehujael (4) Methushael (5) Lamech (6) Jabal, Jubal, Tubal-cain, Naamah.

61a. Seth was Adam's third son.

62. (1) Enosh (2) Kenan (3) Mahalalel (4) Jared (5) Enoch (6) Methuselah (7) Lamech (8) Noah.

63. Ramban is referring here to Jabal (v. 20). Abel also tended flocks (above, v. 4), but Jabal was the first to "dwell in tents and breed livestock," i.e., to wander from place to place with his flocks in search of pasture (see Rashi ad loc.).

כ וַתֵּלֶד עָדָה אֶת־יָבָל הוּא הָיָה אֲבִי יֹשֵׁב
כא אֹהֶל וּמִקְנֶה: וְשֵׁם אָחִיו יוּבָל הוּא הָיָה
כב אֲבִי כָּל־תֹּפֵשׂ כִּנּוֹר וְעוּגָב: וְצִלָּה גַם־הִוא
יָלְדָה אֶת־תּוּבַל קַיִן לֹטֵשׁ כָּל־חֹרֵשׁ
נְחֹשֶׁת וּבַרְזֶל וַאֲחוֹת תּוּבַל־קַיִן נַעֲמָה:

כ וִילִידַת עָדָה יָת יָבָל הוּא הֲוָה רַבְּהוֹן דְּכָל דְּיָתְבֵי מַשְׁכְּנִין וּמָרֵי בְעִיר: כא וְשׁוּם אֲחוּהִי יוּבָל הוּא הֲוָה רַבְּהוֹן דְּכָל דִּמְנַגֵּן עַל פּוּם נִבְלָא יָדְעֵי זְמַר כִּנּוֹרָא וְאַבּוּבָא: כב וְצִלָּה אַף הִיא יְלִידַת יָת תּוּבַל קַיִן רַבְּהוֹן דְּכָל יָדְעֵי עֲבִידַת נְחָשָׁא וּפַרְזְלָא וַאֲחָתֵהּ דְּתוּבַל קַיִן נַעֲמָה:

רש"י

(כ) אבי ישב אהל ומקנה. הוא היה הראשון לרועי בהמות במדברות ויושב אהלים חדש כאן וחדש כאן בשביל מרעה צאנו, וכשכלה המרעה במקום זה הולך ותוקע אהלו במקום אחר. ומ"א, בונה בתים לעבודת כוכבים, כמה דאת אמר סמל הקנאה המקנה (יחזקאל ח:ג), וכן אחיו תופש כנור ועוגב (פסוק כא) לזמר לעבודת כוכבים (ב"ר שם ג): **(כב) תובל קין.** תובל אומנתו של קין. תובל ל' תבלין, תיבל והתקין אומנתו של קין לעשות כלי זיין לרוצחים (שם): **לטש כל חרש נחשת וברזל.** מחדד אומנות נחשת וברזל כמו ילטוש עיניו לי (איוב טז:ט). חורש אינו לשון פֹּעֵל אלא ל' פּוֹעֵל, שהרי נקוד קמץ קטן וטעמו למטה, כלומר מחדד ומלאלה כל כלי אומנות נחשת וברזל: **נעמה.** היא אשתו של נח (ב"ר שם):

רמב"ן

וְכָתַב תּוֹכַחַת לֶמֶךְ עִם נָשָׁיו, לְהַגִּיד כִּי הוֹלִיד הוּא, אַךְ בָּנָיו נִכְרְתוּ טֶרֶם הוֹלִידָם.

[כב] לֹטֵשׁ כָּל חֹרֵשׁ נְחֹשֶׁת וּבַרְזֶל. שִׁעוּרוֹ: הוּא הָיָה לוֹטֵשׁ וְחוֹרֵשׁ כָּל נְחֹשֶׁת וּבַרְזֶל[64]. יֹאמַר, כִּי הוּא הָיָה מְחַדֵּד וְחוֹרֵשׁ כָּל מְלֶאכֶת נְחֹשֶׁת וּבַרְזֶל[65]. וְכָמֵהוּ: "כָּל תִּשָּׂא עָוֹן וְקַח טוֹב"[66] [הושע יד, ג].

וְעַל דַּעַת אוּנְקְלוֹס דָּבֵק בַּכְּתוּבִים הָרִאשׁוֹנִים: הוּא הָיָה אֲבִי לֹטֵשׁ כָּל חֹרֵשׁ נְחֹשֶׁת וּבַרְזֶל[67].

RAMBAN ELUCIDATED

וְכָתַב תּוֹכַחַת לֶמֶךְ עִם נָשָׁיו, לְהַגִּיד כִּי הוֹלִיד הוּא, אַךְ בָּנָיו נִכְרְתוּ טֶרֶם הוֹלִידָם – **[Scripture] recorded Lamech's argument with his wives to tell** us **that he begot children, but his sons were eradicated before they** themselves **could beget children.**

22. לֹטֵשׁ כָּל חֹרֵשׁ נְחֹשֶׁת וּבַרְזֶל – [lit.] ***A SHARPENER OF ALL CRAFTERS OF COPPER AND IRON.***

[The literal translation of this phrase clearly requires clarification (see Rashi). Ramban explains:]

שִׁעוּרוֹ, הוּא הָיָה לוֹטֵשׁ וְחוֹרֵשׁ כָּל נְחֹשֶׁת וּבַרְזֶל – **This is equivalent to** the sentence being transposed to read: **"He was a sharpener and crafter of all copper and iron."**[64] **יֹאמַר, כִּי הוּא הָיָה מְחַדֵּד וְחוֹרֵשׁ כָּל מְלֶאכֶת נְחֹשֶׁת וּבַרְזֶל** – **[Scripture]** is thus **saying that he was a sharpener and a crafter of all kinds of works of copper and iron.**[65] **וְכָמֵהוּ: "כָּל תִּשָּׂא עָוֹן וְקַח טוֹב"** – **Similar to this is, *Forgive all iniquity and accept [our] good [intentions]*** (*Hosea* 14:3).[66]

[Ramban presents Onkelos' interpretation of the phrase:]

וְעַל דַּעַת אוּנְקְלוֹס דָּבֵק בַּכְּתוּבִים הָרִאשׁוֹנִים: – **In the opinion of Onkelos, [our verse] is connected to the previous verses**, which speak of "firsts." **הוּא הָיָה אֲבִי לֹטֵשׁ כָּל חֹרֵשׁ נְחֹשֶׁת וּבַרְזֶל** – According to him, the verse is saying: **"He was the first of the sharpeners and all crafters of copper and iron."**[67]

64. I.e., the sentence should be understood as if there was a ו ("and") before חורש (*crafter*), and the word כָּל (*all*) is transposed from before the word חורש (*crafter*) to after it. A ו (*and*) that is understood is not uncommon (see *Radak* on *Joshua* 1:14, *Isaiah* 32:13, etc.). Ramban will soon show that it is not uncommon for a transposed כָּל (*all*) to appear in Scripture.

65. By adding this sentence Ramban clarifies the meaning of לוֹטֵשׁ (*sharpener*), a somewhat obscure word, by substituting the more common מְחַדֵּד. He also adds the word "works" for clarification, explaining that Cain was a crafter of copper and iron *articles*.

66. Here, too, the word כָּל (*all*) must be understood as if it had been moved from preceding תִּשָּׂא (*forgive*) to following it.

67. Onkelos translates: הוּא הֲוָה רַבְּהוֹן דְּכָל דְּיָדְעֵי עֲבִידַת נְחָשָׁא וּפַרְזְלָא, *he was the master* (i.e. the first) *of all those who know the work of copper and iron*. By inserting the word *master* (which is how Onkelos consistently translates אֲבִי in our section) he is indicating that our verse is a continuation of the previous two verses which list previous "masters." We can now translate the phrase as follows: "He was the master of sharpeners and of all crafters of copper and iron." Accordingly, the word כָּל need not be interpretively transposed.

20 And Adah bore Jabal; he was the first of those who dwell in
tents and breed livestock. 21 The name of his brother was
Jubal; he was the first of all who handle the harp and
flute. 22 And Zillah, too — she bore Tubal-cain, who was a
sharpener and crafter of all copper and iron [articles]. And the
sister of Tubal-cain was Naamah.

רמב"ן

וַאֲחוֹת תּוּבַל קַיִן נַעֲמָה. כְּאוֹמֵר: וְנוֹלְדָה לוֹ אָחוֹת וּשְׁמָהּ נַעֲמָה[68], וְכֵן: "וַאֲחוֹת לוֹטָן תִּמְנָע" [להלן לו, כב]; "וְאֵת מִרְיָם אֲחוֹתָם" [במדבר כו, נט]; "וְשֵׁם אֲחוֹתוֹ מַעֲכָה"[69] [דה"י־א ז, טו].

וּבִבְרֵאשִׁית רַבָּה [כג, ג] יֵשׁ אוֹמְרִים: אִשְׁתּוֹ שֶׁל נֹחַ הָיְתָה, וְלָמָּה הָיוּ קוֹרִין אוֹתָהּ נַעֲמָה? שֶׁהָיוּ מַעֲשֶׂיהָ נָאִים וּנְעִימִים. נִתְכַּוְּנוּ לוֹמַר, שֶׁהָיָה לָהּ שֵׁם בַּדּוֹרוֹת הָהֵם, כִּי הָיְתָה צַדֶּקֶת וְהוֹלִידָה צַדִּיקִים[70], וְלָכֵן יַזְכִּירֶנָּה הַכָּתוּב. וְאִם כֵּן נִשְׁאַר לְקַיִן זֵכֶר מְעַט בָּעוֹלָם[71]. וְאִם נֹאמַר שֶׁאֵינָהּ הָאִשָּׁה שֶׁהוֹלִיד נֹחַ מִמֶּנָּה שְׁלֹשֶׁת בָּנָיו, אִם כֵּן אֵין בָּזֶה טַעַם לְהַזְכִּירָהּ.

וּמִדְרָשׁ אַחֵר לְרַבּוֹתֵינוּ, שֶׁהִיא הָאִשָּׁה הַיָּפָה מְאֹד שֶׁמִּמֶּנָּה תָּעוּ בְּנֵי הָאֱלֹהִים, וְהִיא הַנִּרְמֶזֶת בַּפָּסוּק

RAMBAN ELUCIDATED

☐ **וַאֲחוֹת תּוּבַל קַיִן נַעֲמָה** – ***AND THE SISTER OF TUBAL-CAIN WAS NAAMAH.***

[Until this point Scripture has been introducing personages by relating their births and their being named. Here, however, we are not told of Naamah's birth and naming. Ramban explains:]

כְּאוֹמֵר וְנוֹלְדָה לוֹ אָחוֹת וּשְׁמָהּ נַעֲמָה – It is **as if it is saying, "and a sister was born to him, and her name was Naamah."**[68] **וְכֵן: "וַאֲחוֹת לוֹטָן תִּמְנָע", "וְאֵת מִרְיָם אֲחוֹתָם", "וְשֵׁם אֲחוֹתוֹ מַעֲכָה"** – **And similarly,** we find, ***Lotan's sister was Timna*** (below, 36:22), and ***and their sister Miriam*** (*Numbers* 26:59), and ***and his sister's name was Maachah*** (*I Chronicles* 7:15).[69]

[Ramban has previously explained why the Torah mentions Jabal, Jubal, etc. (see above, 4:18). Why does the Torah see fit to inform us about Naamah? Ramban explains:]

וּבִבְרֵאשִׁית רַבָּה יֵשׁ אוֹמְרִים – **In *Bereishis Rabbah*** (23:3), **there are those who say** concerning Naamah: **אִשְׁתּוֹ שֶׁל נֹחַ הָיְתָה, וְלָמָּה הָיוּ קוֹרִין אוֹתָהּ נַעֲמָה, שֶׁהָיוּ מַעֲשֶׂיהָ נָאִים וּנְעִימִים** – **"She was Noah's wife. And why did they call her Naamah? Because her deeds were nice and pleasant." נִתְכַּוְּנוּ לוֹמַר, שֶׁהָיָה לָהּ שֵׁם בַּדּוֹרוֹת הָהֵם, כִּי הָיְתָה צַדֶּקֶת וְהוֹלִידָה צַדִּיקִים** – **Their intention** with this comment **is to say that she had a reputation in those generations that she was a righteous woman and gave birth to righteous men** (i.e., Noah's sons, Shem, Ham and Japheth),[70] **וְלָכֵן יַזְכִּירֶנָּה הַכָּתוּב** – **and this is why Scripture mentions her. וְאִם כֵּן נִשְׁאַר לְקַיִן זֵכֶר מְעַט בָּעוֹלָם** – **And if it is so** that Naamah was Noah's wife and the mother of his three children, **there was left from Cain a small vestige in the world** that was not eradicated in the Flood.[71] **וְאִם נֹאמַר שֶׁאֵינָהּ הָאִשָּׁה שֶׁהוֹלִיד נֹחַ מִמֶּנָּה שְׁלֹשֶׁת בָּנָיו** – **If,** however, **we say that she was not the woman through whom Noah fathered his three children,** i.e., she was not Noah's wife at all, or that Noah had an additional wife who bore him his three sons, **אִם כֵּן אֵין בָּזֶה טַעַם לְהַזְכִּירָהּ** – **then this would not be a reason** for the Torah **to mention her.**

[Ramban mentions other possible reasons for Naamah's renown that entitled her to a mention in the Torah:]

וּמִדְרָשׁ אַחֵר לְרַבּוֹתֵינוּ – **There is another Midrash of the Sages,** **שֶׁהִיא הָאִשָּׁה הַיָּפָה מְאֹד שֶׁמִּמֶּנָּה תָּעוּ בְּנֵי הָאֱלֹהִים** – stating **that she was that very beautiful woman because of whom the "sons of the**

---

68. Although the verse omits mention of Naamah's birth, it is an obvious fact.

69. In these instances, too, the birth is only alluded to.

70. The question of whether or not Noah's sons (especially Ham) were righteous is an issue that Ramban deals with later in 6:9, 7:1 and 9:8. See Ramban there and related notes.

71. Of Adam's two surviving sons, it was Seth's male descendants (Noah, etc.) who survived the Flood and went on to populate the world, but among Cain's children it was only a female descendant (Naamah) who survived. This is why Ramban calls it a "small vestige."

ששי כג וַיֹּאמֶר לֶמֶךְ לְנָשָׁיו עָדָה וְצִלָּה שְׁמַעַן קוֹלִי
נְשֵׁי לֶמֶךְ הַאְזֵנָּה אִמְרָתִי כִּי אִישׁ הָרַגְתִּי
כד לְפִצְעִי וְיֶלֶד לְחַבֻּרָתִי: כִּי שִׁבְעָתַיִם יֻקַּם־קָיִן
כה וְלֶמֶךְ שִׁבְעִים וְשִׁבְעָה: וַיֵּדַע אָדָם עוֹד אֶת־
אִשְׁתּוֹ וַתֵּלֶד בֵּן וַתִּקְרָא אֶת־שְׁמוֹ שֵׁת כִּי שָׁת־
לִי אֱלֹהִים זֶרַע אַחֵר תַּחַת הֶבֶל כִּי הֲרָגוֹ קָיִן:

כג וַאֲמַר לֶמֶךְ לִנְשׁוֹהִי עָדָה וְצִלָּה שְׁמַעַן קָלִי נְשֵׁי לֶמֶךְ אָצֵיתָא לְמֵימְרִי לָא גַבְרָא קְטָלִית דִּבְדִילֵהּ אֲנָא סָבִיל חוֹבִין וְאַף לָא עוּלֵימָא חַבִּילִית דִּבְדִילֵהּ יִשְׁתֵּיצֵי זַרְעִי: כד אֲרֵי לְשַׁבְעָא דָרִין אִיתְלִין לְקָיִן הֲלָא לְלֶמֶךְ בְּרֵהּ שַׁבְעִין וְשַׁבְעָא: כה וִידַע אָדָם עוֹד יָת אִתְּתֵהּ וִילִידַת בַּר וּקְרַת יָת שְׁמֵהּ שֵׁת אֲרֵי אֲמָרַת (נ״א אֲמַר) יְהַב לִי יְיָ בַּר אָחֳרָן חֲלָף הֶבֶל דִּקְטָלֵהּ קָיִן:

רש״י

(כג) **שמען קולי.** שהיו נשיו פורשות ממנו מתשמיש לפי שהרג את קין ואת תובל קין בנו, שהיה למך סומא ותובל קין מושכו, וראה את קין ונדמה לו כחיה ואמר לאביו למשוך בקשת והרגו, וכיון שידע שהוא קין זקנו הכה כף אל כף וספק את בנו ביניהם והרגו, והיו נשיו פורשות ממנו והוא מפייסן (תנחומא שם; ילק״ש לח): **שמען קולי.** להשמע לי לתשמיש, **וכי איש אשר הרגתי לפצעי** הוא נהרג, וכי אני פצעתיו מזיד שיהא הפצע קרוי על שמי. **וילד** אשר הרגתי **לחבורתי** נהרג, כלומר ע״י חבורתי, בתמיה, והלא שוגג אני ולא מזיד, לא זהו פצעי ולא זו חבורתי (שם ושם): **פצע.** מכת חרב או חץ, נברדור״א בלע״ז: (כד) **כי שבעתים יקם קין.** קין שהרג מזיד נתלה לו עד שבעה דורות, אני שהרגתי שוגג לא כל שכן שיתלה לי שביעיות הרבה (ילק״ש שם): **שבעים ושבעה.** לשון רבוי שביעיות אחז לו. כך דרש ר׳ תנחומא (שם). ומדרש ב״ר (כג:ד) לא הרג למך כלום, ונשיו פורשות ממנו משקיימו פריה ורביה לפי שנגזרה גזרה לכלות זרעו של קין לאחר שבעה דורות. אמרו, מה אנו יולדות לבטלה, למחר המבול בא ושוטף את הכל. והוא אומר להן וכי איש הרגתי לפצעי, וכי אני הרגתי את הבל שהיה איש בקומה וילד בשנים שיהא זרעי כלה באותו עון, ומה קין שהרג נתלה לו שבעה דורות, אני שלא הרגתי לא כל שכן שיתלו לי שביעיות הרבה. וזהו ק״ו של שטות, אם כן אין הקדוש ברוך הוא גובה את חובו ומקיים את דבורו: (כה) **וידע אדם וגו׳.** בא לו למך אצל אדם הראשון וקבל על נשיו. אמר להם, וכי עליכם לדקדק על גזירתו של מקום, אתם עשו מצותכם והוא יעשה את שלו. אמרו לו קשוט עצמך תחלה, והלא פרשת מאשתך זה מאה ושלשים שנה משנקנסה מיתה על ידך. מיד **וידע אדם עוד.** ומהו עוד, ללמד

רמב״ן

״וַיִּרְאוּ בְנֵי הָאֱלֹהִים אֶת בְּנוֹת הָאָדָם״ [לקמן ו, ב], כְּמוֹ שֶׁמֻּזְכָּר בְּפִרְקֵי רַבִּי אֱלִיעֶזֶר [כב]. וַאֲחֵרִים[71a] אָמְרוּ כִּי הִיא הָיְתָה אֵשֶׁת שְׁמָדוֹן, אֵם אַשְׁמְדַאי, וּמִמֶּנָּה נוֹלְדוּ הַשֵּׁדִים, כִּי כֵן יִמָּצֵא שְׁמָהּ בְּכִתְבֵי שְׁמוּשֵׁי הַשֵּׁדִים. וְהַכָּתוּב יִרְמֹז וִיקַצֵּר בְּתַעֲלוּמוֹת כָּאֵלֶּה.

[כג] וַיֹּאמֶר לֶמֶךְ לְנָשָׁיו. סָמְכוּ הַמְפָרְשִׁים בְּעִנְיַן הַכָּתוּב הַזֶּה עַל דַּעַת אוּנְקְלוּס, שֶׁפֵּרֵשׁ ״לָכֵן כָּל הֹרֵג קַיִן שִׁבְעָתַיִם יֻקָּם [לעיל, פסוק טו][72]״ כִּי לְשִׁבְעָה דוֹרוֹת יֻקַּם מִמֶּנּוּ, וְלֹא עַתָּה, כִּי הַשֵּׁם הֶאֱרִיךְ אַפּוֹ מִמֶּנּוּ.

RAMBAN ELUCIDATED

rulers" strayed, וְהִיא הַנִּרְמֶזֶת בַּפָּסוּק ״וַיִּרְאוּ בְנֵי הָאֱלֹהִים אֶת בְּנוֹת הָאָדָם״ – **and she is the one who is alluded to in the verse,** ***and the sons of the rulers saw the daughters of man*** *that they were good* (below 6:2), כְּמוֹ שֶׁמֻּזְכָּר בְּפִרְקֵי רַבִּי אֱלִיעֶזֶר – **as is mentioned in** ***Pirkei deRabbi Eliezer*** (Chap. 22). וַאֲחֵרִים אָמְרוּ כִּי הִיא הָיְתָה אֵשֶׁת שְׁמָדוֹן, אֵם אַשְׁמְדַאי, וּמִמֶּנָּה נוֹלְדוּ הַשֵּׁדִים – **And there are others**[71a] **who say that [Naamah] was the wife of** the demon **Shemadon, and the mother of** the demon **Ashmedai, and from her the** ***sheidim*** (demons) **were born.** כִּי כֵן יִמָּצֵא שְׁמָהּ בְּכִתְבֵי שְׁמוּשֵׁי הַשֵּׁדִים – **For in fact her name is found in the writings of demonology.** וְהַכָּתוּב יִרְמֹז וִיקַצֵּר בְּתַעֲלוּמוֹת כָּאֵלֶּה – **But Scripture refers** to such things only **by allusion, and is brief about mystical concepts such as these.**

23. וַיֹּאמֶר לֶמֶךְ לְנָשָׁיו – ***AND LAMECH SAID TO HIS WIVES.***

[Lamech's address to his wives is extremely enigmatic. Ramban explains, beginning by discussing the views of his predecessors:]

סָמְכוּ הַמְפָרְשִׁים בְּעִנְיַן הַכָּתוּב הַזֶּה עַל דַּעַת אוּנְקְלוּס – **The commentators** (Rashi, Ibn Ezra), **in regard to this verse, relied on the opinion of Onkelos,** שֶׁפֵּרֵשׁ ״לָכֵן כָּל הֹרֵג קַיִן שִׁבְעָתַיִם יֻקָּם״ כִּי לְשִׁבְעָה דוֹרוֹת יֻקַּם מִמֶּנּוּ – **who explains** the phrase, **"Therefore, whoever slays Cain! After seven he will be punished"** (above, v. 15)[72] to mean **that after seven generations [Cain] would suffer the**

71a. *Midrash Hane'elam* (מאמר קין והבל ושת).

72. The verse has been translated to reflect Rashi's

23 *And Lamech said to his wives, "Adah and Zillah, hear
my voice; wives of Lamech, give ear to my speech: Have I
slain a man by my wound and a child by my injury?* 24 *If
Cain suffered vengeance at seven generations, then
Lamech at seventy-seven!"*
25 *Adam knew his wife again, and she bore a son and
she called his name Seth, because: "God has provided me
another child in place of Abel, for Cain had killed him."*

רמב״ן

וְהִנֵּה נְשֵׁי לֶמֶךְ פָּחֲדוּ לְהוֹלִיד בָּנִים[73], בַּעֲבוּר שֶׁיִּהְיוּ שְׁבִיעִיִּים לְקַיִן, וְהוּא נִחֵם אֶת נָשָׁיו שֶׁה׳ יַאֲרִיךְ לוֹ עוֹד שִׁבְעִים וְשִׁבְעָה, כִּי יִתְפַּלֵּל לְפָנָיו, כִּי הוּא אֶרֶךְ אַפַּיִם וִירַחֵם עָלָיו. אוֹ שֶׁהָיָה קַל וָחוֹמֶר שֶׁל שְׁטוּת, כְּפִי הַמִּדְרָשׁ שֶׁהִזְכִּיר רַשִׁ״י[74]. וְאִם כֵּן, [פסוק טו] יֹאמַר: ״לָכֵן כָּל הוֹרֵג קַיִן[75]! לְשִׁבְעָתַיִם יֻקַּם מִמֶּנּוּ, וְלֹא בְּיָמָיו״ וְזֶהוּ תַּרְגּוּמוֹ שֶׁל אוּנְקְלוּס: ״כָּל דִּיקְטַל קַיִן לְשִׁבְעָה דָּרִין יִתְפְּרַע מִנֵּיהּ״.

וְאִם כֵּן הָיָה רָאוּי שֶׁיִּהְיֶה ״וַיֹּאמֶר לֶמֶךְ לְנָשָׁיו״ מֻקְדָּם[76].

RAMBAN ELUCIDATED

vengeance of Abel's murder, **וְלֹא עַתָּה, כִּי הַשֵּׁם הֶאֱרִיךְ אַפּוֹ מִמֶּנּוּ – but not immediately, for God showed restraint in His anger toward him. וְהִנֵּה נְשֵׁי לֶמֶךְ פָּחֲדוּ לְהוֹלִיד בָּנִים בַּעֲבוּר שֶׁיִּהְיוּ שְׁבִיעִיִּים לְקַיִן – Hence, Lamech's wives were afraid to bear children,**[73] **because [these children] would be the seventh generation after Cain** and be destined to suffer the vengeance of Abel's death. **וְהוּא נִחֵם אֶת נָשָׁיו שֶׁה׳ יַאֲרִיךְ לוֹ עוֹד שִׁבְעִים וְשִׁבְעָה – So he allayed his wives' fears,** saying **that God would show him more restraint for *another* seventy-seven** generations. **כִּי יִתְפַּלֵּל לְפָנָיו, כִּי הוּא אֶרֶךְ אַפַּיִם וִירַחֵם עָלָיו** – This would happen, he told them, **because he would pray before [God],** and He would surely answer the prayer favorably, **for He shows restraint in anger and would have mercy on him. אוֹ שֶׁהָיָה קַל וָחוֹמֶר שֶׁל שְׁטוּת, כְּפִי הַמִּדְרָשׁ שֶׁהִזְכִּיר רַשִׁ״י – Alternatively,** his argument was not that God would hear his prayer, but **it was a logical argument based on folly, in accordance with the Midrash cited by Rashi.**[74] **וְאִם כֵּן יֹאמַר: ״לָכֵן כָּל הוֹרֵג קַיִן! לְשִׁבְעָתַיִם יֻקַּם מִמֶּנּוּ וְלֹא בְּיָמָיו״ – If so, [that verse]** (v. 15) **is saying, "Therefore, whoever slays Cain** [will be severely cursed]!**[75] **After seven** generations **vengeance will be exacted from him** (Cain), **but not in his own days." וְזֶהוּ תַּרְגּוּמוֹ שֶׁל אוּנְקְלוּס ״כָּל דִּיקְטַל קַיִן לְשִׁבְעָה דָּרִין יִתְפְּרַע מִנֵּיהּ״ – And this corresponds to the Aramaic translation of Onkelos:** כָּל דִּיקְטַל קַיִן לְשִׁבְעָה דָּרִין יִתְפְּרַע מִנֵּיהּ **["Anyone who slays Cain! After seven generations [vengeance] will be exacted from him."]**

[Ramban poses a difficulty with this interpretation:]

וְאִם כֵּן הָיָה רָאוּי שֶׁיִּהְיֶה ״וַיֹּאמֶר לֶמֶךְ לְנָשָׁיו״ מֻקְדָּם – If so, it would have been more fitting for *And Lamech said to his wives* to have been written **beforehand.**[76]

---

interpretation of it.

73. The fact that the Torah has already told us that Lamech's wives bore him two children each (vv. 20-22) is brought up by Ramban later.

74. Lamech's argument was based on a *kal vachomer* (an *a fortiori*) reasoning: If Cain, who committed murder, received a reprieve for seven generations, then I, who never killed anyone, should certainly be given even more of a reprieve. The folly of the argument was that by this logic Cain's crime would go unpunished forever and God allows no sin to go unpunished, nor a good deed unrewarded.

75. As Rashi (on v. 15) points out, according to his interpretation the words, "will be severely cursed," must be understood as implicit in the text.

76. As noted above (see footnote 73), vv. 20-22 relate that Lamech's wives in fact bore him four children. Obviously, then, this conversation (vv. 23-34) dealing with their objection to bearing children must have taken place prior to those births. Ibn Ezra notes this as well, but explains that it is not unusual for verses to be written out of chronological order. Nevertheless, Ramban considers this to be a weakness of this interpretation.

[It is interesting to note that Rashi adds to the Midrash's story that Lamech's wives' refusal to bear children occurred only *after* they had already fulfilled the minimum requirement to "be fruitful and multiply" by having male and female children. They were now

כו וּלְשֵׁת גַּם־הוּא יֻלַּד־בֵּן וַיִּקְרָא אֶת־
שְׁמוֹ אֱנוֹשׁ אָז הוּחַל לִקְרֹא בְּשֵׁם

כו וּלְשֵׁת אַף הוּא אִתְיְלִיד בַּר וּקְרָא יָת שְׁמֵהּ אֱנוֹשׁ בְּכֵן בְּיוֹמוֹהִי חָלוּ בְּנֵי אֱנָשָׁא מִלְּצַלָּאָה בִּשְׁמָא

רש"י

שנתוספה לו תאוה על תאותו. בב"ר (שם ה): **(כו) אז הוחל.** [לשון חולין (שם ו)] לקרא את שמות האדם ואת שמות העצבים בשמו של הקב"ה לעשותן אלילים ולקרותן אלהות (שם ז; תנחומא נח יח; תרגום יונתן; „אמין כח" לס' יוה"כ):

רמב"ן

וּלְפִי דַעְתִּי אֵין טַעַם "שִׁבְעָתַיִם" לְשִׁבְעָה דוֹרוֹת, כִּי לֹא תֵאָמֵר הַמִּלָּה הַזֹּאת עַל הַשִּׁבְעָה הַנִּפְרָדִים רַק עַל הַכֶּפֶל דָּבָר אֶחָד שִׁבְעָה פְּעָמִים, כְּמוֹ "מְזֻקָּק שִׁבְעָתָיִם" [תהלים יב, ז], "יְשַׁלֵּם שִׁבְעָתָיִם" [משלי ו, לא], "וְאוֹר הַחַמָּה יִהְיֶה שִׁבְעָתַיִם" [ישעיה ל, כו] - כָּפוּל וּמְכֻפָּל שִׁבְעָה חֲלָקִים. אֲבָל פֵּרוּשׁ "כָּל הוֹרֵג קַיִן" כִּפְשׁוּטוֹ, שֶׁאָמַר ה': "לָכֵן כָּל אֲשֶׁר יַהֲרֹג אֶת קַיִן שִׁבְעָתַיִם יֻקַּם מִמֶּנּוּ, כִּי אַעֲנִישׁ הַהוֹרֵג אוֹתוֹ שֶׁבַע עַל חַטָּאתוֹ, כִּי אֲנִי הִבְטַחְתִּי אֶת קַיִן שֶׁלֹּא יֵהָרֵג, בַּעֲבוּר יִרְאָתוֹ אוֹתִי וְהִתְוַדּוּתוֹ לְפָנַי"[77].

אֲבָל עִנְיַן לֶמֶךְ עִם נָשָׁיו לֹא הִזְכִּירוֹ הַכָּתוּב בְּבֵאוּר[78]. וְנוּכַל לוֹמַר גַּם כֵּן שֶׁהָיוּ יְרֵאוֹת מֵעֹנֶשׁ שֶׁלֹּא יֵהָרֵג לֶמֶךְ בַּעֲוֹן אָבִיו[79]. כִּי ה' לֹא אָמַר לְקַיִן "סָלַחְתִּי לְךָ", רַק שֶׁלֹּא יֵהָרֵג, אֲבָל יִגְבֶּה חוֹבוֹ מִזַּרְעוֹ, וְלֹא יֵדְעוּ מָתַי. וְכֵן הָיָה הַדָּבָר. וְלֶמֶךְ נִחֵם אוֹתָן לֵאמֹר, כִּי הַשֵּׁם יְרַחֵם עָלָיו כַּאֲשֶׁר רִחֵם עַל קַיִן,

RAMBAN ELUCIDATED

[Ramban now presents his own interpretation of v. 15:]

וּלְפִי דַעְתִּי אֵין טַעַם "שִׁבְעָתַיִם" לְשִׁבְעָה דוֹרוֹת – **In my opinion, the meaning of** שִׁבְעָתַיִם ("sevens") **is not "after seven generations."** כִּי לֹא תֵאָמֵר הַמִּלָּה הַזֹּאת עַל הַשִּׁבְעָה הַנִּפְרָדִים – **For this word is never used for seven separate things,** רַק עַל הַכֶּפֶל דָּבָר אֶחָד שִׁבְעָה פְּעָמִים – **but solely for one thing intensified seven times,** כְּמוֹ "מְזֻקָּק שִׁבְעָתָיִם", "יְשַׁלֵּם שִׁבְעָתָיִם", "וְאוֹר הַחַמָּה יִהְיֶה שִׁבְעָתַיִם" – **as in,** ***refined sevenfold*** (*Psalms* 12:7), ***he would even pay sevenfold*** (*Proverbs* 6:31), ***the light of the sun will be seven times as strong*** (*Isaiah* 30:26), כָּפוּל וּמְכֻפָּל שִׁבְעָה חֲלָקִים – in all of which שִׁבְעָתַיִם means **"intensified seven times."** אֲבָל פֵּרוּשׁ "כָּל הוֹרֵג קַיִן" כִּפְשׁוּטוֹ – **Rather, the explanation of** ***whoever slays Cain*** is to be understood **according to its plain sense,** שֶׁאָמַר ה', לָכֵן כָּל אֲשֶׁר יַהֲרֹג אֶת קַיִן שִׁבְעָתַיִם יֻקַּם מִמֶּנּוּ – **that God said, "Therefore, whoever slays Cain, vengeance will be exacted from him** (the killer) **sevenfold,** כִּי אַעֲנִישׁ הַהוֹרֵג אוֹתוֹ שֶׁבַע עַל חַטָּאתוֹ – **for I will punish the one who kills him sevenfold for his sin,** כִּי אֲנִי הִבְטַחְתִּי אֶת קַיִן שֶׁלֹּא יֵהָרֵג, בַּעֲבוּר יִרְאָתוֹ אוֹתִי וְהִתְוַדּוּתוֹ לְפָנַי – **for I promised Cain that he would not be killed, because of his fear of Me and his confession before Me."**[77]

[Having explained v. 15, Ramban now proceeds to analyze our verse, beginning with an interpretation that is similar to that of the other commentators:]

אֲבָל עִנְיַן לֶמֶךְ עִם נָשָׁיו לֹא הִזְכִּירוֹ הַכָּתוּב בְּבֵאוּר – **However, the matter of Lamech with his wives Scripture does not record explicitly.**[78] וְנוּכַל לוֹמַר גַּם כֵּן שֶׁהָיוּ יְרֵאוֹת מֵעֹנֶשׁ שֶׁלֹּא יֵהָרֵג לֶמֶךְ בַּעֲוֹן אָבִיו – **We can also say,** along the lines of the other commentators' interpretation, **that they were afraid of punishment – lest Lamech be killed for the sin of his ancestor** Cain.[79] כִּי ה' לֹא אָמַר לְקַיִן "סָלַחְתִּי לְךָ", רַק שֶׁלֹּא יֵהָרֵג, אֲבָל יִגְבֶּה חוֹבוֹ מִזַּרְעוֹ, וְלֹא יֵדְעוּ מָתַי – **For God did not say to Cain, "I have forgiven you," but** said **only that he would not be killed; however, He** ***would*** **collect his due from his descendants, but they would not know when** this would occur. וְכֵן הָיָה הַדָּבָר – **And so it was** in fact, for Cain's descendants ultimately all perished in the Flood. וְלֶמֶךְ נִחֵם אוֹתָן לֵאמֹר, כִּי הַשֵּׁם יְרַחֵם עָלָיו כַּאֲשֶׁר רִחֵם עַל קַיִן – **So Lamech comforted [his wives] saying that God would have**

refusing only to bear *additional* children. Accordingly, this is the proper place to record Lamech's conversation with his wives.]

77. See Ramban above, v. 13, where he explains that Cain remorsefully confessed his sin before God. As a result God promised that he would not be killed. Hence whoever will kill him will be transgressing the will of God and will deserve severe punishment.

78. This is unlike the view of the other commentators, according to whom Scripture does make it clear that Lamech's wives were concerned that the children who will be born to them, being the seventh generation to Cain (as explained above), would die, as stated in v. 15.

79. According to this interpretation, then, Lamech's

26 *And as for Seth, to him also a son was born, and he called his name Enosh. Then to call in the Name of* HASHEM *became profaned.*

רמב״ן

כִּי הוּא נָקִי כַּפַּיִם מִמֶּנּוּ, וְיִתְפַּלֵּל לְפָנָיו גַּם הוּא וְיִשְׁמַע תְּפִלָּתוֹ.

אֲבָל הַנִּרְאֶה בְעֵינַי, כִּי הָיָה לֶמֶךְ אִישׁ חָכָם מְאֹד בְּכָל מְלֶאכֶת מַחְשֶׁבֶת, וְלִמֵּד לִבְנוֹ הַבְּכוֹר עִנְיַן הַמִּרְעֶה כְּפִי טִבְעֵי הַבְּהֵמוֹת[80], וְלִמֵּד אֶת הַשֵּׁנִי חָכְמַת הַנִּגּוּן[81], וְלִמֵּד אֶת הַשְּׁלִישִׁי לִלְטֹשׁ וְלַעֲשׂוֹת חֲרָבוֹת וּרְמָחִים וַחֲנִיתוֹת וְכָל כְּלֵי הַמִּלְחָמָה[82]. וְהָיוּ נָשָׁיו מִתְפַּחֲדוֹת שֶׁלֹּא יֵעָנֵשׁ, כִּי הֵבִיא הַחֶרֶב וְהָרְצִיחָה בָּעוֹלָם, וְהִנֵּה הוּא תּוֹפֵשׂ מַעֲשֵׂה אֲבוֹתָיו בְּיָדוֹ, כִּי הוּא בֶּן הַמְרַצֵּחַ הָרִאשׁוֹן, וּבָרָא מַשְׁחִית לְחַבֵּל[83]. וְהוּא אָמַר לָהֶן: ״אֲנִי לֹא הָרַגְתִּי אִישׁ[84] לְפִצְעִים וְלֹא יֶלֶד לְחַבּוּרוֹת, כַּאֲשֶׁר עָשָׂה קַיִן, וְלֹא יַעֲנִישֵׁנִי הַשֵּׁם, אֲבָל יִשְׁמְרֵנִי מִן הַהֲרִיגָה יוֹתֵר מִמֶּנּוּ. וְהִזְכִּיר כֵּן לוֹמַר, כִּי בְלֹא חֶרֶב וַחֲנִית יָכוֹל אָדָם לַהֲרֹג בִּפְצָעִים וְחַבּוּרוֹת[85], שֶׁיָּמִית בְּמִיתָה רָעָה יוֹתֵר מִן הַחֶרֶב. וְאֵין הַחֶרֶב גּוֹרֵם הָרְצִיחָה, וְאֵין עַל הָעוֹשׂוֹ חֵטְא.

RAMBAN ELUCIDATED

mercy on him as He had mercy on Cain, כִּי הוּא נָקִי כַּפַּיִם מִמֶּנּוּ, וְיִתְפַּלֵּל לְפָנָיו גַּם הוּא וְיִשְׁמַע תְּפִלָּתוֹ – **for he** (Lamech) **was**, after all, **more innocent than he** (Cain), and he would pray before Him also and He would hear his prayer.

[Ramban now presents a more original interpretation:]

אֲבָל הַנִּרְאֶה בְעֵינַי – **But** the interpretation **that appears** best **in my view** כִּי הָיָה לֶמֶךְ אִישׁ חָכָם מְאֹד בְּכָל מְלֶאכֶת מַחְשֶׁבֶת – **is that Lamech was a very wise man in all kinds of skilled crafts,** וְלִמֵּד לִבְנוֹ הַבְּכוֹר עִנְיַן הַמִּרְעֶה כְּפִי טִבְעֵי הַבְּהֵמוֹת – **and he taught his firstborn son** Jabal **the subject of animal husbandry, in accordance with the natures of the** various **animals,**[80] וְלִמֵּד אֶת הַשֵּׁנִי חָכְמַת הַנִּגּוּן – **and he taught the second** son Jubal **the art of music,**[81] וְלִמֵּד אֶת הַשְּׁלִישִׁי לִלְטֹשׁ וְלַעֲשׂוֹת חֲרָבוֹת וּרְמָחִים וַחֲנִיתוֹת וְכָל כְּלֵי הַמִּלְחָמָה – **and he taught the third** son Tubal-cain **to sharpen and to make swords, spears, javelins and all sorts of** other **weapons.**[82] וְהָיוּ נָשָׁיו מִתְפַּחֲדוֹת שֶׁלֹּא יֵעָנֵשׁ, כִּי הֵבִיא הַחֶרֶב וְהָרְצִיחָה בָּעוֹלָם – **His wives were** therefore **afraid lest he be punished, for he had brought swords and** thus **murder into the world,** וְהִנֵּה הוּא תּוֹפֵשׂ מַעֲשֵׂה אֲבוֹתָיו בְּיָדוֹ, כִּי הוּא בֶּן הַמְרַצֵּחַ הָרִאשׁוֹן – **and here he was,** they thought, **grasping the deed of his ancestor in his hand,**[82a] **for he was the descendant of the first murderer** Cain, וּבָרָא מַשְׁחִית לְחַבֵּל – **and he,** too, **"created** (tools of) **destruction to cause injury."**[83] וְהוּא אָמַר לָהֶן: אֲנִי לֹא הָרַגְתִּי אִישׁ לְפִצְעִים וְלֹא יֶלֶד לְחַבּוּרוֹת כַּאֲשֶׁר עָשָׂה קַיִן – **So he said to them, "I have not killed anyone**[84] **through wounds, nor a child through injuries, as Cain did,**[85] וְלֹא יַעֲנִישֵׁנִי הַשֵּׁם, אֲבָל יִשְׁמְרֵנִי מִן הַהֲרִיגָה יוֹתֵר מִמֶּנּוּ – **so God will not punish me, but will safeguard me from being killed** even **more than** he guarded **[Cain].** וְהִזְכִּיר כֵּן לוֹמַר, כִּי בְלֹא חֶרֶב וַחֲנִית יָכוֹל אָדָם לַהֲרֹג בִּפְצָעִים וְחַבּוּרוֹת – **He made mention of these** "injuries and wounds" as if **to say that** even **without swords and spears a person can kill, through injuries and wounds** inflicted by his bare hands, שֶׁיָּמִית בְּמִיתָה רָעָה יוֹתֵר מִן הַחֶרֶב – **in which case he inflicts an even worse death** upon his victim **than** one brings about **by the sword.** וְאֵין הַחֶרֶב גּוֹרֵם הָרְצִיחָה, וְאֵין עַל הָעוֹשׂוֹ חֵטְא – **For it is not the sword that causes the murder,** but the killer himself. **And** therefore **there is no sin for one who makes [swords].**

---

wives were afraid for Lamech's life, not for the lives of their unborn children.

80. For, as recorded in v. 20, Jabal was *the first of those who breed livestock*.

81. For, as recorded in v. 21, Jubal was *the first of all who handle the harp and flute*.

82. For, as recorded in v. 22, Tubal-cain was *a sharpener and crafter of all copper and iron [articles]*.

82a. I.e., holding on to his ways.

83. Stylistic citation from *Isaiah* 54:16.

84. Lamech's words were actually, "I have slain a man" However, Ramban, like Rashi, interprets his statement as a rhetorical question: "Have I slain a man? No, I have not killed anyone!"

85. Cain killed Abel, who is alluded to here as a "child" because of his young age. This is in contradistinction to other commentators, who maintain that the person Lamech referred to was someone else.

ה
א יהוה: ס זֶה סֵפֶר תּוֹלְדֹת אָדָם בְּיוֹם
בְּרֹא אֱלֹהִים אָדָם בִּדְמוּת אֱלֹהִים עָשָׂה אֹתוֹ:

דַייָ: א דֵין סְפַר תּוּלְדַת אָדָם בְּיוֹמָא דִבְרָא יְיָ אָדָם בִּדְמוּת אֱלֹהִים עֲבַד יָתֵהּ:

רש״י

(א) **זה ספר תולדת אדם.** זו היא ספירת תולדות אדם. ומדרשי אגדה יש רבים: **ביום ברא וגו׳.** מגיד שביום שנברא הוליד (ב״ר

רמב״ן

ה [א־ב] זֶה סֵפֶר תּוֹלְדוֹת אָדָם. הַבָּנִים אֲשֶׁר יַזְכִּיר בַּפָּרָשָׁה[2]. וּלְפִי דַּעְתִּי יִרְמֹז לְכָל הַתּוֹרָה, כִּי כָּל הַתּוֹרָה כֻּלָּהּ סֵפֶר תּוֹלְדוֹת אָדָם[3]. עַל כֵּן אָמַר בְּכָאן "סֵפֶר", וְלֹא אָמַר "וְאֵלֶּה תּוֹלְדוֹת אָדָם" כַּאֲשֶׁר יֹאמַר בִּשְׁאָר מְקוֹמוֹת: "וְאֵלֶּה תֹּלְדוֹת יִשְׁמָעֵאל" [להלן כה, יב], "וְאֵלֶּה תּוֹלְדוֹת יִצְחָק" [שם פסוק יט], וְכֵן כֻּלָּן.

וְטַעַם **בְּיוֹם בְּרֹא אֱלֹהִים אָדָם** - נִמְשָׁךְ לְפָנָיו[4]. כִּי יַתְחִיל בָּאָדָם עַצְמוֹ[5], יַזְכִּיר בּוֹ שֶׁנִּבְרָא מֵאַיִן[6]. וּלְכָךְ אָמַר: "בְּיוֹם בְּרֹא אֱלֹהִים" מֵאַיִן "הָאָדָם" הַזֶּה הַנִּזְכָּר - "בִּדְמוּת אֱלֹהִים עָשָׂאוֹ", יְפָרֵשׁ שֶׁהוּא מַעֲשֵׂה אֱלֹהִים

RAMBAN ELUCIDATED

5.

1-2. זֶה סֵפֶר תּוֹלְדוֹת אָדָם – *THIS IS THE ACCOUNT OF THE DESCENDANTS OF ADAM.*

[Which סֵפֶר (lit. "book") (translated here as *account*,[1]) is our verse referring to? Ramban explains:]

הַבָּנִים אֲשֶׁר יַזְכִּיר בַּפָּרָשָׁה – The verse is referring to **the sons who will be enumerated in the** following **section.**[2]

וּלְפִי דַּעְתִּי יִרְמֹז לְכָל הַתּוֹרָה, כִּי כָּל הַתּוֹרָה כֻּלָּהּ סֵפֶר תּוֹלְדוֹת אָדָם – **In my opinion,** however, **it refers to the entire Torah, for the entire Torah is an *account of the descendants of Adam.***[3] עַל כֵּן אָמַר בְּכָאן "סֵפֶר" וְלֹא אָמַר "וְאֵלֶּה תּוֹלְדוֹת אָדָם" – **This is why [Scripture] said here** *This is the* ***account*** (or ***book***) *of the descendants of Adam,* **and did not say** simply, **"And these are the descendants of Adam,"** כַּאֲשֶׁר יֹאמַר בִּשְׁאָר מְקוֹמוֹת "וְאֵלֶּה תֹּלְדוֹת יִשְׁמָעֵאל", "וְאֵלֶּה תֹּלְדוֹת יִצְחָק", וְכֵן כֻּלָּן – **as it says in other places: *These are the descendants of Ishmael*** (below, 25:12), and ***And these are the offspring of Isaac*** (ibid. v. 19), **and similarly all of them,** (i.e., there are many other examples as well.)

☐ [בְּיוֹם בְּרֹא אֱלֹהִים אָדָם – *ON THE DAY THAT GOD CREATED ADAM.*]

[If the Torah is about to relate the account of *the* ***DESCENDANTS*** *of Adam,* then why does the Torah now give an account of Adam himself? Ramban explains:]

וְטַעַם "בְּיוֹם בְּרֹא אֱלֹהִים אָדָם" נִמְשָׁךְ לְפָנָיו – **The explanation of** ***on the day that God created Adam*** **is** that **it relates to what follows it,** namely, the description of Adam's origin.[4] כִּי יַתְחִיל בָּאָדָם עַצְמוֹ – **For it begins** *the account of Adam's descendants* **with Adam himself,**[5] יַזְכִּיר בּוֹ שֶׁנִּבְרָא מֵאַיִן – **mentioning about him that he was created from nothingness.**[6] וּלְכָךְ אָמַר: "בְּיוֹם בְּרֹא אֱלֹהִים" מֵאַיִן "הָאָדָם" הַזֶּה הַנִּזְכָּר – **Therefore it says,** ***on the day that God created*** – **from nothingness – this aforementioned** ***Adam.***

"בִּדְמוּת אֱלֹהִים עָשָׂאוֹ", יְפָרֵשׁ שֶׁהוּא מַעֲשֵׂה אֱלֹהִים וּבִדְמוּת אֱלֹהִים – ***He made him in the image of God*** – **[Scripture] explains that he was the handiwork of God, and was in the image of God.**[7]

1. This translation follows the opinion of Rashi, Radak and Ibn Ezra, apparently relating it to the cognate verb ספר, which means enumerate, count, relate, tell.

2. The *account* referred to in our verse is the listing of Adam's descendants and their life spans recorded in Chapter 5. Now, Chapter 5 in and of itself does not constitute a "book," prompting Rashi to interpret ספר as *account* rather than "book"!

3. I.e., the account and history of mankind; see Sforno. According to this interpretation, סֵפֶר can be understood in its usual sense, "book."

4. This is in contradistinction to Rashi's interpretation, which is that this phrase is to be attached to what precedes it: *the descendants of Adam on the day that God created man*, meaning that Adam begot children on the very day that he was created.

5. The account begins with Adam because Scripture often begins an account of descendants with their progenitor. See Ramban below, 25:19.

6. As Ramban explained above, 1:1, the Hebrew verb ברא denotes creation of something out of nothingness. Although Adam's body was created from the ground and not from "nothingness," his soul was created out of nothingness (*Zichron Yitzchak* and *Beis HaYayin*, based on Ramban above, 1:26).

7. For an explanation of the expression *image of God*, see Ramban above, 1:26.

5 [1] *This is the account of the descendants of Adam — on the day that God created Adam, He made him in the likeness of God.*

רמב״ן

וּבִדְמוּת אֱלֹהִים[7]. וְהִזְכִּיר כִּי כַּאֲשֶׁר בָּרָא אוֹתוֹ מֵאַיִן - כֵּן בָּרָא אֶת אִשְׁתּוֹ[8].

וְאָמַר **וַיְבָרֶךְ אוֹתָם**, שֶׁנָּתַן בָּהֶם כֹּחַ תּוֹלָדָה[9] לְהִתְבָּרֵךְ לָעַד בְּבָנִים וּבָנוֹת רַבִּים מְאֹד[10]. וְהַכַּוָּנָה לוֹמַר כִּי הַתּוֹלָדוֹת מִבִּרְכַּת אֱלֹהִים, כִּי הֵם לֹא נוֹלְדוּ[11], אֲבָל נִבְרְאוּ מֵאַיִן, וְנִתְבָּרְכוּ לַעֲשׂוֹת כֵּן.

וְטַעַם **וַיִּקְרָא אֶת שְׁמָם אָדָם**, מִפְּנֵי שֶׁשֵּׁם "אָדָם" כְּלָל לְכָל הַמִּין הָאֱנוֹשִׁי - הִזְכִּיר כִּי הָאֱלֹהִים קָרָא הַזּוּג הָרִאשׁוֹן בְּשֵׁם זֶה, מִפְּנֵי שֶׁכֻּלָּם בָּהֶם בְּכֹחַ, וַעֲלֵיהֶם הוּא אוֹמֵר "זֶה סֵפֶר תּוֹלְדֹת אָדָם"[12].

וְכָתַב רַבֵּינוּ שְׁרִירָא הַגָּאוֹן[13], שֶׁמָּסְרוּ חֲכָמִים אֶחָד לַחֲבֵרוֹ הַכָּרַת פָּנִים וְסִדְרֵי שִׂרְטוּטִין[14], מִקְצָתָן אֲמוּרִים בְּסֵדֶר פָּסוּק "זֶה סֵפֶר תּוֹלְדֹת אָדָם", וּמִקְצָתָן בְּסֵדֶר פָּסוּק שֶׁל אַחֲרָיו "זָכָר וּנְקֵבָה בְּרָאָם". וְאֵין מוֹסְרִים סִתְרֵי תּוֹרָה וְרָזִין אֶלָּא לְמִי שֶׁרוֹאִין בּוֹ סִימָנִין שֶׁרָאוּי לְכָךְ.

RAMBAN ELUCIDATED

וְהִזְכִּיר כִּי כַּאֲשֶׁר בָּרָא אוֹתוֹ מֵאַיִן, כֵּן בָּרָא אֶת אִשְׁתּוֹ – Then it mentions, with the words, *He created them* (out of nothingness) *male and female*, **that just as He created [Adam] out of nothingness, so did He create his wife** out of nothingness.[8]

וְאָמַר "וַיְבָרֶךְ אוֹתָם", שֶׁנָּתַן בָּהֶם כֹּחַ תּוֹלָדָה לְהִתְבָּרֵךְ לָעַד בְּבָנִים וּבָנוֹת רַבִּים מְאֹד – Then it says *He blessed them,* meaning **that He placed within them the capability of procreation,**[9] **to be blessed forever with very many sons and daughters.**[10] **וְהַכַּוָּנָה לוֹמַר כִּי הַתּוֹלָדוֹת מִבִּרְכַּת אֱלֹהִים – The** verse's overall **intention is to say that offspring are** only **from the blessing of God, כִּי הֵם לֹא נוֹלְדוּ אֲבָל נִבְרְאוּ מֵאַיִן, וְנִתְבָּרְכוּ לַעֲשׂוֹת כֵּן – for [Adam and Eve]** themselves **were not born,**[11] **but were created out of nothingness, and were given a blessing to do so [i.e., to reproduce].**

וְטַעַם "וַיִּקְרָא אֶת שְׁמָם אָדָם" – And the explanation for *He called their name Man* מִפְּנֵי שֶׁשֵּׁם "אָדָם" כְּלָל לְכָל הַמִּין הָאֱנוֹשִׁי – is that since the name "man" (Adam) is a general term for the entire human race, הִזְכִּיר כִּי הָאֱלֹהִים קָרָא הַזּוּג הָרִאשׁוֹן בְּשֵׁם זֶה מִפְּנֵי שֶׁכֻּלָּם בָּהֶם בְּכֹחַ – it mentions that God called the first couple by this name, because all future human beings **were potentially within them, וַעֲלֵיהֶם הוּא אוֹמֵר "זֶה סֵפֶר תּוֹלְדֹת אָדָם" – and it is about [those descendants] that it says, *This is the account of the descendants of Adam.***[12]

[Ramban cites a comment of one of the Geonim[13] concerning our verse:[14]]

וְכָתַב רַבֵּינוּ שְׁרִירָא הַגָּאוֹן, שֶׁמָּסְרוּ חֲכָמִים אֶחָד לַחֲבֵרוֹ הַכָּרַת פָּנִים וְסִדְרֵי שִׂרְטוּטִין – Rabbeinu Sherira HaGaon wrote that "the Sages passed on a tradition **from one to another** regarding **the** knowledge of **physiognomy and the** reading of **line formations** on the skin, **מִקְצָתָן אֲמוּרִים בְּסֵדֶר פָּסוּק – some of which are alluded to in the** word **order of the verse, "זֶה סֵפֶר תּוֹלְדֹת אָדָם" – *This is the account of the descendants of Adam,* וּמִקְצָתָן בְּסֵדֶר פָּסוּק שֶׁל אַחֲרָיו – and some of which** are alluded to **in the** word **order of the verse which follows it, "זָכָר וּנְקֵבָה בְּרָאָם" – *He created them male and female.* וְאֵין מוֹסְרִים סִתְרֵי תּוֹרָה וְרָזִין אֶלָּא לְמִי שֶׁרוֹאִין בּוֹ סִימָנִין שֶׁרָאוּי לְכָךְ – But we may not transmit secrets of the Torah and** its **mysteries, except to one in whom we see indications that he is worthy of this."**

8. Eve's soul was also created out of "nothingness," before her body was formed from Adam's side (Ramban to 1:26; see above, note 6).

9. This is how Ramban explained the expression *God blessed them, saying, "Be fruitful and multiply,"* above, 1:22.

10. The word "blessing" indicates abundance. See above, 4:11 footnote 30.

11. So it was not part of their innate natures to procreate; rather this ability was introduced into their systems by God's blessing.

12. As Ramban explained in the beginning of this verse.

13. "Gaon" (pl. Geonim) was the title bestowed upon the Roshei Yeshivah of Babylonia after the close of the Talmudic period.

14. Ramban cites this comment as an example of a theme that he frequently stresses – that the Torah, when viewed with the proper understanding and oral tradition, contains within it much practical wisdom and truth, both scientific and mystical. (See Ramban's Introduction, p. 5 ff.; his comment above, 3:14; his essay *Toras Hashem Temimah*, etc.)

ב זָכָר וּנְקֵבָה בְּרָאָם וַיְבָרֶךְ אֹתָם וַיִּקְרָא אֶת־
ג שְׁמָם אָדָם בְּיוֹם הִבָּרְאָם: וַיְחִי אָדָם שְׁלֹשִׁים
וּמְאַת שָׁנָה וַיּוֹלֶד בִּדְמוּתוֹ כְּצַלְמוֹ וַיִּקְרָא
ד אֶת־שְׁמוֹ שֵׁת: וַיִּהְיוּ יְמֵי־אָדָם אַחֲרֵי הוֹלִידוֹ
אֶת־שֵׁת שְׁמֹנֶה מֵאֹת שָׁנָה וַיּוֹלֶד בָּנִים וּבָנוֹת:

ב דְּכַר וְנוּקְבָא בְּרָאנוּן וּבָרִיךְ
יָתְהוֹן וּקְרָא יָת שְׁמָהוֹן אָדָם
בְּיוֹמָא דְאִתְבְּרִיאוּ: ג וַחֲיָא אָדָם
מְאָה וּתְלָתִין שְׁנִין וְאוֹלִיד
בִּדְמוּתֵהּ דְּדָמֵי לֵהּ וּקְרָא יָת
שְׁמֵהּ שֵׁת: ד וַהֲווֹ יוֹמֵי אָדָם
בָּתַר דְּאוֹלִיד יָת שֵׁת תְּמְנֵי
מְאָה שְׁנִין וְאוֹלִיד בְּנִין וּבְנָן:

רש"י

כד:ז): (ג) **שלשים ומאת שנה.** עד כאן פירש מן האשה (שם ו; עירובין יח:):

רמב"ן

אֵלּוּ דִבְרֵי הַגָּאוֹן. וְלֹא זָכִינוּ בָּהֶם.

[ג] **וַיּוֹלֶד בִּדְמוּתוֹ כְּצַלְמוֹ.** יָדוּעַ כִּי כָּל הַנּוֹלָדִים מִן הַחַיִּים יִהְיוּ בִּדְמוּת הַמּוֹלִידִים וּבְצַלְמָם! אֲבָל בַּעֲבוּר שֶׁנִּתְעַלָּה הָאָדָם בִּדְמוּתוֹ וְצַלְמוֹ, שֶׁאָמַר בּוֹ "בִּדְמוּת אֱלֹהִים עָשָׂה אוֹתוֹ" [לעיל, פסוק א] - פֵּרַשׁ כָּאן שֶׁאַף תּוֹלְדוֹתָיו הָיוּ כֵן, בְּאוֹתוֹ הַדְּמוּת הַמְעֻלָּה[16].

וְלֹא אָמַר זֶה בְּקַיִן וְהֶבֶל, כִּי לֹא רָצָה לְהַאֲרִיךְ בָּהֶם[18]. אֲבָל פֵּרַשׁ כֵּן בְּשֵׁת, שֶׁהָעוֹלָם הוּשְׁתַּת[19] מִמֶּנּוּ. אוֹ מִפְּנֵי שֶׁהָאָדָם נִבְרָא בְּתַכְלִית שְׁלֵמוּת הַיְצִירָה[20] - הִגִּיד בְּשֵׁת כִּי הָיָה כָּמוֹהוּ בְּכֹחַ וּבְיוֹפִי[21].

RAMBAN ELUCIDATED

אֵלּוּ דִבְרֵי הַגָּאוֹן – These are the words of the Gaon. וְלֹא זָכִינוּ בָּהֶם **– But we have not had the merit** to acquire the knowledge **of these** fields of wisdom.

3. **וַיּוֹלֶד בִּדְמוּתוֹ כְּצַלְמוֹ** – ***HE BEGOT IN HIS LIKENESS AND HIS IMAGE.***

[All progeny are in the likeness of their progenitors. What was unique about Adam?[15] Ramban explains:]

יָדוּעַ כִּי כָּל הַנּוֹלָדִים מִן הַחַיִּים יִהְיוּ בִּדְמוּת הַמּוֹלִידִים וּבְצַלְמָם – It is well known that all beings born from any living thing are in the likeness of whoever bore them, and are in their image! It seems superfluous, then, that Scripture should mention this fact in connection with Adam. **אֲבָל בַּעֲבוּר שֶׁנִּתְעַלָּה הָאָדָם בִּדְמוּתוֹ וְצַלְמוֹ, שֶׁאָמַר בּוֹ "בִּדְמוּת אֱלֹהִים עָשָׂה אוֹתוֹ" – However, because Adam was** so **exalted in his likeness and image, as it says concerning him, *He made him in the likeness of God*** (above, v. 1), **פֵּרַשׁ כָּאן שֶׁאַף תּוֹלְדוֹתָיו הָיוּ כֵן, בְּאוֹתוֹ הַדְּמוּת הַמְעֻלָּה – it specifies here that his offspring similarly had the same exalted likeness.**[16]

[Having explained why Scripture describes Adam's begetting of Seth as *he begot in his likeness and his image*, Ramban now explains why this expression is not used to describe the earlier births of Cain and Abel to Adam:[17]]

וְלֹא אָמַר זֶה בְּקַיִן וְהֶבֶל, כִּי לֹא רָצָה לְהַאֲרִיךְ בָּהֶם – [Scripture] did not say this regarding Cain and Abel, for it did not wish to dwell on them at length, because humanity did not descend from them, for their descendants completely perished.[18] **אֲבָל פֵּרַשׁ כֵּן בְּשֵׁת שֶׁהָעוֹלָם הוּשְׁתַּת מִמֶּנּוּ – However, it did say this explicitly concerning Seth, for the world was "founded"[19] from him.**

[Ramban now presents a second possible explanation for the Torah's depiction of Seth's birth as *he* (Adam) *begot in his likeness and his image*:]

אוֹ מִפְּנֵי שֶׁהָאָדָם נִבְרָא בְּתַכְלִית שְׁלֵמוּת הַיְצִירָה – Alternatively, because Adam was created as the

15. Cf. Rambam in *Moreh Nevuchim* 1:7, who has a different approach.

16. Since man's essence was so remarkably lofty, it was deemed worthy of mention to note that this extraordinary exaltedness was passed on from Adam to his offspring.

According to this interpretation, *in his likeness and his image* refers to the supernal spirit that all men possess.

17. According to Rambam's approach (see above, note 15), this question does not apply.

18. This idea is found in Ibn Ezra as well.

19. This is a play on words; the name שֵׁת (*Seth*) and the verb "to found" (שית) have the same root (see *Bamidbar Rabbah* 14:12). Seth was the individual from whom all of the present human race is descended, and therefore the Torah goes into detail in describing his birth.

2 *He created them male and female. He blessed them and*
called their name Man on the day they were created
— 3 *when Adam had lived one hundred and thirty years,*
he begot in his likeness and his image, and he named him
Seth. 4 *And the days of Adam after begetting Seth were*
eight hundred years, and he begot sons and daughters.

רמב״ן

[ד] **וַיִּהְיוּ יְמֵי אָדָם אַחֲרֵי הוֹלִידוֹ אֶת שֵׁת.** בַּעֲבוּר אֹרֶךְ חַיֵּי אֵלֶּה הָרִאשׁוֹנִים יִפְרוֹט יְמֵיהֶם קוֹדֶם הוֹלִידָם וְגַם אַחַר כָּךְ, וְיִכְלֹל כֻּלָּם בַּסּוֹף, עַד הַדּוֹרוֹת שֶׁאַחַר הַמַּבּוּל[22].

וְהַסִּבָּה בַּאֲרִיכוּת יְמֵיהֶם, כִּי אָדָם הָרִאשׁוֹן, מַעֲשֵׂה יָדָיו שֶׁל הַקָּדוֹשׁ בָּרוּךְ הוּא, נַעֲשָׂה בְּתַכְלִית הַשְּׁלֵמוּת בְּנוֹי, בְּכֹחַ, וּבְקוֹמָה, וְגַם אַחֲרֵי שֶׁנִּקְנַס עָלָיו שֶׁיִּהְיֶה בֶּן מָוֶת הָיָה בְּטִבְעוֹ לִחְיוֹת זְמַן רַב. וְכַאֲשֶׁר בָּא הַמַּבּוּל עַל הָאָרֶץ - נִתְקַלְקֵל עֲלֵיהֶם הָאֲוִיר, וְהָלְכוּ יְמוֹתָם הָלוֹךְ וְחָסוֹר. כִּי עַד הַמַּבּוּל הָיוּ יְמֵיהֶם בָּאֹרֶךְ הַהוּא, וְיֵשׁ מֵהֶם שֶׁחָיוּ יוֹתֵר מֵאָדָם. וְשֵׁם שֶׁנּוֹלַד קוֹדֶם הַמַּבּוּל חָיָה שֵׁשׁ מֵאוֹת, הוֹעִיל לוֹ הַחוֹזֶק שֶׁנּוֹלַד בּוֹ, וְהִזִּיק לוֹ הָאֲוִיר שֶׁנִּתְקַלְקֵל. וּבָנָיו הַנּוֹלָדִים אַחַר הַמַּבּוּל נִתְקַצְּרוּ יְמוֹתָם, וְשָׁבוּ לְאַרְבַּע מֵאוֹת[23].

RAMBAN ELUCIDATED

epitome of physical **perfection of creation,**[20] הִגִּיד בְּשֵׁת כִּי הָיָה כָּמוֹהוּ בְּכֹחַ וּבְיוֹפִי – **[Scripture] relates concerning Seth that he was like [his father] in** extraordinary **strength and in beauty.**[21]

4. וַיִּהְיוּ יְמֵי אָדָם אַחֲרֵי הוֹלִידוֹ אֶת שֵׁת – ***AND THE DAYS OF ADAM AFTER BEGETTING SETH WERE ...***

[Why does the Torah record for each person his age before begetting a child, his remaining years after begetting a child, and his total age at death? The last number is, after all, only the sum of the first two! Ramban explains:]

בַּעֲבוּר אֹרֶךְ חַיֵּי אֵלֶּה הָרִאשׁוֹנִים יִפְרוֹט יְמֵיהֶם קוֹדֶם הוֹלִידָם וְגַם אַחַר כָּךְ – **Because of the** unusual **longevity of these first** men **[Scripture] specifies their days before they begot children and also afterwards,** **וְיִכְלֹל כֻּלָּם בַּסּוֹף** – **and adds them all up in the end.** עַד הַדּוֹרוֹת שֶׁאַחַר הַמַּבּוּל – This is Scripture's practice **until the generations after the Flood.**[22]

[Ramban now discusses why it was that these first men lived such extraordinarily long lives:]

וְהַסִּבָּה בַּאֲרִיכוּת יְמֵיהֶם – **The reason for their longevity** was **כִּי אָדָם הָרִאשׁוֹן, מַעֲשֵׂה יָדָיו שֶׁל הַקָּדוֹשׁ בָּרוּךְ הוּא** – that **Adam, the first** man, **the handiwork of the Holy One, Blessed is He,** **נַעֲשָׂה בְּתַכְלִית הַשְּׁלֵמוּת, בְּנוֹי, בְּכֹחַ, וּבְקוֹמָה** – **was created as the epitome of perfection, in beauty, strength and stature,** **וְגַם אַחֲרֵי שֶׁנִּקְנַס עָלָיו שֶׁיִּהְיֶה בֶּן מָוֶת הָיָה בְּטִבְעוֹ לִחְיוֹת זְמַן רַב** – **and even after it was decreed for him that he be mortal it was** still **his natural state to live for a long time,** due to his flawless physical constitution. **וְכַאֲשֶׁר בָּא הַמַּבּוּל עַל הָאָרֶץ נִתְקַלְקֵל עֲלֵיהֶם הָאֲוִיר, וְהָלְכוּ יְמוֹתָם הָלוֹךְ וְחָסוֹר** – **But when the Flood came upon the land, the atmosphere deteriorated for them, and their days** of life **gradually decreased.** **כִּי עַד הַמַּבּוּל הָיוּ יְמֵיהֶם בָּאֹרֶךְ הַהוּא, וְיֵשׁ מֵהֶם שֶׁחָיוּ יוֹתֵר מֵאָדָם** – **For up until the Flood [people's] days** of life **were comparable to that length** of Adam's life, **and there were some who lived** even **more than Adam.** **וְשֵׁם שֶׁנּוֹלַד קוֹדֶם הַמַּבּוּל חָיָה שֵׁשׁ מֵאוֹת** – **And** as for **Shem, who was born before the Flood,** and who **lived six hundred** years, a life span which was longer than those who lived after the Flood, but shorter than those who lived before it, **הוֹעִיל לוֹ הַחוֹזֶק שֶׁנּוֹלַד בּוֹ, וְהִזִּיק לוֹ הָאֲוִיר שֶׁנִּתְקַלְקֵל** – **the strength with which he was born benefitted him, but** on the other hand **the deteriorated atmosphere caused harm to his [health].** **וּבָנָיו הַנּוֹלָדִים אַחַר הַמַּבּוּל נִתְקַצְּרוּ יְמוֹתָם, וְשָׁבוּ לְאַרְבַּע מֵאוֹת** – **And** as for **his sons, who were**

20. See Ramban below, on the next verse.

21. According to this interpretation, *in his likeness and his image* refers to Adam's physical perfection, which was passed on to Seth, but apparently not to Cain and Abel. This is why this description was not used for Adam's previous children. (See *Beis HaYayin.*)

22. For the generations after Noah (see Chap. 11), the first two figures are given, but no overall sum. The reason Scripture does provide an overall sum in our chapter is to call attention to the remarkably long life

ה וַיִּהְיוּ כָּל־יְמֵי אָדָם אֲשֶׁר־חַי תְּשַׁע מֵאוֹת שָׁנָה
ו וּשְׁלֹשִׁים שָׁנָה וַיָּמֹת: ס וַיְחִי־שֵׁת
חָמֵשׁ שָׁנִים וּמְאַת שָׁנָה וַיּוֹלֶד אֶת־אֱנוֹשׁ:
ז וַיְחִי־שֵׁת אַחֲרֵי הוֹלִידוֹ אֶת־אֱנוֹשׁ שֶׁבַע
שָׁנִים וּשְׁמֹנֶה מֵאוֹת שָׁנָה וַיּוֹלֶד בָּנִים וּבָנוֹת:

ה וַהֲווֹ כָּל יוֹמֵי אָדָם דַּחֲיָא
תְּשַׁע מְאָה וּתְלָתִין שְׁנִין
וּמִית: ו וַחֲיָא שֵׁת מְאָה
וַחֲמֵשׁ שְׁנִין וְאוֹלִיד יָת אֱנוֹשׁ:
ז וַחֲיָא שֵׁת בָּתַר דְּאוֹלִיד
יָת אֱנוֹשׁ תְּמָנֵי מְאָה
וּשְׁבַע שְׁנִין וְאוֹלִיד בְּנִין וּבְנָן:

רמב״ן

וְתִרְאֶה שֶׁהָיָה זֶה בָּהֶם עַד הַפַּלָּגָה, וְכַאֲשֶׁר מָשַׁל עֲלֵיהֶם שִׁנּוּי הָאֲוִירוֹת בַּפַּלָּגָה נִתְקַצְּרוּ עוֹד יְמֵיהֶם. כִּי פֶּלֶג, אֲשֶׁר בְּיָמָיו נִפְלְגָה הָאָרֶץ, שָׁב לַחֲצִי יְמֵיהֶם לְמָאתַיִם שָׁנָה.

וְנִרְאֶה כִּי בְּדוֹרוֹת אַבְרָהָם יִצְחָק וְיַעֲקֹב הָיוּ הַיָּמִים בָּעָם שִׁבְעִים וּשְׁמוֹנִים שָׁנָה, כַּאֲשֶׁר הִזְכִּיר מֹשֶׁה רַבֵּינוּ בִּתְפִלָּתוֹ [תהלים צ, י][24], אֲבָל הַצַּדִּיקִים בְּדוֹרוֹתָם יִרְאַת ה׳ תּוֹסִיף בָּהֶם יָמִים[25].

כִּי פַּרְעֹה תָּמַהּ עַל יַעֲקֹב וְהוּא הִפְלִיג לוֹ בִּימֵי אֲבוֹתָיו, כְּמוֹ שֶׁאָמַר [להלן מז, ט]: ״וְלֹא הִשִּׂיגוּ אֶת יְמֵי שְׁנֵי חַיֵּי אֲבוֹתַי בִּימֵי מְגוּרֵיהֶם״ [להלן מז, ט].

RAMBAN ELUCIDATED

born and lived their *entire* lifetimes **after the Flood, their days** of life **were shortened, and they declined to four hundred.**[23] וְתִרְאֶה שֶׁהָיָה זֶה בָּהֶם עַד הַפַּלָּגָה – **And you will see that this** life span **remained with them until the Dispersion** in the days of Peleg, וְכַאֲשֶׁר מָשַׁל עֲלֵיהֶם שִׁנּוּי הָאֲוִירוֹת בַּפַּלָּגָה נִתְקַצְּרוּ עוֹד יְמֵיהֶם – **and when the change of atmosphere affected them upon the Dispersion,** when they were scattered to all different parts of the earth, **their days** of life **were shortened further.** כִּי פֶּלֶג, אֲשֶׁר בְּיָמָיו נִפְלְגָה הָאָרֶץ, שָׁב לַחֲצִי יְמֵיהֶם לְמָאתַיִם שָׁנָה – **For Peleg,** ***in whose days the earth was divided*** (below, 10:25) at the Dispersion, **was reduced** to live only **half the days of [his predecessors], to** approximately **two hundred years.**

[Ramban maintains (see below) that all people who lived in those times shared the longevity of the individuals mentioned specifically in the Torah. Was this true for the people who were the contemporaries of Abraham, Isaac and Jacob – who lived to be 175, 180 and 147 respectively – as well? Were these normal life spans in those days, or were they exceptional? Ramban explains:]

וְנִרְאֶה כִּי בְּדוֹרוֹת אַבְרָהָם יִצְחָק וְיַעֲקֹב הָיוּ הַיָּמִים בָּעָם שִׁבְעִים וּשְׁמוֹנִים שָׁנָה – **It appears that in the generations of Abraham, Isaac and Jacob, the days** of life **of the ordinary people were "seventy or eighty years,"** כַּאֲשֶׁר הִזְכִּיר מֹשֶׁה רַבֵּינוּ בִּתְפִלָּתוֹ – **as our teacher Moses mentioned** man's life span **in his prayer** (*Psalms* 90:10),[24] אֲבָל הַצַּדִּיקִים בְּדוֹרוֹתָם יִרְאַת ה׳ תּוֹסִיף בָּהֶם יָמִים – **but** as far as **the righteous people in their generation, "the fear of God increased their days."**[25]

[Ramban explains what led him to this conclusion:]

כִּי פַּרְעֹה תָּמַהּ עַל יַעֲקֹב – **For Pharaoh was amazed at** the old age of **Jacob,** who was "only" 130 years old at the time that they met, וְהוּא הִפְלִיג לוֹ בִּימֵי אֲבוֹתָיו – **and** furthermore, **[Jacob] astounded Pharaoh by** telling him about **the days** of life **of his forefathers,** כְּמוֹ שֶׁאָמַר: ״וְלֹא הִשִּׂיגוּ אֶת יְמֵי שְׁנֵי חַיֵּי אֲבוֹתַי בִּימֵי מְגוּרֵיהֶם״ – **as he said,** ***and they*** (my years) ***have not reached the life spans of my forefathers in the days of their sojourns*** (below, 47:9).

[Ramban now refers to the opinion of Rambam (Maimonides) concerning the longevity of the people listed in this chapter:]

spans of these men. After the Flood, however, man's life span began to diminish and approach the life expectancy that we are familiar with today.

23. This was the approximate life span of the three generations that followed Shem. After this it declined further, as Ramban goes on to explain.

24. In Psalm 90 it is written: *A prayer by Moses ... The days of our years among them are seventy years, and if with might, eighty years.*

25. Stylistic citation from *Proverbs* 10:27.

This is why Abraham, Isaac, Jacob, Levi, Moses, etc. lived exceptionally long lives. (See, however, below,

5 *All the days that Adam lived were nine hundred and thirty years; and he died.*
6 *Seth lived one hundred and five years and begot*
Enosh. 7 *And Seth lived eight hundred and seven years after begetting Enosh, and he begot sons and daughters.*

רמב״ן

וְלֹא יִכְשַׁר בְּעֵינַי מַאֲמַר הָרַב שֶׁכָּתַב בְּמוֹרֵה הַנְּבוּכִים [ב, מז] כִּי לֹא הָיָה אֹרֶךְ הַשָּׁנִים רַק בַּיְחִידִים הָאֵלֶּה הַנִּזְכָּרִים, וּשְׁאָר בְּנֵי אָדָם בַּדּוֹרוֹת הָהֵם הָיוּ שְׁנוֹת חַיֵּיהֶם הַשָּׁנִים הַטִּבְעִיִּים הַמֻּרְגָּלִים. וְאָמַר, כִּי הָיָה הַחִדּוּשׁ הַזֶּה בָּאִישׁ הַהוּא בְּהַנְהָגָתוֹ וּמְזוֹנוֹ, אוֹ עַל דֶּרֶךְ נֵס.

וְהִנֵּה אֵלֶּה דִּבְרֵי רוּחַ, וְלָמָּה יִהְיֶה הַנֵּס הַזֶּה בָּהֶם, וְהֵם אֵינָם נְבִיאִים וְלֹא צַדִּיקִים וְטוֹבִים לַעֲשׂוֹת לָהֶם נֵס, אַף כִּי דּוֹר אַחַר דּוֹר! וְתִקּוּן הַהַנְהָגָה וְהַמָּזוֹן אֵיךְ תַּאֲרִיךְ יְמֵיהֶם כִּפְלֵי כִּפְלַיִם מִכָּל הַדּוֹר הַהוּא[26]? וְיִתָּכֵן שֶׁיִּהְיוּ אֲחֵרִים גַּם כֵּן מִתְנַהֲגִים בְּטוּב הַהַנְהָגָה הַהִיא, וְתַאֲרִיךְ לְכֻלָּם אוֹ לְרֻבָּם[27]! וְאֵיךְ לֹא תַּגִּיעַ הַחָכְמָה בַּהַנְהָגָה הַטּוֹבָה הַהִיא לְאֶחָד מִכָּל בְּנֵי נֹחַ אַחַר הַמַּבּוּל, אֲבָל הָיָה בָּהֶם קְצָת מֵחָכְמַת אֲבוֹתָם, וְהִיא מִתְמַעֶטֶת וְהוֹלֶכֶת דּוֹר אַחַר דּוֹר[28]?!

RAMBAN ELUCIDATED

וְלֹא יִכְשַׁר בְּעֵינַי מַאֲמַר הָרַב – The statement of the Rav (Rambam) is not correct in my view. שֶׁכָּתַב בְּמוֹרֵה הַנְּבוּכִים כִּי לֹא הָיָה אֹרֶךְ הַשָּׁנִים רַק בַּיְחִידִים הָאֵלֶּה הַנִּזְכָּרִים – For he wrote in *Moreh Nevuchim* (II:47) **that the longevity** described by the Torah here **was the case only for these individuals who are mentioned** explicitly, **וּשְׁאָר בְּנֵי אָדָם בַּדּוֹרוֹת הָהֵם הָיוּ שְׁנוֹת חַיֵּיהֶם הַשָּׁנִים הַטִּבְעִיִּים הַמֻּרְגָּלִים – but as for the other people in those generations, their life spans were the natural, normal** number of **years. וְאָמַר, כִּי הָיָה הַחִדּוּשׁ הַזֶּה בָּאִישׁ הַהוּא בְּהַנְהָגָתוֹ וּמְזוֹנוֹ, אוֹ עַל דֶּרֶךְ נֵס – And he said,** in order to explain this position, **that this exception** of one man per generation **was because of that** particular **man, due to his conduct and his diet, or** perhaps **due to a miracle** that God saw fit to bestow upon him for some reason.

[Ramban reacts to Rambam's opinion:]

וְהִנֵּה אֵלֶּה דִּבְרֵי רוּחַ – Now, these are words of no substance (i.e., sheer conjecture). **וְלָמָּה יִהְיֶה הַנֵּס הַזֶּה בָּהֶם, וְהֵם אֵינָם נְבִיאִים וְלֹא צַדִּיקִים וְטוֹבִים לַעֲשׂוֹת לָהֶם נֵס – For why should this miracle occur for [these particular people]; they were not prophets or righteous, good people that a miracle should be done for them, אַף כִּי דּוֹר אַחַר דּוֹר – and certainly not** repeatedly, **generation after generation! וְתִקּוּן הַהַנְהָגָה וְהַמָּזוֹן אֵיךְ תַּאֲרִיךְ יְמֵיהֶם כִּפְלֵי כִּפְלַיִם מִכָּל הַדּוֹר הַהוּא – And** as far as the other possible reason for longevity suggested by Rambam, **the perfection of conduct and diet,** goes, **how can this increase the days** of their lives **by so many times over the rest of that generation?**[26] **וְיִתָּכֵן שֶׁיִּהְיוּ אֲחֵרִים גַּם כֵּן מִתְנַהֲגִים בְּטוּב הַהַנְהָגָה הַהִיא** – Furthermore, if conduct and diet could extend life enormously, then **it would be possible for others to also conduct themselves according to this manner of** healthy **lifestyle, וְתַאֲרִיךְ לְכֻלָּם אוֹ לְרֻבָּם – which would extend everyone's life, or** at least **that of most people!**[27] **וְאֵיךְ לֹא תַּגִּיעַ הַחָכְמָה בַּהַנְהָגָה הַטּוֹבָה הַהִיא לְאֶחָד מִכָּל בְּנֵי נֹחַ אַחַר הַמַּבּוּל** – Furthermore, **how could the knowledge of this** healthy **lifestyle,** which could so substantially increase longevity, **not have reached a single one of all the children of Noah after the Flood, אֲבָל הָיָה בָּהֶם קְצָת מֵחָכְמַת אֲבוֹתָם, וְהִיא מִתְמַעֶטֶת וְהוֹלֶכֶת דּוֹר אַחַר דּוֹר – but** surely **they must have possessed some of this wisdom of their ancestors** concerning a healthy lifestyle, although this wisdom **diminished gradually, generation after generation.**[28]

46:15, where Ramban seems to contradict the assertion that the Patriarchs experienced extraordinary longevity for their period.)

26. Good health practices can perhaps add a few years beyond others of his generation, but cannot possibly extend his life span from seventy years to nine hundred!

27. Why, then, was there only one person in each generation who followed this pattern of healthful conduct which enabled him to live more than ten times longer than everyone else?

28. *Pnei Yerushalayim.*

ח וַיִּֽהְיוּ֙ כָּל־יְמֵי־שֵׁ֔ת שְׁתֵּ֤ים עֶשְׂרֵה֙ שָׁנָ֔ה וּתְשַׁ֥ע מֵא֖וֹת
ט שָׁנָ֑ה וַיָּמֹֽת׃ ס וַיְחִ֥י אֱנ֖וֹשׁ תִּשְׁעִ֣ים שָׁנָ֑ה וַיּ֖וֹלֶד
י אֶת־קֵינָֽן׃ וַיְחִ֣י אֱנ֗וֹשׁ אַֽחֲרֵי֙ הוֹלִיד֣וֹ אֶת־קֵינָ֔ן חֲמֵ֤שׁ
עֶשְׂרֵה֙ שָׁנָ֔ה וּשְׁמֹנֶ֥ה מֵא֖וֹת שָׁנָ֑ה וַיּ֥וֹלֶד בָּנִ֖ים וּבָנֽוֹת׃
יא וַיִּֽהְיוּ֙ כָּל־יְמֵ֣י אֱנ֔וֹשׁ חָמֵ֣שׁ שָׁנִ֔ים וּתְשַׁ֥ע מֵא֖וֹת שָׁנָ֑ה
יב וַיָּמֹֽת׃ ס וַיְחִ֥י קֵינָ֖ן שִׁבְעִ֣ים שָׁנָ֑ה וַיּ֖וֹלֶד אֶת־
יג מַֽהֲלַלְאֵֽל׃ וַיְחִ֣י קֵינָ֗ן אַֽחֲרֵי֙ הוֹלִיד֣וֹ אֶת־מַֽהֲלַלְאֵ֔ל
אַרְבָּעִ֣ים שָׁנָ֔ה וּשְׁמֹנֶ֥ה מֵא֖וֹת שָׁנָ֑ה וַיּ֥וֹלֶד בָּנִ֖ים
יד וּבָנֽוֹת׃ וַיִּֽהְיוּ֙ כָּל־יְמֵ֣י קֵינָ֔ן עֶ֣שֶׂר שָׁנִ֔ים וּתְשַׁ֥ע
טו מֵא֖וֹת שָׁנָ֑ה וַיָּמֹֽת׃ ס וַיְחִ֣י מַֽהֲלַלְאֵ֔ל חָמֵ֥שׁ
טז שָׁנִ֖ים וְשִׁשִּׁ֣ים שָׁנָ֑ה וַיּ֖וֹלֶד אֶת־יָֽרֶד׃ וַיְחִ֣י מַֽהֲלַלְאֵ֗ל
אַֽחֲרֵי֙ הוֹלִיד֣וֹ אֶת־יֶ֔רֶד שְׁלֹשִׁ֣ים שָׁנָ֔ה וּשְׁמֹנֶ֥ה
יז מֵא֖וֹת שָׁנָ֑ה וַיּ֥וֹלֶד בָּנִ֖ים וּבָנֽוֹת׃ וַיִּֽהְיוּ֙ כָּל־יְמֵ֣י
מַֽהֲלַלְאֵ֔ל חָמֵ֤שׁ וְתִשְׁעִים֙ שָׁנָ֔ה וּשְׁמֹנֶ֥ה מֵא֖וֹת
יח שָׁנָ֑ה וַיָּמֹֽת׃ ס וַֽיְחִי־יֶ֕רֶד שְׁתַּ֧יִם וְשִׁשִּׁ֛ים
יט שָׁנָ֖ה וּמְאַ֣ת שָׁנָ֑ה וַיּ֖וֹלֶד אֶת־חֲנֽוֹךְ׃ וַֽיְחִי־יֶ֗רֶד
אַֽחֲרֵי֙ הוֹלִיד֣וֹ אֶת־חֲנ֔וֹךְ שְׁמֹנֶ֥ה מֵא֖וֹת שָׁנָ֑ה וַיּ֥וֹלֶד
כ בָּנִ֖ים וּבָנֽוֹת׃ וַיִּֽהְיוּ֙ כָּל־יְמֵי־יֶ֔רֶד שְׁתַּ֤יִם וְשִׁשִּׁים֙ שָׁנָ֔ה
כא וּתְשַׁ֥ע מֵא֖וֹת שָׁנָ֑ה וַיָּמֹֽת׃ ס וַיְחִ֣י חֲנ֔וֹךְ
כב חָמֵ֥שׁ וְשִׁשִּׁ֖ים שָׁנָ֑ה וַיּ֖וֹלֶד אֶת־מְתוּשָֽׁלַח׃ וַיִּתְהַלֵּ֨ךְ
חֲנ֜וֹךְ אֶת־הָֽאֱלֹהִ֗ים אַֽחֲרֵי֙ הוֹלִיד֣וֹ אֶת־מְתוּשֶׁ֔לַח
כג שְׁלֹ֥שׁ מֵא֖וֹת שָׁנָ֑ה וַיּ֥וֹלֶד בָּנִ֖ים וּבָנֽוֹת׃ וַיְהִ֖י כָּל־
יְמֵ֣י חֲנ֑וֹךְ חָמֵ֤שׁ וְשִׁשִּׁים֙ שָׁנָ֔ה וּשְׁלֹ֥שׁ מֵא֖וֹת שָׁנָֽה׃
כד וַיִּתְהַלֵּ֥ךְ חֲנ֖וֹךְ אֶת־הָֽאֱלֹהִ֑ים וְאֵינֶ֕נּוּ כִּֽי־לָקַ֥ח אֹת֖וֹ
שביעי כה אֱלֹהִֽים׃ ס וַיְחִ֣י מְתוּשֶׁ֔לַח שֶׁ֧בַע וּשְׁמֹנִ֛ים
כו שָׁנָ֖ה וּמְאַ֣ת שָׁנָ֑ה וַיּ֖וֹלֶד אֶת־לָֽמֶךְ׃ וַיְחִ֣י מְתוּשֶׁ֗לַח
אַֽחֲרֵי֙ הוֹלִיד֣וֹ אֶת־לֶ֔מֶךְ שְׁתַּ֤יִם וּשְׁמוֹנִים֙ שָׁנָ֔ה
כז וּשְׁבַ֥ע מֵא֖וֹת שָׁנָ֑ה וַיּ֥וֹלֶד בָּנִ֖ים וּבָנֽוֹת׃ וַיִּֽהְיוּ֙ כָּל־
יְמֵ֣י מְתוּשֶׁ֔לַח תֵּ֗שַׁע וְשִׁשִּׁים֙ שָׁנָ֔ה וּתְשַׁ֥ע מֵא֖וֹת

ח וַהֲווֹ כָּל יוֹמֵי שֵׁת תְּשַׁע מְאָה וְתַרְתָּא עַשְׂרֵי שְׁנִין וּמִית: ט וַחֲיָא אֱנוֹשׁ תִּשְׁעִין שְׁנִין וְאוֹלִיד יָת קֵינָן: י וַחֲיָא אֱנוֹשׁ בָּתַר דְּאוֹלִיד יָת קֵינָן תַּמְנֵי מְאָה וַחֲמֵשׁ עַשְׂרֵי שְׁנִין וְאוֹלִיד בְּנִין וּבְנָן: יא וַהֲווֹ כָּל יוֹמֵי אֱנוֹשׁ תְּשַׁע מְאָה וַחֲמֵשׁ שְׁנִין וּמִית: יב וַחֲיָא קֵינָן שַׁבְעִין שְׁנִין וְאוֹלִיד יָת מַהֲלַלְאֵל: יג וַחֲיָא קֵינָן בָּתַר דְּאוֹלִיד יָת מַהֲלַלְאֵל תַּמְנֵי מְאָה וְאַרְבְּעִין שְׁנִין וְאוֹלִיד בְּנִין וּבְנָן: יד וַהֲווֹ כָּל יוֹמֵי קֵינָן תְּשַׁע מְאָה וַעֲשַׂר שְׁנִין וּמִית: טו וַחֲיָא מַהֲלַלְאֵל שִׁתִּין וַחֲמֵשׁ שְׁנִין וְאוֹלִיד יָת יָרֶד: טז וַחֲיָא מַהֲלַלְאֵל בָּתַר דְּאוֹלִיד יָת יֶרֶד תַּמְנֵי מְאָה וּתְלָתִין שְׁנִין וְאוֹלִיד בְּנִין וּבְנָן: יז וַהֲווֹ כָּל יוֹמֵי מַהֲלַלְאֵל תַּמְנֵי מְאָה וְתִשְׁעִין וַחֲמֵשׁ שְׁנִין וּמִית: יח וַחֲיָא יֶרֶד מְאָה וְשִׁתִּין וְתַרְתֵּין שְׁנִין וְאוֹלִיד יָת חֲנוֹךְ: יט וַחֲיָא יֶרֶד בָּתַר דְּאוֹלִיד יָת חֲנוֹךְ תַּמְנֵי מְאָה שְׁנִין וְאוֹלִיד בְּנִין וּבְנָן: כ וַהֲווֹ כָּל יוֹמֵי יֶרֶד תְּשַׁע מְאָה וְשִׁתִּין וְתַרְתֵּין שְׁנִין וּמִית: כא וַחֲיָא חֲנוֹךְ שִׁתִּין וַחֲמֵשׁ שְׁנִין וְאוֹלִיד יָת מְתוּשָׁלַח: כב וְהַלֵּיךְ חֲנוֹךְ בְּדַחַלְתָּא דַייָ בָּתַר דְּאוֹלִיד יָת מְתוּשֶׁלַח תְּלָת מְאָה שְׁנִין וְאוֹלִיד בְּנִין וּבְנָן: כג וַהֲוָה כָּל יוֹמֵי חֲנוֹךְ תְּלָת מְאָה וְשִׁתִּין וַחֲמֵשׁ שְׁנִין: כד וְהַלֵּיךְ חֲנוֹךְ בְּדַחַלְתָּא דַייָ וְלֵיתוֹהִי אֲרֵי (לָא) אֲמֵית יָתֵהּ יְיָ: כה וַחֲיָא מְתוּשֶׁלַח מְאָה וּתְמָנַן וּשְׁבַע שְׁנִין וְאוֹלִיד יָת לָמֶךְ: כו וַחֲיָא מְתוּשֶׁלַח בָּתַר דְּאוֹלִיד יָת לֶמֶךְ שְׁבַע מְאָה וּתְמָנַן וְתַרְתֵּין שְׁנִין וְאוֹלִיד בְּנִין וּבְנָן: כז וַהֲווֹ כָּל יוֹמֵי מְתוּשֶׁלַח תְּשַׁע מְאָה וְשִׁתִּין וּתְשַׁע

רש"י

(כד) ויתהלך חנוך. לדיק היה וקל [ס"א וקבל] בדעתו לשוב להרשיע, לפיכך מיהר הקב"ה וסילקו והמיתו קודם זמנו, וזהו ששינה הכתוב במיתתו לכתוב **ואיננו** בעולם למלאות שנותיו **כי לקח אתו** לפני זמנו, כמו הנני לוקח ממך את מחמד עיניך

*8 All the days of Seth were nine hundred and twelve
years; and he died.*

*9 Enosh lived ninety years, and begot Kenan. 10 And
Enosh lived eight hundred and fifteen years after beget-
ting Kenan, and he begot sons and daughters. 11 All the
days of Enosh were nine hundred and five years; and
he died.*

*12 Kenan lived seventy years, and begot
Mahalalel. 13 And Kenan lived eight hundred and forty
years after begetting Mahalalel, and he begot sons and
daughters. 14 All the days of Kenan were nine hundred
and ten years; and he died.*

*15 Mahalalel lived sixty-five years, and begot
Jared. 16 And Mahalalel lived eight hundred and thirty
years after begetting Jared, and he begot sons and
daughters. 17 All the days of Mahalalel were eight hun-
dred and ninety-five years; and he died.*

*18 Jared lived one hundred and sixty-two years, and
begot Enoch. 19 And Jared lived eight hundred years
after begetting Enoch and he begot sons and
daughters. 20 All the days of Jared came to nine hun-
dred and sixty-two years; and he died.*

*21 Enoch lived sixty-five years, and begot
Methuselah. 22 Enoch walked with God for three hun-
dred years after begetting Methuselah; and he begot
sons and daughters. 23 All the days of Enoch were three
hundred and sixty-five years. 24 And Enoch walked
with God; then he was no more, for God had taken
him.*

*25 Methuselah lived one hundred and eighty-seven
years, and begot Lamech. 26 And Methuselah lived
seven hundred and eighty-two years after begetting
Lamech, and he begot sons and daugh-ters. 27 All the
days of Methuselah were nine hundred and sixty-nine
years; and he died.*

כח שָׁנָה וַיָּמֹת: ס וַיְחִי־לֶמֶךְ שְׁתַּיִם וּשְׁמֹנִים
כט שָׁנָה וּמְאַת שָׁנָה וַיּוֹלֶד בֵּן: וַיִּקְרָא אֶת־שְׁמוֹ
נֹחַ לֵאמֹר זֶה יְנַחֲמֵנוּ מִמַּעֲשֵׂנוּ וּמֵעִצְּבוֹן
ל יָדֵינוּ מִן־הָאֲדָמָה אֲשֶׁר אֵרְרָהּ יהוה: וַיְחִי־
לֶמֶךְ אַחֲרֵי הוֹלִידוֹ אֶת־נֹחַ חָמֵשׁ וְתִשְׁעִים
שָׁנָה וַחֲמֵשׁ מֵאֹת שָׁנָה וַיּוֹלֶד בָּנִים וּבָנוֹת:
לא וַיְהִי כָּל־יְמֵי־לֶמֶךְ שֶׁבַע וְשִׁבְעִים שָׁנָה וּשְׁבַע
לב מֵאוֹת שָׁנָה וַיָּמֹת: ס וַיְהִי־נֹחַ בֶּן־חֲמֵשׁ
מֵאוֹת שָׁנָה וַיּוֹלֶד נֹחַ אֶת־שֵׁם אֶת־חָם וְאֶת־
ו א יָפֶת: וַיְהִי כִּי־הֵחֵל הָאָדָם לָרֹב עַל־פְּנֵי
ב הָאֲדָמָה וּבָנוֹת יֻלְּדוּ לָהֶם: וַיִּרְאוּ בְנֵי־
הָאֱלֹהִים אֶת־בְּנוֹת הָאָדָם כִּי טֹבֹת הֵנָּה

שְׁנִין וּמִית: כח וַחֲיָא לֶמֶךְ מְאָה וּתְמָנַן וְתַרְתֵּין שְׁנִין וְאוֹלִיד בָּר: כט וּקְרָא יָת שְׁמֵהּ נֹחַ לְמֵימָר דֵּין יְנַחֲמִנַּנָא מֵעוֹבָדָנָא וּמִלֵּאוּת יְדָנָא מִן אַרְעָא דִּי לַטְטַהּ יְיָ: ל וַחֲיָא לֶמֶךְ בָּתַר דְּאוֹלִיד יָת נֹחַ חֲמֵשׁ מְאָה וְתִשְׁעִין וַחֲמֵשׁ שְׁנִין וְאוֹלִיד בְּנִין וּבְנָן: לא וַהֲווֹ כָּל יוֹמֵי לֶמֶךְ שְׁבַע מְאָה וְשַׁבְעִין וּשְׁבַע שְׁנִין וּמִית: לב וַהֲוָה נֹחַ בַּר חֲמֵשׁ מְאָה שְׁנִין וְאוֹלִיד נֹחַ יָת שֵׁם יָת חָם וְיָת יָפֶת: א וַהֲוָה כַּד שְׁרִיאוּ בְּנֵי אֲנָשָׁא לְמִסְגֵּי עַל אַפֵּי אַרְעָא וּבְנָתָא אִתְיְלִידוּ לְהוֹן: ב וַחֲזוֹ בְּנֵי רַבְרְבַיָּא יָת בְּנַת אֲנָשָׁא אֲרֵי שַׁפִּירָן אִנִּין

רש"י

(יחזקאל כד:טז; ב"ר כה:א): **(כח) ויולד בן.** שממנו נבנה העולם (תנחומא יא): **(כט) זה ינחמנו.** ינח ממנו את **עצבון ידינו.** עד שלא בא נח לא היה להם כלי מחרישה והוא הכין להם, והיתה הארץ מוציאה קוצים ודרדרים כשזורעים חטים מקללתו של אדם הראשון (שם) ובימי נח נחה, וזהו ינחמנו ינח ממנו, ואם לא תפרשהו כך אין טעם הלשון נופל על השם ואתה צריך לקרות שמו מנחם (ב"ר כה:ב): **(לב) בן חמש מאות שנה.** א"ר יודן מה טעם כל הדורות הולידו לק' שנה [ולמאתים שנה] וזה לת"ק. אמר הקב"ה, אם רשעים הם יאבדו במים ורע לצדיק זה [ס"א לזרע של צדיק זה], ואם צדיקים הם אטריח עליו לעשות תיבות הרבה, כבש את מעינו ולא הוליד עד ת"ק שנה כדי שלא יהא יפת הגדול שבבניו ראוי לעונשין לפני המבול דכתיב כי הנער בן מאה שנה ימות (ישעיה סה:כ) ראוי לעונש לעתיד, וכן לפני מתן תורה (ב"ר כו:ב): **את שם את חם ואת יפת.** והלא יפת הגדול הוא, אלא בתחלה אתה דורש את שהוא צדיק ונולד כשהוא מהול ושאברהם יצא ממנו כו' (שם ג): **(ב) בני האלהים.** בני השרים והשופטים (ב"ר כו:ה). [דבר אחר בני האלהים הם השרים ההולכים בשליחותו של מקום אף הם היו מתערבין בהם (פדר"א כב; דב"ר סוף פי"א; ילק"ש מד).] כל אלהים שבמקרא לשון מרות, וזה יוכיח ואתה תהיה לו לאלהים (שמות ד:טז) ראה נתתיך אלהים (שם ז:א): **כי טבת הנה.** א"ר יודן טבת כתיב [חסר ו', שלא היו, אלא] כשהיו מטיבין אותה מקושטת ליכנס לחופה היה

רמב"ן

ו [א] **וַיְהִי כִּי הֵחֵל הָאָדָם לָרֹב עַל פְּנֵי הָאֲדָמָה.** כַּאֲשֶׁר הִזְכִּיר הַכָּתוּב נֹחַ וּבָנָיו, וְרָצָה לְהַתְחִיל בְּעִנְיַן הַמַּבּוּל, אָמַר כִּי מִיָּד כַּאֲשֶׁר הֵחֵלּוּ בְּנֵי הָאָדָם לָרֹב הֵחֵלּוּ לַחֲטֹא, וְעָמְדוּ בְּחֶטְאָם יָמִים רַבִּים, עַד שֶׁהָיָה נֹחַ בֶּן אַרְבַּע מֵאוֹת וּשְׁמוֹנִים שָׁנָה,[1] וְאָז גָּזַר עֲלֵיהֶם הַקָּדוֹשׁ בָּרוּךְ הוּא שֶׁלֹּא יָדוֹן רוּחוֹ בָּהֶם לְעוֹלָם,

RAMBAN ELUCIDATED

6.

1. וַיְהִי כִּי הֵחֵל הָאָדָם לָרֹב עַל פְּנֵי הָאֲדָמָה – ***AND IT CAME TO PASS WHEN MAN BEGAN TO INCREASE UPON THE GROUND.***

[Man began to increase many years before Noah. Why then is this statement juxtaposed to the recounting of Noah's birth and that of his children? Ramban explains:]

כַּאֲשֶׁר הִזְכִּיר הַכָּתוּב נֹחַ וּבָנָיו וְרָצָה לְהַתְחִיל בְּעִנְיַן הַמַּבּוּל – **After Scripture mentioned Noah and his sons, and wanted to begin with** relating **the story of the Flood,** **אָמַר כִּי מִיָּד כַּאֲשֶׁר הֵחֵלּוּ בְּנֵי הָאָדָם לָרֹב הֵחֵלּוּ לַחֲטֹא** – **it said that as soon as the sons of man began to increase they began to sin.** **וְעָמְדוּ בְּחֶטְאָם יָמִים רַבִּים, עַד שֶׁהָיָה נֹחַ בֶּן אַרְבַּע מֵאוֹת וּשְׁמוֹנִים שָׁנָה** – **They persisted in their sins for many days** and years, **until Noah was four hundred and eighty years old,**[1] **וְאָז גָּזַר עֲלֵיהֶם הַקָּדוֹשׁ בָּרוּךְ הוּא שֶׁלֹּא יָדוֹן רוּחוֹ בָּהֶם לְעוֹלָם** – **at which time the Holy One, Blessed is He, decreed upon them**

1. In other words, the sins described in this verse began to take place long before Noah. The Torah records these events here, while recounting Noah's life, however, because they were what brought about the

28 Lamech lived one hundred and eighty-two years, and begot a son. 29 And he called his name Noah, saying, "This one will bring us rest from our work and from the toil of our hands, from the ground which HASHEM had cursed." 30 Lamech lived five hundred and ninety-five years after begetting Noah, and he begot sons and daughters. 31 All the days of Lamech were seven hundred and seventy-seven years; and he died.

32 When Noah was five hundred years old, Noah begot Shem, Ham and Japheth.

6 *1 And it came to pass when Man began to increase upon the ground and daughters were born to them, 2 the sons of God saw the daughters of man, and when they were good*

רמב״ן

אֲבָל יַאֲרִיךְ עוֹד לָהֶם שָׁנִים[2] עַד שֶׁתִּמָּלֵא סְאָתָם, כִּי כֵן מִשְׁפַּט הָאֱלֹהִים.

[ב] בְּנֵי הָאֱלֹהִים. בְּנֵי הַשָּׂרִים וְהַשּׁוֹפְטִים.

לְשׁוֹן רַשִׁ״י, וְכָךְ הוּא בִּבְרֵאשִׁית רַבָּה [כו, ה]. אִם כֵּן יְסַפֵּר הַכָּתוּב כִּי הַדַּיָּנִין, אֲשֶׁר לָהֶם לַעֲשׂוֹת הַמִּשְׁפָּט, בְּנֵיהֶם עוֹשִׂים הֶחָמָס בְּגָלוּי וְאֵין מוֹנֵעַ אוֹתָם[3].

כִּי טוֹבוֹת הֵנָּה. כְּמוֹ ״כִּי תִרְאֶה חֲמוֹר שׂוֹנַאֲךָ״ [שמות כג, ה], ״כִּי יִקָּרֵא קַן צִפּוֹר לְפָנֶיךָ״[4] [דברים כב, ו]: כַּאֲשֶׁר

RAMBAN ELUCIDATED

that His "spirit would not reside evermore within them," אֲבָל יַאֲרִיךְ עוֹד לָהֶם שָׁנִים עַד שֶׁתִּמָּלֵא סְאָתָם, כִּי כֵן מִשְׁפַּט הָאֱלֹהִים – **but that He would extend** their life some **additional years**[2] **until their measure** of sin **was filled, for such is God's** manner of **judgment.**

2. בְּנֵי הָאֱלֹהִים – ***THE SONS OF THE RULERS*** (or *THE SONS OF GOD*).

[The story related here is quite enigmatic. Who were these *sons of rulers* (or, in alternative translations: "sons of judges" or "sons [or *children*] of God") and what exactly was their sin? Ramban explains, beginning with a citation from Rashi:]

בְּנֵי הַשָּׂרִים וְהַשּׁוֹפְטִים – [*The sons of the rulers*] – this refers to **the sons of the officers and the judges.**

לְשׁוֹן רַשִׁ״י, וְכָךְ הוּא בִּבְרֵאשִׁית רַבָּה – This is **a quote from Rashi, and so it is** interpreted **in *Bereishis Rabbah*** (26:5). **אִם כֵּן יְסַפֵּר הַכָּתוּב כִּי הַדַּיָּנִין, אֲשֶׁר לָהֶם לַעֲשׂוֹת הַמִּשְׁפָּט, בְּנֵיהֶם עוֹשִׂים הֶחָמָס בְּגָלוּי וְאֵין מוֹנֵעַ אוֹתָם** – **If so, Scripture is telling** us **that it was the judges – whose responsibility it was to administer justice – whose sons were committing injustice publicly, and no one could stop them.**[3]

☐ **כִּי טוֹבוֹת הֵנָּה** – ***WHEN THEY WERE GOOD.***

[The word כִּי has various meanings: *if* (or *when*), *perhaps, rather* and *because.* (See Rashi below, 18:15.) Ramban explains its meaning here:]

כְּמוֹ ״כִּי תִרְאֶה חֲמוֹר שׂוֹנַאֲךָ״, ״כִּי יִקָּרֵא קַן צִפּוֹר לְפָנֶיךָ״ – The word כִּי is to be understood **as** in, *"When"* [כִּי] ***you see the donkey of someone you hate*** (*Exodus* 23:5), and **"When"** [כִּי] ***a bird's nest happens to be before you*** (*Deuteronomy* 22:6).[4] **כַּאֲשֶׁר הֵנָּה טוֹבוֹת יִקְחוּ אוֹתָן לָהֶם לְנָשִׁים בְּאוֹנֶס** – It thus means,

Flood, which took place in Noah's lifetime.

2. As related in v. 3: *his days shall be a hundred and twenty years*. At that time Noah was 480 years old, for he was exactly 600 when the Flood began (below, 7:6).

3. Below, on v. 4, Ramban returns to this verse and presents a different interpretation of בְּנֵי הָאֱלֹהִים.

4. It does not mean ***that*** *they were good* (although כִּי often does have such a meaning), but ***if*** (or *when*) *they were good.*

According to Ramban, there is a pause between בְּנוֹת הָאָדָם (*the daughters of man*) and כִּי (*when*), in contradistinction to the opinion of most other commentators and to the cantillation signs. Furthermore, according to Ramban it is necessary to insert the word "and" at this point in the sentence, as follows: *The sons of the rulers saw the daughters of man; [and] when they*

וַיִּקְחוּ לָהֶם נָשִׁים מִכֹּל אֲשֶׁר
ג בָּחָרוּ: וַיֹּאמֶר יהוה לֹא־יָדוֹן רוּחִי
בָאָדָם לְעֹלָם בְּשַׁגַּם הוּא בָשָׂר
וְהָיוּ יָמָיו מֵאָה וְעֶשְׂרִים שָׁנָה:

וּנְסִיבוּ לְהוֹן נְשִׁין מִכֹּל דִּי אִתְרְעִיאוּ: ג וַאֲמַר יְיָ לָא יִתְקַיַּם דָּרָא בִישָׁא הָדֵין קֳדָמַי לְעָלָם בְּדִיל דְּאִנּוּן בִּשְׂרָא וְעוֹבָדֵיהוֹן בִּישַׁיָּא אַרְכָא יְהִיבַת לְהוֹן מְאָה וְעֶשְׂרִין שְׁנִין אִם יְתוּבוּן:

רש"י

גדול נכנס ובועלה תחלה (ב"ר כו:ה): **מכל אשר בחרו.** אף בעולת בעל, אף הזכר והבהמה (ב"ר שם): (ג) **לא ידון רוחי באדם.** לא יתרעם ויריב רוחי עלי בשביל האדם: **לעולם.** לאורך ימים. הנה רוחי נידון בקרבי אם להשחית ואם לרחם, לא יהיה מדון זה ברוחי לעולם, כלומר לאורך ימים: **בְּשַׁגָּם הוא בשר.** כמו בְּשֶׁגַּם, כלומר בשביל שגם זאת בו שהוא בשר, ואעפ"כ אינו נכנע לפני, ומה אם יהיה אש או דבר קשה. כיוצא בו עד שקמתי דבורה (שופטים ה:ז) כמו שֶׁקַּמְתִּי. וכן שאתה מדבר עמי (שם ו:יז) כמו שֶׁאַתָּה. אף בְּשַׁגָּם כמו בְּשֶׁגַּם: **והיו ימיו וגו'.** עד ק"ך שנה אאריך להם אפי ואם לא ישובו אביא עליהם מבול (אונקלוס; תרגום יונתן). וא"ת משנולד יפת עד המבול אינו אלא מאה שנה. אין מוקדם ומאוחר בתורה, כבר היתה הגזרה גזורה עשרים שנה קודם שהוליד נח תולדות, וכן מצינו בסדר עולם (פרק כח). יש מדרשי אגדה רבים בלא ידון אבל זה הוא לאוקי פשוטו:

רמב"ן

הֵנָּה טוֹבוֹת - יִקְחוּ אוֹתָן לָהֶם לְנָשִׁים בְּאוֹנֶס[5]. וְסִפֵּר הַכָּתוּב הֶחָמָס. וְאָמַר עוֹד "מִכֹּל אֲשֶׁר בָּחָרוּ", לְהַכְנִיס הַנְּשׂוּאוֹת לַאֲחֵרִים[6]. אֲבָל לֹא הִזְכִּיר הַכָּתוּב הָאִסּוּר[6a] בָּהֶם בְּפֵרוּשׁ[7], וְלֹא נִגְזַר עֲלֵיהֶם הָעֹנֶשׁ רַק עַל הֶחָמָס[8], לְפִי שֶׁהוּא עִנְיָן מֻשְׂכָּל, אֵינֶנּוּ צָרִיךְ לַתּוֹרָה[9].

[ג] בְּשַׁגַּם[10] הוּא בָשָׂר. כְּמוֹ בְּשֶׁגַּם בִּסֶגּוֹל[11].

וּפֵרֵשׁ רַשִׁ"י בִּשְׁבִיל שֶׁגַּם זֹאת בּוֹ שֶׁהוּא בָּשָׂר, וְאַף עַל פִּי כֵן אֵינֶנּוּ נִכְנָע מִלְּפָנַי[12]. וּמָה אִם יִהְיֶה אֵשׁ אוֹ

RAMBAN ELUCIDATED

***"when** they* [the daughters] **were good they** [the sons of the rulers] **would take them to themselves for wives" – forcibly.**[5] וְסִפֵּר הַכָּתוּב הֶחָמָס – **Scripture** thus **relates the injustice** that these people committed against their victims by abducting them. וְאָמַר עוֹד "מִכֹּל אֲשֶׁר בָּחָרוּ", לְהַכְנִיס הַנְּשׂוּאוֹת לַאֲחֵרִים – **And it added** the words *from whomever they chose* **to include women who were married to other men.**[6] אֲבָל לֹא הִזְכִּיר הַכָּתוּב הָאִסּוּר בָּהֶם בְּפֵרוּשׁ – **But Scripture did not mention the** immorality **prohibition**[6a] **concerning them, explicitly,** but only by allusion,[7] וְלֹא נִגְזַר עֲלֵיהֶם הָעֹנֶשׁ רַק עַל הֶחָמָס – **and** similarly **punishment was not decreed for them** for their sexual immorality, but **only for the injustice** that they committed.[8] לְפִי שֶׁהוּא עִנְיָן מֻשְׂכָּל אֵינֶנּוּ צָרִיךְ לַתּוֹרָה – This is **because [injustice] is a matter of logic, and does not require the Torah** to prohibit it to know that it is wrong.[9]

3. בְּשַׁגַּם הוּא בָשָׂר[10] – ***SINCE HE, TOO, IS FLESH.***

[The word בְּשַׁגַּם is difficult. Ramban analyzes it:]

בְּשַׁגַּם – כְּמוֹ בְּשֶׁגַּם בִּסֶגּוֹל, though it is punctuated with a *patach* (ַ), **is like בְּשֶׁגַּם with a** ***segol*** (ֶ).[11]

וּפֵרֵשׁ רַשִׁ"י – And Rashi explains:

בִּשְׁבִיל שֶׁגַּם זֹאת בּוֹ שֶׁהוּא בָּשָׂר – Because this, too is true **of him, that he is flesh,** **וְאַף עַל פִּי כֵן אֵינֶנּוּ**

---

were good they took themselves wives.

5. It must have been against their will, for otherwise what sin were they committing?

6. See also Rashi here.

6a. I.e., the illicit relations.

7. The "injustice" aspect – the fact that the "sons of the rulers" abducted women against their will – is recorded explicitly; however, the "immorality" aspect – the fact that they committed adultery – is mentioned only by allusion, in the words "from whomever they chose."

8. As implied below, 6:13 (see Rashi ad loc.).

9. Committing an injustice toward one's fellow man or woman is intuitively wrong, and it is for this reason that the people of the generation of the Flood were held accountable for that sin more than for sexual immorality, which is based on Torah teaching. (See Ramban, 6:13.)

10. In many *Chumashim*, the word is vowelized בְּשַׁגָּם (with a *kamatz* under the *gimel*), but others have בְּשַׁגַּם (with a *patach* under the *gimel*), and it is this latter vowelization that corresponds best to all the various interpretations discussed by Ramban.

11. The word בְּשַׁגַּם, then, is made up of three components: the word גַּם (*also*), and the two prefixes

they took themselves wives from whomever they chose. 3 *And Hashem said, "My spirit shall not reside any more within Man, since he, too, is flesh; his days shall be a hundred and twenty years."*

רמב״ן

דָּבָר קָשֶׁה[13].

וְאֵין בְּפֵרוּשׁ הַזֶּה טַעַם אוֹ רֵיחַ[14]. וְרַבִּי אַבְרָהָם פֵּרַשׁ, כִּי יֹאמַר: לֹא יָעֲמֹד רוּחִי בָּאָדָם לְעוֹלָם בַּעֲבוּר הֶחָמָס הַזֶּה, וְעוֹד בַּעֲבוּר שֶׁהָאָדָם בָּשָׂר וְיַגִּיעַ עַד עֵת וְיֶחְסַר[15].

וְהִנֵּה הוּא כְּמוֹ גַּם בְּשֶׁהוּא בָּשָׂר[16].

וּמַה צֹּרֶךְ לַטַּעֲנָה הַזֹּאת, וְיָדוּעַ כִּי בָּשָׂר הֵמָּה וְנִגְזַר עֲלֵיהֶם הַמִּיתָה, "כִּי עָפָר אַתָּה וְאֶל עָפָר תָּשׁוּב" [לעיל ג, יט].

וְהַנָּכוֹן בְּעֵינַי, כִּי יֹאמַר: לֹא יָעֲמֹד רוּחִי בָּאָדָם לְעוֹלָם, בַּעֲבוּר שֶׁגַּם הָאָדָם הוּא בָּשָׂר כְּכָל בְּשַׂר הָרוֹמֵשׂ עַל הָאָרֶץ בָּעוֹף וּבַבְּהֵמָה וּבַחַיָּה, וְאֵינֶנּוּ רָאוּי לִהְיוֹת רוּחַ אֱלֹהִים בְּקִרְבּוֹ. וְהָעִנְיָן לוֹמַר כִּי הָאֱלֹהִים עָשָׂה אֶת

RAMBAN ELUCIDATED

נִכְנָע מִלְּפָנַי – **and nevertheless he does not humble himself before Me.**[12] וּמָה אִם יִהְיֶה אֵשׁ אוֹ דָּבָר קָשֶׁה – **Now, if he were** made of **fire or something hard,** how much more would he not humble himself.[13]

[Ramban voices his reaction to Rashi's interpretation:]

וְאֵין בְּפֵרוּשׁ הַזֶּה טַעַם אוֹ רֵיחַ – **But this explanation has neither flavor nor aroma.**[14]

[Ramban now cites the interpretation of Ibn Ezra:]

וְרַבִּי אַבְרָהָם פֵּרַשׁ כִּי יֹאמַר: – **And Rabbi Avraham** Ibn Ezra **explains that [God] was saying:** לֹא יָעֲמֹד רוּחִי בָּאָדָם לְעוֹלָם בַּעֲבוּר הֶחָמָס הַזֶּה – **"My spirit** (the soul with which I endowed him) **will not reside in man forever because of this injustice,** וְעוֹד בַּעֲבוּר שֶׁהָאָדָם בָּשָׂר וְיַגִּיעַ עַד עֵת וְיֶחְסַר – **and also**, another reason man will not live forever, is **because man is flesh, and he will reach a** designated **time and then cease to exist."**[15]

[Ramban analyzes Ibn Ezra's interpretation:]

וְהִנֵּה הוּא כְּמוֹ גַּם בְּשֶׁהוּא בָּשָׂר – **So it is like, "Also because he is flesh."**[16]

[Ramban raises an objection to Ibn Ezra's explanation:]

וּמַה צֹּרֶךְ לַטַּעֲנָה הַזֹּאת – **But what need is there for this argument,** וְיָדוּעַ כִּי בָּשָׂר הֵמָּה וְנִגְזַר עֲלֵיהֶם הַמִּיתָה, "כִּי עָפָר אַתָּה וְאֶל עָפָר תָּשׁוּב" – **when it is well known that [men] are flesh and** that **death was decreed upon them,** ***For you are dust and to dust shall you return*** (above, 3:19)?

[Ramban presents his own interpretation:]

וְהַנָּכוֹן בְּעֵינַי כִּי יֹאמַר: לֹא יָעֲמֹד רוּחִי בָּאָדָם לְעוֹלָם – **The most sound** explanation **in my view is that [God] is saying, "My spirit will not reside in man any more,** בַּעֲבוּר שֶׁגַּם הָאָדָם הוּא בָּשָׂר כְּכָל בְּשַׂר הָרוֹמֵשׂ עַל הָאָרֶץ בָּעוֹף וּבַבְּהֵמָה וּבַחַיָּה – **because man, too, is flesh, just like all the flesh** and blood beings **that crawl upon the ground, among the birds, animals and beasts,** i.e., he has shown himself to be no different from the animals, וְאֵינֶנּוּ רָאוּי לִהְיוֹת רוּחַ אֱלֹהִים בְּקִרְבּוֹ – **and it is not fitting that the spirit of God should be within him** any more than in any other living being." וְהָעִנְיָן לוֹמַר כִּי הָאֱלֹהִים עָשָׂה אֶת הָאָדָם יָשָׁר – **The idea** of this statement **is to say that God "made man**

בְּ (*in, because of*) and שֶׁ, which is equivalent to שֶׁ (*that*).

12. בְּשַׁגַּם, then, means: *because of this too.*

13. According to Rashi, then, the translation of the phrase would be, *also because he is flesh.*

14. I.e., it seems to lack reason. Why should God be any more angry at man now that he is made of flesh than if he were made of steel?

15. God was saying that there are two reasons why man is mortal: (1) because of his sin, and (2) because he is composed of flesh, which, by nature, cannot last forever.

16. Although בְּשֶׁ comes before גַּם, it is to be understood as if the order were reversed – first *also* and then *because of.* (This is true of Rashi's interpretation as well.)

ד הַנְּפִלִים הָיוּ בָאָרֶץ בַּיָּמִים הָהֵם וְגַם אַחֲרֵי־
כֵן אֲשֶׁר יָבֹאוּ בְּנֵי הָאֱלֹהִים אֶל־בְּנוֹת
הָאָדָם וְיָלְדוּ לָהֶם הֵמָּה הַגִּבֹּרִים אֲשֶׁר
מֵעוֹלָם אַנְשֵׁי הַשֵּׁם: פ

ד גִּבָּרַיָּא הֲווֹ בְּאַרְעָא בְּיוֹמַיָּא הָאִנּוּן וְאַף בָּתַר כֵּן דִּי עָלִין בְּנֵי רַבְרְבַיָּא לְוַת בְּנַת אֲנָשָׁא וִילִידָן לְהוֹן אִנּוּן גִּבָּרַיָּא דְּמֵעָלְמָא אֱנָשִׁין דִּשְׁמָא:

רש"י

(ד) **הנפילים.** ע"ש שנפלו והפילו את העולם (ב"ר שם ז) ובלשון עברי ל' ענקים הוא (פדר"א שם): **בימים ההם.** בימי דור אנוש ובני קין (שם): **וגם אחרי כן.** אע"פ שראו באבדן של דור אנוש שעלה אוקיינוס והציף שליש העולם לא נכנע דור המבול ללמוד מהם (ב"ר שם; תנחומא נח יח): **אשר יבאו.** היו יולדות ענקים כמותם (ב"ר שם): **הגבורים.** למרוד במקום (תנחומא יב): **אנשי השם.** אותן שנקבו בשמות, עירד, מחויאל, מתושאל, שנקבו ע"ש אבדן, שנמוחו והותשו. ד"א אנשי שממון, ששממו את העולם (ב"ר שם):

רמב"ן

הָאָדָם יָשָׁר[17] לִהְיוֹתוֹ כְּמַלְאֲכֵי הַשָּׁרֵת בַּנֶּפֶשׁ שֶׁנָּתַן בּוֹ, וְהִנֵּה נִמְשָׁךְ אַחֲרֵי הַבָּשָׂר, וּבְתַאֲוֹת הַגּוּפָנִיּוֹת נִמְשַׁל כַּבְּהֵמוֹת נִדְמוּ[18], וְלָכֵן לֹא יָדוֹן עוֹד רוּחַ אֱלֹהִים בְּקִרְבּוֹ, כִּי הוּא גוּפָנִי לֹא אֱלֹהִי. אֲבָל יַאֲרִיךְ לָהֶם אִם יָשׁוּבוּ. וְהִנֵּה זֶה כְּטַעַם "וַיִּזְכֹּר כִּי בָשָׂר הֵמָּה, רוּחַ הוֹלֵךְ וְלֹא יָשׁוּב"[19] [תהלים עח, לט].

[ד] הַנְּפִילִים. לְשׁוֹן רַשִׁ"י: עַל שֵׁם שֶׁנָּפְלוּ וְהִפִּילוּ[20] אֶת הָעוֹלָם. וְהוּא בִּבְרֵאשִׁית רַבָּה [כו, ז].

וּבַעֲלֵי הַלָּשׁוֹן[21] אָמְרוּ שֶׁנִּקְרְאוּ כֵּן בַּעֲבוּר שֶׁיִּפֹּל לֵב אָדָם עָלָיו מִפַּחְדָּם, וְכֵן הָאֵימִים[22] [דברים ב, י־יא].

RAMBAN ELUCIDATED

straightforward,"[17] לִהְיוֹתוֹ כְּמַלְאֲכֵי הַשָּׁרֵת בַּנֶּפֶשׁ שֶׁנָּתַן בּוֹ – **that he should be like the angels because of the soul that He had given him,** וְהִנֵּה נִמְשָׁךְ אַחֲרֵי הַבָּשָׂר וּבְתַאֲוֹת הַגּוּפָנִיּוֹת נִמְשַׁל כַּבְּהֵמוֹת נִדְמוּ – **but in fact he was drawn after** the desires of the **flesh, and through the** pursuing of **physical desires "he became likened to the dumb animals,"**[18] וְלָכֵן לֹא יָדוֹן עוֹד רוּחַ אֱלֹהִים בְּקִרְבּוֹ, כִּי הוּא גוּפָנִי לֹא אֱלֹהִי – **and therefore the spirit of God would no longer reside within him, for he is physical and not Godlike,** unlike the angels. אֲבָל יַאֲרִיךְ לָהֶם אִם יָשׁוּבוּ – **However,** He declared that **He would grant them an extension** of time to see **if they would repent.** וְהִנֵּה זֶה כְּטַעַם "וַיִּזְכֹּר כִּי בָשָׂר הֵמָּה רוּחַ הוֹלֵךְ וְלֹא יָשׁוּב" – **Thus, this** verse **is like the idea in** the verse, ***And He remembered that they were but flesh; a fleeting breath not returning*** (*Psalms* 78:39).[19]

4. הַנְּפִילִים – ***THE NEPHILIM.***

[Who were these Nephilim, and why were they given that name? Ramban explains, beginning by citing Rashi:]

לְשׁוֹן רַשִׁ"י – This is **a quote from Rashi:**

עַל שֵׁם שֶׁנָּפְלוּ וְהִפִּילוּ אֶת הָעוֹלָם – They are called this **because they fell** (*naflu*), **and made the world fall** (*hipilu*) through their sins, which brought about the Flood.[20]

וְהוּא בִּבְרֵאשִׁית רַבָּה – **This is** found **in** ***Bereishis Rabbah*** (26:7) as well.

[Ramban presents another theory as to the origin of the word:]

וּבַעֲלֵי הַלָּשׁוֹן אָמְרוּ שֶׁנִּקְרְאוּ כֵּן בַּעֲבוּר שֶׁיִּפֹּל לֵב אָדָם עָלָיו מִפַּחְדָּם – **The linguists**[21] **say that they were called** by **this** name **because a man's heart would sink** (יִפֹּל, from the root נפל, *naful)* inside of him **out of fear of them** because of their immense size. וְכֵן הָאֵימִים – **And similarly,** giants are called **"Emim"** (*Deuteronomy* 2:10-11).[22]

17. Stylistic citation from *Ecclesiastes* 7:29.

18. Stylistic citation from *Psalms* 49:13.

19. When that verse uses the expression *they are flesh*, it refers to the inherent nature of man to seek pleasure (see Radak ibid.), and that is its connotation here as well.

According to Ramban, בְּשַׁגָּם can be understand as written – *because also [he is flesh]*; there is no need to invert it into *also because*, as was necessary according to Rashi and Ibn Ezra (see above, footnote 16).

20. Both of these words (נָפְלוּ and הִפִּילוּ) are from the root נפל (*fall*), which is the root of the word Nephilim as well.

21. The reference is perhaps to Ibn Ezra, who mentions this theory. It is also found in Radak's *Shorashim*, along with the comparison to the word אֵימִים, *emim,* that Ramban mentions.

22. The word אֵימִים also connotes the fear that these

4 *The Nephilim were on the earth in those days, and also afterward, for the sons of the rulers would consort with the daughters of man, who would bear children to them. They were the mighty ones who, from old, were men of fame.*

רמב״ן

בַּיָּמִים הָהֵם. לְשׁוֹן רַשִׁ״י: בִּימֵי דוֹר אֱנוֹשׁ. **וְגַם אַחֲרֵי כֵן.** שֶׁרָאוּ בְּאָבְדַן דּוֹר אֱנוֹשׁ, שֶׁעָלָה אוֹקְיָנוּס וְהֵצִיף שְׁלִישׁוֹ שֶׁל עוֹלָם[23], וְלֹא נִכְנְעוּ לִלְמֹד מֵהֶם[24].

וְרַבִּי אַבְרָהָם פֵּרֵשׁ: גַּם אַחֲרֵי הַמַּבּוּל, כִּי בְּנֵי עֲנָק[25] הָיוּ מִמִּשְׁפַּחַת בְּנֵי הָאֱלֹהִים.

וְאִם כֵּן, אוֹ תִהְיֶינָה נְשֵׁי בְּנֵי נֹחַ מִזַּרְעָם וְיִדְמוּ לָהֶם, אוֹ שֶׁיּוֹדֶה בַּמַּאֲמָר [נדה סא, א] הַדּוֹרֵשׁ בְּעוֹג שֶׁפָּלַט מִן הַמַּבּוּל, וְיוֹסִיף הוּא שֶׁנִּמְלְטוּ גַּם אֲחֵרִים עִמּוֹ[26].

וְהַנָּכוֹן בְּעֵינַי, כִּי אָדָם וְאִשְׁתּוֹ יִקָּרְאוּ ״בְּנֵי הָאֱלֹהִים״[27], בַּעֲבוּר שֶׁהָיוּ מַעֲשֵׂה יָדָיו וְהוּא אֲבִיהֶם, אֵין לָהֶם אָב זוּלָתוֹ. וְהוּא הוֹלִיד בָּנִים רַבִּים, כַּכָּתוּב [לעיל ה, ד] ״וַיּוֹלֶד בָּנִים וּבָנוֹת״. וְהָיוּ הָאֲנָשִׁים הָאֵלֶּה הַנּוֹלָדִים רִאשׁוֹנִים

RAMBAN ELUCIDATED

☐ **בַּיָּמִים הָהֵם** [וגם אחרי כן] – *IN THOSE DAYS [AND ALSO AFTERWARD].*

[What periods of time are meant by *in those days* and *afterward*? Ramban explains, beginning by citing Rashi:]

לְשׁוֹן רַשִׁ״י – This is **a quote from Rashi:**
בִּימֵי דוֹר אֱנוֹשׁ – [*In those days*] – **in the days of the generation of Enosh. וְגַם אַחֲרֵי כֵן, שֶׁרָאוּ בְּאָבְדַן דּוֹר אֱנוֹשׁ שֶׁעָלָה אוֹקְיָנוּס וְהֵצִיף שְׁלִישׁוֹ שֶׁל עוֹלָם** – ***And also afterward*** – though **they saw the destruction of the generation of Enosh, when the ocean overflowed and inundated a third of the world,**[23] **וְלֹא נִכְנְעוּ לִלְמֹד מֵהֶם** – **and they were not humbled to learn from them.**[24]
וְרַבִּי אַבְרָהָם פֵּרֵשׁ: גַּם אַחֲרֵי הַמַּבּוּל – **And Rabbi Avraham** Ibn Ezra **explains** *also afterward* to mean **"also after the Flood." כִּי בְּנֵי עֲנָק הָיוּ מִמִּשְׁפַּחַת בְּנֵי הָאֱלֹהִים** – **For,** he continues, **the "children of the giants"**[25] **were from the family of the "children of the rulers."**

[If, as Ibn Ezra maintains, the Nephilim who lived after the Flood were descended from the Nephilim of our verse (who lived *in those days,* i.e., before the Flood,), how did this family survive the Flood? Ramban presents two possibilities:]

וְאִם כֵּן, אוֹ תִהְיֶינָה נְשֵׁי בְּנֵי נֹחַ מִזַּרְעָם וְיִדְמוּ לָהֶם – **If so, either the wives of Noah's sons were of [the Nephilim's] offspring and were similar to them** in stature, and the family survived through them, **אוֹ שֶׁיּוֹדֶה בַּמַּאֲמָר הַדּוֹרֵשׁ בְּעוֹג שֶׁפָּלַט מִן הַמַּבּוּל** – **or else he** (Ibn Ezra) **agrees with the** Sages' **statement** (*Niddah* 61a) **that expounds** concerning *Genesis* 14:13 **that** the giant **Og survived the flood, וְיוֹסִיף הוּא שֶׁנִּמְלְטוּ גַּם אֲחֵרִים עִמּוֹ** – **but he goes further** than that, asserting **that other** Nephilim **also survived along with [Og].**[26]

[Ramban now presents an entirely new approach to this section:]

וְהַנָּכוֹן בְּעֵינַי כִּי אָדָם וְאִשְׁתּוֹ יִקָּרְאוּ בְּנֵי הָאֱלֹהִים – **The soundest** explanation **in my view is that Adam and his wife were called "children of God,"**[27] **בַּעֲבוּר שֶׁהָיוּ מַעֲשֵׂה יָדָיו וְהוּא אֲבִיהֶם, אֵין לָהֶם אָב זוּלָתוֹ** – **because they were His handiwork, and He was their father,** as it were, **for they had no other father. וְהוּא הוֹלִיד בָּנִים רַבִּים, כַּכָּתוּב ״וַיּוֹלֶד בָּנִים וּבָנוֹת״** – **And [Adam] begot many children, as it is written** (above, 5:4): ***and he begot sons and daughters.*** **וְהָיוּ הָאֲנָשִׁים הָאֵלֶּה הַנּוֹלָדִים רִאשׁוֹנִים**

men would instill in those who saw them, for it is derived from אֵימָה, which means *fright.*

23. As a punishment for worshipping idolatry (see *Bereishis Rabbah* 23:7, *Tanchuma Noah* 18).

24. *In those days* and *afterwards,* then, refer to the generation of Enosh and what followed that generation.

25. This is a name used for the Nephilim long after the Flood (*Numbers* 13:33).

26. Our verse refers to the Nephilim of both *those days* and *afterwards* (which, according to Ibn Ezra, alludes to those who lived after the Flood) in the plural, so there must have been more than one survivor.

27. According to Ramban, this is the meaning of בְּנֵי הָאֱלֹהִים, and not *sons of judges,* as Rashi and Ibn Ezra say.

רמב״ן

מֵאָב וָאֵם בִּשְׁלֵמוּת גְּדוֹלָה מִן הַגֹּבַהּ וְהַחֹזֶק, כִּי נוֹלְדוּ בִּדְמוּת אֲבִיהֶם[27a], כַּכָּתוּב בְּשֵׁת ״וַיּוֹלֶד בִּדְמוּתוֹ כְּצַלְמוֹ״ [לעיל ה, ג][28].

וְיִתָּכֵן שֶׁהָיוּ כָּל בְּנֵי הַקַּדְמוֹנִים - אָדָם שֵׁת אֱנוֹשׁ - נִקְרָאִים ״בְּנֵי הָאֱלֹהִים״, כִּי הָיוּ שְׁלֹשָׁה הָאֲנָשִׁים הָאֵלֶּה בִּדְמוּת אֱלֹהִים[29]. וְאָז הוּחַל לַעֲבֹד עֲבוֹדָה זָרָה, וְהוּחַל לָבֹא בָּאֲנָשִׁים חֻלְשָׁה וְרִפְיוֹן[30].

וְכָךְ אָמְרוּ בִּבְרֵאשִׁית רַבָּה [כד, ו]: ״זֶה סֵפֶר תּוֹלְדוֹת אָדָם״, וְאֵין הָרִאשׁוֹנִים תּוֹלָדוֹת, וּמַה הֵן? אֱלוֹהוּת. בָּעוּן קוֹמֵי אַבָּא כֹּהֵן בַּרְדְּלָא: אָדָם שֵׁת אֱנוֹשׁ וְשָׁתַק? אָמַר לוֹן: עַד כָּאן בְּצֶלֶם וּבִדְמוּת, מִכָּאן וְאֵילָךְ קֵינָן קַנְטְרָנִין[31].

וְכַאֲשֶׁר הֵחֵל הָאָדָם לָרֹב, וְנוֹלְדוּ לָהֶם הַבָּנוֹת, הָיוּ אֵלֶּה בְּנֵי הָרִאשׁוֹנִים בְּחָזְקָם, וּלְרֹב תַּאֲוָתָם הָיוּ בּוֹחֲרִים הַנָּשִׁים הַטּוֹבוֹת, בַּעֲלוֹת הַקּוֹמָה וְהַבְּרִיאוֹת. וְסִפֵּר בִּתְחִלָּה כִּי יִקְחוּ אוֹתָם לְנָשִׁים דֶּרֶךְ חָמָס,[32]

RAMBAN ELUCIDATED

מֵאָב וָאֵם בִּשְׁלֵמוּת גְּדוֹלָה מִן הַגֹּבַהּ וְהַחֹזֶק – Now, these people, who were the first ever to be born to a father and mother, possessed great perfection in height and strength, **כִּי נוֹלְדוּ בִּדְמוּת אֲבִיהֶם – for they were born in the image of their father,**[27a] who was the epitome of human perfection, **כַּכָּתוּב בְּשֵׁת ״וַיּוֹלֶד בִּדְמוּתוֹ כְּצַלְמוֹ״ – as is written concerning Seth:** ***And he begot in his likeness and his image*** (above, 5:3).[28]

[Ramban offers a second possible explanation as to why the term בְּנֵי הָאֱלֹהִים *children of God* was applied to the first human beings:]

וְיִתָּכֵן שֶׁהָיוּ כָּל בְּנֵי הַקַּדְמוֹנִים אָדָם שֵׁת אֱנוֹשׁ נִקְרָאִים ״בְּנֵי הָאֱלֹהִים״ – It is also **plausible that all the sons of the first people in the world – Adam, Seth, Enosh – were called "children of God,"** **כִּי הָיוּ שְׁלֹשָׁה הָאֲנָשִׁים הָאֵלֶּה בִּדְמוּת אֱלֹהִים – because these three men were in *the image of God*,** meaning that they were gifted with physical perfection.[29] **וְאָז הוּחַל לַעֲבֹד עֲבוֹדָה זָרָה, וְהוּחַל לָבֹא בָּאֲנָשִׁים חֻלְשָׁה וְרִפְיוֹן – But then the practice of idol worship began, and** as a result of this **a weakness and frailty began to affect people.**[30]

[Ramban shows that there is an opinion in the Midrash that corroborates this interpretation:]

וְכָךְ אָמְרוּ בִּבְרֵאשִׁית רַבָּה – And similarly they said in *Bereishis Rabbah* (24:6): **״זֶה סֵפֶר תּוֹלְדוֹת אָדָם״, וְאֵין הָרִאשׁוֹנִים תּוֹלָדוֹת, וּמַה הֵן אֱלוֹהוּת –** ***This is the account of the descendants of man*** (5:1) – The implication is that **the previous people** discussed just before this verse (Adam, Seth and Enosh, mentioned at the end of Chap. 4) **were *not descendants of man*. So what were they? Godly beings.** **בָּעוּן קוֹמֵי אַבָּא כֹּהֵן בַּרְדְּלָא: אָדָם שֵׁת אֱנוֹשׁ וְשָׁתַק – [The students] asked** this question **before Abba Kohen Bardela:** Why does Scripture, at the end of Chapter 4, tell us about **Adam, Seth** and **Enosh, and then fall silent** and not discuss the subsequent descendants, as it did in Chapter 5? **אָמַר לוֹן: עַד כָּאן בְּצֶלֶם וּבִדְמוּת, מִכָּאן וְאֵילָךְ קֵינָן קַנְטְרָנִין – He answered them: Until this point** (until Enosh) people were **in** God's **image and likeness; from this point on,** beginning with **Kenan, they acted in a way that angered** God.[31]

[Ramban resumes his explanation of our passage:]

וְכַאֲשֶׁר הֵחֵל הָאָדָם לָרֹב וְנוֹלְדוּ לָהֶם הַבָּנוֹת, הָיוּ אֵלֶּה בְּנֵי הָרִאשׁוֹנִים בְּחָזְקָם – Now, when man began to proliferate, and they had many **daughters, these sons of the first men** (i.e., the "children of God") **were** still **in their full strength,** for they did not experience the weakening of physical constitution that took place after Enosh. **וּלְרֹב תַּאֲוָתָם הָיוּ בּוֹחֲרִים הַנָּשִׁים הַטּוֹבוֹת בַּעֲלוֹת הַקּוֹמָה וְהַבְּרִיאוֹת – And because of their great desire they would choose the women who were the best, possessers of**

27a. Hence, they too can be referred to as "children of God."

28. See Ramban above, 5:3.

29. According to this interpretation, the children of Adam, Seth and Enosh were called "children of God" because of the God-like perfection of these three men. According to what Ramban had been saying previously, Adam was called "son of God" because God was his "father" in the sense that He Himself created him (as Ramban explained above), and Adam's children also inherited the title of "children of God," since they were so similar to him.

30. Their physical perfection thus impaired, the people who lived thereafter were no longer called "children of God," but "sons of man."

31. This passage from *Bereishis Rabbah* shows that the first three generations of men were called "Godly" in some sense, whereas after this they were known as "des-

רמב״ן

וְאַחַר כָּךְ סִפֵּר [פסוק ד] כִּי יָבֹאוּ דֶּרֶךְ זְנוּת אֶל בְּנוֹת הָאָדָם שֶׁאֵינָן בְּאוֹתָהּ הַמַּעֲלָה[33], וְלֹא יְוָדַע הַדָּבָר עַד שֶׁיּוֹלִידוּ לָהֶם בָּנִים וְיַכִּירוּ כִּי אֵינָם מִבְּנֵי שְׁאָר הָאֲנָשִׁים, רַק לִ״בְנֵי הָאֱלֹהִים״ הָאֵלֶּה נוֹלְדוּ, שֶׁהֵם גְּדוֹלִים מְאֹד[34]. אֲבָל הֵם נוֹפְלִים מֵאֲבוֹתָם בְּגוֹבַהּ וְכֹחַ, כִּלְשׁוֹן ״לֹא נוֹפֵל אָנֹכִי מִכֶּם״[35] [איוב יב, ג] וְהֵמָּה, גִּבּוֹרִים כְּנֶגֶד שְׁאָר בְּנֵי הָאָדָם.

וְאָמַר שֶׁהָיָה זֶה בַּדּוֹרוֹת הָרִאשׁוֹנִים, אֲשֶׁר הָיוּ נִקְרָאִים ״בְּנֵי הָאֱלֹהִים״ בִּהְיוֹתָם בְּתַכְלִית הַשְּׁלֵמוּת, שֶׁיּוֹלִידוּ מִבְּנוֹת הָאָדָם נְפִילִים. ״וְגַם אַחֲרֵי כֵן״, כִּי הַנְּפִלִים עַצְמָם יוֹלִידוּ נְפִילִים מֵהֶם[36]. וּפֵרוּשׁ ״אֲשֶׁר מֵעוֹלָם״, כִּי הָאֲנָשִׁים אַחֲרֵי הַמַּבּוּל, כַּאֲשֶׁר יִרְאוּ גִּבּוֹרִים - יַזְכִּירוּ אֵלֶּה, וְיֹאמְרוּ: כְּבָר הָיוּ גִּבּוֹרִים מֵאֵלֶּה לְעוֹלָמִים אֲשֶׁר הָיוּ לְפָנֵינוּ, וְהָיוּ ״אַנְשֵׁי הַשֵּׁם״ בְּכָל הַדּוֹרוֹת אַחֲרֵי כֵן[37].

RAMBAN ELUCIDATED

great height and health. **וְסִפֵּר בִּתְחִלָּה כִּי יִקְחוּ אוֹתָם לְנָשִׁים דֶּרֶךְ חָמָס** – **And [Scripture] relates at first** (v. 2) **that they took them for wives unjustly,** i.e., against their will,[32] **וְאַחַר כָּךְ סִפֵּר כִּי יָבֹאוּ דֶּרֶךְ זְנוּת אֶל בְּנוֹת הָאָדָם שֶׁאֵינָן בְּאוֹתָהּ הַמַּעֲלָה** – **and after this it relates** (v. 4) **that they** also **had illicit relations** in secret **with *the daughters of man,*** i.e., women **who were not on that high level** of physical perfection.[33] **וְלֹא יְוָדַע הַדָּבָר עַד שֶׁיּוֹלִידוּ לָהֶם בָּנִים** – **But this matter** of their secret promiscuity **did not become known until [these]** ordinary women **bore them** sons **וְיַכִּירוּ כִּי אֵינָם מִבְּנֵי שְׁאָר הָאֲנָשִׁים, רַק לִבְנֵי הָאֱלֹהִים הָאֵלֶּה נוֹלְדוּ, שֶׁהֵם גְּדוֹלִים מְאֹד** – and **[people] recognized that [these]** offspring **were not children of ordinary men, but were born from these "children of God," for they were huge.**[34] **אֲבָל הֵם נוֹפְלִים מֵאֲבוֹתָם בְּגוֹבַהּ וְכֹחַ** – **However, [the children] were inferior** (נוֹפְלִים) **to their fathers in height and strength,** **כִּלְשׁוֹן ״לֹא נוֹפֵל אָנֹכִי מִכֶּם״** – interpreting the root נפל **as** it is used in **the expression, *I am not inferior*** [נוֹפֵל] ***to you*** (*Job* 12:3).[35] **וְהֵמָּה גִּבּוֹרִים כְּנֶגֶד שְׁאָר בְּנֵי הָאָדָם** – **These children were** known as ***the mighty ones*** (v. 4), **in comparison to other,** ordinary **people.**

[Ramban now explains what is meant by *in those days* and *afterward*:]

וְאָמַר שֶׁהָיָה זֶה בַּדּוֹרוֹת הָרִאשׁוֹנִים – **And [Scripture] says that this occurred with the** men of the **earlier generations,** **אֲשֶׁר הָיוּ נִקְרָאִים ״בְּנֵי הָאֱלֹהִים״ בִּהְיוֹתָם בְּתַכְלִית הַשְּׁלֵמוּת שֶׁיּוֹלִידוּ מִבְּנוֹת הָאָדָם נְפִילִים** – **who were called "children of God" on account of their being the epitome of** physical **perfection, that they would beget** these **Nephilim from the daughters of man.** **״וְגַם אַחֲרֵי כֵן״, כִּי הַנְּפִלִים עַצְמָם יוֹלִידוּ נְפִילִים מֵהֶם** – Then it adds that Nephilim were born ***also afterward,*** **for the Nephilim themselves would beget** other **Nephilim from [these]** "daughters of man."[36]

וּפֵרוּשׁ ״אֲשֶׁר מֵעוֹלָם״ – **The explanation of** the words at the end of the verse, ***who from old*** **כִּי הָאֲנָשִׁים אַחֲרֵי הַמַּבּוּל כַּאֲשֶׁר יִרְאוּ גִּבּוֹרִים, יַזְכִּירוּ אֵלֶּה** – **is that the people after the Flood, when they would see mighty men, would be reminded of those** Nephilim who lived before the Flood, **וְיֹאמְרוּ כְּבָר הָיוּ גִּבּוֹרִים מֵאֵלֶּה לְעוֹלָמִים אֲשֶׁר הָיוּ לְפָנֵינוּ** – **and would say, "There were once people even mightier than these, a long time before us."** **וְהָיוּ ״אַנְשֵׁי הַשֵּׁם״ בְּכָל הַדּוֹרוֹת אַחֲרֵי כֵן** – **[The Nephilim] were thus "men of fame" in all the generations,** long **after this** all took place.[37]

---

cendants of men," and that the reason for this change is that the latter generations began to anger God.

32. This is what is meant by *they took themselves wives from whomever they chose*, as Ramban explained above.

33. This is what is meant by *they would consort with the daughter of man* (v. 4), יָבֹאוּ, *consort* (when used in contrast to וַיִּקְחוּ, *taking a wife* [v. 2]) referring to promiscuous relations.

34. This is what is meant by *who would bear children to them*.

35. The offspring from these promiscuous unions between the mighty "children of God" and the ordinary "daughters of man" were larger than ordinary children but smaller than the great "children of God." They were called *Nephilim* because they were inferior (*nophel*) in size compared to their massive fathers.

36. *In those days* and *afterward*, then, according to Ramban, refer to the birth of Nephilim to fathers of the "sons of God" and to Nephilim fathers, respectively.

According to Ramban (as opposed to the other commentators) the phrase אֲשֶׁר יָבֹאוּ בְּנֵי הָאֱלֹהִים אֶל בְּנוֹת הָאָדָם (*for the sons of the rulers would consort with the daughters of man*) is not connected to the words that immediately precede it, וְגַם אַחֲרֵי כֵן (*and also afterward*), but to the words in the beginning of the verse, הַנְּפִלִים הָיוּ בָאָרֶץ בַּיָּמִים הָהֵם (*The Nephilim were on the earth in those days*).

37. The Nephilim's fame lived long after they themselves did, for many years after the destruction of the

מפטיר
ה וַיַּרְא יהוה כִּי רַבָּה רָעַת הָאָדָם בָּאָרֶץ וְכָל־
ו יֵצֶר מַחְשְׁבֹת לִבּוֹ רַק רַע כָּל־הַיּוֹם: וַיִּנָּחֶם
יהוה כִּי־עָשָׂה אֶת־הָאָדָם בָּאָרֶץ וַיִּתְעַצֵּב אֶל־
ז לִבּוֹ: וַיֹּאמֶר יהוה אֶמְחֶה אֶת־הָאָדָם אֲשֶׁר־
בָּרָאתִי מֵעַל פְּנֵי הָאֲדָמָה מֵאָדָם עַד־בְּהֵמָה
עַד־רֶמֶשׂ וְעַד־עוֹף הַשָּׁמָיִם כִּי נִחַמְתִּי כִּי
ח עֲשִׂיתִם: וְנֹחַ מָצָא חֵן בְּעֵינֵי יהוה: פ פ פ

קמ״ו פסוקים. אמצי״ה סימן. יחזקיה״ו סימן.

ה וַחֲזָא יְיָ אֲרֵי סְגִיאַת בִּישַׁת
אֱנָשָׁא בְּאַרְעָא וְכָל יִצְרָא
מַחְשְׁבַת לִבֵּהּ לְחוֹד בִּישׁ כָּל
יוֹמָא: ו וְתַב יְיָ בְּמֵימְרֵהּ אֲרֵי
עֲבַד יָת אֱנָשָׁא בְּאַרְעָא וַאֲמַר
בְּמֵימְרֵהּ לְמִתְבַּר תָּקְפְּהוֹן
כִּרְעוּתֵהּ: ז וַאֲמַר יְיָ אֶמְחֵי יָת
אֱנָשָׁא דִּי בְרֵאתִי מֵעַל אַפֵּי
אַרְעָא מֵאֱנָשָׁא עַד בְּעִירָא עַד
רִחֲשָׁא וְעַד עוֹפָא דִּשְׁמַיָּא אֲרֵי
תָבִית בְּמֵימְרִי אֲרֵי עֲבַדְתִּנּוּן:
ח וְנֹחַ אַשְׁכַּח רַחֲמִין קֳדָם יְיָ:

רש״י

(ו) **וינחם ה׳ כי עשה.** נחמה היתה לפניו שבראו בתחתונים, שאילו היה מן העליונים היה ממרידן (ב״ר כז:ד): **ויתעצב.** האדם. **אל לבו.** של מקום, עלה במחשבתו של מקום להעציבו, וזהו תרגום אונקלוס. ד״א, וינחם, נהפכה מחשבתו של מקום ממדת רחמים למדת הדין (ב״ר לג:ג) עלה במחשבה לפניו מה לעשות באדם שעשה בארץ. וכן כל לשון ניחום שבמקרא לשון נמלך מה לעשות, ובן אדם ויתנחם (במדבר כג:יט) ועל עבדיו יתנחם (דברים לב:לו) וינחם ה׳ על הרעה (שמות לב:יד) נחמתי כי המלכתי (שמואל א טו:יא), כולם לשון מחשבה אחרת הם: **ויתעצב אל לבו.** נתאבל על אבדן מעשה ידיו (ב״ר סוף פכ״ז), כמו נעצב המלך על בנו (שמואל ב יט:ג), וזו כתבתי לתשובת המינים. גוי [ס״א אפיקורס] אחד שאל את רבי יהושע בן קרחה, אמר לו אין אתם מודים שהקב״ה רואה את הנולד. אמר לו הן. אמר לו והא כתיב ויתעצב אל לבו. אמר לו נולד לך בן זכר מימיך. אמר לו הן. אמר לו ומה עשית. אמר לו שמחתי ושימחתי את הכל. אמר לו ולא היית יודע שסופו למות. אמר לו בשעת חדותא חדותא בשעת אבלא אבלא. אמר לו כך מעשה הקב״ה, אע״פ שגלוי לפניו שסופן לחטוא ולאבדן לא נמנע מלבראן (ב״ר כז:ד) בשביל הצדיקים העתידים לעמוד מהם (שם ה:ז): (ז) **ויאמר ה׳ אמחה את האדם.** הוא עפר ואביא עליו מים ואמחה אותו, לכך נאמר לשון מחוי (ב״ר כח:ב; תנחומא ישן נח ד): **מאדם עד בהמה.** אף הם השחיתו דרכם (ב״ר שם ח). ד״א הכל נברא בשביל האדם וכיון שהוא כלה מה צורך באלו (שם ו; סנהדרין קח.): **כי נחמתי כי עשיתם.** חשבתי מה לעשות על אשר עשיתים:

רמב״ן

וְזֶה פְּשַׁט הָגוּן בַּפָּרָשָׁה הַזֹּאת. אֲבָל הַמִּדְרָשׁ אֲשֶׁר לְרַבִּי אֱלִיעֶזֶר הַגָּדוֹל בִּפְרָקָיו[37a] עַל הַמַּלְאָכִים שֶׁנָּפְלוּ מִמְּקוֹם קְדוּשָּׁתָן מִן הַשָּׁמַיִם, וְהוּזְכַּר בַּגְּמָרָא בְּמַסֶּכֶת יוֹמָא [סז, ב], הוּא הַנָּאוֹת בִּלְשׁוֹן הַכָּתוּב יוֹתֵר מִן הַכֹּל, אֶלָּא שֶׁיֵּשׁ צֹרֶךְ לְהַאֲרִיךְ בְּסוֹד הָעִנְיָן הַהוּא.

[ו] וַיִּנָּחֶם ה׳ ... וַיִּתְעַצֵּב אֶל לִבּוֹ. דִּבְּרָה תוֹרָה כִּלְשׁוֹן בְּנֵי אָדָם. וְהָעִנְיָן, כִּי מָרוּ וְעִצְּבוּ אֶת רוּחַ

RAMBAN ELUCIDATED

[Ramban notes that there is a different interpretation for our section as well, based on mystical ideas:]

וְזֶה פְּשַׁט הָגוּן בַּפָּרָשָׁה הַזֹּאת – **This is a fitting explanation for this passage** on the level of simple interpretation. אֲבָל הַמִּדְרָשׁ אֲשֶׁר לְרַבִּי אֱלִיעֶזֶר הַגָּדוֹל בִּפְרָקָיו עַל הַמַּלְאָכִים שֶׁנָּפְלוּ מִמְּקוֹם קְדוּשָּׁתָן מִן הַשָּׁמַיִם – **However, the Midrash that Rabbi Eliezer the Great has in his *Perakim*[37a] about the angels who fell from the place of their sanctity in heaven,** וְהוּזְכַּר בַּגְּמָרָא בְּמַסֶּכֶת יוֹמָא – **and which is mentioned in the Gemara, in Tractate *Yoma*** (67b), הוּא הַנָּאוֹת בִּלְשׁוֹן הַכָּתוּב יוֹתֵר מִן הַכֹּל, אֶלָּא שֶׁיֵּשׁ צֹרֶךְ לְהַאֲרִיךְ בְּסוֹד הָעִנְיָן הַהוּא – **is the one that fits into the words of Scripture more than all** the other interpretations, **except that it is necessary to expand upon the mystical meaning of that concept.**

6. וַיִּנָּחֶם ה׳ ... וַיִּתְעַצֵּב אֶל לִבּוֹ – ***AND HASHEM RECONSIDERED ... AND HE HAD HEARTFELT SADNESS.***

[The anthropopathism of this verse, ascribing human emotions and change of heart to God, requires explanation:]

דִּבְּרָה תוֹרָה כִּלְשׁוֹן בְּנֵי אָדָם – **The Torah speaks in the language of people,** i.e., it sometimes uses figures of speech that are not meant to be taken literally, such as here. וְהָעִנְיָן כִּי מָרוּ וְעִצְּבוּ אֶת רוּחַ

Nephilim in the Flood people would still point to a large man and say, "He's almost like one of the Nephilim." This is what is meant by *They were the mighty ones, who from old were men of fame.*

5 HASHEM saw that the wickedness of Man was great upon the
earth, and that every product of the thoughts of his heart was but
evil always. 6 And HASHEM reconsidered having made Man on
earth, and He had heartfelt sadness. 7 And HASHEM said, "I will blot
out Man whom I created from the face of the earth — from man to
animal, to creeping things, and to birds of the sky; for I have
reconsidered My having made them." 8 But Noah found grace in
the eyes of HASHEM.

THE HAFTARAH FOR BEREISHIS APPEARS ON PAGE 577.

When Erev Rosh Chodesh Cheshvan coincides with Bereishis, the regular Haftarah is replaced with the Haftarah for Shabbos Erev Rosh Chodesh, page 585.

רמב"ן

קָדְשׁוֹ בְּפִשְׁעֵיהֶם[38]. וְעִנְיַן "אֶל לִבּוֹ", כִּי לֹא הִגִּיד זֶה לְנָבִיא שָׁלוּחַ אֲלֵיהֶם וְכֵן הַלָּשׁוֹן בַּמַּחְשָׁב, כְּדֶרֶךְ "לְדַבֵּר אֶל לִבִּי" [להלן כד, מה], וְזוּלָתוֹ.

וּבִבְרֵאשִׁית רַבָּה [כז, ד] אָמְרוּ בָּזֶה עִנְיָן נִכְבָּד, בְּמָשָׁל שֶׁהֵבִיאוּ מִן הַסַּרְסוּר[39], וְהָאַדְרִיכָל[40]. וְהוּא סוֹד גָּדוֹל, לֹא נִתַּן לִכָּתֵב. וְהַיּוֹדְעוֹ יִתְבּוֹנֵן לָמָּה אָמַר בְּכָאן שֵׁם הַמְיֻחָד, וּבְכָל הַפָּרָשָׁה וְעִנְיַן הַמַּבּוּל שֵׁם אֱלֹהִים[41].

[ח] וְטַעַם **וְנֹחַ מָצָא חֵן בְּעֵינֵי ה'**, שֶׁהָיוּ כָּל מַעֲשָׂיו לְפָנָיו נָאִים וּנְעִימִים[42]. וְכֵן "כִּי מָצָאתָ חֵן בְּעֵינַי וָאֵדָעֲךָ

RAMBAN ELUCIDATED

קָדְשׁוֹ בְּפִשְׁעֵיהֶם – The idea of this anthropopathic expression **is that they "rebelled and distressed His holy spirit"[38] with their sins. וְעִנְיַן "אֶל לִבּוֹ", כִּי לֹא הִגִּיד זֶה לְנָבִיא שָׁלוּחַ אֲלֵיהֶם – And the idea of** the expression ***in His heart*** **is that He did not reveal this to any prophet who was sent to [the people], וְכֵן הַלָּשׁוֹן בַּמַּחְשָׁב, כְּדֶרֶךְ "לְדַבֵּר אֶל לִבִּי" וְזוּלָתוֹ – for such is the expression used for** unspoken **thoughts, as in, *speaking in my heart*** (below, 24:45), **and others like it.**

[Ramban makes reference to the Midrash's comments on our verse:]

וּבִבְרֵאשִׁית רַבָּה אָמְרוּ בָּזֶה עִנְיָן נִכְבָּד – And in *Bereishis Rabbah* (27:4) **they expressed a profound idea regarding this, בְּמָשָׁל שֶׁהֵבִיאוּ מִן הַסַּרְסוּר וְהָאַדְרִיכָל – in parables that they cited,** one **concerning a middleman[39]** and another one **an architect.[40] וְהוּא סוֹד גָּדוֹל לֹא נִתַּן לִכָּתֵב – It involves a great mystical concept, which was never permitted to be written down** for the general public. **וְהַיּוֹדְעוֹ יִתְבּוֹנֵן לָמָּה אָמַר בְּכָאן שֵׁם הַמְיֻחָד – Whoever is aware of this** concept **should contemplate why it says the Unique Name** of God **here** (י' ה' ו' ה'), **וּבְכָל הַפָּרָשָׁה וְעִנְיַן הַמַּבּוּל שֵׁם אֱלֹהִים – whereas in the whole** remainder of the **section and in the matter of the Flood** it uses **the Name** *ELOHIM*.[41]

8. [וְנֹחַ מָצָא חֵן בְּעֵינֵי ה'] – *BUT NOAH FOUND GRACE IN THE EYES OF HASHEM.*]

וְטַעַם "וְנֹחַ מָצָא חֵן בְּעֵינֵי ה'" שֶׁהָיוּ כָּל מַעֲשָׂיו לְפָנָיו נָאִים וּנְעִימִים – The meaning of *But Noah found grace in the eyes of HASHEM* is that all his deeds before Him were fitting and pleasing.[42] וְכֵן "כִּי מָצָאתָ חֵן בְּעֵינַי וָאֵדָעֲךָ בְּשֵׁם" – The same is true for, ***For you have found favor in My eyes, and I have***

37a. *Pirkei deRabbi Eliezer* Chap. 22.

38. Stylistic citation from *Isaiah* 63:10.

39. "Rav Assi said: This may be compared to a prince who transacted a business deal through a certain middleman (or *broker*), and lost money on the deal. At whom should he be enraged? Surely at the middleman (broker)!"

40. "Rabbi Berechiah said: This may be compared to a prince who had a palace built through a certain architect (or *building contractor*). He saw it and it did not please him. At whom should become angry? Surely at the architect (contractor)!"

41. See also Ramban below, 11:2.

42. The word חֵן means *grace*, which often bears the connotation that a person is favored out of compassion or benevolence, and not out of merit. This is clearly its sense below, in 19:19 and 32:6, and in many other places. (The word חִנָּם, meaning *free*, *gratis*, is a derivative of this word.) Ramban explains that this is *not* its meaning here; rather, it indicates that Noah *earned* God's favor through his righteousness, as the next verse (*Noah was completely blameless*) and 7:1 suggest.

רמב״ן

בְּשֵׁם״[43] [שמות לג, יז], כְּדֶרֶךְ ״וַיִּתֵּן חִנּוֹ בְּעֵינֵי שַׂר בֵּית הַסֹּהַר״[44] [להלן לט, כא], ״וַתְּהִי אֶסְתֵּר נֹשֵׂאת חֵן בְּעֵינֵי כָּל רֹאֶיהָ״ [אסתר ב, טו][45]. וְהִזְכִּיר זֶה כְּנֶגֶד מַה שֶּׁאָמַר בְּדוֹרוֹ שֶׁהָיוּ כָּל מַעֲשֵׂיהֶם לְעִצָּבוֹן לְפָנָיו יִתְבָּרַךְ, וְאָמַר בּוֹ שֶׁהָיָה לְחֵן בְּעֵינָיו[46]. וְאַחַר כֵּן [פסוק ט] סִפֵּר מַדּוּעַ הָיָה טוֹב לִפְנֵי הָאֱלֹהִים, כִּי הָיָה ״צַדִּיק תָּמִים״.

RAMBAN ELUCIDATED

known you by name (*Exodus* 33:17).[43] כְּדֶרֶךְ ״וַיִּתֵּן חִנּוֹ בְּעֵינֵי שַׂר בֵּית הַסֹּהַר״ – **It is along the lines of** the similar expressions in, ***And he put his favor in the eyes of the prison warden*** (below, 39:21),[44] ״וַתְּהִי אֶסְתֵּר נֹשֵׂאת חֵן בְּעֵינֵי כָּל רֹאֶיהָ״ – and ***and Esther found favor in the eyes of all who saw her*** (*Esther* 2:15).[45]

וְהִזְכִּיר זֶה כְּנֶגֶד מַה שֶּׁאָמַר בְּדוֹרוֹ שֶׁהָיוּ כָּל מַעֲשֵׂיהֶם לְעִצָּבוֹן לְפָנָיו יִתְבָּרַךְ – **It mentions this** fact (that *Noah found grace in the eyes of* HASHEM)[46] **as a contrast to what it says about** the rest of **his generation, that all their deeds were a cause of "sadness" before Him, may He be Blessed.** וְאָמַר בּוֹ שֶׁהָיָה לְחֵן בְּעֵינָיו – **It** therefore **said about [Noah] that he was an** object of **grace in His eyes.** וְאַחַר כֵּן סִפֵּר מַדּוּעַ הָיָה טוֹב לִפְנֵי הָאֱלֹהִים, כִּי הָיָה צַדִּיק תָּמִים – **Then, after this** (v. 9), **it relates *why*** **He was** considered **good before God – because he was "completely innocent."**

43. In that verse, too, the sense is that Moses earned God's favor through his righteousness.

44. Joseph's favor in the eyes of the warden was based on the fact that *whatever he did* HASHEM *made successful* (ibid. 39:23).

45. Esther's favor in everybody's eyes was based on the fact that *she* (unlike the other girls) *requested nothing* (ibid.).

◆ פרשת נח
Parashas Noah

ט אֵ֚לֶּה תּוֹלְדֹ֣ת נֹ֔חַ נֹ֗חַ אִ֥ישׁ צַדִּ֛יק תָּמִ֥ים הָיָ֖ה בְּדֹֽרֹתָ֑יו אֶת־הָֽאֱלֹהִ֖ים הִֽתְהַלֶּךְ־נֹֽחַ׃

ט אִלֵּין תּוּלְדַת נֹחַ נֹחַ גְּבַר זַכַּאי שְׁלִים הֲוָה בְּדָרוֹהִי בְּדַחַלְתָּא דַיְיָ הַלִּיךְ נֹחַ׃

רש"י

(ט) **אלה תולדת נח נח איש צדיק.** הואיל והזכירו ספר בשבחו, שנאמר זכר צדיק לברכה (משלי י:ז; פס"ר יב (מז.)). ד"א, ללמדך שעיקר תולדותיהם של צדיקים מעשים טובים (תנחומא ב; ב"ר ל:ו): **בדרתיו.** יש מרבותינו דורשים אותו לשבח, כל שכן שאילו היה בדור צדיקים היה צדיק יותר. ויש שדורשים אותו לגנאי, לפי דורו היה צדיק, ואילו היה בדורו של אברהם לא היה נחשב לכלום (תנחומא ה; ב"ר שם ט): **את האלהים התהלך נח.** ובאברהם הוא אומר התהלך לפני (להלן יז:א). נח היה צריך סעד לתומכו, אבל אברהם היה מתחזק [ומהלך] בצדקו מאליו (שם ושם י): **התהלך.** לשון עבר. וזהו שמושו של ל' [ס"א ה'] [בל' כבד] משמשת להבא ולשעבר בלשון אחד. קום התהלך (להלן יג:יז) להבא, התהלך נח לשעבר. התפלל בעד עבדיך (שמואל-א יב:יט) להבא. ובא והתפלל

רמב"ן

[ט] אֵלֶּה תּוֹלְדֹת נֹחַ. טַעְמוֹ פֵּרְשׁוּ בּוֹ[1] קוֹרוֹתָיו, כְּטַעַם "מַה יֵּלֶד יוֹם" [משלי כז, א][2], וְיִרְמוֹז אֶל כָּל הַפָּרָשָׁה[3]. וְאֵינוֹ נָכוֹן בְּעֵינַי, כִּי אֵין קוֹרוֹת הָאָדָם תּוֹלְדוֹתָיו[4].

וְהַנָּכוֹן שֶׁהוּא כְּמַשְׁמָעוֹ, כְּמוֹ "אֵלֶּה תּוֹלְדֹת בְּנֵי נֹחַ" [לקמן י, א]; "וְאֵלֶּה תֹּלְדֹת יִשְׁמָעֵאל" [להלן כה, יב][5], יֹאמַר "אֵלֶּה תּוֹלְדוֹת נֹחַ שֵׁם חָם וְיָפֶת". אֲבָל הֶחֱזִיר "וַיּוֹלֶד נֹחַ", בַּעֲבוּר שֶׁהִפְסִיק וְאָמַר "נֹחַ אִישׁ צַדִּיק תָּמִים הָיָה"

RAMBAN ELUCIDATED

9. אֵלֶּה תּוֹלְדֹת נח – ***THESE ARE THE OFFSPRING OF NOAH.***

[Our verse contains the introductory phrase, *These are the offspring* (תּוֹלְדוֹת) *of Noah.* It appears redundant, then, for the following verse to state further, *Noah had begotten* (וַיּוֹלֶד) *three sons* before introducing the names of Noah's children. Ramban discusses several approaches to this problem:]

טַעְמוֹ – Concerning **the meaning of** the word [תּוֹלְדֹת] (translated in the text as "offspring"): **פֵּרְשׁוּ בּוֹ קוֹרוֹתָיו** – Some **[commentators[1]] explain it** as **"the events [of Noah's] life,"** **כְּטַעַם** – **like the meaning of** a related word in the verse **"מַה יֵּלֶד יוֹם"** – *[you do not know]* ***what a day may bring about*** (יֵלֶד) (*Proverbs* 27:1).[2] **וְיִרְמוֹז אֶל כָּל הַפָּרָשָׁה** – Accordingly, **this** introductory phrase means, "These are the events of Noah's life," and it **alludes to the entire section** that follows, not just to verse 10, which lists Noah's three sons.[3]

[Ramban takes issue with this interpretation:]

וְאֵינוֹ נָכוֹן בְּעֵינַי – **But this** interpretation **is not satisfactory in my view,** **כִּי אֵין קוֹרוֹת הָאָדָם תּוֹלְדוֹתָיו** – **for the life-events of a man are not** referred to as **his "offspring,"** which is, after all, the literal meaning of תּוֹלְדֹת.[4]

[Ramban therefore gives his own explanation of תּוֹלְדֹת:]

וְהַנָּכוֹן שֶׁהוּא כְּמַשְׁמָעוֹ – **The most satisfying** interpretation **is that** [תּוֹלְדֹת] **is meant literally** – namely, "offspring" (or "descendants") – **כְּמוֹ** – **as** it is used in the verses **"אֵלֶּה תּוֹלְדֹת בְּנֵי נֹחַ"** – ***These are the descendants of the sons of Noah*** (below, 10:1) and **"וְאֵלֶּה תֹּלְדֹת יִשְׁמָעֵאל"** – ***these are the descendants of Ishmael*** (below, 25:12).[5] **יֹאמַר "אֵלֶּה תּוֹלְדוֹת נֹחַ שֵׁם חָם וְיָפֶת"** – **[The verse] is** thus **saying,** ***These are the offspring of Noah*** (v. 9) ***Shem, Ham and Japheth*** (v. 10). **אֲבָל הֶחֱזִיר "וַיּוֹלֶד נֹחַ" בַּעֲבוּר שֶׁהִפְסִיק וְאָמַר "נֹחַ אִישׁ צַדִּיק תָּמִים הָיָה"** – **[Scripture], however, repeats *Noah had***

1. Ibn Ezra, followed by Radak.

2. In this verse יֵלֶד certainly does not mean "to give birth" in the literal sense, but rather "to bring about." Similarly, תּוֹלְדֹת can mean "things that come about," i.e., "events," and this is its meaning here.

3. According to this interpretation, there are no longer any extra phrases in vv. 9-10. Verse 9 opens with a general introductory statement, *These are the life's events of Noah.* Verse 10 begins to discuss one aspect of his life's events – the names of his children.

[According to Ibn Ezra's interpretation, another question that troubled the commentators (see Rashi) is answered as well: Why does the verse begin with the declared intention of listing the offspring of Noah (*These are the offspring of Noah*), but then go on to discuss his character (*Noah was a completely innocent man...*) rather than his offspring? If תולדות is understood as "life's events," it reasonably follows for the Torah to describe Noah's character before mentioning his children's names.]

4. People may metaphorically "give birth" to the products of their actions, but not to the events that happen *to* them. See Ramban below, 37:2 (*Pnei Yerushalayim*).

5. In both these instances, וְאֵלֶּה תּוֹלְדוֹת, *These are the descendants...,* is followed immediately with a listing of the person's offspring.

[9] *These are the offspring of Noah — Noah was a completely innocent man in his generations; Noah walked with God —*

רמב״ן

לְהוֹדִיעַ לָמָּה צִוָּהוּ בַּתֵּבָה[6]. וְאַף עַל פִּי שֶׁכְּבָר אָמַר לְמַעְלָה [ה, לב] "וַיְהִי נֹחַ בֶּן חֲמֵשׁ מֵאוֹת שָׁנָה וַיּוֹלֶד נֹחַ אֶת שֵׁם אֶת חָם וְאֶת יָפֶת"[7], חָזַר לְהַזְכִּירָם פַּעַם אַחֶרֶת, לְהַגִּיד כִּי לֹא הָיָה כְּכָל אֲבוֹתָיו שֶׁיּוֹלִידוּ בָּנִים וּבָנוֹת[8].
וְזֶה טַעַם "שְׁלֹשָׁה בָנִים", כִּי יַזְכִּיר מִסְפָּרָם לֵאמֹר כִּי אֵלֶּה שְׁלֹשָׁה לְבַדָּם הָיוּ תוֹלְדוֹתָיו, וְנִצְּלוּ בִּזְכוּתוֹ, "וּמֵאֵלֶּה נָפְצָה כָל הָאָרֶץ" [להלן ט, יט][9].

☐ **אִישׁ צַדִּיק תָּמִים הָיָה**[10]. יַזְכִּיר הַכָּתוּב שֶׁהָיָה זַכַּאי וְשָׁלֵם בְּצִדְקוֹ[11,12] לְהוֹדִיעַ שֶׁרָאוּי לְהִנָּצֵל מִן הַמַּבּוּל

RAMBAN ELUCIDATED

***begotten [three sons]* because it interrupted** the narrative **by saying *Noah was a completely innocent man** in his generations,* לְהוֹדִיעַ לָמָּה צִוָּהוּ בַּתֵּבָה – **to tell** us **why [God] commanded him about** building **the Ark.**[6]

[Ramban now turns to a second difficulty regarding these verses: We were already told the names of Noah's three sons (above, 5:32). Why does the Torah repeat this information here?[7] Ramban answers:]

וְאַף עַל פִּי שֶׁכְּבָר אָמַר לְמַעְלָה "וַיְהִי נֹחַ בֶּן חֲמֵשׁ מֵאוֹת שָׁנָה וַיּוֹלֶד נֹחַ אֶת שֵׁם אֶת חָם וְאֶת יָפֶת" – **Although [Scripture] had already said above, *When Noah was five hundred years old, Noah begot Shem, Ham and Japheth*** (5:32), **חָזַר לְהַזְכִּירָם פַּעַם אַחֶרֶת** – **it repeats and mentions [their names] once again, לְהַגִּיד כִּי לֹא הָיָה כְּכָל אֲבוֹתָיו שֶׁיּוֹלִידוּ בָּנִים וּבָנוֹת** – **to tell** us – i.e., to call our attention to the fact – **that [Noah] was not like any of his forefathers, who begot "sons and daughters,"**[8] implying "*many* sons and daughters," whereas Noah had only three sons.

וְזֶה טַעַם "שְׁלֹשָׁה בָנִים" – **This is** also **the reason** why the verse mentions the obvious fact that Noah begot ***three sons.*** **כִּי יַזְכִּיר מִסְפָּרָם לֵאמֹר** – **For it mentions their number to tell** us several related facts: **כִּי אֵלֶּה שְׁלֹשָׁה לְבַדָּם הָיוּ תוֹלְדוֹתָיו** – **that these three** sons **were his only offspring, וְנִצְּלוּ בִּזְכוּתוֹ** – **that they were saved because of his merit, "וּמֵאֵלֶּה נָפְצָה כָל הָאָרֶץ"** – **and that it was *from** just **these** three people that **the whole world was spread out*** (below, 9:19).[9]

☐ **אִישׁ צַדִּיק תָּמִים הָיָה** – *[NOAH] WAS A COMPLETELY INNOCENT MAN.*[10]

[Ramban explains the meaning of the terms צַדִּיק and תָּמִים:[11]]

יַזְכִּיר הַכָּתוּב שֶׁהָיָה זַכַּאי וְשָׁלֵם בְּצִדְקוֹ – **The verse mentions that [Noah] was free of** all **guilt, and complete in his innocence,**[12] **לְהוֹדִיעַ שֶׁרָאוּי לְהִנָּצֵל מִן הַמַּבּוּל שֶׁאֵין לוֹ עֹנֶשׁ כְּלָל** – **to inform** us **that he deserved to be saved from the Flood because he deserved no punishment at all,** being innocent

6. Since this parenthetical description of Noah's righteousness disconnects the introductory statement *These are the offspring of Noah* from the list of names in v. 10, another introductory phrase is needed when the Torah returns to the subject of Noah's family: *Noah had begotten three sons.*

See below, where Ramban explains the relevance of Noah's righteousness to the subject of his offspring.

7. According to Ibn Ezra's interpretation – that תּוֹלְדוֹת means "events" and the Torah here begins a biographical account of Noah's life-events – we can understand why the Torah starts by reviewing the names of his three sons. But according to Ramban's view – that תּוֹלְדוֹת means literally "offspring" – why is this repeated?

8. This is the description used for every one of Noah's ancestors, from Adam down to Noah's father Lamech.

9. Noah's sons are mentioned here again in order to juxtapose them with the description of Noah's righteousness, to teach us that they were saved because of his righteousness, and that in effect the population of "the whole world" (which descends from these three) exists solely due to his righteousness.

10. The generally accepted interpretation of this phrase is, "[Noah] was a righteous man, perfect [in his generations]." Ramban here offers an alternate interpretation.

11. The larger issue here is whether the two adjectives, צַדִּיק and תָּמִים, are two separate terms – i.e., Noah was both a צַדִּיק and a תָּמִים – or are they two parts of one compound adjective where תָּמִים modifies צַדִּיק – he was a צַדִּיק תָּמִים, "a completely innocent man" (*HaKesav VeHaKabbalah*).

12. Ramban explains the two words in question (צַדִּיק and תָּמִים) with the Hebrew definitions זַכַּאי ("innocent," "blameless") and שָׁלֵם ("completely"), respectively.

רמב"ן

שֶׁאֵין לוֹ עֹנֶשׁ כְּלָל, כִּי הוּא תָּמִים בְּצֶדֶק. כִּי הַצַּדִּיק הוּא הַזַּכַּאי בַּדִּין[13], הֵפֶךְ הָרָשָׁע, כְּמוֹ שֶׁאָמַר "וְהִצְדִּיקוּ אֶת הַצַּדִּיק וְהִרְשִׁיעוּ אֶת הָרָשָׁע" [דברים כה, א], וְכֵן "וְאַתָּה צַדִּיק עַל כָּל הַבָּא עָלֵינוּ[14] כִּי אֱמֶת עָשִׂיתָ" [נחמיה ט, לג], וְכֵן "בְּצֶדֶק[15] תִּשְׁפֹּט עֲמִיתֶךָ" [ויקרא יט, טו].

אֲבָל בְּאַבְרָהָם שֶׁאָמַר "לַעֲשׂוֹת צְדָקָה וּמִשְׁפָּט" [להלן יח, יט][16] שִׁבַּח אוֹתוֹ בְּצֶדֶק שֶׁהוּא הַמִּשְׁפָּט וּבְרַחֲמִים שֶׁהִיא הַצְּדָקָה[17].

וְרַבִּי אַבְרָהָם אָמַר, "צַדִּיק" בְּמַעֲשָׂיו, "תָּמִים" בְּלִבּוֹ[18].

וּכְתִיב "תָּמִים אַתָּה בִּדְרָכֶיךָ" [יחזקאל כח, טו][19]!

וְאַחַר שֶׁאָמַר שֶׁהוּא אִישׁ צַדִּיק, כִּי אֵינֶנּוּ אִישׁ חָמָס וּמַשְׁחִית דַּרְכּוֹ כִּבְנֵי דוֹרוֹ הַחַיָּבִים, אָמַר שֶׁהָיָה

RAMBAN ELUCIDATED

of the sins rampant in his generation, **כִּי הוּא תָּמִים בְּצֶדֶק – for he was perfect in his vindication** from wrongdoing. **כִּי הַצַּדִּיק הוּא הַזַּכַּאי בַּדִּין הֵפֶךְ הָרָשָׁע – For the** term **צַדִּיק refers to someone who** is found **innocent in judgment,**[13] **the opposite of the** term **רָשָׁע**, a guilty person, **כְּמוֹ שֶׁאָמַר "וְהִצְדִּיקוּ אֶת הַצַּדִּיק וְהִרְשִׁיעוּ אֶת הָרָשָׁע" – as it says, *and they vindicate the innocent one*** (צַדִּיק) ***and condemn the guilty one*** (רָשָׁע)" (*Deuteronomy* 25:1), **וְכֵן "וְאַתָּה צַדִּיק עַל כָּל הַבָּא עָלֵינוּ כִּי אֱמֶת עָשִׂיתָ" – and similarly, *You*** (God) ***are blameless*** (צַדִּיק) ***for all that has come upon us,***[14] ***for You have acted faithfully*** (*Nehemiah* 9:33), **וְכֵן "בְּצֶדֶק תִּשְׁפֹּט עֲמִיתֶךָ" – and similarly, *you shall judge your fellow fairly*** (בְּצֶדֶק)[15] (*Leviticus* 19:15).

[Though the root צדק means *justness* and *fairness,* the related word **צְדָקָה** has a different connotation. Ramban explains:]

אֲבָל בְּאַבְרָהָם שֶׁאָמַר "לַעֲשׂוֹת צְדָקָה וּמִשְׁפָּט" – Concerning Abraham, however, of whom [Scripture] says, *acting with righteousness* (צְדָקָה) ***and justness*** (מִשְׁפָּט)[16] (below, 18:19), **שִׁבַּח אוֹתוֹ בְּצֶדֶק שֶׁהוּא הַמִּשְׁפָּט – [Scripture] praises him for** the trait of **justness** (צֶדֶק), **[but calls it] מִשְׁפָּט** in that verse, **וּבְרַחֲמִים שֶׁהִיא הַצְּדָקָה – and** it praises him **for compassion, [and calls it] צְדָקָה**.[17]

[Unlike Ramban, who explains **תָּמִים** as a modifier of **צַדִּיק**, i.e., Noah was a **צַדִּיק תָּמִים**, *a completely innocent man,* Ibn Ezra explains the two words as two distinct and separate attributes.]

וְרַבִּי אַבְרָהָם אָמַר, "צַדִּיק" בְּמַעֲשָׂיו "תָּמִים" בְּלִבּוֹ – Rabbi Avraham Ibn Ezra, however, **says** that these expressions mean that Noah was ***righteous*** (צַדִּיק) in his actions and ***perfect*** (תָּמִים) in his thoughts.[18]

[Ramban disputes Ibn Ezra's interpretation:]

וּכְתִיב "תָּמִים אַתָּה בִּדְרָכֶיךָ" – But it is written, *You were perfect* (תָּמִים) ***in your ways*** (*Ezekiel* 28:15)![19]

[Ramban now returns to the explanation of the verse according to his own interpretation:]

וְאַחַר שֶׁאָמַר שֶׁהוּא אִישׁ צַדִּיק – After telling us **that [Noah] was an innocent man,** **כִּי אֵינֶנּוּ אִישׁ חָמָס וּמַשְׁחִית דַּרְכּוֹ כִּבְנֵי דוֹרוֹ הַחַיָּבִים** – meaning **that he was not a man of "injustice" or one who "corrupted his way"** (cf. vv. 11-12) **as** were **the guilty people of his generation,** **אָמַר שֶׁהָיָה**

13. According to Ramban, then, the definition of צַדִּיק is not "righteous person," as it is commonly interpreted. In his "Essay on Rosh Hashanah" (דְּרָשָׁה לְרֹאשׁ הַשָּׁנָה), Ramban explains that the primary meaning of צַדִּיק is "one who is acquitted in judgment."

14. I.e., You are fair in Your judgment.

15. Ramban has told us that the descriptive term צַדִּיק should be understood as meaning not "righteous," but "innocent," i.e., lacking evil intent. Similarly, in this verse the related noun צֶדֶק does not mean "righteousness," but "fairness" – lack of evil intent.

16. Since in that verse the word מִשְׁפָּט means "justness," the word צְדָקָה must mean something else – i.e., righteousness.

17. Ramban distinguishes between צֶדֶק, *justness,* and צְדָקָה, *benevolence*. It may also be that when the same root-word (צדק or צדקה) appears alone, it means *justness,* but when accompanied by מִשְׁפָּט, it means *benevolent* (*Zichron Yitzchak,* Rabbi Chavel).

18. According to Ibn Ezra, the two terms צַדִּיק and תָּמִים represent two distinct qualities, i.e., Noah was virtuous in deed as well as in thought. [See *Avodah Zarah* 6a.]

19. תָּמִים is thus used to describe perfection in one's "ways" (conduct), and not in thought.

20. As our verse concludes, *Noah walked with God.* Ramban now explains what "walking with God" means.

רמב״ן

מִתְהַלֵּךְ אֶת הַשֵּׁם הַנִּכְבָּד[20], לְיִרְאָה אוֹתוֹ לְבַדּוֹ, אֵינֶנּוּ נִפְתֶּה אַחֲרֵי הוֹבְרֵי שָׁמַיִם וּמְנַחֵשׁ[21] וְעוֹנֵן[22], וְכָל שֶׁכֵּן אַחֲרֵי עֲבוֹדָה זָרָה, וְאֵינֶנּוּ שׁוֹמֵעַ לָהֶם כְּלָל. רַק בַּשֵּׁם לְבַדּוֹ הוּא דָּבֵק תָּמִיד, וְהוֹלֵךְ בַּדֶּרֶךְ אֲשֶׁר בָּחַר הַשֵּׁם, אוֹ אֲשֶׁר יוֹרֶה אוֹתוֹ, כִּי נָבִיא הָיָה[23]. וְזֶה כְּטַעַם ״אַחֲרֵי ה׳ אֱלֹהֵיכֶם תֵּלֵכוּ וְאֹתוֹ תִירָאוּ״ [דברים יג, ה], הַנֶּאֱמַר בְּהַרְחָקַת הַמִּתְנַבֵּא לַעֲבֹד עֲבוֹדָה זָרָה וְנוֹתֵן אוֹת וּמוֹפֵת, כַּאֲשֶׁר אֲפָרֵשׁ[24]. וְעוֹד אַזְכִּיר זֶה בַּפָּסוּק ״הִתְהַלֵּךְ לְפָנַי וֶהְיֵה תָמִים״ [להלן יז, א], אִם יִהְיֶה תְּמִים דֵּעוֹת[25] עִמִּי[26].

וְהִנֵּה אַחַר שֶׁהָיָה נֹחַ צַדִּיק וְאֵינֶנּוּ רָאוּי לָעֹנֶשׁ, גַּם בָּנָיו וּבֵיתוֹ רְאוּיִם לְהִנָּצֵל בִּזְכוּתוֹ, כִּי הָיָה עֹנֶשׁ עָלָיו אִם יִכָּרֵת זַרְעוֹ.

אוֹ יֹאמַר כִּי הוּא צַדִּיק שָׁלֵם וְגַם בָּנָיו וּבֵיתוֹ צַדִּיקִים[27], כִּי הוּא לִמְדָם כְּעִנְיָן שֶׁכָּתוּב [להלן יח, יט]:

RAMBAN ELUCIDATED

מִתְהַלֵּךְ אֶת הַשֵּׁם הַנִּכְבָּד – [Scripture] then **tells** us further **that he "would walk with the Glorious Name,"**[20] **לְיִרְאָה אוֹתוֹ לְבַדּוֹ** – that is, **fearing [God] alone, אֵינֶנּוּ נִפְתֶּה אַחֲרֵי הוֹבְרֵי שָׁמַיִם וּמְנַחֵשׁ וְעוֹנֵן** – **and** thus **he would not be deluded to follow stargazers, diviners**[21] **or cloud-readers,**[22] **וְכָל שֶׁכֵּן אַחֲרֵי עֲבוֹדָה זָרָה** – **and, all the more so,** he would not allow himself to be lured **to follow idolatry. וְאֵינֶנּוּ שׁוֹמֵעַ לָהֶם כְּלָל** – In short, **he would not listen to [those diviners] at all. רַק בַּשֵּׁם לְבַדּוֹ הוּא דָּבֵק תָּמִיד וְהוֹלֵךְ בַּדֶּרֶךְ אֲשֶׁר בָּחַר הַשֵּׁם** – **Rather, he would cling at all times to God alone,** consistently **following the path God has chosen** for mankind, **אוֹ אֲשֶׁר יוֹרֶה אוֹתוֹ, כִּי נָבִיא הָיָה** – **or the [path] in which [God] had** specifically **instructed him, for [Noah] was a prophet**[23] and thus received instruction directly from God.

וְזֶה כְּטַעַם ״אַחֲרֵי ה׳ אֱלֹהֵיכֶם תֵּלֵכוּ וְאֹתוֹ תִירָאוּ״ – **This** interpretation of the expression "walking with God" **is in accordance with** its meaning in the verse, ***You shall walk after Hashem, your God, and fear Him*** (*Deuteronomy* 13:5), **הַנֶּאֱמַר בְּהַרְחָקַת הַמִּתְנַבֵּא לַעֲבֹד עֲבוֹדָה זָרָה וְנוֹתֵן אוֹת וּמוֹפֵת** – **which is written in** the context of **rejecting someone who feigns prophecy** in order to convince people **to worship idolatry and provides a sign or a wonder** to prove his claim, **כַּאֲשֶׁר אֲפָרֵשׁ** – **as I shall explain** there.[24] **וְעוֹד אַזְכִּיר זֶה בַּפָּסוּק ״הִתְהַלֵּךְ לְפָנַי וֶהְיֵה תָמִים״, אִם יִהְיֶה תְּמִים דֵּעוֹת עִמִּי** – **I shall further mention this** interpretation **on the verse, *Walk before Me and be perfect*** (below, 17:1), **if the "One of Perfect Knowledge"**[25] **will remain with Me** until then.[26]

[Ramban now continues to explain the purpose of verse 10 (*Noah had begotten three sons ...*) in light of his interpretation of verse 9:]

וְהִנֵּה אַחַר שֶׁהָיָה נֹחַ צַדִּיק וְאֵינֶנּוּ רָאוּי לָעֹנֶשׁ – **Now, since,** as the Torah has just established, **Noah was an innocent person, and** thus **he did not deserve to be punished, גַּם בָּנָיו וּבֵיתוֹ רְאוּיִם לְהִנָּצֵל בִּזְכוּתוֹ** – **his sons and his household were also deserving to be saved in his merit, כִּי הָיָה עֹנֶשׁ עָלָיו אִם יִכָּרֵת זַרְעוֹ** – **for it would be a punishment for *him*** [Noah] **if his offspring were to be annihilated.** This is why the Torah mentions his three sons immediately after describing his innocence.

[Ramban now offers another possible explanation for צַדִּיק תָּמִים, *perfectly innocent.* This approach will also explain why Noah's three sons are mentioned immediately after the description of Noah's innocence:]

אוֹ יֹאמַר כִּי הוּא צַדִּיק שָׁלֵם וְגַם בָּנָיו וּבֵיתוֹ צַדִּיקִים כִּי הוּא לִמְדָם – **Alternatively, [Scripture] is telling us that [Noah] was a *"perfectly* innocent" person, and his sons and his household were innocent as well**[27]

21. Ramban (*Deuteronomy* 18:10) defines a "diviner" as one who can supposedly interpret the wing formations and the chirping of birds.

22. A "cloud reader" divines supposed messages out of cloud formations (Ramban, ibid.).

23. *Seder Olam*, Chap. 21. See also below, 9:8.

24. There, too, "walking after" God means being dedicated to Him alone while firmly rejecting idolatry and those who call for idolatry.

25. *Job* 36:4; see Ibn Ezra ad loc.

26. In other words: Ramban is making a play on the word תָּמִים, which he is explaining here by referring to God as "the One of Perfect (תָּמִים) Knowledge."

27. [Ramban writes several times (above in this verse, אֵלֶּה תּוֹלְדֹת נֹחַ; 7:1 and 8:1) that Noah's sons were saved from the Flood due only to their father's righteousness and not their own merit. Ramban here is not necessarily contradicting that position; in fact, his language may be seen to imply that while Noah's sons were "innocent," they did not attain the level of Noah, who was "*completely* blameless," and they would therefore perhaps not have been saved if not for the merit of their father.]

י וַיּוֹלֶד נֹחַ שְׁלֹשָׁה בָנִים אֶת־שֵׁם אֶת־חָם וְאֶת־יָפֶת: | וְאוֹלִיד נֹחַ תְּלָתָא בְנִין יָת שֵׁם יָת חָם וְיָת יָפֶת:

רש"י

אל הבית הזה (מלכים־א ח:מב) לשון עבר, אלא שהוי"ו שבראשו הופכו להבא:

רמב"ן

"כִּי יְדַעְתִּיו לְמַעַן אֲשֶׁר יְצַוֶּה אֶת בָּנָיו וְאֶת בֵּיתוֹ" [להלן יח, יט][28].

☐ **בְּדֹרֹתָיו.** יֵשׁ מֵרַבּוֹתֵינוּ שֶׁדְּרָשׁוּהוּ לְטוֹבָה: כָּל שֶׁכֵּן אִם הָיָה בְּדוֹר שֶׁל צַדִּיקִים. וְיֵשׁ שֶׁדּוֹרְשִׁין לִגְנַאי. לְשׁוֹן רַשִׁ"י[29].

וְהַנָּכוֹן בְּעֵינַי לְפִי הַפְּשָׁט, שֶׁהוּא לְבַדּוֹ הַצַּדִּיק בַּדּוֹרוֹת הָהֵם, אֵין בְּדוֹרוֹתָיו צַדִּיק וְלֹא תָמִים זוּלָתוֹ. וְכֵן "כִּי אֹתְךָ רָאִיתִי צַדִּיק לְפָנַי בַּדּוֹר הַזֶּה" [להלן ז, א] - שֶׁאֵין אַחֵר בַּדּוֹר רָאוּי לְהִנָּצֵל.

וְאָמַר "בְּדֹרֹתָיו", כִּי דוֹרוֹת רַבִּים עָבְרוּ מֵעֵת שֶׁהִשְׁחִיתוּ, וְאֵין צַדִּיק בָּאָרֶץ בִּלְתּוֹ. וְאַל יִקְשֶׁה עָלֶיךָ דְּבַר רַבּוֹתֵינוּ בִּמְתוּשֶׁלַח[31], כִּי הַכָּתוּב לֹא יְסַפֵּר רַק שֶׁאֵין צַדִּיק רָאוּי לְהִנָּצֵל מִן הַמַּבּוּל מִכָּל הַדּוֹרוֹת הָהֵם[32].

RAMBAN ELUCIDATED

– **because he taught them** to emulate him, בְּעִנְיָן שֶׁכָּתוּב "כִּי יְדַעְתִּיו לְמַעַן אֲשֶׁר יְצַוֶּה אֶת בָּנָיו וְאֶת בֵּיתוֹ" – **similar to what is written** about Abraham, ***For I cherished him, because he commands his children and his household*** *[after him...]* (below, 18:19).[28]

☐ **בְּדֹרֹתָיו** – ***IN HIS GENERATIONS.***

[What does the Torah mean when it says that Noah was innocent "in his generations"? Of course Noah was innocent during "his generations"; that is when he lived! Ramban begins his discussion of this expression by quoting Rashi:]

יֵשׁ מֵרַבּוֹתֵינוּ שֶׁדְּרָשׁוּהוּ לְטוֹבָה – Some of the Sages expounded this [word] as praise: כָּל שֶׁכֵּן אִם הָיָה בְּדוֹר שֶׁל צַדִּיקִים – **All the more so** would he have been righteous **if he had been in a generation of righteous people.** וְיֵשׁ שֶׁדּוֹרְשִׁין לִגְנַאי – **And there are others who expounded** it **in deprecation** of Noah, that if he had lived in the time of Abraham he would not have been considered significant in comparison with Abraham. לְשׁוֹן רַשִׁ"י – **This is a quote from Rashi.**[29]

[Ramban presents an alternative understanding of the expression, one which is intended neither for praise nor for deprecation:[30]]

וְהַנָּכוֹן בְּעֵינַי לְפִי הַפְּשָׁט – **In my view, the most satisfying** explanation of this expression, **according to the plain meaning,** is שֶׁהוּא לְבַדּוֹ הַצַּדִּיק בַּדּוֹרוֹת הָהֵם – **that [Noah] was the only innocent person in those generations;** אֵין בְּדוֹרוֹתָיו צַדִּיק וְלֹא תָמִים זוּלָתוֹ – **there was no innocent or perfect person in his generations besides him.** The Torah thus means to say, "Noah was *the only* completely innocent man in his generations." וְכֵן "כִּי אֹתְךָ רָאִיתִי צַדִּיק לְפָנַי בַּדּוֹר הַזֶּה" – **Similarly,** the Torah states later (7:1), ***For it is you that I have seen to be innocent before Me in this generation*** – שֶׁאֵין אַחֵר בַּדּוֹר רָאוּי לְהִנָּצֵל – meaning **that there was no one else in that generation who was worthy of being saved** from the Flood.

[Ramban now addresses another question: Why is Noah's lifetime referred to as "his generations" – in the plural?]

וְאָמַר "בְּדֹרֹתָיו" – **[The Torah] says "in his generations"** in the plural, כִּי דוֹרוֹת רַבִּים עָבְרוּ מֵעֵת שֶׁהִשְׁחִיתוּ – **because many generations had passed since the time when people** had begun to **corrupt their ways,** אֵין צַדִּיק בָּאָרֶץ בִּלְתּוֹ – **and there was no** other **innocent person on earth** during all those generations **besides him.** וְאַל יִקְשֶׁה עָלֶיךָ דְּבַר רַבּוֹתֵינוּ בִּמְתוּשֶׁלַח – **And do not let the Sages' words regarding Methuselah,** which portray him as a righteous person,[31] **present a difficulty to you,** כִּי הַכָּתוּב לֹא יְסַפֵּר רַק שֶׁאֵין צַדִּיק רָאוּי לְהִנָּצֵל מִן הַמַּבּוּל מִכָּל הַדּוֹרוֹת הָהֵם – **for**

28. Abraham and Noah shared the same attribute. Both were considered perfectly *righteous* because they taught their children to follow God.

29. The meaning of "in his generations," according to this latter interpretation, is that Noah's level of righteousness was relative only to the level of the others who lived in his time.

30. *Pnei Yerushalayim.*

31. The Midrash (*Bereishis Rabbah* 32) teaches that God held off the onset of the Flood for seven days (see

[10] *Noah had begotten three sons: Shem, Ham and Japheth.*

רמב"ן

[י] את שם את חם ואת יפת. הנראה אלי כי יפת הוא הגדול[33], שנאמר [להלן י, כא]: "אחי יפת הגדול". וכן ימנם בתולדותם בני יפת תחלה [להלן פרק י]. וחם הוא הקטן בכלם, כאשר אמר "וידע את אשר עשה לו בנו הקטן" [להלן ט, כד][34]. אבל הקדים שם בעבור מעלתו, והזכיר חם אחריו כי כן נולדו[35]. והנה נתאחר יפת. ולא רצה הכתוב לומר "שם ויפת וחם"[36], כי היו כלם נזכרים שלא כסדר תולדותם, ואין ליפת מעלה שיבטל הסדר בעבורו. אבל שם הקדים אותו בעבור מעלתו[37], אף על פי שהוא מאחר בספור התולדות[38].

RAMBAN ELUCIDATED

Scripture relates only that there was no other **blameless person *who was worthy of being saved* from the Flood during all those generations.**[32]

10. את שם את חם ואת יפת – *SHEM, HAM AND JAPHETH*.

[Ramban discusses the order of birth of Noah's three sons:]

הנראה אלי כי יפת הוא הגדול – It appears to me that Japheth was the oldest son,[33] **שנאמר "אחי יפת הגדול" – as it says, *The brother of Japheth the elder*** (below, 10:21). **וכן ימנם בתולדותם בני יפת תחלה – And so [Scripture] enumerates the descendants [of Noah's children]** starting with **the sons of Japheth first,** before those of Ham and Shem (below, Chap. 10). **וחם הוא הקטן בכלם, כאשר אמר "וידע את אשר עשה לו בנו הקטן"** – Shem, according to this, was the middle son, for **Ham was the youngest of them all, as it says, *he realized what his youngest son (Ham) had done to him*** (below, 9:24).[34]

[But if the order of birth was Japheth, Shem and Ham, why does the Torah present them in a different order here? Ramban explains:]

אבל הקדים שם בעבור מעלתו – However, in this verse **[Scripture] lists Shem first because of his eminence. והזכיר חם אחריו כי כן נולדו – It mentions Ham after him, because this was** the order in which **they were born.**[35] **והנה נתאחר יפת – And thus, Japheth,** although he was the oldest, **is** mentioned **last. ולא רצה הכתוב לומר "שם ויפת וחם" – Scripture did not want to say, "Shem, Japheth and Ham,"**[36] **כי היו כלם נזכרים שלא כסדר תולדותם – because** then **all** three **of them would be mentioned out of the order of their birth** (namely: second son, first son, third son), **ואין ליפת מעלה שיבטל הסדר בעבורו – and Japheth was not distinguished** enough **that the** chronological **order** of Shem and Ham's birth **should be disrupted for his sake. אבל שם הקדים אותו בעבור מעלתו – [Scripture] did, however, put Shem first on account of his eminence,**[37] **אף על פי שהוא מאחר בספור התולדות – although he is listed last** (below, 10:21) **in the account of the genealogy** of Noah's sons.[38]

below, 7:10), in order to allow "*the righteous* Methuselah," who had just died, to be mourned properly. This seems to contradict Ramban's assertion that Noah was the only righteous (or blameless) person in several generations.

32. Methuselah might have been righteous enough to be spared the suffering of the Flood and therefore died before its onset. But he was not worthy enough to have been saved from the Flood had he still been alive when it came.

33. This is the view of *Bereishis Rabbah* (Chap. 26; cited in Rashi on 5:32) as well. See, however, Ramban below, 10:21, and footnotes there.

34. Rashi's opinion (*Sanhedrin* 69b ד"ה בר מאה and ibid. 111a ד"ה לא ניחא), however, is that Shem was the youngest. See Rashi below (9:24), who, apparently for this reason, does not translate the description of Ham as בנו הקטן to mean "his youngest son," but rather "his smallest (i.e. least virtuous) son."

35. Shem was listed first – before Japheth, the oldest brother – because of his eminence. The reason Ham – who was the most inferior of the brothers – was mentioned before Japheth as well is that once the Torah mentioned Shem it continued to list Ham, who was next in chronological order.

36. The advantage of this order would be that after mentioning Shem first on account of his eminence, the other two sons would be listed in order of birth. Alternatively, the advantage would be that the three sons would be listed in exact order of eminence (see *Tosafos* on *Sanhedrin* 69b ד"ה אלא).

37. Shem's eminence was greater than that of Japheth, and was worthy enough to warrant altering the order of the sons to mention him first.

38. In that case the Torah did not see fit to mention Shem before his brothers on account of his eminence. See Ramban below, 10:2, as to why indeed Shem is mentioned last there.

יא וַתִּשָּׁחֵת הָאָרֶץ לִפְנֵי הָאֱלֹהִים וַתִּמָּלֵא
יב הָאָרֶץ חָמָס: וַיַּרְא אֱלֹהִים אֶת־הָאָרֶץ וְהִנֵּה
נִשְׁחָתָה כִּי־הִשְׁחִית כָּל־בָּשָׂר אֶת־דַּרְכּוֹ עַל־
יג הָאָרֶץ: ס וַיֹּאמֶר אֱלֹהִים לְנֹחַ קֵץ כָּל־בָּשָׂר
בָּא לְפָנַי כִּי־מָלְאָה הָאָרֶץ חָמָס מִפְּנֵיהֶם

יא וְאִתְחַבָּלַת אַרְעָא קֳדָם יְיָ
וְאִתְמְלִיאַת אַרְעָא חֲטוֹפִין:
יב וַחֲזָא יְיָ יָת אַרְעָא וְהָא
אִתְחַבָּלַת אֲרֵי חַבִּילוּ כָּל בִּסְרָא
אֱנַשׁ יָת אָרְחֵהּ עַל אַרְעָא: יג וַאֲמַר
יְיָ לְנֹחַ קִצָּא דְכָל בִּסְרָא עֲלַת
לְקֳדָמַי אֲרֵי אִתְמְלִיאַת אַרְעָא
חֲטוֹפִין מִן קֳדָם עוֹבָדֵיהוֹן בִּישַׁיָּא

רש"י

(יא) ותשחת. לשון ערוה וע"ז, כמו פן תשחיתון (דברים ד:טז) כי השחית כל בשר וגו' (פסוק יב; סנהדרין נז.): **ותמלא הארץ חמס.** גזל [שנאמר ומן החמס אשר בכפיהם (יונה ג:ח)]: **(יב) כי השחית כל בשר.** אפילו בהמה חיה ועוף נזקקין לשאינן מינן (ב"ר כח:ח; תנחומא יב; סנהדרין קח.): **(יג) קץ כל בשר.** כל מקום שאתה מוצא זנות, אנדרלמוסיא באה לעולם והורגת טובים ורעים (ב"ר כו:ה; תנחומא ראה ג): **כי מלאה הארץ חמס.** לא נחתם גזר דינם אלא על הגזל (סנהדרין שם; תנחומא ד; ב"ר לא:ג–ד):

רמב"ן

וְכֵן "בְּנֵי אַבְרָהָם יִצְחָק וְיִשְׁמָעֵאל" [דברי הימים־א א, כח], וְכֵן "וָאֶתֵּן לְיִצְחָק אֶת יַעֲקֹב וְאֶת עֵשָׂו" [יהושע כד, ד]. **[י] כִּי הִשְׁחִית כָּל בָּשָׂר אֶת דַּרְכּוֹ.** אִם נְפָרֵשׁ "כָּל בָּשָׂר" כְּמַשְׁמָעוֹ, וְנֹאמַר שֶׁאֲפִלּוּ בְּהֵמָה וְחַיָּה וְעוֹף הִשְׁחִיתוּ דַּרְכָּם לְהִזָּקֵק לְשֶׁאֵינָן מִינָן, כְּמוֹ שֶׁפֵּרֵשׁ רַשִׁ"י[39] – נֹאמַר "כִּי מָלְאָה הָאָרֶץ חָמָס מִפְּנֵיהֶם" לֹא מִפְּנֵי כֻּלָּם, אֶלָּא מִפְּנֵי מִקְצָתָם[40], וְסִפֵּר עֹנֶשׁ הָאָדָם לְבַדּוֹ[41]. אוֹ שֶׁנֹּאמַר שֶׁלֹּא שָׁמְרוּ גַּם בָּזֶה תּוֹלַדְתָּם, וְהָיְתָה כָּל הַבְּהֵמָה טוֹרֶפֶת וְכָל הָעוֹף דּוֹרֵס, וְהִנֵּה גַּם הֵם עוֹשִׂים חָמָס[42].

RAMBAN ELUCIDATED

[Ramban now demonstrates that it is not unusual for Scripture to list sons in order of prominence rather than age:]

וְכֵן "בְּנֵי אַבְרָהָם יִצְחָק וְיִשְׁמָעֵאל" – Similarly, [we find,] ***The sons of Abraham were Isaac and Ishmael*** (*I Chronicles* 1:28), where the younger Isaac is mentioned before Ishmael because of his eminence, **וְכֵן "וָאֶתֵּן לְיִצְחָק אֶת יַעֲקֹב וְאֶת עֵשָׂו" – and likewise** ***To Isaac I gave Jacob and Esau*** (*Joshua* 24:4), where the younger Jacob is given precedence for the same reason.

12. כִּי הִשְׁחִית כָּל בָּשָׂר אֶת דַּרְכּוֹ – ***FOR ALL FLESH HAD CORRUPTED ITS WAY.***

[Ramban seeks to clarify the exact meaning of the phrase *all flesh,* which seems to mean "all living things," both man and beast:]

אִם נְפָרֵשׁ "כָּל בָּשָׂר" כְּמַשְׁמָעוֹ – If we explain ***all flesh*** **in its** more **literal sense** **וְנֹאמַר שֶׁאֲפִלּוּ בְּהֵמָה וְחַיָּה וְעוֹף הִשְׁחִיתוּ דַּרְכָּם לְהִזָּקֵק לְשֶׁאֵינָן מִינָן – and say that even animals, wild beasts and birds corrupted their way by mating with animals of other species,** **כְּמוֹ שֶׁפֵּרֵשׁ רַשִׁ"י – as Rashi** (on this verse) **explains,**[39] **נֹאמַר "כִּי מָלְאָה הָאָרֶץ חָמָס מִפְּנֵיהֶם" – we will then** have to **say that** when Scripture says, ***for the earth is filled with injustice*** *through them* (v. 13), the words *through them* **לֹא מִפְּנֵי כֻּלָּם אֶלָּא מִפְּנֵי מִקְצָתָם – cannot** mean **"through** ***all*** **of them,"** namely, all living things which were mentioned in the beginning of the verse, for animals cannot be guilty of "injustice."[40] **Rather,** it means **"through** ***some*** **of them"** – i.e., the humans. In that case, **וְסִפֵּר עֹנֶשׁ הָאָדָם לְבַדּוֹ – [Scripture] would be relating only** the reason for **the punishment of the humans.**[41] **אוֹ שֶׁנֹּאמַר שֶׁלֹּא שָׁמְרוּ גַּם בָּזֶה תּוֹלַדְתָּם – Alternatively, we can say that in this** matter of corruption, **too, [the animals] did not follow their natures,** **וְהָיְתָה כָּל הַבְּהֵמָה טוֹרֶפֶת וְכָל הָעוֹף דּוֹרֵס – for all the animals acted as predators and all the birds acted as birds of prey,** **וְהִנֵּה גַּם הֵם עוֹשִׂים חָמָס – so that they too committed "injustice."**[42]

39. And consequently we will be forced to explain the same phrase (*all flesh*) in the following verse the same way, namely: "The end of *all living things* has come before Me, for the earth is filled with injustice through them."

40. As creatures of instinct, they cannot be held responsible for their actions. See Ramban below, 9:5.

41. Verse 13, then, speaks of the destruction of all living things – animal and human alike – while the reason it gives for that destruction applies only to the destruction of the humans; the reason for the destruction of the animals is left unexplained.

42. According to this interpretation, the animals did "deserve" annihilation because their natures had

[11] *Now the earth had become corrupt before God; and the earth had become filled with injustice.* [12] *And God saw the earth and behold it was corrupted, for all flesh had corrupted its way upon the earth.*

[13] *God said to Noah, "The end of all flesh has come before Me, for the earth is filled with injustice through them;*

רמב״ן

וְעַל דֶּרֶךְ הַפְּשָׁט, ״כָּל בָּשָׂר״ זֶה כָּל הָאָדָם, וּלְמַטָּה [ז, טו] יְפָרֵשׁ: ״כָּל בָּשָׂר אֲשֶׁר בּוֹ רוּחַ חַיִּים״, ״וּמִכָּל הָחַי מִכָּל בָּשָׂר״ [ו, יט] כָּל חַי בַּגּוּף אֲבָל בְּכָאן ״כָּל בָּשָׂר״ כָּל הָאָדָם וְכֵן ״יָבֹא כָל בָּשָׂר לְהִשְׁתַּחֲווֹת לְפָנַי״ [ישעיה סו, כג], וְכֵן ״בָּשָׂר כִּי יִהְיֶה בְעֹרוֹ״ [ויקרא יג, כד].

[יג] חָמָס. הוּא הַגֶּזֶל וְהָעֹשֶׁק.

וְנָתַן לְנֹחַ הַטַּעַם בֶּחָמָס וְלֹא הִזְכִּיר הַשְׁחָתַת הַדֶּרֶךְ, כִּי הֶחָמָס הוּא הַחֵטְא הַיָּדוּעַ וְהַמְפֻרְסָם[43]. וְרַבּוֹתֵינוּ אָמְרוּ [סנהדרין קח, א] שֶׁעָלָיו נִתְחַתֵּם גְּזַר דִּינָם. וְהַטַּעַם מִפְּנֵי שֶׁהִיא מִצְוָה מֻשְׂכֶּלֶת, אֵין לָהֶם בָּהּ צֹרֶךְ לְנָבִיא מַזְהִיר. וְעוֹד, שֶׁהוּא רַע לַשָּׁמַיִם וְלַבְּרִיּוֹת. וְהִנֵּה הוֹדִיעַ לְנֹחַ הַחֵטְא שֶׁעָלָיו בָּא הַקֵּץ, הִגִּיעַ הַצְּפִירָה[44].

RAMBAN ELUCIDATED

[Ramban now suggests an alternate meaning to the expression *all flesh*:]

וְעַל דֶּרֶךְ הַפְּשָׁט ״כָּל בָּשָׂר״ זֶה כָּל הָאָדָם – **In the plain** (non-Midrashic) **meaning** of the term, ***all flesh*** simply **means "all mankind,"** and it does not include the animals. **וּלְמַטָּה יְפָרֵשׁ: ״כָּל בָּשָׂר אֲשֶׁר בּוֹ רוּחַ חַיִּים״** – This interpretation can be verified from the fact that **further on,** when **Scripture** refers to animals as well as people, it **explains** the type of "flesh" it is referring to, as in: ***all flesh in which there was a breath of life*** (7:15), **״וּמִכָּל הָחַי מִכָּל בָּשָׂר״ כָּל חַי בַּגּוּף** – or as in: ***of all that lives, of all flesh*** (6:19) – which means, **"any life contained in a body,"** including animals. **אֲבָל בְּכָאן ״כָּל בָּשָׂר״ כָּל הָאָדָם** – **But here,** since Scripture only mentioned ***all flesh,*** without any further elaboration, it means **"all mankind."** **וְכֵן ״יָבֹא כָל בָּשָׂר לְהִשְׁתַּחֲווֹת לְפָנַי״** – **Similarly,** in the verse ***all flesh will come to prostrate themselves before Me*** (*Isaiah* 66:23), **וְכֵן ״בָּשָׂר כִּי יִהְיֶה בְעֹרוֹ״** – **and likewise** in the verse, ***if a person*** **(lit., "flesh")** ***will have*** [*a burn*] ***on his skin*** (*Leviticus* 13:24), the word "flesh" clearly refers to "man."

13. חָמָס – ***INJUSTICE.***

[Ramban begins by defining this word:]

הוּא הַגֶּזֶל וְהָעֹשֶׁק – **[חָמָס] refers to robbery and fraud.**

Of the two sins mentioned in v. 11 – sexual immorality and monetary injustice – why is only the latter mentioned here? Ramban explains:]

וְנָתַן לְנֹחַ הַטַּעַם בֶּחָמָס וְלֹא הִזְכִּיר הַשְׁחָתַת הַדֶּרֶךְ – **[God] gave Noah the reason** for the destruction of the earth **as injustice, and did not mention the** other sin of **"corrupting of ways,"** **כִּי הֶחָמָס הוּא הַחֵטְא הַיָּדוּעַ וְהַמְפֻרְסָם** – **because injustice is a known and public sin,** whereas sexual immorality is a private sin.[43] **וְרַבּוֹתֵינוּ אָמְרוּ שֶׁעָלָיו נִתְחַתֵּם גְּזַר דִּינָם** – **The Sages** (*Sanhedrin* 108a), however, **said that** the reason only injustice is mentioned here is that **it was** specifically **over [injustice] that their decree was sealed**, and not over sexual immorality. **וְהַטַּעַם מִפְּנֵי שֶׁהִיא מִצְוָה מֻשְׂכֶּלֶת, אֵין לָהֶם בָּהּ צֹרֶךְ לְנָבִיא מַזְהִיר** – **The reason** why this sin sealed their fate over all others **is because it is a law that is intuitively understood, and [the people] had no need for a prophet to warn** them **about it**, unlike the sin of sexual immorality, which people could conceivably rationalize. **וְעוֹד שֶׁהוּא רַע לַשָּׁמַיִם וְלַבְּרִיּוֹת** – **Furthermore, [injustice] is an evil** both **toward God and toward men,** while sexual immorality does not necessarily involve harming another person. **וְהִנֵּה הוֹדִיעַ לְנֹחַ הַחֵטְא שֶׁעָלָיו בָּא הַקֵּץ הִגִּיעַ הַצְּפִירָה** – **Thus, [God] informed Noah of the sin for which "the end had come,**

become corrupt, to the point that their violence was disrupting the normal existence of life.

43. According to this explanation, although it was not mentioned to Noah, sexual immorality was

יד וְהִנְנִי מַשְׁחִיתָם אֶת־הָאָרֶץ: עֲשֵׂה לְךָ תֵּבַת
עֲצֵי־גֹפֶר קִנִּים תַּעֲשֶׂה אֶת־הַתֵּבָה וְכָפַרְתָּ
טו אֹתָהּ מִבַּיִת וּמִחוּץ בַּכֹּפֶר: וְזֶה אֲשֶׁר תַּעֲשֶׂה
אֹתָהּ שְׁלֹשׁ מֵאוֹת אַמָּה אֹרֶךְ הַתֵּבָה
חֲמִשִּׁים אַמָּה רָחְבָּהּ וּשְׁלֹשִׁים אַמָּה
טז קוֹמָתָהּ: צֹהַר ׀ תַּעֲשֶׂה לַתֵּבָה וְאֶל־אַמָּה
תְּכַלֶּנָּה מִלְמַעְלָה וּפֶתַח הַתֵּבָה בְּצִדָּהּ תָּשִׂים
יז תַּחְתִּיִּם שְׁנִיִּם וּשְׁלִשִׁים תַּעֲשֶׂהָ: וַאֲנִי הִנְנִי
מֵבִיא אֶת־הַמַּבּוּל מַיִם עַל־הָאָרֶץ לְשַׁחֵת
כָּל־בָּשָׂר אֲשֶׁר־בּוֹ רוּחַ חַיִּים מִתַּחַת

וְהָא אֲנָא מְחַבֵּלְהוֹן עִם אַרְעָא: יד עִבֵד לָךְ תֵּבוֹתָא דְאָעִין דְקַדְרוֹם מְדוֹרִין תַּעְבֵּד יָת תֵּבוֹתָא וְתַחֲפֵי יָתַהּ מִגָּו וּמִבָּרָא בְּכָפְרָא: טו וְדֵין דְתַעְבֵּד יָתַהּ תְּלַת מְאָה אַמִּין אָרְכָּא דְתֵבוֹתָא חַמְשִׁין אַמִּין פְּתָיַהּ וּתְלָתִין אַמִּין רוּמַהּ: טז נְהוֹר תַּעְבֵּד לְתֵבוֹתָא וּלְאַמְתָא תְּשַׁכְלְלִנַּהּ מִלְעֵלָּא וְתַרְעָא דְתֵבוֹתָא בְּסִטְרַהּ תְּשַׁוֵּי מְדוֹרִין אַרְעִין תִּנְיָנִין וּתְלִיתָאִין תַּעְבְּדִנַּהּ: יז וַאֲנָא הָא אֲנָא מַיְתֵי יָת טוֹפָנָא מַיָּא עַל אַרְעָא לְחַבָּלָא כָּל בִּסְרָא דִּי בֵהּ רוּחָא דְחַיֵּי מִתְּחוֹת

רש״י

את הארץ. כמו מן הארץ, ודומה לו כצאתי את העיר (שמות ט:כט) מן העיר. חלה את רגליו (מלכים־א טו:כג) מן רגליו. ד״א את הארץ, עם הארץ (אונקלוס; תרגום יונתן) שאף שלשה טפחים של עומק המחרישה נמוחו (ב״ר לא:ז) ונטשטשו: **(יד) עשה לך תבת.** הרבה ריוח והצלה לפניו, ולמה הטריחו בבנין זה. כדי שיראוהו אנשי דור המבול עוסק בה ק״כ שנה ושואלין אותו מה זאת לך, והוא אומר להם עתיד הקב״ה להביא מבול לעולם, אולי ישובו (תנחומא ה; ב״ר ל:ז; תנחומא ישן בראשית לז): **עצי גפר.** כך שמו (סנהדרין קח:) [וכך מתרגם אעין דקדרום (עי׳ ר״ה כג.)]. ולמה ממין זה, ע״ש גפרית שנגזר עליהם להמחות בו (ב״ר כז:ג; סנהדרין שם): **קנים.** [מדורים] מדורים לכל בהמה וחיה (אונקלוס; פדר״א כד; ב״ר לא:ט): **בכפר.** זפת בלשון ארמי, ומצינו בתלמוד כופרא (שבת סז.). בתיבתו של משה ע״י שהיו המים תשים דיה בחומר מבפנים וזפת מבחוץ, ועוד, כדי שלא יריח אותו צדיק ריח רע של זפת, אבל כאן מפני חוזק המים זפתה מבית ומחוץ (ב״ר לא:ט; סוטה יב.): **(טז) צהר.** י״א חלון, וי״א אבן טובה המאירה להם (ב״ר שם יא): **ואל אמה תכלנה מלמעלה.** כסויה משופע ועולה עד שהוא קצר מלמעלה ועומד על אמה, כדי שיזובו המים למטה מכאן ומכאן: **בצדה תשים.** שלא יפלו הגשמים בה: **תחתים שנים ושלשים.** שלש עליות זו על גב זו. עליונים לאדם, אמצעים למדור [בהמה חיה ועופות], תחתיים לזבל (סנהדרין שם): **(יז) ואני הנני מביא.** הנני מוכן להסכים עם אותם שזרזוני ואמרו לפני כבר מה אנוש כי תזכרנו (תהלים ח:ה; ב״ר שם יב): **מבול.** שבלה את הכל, שבלבל את הכל, שהוביל את

רמב״ן

□ **וְהִנְנִי מַשְׁחִיתָם אֶת**[45] **הָאָרֶץ**[46]. כְּמוֹ מִן הָאָרֶץ. וְכֵן "כְּצֵאתִי אֶת הָעִיר" [שמות ט, כט]; "חָלָה אֶת רַגְלָיו" [מלכים־א טו, כג][47]. דָּבָר אַחֵר "אֶת הָאָרֶץ" עִם הָאָרֶץ, שֶׁאַף שְׁלֹשָׁה טְפָחִים שֶׁל מַחֲרֵישָׁה נִמּוֹחוּ.

RAMBAN ELUCIDATED

the dawn [of destruction] had arrived."[44]

□ **וְהִנְנִי מַשְׁחִיתָם אֶת הָאָרֶץ** – ***AND BEHOLD, I AM ABOUT TO DESTROY THEM FROM THE EARTH.***

[The word אֶת here[45] would render the literal translation as: "I am about to destroy them, the earth." Obviously, there is a need for clarification.[46] Ramban begins with a citation from Rashi:]

כְּמוֹ מִן הָאָרֶץ – [אֶת הָאָרֶץ] has **the same** meaning **as** מִן הָאָרֶץ, ***"from*** **the earth."** וְכֵן "כְּצֵאתִי אֶת הָעִיר" – **Similarly** we find, ***When I depart from*** (אֶת) ***the city*** (*Exodus* 9:29) and "חָלָה אֶת רַגְלָיו" – ***He fell ill from*** (אֶת) ***his legs*** (*I Kings* 15:23).[47] דָּבָר אַחֵר "אֶת הָאָרֶץ" עִם הָאָרֶץ – **Alternatively,** אֶת הָאָרֶץ means **"*with* the earth,"** שֶׁאַף שְׁלֹשָׁה טְפָחִים שֶׁל מַחֲרֵישָׁה נִמּוֹחוּ – **for also three handbreadths** of soil

nevertheless one of the causes of the destruction of the earth.

44. Stylistic paraphrase from *Ezekiel* 7:6-7. Ramban is alluding to the beginning of our verse: *The "end" of all flesh has come before Me.*

Since injustice was the primary sin, and the one which caused God to decree their destruction, this was the only sin He mentioned to Noah.

45. The word אֶת generally has the meaning of *the,* and it is used in to indicate a specified direct object. The second meaning is, *with.* Since the first meaning is the most common one, the commentators were troubled with the wording of our verse, as explained here in the introduction and in the next footnote.

46. The phrase should have read either, "I am about to destroy them," or "I am about to destroy the earth."

47. Accordingly, וְהִנְנִי מַשְׁחִיתָם אֶת הָאָרֶץ means: *And behold I am about to destroy them "from" the earth.*

and behold, I am about to destroy them from the earth. 14 *Make for*
yourself an Ark of gopher wood; make the Ark with compartments,
and cover it inside and out with pitch. 15 *This is how you should*
make it — three hundred cubits the length of the Ark; fifty cubits its
width; and thirty cubits its height. 16 *A window shall you make for*
the Ark, and to a cubit finish it from above. Put the entrance of the
Ark in its side; make it with bottom, second and third decks.
17 *"And I, behold, I am about to bring the Flood-waters upon the*
earth to destroy all flesh in which there is a breath of life from under

רמב״ן

לְשׁוֹן רַשִׁ״י, מִבְּרֵאשִׁית רַבָּה [לא][48].

וְרַבִּי אַבְרָהָם אָמַר שֶׁמִּלַּת "מַשְׁחִיתָם" מוֹשֶׁכֶת עַצְמָהּ וְאַחֶרֶת עִמָּהּ[49]: וְהִנְנִי מַשְׁחִיתָם וּמַשְׁחִית אֶת הָאָרֶץ.

וְעַל דֶּרֶךְ הָאֱמֶת הוּא כְּמוֹ "אֵת הַשָּׁמַיִם וְאֵת הָאָרֶץ", כִּי הָאָרֶץ תִּהְיֶה בְּהַשְׁחָתָה, שֶׁבְּהַשְׁחָתַת הָאָרֶץ יִשָּׁחֲתוּ, וְהִנָּם נִשְׁחָתִים בָּעוֹלָם הַבָּא, כְּדֶרֶךְ "וַיִּתְעַצֵּב אֶל לִבּוֹ". וּלְזֶה רָמְזוּ בִּבְרֵאשִׁית רַבָּה [לא, ז]: "לְבֶן אָדוֹן שֶׁהָיְתָה לוֹ מֵנִיקָה, כָּל זְמַן שֶׁהָיָה סוֹרֵחַ הָיְתָה מֵנִיקְתּוֹ נִרְדֵּית וכו׳:

[יז] וַאֲנִי הִנְנִי[50] **מֵבִיא אֶת הַמַּבּוּל.** הִנְנִי מַסְכִּים עִם אוֹתָן שֶׁאָמְרוּ לְפָנַי "מָה אֱנוֹשׁ כִּי תִזְכְּרֶנּוּ" [תהלים ח, ה][51]. לְשׁוֹן רַשִׁ״י, מִבְּרֵאשִׁית רַבָּה [לא].

RAMBAN ELUCIDATED

of the depth of the plow, i.e., the depth to which the blade of a plow extends, **were dissolved** along with the living creatures.

לְשׁוֹן רַשִׁ״י מִבְּרֵאשִׁית רַבָּה – This is **a quote from Rashi,** cited **from *Bereishis Rabbah*** (31).[48]

וְרַבִּי אַבְרָהָם אָמַר שֶׁמִּלַּת "מַשְׁחִיתָם" מוֹשֶׁכֶת עַצְמָהּ וְאַחֶרֶת עִמָּהּ – **Rabbi Avraham** Ibn Ezra, however, **says that** the main component of **the word מַשְׁחִיתָם** *(I am about to destroy them),* namely מַשְׁחִית, **applies to itself and to another** word **as well,**[49] and it is as if Scripture had said: **וְהִנְנִי מַשְׁחִיתָם וּמַשְׁחִית אֶת הָאָרֶץ** – **"Behold, I am about to destroy them and to destroy the earth."**

[The next part of this comment discusses the deep Kabbalistic concepts implicit in the words אֶת הָאָרֶץ and is not within the scope of this elucidation. In the Hebrew text, Ramban's words appear in the paragraph(s) beginning וְעַל דֶּרֶךְ הָאֱמֶת and ending מֵנִיקְתּוֹ נִרְדֵּית וכו׳.]

17. וַאֲנִי הִנְנִי מֵבִיא אֶת הַמַּבּוּל – ***AND I, BEHOLD, I AM ABOUT TO BRING THE FLOOD.***

[In the phrase *and I, behold I am* the word הִנְנִי *(behold I)* seems redundant.[50] Ramban begins with Rashi's interpretation:]

הִנְנִי מַסְכִּים עִם אוֹתָן שֶׁאָמְרוּ לְפָנַי "מָה אֱנוֹשׁ כִּי תִזְכְּרֶנּוּ" – The word הִנְנִי signifies *readiness* and the verse is saying, **"Behold, *I am ready* to concur with those** angels **who said before Me,** before Adam was created, ***What is man, that You should mention him?*** (*Psalms* 8:5)."[51]

לְשׁוֹן רַשִׁ״י מִבְּרֵאשִׁית רַבָּה – This is **a quote from Rashi,** cited **from *Bereishis Rabbah*** (31).

48. Only Rashi's second interpretation (that אֶת means "with") is found in *Bereishis Rabbah.* His first interpretation, which asserts that אֶת is sometimes to be understood as מִן, is found in the *Machberes* of Menachem ben Saruk, who applies it to the two verses Rashi cites as examples, but not to ours.

49. The word מַשְׁחִיתָם consists of two components – the verb מַשְׁחִית (*I am about to destroy*) and the direct object of the verb ם‎ָ (*them*). According to Ibn Ezra, we should view the verb as if it were written twice, with two direct objects – ם‎ָ (*them*) and אֶת הָאָרֶץ (*the earth*). Viewing a word in a verse as if it were written twice (מוֹשֵׁךְ עַצְמוֹ וְאַחֵר עִמּוֹ) is a grammatical concept used frequently by Ibn Ezra (see Ramban above, 2:19, and below, 24:10); see his commentary on *Ecclesiastes* 8:1.

50. *Gur Aryeh. Mizrachi,* however, understands the discussion to be centered on the word וַאֲנִי, *and I.* It seems to imply "I, too," as if God is concurring with someone else!

51. According to Rashi, the two phrases – *and I* and *behold I am* – refer to two separate concepts. *And I* is

יח הַשָּׁמָיִם כֹּל אֲשֶׁר־בָּאָרֶץ יִגְוָע: וַהֲקִמֹתִי
אֶת־בְּרִיתִי אִתָּךְ וּבָאתָ אֶל־הַתֵּבָה אַתָּה
יט וּבָנֶיךָ וְאִשְׁתְּךָ וּנְשֵׁי־בָנֶיךָ אִתָּךְ: וּמִכָּל־הָחַי

שְׁמַיָּא כֹּל דִּי בְאַרְעָא יְמוּת: יח וְאָקֵם יָת קְיָמִי עִמָּךְ וְתֵעוּל לְתֵבוּתָא אַתְּ וּבְנָיךְ וְאִתְּתָךְ וּנְשֵׁי בְנָיךְ עִמָּךְ: יט וּמִכֹּל דְּחַי

רש"י

הכל מן הגבוה לנמוך. וזהו לשון אונקלוס שתרגם טופנא, שהציף את הכל והביאם לבבל שהיא עמוקה (פסחים פז:). לכך נקראת שנער שננערו שם כל מתי מבול [ס"א מימי מבול] (שבת קיג:; זבחים קיג:): (יח) והקמתי את בריתי. ברית היה צריך על הפירות שלא ירקבו ויעפשו, ושלא יהרגוהו רשעים שבדור (ב"ר שם): אתה ובניך ואשתך. האנשים לבד והנשים לבד, מכאן שנאסרו בתשמיש המטה (שם): (יט) ומכל החי. אפי' שדים (שם יג):

רמב"ן

וַאֲנִי תָּמֵהַּ: וְהֵיאַךְ מַסְכִּים עִמָּהֶם, וְהוּא מַשְׁאִיר לָהֶם שְׁאֵרִית "לִפְלֵיטָה גְּדוֹלָה"[52] בְּנֹחַ וּבָנָיו וְכָל חַי לְהַרְבּוֹת זַרְעָם כַּחוֹל? אוּלַי הִיא הַסְכָּמָה לְדַעְתָּם כְּשֶׁלֹּא יַחְמֹל עֲלֵיהֶם.

וְעַל דֶּרֶךְ הָאֱמֶת, "וַאֲנִי" כְּמוֹ "וְיִסַּרְתִּי אֶתְכֶם אַף אָנִי", וְכֵן "וַאֲנִי הִנֵּה בְרִיתִי אִתָּךְ", "וַאֲנִי זֹאת בְּרִיתִי". יֹאמַר, אַף אֲנִי תִּהְיֶה יָדִי בָּהֶם עַל שֶׁהִשְׁחִיתוּ אֶת הָאָרֶץ, וּלְכָךְ אָמַר "זֹאת אוֹת הַבְּרִית אֲשֶׁר אֲנִי נוֹתֵן". "יִמְחַץ וְיָדָיו תִּרְפֶּינָה". וְהַמַּשְׂכִּיל יָבִין:

[יח] וַהֲקִמֹתִי אֶת בְּרִיתִי. אָמַר רַבִּי אַבְרָהָם: לְאוֹת כִּי הַשֵּׁם נִשְׁבַּע לוֹ שֶׁלֹּא יָמוּת בַּמַּבּוּל הוּא וּבָנָיו, וְאִם לֹא נִכְתַּב תְּחִלָּה מְפֹרָשׁ. כַּאֲשֶׁר מָצָאנוּ בְּמִשְׁנֵה תּוֹרָה [דברים א, כב]: "נִשְׁלְחָה אֲנָשִׁים לְפָנֵינוּ"[53]. וּמִלַּת "וַהֲקִמֹתִי" – שֶׁאֲקַיֵּם שְׁבוּעָתִי.

RAMBAN ELUCIDATED

[Ramban raises a question on this Midrash:]

וַאֲנִי תָּמֵהַּ – **But I am perplexed** by this statement: וְהֵיאַךְ מַסְכִּים עִמָּהֶם – **In what way is [God] concurring with [these angels],** וְהוּא מַשְׁאִיר לָהֶם שְׁאֵרִית לִפְלֵיטָה גְּדוֹלָה בְּנֹחַ וּבָנָיו וְכָל חַי – **if He was going to leave [humans] with a remnant** which would allow **a "great survival,"**[52] **through Noah and his sons and all living creatures,** לְהַרְבּוֹת זַרְעָם כַּחוֹל – providing them the opportunity **to multiply their offspring like sand?** אוּלַי הִיא הַסְכָּמָה לְדַעְתָּם כְּשֶׁלֹּא יַחְמֹל עֲלֵיהֶם – **Perhaps it is considered concurring with [the angels'] opinion because** although He did not destroy Noah and his household, **He did not show them compassion** either.

[The next part of this comment discusses the deep Kabbalistic concepts implicit in the word וַאֲנִי *("And I"),* and is not within the scope of this elucidation. In the Hebrew text, Ramban's words appear in the paragraph beginning וְעַל דֶּרֶךְ הָאֱמֶת and ending וְהַמַּשְׂכִּיל יָבִין.]

18. וַהֲקִמֹתִי אֶת בְּרִיתִי – ***I WILL ESTABLISH MY COVENANT [WITH YOU]***

[To which covenant is God referring? Ramban begins his answer by quoting Ibn Ezra:]

אָמַר רַבִּי אַבְרָהָם: – **Rabbi Avraham** Ibn Ezra **says:** לְאוֹת כִּי הַשֵּׁם נִשְׁבַּע לוֹ שֶׁלֹּא יָמוּת בַּמַּבּוּל הוּא וּבָנָיו – **This** statement **indicates that God** had previously **sworn to him that he [Noah] and his children would not perish in the Flood,** וְאִם לֹא נִכְתַּב תְּחִלָּה מְפֹרָשׁ – **although** such **[an oath] was not explicitly stated** in Scripture **previously.** כַּאֲשֶׁר מָצָאנוּ בְּמִשְׁנֵה תוֹרָה "נִשְׁלְחָה אֲנָשִׁים לְפָנֵינוּ" – This is **similar to what we find in *Deuteronomy*** (1:22): *[All of you approached me and said:]* ***Let us send men ahead of us*** *[and let them spy out the land].* There, too, Scripture refers to an event not previously recorded.[53] וּמִלַּת "וַהֲקִמֹתִי", שֶׁאֲקַיֵּם שְׁבוּעָתִי – According to this interpretation, **the word** וַהֲקִמֹתִי means **"I will *fulfill* My** existing **oath"** – not "I will establish [a new covenant]," for the covenant had already been established.

the subject of the verb *bring,* i.e., God is about to bring the Flood. The second phrase, הִנְנִי, *behold I am,* denotes readiness to do the bidding of others, and refers to the angels, whom God had consulted (see Rashi on 1:26), who had tried to dissuade Him from creating man in the first place.

Mizrachi explains the seemingly redundant וַאֲנִי as if God were saying, "and I, too, agree with the angels who advised that man not be created."

52. Stylistic citation from below, 45:7.

53. When the Torah first records the story of the Spies (*Numbers* Chap. 13), it does not mention that the entire episode began with a request on the part of the

the heavens; everything that is in the earth shall expire. [18] *But I will establish My covenant with you, and you shall enter the Ark — you, your sons, your wife and your sons' wives with you.* [19] *And from all that lives,*

רמב״ן

וְהַקָּרוֹב אֵלַי שֶׁזֹּאת הַבְּרִית רֶמֶז לַקֶּשֶׁת [בראשית ט, יג][54].

וְטַעַם "בְּרִית" – הַסְכָּמָה וְדָבָר שֶׁבָּחֲרוּ שְׁנַיִם מִגִּזְרַת "בְּרוּ לָכֶם" [שמואל-א יז, ח]. וְהַמִּלָּה בְּסָמוּךְ וּבְמוּכְרַת[55], וְכֵן "שְׁבִית יַעֲקֹב" [תהלים פה, ב], "וּבְנוֹתָיו בַּשְּׁבִית" [במדבר כא, כט]. וְיֵשׁ אוֹמְרִים כִּי בְּרִית גְּבוּל כָּרוּת[56]. כָּל אֵלּוּ דְּבָרָיו.

וְיוֹתֵר נָכוֹן בְּדֶרֶךְ הַפְּשָׁט, כִּי עִנְיַן "וַהֲקִמֹתִי אֶת בְּרִיתִי", לֵאמֹר: בְּעֵת שֶׁיָּבֹא הַמַּבּוּל תִּהְיֶה בְּרִיתִי קַיֶּמֶת אִתְּךָ, שֶׁתָּבֹא אֶל הַתֵּיבָה אַתָּה וּבֵיתְךָ וּשְׁנַיִם מִכָּל הַבָּשָׂר לְהַחֲיוֹת[57]. כְּלוֹמַר, שֶׁתִּחְיוּ שָׁם וְתִתְקַיְּימוּ לָצֵאת מִשָּׁם לְחַיִּים. וְהַבְּרִית הוּא דְּבַר הַשֵּׁם כְּשֶׁיִּגְזוֹר אֹמֶר בְּלֹא תְּנַאי וְשִׁיּוּר וְיָקָם[58].

RAMBAN ELUCIDATED

[Ibn Ezra continues:]

וְהַקָּרוֹב אֵלַי שֶׁזֹּאת הַבְּרִית רֶמֶז לַקֶּשֶׁת – **But it seems more likely to me that this "covenant" is a reference to the rainbow**, which is called "God's covenant" below (9:13).[54]

[Ibn Ezra continues:]

וְטַעַם "בְּרִית" הַסְכָּמָה וְדָבָר שֶׁבָּחֲרוּ שְׁנַיִם – **The explanation of** the word בְּרִית *(covenant)* **is, "an agreement, a matter that two** parties **have chosen** to establish between themselves," מִגִּזְרַת "בְּרוּ לָכֶם" – **from the** same **root** as ברו in ***Choose*** (בְּרוּ) ***yourselves a man*** (*I Samuel* 17:8). וְהַמִּלָּה בְּסָמוּךְ וּבְמוּכְרַת – As for the form of **the word,** it **is** the same **in** both its **construct and absolute** form,[55] וְכֵן "שְׁבִית יַעֲקֹב", "וּבְנוֹתָיו בַּשְּׁבִית" – **as** we find with the grammatically analogous word שְׁבִית **in *the captivity of*** (שְׁבִית, in construct form) ***Jacob*** (*Psalms* 85:2) ***and his daughters in captivity*** (שְׁבִית, in absolute form) (*Numbers* 21:29). וְיֵשׁ אוֹמְרִים כִּי בְּרִית גְּבוּל כָּרוּת – **There are some** commentators, however, **who say that** the word **בְּרִית** itself does not mean "an agreement" but **a clear-cut boundary.** Accordingly, a בְּרִית is a specific type of agreement in which two parties agree not to cross a particular "line" in their conduct toward each other.[56]

כָּל אֵלּוּ דְּבָרָיו – **All these are** a quote of **[Ibn Ezra's] words.**

[Ramban goes on to present his own interpretation:]

וְיוֹתֵר נָכוֹן בְּדֶרֶךְ הַפְּשָׁט – **But it is more accurate, according to the plain meaning** of the verse, to say כִּי עִנְיַן "וַהֲקִמֹתִי אֶת בְּרִיתִי" לֵאמֹר: – **that [the phrase]** וַהֲקִמֹתִי אֶת בְּרִיתִי means **to say:** בְּעֵת שֶׁיָּבֹא הַמַּבּוּל תִּהְיֶה בְּרִיתִי קַיֶּמֶת אִתְּךָ – **"At the time when the Flood will arrive, My covenant with you will be in effect,** שֶׁתָּבֹא אֶל הַתֵּיבָה אַתָּה וּבֵיתְךָ וּשְׁנַיִם מִכָּל הַבָּשָׂר לְהַחֲיוֹת – namely, the covenant **that *you shall enter the Ark, you and your household and two of all [species of] flesh ... to keep alive.*"**[57] כְּלוֹמַר שֶׁתִּחְיוּ שָׁם וְתִתְקַיְּימוּ לָצֵאת מִשָּׁם לְחַיִּים – **That is to say,** the covenant was **"that you will live [in the Ark] and will survive** the ordeal **and be able** to leave it alive after the Flood." וְהַבְּרִית הוּא דְּבַר הַשֵּׁם כְּשֶׁיִּגְזוֹר אֹמֶר בְּלֹא תְּנַאי וְשִׁיּוּר וְיָקָם – According to this interpretation, **a** בְּרִית, **"covenant," is the word of God,** when He states a decree without specifying any **condition or**

Israelites. Yet when the story is recounted in *Deuteronomy*, this request is referred to as if it were a known fact. So too here, the Torah mentions a covenant (or oath) that had already been made between God and Noah, although this covenant was not recorded previously.

54. According to this latter interpretation, וַהֲקִמֹתִי means "I will establish [a covenant]," for it refers to a covenant that would be forged in the future, after the Flood.

55. That is, it does not undergo an alteration of vowels when it appears in construct (סְמִיכוּת) with another noun, as most nouns do (e.g., בַּיִת becomes בֵּית); it remains constant as בְּרִית in both forms.

56. Ibn Ezra apparently refers to Ibn Janach (*Shorashim*, ברת), who mentions the possibility that בְּרִית is from the root ברא, meaning "to cut" (*Joshua* 17:15,18; *Ezekiel*. 23:47). (This view is cited by Radak in his *Shorashim* as well.)

57. The italicized words are a paraphrase of the words following וַהֲקִמֹתִי אֶת בְּרִיתִי אִתָּךְ, from v. 18 and v. 19.

מִכָּל־בָּשָׂר שְׁנַיִם מִכֹּל תָּבִיא אֶל־הַתֵּבָה לְהַחֲיֹת מִכָּל בִּסְרָא תְּרֵין מִכֹּלָּא תָּעֵיל לְתֵבוּתָא לְקַיָּמָא

רש״י

שנים מכל. מכל מין ומין [ס״א מן הפחות] שבהם לא פחתו משנים, אחד זכר ואחד נקבה:

רמב״ן

וְהִזְכִּיר הַבְּרִית, וְהִזְכִּיר שֶׁיִּהְיֶה קַיָּם[59]. וְהוּא כִּלְשׁוֹן ״קִיְּמוּ וְקִבְּלוּ הַיְּהוּדִים עֲלֵיהֶם וְעַל זַרְעָם״ [אסתר ט, כז], שֶׁקִּבְּלוּ עֲלֵיהֶם דָּבָר לִהְיוֹתוֹ קַיָּם[60].

וְעַל דֶּרֶךְ הָאֱמֶת, הַבְּרִית מֵעוֹלָם הִיא, וְהַמִּלָּה נִגְזֶרֶת מִן ״בְּרֵאשִׁית בָּרָא אֱלֹהִים״. וְהִנֵּה ״בְּרִיתִי״ כְּמוֹ ״בְּרִיָּתִי״, וְהַמִּלָּה כְּמוֹ סְמוּכָה, כִּי הִיא סְמוּכָה לְעוֹלָמִים שֶׁהָיוּ לְפָנֵינוּ. יְצַוֶּה שֶׁתָּקוּם וְתִהְיֶה עִם הַצַּדִּיק, וְכֵן ״וַאֲנִי הִנְנִי מֵקִים אֶת בְּרִיתִי אִתְּכֶם״, ״בְּרִיתִי הָיְתָה אִתּוֹ״. וְהַמַּשְׂכִּיל יָבִין:

[יט] מִכָּל בָּשָׂר. יָדוּעַ כִּי הַחַיּוֹת רַבּוֹת מְאֹד, וּמֵהֶן גְּדוֹלוֹת מְאֹד כְּפִילִים וְכִרְאֵמִים[61] וְזוּלָתָם. וְהָרֶמֶשׂ הָרוֹמֵשׂ עַל הָאָרֶץ רַב מְאֹד. גַּם מֵעוֹף הַשָּׁמַיִם מִינִים רַבִּים אֵין לָהֶם מִסְפָּר וּכְמוֹ שֶׁאָמְרוּ רַבּוֹתֵינוּ [חולין סג, ב]: ״מֵאָה וְעֶשְׂרִים מִינֵי עוֹפוֹת טְמֵאִים יֵשׁ בַּמִּזְרָח, וְכֻלָּם מִין אַיָּה הֵם!״ וּלְעוֹפוֹת טְהוֹרִים אֵין מִסְפָּר. וְהִנֵּה יִצְטָרֵךְ

RAMBAN ELUCIDATED

exception, which will be upheld by Him under all circumstances.[58] **וְהִזְכִּיר הַבְּרִית וְהִזְכִּיר שֶׁיִּהְיֶה קַיָּם** – **The verse** thus **mentions the** substance of the **covenant, and** it also **mentions that** this covenant **would be in effect** from that moment until the end of the Flood.[59] **וְהוּא כִּלְשׁוֹן ״קִיְּמוּ וְקִבְּלוּ הַיְּהוּדִים עֲלֵיהֶם וְעַל זַרְעָם״** – According to this approach, **it is like the expression** ***the Jews put into effect*** (קִיְּמוּ) ***and undertook*** (עֲלֵיהֶם וְעַל זַרְעָם) ***upon themselves and upon their posterity*** (*Esther* 9:27) **שֶׁקִּבְּלוּ עֲלֵיהֶם דָּבָר לִהְיוֹתוֹ קַיָּם** – meaning **that they accepted upon themselves a** certain **matter,** such **that it would remain in effect** forever.[60]

[The next part of this comment discusses the deep Kabbalistic concepts implicit in the word ״בְּרִית״ and is not within the scope of this elucidation. In the Hebrew text, Ramban's words appear in the paragraph beginning וְעַל דֶּרֶךְ הָאֱמֶת and ending וְהַמַּשְׂכִּיל יָבִין.]

19. מִכָּל בָּשָׂר – ***OF ALL FLESH.***

[Ramban discusses the vastness of the space required for Noah's task, in contrast to the limited area of the Ark:]

יָדוּעַ כִּי הַחַיּוֹת רַבּוֹת מְאֹד – **It is well known that there are very many** species of **animals, וּמֵהֶן גְּדוֹלוֹת מְאֹד כְּפִילִים וְכִרְאֵמִים וְזוּלָתָם** – **and some of them are very large, such as elephants and** ***re'eimim***[61] **and others like them. וְהָרֶמֶשׂ הָרוֹמֵשׂ עַל הָאָרֶץ רַב מְאֹד** – It is also well known that **the** small, **crawling creatures that creep on the earth are exceedingly numerous. גַּם מֵעוֹף הַשָּׁמַיִם מִינִים רַבִּים אֵין לָהֶם מִסְפָּר** – **Likewise, the species of birds in the sky are also many, without number, וּכְמוֹ שֶׁאָמְרוּ רַבּוֹתֵינוּ: מֵאָה וְעֶשְׂרִים מִינֵי עוֹפוֹת טְמֵאִים יֵשׁ בַּמִּזְרָח וְכֻלָּם מִין אַיָּה הֵם** – **as the Sages said** (*Chullin* 63b): "There are one hundred and twenty kinds of unclean birds in the east, and all of them are considered to be of a single **species** – **the** אַיָּה (mentioned in *Leviticus* 11:14)!" **וּלְעוֹפוֹת טְהוֹרִים אֵין מִסְפָּר** – **There are** similarly **countless** species of **clean birds. וְהִנֵּה יִצְטָרֵךְ**

58. Usually a "covenant" is a bilateral agreement between two parties, each one obligating himself in some way to the other party (as Ibn Ezra had defined the term). Ramban notes here that the word "covenant" is also used (as it is here) to describe a unilateral, unconditional promise made by God.

59. According to Ibn Ezra, וַהֲקִמֹתִי means either "I will *fulfill* [My commitment to you]" or "I will *forge* [a covenant with you]." According to Ramban it has a third meaning: "I will keep [My covenant with you] in effect." Another difference between the two commentators' approaches is that according to Ibn Ezra the covenant referred to in the word בְּרִיתִי is either a *past* (though previously unmentioned) covenant or a *future* covenant (the rainbow), while Ramban's opinion is that it refers to a *present* covenant being proclaimed right here in our verse: *You shall enter the Ark, you ... and from all that lives, of all flesh, two of each shall you bring into the Ark – to keep alive with you.*

60. With this citation Ramban proves that לְקַיֵּם (and the related word לְהָקִים) can mean "to put into effect."

61. A *re'eim* is a certain powerful animal. See *Deuteronomy* 33:17; *Bava Basra* 73b; Rashi on *Avodah Zarah* 3b ד״ה קרני ראמים.

of all flesh, two of each shall you bring into the Ark to keep alive

רמב״ן

לְהָבִיא מִכֻּלָּם שֶׁיּוֹלִידוּ כְּמוֹתָם, וְכַאֲשֶׁר תֶּאֱסֹף לְכֻלָּם מַאֲכָל אֲשֶׁר יֵאָכֵל לְשָׁנָה תְמִימָה – לֹא תָכִיל אוֹתָם הַתֵּיבָה הַזֹּאת וְלֹא עֶשֶׂר כַּיּוֹצֵא בָּהּ! אֲבָל הוּא נֵס, הֶחֱזִיק מְעַט אֶת הַמְּרֻבֶּה.

וְאִם תֹּאמַר: יַעֲשֶׂנָּה קְטַנָּה וְיִסְמֹךְ עַל הַנֵּס הַזֶּה. רָאָה הַשֵּׁם יִתְבָּרַךְ לַעֲשׂוֹתָהּ גְּדוֹלָה, כְּדֵי שֶׁיִּרְאוּ אוֹתָהּ בְּנֵי דוֹרוֹ, וְיִתְמְהוּ בָהּ וִיסַפְּרוּ עָלֶיהָ. וִידַבְּרוּ בְּעִנְיַן הַמַּבּוּל וְכִנּוּס הַבְּהֵמָה וְהַחַיָּה וְהָעוֹף לְתוֹכָהּ, אוּלַי יַעֲשׂוּ תְשׁוּבָה. וְעוֹד עָשׂוּ אוֹתָהּ גְּדוֹלָה לְמַעֵט בַּנֵּס, כִּי כֵן הַדֶּרֶךְ בְּכָל הַנִּיסִּים שֶׁבַּתּוֹרָה אוֹ בַּנְּבִיאִים: לַעֲשׂוֹת מַה שֶּׁבְּיַד אָדָם לַעֲשׂוֹת, וְהַשְּׁאָר יִהְיֶה בִּידֵי שָׁמַיִם.

וְאַל תִּתְפַּתֶּה לֵאמֹר כִּי הָיוּ שְׁלֹשׁ מֵאוֹת אַמּוֹת "בְּאַמַּת אִישׁ"[62] נֹחַ, וְהָיָה גָדוֹל[63]. שֶׁאִם כֵּן הָיוּ גַּם הָאֲנָשִׁים גְּדוֹלִים, גַּם הַחַיָּה וְהָעוֹפוֹת בַּדּוֹרוֹת הָהֵם גְּדוֹלִים עַד שֶׁלָּקָה הָעוֹלָם בַּמַּבּוּל[64]. וְעוֹד, כִּי הָאַמּוֹת אַמּוֹת הַתּוֹרָה הֵנָּה.

RAMBAN ELUCIDATED

לְהָבִיא מִכֻּלָּם שֶׁיּוֹלִידוּ כְּמוֹתָם – **Now, [Noah] had to bring** specimens **of all of these [to the Ark] so that they could reproduce more of their kind,** וְכַאֲשֶׁר תֶּאֱסֹף לְכֻלָּם מַאֲכָל אֲשֶׁר יֵאָכֵל לְשָׁנָה תְמִימָה – **and when you add up the food that would be eaten by all of these for a full year,** לֹא תָכִיל אוֹתָם הַתֵּיבָה הַזֹּאת וְלֹא עֶשֶׂר כַּיּוֹצֵא בָּהּ – **this Ark could never contain them** all – **nor even** could **ten [Arks] like it!** אֲבָל הוּא נֵס, הֶחֱזִיק מְעַט אֶת הַמְּרֻבֶּה – **However, it was a miracle, that a small** space **was able to contain** such **a large** volume.

וְאִם תֹּאמַר: יַעֲשֶׂנָּה קְטַנָּה וְיִסְמֹךְ עַל הַנֵּס הַזֶּה – **You might ask**, then: **[Noah] could have made [the Ark] even smaller and relied on the same miracle** of the small area containing a large volume beyond its capacity. The answer to this question is: רָאָה הַשֵּׁם יִתְבָּרַךְ לַעֲשׂוֹתָהּ גְּדוֹלָה כְּדֵי שֶׁיִּרְאוּ אוֹתָהּ בְּנֵי דוֹרוֹ וְיִתְמְהוּ בָהּ וִיסַפְּרוּ עָלֶיהָ – **God, Blessed be He, saw fit to make [the Ark] large, so that the people of his generation would see it, marvel at it and tell each other about it.** וִידַבְּרוּ בְּעִנְיַן הַמַּבּוּל וְכִנּוּס הַבְּהֵמָה וְהַחַיָּה וְהָעוֹף לְתוֹכָהּ, אוּלַי יַעֲשׂוּ תְשׁוּבָה – **They would** then **speak about the Flood and the gathering of the animals, wild beasts and birds into it** – for **perhaps,** as a result of all the discussions generated by the building of the Ark, **they would repent.** וְעוֹד – **Another** answer is: עָשׂוּ אוֹתָהּ גְּדוֹלָה לְמַעֵט בַּנֵּס – **[The Ark] was made big in order to lessen the magnitude of the miracle,** כִּי כֵן הַדֶּרֶךְ בְּכָל הַנִּיסִּים שֶׁבַּתּוֹרָה אוֹ בַּנְּבִיאִים – **for this is the norm for all miracles** related **in the Torah or in the Prophets:** לַעֲשׂוֹת מַה שֶּׁבְּיַד אָדָם לַעֲשׂוֹת וְהַשְּׁאָר יִהְיֶה בִּידֵי שָׁמַיִם – **[Man]** is expected **to do whatever is possible for the human hand to do, and only the rest,** that which is beyond human ability, is left to be done **by the hands of Heaven.**

[Ramban now mentions a possible solution to the problem of the Ark's small size, and rejects it:]

וְאַל תִּתְפַּתֶּה לֵאמֹר כִּי הָיוּ שְׁלֹשׁ מֵאוֹת אַמּוֹת בְּאַמַּת אִישׁ נֹחַ, וְהָיָה גָדוֹל – **But do not be misled into saying that the three hundred cubits** of the Ark's length – and the other dimensions as well – **were measured by the "forearm of that man"**[62] **Noah, and that [Noah] was a big person,** much taller than people are today.[63] If so, the Ark would have been much larger than three hundred "standard" cubits long, allowing adequate space for all the animals and supplies. Ramban contends that this theory is not tenable, שֶׁאִם כֵּן הָיוּ גַּם הָאֲנָשִׁים גְּדוֹלִים – **for if it were so,** that Noah was much bigger than today's humans, **the people** entering the Ark **would also be large,** גַּם הַחַיָּה וְהָעוֹפוֹת בַּדּוֹרוֹת הָהֵם גְּדוֹלִים עַד שֶׁלָּקָה הָעוֹלָם בַּמַּבּוּל – **and the animals and birds in those times would** also **be** correspondingly **large, before the world was stricken** and the size of its creatures diminished **by the Flood**, which is the underlying assumption of this theory.[64] וְעוֹד כִּי הָאַמּוֹת אַמּוֹת הַתּוֹרָה הֵנָּה – **Furthermore, the cubits** here **are** presumably **the** standard **cubits** used throughout **the Torah**, and not unusually large ones.

62. Stylistic citation from *Deuteronomy* 3:11.

A cubit is equal to the length of an average forearm, from elbow to middle finger tip. The Hebrew word for "cubit" and "forearm" is identical (אַמָּה).

63. This possibility is raised by Ibn Ezra (v. 16), who maintains that just as lifespans were very long before the Flood, so too the people were very big.

64. If the animals were larger, and their food needs more voluminous, even a much larger Ark would not have been big enough for them.

כ אִתָּךְ זָכָר וּנְקֵבָה יִהְיוּ׃ מֵהָעוֹף לְמִינֵהוּ
וּמִן־הַבְּהֵמָה לְמִינָהּ מִכֹּל רֶמֶשׂ הָאֲדָמָה
לְמִינֵהוּ שְׁנַיִם מִכֹּל יָבֹאוּ אֵלֶיךָ לְהַחֲיוֹת׃

עִמָּךְ דְּכַר וְנוּקְבָא יְהוֹן׃ כ מֵעוֹפָא לִזְנוֹהִי וּמִן בְּעִירָא לִזְנַהּ וּמִכֹּל רִחֲשָׁא דְאַרְעָא לִזְנוֹהִי תְּרֵין מִכֹּלָּא יֵעֲלוּן לְוָתָךְ לְקַיָּמָא׃

רש"י

(כ) מהעוף למינהו. אותן שדבקו במיניהם ולא השחיתו דרכם. ומאליהם באו, וכל שהתיבה קולטתו הכניס בה (סנהדרין קח:; תנחומא יב):

רמב"ן

□ **תָּבִיא אֶל הַתֵּיבָה לְהַחֲיוֹת אִתָּךְ.** צִוָּהוּ שֶׁיִּתְעַסֵּק וְיַעֲזוֹר אוֹתָם הוּא בִּכְנִיסָתָם בַּתֵּיבָה[65] וְיִשְׁתַּדֵּל בָּהֶם שֶׁיִּחְיוּ כַּאֲשֶׁר יִשְׁתַּדֵּל בְּנַפְשׁוֹ[66].

[כ] שְׁנַיִם מִכֹּל יָבֹאוּ אֵלֶיךָ לְהַחֲיוֹת. הוֹדִיעוֹ כִּי מֵעַצְמָם יָבֹאוּ לְפָנָיו שְׁנַיִם שְׁנַיִם, וְלֹא יִצְטָרֵךְ הוּא לָצוּד אוֹתָם בֶּהָרִים וּבָאִיִּים. וְהוּא יְבִיאֵם בַּתֵּיבָה אַחֲרֵי כֵן[67]. וּבַמַּעֲשֶׂה פֵּירֵשׁ שֶׁבָּאוּ זָכָר וּנְקֵבָה, וְזֶה הָיָה בִּכְלָלָם[68]. אַחֲרֵי כֵן צִוָּהוּ שֶׁיִּקַּח מִכָּל הַבְּהֵמָה הַטְּהוֹרָה שִׁבְעָה שִׁבְעָה, וּבְאֵלֶּה לֹא אָמַר שֶׁיָּבֹאוּ אֵלָיו אֶלָּא שֶׁהוּא יִקַּח אוֹתָם[69].

RAMBAN ELUCIDATED

□ **תָּבִיא אֶל הַתֵּיבָה לְהַחֲיוֹת אִתָּךְ** – ***BRING INTO THE ARK TO KEEP ALIVE WITH YOU.***

[There is a seeming contradiction in the description of how the animals came to the Ark: This verse implies that Noah was told to bring the animals to the Ark, whereas in the next verse he is told that they will come on their own. Ramban clarifies:]

צִוָּהוּ שֶׁיִּתְעַסֵּק וְיַעֲזוֹר אוֹתָם הוּא בִּכְנִיסָתָם בַּתֵּיבָה – **[God] commanded [Noah]** with the words of this verse **that he should involve himself and help them to enter the Ark,**[65] **וְיִשְׁתַּדֵּל בָּהֶם שֶׁיִּחְיוּ כַּאֲשֶׁר יִשְׁתַּדֵּל בְּנַפְשׁוֹ** – **and should exert himself for them that they should live, just as he would exert himself** to preserve **his own life.**[66]

[Then, Noah *was* instructed to bring the animals into the Ark. However, in his next comment Ramban qualifies this assertion:]

20. שְׁנַיִם מִכֹּל יָבֹאוּ אֵלֶיךָ לְהַחֲיוֹת – ***TWO OF EACH SHALL COME TO YOU TO KEEP ALIVE.***

הוֹדִיעוֹ כִּי מֵעַצְמָם יָבֹאוּ לְפָנָיו שְׁנַיִם שְׁנַיִם – **[God] informed [Noah] that they would come to him of their own accord two by two,** **וְלֹא יִצְטָרֵךְ הוּא לָצוּד אוֹתָם בֶּהָרִים וּבָאִיִּים** – **and he would not have to hunt for them in the mountains or distant lands.** **וְהוּא יְבִיאֵם בַּתֵּיבָה אַחֲרֵי כֵן** – **After this occured, he would bring them into the Ark.**[67] Hence, both statements are true – the animals came to the Ark on their own, and then Noah took them into the Ark.

[The Torah states here that two of each species of animal would come to Noah. Yet later we are told that there were some animals (the "clean" ones) of which *seven* pairs entered the ark. How can these two statements be reconciled? Rashi (v. 19) writes that by "two" the Torah here means to say "*at least* two." Ramban has a different explanation:]

וּבַמַּעֲשֶׂה פֵּירֵשׁ שֶׁבָּאוּ זָכָר וּנְקֵבָה, וְזֶה הָיָה בִּכְלָלָם – **When** the Torah describes **the actual event** (below, 7:9), it specifies that the animals **came as one male and one female, and this was** said **in general, for all [the animals]** – clean and unclean alike.[68] Thus, when our verse states that "two of each shall come to you," it does not mean "*at least* two of each," but "*exactly* two of each," for even of the clean animals there was only one pair that "came" on its own to Noah. **אַחֲרֵי כֵן צִוָּהוּ שֶׁיִּקַּח מִכָּל הַבְּהֵמָה הַטְּהוֹרָה שִׁבְעָה שִׁבְעָה** – Then, **after this, He commanded him** further to take a total of **seven** pairs each of all the clean animals (below, 7:2). **וּבְאֵלֶּה לֹא אָמַר שֶׁיָּבֹאוּ אֵלָיו אֶלָּא שֶׁהוּא יִקַּח אוֹתָם** –

65. He did not have to gather the animals from around the world and bring them to the site of the Ark; they would all assemble there on their own, as Ramban proceeds to say in his comment on next verse. Noah's task was only to assist them in entering the Ark and in surviving there.

66. This is intimated by the words "to keep alive *with you.*"

67. As Ramban explained in his previous comment

68. The verse states explicitly: *Of the clean animal and of the animal that is not clean ... two by two they came to Noah* (7:8-9). The fact that two animals of each specie

with you; they shall be male and female. [20] *From each bird according to its kind, and from each animal according to its kind, and from each thing that creeps on the ground according to its kind, two of each shall come to you to keep alive.*

רמב״ן

כִּי הַבָּאִים לְהִנָּצֵל וּלְחַיּוֹת לָהֶם זֶרַע - בָּאִים מֵאֲלֵיהֶם, אֲבָל הַבָּאִים לְהַקְרִיב עוֹלוֹת - לֹא גָּזַר שֶׁיָּבֹאוּ מֵעַצְמָם לְהִשָּׁחֵט, אֲבָל לְקָחָם נֹחַ. כִּי הַצַּוָּאָה שֶׁל שִׁבְעָה שִׁבְעָה הָיְתָה כְּדֵי שֶׁיּוּכַל נֹחַ לְהַקְרִיב מֵהֶן קָרְבָּן[70].

וְטַעַם "הַטְּהוֹרָה", הַקָּדוֹשׁ בָּרוּךְ הוּא פֵּירַשׁ לוֹ סִימָנֵי הַטָּהֳרָה, אֲבָל הַכָּתוּב יְקַצֵּר[71] לוֹמַר הַטְּהוֹרָה עַל פִּי הַתּוֹרָה.

וְרַשִׁ״י כָּתַב: אֶת שֶׁעֲתִידָה לִהְיוֹת טְהוֹרָה לְיִשְׂרָאֵל. מְלַמֵּד שֶׁלָּמַד נֹחַ תּוֹרָה[72].

RAMBAN ELUCIDATED

Concerning these extra six pairs, however, **[God] did not say that they would come to him** of their own accord, **but rather that he would have to get them.**[69] כִּי הַבָּאִים לְהִנָּצֵל וּלְחַיּוֹת לָהֶם זֶרַע בָּאִים מֵאֲלֵיהֶם – **For those that came to be saved** from the Flood **and to keep their seed alive came by themselves,** אֲבָל הַבָּאִים לְהַקְרִיב עוֹלוֹת לֹא גָּזַר שֶׁיָּבֹאוּ מֵעַצְמָם לְהִשָּׁחֵט – **but** regarding **those that came to be sacrificed as burnt-offerings, [God] did not decree that they should come of their own accord to be slaughtered.** אֲבָל לְקָחָם נֹחַ – **Instead, Noah had to get them.** כִּי הַצַּוָּאָה שֶׁל שִׁבְעָה שִׁבְעָה הָיְתָה כְּדֵי שֶׁיּוּכַל נֹחַ לְהַקְרִיב מֵהֶן קָרְבָּן – **For the commandment** to take **seven of each** clean animal **was** given **so that Noah would be able to bring offerings from them.**[70]

[Ramban now addresses this question: How did Noah know what God meant by "clean" and "unclean" animals? How was he to know the Torah's definitions of these terms (as delineated in *Leviticus* Chap.11 and *Deuteronomy* Chap.14) before the Torah was given?]

וְטַעַם "הַטְּהוֹרָה", הַקָּדוֹשׁ בָּרוּךְ הוּא פֵּירַשׁ לוֹ סִימָנֵי הַטָּהֳרָה – **The explanation of** the word טְהוֹרָה (*clean*) is that when **the Holy One, Blessed is He** gave him this instruction, He **explicitly told him the signs of cleanliness** (i.e., *kashrus*) of animals. אֲבָל הַכָּתוּב יְקַצֵּר לוֹמַר הַטְּהוֹרָה עַל פִּי הַתּוֹרָה – **Scripture, however, [says this] in an abbreviated form,**[71] **saying** "clean" – meaning **"clean according to the Torah**'s definition given elsewhere" – rather than by specifying the defining physical characteristics of kosher animals.

[Ramban now cites Rashi's approach to the problem:]

וְרַשִׁ״י כָּתַב: אֶת שֶׁעֲתִידָה לִהְיוֹת טְהוֹרָה לְיִשְׂרָאֵל – **Rashi, however, writes** [regarding "clean"]**: That which is destined to be clean for Israel.** מְלַמֵּד שֶׁלָּמַד נֹחַ תּוֹרָה – **This teaches us that Noah**

came of their own accord applies to the clean and unclean animals alike; the difference between them was that in the case of the clean animals Noah was commanded to bring another six pairs *besides* the pair that came on its own, as Ramban goes on to explain.

69. This is unlike Radak (on 7:2) and Ibn Ezra (on 7:7), who say that the additional six pairs also came by themselves. [See also *Haamek Davar* (on 7:9) who proves that there was at least one Talmudic Sage, R' Abahu (in *Zevachim* 116a), who maintained that *all* the "clean" animals – including those intended for offerings – came on their own.]

70. [Ramban's view that pairs of unclean animals came to Noah seems to be contradicted by vv. 7:2-3: *Of every clean animal take unto you seven pairs, a male with its mate, and of the animal that is not clean, two, a male with its mate; of the birds of the heavens also, seven pairs, male and female, to keep seed alive upon the face of all the earth.* This implies that Noah also needed to go and gather all the animals, including the unclean ones, but Ramban here maintains that the unclean animals came to him on their own! To avoid this difficulty, we must say that Ramban interprets 7:2-3 as if it were written in a different order: "Of every clean animal take unto you seven pairs, a male with its mate; of the birds of the heavens also, seven pairs, male and female. (These are for offerings.) And of the animals that are not clean, two (will come of their own accord), a male with its mate, to keep seed alive upon the face of all the earth. (See Rabbeinu Bachya on 7:2.) Thus, the sense of the passage is that Noah will bring all these animals into the Ark, but not all of them in the same manner.]

71. God did not tell Noah, "Take seven pairs of the 'clean animals.'" Rather, He told him, "Take seven pairs of animals that have split hooves and chew their cud." However, when Scripture records God's command to Noah it abbreviates this statement into "clean animals," for once the Torah was given, the reader would understand the meaning of the term.

כא וְאַתָּה קַח־לְךָ מִכָּל־מַאֲכָל אֲשֶׁר יֵאָכֵל וְאָסַפְתָּ
כב אֵלֶיךָ וְהָיָה לְךָ וְלָהֶם לְאָכְלָה: וַיַּעַשׂ נֹחַ
שני ז א כְּכֹל אֲשֶׁר צִוָּה אֹתוֹ אֱלֹהִים כֵּן עָשָׂה: וַיֹּאמֶר
יהוה לְנֹחַ בֹּא־אַתָּה וְכָל־בֵּיתְךָ אֶל־הַתֵּבָה

כא וְאַתְּ סַב לָךְ מִכָּל מֵיכַל דְּמִתְאֲכֵל וְתִכְנוֹשׁ לְוָתָךְ וִיהֵי לָךְ וּלְהוֹן לְמֵיכָל: כב וַעֲבַד נֹחַ כְּכֹל דִּי פַקִּיד יָתֵהּ יְיָ כֵּן עֲבַד: א וַאֲמַר יְיָ לְנֹחַ עוּל אַתְּ וְכָל אֱנָשׁ בֵּיתָךְ לְתֵבוֹתָא

רש"י

(כב) ויעש נח. זה בנין התיבה (ב"ר סס יד):

רמב"ן

וְהִנֵּה מִכָּאן שֶׁלֹּא הוּכְשְׁרוּ בְּקָרְבְּנוֹת בְּנֵי נֹחַ[73] אֶלָּא בְּהֵמָה טְהוֹרָה וְעוֹף טָהוֹר. וְכֵן אָמַר בְּהֶבֶל "מִבְּכֹרוֹת צֹאנוֹ וּמֵחֶלְבֵהֶן" [לעיל ד, ד]. אֲבָל כָּל הַמִּינִין הַטְּהוֹרִים כְּשֵׁרִין בָּהֶם, כִּדְכְתִיב "וַיִּקַּח מִכָּל הַבְּהֵמָה הַטְּהוֹרָה וּמִכָּל הָעוֹף הַטָּהוֹר וַיַּעַל עוֹלֹת בַּמִּזְבֵּחַ" [להלן ח, כ] וְהוֹסִיף לְיִשְׂרָאֵל בְּמִצְוָה שֶׁיִּהְיוּ כָּל קָרְבְּנוֹתָם מִן הַבָּקָר וּמִן הַצֹּאן מִן הַתֹּרִים וּמִן בְּנֵי הַיּוֹנָה [ראה ויקרא א].

וְטַעַם "גַּם מֵעוֹף הַשָּׁמַיִם" [פסוק ג] הַטָּהוֹר[75], כִּי הַכָּתוּב נִמְשָׁךְ לְמַעְלָה [פסוק ב].

RAMBAN ELUCIDATED

learned Torah. According to this, the term "clean animal" is *not* the Torah's abbreviated form of the instruction given to Noah, but the actual words used by God.[72]

[Ramban now proceeds to discuss a halachic observation based on our verse:]

וְהִנֵּה מִכָּאן שֶׁלֹּא הוּכְשְׁרוּ בְּקָרְבְּנוֹת בְּנֵי נֹחַ אֶלָּא בְּהֵמָה טְהוֹרָה וְעוֹף טָהוֹר – **Now, from here** we may infer **that the only things fit for Noahides**[73] to bring as **offerings are clean animals and clean birds.** **וְכֵן אָמַר בְּהֶבֶל "מִבְּכֹרוֹת צֹאנוֹ וּמֵחֶלְבֵהֶן"** – **Similarly, it says concerning Abel, *[He brought] from the firstlings of his flock*** *of sheep* ***and from their choicest*** (above, 4:4); thus Abel, as well, used only kosher animals (sheep) for his offering.

[Having established that Noahides may bring offerings only from clean animals, Ramban proceeds to clarify that in one respect there is nevertheless a difference between the offerings brought by Noahides and those brought by Jews:]

אֲבָל כָּל הַמִּינִין הַטְּהוֹרִים כְּשֵׁרִין בָּהֶם – **However,** while **all species of clean** animals **are permitted** to be used as offerings **for [Noahides],** **כִּדְכְתִיב "וַיִּקַּח מִכָּל הַבְּהֵמָה הַטְּהוֹרָה וּמִכָּל הָעוֹף הַטָּהוֹר וַיַּעַל עוֹלֹת בַּמִּזְבֵּחַ"** – **as it is written, *[Noah] took of "every" clean animal and of "every" clean bird and offered burnt-offerings on the altar*** (below, 8:20), **וְהוֹסִיף לְיִשְׂרָאֵל בְּמִצְוָה שֶׁיִּהְיוּ כָּל קָרְבְּנוֹתָם מִן הַבָּקָר וּמִן הַצֹּאן מִן הַתֹּרִים וּמִן בְּנֵי הַיּוֹנָה** – **[God] gave an additional** restriction **for Israel, with the commandment that all their offerings** may only **be from cattle, from the flock** (sheep and goats), **from turtle-doves or from young doves** (see *Leviticus* Chap. 1).

[Besides seven pairs of "clean" animals, Noah was commanded in 7:3 to bring seven pairs "of the birds of the heavens." In this instance, the Torah did not specify that it refers exclusively to "clean" birds, presenting the possibility that even nonkosher birds were brought into the Ark in seven pairs.[74] Ramban rejects this possibility:]

וְטַעַם "גַּם מֵעוֹף הַשָּׁמַיִם" הַטָּהוֹר, כִּי הַכָּתוּב נִמְשָׁךְ לְמַעְלָה – **The explanation of** the words ***of the birds of the heavens also, [seven pairs]*** (v. 3) **is** that this, too, refers exclusively to **clean birds,**[75] **for the verse is connected with what was stated before it:** "*clean* animals" (v. 2). Thus, although the verse does not say explicitly that the commandment is limited to clean birds, the context shows that this is the case.

72. And because Noah studied the Torah he was able to understand the meaning of this command.

73. The term "children of Noah" (or "Noahides") refers to people who are not bound by Torah law in its entirety – i.e., all mankind who lived before the giving of the Torah, and all non-Jews thereafter.

74. Radak suggests this.

75. So Rashi writes (v. 3).

[21] *"And as for you, take for yourself of every food that is eaten and gather it in to yourself, that it shall be as food for you and for them."* [22] *Noah did according to everything God commanded him, so he did.*

7 [1] *Then* HASHEM *said to Noah, "Come to the Ark, you and all your*

רמב״ן

[כב] וַיַּעַשׂ נֹחַ כְּכֹל אֲשֶׁר צִוָּה אוֹתוֹ אֱלֹהִים[76]. שֶׁעָשָׂה אֶת הַתֵּיבָה וְאָסַף הַמַּאֲכָל. וְדֶרֶךְ הַכָּתוּב לֵאמֹר "וַיַּעַשׂ", "וְכֵן עָשָׂה"[77], לְבָאֵר כִּי לֹא הִפִּיל דָּבָר מִכֹּל אֲשֶׁר צִוָּה.

ז [א] וַיֹּאמֶר ה'[1] **לְנֹחַ.** הוֹדִיעוֹ הַשֵּׁם כִּי בְּמִדַּת רַחֲמִים[2] יְמַלֵּט אוֹתוֹ וְאֶת בֵּיתוֹ, וִיחַיֶּה מֵהֶם זֶרַע לְדוֹרוֹת. וְזֶה טַעַם "לְחַיּוֹת זֶרַע עַל פְּנֵי כָל הָאָרֶץ" [פסוק ג] כִּי מִתְּחִלָּה אָמַר "לְהַחֲיוֹת אִתָּךְ" [לעיל ו, יט][3].

וְרָמַז לוֹ עַתָּה בְּמִדַּת רַחֲמִים עַל הַקָּרְבָּן, לְהוֹדִיעַ אוֹתוֹ שֶׁיִּשְׁעֶה אֶל קָרְבָּנוֹ, וּבִזְכוּת קָרְבָּנוֹ יְקַיֵּם הָעוֹלָם

RAMBAN ELUCIDATED

22. וַיַּעַשׂ נֹחַ כְּכֹל אֲשֶׁר צִוָּה אוֹתוֹ אֱלֹהִים – ***NOAH DID ACCORDING TO EVERYTHING GOD COMMANDED HIM.***

[A similar verse appears below, 7:5: *And Noah did according to everything that* HASHEM *had commanded him.* Ramban maintains that the two verses refer to two different sets of "commands" Here he explains the one referred to in this verse: [76]]

שֶׁעָשָׂה אֶת הַתֵּיבָה וְאָסַף הַמַּאֲכָל – This verse means **that he built the Ark and gathered the food.**

[Ramban now addresses the seeming redundancy in this verse: *Noah did ... so he did:*]

וְדֶרֶךְ הַכָּתוּב לֵאמֹר "וַיַּעַשׂ", "וְכֵן עָשָׂה" – **It is the way of Scripture to say** both ***He did*** and ***so he did,***[77] **לְבָאֵר כִּי לֹא הִפִּיל דָּבָר מִכֹּל אֲשֶׁר צִוָּה** – when it wants **to make it clear that [the person in question] did not omit a single item from all that he was commanded** to do.

7.

1. וַיֹּאמֶר ה' לְנֹחַ – ***THEN HASHEM SAID TO NOAH.***

[This is the first time in the *Parashah* that the Torah uses the Divine Name *HASHEM*; Ramban explains why the Torah begins using the Name *HASHEM* at this point instead of *Elohim*[1]:]

הוֹדִיעוֹ הַשֵּׁם כִּי בְּמִדַּת רַחֲמִים יְמַלֵּט אוֹתוֹ וְאֶת בֵּיתוֹ וִיחַיֶּה מֵהֶם זֶרַע לְדוֹרוֹת – **God informed [Noah] that through [His] Attribute of Mercy**[2] **He would save him and his household, and He would bring forth seed from them to** propagate **future generations. וְזֶה טַעַם "לְחַיּוֹת זֶרַע עַל פְּנֵי כָל הָאָרֶץ"** – **This is the explanation of, *to keep seed alive "upon the face of all the earth"*** (v. 3). **כִּי מִתְּחִלָּה אָמַר "לְהַחֲיוֹת אִתָּךְ"** – **For at first He said** only, ***to keep alive "with you"*** (above, 6:19).[3]

[Ramban notes that there is an additional significance in the use of the Name *HASHEM* here:]

וְרָמַז לוֹ עַתָּה בְּמִדַּת רַחֲמִים עַל הַקָּרְבָּן – He also **intimated to him now, by His Attribute of Mercy, about the offering** that Noah would bring after the Flood, **לְהוֹדִיעַ אוֹתוֹ שֶׁיִּשְׁעֶה אֶל קָרְבָּנוֹ** – **to inform him that He would accept his offering,** **וּבִזְכוּת קָרְבָּנוֹ יְקַיֵּם הָעוֹלָם "וְלֹא יִכָּרֵת עוֹד מִפְּנֵי מֵי**

76. See Ramban on 7:8 for his interpretation of the "command" that Noah followed in 7:5.

77. E.g., *Exodus* 12:50, *Numbers* 1:54, 17:26, etc.

1. See Ramban above, 6:6 and below, 11:2, where he writes that there is a Kabbalistic reason why the story of the Flood is associated specifically with the Name *Elohim*. This makes the exception in our verse even more significant.

2. The Name י-ה-ו-ה (the Tetragrammaton, *HASHEM*) represents God's Attribute of Mercy, while the Name *ELOHIM* refers to His Attribute of Strict Justice (see Rashi above, 1:1).

3. At first God told Noah that his children would survive the Flood, *with him*, implying that only he and those children who were alive at the time would survive. God made no promise regarding future descendants. Now God added that Noah would also *keep seed alive upon the face of all the earth*, meaning that not only would he survive, but he would bring forth future generations to repopulate the earth. This would be due to God's Attribute of Mercy.

ב כִּֽי־אֹתְךָ֥ רָאִ֛יתִי צַדִּ֥יק לְפָנַ֖י בַּדּ֥וֹר הַזֶּֽה׃ מִכֹּ֣ל ׀
הַבְּהֵמָ֣ה הַטְּהוֹרָ֗ה תִּקַּח־לְךָ֛ שִׁבְעָ֥ה שִׁבְעָ֖ה אִ֣ישׁ
וְאִשְׁתּ֑וֹ וּמִן־הַבְּהֵמָ֡ה אֲ֠שֶׁר לֹ֣א טְהֹרָ֥ה הִ֛וא שְׁנַ֖יִם
ג אִ֥ישׁ וְאִשְׁתּֽוֹ׃ גַּ֣ם מֵע֧וֹף הַשָּׁמַ֛יִם שִׁבְעָ֥ה שִׁבְעָ֖ה
ד זָכָ֣ר וּנְקֵבָ֑ה לְחַיּ֥וֹת זֶ֖רַע עַל־פְּנֵ֥י כָל־הָאָֽרֶץ׃ כִּי֩
לְיָמִ֨ים ע֜וֹד שִׁבְעָ֗ה אָנֹכִי֙ מַמְטִ֣יר עַל־הָאָ֔רֶץ
אַרְבָּעִ֣ים י֔וֹם וְאַרְבָּעִ֖ים לָ֑יְלָה וּמָחִ֗יתִי אֶת־כָּל־
ה הַיְקוּם֙ אֲשֶׁ֣ר עָשִׂ֔יתִי מֵעַ֖ל פְּנֵ֥י הָאֲדָמָֽה׃ וַיַּ֖עַשׂ נֹ֑חַ

אֲרֵי יָתָךְ חֲזֵיתִי זַכַּאי קֳדָמַי בְּדָרָא הָדֵין: ב מִכֹּל בְּעִירָא דַכְיָא תִּסַּב לָךְ שַׁבְעָא שַׁבְעָא דְּכַר וְנוּקְבָא וּמִן בְּעִירָא דִּי לָא (אִיתָהָא) דַכְיָא הִיא תְּרֵין דְּכַר וְנוּקְבָא: ג אַף מֵעוֹפָא דִשְׁמַיָּא שַׁבְעָא שַׁבְעָא דְּכַר וְנוּקְבָא לְקַיָּמָא זַרְעָא עַל אַפֵּי כָל אַרְעָא: ד אֲרֵי לִזְמַן יוֹמִין עוֹד שַׁבְעָא אֲנָא מָחֵית מִטְרָא עַל אַרְעָא אַרְבְּעִין יְמָמִין וְאַרְבְּעִין לֵילָוָן וְאֶמְחֵי יָת כָּל יְקוּמָא דִּי עֲבָדִית מֵעַל אַפֵּי אַרְעָא: ה וַעֲבַד נֹחַ

רש"י

(א) **ראיתי צדיק.** ולא נאמר צדיק תמים. מכאן שאומרים מקצת שבחו של אדם בפניו וכולו שלא בפניו (שם לב:ג): (ב) **הטהורה.** העתידה להיות טהורה לישראל (זבחים קטז.) למדנו שלמד נח תורה (ב"ר כו:א): **שבעה שבעה.** זכר ונקבה (אונקלוס; ב"ר לב:ד) כדי שיקריב מהם קרבן בצאתו (שם לד:ט; תנחומא ויקהל ו): (ג) **גם מעוף השמים וגו'.** בטהורים הכתוב מדבר, ולמד סתום מן המפורש: (ד) **כי לימים עוד שבעה.** אלו שבעת ימי אבלו של מתושלח הצדיק, שחס הקב"ה על כבודו ועכב את הפורענות (ב"ר לב:ז; סנהדרין שם). צא וחשוב שנותיו של מתושלח ותמצא שהם כלים בשנת ת"ר שנה לחיי נח: **כי לימים עוד שבעה.** מהו עוד, זמן אחר זמן, זה נוסף על ק"כ שנה (סנהדרין שם): **ארבעים יום.** כנגד יצירת הולד, שקלקלו להטריח ליוצרם לצור צורת ממזרים (ב"ר לב:ה): (ה) **ויעש נח.** זה ביאתו לתיבה (שם):

רמב"ן

"וְלֹא יִכָּרֵת עוֹד מִפְּנֵי מֵי הַמַּבּוּל" [להלן ט, יא]. וְעַל כֵּן מַזְכִּיר בּוֹ הַשֵּׁם הַמְיֻחָד[4], כִּי בְּכָל עִנְיַן הַקָּרְבָּנוֹת לֹא יַזְכִּיר "אֱלֹהִים", כַּאֲשֶׁר אַזְכִּיר בְּהַגִּיעִי לְשָׁם בְּעֶזְרַת הַשֵּׁם[5].

בֹּא אַתָּה וְכָל בֵּיתְךָ אֶל הַתֵּבָה. עָשָׂה נֹחַ אֶת הַתֵּיבָה יָמִים רַבִּים קֹדֶם הַמַּבּוּל, וְכַאֲשֶׁר קָרַב עֵת הַמַּבּוּל בַּחֹדֶשׁ הַשֵּׁנִי בְּעָשׂוֹר לַחֹדֶשׁ,[7] חָזַר וְצִוָּהוּ שֶׁיָּבֹא הוּא וְכָל בֵּיתוֹ בַּתֵּיבָה[8], הוּא שֶׁאָמַר לוֹ בָּרִאשׁוֹנָה [לעיל ו, יח]:

RAMBAN ELUCIDATED

הַמַּבּוּל" – and that in the merit of that offering He would uphold the world, which would *never again be cut off by the waters of the flood* (below, 9:11). **וְעַל כֵּן מַזְכִּיר בּוֹ הַשֵּׁם הַמְיֻחָד – Therefore** Scripture **mentions the Unique Name** of God (the Tetragrammaton, *HASHEM*) **in this context,**[4] **כִּי בְּכָל עִנְיַן הַקָּרְבָּנוֹת לֹא יַזְכִּיר "אֱלֹהִים" – for throughout the entire discussion of offerings,** Scripture **never mentions *ELOHIM*,** but only יי (*HASHEM*), **כַּאֲשֶׁר אַזְכִּיר בְּהַגִּיעִי לְשָׁם בְּעֶזְרַת הַשֵּׁם – as I shall mention when I reach that** section, **with God's help.**[5]

□ **בֹּא אַתָּה וְכָל בֵּיתְךָ אֶל הַתֵּיבָה – *COME TO THE ARK, YOU AND ALL YOUR HOUSEHOLD.***

[Scripture has already written (6:18) that God told Noah to enter the Ark with his wife and family.[6] What is this verse adding? Ramban explains:]

עָשָׂה נֹחַ אֶת הַתֵּיבָה יָמִים רַבִּים קֹדֶם הַמַּבּוּל – Noah had finished **making the Ark many days before the Flood. וְכַאֲשֶׁר קָרַב עֵת הַמַּבּוּל בַּחֹדֶשׁ הַשֵּׁנִי בְּעָשׂוֹר לַחֹדֶשׁ – Now, when the time for the Flood drew near – in the second month, on the tenth of the month**[7] **– חָזַר וְצִוָּהוּ שֶׁיָּבֹא הוּא וְכָל בֵּיתוֹ בַּתֵּיבָה – [God] once again commanded him that he and all his household should enter the Ark.**[8] **הוּא שֶׁאָמַר לוֹ**

4. The extra pairs of clean animals, introduced in this passage, were brought into the Ark in order to bring them as offerings; therefore the name י-ה-ו-ה (*HASHEM*) is used in this connection, but not in the rest of the story of the Flood.

5. See Ramban to *Leviticus* 1:9.

6. [Above (6:18), Ramban interprets that verse as an assurance that Noah would be sustained and protected in the Ark, not as a command to enter the Ark. Nevertheless, if God promised to watch over Noah and the others in the Ark, it is understood that they were expected to enter the Ark.]

7. The communication recorded in vv. 1-4 was told to Noah on the tenth day of the second month, for it mentions the fact that the Flood – which began on the seventeenth of that month – would take place in seven days.

8. Earlier God had told Noah that he and his family

household, for it is you that I have seen to be innocent before Me
in this generation. 2 *Of every clean animal take unto you seven*
pairs, a male with its mate, and of the animal that is not clean,
two, a male with its mate; 3 *of the birds of the heavens also, seven*
pairs, male and female, to keep seed alive upon the face of all the
earth. 4 *For in seven more days' time I will send rain upon the*
earth, forty days and forty nights, and I will blot out all existence
that I have made from upon the face of the earth." 5 *And Noah did*

רמב״ן

״אַתָּה וּבָנֶיךָ וְאִשְׁתְּךָ וּנְשֵׁי בָנֶיךָ״, וְהוֹדִיעוֹ כִּי בִּזְכוּתוֹ לְבַדּוֹ יִנָּצְלוּ[9], שֶׁלֹּא אָמַר ״אֶתְכֶם רָאִיתִי צַדִּיקִים לְפָנַי״.

וְצִוָּה שֶׁיִּקַּח הוּא וְיָבִיא מִן הַבְּהֵמָה הַטְּהוֹרָה וּמִן הָעוֹף הַטָּהוֹר שִׁבְעָה שִׁבְעָה. וְהוֹדִיעוֹ יוֹם הַמַּבּוּל שֶׁבּוֹ יָבֹא אֶל הַתֵּיבָה, וְכֵן עָשָׂה, שֶׁ״בְּעֶצֶם הַיּוֹם הַזֶּה בָּא נֹחַ״ [לקמן פסוק יג]. וְזֶהוּ טַעַם ״מִפְּנֵי מֵי הַמַּבּוּל״[10].

וְרַשִׁ״י כָּתַב: אַף נֹחַ מִקְּטַנֵּי אֲמָנָה הָיָה, וְלֹא נִכְנַס לַתֵּבָה עַד שֶׁדְּחָקוּהוּ הַמַּיִם.

וּלְשׁוֹן בְּרֵאשִׁית רַבָּה [לב, ו]: מְחֻסַּר אֲמָנָה הָיָה, אִלּוּלֵי שֶׁהִגִּיעוּ מַיִם עַד קַרְסוּלָיו לֹא הָיָה נִכְנַס לַתֵּבָה[11].

RAMBAN ELUCIDATED

בָּרִאשׁוֹנָה ״אַתָּה וּבָנֶיךָ וְאִשְׁתְּךָ וּנְשֵׁי בָנֶיךָ״ – **This** instruction regarding Noah's "household" **is** to be understood **as He had told him originally,** ***you and your sons and your wife and your sons' wives*** (above 6:18), although this detailed list is not repeated here. **וְהוֹדִיעוֹ כִּי בִּזְכוּתוֹ לְבַדּוֹ יִנָּצְלוּ** – **And**[9] another point added in our verse that was not known previously is that **[God] informed him that it was solely in [Noah's] merit that** all of his family **would be saved, שֶׁלֹּא אָמַר ״אֶתְכֶם רָאִיתִי צַדִּיקִים לְפָנַי״** – **for He did not say, *for it is you*** (אֶתְכֶם, the plural form of "you") ***that I have seen to be righteous before Me,*** but אוֹתְךָ, the singular form, referring to Noah alone.

וְצִוָּה שֶׁיִּקַּח הוּא וְיָבִיא מִן הַבְּהֵמָה הַטְּהוֹרָה וּמִן הָעוֹף הַטָּהוֹר שִׁבְעָה שִׁבְעָה – **He also commanded** [**Noah**] **that he collect and bring seven** [pairs] **each of the clean animals and of the clean birds** (7:2-3), which was not mentioned previously**.**

וְהוֹדִיעוֹ יוֹם הַמַּבּוּל שֶׁבּוֹ יָבֹא אֶל הַתֵּיבָה – **Then He informed him of the date** of the onset **of the Flood** (7:4), **on which he was to enter the Ark. וְכֵן עָשָׂה, שֶׁ״בְּעֶצֶם הַיּוֹם הַזֶּה בָּא נֹחַ״** – **And so he did,** i.e., he entered the Ark on the specified day, **for *on that very day*** (7:13) ***Noah entered*** the Ark, even before the rain began. **וְזֶהוּ טַעַם ״מִפְּנֵי מֵי הַמַּבּוּל״** – **This is the explanation of the words, *because of the waters of the Flood*** (7:7) – i.e., in *anticipation* of the imminent floodwaters.[10]

[Having explained that מִפְּנֵי מֵי הַמַּבּוּל indicates that Noah entered the Ark *in advance* of the Flood, Ramban now notes that Rashi – who bases his comment on the Midrash – interpreted the phrase מִפְּנֵי מֵי הַמַּבּוּל otherwise:]

וְרַשִׁ״י כָּתַב: – **Rashi**, however, **writes אַף נֹחַ מִקְּטַנֵּי אֲמָנָה הָיָה** – **that Noah, too, was one of those with little faith וְלֹא נִכְנַס לַתֵּבָה עַד שֶׁדְּחָקוּהוּ הַמַּיִם** – **and did not enter the Ark until the waters compelled him** to do so. **וּלְשׁוֹן בְּרֵאשִׁית רַבָּה:** – **The** exact **language of *Bereishis Rabbah*** (32:6) **is: מְחֻסַּר אֲמָנָה הָיָה** – **"[Noah] was lacking in faith. אִלּוּלֵי שֶׁהִגִּיעוּ מַיִם עַד קַרְסוּלָיו לֹא הָיָה נִכְנַס לַתֵּבָה** – **If the water had not reached until his ankles he would not have entered the Ark."**[11]

would one day enter the Ark to escape the destruction of the Flood. Now He told him that that time had arrived.

9. [An alternate – and somewhat smoother – reading of Ramban is found in *Peirush HaTur HaAroch* commentary, combining this sentence and the previous one: וּלְפִי שֶׁאָמַר לוֹ בָּרִאשׁוֹנָה ״אַתָּה וּבָנֶיךָ וְאִשְׁתְּךָ וּנְשֵׁי בָנֶיךָ״ הוֹדִיעוֹ עַתָּה כִּי בִּזְכוּתוֹ לְבַדּוֹ יַצִּילֵם – **Because He had told him originally,** *you "and" your sons "and" your wife "and" your sons' wives,* He informed him now **that it was in [Noah's]** sole **merit that He would save** all of his family **...**]

10. According to this interpretation, v. 7 is saying, *"The time had come to enter the Ark" because the waters of the Flood were imminent.*

11. Ramban quotes directly from the Midrash (Rashi's source) to clarify that Noah did not enter the Ark as soon as the rains began (as might be understood from

ו כְּכֹל אֲשֶׁר־צִוָּהוּ יהוה: וְנֹחַ בֶּן־שֵׁשׁ מֵאוֹת שָׁנָה
ז וְהַמַּבּוּל הָיָה מַיִם עַל־הָאָרֶץ: וַיָּבֹא נֹחַ וּבָנָיו
וְאִשְׁתּוֹ וּנְשֵׁי־בָנָיו אִתּוֹ אֶל־הַתֵּבָה מִפְּנֵי מֵי
ח הַמַּבּוּל: מִן־הַבְּהֵמָה הַטְּהוֹרָה וּמִן־הַבְּהֵמָה
אֲשֶׁר אֵינֶנָּה טְהֹרָה וּמִן־הָעוֹף וְכֹל אֲשֶׁר־רֹמֵשׂ
ט עַל־הָאֲדָמָה: שְׁנַיִם שְׁנַיִם בָּאוּ אֶל־נֹחַ אֶל־הַתֵּבָה
י זָכָר וּנְקֵבָה כַּאֲשֶׁר צִוָּה אֱלֹהִים אֶת־נֹחַ: וַיְהִי
לְשִׁבְעַת הַיָּמִים וּמֵי הַמַּבּוּל הָיוּ עַל־הָאָרֶץ:

כְּכֹל דִּי פַּקֵּדֵהּ יְיָ: ו וְנֹחַ בַּר
שִׁית מְאָה שְׁנִין וְטוֹפָנָא הֲוָה
מַיָּא עַל אַרְעָא: ז וְעַל נֹחַ
וּבְנוֹהִי וְאִתְּתֵהּ וּנְשֵׁי בְנוֹהִי
עִמֵּהּ לְתֵבוֹתָא מִן קֳדָם מֵי
טוֹפָנָא: ח מִן בְּעִירָא דַּכְיָא
וּמִן בְּעִירָא דִּי לֵיתָהָא דַּכְיָא
וּמִן עוֹפָא וְכֹל דִּי רָחֵשׁ עַל
אַרְעָא: ט תְּרֵין תְּרֵין עַלּוּ לְוַת
נֹחַ לְתֵבוֹתָא דְּכַר וְנוּקְבָא
כְּמָא דִי פַּקִּיד יְיָ יָת נֹחַ:
י וַהֲוָה לִזְמַן שִׁבְעַת יוֹמִין
וּמֵי טוֹפָנָא הֲווֹ עַל אַרְעָא:

רש"י

(ז) נח ובניו. האנשים לבד והנשים לבד, לפי שנאסרו בתשמיש המטה מפני שהעולם שרוי בצער (תנחומא יא): **מפני מי המבול.** אף נח מקטני אמנה היה, מאמין ואינו מאמין שיבא המבול, ולא נכנס לתיבה עד שדחקוהו המים (שם ו): **(ט) באו אל נח.** מאליהן (ב"ר לב:ח; תנחומא יב; זבחים קטז.): **שנים שנים.** כלם הושוו במנין זה, מן הפחות היו שנים:

רמב"ן

אִם כֵּן[12], יֹאמַר שֶׁלֹּא נִכְנַס שָׁם עַד שֶׁגָּבְרוּ הַמַּיִם וְכִסּוּ פְּנֵי כָּל הָאָרֶץ, וְרָאָה כִּי יִטְבַּע[13].

[ח־ט] מִן הַבְּהֵמָה הַטְּהוֹרָה וּמִן הַבְּהֵמָה אֲשֶׁר אֵינֶנָּה טְהוֹרָה ... שְׁנַיִם שְׁנַיִם בָּאוּ אֶל נֹחַ. פֵּרַשׁ רַשִׁ"י: כֻּלָּן הוּשְׁווּ בְּמִנְיָן זֶה, מִן הַפָּחוֹת הָיוּ שְׁנַיִם[14].

וַאֲחֵרִים[15] אָמְרוּ כִּי פֵּרוּשׁ שְׁנַיִם זוּגוֹת, לוֹמַר שֶׁהָיוּ בָּאִים זָכָר וּנְקֵבָה יַחַד[16].

RAMBAN ELUCIDATED

אִם כֵּן יֹאמַר – **If so**[12] **[Scripture]** – in the phrase *because of the waters of the Flood* – **is saying** שֶׁלֹּא נִכְנַס שָׁם עַד שֶׁגָּבְרוּ הַמַּיִם וְכִסּוּ פְּנֵי כָּל הָאָרֶץ וְרָאָה כִּי יִטְבַּע – **that he did not enter [the Ark] until the water became intense and covered the surface of all the earth, and he realized that he would drown.**[13]

8-9 מִן הַבְּהֵמָה הַטְּהוֹרָה וּמִן הַבְּהֵמָה אֲשֶׁר אֵינֶנָּה טְהוֹרָה ... שְׁנַיִם שְׁנַיִם בָּאוּ אֶל נֹחַ – ***OF THE CLEAN ANIMALS, OF THE ANIMALS THAT ARE NOT CLEAN ... TWO BY TWO THEY CAME TO NOAH.***

[But was Noah not told (v. 2) to bring seven pairs of the clean animals?! Ramban begins by citing Rashi and an unidentified commentator:]

פֵּרַשׁ רַשִׁ"י – **Rashi explains:**

כֻּלָּן הוּשְׁווּ בְּמִנְיָן זֶה – **They were all made equal in this number;** מִן הַפָּחוֹת הָיוּ שְׁנַיִם – it means that **from the *least* of them there were two.**"[14]

וַאֲחֵרִים אָמְרוּ כִּי פֵּרוּשׁ שְׁנַיִם זוּגוֹת, לוֹמַר שֶׁהָיוּ בָּאִים זָכָר וּנְקֵבָה יַחַד – **Others**[15] **say that the meaning of the word** שְׁנַיִם here **is "pairs," meaning that they came as** pairs of **male and female together**, but *how many* pairs came is not specified.[16]

---

the wording of Rashi) but only once "the waters reached his ankles" (*Beis HaYayin*).

12. I.e., if we follow the interpretation of the Midrash.

13. To summarize: Rashi and Ramban differ with regard to two points: According to Rashi, (a) Noah was not told when to enter the Ark; and (b) the phrase *because of the waters of the Flood* is a criticism of Noah. According to Ramban, (a) Noah was told in advance to enter the Ark on that day; and (b) the phrase *because of the waters of the Flood* is *not* a criticism of Noah but an explanation of why the time had come for him to enter the Ark.

14. I.e., one pair. But, of course, of the clean ones there were an additional six pairs.

15. Radak, in his commentary to our verse and to 6:19, and in the commentary of Rav Yosef Bechor-Shor.

16. Both the clean animals and the unclean animals came on their own "in pairs" of male and female; of the unclean animals there was only one pair, while the clean animals came in seven pairs. This is the meaning of the verse when it states, *two by two* (or *in pairs*) *they came to Noah*.

according to everything that HASHEM had commanded him.
6 Noah was six hundred years old when the Flood was water
upon the earth. 7 Noah, with his sons, his wife and his sons' wives
with him, went into the Ark because of the waters of the
Flood. 8 Of the clean animals, of the animals that are not clean, of
the birds and of each thing that creeps upon the ground, 9 two by
two they came to Noah into the Ark, male and female, as God
had commanded Noah. 10 And it came to pass after the seven-day
period that the waters of the Flood were upon the earth.

רמב״ן

וְעַל דַעְתִּי שֶׁכֵּן הָיָה: שֶׁבָּאוּ מִכֻּלָּם שְׁנַיִם - זָכָר וּנְקֵבָה - מֵעַצְמָם[17], וְנֹחַ הוֹסִיף לְהָבִיא מִן הַטְּהוֹרִים שִׁשָּׁה זוּגוֹת. כִּי הַבָּאִים לְהִנָּצֵל בָּאוּ מֵעַצְמָם, וַאֲשֶׁר לְצֹרֶךְ קָרְבָּן טָרַח בַּמִּצְוָה[18], כִּי כֵן נֶאֱמַר לוֹ[19].

וְטַעַם ״וַיַּעַשׂ נֹחַ כְּכֹל אֲשֶׁר צִוָּהוּ ה׳״[20,21], אָמְרוּ בִּבְרֵאשִׁית רַבָּה [לב: ה]: זֶה שִׁיכּוּן לְכְנוּס בְּהֵמָה וְחַיָּה וְעוֹף,

RAMBAN ELUCIDATED

[Ramban now offers his own opinion on the matter:]

וְעַל דַעְתִּי שֶׁכֵּן הָיָה: – **In my opinion, this is what happened:** **שֶׁבָּאוּ מִכֻּלָּם שְׁנַיִם, זָכָר וּנְקֵבָה, מֵעַצְמָם** – **From each of them** – clean and unclean species alike – **came two** – **a male and a female** – **of their own accord.**[17] **וְנֹחַ הוֹסִיף לְהָבִיא מִן הַטְּהוֹרִים שִׁשָּׁה זוּגוֹת** – **Noah additionally brought** another **six pairs of the clean** animals. **כִּי הַבָּאִים לְהִנָּצֵל בָּאוּ מֵעַצְמָם** – **For those** animals **that came to be saved** from the Flood **came of their own accord,** **וַאֲשֶׁר לְצֹרֶךְ קָרְבָּן טָרַח בַּמִּצְוָה** – **but as for those that were needed as offerings, [Noah]** personally **exerted himself in the performance of the commandment** to assemble them,[18] **כִּי כֵן נֶאֱמַר לוֹ** – **for so it was told to him** by God.[19]

[Ramban now turns to the meaning of the statement: *Noah did according to everything that HASHEM had commanded him* (v. 5).[20] To which command does this refer? Is it the command to come to the Ark (v. 1) or is it the command to gather animals to the Ark (v. 2)?[21] Ramban cites the Midrash to clarify this issue:]

וְטַעַם ״וַיַּעַשׂ נֹחַ כְּכֹל אֲשֶׁר צִוָּהוּ ה׳״, אָמְרוּ בִּבְרֵאשִׁית רַבָּה – **The explanation of** the words, ***And Noah did according to everything that HASHEM had commanded him*** (v. 5) **is,** as **[the Sages] say in *Bereishis Rabbah*** (32:5): **זֶה שִׁיכּוּן לְכְנוּס בְּהֵמָה וְחַיָּה וְעוֹף** – **"This relates to the gathering of the**

---

17. The statement *two by two they came to Noah* means that these animals came on their own. [This was true of the clean animals, as well – only one pair came on its own. (See Ramban's comment above, 6:20.)]

18. As Ramban explained above (6:20), God commanded Noah himself to assemble the additional six pairs of clean animals to be brought as offerings, for it would have been unseemly for God to ordain that they come of their own accord to be slaughtered. By not mentioning these extra six pairs among the animals that *came to Noah,* our verse demonstrates that Noah indeed exerted himself and followed God's command to gather those clean animals himself (*Beis HaYayin*).

19. *Of every clean animal "take unto you" seven pairs ...* (7:2). (See also Ramban's comment on 6:20.)

To summarize: There are three approaches to explaining the difficult statement *"of the clean animals" and of the animals that are not clean ... "two by two" they came to Noah*:

Rashi: *Two by two* means "*at least* one pair, but in some cases seven."

Others: *Two by two* means they all came on their own in pairs, but of the unclean animals one pair came, and of the clean animals seven pairs came.

Ramban: *Two by two* refers only to the first pair that came on its own; in addition, Noah assembled six more pairs of each clean species.

20. Ramban now returns to v. 5 to show how, "*according to everything HASHEM had commanded him,*" in v. 5, differs from *as God had commanded Noah* of our verse.

21. Ibn Ezra's opinion (discussed more fully below) is that *Noah did* etc. is not referring to the gathering of the animals, for Noah was never commanded to gather them (see above, Ch. 6, note 65). Rather, it refers to the verse, *Come to the Ark* (v. 1).

Ramban, however, has just established that Noah was indeed commanded to assemble certain animals – the extra six pairs of clean animals. He thus interprets *Noah did according to everything* as a reference to Noah's gathering the animals. Ramban prefers this interpretation over Ibn Ezra's because it is not

רמב"ן

כְּלוֹמַר הַטְּהוֹרִים, שֶׁטָּרַח הוּא אַחֲרֵיהֶם וּלְקָחָם אֶל בֵּיתוֹ[22]. וְהַכָּתוּב שֶׁאָמַר פַּעַם שְׁלִישִׁית[23] "כַּאֲשֶׁר צִוָּה אֱלֹהִים אֶת נֹחַ", לוֹמַר שֶׁעָשָׂה כַּאֲשֶׁר צִוָּהוּ בִּכְנִיסַת הַתֵּיבָה, כִּי הוּא נִמְשָׁךְ לְמַעְלָה עִם "וַיָּבֹא נֹחַ". לוֹמַר שֶׁבָּא נֹחַ וּבָנָיו וְאִשְׁתּוֹ וּנְשֵׁי בָנָיו אֶל הַתֵּיבָה, וּמִן הַבְּהֵמָה וְהָעוֹף וְהָרֶמֶשׂ שְׁנַיִם שְׁנַיִם שֶׁבָּאוּ אֵלָיו אֶל הַתֵּיבָה, וְכֻלָּם בָּאוּ אִתּוֹ[24], שֶׁנִּכְנְסוּ בַּתֵּיבָה מִפְּנֵי מֵי הַמַּבּוּל [פסוק ז], כַּאֲשֶׁר צִוָּה אוֹתוֹ אֱלֹהִים [פסוק ט][25].

[26]וְחָזַר וּפֵרֵשׁ[27] הַחֹדֶשׁ וְהַיּוֹם שֶׁבָּא הַמַּבּוּל[28], וְכֵיצַד בָּא[29]; וְאָמַר כִּי בְּעֶצֶם אוֹתוֹ הַיּוֹם הוּא שֶׁבָּא נֹחַ אֶל

RAMBAN ELUCIDATED

animals, wild beasts and birds to the Ark" – כְּלוֹמַר הַטְּהוֹרִים, שֶׁטָּרַח הוּא אַחֲרֵיהֶם וּלְקָחָם אֶל בֵּיתוֹ – by **which** the Midrash **means the clean** [animals and birds,] **which [Noah] had exerted himself** to find **and** which he **took to his house** in advance of the Flood. It does not refer to the command, *Come to the Ark* (v. 1), but to the command, *of every clean animal take unto you seven pairs* (v. 2).[22] וְהַכָּתוּב שֶׁאָמַר פַּעַם שְׁלִישִׁית "כַּאֲשֶׁר צִוָּה אֱלֹהִים אֶת נֹחַ", – However, **when Scripture says a third time,**[23] ***as God had commanded Noah*** (v. 9), לוֹמַר שֶׁעָשָׂה כַּאֲשֶׁר צִוָּהוּ בִּכְנִיסַת הַתֵּיבָה – **it means to say that he did as he was commanded in regard to entering the Ark.** כִּי הוּא נִמְשָׁךְ לְמַעְלָה עִם "וַיָּבֹא נֹחַ" – **For [the phrase]** *as God had commanded Noah* (v. 9) **is connected with what precedes it,** namely, ***Noah went into [the Ark] ...*** (v. 7). לוֹמַר שֶׁבָּא נֹחַ וּבָנָיו וְאִשְׁתּוֹ וּנְשֵׁי בָנָיו אֶל הַתֵּיבָה – It means that ***Noah, with his sons, his wife and his sons' wives, went into the Ark*** (v. 7), וּמִן הַבְּהֵמָה וְהָעוֹף וְהָרֶמֶשׂ שְׁנַיִם שְׁנַיִם שֶׁבָּאוּ אֵלָיו אֶל הַתֵּיבָה, וְכֻלָּם בָּאוּ אִתּוֹ, – ***along with those animals, the birds and the creeping creatures*** (v. 8) ***who came in pairs to the Ark*** (v. 9) – **all of them came with him**[24] שֶׁנִּכְנְסוּ בַּתֵּיבָה מִפְּנֵי מֵי הַמַּבּוּל – ***for they entered the Ark because of the waters of the flood*** (v. 7) כַּאֲשֶׁר צִוָּה אוֹתוֹ אֱלֹהִים – **as God had commanded him** (v. 9).[25]

[There is a fundamental disagreement between Ramban and Ibn Ezra regarding vv. 11-16.[26] Ramban begins with his own opinion:]

וְחָזַר וּפֵרֵשׁ הַחֹדֶשׁ וְהַיּוֹם שֶׁבָּא הַמַּבּוּל, וְכֵיצַד בָּא – **[Scripture] then reviews** the story of Noah's entrance

plausible that v. 5 refers to entering the Ark, since the Torah explicitly writes in v. 7 that Noah *went into the Ark.*

22. [Note that this verse is the only one of the four which speak of *Noah doing as he was commanded* that uses the name *HASHEM*. This is consistent with Ramban's discussion above (v. 1) regarding the particular association of the Name י־ה־ו־ה (*HASHEM*) with the seven animals and their intended use as offerings, viz., that regarding sacrifices the Name "ELOHIM" is never mentioned, only י־ה־ו־ה.]

23. The first two were in 6:22 and 7:5.

24. Ramban is emphasizing that the animals did not go directly into the Ark, rather, as he will explain, the animals assembled near the Ark and Noah helped them enter the Ark. [This is consistent with Ramban's position above, 6:19.]

25. The words in italics are a paraphrase of vv. 7-9. Ramban rearranges the words to show that the words *as God had commanded him* refer to the entire three-verse segment, which describes the actual entrance of Noah and the animals into the Ark. They do not refer to the gathering of clean animals, for Noah's fulfillment of that command had already been mentioned in v. 5, as Ramban has just explained.

According to Ramban, then, verse 6:22 (*Noah did according to everything God commanded him*) means that he built the Ark and gathered the food; 7:15 (*Noah did according to everything that HASHEM had commanded him*) refers to Noah's gathering of the clean animals and birds; and 7:9 (*as God commanded Noah*) refers to entering the Ark.

26. The Torah seemingly tells us three times that Noah entered (or approached) the Ark – in v. 5 (*Noah did according to everything that HASHEM had commanded him*), v. 7 (*Noah went into the Ark*), and v. 13 (*On that very day Noah came into the Ark*).

Ibn Ezra accounts for these three statements as follows: Verse 7 (*Noah went to the Ark*) is an elaboration of the general statement in v. 5 (*Noah did as he was commanded*). Both of these statements refer to Noah's moving to the proximity of the Ark on the tenth of Marcheshvan. Verse 13 speaks of Noah's actual entry *into* the Ark on the seventeenth of Marcheshvan.

Ramban, however, maintains that Noah went to the Ark only once, on the seventeenth. His explanation of the three statements is as follows: When v. 5 says that Noah did *"as commanded,"* it refers to the gathering of the clean animals, and it does not relate at all to his approaching or entering the Ark. Verse 7 refers to Noah's entrance into the Ark on the seventeenth, and v. 13 (with the rest of vv. 10-16) is merely an elaboration on what was already stated in vv. 6-9.

In short, according to Ibn Ezra the account of Noah's entrance into the Ark in vv. 6-9 relates to the previous verse, while according to Ramban vv. 6-9 relate to the verses that follow them.

רמב"ן

הַתֵּיבָה, וְעִמּוֹ כָּל הַבָּשָׂר הַחַי, לֹא קֹדֶם לָכֵן[30].

וְטַעַם "וַיָּבֹאוּ אֶל נֹחַ אֶל הַתֵּיבָה" [פסוק טו], לְהוֹדִיעַ שֶׁלֹּא נֶאֶסְפוּ אֵלָיו כְּלָל וְלֹא בָּאוּ עַד עֶצֶם הַיּוֹם הַהוּא [פסוק יג] שֶׁהָיָה הַגֶּשֶׁם, וּבָא הוּא בַּתֵּיבָה[31]. כִּי הָאֵל הוּא צִוָּה, "וְרוּחוֹ הוּא קִבְּצָן"[32] בְּרֶגַע אֶחָד[33].

וְטַעַם "וְהַבָּאִים[34] זָכָר וּנְקֵבָה מִכָּל בָּשָׂר בָּאוּ" [פסוק טז], כִּי הַבָּאִים אֶל תּוֹךְ הַתֵּיבָה[35] הָיוּ זָכָר וּנְקֵבָה, שֶׁהִכְנִיסָם נֹחַ בְּתוֹכָהּ כֵּן. וּלְכָךְ אָמַר "כַּאֲשֶׁר צִוָּה אוֹתוֹ אֱלֹהִים", כִּי הוּא מְצַוֶּה עָלָיו שֶׁיַּכְנִיסֵם לְתוֹכָהּ[36].

RAMBAN ELUCIDATED

into the Ark,[27] **specifying the month and day on which the Flood came,**[28] **and how it came;**[29] וְאָמַר כִּי בְּעֶצֶם אוֹתוֹ הַיּוֹם הוּא שֶׁבָּא נֹחַ אֶל הַתֵּיבָה, – and then **it states that it was** ***on that very day*** (v. 13) **that Noah went to the Ark** וְעִמּוֹ כָּל הַבָּשָׂר הַחַי – **and with him all living flesh** – לֹא קֹדֶם לָכֵן – **not before then.**[30]

[Ramban continues:]

וְטַעַם "וַיָּבֹאוּ אֶל נֹחַ אֶל הַתֵּיבָה" – **The meaning of** the words, ***They came to Noah, to the Ark*** (v. 15), לְהוֹדִיעַ שֶׁלֹּא נֶאֶסְפוּ אֵלָיו כְּלָל וְלֹא בָּאוּ עַד עֶצֶם הַיּוֹם הַהוּא שֶׁהָיָה הַגֶּשֶׁם, וּבָא הוּא בַּתֵּיבָה – is **to inform** us **that they did not assemble near [Noah] at all and did not come** to him **until *"that very day"*** (v. 13), **when the rain began and [Noah] entered the Ark.**[31] כִּי הָאֵל הוּא צִוָּה, וְרוּחוֹ הוּא קִבְּצָן בְּרֶגַע אֶחָד – **For God,** ***gave*** them ***the command*** to assemble, **"and it was His spirit that gathered them together"**[32] near the Ark **at one moment.**[33]

[If vv. 14-15 describe the coming of the animals *to*[34] the Ark, then where does the Torah relate that the animals entered the Ark? Ramban answers:]

וְטַעַם "וְהַבָּאִים זָכָר וּנְקֵבָה מִכָּל בָּשָׂר בָּאוּ" – **The explanation for** the words, ***They that came, came male and female of all flesh*** (v. 16) כִּי הַבָּאִים אֶל תּוֹךְ הַתֵּיבָה הָיוּ זָכָר וּנְקֵבָה – **is that those that came** ***into*** **the Ark**[35] **were male and female,** שֶׁהִכְנִיסָם נֹחַ בְּתוֹכָהּ כֵּן – **for Noah brought them into [the Ark] in this manner.** It is this verse (v. 16), then, that describes the entry of the animals into the Ark. וּלְכָךְ אָמַר "כַּאֲשֶׁר צִוָּה אוֹתוֹ אֱלֹהִים", – **This is why [Scripture] says,** ***as God had commanded him*** – כִּי הוּא מְצַוֶּה עָלָיו שֶׁיַּכְנִיסֵם לְתוֹכָהּ – **for He commanded him to bring them into [the Ark].**[36]

27. Ramban's point is that vv. 10-16 are an elaboration of the events that were described in vv. 6-9, and introduce several new details. (See previous footnote.) He thus disagrees with Ibn Ezra's (and Radak's) interpretation, according to which Noah came to the proximity of the Ark on 10 Marcheshvan, as described in vv. 6-9, and entered it on 17 Marcheshvan, as described in vv. 10-16.

28. *In the second month, on the seventeenth day of the month* (v. 11).

29. *All the fountains of the great deep burst forth; and the windows of the heavens were opened, and the rain was upon the earth forty days* (ibid.).

30. [This is in contradistinction to Rashi's interpretation of the words בְּעֶצֶם הַיּוֹם הַזֶּה as *"in broad daylight."* See Ramban, *Leviticus* 23:38.]

Ramban's main point is that these words directly contradict Ibn Ezra's assertion (mentioned below in Ramban) that Noah and the animals assembled near the Ark seven days before the Flood.

31. Ibn Ezra (see also Radak) maintains that Noah and the animals had already, *come "to"* the Ark on 10 Marcheshvan, and vv. 10-16 relate that they *came "into"* the Ark a week later, on 17 Marcheshvan. Ramban, however, disputes this position from v. 15 (וַיָּבֹאוּ אֶל נֹחַ אֶל הַתֵּיבָה, *They came to Noah to the Ark*), indicating that the animals came to Noah only now, on the seventeenth of the month.

32. Stylistic citation from *Isaiah* 34:16.

33. Whereas according to Ibn Ezra the animals had one entire week during which to assemble.

34. I.e., the *vicinity of* and not *into*, as Ibn Ezra would have it.

35. According to Ibn Ezra this verse is a continuation of the previous one, which spoke of entering the Ark. But according to Ramban the previous verse discussed coming *to* the Ark, while this verse refers to coming *into* the Ark. This is indicated by his addition of the words אֶל תּוֹךְ הַתֵּיבָה, *into the Ark,* after הַבָּאִים, *those that came,* stressing that unlike the last וַיָּבֹאוּ, *they came,* which referred to וַיָּבֹאוּ אֶל נֹחַ, *they came "to" Noah,* this הַבָּאִים, *they that came,* means אֶל תּוֹךְ הַתֵּיבָה, *into the Ark.*

36. This is a further proof that *they that came, etc.* refers to the entry of the animals into the Ark, rather than to their coming *to* (approaching) the Ark. The animals came to Noah of their own accord (see Ramban above, on 6:20 and 7:8-9); why, then, does the verse end by saying, *as God had commanded him*? The answer is that the verse speaks of the animals' entry *into* the Ark, and bringing the animals into the Ark was indeed a command to Noah (above, 6:19).

יא בִּשְׁנַ֨ת שֵׁשׁ־מֵא֤וֹת שָׁנָה֙ לְחַיֵּי־נֹ֔חַ בַּחֹ֙דֶשׁ֙ הַשֵּׁנִ֔י
בְּשִׁבְעָֽה־עָשָׂ֥ר י֖וֹם לַחֹ֑דֶשׁ בַּיּ֣וֹם הַזֶּ֗ה נִבְקְעוּ֙
כָּֽל־מַעְיְנוֹת֙ תְּה֣וֹם רַבָּ֔ה וַאֲרֻבֹּ֥ת הַשָּׁמַ֖יִם
יב נִפְתָּֽחוּ׃ וַיְהִ֥י הַגֶּ֖שֶׁם עַל־הָאָ֑רֶץ אַרְבָּעִ֣ים י֔וֹם
יג וְאַרְבָּעִ֖ים לָֽיְלָה׃ בְּעֶ֨צֶם הַיּ֤וֹם הַזֶּה֙ בָּ֣א נֹ֔חַ וְשֵׁם־
וְחָ֥ם וָיֶ֖פֶת בְּנֵי־נֹ֑חַ וְאֵ֣שֶׁת נֹ֗חַ וּשְׁלֹ֧שֶׁת נְשֵֽׁי־בָנָ֛יו
יד אִתָּ֖ם אֶל־הַתֵּבָֽה׃ הֵ֜מָּה וְכָל־הַֽחַיָּ֣ה לְמִינָ֗הּ וְכָל־
הַבְּהֵמָה֙ לְמִינָ֔הּ וְכָל־הָרֶ֛מֶשׂ הָרֹמֵ֥שׂ עַל־הָאָ֖רֶץ
לְמִינֵ֑הוּ וְכָל־הָעוֹף֙ לְמִינֵ֔הוּ כֹּ֖ל צִפּ֥וֹר כָּל־כָּנָֽף׃

יא בִּשְׁנַת שִׁית מְאָה שְׁנִין לְחַיֵּי נֹחַ בְּיַרְחָא תִּנְיָנָא בְּשִׁבְעַת עַשְׂרָא יוֹמָא לְיַרְחָא בְּיוֹמָא הָדֵין אִתְבְּזָעוּ כָּל מַבּוּעֵי תְּהוֹמָא רַבָּא וְכַוֵּי שְׁמַיָּא אִתְפַּתָּחוּ׃ יב וַהֲוָה מִטְרָא נָחֵת עַל אַרְעָא אַרְבְּעִין יְמָמִין וְאַרְבְּעִין לֵילָוָן׃ יג בִּכְרַן יוֹמָא הָדֵין עַל נֹחַ וְשֵׁם וְחָם וָיֶפֶת בְּנֵי נֹחַ וְאִתַּת נֹחַ וּתְלָתָא נְשֵׁי בְנוֹהִי עִמְּהוֹן לְתֵבוּתָא׃ יד אִנּוּן וְכָל חַיְתָא לִזְנַהּ וְכָל בְּעִירָא לִזְנַהּ וְכָל רִחֲשָׁא דְּרָחֵשׁ עַל אַרְעָא לִזְנוֹהִי וְכָל עוֹפָא לִזְנוֹהִי כֹּל צִפַּר כָּל דְּפָרַח׃

רש"י

(יא) **בחודש השני.** רבי אליעזר אומר זה מרחשון, ר' יהושע אומר זה אייר (סדר עולם פ"ב; ראש השנה יא:): **נבקעו.** להוציא מימיהן: **תהום רבה.** מדה כנגד מדה, הם חטאו ברבה רעת האדם (לעיל ו:ה) ולקו בתהום רבה (סנהדרין קח.): **(יב) ויהי הגשם על הארץ.** ולהלן (פסוק יז) הוא אומר ויהי המבול, אלא כשהורידן הורידן ברחמים שאם יחזרו יהיו גשמי ברכה, וכשלא חזרו היו למבול (עי' ב"ר לא:יב; מכילתא בשלח שירה פ"ה): **ארבעים יום וגו'.** אין יום ראשון מן המנין לפי שאין לילו עמו, שהרי כתיב ביום הזה נבקעו כל מעינות. נמצאו ארבעים יום כלים בכ"ח בכסלו לר' אליעזר, שהחדשים נמנין כסדרן אחד מלא ואחד חסר, הרי י"ב ממרחשון וכ"ח מכסליו: **(יג) בעצם היום הזה.** למדך הכתוב שהיו בני דורו אומרים אילו אנו רואים אותו נכנס לתיבה אנו שוברין אותה והורגין אותו. אמר הקב"ה, אני מכניסו לעיני כלם, ונראה דבר מי יקום (ספרי האזינו שלז; ב"ר לב:ח): **(יד) צפור כל כנף.** דבוק הוא, צפור של כל מין כנף, לרבות חגבים (חולין קלט:) [כנף זה לשון נוצה, כמו ושסע אותו בכנפיו (ויקרא א:יז) שאפי' נוצתה עולה. אף כאן, צפור כל מין מראית נוצה]:

רמב"ן

וְדַעַת רַבִּי אַבְרָהָם[37], כִּי "וַיָּבֹא נֹחַ וּבָנָיו וְאִשְׁתּוֹ וּנְשֵׁי בָנָיו אִתּוֹ אֶל הַתֵּיבָה" [פסוק ז] לֹא נִכְנְסוּ בְּתוֹכָהּ, אֶלָּא שֶׁבָּאוּ אֵלָיו כֻּלָּם בֶּעָשׂוֹר לַחֹדֶשׁ הַשֵּׁנִי, כִּי בֵּיתוֹ קָרוֹב אֶל הַתֵּיבָה הָיָה. וְטַעַם "מִפְּנֵי מֵי הַמַּבּוּל", מִפַּחַד מֵי הַמַּבּוּל. וּלְשִׁבְעַת הַיָּמִים הָיָה מֵי הַמַּבּוּל, וְנֶאֶסְפוּ כֻּלָּם בַּתֵּיבָה וְסָגַר הַפֶּתַח וְהַצֹּהַר.

RAMBAN ELUCIDATED

[Having finished his own exposition of this passage, Ramban now presents Ibn Ezra's approach in explaining why the story of Noah's and the animals' entry into the Ark seems to be told twice, in vv. 7-9 and again in vv. 10-16:]

וְדַעַת רַבִּי אַבְרָהָם – The opinion of Rabbi Avraham Ibn Ezra[37] **כִּי "וַיָּבֹא נֹחַ וּבָנָיו וְאִשְׁתּוֹ וּנְשֵׁי בָנָיו אִתּוֹ אֶל הַתֵּיבָה" לֹא נִכְנְסוּ בְּתוֹכָהּ – is that** the first time Scripture writes, ***Noah, and his sons, his wife and his sons' wives with him, went into*** (or ***to***) ***the Ark*** (v. 7) it does **not** mean that **they** actually **entered into [the Ark],** **אֶלָּא שֶׁבָּאוּ אֵלָיו כֻּלָּם בֶּעָשׂוֹר לַחֹדֶשׁ הַשֵּׁנִי – but that they all came to [Noah's** house] **on the tenth** day **of the second month,** the day God informed him that the Flood would begin, *in another seven days' time* (v. 4), **כִּי בֵּיתוֹ קָרוֹב אֶל הַתֵּיבָה הָיָה – for [Noah's] house was near the Ark.** Ibn Ezra also addresses the meaning of v. 7, *Noah went to the Ark because of the waters of the Flood*, the implication of which is that Noah came to the Ark as a result of the onset of the Flood. This is not so according to Ibn Ezra, however, for he maintains that Noah came to the Ark a full week before the Flood began. **וְטַעַם "מִפְּנֵי מֵי הַמַּבּוּל", מִפַּחַד מֵי הַמַּבּוּל** – Rather, he writes, **the explanation of** the words, ***because of the waters of the Flood*** **is,** ***because of the apprehension of the waters of the Flood*** that was about to start. **וּלְשִׁבְעַת הַיָּמִים הָיָה מֵי הַמַּבּוּל – After seven days the waters of the Flood began,** **וְנֶאֶסְפוּ כֻּלָּם בַּתֵּיבָה וְסָגַר הַפֶּתַח וְהַצֹּהַר – and** at that point **they all gathered** ***inside*** **the Ark, and he closed the door and the window.**

[Ramban disagrees with Ibn Ezra's interpretation:]

37. Above, on 6:19 and 7:5.

*11 In the six hundredth year of Noah's life, in the second
month, on the seventeenth day of the month, on that day
all the fountains of the great deep burst forth; and the windows of the heavens were opened.*
*12 And the rain was upon
the land forty days and forty nights.*

*13 On that very day Noah came, with Shem, Ham and Japheth, Noah's sons, with Noah's wife and the three
wives of his sons with them, into the Ark —*
*14 they and
every beast after its kind, every animal after its kind, every creeping thing that creeps on the earth after its kind, and every bird after its kind, and every bird of any kind of wing.*

רמב״ן

וְאֵין דְּבָרָיו נְכוֹנִים[38].

וְיִתָּכֵן כִּי ״וַיַּעַשׂ נֹחַ כְּכֹל אֲשֶׁר צִוָּהוּ ה׳ וְנֹחַ בֶּן שֵׁשׁ מֵאוֹת שָׁנָה״ [פסוקים ה-ו], וְהַפְּסוּקִים עַד ״בִּשְׁנַת שֵׁשׁ מֵאוֹת שָׁנָה״ [י-יא], אֵינָם מְסַפְּרִים מַעֲשֶׂה; אֲבָל ״וַיַּעַשׂ נֹחַ כְּכֹל אֲשֶׁר צִוָּהוּ״ יִכְלוֹל הָעִנְיָן כֻּלּוֹ. יֹאמַר, שֶׁעָשָׂה כְּכָל אֲשֶׁר נִצְטַוָּה, לֹא הִפִּיל מִכָּל הָעִנְיָן דָּבָר: עָשָׂה הַתֵּיבָה וְאָסַף הַמַּאֲכָל, וְלָקַח מִן הַבְּהֵמָה וְהָעוֹף הַטְּהוֹרִים שִׁבְעָה שִׁבְעָה בַּיּוֹם אֲשֶׁר צִוָּה אוֹתוֹ, וְכַאֲשֶׁר הָיָה בֶּן שֵׁשׁ מֵאוֹת שָׁנָה, וְהַמַּבּוּל יָרַד עַל הָאָרֶץ - בָּא עִם בֵּיתוֹ וְעִם הַבְּהֵמוֹת הַטְּהוֹרוֹת וְכָל הַחַי אֶל הַתֵּיבָה, כַּאֲשֶׁר צִוָּהוּ אֱלֹהִים. וְאַחַר כֵּן סִפֵּר בַּמַּעֲשֶׂה ״וַיְהִי לְשִׁבְעַת הַיָּמִים בִּשְׁנַת שֵׁשׁ מֵאוֹת״, וּגְמַר הָעִנְיָן.

RAMBAN ELUCIDATED

וְאֵין דְּבָרָיו נְכוֹנִים – But [Ibn Ezra's] approach is not sound, for all the reasons written and implied above.[38]

[Ramban now suggests another possible approach to the apparent repetitiousness of vv. 6-16:]

וְיִתָּכֵן כִּי ״וַיַּעַשׂ נֹחַ כְּכֹל אֲשֶׁר צִוָּהוּ ה׳ וְנֹחַ בֶּן שֵׁשׁ מֵאוֹת שָׁנָה״, וְהַפְּסוּקִים עַד ״בִּשְׁנַת שֵׁשׁ מֵאוֹת שָׁנָה״ – It is also **possible that** the statement, ***Noah did according to everything that Hashem had commanded him, and Noah was six hundred years old*** (vv. 5-6) **and the verses** that follow, **until** [*and it came to pass after the seven-day period*] ***in the six hundredth year*** [*of Noah's life*] (vv. 10-11), **אֵינָם מְסַפְּרִים מַעֲשֶׂה – are not narrating the** actual **events; אֲבָל ״וַיַּעַשׂ נֹחַ כְּכֹל אֲשֶׁר צִוָּהוּ״ יִכְלוֹל הָעִנְיָן כֻּלּוֹ – rather,** the statement, ***Noah did according to everything that [Hashem] had commanded him*** is only a general **summary of the entire story. יֹאמַר, שֶׁעָשָׂה כְּכָל אֲשֶׁר נִצְטַוָּה –** According to this interpretation, **[Scripture] is saying that [Noah] did everything that he had been commanded** to do, **לֹא הִפִּיל מִכָּל הָעִנְיָן דָּבָר: – and he did not omit anything from the whole matter: עָשָׂה הַתֵּיבָה וְאָסַף הַמַּאֲכָל – He made the Ark** (as commanded in 6:14 ff.), **gathered the food** (as commanded in 6:21), **וְלָקַח מִן הַבְּהֵמָה וְהָעוֹף הַטְּהוֹרִים שִׁבְעָה שִׁבְעָה בַּיּוֹם אֲשֶׁר צִוָּה אוֹתוֹ – obtained seven pairs of each of the clean animals and birds on the day that [God] commanded him** (in 7:2), **וְכַאֲשֶׁר הָיָה בֶּן שֵׁשׁ מֵאוֹת שָׁנָה וְהַמַּבּוּל יָרַד עַל הָאָרֶץ – and, when he was six hundred years old and the Flood came down upon the earth, בָּא עִם בֵּיתוֹ וְעִם הַבְּהֵמוֹת הַטְּהוֹרוֹת וְכָל הַחַי אֶל הַתֵּיבָה כַּאֲשֶׁר צִוָּהוּ אֱלֹהִים – he came with his household and the clean animals** he had gathered **and all the living things into the Ark, as God had commanded him** (in 7:1). **וְאַחַר כֵּן סִפֵּר בַּמַּעֲשֶׂה ״וַיְהִי לְשִׁבְעַת הַיָּמִים בִּשְׁנַת שֵׁשׁ מֵאוֹת״, וּגְמַר הָעִנְיָן – After this** general summary which describes Noah's obedience **it** reverts to **relating the** actual specific **events: *And it came to pass after the seven-day period in the six hundredth year*** and the rest of the occurrences (vv. 10-11).

38. Ramban disputes the claim that אֶל הַתֵּיבָה (v. 7) means *to [Noah's house that was near] the Ark*, and that מִפְּנֵי מֵי הַמַּבּוּל means, *"out of apprehension" of the [imminent] waters of the Flood.* Furthermore, he maintains that בְּעֶצֶם הַיּוֹם הַזֶּה (*on that very day*, v. 13) implies that Noah did not approach the Ark before the seventeenth of Marcheshvan.

טו וַיָּבֹאוּ אֶל־נֹחַ אֶל־הַתֵּבָה שְׁנַיִם שְׁנַיִם מִכָּל־
טז הַבָּשָׂר אֲשֶׁר־בּוֹ רוּחַ חַיִּים: וְהַבָּאִים זָכָר
וּנְקֵבָה מִכָּל־בָּשָׂר בָּאוּ כַּאֲשֶׁר צִוָּה אֹתוֹ
שלישי יז אֱלֹהִים וַיִּסְגֹּר יהוה בַּעֲדוֹ: וַיְהִי הַמַּבּוּל
אַרְבָּעִים יוֹם עַל־הָאָרֶץ וַיִּרְבּוּ הַמַּיִם וַיִּשְׂאוּ
יח אֶת־הַתֵּבָה וַתָּרָם מֵעַל הָאָרֶץ: וַיִּגְבְּרוּ הַמַּיִם
וַיִּרְבּוּ מְאֹד עַל־הָאָרֶץ וַתֵּלֶךְ הַתֵּבָה עַל־פְּנֵי
יט הַמָּיִם: וְהַמַּיִם גָּבְרוּ מְאֹד מְאֹד עַל־הָאָרֶץ
וַיְכֻסּוּ כָּל־הֶהָרִים הַגְּבֹהִים אֲשֶׁר־תַּחַת
כ כָּל־הַשָּׁמָיִם: חֲמֵשׁ עֶשְׂרֵה אַמָּה מִלְמַעְלָה
כא גָּבְרוּ הַמָּיִם וַיְכֻסּוּ הֶהָרִים: וַיִּגְוַע כָּל־בָּשָׂר
הָרֹמֵשׂ עַל־הָאָרֶץ בָּעוֹף וּבַבְּהֵמָה וּבַחַיָּה
וּבְכָל־הַשֶּׁרֶץ הַשֹּׁרֵץ עַל־הָאָרֶץ וְכֹל הָאָדָם:

טו וְעַלּוּ עִם נֹחַ לְתֵבוּתָא תְּרֵין תְּרֵין מִכָּל בִּשְׂרָא דִּי בֵהּ רוּחָא דְחַיֵּי: טז וְעָלַיָּא דְּכַר וְנוּקְבָא מִכָּל בִּשְׂרָא עַלּוּ כְּמָא דִי פַקִּיד יָתֵהּ יְיָ וַאֲגֵן יְיָ (בְּמֵימְרֵהּ) עֲלוֹהִי: יז וַהֲוָה טוֹפָנָא אַרְבְּעִין יוֹמִין עַל אַרְעָא וּסְגִיאוּ מַיָּא וּנְטָלוּ יָת תֵּבוּתָא וְאִתְּרָמַת מֵעַל אַרְעָא: יח וּתְקִיפוּ מַיָּא וּסְגִיאוּ לַחֲדָא עַל אַרְעָא וּמְהַלְּכָא תֵבוּתָא עַל אַפֵּי מַיָּא: יט וּמַיָּא תְּקִיפוּ לַחֲדָא לַחֲדָא עַל אַרְעָא וְאִתְחֲפִיאוּ כָּל טוּרַיָּא רָמַיָּא דִּי תְחוֹת כָּל שְׁמַיָּא: כ חֲמֵשׁ עַשְׂרֵי אַמִּין מִלְעֵלָּא תְּקִיפוּ מַיָּא וְאִתְחֲפִיאוּ טוּרַיָּא: כא וּמִית כָּל בִּשְׂרָא דְּרָחֵשׁ עַל אַרְעָא בְּעוֹפָא וּבִבְעִירָא וּבְחַיְתָא וּבְכָל רִחֲשָׁא דְּרָחֵשׁ עַל אַרְעָא וְכֹל אֱנָשָׁא:

רש"י

(טז) ויסגר ה' בעדו. הגין עליו שלא שברוה. הקיף התיבה דובים ואריות (ב"ר לב:ח) והיו הורגין בהם (תנחומא ישן י). ופשוטו של מקרא, סגר כנגדו מן המים, וכן כל בעד שבמקרא לשון כנגד הוא. בעד כל רחם (להלן כ:יח) בעדך ובעד בניך (מלכים־ב ד:ד) עור בעד עור (איוב ב:ד) מגן בעדי (תהלים ג:ד) התפלל בעד עבדיך (שמואל־א יב:יט) כנגד עבדיך: **(יז) ותרם מעל הארץ.** משוקעת היתה במים אחת עשרה אמה כספינה טעונה שמשוקעת מקצתה במים, ומקראות שלפנינו יוכיחו (ב"ר לב:ט): **(יח) ויגברו.** מאליהן: **(כ) חמש עשרה אמה מלמעלה.** למעלה של גובה כל ההרים, לאחר שהושוו המים לראשי ההרים (יומא עו.):

רמב"ן

[יח־יט] וַיִּגְבְּרוּ הַמַּיִם ... וְהַמַּיִם גָּבְרוּ. וְטַעַם "וַיִּגְבְּרוּ הַמַּיִם" "וְהַמַּיִם גָּבְרוּ" שֶׁנִּתְרַבּוּ מְאֹד, כִּי לְרִבּוּי הַגָּדוֹל יִקְרָא הַלָּשׁוֹן גְּבוּרָה. וְכֵן "וּפִשְׁעֵיהֶם כִּי יִתְגַּבָּרוּ" [איוב לו, ט], רַבּוּ מְאֹד; "גָּבַר חַסְדּוֹ עַל יְרֵאָיו" [תהלים קג, יא], גָּדַל; וְכֵן "וְאִם בִּגְבוּרוֹת שְׁמוֹנִים שָׁנָה" [שם צ, י], בְּרִבּוּי גָּדוֹל[39].

RAMBAN ELUCIDATED

18-19. [וַיִּגְבְּרוּ הַמַּיִם... וְהַמַּיִם גָּבְרוּ] – *THE WATERS STRENGTHENED ... AND THE WATERS STRENGTHENED.*]

[Ramban explains the meaning of the root גבר:]

וְטַעַם "וַיִּגְבְּרוּ הַמַּיִם" "וְהַמַּיִם גָּבְרוּ" שֶׁנִּתְרַבּוּ מְאֹד – **The meaning of** ***The waters strengthened and the waters strengthened*** **is that [the waters] increased greatly,** כִּי לְרִבּוּי הַגָּדוֹל יִקְרָא הַלָּשׁוֹן גְּבוּרָה – **for the** Hebrew **language calls great abundance** גְּבוּרָה. וְכֵן "וּפִשְׁעֵיהֶם כִּי יִתְגַּבָּרוּ", רַבּוּ מְאֹד – **Similarly,** we find, ***Their transgressions that have become substantial*** (יִתְגַּבָּרוּ) (Job 36:9) – **i.e.,** their transgressions **became very abundant.** "גָּבַר חַסְדּוֹ עַל יְרֵאָיו" – גָּדַל – Similarly, we find, ***His kindness overwhelmed*** (גָּבַר) ***those who fear Him*** (*Psalms* 103:11) – **i.e., [His kindness] became abundant.** וְכֵן "וְאִם בִּגְבוּרוֹת שְׁמוֹנִים שָׁנָה" – בְּרִבּוּי גָּדוֹל – **Similarly,** we find, *and if [we live]* בִּגְבוּרוֹת, ***eighty years*** (ibid. 90:10) – **i.e., with great abundance [of years].**[39]

[Ramban now presents a second possible meaning of the root גבר:[40]]

39. The verse in question would thus be translated, *The days of our years [of life] are seventy years, and perhaps with exceptional abundance [of life], eighty years.*

40. According to Ramban's first interpretation the phrase וַיִּגְבְּרוּ הַמַּיִם וַיִּרְבּוּ (*the waters became very abundant and increased greatly*) seems repetitious. Ramban will now give a new interpretation that avoids

15 They came to Noah to the Ark; two by two of all flesh in which there was a breath of life. 16 Thus they that came, came male and female of all flesh, as God had commanded him. And HASHEM shut it on his behalf.

17 When the Flood was on the earth forty days, the waters increased and raised the Ark so that it was lifted above the earth. 18 The waters strengthened and increased greatly upon the earth, and the Ark drifted upon the surface of the waters. 19 And the waters strengthened very much upon the earth, all the high mountains which are under the entire heavens were covered. 20 Fifteen cubits upward did the waters strengthen, and the mountains were covered. 21 And all flesh that moves upon the earth expired — among the birds, the animals, the beasts, and all the creeping things that creep upon the earth, and all mankind.

רמב״ן

וְיִתָּכֵן[40] כִּי טַעַם ״וַיִּגְבְּרוּ״, שֶׁהָיוּ בָּאִים בְּשֶׁטֶף, וְעוֹקְרִים הָאִילָנוֹת וּמַפִּילִים הַבִּנְיָנִים[41]. כִּי לְכֹחַ יִקְרְאוּ גְּבוּרָה, בַּעֲבוּר כִּי הַגְּבוּרָה בְּכֹחַ. וְכֵן ״גַּם גָּבְרוּ חָיִל״ [איוב כא, ז]; ״וְהִגְבִּיר בְּרִית לָרַבִּים שָׁבוּעַ אֶחָד״ [דניאל ט, כז], יַעֲמִידֶנּוּ בְּחֹזֶק. וּלְשׁוֹן חֲכָמִים [תענית ב, א][42]: ״גְּבוּרַת גְּשָׁמִים, מִפְּנֵי שֶׁיּוֹרְדִין בִּגְבוּרָה״. וְאֶפְשָׁר שֶׁיִּהְיֶה מִזֶּה ״וְאִם בִּגְבוּרוֹת שְׁמוֹנִים שָׁנָה״, שֶׁאִם הָיוּ עַצְמוֹתָיו וְגוּפוֹ חֲזָקִים, וְהוּא בַּעַל כֹּחַ - יִחְיֶה שְׁמוֹנִים. וְאִם כֵּן, יִהְיֶה פֵּירוּשׁ ״גָּבְרוּ עַל הָאָרֶץ״[43] שֶׁהָיוּ בִּגְבוּרָתָם כֻּלָּם, אַף עַל הֶהָרִים הַגְּבֹהִים, וְשׁוֹטְפִים אוֹתָם.

RAMBAN ELUCIDATED

וְיִתָּכֵן כִּי טַעַם ״וַיִּגְבְּרוּ״ – It is also conceivable that the meaning of וַיִּגְבְּרוּ is **שֶׁהָיוּ בָּאִים בְּשֶׁטֶף וְעוֹקְרִים הָאִילָנוֹת וּמַפִּילִים הַבִּנְיָנִים – that [the rains] came in a fierce downpour, uprooting the trees and demolishing the buildings.**[41] **כִּי לְכֹחַ יִקְרְאוּ גְּבוּרָה, בַּעֲבוּר כִּי הַגְּבוּרָה בְּכֹחַ – For force is** also **called** **גְּבוּרָה** (“overpowering”), **since overpowering comes about through force. וְכֵן ״גַּם גָּבְרוּ חָיִל״, ״וְהִגְבִּיר בְּרִית לָרַבִּים שָׁבוּעַ אֶחָד״, יַעֲמִידֶנּוּ בְּחֹזֶק – Similarly,** we find, ***They also became overpowering*** (גָּבְרוּ) ***in might*** (*Job* 21:7), and, ***He will forge a powerful*** (וְהִגְבִּיר) ***covenant with the chiefs for one septet*** (*Daniel* 9:27) – i.e., **he will preserve [the covenant] with force. וּלְשׁוֹן חֲכָמִים ״גְּבוּרַת גְּשָׁמִים, מִפְּנֵי שֶׁיּוֹרְדִין בִּגְבוּרָה״ – In the idiom of the Sages** we also find: **“[Why is it**[42] **called] ‘the Might** (גְּבוּרַת) **of the Rain’? Because [the rains] fall with powerful force”** (גְּבוּרָה) (*Taanis* 2a). **וְאֶפְשָׁר שֶׁיִּהְיֶה מִזֶּה ״וְאִם בִּגְבוּרוֹת שְׁמוֹנִים שָׁנָה״ – It is possible that the** above-cited example from *Psalms* 90:10 **might also belong to this** concept: ***And if it is with strength*** (בִּגְבוּרוֹת), ***eighty years*** – **שֶׁאִם הָיוּ עַצְמוֹתָיו וְגוּפוֹ חֲזָקִים וְהוּא בַּעַל כֹּחַ יִחְיֶה שְׁמוֹנִים** – meaning **that if [a person’s] bones and body are strong, and he is a person of physical strength, he can live to be eighty** years old. **וְאִם כֵּן, יִהְיֶה פֵּירוּשׁ ״גָּבְרוּ עַל הָאָרֶץ״ – If so** – if the words וַיִּגְבְּרוּ and גָּבְרוּ have the meaning of *power* rather than *abundance* – **the interpretation of the phrase גָּבְרוּ עַל הָאָרֶץ**[43] **is, שֶׁהָיוּ בִּגְבוּרָתָם כֻּלָּם אַף עַל הֶהָרִים הַגְּבֹהִים וְשׁוֹטְפִים אוֹתָם – that all of [the floodwaters] retained their strength even upon the high mountains and they swept over them** with power.

this problem.

41. See Ramban below, on 8:11.

42. During the winter months we insert the words מוֹרִיד הַגֶּשֶׁם (“Who causes the rain to fall”) into the list of God’s praises in the *Shemoneh Esrei* prayer.

43. Ramban has already explained וַיִּגְבְּרוּ הַמַּיִם (v. 18) according to this meaning of the word: *they came in a fierce downpour, uprooting the trees and demolishing the buildings*. Now he explains the expression גָּבְרוּ עַל הָאָרֶץ (v. 19) according to this sense of the word.

כב כֹּ֚ל אֲשֶׁר֩ נִשְׁמַת־ר֨וּחַ חַיִּ֜ים בְּאַפָּ֗יו מִכֹּ֛ל
כג אֲשֶׁ֥ר בֶּחָרָבָ֖ה מֵֽתוּ׃ וַיִּ֜מַח אֶֽת־כָּל־הַיְק֣וּם ׀
אֲשֶׁ֣ר ׀ עַל־פְּנֵ֣י הָֽאֲדָמָ֗ה מֵאָדָ֤ם עַד־בְּהֵמָה֙
עַד־רֶ֨מֶשׂ֙ וְעַד־ע֣וֹף הַשָּׁמַ֔יִם וַיִּמָּח֖וּ מִן־הָאָ֑רֶץ

כב כֹּל דִּי נִשְׁמְתָא רוּחָא דְחַיִּין
בְּאַנְפּוֹהִי מִכֹּל דִּי בְיַבֶּשְׁתָּא
מִיתוּ: כג וּמְחָא יָת כָּל יְקוּמָא
דִּי עַל אַפֵּי אַרְעָא מֵאֱנָשָׁא
עַד בְּעִירָא עַד רִחֲשָׁא וְעַד עוֹפָא
דִשְׁמַיָּא וְאִתְמְחִיאוּ מִן אַרְעָא

רש״י

(כב) **נשמת רוח חיים.** נשמה של רוח חיים: **אשר בחרבה.** ולא דגים שבים (סנהדרין קח.; זבחים קיג:; ב״ר לב:יא): (כג) **וימח.** לשון וַיִּפָּעֵל הוא ואינו לשון וַיִּפְעַל והוא מגזרת ויפן ויבן. כל תיבה שסופה ה״א, כגון בנה, מחה, קנה, כשהוא נותן וא״ו

רמב״ן

[כג] וַיִּמַח אֶת כָּל הַיְקוּם אֲשֶׁר עַל פְּנֵי הָאֲדָמָה. אַחַר שֶׁאָמַר "וַיִּגְוַע כָּל בָּשָׂר", וְאָמַר "מִכֹּל אֲשֶׁר בֶּחָרָבָה מֵתוּ", הוֹסִיף לֵאמֹר "וַיִּמַח", שֶׁנִּמְחוּ הַגּוּפוֹת וַיִּהְיוּ לְמַיִם[44], כְּעִנְיַן "וּמָחָה אֶל מֵי הַמָּרִים", כִּי הָיוּ הַמַּיִם רוֹתְחִין, כְּדִבְרֵי רַבּוֹתֵינוּ [סנהדרין קח, ב].

אֲבָל אִם כֵּן - יִהְיוּ הַדָּגִים מֵתִים[45]! וְאוּלַי הָיָה כְּמוֹ שֶׁאָמְרוּ בִּבְרֵאשִׁית רַבָּה [לב, יא]: מִכֹּל אֲשֶׁר בֶּחָרָבָה, וְלֹא דָגִים שֶׁבַּיָּם[46]. וְיֵשׁ אוֹמְרִים אַף הֵן בִּכְלַל נֶאֱסָפִין. אֶלָּא שֶׁבָּרְחוּ לָאוֹקְיָנוֹס. וּמִכָּל מָקוֹם נִצּוֹלוּ הַדָּגִים.

וּשְׁנֵי הַדֵּעוֹת הָאֵלּוּ אֶפְשָׁרִיִּים. כִּי יִתָּכֵן שֶׁמֵּימֵי הַמַּבּוּל הָרוֹתְחִים יִתְעָרְבוּ בַּיַּמִּים, וְיֵחַמּוּ עֶלְיוֹנֵי הַיָּם בִּלְבַד, וְהַדָּגִים יָבֹאוּ בְּעִמְקֵי הַמְּצוּלוֹת וְיִחְיוּ שָׁם, אוֹ כְּדִבְרֵי יֵשׁ אוֹמְרִים, שֶׁהָיוּ דְּגֵי הַיַּמִּים שֶׁבְּתוֹךְ הָאָרֶץ

RAMBAN ELUCIDATED

23. וַיִּמַח אֶת כָּל הַיְקוּם אֲשֶׁר עַל פְּנֵי הָאֲדָמָה – ***AND HE BLOTTED OUT ALL EXISTENCE THAT WAS ON THE FACE OF THE EARTH.***

[We have already been told (vv. 21-22) that all life on earth came to an end; what does this statement add? Ramban explains:]

אַחַר שֶׁאָמַר "וַיִּגְוַע כָּל בָּשָׂר" וְאָמַר "מִכֹּל אֲשֶׁר בֶּחָרָבָה מֵתוּ" – **After saying that *All flesh*** [*that moves upon the earth*] ***expired*** (v. 21) **and saying, *everything that was on dry land died*** (v. 22), **הוֹסִיף לֵאמֹר "וַיִּמַח", שֶׁנִּמְחוּ הַגּוּפוֹת וַיִּהְיוּ לְמַיִם** – **[Scripture] adds, *and He blotted out***, meaning **that the** dead **bodies were dissolved and turned into water,**[44] **כְּעִנְיַן "וּמָחָה אֶל מֵי הַמָּרִים"** – **similar to the idea** of the related word וּמָחָה in the verse, ***and he shall erase*** (or ***"dissolve"***) ***it into the bitter waters*** (*Numbers* 5:23). **כִּי הָיוּ הַמַּיִם רוֹתְחִין כְּדִבְרֵי רַבּוֹתֵינוּ** – **For the waters** of the Flood **were boiling hot, as the Sages say** (*Sanhedrin* 108b), which caused the bodies to disintegrate.

[Ramban draws a conclusion from the fact that Flood waters were hot:]

אֲבָל אִם כֵּן יִהְיוּ הַדָּגִים מֵתִים – **But if this is so, the fish must have died** from the hot water! [Then from where do our present day fish come?][45]

וְאוּלַי הָיָה כְּמוֹ שֶׁאָמְרוּ בִּבְרֵאשִׁית רַבָּה: – **Perhaps it was as [the Sages] say in *Bereishis Rabbah*** (32:11): **"מִכֹּל אֲשֶׁר בֶּחָרָבָה", וְלֹא דָגִים שֶׁבַּיָּם** – ***Everything that was on dry land died*** – **but not the fish of the sea.**[46] **וְיֵשׁ אוֹמְרִים אַף הֵן בִּכְלַל נֶאֱסָפִין אֶלָּא שֶׁבָּרְחוּ לָאוֹקְיָנוֹס** – **There are those who say that [the fish] were also included** in the decree of **being obliterated, except that they escaped to the ocean**, which was not affected by the Flood. **וּמִכָּל מָקוֹם נִצּוֹלוּ הַדָּגִים** – **In either event** – whether they remained alive where they were, or fled to the ocean – **the fish were spared.**

[Ramban now suggests that the above two statements of the Sages: (1) that the waters were boiling hot, and (2) that the fish survived, can easily be reconciled:]

וּשְׁנֵי הַדֵּעוֹת הָאֵלּוּ אֶפְשָׁרִיִּים – **Both of these opinions are possible,** i.e., they can be reconciled. **כִּי יִתָּכֵן שֶׁמֵּימֵי הַמַּבּוּל הָרוֹתְחִים יִתְעָרְבוּ בַּיַּמִּים, וְיֵחַמּוּ עֶלְיוֹנֵי הַיָּם בִּלְבַד** – **For it is plausible that the boiling hot water of the Flood mixed together with the** water already in **the** inland **seas, so that only the upper [waters] of the sea were heated,** **וְהַדָּגִים יָבֹאוּ בְּעִמְקֵי הַמְּצוּלוֹת וְיִחְיוּ שָׁם** – **and the fish**

44. That is: Not only did life come to an end, but even the dead left no trace.

45. Since Noah did not bring fish into the Ark, what was the origin of fish life after the Flood?

46. None of the fish – whether they lived inland or in the oceans – died.

[22] *All in whose nostrils was the breath of the spirit of life, of everything that was on dry land, died.* [23] *And He blotted out all existence that was on the face of the earth — from man to animals to creeping things and to the bird of the heavens; and they were blotted out from the earth.*

רמב״ן

הַקְּרוֹבִים מֵהֶם לְאוֹקְיָנוּס בּוֹרְחִים שָׁם בְּהַרְגִּישָׁם רְתִיחַת הַמַּיִם, וְנִצּוֹלִין מֵהֶם שָׁם.

וַאֲפִילוּ אִם יָמוּתוּ כֻּלָּם, הִנֵּה מַרְבִּית הַדָּגָה בָּאוֹקְיָנוּס הִיא, וְשָׁם לֹא יָרַד מַבּוּל, כְּמוֹ שֶׁנֶּאֱמַר [לעיל פסוק יב]: "וַיְהִי הַגֶּשֶׁם עַל הָאָרֶץ", וּמִשָּׁם יַחְזְרוּ הַדָּגִים אַחֲרֵי הַמַּבּוּל. כִּי מִן הַיָּם הָיוּ יוֹצְאִים כָּל הַיַּמִּים, "וְשָׁם הֵם שָׁבִים לָלֶכֶת"[47].

וְעַל הַכֹּלָל, נִצּוֹלוּ הַדָּגִים, שֶׁהֲרֵי לֹא נִכְנְסוּ מֵהֶם בַּתֵּיבָה לְחַיּוֹת זֶרַע. וְנֶאֱמַר בַּבְּרִית [להלן ט, ט-י]: "הִנְנִי מֵקִים אֶת בְּרִיתִי אִתְּכֶם וְאֵת כָּל נֶפֶשׁ הַחַיָּה אֲשֶׁר אִתְּכֶם בָּעוֹף וּבַבְּהֵמָה וּבְכָל חַיַּת הָאָרֶץ אִתְּכֶם מִכֹּל יֹצְאֵי הַתֵּיבָה", וְלֹא הִזְכִּיר דְּגֵי הַיָּם.

וַיִּמָּחוּ מִן הָאָרֶץ. פֵּירְשׁוּ[48] הַכֵּפֶל לוֹמַר כִּי נִשְׁכַּח זִכְרָם, שֶׁאֵין לָהֶם זֶרַע[49]. וּמַה צֹּרֶךְ לוֹמַר כֵּן אַחַר שֶׁמֵּתוּ

RAMBAN ELUCIDATED

went to the deeper parts of the sea and survived there, אוֹ כְּדִבְרֵי יֵשׁ אוֹמְרִים – **or in accordance with the opinion of "there are those who say"** mentioned in the Midrash, שֶׁהָיוּ דְּגֵי הַיַּמִּים שֶׁבְּתוֹךְ הָאָרֶץ הַקְּרוֹבִים מֵהֶם לְאוֹקְיָנוּס בּוֹרְחִים שָׁם בְּהַרְגִּישָׁם רְתִיחַת הַמַּיִם – that the fish survived by fleeing to the ocean, **the fish of the inland seas – those of [the fish] that were close to the ocean – fled there when they felt the heat of the water,** וְנִצּוֹלִין מֵהֶם שָׁם – **and** thus **some of them were saved there**, in the ocean.

[Ramban points out that even if we do not accept this reconciliation, and we maintain that according to the Gemara the inland fish did indeed die from the hot water, there is still a plausible explanation for the existence of fish in inland seas and rivers today:]

וַאֲפִילוּ אִם יָמוּתוּ כֻּלָּם – **And even if all of [the inland fish] died,** הִנֵּה מַרְבִּית הַדָּגָה בָּאוֹקְיָנוּס הִיא – **the fact is that the majority of fish are in the ocean,** וְשָׁם לֹא יָרַד מַבּוּל – **and the waters of the Flood did not fall on the ocean,** כְּמוֹ שֶׁנֶּאֱמַר: "וַיְהִי הַגֶּשֶׁם עַל הָאָרֶץ" – **as it says,** ***The rain was upon the "land"*** (7:12) – וּמִשָּׁם יַחְזְרוּ הַדָּגִים אַחֲרֵי הַמַּבּוּל – **and it is from there that the fish returned** to the rest of the waters of the earth **after the Flood** and gave rise to today's fish. כִּי מִן הַיָּם הָיוּ יוֹצְאִים כָּל הַיַּמִּים, וְשָׁם הֵם שָׁבִים לָלֶכֶת – **For all the [smaller] seas** of the world **emanate from** – i.e., are attached to – **the ocean, and, "it is to there [the ocean] that they flow."**[47]

[Ramban now negates the only other possible explanation as to why there are fish in the world today – namely, that Noah took pairs of fish into the Ark for repopulation after the Flood:]

וְעַל הַכֹּלָל נִצּוֹלוּ הַדָּגִים – **In any event, the fish were spared** in the Flood, שֶׁהֲרֵי לֹא נִכְנְסוּ מֵהֶם בַּתֵּיבָה לְחַיּוֹת זֶרַע – **for it is a fact that no [fish] were taken into the Ark to preserve their seed.** וְנֶאֱמַר בַּבְּרִית: – **Furthermore, it says in [God's] covenant** with mankind after the Flood, "הִנְנִי מֵקִים אֶת בְּרִיתִי אִתְּכֶם וְאֵת כָּל נֶפֶשׁ הַחַיָּה אֲשֶׁר אִתְּכֶם בָּעוֹף וּבַבְּהֵמָה וּבְכָל חַיַּת הָאָרֶץ אִתְּכֶם מִכֹּל יֹצְאֵי הַתֵּיבָה" – ***Behold, I establish My covenant with you and with every living being that is with you – with the birds, with the animals, and with every wild beast of the land with you – of all that departed the Ark*** (below, 9:9-10), וְלֹא הִזְכִּיר דְּגֵי הַיָּם – **and [Scripture] does not mention the fish**. Apparently, then, a covenant was not necessary for the fish, indicating that the Flood did not affect them.

☐ וַיִּמָּחוּ מִן הָאָרֶץ – *AND THEY WERE BLOTTED OUT FROM THE EARTH*.

[The beginning of the verse already said, *He blotted out all existence*; why does Scripture repeat, *And they were blotted out from the earth*? Ramban explains:]

פֵּירְשׁוּ הַכֵּפֶל לוֹמַר כִּי נִשְׁכַּח זִכְרָם, שֶׁאֵין לָהֶם זֶרַע – **[Some commentators]**[48] **explain that the repetition**

47. Stylistic citation from *Ecclesiastes* 1:7.

48. Ibn Ezra, Radak.

כד וַיִּשָּׁאֶר אַךְ־נֹחַ וַאֲשֶׁר אִתּוֹ בַּתֵּבָה: וַיִּגְבְּרוּ הַמַּיִם
ח א עַל־הָאָרֶץ חֲמִשִּׁים וּמְאַת יוֹם: וַיִּזְכֹּר אֱלֹהִים אֶת־
נֹחַ וְאֵת כָּל־הַחַיָּה וְאֶת־כָּל־הַבְּהֵמָה אֲשֶׁר אִתּוֹ
בַּתֵּבָה וַיַּעֲבֵר אֱלֹהִים רוּחַ עַל־הָאָרֶץ וַיָּשֹׁכּוּ הַמָּיִם:

וְאִשְׁתְּאַר בְּרַם נֹחַ וְדִי עִמֵּהּ בְּתֵבוּתָא: כד וּתְקִיפוּ מַיָּא עַל אַרְעָא מְאָה וְחַמְשִׁין יוֹמִין: א וּדְכִיר יְיָ יָת נֹחַ וְיָת כָּל חַיְתָא וְיָת כָּל בְּעִירָא דִּי עִמֵּהּ בְּתֵבוּתָא וְאַעְבַּר יְיָ רוּחָא עַל אַרְעָא וְנָחוּ מַיָּא:

רש"י

יו"ד ברא"שה נקוד בחירק תחת היו"ד: **אך נח.** לבד נח זהו פשוטו. ומדרש אגדה גונח וכוהה [ס"א וכותה] דם מטורח הבהמות והחיות (סנהדרין קח:; תנחומא ישן יד; ברייתא דל"ב מדות מדה ג). וי"א שאיחר מזונות לארי והכישו ועליו נאמר הן לדיק בארץ ישלם (משלי יא:לא; תנחומא ט): (א) **ויזכר אלהים.** זה השם מדת הדין הוא, ונהפכה למדת רחמים על ידי תפלת הלדיקים (סוכה יד.; תנחומא יא). ורשעתן של רשעים הופכת מדת רחמים למדת הדין, שנאמר וירא ה' כי רבה רעת האדם וגו' ויאמר ה' אמחה (לעיל ו:ה,ז) והוא שם מדת הרחמים (ב"ר לג:ג): **ויזכר אלהים את נח וגו'.** מה זכר להם לבהמות, זכות שלא השחיתו דרכם קודם לכן (תנחומא ישן יא) ושלא שמשו בתיבה (תנחומא יא–יב): **ויעבר אלהים רוח.** רוח תנחומין והנחה עברה לפניו (תרגום יונתן): **על הארץ.** על עסקי הארץ: **וישבו.** כמו וחמת המלך שככה (אסתר ז:י), לשון הנחת חמה (סנהדרין קח:; תנחומא ישן יב):

רמב"ן

הַכֹּל? אוּלַי מִפְּנֵי הָעוֹפוֹת וּמִקְצַת הַשֶּׁרֶץ, לֵאמֹר שֶׁלֹּא נִשְׁאַר בָּהֶם בֵּיצִים בְּכָל עֵץ אוֹ תַּחַת הָאָרֶץ[50], כִּי הַכֹּל נִמּוֹחוּ[51]. וְיִתָּכֵן שֶׁיְּהֵא שִׁיעוּר הַכָּתוּב וַיִּמַח אֶת כָּל הַיְקוּם אֲשֶׁר עַל פְּנֵי הָאֲדָמָה, כִּי מֵאָדָם עַד בְּהֵמָה עַד רֶמֶשׂ וְעַד עוֹף הַשָּׁמַיִם נִמּוֹחוּ מִן הָאָרֶץ, לֹא נִשְׁאַר רַק נֹחַ[52].

וְרַבּוֹתֵינוּ דָּרְשׁוּ [סנהדרין קח, א]: "וַיִּמַח" - בָּעוֹלָם הַזֶּה, "וַיִּמָּחוּ מִן הָאָרֶץ" - מִן הָעוֹלָם הַבָּא. עָשׂוּ הָאָרֶץ הַנִּזְכֶּרֶת כָּאן אֶרֶץ הַחַיִּים - וּכְבָר רָמַזְתִּי סוֹדָהּ[53].

RAMBAN ELUCIDATED

is to tell us that all trace of them was forgotten, for they had no descendants who survived.[49]

[Ramban questions this interpretation:]

וּמַה צֹּרֶךְ לוֹמַר כֵּן אַחַר שֶׁמֵּתוּ הַכֹּל – But what would be the need to say this, since we already know that **they had all died?** It goes without saying that if they all died there was no remembrance of them! **אוּלַי מִפְּנֵי הָעוֹפוֹת וּמִקְצַת הַשֶּׁרֶץ – Perhaps** it is necessary **on account of the birds and some creeping creatures** who reproduce by laying eggs, **לֵאמֹר שֶׁלֹּא נִשְׁאַר בָּהֶם בֵּיצִים בְּכָל עֵץ אוֹ תַּחַת הָאָרֶץ כִּי הַכֹּל נִמּוֹחוּ – to tell** us **that none of their eggs were left** intact – such as **"on any tree or underground"**[50] **– for it was all *blotted out*.**[51]

[Ramban suggests another explanation for the apparent redundancy:]

וְיִתָּכֵן שֶׁיְּהֵא שִׁיעוּר הַכָּתוּב – It is also conceivable that the intent of the verse is as follows: **וַיִּמַח אֶת כָּל הַיְקוּם אֲשֶׁר עַל פְּנֵי הָאֲדָמָה** – ***He blotted out all existence that was on the face of the earth,*** **כִּי מֵאָדָם עַד בְּהֵמָה עַד רֶמֶשׂ וְעַד עוֹף הַשָּׁמַיִם נִמּוֹחוּ מִן הָאָרֶץ, לֹא נִשְׁאַר רַק נֹחַ** – ***for*** everything ***from man to animals to creeping things and to the birds of the heavens were blotted out from the earth, and no one survived except Noah.***[52]

[Ramban now tells us how the Sages dealt with this redundancy:]

וְרַבּוֹתֵינוּ דָּרְשׁוּ: – The Sages (*Sanhedrin* 108a), however, **expounded:** **"וַיִּמַח", בָּעוֹלָם הַזֶּה, "וַיִּמָּחוּ מִן הָאָרֶץ", מִן הָעוֹלָם הַבָּא** – ***"He blotted out*** **– from This World.** ***And they were blotted out from the land*** **– from the World to Come."** **עָשׂוּ הָאָרֶץ הַנִּזְכֶּרֶת כָּאן אֶרֶץ הַחַיִּים – They understand the "land" mentioned here as the "Land of the Living"** – i.e., the World to Come. **וּכְבָר רָמַזְתִּי סוֹדָהּ –**

49. The first phrase, *He blotted out,* refers to the death of mankind and those animals directly affected by the Flood; the second, *it was blotted out* **from the earth**, implies that they left behind nothing by which people of the earth might remember that they had once existed.

50. Stylistic citation from *Deuteronomy* 22:6. ["on the ground" there was changed to "underground," probably to include the eggs of the creeping creatures.

51. The second phrase, *it was blotted out* **from the earth**, implies that the death of the living creatures was so complete that even the eggs of birds and reptiles were destroyed. Thus, if not for the specimens in the Ark, none of the living creatures would have been reintroduced after the Flood.

52. By paraphrasing the wording of this verse, Ramban suggests that the first "blotting out" of the verse is a general statement, which the remainder of the verse explains in detail.

Only Noah survived, and those with him in the Ark. [24] *And the waters strengthened on the earth one hundred and fifty days.*

8 [1] *God remembered Noah and all the beasts and all the animals that were with him in the Ark, and God caused a spirit to pass over the earth, and the waters subsided.*

רמב״ן

ח [א] וַיִּזְכֹּר[1] **אֱלֹהִים אֶת נֹחַ וְאֵת כָּל הַחַיָּה וְאֶת כָּל הַבְּהֵמָה.** הַזְּכִירָה בְּנֹחַ מִפְּנֵי שֶׁהָיָה צַדִּיק תָּמִים [לעיל ו, ט][2] וְכָרַת לוֹ בְּרִית לְהַצִּילוֹ [לעיל ו, יח][3]. וְ״נֹחַ״ יִכְלֹל זַרְעוֹ אֲשֶׁר אִתּוֹ שָׁם. וְלֹא הִזְכִּירָם, כִּי בִּזְכוּתוֹ נִצּוֹלוּ. אֲבָל הַזְּכִירָה שֶׁאָמַר בַּחַיָּה וּבַבְּהֵמָה אֵינָהּ בִּזְכוּת[4], שֶׁאֵין בְּבַעֲלֵי נֶפֶשׁ זְכוּת אוֹ חוֹבָה[5], זוּלָתִי בָּאָדָם לְבַדּוֹ. אֲבָל הַזְּכִירָה בָּהֶם, כִּי ״זָכַר אֶת דְּבַר קָדְשׁוֹ״[6], ״שֶׁאָמַר וְהָיָה הָעוֹלָם״[7], וְהָרָצוֹן אֲשֶׁר לוֹ בִּבְרִיאַת הָעוֹלָם עָלָה לְפָנָיו וְרָצָה בְּקִיּוּם הָעוֹלָם בְּמִינִין אֲשֶׁר בָּרָא בּוֹ. וְהִנֵּה רָאָה עַתָּה לְהוֹצִיאָם שֶׁלֹּא יִכְלוּ בַּתֵּיבָה.

RAMBAN ELUCIDATED

I have already alluded to this mystical concept.[53]

8.

1. וַיִּזְכֹּר אֱלֹהִים אֶת נֹחַ וְאֵת כָּל הַחַיָּה וְאֶת כָּל הַבְּהֵמָה – ***GOD REMEMBERED NOAH AND ALL THE BEASTS AND ALL THE ANIMALS.***

[One cannot speak of God as "remembering" or "forgetting." However, when He determines that the time has come to reward or punish an individual, a nation or the world, it can be perceived as if He "remembers." And Scripture often refers to it as such.[1]

What prompted God to "remember" Noah and the animals at this time? Ramban explains:]

הַזְּכִירָה בְּנֹחַ מִפְּנֵי שֶׁהָיָה ״צַדִּיק תָּמִים״ וְכָרַת לוֹ בְּרִית לְהַצִּילוֹ – God's **"remembrance" of Noah was because he was *a completely innocent person*** (above, 6:9),[2] **and** because **He had made a covenant with Him to save him** (above, 6:18).[3] **וְ״נֹחַ״ יִכְלֹל זַרְעוֹ אֲשֶׁר אִתּוֹ שָׁם** – And **"Noah,"** in the phrase, *God remembered Noah*, implicitly **includes his children who were there with him. וְלֹא הִזְכִּירָם כִּי בִּזְכוּתוֹ נִצּוֹלוּ** – **[Scripture,]** however, **does not mention them** explicitly, **because they were saved** only **by his merit.**

[But what is the meaning of God "remembering" the animals (see Rashi)? Ramban gives this explanation:]

אֲבָל הַזְּכִירָה שֶׁאָמַר בַּחַיָּה וּבַבְּהֵמָה אֵינָהּ בִּזְכוּת – **However, the "remembering" that [Scripture] uses with reference to the wild beasts and animals does not refer to any merit** on their part,[4] **שֶׁאֵין בְּבַעֲלֵי נֶפֶשׁ זְכוּת אוֹ חוֹבָה זוּלָתִי בָּאָדָם לְבַדּוֹ** – **for living beings can have no merit or liability,**[5] **with the exception of human beings. אֲבָל הַזְּכִירָה בָּהֶם, כִּי זָכַר אֶת דְּבַר קָדְשׁוֹ** – **Rather, the "remembering"** stated in reference **to them** means, **"For He remembered His holy word."**[6] **שֶׁאָמַר וְהָיָה הָעוֹלָם** – **For He "spoke and the world was created,"**[7] **וְהָרָצוֹן אֲשֶׁר לוֹ בִּבְרִיאַת הָעוֹלָם עָלָה לְפָנָיו** – **and** at this time **the desire that He had in creating the world arose before Him** – i.e., was reaffirmed by Him – **וְרָצָה בְּקִיּוּם הָעוֹלָם בְּמִינִין אֲשֶׁר בָּרָא בּוֹ** – **and He desired the** continued **existence of the world with the species that He had created in it. וְהִנֵּה רָאָה עַתָּה לְהוֹצִיאָם שֶׁלֹּא יִכְלוּ בַּתֵּיבָה** – **He now saw fit to bring them out of** the Ark, **so that they not perish in the Ark.**

53. Above, on 6:13 and 1:26, where the Kabbalistic reference is not translated.

1. See Ibn Ezra (*"Other Version"*) and Radak here.

2. That is: God saw fit to reward him for his righteousness at this point.

3. God saw fit to fulfill His covenant with Noah at this point.

4. This is in contrast with Rashi's interpretation (see there).

5. As creatures of instinct, they cannot be held responsible for their actions. See Ramban below, 9:5.

6. Stylistic citation from *Psalms* 105:42. Ramban means that God recalled and acted upon the intentions He had formulated long ago, when He created the world. He now desired that its existence continue, as Ramban goes on to explain.

7. Stylistic citation of a common rabbinical expression denoting God as the Creator (see *Shabbos* 139a, *Eruvin* 13b, etc.).

ב וַיִּסָּֽכְרוּ֙ מַעְיְנֹ֣ת תְּה֔וֹם וַאֲרֻבֹּ֖ת הַשָּׁמָ֑יִם וַיִּכָּלֵ֥א
ג הַגֶּ֖שֶׁם מִן־הַשָּׁמָֽיִם׃ וַיָּשֻׁ֧בוּ הַמַּ֛יִם מֵעַ֥ל הָאָ֖רֶץ
הָל֣וֹךְ וָשׁ֑וֹב וַיַּחְסְר֣וּ הַמַּ֔יִם מִקְצֵ֕ה חֲמִשִּׁ֥ים
ד וּמְאַ֖ת יֽוֹם׃ וַתָּ֤נַח הַתֵּבָה֙ בַּחֹ֣דֶשׁ הַשְּׁבִיעִ֔י
בְּשִׁבְעָֽה־עָשָׂ֥ר י֖וֹם לַחֹ֑דֶשׁ עַ֖ל הָרֵ֥י אֲרָרָֽט׃

ב וְאִסְתְּכָרוּ מַבּוּעֵי תְהוֹמָא וְכַוֵּי
שְׁמַיָּא וְאִתְכְּלִי מִטְרָא מִן שְׁמַיָּא:
ג וְתָבוּ מַיָּא מֵעַל אַרְעָא אָזְלִין
וְתָיְבִין וַחֲסָרוּ מַיָּא מִסּוֹף מְאָה
וְחַמְשִׁין יוֹמִין: ד וְנָחַת תֵּבוּתָא
בְּיַרְחָא שְׁבִיעָאָה בְּשִׁבְעַת עֲשַׂר
יוֹמָא לְיַרְחָא עַל טוּרֵי קַרְדּוּ:

רש״י

(ב) ויסכרו מעינת. כשנפתחו כתיב כל מעינת (לעיל ז:יא) וכאן אין כתיב כל, לפי שנשתיירו מהם אותן שיש בהם צורך לעולם, כגון חמי טבריא וכיוצא בהן (ב"ר לג:ד; סנהדרין קח.): **ויכלא.** וימנע (תרגום יונתן) כמו לא תכלא רחמיך (תהלים מ:יב) לא יכלה ממך (להלן כג:ו): **(ג) מקצה חמשים ומאת יום.** התחילו לחסור, והוא אחד בסיון. כיצד, בכ"ז בכסליו פסקו הגשמים, הרי ג' מכסליו, וכ"ט מטבת, הרי ל"ב, ושבט ואדר וניסן ואייר ק"ח, הרי ק"נ (סדר עולם פ"ד; ב"ר שם ז): **(ד) בחדש השביעי.** סיון, והוא שביעי לכסליו שבו פסקו הגשמים (שם ושם): **בשבעה עשר יום.** מכאן אתה למד שהיתה התיבה משוקעת במים י"א אמה. שהרי כתיב בעשירי באחד לחדש נראו ראשי ההרים, זה אב שהוא עשירי [למרחשון] לירידת גשמים, והם היו גבוהים על ההרים חמש עשרה אמה. וחסרו מיום אחד בסיון עד אחד באב חמש עשרה אמה לששים יום הרי אמה לד' ימים. נמצא שבי"ו בסיון לא חסרו המים אלא ד' אמות, ונחה התיבה ליום המחרת, למדת שהיתה משוקעת י"א אמה במים שעל ראשי ההרים (שם ושם):

רמב״ן

וְלֹא הִזְכִּיר הָעוֹף וְהַשֶּׁרֶץ, כִּי זְכִירַת הַחַיָּה שָׁוָה עִמָּהֶם[8], "וְיַגִּיד עָלָיו רֵעוֹ"[9].

[ד] וַתָּנַח הַתֵּבָה בַּחֹדֶשׁ הַשְּׁבִיעִי בְּשִׁבְעָה עָשָׂר יוֹם לַחֹדֶשׁ. כָּתַב רַשִׁ"י: "מִכָּאן אַתָּה לָמֵד שֶׁהָיְתָה מְשֻׁקַּעַת בַּמַּיִם י"א אַמָּה", כְּפִי הַחֶשְׁבּוֹן הַכָּתוּב בְּפֵירוּשָׁיו[10]. וְהוּא כֵּן בִּבְרֵאשִׁית רַבָּה (לג,ז). אֲבָל כֵּיוָן שֶׁרַשִׁ"י מְדַקְדֵּק בִּמְקוֹמוֹת אַחֲרֵי מִדְרְשֵׁי הַהַגָּדוֹת, וְטוֹרֵחַ לְבָאֵר פְּשָׁטֵי הַמִּקְרָא - הִרְשָׁה אוֹתָנוּ לַעֲשׂוֹת כֵּן, כִּי שִׁבְעִים פָּנִים לַתּוֹרָה[11], וּמִדְרָשִׁים רַבִּים חֲלוּקִים בְּדִבְרֵי הַחֲכָמִים.

RAMBAN ELUCIDATED

[But why is there no mention of the fowl and creeping things in God's "remembrance"? Ramban explains:]

וְלֹא הִזְכִּיר הָעוֹף וְהַשֶּׁרֶץ – **[Scripture] did not mention the fowl and the creeping things,** כִּי זְכִירַת הַחַיָּה שָׁוָה עִמָּהֶם – **for the "remembering" of the beasts** and animals **is equivalent to them,**[8] וְיַגִּיד עָלָיו רֵעוֹ – **and "its companion attests to it".**[9]

4. וַתָּנַח הַתֵּבָה בַּחֹדֶשׁ הַשְּׁבִיעִי בְּשִׁבְעָה עָשָׂר יוֹם לַחֹדֶשׁ – ***AND THE ARK CAME TO REST IN THE SEVENTH MONTH, ON THE SEVENTEENTH DAY OF THE MONTH.***

כָּתַב רַשִׁ"י – **Rashi writes:** מִכָּאן אַתָּה לָמֵד שֶׁהָיְתָה מְשֻׁקַּעַת בַּמַּיִם י"א אַמָּה – **"From here you learn that eleven cubits the Ark were submerged in the water,"** כְּפִי הַחֶשְׁבּוֹן הַכָּתוּב בְּפֵירוּשָׁיו – **according to the calculation that is written in his commentary.**[10] וְהוּא כֵּן בִּבְרֵאשִׁית רַבָּה – **And so it is** stated **in *Bereishis Rabbah*** (33:7).

[Before questioning the Midrashic interpretation of the verses of our section, Ramban addresses the issue of whether it is permissible to do so:]

אֲבָל כֵּיוָן שֶׁרַשִׁ"י מְדַקְדֵּק בִּמְקוֹמוֹת אַחֲרֵי מִדְרְשֵׁי הַהַגָּדוֹת, וְטוֹרֵחַ לְבָאֵר פְּשָׁטֵי הַמִּקְרָא – **However, since Rashi in** various **places closely examines Midrashic interpretations, and** nevertheless **makes an effort to explain the plain meaning of the verse,** הִרְשָׁה אוֹתָנוּ לַעֲשׂוֹת כֵּן – **he has** thereby **granted us the permission to do so** as well, כִּי שִׁבְעִים פָּנִים לַתּוֹרָה, וּמִדְרָשִׁים רַבִּים חֲלוּקִים בְּדִבְרֵי הַחֲכָמִים – **for**

8. I.e., "Animals and beasts" can include fowl and creeping things.

9. Stylistic citation from *Job* 36:33 meaning that the status of something can be inferred from something similar to it; i.e., "animals" includes all creatures.

10. The gist of the calculation is as follows: The floodwaters reached a height of 15 cubits over the highest mountain peak (7:20). The water began to recede on the first of Sivan (8:3, according to the Midrashic interpretation) and continued to recede until the highest peak appeared sixty days later on the first of Av (8:5, according to the Midrashic interpretation). Hence in sixty days the water receded 15 cubits, or $^{1}/_{4}$ cubit per day. On the sixteenth of Sivan the waters had

2 The fountains of the deep and the windows of the heavens were closed, and the rain from heaven was restrained. 3 The waters then receded from upon the earth, receding continuously, and the waters diminished at the end of one hundred and fifty days. 4 And the Ark came to rest in the seventh month, on the seventeenth day of the month, upon the mountains of Ararat.

רמב״ן

וְאוֹמֵר אֲנִי שֶׁאֵין הַחֶשְׁבּוֹן הַזֶּה שֶׁאָמְרוּ נָאוֹת בִּלְשׁוֹן הַכָּתוּב[12]. כִּי אִם נִסְבּוֹל לְפָרֵשׁ ״וַתָּנַח הַתֵּבָה בַּחֹדֶשׁ הַשְּׁבִיעִי״ [פסוק ד] לַיּוֹם הַזֶּה הַנִּזְכָּר [פסוקים ב, ג], שֶׁכָּלָא בוֹ הַגֶּשֶׁם וְשָׁבוּ הַמַּיִם מֵעַל הָאָרֶץ הָלוֹךְ וְחָסוֹר, שֶׁלֹּא כְּמִנְיַן הַחֹדֶשׁ הַשֵּׁנִי הַנִּזְכָּר בְּהַתְחָלַת הַפָּרָשָׁה [ז, יא] וְכַמִּנְיָן הָאָמוּר בְּסוֹף הַפָּרָשָׁה [ח, יד], אֵיךְ יִתָּכֵן שֶׁיַּחֲזוֹר מִיָּד בַּפָּסוּק הַשֵּׁנִי [ה] וְיֹאמַר ״עַד הַחֹדֶשׁ הָעֲשִׂירִי״ לְמִנְיָן אַחֵר, שֶׁיִּהְיֶה הָעֲשִׂירִי לִירִידַת הַגְּשָׁמִים[13,14]?

RAMBAN ELUCIDATED

"there are seventy facets to the Torah,"[11] **and there are many divergent Midrashim** found **in the words of the Sages.**

[Having established that it is acceptable to offer alternative interpretations to that of the Midrash, Ramban now proceeds to offer his own interpretation:]

וְאוֹמֵר אֲנִי שֶׁאֵין הַחֶשְׁבּוֹן הַזֶּה שֶׁאָמְרוּ נָאוֹת בִּלְשׁוֹן הַכָּתוּב – **I** therefore **say that this calculation that [the Sages] formulated does not fit well into the words of Scripture.**[12] **כִּי אִם נִסְבּוֹל לְפָרֵשׁ ״וַתָּנַח הַתֵּבָה בַּחֹדֶשׁ הַשְּׁבִיעִי״ לַיּוֹם הַזֶּה הַנִּזְכָּר, שֶׁכָּלָא בוֹ הַגֶּשֶׁם וְשָׁבוּ הַמַּיִם מֵעַל הָאָרֶץ הָלוֹךְ וְחָסוֹר** – **Even if we could bear** the inherent difficulty of using several different systems for numbering months in one narrative, **and interpret that,** ***the Ark came to rest in the seventh month*** (v. 4) **refers to** the seventh month counting from **the day** (in Kislev) **that is** previously **mentioned** in vv. 2-3, **on which the rain stopped and on which the water** began to **recede and gradually diminish from upon the land,** **שֶׁלֹּא כְּמִנְיַן הַחֹדֶשׁ הַשֵּׁנִי הַנִּזְכָּר בְּהַתְחָלַת הַפָּרָשָׁה, וְכַמִּנְיָן הָאָמוּר בְּסוֹף הַפָּרָשָׁה** – **which is not the same** system of counting months **as the counting of the** ***second month*** (7:11) **mentioned in the beginning of the section and the counting** of months **at the end of the section** (8:14), both of which count from Tishrei – there would still be a difficulty. **אֵיךְ יִתָּכֵן שֶׁיַּחֲזוֹר מִיָּד בַּפָּסוּק הַשֵּׁנִי וְיֹאמַר ״עַד הַחֹדֶשׁ הָעֲשִׂירִי״ לְמִנְיָן אַחֵר** – For **how is it possible that** after verse 4, where *the seventh month* counts months from the cessation of rain, **[Scripture] should change** its way of numbering the months **immediately, in the very next verse, and say,** ***until the tenth month*** (v. 5) **using a different system of counting,** **שֶׁיִּהְיֶה הָעֲשִׂירִי לִירִידַת הַגְּשָׁמִים** – **so that the tenth month would refer to the** ***beginning*** **of the rainfall** (Marcheshvan)?[13] It is thus problematic to identify the *first day of the tenth month* (v. 5) with the first of Av.[14]

thus receded 4 cubits, so that the highest mountains were now covered with 11 cubits of water. Now, our verse states that on the following day, Sivan 17, (according to the Midrashic interpretation) the Ark came to rest on the highest mountain – Ararat. Hence, of the 15 cubits of water only 4 had to recede for the Ark to touch land. Then, the 11 lower cubits of the Ark must have been submerged in the water.

11. *Osiyos DeRabbi Akiva; Bamidbar Rabbah* 13.

12. The main difficulty with the Sages' interpretation is the inconsistency in the Torah's frame of reference in counting months. There are five dates mentioned in connection with the Flood: (1) Its onset on the seventeenth of the *second month* (7:11). (2) The landing of the Ark atop Mount Ararat on the seventeenth of the *seventh month* (8:4). (3) The exposure of the high mountaintops on the first of the *tenth month* (8:5). (4) The partial drying of the earth on the first of the *first month* (8:13). (5) The full drying out of the earth on the twenty-seventh of the *second month* (8:14). According to the Midrash, the months mentioned in (1), (4) and (5) are counting from Tishrei, the month mentioned in (2) is counting from Kislev, and the month mentioned in (3) is counting from Marcheshvan.

13. To sum up Ramban's objection: Even if we were to accept that two different month-numbering systems are employed in the same narrative, it is *implausible* that such changes should be so abrupt as to occur from one verse to the next.

14. If v. 4 is counting from Kislev, then v. 5 should also count from Kislev. Accordingly, we should say that the highest mountain became visible on the first of *Elul*, not Av (see above, note 10). This undermines the Midrash's determination of the rate of water recession

רמב״ן

וְהָרְאָיָה מִן הַתֵּיבָה שֶׁהָיְתָה מְשֻׁקַּעַת בַּמַּיִם מִפְּנֵי שֶׁנּוֹתֵן חִסָּרוֹן שָׁוֶה לְכָל הַיָּמִים, אַמָּה לְאַרְבָּעָה יָמִים, אֵינָהּ רְאָיָה. כִּי מִן הַיָּדוּעַ בְּחֶסְרוֹן הַמַּיִם, כִּי הַנַּחַל הַגָּדוֹל כַּאֲשֶׁר יֶחְסַר בִּתְחִלָּתוֹ אַמָּה לְאַרְבָּעָה יָמִים, יֶחְסַר בְּסוֹפוֹ אַרְבַּע אַמּוֹת לְיוֹם אֶחָד[15]. וַהֲרֵי לְפִי הַחֶשְׁבּוֹן הַזֶּה בְּאֶחָד לְחֹדֶשׁ אָב נִרְאוּ רָאשֵׁי הֶהָרִים, וּבְאֶחָד בְּתִשְׁרֵי חָרְבוּ הַמַּיִם [לקמן פסוק יג], וְהִנֵּה בְּשִׁשִּׁים יוֹם חָסְרוּ כָּל גּוֹבַהּ הֶהָרִים הַגְּבוֹהִים, שֶׁהֵם כַּמָּה אֲלָפִים אַמָּה!

וְעוֹד, כִּי שָׁלַח הַיּוֹנָה בְּשִׁבְעָה עָשָׂר יוֹם לְחֹדֶשׁ אֱלוּל[16], וְהַמַּיִם עַל פְּנֵי כָל הָאָרֶץ [לקמן פסוק ט], וְהָאִילָנוֹת מְכֻסִּים[17]. וְהִנֵּה חָרְבוּ כֻּלָּם בִּשְׁנֵים עָשָׂר יָמִים![18]

וְעַל דֶּרֶךְ הַסְּבָרָא אִם הָיְתָה מְשֻׁקַּעַת בַּמַּיִם י״א אַמָּה, וְהוּא יוֹתֵר מִשְּׁלִישׁ קוֹמָתָהּ[19], תִּטְבַּע, בַּעֲבוּר הֱיוֹתָהּ רְחָבָה מִלְּמַטָּה וְכָלָה אֶל אַמָּה, כִּי הִיא הֵפֶךְ הַסְּפִינוֹת, וְיֵשׁ בָּהּ כְּבֵדוּת גְּדוֹלָה.

RAMBAN ELUCIDATED

[Ramban now puts forth another argument against the Midrash's proof that eleven cubits of the Ark were submerged in the water:]

וְהָרְאָיָה מִן הַתֵּיבָה שֶׁהָיְתָה מְשֻׁקַּעַת בַּמַּיִם מִפְּנֵי שֶׁנּוֹתֵן חִסָּרוֹן שָׁוֶה לְכָל הַיָּמִים, אַמָּה לְאַרְבָּעָה יָמִים, אֵינָהּ רְאָיָה – Furthermore, **the proof that the Ark was submerged in the water,** which assumes **an equal amount of recession for each day, one cubit per four days, is not** a valid **proof.** **כִּי מִן הַיָּדוּעַ בְּחֶסְרוֹן הַמַּיִם** – **For it is well known, regarding the recession of water,** **כִּי הַנַּחַל הַגָּדוֹל כַּאֲשֶׁר יֶחְסַר בִּתְחִלָּתוֹ אַמָּה לְאַרְבָּעָה יָמִים** – **that if a full stream recedes at first by one cubit every four days,** **יֶחְסַר בְּסוֹפוֹ אַרְבַּע אַמּוֹת לְיוֹם אֶחָד** – **it will eventually recede by** as much as **four cubits per day!**[15]

[Ramban goes on to show that the Midrash itself must admit that the rate of the water's recession was not constant. He brings proof from two insights into the Flood episode. The first insight:]

וַהֲרֵי לְפִי הַחֶשְׁבּוֹן הַזֶּה – **Now, according to this calculation** of the Midrash, **בְּאֶחָד לְחֹדֶשׁ אָב נִרְאוּ רָאשֵׁי הֶהָרִים** – **on the first of the month of Av the mountaintops became visible,** **וּבְאֶחָד בְּתִשְׁרֵי חָרְבוּ הַמַּיִם** – **and on the first of Tishrei** (two months later) **the water dried up,** down to the level of the earth's surface (below, 8:13). **וְהִנֵּה בְּשִׁשִּׁים יוֹם חָסְרוּ כָּל גּוֹבַהּ הֶהָרִים הַגְּבוֹהִים** – **Thus, in sixty days** the water level **became diminished the entire height of the highest mountains,** **שֶׁהֵם כַּמָּה אֲלָפִים אַמָּה** – **which is several thousand cubits!** This represents a much greater rate of recession than ¼ cubit per day!

[The second insight:]

וְעוֹד, כִּי שָׁלַח הַיּוֹנָה בְּשִׁבְעָה עָשָׂר יוֹם לְחֹדֶשׁ אֱלוּל – **Furthermore,** according to the Midrash, **[Noah] sent out the dove on the seventeenth day of the month of Elul,**[16] **וְהַמַּיִם עַל פְּנֵי כָל הָאָרֶץ, וְהָאִילָנוֹת מְכֻסִּים** – **and** at that time ***the water was upon the surface of all the earth*** (8:9), **and all the trees were covered** with water.[17] **וְהִנֵּה חָרְבוּ כֻּלָּם בִּשְׁנֵים עָשָׂר יָמִים** – **And yet** according to the Midrash's interpretation **all** this water **dried up** by the first of Tishrei, **in** only **twelve days!**[18]

[Ramban poses yet another question on the Midrash's assertion that the bottom of the Ark was submerged eleven cubits:]

וְעַל דֶּרֶךְ הַסְּבָרָא אִם הָיְתָה מְשֻׁקַּעַת בַּמַּיִם י״א אַמָּה – Furthermore**, logically, [if the bottom of the Ark] was submerged eleven cubits deep into the water,** **וְהוּא יוֹתֵר מִשְּׁלִישׁ קוֹמָתָהּ, תִּטְבַּע** – **which is more than a third of its height,**[19] **it should have sunk,** **בַּעֲבוּר הֱיוֹתָהּ רְחָבָה מִלְּמַטָּה וְכָלָה אֶל אַמָּה, כִּי הִיא הֵפֶךְ הַסְּפִינוֹת** – **because it was wide on the bottom and narrowed down to a cubit's width** on top**, which is the reverse of ordinary** ships – **וְיֵשׁ בָּהּ כְּבֵדוּת גְּדוֹלָה** – **and [the Ark] was very heavy** as well.

as ¼ cubit per day (see ibid.), and the consequent proof that the Ark was submerged eleven cubits into the water.

15. The rate of water's evaporation and absorption is not constant. For example, it is clearly much less in a full stream than in one that is nearly empty. The same should apply to the water that covered the earth; the water level would have receded more slowly at the beginning than at the end.

16. Forty days after the highest mountaintops became visible Noah sent out the raven (8:6-7); seven days later he sent out the dove (8:8; see Rashi ad loc.). Forty-seven days after the first of Av (the date that the mountaintops became visible according to the Midrash) is the seventeenth of Elul.

17. For otherwise the dove would have landed on one of the treetops and not returned (see Ramban below, v. 9).

18. This further indicates that the rate of water recession was not constant.

19. The Ark's height was 30 cubits (above, 6:15).

רמב״ן

וְהַנִּרְאֶה בְּדֶרֶךְ הַפְּשָׁט, כִּי חֲמִשִּׁים וּמְאַת יוֹם הָאֲמוּרִים בְּתִגְבֹּרֶת הַמַּיִם [ז, כד] יִכְלְלוּ אַרְבָּעִים יוֹם שֶׁל יְרִידַת הַגֶּשֶׁם, כִּי בָּהֶם עִקַּר הָרִבּוּי וְהִתְגַּבְּרוּת[20]. וְהִנֵּה הֵחֵלּוּ לַחְסֹר בְּשִׁבְעָה עָשָׂר בְּנִיסָן[21]. וַתָּנַח הַתֵּיבָה אַחַר שְׁלֹשִׁים יוֹם עַל הָרֵי אֲרָרָט, בְּשִׁבְעָה עָשָׂר יוֹם לְחֹדֶשׁ אִיָּר[22], הוּא הַחֹדֶשׁ הַשְּׁבִיעִי לִירִידַת הַגֶּשֶׁם[23]. וְאַחֲרֵי ע״ג יָמִים בְּאֶחָד לְחֹדֶשׁ אָב, הוּא הַחֹדֶשׁ הָעֲשִׂירִי לִירִידָה[24], נִרְאוּ רָאשֵׁי הֶהָרִים. וְהִנֵּה תִּקַּנּוּ תִּקּוּן מְעַט בִּלְשׁוֹן הַכָּתוּב[25].

וְהַנָּכוֹן בְּעֵינַי[26], כִּי חֲמִשִּׁים וּמְאַת יוֹם הָיוּ מִשִּׁבְעָה עָשָׂר יוֹם לַחֹדֶשׁ הַשֵּׁנִי, הוּא חֹדֶשׁ מַרְחֶשְׁוָן, עַד שִׁבְעָה

RAMBAN ELUCIDATED

[Ramban now proceeds to give an alternate explanation of the relevant verses, which will address the many difficulties he has presented:]

וְהַנִּרְאֶה בְּדֶרֶךְ הַפְּשָׁט – **It seems to me, following the plain meaning** of the verse, כִּי חֲמִשִּׁים וּמְאַת יוֹם הָאֲמוּרִים בְּתִגְבֹּרֶת הַמַּיִם – **that the hundred and fifty days mentioned** in connection with **the** ***strengthening of the water*** (7:24) יִכְלְלוּ אַרְבָּעִים יוֹם שֶׁל יְרִידַת הַגֶּשֶׁם – **include the forty days of rainfall** – כִּי בָּהֶם עִקַּר הָרִבּוּי וְהִתְגַּבְּרוּת – **for it was during [these forty days] that the major increase and strengthening** of water occurred.[20] וְהִנֵּה הֵחֵלּוּ לַחְסֹר בְּשִׁבְעָה עָשָׂר בְּנִיסָן – **Thus, [the water] began to recede on the seventeenth of Nissan.**[21] וַתָּנַח הַתֵּיבָה אַחַר שְׁלֹשִׁים יוֹם עַל הָרֵי אֲרָרָט – **The Ark then came to rest, thirty days later, on Mount Ararat,** בְּשִׁבְעָה עָשָׂר יוֹם לְחֹדֶשׁ אִיָּר, הוּא הַחֹדֶשׁ הַשְּׁבִיעִי לִירִידַת הַגֶּשֶׁם – **on the seventeenth day of the month of Iyar,**[22] **which is "the seventh month"** (8:4), counting **from** the beginning of **the rainfall.**[23] וְאַחֲרֵי ע״ג יָמִים בְּאֶחָד לְחֹדֶשׁ אָב – **Seventy-three days later, on the first of the month of Av** – הוּא הַחֹדֶשׁ הָעֲשִׂירִי לִירִידָה – **which is** ***the tenth month*** (v. 5) **from** the beginning of the **rainfall**[24] – נִרְאוּ רָאשֵׁי הֶהָרִים – **the mountaintops became visible.** וְהִנֵּה תִּקַּנּוּ תִּקּוּן מְעַט בִּלְשׁוֹן הַכָּתוּב – **Thus, we have made a minor improvement in the** difficulty of the **language of Scripture.**[25]

[Ramban now presents an interpretation that enables *all* the various dates of our section to belong to the same standard:[26]]

וְהַנָּכוֹן בְּעֵינַי – **The most sound** interpretation **in my view** כִּי חֲמִשִּׁים וּמְאַת יוֹם הָיוּ מִשִּׁבְעָה עָשָׂר יוֹם לַחֹדֶשׁ הַשֵּׁנִי – **is that the hundred and fifty days** extended **from the seventeenth day of the second month** הוּא חֹדֶשׁ מַרְחֶשְׁוָן – **which is the month of Marcheshvan** – עַד שִׁבְעָה

20. The forty days of rain certainly qualify as being among the 150 days when the water was "abundant and strong."

21. Which is 150 days after the beginning of the Flood on the seventeenth of Marcheshvan.

22. The Midrash assumes that the 150-day period of *the strengthening of the water* (7:24) followed the forty days of rainfall, and thus the water began to recede on the first of Sivan, which is the *ninth* month (counting from Tishrei, the "standard" way of counting months) or the *eighth* month (counting from Marcheshvan, when the rain began). But then how could the Ark have come to rest on the 17th of the *seventh* month (8:4) – *before* the water began to recede? The Midrash is therefore forced to say the "seventh month" is counted from Kislev (when the rains stopped). Ramban, however, posits that the forty days of rainfall were included in the 150 days, and thus the water began to recede on the 17th of Nisan, which is the *seventh* month counting from Tishrei. He is therefore free to learn that the "seventh month" mentioned in connection with the landing of the Ark is counted from Tishrei (i.e., the Ark came to rest on the 17th of Nissan) or that it is counted from Marcheshvan (i.e., the Ark came to rest on the 17th of Iyar) According to Ramban, then, both v. 4 and v. 5 can be counting from one single reference point – Marcheshvan; unlike the Midrash that is forced to say that v. 4 counts from Kislev and v. 5 counts from Marcheshvan. (Though, as we explained, Ramban could have explained v. 4 as counting from Tishrei, he prefers to say that it is counting from Marcheshvan. See next note, and further below.)

23. At this point in his commentary, even Ramban does not want to interpret *the seventeenth day of the seventh month* as following the standard system (which would yield the 17th of Nissan), for he has placed the end of the "strengthening of water" phase at 17th of Nissan. How could the Ark come to rest on the very day on which the "strengthening of the water" ceased and recession began? He therefore prefers to say that this "seventh month" is counted from Marcheshvan. (Below, however, Ramban will show how it is possible for the Ark to have landed on the 17th of Nissan.)

24. This date (the first day of the tenth month) follows the same system as the previously-mentioned date (the seventeenth of the seventh month), as might be expected. They are interpreted to mean, respectively, "the seventh month of the Flood" and "the tenth month

רמב״ן

עָשָׂר יוֹם לַחֹדֶשׁ הַשְּׁבִיעִי, הוּא חֹדֶשׁ נִיסָן. וְהוּא יוֹם מְנוֹחַ הַתֵּיבָה[27], כִּי אָז[28] הֶעֱבִיר הַשֵּׁם "רוּחַ קָדִים עַזָּה כָּל הַלַּיְלָה וַיָּשֶׂם אֶת הַמַּיִם לֶחָרָבָה"[29], שֶׁחָסְרוּ מְאֹד, וַתָּנַח הַתֵּיבָה וְהָרְאָיָה כִּי לֹא אָמַר הַכָּתוּב בְּכָאן "וַיַּחְסְרוּ הַמַּיִם בְּחֹדֶשׁ פְּלוֹנִי בְּיוֹם פְּלוֹנִי וְהָיוּ הַמַּיִם הָלוֹךְ וְחָסוֹר עַד הַחֹדֶשׁ הַשְּׁבִיעִי וַתָּנַח הַתֵּיבָה וְגוֹ'", כַּאֲשֶׁר אָמַר בְּחֶסְרוֹן הָאַחֵר שֶׁנִּרְאוּ בּוֹ רָאשֵׁי הֶהָרִים[30], כִּי בְּיוֹם הַחִסָּרוֹן נָחָה הַתֵּיבָה. וְהַסֵּדֶר בָּעִנְיָן הַזֶּה, כִּי בְּיוֹם רֶדֶת הַגֶּשֶׁם נִבְקְעוּ מַעְיְנוֹת תְּהוֹם וְנִפְתְּחוּ אֲרֻבּוֹת הַשָּׁמַיִם[31]. וְיָרַד הַגֶּשֶׁם אַרְבָּעִים יוֹם, וּבָהֶם גָּבְרוּ הַמַּיִם חֲמֵשׁ עֶשְׂרֵה אַמָּה מִלְמַעְלָה. וְנִפְסַק הַגֶּשֶׁם בְּסוֹף הָאַרְבָּעִים, וְנִשְׁאֲרוּ מַעְיְנוֹת תְּהוֹם וַאֲרֻבּוֹת הַשָּׁמַיִם פְּתוּחוֹת;

RAMBAN ELUCIDATED

עָשָׂר יוֹם לַחֹדֶשׁ הַשְּׁבִיעִי, הוּא חֹדֶשׁ נִיסָן – **to the seventeenth day of the seventh month** counting from Tishrei, **which is the month of Nissan.** **וְהוּא יוֹם מְנוֹחַ הַתֵּיבָה** – **And that** day itself **was the day on which the Ark came to rest.**[27] **כִּי אָז הֶעֱבִיר הַשֵּׁם רוּחַ קָדִים עַזָּה כָּל הַלַּיְלָה** – **For then,**[28] on that day, **God "caused a fierce east wind to blow all night long,** **וַיָּשֶׂם אֶת הַמַּיִם לֶחָרָבָה** – **turning the water into dry land,"**[29] **שֶׁחָסְרוּ מְאֹד** – **and [the water] receded a great deal** on that day, **וַתָּנַח הַתֵּיבָה** – **and the Ark came to rest.**

וְהָרְאָיָה כִּי לֹא אָמַר הַכָּתוּב בְּכָאן "וַיַּחְסְרוּ הַמַּיִם בְּחֹדֶשׁ פְּלוֹנִי בְּיוֹם פְּלוֹנִי וְהָיוּ הַמַּיִם הָלוֹךְ וְחָסוֹר עַד הַחֹדֶשׁ הַשְּׁבִיעִי וַתָּנַח הַתֵּיבָה וְגוֹ'" – **The proof** for this assertion **is that Scripture does not say here, "and the water receded on such and such a day of such and such a month, and the water continued to recede continuously until the seventh month, when the Ark came to rest"** – **כַּאֲשֶׁר אָמַר בְּחֶסְרוֹן הָאַחֵר שֶׁנִּרְאוּ בּוֹ רָאשֵׁי הֶהָרִים** – **as it did say in connection with the other receding** of water related in this section, namely, **when the mountaintops became visible** (v. 5).[30] **כִּי בְּיוֹם הַחִסָּרוֹן נָחָה הַתֵּיבָה** – This is **because it was on the** very **day of** the beginning of the water's **recession that the Ark landed.**

וְהַסֵּדֶר בָּעִנְיָן הַזֶּה – **The sequence** of events **in this narrative is** as follows: **כִּי בְּיוֹם רֶדֶת הַגֶּשֶׁם נִבְקְעוּ מַעְיְנוֹת תְּהוֹם וְנִפְתְּחוּ אֲרֻבּוֹת הַשָּׁמַיִם** – **On the day of the** onset **of the rainfall,** ***all the fountains of the*** *great* ***deep burst forth, and the windows of heaven were opened.***[31] **וְיָרַד הַגֶּשֶׁם אַרְבָּעִים יוֹם, וּבָהֶם גָּבְרוּ הַמַּיִם חֲמֵשׁ עֶשְׂרֵה אַמָּה מִלְמַעְלָה** – **The rain fell for forty days, during which time the water increased to** being **fifteen cubits above** the mountains.

וְנִפְסַק הַגֶּשֶׁם בְּסוֹף הָאַרְבָּעִים, וְנִשְׁאֲרוּ מַעְיְנוֹת תְּהוֹם וַאֲרֻבּוֹת הַשָּׁמַיִם פְּתוּחוֹת – **The rain stopped at the end of the forty** days, **but the** ***fountains of the deep and windows of the heaven*** **remained open;**

---

of the Flood." However, the next two dates mentioned – namely, the first day of the first month (8:13) and the twenty-seventh of the second month (8:14) – cannot be interpreted in this manner, for it is quite clear that the water did not dry up partially (8:13) or completely (8:14) in the first or second month of the Flood, when water was still pouring down or "strengthening" on the ground!

25. According to this explanation, Ramban avoids the use of three different standards for numbering months. Nevertheless, it is only a "*minor* improvement" because it still makes use of two disparate frames of reference. [Using the key of dates established in note 12, we may summarize that according to Ramban dates (1), (4) and (5) are numbered from Tishrei, and dates (2) and (3) count the months from Marcheshvan, when the Flood began. See chart.]

26. This interpretation also resolves a further difficulty: According to Ramban's first explanation, if we do the same arithmetic for his dates that the Midrash did for its own dates (see note 10), we will discover that the Ark was submerged into the water by 10.6 cubits. This is hardly different from the Midrash's figure of 11 cubits, which the Ramban dismissed because the Ark would not have stayed afloat! Furthermore, taking into consideration that Ramban himself asserted that the rate of recession was slower at first and then increased gradually, we will find that the Ark must have been submerged even *more* than these 10.6 cubits, and probably even more than 11 cubits. This difficulty is resolved with Ramban's second interpretation.

27. According to this interpretation, when the verse says that the Ark landed on the *seventeenth of the seventh month*, it is referring to Nissan, the seventh month counting from Tishrei, which is the standard point of reference for numbering months.

28. Ramban has just asserted that the water, which began to recede only at the end of the 150 days, diminished enough in one single day (the seventeenth of Nissan) to allow the Ark to land that same day. He now explains how this was possible.

29. Stylistic paraphrase of *Exodus* 14:21. (Below, Ramban offers another theory of how the Ark landed in just one day.)

30. The fact that the Torah describes the gradual recession of water in v. 5, *after* the landing of the Ark, but does not mention this before the Ark's landing, is an indication that the recession of water that led to the Ark's landing was indeed not gradual.

31. A paraphrase of 7:11.

רמב״ן

וְהָיָה הָאֲוִיר לַח מְאֹד, וְכָל הָאָרֶץ מְלֵאָה מַיִם, וְאֵינָם נִגְרָרִים בַּמּוֹרָד[32], וְלֹא יָבְשׁוּ לְעוֹלָם. וְעָמְדוּ כֵן בִּגְבֻרָתָם עַד מְלֹאת ק״נ יוֹם לִירִידַת הַגֶּשֶׁם. וְאָז הֶעֱבִיר הַשֵּׁם רוּחַ חָזָק מְאֹד בַּשָּׁמַיִם וּבָאָרֶץ, וַיִּסָּכְרוּ מַעְיְנוֹת תְּהוֹם, כִּי חָזְרוּ הַמַּיִם הַנּוֹבְעִים מֵהֶם אֶל מְקוֹמָם[33], עַד אֲשֶׁר נִתְמַלֵּא הַתְּהוֹם כְּמוֹ שֶׁהָיָה בַּתְּחִלָּה, וְנִסְגְּרוּ פִּתְחֵי מַעְיְנוֹתָיו וַאֲרֻבּוֹת הַשָּׁמַיִם נִסְגְּרוּ, וַיִּיבַשׁ הָאֲוִיר מְאֹד בָּרוּחַ הַמְיַבֵּשׁ[34], וְהַמַּיִם אֲשֶׁר בָּאָרֶץ לְחֵכָה. וְהִנֵּה חָסְרוּ הַמַּיִם הַרְבֵּה בַּיּוֹם הַהוּא, וַתָּנַח הַתֵּיבָה שֶׁהָיְתָה מְשֻׁקַּעַת בַּמַּיִם כִּשְׁתַּיִם וְשָׁלֹשׁ אַמּוֹת[35],[36]. וְאַחַר שִׁבְעִים וְשָׁלֹשׁ יוֹם בְּאֶחָד לַחֹדֶשׁ הָעֲשִׂירִי, הוּא חֹדֶשׁ תַּמּוּז[37], נִרְאוּ רָאשֵׁי הֶהָרִים. וּמִקֵּץ אַרְבָּעִים יוֹם, בְּעַשְׁתֵּי עָשָׂר חֹדֶשׁ בַּעֲשָׂרָה לַחֹדֶשׁ, פָּתַח נֹחַ חַלּוֹן הַתֵּיבָה; וְאַחֲרֵי שְׁלֹשָׁה שָׁבוּעוֹת הָלְכָה הַיּוֹנָה מֵאִתּוֹ [פסוקים ח-יב], וְאַחַר שְׁלֹשִׁים יוֹם הֵסִיר מִכְסֵה הַתֵּבָה [פסוק יג][38].

[א] וְטַעַם **וַיַּעֲבֵר אֱלֹהִים רוּחַ עַל הָאָרֶץ**[39], שֶׁהָיָה רוּחַ גְּדוֹלָה וְחָזָק יוֹצְאָה מִבֶּטֶן הָאָרֶץ עַל פְּנֵי הַתְּהוֹם,

RAMBAN ELUCIDATED

וְהָיָה הָאֲוִיר לַח מְאֹד וְכָל הָאָרֶץ מְלֵאָה מַיִם – thus the air was very moist, and the land was saturated with water, וְאֵינָם נִגְרָרִים בַּמּוֹרָד, וְלֹא יָבְשׁוּ לְעוֹלָם – so that [the water] could not "flow down slopes"[32] nor dry up under those conditions. **וְעָמְדוּ כֵן בִּגְבֻרָתָם עַד מְלֹאת ק״נ יוֹם לִירִידַת הַגֶּשֶׁם – They remained thus, in their powerful state, until 150 days had passed from the** beginning of **the rainfall.**

וְאָז הֶעֱבִיר הַשֵּׁם רוּחַ חָזָק מְאֹד בַּשָּׁמַיִם וּבָאָרֶץ, "וַיִּסָּכְרוּ מַעְיְנוֹת תְּהוֹם" – Then God caused a very strong wind to blow in the heavens and on earth, and the *fountains of the deep were closed,* כִּי חָזְרוּ הַמַּיִם הַנּוֹבְעִים מֵהֶם אֶל מְקוֹמָם – for the water that flows from them returned to its place,[33] עַד אֲשֶׁר נִתְמַלֵּא הַתְּהוֹם כְּמוֹ שֶׁהָיָה בַּתְּחִלָּה – until the "deep" was filled with water **as it had been originally. וְנִסְגְּרוּ פִּתְחֵי מַעְיְנוֹתָיו וַאֲרֻבּוֹת הַשָּׁמַיִם נִסְגְּרוּ – Also, the openings of the fountains were closed and the windows of the heavens were closed** (v. 2), **וַיִּיבַשׁ הָאֲוִיר מְאֹד בָּרוּחַ הַמְיַבֵּשׁ – and the air became very dry through the drying wind,[34] וְהַמַּיִם אֲשֶׁר בָּאָרֶץ לְחֵכָה – and [this wind]** also **caused the water that was on the ground to evaporate. וְהִנֵּה חָסְרוּ הַמַּיִם הַרְבֵּה בַּיּוֹם הַהוּא – Thus, the water diminished a great deal on that day, וַתָּנַח הַתֵּיבָה שֶׁהָיְתָה מְשֻׁקַּעַת בַּמַּיִם כִּשְׁתַּיִם וְשָׁלֹשׁ אַמּוֹת – and the bottom of the Ark, which was submerged two or three cubits into the water,[35] came to rest.[36]**

וְאַחַר שִׁבְעִים וְשָׁלֹשׁ יוֹם בְּאֶחָד לַחֹדֶשׁ הָעֲשִׂירִי, הוּא חֹדֶשׁ תַּמּוּז, "נִרְאוּ רָאשֵׁי הֶהָרִים" – Then, **seventy-three days later, on the first of the tenth month – which is the month of Tammuz[37] – *the mountain-tops became visible*** (8:5).

וּמִקֵּץ אַרְבָּעִים יוֹם, בְּעַשְׁתֵּי עָשָׂר חֹדֶשׁ בַּעֲשָׂרָה לַחֹדֶשׁ, פָּתַח נֹחַ חַלּוֹן הַתֵּיבָה – After another **forty days, in the eleventh month** (Av), **on the tenth of the month, Noah opened the window of the Ark** (v. 6); **וְאַחֲרֵי שְׁלֹשָׁה שָׁבוּעוֹת הָלְכָה הַיּוֹנָה מֵאִתּוֹ – three weeks later** (the first day of Elul) **the dove departed from him** (vv. 8-12), **וְאַחַר שְׁלֹשִׁים יוֹם הֵסִיר מִכְסֵה הַתֵּבָה – and thirty days later** (the first day of Tishrei) **he removed the covering of the Ark** (v. 13).[38]

[Having provided us with the basic outline of the story of the Flood according to his interpretation, Ramban now goes back and comments on the individual phrases and words in the section in accordance with the approach that he has presented above:]

1. [וַיַּעֲבֵר אֱלֹהִים רוּחַ עַל הָאָרֶץ – *GOD CAUSED A SPIRIT TO PASS OVER THE EARTH*]

[Ramban explains how the wind caused the water to subside:[39]]

וְטַעַם "וַיַּעֲבֵר אֱלֹהִים רוּחַ עַל הָאָרֶץ" שֶׁהָיָה רוּחַ גְּדוֹלָה וְחָזָק יוֹצְאָה מִבֶּטֶן הָאָרֶץ עַל פְּנֵי הַתְּהוֹם וּמְרַחֶפֶת בַּמַּיִם – The

32. Stylistic citation from *Micah* 1:4.

33. This is the meaning of וַיָּשֹׁכּוּ הַמָּיִם (8:1), as Ramban explains later.

34. This is the meaning of וַיִּכָּלֵא הַגֶּשֶׁם מִן הַשָּׁמָיִם (8:2), as Ramban explains later.

35. This is unlike the Midrash's assertion that it was submerged by 11 cubits. Ramban noted above that the Ark could not have been submerged that much, for in that case the Ark would have sunk.

36. According to Ramban, then, the water receded 12 or 13 cubits in one day.

37. Counting the months, once again, from Tishrei, as are all the months of this narrative according to this interpretation.

38. The following chart sums up the relevant dates of the Flood according to the various opinions Ramban has discussed:

39. Normally, wind blowing over a body of water has

ה וְהַמַּ֗יִם הָיוּ֙ הָל֣וֹךְ וְחָס֔וֹר עַ֖ד הַחֹ֣דֶשׁ הָעֲשִׂירִ֑י ה וּמַיָּא הֲווֹ אָזְלִין וְחָסְרִין עַד יַרְחָא עֲשִׂירָאָה

רמב״ן

וּמְרַחֶפֶת בַּמַּיִם, וַיִּסָּכְרוּ בוֹ מַעְיְנוֹת תְּהוֹם. כִּי לֹא אָמַר הַכָּתוּב "וַיַּעֲבֵר אֱלֹהִים רוּחַ עַל הַמָּיִם".

□ **וַיָּשֹׁכּוּ הַמָּיִם**[40]. שֶׁהָיוּ נוֹבְעִין מִן הַתְּהוֹם וַיָּנוּחוּ, מִלְּשׁוֹן "וַחֲמַת הַמֶּלֶךְ שָׁכָכָה", [אסתר ז, י], שֶׁנָּחָה[41] אוֹ לְשׁוֹן הֶסְתֵּר הַדָּבָר וְהִבָּלְעוּ, לְלַמֵּד שֶׁנִּבְלְעוּ מֵי הַתְּהוֹם בִּמְקוֹמָם[42]. וְכָךְ אָמַר זֶה בְּסֵדֶר עוֹלָם [ד]: הַמַּיִם הָעוֹלִים לְמַעְלָה נִגְבָּה אוֹתָם הָרוּחַ, וְהַיּוֹרְדִים לְמַטָּה נִבְלְעוּ בִּמְקוֹמָם[43].

RAMBAN ELUCIDATED

explanation of the words, ***God caused a wind to pass over the earth,*** **is that a great, strong wind emerged from the interior of the earth, over the surface of the "deep," and fluttered within the water** (i.e., *under* the water), **וַיִּסָּכְרוּ בוֹ מַעְיְנוֹת תְּהוֹם – and it was due to [this wind] that the *fountains of the deep*** **were closed. כִּי לֹא אָמַר הַכָּתוּב "וַיַּעֲבֵר אֱלֹהִים רוּחַ עַל הַמָּיִם" – For Scripture does not say, *God caused a wind to pass over the "water,"*** but rather, *over the "earth"* – which was completely submerged. This underwater "wind" is what caused the fountains of the deep to close and led to the water's subsiding, as stated in the following verse:

□ **וַיָּשֹׁכּוּ הַמָּיִם** – ***AND THE WATERS SUBSIDED.*** [40]

שֶׁהָיוּ נוֹבְעִין מִן הַתְּהוֹם וַיָּנוּחוּ – This refers to the waters **that had been flowing out of the deep and now subsided. מִלְּשׁוֹן "וַחֲמַת הַמֶּלֶךְ שָׁכָכָה", שֶׁנָּחָה [The word וַיָּשֹׁכּוּ] is related to the expression, *the wrath of the king subsided*** [שָׁכָכָה] (*Esther* 7:10) – meaning that it ***eased***.[41] **אוֹ לְשׁוֹן הֶסְתֵּר הַדָּבָר וְהִבָּלְעוּ – Alternatively, it is an expression that denotes something being concealed and swallowed up, לְלַמֵּד שֶׁנִּבְלְעוּ מֵי הַתְּהוֹם בִּמְקוֹמָם – and it teaches** us **that the waters of the deep** that had surged forth during the Flood **were swallowed up into their place.**[42] **וְכָךְ אָמַר זֶה בְּסֵדֶר עוֹלָם: הַמַּיִם הָעוֹלִים לְמַעְלָה נִגְבָּה אוֹתָם הָרוּחַ, וְהַיּוֹרְדִים לְמַטָּה נִבְלְעוּ בִּמְקוֹמָם – And so it says in *Seder Olam*** (Chap. 4): **"The water that rises** (i.e., evaporates) – **the wind dried it up. And [the water] that descends** (into the earth) **was swallowed up in its place."**[43]

---

the effect of whipping that water to greater heights. How, then, did this wind cause the water to begin to *subside*? (See Rashi, who apparently was also bothered by this question.) Also, the entire earth was covered by water, then should it not have said that the wind passed over the *water*?

40. Rashi understands וַיָּשֹׁכּוּ as *cooling* as in the cooling of seething anger. Here the seething waters cooled. See Rashi Sanhedrin 108b ד״ה חמת. Ramban has a somewhat different understanding:

41. Ramban, as does Rashi, understands וַיָּשֹׁכּוּ being similar to שָׁכָכָה, but with a slight variation. Whereas according to Rashi it meens *cooled,* Ramban explains it as *calmed* (based on Zichron Yitzchak).

42. According to this interpretation, וַיָּשֹׁכּוּ הַמָּיִם means that the waters that had poured forth from the "fountains of the deep" during the Flood now returned to their place underground.

43. This quote from *Seder Olam* confirms the explanation that וַיָּשֹׁכּוּ הַמָּיִם means the waters were swallowed up.

Our versions of *Seder Olam* have it: הַמַּיִם הַיּוֹרְדִים מִלְמַעְלָה נִגְבָּה אוֹתָן הָרוּחַ וְהָעוֹלִים מִלְּמַטָּה נִבְלְעוּ בִּמְקוֹמָן – *The waters descending from above were dried by the wind*

Event:	Beginning of Flood	End of 150 days	Landing of Ark	Mountains Bared	Partial Drying	Complete Drying
Date (Month/day): Verse:	(2/17) 7:11	8:3	(7/17) 8:4	(10/1) 8:5	(1/1) 8:13	(2/27) 8:14
Rashi *Standard used:*	**Marcheshvan 17** Tishrei	**Sivan 1**	**Sivan 17** Kislev	**Av 1** Marcheshvan	**Tishrei 1** Tishrei	**Marcheshvan 27** Tishrei
Ramban I *Standard used:*	**Marcheshvan 17** Tishrei	**Nissan 17**	**Iyar 17** Marcheshvan	**Av 1** Marcheshvan	**Tishrei 1** Tishrei	**Marcheshvan 27** Tishrei
Ramban II *Standard used:*	**Marcheshvan 17** Tishrei	**Nissan 17**	**Nissan 17** Tishrei	**Tammuz 1** Tishrei	**Tishrei 1** Tishrei	**Marcheshvan 27** Tishrei

5 *The waters were continuously diminishing until the tenth month.*

רמב"ן

[ב] וְטַעַם **וַיִּכָּלֵא הַגֶּשֶׁם מִן הַשָּׁמָיִם**, שֶׁלֹּא יָרַד עוֹד גֶּשֶׁם עַד צֵאתָם מִן הַתֵּיבָה[44]. כִּי הָיוּ הַשָּׁמַיִם בָּרוּחַ הַזֶּה כְּבַרְזֶל[45], וְלֹא הוֹרִידוּ טַל וּמָטָר כְּלָל; וַיִּיבַשׁ הָאֲוִיר, וְחָרְבוּ הַמָּיִם, כִּי גֶּשֶׁם הַמַּבּוּל כְּבָר כָּלָה מִיּוֹם הָאַרְבָּעִים. [ג] **וַיָּשׁוּבוּ הַמַּיִם מֵעַל הָאָרֶץ הָלוֹךְ וָשׁוֹב.** יֹאמַר שֶׁהָיוּ חֲסֵרִים מְעַט מְעַט עַד שֶׁחָרְבוּ פְּנֵי הָאֲדָמָה. □ **וַיַּחְסְרוּ הַמַּיִם מִקְצֵה חֲמִשִּׁים וּמְאַת יוֹם.** דָּבֵק עִם "וַתָּנַח הַתֵּבָה", לוֹמַר שֶׁחָסְרוּ בַּיּוֹם הַהוּא חִסָּרוֹן גָּדוֹל שֶׁנָּחָה בּוֹ הַתֵּבָה, כַּאֲשֶׁר פֵּרַשְׁתִּי[46]. [ה] **וְהַמַּיִם הָיוּ הָלוֹךְ וְחָסוֹר עַד הַחֹדֶשׁ הָעֲשִׂירִי.** טַעְמוֹ מְסֹרָס, שֶׁהָיוּ הָלוֹךְ וְחָסוֹר עַד שֶׁנִּרְאוּ רָאשֵׁי

RAMBAN ELUCIDATED

2. [וַיִּכָּלֵא הַגֶּשֶׁם מִן הַשָּׁמָיִם – *AND THE RAIN FROM HEAVEN WAS RESTRAINED.*]

[As noted above, this verse describes the events that took place on the 150th day after the onset of the Flood – the 17th of Nissan (according to Ramban). If so, why does the verse tell us that the rain was "restrained"? The rain had already stopped 110 days prior to this date! Ramban explains:]

וְטַעַם "וַיִּכָּלֵא הַגֶּשֶׁם מִן הַשָּׁמָיִם", שֶׁלֹּא יָרַד עוֹד גֶּשֶׁם עַד צֵאתָם מִן הַתֵּבָה – **The explanation for *and the rain from heaven was restrained*, is that no rain fell** *at all from this time* **until [Noah and the animals] left the Ark.**[44] כִּי הָיוּ הַשָּׁמַיִם בָּרוּחַ הַזֶּה כְּבַרְזֶל – **For the heavens, as a result of this wind** mentioned above, **were like iron,**[45] וְלֹא הוֹרִידוּ טַל וּמָטָר כְּלָל – **and did not send down any dew or rain whatsoever;** וַיִּיבַשׁ הָאֲוִיר וְחָרְבוּ הַמָּיִם – **the air was dry, and the water dried up,** כִּי גֶּשֶׁם הַמַּבּוּל כְּבָר כָּלָה מִיּוֹם הָאַרְבָּעִים – **for the rain of the Flood had already ceased on the fortieth day** after it began.

3. וַיָּשֻׁבוּ הַמַּיִם מֵעַל הָאָרֶץ הָלוֹךְ וָשׁוֹב – ***THE WATERS THEN RECEDED FROM UPON THE EARTH, RECEDING CONTINUOUSLY.***

[Ramban explains why this verse does not contradict his assertion that there was a sudden massive recession of water on the very day that the 150 days of "strengthening of the water" ended:]

יֹאמַר שֶׁהָיוּ חֲסֵרִים מְעַט מְעַט עַד שֶׁחָרְבוּ פְּנֵי הָאֲדָמָה – **[Scripture] is saying that the water diminished little by little until the surface of the earth dried up.** But this did *not* occur on the 150th day itself. What occurred on that day is described in the next part of our verse:

□ וַיַּחְסְרוּ הַמַּיִם מִקְצֵה חֲמִשִּׁים וּמְאַת יוֹם – ***AND THE WATERS DIMINISHED AT THE END OF ONE HUNDRED AND FIFTY DAYS.***

דָּבֵק עִם "וַתָּנַח הַתֵּבָה" – **This is connected with** what follows: ***And the Ark came to rest.*** לוֹמַר שֶׁחָסְרוּ בַּיּוֹם הַהוּא חִסָּרוֹן גָּדוֹל שֶׁנָּחָה בּוֹ הַתֵּבָה – **It means to say that [the water] receded with a great recession on that day on which the Ark landed,** כַּאֲשֶׁר פֵּרַשְׁתִּי – **as I explained** above.[46]

5. וְהַמַּיִם הָיוּ הָלוֹךְ וְחָסוֹר עַד הַחֹדֶשׁ הָעֲשִׂירִי – ***THE WATERS WERE CONTINUOUSLY DIMINISHING UNTIL THE TENTH MONTH.***

[This verse seems to be saying that the waters stopped receding on the tenth month. Ramban clarifies:]

טַעְמוֹ מְסֹרָס – **The explanation of this** verse **is that it** should be understood **as if it were written in inverted order,** שֶׁהָיוּ הָלוֹךְ וְחָסוֹר עַד שֶׁנִּרְאוּ רָאשֵׁי הֶהָרִים בַּחֹדֶשׁ הָעֲשִׂירִי, הוּא חֹדֶשׁ תַּמּוּז – that *the*

and those ascending from below were swallowed in their place.

44. Prior to this day, however, after the forty days of constant downpour, there was occasional rain, as normally occurs over a 110-day period.

45. An expression borrowed from *Leviticus* 26:19, denoting complete lack of precipitation. The wind, which – as Ramban described it above – originated in the interior of the earth, subsequently emerged to the surface and affected the atmosphere as well.

46. The statement, *the waters diminished at the end of 150 days,* is not related to the previous statement: *the waters then receded from upon the earth, receding continuously*, which, as Ramban pointed out above, refers to a *gradual* recession of the water level that

בַּעֲשִׂירִ֔י בְּאֶחָ֣ד לַחֹ֔דֶשׁ נִרְא֖וּ רָאשֵׁ֥י הֶהָרִֽים׃
ו וַיְהִ֕י מִקֵּ֖ץ אַרְבָּעִ֣ים י֑וֹם וַיִּפְתַּ֣ח נֹ֔חַ אֶת־

בַּעֲשִׂירָאָה בְּחַד לְיַרְחָא אִתְחֲזִיאוּ רֵישֵׁי טוּרַיָּא: ו וַהֲוָה מִסּוֹף אַרְבְּעִין יוֹמִין וּפְתַח נֹחַ יָת

רש"י

(ה) **בעשירי וגו' נראו ראשי ההרים.** זה אב שהוא עשירי למרחשון שהתחיל הגשם. וא"ת הוא אלול, ועשירי לכסליו שפסק הגשם, כשם שאתה אומר בחדש השביעי סיון והוא שביעי להפסקה, אי אפשר לומר כן. על כרחך שביעי אי אתה מונה אלא להפסקה, שהרי לא כלו ארבעים של ירידת גשמים ומאה וחמשים של תגבורת המים עד אחד בסיון, ואם אתה אומר שביעי לירידה אין זה סיון. והעשירי אי אפשר למנות אלא לירידה, שאם אתה אומר להפסקה והוא אלול אי אתה מוצא בראשון באחד לחדש חרבו המים מעל הארץ (להלן ח:יג) שהרי מקץ ארבעים יום משנראו ראשי ההרים שלח את העורב (ערוך ע' קל (ז); פדר"א פכ"ג) וכ"א יום הוחיל בשליחות היונה (סדר עולם שם; ב"ר שם ו) הרי ששים יום משנראו ראשי ההרים עד שחרבו פני האדמה. וא"ת באלול נראו נמצא שחרבו במרחשון והוא קורא אותו ראשון ואין זה אלא תשרי שהוא ראשון לבריאת עולם (סדר עולם שם) ולרבי יהושע הוא ניסן: (ו) **מקץ ארבעים יום.** משנראו ראשי ההרים (ערוך שם):

רמב"ן

הֶהָרִים בַּחֹדֶשׁ הָעֲשִׂירִי[47], הוּא חֹדֶשׁ תַּמּוּז[48]. וְהוֹדִיעָנוּ הַכָּתוּב שֶׁחָסְרוּ בע"ג יוֹם חֲמֵשׁ עֶשְׂרֵה אַמָּה[49]. אֲבָל הַחִסָּרוֹן אֲשֶׁר מִתְּחִלָּה לִמְנוֹחַ הַתֵּיבָה לֹא יָדַעְנוּ כַּמָּה הָיָה,[50] כִּי לֹא הוּצְרַךְ הַכָּתוּב לְהוֹדִיעַ הַשִּׁקּוּעַ וְלֹא הַחִסָּרוֹן.

וְהַנִּרְאֶה לְדַעְתִּי בְּשׁוּט הַתֵּיבָה, כִּי הָיְתָה מִפְּנֵי הֱיוֹת הַמַּיִם נוֹבְעִים מִן הַתְּהוֹמוֹת, וֶהֱיוֹתָם עוֹד רוֹתְחִים כְּדִבְרֵי רַבּוֹתֵינוּ[51], כִּי בַּעֲבוּר כֵּן תֵּלֵךְ עַל פְּנֵי הַמַּיִם. וְאִם לֹא מִפְּנֵי זֶה הָיְתָה נִטְבַּעַת בִּכְבֵדוּתָהּ כִּי רַבִּים אֲשֶׁר בְּתוֹכָהּ, וְהַמַּאֲכָל וְהַמַּשְׁקֶה הָיָה הַרְבֵּה מְאֹד. וְכַאֲשֶׁר שָׁכְכוּ הַמַּיִם מִנְּבִיעָתָם, אוֹ מֵרְתִיחָתָם גַּם

RAMBAN ELUCIDATED

waters were continuously diminishing until the tops of the mountains became visible on the tenth month,[47] **which is the month of Tammuz.**[48]

[Ramban sums up the rate of recession of the water level according to his interpretation:]

וְהוֹדִיעָנוּ הַכָּתוּב שֶׁחָסְרוּ בע"ג יוֹם חֲמֵשׁ עֶשְׂרֵה אַמָּה – **Scripture informs us** here **that [the water] receded fifteen cubits over seventy-three days.**[49] אֲבָל הַחִסָּרוֹן אֲשֶׁר מִתְּחִלָּה לִמְנוֹחַ הַתֵּיבָה לֹא יָדַעְנוּ כַּמָּה הָיָה – **However, the amount of recession that took place prior to the landing of the Ark, we do not know.**[50] כִּי לֹא הוּצְרַךְ הַכָּתוּב לְהוֹדִיעַ הַשִּׁקּוּעַ וְלֹא הַחִסָּרוֹן – **For Scripture did not find it necessary to inform us** the extent of **the submergence** of the Ark, **nor** the rate of **the water's recession.**

[Ramban now presents a new theory as to how the Ark, according to his opinion, came to rest on the very first day of the water's recession (see chart):]

וְהַנִּרְאֶה לְדַעְתִּי בְּשׁוּט הַתֵּיבָה – **It appears** most likely **in my opinion, concerning the floating of the Ark,** כִּי הָיְתָה מִפְּנֵי הֱיוֹת הַמַּיִם נוֹבְעִים מִן הַתְּהוֹמוֹת, וֶהֱיוֹתָם עוֹד רוֹתְחִים כְּדִבְרֵי רַבּוֹתֵינוּ – **that it was brought about because the water was flowing from the depths, and because [the water] was also boiling, in accordance with the words of the Sages,**[51] כִּי בַּעֲבוּר כֵּן תֵּלֵךְ עַל פְּנֵי הַמַּיִם – **for on account of this** agitation of the water, **[the Ark] moved** along **on the surface of the water.** וְאִם לֹא מִפְּנֵי זֶה הָיְתָה נִטְבַּעַת בִּכְבֵדוּתָהּ כִּי רַבִּים אֲשֶׁר בְּתוֹכָהּ, וְהַמַּאֲכָל וְהַמַּשְׁקֶה הָיָה הַרְבֵּה מְאֹד – **If not for this, it would have**

took place after the 150th day. Rather, it refers to a sudden, massive recession of the water, and should be read together with the statement that *follows* it: The water receded so heavily on that day (v. 3) that the Ark came to rest upon Mount Ararat (v. 4).

47. The waters of the flood obviously continued to recede until the earth became visible, well past the first of the tenth month, when the tops of the mountains became visible. Ramban explains that the verse should be understood as follows: *The waters were* ***continuously*** *diminishing* ***only*** until the tops of the mountains became visible, but after that point the diminishment was sporadic and no longer continuous. (See Radak.)

48. This is in accordance with Ramban's second, preferred approach that *the tenth month* is counted from Tishrei.

49. The water's recession began on the seventeenth of Nissan according to Ramban (see above), and, by the first of Tammuz – seventy-three days later – the water level had fallen to the point where the mountaintops, which had been covered by 15 cubits of water, could be seen.

50. A disproportionate amount of recession took place on the seventeenth of Nissan, the day the Ark landed on Mount Ararat, as Ramban has explained. Thereafter the rate of recession slowed down considerably.

51. This teaching of the Sages was discussed by Ramban above, 7:23.

In the tenth [month], on the first of the month, the tops of the mountains became visible.
6 *And it came to pass at the end of forty days, that Noah opened*

רמב״ן

כֵּן, וְחָסְרוּ בָּרוּחַ - מִיָּד נִכְנְסָה הַתֵּיבָה אֶל תּוֹךְ הַמַּיִם בְּכֹבֶד מַשָּׂאָהּ, וַתָּנַח עַל הָהָר[52].

וְעַל דַּעַת הַמְפָרְשִׁים[53], הַמִּסְפָּר בְּתִגְבֹּרֶת הַמַּיִם חֲמִשִּׁים וּמְאַת יוֹם, וּמָנוֹחַ הַתֵּיבָה, וּרְאִיַּת רָאשֵׁי הֶהָרִים, וְאַרְבָּעִים יוֹם אַחֲרֵי כֵן - הַכֹּל יָדַעְנוּ בְּדֶרֶךְ הַנְּבוּאָה, כִּי הַכָּתוּב מוֹדִיעַ אוֹתָנוּ כֵּן[54]. אֲבָל נֹחַ לֹא יָדַע, רַק שֶׁהִרְגִּישׁ כִּי נָחָה הַתֵּיבָה, וְהִמְתִּין לְפִי דַּעְתּוֹ זְמַן שֶׁחָשַׁב כִּי קַלּוּ הַמַּיִם.

וְהִנֵּה גַּם לִדְבָרֵינוּ גַּם לְדִבְרֵי רַבּוֹתֵינוּ וְכָל הַמְפָרְשִׁים, יִהְיוּ הָרֵי אֲרָרָט מִן הֶהָרִים הַגְּבֹהִים אֲשֶׁר תַּחַת כָּל הַשָּׁמַיִם שֶׁהָיוּ הַמַּיִם עֲלֵיהֶם ט״ו אַמָּה[55]. וְלָכֵן יִקְשֶׁה זֶה, כִּי הַיָּדוּעַ בָּהַר הַיְּוָנִי שֶׁגְּבוֹהָּ מֵהֶם הַרְבֵּה מְאֹד[56], וְאֶרֶץ אֲרָרָט בְּשֵׁפֶל הַכַּדּוּר הַקָּרוֹב לְבָבֶל[57].

RAMBAN ELUCIDATED

sunk under its weight, for there were many living creatures **inside it, as well as much food and drink.** וְכַאֲשֶׁר שָׁכְכוּ הַמַּיִם מִנְּבִיעָתָם, אוֹ מֵרְתִיחָתָם גַּם כֵּן, וְחָסְרוּ בָּרוּחַ – So that **as soon as the water ceased flowing** – **or** flowing ***and*** **boiling** – **and the wind caused [the water] to** somewhat **recede,** מִיָּד נִכְנְסָה הַתֵּיבָה אֶל תּוֹךְ הַמַּיִם בְּכֹבֶד מַשָּׂאָהּ וַתָּנַח עַל הָהָר – **the Ark immediately descended** further **into the water due to the heaviness of its load and it rested on the mountain.**[52]

[Ramban now discusses whether/and how Noah was able to determine the various dates and time periods mentioned in the account of the Flood:]

וְעַל דַּעַת הַמְפָרְשִׁים – **According to the opinion of the commentators,**[53] הַמִּסְפָּר בְּתִגְבֹּרֶת הַמַּיִם חֲמִשִּׁים וּמְאַת יוֹם, וּמָנוֹחַ הַתֵּיבָה, וּרְאִיַּת רָאשֵׁי הֶהָרִים, וְאַרְבָּעִים יוֹם אַחֲרֵי כֵן – **the number of** days of **the *strengthening of the water*** (7:18), namely, **150 days;** the date of the **landing of the Ark;** the date of **the sighting of the mountaintops; and the** period of **forty days** (8:6) **that followed** – הַכֹּל יָדַעְנוּ בְּדֶרֶךְ הַנְּבוּאָה, כִּי הַכָּתוּב מוֹדִיעַ אוֹתָנוּ כֵּן – **we know all this by way of** the **prophecy** of Moses, who recorded the Torah, **for Scripture informs us that** all **this was so.**[54] אֲבָל נֹחַ לֹא יָדַע, רַק שֶׁהִרְגִּישׁ כִּי נָחָה הַתֵּיבָה – **But Noah** himself **did not know** any of this; **rather, he *felt* that the Ark had come to rest,** וְהִמְתִּין לְפִי דַּעְתּוֹ זְמַן שֶׁחָשַׁב כִּי קַלּוּ הַמַּיִם – **and** then **he waited the amount of time that, according to his estimation, he thought** was enough for **the water** to have **subsided**, at which time he opened the window and began sending out the birds to scout for land.

[Ramban now addresses the following assumption that Mount Ararat is among the highest mountains in the world:]

וְהִנֵּה גַּם לִדְבָרֵינוּ גַּם לְדִבְרֵי רַבּוֹתֵינוּ וְכָל הַמְפָרְשִׁים יִהְיוּ הָרֵי אֲרָרָט מִן הֶהָרִים הַגְּבֹהִים אֲשֶׁר תַּחַת כָּל הַשָּׁמַיִם – **Now, both according to our interpretation and that of the Sages and all the commentators,** it is assumed that **the *Mountains of Ararat*** (8:4) **are among *the high mountains which are under the entire heavens*** (7:19), שֶׁהָיוּ הַמַּיִם עֲלֵיהֶם ט״ו אַמָּה – **for** according to all interpretations **it was over [the Mountains of Ararat] that the water rose by fifteen cubits.**[55] וְלָכֵן יִקְשֶׁה זֶה, כִּי הַיָּדוּעַ בָּהַר הַיְּוָנִי שֶׁגְּבוֹהָּ מֵהֶם הַרְבֵּה מְאֹד – **Hence, this difficulty arises: It is known that the Greek mountain** (Olympus) **is very much taller than them,**[56] וְאֶרֶץ אֲרָרָט בְּשֵׁפֶל הַכַּדּוּר הַקָּרוֹב לְבָבֶל – and **furthermore, the land**

52. According to this explanation, the reason the Ark settled so quickly was not because the water receded drastically but because the agitation of the water – which had kept the Ark afloat – suddenly ceased.

53. Radak to 7:24, 8:6.

54. Noah, having no means for keeping track of time in the Ark, had no way of knowing how long "the strengthening of the waters" lasted. Nor could he know when forty days had passed after the mountaintops became visible (Radak to 7:24).

55. All the interpretations discussed so far have assumed that the Torah's statement that *the mountains were covered by fifteen cubits of water* (7:20) refers to Mt. Ararat and that the Ark came to rest precisely when enough of the 15 cubits of water had receded to allow the bottom of the Ark to touch this mountaintop.

56. Ibn Ezra (7:19) mentions "the foolish common belief" that Mount Olympus is the highest mountain in the world, and comments that "we prefer to believe the word of God" – that Ararat is the higher mountain. Ararat (5165 m) is indeed much taller than Olympus

ז חַלּ֥וֹן הַתֵּבָ֖ה אֲשֶׁ֥ר עָשָֽׂה׃ וַיְשַׁלַּ֖ח אֶת־הָעֹרֵ֑ב
וַיֵּצֵ֤א יָצוֹא֙ וָשׁ֔וֹב עַד־יְבֹ֥שֶׁת הַמַּ֖יִם מֵעַ֥ל
ח הָאָֽרֶץ׃ וַיְשַׁלַּ֥ח אֶת־הַיּוֹנָ֖ה מֵאִתּ֑וֹ לִרְאוֹת֙

כַּוַּת תֵּבוֹתָא דִּי עֲבַד: ז וְשַׁלַּח יָת עֹרְבָא וּנְפַק מִפַּק וְתָיִב עַד דְּיַבִּישׁוּ מַיָּא מֵעַל אַרְעָא: ח וְשַׁלַּח יָת יוֹנָה מִלְּוָתֵהּ לְמֵיחֱזֵי

רש"י

את חלון התבה אשר עשה. לצהר, ולא זה פתח התיבה העשוי לביאה ויציאה (ב"ר שם ה): **(ז) יצוא ושוב.** הולך ומקיף סביבות התיבה ולא הלך בשליחותו שהיה חושדו על בת זוגו, וכמו ששנינו באגדת חלק (סנהדרין קח:): **עד יבשת המים.** פשוטו כמשמעו. אבל מדרש אגדה, מוכן היה העורב לשליחות אחרת בעצירת גשמים בימי אליהו, שנאמר והעורבים מביאים לו לחם ובשר (מלכים א יז:ו; ב"ר שם): **(ח) וישלח את היונה.** לסוף ז' ימים שהרי כתיב ויחל עוד ז' ימים אחרים (פסוק י) מכלל זה אתה למד שאף בראשונה הוחיל ז' ימים (סדר עולם שם; ב"ר שם ו): **וישלח.** אין זה ל' שליחות אלא ל' שלוח, שלחה ללכת לדרכה ובזו יראה אם קלו המים, שאם תמצא מנוח לא תשוב אליו (ב"ר שם):

רמב"ן

וְאוּלַי נֹאמַר כִּי הָיָה הַחִסָּרוֹן בְּי"ז לַחֹדֶשׁ הַשְּׁבִיעִי גָּדוֹל מְאֹד מִט"ו אַמָּה[58], וְקֹדֶם לָכֵן נִרְאוּ רָאשֵׁי הֶהָרִים הַגְּבוֹהִים[59], לֹא הָרֵי אֲרָרָט, וַיִּקֶר מִקְרֶה הַתֵּיבָה שֶׁהָיְתָה בְּאֶרֶץ אֲרָרָט בַּחֹדֶשׁ הַשְּׁבִיעִי, וַתָּנַח עַל רָאשֵׁי הֶהָרִים הָהֵם.

וְהִנֵּה נֹחַ, מֵעֵת שֶׁכָּלָה הַגֶּשֶׁם, הָיָה פּוֹתֵחַ הַחַלּוֹן וְסוֹגֵר אוֹתוֹ כִּרְצוֹנוֹ. וְאַחַר ע"ג יוֹם מִמָּנוֹחַ הַתֵּיבָה הִשְׁגִּיחַ מִן הַחַלּוֹן וְנִרְאוּ לוֹ רָאשֵׁי הָרֵי אֲרָרָט[60], וְחָזַר וְסָגַר אוֹתוֹ[61].

RAMBAN ELUCIDATED

of Ararat is in one of the lowest places on the planet, close to Babylonia,[57] so that even if Mt. Ararat is a very tall mountain and the water rose above it by fifteen cubits, the other mountains of the world would have remained uncovered throughout the flood. Yet the Torah states (7:19) that *"all" the high mountains ... were covered* with water!

[Ramban suggests this explanation:]

וְאוּלַי נֹאמַר כִּי הָיָה הַחִסָּרוֹן בְּי"ז לַחֹדֶשׁ הַשְּׁבִיעִי גָּדוֹל מְאֹד מִט"ו אַמָּה – **Perhaps we can say that** in fact the water covered the *highest* mountains by fifteen cubits and **the recession** in water level **on the seventeenth of the seventh month** (the day the Ark landed) **was much greater than fifteen cubits,**[58] **וְקֹדֶם לָכֵן נִרְאוּ רָאשֵׁי הֶהָרִים הַגְּבוֹהִים, לֹא הָרֵי אֲרָרָט** – **and that** therefore **the tops of the highest mountains became visible first**[59] – **not the "mountains of Ararat,"** **וַיִּקֶר מִקְרֶה הַתֵּיבָה שֶׁהָיְתָה בְּאֶרֶץ אֲרָרָט בַּחֹדֶשׁ הַשְּׁבִיעִי** – **and it was seemingly by happenstance that the Ark was in the land of Ararat during the seventh month,** **וַתָּנַח עַל רָאשֵׁי הֶהָרִים הָהֵם** – **so that it rested on** one of **the peaks of those mountains** instead of on one of the higher mountains of the world.

[Since the "high mountains" are much taller than the mountains of Ararat, they should have become visible long before the Ark came to rest on Mt. Ararat, yet the Torah tells us that the tops of the mountains became visible (8:5) only several months *after* the Ark came to rest on Mount Ararat (8:4). Ramban clarifies:]

וְהִנֵּה נֹחַ, מֵעֵת שֶׁכָּלָה הַגֶּשֶׁם, הָיָה פּוֹתֵחַ הַחַלּוֹן וְסוֹגֵר אוֹתוֹ כִּרְצוֹנוֹ – **Now, Noah, from the time that the rain stopped, would open the window and close it as he wished.** **וְאַחַר ע"ג יוֹם מִמָּנוֹחַ הַתֵּיבָה הִשְׁגִּיחַ מִן הַחַלּוֹן וְנִרְאוּ לוֹ רָאשֵׁי הָרֵי אֲרָרָט** – This is how, **seventy-three days after the landing of the Ark, he looked out the window and the tops of the mountains of *Ararat* were visible to him.**[60] **וְחָזַר וְסָגַר אוֹתוֹ** –

(2917 m), though it is much lower than dozens of other mountains in the world. Ramban's question is therefore applicable to these taller mountains.

57. Babylonia is one of the lowest inhabited places on earth (see *Zevachim* 113b, *Bava Metzia* 107a with Rashi).

58. According to this explanation, when the Torah says, *all the high mountains ... were covered* (7:19), it is *not* referring to the Mountains of Ararat but to the highest mountains of the world. Thus Mt. Ararat was submerged considerably more than 15 cubits.

59. This is *not*, however, what the Torah refers to in v. 5 ("the tops of the mountains became visible"); the meaning of this phrase is explained by Ramban shortly.

60. Ramban now suggests that the Torah's statement: *the tops of the mountains became visible* (v. 5), refers not to the highest mountains in the world (which had become exposed much earlier, but seen by no one) but rather to the peaks in the vicinity of Ararat (which

the window of the Ark which he had made. 7 He sent out the raven, and it kept going and returning until the waters dried from upon the earth. 8 Then he sent out the dove from him to see

רמב״ן

וְהִגִּיד הַכָּתוּב [פסוק ו] כִּי אַחַר אַרְבָּעִים יוֹם שָׁלַח הָעוֹרֵב, וְלֹא אָמַר הַכָּתוּב ״וַיְהִי בְּחֹדֶשׁ פְּלוֹנִי וּבְיוֹם פְּלוֹנִי וַיִּפְתַּח נֹחַ״, וְאָמַר ״וַיְהִי מִקֵּץ אַרְבָּעִים יוֹם״, לְהַגִּיד כִּי מֵעֵת שֶׁנִּרְאוּ לְנֹחַ רָאשֵׁי הֶהָרִים הִמְתִּין אַרְבָּעִים יוֹם, כִּי חָשַׁב בְּלִבּוֹ שֶׁבִּזְמַן הַזֶּה נִרְאוּ הַמִּגְדָּלִים וְנִגְלוּ הָאִילָנוֹת, וְיִמְצְאוּ הָעוֹפוֹת לָהֶם מָנוֹחַ בַּאֲשֶׁר תְּקַנֵּנָּה[62], וּפָתַח הַחַלּוֹן לְשַׁלַּח הָעוֹרֵב.

וּבַחֹדֶשׁ הָרִאשׁוֹן, הוּא חֹדֶשׁ תִּשְׁרֵי - חָרְבוּ הַמַּיִם. וּבַחֹדֶשׁ הַשֵּׁנִי, הוּא חֹדֶשׁ מַרְחֶשְׁוָן, בְּשִׁבְעָה וְעֶשְׂרִים בּוֹ - יָבְשָׁה הָאָרֶץ, וּבוֹ בַּיּוֹם יָצְאוּ מִן הַתֵּיבָה. וְהִנֵּה כָּל מִנְיַן הַפָּרָשָׁה כִּפְשׁוּטוֹ וּמַשְׁמָעוֹ.[62a]

RAMBAN ELUCIDATED

After this, **he once again closed [the window].**[61]

[Ramban now cites support for his suggestion that Noah opened the window even before sending out the raven (vv. 6-7). Ramban now proves this last point:]

וְהִגִּיד הַכָּתוּב כִּי אַחַר אַרְבָּעִים יוֹם שָׁלַח הָעוֹרֵב – Scripture tells us **that *after forty days*** (8:6) **[Noah] sent out the raven. וְלֹא אָמַר הַכָּתוּב ״וַיְהִי בְּחֹדֶשׁ פְּלוֹנִי וּבְיוֹם פְּלוֹנִי וַיִּפְתַּח נֹחַ״ – Scripture does not say, "And it came to pass in such and such a month on such and such a day that Noah opened** the [window]," **וְאָמַר ״וַיְהִי מִקֵּץ אַרְבָּעִים יוֹם״ – but says** instead, ***and it came to pass "at the end of forty days."* לְהַגִּיד כִּי מֵעֵת שֶׁנִּרְאוּ לְנֹחַ רָאשֵׁי הֶהָרִים הִמְתִּין אַרְבָּעִים יוֹם – This is to tell** us **that from the time the mountaintops *became visible* to Noah he waited forty days, כִּי חָשַׁב בְּלִבּוֹ שֶׁבִּזְמַן הַזֶּה נִרְאוּ הַמִּגְדָּלִים וְנִגְלוּ הָאִילָנוֹת – for he estimated that during this time the** tops of **towers would become visible and the** tops of **trees would be revealed, וְיִמְצְאוּ הָעוֹפוֹת לָהֶם מָנוֹחַ בַּאֲשֶׁר תְּקַנֵּנָּה – and the birds would thus find a resting place where they could nest.**[62] **וּפָתַח הַחַלּוֹן לְשַׁלַּח הָעוֹרֵב – He then opened the window** again **to send out the raven.**

[Ramban resumes his summary of the various events related in this section according to his interpretation:]

וּבַחֹדֶשׁ הָרִאשׁוֹן, הוּא חֹדֶשׁ תִּשְׁרֵי, חָרְבוּ הַמַּיִם – In the first month – which is the month of Tishrei – the water dried up (8:13). **וּבַחֹדֶשׁ הַשֵּׁנִי, הוּא חֹדֶשׁ מַרְחֶשְׁוָן, בְּשִׁבְעָה וְעֶשְׂרִים בּוֹ, יָבְשָׁה הָאָרֶץ – And in the second month – which is the month of Marcheshvan – on its twenty-seventh day, the earth** completely **dried up, וּבוֹ בַּיּוֹם יָצְאוּ מִן הַתֵּיבָה – and on that same day they left the Ark** (8:14-16). **וְהִנֵּה כָּל מִנְיַן הַפָּרָשָׁה כִּפְשׁוּטוֹ וּמַשְׁמָעוֹ – Now,** after explaining the events of the Flood in this manner, **the entire numbering system** mentioned **in this section** can be understood **according to its simple and apparent meaning.** All the dates refer to Tishrei and there is no need to resort to changes of dating standards in the middle of the narrative, as explained above.[62a]

---

were seen by Noah). Ramban introduces the idea that Noah opened the window occasionally even before he opened it to send out the raven (vv. 6-7), for otherwise he would not have seen that the mountaintops (of Ararat) had been exposed.

61. As mentioned above, v. 6 seems to imply that the Ark's window was not opened prior to Noah's sending out the raven, forty days after the mountaintops became visible. But Ramban has just suggested that Noah began opening and closing the window (at will) immediately after the cessation of rain in order to assess the situation outside the Ark.

Ramban resolves this problem by proposing that when Noah finally saw the mountaintops he knew that it would be quite some time before substantial patches of dry land would appear, and so did not open it again for several weeks. Verse 6 thus tells us that, *at the end of forty days*, when Noah assessed that enough time had lapsed to search for dry land, he opened the window once again to send forth the raven.

62. Ramban's proof is as follows: Scripture's use of a time interval (*forty days*) instead of a date indi-cates that Noah actually counted these days from the day *the mountains became visible* (v. 5). But in order for him to see the mountains and estimate how long it would take for the trees to be revealed, Noah must have opened the window at the beginning of those forty days.

62a. A chart in footnote 37 above contrasts the opinions of Rashi and Ramban regarding the timeline of the Flood.

ט הֵקַלּוּ הַמַּיִם מֵעַל פְּנֵי הָאֲדָמָה: וְלֹא־מָצְאָה הַיּוֹנָה
מָנוֹחַ לְכַף־רַגְלָהּ וַתָּשָׁב אֵלָיו אֶל־הַתֵּבָה כִּי מַיִם
עַל־פְּנֵי כָל־הָאָרֶץ וַיִּשְׁלַח יָדוֹ וַיִּקָּחֶהָ וַיָּבֵא אֹתָהּ
י אֵלָיו אֶל־הַתֵּבָה: וַיָּחֶל עוֹד שִׁבְעַת יָמִים אֲחֵרִים
יא וַיֹּסֶף שַׁלַּח אֶת־הַיּוֹנָה מִן־הַתֵּבָה: וַתָּבֹא אֵלָיו
הַיּוֹנָה לְעֵת עֶרֶב וְהִנֵּה עֲלֵה־זַיִת טָרָף בְּפִיהָ

הֲקַלִּיאוּ מַיָּא מֵעַל אַפֵּי אַרְעָא:
ט וְלָא אַשְׁכַּחַת יוֹנָה מְנַח לְפַרְסַת
רַגְלַהּ וְתָבַת לְוָתֵהּ לְתֵבוּתָא אֲרֵי
מַיָּא עַל אַפֵּי כָל אַרְעָא וְאוֹשִׁיט
יְדֵהּ וְנַסְבַהּ וְאָעֵיל יָתַהּ לְוָתֵהּ
לְתֵבוּתָא: י וְאוֹרִיךְ עוֹד שִׁבְעָא
יוֹמִין אָחֳרָנִין וְאוֹסֵיף שַׁלַּח יָת
יוֹנָה מִן תֵּבוּתָא: יא וַאֲתַת לְוָתֵהּ
יוֹנָה לְעִדָּן רַמְשָׁא וְהָא טְרַף
זֵיתָא תְּבִיר נָחִית בְּפוּמַהּ

רש"י

(י) **ויחל.** לשון המתנה, וכן לי שמעו ויחלו (איוב כט:כא) והרבה יש במקרא: (יא) **טרף בפיה.** אומר אני שזכר היה לכן קוראו פעמים לשון זכר ופעמים לשון נקבה, לפי שכל יונה שבמקרא לשון נקבה, כמו כיוני הגאיות כלם הומות (יחזקאל ז:טז) כיונה פותה (הושע ז:יא): **טרף.** חטף. ומדרש אגדה ל' מזון ודרשו בפיה ל' מאמר אמרה יהיו מזונותי מרורין כזית בידו של הקב"ה ולא מתוקין כדבש בידי בשר ודם (פדר"א שם; סנהדרין שם; עירובין יח:):

רמב"ן

וְדַע, כִּי אַחֲרֵי שֶׁהִסְכִּימוּ שֶׁבְּתִשְׁרֵי נִבְרָא הָעוֹלָם, כַּאֲשֶׁר תִּקְּנוּ "זֶה הַיּוֹם תְּחִלַּת מַעֲשֶׂיךָ זִכָּרוֹן לְיוֹם רִאשׁוֹן"[63], וְכֵן הוּא סֵדֶר הַזְּמַנִּים, "זֶרַע וְקָצִיר וְקֹר וָחֹם" [לקמן פסוק כב][64] - יִהְיֶה רֹאשׁ הַשָּׁנִים מִתִּשְׁרֵי. וְכֵן הֶחֳדָשִׁים מִמֶּנּוּ הֵם נִמְנִים, עַד שֶׁהִגַּעְנוּ לִיצִיאַת מִצְרַיִם, וְאָז צִוָּה הַקָּדוֹשׁ בָּרוּךְ הוּא לִמְנוֹת בֶּחֳדָשִׁים מִנְיָן אַחֵר, שֶׁנֶּאֱמַר [שמות יב, ב]: "הַחֹדֶשׁ הַזֶּה לָכֶם רֹאשׁ חֳדָשִׁים רִאשׁוֹן הוּא לָכֶם לְחָדְשֵׁי הַשָּׁנָה". וּמִשָּׁם וָאֵילָךְ בְּכָל הַכָּתוּב יִמְנֶה תִּשְׁרֵי הַחֹדֶשׁ הַשְּׁבִיעִי, וַעֲדַיִן נִשְׁאַר בַּשָּׁנִים הַחֶשְׁבּוֹן מִמֶּנּוּ[65], דִּכְתִיב [שם לד, כב]: "וְחַג הָאָסִף תְּקוּפַת הַשָּׁנָה"[66].

RAMBAN ELUCIDATED

[As Rashi (to 7:11) notes, the Sages dispute whether the world was created in Tishrei (Rabbi Eliezer's opinion) or Nissan (as Rabbi Yehoshua says). These Sages also disagree about whether the months mentioned in the Torah before the Exodus are counted from Tishrei or Nissan. Ramban explains why he favors Rabbi Eliezer's opinion, and has been using Tishrei as the reference point for the months throughout his commentary on this section:]

וְדַע, כִּי אַחֲרֵי שֶׁהִסְכִּימוּ שֶׁבְּתִשְׁרֵי נִבְרָא הָעוֹלָם – **Know, that after [the later Sages] concurred that the world was created in Tishrei,** in accordance with Rabbi Eliezer's opinion – כַּאֲשֶׁר תִּקְּנוּ "זֶה הַיּוֹם תְּחִלַּת מַעֲשֶׂיךָ זִכָּרוֹן לְיוֹם רִאשׁוֹן" – **as** evidenced by the fact that **they instituted** in the Rosh Hashanah prayers, **"This day marks the beginning of Your works; it is a remembrance of the first day,"**[63] וְכֵן הוּא סֵדֶר הַזְּמַנִּים, "זֶרַע וְקָצִיר וְקֹר וָחֹם" – **and** this fact is **also** indicated by **the order of seasons,** ***seedtime and harvest, cold and heat*** (below, 8:22),[64] יִהְיֶה רֹאשׁ הַשָּׁנִים מִתִּשְׁרֵי – **the beginning of the year is thus Tishrei.** וְכֵן הֶחֳדָשִׁים מִמֶּנּוּ הֵם נִמְנִים – **And so too, the months were counted from [Tishrei],** עַד שֶׁהִגַּעְנוּ לִיצִיאַת מִצְרַיִם, וְאָז צִוָּה הַקָּדוֹשׁ בָּרוּךְ הוּא לִמְנוֹת בֶּחֳדָשִׁים מִנְיָן אַחֵר – **until we arrived at the Exodus from Egypt, at which time God commanded to number the months** according to **a different count,** שֶׁנֶּאֱמַר "הַחֹדֶשׁ הַזֶּה לָכֶם רֹאשׁ חֳדָשִׁים רִאשׁוֹן הוּא לָכֶם לְחָדְשֵׁי הַשָּׁנָה" – **as it says,** ***This month [Nissan] shall be for you the beginning of the months; it shall be for you the first of the months of the year*** (*Exodus* 12:2). וּמִשָּׁם וָאֵילָךְ בְּכָל הַכָּתוּב יִמְנֶה תִּשְׁרֵי הַחֹדֶשׁ הַשְּׁבִיעִי – **From that time and on in all of Scripture, Tishrei is counted as the seventh month** and Nissan as the first. וַעֲדַיִן נִשְׁאַר בַּשָּׁנִים הַחֶשְׁבּוֹן מִמֶּנּוּ, דִּכְתִיב "וְחַג הָאָסִיף תְּקוּפַת הַשָּׁנָה" – **Nevertheless, the reckoning of years counting from [Tishrei] still remained,**[65] **as it is written,** ***the Festival of the Harvest (Succos), at the turning point of the year*** (ibid. 34:22).[66]

63. The Talmud (*Rosh Hashanah* 27a) notes that this passage, in the *Zichronos* prayer of Rosh Hashanah, is in accordance with the opinion of Rabbi Eliezer.

64. The first of the seasons on the list is "seedtime," which refers to autumn (see Rashi ad loc.). This indicates that the cycle of the year begins in Tishrei (autumn) and not Nissan (spring).

65. The months, then, are counted from Nissan, but the new year begins with Tishrei.

66. From this verse we see that even after the Exodus the Torah refers to Tishrei as the *turning point of the year*, meaning its starting point.

whether the waters had subsided from the face of the ground. [9] *But the dove could not find a resting place for the sole of its foot, and it returned to him to the Ark, for water was upon the surface of all the earth. So he put forth his hand, and took it, and brought it to him to the Ark.* [10] *He waited again another seven days, and again sent out the dove from the Ark.* [11] *The dove came back to him in the evening — and behold, an olive leaf it had plucked was in its bill.*

רמב"ן

וְכָךְ תִּרְגֵּם יוֹנָתָן בֶּן עֻזִּיאֵל[67] "בְּיֶרַח הָאֵיתָנִים בֶּחָג הוּא הַחֹדֶשׁ הַשְּׁבִיעִי" [מלכים-א ח, ב], אָמַר "בְּיַרְחָא דְעַתִּיקַיָּא[68] קָרַן לֵיהּ יַרְחָא קַדְמָאָה וּכְעַן הוּא יַרְחָא שְׁבִיעָאָה"[69]. וּבִמְכִילְתָּא [בא א, ח]: "הַחֹדֶשׁ הַזֶּה לָכֶם", וְלֹא מָנָה בּוֹ אָדָם הָרִאשׁוֹן[70].

[ט] וְלֹא מָצְאָה הַיּוֹנָה מָנוֹחַ. אֵין מִנְהַג הָעוֹפוֹת לָנוּחַ בְּרָאשֵׁי הֶהָרִים הַגְּבוֹהִים עַל הָאָרֶץ וְאֵין אִילָן שָׁם, אַף כִּי בִּהְיוֹת הַמַּיִם עַל פְּנֵי כָל הָאָרֶץ. וְלָכֵן לֹא מָצְאָה הַיּוֹנָה מָנוֹחַ אֲשֶׁר יִיטַב לָהּ. וּבְעֵת הֵרָאוֹת הָאִילָנוֹת הָלְכָה לְנַפְשָׁהּ, כִּי בְּדָלִיּוֹתֵיהֶם תְּקַנֵּנָּה.

[יא] וְהִנֵּה עֲלֵה זַיִת טָרָף בְּפִיהָ. מִפְּשׁוּטוֹ שֶׁל פָּסוּק זֶה יֵרָאֶה שֶׁלֹּא נֶעֶקְרוּ הָאִילָנוֹת וְלֹא נִמְחוּ בַּמַּבּוּל[71].

RAMBAN ELUCIDATED

וְכָךְ תִּרְגֵּם יוֹנָתָן בֶּן עֻזִּיאֵל "בְּיֶרַח הָאֵתָנִים בֶּחָג הוּא הַחֹדֶשׁ הַשְּׁבִיעִי", – **Similarly, Yonasan ben Uzziel**[67] **translates,** ***in the month of Ethanim ("The Mighty Ones"), on the [Succos] festival – which is the seventh month*** (*I Kings* 8:2) as follows: אָמַר "בְּיַרְחָא דְעַתִּיקַיָּא קָרַן לֵיהּ יַרְחָא קַדְמָאָה וּכְעַן הוּא יַרְחָא שְׁבִיעָאָה" – ***in the month which the Ancient Ones***[68] ***called "the first month," but which is now [called] "the seventh month."***[69] וּבִמְכִילְתָּא: "הַחֹדֶשׁ הַזֶּה לָכֶם", וְלֹא מָנָה בּוֹ אָדָם הָרִאשׁוֹן – **And in the** ***Mechilta*** (*Bo* 1:8) we read, ***"This month is for you*** – Nissan is the first month *for you* [the Jewish people], **but Adam did not count** months **by it."**[70]

9. וְלֹא מָצְאָה הַיּוֹנָה מָנוֹחַ – ***BUT THE DOVE COULD NOT FIND A RESTING PLACE.***

[Noah sent the dove out forty-seven days after the "tops of the mountains became visible" (8:5). Why, then, could the dove not rest on one of those mountains? Ramban answers:]

אֵין מִנְהַג הָעוֹפוֹת לָנוּחַ בְּרָאשֵׁי הֶהָרִים הַגְּבוֹהִים עַל הָאָרֶץ וְאֵין אִילָן שָׁם אַף, כִּי בִּהְיוֹת הַמַּיִם עַל פְּנֵי כָל הָאָרֶץ – **It is not the practice of birds to rest on high mountaintops, on the ground, where there are no trees – and surely not when there is water covering** (virtually) **the entire face of the earth.** וְלָכֵן לֹא מָצְאָה הַיּוֹנָה מָנוֹחַ אֲשֶׁר יִיטַב לָהּ – **Therefore the dove did not find a resting place that suited it.** וּבְעֵת הֵרָאוֹת הָאִילָנוֹת הָלְכָה לְנַפְשָׁהּ, כִּי בְּדָלִיּוֹתֵיהֶם תְּקַנֵּנָּה – **But** later on, **when the trees appeared, [the dove] went off on its own, for [birds] build their nests in [tree] branches.**

11. וְהִנֵּה עֲלֵה זַיִת טָרָף בְּפִיהָ – ***BEHOLD, AN OLIVE LEAF IT HAD PLUCKED WAS IN ITS BILL***

[Ramban discusses how the dove managed to find a leaf:]

מִפְּשׁוּטוֹ שֶׁל פָּסוּק זֶה יֵרָאֶה שֶׁלֹּא נֶעֶקְרוּ הָאִילָנוֹת וְלֹא נִמְחוּ בַּמַּבּוּל – **From a simple reading of this verse it would appear that the trees had not been uprooted or blotted out in the flood,** so that leaves

67. Translator of the Prophets section of Scripture into Aramaic.

68. Yonasan ben Uzziel translates הָאֵתָנִים as "the Ancient Ones" rather than "the Mighty Ones." He also understands יֶרַח הָאֵתָנִים (*the month of the Ancient Ones*) to mean "the month which the ancients once regarded as the first month of the year."

69. Yonasan ben Uzziel thus agrees with Rabbi Eliezer that the months were numbered from Tishrei by "the Ancient Ones," i.e., before the Exodus.

70. This, too, demonstrates that the consensus of the Sages follows R' Eliezer's opinion that the months mentioned before the Exodus were counted from Tishrei. *Pnei Yerushalayim* cites Ramban's *Derashah* for Rosh Hashanah: Though Adam, who knew and witnessed that Tishrei was the month in which the world was created, certainly counted Tishrei as the first month, nevertheless, you (Israel) count Nissan as the first month, for it is the first month of your Redemption from Egypt.

רמב״ן

כִּי לֹא הָיָה שָׁם נַחַל שׁוֹטֵף, בַּעֲבוּר כִּי נִתְמַלֵּא כָּל הָעוֹלָם מַיִם[72]. אֲבָל בִּבְרֵאשִׁית רַבָּה [לג, ו] אָמְרוּ: מֵהֵיכָן הֱבִיאָה אוֹתוֹ? רַבִּי לֵוִי אָמַר: מֵהַר הַמִּשְׁחָה הֵבִיאָה אוֹתוֹ, דְּלָא טָפַת אַרְעָא דְיִשְׂרָאֵל בְּמַיָּא דְמַבּוּלָא. הוּא שֶׁהַקָּדוֹשׁ בָּרוּךְ הוּא אָמַר לִיחֶזְקֵאל [כב, כד]: ״בֶּן אָדָם, אֱמָר לָהּ: אַתְּ אֶרֶץ לֹא מְטֹהָרָה הִיא. לֹא גֻשְׁמָהּ בְּיוֹם זָעַם.״ רַבִּי בִּירִי אָמַר: נִפְתְּחוּ לָהּ שַׁעֲרֵי גַּן עֵדֶן, וְהֵבִיאָה אוֹתוֹ.

וְהִנֵּה כַּוָּנָתָם שֶׁנֶּעֶקְרוּ הָאִילָנוֹת וְנִמְחוּ בִּמְקוֹמוֹת הַמַּבּוּל, וְאַף כִּי יִהְיֶה הֶעָלֶה נָבֵל[73]. וְכֵן אָמְרוּ: אֲפִילוּ אִיצְטְרֻבּוֹלִין שֶׁל רֵחַיִם נִמְחוּ בַּמַּבּוּל[74], וְדָרְשׁוּ בוֹ [ב״ר ל, ח]: ״אֲבָנִים שָׁחֲקוּ מַיִם״ [איוב יד, יט].

וּמַאֲמָרָם ״דְּלָא טָפַת אַרְעָא דְיִשְׂרָאֵל בְּמַיָּא דְמַבּוּלָא״, שֶׁלֹּא הָיָה עָלֶיהָ גֶּשֶׁם הַמַּבּוּל, כְּדִכְתִיב ״לֹא גֻשְׁמָהּ,״ וְלֹא נִפְתְּחוּ בָהּ מַעְיְנוֹת תְּהוֹם רַבָּה. אֲבָל הַמַּיִם נִתְפַּשְּׁטוּ בְּכָל הָעוֹלָם וְכִסּוּ כָּל הֶהָרִים הַגְּבֹהִים אֲשֶׁר תַּחַת כָּל הַשָּׁמַיִם, כְּמוֹ שֶׁכָּתוּב מְפֹרָשׁ [לעיל ז, יט]. וְאֵין סְבִיב אֶרֶץ יִשְׂרָאֵל גָּדֵר לְעַכֵּב הַמַּיִם שֶׁלֹּא יָבֹאוּ בָהּ[75]!

RAMBAN ELUCIDATED

were readily available,[71] כִּי לֹא הָיָה שָׁם נַחַל שׁוֹטֵף, בַּעֲבוּר כִּי נִתְמַלֵּא כָּל הָעוֹלָם מַיִם – **for there was no rushing stream of water there** that would uproot trees, **since the entire world was covered with water.**[72]

אֲבָל בִּבְרֵאשִׁית רַבָּה אָמְרוּ: – **However, [the Sages] in *Bereishis Rabbah*** (33:6) **say:** מֵהֵיכָן הֱבִיאָה אוֹתוֹ, – **"From where did [the dove] bring [the olive leaf]?** רַבִּי לֵוִי אָמַר: מֵהַר הַמִּשְׁחָה הֵבִיאָה אוֹתוֹ – **Rabbi Levi said: It brought it from the Mount of Olives,** דְּלָא טָפַת אַרְעָא דְיִשְׂרָאֵל בְּמַיָּא דְמַבּוּלָא – **for the Land of Israel was not inundated with the waters of the Flood.** הוּא שֶׁהַקָּדוֹשׁ בָּרוּךְ הוּא אָמַר לִיחֶזְקֵאל – **Thus the Holy One, Blessed is He, said to Ezekiel,** ״בֶּן אָדָם אֱמָר לָהּ אַתְּ אֶרֶץ לֹא מְטֹהָרָה הִיא לֹא גֻשְׁמָהּ בְּיוֹם זָעַם״ – ***Son of Man, say to her: You are a Land that was not cleansed, that was not rained upon on the day of fury*** (*Ezekiel* 22:24). רַבִּי בִּירִי אָמַר: נִפְתְּחוּ לָהּ שַׁעֲרֵי גַּן עֵדֶן וְהֵבִיאָה אוֹתוֹ – **Rabbi Birei said: The gates of the Garden of Eden were opened up for it, and it brought [the leaf]** from there."

וְהִנֵּה כַּוָּנָתָם שֶׁנֶּעֶקְרוּ הָאִילָנוֹת וְנִמְחוּ בִּמְקוֹמוֹת הַמַּבּוּל, – **[The Sages]** in this Midrash **mean** to say **that** all **the trees were uprooted and blotted out in the places** affected by **the Flood,** וְאַף כִּי יִהְיֶה הֶעָלֶה נָבֵל – **and** all **the leaves most certainly withered away.**[73] וְכֵן אָמְרוּ: אֲפִילוּ אִיצְטְרֻבּוֹלִין שֶׁל רֵחַיִם נִמְחוּ בַּמַּבּוּל – **Moreover, they say** in *Bereishis Rabbah* (30:8): **"Even the bottom halves of millstones,** which are solid rock, **were blotted out in the Flood,"**[74] וְדָרְשׁוּ בוֹ: ״אֲבָנִים שָׁחֲקוּ מַיִם״ – **and they expound** the verse ***stones worn away by water*** (*Job* 14:19) **as referring to this.**

[Ramban now addresses a confounding problem: How did *Eretz Yisrael* escape from being innundated by the Flood waters?]

וּמַאֲמָרָם ״דְּלָא טָפַת אַרְעָא דְיִשְׂרָאֵל בְּמַיָּא דְמַבּוּלָא״ – **Their statement that "The Land of Israel was not inundated with the waters of the Flood"** means שֶׁלֹּא הָיָה עָלֶיהָ גֶּשֶׁם הַמַּבּוּל, כְּדִכְתִיב ״לֹא גֻשְׁמָהּ״ – **that the rain of the Flood did not fall on [The Land of Israel]** – **as it says** in the verse cited there as proof, ***it was not "rained upon,"*** וְלֹא נִפְתְּחוּ בָהּ מַעְיְנוֹת תְּהוֹם רַבָּה – **and that the fountains of the great deep were not opened up in [the Land of Israel].** אֲבָל הַמַּיִם נִתְפַּשְּׁטוּ בְּכָל הָעוֹלָם וְכִסּוּ כָּל הֶהָרִים הַגְּבֹהִים אֲשֶׁר תַּחַת כָּל הַשָּׁמַיִם, כְּמוֹ שֶׁכָּתוּב מְפֹרָשׁ – **However, the waters did spread out into the entire world,** including the Land of Israel, **and covered *all the high mountains that were "under all the heavens"*** (7:19), **as Scripture says explicitly.** וְאֵין סְבִיב אֶרֶץ יִשְׂרָאֵל גָּדֵר לְעַכֵּב הַמַּיִם שֶׁלֹּא יָבֹאוּ בָהּ – **And there is,** after all, **no barrier surrounding the Land of Israel that would prevent the water from entering!**[75]

71. See above (7:18-19), however, where Ramban writes that the trees *were* uprooted.

72. Since all the world was submerged in water, there was no rushing water anywhere.

73. This is why the bird could not have found the leaf anywhere else but in the Land of Israel or the Garden of Eden.

74. This proves that according to the Midrash the Flood not only annihilated all animal and vegetable life, but destroyed everything else as well

75. I.e., though the waters of the Flood *did* cover even *Eretz Yisrael,* nevertheless, the stormy rains and turmoil of the Flood did not take place there. The trees were thus spared and that is where the dove found the olive leaf, as Ramban proceeds to explain.

רמב״ן

וְכָךְ[76] אָמְרוּ בְּפִרְקֵי רַבִּי אֱלִיעֶזֶר [כג]: אֶרֶץ יִשְׂרָאֵל לֹא יָרַד עָלֶיהָ מֵי הַמַּבּוּל מִן הַשָּׁמַיִם, אֶלָּא נִתְגַּלְגְּלוּ הַמַּיִם מִן הָאֲרָצוֹת וְנִכְנְסוּ לְתוֹכָהּ, שֶׁנֶּאֱמַר: ״בֶּן אָדָם אֱמָר לָהּ ...״

וְהִנֵּה לְדַעַת רַבִּי לֵוִי, מִפְּנֵי שֶׁלֹּא יָרַד בְּאֶרֶץ הַהִיא הַגֶּשֶׁם הַשּׁוֹטֵף, וְלֹא נִפְתְּחוּ עָלֶיהָ אֲרֻבּוֹת הַשָּׁמַיִם נִשְׁאֲרוּ בָּהּ הָאִילָנוֹת, וּבְכָל הָעוֹלָם נִשְׁבְּרוּ וְנֶעֶקְרוּ בַּמַּבּוּל וּמִטְרוֹת עֻזּוֹ.

וַאֲנִי תָמֵהַּ עַל מַאֲמָרָם ״מִגַּן עֵדֶן״: אִם כֵּן לֹא יָדַע נֹחַ שֶׁ״קַּלּוּ הַמַּיִם מֵעַל הָאָרֶץ״, כִּי שָׁם לֹא נִכְנְסוּ מֵי הַמַּבּוּל[77]. וְאוּלַי הָיוּ שְׁעָרָיו סְגוּרִים שֶׁלֹּא יִכָּנְסוּ שָׁם הַמַּיִם, וְכַאֲשֶׁר קַלּוּ הַמַּיִם נִפְתְּחוּ[78].

וּמִדַּעְתָּם זוֹ אָמְרוּ שָׁם [ב״ר לו, ג]: ״וַיִּטַּע כָּרֶם״, וּמֵהֵיכָן הָיָה לוֹ? אָמַר רַבִּי אַבָּא בַּר כַּהֲנָא: בִּכְנִיסָתוֹ לַתֵּבָה הִכְנִיס עִמּוֹ זְמוֹרוֹת לִנְטִיעוֹת, יִחוּרִים לִתְאֵנִים, גְּרוֹפִיּוֹת לְזֵיתִים[79].

RAMBAN ELUCIDATED

וְכָךְ אָמְרוּ בְּפִרְקֵי רַבִּי אֱלִיעֶזֶר: – **This**[76] **is also** consistent with **what they say in *Pirkei Rabbi Eliezer*** (Chap. 23): אֶרֶץ יִשְׂרָאֵל לֹא יָרַד עָלֶיהָ מֵי הַמַּבּוּל מִן הַשָּׁמַיִם אֶלָּא נִתְגַּלְגְּלוּ הַמַּיִם מִן הָאֲרָצוֹת וְנִכְנְסוּ לְתוֹכָהּ – **"The waters of the Flood did not fall from heaven upon the Land of Israel, but the waters did flow in from the** adjacent **lands and entered into it,** שֶׁנֶּאֱמַר: ״בֶּן אָדָם אֱמָר לָהּ״ – **as it says, *Son of man, say to her:*** [*You are a land that was not cleansed, that was not rained upon on the day of fury*] (*Ezekiel* 22:24)."

וְהִנֵּה לְדַעַת רַבִּי לֵוִי, מִפְּנֵי שֶׁלֹּא יָרַד בְּאֶרֶץ הַהִיא הַגֶּשֶׁם הַשּׁוֹטֵף – **Now, according to Rabbi Levi's opinion, because the sweeping rain** of the Flood **did not fall in that Land** (of Israel), וְלֹא נִפְתְּחוּ עָלֶיהָ אֲרֻבּוֹת הַשָּׁמַיִם – **and the "windows of the heavens" were not opened up upon it,** נִשְׁאֲרוּ בָּהּ הָאִילָנוֹת – **the trees remained** intact, וּבְכָל הָעוֹלָם נִשְׁבְּרוּ וְנֶעֶקְרוּ בַּמַּבּוּל וּמִטְרוֹת עֻזּוֹ – **while in the rest of the world they were smashed and uprooted by the Flood and its fierce downpour.**

[Ramban now addresses the other opinion of the Midrash, that the leaf came from the Garden of Eden:]

וַאֲנִי תָמֵהַּ עַל מַאֲמָרָם ״מִגַּן עֵדֶן״ – **I am perplexed**, however, **by their statement that** the leaf was brought **from the Garden of Eden,** because of the following question: אִם כֵּן לֹא יָדַע נֹחַ שֶׁ״קַּלּוּ הַמַּיִם מֵעַל הָאָרֶץ״ – **If it is so** that the leaf came from the Garden of Eden which was unaffected by the Flood, **Noah could not have known that *the water had subsided from upon the "earth"*** (8:11), כִּי שָׁם לֹא נִכְנְסוּ מֵי הַמַּבּוּל – **for the waters of the Flood never entered there** in the first place.[77] וְאוּלַי הָיוּ שְׁעָרָיו סְגוּרִים שֶׁלֹּא יִכָּנְסוּ שָׁם הַמַּיִם – **Perhaps** for the duration of the Flood **its gates were sealed in order that the water should not enter there,** וְכַאֲשֶׁר קַלּוּ הַמַּיִם נִפְתְּחוּ – **but when the water subsided they were opened.**[78]

[Ramban closes with an observation:]

וּמִדַּעְתָּם זוֹ אָמְרוּ שָׁם: – **It was because of this opinion [of the Sages]** – i.e., that the trees of the world were destroyed in the Flood – **that they said there** (*Bereishis Rabbah* 36:3): ״וַיִּטַּע כָּרֶם״ וּמֵהֵיכָן הָיָה לוֹ – ***"And [Noah] planted a vineyard*** (9:20) – **From where did he have [saplings or seeds]?** אָמַר רַבִּי אַבָּא בַּר כַּהֲנָא: בִּכְנִיסָתוֹ לַתֵּבָה הִכְנִיס עִמּוֹ זְמוֹרוֹת לִנְטִיעוֹת, יִחוּרִים לִתְאֵנִים, גְּרוֹפִיּוֹת לְזֵיתִים – **Rabbi Abba bar Kahana said: When he entered the Ark he took vine branches with him for** planting **vine saplings, branches for** planting **fig trees, and olive branches for planting olive trees."**[79]

☐ **טָרָף בְּפִיהָ** – ***[AN OLIVE LEAF] IT HAD PLUCKED WAS IN ITS BILL.***

[The word טָרָף is apparently a masculine verb (lit., "*he* had plucked"), yet the possessive ending of

76. I.e., although the Flood waters flowed into *Eretz Yisrael,* she was nevertheless spared the torrential destructive rains.

77. A leaf brought from the Garden of Eden, where there has never been a flood, would not tell Noah anything regarding the state of the water elsewhere.

78. The bird could not have entered the Garden of Eden until the water began to subside, for all access to the Garden was blocked before that time. Thus, the bringing of the olive leaf was indeed proof for Noah that the water had substantially receded.

79. Even according to Rabbi Levi in the Midrash, that the trees of *Eretz Yisrael* were spared, Noah made these preparations and did not rely on the fruit of the Land of Israel because he did not know in advance that its trees would survive the Flood (*Pnei Yerushalayim*).

יב וַיֵּ֣דַע נֹ֔חַ כִּי־קַ֥לּוּ הַמַּ֖יִם מֵעַ֥ל הָאָֽרֶץ׃ וַיִּיָּ֣חֶל ע֔וֹד
שִׁבְעַ֥ת יָמִ֖ים אֲחֵרִ֑ים וַיְשַׁלַּח֙ אֶת־הַיּוֹנָ֔ה וְלֹא־
יג יָסְפָ֥ה שׁוּב־אֵלָ֖יו עֽוֹד׃ וַ֠יְהִי בְּאַחַ֨ת וְשֵׁשׁ־
מֵא֜וֹת שָׁנָ֗ה בָּֽרִאשׁוֹן֙ בְּאֶחָ֣ד לַחֹ֔דֶשׁ חָֽרְב֥וּ
הַמַּ֖יִם מֵעַ֣ל הָאָ֑רֶץ וַיָּ֤סַר נֹ֙חַ֙ אֶת־מִכְסֵ֣ה הַתֵּבָ֔ה

וִידַע נֹחַ אֲרֵי קַלִּיאוּ מַיָּא מֵעַל אַרְעָא: יב וְאוֹרִיךְ עוֹד שִׁבְעָא יוֹמִין אָחֳרָנִין וְשַׁלַּח יָת יוֹנָה וְלָא אוֹסֵיפַת לְמִתּוּב לְוָתֵהּ עוֹד: יג וַהֲוָה בְּשִׁית מְאָה וְחַד שְׁנִין בְּקַדְמָאָה בְּחַד לְיַרְחָא נְגוּבוּ מַיָּא מֵעַל אַרְעָא וְאַעְדִּי נֹחַ יָת חוּפָאָה דְּתֵבוּתָא

רש״י

(יב) **ויחל.** הוא ל׳ ויחל אלא שזה ל׳ ויפעל וזה ל׳ ויתפעל, ויחל וימתן, וייחל ויתמתן: (יג) **בראשון.** לר׳ אליעזר הוא תשרי ולרבי יהושע הוא ניסן (סדר עולם שם; ר״ה יא:): **חרבו.** נעשה כמין טיט שקרמו פניה של מטלה (סדר עולם שם; ב״ר לג:ז):

רמב״ן

□ **טָרָף בְּפִיהָ.** כָּתַב רַשִׁ״י: אוֹמֵר אֲנִי שֶׁזָּכָר הָיָה, וּלְכָךְ קוֹרֵא אוֹתוֹ פְּעָמִים לְשׁוֹן זָכָר וּפְעָמִים לְשׁוֹן נְקֵבָה. לְפִי שֶׁכָּל יוֹנָה שֶׁבַּמִּקְרָא לְשׁוֹן נְקֵבָה הוּא[80]. טָרָף, חָטַף[81]. וּמִדְרַשׁ אַגָּדָה לְשׁוֹן ״מָזוֹן״[82], וְדָרְשׁוּ ״בְּפִיהָ״ לְשׁוֹן מַאֲמָר. אָמְרָה: יִהְיוּ מְזוֹנוֹתַי מְרוּרִין כְּזַיִת וּבְיָדוֹ שֶׁל הַקָּדוֹשׁ בָּרוּךְ הוּא, וְאַל יִהְיוּ מְתוּקִים כִּדְבַשׁ בְּיַד אָדָם.

וְאֵין כָּל זֶה נָכוֹן בְּעֵינַי. כִּי חֲזָרַת זֵכֶר הַיּוֹנִים מִנְּקֵבָה לְזָכָר בְּמָקוֹם אֶחָד מִן הַפָּרָשָׁה אֵין בּוֹ טַעַם[83]. וְאִם הַלָּשׁוֹן לִקְרֹא כֻּלָּם בְּשֵׁם הַנְּקֵבוֹת - לָמָּה שִׁנָּה בְּכָאן?

וְכֵן מִדְרָשָׁם בַּהַגָּדָה, לֹא שֶׁיַּעֲשׂוּ ״בְּפִיהָ״ לְשׁוֹן מַאֲמָר כְּלָל. אֲבָל מִדְרָשָׁם מִפְּנֵי שֶׁהֵבִיאָה הֶעָלֶה הַזֶּה.

RAMBAN ELUCIDATED

בְּפִיהָ is feminine (lit., "in *her* bill"). The commentators grapple with this inconsistency. Ramban begins his discussion by quoting Rashi:]

כָּתַב רַשִׁ״י – Rashi writes:

אוֹמֵר אֲנִי שֶׁזָּכָר הָיָה וּלְכָךְ קוֹרֵא אוֹתוֹ פְּעָמִים לְשׁוֹן זָכָר וּפְעָמִים לְשׁוֹן נְקֵבָה – I say that [the dove] was a male; therefore [Scripture] refers to it at times in the masculine and at times in the feminine, **לְפִי שֶׁכָּל יוֹנָה שֶׁבַּמִּקְרָא לְשׁוֹן נְקֵבָה הוּא – because every instance of the word יוֹנָה in Scripture is feminine,** while this particular dove was a male.[80]

[Ramban continues to cite Rashi:]

טָרָף, חָטַף – The term **טָרָף** means ***it had snatched.***[81] **וּמִדְרַשׁ אַגָּדָה לְשׁוֹן ״מָזוֹן״ – But an Aggadic Midrash** explains it **as meaning food,**[82] **וְדָרְשׁוּ ״בְּפִיהָ״ לְשׁוֹן מַאֲמָר – and they interpreted "in its mouth" to mean,** making **a statement,** i.e., טָרָף בְּפִיהָ means, "speaking of food": **אָמְרָה יִהְיוּ מְזוֹנוֹתַי מְרוּרִין כְּזַיִת וּבְיָדוֹ שֶׁל הַקָּדוֹשׁ בָּרוּךְ הוּא – It said, "Better that my food be bitter as an olive and** provided **by the hand of the Holy One, Blessed is He,** **וְאַל יִהְיוּ מְתוּקִים כִּדְבַשׁ בְּיַד אָדָם – than sweet as honey and** provided **by the hand of man."**

[Ramban disagrees both with Rashi's own explanation for the grammatical inconsistency as well as Rashi's understanding of the Midrash's comment:]

וְאֵין כָּל זֶה נָכוֹן בְּעֵינַי – All this does not seem sound in my view. **כִּי חֲזָרַת זֵכֶר הַיּוֹנִים מִנְּקֵבָה לְזָכָר בְּמָקוֹם אֶחָד מִן הַפָּרָשָׁה אֵין בּוֹ טַעַם – For changing the reference to doves from feminine to masculine in** only **one place out of the** entire **passage – there is no rationale for this.**[83] **וְאִם הַלָּשׁוֹן לִקְרֹא כֻּלָּם בְּשֵׁם הַנְּקֵבוֹת, לָמָּה שִׁנָּה בְּכָאן – If it is** the way of **the language to refer to all** doves **in the feminine, why would it change** this practice **here?**

וְכֵן מִדְרָשָׁם בַּהַגָּדָה – Furthermore, Rashi's understanding of **[the Sages'] interpretation in the Aggadah** can be disputed. **לֹא שֶׁיַּעֲשׂוּ ״בְּפִיהָ״ לְשׁוֹן מַאֲמָר כְּלָל – They did not take בְּפִיהָ to mean "statement" at all.** **אֲבָל מִדְרָשָׁם מִפְּנֵי שֶׁהֵבִיאָה הֶעָלֶה הַזֶּה – Rather, their interpretation is based**

80. Since this particular dove was male, and since the word יוֹנָה is feminine, both the masculine and feminine forms are used here.

81. According to this interpretation, טָרָף is a verb lit., *he had snatched*, and *he* refers to the male dove.

82. According to the Midrashic explanation, טָרָף is a noun (*food*), and does not refer to the dove. This removes the grammatical difficulty that arose when טָרָף was understood to be a masculine verb.

83. In this passage, the Torah refers to the dove *eight*

And Noah knew that the waters had subsided from upon the earth. [12] *Then he waited again another seven days and sent the dove forth; and it did not return to him any more.*

[13] *And it came to pass in the six hundred and first year, in the first [month], on the first of the month, the waters dried from upon the earth; Noah removed the covering of the Ark,*

רמב״ן

כִּי אִם נֹאמַר שֶׁאֵירַע כֵּן - לֹא עַל חִנָּם פֵּרֵשׁ אוֹתוֹ הַכָּתוּב, כִּי הָיָה לוֹ לוֹמַר וְהִנֵּה עָלֶה טָרָף בְּפִיהָ. וְהַזַּיִת אֵינֶנּוּ בָּא מִן הָאִילָנוֹת הַגְּבוֹהִים מְאֹד, שֶׁיִּשְׁכְּנוּ בּוֹ הָעוֹפוֹת לְאֹרֶךְ דָּלִיּוֹתָיו[84]. וּלְכָךְ אָמְרוּ כִּי הָיָה בָּזֶה רֶמֶז[85] - שֶׁהָעוֹפוֹת נוֹחַ לָהֶם לִהְיוֹת מְזוֹנוֹתָם מָרִים כְּלַעֲנָה בְּיַד הַקָּדוֹשׁ בָּרוּךְ הוּא, וְלֹא שֶׁיִּהְיוּ טוֹבִים בִּידֵי אָדָם. וְכָל שֶׁכֵּן בְּנֵי הָאָדָם שֶׁאֵין רְצוֹנָם לְהִתְפַּרְנֵס זֶה מִזֶּה.

וּלְשׁוֹן בְּרֵאשִׁית רַבָּה [לג, ו]: אָמַר רַבִּי אַבָּהוּ: אִלּוּ מִגַּן עֵדֶן הֱבִיאָה אוֹתוֹ - לֹא הָיָה לָהּ לְהָבִיא דָּבָר מְעֻלֶּה, אוֹ קִנָּמוֹם אוֹ פַּפּוּלְסְמוֹן? אֶלָּא רֶמֶז רָמְזָה לוֹ: נֹחַ מַר מִזֶּה מִתַּחַת יָדוֹ שֶׁל הַקָּדוֹשׁ בָּרוּךְ הוּא וְלֹא מָתוֹק מִתַּחַת יָדְךָ[86].

אֲבָל בַּגְּמָרָא [עירובין יח, ב][87] הוֹסִיפוּ: מַאי מַשְׁמַע דְּהַאי ״טָרָף״ לִישְׁנָא דִמְזוֹנֵי הוּא? דִּכְתִיב [משלי ל, ח]:

RAMBAN ELUCIDATED

on the fact that it brought this specific kind of **leaf.** כִּי אִם נֹאמַר שֶׁאֵירַע כֵּן – **For even if we say that it was** only **coincidence** that it found an olive leaf, לֹא עַל חִנָּם פֵּרֵשׁ אוֹתוֹ הַכָּתוּב, כִּי הָיָה לוֹ לוֹמַר וְהִנֵּה עָלֶה טָרָף בְּפִיהָ – **it is not for naught that Scripture specifies this** detail, **for it could have said, *behold, a leaf that it had plucked was in its bill,*** without mentioning that it was an olive leaf. וְהַזַּיִת אֵינֶנּוּ בָּא מִן הָאִילָנוֹת הַגְּבוֹהִים מְאֹד שֶׁיִּשְׁכְּנוּ בּוֹ הָעוֹפוֹת לְאֹרֶךְ דָּלִיּוֹתָיו – **Furthermore, an olive tree is not one of the very tall trees, within whose branches birds** generally **dwell.**[84] וּלְכָךְ אָמְרוּ כִּי הָיָה בָּזֶה רֶמֶז – **Therefore [the Sages] said that there was an allusion in these** facts[85] – שֶׁהָעוֹפוֹת נוֹחַ לָהֶם לִהְיוֹת מְזוֹנוֹתָם מָרִים כְּלַעֲנָה בְּיַד הַקָּדוֹשׁ בָּרוּךְ הוּא – **that it is preferable** even **for birds that their food be as bitter as wormwood but in the hands of the Holy One, Blessed is He,** וְלֹא שֶׁיִּהְיוּ טוֹבִים בִּידֵי אָדָם – **rather than being good** tasting **but in man's hands.** וְכָל שֶׁכֵּן בְּנֵי הָאָדָם שֶׁאֵין רְצוֹנָם לְהִתְפַּרְנֵס זֶה מִזֶּה – **And it is all the more so that people do not wish to** be dependent on **one another** for their **livelihood.**

[Ramban cites the Midrash itself to demonstrate the soundness of his understanding of the Sages' statement:]

וּלְשׁוֹן בְּרֵאשִׁית רַבָּה: – **The** exact **language of *Bereishis Rabbah*** (33:6) **is:** אָמַר רַבִּי אַבָּהוּ: אִלּוּ מִגַּן עֵדֶן הֱבִיאָה אוֹתוֹ לֹא הָיָה לָהּ לְהָבִיא דָּבָר מְעֻלֶּה אוֹ קִנָּמוֹם אוֹ פַּפּוּלְסְמוֹן – **"Rabbi Abahu said: If it was from the Garden of Eden that [the dove] brought [the branch], should it not have brought something of superior quality, such as either cinnamon or balsam?** אֶלָּא רֶמֶז רָמְזָה לוֹ – **Rather,** by bringing an olive leaf **it alluded to this hint:** נֹחַ מַר מִזֶּה מִתַּחַת יָדוֹ שֶׁל הַקָּדוֹשׁ בָּרוּךְ הוּא – **'It is better** to receive sustenance that is **bitter from this** [tree], **coming from God's hand,** וְלֹא מָתוֹק מִתַּחַת יָדְךָ – **rather than** to receive sustenance that is **sweet from your [Noah's] hand.' "**[86]

[Ramban now examines a source that seems to support Rashi's view:]

אֲבָל בַּגְּמָרָא הוֹסִיפוּ: מַאי מַשְׁמַע דְּהַאי ״טָרָף״ לִישְׁנָא דִמְזוֹנֵי הוּא – **In the Gemara** (*Eruvin* 18b), **however,**

times in the feminine and only *once* in the masculine!

84. Thus, what prompted the Sages to make their comment was that there was something unusual in Scripture specifying that the leaf the dove brought was an olive leaf, and not the words טָרָף בְּפִיהָ, as Rashi would have it.

85. The facts that (a) the dove rested in an unusual place for birds, and that (b) Scripture specified the type of leaf both allude to the concept that it is "Better that my food be bitter as an olive and [provided] by the hand of the Holy One, Blessed is He, than sweet as honey and [provided] by the hand of man."

86. It is clear from the Midrash that what prompted the Sages to derive their lesson was the bird's choice of leaf rather than the novel interpretation of טָרָף as "food" and בְּפִיהָ as "statement." Thus, טָרָף is *not* to be understood as a noun, and the Midrash cannot be used in addressing the grammatical inconsistency.

יד וַיַּרְא וְהִנֵּה חָרְבוּ פְּנֵי הָאֲדָמָה: וּבַחֹדֶשׁ
הַשֵּׁנִי בְּשִׁבְעָה וְעֶשְׂרִים יוֹם לַחֹדֶשׁ יָבְשָׁה
טו הָאָרֶץ: ס וַיְדַבֵּר אֱלֹהִים אֶל־נֹחַ לֵאמֹר: רביעי
טז צֵא מִן־הַתֵּבָה אַתָּה וְאִשְׁתְּךָ וּבָנֶיךָ וּנְשֵׁי־בָנֶיךָ
יז אִתָּךְ: כָּל־הַחַיָּה אֲשֶׁר־אִתְּךָ מִכָּל־בָּשָׂר בָּעוֹף
וּבַבְּהֵמָה וּבְכָל־הָרֶמֶשׂ הָרֹמֵשׂ עַל־הָאָרֶץ
°הוֹצֵא אִתָּךְ וְשָׁרְצוּ בָאָרֶץ וּפָרוּ וְרָבוּ עַל־ °הַיְצֵא ק׳
יח הָאָרֶץ: וַיֵּצֵא־נֹחַ וּבָנָיו וְאִשְׁתּוֹ וּנְשֵׁי־בָנָיו אִתּוֹ:
יט כָּל־הַחַיָּה כָּל־הָרֶמֶשׂ וְכָל־הָעוֹף כֹּל רוֹמֵשׂ עַל־
כ הָאָרֶץ לְמִשְׁפְּחֹתֵיהֶם יָצְאוּ מִן־הַתֵּבָה: וַיִּבֶן נֹחַ
מִזְבֵּחַ לַיהוָה וַיִּקַּח מִכֹּל ׀ הַבְּהֵמָה הַטְּהֹרָה
כא וּמִכֹּל הָעוֹף הַטָּהֹר וַיַּעַל עֹלֹת בַּמִּזְבֵּחַ: וַיָּרַח
יהוה אֶת־רֵיחַ הַנִּיחֹחַ וַיֹּאמֶר יהוה אֶל־לִבּוֹ

וַחֲזָא וְהָא נְגוּבוּ אַפֵּי אַרְעָא:
יד וּבְיַרְחָא תִּנְיָנָא בְּעַשְׂרִין
וְשַׁבְעָא יוֹמָא לְיַרְחָא יַבִּישַׁת
אַרְעָא: טו וּמַלִּיל יְיָ עִם נֹחַ
לְמֵימָר: טז פּוּק מִן תֵּבוּתָא אַתְּ
וְאִתְּתָךְ וּבְנָיךְ וּנְשֵׁי בְנָיךְ
עִמָּךְ: יז כָּל חַיְתָא דִּי עִמָּךְ
מִכָּל בִּשְׂרָא בְּעוֹפָא וּבִבְעִירָא
וּבְכָל רִחֲשָׁא דְּרָחֵשׁ עַל
אַרְעָא אַפֵּיק עִמָּךְ וְיִתְיַלְּדוּן
בְּאַרְעָא וְיִפְשׁוּן וְיִסְגּוּן עַל
אַרְעָא: יח וּנְפַק נֹחַ וּבְנוֹהִי
וְאִתְּתֵהּ וּנְשֵׁי בְנוֹהִי עִמֵּהּ:
יט כָּל חַיְתָא כָּל רִחֲשָׁא וְכָל
עוֹפָא כֹּל דְּרָחֵשׁ עַל אַרְעָא
לְזַרְעֲיָתְהוֹן נְפָקוּ מִן תֵּבוּתָא:
כ וּבְנָא נֹחַ מַדְבְּחָא קֳדָם יְיָ
וּנְסִיב מִכֹּל בְּעִירָא דַכְיָא
וּמִכֹּל עוֹפָא דְכֵי וְאַסֵּיק עֲלָוָן
בְּמַדְבְּחָא: כא וְקַבִּיל יְיָ בְּרַעֲוָא
יָת קוּרְבָּנֵהּ וַאֲמַר יְיָ בְּמֵימְרֵהּ

רש״י

(יד) בשבעה ועשרים. וירידתן בחדש השני בי״ז בחדש, אלו י״א ימים שהחמה יתירה על הלבנה, שמשפט דור המבול שנה תמימה היה (עדיות ב:י; סדר עולם שם; ב״ר שם): **יבשה.** נעשה גריד כהלכתה (ס״ע שם; ב״ר שם): **(טז) אתה ואשתך וגו׳.** איש ואשתו. כאן התיר להם תשמיש המטה (ב״ר לד:ז): **(יז) הוצא.** הוצא כתיב היצא קרי (שם ח). היצא, אמור להם שיצאו. הוצא, אם אינם רוצים לצאת הוציאם אתה: **ושרצו בארץ.** ולא בתבה, מגיד שאף הבהמה והעוף נאסרו בתשמיש (שם; תנחומא ישן יז): **(יט) למשפחתיהם.** קבלו עליהם על מנת לידבק במינן (מדרש אגדה): **(כ) מכל הבהמה הטהרה.** אמר, לא צוה לי הקדוש ברוך

רמב״ן

״הַטְרִיפֵנִי לֶחֶם חֻקִּי״[88]. כִּי מִפְּנֵי הַטַּעַם שֶׁאָמַרְנוּ עָשׂוּ לָזֶה סֶמֶךְ, מִלְּשׁוֹן ״הַטְרִיפֵנִי״[89]. יִרְמוֹז כְּאִלּוּ אָמַר: ״וְהִנֵּה עֲלֵה זַיִת טֶרֶף[90] בְּפִיהָ.״

וּפְשׁוּטוֹ שֶׁל מִקְרָא, פֵּרְשׁוּ בּוֹ[91] שֶׁהוּא תֹּאַר לְעָלֶה: ״וְהִנֵּה עֲלֵה זַיִת טָרוּף בְּפִיהָ״[92]. וְסָמַךְ לְדָבָר שֶׁהוּא

RAMBAN ELUCIDATED

[the Sages] did add[87] the concept presented by Rashi in their interpretation of the verse: **"How is it known that this** word **טָרָף is an expression meaning 'food'?** דִּכְתִיב ״הַטְרִיפֵנִי לֶחֶם חֻקִּי״ – **For it says,** ***feed me*** **(**הַטְרִיפֵנִי**)** ***with my daily bread*** **(*Proverbs* 30:8)."**[88]

[Ramban, nevertheless, maintains his disagreement with Rashi, as he explains:]

כִּי מִפְּנֵי הַטַּעַם שֶׁאָמַרְנוּ עָשׂוּ לָזֶה סֶמֶךְ, מִלְּשׁוֹן ״הַטְרִיפֵנִי״ – It is only **for the reason that we stated,** viz., the Torah specifying that it was a bitter olive leaf, **that [the Sages] brought a support from the word** הַטְרִיפֵנִי.[89] **יִרְמוֹז כְּאִלּוּ אָמַר** – That is, **it hints** to us **that it is as if it had said:** **וְהִנֵּה עֲלֵה זַיִת טֶרֶף בְּפִיהָ** – ***Behold, there was an olive leaf for food*** **(**טֶרֶף**)**[90] ***in its bill.***

[Ramban now gives a non-homiletical explanation of the verse that solves the grammatical inconsistency raised above:]

וּפְשׁוּטוֹ שֶׁל מִקְרָא, פֵּרְשׁוּ בּוֹ שֶׁהוּא תֹּאַר לְעָלֶה – **Regarding the simple interpretation of the verse,**

87. The Gemara, as well, teaches the homily, "Better to receive bitter sustenance from God than sweet sustenance from man," in connection with our verse. It then *adds* the comment Ramban is about to record.

88. The Gemara seemingly supports Rashi's view that the homily is based on the interpretation of the word טָרָף as "food." Ramban, however, continues to maintain that טָרָף does not mean food and that בְּפִיהָ means *its bill* and not *a statement,* as Rashi would have it.

89. From the same root, טרף.

90. טֶרֶף, vowelized with two *segels*, means "food."

and looked — and behold! the surface of the ground had
dried. [14]*And in the second month, on the twenty-seventh day of the*
month, the earth was fully dried.
[15]*God spoke to Noah, saying,* [16]*"Go forth from the Ark: you and*
your wife, your sons and your sons' wives with you. [17]*Every living*
being that is with you of all flesh, of birds, of animals, and all mov-
ing things that move on the earth — order them out with you, and
let them move about on the earth and be fruitful and multiply on the
earth." [18]*So Noah went forth, and his sons, his wife and his sons'*
wives with him. [19]*Every living being, every creeping thing, and*
every bird, everything that moves on earth came out of the Ark by
their families.
[20]*Then Noah built an altar to* HASHEM *and took of every clean ani-*
mal and of every clean bird, and offered burnt-offerings on the altar.
[21]HASHEM *smelled the pleasing aroma, and* HASHEM *said in His heart:*

רמב"ן

קָמוּץ[93], כִּי כֵּן מִשְׁפָּטוֹ.
אֲבָל נִמְצָא מֵהֶם בְּזָרוּת "כִּי הוּא טָרָף וְיִרְפָּאֵנוּ" [הושע ו, א], "וְהֵשִׁיב אֶת הַגְּזֵלָה אֲשֶׁר גָּזָל" [ויקרא ה, כג], "עַל שִׁגְגָתוֹ אֲשֶׁר שָׁגָג" [שם פסוק יח], וְזוּלָתָם רַבִּים[94].

[כא] וַיֹּאמֶר ה' אֶל לִבּוֹ. לֹא גִלָּה הַדָּבָר לַנָּבִיא בַּזְּמַן הַהוּא, רַק "בְּיוֹם צַוֺּתוֹ"[95] אֶת מֹשֶׁה בִּכְתִיבַת הַתּוֹרָה

RAMBAN ELUCIDATED

however, **[the commentators]**[91] **explain that [the word טָרָף]** is a **modifier** of עָלֶה (***leaf***), **וְהִנֵּה עָלֶה זַיִת טָרוּף בְּפִיהָ** – and the verse should be understood as if it had said, ***Behold, a "torn-off"*** (טָרוּף) ***olive leaf was in its bill.***[92] **וְסָמָךְ לַדָּבָר שֶׁהוּא קָמוּץ** – There is **support for this [interpretation]** in the fact **that [the letter ר]** is vowelized with a ***kamatz***[93] (טָרָף) – **כִּי כֵּן מִשְׁפָּטוֹ** – **which is the form for [adjectives],** whereas verbs are vowelized with a *patach* (טָרַף).

[The explanation given by "the commentators" seems compelling. However, Ramban shows that טָרָף could nevertheless be a verb:]

אֲבָל נִמְצָא מֵהֶם בְּזָרוּת – **However, there are** indeed **some [verbs]** that are **found** vowelized with a *kamatz,* **in an unusual form,** such as, **"כִּי הוּא טָרָף וְיִרְפָּאֵנוּ", "וְהֵשִׁיב אֶת הַגְּזֵלָה אֲשֶׁר גָּזָל", "עַל שִׁגְגָתוֹ אֲשֶׁר שָׁגָג"** – ***He has mangled [us]*** (טָרָף) ***and He will heal us*** (*Hoshea* 6:1), ***and he shall return the robbed object that he had robbed*** [גָּזָל] (*Leviticus* 5:23), and ***for the inadvertence that he had committed unintentionally*** [שָׁגָג] (ibid. 5:18), **וְזוּלָתָם רַבִּים** – **and numerous other** examples **like these.**[94]

21. וַיֹּאמֶר ה' אֶל לִבּוֹ – *AND HASHEM SAID IN HIS HEART.*

[The Hebrew expression "he spoke in (or *to*) his heart" generally means "he thought." Ramban explains the use of this expression in reference to God:]

לֹא גִלָּה הַדָּבָר לַנָּבִיא בַּזְּמַן הַהוּא – This means that **He did not reveal this matter to any prophet at that time;** **רַק בְּיוֹם צַוֺּתוֹ אֶת מֹשֶׁה בִּכְתִיבַת הַתּוֹרָה** – **rather, "on the day that he commanded"**[95]

91. Radak gives this explanation and Ibn Ezra mentions it as a possibility. (See also Onkelos.)

92. As an adjective modifying the masculine noun עָלֶה (leaf), טָרָף in its masculine form is no longer problematic.

93. It thus fits the vowelization pattern of other adjectives, such as חָכָם (wise) (Ibn Ezra). Other examples are רָשָׁע (wicked) and חָלָק (smooth).

94. Hence, the *kamatz* vowelization is not absolute proof that טָרָף is not a verb.

95. Stylistic citation from *Leviticus* 7:38.

לֹא אֹסִף לְקַלֵּל עוֹד אֶת־הָאֲדָמָה בַּעֲבוּר
הָאָדָם כִּי יֵצֶר לֵב הָאָדָם רַע מִנְּעֻרָיו וְלֹא־
אֹסִף עוֹד לְהַכּוֹת אֶת־כָּל־חַי כַּאֲשֶׁר עָשִׂיתִי׃
כב עַד כָּל־יְמֵי הָאָרֶץ זֶרַע וְקָצִיר וְקֹר וָחֹם וְקַיִץ
ט א וָחֹרֶף וְיוֹם וָלַיְלָה לֹא יִשְׁבֹּתוּ׃ וַיְבָרֶךְ אֱלֹהִים
אֶת־נֹחַ וְאֶת־בָּנָיו וַיֹּאמֶר לָהֶם פְּרוּ וּרְבוּ
ב וּמִלְאוּ אֶת־הָאָרֶץ׃ וּמוֹרַאֲכֶם וְחִתְּכֶם יִהְיֶה
עַל כָּל־חַיַּת הָאָרֶץ וְעַל כָּל־עוֹף הַשָּׁמָיִם
בְּכֹל אֲשֶׁר תִּרְמֹשׂ הָאֲדָמָה וּבְכָל־דְּגֵי

לָא אוֹסֵף לְמֵילַט עוֹד יָת אַרְעָא
בְּדִיל חוֹבֵי אֱנָשָׁא אֲרֵי יִצְרָא
לִבָּא דֶאֱנָשָׁא בִּישׁ מִזְּעִירֵהּ
וְלָא אוֹסֵף עוֹד לְמִמְחֵי יָת כָּל
דְּחַי כְּמָא דִי עֲבָדִית׃ כב עוֹד כָּל
יוֹמֵי אַרְעָא זְרוּעָא וַחֲצָדָא
וְקוּרָא וְחוּמָא וְקַיְטָא וְסִתְוָא
וִימָם וְלֵילְיָא לָא יִבְטְלוּן׃
א וּבָרִיךְ יְיָ יָת נֹחַ וְיָת בְּנוֹהִי
וַאֲמַר לְהוֹן פּוּשׁוּ וּסְגוּ וּמְלוֹ יָת
אַרְעָא׃ ב וְדַחַלְתְּכוֹן וְאֵימַתְכוֹן
תְּהֵי עַל כָּל חֵיוַת אַרְעָא וְעַל
כָּל עוֹפָא דִשְׁמַיָּא בְּכֹל דִּי
תַרְחִישׁ אַרְעָא וּבְכָל נוּנֵי

רש"י

הוא להכניס מאלו ז' ז' אלא כדי להקריב קרבן מהם (ב"ר לד:ט): **(כא) מנעריו.** מנעריו כתיב, משננער לצאת ממעי אמו ניתן בו יצר הרע (ב"ר לד:י; ירושלמי ברכות ג:ה): **לא אסף [וגו'] ולא אסף.** כפל הדבר לשבועה. הוא שכתוב אשר נשבעתי מעבור מי נח (ישעיה נד:ט) ולא מצינו בה שבועה אלא זו שכפל דבריו, והיא שבועה. וכן דרשו חכמים במסכת שבועות (לו.): **(כב) עד כל ימי הארץ וגו' לא ישבתו.** ו' עתים הללו שני חדשים לכל אחד ואחד, כמו ששנינו חצי תשרי ומרחשון וחצי כסליו זרע, חצי כסליו וטבת וחצי שבט קור [ס"א חורף] וכו' בב"מ (קו:) [ס"א עוד כל ימי כלומר תמיד, כמו עוד טומאתו בו]: **קר.** קשה מחורף: **חרף.** עת זרע שעורים וקטניות החריפין להתבשל מהר, [קור] הוא חצי שבט ואדר וחצי ניסן: **קציר.** חצי ניסן ואייר וחצי סיון: **קיץ.** הוא זמן לקיטת תאנים וזמן שמייבשים אותן בשדות, ושמו קיץ, כמו והלחם והקיץ לאכול הנערים (שמואל־ב טז:ב): **חם.** הוא סוף ימות החמה חצי אב ואלול וחצי תשרי שהעולם חם ביותר כמו ששנינו במסכת יומא (כט.) שלהי קייטא קשי מקייטא: **ויום ולילה לא ישבתו.** מכלל ששבתו כל ימות המבול, שלא שמשו המזלות ולא ניכר בין יום ובין לילה (ב"ר לד:יא): **לא ישבתו.** לא יפסקו כל אלה מלהתנהג כסדרן: **(ב) וחתכם.** ואימתכם (אונקלוס), כמו תראו חתת (איוב ו:כא). ואגדה, ל' חיות, שכל זמן שתינוק בן יומו חי אין אתה צריך לשומרו מן העכברים, עוג מלך הבשן מת צריך לשומרו מן העכברים, שנא' ומוראכם וחתכם יהיה, אימתי יהיה מוראכם על החיות כל זמן שאתם חיים (ב"ר שם יב; שבת קנא:).

רמב"ן

גִּלָּה אֵלָיו כִּי כַּאֲשֶׁר הִקְרִיב נֹחַ קָרְבָּנוֹ עָלָה לְפָנָיו לְרָצוֹן, וְגָזַר שֶׁלֹּא יוֹסִיף לְהַכּוֹת אֶת כָּל חַי[96]. וּכְבָר כָּתַבְתִּי בָּזֶה[97] סוֹד נִרְמָז לְרַבּוֹתֵינוּ זִכְרוֹנָם לִבְרָכָה.

RAMBAN ELUCIDATED

Moses regarding the writing of the Torah גִּלָּה אֵלָיו כִּי כַּאֲשֶׁר הִקְרִיב נֹחַ קָרְבָּנוֹ עָלָה לְפָנָיו לְרָצוֹן – **He revealed to him that when Noah brought his offering it was accepted with favor,** וְגָזַר שֶׁלֹּא יוֹסִיף לְהַכּוֹת אֶת כָּל חַי – **and that He had decreed** at that time **that He would** ***never again smite every living being.***[96]

וּכְבָר כָּתַבְתִּי בָּזֶה סוֹד נִרְמָז לְרַבּוֹתֵינוּ זִכְרוֹנָם לִבְרָכָה – **I have already written** above[97] **about the mystical concept that is alluded to by the Sages, may their memory be a blessing, regarding this** expression – "God's heart."

☐ **[**בַּעֲבוּר הָאָדָם – *BECAUSE OF MAN***]**

[Why is only man blamed here for the destruction of the world – were not all the animals also

96. Ibn Ezra (see also *Moreh Nevuchim*, I 29) maintains that the phrase *HASHEM said in His heart* means, "God did not reveal His thoughts" to Noah *at that time*. However, He did reveal these thoughts later (below, 9:11 and 9:15), when He told him, *Never again shall all flesh be cut off by the waters of the flood and never again shall there be a flood to destroy the earth.* Ramban here partially follows Ibn Ezra; he agrees that *HASHEM said in His heart* means, "God did not reveal His thoughts," and he maintains that God's thoughts expressed in our verse (8:21) were never fully told to Noah and remained unknown until they were revealed to Moses. As for the promises found in 9:11 and 9:15, Ramban apparently understands that they refer only to the fact that God told Noah He would never again destroy the world, but did not reveal to him that it was his offering that had appeased Him and led Him to this decision (*Pnei Yerushalayim, Beis HaYayin*).

97. Above, 6:6.

"I will not continue to curse again the ground because of man, for
the design of man's heart is evil from his youth; nor will I again
continue to smite every living being, as I have done. [22] *Contin-*
uously, all the days of the earth, seedtime and harvest, cold and
heat, summer and winter, day and night, shall not cease."
9 [1] *God blessed Noah and his sons, and He said to them, "Be fruit-*
ful and multiply and fill the land. [2] *The fear of you and the dread of*
you shall be upon every beast of the earth and upon every bird of
the heavens, in everything that moves on earth and in all the fish

רמב״ן

וְטַעַם **בַּעֲבוּר הָאָדָם**[98] כִּי בַּעֲבוּרוֹ נֶעֶנְשׁוּ, וְאִם אָדָם לֹא חָטָא - הָיוּ הֵם נִצּוֹלִין, אַף עַל פִּי שֶׁהִשְׁחִיתוּ גַּם הֵם דַּרְכָּם.

☐ **כִּי יֵצֶר לֵב הָאָדָם רַע מִנְּעוּרָיו.** מְלַמֵּד עֲלֵיהֶם זְכוּת, שֶׁיְּצִירָתָם בְּתוֹלֶדֶת רָעָה בִּימֵי הַנְּעוּרִים[99] וְלֹא בִּימֵי הַזִּקְנָה[100]. וְאִם כֵּן אֵין לְהַכּוֹת אֶת כָּל חַי מִפְּנֵי שְׁנֵי הַטְּעָמִים הָאֵלֶּה[101]. וְטַעַם הַמֵּ״ם, כִּי מִתְּחִלַּת הַנְּעוּרִים הוּא בָּהֶם כְּמוֹ שֶׁאָמְרוּ: מִשֶּׁנִּנְעַר לָצֵאת מִמְּעֵי אִמּוֹ נִתַּן בּוֹ יֵצֶר הָרָע[102].

אוֹ יֹאמַר כִּי מִן הַנְּעוּרִים, כְּלוֹמַר מֵחֲמָתָם[103] תִּהְיֶה רָעַת הַיֵּצֶר בָּאָדָם שֶׁהֵם יַחֲטִיאוּ אוֹתוֹ.

RAMBAN ELUCIDATED

guilty of "corrupting their ways"?[98] Ramban explains:]

וְטַעַם "בַּעֲבוּר הָאָדָם" כִּי בַּעֲבוּרוֹ נֶעֶנְשׁוּ – The explanation of the words ***because of man*** **is that it was because of him** that all the creatures of the world **were punished,** **וְאִם אָדָם לֹא חָטָא הָיוּ הֵם נִצּוֹלִין – for if man had not sinned, they would have been spared** – **אַף עַל פִּי שֶׁהִשְׁחִיתוּ גַּם הֵם דַּרְכָּם – though they, too, had perverted their ways.**

☐ **כִּי יֵצֶר לֵב הָאָדָם רַע מִנְּעֻרָיו** – ***FOR THE DESIGN OF MAN'S HEART IS EVIL FROM HIS YOUTH.***

[How is man's evil nature a reason for *not* destroying him? Ramban explains:]

מְלַמֵּד עֲלֵיהֶם זְכוּת – [God] is speaking in [man's] defense, **שֶׁיְּצִירָתָם בְּתוֹלֶדֶת רָעָה בִּימֵי הַנְּעוּרִים וְלֹא בִּימֵי הַזִּקְנָה** – noting **that [people] are created with an evil nature in their youth**[99] **but not in their old age.**[100] **וְאִם כֵּן אֵין לְהַכּוֹת אֶת כָּל חַי מִפְּנֵי שְׁנֵי הַטְּעָמִים הָאֵלֶּה – Consequently, it would not be proper to** ***smite every living being,*** **for these two reasons.**[101] **וְטַעַם הַמֵּ״ם כִּי מִתְּחִלַּת הַנְּעוּרִים הוּא בָּהֶם** – Accordingly, **the explanation of the מ** *(from)* in the word מִנְּעֻרָיו **is that [the evil nature]** of men **is in them** ***from*** **the very beginning of** their **youth,** **כְּמוֹ שֶׁאָמְרוּ: מִשֶּׁנִּנְעַר לָצֵאת מִמְּעֵי אִמּוֹ נִתַּן בּוֹ יֵצֶר הָרָע – as [the Sages] said, "From the time [a child] stirs to leave his mother's womb the Evil Inclination is placed within him."**[102]

[Ramban now offers two other possible explanations for the prefix מ in מִנְּעֻרָיו:]

אוֹ יֹאמַר כִּי מִן הַנְּעוּרִים, כְּלוֹמַר מֵחֲמָתָם תִּהְיֶה רָעַת הַיֵּצֶר בָּאָדָם – Alternatively, [the verse] is saying that it is from youth – that is, it is ***a result of***[103] **[his youth] that the evil inclination exists in man,** **שֶׁהֵם יַחֲטִיאוּ אוֹתוֹ – for it is [youth] that causes him to sin.**

98. See above, 6:12. However, see Ramban ad loc.

99. That is, from birth.

100. Hence, man's evil nature is inherent and not acquired.

101. Ramban is adding that there are now *two* reasons why it would not be proper to *smite every living being*: (a) As mentioned in the previous comment, it is not right to punish the animals because of man's faults; (b) man himself cannot be held completely responsible for his actions (*Kesef Mezukak*).

102. *Bereishis Rabbah* 34:10; *Yerushalmi, Berachos* 3:5.

103. The prefix מ, which usually means *from*, can also mean "as a result of." It is the impetuousness and indiscretion of youth that causes one to sin. According to this explanation, the verse is not telling us *when* the Evil Inclination appears in man, but *why*.

ג הַיָּם בְּיֶדְכֶם נִתָּנוּ: כָּל־רֶמֶשׂ אֲשֶׁר הוּא־חַי לָכֶם
יִהְיֶה לְאָכְלָה כְּיֶרֶק עֵשֶׂב נָתַתִּי לָכֶם אֶת־כֹּל:
ד־ה אַךְ־בָּשָׂר בְּנַפְשׁוֹ דָמוֹ לֹא תֹאכֵלוּ: וְאַךְ אֶת־
דִּמְכֶם לְנַפְשֹׁתֵיכֶם אֶדְרֹשׁ מִיַּד כָּל־חַיָּה אֶדְרְשֶׁנּוּ

יַמָּא בִּידְכוֹן יְהוֹן מְסִירִין: ג כָּל רִחֲשָׁא דִּי הוּא חַי לְכוֹן יְהֵי לְמֵיכָל כְּיָרוֹק עִשְׂבָּא יְהָבִית לְכוֹן יָת כֹּלָּא: ד בְּרַם בִּשְׂרָא בְּנַפְשֵׁהּ דְּמֵהּ לָא תֵיכְלוּן: ה וּבְרַם יָת דִּמְכוֹן לְנַפְשָׁתֵיכוֹן אֶתְבַּע מִיַּד כָּל חַיְתָא אֶתְבְּעִנֵּהּ

רש״י

(ג) **לכם יהיה לאכלה.** שלא הרשיתי לאדם הראשון בשר אלא ירק עשב, ולכם, **כירק עשב** שהפקרתי לאדם הראשון **נתתי לכם את כל** (סנהדרין נט:): (ד) **בשר בנפשו.** אסר להם אבר מן החי, כלומר, כל זמן שנפשו בו לא תאכלו הבשר (שם נז.): **בנפשו דמו.** בעוד נפשו בו. בשר בנפשו לא תאכלו, הרי אבר מן החי, ואף דמו [בנפשו] לא תאכלו, הרי דם מן החי (שם נט.):

(ה) **ואך את דמכם.** אע״פ שהתרתי לכם נטילת נשמה בבהמה, את דמכם אדרוש מהשופך דם עצמו (ב״ק צא:): **לנפשתיכם.** אף החונק עצמו (ב״ר שם יג) אע״פ שלא יצא ממנו דם: **מיד כל חיה.** [לפי שחטאו דור המבול והופקרו למאכל חיות רעות לשלוט בהן (מדרש אגדה) שנאמר נמשל כבהמות נדמו (תהלים מט:יג; שבת קנא:), לפיכך הוצרך] להזהיר עליהם

רמב״ן

וְיֵשׁ אוֹמְרִים שֶׁהוּא כְּמוֹ "בִּנְעוּרָיו"[104], וְכָמֹהוּ "מִטֶּרֶם שׂוּם אֶבֶן אֶל אֶבֶן בְּהֵיכַל ה׳" [חגי ב, טו], וְכֵן "זֹאת הָאָרֶץ אֲשֶׁר תַּפִּילוּ מִנַּחֲלָה לְשִׁבְטֵי יִשְׂרָאֵל" [יחזקאל מח,כט][105].

ט [ג] **כָּל רֶמֶשׂ אֲשֶׁר הוּא חַי.** יִרְמוֹז לַבְּהֵמָה[1] וְלַחַיָּה וְלָעוֹף וְגַם לִדְגֵי הַיָּם[2], כִּי כֻּלָּם נִקְרָאִים רֶמֶשׂ, כִּדְכְתִיב [לעיל א,כא]: "כָּל נֶפֶשׁ הַחַיָּה הָרוֹמֶשֶׂת אֲשֶׁר שָׁרְצוּ הַמַּיִם"[3].

RAMBAN ELUCIDATED

וְיֵשׁ אוֹמְרִים שֶׁהוּא כְּמוֹ בִּנְעוּרָיו – But others say that מִנְּעֻרָיו should be understood **as if it were** written **בִּנְעוּרָיו** ***("in his youth")***, with a ב instead of a מ.[104] **וְכָמֹהוּ "מִטֶּרֶם שׂוּם אֶבֶן אֶל אֶבֶן בְּהֵיכַל ה׳"** – **Similar to this** usage of *mem* we find in the verse, ***before*** (מִטֶּרֶם) ***one stone was placed upon another stone in the Sanctuary of Hashem*** (*Haggai* 2:15), where מִטֶּרֶם is equivalent to בְּטֶרֶם, **וְכֵן "זֹאת הָאָרֶץ אֲשֶׁר תַּפִּילוּ מִנַּחֲלָה לְשִׁבְטֵי יִשְׂרָאֵל"** – **and** in the verse ***This is the land that you shall allot as an inheritance*** (מִנַּחֲלָה) ***to the tribes of the Children of Israel*** (*Ezekiel* 48:29),[105] where מִנַּחֲלָה is equivalent to בְּנַחֲלָה.

9.

3. כָּל רֶמֶשׂ אֲשֶׁר הוּא חַי – ***EVERY MOVING THING THAT LIVES.***

[Ramban explained above (on 1:24) that רֶמֶשׂ refers to any creature that walks upon the earth.[1] He reiterates this interpretation here, and adds a new aspect to it:]

יִרְמוֹז לַבְּהֵמָה וְלַחַיָּה וְלָעוֹף וְגַם לִדְגֵי הַיָּם – **[This word] refers to** all living things, **animals, wild beasts and birds – and even to the fish of the sea,**[2] **כִּי כֻּלָּם נִקְרָאִים רֶמֶשׂ** – **for all these can be called** רֶמֶשׂ [*remess*] **כִּדְכְתִיב "כָּל נֶפֶשׁ הַחַיָּה הָרוֹמֶשֶׂת אֲשֶׁר שָׁרְצוּ הַמַּיִם"** – **as it is written,** ***and every living being that creeps*** [הָרוֹמֶשֶׂת, ***haromesses], with which the water teemed*** (above, 1:21).[3]

4. אַךְ בָּשָׂר בְּנַפְשׁוֹ דָמוֹ – ***BUT FLESH WITH ITS SOUL ITS BLOOD [YOU SHALL NOT EAT].***

[Ramban cites Rashi's interpretation:]

104. This interpretation for the מ prefix is consistent with Ramban's first explanation of the verse: Since the inclination of man's heart is evil "*in* his youth" and not in his old age, his evil nature must be inherent and not acquired. Man, therefore, cannot be held completely responsible for his actions.

105. The quote is approximate.

1. This is unlike Rashi's interpretation there, that it refers only to the low, creeping creatures. Here, Rashi would agree with Ramban. See Commentators (Mizrachi, *Gur Aryeh,* etc.).

2. Above (1:24), Ramban explained that the term רֶמֶשׂ applies to birds, animals, the beasts and all the creeping things, because the word רֶמֶשׂ is related to רמס, meaning "to tread." Here Ramban adds fish to the list of רֶמֶשׂ, for though fish do not "tread" in the normal sense of the word, nevertheless, as Radak explains (above, 1:21), "their 'treading' is their swimming."

3. Hence even fish can be referred to as רֶמֶשׂ.

of the sea; in your hand they are given. [3] *Every moving thing that lives shall be food for you; like the green herbage I have given you everything.* [4] *But flesh with its soul, its blood, you shall not eat.* [5] *However, your blood which belongs to your souls I will demand, of every beast will I demand it;*

רמב״ן

[ד] **אַךְ בָּשָׂר בְּנַפְשׁוֹ דָמוֹ.** כָּתַב רַשִׁ״י: בְּעוֹד נַפְשׁוֹ בּוֹ, בָּשָׂר בְּנַפְשׁוֹ לֹא תֹאכֵלוּ. הֲרֵי אֵבֶר מִן הַחַי. וְאַף דָּם לֹא תֹאכֵלוּ. הֲרֵי דָּם מִן הַחַי.

אִם כֵּן יֹאמַר בָּשָׂר בְּנַפְשׁוֹ וְדָמוֹ לֹא תֹאכֵלוּ[4]. וְזֶה כְּפִי הַפְּשָׁט אֵינֶנּוּ נָכוֹן[5], וּלְפִי הַמִּדְרָשׁ אֵינֶנּוּ אֱמֶת, שֶׁלֹּא נִצְטַוּוּ בְּנֵי נֹחַ אֶלָּא עַל אֵבֶר מִן הַחַי, כְּדִבְרֵי חֲכָמִים, לֹא עַל דָּם מִן הַחַי, כְּדִבְרֵי רַבִּי חֲנִינָא בֶּן גַּמְלִיאֵל[6] [סנהדרין נט, א]. אֲבָל פֵּרוּשׁוֹ: אַךְ בָּשָׂר בְּנַפְשׁוֹ, שֶׁהִיא דָמוֹ, לֹא תֹאכֵלוּ, כִּי נֶפֶשׁ כָּל בָּשָׂר דָמוֹ הוּא[7] [ויקרא יז, יד].

[ה] **דִּמְכֶם לְנַפְשֹׁתֵיכֶם.** דִּמְכֶם נַפְשׁוֹתֵיכֶם, כְּלוֹמַר, דִּמְכֶם שֶׁהוּא נַפְשׁוֹתֵיכֶם[8], כְּדֶרֶךְ ״לְכָל כְּלֵי

RAMBAN ELUCIDATED

כָּתַב רַשִׁ״י – **Rashi writes:**
בְּעוֹד נַפְשׁוֹ בּוֹ – *Flesh with its soul* means **while its soul,** i.e., life, **is still in it.** בָּשָׂר בְּנַפְשׁוֹ לֹא תֹאכֵלוּ – The verse means: ***flesh with its soul you shall not eat.*** הֲרֵי אֵבֶר מִן הַחַי – **Thus you have** the prohibition against eating **a limb** which was severed **from a living** animal. וְאַף דָּם לֹא תֹאכֵלוּ – **And, in addition,** ***blood you shall not eat.*** הֲרֵי דָּם מִן הַחַי – **Thus you have** the prohibition against eating **blood** drawn **from a live [animal].**

[Ramban clarifies the essence of Rashi's interpretation:]

אִם כֵּן יֹאמַר בָּשָׂר בְּנַפְשׁוֹ וְדָמוֹ לֹא תֹאכֵלוּ – **Accordingly, [Scripture] is saying, *Flesh with its soul, "and" the blood of [such flesh], you shall not eat.***[4]

[Ramban disagrees with Rashi's interpretation and presents his own:]

וְזֶה כְּפִי הַפְּשָׁט אֵינֶנּוּ נָכוֹן – **But this** explanation, **according to the plain meaning** of the verse, **is not sound.**[5] וּלְפִי הַמִּדְרָשׁ אֵינֶנּוּ אֱמֶת – **Furthermore,** even **according to rabbinical exegesis, [Rashi's explanation] is not** halachically **true.** שֶׁלֹּא נִצְטַוּוּ בְּנֵי נֹחַ אֶלָּא עַל אֵבֶר מִן הַחַי כְּדִבְרֵי חֲכָמִים – **For the Noahides were only commanded concerning** refraining from eating a ***limb*** that was **severed from a living [animal], as is the opinion of the** majority of **Sages,** לֹא עַל דָּם מִן הַחַי כְּדִבְרֵי רַבִּי חֲנִינָא בֶּן גַּמְלִיאֵל – **but not concerning** eating **blood** drawn **from a living** [animal], **as is the opinion of Rabbi Chanina ben Gamliel** (*Sanhedrin* 59a).[6]
אֲבָל פֵּרוּשׁוֹ: אַךְ בָּשָׂר בְּנַפְשׁוֹ, שֶׁהִיא דָמוֹ, לֹא תֹאכֵלוּ – **Rather, the interpretation [of the verse] is: *But flesh with its soul – which is its blood – you shall not eat,*** כִּי נֶפֶשׁ כָּל בָּשָׂר דָמוֹ הוּא – **for *the soul of any creature is its blood.***[7]

5. דִּמְכֶם לְנַפְשֹׁתֵיכֶם – *YOUR BLOOD WHICH BELONGS TO YOUR SOULS.*

[The expression דִּמְכֶם לְנַפְשֹׁתֵיכֶם (lit., *your blood to your souls*) is unclear. Ramban presents four possible interpretations – the first three denoting the punishment of death for committing murder. The first interpretation:]

דִּמְכֶם נַפְשׁוֹתֵיכֶם – This should be understood as if it were written דִּמְכֶם נַפְשׁוֹתֵיכֶם (without the ל). כְּלוֹמַר, דִּמְכֶם שֶׁהוּא נַפְשׁוֹתֵיכֶם – **It means to say, *Your blood, which is your souls.***[8] כְּדֶרֶךְ ״לְכָל כְּלֵי

4. I.e., Rashi understands *its soul* and *its blood* as two separate terms, and the verse thus includes two distinct prohibitions: (1) a limb from a living animal, (2) blood from a living animal.

5. There is no conjunctive ו ("and") preceding the word דָּמוֹ to justify interpreting the verse as, ***and** its blood.*

6. Ramban is noting that though Rashi's interpretation of the verse does concur with the opinion of Rabbi Chanina, it is only the minority view, and it was not accepted as halachah.

7. *Leviticus* 17:14. Hence, the terms *soul* and *blood* express a single concept and, unlike Rashi, our verse includes only the prohibition against eating a limb of a live animal. (See Ramban ad loc., where he explains the connection between blood and the soul.)

8. As in his previous comment, Ramban understands

רמב״ן

הַמִּשְׁכָּן״ [שמות כז, יט]; וְכֵן ״הַשְּׁלִישִׁי לְאַבְשָׁלוֹם״ [דברי הימים-א ג, ב].

וְיֵשׁ לְפָרֵשׁ ״אֶת דִּמְכֶם לְנַפְשֹׁתֵיכֶם״, בְּנַפְשׁוֹתֵיכֶם, כִּי נֶפֶשׁ כָּל בָּשָׂר דָּמוֹ בְנַפְשׁוֹ הוּא [ויקרא יז, יד][9]. וְכָמוֹהוּ: ״וְכָל דָּם לֹא תֹאכְלוּ בְּכֹל מוֹשְׁבֹתֵיכֶם לָעוֹף וְלַבְּהֵמָה״ [שם ז, כו], פִּתְרוֹנוֹ בָּעוֹף אוֹ בַּבְּהֵמָה.

וְהַנָּכוֹן[10] שֶׁיֹּאמַר: הַדָּם שֶׁהוּא לְנֶפֶשׁ בָּכֶם[11] - אֶדְרוֹשׁ. הִגִּיד, כִּי הַדָּם הוּא הַנֶּפֶשׁ. וְרָמַז כִּי עַל שׁוֹפֵךְ הַנֶּפֶשׁ[12] הוּא מְחַיֵּב מִיתָה, לֹא עַל דַּם הָאֵבָרִים[13], שֶׁאֵין הַנְּשָׁמָה תְּלוּיָה בָּהֶם[14].

וְרַבּוֹתֵינוּ דָּרְשׁוּ בּוֹ הוֹרֵג אֶת עַצְמוֹ: אֶת דִּמְכֶם מִנַּפְשׁוֹתֵיכֶם אֶדְרֹשׁ[15].

RAMBAN ELUCIDATED

הַמִּשְׁכָּן״ – **This is similar to** ***all the vessels of the Tabernacle*** (*Exodus* 27:19), where the ל prefix of לְכֹל is ignored; **וְכֵן ״הַשְּׁלִישִׁי לְאַבְשָׁלוֹם״ – and likewise** we find, ***the third, Absalom*** (*I Chronicles* 3:2), where the ל prefix of לְאַבְשָׁלוֹם is ignored.

[The second interpretation:]

וְיֵשׁ לְפָרֵשׁ ״אֶת דִּמְכֶם לְנַפְשֹׁתֵיכֶם״, בְּנַפְשׁוֹתֵיכֶם – It is also **possible to interpret** the phrase אֶת דִּמְכֶם לְנַפְשֹׁתֵיכֶם as if the last word had been written בְּנַפְשׁוֹתֵיכֶם, ***"in" your souls,*** so that it would mean *your blood that is in your soul,* **כִּי נֶפֶשׁ כָּל בָּשָׂר דָּמוֹ בְנַפְשׁוֹ הוּא – for** ***the soul of any creature – its blood is in its soul*** (*Leviticus* 17:14).[9] **וְכָמוֹהוּ: ״וְכָל דָּם לֹא תֹאכְלוּ בְּכֹל מוֹשְׁבֹתֵיכֶם לָעוֹף וְלַבְּהֵמָה״ – Another example of this,** where a ל prefix is written in place of a ב, **is,** ***You shall not consume any blood, in any of your dwelling places, whether to*** **[ל]** ***fowl or to*** **[ל]** ***animals*** (ibid. 7:26), **פִּתְרוֹנוֹ בָּעוֹף אוֹ בַּבְּהֵמָה – which means,** *You shall not consume any blood ... whether it was* ***in*** **[ב]** ***fowl or in*** **[ב]** ***animals.***

[The third interpretation:]

וְהַנָּכוֹן שֶׁיֹּאמַר: הַדָּם שֶׁהוּא לְנֶפֶשׁ בָּכֶם אֶדְרוֹשׁ – The most satisfactory explanation[10] **is that the verse is saying,** ***That blood which is*** *needed* ***for***[11] ***the soul that is in you, I will avenge.*** **הִגִּיד כִּי הַדָּם הוּא הַנֶּפֶשׁ – [God] told [Noah]** here, by adding the word לְנַפְשֹׁתֵיכֶם, **that** the **blood is the soul,** i.e., life. **וְרָמַז כִּי עַל שׁוֹפֵךְ הַנֶּפֶשׁ הוּא מְחַיֵּב מִיתָה – He** thereby **implied that it is** only **for one who spills the** blood of the **soul**[12] **that He condemns to death, לֹא עַל דַּם הָאֵבָרִים שֶׁאֵין הַנְּשָׁמָה תְּלוּיָה בָּהֶם – but not for** one who spills **the blood of the limbs,**[13] **on which the soul** of life **is not dependent.**[14]

[The fourth interpretation:]

וְרַבּוֹתֵינוּ דָּרְשׁוּ בּוֹ הוֹרֵג אֶת עַצְמוֹ: – However, **The Sages** (*Bava Kamma* 91b) **interpreted** this phrase to be referring to **one who commits suicide,** understanding לְנַפְשֹׁתֵיכֶם as if it were written מִנַּפְשֹׁתֵיכֶם (with a מ instead of the ל) yielding: **אֶת דִּמְכֶם מִנַּפְשׁוֹתֵיכֶם אֶדְרֹשׁ** – ***Your blood "from" your own souls I will avenge.***[15]

☐ **מִיַּד כָּל חַיָּה אֶדְרְשֶׁנּוּ** – ***OF EVERY BEAST WILL I DEMAND IT.***[16]

[The verse appears to be saying that God will hold animals accountable if they shed the blood of a human being. Ramban discusses the implications of this idea:]

---

blood and *soul* as a single concept. Thus the phrase means, *But your blood –* ***which is to say,*** your soul *– I will demand.*

9. See Ramban (ad loc.) for an explanation of why blood is said to be "in" the soul.

10. Ramban considers this interpretation the "most satisfactory" because it accounts for the ל prefix.

11. The prefix ל is often used as the preposition *for.*

12. I.e., the blood that "carries" the soul; the blood essential for life.

13. I.e., "ordinary" blood that does not carry the soul.

14. The word לְנַפְשֹׁתֵיכֶם (*[which you need]* ***for*** *your soul [to stay alive]*) clarifies that one does not incur the death penalty for making another person bleed – unless it causes that person's death.

15. See Rashi.

The four interpretations may be summed up as follows:

(1) The ל prefix of לְנַפְשֹׁתֵיכֶם should be ignored altogether. (*Your blood,* ***which is*** your souls [i.e. your life], I will avenge.)

(2) The ל should be treated as a ב. (*Your blood, which is* ***in*** *your souls, I will avenge.*)

(3) It can be understood as it is written. (*Your blood, which is [needed]* ***for*** *your souls, I will avenge.*)

(4) The ל should be treated as a מ. (*I will avenge your blood* ***from*** *your own souls.*)

16. *I will demand* (אֶדְרֹשׁ), as used in this verse, means, "I will demand accountability" – as in וְגַם דָּמוֹ הִנֵּה נִדְרָשׁ,

רמב"ן

□ **מִיַּד כָּל חַיָּה אֶדְרְשֶׁנּוּ**[16]. תָּמֵהַּ אֲנִי אִם הַדְּרִישָׁה כְּמַשְׁמָעָהּ "מִיַּד הַחַיָּה" כְּמוֹ "מִיַּד הָאָדָם" לִהְיוֹת עוֹנֶשׁ בַּדָּבָר[17], וְאֵין בַּחַיָּה דַּעַת שֶׁתֵּעָנֵשׁ אוֹ שֶׁתְּקַבֵּל שָׂכָר!

וְאוּלַי יִהְיֶה כֵּן בְּעִנְיַן דַּם הָאָדָם לְבַדּוֹ, שֶׁכָּל הַחַיָּה שֶׁתִּטְרוֹף אוֹתוֹ תִּטָּרֵף, כִּי גְזֵרַת מֶלֶךְ הִיא[17a]. וְזֶה טַעַם "סָקוֹל יִסָּקֵל הַשּׁוֹר וְלֹא יֵאָכֵל אֶת בְּשָׂרוֹ" [שמות כא, כח]. וְאֵינֶנּוּ לְהַעֲנִישׁ אֶת בְּעָלָיו בְּמָמוֹן, כִּי אֲפִילוּ שׁוֹר הַמִּדְבָּר חַיָּב מִיתָה. וְצִוָּה כֵן בִּבְנֵי נֹחַ[18] כְּבְיִשְׂרָאֵל[19], וְיִהְיֶה טַעַם "שׁוֹפֵךְ דַּם הָאָדָם" [פסוק ו] - כָּל שׁוֹפֵךְ, בֵּין חַיָּה בֵּין אָדָם. וְהִנֵּה דָמוֹ נִדְרָשׁ בְּבֵית דִּין וּבִידֵי שָׁמַיִם[20].

וְיִתָּכֵן שֶׁיִּהְיֶה טַעַם "מִיַּד כָּל חַיָּה", שֶׁתִּהְיֶה הַנְּקָמָה בְּשׁוֹפֵךְ הַדָּם מִיַּד כָּל חַיָּה[21], כְּמוֹ "כִּי לָקְחָה מִיַּד ה' כִּפְלַיִם בְּכָל חַטֹּאתֶיהָ" [ישעיה מ, ב][22]. יֹאמַר, אַךְ דִּמְכֶם אֶדְרוֹשׁ וְאֶנְקוֹם אוֹתוֹ בְּיַד כָּל חַיָּה, כִּי אֲשַׁלַּח בָּרוֹצֵחַ

RAMBAN ELUCIDATED

תָּמֵהַּ אֲנִי אִם הַדְּרִישָׁה כְּמַשְׁמָעָהּ – **I am perplexed – if this "demand** of accountability" is to be taken literally, "מִיַּד הַחַיָּה" כְּמוֹ "מִיַּד הָאָדָם" לִהְיוֹת עוֹנֶשׁ בַּדָּבָר – **that** *of [every] beast will I demand it* **is** to be understood **the same way as** the end of the verse, *of man I will demand the* life *of man,* meaning **that there would be punishment** for an animal **for the matter** of killing a human.[17] וְאֵין בַּחַיָּה דַּעַת שֶׁתֵּעָנֵשׁ אוֹ שֶׁתְּקַבֵּל שָׂכָר – **But animals do not have intelligence that they should be punished or rewarded** for their actions!

[Ramban proposes an explanation:]

וְאוּלַי יִהְיֶה כֵּן בְּעִנְיַן דַּם הָאָדָם לְבַדּוֹ, שֶׁכָּל הַחַיָּה שֶׁתִּטְרוֹף אוֹתוֹ תִּטָּרֵף – **Perhaps this is so only with regard to** the shedding of **man's blood, that any animal that tears apart [a human] shall** itself **be torn apart,** כִּי גְזֵרַת מֶלֶךְ הִיא – **for such is the decree of the King.**[17a] וְזֶה טַעַם "סָקוֹל יִסָּקֵל הַשּׁוֹר וְלֹא יֵאָכֵל אֶת בְּשָׂרוֹ" – **This is also the reason** behind the Torah's command concerning an ox that kills a person, ***the ox shall surely be stoned, and its flesh may not be eaten*** (*Exodus* 21:28). וְאֵינֶנּוּ לְהַעֲנִישׁ אֶת בְּעָלָיו בְּמָמוֹן – **This is not** done **to punish its owner financially,** כִּי אֲפִילוּ שׁוֹר הַמִּדְבָּר חַיָּב מִיתָה – **for even a wild ox** that has no owner **incurs the death penalty** for killing a person (*Bava Kamma* 44b). Rather, it is proper for a murderous ox to be put to death, despite its lack of intelligence. וְצִוָּה כֵן בִּבְנֵי נֹחַ כְּבְיִשְׂרָאֵל – Accordingly, **[God] commanded thus for Noahides**[18] **just as He did for Israel,**[19] וְיִהְיֶה טַעַם "שׁוֹפֵךְ דַּם הָאָדָם", כָּל שׁוֹפֵךְ, בֵּין חַיָּה בֵּין אָדָם – **and the meaning of,** ***Whoever sheds the blood of man, [by man shall his blood be shed]*** (v. 6) **will** thus **be,** ***anyone*** **who sheds** blood, **whether beast or man**, will have his own blood spilled. וְהִנֵּה דָמוֹ נִדְרָשׁ בְּבֵית דִּין וּבִידֵי שָׁמַיִם – **Thus, [man's] blood is demanded** both **in court and by the hand of Heaven.**[20]

[Ramban now presents an alternate understanding of the difficult phrase:]

וְיִתָּכֵן שֶׁיִּהְיֶה טַעַם "מִיַּד כָּל חַיָּה", שֶׁתִּהְיֶה הַנְּקָמָה בְּשׁוֹפֵךְ הַדָּם מִיַּד כָּל חַיָּה – **It is possible that the meaning of** מִיַּד כָּל חַיָּה is that **the vengeance exacted from one who sheds blood will be** ***by the hand,*** i.e., through the agency, ***of every beast.***[21] כְּמוֹ "כִּי לָקְחָה מִיַּד ה' כִּפְלַיִם בְּכָל חַטֹּאתֶיהָ" – **It is** to be understood **as** in, ***for she has received double [punishment] by the hand*** [מִיַּד] ***of Hashem for all her sins*** (*Isaiah* 40:2), where מִיַּד is used in the sense of "by the hand of."[22] יֹאמַר, אַךְ דִּמְכֶם אֶדְרוֹשׁ וְאֶנְקוֹם אוֹתוֹ בְּיַד כָּל חַיָּה – **[Scripture] thus says,** ***However, your blood I will demand and avenge at the hand of every beast,*** כִּי אֲשַׁלַּח בָּרוֹצֵחַ כָּל חַיַּת הָאָרֶץ – **for I will send after the murderer every**

His blood as well is being avenged (below, 42:22).

17. I.e., that animals are held accountable for their actions as are humans.

17a I.e., the death of the animal is not a "punishment" but rather part of God's natural order of things.

18. "Noahides" is the term for all mankind except Israel. Noahides are not bound by the laws of the Torah ("Halachah"), but by "the seven Noahide laws."

19. Ramban posits that both according to Noahide law and Torah law (Halachah), animals that have killed human beings are to be put to death. (However, this ruling is not mentioned in the codes of halachah.)

20. *Your blood ... from every beast will **I** demand it* (v. 5) teaches that the animal will die by "the hand of Heaven"; and *Whoever sheds the blood of man,* ***by man*** *shall his blood be shed* (v. 6) teaches that the animal is also liable to punishment in earthly courts.

21. I.e., God will use animals as His agents to punish the murderer.

22. Instead of the מ of מִיַּד meaning *of* (i.e., *I will demand vengeance* **of** every animal), Ramban is now suggesting that the מ should be understood as *from.* According to this interpretation, מִיַּד כָּל חַיָּה means

וּמִיַּד הָאָדָם מִיַּד אִישׁ אָחִיו אֶדְרֹשׁ אֶת־
ו **נֶפֶשׁ הָאָדָם: שֹׁפֵךְ דַּם הָאָדָם בָּאָדָם דָּמוֹ**
יִשָּׁפֵךְ כִּי בְּצֶלֶם אֱלֹהִים עָשָׂה אֶת־הָאָדָם:

וּמִיַּד אֱנָשָׁא מִיַּד גְּבַר דְּיֵשׁוֹד יָת דְּמָא דַאֲחוּהִי אֶתְבַּע יָת נַפְשָׁא דֶאֱנָשָׁא: ו דְּיֵשׁוֹד דְּמָא דֶאֱנָשָׁא בְּסַהֲדִין עַל מֵימַר דַּיָּנַיָּא דְּמֵהּ יִתְּשַׁד אֲרֵי בְּצַלְמָא דַייָ עֲבַד יָת אֱנָשָׁא:

רש"י

את החיות (מדרש אגדה; תרגום יונתן): **ומיד האדם.** מיד ההורג במזיד ואין עדים אני אדרוש (שם ושם): **מיד איש אחיו.** שהוא אוהב לו כאח והרגו שוגג אני אדרוש, אם לא יִגְלֶה ויבקש על עונו לימחל, שאף השוגג צריך כפרה (סנהדרין לז:; מכות ב:, ח:, יא:; שבועות ז:-ח.) ואם אין עדים לחייבו גלות והוא אינו נכנע הקב"ה דורש ממנו, כמו שדרשו רבותינו והאלהים אנה לידו (שמות כא:יג) במס' מכות (י:) הקדוש ברוך הוא מזמנן לפונדק אחד וכו': **(ו) באדם דמו ישפך.** אם יש עדים המיתוהו אתם, למה, **כי בצלם אלהים וגו'** (אונקלוס): **עשה את האדם.** זה מקרא חסר וצריך להיות עשה העושה את האדם, וכן הרבה במקרא:

רמב"ן

כָּל חַיַּת הָאָרֶץ, וְאֶשְׁלַח בּוֹ גַּם הָאָדָם[23], וְלֹא יִנָּצֵל מִיָּדָם. וְכָמוֹהוּ: "מִכָּל צוֹרְרַי הָיִיתִי חֶרְפָּה", [תהלים לא, יב][24] מִיָּדָם; "זֶה חֵלֶק אָדָם רָשָׁע מֵאֱלֹהִים וְנַחֲלַת אִמְרוֹ מֵאֵל" [איוב כ, כט][25].

וְאוּלַי הַדְּרִישָׁה מִיַּד הַחַיָּה הִיא שֶׁלֹּא תִטְרוֹף הָאָדָם, כִּי כֵן שָׂם בְּטִבְעָם[26]. וְסוֹד הָעִנְיָן, כִּי בְּעֵת הַיְצִירָה נָתַן לָאָדָם אֶת כָּל עֵשֶׂב זוֹרֵעַ זֶרַע וְאֶת כָּל הָעֵץ אֲשֶׁר בּוֹ פְּרִי עֵץ לְאָכְלָה [לעיל א, כט], וְנָתַן לַחַיָּה אֶת כָּל יֶרֶק עֵשֶׂב לְאָכְלָה [לעיל א, ל], וְאָמַר הַכָּתוּב "וַיְהִי כֵן" [שם], כִּי הוּא טִבְעָם וּמִנְהָגָם. וְעַתָּה כַּאֲשֶׁר אָמַר בָּאָדָם שֶׁיִּשְׁחוֹט הַבַּעֲלֵי הַחַיִּים [לעיל ט, ג], וְהוּשַׂם בַּטֶּבַע אוֹ בַּמִּנְהָג שֶׁיִּהְיוּ בַּעֲלֵי הַחַיִּים זֶה לָזֶה לְאָכְלָה[27],

RAMBAN ELUCIDATED

beast of the earth to exact vengeance, **וְאֶשְׁלַח בּוֹ גַּם הָאָדָם וְלֹא יִנָּצֵל מִיָּדָם – and I will send after him humans**[23] **as well, so** that **[the murderer] will not escape their hands.** **וְכָמוֹהוּ "מִכָּל צוֹרְרַי הָיִיתִי חֶרְפָּה", מִיָּדָם** – **Similarly,** ***Through all*** **[מִכָּל]** ***my tormentors I have become a disgrace*** (*Psalms* 31:12),[24] means, ***through their agency***. Another example is **"זֶה חֵלֶק אָדָם רָשָׁע מֵאֱלֹהִים וְנַחֲלַת אִמְרוֹ מֵאֵל"** – ***This is the portion of a wicked man from God*** **[מֵאֱלֹהִים]**, ***and the legacy which is dictated against him*** **[מֵאֵל]** ***by God*** (*Job* 20:29).[25]

[Ramban now presents an alternative to the assumption that animals in some way have to suffer the consequences of their actions.]

וְאוּלַי הַדְּרִישָׁה מִיַּד הַחַיָּה הִיא שֶׁלֹּא תִטְרוֹף הָאָדָם, כִּי כֵן שָׂם בְּטִבְעָם – **Perhaps the** concept of **"demanding from the beasts" is** to be understood to mean **that** God would demand that **they will not kill people, for that is what He had set into their nature** originally.[26] **וְסוֹד הָעִנְיָן** – **The deeper understanding of this matter is** as follows: **כִּי בְּעֵת הַיְצִירָה נָתַן לָאָדָם אֶת כָּל עֵשֶׂב זוֹרֵעַ זֶרַע וְאֶת כָּל הָעֵץ אֲשֶׁר בּוֹ פְּרִי עֵץ לְאָכְלָה** – **At the time of Creation, [God] gave man** ***all herbage yielding seed and every tree that has seed-yielding fruit for food*** (above, 1:29), **וְנָתַן לַחַיָּה אֶת כָּל יֶרֶק עֵשֶׂב לְאָכְלָה** – **and He gave to the beasts,** ***every green herb for food*** (above, 1:30). **וְאָמַר הַכָּתוּב "וַיְהִי כֵן", כִּי הוּא טִבְעָם וּמִנְהָגָם** – **And Scripture said,** ***and it was so*** (ibid.), which shows **that this was** indeed **the nature and behavior [of men and animals],** that their only food would be vegetarian. **וְעַתָּה כַּאֲשֶׁר אָמַר בָּאָדָם שֶׁיִּשְׁחוֹט הַבַּעֲלֵי הַחַיִּים** – **However, now that He told man that he may slaughter animals** for food (above, 9:3), **וְהוּשַׂם בַּטֶּבַע אוֹ בַּמִּנְהָג שֶׁיִּהְיוּ בַּעֲלֵי הַחַיִּים זֶה לָזֶה לְאָכְלָה** – **and it was set**[27] **into**

that God's punishment of the murderer can come even *from* the hands i.e., *through the agency of,* a beast.

23. מִיַּד הָאָדָם is thus a reference to the avenger rather than the murderer.

24. Here, too, the מ of מִכָּל is to be understood as *from* (i.e., *my disgrace came* **from** my tormentors).

25. The מ of both מֵאֱלֹהִים and מֵאֵל means, *from,* not, *of.*

[It is also possible that Ramban selected this verse as a stylistic quotation meaning, "This punishment administered to the murderer is what he deserved and was *dictated against him by God.*"]

26. In this interpretation, the word אֶדְרֹשׁ, *I will demand,* which appears twice in this verse, has two meanings. When it is used regarding man shedding man's blood, it means "I will demand *an accounting* of man's [spilled] blood, by avenging it." Regarding animals, however, it means "I will demand *the protection* of man's blood, by ensuring that the animals do not prey upon him," as Ramban goes on to explain.

27. In his commentary to *Leviticus* 26:4, Ramban elaborates upon this comment. He writes that at

and from man, from every man for that of his brother I will demand the life of man. 6 Whoever sheds the blood of man, by man shall his blood be shed; for in the image of God He made man.

רמב"ן

הוּצְרַךְ לְצַוּוֹת שֶׁיִּהְיוּ שְׁאָר בַּעֲלֵי הַחַיִּים לִבְנֵי אָדָם "טֶרֶף לְשִׁנֵּיהֶם"[28], וְהֵם יִירְאוּ מֵהֶם וְלֹא יִטְרְפוּ בָּהֶם. וְאָמַר "וְאַךְ אֶת דִּמְכֶם לְנַפְשֹׁתֵיכֶם", לְרַמּוֹז כִּי לֹא יִדְרֹשׁ דַּם חַיָּה מִיַּד חֲבֶרְתָּהּ[29]; אִם כֵּן נִשְׁאַר בָּהֶם לִטְרֹף זוֹ אֶת זוֹ.

וְזֶה טַעַם הַזְכִּירוֹ אִיסּוּר שְׁפִיכַת דָּמִים בְּכָאן; מִפְּנֵי הֶתֵּר הַשְּׁחִיטָה, שֶׁהָיָה הַמִּנְהָג לִשְׁפֹּךְ דָּם. כִּי עַל דַּעַת רַבּוֹתֵינוּ[30] כְּבָר הִזְהִיר אָדָם הָרִאשׁוֹן בָּזֶה, אֲבָל מִפְּנֵי הַשְּׁחִיטָה הוּצְרַךְ לוֹמַר: הִתַּרְתִּי לָכֶם לִשְׁפֹּךְ דַּם כָּל חַי זוּלָתִי דִּמְכֶם, שֶׁיִּהְיֶה אָסוּר לָכֶם וּלְכָל הַחַיִּים, שֶׁלֹּא יִהְיֶה לָהֶם טֶבַע לִשְׁפֹּךְ אוֹתוֹ.

RAMBAN ELUCIDATED

nature or into their **behavior that living creatures would become food for one another,** הוּצְרַךְ לְצַוּוֹת שֶׁיִּהְיוּ שְׁאָר בַּעֲלֵי הַחַיִּים לִבְנֵי אָדָם טֶרֶף לְשִׁנֵּיהֶם – it was necessary **to command that other living creatures would be "prey for the teeth"**[28] **of humans,** וְהֵם יִירְאוּ מֵהֶם וְלֹא יִטְרְפוּ בָּהֶם – **while [the animals] would** nevertheless **fear [humans] and not prey upon them.** וְאָמַר "וְאַךְ אֶת דִּמְכֶם לְנַפְשֹׁתֵיכֶם" – **Thus Scripture says, *However*** [אַךְ], *I will demand the safety of* ***your blood which belongs to your [human] souls,*** לְרַמּוֹז כִּי לֹא יִדְרֹשׁ דַּם חַיָּה מִיַּד חֲבֶרְתָּהּ – **to imply that [God] will *not* demand** the safety of **the blood of one beast from another;**[29] אִם כֵּן נִשְׁאַר בָּהֶם לִטְרֹף זוֹ אֶת זוֹ – **accordingly, it remained** natural **for them to prey upon one another.**

[In light of Ramban's explanation of the changes that took place in the nature of men and beasts, he proceeds to resolve another question: The prohibition against murder predated the Flood; why, then, was it necessary for God to restate it to Noah? Ramban explains:]

וְזֶה טַעַם הַזְכִּירוֹ אִיסּוּר שְׁפִיכַת דָּמִים בְּכָאן – **This is also the reason that [Scripture] mentions the prohibition against shedding** human **blood here;** מִפְּנֵי הֶתֵּר הַשְּׁחִיטָה, שֶׁהָיָה הַמִּנְהָג לִשְׁפֹּךְ דָּם – it is **because by allowing the slaughter** of animals, **it had** now **become the practice** for man **to shed** the **blood** of animals when slaughtering them for food. כִּי עַל דַּעַת רַבּוֹתֵינוּ כְּבָר הִזְהִיר אָדָם הָרִאשׁוֹן בָּזֶה – **For according to the Sages,**[30] **[God] had already exhorted Adam, the first** man, **regarding this,** i.e., that it is forbidden to murder human beings. Why repeat this exhortation here? אֲבָל מִפְּנֵי הַשְּׁחִיטָה הוּצְרַךְ לוֹמַר: הִתַּרְתִּי לָכֶם לִשְׁפֹּךְ דַּם כָּל חַי זוּלָתִי דִּמְכֶם – **But as a result of** permitting **slaughter** of animals, **He** now **needed to say, "I have permitted you to shed the blood of all living creatures – except your own blood –** שֶׁיִּהְיֶה אָסוּר לָכֶם וּלְכָל הַחַיִּים – **for it shall be forbidden for you** to shed human blood, **and** 'forbidden' as well **for all living creatures,"** שֶׁלֹּא יִהְיֶה לָהֶם טֶבַע לִשְׁפֹּךְ אוֹתוֹ – in the sense **that it will not be in their nature to shed** human **[blood].**

Creation all animals were naturally herbivorous – as were humans – as it says, *God said: Behold, I have given to you (man) all herbage ... for food; and to every beast of the earth, to every bird ... every green herb is for food* (above, 1:29-30).

However, after Adam brought the concept of sin into the world, God introduced into the nature of certain animals the instinct to prey upon humans as a means of punishing humans for their sins, and this resulted in animals preying upon one another as well. Thus, there were carnivorous animals long before the Flood, but it was only after the Flood that God permitted humans to eat animals. Consequently, Ramban's description here that "it was set" (הוּשַׂם) into the nature of animals to eat one another should be understood to mean that the carnivorous nature that had been introduced into animals following Adam's sin "remained in place." [The Sages indicate in several places (e.g., *Sanhedrin* 108b) that even before the Flood there were animals who preyed on other animals. With this understanding of Ramban, these sources do not contradict what he writes here. See *Emes LeYaakov* and *Lev Tzion*.]

28. Stylistic citation from *Psalms* 124:6, meaning "food." Ramban is saying that man was now being commanded, for the first time, that he would be permitted to use animals for food.

29. The word אַךְ, *however*, can also mean *only*. Accordingly, our verse is saying: ***Only*** your blood will I demand an accounting of, implying that although God would demand an accounting from an animal that kills a human, He would *not* demand an accounting for the blood of animals.

30. *Sanhedrin* 56b. Also, the fact that Cain was punished for killing Abel attests to the fact that the prohibition already existed at that time.

ז וְאַתֶּם פְּרוּ וּרְבוּ שִׁרְצוּ בָאָרֶץ וּרְבוּ־
חמישי ח בָהּ: ס וַיֹּאמֶר אֱלֹהִים אֶל־נֹחַ וְאֶל־בָּנָיו
ט אִתּוֹ לֵאמֹר: וַאֲנִי הִנְנִי מֵקִים אֶת־בְּרִיתִי אִתְּכֶם
י וְאֶת־זַרְעֲכֶם אַחֲרֵיכֶם: וְאֵת כָּל־נֶפֶשׁ הַחַיָּה

ז וְאַתּוּן פּוּשׁוּ וּסְגוּ אִתְיְלִידוּ
בְּאַרְעָא וּסְגוּ בַהּ: ח וַאֲמַר יְיָ
לְנֹחַ וְלִבְנוֹהִי עִמֵּהּ לְמֵימָר:
ט וַאֲנָא הָא אֲנָא מְקִים יָת קְיָמִי
עִמְּכוֹן וְעִם בְּנֵיכוֹן בָּתְרֵיכוֹן:
י וְעִם כָּל נַפְשָׁא חַיְתָא

רש"י

(ז) ואתם פרו ורבו. לפי פשוטו הראשונה (לעיל פסוק א) לברכה (עי' כתובות ה.) וכאן לצווי (סנהדרין נט.-נט:). ולפי מדרשו להקיש מי שאינו עוסק בפריה ורביה לשופך דמים (ב"ר שם יד; יבמות סג:): (ט) ואני הנני. מסכים אני עמך (עי' ב"ר לא:יב). שהיה נח דואג לעסוק בפריה ורביה עד שהבטיחו הקב"ה שלא לשחת העולם עוד (תנחומא יא) וכן [עשה] באחרונה אמר לו הנני

רמב"ן

[ז] וְאַתֶּם פְּרוּ וּרְבוּ. פְּשׁוּטוֹ כְּמִדְרָשׁוֹ[31], שֶׁהִיא מִצְוָה[32]. כִּי הָאָמוּר בְּאָדָם[33], גַּם בִּבְנֵי נֹחַ[34], עִם "וַיְבָרֶךְ אוֹתָם אֱלֹהִים" - בְּרָכָה, כְּעִנְיַן הַנֶּאֱמַר בַּדָּגִים[35]. וּבַעֲבוּר שֶׁדִּבֵּר בִּשְׁאָר הַנֶּפֶשׁ הַחַיָּה, וְאָמַר "וְשָׁרְצוּ בָאָרֶץ וּפָרוּ וְרָבוּ עַל הָאָרֶץ" [לעיל ח, יז], אָמַר כָּאן: "וְאַתֶּם"[35a], הָאָדָם, "פְּרוּ וּרְבוּ"[35b].

וְאָמַר: "שִׁרְצוּ בָאָרֶץ וּרְבוּ בָהּ", כִּי יִכְפֹּל הַמִּצְוָה לְחִזּוּק, לוֹמַר שֶׁיִּתְעַסְּקוּ בָּהּ בְּכָל יְכָלְתָּם. אוֹ שֶׁיְּצַוֵּם בְּיִשּׁוּב כָּל הָאָרֶץ[36], כַּאֲשֶׁר פֵּרַשְׁתִּי בְּסֵדֶר בְּרֵאשִׁית[37].

RAMBAN ELUCIDATED

7. וְאַתֶּם פְּרוּ וּרְבוּ – ***AND YOU, BE FRUITFUL AND MULTIPLY.***

[What is the meaning of this statement and how does it differ from the seemingly identical statement above (9:1), *Be fruitful and multiply*? Ramban explains:]

פְּשׁוּטוֹ כְּמִדְרָשׁוֹ, שֶׁהִיא מִצְוָה – The plain meaning [of this phrase] is the same as its rabbinical exegesis;[31] namely, that it is a *commandment* to procreate.[32] **כִּי הָאָמוּר בְּאָדָם, גַּם בִּבְנֵי נֹחַ, עִם "וַיְבָרֶךְ אוֹתָם אֱלֹהִים", בְּרָכָה – For the** similar statement **that is said regarding Adam**[33] **and regarding Noah's sons, as well,**[34] which are written **in conjunction with** the words, ***God blessed them,*** **are blessings** rather than commands, **כְּעִנְיַן הַנֶּאֱמַר בַּדָּגִים – similar to that which was said regarding the fish.**[35] Our phrase, which does not begin with the words, *God blessed them*, is therefore not a blessing but a commandment.

[Ramban now discusses the word וְאַתֶּם, *And you:*[35a]]

וּבַעֲבוּר שֶׁדִּבֵּר בִּשְׁאָר הַנֶּפֶשׁ הַחַיָּה וְאָמַר "וְשָׁרְצוּ בָאָרֶץ וּפָרוּ וְרָבוּ עַל הָאָרֶץ" – Because [God] spoke of the other living beings above **and said, *Let them teem on the earth and be fruitful and multiply on the earth*** (8:17), **אָמַר כָּאן "וְאַתֶּם", הָאָדָם, "פְּרוּ וּרְבוּ" – He said here, *and you* – mankind – *be fruitful and multiply*** as well.[35b]

[Once man has been given the commandment to *Be fruitful and multiply*, what does the end of the verse, *teem on the earth and multiply on it*, add? Ramban explains:]

וְאָמַר: "שִׁרְצוּ בָאָרֶץ וּרְבוּ בָהּ" – [Scripture] says, *teem on the earth and multiply on it,* כִּי יִכְפֹּל הַמִּצְוָה לְחִזּוּק – repeating the commandment for emphasis, לוֹמַר שֶׁיִּתְעַסְּקוּ בָּהּ בְּכָל יְכָלְתָּם – thereby saying that they should engage themselves in keeping **[this commandment] with all their ability. אוֹ שֶׁיְּצַוֵּם בְּיִשּׁוּב כָּל הָאָרֶץ – Alternatively,** the repetition of this phrase is intended **to command them concerning the settlement of the entire earth,**[36] **כַּאֲשֶׁר פֵּרַשְׁתִּי בְּסֵדֶר בְּרֵאשִׁית –**

31. Unlike Rashi (cited below) who maintains that the plain meaning of this verse differs from its rabbinical interpretation.

32. And not merely a blessing, **May** you be fruitful.

33. *God blessed them, and God said to them, "Be fruitful and multiply"* (above, 1:28).

34. *God blessed Noah ... and said ... "Be fruitful and multiply"* (above, 9:1).

35. *God blessed them, saying, "Be fruitful and multiply ..."* (above, 1:22). This is obviously a blessing. Likewise, wherever פְּרוּ וּרְבוּ is prefaced by וַיְבָרֶךְ it is a blessing.

35a. וְאַתֶּם – *And you* implies "you, as well as those previously mentioned." This might connote that just as the previous were blessings, here, too, פְּרוּ וּרְבוּ is meant as a blessing.

35b. But here it is a commandment.

36. *Be fruitful* ... is the command to propagate; *teem on*

7 *And you, be fruitful and multiply; teem on the earth and multi-*
ply on it."
8 *And God said to Noah and to his sons with him saying:*
9 *"And as for Me, behold, I establish My covenant with you*
and with your offspring after you, 10 *and with every living being*

רמב״ן

וְרַשִׁ״י כָּתַב: לְפִי פְּשׁוּטוֹ, הָרִאשׁוֹנָה לִבְרָכָה וְכָאן לְצִוּוּי. וּלְפִי מִדְרָשׁוֹ, לְהַקִּישׁ מִי שֶׁאֵינוֹ עוֹסֵק בִּפְרִיָּה וּרְבִיָּה לְשׁוֹפֵךְ דָּמִים[38].

וְהַמִּדְרָשׁ הַזֶּה לֹא הוֹצִיאוּ אוֹתוֹ אֶלָּא מִן הַסְּמוּכִים. אֲבָל הַמִּקְרָא לְמִצְוָה נִכְתָּב, וְהָרִאשׁוֹנָה לִבְרָכָה[39]. וְכָךְ אָמְרוּ: "וַהֲרֵי פְּרִיָּה וּרְבִיָּה שֶׁנֶּאֶמְרָה לִבְנֵי נֹחַ דִּכְתִיב וְאַתֶּם פְּרוּ וּרְבוּ וְכוּ׳, כִּדְאִיתָא בְּסַנְהֶדְרִין [נט, ב][40].

RAMBAN ELUCIDATED

as I explained in the Torah-portion of ***Bereishis***.[37]

[Ramban now cites Rashi's remarks on the verse, and comments on them.]

וְרַשִׁ״י כָּתַב: – Rashi writes:

לְפִי פְּשׁוּטוֹ, הָרִאשׁוֹנָה לִבְרָכָה וְכָאן לְצִוּוּי – According to its plain meaning, the first time *be fruitful and multiply* was said to Noah (9:1) **it was** said **as a blessing, whereas here** (9:7) it is meant **as a commandment. וּלְפִי מִדְרָשׁוֹ – But according to its exegetical interpretation,** *be fruitful and multiply* was repeated here, in juxtaposition with v. 6, which deals with the punishment for murder, **לְהַקִּישׁ מִי שֶׁאֵינוֹ עוֹסֵק בִּפְרִיָּה וּרְבִיָּה לְשׁוֹפֵךְ דָּמִים – to liken one who does not engage in procreation to one who sheds blood.**

[Ramban disagrees with Rashi's understanding of the exegesis:[38]]

וְהַמִּדְרָשׁ הַזֶּה לֹא הוֹצִיאוּ אוֹתוֹ אֶלָּא מִן הַסְּמוּכִים – However, this exegetical interpretation was not derived by the Sages from the seeming redundancy of vv. 1 and 7, **but from** the **juxtaposition** of the verses, neither of which is redundant. **אֲבָל הַמִּקְרָא לְמִצְוָה נִכְתָּב – Rather, the** second **verse is written as a commandment, וְהָרִאשׁוֹנָה לִבְרָכָה – while the first verse was** written as **a blessing.**[39] **וְכָךְ אָמְרוּ: – [The Sages] said so** explicitly: **"וַהֲרֵי פְּרִיָּה וּרְבִיָּה שֶׁנֶּאֶמְרָה לִבְנֵי נֹחַ דִּכְתִיב וְאַתֶּם פְּרוּ וּרְבוּ וְכוּ׳", כִּדְאִיתָא בְּסַנְהֶדְרִין – "But there is** the commandment of **'being fruitful and multiplying,' which was said to the Children of Noah, as it is written** (in our verse), ***And you, be fruitful and multiply...*" – as is** found **in *Sanhedrin*** (59b).[40]

8. [**וַיֹּאמֶר אֱלֹהִים אֶל נֹחַ וְאֶל בָּנָיו אִתּוֹ** – *AND GOD SAID TO NOAH AND TO HIS SONS WITH HIM.*]

[The simple meaning of the verse is that God spoke to both Noah *and* to his sons.[41] But Ramban

the earth ... is the command to spread out and settle all parts of the world.

37. In his commentary on 1:20, Ramban explains there that the verb שרץ connotes "to move about." שִׁרְצוּ בָאָרֶץ thus means, *move about* (i.e., spread out) *over all the land*. The first time וּרְבוּ is mentioned here it refers simply to "multiplying." The second time it is mentioned – in conjunction with שִׁרְצוּ – it refers to multiplying and settling the entire world.

38. Rashi presents the exegetical explanation in contrast to the "plain meaning." That is, according to the plain meaning, v. 1 is a blessing and v. 7 is a command to procreate; *in contrast*, according to the exegetical explanation, v.1 is a command to procreate and it is the seeming redundancy of verse 7 that connects transgressing the command to procreate with the shedding of blood (see *Mizrachi*).

39. Ramban disagrees with Rashi's understanding of the Midrash that verse 7 is redundant (see previous note). Ramban maintains that the lesson derived by the Sages can be learned just as well if v. 1 is a blessing and v. 7 is a commandment, for it is the juxtaposition to "whoever sheds the blood ..." (v. 6) that teaches the severity of transgressing it.

40. Hence the Sages themselves interpreted v. 7 like Rashi's "plain explanation" – that it is a command and not a moral lesson about the severity of not procreating.

41. Apparently, Ramban takes up this issue here, and not above, on 9:1 (where the Torah writes, *God blessed*

אֲשֶׁ֣ר אִתְּכֶ֔ם בָּע֧וֹף בַּבְּהֵמָ֛ה וּֽבְכָל־חַיַּ֥ת הָאָ֖רֶץ
אִתְּכֶ֑ם מִכֹּל֙ יֹצְאֵ֣י הַתֵּבָ֔ה לְכֹ֖ל חַיַּ֥ת הָאָֽרֶץ׃
יא וַהֲקִמֹתִ֤י אֶת־בְּרִיתִי֙ אִתְּכֶ֔ם וְלֹֽא־יִכָּרֵ֧ת כָּל־
בָּשָׂ֛ר ע֖וֹד מִמֵּ֣י הַמַּבּ֑וּל וְלֹֽא־יִהְיֶ֥ה ע֛וֹד מַבּ֖וּל
יב לְשַׁחֵ֥ת הָאָֽרֶץ׃ וַיֹּ֣אמֶר אֱלֹהִ֗ים זֹ֤את אֽוֹת־
הַבְּרִית֙ אֲשֶׁר־אֲנִ֣י נֹתֵ֗ן בֵּינִי֙ וּבֵ֣ינֵיכֶ֔ם וּבֵ֛ין
כָּל־נֶ֥פֶשׁ חַיָּ֖ה אֲשֶׁ֣ר אִתְּכֶ֑ם לְדֹרֹ֖ת עוֹלָֽם׃

דְעִמְּכוֹן בְּעוֹפָא בִּבְעִירָא וּבְכָל חֵוַת אַרְעָא דְעִמְּכוֹן מִכֹּל נַפְקֵי תֵבוֹתָא לְכֹל חֵוַת אַרְעָא׃ יא וְאָקֵם יָת קְיָמִי עִמְּכוֹן וְלָא יִשְׁתֵּיצֵי כָּל בִּשְׂרָא עוֹד מִמֵּי טוֹפָנָא וְלָא יְהֵי עוֹד טוֹפָנָא לְחַבָּלָא אַרְעָא׃ יב וַאֲמַר יְיָ דָּא אָת קְיָם דִּי אֲנָא יָהֵב בֵּין מֵימְרִי וּבֵינֵיכוֹן וּבֵין כָּל נַפְשָׁא חַיְתָא דִּי עִמְּכוֹן לְדָרֵי עַלְמָא׃

רש״י

מסכים לעשות קיום וחיזוק ברית להבטחתי, ואתן לך אות (שם ואו״א ג): (י) [**חית הארץ אתכם.** הם המתהלכים עם הבריות: **מכל יצאי התבה.** להביא שקצים ורמשים:] **חית הארץ.** להביא המזיקין, שאינן בכלל החיה אשר אתכם, שאין הילוכן עם הבריות: **(יא) והקמתי.** אעשה קיום לבריתי. ומהו קיומו, אות הקשת, כמו שמסיים והולך: **(יב) לדרת עולם.** נכתב חסר, שיש דורות שלא הוצרכו לאות לפי שצדיקים גמורים היו, כמו דורו של חזקיהו מלך יהודה ודורו של רבי שמעון בן יוחאי (ב״ר לה:ב):

רמב״ן

[ח] וְטַעַם **וַיֹּאמֶר אֱלֹהִים אֶל נֹחַ וְאֶל בָּנָיו אִתּוֹ** - עַל יְדֵי אֲבִיהֶם, כִּי בָּנָיו לֹא הָיוּ נְבִיאִים[42], וְלֹא הִגִּיעַ חָם[43] לְמַעֲלַת הַנְּבוּאָה! וְכֵן "וַיֹּאמֶר ה׳ אֶל אָחָז" [ראה ישעיה ז, י][44], וְכֵן "וַיֹּאמֶר ה׳ אֶל מֹשֶׁה וְאֶל אַהֲרֹן" [שמות ז, ח ועוד], כְּדִבְרֵי רַבּוֹתֵינוּ[45] - אֶל מֹשֶׁה אָמַר שֶׁיֹּאמַר לְאַהֲרֹן. וְכֵן פֵּרֵשׁ[46] בַּסּוֹף [לקמן פסוק יז]: "וַיֹּאמֶר אֱלֹהִים אֶל נֹחַ".

[יב] זֹאת אוֹת הַבְּרִית אֲשֶׁר אֲנִי נוֹתֵן. הַמַּשְׁמָע מִן הָאוֹת הַזֶּה שֶׁלֹּא הָיָה קֶשֶׁת בֶּעָנָן מִמַּעֲשֵׂה בְּרֵאשִׁית,

RAMBAN ELUCIDATED

rejects this, as he explains:]

וְטַעַם "וַיֹּאמֶר אֱלֹהִים אֶל נֹחַ וְאֶל בָּנָיו אִתּוֹ" עַל יְדֵי אֲבִיהֶם – The explanation of *And God said to Noah "and to his sons with him"* is that He spoke to Noah's sons **through their father, כִּי בָּנָיו לֹא הָיוּ נְבִיאִים – for his sons were not prophets;**[42] **וְלֹא הִגִּיעַ חָם לְמַעֲלַת הַנְּבוּאָה** – certainly **Ham**[43] **did not reach the level of prophecy! וְכֵן "וַיֹּאמֶר ה׳ אֶל אָחָז" – Similarly,** we find, ***HASHEM spoke to Ahaz***[44] (cf. *Isaiah* 7:10). **וְכֵן "וַיֹּאמֶר ה׳ אֶל מֹשֶׁה וְאֶל אַהֲרֹן", כְּדִבְרֵי רַבּוֹתֵינוּ – And similarly, *HASHEM said to Moses and to Aaron*** (*Exodus* 7:8, etc.), which means, **according to the Sages'** interpretation,[45] **אֶל מֹשֶׁה אָמַר שֶׁיֹּאמַר לְאַהֲרֹן – that [God] spoke to Moses** in order **that he relate** the message **to Aaron.**

[Ramban proves his assertion from a later verse in this passage:]

וְכֵן פֵּרֵשׁ בַּסּוֹף "וַיֹּאמֶר אֱלֹהִים אֶל נֹחַ" – [Scripture] explicitly clarifies this[46] at the end of this statement, where it repeats: ***And God said to Noah*** (9:17), and it does not mention Noah's sons at all.

12. זֹאת אוֹת הַבְּרִית אֲשֶׁר אֲנִי נוֹתֵן – ***THIS IS THE SIGN OF THE COVENANT THAT I GIVE.***

[Ramban discusses the concept of the rainbow serving as a sign:]

הַמַּשְׁמָע מִן הָאוֹת הַזֶּה שֶׁלֹּא הָיָה קֶשֶׁת בֶּעָנָן מִמַּעֲשֵׂה בְּרֵאשִׁית – It would seem from this sign that the

*Noah and his sons, and He said **to them***), because the word אִתּוֹ, *with him*, in our verse implies even more strongly that God spoke to Noah's sons together with him.

42. Ibn Ezra and Radak, however, entertain the possibility that Noah's sons were indeed prophets and that they received this communication directly from God. See also Rabbeinu Bachya who actually cites אִתּוֹ as an indication that Shem and Japheth were prophets. This seems to be the understanding of the Midrash as well (*Bereishis Rabbah* 35).

43. Who acted immorally; see below, 9:22 ff. (Cf. Ibn Ezra on 9:24 and Ramban on 9:18.)

44. A superficial reading of that verse gives the impression that Ahaz received prophecy directly from God. However, from a more careful of that passage it is obvious that *HASHEM spoke to Ahaz* means, *HASHEM spoke to Ahaz **through the prophet Isaiah***.

45. *Toras Kohanim* 1; see also Rashi on *Leviticus* 11:1.

46. That God spoke only to Noah.

*that is with you — with the birds, with the animals, and with every
beast of the land with you — of all that departed the Ark, to every
beast of the land. 11 And I will confirm My covenant with you: Never
again shall all flesh be cut off by the waters of the flood, and never
again shall there be a flood to destroy the earth."*
*12 And God said, "This is the sign of the covenant that I give between
Me and you, and every living being that is with you, to generations*

רמב״ן

וְעַתָּה בָּרָא ה׳ חֲדָשָׁה לַעֲשׂוֹת קֶשֶׁת בַּשָּׁמַיִם בְּיוֹם עָנָן[47]. וְאָמְרוּ בְּטַעַם הָאוֹת הַזֶּה, כִּי הַקֶּשֶׁת לֹא עֲשָׂאוֹ שֶׁיִּהְיוּ רַגְלָיו לְמַעְלָה שֶׁיֵּרָאֶה כְּאִלּוּ מִן הַשָּׁמַיִם מוֹרִים בּוֹ וְ״יִשְׁלַח חִצָּיו וִיפִיצֵם״[48] בָּאָרֶץ, אֲבָל עֲשָׂאוֹ בְּהֵפֶךְ מִזֶּה, לְהַרְאוֹת שֶׁלֹּא יוֹרוּ בּוֹ מִן הַשָּׁמַיִם. וְכֵן דֶּרֶךְ הַנִּלְחָמִים לַהֲפֹךְ אוֹתוֹ בְּיָדָם כָּכָה כַּאֲשֶׁר יִקְרְאוּ לְשָׁלוֹם לְמִי שֶׁכְּנֶגְדָּם. וְעוֹד, שֶׁאֵין לַקֶּשֶׁת יֶתֶר לְכוֹנֵן חִצִּים עָלָיו[49].

וַאֲנַחְנוּ עַל כָּרְחֵנוּ נַאֲמִין לְדִבְרֵי הַיְּוָנִים[50], שֶׁמִּלַּהַט הַשֶּׁמֶשׁ בָּאֲוִיר הַלַּח יִהְיֶה הַקֶּשֶׁת בְּתוֹלָדָה, כִּי בִּכְלִי מַיִם לִפְנֵי הַשֶּׁמֶשׁ יֵרָאֶה כְּמַרְאֵה הַקֶּשֶׁת[51]. וְכַאֲשֶׁר נִסְתַּכֵּל עוֹד בִּלְשׁוֹן הַכָּתוּב נָבִין כֵּן, כִּי אָמַר אֶת קַשְׁתִּי ״נָתַתִּי״ בֶּעָנָן[52], וְלֹא אָמַר ״אֲנִי נוֹתֵן״ בֶּעָנָן, כַּאֲשֶׁר אָמַר ״זֹאת אוֹת הַבְּרִית אֲשֶׁר אֲנִי נוֹתֵן״.

RAMBAN ELUCIDATED

rainbow that appears **in the clouds was not part** of **Creation,** **וְעַתָּה בָּרָא ה׳ חֲדָשָׁה לַעֲשׂוֹת קֶשֶׁת בַּשָּׁמַיִם בְּיוֹם עָנָן** – **but** only **now**, in Noah's day, did **God create something new, making a rainbow** appear **in the sky on a cloudy day.**[47] **וְאָמְרוּ בְּטַעַם הָאוֹת הַזֶּה, כִּי הַקֶּשֶׁת לֹא עֲשָׂאוֹ שֶׁיִּהְיוּ רַגְלָיו לְמַעְלָה** – **[The commentators] say regarding the** symbolic **meaning of this sign that [God] did not make the rainbow with its ends** pointing **upwards** and the arched part of the bow pointing downwards, **שֶׁיֵּרָאֶה כְּאִלּוּ מִן הַשָּׁמַיִם מוֹרִים בּוֹ** – **whereby it would appear as if they are shooting from Heaven with it,** **וְיִשְׁלַח חִצָּיו וִיפִיצֵם בָּאָרֶץ** – **and that "He will send forth His arrows and scatter them"**[48] **in the land.** **אֲבָל עֲשָׂאוֹ בְּהֵפֶךְ מִזֶּה לְהַרְאוֹת שֶׁלֹּא יוֹרוּ בּוֹ מִן הַשָּׁמַיִם** – **Rather, He made [the bow] in the opposite manner, indicating that they would not shoot with it from heaven.** **וְכֵן דֶּרֶךְ הַנִּלְחָמִים לַהֲפֹךְ אוֹתוֹ בְּיָדָם כָּכָה כַּאֲשֶׁר יִקְרְאוּ לְשָׁלוֹם לְמִי שֶׁכְּנֶגְדָּם** – For **so is the manner of warriors to invert [their bow] in their hands in this way when they** wish to **declare** their **peaceful** intentions **toward their opponents.** **וְעוֹד, שֶׁאֵין לַקֶּשֶׁת יֶתֶר לְכוֹנֵן חִצִּים עָלָיו** – **Moreover, on this "bow" there is no string on which to place arrows.**[49]

[Ramban now reconsiders the assumption that the rainbow first came into existence after the Flood:]

וַאֲנַחְנוּ עַל כָּרְחֵנוּ נַאֲמִין לְדִבְרֵי הַיְּוָנִים – **However, we are compelled to believe the words of the Greek** philosophers,[50] **שֶׁמִּלַּהַט הַשֶּׁמֶשׁ בָּאֲוִיר הַלַּח יִהְיֶה הַקֶּשֶׁת בְּתוֹלָדָה** – who say **that the rainbow is a natural phenomenon resulting from the sun's rays** passing **through moist air,** **כִּי בִּכְלִי מַיִם לִפְנֵי הַשֶּׁמֶשׁ יֵרָאֶה כְּמַרְאֵה הַקֶּשֶׁת** – **for in** any **container of water that is** set **before sunlight, there can be seen something that resembles a rainbow.** Hence, rainbows, as a natural occurrence, must have existed from the time of Creation.[51] **וְכַאֲשֶׁר נִסְתַּכֵּל עוֹד בִּלְשׁוֹן הַכָּתוּב נָבִין כֵּן** – In fact, **if we look closer at the wording of the verse, we will understand** that **this** is **so.** **כִּי אָמַר אֶת קַשְׁתִּי ״נָתַתִּי״ בֶּעָנָן** – **For it says,** ***I "have set" my rainbow in the cloud*** (9:13), using the past tense,[52] **וְלֹא אָמַר ״אֲנִי נוֹתֵן״ בֶּעָנָן, כַּאֲשֶׁר אָמַר ״זֹאת אוֹת הַבְּרִית אֲשֶׁר אֲנִי נוֹתֵן״** – **and it does not say** ***I "am setting" it in the cloud*** in the present tense, **as it had said** in the preceding phrase, ***this is the sign of the covenant***

47. For if rainbows had always existed, how would they now serve as a sign of God's good will? Indeed, Ibn Ezra is of the opinion that rainbows did not exist prior to the flood. (See also Radak.)

48. Stylistic citation from *Psalms* 18:25.

49. A bow that cannot shoot is also a symbol of peace.

50. Aristotle, Epicurus and others.

51. This is the opinion of Rav Saadiah Gaon, cited by Ibn Ezra.

52. Indicating that the rainbow already existed at the time.

יג אֶת־קַשְׁתִּי נָתַתִּי בֶּעָנָן וְהָיְתָה לְאוֹת בְּרִית
יד בֵּינִי וּבֵין הָאָרֶץ: וְהָיָה בְּעַנְנִי עָנָן עַל־הָאָרֶץ
טו וְנִרְאֲתָה הַקֶּשֶׁת בֶּעָנָן: וְזָכַרְתִּי אֶת־בְּרִיתִי
אֲשֶׁר בֵּינִי וּבֵינֵיכֶם וּבֵין כָּל־נֶפֶשׁ חַיָּה
בְּכָל־בָּשָׂר וְלֹא־יִהְיֶה עוֹד הַמַּיִם לְמַבּוּל

יג יָת קַשְׁתִּי יְהָבִית בַּעֲנָנָא וּתְהֵי
לְאָת קְיָם בֵּין מֵימְרִי וּבֵין אַרְעָא:
יד וִיהֵוֵי בְּעַנָנוּתִי עֲנָנָא עַל אַרְעָא
וְתִתְחֲזֵי קַשְׁתָּא בַּעֲנָנָא:
טו וְדָכִירְנָא יָת קְיָמִי דִּי בֵּין מֵימְרִי
וּבֵינֵיכוֹן וּבֵין כָּל נַפְשָׁא חַיְתָא בְּכָל
בִּשְׂרָא וְלָא יְהֵי עוֹד מַיָּא לְטוֹפָנָא

רש"י

(יד) **בענני ענן.** כשתעלה במחשבה לפני להביא חשך ואבדון לעולם: (טז) **בין אלהים ובין כל נפש חיה.** בין מדת הדין של מעלה וביניכם. שהיה לו לכתוב ביני ובין כל נפש חיה (שם ג), אלא זהו מדרשו, כשתבא מדת הדין לקטרג [עליכם לחייב

רמב"ן

וּמִלַּת "קַשְׁתִּי" מוֹרֶה שֶׁהָיְתָה לוֹ הַקֶּשֶׁת תְּחִלָּה[53].

וְלָכֵן נְפָרֵשׁ הַכָּתוּב: הַקֶּשֶׁת אֲשֶׁר נָתַתִּי בֶּעָנָן מִיּוֹם הַבְּרִיאָה תִּהְיֶה מִן הַיּוֹם הַזֶּה וָהָלְאָה לְאוֹת בְּרִית בֵּינִי וּבֵינֵיכֶם, שֶׁבְּכָל זְמַן שֶׁאֶרְאֶנָּה אַזְכִּיר כִּי בְּרִית שָׁלוֹם בֵּינִי וּבֵינֵיכֶם[54]. וְאִם תְּבַקֵּשׁ: מַה טַּעַם בַּקֶּשֶׁת לִהְיוֹת אוֹת[55]? הִנֵּה הוּא כְּטַעַם "עֵד הַגַּל הַזֶּה וְעֵדָה הַמַּצֵּבָה" [להלן לא, נב][56], וְכֵן "כִּי אֶת שֶׁבַע כְּבָשׂוֹת תִּקַּח מִיָּדִי בַּעֲבוּר תִּהְיֶה לִּי לְעֵדָה" [להלן כא, ל]. כִּי כָּל הַדָּבָר הַנִּרְאֶה שֶׁיּוּשַׂם לִפְנֵי שְׁנַיִם לְהַזְכִּירָם עִנְיַן נָדוּר בֵּינֵיהֶם יִקָּרֵא אוֹת, וְכָל הַסְכָּמָה בְּרִית[57]. וְכֵן בְּמִילָה אָמַר [לקמן יז, יא]: "וְהָיָה לְאוֹת בְּרִית בֵּינִי וּבֵינֵיכֶם"[58],

RAMBAN ELUCIDATED

that I "give." **וּמִלַּת "קַשְׁתִּי" מוֹרֶה שֶׁהָיְתָה לוֹ הַקֶּשֶׁת תְּחִלָּה** – Furthermore, **the word** קַשְׁתִּי, ***"My" rainbow***, also **indicates that the rainbow previously existed.**[53]

[Ramban reinterprets the passage accordingly:]

וְלָכֵן נְפָרֵשׁ הַכָּתוּב: – **Hence, we should interpret the verse** thus: **הַקֶּשֶׁת אֲשֶׁר נָתַתִּי בֶּעָנָן מִיּוֹם הַבְּרִיאָה** – ***The rainbow, which I have placed in the clouds ever since Creation,*** **תִּהְיֶה מִן הַיּוֹם הַזֶּה וָהָלְאָה לְאוֹת בְּרִית בֵּינִי וּבֵינֵיכֶם** – ***shall be from this day on a sign of a covenant between Me and you,*** **שֶׁבְּכָל זְמַן שֶׁאֶרְאֶנָּה אַזְכִּיר כִּי בְּרִית שָׁלוֹם בֵּינִי וּבֵינֵיכֶם** – ***for whenever I see it I will recall that there is a covenant of peace between Me and you.***[54]

וְאִם תְּבַקֵּשׁ: מַה טַּעַם בַּקֶּשֶׁת לִהְיוֹת אוֹת – **And if you ask, "What is the meaning of a rainbow, that it should be a sign** for this covenant?"[55] **הִנֵּה הוּא כְּטַעַם "עֵד הַגַּל הַזֶּה וְעֵדָה הַמַּצֵּבָה"** – **Here** is the answer: **["sign"]** in this context **has the same meaning as** "testimony" described in the verse, ***This mound shall be testimony, and the monument shall be testimony*** (below, 31:52), where the mound and the monument served as reminders.[56] **וְכֵן "כִּי אֶת שֶׁבַע כְּבָשׂוֹת תִּקַּח מִיָּדִי בַּעֲבוּר תִּהְיֶה לִּי לְעֵדָה"** – **Similarly,** we find, ***Because you are to take these seven ewes from me, that it may serve me as testimony*** (below, 21:30), where the ewes served as reminders. **כִּי כָּל הַדָּבָר הַנִּרְאֶה שֶׁיּוּשַׂם לִפְנֵי שְׁנַיִם לְהַזְכִּירָם עִנְיַן נָדוּר בֵּינֵיהֶם יִקָּרֵא אוֹת** – **For any visible object that is placed before two** people **to remind them of a vow** taken **between them is called** אוֹת, **a *sign,*** **וְכָל הַסְכָּמָה בְּרִית** – **and any agreement is called** בְּרִית, a ***covenant.***[57] **וְכֵן בְּמִילָה אָמַר "וְהָיָה לְאוֹת בְּרִית בֵּינִי וּבֵינֵיכֶם"** – **Similarly, in regard to circumcision, [God] said, *It shall be the sign of the covenant between Me and you***

53. The possessive pronoun קַשְׁתִּי, ***My** bow,* implies that the rainbow already existed at that time.

54. This is a paraphrase of vv. 13-15, incorporating Ramban's interpretation.

[Note that according to Ibn Ezra's interpretation that the rainbow first appeared after the Flood (which Ramban rejected), v. 14 should be translated, *And it shall happen, when I place a cloud over the earth – the rainbow will be seen in the cloud, and I will remember My covenant ...*; while according to Ramban it should be translated, *And it shall happen, when I place a cloud over the earth and the rainbow will be seen in the cloud – I will remember My covenant ...*]

55. I.e., how can a natural occurrence serve as a sign?

56. The term "bear witness" here is a metaphor for *reminder*. Similarly, an אוֹת is anything that serves as a reminder to an agreement.

57. אוֹת בְּרִית should thus be understood as, "a reminder [to God] of His agreement."

forever: 13 *I have set My rainbow in the cloud, and it shall*
be a sign of the covenant between Me and the earth. 14 *And*
it shall happen, when I place a cloud over the earth, and
the bow will be seen in the cloud, 15 *I will remember My*
covenant between Me and you and every living being among
all flesh, and the water shall never again become a flood

רמב״ן

בַּעֲבוּר הַהַסְכָּמָה שֶׁיִּמּוֹלוּ כָּל זֶרַע אַבְרָהָם לְעָבְדוֹ שְׁכֶם אֶחָד[59].

וְעוֹד, כִּי כַּאֲשֶׁר תֵּרָאֶה בַּהִפּוּךְ הַנִּזְכָּר[60] - יִהְיֶה זֵכֶר לַשָּׁלוֹם, כַּאֲשֶׁר כָּתַבְנוּ. וּבֵין שֶׁתִּהְיֶה הַקֶּשֶׁת עַתָּה, בֵּין שֶׁהָיְתָה מֵעוֹלָם בְּטֶבַע - הַטַּעַם בָּאוֹת שֶׁבָּהּ אֶחָד הוּא.

אֲבָל יֵשׁ לְרַבּוֹתֵינוּ בַּפָּרָשָׁה הַזֹּאת סוֹד נֶעְלָם - אָמְרוּ בִּבְרֵאשִׁית רַבָּה [לה ג]: ״אֶת קַשְׁתִּי נָתַתִּי בֶּעָנָן״, קַשּׁוּתִי, דָּבָר שֶׁהוּא מוּקָשׁ לִי. אֶפְשָׁר כֵּן? אֶלָּא קַשִּׁין דְּפִרְיָא. ״וְהָיָה בְּעַנְנִי עָנָן,״ רַבִּי יוּדָן בְּשֵׁם רַבִּי יְהוּדָה בְּרַבִּי סִימוֹן אוֹמֵר: מָשָׁל לְאֶחָד שֶׁבְּיָדוֹ סוֹלֶת רוֹתֵחַ, וּבִקֵּשׁ לִיתְּנוֹ עַל בְּנוֹ, וּנְתָנוֹ עַל עַבְדּוֹ. וְשָׁם עוֹד: ״וְהָיְתָה הַקֶּשֶׁת בֶּעָנָן וּרְאִיתִיהָ לִזְכֹּר בְּרִית עוֹלָם בֵּין אֱלֹהִים״, זוֹ מִדַּת הַדִּין שֶׁל מַעְלָה, ״וּבֵין כָּל נֶפֶשׁ חַיָּה בְּכָל בָּשָׂר אֲשֶׁר עַל הָאָרֶץ״, זוֹ מִדַּת הַדִּין שֶׁל מַטָּה, מִדַּת הַדִּין שֶׁל מַעְלָה קָשָׁה, וּמִדַּת הַדִּין שֶׁל מַטָּה רָפָה. וּכְבָר יָדַעְתָּ מַאֲמָרָם [חגיגה טז, א] בַּמִּסְתַּכֵּל בַּקֶּשֶׁת: כָּל שֶׁלֹּא חָס עַל כְּבוֹד קוֹנוֹ רָאוּי לוֹ שֶׁלֹּא בָּא לָעוֹלָם:

וְאִם זָכִיתָ לְהָבִין דִּבְרֵיהֶם תֵּדַע כִּי פֵּירוּשׁ הַכָּתוּב כֵּן: אֶת קַשְׁתִּי שֶׁהִיא מִדַּת הַדִּין הַנְּתוּנָה בֶּעָנָן, בְּעֵת הַדִּין תִּהְיֶה לְאוֹת בְּרִית:

[יד] וְהָיָה בְּעַנְנִי עָנָן עַל הָאָרֶץ. שֶׁלֹּא יָאֵר ה׳ פָּנָיו אֵלֶיהָ מֵחַטְּאוֹת יוֹשְׁבֶיהָ, וְנִרְאֲתָה מִדַּת הַדִּין שֶׁלִּי בֶּעָנָן, וְאֶזְכּוֹר אֶת הַבְּרִית בְּזֵכֶר הָרַחֲמִים, וְאֶחְמוֹל עַל הַטַּף אֲשֶׁר בָּאָרֶץ. וְהִנֵּה הָאוֹת הַזֶּה וְהַבְּרִית הוּא אוֹת הַמִּילָה וְהַבְּרִית שֶׁבָּהּ, וּלְשׁוֹן הַמִּקְרָאוֹת נָאוֹת מְאֹד לָעִנְיָן. וְהִנֵּה פֵּירְשׁוּ ״בֵּין אֱלֹהִים״ מִדַּת הַדִּין שֶׁל מַעְלָה שֶׁהִיא הַגְּבוּרָה, וַ״אֲשֶׁר עַל הָאָרֶץ״ מִדַּת הַדִּין שֶׁל מַטָּה, שֶׁהִיא מִדָּה נוֹחָה מַנְהֶגֶת הָאָרֶץ עִם הָרַחֲמִים, כִּי לֹא אָמַר ״אֲשֶׁר בָּאָרֶץ״ רַק ״אֲשֶׁר עַל הָאָרֶץ,״ וּכְבָר רָמַזְתִּי [לעיל ו, יג] סוֹדָם בְּשֵׁם הָאָרֶץ. וְרַשִׁ״י כָּתַב בֵּין מִדַּת הַדִּין שֶׁל מַעְלָה וּבֵינֵיכֶם, אֲבָל רַבּוֹתֵינוּ לֹא לְכָךְ נִתְכַּוְּונוּ:

RAMBAN ELUCIDATED

(17:11),[58] **בַּעֲבוּר הַהַסְכָּמָה שֶׁיִּמּוֹלוּ כָּל זֶרַע אַבְרָהָם לְעָבְדוֹ שְׁכֶם אֶחָד** – calling it a "covenant" **on account of the agreement that all the offspring of Abraham would be circumcised "to serve Him with a united resolve."**[59]

[Ramban notes that the rainbow – unlike the other examples of "signs" he has just given – is, in fact, *not* an arbitrary reminder:]

וְעוֹד, כִּי כַּאֲשֶׁר תֵּרָאֶה בַּהִפּוּךְ הַנִּזְכָּר – **Furthermore, being that [the rainbow] is seen in the upside down position described above,**[60] **יִהְיֶה זֵכֶר לַשָּׁלוֹם כַּאֲשֶׁר כָּתַבְנוּ** – **it is a reminder of** a gesture of **peace, as we wrote above.** **וּבֵין שֶׁתִּהְיֶה הַקֶּשֶׁת עַתָּה בֵּין, שֶׁהָיְתָה מֵעוֹלָם בְּטֶבַע** – Thus, **whether the rainbow came into existence** only **now or** whether it **had always been a part of nature,** **הַטַּעַם בָּאוֹת שֶׁבָּהּ אֶחָד הוּא** – **the symbolism of the "sign" in [the rainbow] is the same.**

Ramban's next comments discuss the deep kabbalistic concepts implicit in the phrases אוֹת הַבְּרִית and וְהָיָה בְּעַנְנִי עָנָן and are not within the scope of this elucidation. In the Hebrew text, Ramban's words appear in the paragraphs beginning אֲבָל יֵשׁ לְרַבּוֹתֵינוּ and ending אֲבָל רַבּוֹתֵינוּ לֹא לְכָךְ נִתְכַּוְּונוּ.

58. In this verse, too, אוֹת בְּרִית means "a reminder [to us] of our agreement."

59. Stylistic citation from *Zephaniah* 3:9.

60. The legs pointing downward and the arc of the bow upward represents a harmless weapon.

טז לְשַׁחֵת כָּל־בָּשָׂר: וְהָיְתָה הַקֶּשֶׁת בֶּעָנָן
וּרְאִיתִיהָ לִזְכֹּר בְּרִית עוֹלָם בֵּין אֱלֹהִים
וּבֵין כָּל־נֶפֶשׁ חַיָּה בְּכָל־בָּשָׂר אֲשֶׁר עַל־
יז הָאָרֶץ: וַיֹּאמֶר אֱלֹהִים אֶל־נֹחַ זֹאת אוֹת־
הַבְּרִית אֲשֶׁר הֲקִמֹתִי בֵּינִי וּבֵין כָּל־בָּשָׂר
אֲשֶׁר עַל־הָאָרֶץ: פ
ששי יח וַיִּהְיוּ בְנֵי־נֹחַ הַיֹּצְאִים מִן־הַתֵּבָה שֵׁם וְחָם
יט וָיָפֶת וְחָם הוּא אֲבִי כְנָעַן: שְׁלֹשָׁה אֵלֶּה

לְחַבָּלָא כָּל בִּשְׂרָא:
טז וּתְהֵי קַשְׁתָּא בַּעֲנָנָא
וְאֶחֱזִנַּהּ לְמִדְכַּר קְיָם עָלָם
בֵּין מֵימְרָא דַייָ וּבֵין כָּל
נַפְשָׁא חַיְתָא בְּכָל בִּשְׂרָא
דִּי עַל אַרְעָא: יז וַאֲמַר יְיָ
לְנֹחַ דָּא אָת קְיָם דִּי אֲקֵמִית
בֵּין מֵימְרִי וּבֵין כָּל בִּשְׂרָא
דִּי עַל אַרְעָא: יח וַהֲווֹ בְנֵי
נֹחַ דִּי נְפָקוּ מִן תֵּבוּתָא שֵׁם
וְחָם וָיֶפֶת וְחָם הוּא אֲבוּהִי
דִכְנָעַן: יט תְּלָתָא אִלֵּין

רש"י

אתכם] אני רואה את האות ונזכר: **(יז) זאת אות הברית.** הראהו הקשת ואמר לו הרי האות שאמרתי: **(יח) וחם הוא אבי כנען.** למה הוצרך לומר כאן. לפי שהפרשה עסוקה ובאה בשכרותו של נח שקלקל בה חם, ועל ידו נתקלל כנען, ועדיין לא כתב תולדות חם ולא ידענו שכנען בנו, לפיכך הוצרך לומר כאן וחם הוא אבי כנען:

רמב"ן

[יח] וְחָם הוּא אֲבִי כְנָעַן. פֵּרֵשׁ רַשִׁ"י: לְפִי שֶׁהַפָּרָשָׁה עֲסוּקָה וּבָאָה בְּשִׁכְרוּתוֹ שֶׁל נֹחַ שֶׁקִּלְקֵל בָּהּ חָם, וְעַל יָדוֹ נִתְקַלֵּל כְּנַעַן, וַעֲדַיִן לֹא כָּתַב תּוֹלְדוֹת חָם - הוּצְרַךְ לוֹמַר שֶׁ"חָם הוּא אֲבִי כְנָעַן"[61].

וְרַבִּי אַבְרָהָם אָמַר כִּי חָם רָאָה וְהִגִּיד לְאֶחָיו, וּכְנַעַן עָשָׂה לוֹ רָעָה, לֹא גִלָּה אוֹתָהּ הַכָּתוּב[62]. וְזֶה טַעַם "אֵת אֲשֶׁר עָשָׂה לוֹ בְּנוֹ הַקָּטָן", [לקמן פסוק כד], כִּי כְּנַעַן הוּא הַקָּטָן לְחָם, כַּאֲשֶׁר יִמְנֶה אוֹתָם [לקמן י, ו]: "וּבְנֵי חָם כּוּשׁ וּמִצְרַיִם וּפוּט וּכְנָעַן".

RAMBAN ELUCIDATED

18. וְחָם הוּא אֲבִי כְנָעַן – ***HAM BEING THE FATHER OF CANAAN.***

[Why is Ham's son mentioned here? Ramban cites Rashi's explanation:]

פֵּרֵשׁ רַשִׁ"י – Rashi explains:

לְפִי שֶׁהַפָּרָשָׁה עֲסוּקָה וּבָאָה בְּשִׁכְרוּתוֹ שֶׁל נֹחַ שֶׁקִּלְקֵל בָּהּ חָם – Because the passage is leading into the episode of **Noah's drunkenness, in which Ham acted disgracefully, וְעַל יָדוֹ נִתְקַלֵּל כְּנַעַן – and through him Canaan was cursed. וַעֲדַיִן לֹא כָּתַב תּוֹלְדוֹת חָם – However, [the Torah] did not yet write** the names of **Ham's offspring; הוּצְרַךְ לוֹמַר שֶׁ"חָם הוּא אֲבִי כְנָעַן" – it was** therefore **necessary to state, *Ham being the father of Canaan.*"**[61]

[According to Rashi, then, Ham was the main evildoer and Canaan was cursed only as a result of his father's misdeed. Ibn Ezra, however, maintains that Canaan was cursed for his own offense:]

וְרַבִּי אַבְרָהָם אָמַר כִּי חָם רָאָה וְהִגִּיד לְאֶחָיו – But Rabbi Avraham Ibn Ezra **says that Ham saw** Noah's nakedness **and told his brothers, וּכְנַעַן עָשָׂה לוֹ רָעָה, לֹא גִלָּה אוֹתָהּ הַכָּתוּב – and Canaan committed an evil act toward him [Noah]** – an evil **which Scripture does not reveal.**[62] **וְזֶה טַעַם "אֵת אֲשֶׁר עָשָׂה לוֹ בְּנוֹ הַקָּטָן" – This,** says Ibn Ezra, **is the explanation of,** *Noah realized* ***what his youngest son had done to him*** (below, v. 24), referring to *Ham's* youngest son, not Noah's. **כִּי כְּנַעַן הוּא הַקָּטָן לְחָם – For Canaan was Ham's youngest son, כַּאֲשֶׁר יִמְנֶה אוֹתָם, "וּבְנֵי חָם כּוּשׁ וּמִצְרַיִם וּפוּט וּכְנָעַן" – as [Scripture] enumerates them: *The sons of Ham were Cush, Mizraim, Put and Canaan*** (below, 10:6) – assuming that they are listed in order of birth.

[Ramban disagrees with Ibn Ezra's interpretation:]

61. That is, since Canaan was cursed as a result of his father's actions, it was necessary to first mention that Ham was his father.

62. Ibn Ezra maintains that Canaan was cursed because he performed a disgraceful act toward Noah after his father Ham inappropriately told Shem and Japheth what he, Ham, had seen. Accordingly, Scripture states: *Ham was the father of Canaan,* to convey that both, father and son, were degenerate.

to destroy all flesh. 16 *And the bow shall be in the cloud, and I will*
look upon it to remember the everlasting covenant between God
and every living being, among all flesh that is on earth." 17 *And*
God said to Noah, "This is the sign of the covenant that I have
confirmed between Me and all flesh that is upon the earth."
18 *The sons of Noah who came out of the Ark were Shem, Ham*
and Japheth — Ham being the father of Canaan. 19 *These three*

רמב"ן

וְהִנֵּה עָזַב רַבִּי אַבְרָהָם דַּרְכּוֹ בִּפְשׁוּטֵי הַמִּקְרָא וְהֵחֵל לְהִנָּבֵא שְׁקָרִים[63]!

וְהַנָּכוֹן בְּעֵינַי כִּי חָם הוּא הַקָּטָן לְנֹחַ[64], כַּאֲשֶׁר פֵּרַשְׁתִּי בְּרֹאשׁ הַסֵּדֶר [ו, י], וּכְנַעַן הוּא הַבֵּן הַגָּדוֹל לְחָם[65]. וַאֲשֶׁר אָמַר "וּבְנֵי חָם כּוּשׁ וּמִצְרַיִם וּפוּט וּכְנָעַן" [לקמן י, ו] - אַחֲרֵי נִמְכַּר לְעֶבֶד עֲבָדִים נָתַן לְכָל אֶחָיו מַעֲלָה עָלָיו. וְכַאֲשֶׁר אֵרַע הַמַּעֲשֶׂה הַזֶּה לְנֹחַ לֹא הָיָה לְחָם זֶרַע זוּלָתִי כְּנַעַן, וְזֶהוּ טַעַם "וַיַּרְא חָם אֲבִי כְנַעַן" [לקמן ט, כב], כִּי אֵין לוֹ בֵּן אַחֵר. וְכַאֲשֶׁר חָטָא לְאָבִיו קִלֵּל זַרְעוֹ, וְאִם אָמַר "אָרוּר חָם עֶבֶד עֲבָדִים יִהְיֶה", לֹא יַזִּיק רַק לְגוּפוֹ, כִּי הַזֶּרַע שֶׁכְּבָר נוֹלַד אֵינֶנּוּ בִּכְלָלוֹ, וְאוּלַי לֹא יוֹלִיד וְלֹא לָקַח מִמֶּנּוּ נִקְמָתוֹ, "כִּי מִי יוֹדֵעַ מַה יִּהְיֶה אַחֲרָיו"[66]. עַל כֵּן קִלֵּל הַבֵּן שֶׁהָיָה לוֹ[67], וְאִם יוֹלִיד מֵאָה - דַּי שֶׁיְּקַלֵּל בְּנוֹ הַבְּכוֹר וְכָל זַרְעוֹ אִתּוֹ.

RAMBAN ELUCIDATED

וְהִנֵּה עָזַב רַבִּי אַבְרָהָם דַּרְכּוֹ בִּפְשׁוּטֵי הַמִּקְרָא וְהֵחֵל לְהִנָּבֵא שְׁקָרִים – **It seems that Rabbi Avraham has abandoned his method of commentary** – following the **plain explanation of the verses** – **and has begun to imagine false interpretations!**[63]

[Ramban now presents his own view, beginning with the background of the episode:]

וְהַנָּכוֹן בְּעֵינַי כִּי חָם הוּא הַקָּטָן לְנֹחַ – **The** interpretation that appears **most sound in my view is that Ham was Noah's youngest son,**[64] **כַּאֲשֶׁר פֵּרַשְׁתִּי בְּרֹאשׁ הַסֵּדֶר** – **as I have explained at the beginning of this Torah-portion** (6:10), **וּכְנַעַן הוּא הַבֵּן הַגָּדוֹל לְחָם** – **and Canaan was Ham's oldest son.**[65] **וַאֲשֶׁר אָמַר "וּבְנֵי חָם כּוּשׁ וּמִצְרַיִם וּפוּט וּכְנָעַן"** – **As to why it states,** ***The sons of Ham were Cush, Mizraim, Put and Canaan*** (below, 10:6), listing Canaan as the last of Ham's sons, the reason for this is: **אַחֲרֵי נִמְכַּר לְעֶבֶד עֲבָדִים נָתַן לְכָל אֶחָיו מַעֲלָה עָלָיו** – **After [Canaan] was** cursed to be **sold as a slave of slaves, [Scripture] gives all his brothers precedence over him**, mentioning their names before his, though he was older than they. **וְכַאֲשֶׁר אֵרַע הַמַּעֲשֶׂה הַזֶּה לְנֹחַ לֹא הָיָה לְחָם זֶרַע זוּלָתִי כְּנַעַן** – **When this incident happened to Noah, Ham had no children besides Canaan.** **וְזֶהוּ טַעַם "וַיַּרְא חָם אֲבִי כְנַעַן"** – **This explains** the verse, ***Ham, the father of Canaan, saw*** (9:22); **כִּי אֵין לוֹ בֵּן אַחֵר** – **for he had no other sons** at the time. **וְכַאֲשֶׁר חָטָא לְאָבִיו קִלֵּל זַרְעוֹ** – **And when [Ham] sinned towards his father, [Noah] cursed [Ham's] offspring** as well, **וְאִם אָמַר "אָרוּר חָם עֶבֶד עֲבָדִים יִהְיֶה"** – **for if he had said,** ***Cursed be "Ham"; a slave of slaves shall he be,*** instead of, *Cursed be Canaan ...* **לֹא יַזִּיק רַק לְגוּפוֹ** – **it would have affected only** Ham **himself;** **כִּי הַזֶּרַע שֶׁכְּבָר נוֹלַד אֵינֶנּוּ בִּכְלָלוֹ** – **this is because the offspring that had already been born** (Canaan) **would not have been included** in that curse, **וְאוּלַי לֹא יוֹלִיד וְלֹא לָקַח מִמֶּנּוּ נִקְמָתוֹ** – **and perhaps Ham would not have any more children, and** as a result **[Noah] would not have exacted his revenge against [Ham]** – **כִּי מִי יוֹדֵעַ מַה יִּהְיֶה אַחֲרָיו** – **for "who can possibly know what will happen after himself?"**[66] **עַל כֵּן קִלֵּל הַבֵּן שֶׁהָיָה לוֹ** – **Therefore, he cursed the son** Ham **already had,**[67] **וְאִם יוֹלִיד מֵאָה** – so that even if [Ham] would have a hundred more **children,** **דַּי שֶׁיְּקַלֵּל בְּנוֹ הַבְּכוֹר וְכָל זַרְעוֹ אִתּוֹ** –

63. Ramban does not accept Ibn Ezra'a explanation because the Torah explicitly names *Ham* as the evildoer.

64. Thus, when the Torah says, *Noah ... realized what his youngest son had done to him* (v. 24), it refers not to Canaan, as Ibn Ezra maintains, but to Ham.

65. As Ramban proceeds to explain.

66. Stylistic paraphrase of *Ecclesiastes* 25:48, meaning: "Who knows the future?" That is, if Noah, in his desire to curse Ham and his progeny, had been sure that Ham was to have more children, he would have found it sufficient to curse Ham directly and have that curse continue on to Ham's descendants. But, not being sure, he cursed Ham's existing child, Canaan, and thereby was assured that the curse would continue to future generations.

67. Unlike Ibn Ezra, Ramban asserts that Canaan was

כ בְּנֵי־נֹחַ וּמֵאֵלֶּה נָפְצָה כָל־הָאָרֶץ: וַיָּחֶל נֹחַ
כא אִישׁ הָאֲדָמָה וַיִּטַּע כָּרֶם: וַיֵּשְׁתְּ מִן־הַיַּיִן
כב וַיִּשְׁכָּר וַיִּתְגַּל בְּתוֹךְ אָהֳלֹה: וַיַּרְא חָם אֲבִי
כְנַעַן אֵת עֶרְוַת אָבִיו וַיַּגֵּד לִשְׁנֵי־אֶחָיו בַּחוּץ:

בְּנֵי נֹחַ וּמֵאִלֵּין אִתְבַּדַּרוּ כָל אַרְעָא:
כ וְשָׁרֵי נֹחַ גְּבַר פָּלַח בְּאַרְעָא וּנְצִיב
כַּרְמָא: כא וּשְׁתִי מִן חַמְרָא וּרְוִי
וְאִתְגְּלִי בְּגוֹ מַשְׁכְּנֵהּ: כב וַחֲזָא
חָם אֲבוּהִי דִכְנַעַן יָת עֶרְיַת אֲבוּהִי
וְחַוִּי לִתְרֵין אֲחוֹהִי בְּשׁוּקָא:

רש"י

(כ) ויחל. עשה עצמו חולין, שהיה לו לעסוק תחלה בנטיעה אחרת (ב"ר לו:ג): **איש האדמה.** אדוני האדמה, כמו איש נעמי (רות א:ג): **ויטע כרם.** כשנכנס לתיבה הכניס עמו זמורות ויחורי תאנים (ב"ר שם): **(כא) אהלה.** אהלה כתיב, רמז לעשרת השבטים שנקראו על שם שומרון שנקראת אהלה, שגלו על עסקי היין, שנאמר השותים במזרקי יין (עמוס ו:ו; ב"ר לו:ד; תנחומא ישן כ): **ויתגל.** לשון ויתפעל: **(כב) וירא חם אבי כנען.** יש מרבותינו אומרים כנען ראה והגיד לאביו, לכך הוזכר על הדבר ונתקלל (תנחומא טו; ב"ר שם ז): **וירא את ערות אביו.** יש מרבותינו אומרים סרסו, וי"א רבעו (סנהדרין ע.):

רמב"ן

וְהִנֵּה הַחֵטְא שֶׁרָאָה חָם עֶרְוַת אָבִיו וְלֹא נָהַג בּוֹ כָּבוֹד, שֶׁהָיָה רָאוּי לוֹ לְכַסּוֹת עֶרְוָתוֹ וּלְכַסּוֹת קְלוֹנוֹ, שֶׁלֹּא יַגִּידֶנּוּ גַּם לְאֶחָיו, וְהוּא הִגִּיד הַדָּבָר לִשְׁנֵי אֶחָיו בִּפְנֵי רַבִּים לְהַלְעִיג עָלָיו. וְזֶה טַעַם "בַּחוּץ", וְכֵן תִּרְגֵּם אוּנְקְלוֹס, "בְּשׁוּקָא".

וְטַעַם "וַיֵּדַע אֵת אֲשֶׁר עָשָׂה לוֹ" [ט, כד][68] - שֶׁגִּלָּה חֶרְפָּתוֹ לְרַבִּים[69], וְהָיָה בּוֹשׁ בַּדָּבָר. וְרַבּוֹתֵינוּ הוֹסִיפוּ עָלָיו חֵטְא[70].

RAMBAN ELUCIDATED

it would suffice that his firstborn son were cursed, and, along with him, all his son's **descendants.**

[According to the view of Ibn Ezra which Ramban cited above, (1) only Canaan, not Ham, abused Noah, and (2) the verse does not say what Canaan actually did to his grandfather. Ramban disagrees on both points:]

וְהִנֵּה הַחֵטְא שֶׁרָאָה חָם עֶרְוַת אָבִיו וְלֹא נָהַג בּוֹ כָּבוֹד – **Now, the sin** that occurred in this episode **was that Ham saw the nakedness of his father and did not act respectfully toward him,** **שֶׁהָיָה רָאוּי לוֹ לְכַסּוֹת עֶרְוָתוֹ** – **for it would have been proper of him to cover [Noah's] nakedness** **וּלְכַסּוֹת קְלוֹנוֹ שֶׁלֹּא יַגִּידֶנּוּ גַּם לְאֶחָיו** – **and to conceal his shame by not telling even his brothers** about it. **וְהוּא הִגִּיד הַדָּבָר לִשְׁנֵי אֶחָיו בִּפְנֵי רַבִּים לְהַלְעִיג עָלָיו** – **But he** in fact **did tell his two brothers about the matter in public, in order to scorn [Noah].** **וְזֶה טַעַם "בַּחוּץ"** – **This is the meaning of,** *he told his two brothers* **outside** – *outside* implying, *in public.* **וְכֵן תִּרְגֵּם אוּנְקְלוֹס, "בְּשׁוּקָא"** – **This is how Onkclos translates** בַּחוּץ (*outside*) **as well:** בְּשׁוּקָא, **"in the marketplace."**

[As explained above, Ibn Ezra maintains that *Noah ... realized what his youngest son had done to him* (v. 24) refers to some unspecified act that *Canaan* did to Noah. Ramban now presents his own understanding of this verse:[68]]

וְטַעַם "וַיֵּדַע אֵת אֲשֶׁר עָשָׂה לוֹ" – **The meaning of, *And he realized what*** *his youngest son* ***had done to him*** (9:24) is that Noah realized **שֶׁגִּלָּה חֶרְפָּתוֹ לְרַבִּים, וְהָיָה בּוֹשׁ בַּדָּבָר** – **that [Ham] revealed his shame in public,**[69] **and [Noah] was embarrassed about the matter.** **וְרַבּוֹתֵינוּ הוֹסִיפוּ עָלָיו חֵטְא** – **The Sages attributed an additional sin to [Ham]** as well.[70]

---

cursed soley out of vengeance against Ham, and not for any wrongdoing of his own. A parallel dispute is found in *Bereishis Rabbah* 36.

68. The difficulty with this verse is that, according to Ramban, Ham's sin was that he did *not* do what was required of him (i.e., he did not cover his father's nakedness), yet this verse talks of some *act* that was ***done*** to him!

69. This verse, then, is referring to the second sin committed by *Ham*. The first sin was that he neglected to cover his father's nakedness (a passive sin); the second one is that he revealed his father's shame to his brothers (an active sin).

70. "One [Sage] says he emasculated him, and one says he had relations with him" (*Sanhedrin* 70a). Thus, the Sages concur that Ham did more than just speak of Noah's shame, as Ibn Ezra would have it.

were the sons of Noah, and from these the whole world was spread out.

20 *Noah, the man of the earth, debased himself and planted a vineyard.* 21 *He drank of the wine and became drunk, and he uncovered himself within his tent.* 22 *Ham, the father of Canaan, saw his father's nakedness and told his two brothers outside.*

רמב״ן

[כ] אִישׁ הָאֲדָמָה. פֵּרֵשׁ רַשִׁ״י: אֲדוֹנֵי הָאֲדָמָה, כְּמוֹ ״אִישׁ נָעֳמִי״ [רות א, ג][71].

וְאֵינוֹ כֵּן, כִּי אִישׁ נָעֳמִי, לְשׁוֹן אִישׁוּת[71a], כְּמוֹ אִישׁ וְאִשְׁתּוֹ [לעיל ז, ב].

וַאֲחֵרִים[72] אָמְרוּ, גְּדוֹל הָאֲדָמָה וְרֹאשָׁהּ[73]. וְהֵבִיאוּ דוֹמִים לוֹ: ״גִּדְעוֹן בֶּן יוֹאָשׁ אִישׁ יִשְׂרָאֵל״ [שופטים ז, יד]; ״גַּם בְּנֵי אָדָם גַּם בְּנֵי אִישׁ״ [תהלים מט, ג]; ״הֲלֹא אִישׁ אַתָּה וּמִי כָמוֹךָ בְּיִשְׂרָאֵל״ [שמואל-א כו, טו]; וְרַבִּים לְפִי דַּעְתָּם.

וְעַל דַּעְתִּי, ״גִּדְעוֹן בֶּן יוֹאָשׁ אִישׁ יִשְׂרָאֵל״ - יִחוּס [שופטים ז, יד], אִישׁ יִשְׂרְאֵלִי; ״הֲלֹא אִישׁ אַתָּה״ [שמואל-א כו, טו] - שֶׁאֵין כָּמוֹךָ בְּיִשְׂרָאֵל. וְכֵן ״הִתְחַזְּקוּ וִהְיוּ לַאֲנָשִׁים״ [שמואל-א ד, ט] - שֶׁלֹּא יִהְיוּ כְּנָשִׁים; ״גַּם בְּנֵי אָדָם גַּם בְּנֵי אִישׁ״

RAMBAN ELUCIDATED

20. אִישׁ הָאֲדָמָה – ***THE MAN OF THE EARTH.***

[What does the Torah mean when it depicts Noah as *a man of the earth*?]

פֵּרֵשׁ רַשִׁ״י – Rashi explains:

אֲדוֹנֵי הָאֲדָמָה, כְּמוֹ ״אִישׁ נָעֳמִי״ – This means **the master** (i.e., owner) **of the earth, like** אִישׁ in, ***the husband of*** [אִישׁ] ***Naomi***[71] (*Ruth* 1:3).

[Ramban disagrees with Rashi:]

וְאֵינוֹ כֵּן – But this is not so, כִּי אִישׁ נָעֳמִי, לְשׁוֹן אִישׁוּת, כְּמוֹ אִישׁ וְאִשְׁתּוֹ – for אִישׁ in **אִישׁ נָעֳמִי is an expression denoting a *marital* relationship,**[71a] **as in, *man*** [אִישׁ] ***and his wife*** (above, 7:2), and cannot be compared to our verse, which describes Noah's relationship to the earth.

[Ramban cites another opinion regarding the meaning of אִישׁ הָאֲדָמָה:]

וַאֲחֵרִים אָמְרוּ, גְּדוֹל הָאֲדָמָה וְרֹאשָׁהּ – Others[72] **say** that the meaning of the phrase is, ***the leader of the land*** **and its head.**[73] **וְהֵבִיאוּ דוֹמִים לוֹ: ״גִּדְעוֹן בֶּן יוֹאָשׁ אִישׁ יִשְׂרָאֵל״ – They bring** other examples **similar to this** meaning of אִישׁ as "leader": ***Gideon son of Joash,*** [אִישׁ] ***leader of Israel*** (*Judges* 7:14); **״גַּם בְּנֵי אָדָם גַּם בְּנֵי אִישׁ״** – ***Sons of [ordinary] people, as well as sons of*** [אִישׁ] ***leaders*** (*Psalms* 49:3); **״הֲלֹא אִישׁ אַתָּה וּמִי כָמוֹךָ בְּיִשְׂרָאֵל״** – ***Are you not a*** [אִישׁ] ***leader? And who is equal to you in Israel?*** (*I Samuel* 26:15); **וְרַבִּים לְפִי דַּעְתָּם – there are many** such examples, **in their opinion.**

[Ramban disagrees with this approach:]

וְעַל דַּעְתִּי – In my opinion, however, each of the verses cited above should be interpreted individually, as follows: **״גִּדְעוֹן בֶּן יוֹאָשׁ אִישׁ יִשְׂרָאֵל״, יִחוּס** – ***Gideon son of Joash,*** אִישׁ ***of Israel*** (*Judges* 7:14) is a reference to his **lineage** – **אִישׁ יִשְׂרְאֵלִי** – he was ***an Israelite man;*** **״הֲלֹא אִישׁ אַתָּה״** – *I Samuel* 26:15 should be interpreted, ***Are you not*** [אִישׁ] ***a man*** means **שֶׁאֵין כָּמוֹךָ בְּיִשְׂרָאֵל – that "there is no one like you in Israel."** **וְכֵן ״הִתְחַזְּקוּ וִהְיוּ לַאֲנָשִׁים״ – Similarly, *Be strong and be men*** [לַאֲנָשִׁים] (ibid. 4:9) **שֶׁלֹּא יִהְיוּ כְּנָשִׁים** – means **that they should not be** physically weak **like women;** it does not mean "be leaders" or "be great men." **״גַּם בְּנֵי אָדָם גַּם בְּנֵי אִישׁ״** – *Psalms* 49:3 should be interpreted, ***Sons of Adam*** (i.e., of undistinguished parentage), ***as well as sons of*** [אִישׁ] ***a man*** –

71. Meaning the lord and master over Naomi. See Rashi ad loc.

71a I.e., אִישׁ נָעֳמִי means Naomi's *husband,* not her *master.*

72. Ramban is apparently referring to Radak, who presents this interpretation in *Sefer HaShorashim* and in his commentary to *I Samuel* 26:15 and *Isaiah* 5:15. (See also Rashi on *Bamidbar* 13:3.)

73. I.e., Noah was the recognized leader of all the people of the world.

כג וַיִּקַּח שֵׁם וָיֶפֶת אֶת־הַשִּׂמְלָה וַיָּשִׂימוּ עַל־
שְׁכֶם שְׁנֵיהֶם וַיֵּלְכוּ אֲחֹרַנִּית וַיְכַסּוּ אֵת
עֶרְוַת אֲבִיהֶם וּפְנֵיהֶם אֲחֹרַנִּית וְעֶרְוַת
כד אֲבִיהֶם לֹא רָאוּ: וַיִּיקֶץ נֹחַ מִיֵּינוֹ וַיֵּדַע
כה אֵת אֲשֶׁר־עָשָׂה לוֹ בְּנוֹ הַקָּטָן: וַיֹּאמֶר אָרוּר
כו כְּנָעַן עֶבֶד עֲבָדִים יִהְיֶה לְאֶחָיו: וַיֹּאמֶר
בָּרוּךְ יהוה אֱלֹהֵי שֵׁם וִיהִי כְנַעַן עֶבֶד לָמוֹ:

כג וּנְסֵיב שֵׁם וָיֶפֶת יָת כְּסוּתָא וְשַׁוִּיאוּ עַל כְּתַף תַּרְוֵיהוֹן וַאֲזָלוּ מְחַזְּרִין וַחֲפִיאוּ יָת עֶרְיְתָא דַאֲבוּהוֹן וְאַפֵּיהוֹן מְחַזְּרִין וְעֶרְיְתָא דַאֲבוּהוֹן לָא חֲזוֹ: כד וְאִתְּעַר נֹחַ מֵחַמְרֵהּ וִידַע יָת דִּי עֲבַד לֵהּ בְּרֵהּ זְעֵירָא: כה וַאֲמַר לִיט כְּנָעַן עֶבֶד פָּלַח עַבְדִין יְהֵי לַאֲחוֹהִי: כו וַאֲמַר בְּרִיךְ יְיָ אֱלָהֵהּ דְּשֵׁם וִיהֵי כְּנַעַן עַבְדָּא לְהוֹן:

רש"י

(כג) ויקח שם ויפת. אין כתיב ויקחו אלא ויקח, לימד על שם שנתאמץ במצוה יותר מיפת, לכך זכו בניו לטלית של ציצית, ויפת זכה לקבורה לבניו, שנאמר אתן לגוג מקום שם קבר (יחזקאל לט:יא). וחם שבזה את אביו נאמר בזרעו כן ינהג מלך אשור את שבי מצרים ואת גלות כוש נערים וזקנים ערום ויחף וחשופי שת וגו' (ישעיה כ:ד; תנחומא טו; ב"ר שם ו): **ופניהם אחרנית.** למה נאמר פעם שניה, מלמד שכשקרבו אצלו והוצרכו להפוך עצמם לכסותו הפכו פניהם אחורנית: **(כד) בנו הקטן.** הפסול (ב"ר שם ז) והבזוי, כמו הנה קטן נתתיך בגוים בזוי באדם (ירמיה מט:טו): **(כה) ארור כנען.** אתה גרמת לי שלא אוליד בן רביעי אחר לשמשני, ארור בנך רביעי להיות משמש את זרעם של אלו הגדולים שהוטל עליהם טורח עבודתי מעתה (ב"ר שם). ומה ראה חם שסרסו, אמר להם לאחיו, אדם הראשון שני בנים היו לו והרג זה את זה בשביל ירושת העולם (שם כב:ז) ואבינו יש לו ג' בנים ועודנו מבקש בן רביעי (שם לו:ה): **(כו) ברוך ה' אלהי שם.** שעתיד לשמור הבטחתו לזרעו לתת להם את ארץ כנען: **ויהי.** להם כנען למס עובד:

רמב"ן

פְּלוֹנִי הַיָּדוּעַ בְּמַעֲלָתוֹ[74].

אֲבָל "אִישׁ הָאֲדָמָה" כְּמוֹ "אַנְשֵׁי הָעִיר" [להלן יט, ד], בַּעֲבוּר הֱיוֹתוֹ דָּר בְּכָל הָאֲדָמָה, לֹא בָנָה עִיר וּמְדִינָה שֶׁיִּתְיַחֵס אֵלֶיהָ. וְכֵן "אִישׁ שָׂדֶה", הָעוֹמֵד שָׁם כָּל הַיּוֹם תָּמִיד[75]. וּבַמִּשְׁנָה [אבות א, ד]: "יוֹסֵי בֶּן יוֹעֶזֶר אִישׁ צְרֵדָה וְיוֹסֵי בֶּן יוֹחָנָן אִישׁ יְרוּשָׁלַיִם" [אבות א, ד].

אוֹ שֶׁנָּתַן לִבּוֹ לַעֲבֹד אֶת הָאֲדָמָה, לִזְרֹעַ וְלִנְטֹעַ, בַּעֲבוּר מָצְאוֹ הָאָרֶץ שְׁמָמָה. שֶׁכָּל נִבְדָּל לְדָבָר יִקָּרֵא כֵן. "אַנְשֵׁי הָעִיר" - הֵם יוֹשְׁבֶיהָ, "וְאַנְשֵׁי דָוִד" [שמואל-א כג, ג] - עֲבָדָיו, "וְאִישׁ הָאֱלֹהִים" [דברים לג, א; מלכים-א יב, כב] -

RAMBAN ELUCIDATED

פְּלוֹנִי הַיָּדוּעַ בְּמַעֲלָתוֹ – i.e., a man who has a particular name, **who is well-known for his distinction.**[74]

[Ramban now presents his own interpretations of the term אִישׁ הָאֲדָמָה:]

אֲבָל "אִישׁ הָאֲדָמָה" כְּמוֹ "אַנְשֵׁי הָעִיר" – **Rather,** אִישׁ in אִישׁ הָאֲדָמָה is like the word אַנְשֵׁי (plural of אִישׁ) in, ***the men of the city*** (below, 19:4). It thus means "a resident of." **בַּעֲבוּר הֱיוֹתוֹ דָּר בְּכָל הָאֲדָמָה** – He was called "a resident of the earth" **because he dwelled throughout all of the earth; לֹא בָנָה עִיר וּמְדִינָה שֶׁיִּתְיַחֵס אֵלֶיהָ** – **he did not build a city or state with which he could be identified. וְכֵן "אִישׁ שָׂדֶה", הָעוֹמֵד שָׁם כָּל הַיּוֹם תָּמִיד** – **Similarly** we find, ***a man of the field*** (below, 25:27), meaning someone **who remains [in the field] all day, constantly.**[75] **וּבַמִּשְׁנָה, "יוֹסֵי בֶּן יוֹעֶזֶר אִישׁ צְרֵדָה וְיוֹסֵי בֶּן יוֹחָנָן אִישׁ יְרוּשָׁלַיִם"** – **And** similarly we find **in the Mishnah: "Yosi son of Yoezer, a man** (i.e., resident) **of Tzeredah, and Yosi son of Yochanan, a man** (i.e., resident) **of Jerusalem"** (*Avos* 1:4). **אוֹ שֶׁנָּתַן לִבּוֹ לַעֲבֹד אֶת הָאֲדָמָה, לִזְרֹעַ וְלִנְטֹעַ** – **Alternatively,** אִישׁ הָאֲדָמָה means: **[Noah] turned his attention to working the ground, to sowing and planting, בַּעֲבוּר מָצְאוֹ הָאָרֶץ שְׁמָמָה** – **because he found the land desolate** as a result of the Flood, and he sought to replenish it. **שֶׁכָּל נִבְדָּל לְדָבָר יִקָּרֵא כֵן** – **For anyone who is dedicated to a particular thing is called ["a man" of that thing].** **"אַנְשֵׁי הָעִיר", הֵם יוֹשְׁבֶיהָ** – ***The men of the city*** are so called because **they are its inhabitants.** **"וְאַנְשֵׁי דָוִד", עֲבָדָיו** – **And, *the men of David*** (*I Samuel* 23:3) **are his servants.** "וְאִישׁ הָאֱלֹהִים",

74. A "son of Adam" is someone whose only famous ancestor is Adam; a "son of a man" is someone whose father is known to people by name.

75. Thus he is practically a "resident" of the field.

[23] *And Shem and Japheth took a garment, laid it upon both their shoulders, and they walked backwards, and covered their father's nakedness; their faces were turned away, and they saw not their father's nakedness.*
[24] *Noah awoke from his wine and realized what his youngest son had done to him.* [25] *And he said, "Cursed is Canaan; a slave of slaves shall he be to his brothers."*
[26] *And he said, "Blessed is* HASHEM, *the God of Shem; and let Canaan be a slave to them.*

רמב״ן

הַמְיֻחָד בַּעֲבוֹדָתוֹ. וְכָךְ אָמְרוּ בִּבְרֵאשִׁית רַבָּה [לו, ג]: אִישׁ הָאֲדָמָה - בּוּרְגָר לְשֵׁם בּוּרְגָרוּת. וְאָמְרוּ [שם] שֶׁהָיָה לָהוּט אַחַר הָאֲדָמָה וְהִנֵּה הוּא יִחוּס.

וְטַעַם ״וַיָּחֶל״[76], כִּי הוּא הֵחֵל לִנְטֹעַ כְּרָמִים. כִּי הָרִאשׁוֹנִים נָטְעוּ גֶּפֶן, וְהוּא הֵחֵל לִנְטֹעַ גְּפָנִים רַבִּים שׁוּרוֹת שׁוּרוֹת הַנִּקְרָא ״כֶּרֶם״[77]. כִּי בִּרְצוֹתוֹ בַּיַּיִן - לֹא נָטַע הַגֶּפֶן כִּשְׁאָר הָאִילָנוֹת, וְעָשָׂה כֶּרֶם.

[כו] וִיהִי כְנַעַן עֶבֶד לָמוֹ. פֵּרַשׁ רַבִּי אַבְרָהָם כִּי ״לָמוֹ״ שֶׁיִּהְיֶה כְּנַעַן עֶבֶד לֵאלֹהִים וּלְשֵׁם[78], כִּי הוּא[79] יַכְרִיחֶנּוּ לַעֲבֹד הָאֵל[80]. וּבַשֵּׁנִי [פסוק כז] פֵּרַשׁ שֶׁיִּהְיֶה עֶבֶד לְיֶפֶת וּלְשֵׁם[81].

RAMBAN ELUCIDATED

הַמְיֻחָד בַּעֲבוֹדָתוֹ – And, *a man of God* (*Deuteronomy* 33:1, *I Kings* 12:22, etc.), **is someone who is devoted to His service. וְכָךְ אָמְרוּ בִּבְרֵאשִׁית רַבָּה – They say this in *Bereishis Rabbah*** (36:3) as well: **אִישׁ הָאֲדָמָה, בּוּרְגָר לְשֵׁם בּוּרְגָרוּת – *"The man of the earth* – [Noah** was**] a farmer for the sake of farming." וְאָמְרוּ שֶׁהָיָה לָהוּט אַחַר הָאֲדָמָה – They** also **said** (ibid.) **that [Noah] was "impassioned about the earth." וְהִנֵּה הוּא יִחוּס – So you see** that according to the Midrash [**אִישׁ**] **is** understood to mean **"having a** dedicated **relationship to ..."**

[Ramban now turns to the word וַיָּחֶל, at the beginning of the verse[76]:]

וְטַעַם "וַיָּחֶל", כִּי הוּא הֵחֵל לִנְטֹעַ כְּרָמִים – The meaning of וַיָּחֶל is that he *began* to plant vineyards, i.e., he was the first to plant a vineyard. **כִּי הָרִאשׁוֹנִים נָטְעוּ גֶּפֶן – For the ancients** before him **had planted** only single **grapevines, וְהוּא הֵחֵל לִנְטֹעַ גְּפָנִים רַבִּים שׁוּרוֹת שׁוּרוֹת הַנִּקְרָא "כֶּרֶם" – but he began** the practice of **planting many vines row upon row,** creating a place **that is called a vineyard.**[77] **כִּי בִּרְצוֹתוֹ בַּיַּיִן לֹא נָטַע הַגֶּפֶן כִּשְׁאָר הָאִילָנוֹת, וְעָשָׂה כֶּרֶם – For, as a result of his desire for wine, he did not plant the vines** separately, **as** one plants **other trees; rather, he made a** whole **vineyard.**

26. וִיהִי כְנַעַן עֶבֶד לָמוֹ – ***AND LET CANAAN BE A SLAVE TO THEM.***

[To whom does לָמוֹ, *to them* (plural), refer? Also, why is this phrase repeated in v. 27? Ramban begins with Ibn Ezra's approach:]

פֵּרַשׁ רַבִּי אַבְרָהָם כִּי "לָמוֹ" שֶׁיִּהְיֶה כְּנַעַן עֶבֶד לֵאלֹהִים וּלְשֵׁם – Rabbi Avraham Ibn Ezra **explains that *to them* means that Canaan was to be a slave to God and to Shem.**[78] **כִּי הוּא יַכְרִיחֶנּוּ לַעֲבֹד הָאֵל – That is, [Shem]**[79] **would force [Canaan] to serve God.**[80] **וּבַשֵּׁנִי פֵּרַשׁ שֶׁיִּהְיֶה עֶבֶד לְיֶפֶת וּלְשֵׁם –** As for **the second** occurrence of this phrase, in v. 27, **he explains** *them* **to mean that [Canaan] should be a slave to Japheth and Shem.**[81]

---

76. Ramban apparently discusses this word here (rather than earlier in the verse) because his interpretation of the word reflects the interpretation of אִישׁ הָאֲדָמָה that he has just provided.

77. [For halachic purposes, a group of vines is not called a "vineyard" unless it has at least two rows (see *Kilayim* 4:6).]

78. For they are the subjects of this verse.

79. Our editions of Ibn Ezra have the opposite: "that [God] would force [Canaan] to serve Shem." However, Ramban's presentation is found in the "Other Version" (שִׁיטָה אַחֶרֶת) of Ibn Ezra.

80. According to Ibn Ezra, it is a curse to serve God out of coercion, rather than of one's own free will ("Other Version" of Ibn Ezra).

81. For they are the subjects of v. 27.

כז יַפְתְּ אֱלֹהִים֙ לְיֶ֔פֶת וְיִשְׁכֹּ֖ן בְּאָֽהֳלֵי־שֵׁ֑ם וִיהִ֥י
כח כְנַ֖עַן עֶ֥בֶד לָֽמוֹ׃ וַֽיְחִי־נֹ֖חַ אַחַ֣ר הַמַּבּ֑וּל שְׁלֹ֤שׁ
כט מֵאוֹת֙ שָׁנָ֔ה וַחֲמִשִּׁ֖ים שָׁנָֽה׃ וַֽיְהִי֙ כָּל־יְמֵי־נֹ֔חַ
תְּשַׁ֤ע מֵאוֹת֙ שָׁנָ֔ה וַחֲמִשִּׁ֖ים שָׁנָ֑ה וַיָּמֹֽת׃ פ

כז יַפְתֵּי יְיָ לְיֶפֶת וְיַשְׁרֵי שְׁכִינְתֵּהּ בְּמַשְׁכְּנֵהּ דְּשֵׁם וִיהֵי כְנַעַן עַבְדָּא לְהוֹן׃ כח וַחֲיָא נֹחַ בָּתַר טוֹפָנָא תְּלַת מְאָה וְחַמְשִׁין שְׁנִין׃ כט וַהֲווֹ כָּל יוֹמֵי נֹחַ תְּשַׁע מְאָה וְחַמְשִׁין שְׁנִין וּמִית׃

רש"י

(כז) יפת אלהים ליפת. מתורגם יפתי, ירחיב (אונקלוס דברים יב:כ): **וישכן באהלי שם.** ישרה שכינתו בישראל (אונקלוס). ומדרש חכמים, אע"פ שיפת אלהים ליפת, שבנה כורש שהיה מבני יפת בית שני, לא שרתה בו שכינה, והיכן שרתה, במקדש ראשון שבנה שלמה שהיה מבני שם (יומא י.): **ויהי כנען עבד למו.** אף משיגלו בני שם ימכרו להם עבדים מבני כנען:

רמב"ן

וְאִם כֵּן נֹחַ "לָקֹב אוֹיְבָיו בָּא, וְהִנֵּה בֵּרְכָם בָּרֵךְ"[82], שֶׁיִּהְיֶה כְּנַעַן עֶבֶד לֵאלֹהִים[83].

וְרַשִׁ"י כָּתַב: "בָּרוּךְ ה' אֱלֹהֵי שֵׁם", שֶׁעָתִיד לִשְׁמוֹר הַבְטָחָתוֹ לְזַרְעוֹ שֶׁל שֵׁם[84] לָתֵת לָהֶם אֶרֶץ כְּנַעַן, וִיהִי לָהֶם כְּנַעַן לְמַס עוֹבֵד.

וְהֶחֱזִיר כֵּן פַּעַם אַחֶרֶת [בפסוק כז], לוֹמַר: אַף מִשֶּׁיִּגְלוּ בְּנֵי שֵׁם יִמָּכְרוּ לָהֶם עֲבָדִים מִבְּנֵי כְּנַעַן.

וְהַנָּכוֹן בְּעֵינַי, כִּי מִתְּחִלָּה קִלֵּל אוֹתוֹ שֶׁיִּהְיֶה עֶבֶד עֲבָדִים לְכָל הָעוֹלָם וְהָיָה "כָּל מוֹצְאוֹ"[85] יַעֲבֹד בּוֹ. כִּי טַעַם "לְאֶחָיו" - לְכָל בְּנֵי אָדָם[86], כְּעִנְיַן "וַאֲשַׁלַּח אֶת כָּל הָאָדָם אִישׁ בְּאָחִיו" [זכריה ח, י][87], כְּטַעַם אִישׁ בְּאִישׁ.

RAMBAN ELUCIDATED

[Ramban disputes Ibn Ezra's interpretation:]

וְאִם כֵּן נֹחַ לָקֹב אוֹיְבָיו בָּא וְהִנֵּה בֵּרְכָם בָּרֵךְ – If this is so, however, **Noah had set out to "curse his enemies, but behold, he blessed them"**[82] instead, **שֶׁיִּהְיֶה כְּנַעַן עֶבֶד לֵאלֹהִים – in that Canaan would be a servant to God!**[83]

[Ramban now cites Rashi's explanation of *to them,* and the repeated phrase in v. 27:]

וְרַשִׁ"י כָּתַב – Rashi writes:

"בָּרוּךְ ה' אֱלֹהֵי שֵׁם", שֶׁעָתִיד לִשְׁמוֹר הַבְטָחָתוֹ לְזַרְעוֹ שֶׁל שֵׁם לָתֵת לָהֶם אֶרֶץ כְּנַעַן – ***Blessed is Hashem, the God of Shem*** **– Who is destined to keep His promise to Shem's offspring**[84] **to give them the Land of Canaan. וִיהִי לָהֶם כְּנַעַן לְמַס עוֹבֵד –** ***And Canaan shall be to them*** **as a supplier of forced labor. וְהֶחֱזִיר כֵּן פַּעַם אַחֶרֶת – [Scripture] repeats it once again (v. 27),** according to Rashi, **לוֹמַר אַף מִשֶּׁיִּגְלוּ בְּנֵי שֵׁם יִמָּכְרוּ לָהֶם עֲבָדִים מִבְּנֵי כְנַעַן** – in order **to say that, "Even after the children of Shem will be exiled, slaves will be sold to them from the children of Canaan."**

[Ramban now presents his own opinion:]

וְהַנָּכוֹן בְּעֵינַי – The interpretation **that is most satisfactory in my view is כִּי מִתְּחִלָּה קִלֵּל אוֹתוֹ שֶׁיִּהְיֶה עֶבֶד עֲבָדִים לְכָל הָעוֹלָם – that at first** (in v. 25) **[Noah] cursed [Ham] that he would be a slave of slaves to the entire world, וְהָיָה כָּל מוֹצְאוֹ יַעֲבֹד בּוֹ** – and "whoever finds him"[85] **would enslave him. כִּי טַעַם "לְאֶחָיו" לְכָל בְּנֵי אָדָם – For the meaning of** the word לְאֶחָיו in this verse **is "to all people,"**[86] **כְּעִנְיַן "וַאֲשַׁלַּח אֶת כָּל הָאָדָם אִישׁ בְּאָחִיו" – similar to** the word בְּאָחִיו in the verse, ***I set everyone, each man against his brother*** [בְּאָחִיו][87] (*Zechariah* 8:10), **כְּטַעַם אִישׁ בְּאִישׁ** – **which** actually **means,** ***each man against his fellowman.***

---

82. Stylistic citation from *Numbers* 23:11.

83. Being a servant of God – even under coercion – is surely not a curse, but a blessing!

84. I.e., לָמוֹ, *to them* (in the plural), refers to Shem's descendants, viz., Canaan will be a slave to Shem's descendants.

85. Stylistic citation of above, 4:14.

86. לְאֶחָיו here cannot be taken literally (as "brothers") because, as Ramban explained in his comment on v. 18, Canaan did not as yet have any brothers.

87. [The verse in *Zechariah* actually reads: וַאֲשַׁלַּח אֶת כָּל הָאָדָם אִישׁ בְּרֵעֵהוּ. Some present-day editions of Ramban have therefore corrected בְּאָחִיו to read בְּרֵעֵהוּ. However, this renders Ramban's text unintelligible. *Zichron Yitzchak* suggests that Ramban possibly intended: חֶרֶב אִישׁ בְּאָחִיו תִּהְיֶה, *each man's sword will be against his "brothers"* (*Ezekiel* 38:21).]

27 "May God extend Japheth, but he will dwell in the tents of Shem; may Canaan be a slave to them."
28 Noah lived after the Flood three hundred fifty years. 29 And all the days of Noah were nine hundred fifty years; and he died.

רמב״ן

אוֹ ״לְאֶחָיו״ שֵׁם וְיֶפֶת, כִּי אַחֵי אָבִיו יִקָּרְאוּ אֶחָיו, כְּטַעַם ״כִּי נִשְׁבָּה אָחִיו״ [להלן יד, יד][88]. וְיֵשׁ אוֹמְרִים[89] ״לְאֶחָיו״ בְּנֵי אָבִיו[90], כִּי אַחֲרֵי הֱיוֹתוֹ עֶבֶד לִבְנֵי אָבִיו [פסוק כה] וּלְשֵׁם וְיֶפֶת [פסוקים כו וכז] - הִנֵּה הוּא עֶבֶד לְכָל הָעוֹלָם[91].

וּבֵרַךְ תְּחִלָּה אֱלֹהֵי שֵׁם, הוֹדִיעוֹ כִּי יִהְיֶה שֵׁם עוֹבֵד הָאֱלֹהִים[92], וּכְנַעַן יִהְיֶה עוֹבֵד לוֹ[93]. וְ״לָמוֹ״ יִרְמוֹז לְזַרְעוֹ שֶׁל שֵׁם שֶׁהֵם רַבִּים[94]. וְיִתָּכֵן שֶׁיִּהְיֶה ״לָמוֹ״ חוֹזֵר גַּם לְאֶחָיו הַנִּזְכָּרִים[95].

וְחָזַר וּבֵרַךְ יֶפֶת בְּהַרְחָבַת הַגְּבוּל, וְשֵׁם בִּשְׁכֹּן הָאֱלֹהִים בְּאָהֳלָיו, וְשֶׁיִּהְיֶה כְּנַעַן עֶבֶד לָמוֹ לִשְׁנֵיהֶם. וְהִנֵּה הֶעֱבִיד כְּנַעַן לְשֵׁם שְׁנֵי פְּעָמִים[96], רָמַז כִּי הוּא יִנְחַל אַרְצוֹ וְכָל אֲשֶׁר לוֹ, כִּי מַה שֶּׁקָּנָה עֶבֶד קָנָה רַבּוֹ[97].

RAMBAN ELUCIDATED

אוֹ ״לְאֶחָיו״ שֵׁם וְיֶפֶת – **Alternatively, *to his brothers*** means, *to* ***Shem and Japheth,*** **כִּי אַחֵי אָבִיו יִקָּרְאוּ אֶחָיו** – for one's **father's brothers are** also **called his "brothers,"** **כְּטַעַם ״כִּי נִשְׁבָּה אָחִיו״** – as **in, *his brother was taken captive*** (below, 14:14), where Abraham's nephew Lot is referred to as "his brother."[88] **וְיֵשׁ אוֹמְרִים ״לְאֶחָיו״ בְּנֵי אָבִיו** – However, **there are those who say**[89] that ***to his brothers*** means **his father's children** – Cush, Mizraim and Put – who were his brothers in the usual sense of the word.[90] **כִּי אַחֲרֵי הֱיוֹתוֹ עֶבֶד לִבְנֵי אָבִיו וּלְשֵׁם וְיֶפֶת הִנֵּה הוּא עֶבֶד לְכָל הָעוֹלָם** – Now, **since he was a slave to the sons of his father** (v. 25) **and to Shem and Japheth** (vv. 26-27), **he was thus**, in effect, **a slave to the entire world.**[91]

וּבֵרַךְ תְּחִלָּה אֱלֹהֵי שֵׁם – **Then** Noah turned to giving blessings. **He initially blessed *the God of Shem,*** **הוֹדִיעוֹ כִּי יִהְיֶה שֵׁם עוֹבֵד הָאֱלֹהִים** – **declaring that Shem would serve God,**[92] **וּכְנַעַן יִהְיֶה עוֹבֵד לוֹ** – **while Canaan would serve [Shem].**[93] **וְ״לָמוֹ״ יִרְמוֹז לְזַרְעוֹ שֶׁל שֵׁם שֶׁהֵם רַבִּים** – As for the plural use of ***to them,*** **it alludes to the descendants of Shem, who were many.**[94] **וְיִתָּכֵן שֶׁיִּהְיֶה ״לָמוֹ״ חוֹזֵר גַּם לְאֶחָיו הַנִּזְכָּרִים** – It is also **possible that *to them* refers back to *his brothers* mentioned** in the previous verse.[95]

וְחָזַר וּבֵרַךְ יֶפֶת בְּהַרְחָבַת הַגְּבוּל – **He then blessed Japheth with the expansion of his borders,** **וְשֵׁם בִּשְׁכֹּן הָאֱלֹהִים בְּאָהֳלָיו** – **and** blessed **Shem with God's dwelling in his tents,** **וְשֶׁיִּהְיֶה כְּנַעַן עֶבֶד לָמוֹ לִשְׁנֵיהֶם** – **and** mentioned **that Canaan would be *a slave to them*** – **meaning to both of them.** **וְהִנֵּה הֶעֱבִיד כְּנַעַן לְשֵׁם שְׁנֵי פְּעָמִים** – **Thus, he made Canaan a slave to Shem twice,**[96] **רָמַז כִּי הוּא יִנְחַל אַרְצוֹ וְכָל אֲשֶׁר לוֹ** – thereby **intimating that [Shem] would inherit [Canaan's] land and all his possessions,** **כִּי מַה שֶּׁקָּנָה עֶבֶד קָנָה רַבּוֹ** – **for whatever a slave acquires** automatically **belongs to his master.**[97]

88. This demonstrates that uncles and nephews can be referred to as "brothers."

89. Ibn Ezra.

90. Ibn Ezra's interpretation is consistent with his opinion that Canaan was the youngest son of Ham, and he thus had brothers when this incident happened. Ramban, however, maintains that Canaan did not have any brothers at this time.

91. For there are no other people in the world but the descendants of Shem, Japheth and Ham's sons.

92. When Noah said, *Blessed is* HASHEM, **the God of Shem**, it was more a blessing to Shem than to God: Shem would merit serving God faithfully. Thus, according to Ramban, in vv. 25-27 Noah is bestowing an appropriate wish to each one of his sons: *Ham shall be cursed ... Shem shall be blessed ... Japheth shall be blessed.*

93. While Shem would merit being a servant of God, Canaan would be a slave to mortals.

94. This is the same approach taken by Rashi.

95. This would also account for the use of the plural.

96. For according to Ramban, the word לָמוֹ in vv. 26 and 27 both refer to Shem.

97. Consequently, Canaan would be doubly enslaved to Shem: (a) He would have to work for Shem, and (b) even if he were to work for himself, his profits and acquisitions would belong to Shem.

י
א וְאֵלֶּה תּוֹלְדֹת בְּנֵי־נֹחַ שֵׁם חָם וָיָפֶת וַיִּוָּלְדוּ
ב לָהֶם בָּנִים אַחַר הַמַּבּוּל: בְּנֵי יֶפֶת גֹּמֶר
ג וּמָגוֹג וּמָדַי וְיָוָן וְתֻבָל וּמֶשֶׁךְ וְתִירָס: וּבְנֵי
ד גֹּמֶר אַשְׁכְּנַז וְרִיפַת וְתֹגַרְמָה: וּבְנֵי יָוָן
ה אֱלִישָׁה וְתַרְשִׁישׁ כִּתִּים וְדֹדָנִים: מֵאֵלֶּה
נִפְרְדוּ אִיֵּי הַגּוֹיִם בְּאַרְצֹתָם אִישׁ לִלְשֹׁנוֹ

א וְאִלֵּין תּוּלְדַת בְּנֵי נֹחַ שֵׁם חָם וָיָפֶת וְאִתְיְלִידוּ לְהוֹן בְּנִין בָּתַר טוֹפָנָא: ב בְּנֵי יֶפֶת גֹּמֶר וּמָגוֹג וּמָדַי וְיָוָן וְתוּבָל וּמֶשֶׁךְ וְתִירָס: ג וּבְנֵי גֹּמֶר אַשְׁכְּנַז וְרִיפַת וְתוֹגַרְמָה: ד וּבְנֵי יָוָן אֱלִישָׁה וְתַרְשִׁישׁ כִּתִּים וְדֹדָנִים: ה מֵאִלֵּין אִתְפָּרְשׁוּ נַגְוָת עַמְמַיָּא בְּאַרְעֲהוֹן גְּבַר לְלִישָּׁנֵהּ

רש״י

(ב) ותירס. זו פרס (שם):

רמב״ן

וְנִכְתְּבָה זאת הַפָּרָשָׁה, לְהוֹדִיעַ כִּי בְּחֶטְאוֹ הָיָה כְּנַעַן עֶבֶד עוֹלָם, וְזָכָה אַבְרָהָם[98] בְּאַרְצוֹ. וְנִכְתַּב עִנְיַן הַיַּיִן בְּנֹחַ[98a], כִּי יֵשׁ בּוֹ אַזְהָרָה מִמֶּנּוּ יוֹתֵר מִפָּרָשַׁת נְזִירוּת [במדבר פרק ו][99]. כִּי הַצַּדִּיק תָּמִים, אֲשֶׁר צִדְקוֹ הִצִּיל כָּל הָעוֹלָם - גַּם אוֹתוֹ הֶחֱטִיא הַיַּיִן, וְהֵבִיא אוֹתוֹ לִידֵי בִּזָּיוֹן וְקִלְלַת זַרְעוֹ.

[א] וְטַעַם **וַיִּוָּלְדוּ לָהֶם בָּנִים אַחַר הַמַּבּוּל**, לִרְמוֹז כִּי אַף עַל פִּי שֶׁהָיוּ רְאוּיִם לְבָנִים קוֹדֶם הַמַּבּוּל - כִּי דֶּרֶךְ הַדּוֹרוֹת הָהֵם לְהוֹלִיד כִּבְנֵי שִׁשִּׁים[1] - אֵלּוּ לֹא נוֹלְדוּ לָהֶם גַּם לְמֵאָה, רַק אַחַר הַמַּבּוּל[2]. כִּי כָּבַשׁ הַשֵּׁם אֶת

RAMBAN ELUCIDATED

[Ramban now discusses the Torah's reason for recording this incident:]

וְנִכְתְּבָה זאת הַפָּרָשָׁה לְהוֹדִיעַ כִּי בְּחֶטְאוֹ הָיָה כְּנַעַן עֶבֶד עוֹלָם – This section was written to inform us **that it was as a result of [Ham's] sin that Canaan became an eternal** slave **וְזָכָה אַבְרָהָם בְּאַרְצוֹ –** and **Abraham[98] acquired the rights to his land. וְנִכְתַּב עִנְיַן הַיַּיִן בְּנֹחַ כִּי יֵשׁ בּוֹ אַזְהָרָה מִמֶּנּוּ יוֹתֵר מִפָּרָשַׁת נְזִירוּת – And the matter of the wine, with regard to Noah,[98a]** was written because it contains a warning against the evils of **[wine]**, a warning **even greater than the section of Nazirite laws** (*Numbers* Chap 6).[99] **כִּי הַצַּדִּיק תָּמִים אֲשֶׁר צִדְקוֹ הִצִּיל כָּל הָעוֹלָם – For this perfectly righteous man** (Noah), **whose righteousness** was enough to **save the entire world – גַּם אוֹתוֹ הֶחֱטִיא הַיַּיִן – even he was brought to sin by wine וְהֵבִיא אוֹתוֹ לִידֵי בִּזָּיוֹן וְקִלְלַת זַרְעוֹ – and it brought him to debasement and to** the point of **cursing his offspring.**

10.

1. [וַיִּוָּלְדוּ לָהֶם בָּנִים אַחַר הַמַּבּוּל – *SONS WERE BORN TO THEM AFTER THE FLOOD.*]

[Ramban explains why the verse points out that these sons were born after the Flood:]

וְטַעַם "וַיִּוָּלְדוּ לָהֶם בָּנִים אַחַר הַמַּבּוּל" – The reason Scripture writes, ***sons were born to them "after the Flood"*** **לִרְמוֹז כִּי אַף עַל פִּי שֶׁהָיוּ רְאוּיִם לְבָנִים קוֹדֶם הַמַּבּוּל – is to intimate that although they were capable of having children before the Flood – כִּי דֶּרֶךְ הַדּוֹרוֹת הָהֵם לְהוֹלִיד כִּבְנֵי שִׁשִּׁים – for it was common in those generations to have children at about the age of sixty**[1] **– אֵלּוּ לֹא נוֹלְדוּ לָהֶם גַּם לְמֵאָה רַק אַחַר הַמַּבּוּל –** nevertheless, **these** sons of Noah **did not have children born to them** before the Flood, **even at the age of a hundred, but only after the Flood.**[2] **כִּי כָּבַשׁ הַשֵּׁם אֶת**

98. Who was a descendant of Shem.

98a. It seemingly would have been sufficient to begin that narrative with the shame of Noah (*Pnei Yerushalayim*).

99. "Why was the section of the Nazirite (who abstains from wine) juxtaposed to the section of the unfaithful wife? To teach you that whoever sees an unfaithful wife suffering the consequences of her sin should vow to abstain from wine. For *Promiscuity, wine and fresh wine capture the heart* (*Hoshea* 4:11)" – Ramban on *Numbers* 5:6, based on *Sotah* 2a.

1. Beginning with Kenan, who was seven generations before Noah, the ages of men begetting their first children were: 70, 65, 162, 65. With Noah's grandfather Methuselah, the ages increase suddenly to 187, 182, and 500 for Noah himself.

2. As our verse states, Shem, Ham and Japheth begot children only *after the Flood*. By then they were at least one hundred years old, as follows: *Noah was five hundred years old* when they were born (above, 5:32), while the Flood began one hundred years later, *In the sixth hundredth year of Noah's life* (above, 7:11).

10 [1] *These are the descendants of the sons of Noah: Shem, Ham
and Japheth; sons were born to them after the Flood.*
[2] *The sons of Japheth: Gomer, Magog, Madai, Javan, Tubal,
Meshech and Tiras.* [3] *The sons of Gomer: Ashkenaz, Riphath
and Togarmah.* [4] *The sons of Javan: Elishah and Tarshish, the
Kittim and the Dodanim.* [5] *From these the islands of the nations
were separated in their lands — each according to its language,*

רמב״ן

מַעְיָנָם שֶׁלֹּא יוֹלִידוּ וְיֹאבְדוּ בַּמַּבּוּל, אוֹ שֶׁיִּצְטָרֵךְ לְהַצִּיל רַבִּים בַּתֵּיבָה. וְכֵן עָשָׂה לְכָל הַמִּשְׁפָּחָה הַזֹּאת, כִּי לֶמֶךְ נִתְאַחֵר בְּתוֹלְדוֹת נֹחַ יוֹתֵר מִכִּפְלַיִם בַּאֲבוֹתָיו[3], וְנֹחַ הַרְבֵּה מְאֹד[4]. וּכְבָר הוּזְכַּר זֶה בְּפֵירוּשׁ רַשִׁ״י, [לעיל ה, לב] מִבְּרֵאשִׁית רַבָּה [כו, ב].

[ב] **בְּנֵי יֶפֶת גֹּמֶר**[5]. הֵחֵל מִמֶּנּוּ כִּי הוּא הַבְּכוֹר, וְנָתַן אַחֲרָיו חָם[6], כִּי רָצָה לְאַחֵר תּוֹלֶדֶת שֵׁם, לְקָרֵב שְׁתֵּי הַפָּרְשִׁיּוֹת בְּתוֹלְדוֹתָיו[7], כִּי יֵשׁ לְהַאֲרִיךְ בְּתוֹלְדוֹת אַבְרָהָם[8].

[ה] וְטַעַם **מֵאֵלֶּה נִפְרְדוּ אִיֵּי הַגּוֹיִם בְּאַרְצֹתָם**, כִּי בְנֵי יֶפֶת יוֹשְׁבֵי אִיֵּי הַיָּם, וְהֵם נִפְרָדִים לְבַדּוֹ:

RAMBAN ELUCIDATED

מַעְיָנָם שֶׁלֹּא יוֹלִידוּ וְיֹאבְדוּ בַּמַּבּוּל – **For God "suppressed their founts"** – i.e., He prevented them from having children – **so that they would not beget children who would perish in the Flood,** **אוֹ שֶׁיִּצְטָרֵךְ לְהַצִּיל רַבִּים בַּתֵּיבָה** – **or who would require Him to save many** people **in the Ark.** **וְכֵן עָשָׂה לְכָל הַמִּשְׁפָּחָה הַזֹּאת** – In fact, **He did this to this entire family,** even before Shem, Ham and Japheth, **כִּי לֶמֶךְ נִתְאַחֵר בְּתוֹלְדוֹת נֹחַ יוֹתֵר מִכִּפְלַיִם בַּאֲבוֹתָיו** – **for Lamech** [Noah's father] **was late in begetting Noah,** being **more than twice** the age **of his forefathers** when they fathered children,[3] **וְנֹחַ הַרְבֵּה מְאֹד** – **and Noah** was also late in begetting children by **very many years.**[4] **וּכְבָר הוּזְכַּר זֶה בְּפֵירוּשׁ רַשִׁ״י, מִבְּרֵאשִׁית רַבָּה** – **This** idea **is already mentioned in Rashi's commentary** (above, on 5:32), citing **from *Bereishis Rabbah*** (26:2).

2. בְּנֵי יֶפֶת גֹּמֶר – ***THE SONS OF JAPHETH: GOMER.***

[The Torah lists the descendants of Japheth, Ham and Shem in that order. Ramban explains why the Torah chose this order:[5]]

הֵחֵל מִמֶּנּוּ כִּי הוּא הַבְּכוֹר – **[Scripture] begins with him [Japheth] because he was the firstborn** of Noah's three sons. **וְנָתַן אַחֲרָיו חָם** – **It then gives** the genealogy of **Ham after [Japheth]**, though Ham was the youngest son,[6] **כִּי רָצָה לְאַחֵר תּוֹלֶדֶת שֵׁם** – **for it wanted to postpone** giving the account of **the descendants of Shem,** **לְקָרֵב שְׁתֵּי הַפָּרְשִׁיּוֹת בְּתוֹלְדוֹתָיו** – **in order to bring the two sections** that speak **of [Shem's] descendants close to each other,**[7] **כִּי יֵשׁ לְהַאֲרִיךְ בְּתוֹלְדוֹת אַבְרָהָם** – **for it is necessary to elaborate about Abraham's offspring.**[8]

5. [מֵאֵלֶּה נִפְרְדוּ אִיֵּי הַגּוֹיִם בְּאַרְצֹתָם – ***FROM THESE THE ISLANDS OF THE NATIONS WERE SEPARATED IN THEIR LANDS.***]

[What is the significance of the fact that they were *separated*? Ramban explains:]

וְטַעַם "מֵאֵלֶּה נִפְרְדוּ אִיֵּי הַגּוֹיִם בְּאַרְצֹתָם" – **The explanation of** the phrase ***From these the islands of the nations were separated in their lands*** **כִּי בְנֵי יֶפֶת יוֹשְׁבֵי אִיֵּי הַיָּם** – **is that the children of Japheth were inhabitants of the islands of the sea,** **וְהֵם נִפְרָדִים לְבַדּוֹ** – **and they were *separated*** from one another

3. Lamech's grandfather, Enoch, was 65 when he begot his first son (above, 5:21); while Lamech was 182 at the time of his son's birth (ibid. v. 28).

4. See footnote 1.

5. The difficulty with this order is that it follows neither the Torah's usual order of Shem, Ham and Japeth (above, 5:32; 6:10; 7:13; 9:18) nor the order of their birth – Japheth, Shem and Ham (according to Ramban above, 6:10).

6. See Ramban above, 9:18.

7. The Torah lists the descendants of Shem in vv. 21-32 and again below, in 11:10-27. The second list leads directly into the story of Abraham (ibid. vv. 28-32) who was a descendant of Shem.

8. The Torah chose this order so that it could lead directly into Abraham's story and then elaborate upon

ו לְמִשְׁפְּחֹתָם בְּגוֹיֵהֶם: וּבְנֵי חָם כּוּשׁ וּמִצְרַיִם
ז וּפוּט וּכְנָעַן: וּבְנֵי כוּשׁ סְבָא וַחֲוִילָה וְסַבְתָּה
וְרַעְמָה וְסַבְתְּכָא וּבְנֵי רַעְמָה שְׁבָא וּדְדָן:

לְזַרְעְיָתְהוֹן בְּעַמְמֵיהוֹן: ו וּבְנֵי חָם כּוּשׁ וּמִצְרַיִם וּפוּט וּכְנָעַן: ז וּבְנֵי כוּשׁ סְבָא וַחֲוִילָה וְסַבְתָּה וְרַעְמָה וְסַבְתְּכָא וּבְנֵי רַעְמָה שְׁבָא וּדְדָן:

רמב״ן

כָּל אֶחָד מִבָּנָיו בְּאִי אַחֵר יוֹשֵׁב, וְאַרְצוֹתָם רְחוֹקוֹת זוּ מִזּוּ. וְהִיא בִּרְכַּת אֲבִיהֶם שֶׁאָמַר [לעיל ט, כז]: ״יַפְתְּ אֱלֹהִים לְיֶפֶת״, שֶׁיִּהְיוּ רַבִּים בְּמֶרְחֲבֵי אֶרֶץ. אֲבָל בְּנֵי חָם כֻּלָּם קְרוֹבִים, יוֹשְׁבֵי הָאֲרָצוֹת. וְלָכֵן אָמַר [לקמן פסוק יט]: ״וַיְהִי גְּבוּל הַכְּנַעֲנִי מִצִּידֹן וְגוֹ׳ [י, יט]״, וְאָמַר [לקמן פסוק כ]: ״בְּאַרְצֹתָם בְּגוֹיֵהֶם [י, כ]״, וְכֵן בִּבְנֵי שֵׁם [י, לא][9].

וְסִפֵּר הַכָּתוּב כָּל אֵלֶּה, כִּי רָצָה לְהוֹדִיעַ יִחוּס אַבְרָהָם מִשֵּׁם, וְתוֹלְדוֹת חָם, לְהוֹדִיעַ הָעַמִּים שֶׁזָּכָה אַבְרָהָם בְּאַרְצָם בַּעֲוֹן אֲבוֹתָם. וְלָכֵן סִפֵּר גַּם בְּיֶפֶת[10]. וְהַפַּלָּגָה, לְהוֹדִיעַ סִבַּת שִׁנּוּי הַלְּשׁוֹנוֹת וּפִזּוּרָם בְּקַצְוֵי הָאָרֶץ לִזְמַן מוּעָט אַחֲרֵי אָדָם הָרִאשׁוֹן. וְעוֹד, לְהוֹדִיעַ חַסְדֵי הַשֵּׁם וְשָׁמְרוֹ הַבְּרִית לְנֹחַ, כִּי לֹא כִּלָּה אוֹתָם[11].

וְהָרַב אָמַר בַּמּוֹרֶה הַנְּבוּכִים [ג, נ] כִּי זֶה יְאַמֵּת לַשּׁוֹמְעִים חִדּוּשׁ הָעוֹלָם[12]. וְגַם זֶה אֱמֶת[13], כִּי אַבְרָהָם

RAMBAN ELUCIDATED

each **on its own:** כָּל אֶחָד מִבָּנָיו בְּאִי אַחֵר יוֹשֵׁב – **each one of [Japheth's] sons** settled **on a different island,** forming a nation לְבַדּוֹ, *living* on its own, וְאַרְצוֹתָם רְחוֹקוֹת זוּ מִזּוּ – **and their lands were distant from one another.** וְהִיא בִּרְכַּת אֲבִיהֶם שֶׁאָמַר: ״יַפְתְּ אֱלֹהִים לְיֶפֶת״ – **This was the** fulfillment of **the blessing of their father, who had said,** ***May God extend Japheth*** – שֶׁיִּהְיוּ רַבִּים בְּמֶרְחֲבֵי אָרֶץ – meaning **that they would be numerous,** scattered **throughout the expanses of the world.** אֲבָל בְּנֵי חָם כֻּלָּם קְרוֹבִים יוֹשְׁבֵי הָאֲרָצוֹת – **But the sons of Ham,** in contrast, **were all near one another** and **inhabitants of** ***lands*** (as opposed to far-flung islands). וְלָכֵן אָמַר ״וַיְהִי גְּבוּל הַכְּנַעֲנִי מִצִּידֹן וְגוֹ׳ ״ – **Therefore [Scripture] says,** ***The Canaanite boundary extended from Zidon,*** **etc.** (10:19), describing a single, contiguous territory. וְאָמַר ״בְּאַרְצֹתָם בְּגוֹיֵהֶם״ – **And it says** also in regard to the children of Ham, ***in their lands, by their nations*** (10:20), but it does not say that they were "separated." וְכֵן בִּבְנֵי שֵׁם – **And likewise, in regard to the children of Shem,** it says, *in their lands, by their nations* (10:31).[9]

[Ramban now discusses why the Torah recorded the genealogies of Noah's sons and why it recounted the story of the Tower of Babel:]

וְסִפֵּר הַכָּתוּב כָּל אֵלֶּה, כִּי רָצָה לְהוֹדִיעַ יִחוּס אַבְרָהָם מִשֵּׁם – **Scripture recounted all these** details **because it wanted to inform** us **of Abraham's lineage from Shem,** וְתוֹלְדוֹת חָם, לְהוֹדִיעַ הָעַמִּים שֶׁזָּכָה אַבְרָהָם בְּאַרְצָם בַּעֲוֹן אֲבוֹתָם – **and** then it recorded **the genealogy of Ham to inform** us of **the nations whose lands Abraham acquired, due to the sins of their forefathers.** וְלָכֵן סִפֵּר גַּם בְּיֶפֶת – **It therefore also related** the genealogy **of Japheth.**[10] וְהַפַּלָּגָה, לְהוֹדִיעַ סִבַּת שִׁנּוּי הַלְּשׁוֹנוֹת וּפִזּוּרָם בְּקַצְוֵי הָאָרֶץ לִזְמַן מוּעָט אַחֲרֵי אָדָם הָרִאשׁוֹן – As for **the** story of the **Dispersion,** it was written in order **to inform** us **of the cause for the variations in the languages** of the world **and** the cause of **[people's] scattering to the ends of the earth** with**in a short time after Adam, the first** man. וְעוֹד לְהוֹדִיעַ חַסְדֵי הַשֵּׁם וְשָׁמְרוֹ הַבְּרִית לְנֹחַ, כִּי לֹא כִּלָּה אוֹתָם – **Furthermore,** it is **to inform us of the kindness of God, and of His keeping of the covenant** that he had established **with Noah, for He did not annihilate them,**[11] but, instead, punished them by other means.

[Ramban presents another reason why the Torah recounts the genealogies of Noah's sons and the story of the Tower of Babel:]

וְהָרַב אָמַר בְּמוֹרֶה הַנְּבוּכִים – **The Rabbi** (Rambam) **says in** ***Moreh Nevuchim*** (III, 50) כִּי זֶה יְאַמֵּת לַשּׁוֹמְעִים חִדּוּשׁ הָעוֹלָם – **that [the story of the Dispersion] reinforces the truth, in those that hear**

it. Otherwise, it would have had to mention Abraham briefly at the end of Shem's genealogy, continue with Ham's and then return to Abraham.

9. Thus, Shem's descendants, as well, all lived in one general area.

10. I.e., the Torah only recorded Japheth's genealogy for the sake of completeness: having described the descendants of Shem and Ham, the Torah does so for Japheth as well.

11. God did not annihilate the Generation of the Dispersion, despite their communal sin, because of His oath to Noah.

by their families, in their nations. 6 *The sons of Ham: Cush, Mizraim, Put and Canaan.* 7 *The sons of Cush: Seba, Havilah, Sabtah, Raamah and Sabteca. The sons of Raamah: Sheba and Dedan.*

רמב״ן

אָבִינוּ יְצַוֶּה אֶת בָּנָיו וְאֶת בֵּיתוֹ אַחֲרָיו[14], וְיָעִיד לָהֶם עַל נֹחַ וּבָנָיו שֶׁרָאוּ הַמַּבּוּל וְהָיוּ בַּתֵּיבָה[15]. וְהִנֵּה הוּא עֵד מִפִּי עֵד בְּעִנְיַן כָּל הַמַּבּוּל[16], וְעֵד רְבִיעִי עַל יְצִירָה, כִּי נֹחַ רָאָה אָבִיו[17] שֶׁרָאָה אָדָם הָרִאשׁוֹן[18], וְיִצְחָק וְיַעֲקֹב רָאוּ שֵׁם[19], הָעֵד בַּמַּבּוּל, וְיַעֲקֹב מַגִּיד כָּל זֶה לְיוֹרְדֵי מִצְרַיִם, גַּם לְפַרְעֹה וְאַנְשֵׁי דוֹרוֹ. וְהָאֲנָשִׁים בְּכָל דּוֹר יוֹדְעִים מֵאֲבוֹתָם אַרְבָּעָה וַחֲמִשָּׁה דוֹרוֹת, מַגִּידִים מַעֲשֵׂיהֶם וְתוֹלְדוֹתֵיהֶם[20].

[ז] **וּבְנֵי כוּשׁ סְבָא וַחֲוִילָה.** הָיוּ אֵלֶּה רָאשֵׁי אֻמּוֹת, וּבְנֵי רַעְמָה הָיוּ שְׁנֵי לְאֻמִּים[21]. אֲבָל נִמְרוֹד לֹא הָיָה לְאוֹם;

RAMBAN ELUCIDATED

it, of the Torah's account of **the Creation of the world.**[12] וְגַם זֶה אֱמֶת – **This, too, is true.**[13] כִּי אַבְרָהָם אָבִינוּ יְצַוֶּה אֶת בָּנָיו וְאֶת בֵּיתוֹ אַחֲרָיו – **For our father Abraham "commanded his sons and household after him,"**[14] וְיָעִיד לָהֶם עַל נֹחַ וּבָנָיו שֶׁרָאוּ הַמַּבּוּל וְהָיוּ בַּתֵּיבָה – **and he bore witness to them regarding** the existence of **Noah and his sons, who saw the Flood** with their own eyes, **and who were in the Ark.**[15] וְהִנֵּה הוּא עֵד מִפִּי עֵד בְּעִנְיַן כָּל הַמַּבּוּל – **[Abraham] was, after all,** just **one witness away from the whole matter of the Flood,**[16] וְעֵד רְבִיעִי עַל יְצִירָה – **and a fourth** level **witness to Creation** itself, כִּי נֹחַ רָאָה אָבִיו שֶׁרָאָה אָדָם הָרִאשׁוֹן – **for Noah saw his own father** Lamech,[17] **who saw Adam.**[18] וְיִצְחָק וְיַעֲקֹב רָאוּ שֵׁם, הָעֵד בַּמַּבּוּל – Furthermore, **Isaac and Jacob saw Shem,**[19] **who was a witness to the Flood,** וְיַעֲקֹב מַגִּיד כָּל זֶה לְיוֹרְדֵי מִצְרַיִם – **and Jacob related all this to those who descended to Egypt,** גַּם לְפַרְעֹה וְאַנְשֵׁי דוֹרוֹ – **as well as to Pharaoh and the** other **people of his generation.** וְהָאֲנָשִׁים בְּכָל דּוֹר יוֹדְעִים מֵאֲבוֹתָם אַרְבָּעָה וַחֲמִשָּׁה דוֹרוֹת – Thus, Scripture's account is most compelling, **for people in any generation know** historical events **from their forefathers of** the previous **four or five generations,** מַגִּידִים מַעֲשֵׂיהֶם וְתוֹלְדוֹתֵיהֶם – **who relate** to them **their deeds and their histories.**[20]

7. וּבְנֵי כוּשׁ סְבָא וַחֲוִילָה – ***THE SONS OF CUSH: SEBA, HAVILAH ...***

[The verse lists five sons of Cush and two of his grandsons (through Raamah). Then the following verse says, *Cush begot Nimrod*. Why is Nimrod not listed along with the other five sons of Cush? And why, of all the sons of Cush, are only Raamah's sons listed? Ramban explains:]

הָיוּ אֵלֶּה רָאשֵׁי אֻמּוֹת, וּבְנֵי רַעְמָה הָיוּ שְׁנֵי לְאֻמִּים – **These** (Seba, Havilah, etc.) **were the founders of nations, and Raamah's sons**, as well, **became two** additional **nations.**[21] אֲבָל נִמְרוֹד לֹא הָיָה לְאוֹם –

12. It explains how the people of the world came to be so diversified in language and population distribution, despite the fact that all humanity is descended from a single person. If not for the Torah's detailed account of the story of the Dispersion, people would have found it difficult to accept that so much diversification had taken place over the relatively short period of time from the Flood to the Giving of the Torah.

13. Ramban agrees that these details reinforce our faith in the Torah's account of Creation. However, Ramban uses a different approach to show how this is accomplished.

14. Stylistic citation from below, 18:19.

15. "And whoever believes in the Flood must perforce believe in the Creation of the world as well" (Ramban in his essay, *Toras Hashem Temimah*, Mosad Harav Kook, p. 144).

16. Abraham was born during Noah's lifetime (Noah died in the year 2006 After Creation, and Abraham was born in 1948), so that although he did not witness the Flood himself, he did hear of it directly from the one who experienced it.

17. Noah was 595 years old at the time of Lamech's death, in the year 1651 After Creation.

18. Lamech was 56 years old at the time of Adam's death, in 930.

19. Isaac was 110 and Jacob was 50 years old at the time of Shem's death, in 2158.

20. I.e., the events of the Flood and the Dispersion, as related by Jacob, are irrefutable because they took place in recent generations, as shown by the genealogies recorded by the Torah. (See Ramban in *Toras Hashem Temimah*, ibid., and Malbim to 11:7.)

21. This is why Raamah's two sons are mentioned here by name but none of Cush's other grandsons.

ח וְכ֕וּשׁ יָלַ֖ד אֶת־נִמְרֹ֑ד ה֣וּא הֵחֵ֔ל לִֽהְי֥וֹת
ט גִּבֹּ֖ר בָּאָֽרֶץ׃ הֽוּא־הָיָ֥ה גִבֹּֽר־צַ֖יִד לִפְנֵ֣י יְהֹוָ֑ה
עַל־כֵּן֙ יֵֽאָמַ֔ר כְּנִמְרֹ֛ד גִּבּ֥וֹר צַ֖יִד לִפְנֵ֥י יְהֹוָֽה׃

ח וְכוּשׁ אוֹלִיד יָת נִמְרוֹד הוּא שָׁרִי לְמֶהֱוֵי גִּבַּר (תַּקִּיף) בְּאַרְעָא: ט הוּא הֲוָה גִּבַּר תַּקִּיף קֳדָם יְיָ עַל כֵּן יִתְאֲמַר כְּנִמְרוֹד גִּבַּר תַּקִּיף קֳדָם יְיָ:

רש"י

(ח) להיות גבר. להמריד כל העולם על הקדוש ברוך הוא בעלת דור הפלגה (עירובין נג.; חולין פט.): (ט) גבר ציד. לד דעתן של בריות בפיו ומטען למרוד במקום (ב"ר לז:ג; תרגום ירושלמי): לפני ה'. מתכוין להקניטו על פניו (ת"כ בחוקותי פרשתא ב:ג): על כן יאמר. על כל אדם מרשיע בעזות פנים, יודע רבונו ומתכוין למרוד בו, יאמר, זה כנמרוד גבור ציד (שם):

רמב"ן

עַל כֵּן כָּתַב אַחַר כָּךְ "וְכוּשׁ יָלַד אֶת נִמְרֹד" [י, ח] וְלֹא אָמַר "וּבְנֵי כוּשׁ נִמְרֹד וּסְבָא וַחֲוִילָה".
אֲבָל פּוּט הָיָה לְגוֹי אֶחָד, וְלֹא הָיוּ מִמֶּנּוּ אֻמּוֹת שׁוֹנוֹת כְּמִצְרַיִם וּכְנַעַן, עַל כֵּן לֹא הֶחְזִירוֹ הַכָּתוּב. וּבִבְרֵאשִׁית רַבָּה [לז, ב]: אָמַר רֵישׁ לָקִישׁ: הָיִינוּ סְבוּרִים שֶׁנִּבְלְעָה מִשְׁפַּחְתּוֹ שֶׁל פּוּט, וּבָא יְחֶזְקֵאל וּפֵירֵשׁ [ל, ה]: "פּוּט וְלוּד וְכָל הָעֶרֶב"[22]. כִּי מִפְּנֵי שֶׁלֹּא הֶחְזִירוֹ הַכָּתוּב הָיִינוּ סְבוּרִים שֶׁנִּתְעָרֵב זַרְעוֹ בִּבְנֵי כְנַעַן, וְלֹא הָיוּ אוּמָּה וְלֹא יָרְשׁוּ לָהֶם אֶרֶץ שֶׁתִּקָּרֵא עַל שְׁמָם. אֲבָל גַּם בְּמָגוֹג וּמָדַי וְתֻבָל וּמֶשֶׁךְ וְתִירָס בְּנֵי יֶפֶת לֹא הִזְכִּיר מִשְׁפָּחוֹת בְּתוֹלְדוֹתָם[23], וְכֵן בִּבְנֵי שֵׁם עֵילָם וְאַשּׁוּר וְלוּד, רָאשֵׁי אֻמּוֹת, וְלֹא הִזְכִּיר לָהֶם תּוֹלָדוֹת[24], כִּי כָּל אֶחָד הָיָה לְ"גוֹי אֶחָד בָּאָרֶץ"[25] וְלֹא הוֹלִיד אֻמּוֹת שׁוֹנוֹת[26].

RAMBAN ELUCIDATED

But Nimrod was not the founder of **a nation;** עַל כֵּן כָּתַב אַחַר כָּךְ "וְכוּשׁ יָלַד אֶת נִמְרֹד" – **therefore, after this, [Scripture] writes,** ***And Cush begot Nimrod*** (10:8) separately, וְלֹא אָמַר "וּבְנֵי כוּשׁ נִמְרֹד וּסְבָא וַחֲוִילָה" – **and did not say,** ***And the sons of Cush were Nimrod and Seba and Havilah***.

[The Torah mentions the offspring of all of Ham's sons except for Put. Why are his descendants not listed?]

אֲבָל פּוּט הָיָה לְגוֹי אֶחָד וְלֹא הָיוּ מִמֶּנּוּ אֻמּוֹת שׁוֹנוֹת כְּמִצְרַיִם וּכְנַעַן – **But Put became** only **a single nation, and various nations did not arise from him,** as happened with Ham's other sons **Mizraim and Canaan** and Cush. עַל כֵּן לֹא הֶחְזִירוֹ הַכָּתוּב – **Therefore Scripture does not mention him again**, though it does return to list the offspring of Mizraim and Canaan.

[The Midrash, as well, notes Put's apparent lack of descendants:]

וּבִבְרֵאשִׁית רַבָּה: – **In** ***Bereishis Rabbah*** (37:2) it is written: אָמַר רֵישׁ לָקִישׁ הָיִינוּ סְבוּרִים שֶׁנִּבְלְעָה מִשְׁפַּחְתּוֹ שֶׁל פּוּט – **"Reish Lakish said: We might have thought**, based on our verse, **that Put's family vanished.** וּבָא יְחֶזְקֵאל וּפֵירֵשׁ, "פּוּט וְלוּד וְכָל הָעֶרֶב" – **But Ezekiel came and explained** otherwise: ***Put and Lud and all the people of mixed blood*** (*Ezekiel* 30:5)."[22] כִּי מִפְּנֵי שֶׁלֹּא הֶחְזִירוֹ הַכָּתוּב הָיִינוּ סְבוּרִים שֶׁנִּתְעָרֵב זַרְעוֹ בִּבְנֵי כְנַעַן – That is, **since Scripture did not mention him again** in its listing of Ham's sons' descendants, **we might have thought that his descendants assimilated into the nation of Canaan,** וְלֹא הָיוּ אוּמָּה וְלֹא יָרְשׁוּ לָהֶם אֶרֶץ שֶׁתִּקָּרֵא עַל שְׁמָם – **without ever becoming a nation or obtaining for themselves** a **land that would be called by their name.**

[Ramban notes a difficulty with this Midrash:]

אֲבָל גַּם בְּמָגוֹג וּמָדַי וְתֻבָל וּמֶשֶׁךְ וְתִירָס בְּנֵי יֶפֶת לֹא הִזְכִּיר מִשְׁפָּחוֹת בְּתוֹלְדוֹתָם – **Yet concerning Magog, Madai, Tubal, Meshech and Tiras, the sons of Japheth, as well, [Scripture] does not mention any families among their descendants!**[23] וְכֵן בִּבְנֵי שֵׁם – **And so too concerning the children of Shem** – עֵילָם וְאַשּׁוּר וְלוּד, רָאשֵׁי אֻמּוֹת, וְלֹא הִזְכִּיר לָהֶם תּוֹלָדוֹת – **Elam, Asshur and Lud were** all **founders of nations,** though **[Scripture] does not mention any descendants,**[24] כִּי כָּל אֶחָד הָיָה לְגוֹי אֶחָד בָּאָרֶץ וְלֹא הוֹלִיד אֻמּוֹת שׁוֹנוֹת – **because each of them became a "single nation in the land"**[25]

22. Hence, Put was a nation extant at the time of Ezekiel.

23. Of Japheth's seven sons – Gomer, Magog, Madai, Javan, Tubal, Meshech, and Tiras – Scripture proceeds to list only the descendants of Gomer and Javan. Since the Midrash was not troubled by the omission of so many of Japheth's and Shem's descendants from the genealogy, why was it troubled by the omission of Put's descendants?

24. Hence the omission of descendants does not necessarily indicate a lack thereof.

25. Stylistic citation from *II Samuel* 7:23.

[8] *And Cush begot Nimrod. He was the first to be a mighty man on earth.* [9] *He was mighty at trapping before* HASHEM*; therefore it is said: "Like Nimrod, mighty at trapping before* HASHEM*."*

רמב״ן

[ח] הוא הֵחֵל לִהְיוֹת גִּבֹּר בָּאָרֶץ. כָּתַב רַשִׁ״י: לְהַמְרִיד כָּל הָעוֹלָם עַל הַקָּדוֹשׁ בָּרוּךְ הוּא בַּעֲצַת דּוֹר הַפַּלָּגָה.

וְאִם כֵּן[27], "הוּא הֵחֵל" - אַחַר הַמַּבּוּל, כִּי בִּימֵי דּוֹר אֱנוֹשׁ הוּחַל[28].

וְאֶפְשָׁר שֶׁנֹּאמַר כִּי הוּחַל בְּדוֹר הַפַּלָּגָה מֶרֶד, וּבִימֵי אֱנוֹשׁ לֹא "הָיוּ בְּמֹרְדֵי אוֹר"[29], אֲבָל עָבְדוּ גַּם לֵאלֹהִים אֲחֵרִים.

[ט] הוּא הָיָה גִבֹּר צַיִד לִפְנֵי ה'. צָד דַּעְתָּן שֶׁל בְּרִיּוֹת בְּפִיו וּמַטְעָן לִמְרוֹד בַּמָּקוֹם. **עַל כֵּן יֵאָמַר** - עַל כָּל אָדָם מַרְשִׁיעַ בְּעַזּוּת פָּנִים וְיוֹדֵעַ רִבּוֹנוֹ וּמִתְכַּוֵּן לִמְרוֹד בּוֹ יֵאָמַר זֶה כְּנִמְרֹד.

לְשׁוֹן רַשִׁ״י, וְכֵן דַּעַת רַבּוֹתֵינוּ [ב״ר לז, ב].

RAMBAN ELUCIDATED

unto itself **and did not spawn various** other **nations.**[26]

8. **הוּא הֵחֵל לִהְיוֹת גִּבֹּר בָּאָרֶץ** – ***HE WAS THE FIRST TO BE A MIGHTY MAN ON EARTH.***

[Of what was Nimrod the "first"? Ramban begins his discussion by citing Rashi's interpretation:]

כָּתַב רַשִׁ״י – **Rashi writes:**

לְהַמְרִיד כָּל הָעוֹלָם עַל הַקָּדוֹשׁ בָּרוּךְ הוּא בַּעֲצַת דּוֹר הַפַּלָּגָה – [He was the first to be a mighty man] **to make the whole world rebel against the Holy One, Blessed is He, through the scheme of the Generation of the Dispersion.**

[Ramban interrupts his citation of Rashi in order to clarify a point in Rashi:[27]]

וְאִם כֵּן "הוּא הֵחֵל" אַחַר הַמַּבּוּל – **If this** interpretation **is correct, then [Nimrod] was** ***the first*** only **after the Flood,** **כִּי בִּימֵי דּוֹר אֱנוֹשׁ הוּחַל** – **for** back **in the days of the generation of** Adam's grandson **Enosh, it** (rebellion against God) **had already begun.**[28]

[Ramban presents an alternative explanation of how Nimrod was considered the "first" according to Rashi:]

וְאֶפְשָׁר שֶׁנֹּאמַר כִּי הוּחַל בְּדוֹר הַפַּלָּגָה מֶרֶד – **Perhaps we can say that** actual **rebellion began** only **in the Generation of Dispersion,** **וּבִימֵי אֱנוֹשׁ לֹא הָיוּ בְּמֹרְדֵי אוֹר** – **and that in the days of Enosh [people] were not "among those who rebel against the Light"**[29] – i.e., in Enosh's day, they did not totally rebel by rejecting God; **אֲבָל עָבְדוּ גַּם לֵאלֹהִים אֲחֵרִים** – **rather, they worshiped other gods also,** as well as God. Nimrod was thus "first" in inciting others to totally rebel against God.

9. **הוּא הָיָה גִבֹּר צַיִד לִפְנֵי ה'** – ***HE WAS MIGHTY AT TRAPPING BEFORE HASHEM.***

[Ramban resumes his citation of Rashi:]

צָד דַּעְתָּן שֶׁל בְּרִיּוֹת בְּפִיו וּמַטְעָן לִמְרוֹד בַּמָּקוֹם – **He would ensnare people's minds with his mouth, and lead them astray to rebel against the Omnipresent.** **עַל כֵּן יֵאָמַר - עַל כָּל אָדָם מַרְשִׁיעַ בְּעַזּוּת פָּנִים וְיוֹדֵעַ רִבּוֹנוֹ וּמִתְכַּוֵּן לִמְרוֹד בּוֹ יֵאָמַר זֶה כְּנִמְרֹד** – ***Therefore it is said*** – **Regarding any person who behaves wickedly with impertinence, who recognizes his Master yet sets his thoughts to rebel against Him, it is said, "This one is like Nimrod."**

לְשׁוֹן רַשִׁ״י – This is a **quote from Rashi,** **וְכֵן דַּעַת רַבּוֹתֵינוּ** – **and it is also the opinion of the Sages** of the Midrash (*Bereishis Rabbah* 37:2).

26. We therefore conclude that Put's family did not vanish, but – the Torah mentions only those who formed nations. Since only Put formed a **nation**, only he is mentioned. His descendants, however, who did not form their own nations, are not mentioned.

27. The difficulty is: How can Nimrod be considered the originator of rebellion against God – had people not worshiped idols long before Nimrod, in the days of Enosh (above, 4:26)?

28. Ramban's initial resolution of the difficulty with Rashi is that Enosh was the first idolater *in history*, but Nimrod was the first one after the Flood.

29. Stylistic citation from *Job* 24:13.

י **וַתְּהִ֨י רֵאשִׁ֤ית מַמְלַכְתּוֹ֙ בָּבֶ֔ל וְאֶ֖רֶךְ**
יא **וְאַכַּ֣ד וְכַלְנֵ֑ה בְּאֶ֖רֶץ שִׁנְעָֽר׃ מִן־הָאָ֥רֶץ**
הַהִ֖וא יָצָ֣א אַשּׁ֑וּר וַיִּ֨בֶן֙ אֶת־נִ֣ינְוֵ֔ה וְאֶת־
יב **רְחֹבֹ֥ת עִ֖יר וְאֶת־כָּֽלַח׃ וְֽאֶת־רֶ֔סֶן בֵּ֥ין**
נִֽינְוֵ֖ה וּבֵ֣ין כָּ֑לַח הִ֖וא הָעִ֥יר הַגְּדֹלָֽה׃

י וַהֲוָה רֵישׁ מַלְכוּתֵהּ בָּבֶל וְאֶרֶךְ
וְאַכַּד וְכַלְנֵה בְּאַרְעָא דְבָבֶל: יא מִן
אַרְעָא (נ״א עֵיצָה) הַהִיא נְפַק
אֲתוּרָאָה וּבְנָא יָת נִינְוֵה וְיָת
רְחֹבֹת (נ״א רְחוֹבֵי) קַרְתָּא וְיָת
כָּלַח: יב וְיָת רֶסֶן בֵּין נִינְוֵה
וּבֵין כָּלַח הִיא קַרְתָּא רַבְּתָא:

רש״י

(יא) מן הארץ. כיון שראה אשור את בניו שומעין לנמרוד ומורדין במקום לבנות המגדל, יצא מתוכם (ב״ר שם ד; אונקלוס כ״א, ועי׳ תרגום יונתן): **(יב) העיר הגדלה.** היא נינוה, שנא׳ ונינוה היתה עיר גדולה לאלהים (יונה ג:ג; ב״ר שם):

רמב״ן

וְרַבִּי אַבְרָהָם פֵּרֵשׁ הֵפֶךְ הָעִנְיָן, עַל דֶּרֶךְ פְּשׁוּטוֹ. כִּי הוּא הֵחֵל לִהְיוֹת גִּבּוֹר עַל הַחַיּוֹת לָצוּד אוֹתָן. וּפֵירֵשׁ ״לִפְנֵי ה׳ ״ שֶׁהָיָה בּוֹנֶה מִזְבְּחוֹת וּמַעֲלֶה אֶת הַחַיּוֹת לְעוֹלָה לִפְנֵי הַשֵּׁם[30].

וְאֵין דְּבָרָיו נִרְאִין, וְהִנֵּה הוּא מַצְדִּיק רָשָׁע! כִּי רַבּוֹתֵינוּ יָדְעוּ רִשְׁעוֹ בְּקַבָּלָה.

וְהַנָּכוֹן בְּעֵינַי, כִּי הוּא הֵחֵל לִהְיוֹת מוֹשֵׁל בִּגְבוּרָתוֹ עַל הָאֲנָשִׁים, וְהוּא הַמּוֹלֵךְ תְּחִלָּה. כִּי עַד יָמָיו לֹא הָיוּ מִלְחָמוֹת, וְלֹא מָלַךְ מֶלֶךְ. וְגָבַר תְּחִלָּה[31] עַל אַנְשֵׁי בָּבֶל עַד שֶׁמָּלַךְ עֲלֵיהֶם, וְאַחַר כֵּן יָצָא אֶל אַשּׁוּר [פסוק יא][32] ״וְעָשָׂה כִרְצוֹנוֹ וְהִגְדִּיל״[33], וּבָנָה שָׁם עָרִים בְּצוּרוֹת בְּתָקְפּוֹ וּבִגְבוּרָתוֹ.

וְזֶהוּ שֶׁאָמַר [פסוק י]: ״וַתְּהִי רֵאשִׁית מַמְלַכְתּוֹ בָּבֶל וְאֶרֶךְ וְאַכַּד וְכַלְנֵה״[34].

RAMBAN ELUCIDATED

[Having presented Rashi's approach regarding Nimrod, Ramban now cites Ibn Ezra's:]

וְרַבִּי אַבְרָהָם פֵּרֵשׁ הֵפֶךְ הָעִנְיָן עַל דֶּרֶךְ פְּשׁוּטוֹ – **Rabbi Avraham** Ibn Ezra, however, **explains** these verses to mean **the** exact **opposite of this idea, by way of the plain meaning** of the passage. **כִּי הוּא הֵחֵל לִהְיוֹת גִּבּוֹר עַל הַחַיּוֹת לָצוּד אוֹתָן** – He explains **that [Nimrod]** ***was the first to be a mighty man*** **over the wild animals, in trapping them. וּפֵירֵשׁ ״לִפְנֵי ה׳ ״ שֶׁהָיָה בּוֹנֶה מִזְבְּחוֹת וּמַעֲלֶה אֶת הַחַיּוֹת לְעוֹלָה לִפְנֵי הַשֵּׁם** – And **he explains** ***before*** ***Hashem*** to mean **that he would build altars and offer the wild animals** he had trapped **as burnt-offerings *"before Hashem."***[30]

[Ramban disputes Ibn Ezra's interpretation:]

וְאֵין דְּבָרָיו נִרְאִין, וְהִנֵּה הוּא מַצְדִּיק רָשָׁע – **But [Ibn Ezra's] words do not appear** correct, **for he is justifying an evildoer! כִּי רַבּוֹתֵינוּ יָדְעוּ רִשְׁעוֹ בְּקַבָּלָה** – **For the Sages knew of [Nimrod's] wickedness by** way of an unequivocal **tradition.** If so, it is not logical for Ibn Ezra to say that Nimrod served God by bringing offerings.

[Ramban now presents his own interpretation:]

וְהַנָּכוֹן בְּעֵינַי, כִּי הוּא הֵחֵל לִהְיוֹת מוֹשֵׁל בִּגְבוּרָתוֹ עַל הָאֲנָשִׁים – **The** interpretation **that is most sound in my view is that *he was the first one to*** **rule over** other **people by force; וְהוּא הַמּוֹלֵךְ תְּחִלָּה** – that is, **he was the first** one **to reign** as a king. **כִּי עַד יָמָיו לֹא הָיוּ מִלְחָמוֹת וְלֹא מָלַךְ מֶלֶךְ** – **For until his days there were no wars, nor did any king reign. וְגָבַר תְּחִלָּה עַל אַנְשֵׁי בָּבֶל עַד שֶׁמָּלַךְ עֲלֵיהֶם** – **He first vanquished**[31] **the people of Babylon until he reigned over them, וְאַחַר כֵּן יָצָא אֶל אַשּׁוּר וְעָשָׂה כִּרְצוֹנוֹ וְהִגְדִּיל** – **and after this *he went forth to Asshur***[32] (v. 11) **and "did as he pleased and grew"**[33] in power, **וּבָנָה שָׁם עָרִים בְּצוּרוֹת בְּתָקְפּוֹ וּבִגְבוּרָתוֹ** – **building fortified cities there** (vv. 11-12) **through his power and his might.**

[Ramban explains the verses accordingly:]

וְזֶהוּ שֶׁאָמַר ״וַתְּהִי רֵאשִׁית מַמְלַכְתּוֹ בָּבֶל וְאֶרֶךְ וְאַכַּד וְכַלְנֵה״ – **And this is** the meaning of **that**

30. According to Ibn Ezra, then, Nimrod was renowned for being righteous, not wicked.

31. Ramban relates the word גִּבּוֹר (*mighty man*) to גבר (*to overcome, to subdue*).

32. Ramban interprets (see his comment below) מִן הָאָרֶץ הַהִיא יָצָא אַשּׁוּר to mean, *From that land he [Nimrod] went forth to Asshur*, rather than, *From that land Asshur went forth*, as Rashi explains it.

33. Stylistic citation from *Daniel* 8:4.

10 The beginning of his kingdom was Babel, Erech, Accad and Calneh in the land of Shinar. 11 From that land he went forth [to] Ashur and built Nineveh, Rehovoth-ir, Calah 12 and Resen, between Nineveh and Calah, that is the great city.

רמב"ן

[יא] מן הָאָרֶץ הַהִוא בְּמָלְכוֹ עָלֶיהָ, **יָצָא אַשּׁוּר.** פִּתְרֹנוֹ יָצָא אֶל אַשּׁוּר, כִּי אַשּׁוּר מִבְּנֵי שֵׁם הָיָה[35].
וְזֶהוּ כִּלְשׁוֹן "וְיָצָא חֲצַר אַדָּר וְעָבַר עַצְמֹנָה" [במדבר לד, ד]; "וַיֵּצֵא עוֹג מֶלֶךְ הַבָּשָׁן לִקְרָאתֵנוּ אֶדְרֶעִי" [דברים ג, א]; וְיָשֹׁב אַרְצוֹ בִּרְכוּשׁ גָּדוֹל [דניאל יא, כח][36]; וְרַבִּים כֵּן.
וּלְכָךְ תִּקָּרֵא אֶרֶץ אַשּׁוּר "אֶרֶץ נִמְרֹד", כְּמוֹ שֶׁנֶּאֱמַר [מיכה ה, ה]: "וְרָעוּ אֶת אֶרֶץ אַשּׁוּר בַּחֶרֶב וְאֶת אֶרֶץ נִמְרֹד בִּפְתָחֶיהָ" - וְ"אֶרֶץ נִמְרֹד" יִרְמוֹז אֶל נִינְוֵה וְאֶל רְחוֹבוֹת עִיר וְאֶל כָּלַח[37].
וְסִפֵּר עוֹד בִּגְבוּרָתוֹ כִּי הוּא "גִבֹּר צַיִד" לְהִתְגַּבֵּר גַּם עַל הַחַיּוֹת[38] וְלָצוּד אוֹתָן. וְאָמַר "לִפְנֵי ה'" לְהַפְלִיג,

RAMBAN ELUCIDATED

which [Scripture] says: *The beginning of his kingdom was Babel, Erech, Accad and Calneh* (v. 10).[34]

"מן הָאָרֶץ הַהִוא" בְּמָלְכוֹ עָלֶיהָ, "יָצָא אַשּׁוּר" – Scripture continues (v. 11), ***And from that land*** **– when [Nimrod] was ruling it – יָצָא אַשּׁוּר פִּתְרֹנוֹ יָצָא אֶל אַשּׁוּר – The interpretation of [this phrase] is *he [Nimrod] went forth "to" Asshur,*** and not, as Rashi interprets, *From that land Asshur went forth.* **כִּי אַשּׁוּר מִבְּנֵי שֵׁם הָיָה – For Asshur was one of the sons of Shem.**[35]

[Having asserted that the phrase יָצָא אַשּׁוּר (lit., *he went forth – Asshur*) means *he went forth "to" Asshur* – though the word *to* is not found in the text – Ramban cites other examples where the preposition *to* is implied but not written:]

וְזֶהוּ כִּלְשׁוֹן "וְיָצָא חֲצַר אַדָּר וְעָבַר עַצְמֹנָה" – This is like the wording in the verse, ***It shall go out*** *[to]* ***Hazar-addar and pass to Azmon*** (*Numbers* 34:4); **"וַיֵּצֵא עוֹג מֶלֶךְ הַבָּשָׁן לִקְרָאתֵנוּ אֶדְרֶעִי" – *And Og king of Bashan went out toward us*** *[to]* ***Edrei*** (*Deuteronomy* 3:1); **"וְיָשֹׁב אַרְצוֹ בִּרְכוּשׁ גָּדוֹל" – *He will return*** *[to]* ***his land with great wealth*** (*Daniel* 11:28),[36] **וְרַבִּים כֵּן – and many** others **like this.**

[Ramban brings support to his interpretation:]

וּלְכָךְ תִּקָּרֵא אֶרֶץ אַשּׁוּר "אֶרֶץ נִמְרֹד" – This is why the land of Asshur is sometimes **called "the land of Nimrod," כְּמוֹ שֶׁנֶּאֱמַר "וְרָעוּ אֶת אַשּׁוּר בַּחֶרֶב וְאֶת אֶרֶץ נִמְרֹד בִּפְתָחֶיהָ" – as it is said, *and they will pound the land of Assyria (Asshur) with the sword, and the land of Nimrod at its gateways*** (*Micah* 5:5) – **וְ"אֶרֶץ נִמְרֹד" יִרְמוֹז אֶל נִינְוֵה וְאֶל רְחוֹבוֹת עִיר וְאֶל כָּלַח – *the land of Nimrod* referring to Nineveh, Rehoboth-ir and Calah** and Resen, the cities that Nimrod established in Asshur.[37]

[Ramban proceeds to explain v. 9 in light of his description of Nimrod as being neither particularly righteous (as in Ibn Ezra's interpretation) nor wicked (as in Rashi's interpretation):]

וְסִפֵּר עוֹד בִּגְבוּרָתוֹ – [Scripture] relates further concerning [Nimrod's] might כִּי הוּא "גִבֹּר צַיִד" לְהִתְגַּבֵּר גַּם עַל הַחַיּוֹת וְלָצוּד אוֹתָן – that he was *mighty at trapping,* to **overpower even the wild animals**[38] **and to trap them. וְאָמַר "לִפְנֵי ה'" – [Scripture]** then **says** that he did so ***before Hashem*** **לְהַפְלִיג – in order**

34. *The beginning of his kingdom* implies that his kingdom ultimately expanded to other lands, as Ramban proceeds to elaborate. Rashi's interpretation does not account for this implied expansion.

35. As a son of Shem, Asshur would not have been a native of Babylon, which was a Hamite region. This supports Ramban's interpretation, that it was *Nimrod* who left Babylon and moved to conquer Asshur's territory.

36. In all these examples the word *to* must be interpolated into the verse.

37. Unlike Rashi (ad loc.) who explains that *the land of Nimrod* refers to Babylon, Ramban maintains that *the land of Asshur* existed before Nimrod's arrival there and that *the land of Nimrod* refers to those areas he conquered and developed within the land of Asshur (*Beis HaYayin*).

38. Not only did he overcome his enemies, but he was able to prevail over fierce wild animals as well.

יג **וּמִצְרַ֡יִם יָלַ֞ד אֶת־לוּדִ֧ים וְאֶת־עֲנָמִ֛ים וְאֶת־**
יד **לְהָבִ֖ים וְאֶת־נַפְתֻּחִֽים׃ וְֽאֶת־פַּתְרֻסִ֞ים וְאֶת־**
כַּסְלֻחִ֗ים אֲשֶׁ֨ר יָצְא֥וּ מִשָּׁ֛ם פְּלִשְׁתִּ֖ים וְאֶת־

יג וּמִצְרַיִם אוֹלִיד יָת לוּדָאֵי וְיָת
עֲנָמָאֵי וְיָת לְהָבָאֵי וְיָת נַפְתּוּחָאֵי:
יד וְיָת פַּתְרוּסָאֵי וְיָת כַּסְלוּחָאֵי
דִּי נְפָקוּ מִתַּמָּן פְּלִשְׁתָּאֵי וְיָת

רש"י

(יג) להבים. שפניהם דומים ללהב: **(יד) פתרסים ואת כסלחים אשר יצאו משם פלשתים.** משניהם יצאו שהיו פתרוסים וכסלוחים מחליפין משכב נשותיהם אלו לאלו ויצאו מהם פלשתים [וכפתורים] (ב"ר שם):

רמב"ן

כִּי אֵין תַּחַת כָּל הַשָּׁמַיִם[39] כָּמוֹהוּ בִּגְבוּרָה. וְכֵן "וַתִּשָּׁחֵת הָאָרֶץ לִפְנֵי הָאֱלֹהִים" [לעיל ו, יא], כִּי כָּל אֲשֶׁר לְפָנָיו בָּאָרֶץ נִשְׁחָתוּ, כְּעִנְיָן "וְנִכְרְתָה הַנֶּפֶשׁ הַהִיא מִלְּפָנָי" [ויקרא כב, ג], כִּי בְּכָל מָקוֹם הוּא לְפָנָיו[40].

[יג] וּמִצְרַיִם יָלַד. יַזְכִּיר לְמִצְרַיִם תּוֹלְדוֹתָיו, וְלֹא הִזְכִּיר מוֹשָׁבָם כְּמוֹ שֶׁהִזְכִּיר בַּאֲחֵרִים - כִּי בִּבְנֵי יֶפֶת הִזְכִּיר אִיִּים [פסוק ה], וּבִבְנֵי כוּשׁ אֶרֶץ שִׁנְעָר וְאַשּׁוּר [פסוקים י־יא], וּבִבְנֵי כְנַעַן הִזְכִּיר תְּחוּמֵי אַרְצָם, [פסוק יט] וְכֵן בִּבְנֵי שֵׁם [פסוק ל][41]. וְהָיָה זֶה כִּי מִצְרַיִם אֶרֶץ מוֹשָׁבוֹ יָדוּעַ, כִּי הִיא נִקְרֵאת עַל שְׁמוֹ[42].

וְהָיוּ כָּל בָּנָיו יוֹשְׁבִים סְבִיבוֹת מִצְרַיִם, וְשֵׁם אַרְצָם גַּם כֵּן כִּשְׁמָם. כִּי כֵן מָצִינוּ לְפַתְרֻסִים אֶרֶץ

RAMBAN ELUCIDATED

to emphasize his great skill as a hunter, **כִּי אֵין תַּחַת כָּל הַשָּׁמַיִם כָּמוֹהוּ בִּגְבוּרָה** – **that there was no one under all the heavens**[39] **as mighty as he.** **וְכֵן "וַתִּשָּׁחֵת הָאָרֶץ לִפְנֵי הָאֱלֹהִים"** – **Similarly** we find, ***the earth had become corrupt before God*** (above, 6:11), where the expression *before God* is used to mean *everywhere,* **כִּי כָּל אֲשֶׁר לְפָנָיו בָּאָרֶץ נִשְׁחָתוּ** – indicating **that everything that was before Him on the earth** – i.e., everything in the world – **became corrupt.** **כְּעִנְיָן "וְנִכְרְתָה הַנֶּפֶשׁ הַהִיא מִלְּפָנָי"** – This expression is **similar to the concept** in the phrase, ***that person shall be cut off before Me*** (*Leviticus* 22:3), meaning "completely cut off," **כִּי בְּכָל מָקוֹם הוּא לְפָנָיו** – **since every place** in the world **is *before Him.***[40]

13. וּמִצְרַיִם יָלַד – ***AND MIZRAIM BEGOT.***

[Along with the genealogy of Noah's descendants and the nations they founded, the Torah indicates the location where they settled. The exception to this is in this verse, which does not mention the location of Mizraim and his children. Ramban explains:]

יַזְכִּיר לְמִצְרַיִם תּוֹלְדוֹתָיו וְלֹא הִזְכִּיר מוֹשָׁבָם כְּמוֹ שֶׁהִזְכִּיר בַּאֲחֵרִים – **[Scripture] mentions Mizraim's descendants, but does not mention their place of settlement as it did with others** – **כִּי בִּבְנֵי יֶפֶת הִזְכִּיר אִיִּים** – **for regarding the sons of Japheth it mentions "islands"** (v. 5), **וּבִבְנֵי כוּשׁ אֶרֶץ שִׁנְעָר וְאַשּׁוּר** – **regarding the sons of Cush** it mentions **the land of Shinar and Asshur** (vv. 10-11), **וּבִבְנֵי כְנַעַן הִזְכִּיר תְּחוּמֵי אַרְצָם** – **and regarding the sons of Canaan it mentions the boundaries of their territory** (v. 19), **וְכֵן בִּבְנֵי שֵׁם** – **and so too with the sons of Shem** (v. 30).[41] Why then is the location of Mizraim's settlement omitted? **וְהָיָה זֶה כִּי מִצְרַיִם אֶרֶץ מוֹשָׁבוֹ יָדוּעַ, כִּי הִיא נִקְרֵאת עַל שְׁמוֹ** – **This is because Mizraim's place of settlement is well known, for it is called by his [Mizraim's] name.**[42]

[Ramban has explained why it was not necessary to identify Mizraim's land, but why does Scripture not identify the settlements of Mizraim's *sons* (mentioned in vv. 13-14)?]

וְהָיוּ כָּל בָּנָיו יוֹשְׁבִים סְבִיבוֹת מִצְרַיִם – **And all of [Mizraim's] children dwelled in the environs of Mizraim/Egypt.** Therefore no further *geographical information* is necessary for Mizraim's sons, for they lived within the well-known boundaries of Mizraim/Egypt. **וְשֵׁם אַרְצָם גַּם כֵּן כִּשְׁמָם** –

39. I.e., since Nimrod was mighty "before God" – which is everywhere – he must have been the mightiest person in the world!

40. To summarize Ramban's interpretation: (a) Nimrod was the first monarch who forcibly ruled over others. (b) He was also the greatest hunter the world had known. (c) His rule began in Babylon and then he extended it to Asshur where he built numerous fortified cities.

41. Thus the Torah provides either the name of each nation's country or a description of its geographical location. In the case of Mizraim and his sons, however, the Torah provides neither.

42. *Mizraim* is the Hebrew name for the Egyptian nation. Their place of habitation is well-known: *Mizraim*/Egypt.

13 *And Mizraim begot Ludim, Anamim, Lehabim, Naphtuhim,* 14 *Pathrusim and Casluhim, from where the Philistines came forth, and Caphtorim.*

רמב״ן

פַּתְרוֹס[43], וְהִיא מִכְּלַל אֶרֶץ מִצְרַיִם, כְּמוֹ שֶׁכָּתוּב [יחזקאל ל, יג-יד]: ״וְנָתַתִּי יִרְאָה בְּאֶרֶץ מִצְרָיִם וַהֲשִׁמּוֹתִי אֶת פַּתְרוֹס״, ״עַל אֶרֶץ מְכוּרָתָם״ [שם כט, יד][44]. וְכֵן ״לוּד וְכָל הָעֶרֶב״ [שם ל, ה] סְבִיבוֹת מִצְרַיִם[45], וּשְׁמָם וְשֵׁם אַרְצָם שָׁוֶה. וְכֵן פְּלִשְׁתִּים אַרְצָם פְּלֶשֶׁת, וְכֵן כָּתוּב [שמות טו, יד]: ״יוֹשְׁבֵי פְּלָשֶׁת״.

וְאָמַר רַבִּי אַבְרָהָם, כִּי אֵלֶּה שְׁמוֹת מְדִינוֹת[46], וּבְכָל מְדִינָה וּמְדִינָה מִשְׁפָּחָה אֶחָת[47], וְעַל כֵּן הֵם כֻּלָּם לְשׁוֹן רַבִּים[48]. וְהָרְאָיָה הַגְּמוּרָה ״אֲשֶׁר יָצְאוּ מִשָּׁם״, כִּי זֶה רֶמֶז לְמָקוֹם[49].

RAMBAN ELUCIDATED

Furthermore, the name of their land is also the same as their own name, so that it was not necessary to mention the names of their countries. **כִּי כֵן מָצִינוּ לְפַתְרֻסִים אֶרֶץ פַּתְרוֹס – And so we find that Pathrusim, [one of Mizraim's] sons, had the land of Pathros** (see *Jeremiah* 44:1),[43] **וְהִיא מִכְּלַל אֶרֶץ מִצְרַיִם – which is included within the land of Mizraim/Egypt, כְּמוֹ שֶׁכָּתוּב ״וְנָתַתִּי יִרְאָה בְּאֶרֶץ מִצְרַיִם וַהֲשִׁמּוֹתִי אֶת פַּתְרוֹס״, ״עַל אֶרֶץ מְכוּרָתָם״ – as it is written, *I will instill fear over the land of Egypt, and I will make Pathros desolate*** (*Ezekiel* 30:13-14), **and** *I will return the captivity of Egypt and bring them back to the land of Pathros,* ***upon their native land*** (ibid. 29:14).[44] **וְכֵן ״לוּד וְכָל הָעֶרֶב״ סְבִיבוֹת מִצְרַיִם, וּשְׁמָם וְשֵׁם אַרְצָם שָׁוֶה – Likewise, *Lud,*** another of Mizraims sons, ***and all peoples of mixed blood*** (ibid. 30:5) **were in the environs of Mizraim/Egypt,**[45] **and their name** (Ludim) **is the same as the name of their land** (Lud). **וְכֵן פְּלִשְׁתִּים אַרְצָם פְּלֶשֶׁת, וְכֵן כָּתוּב: ״יוֹשְׁבֵי פְּלָשֶׁת״ – And similarly the Philistines' land was Philistia, as it is written, *the dwellers of Philistia*** (*Exodus* 15:14).

[Ramban, citing Ibn Ezra, now presents the possibility that the names Ludim, Anamim, etc. are not names of people, but of countries:]

וְאָמַר רַבִּי אַבְרָהָם כִּי אֵלֶּה שְׁמוֹת מְדִינוֹת – Rabbi Avraham Ibn Ezra **says that these names** of Mizraim's "sons" **are** names of **countries** and not individuals,[46] **וּבְכָל מְדִינָה וּמְדִינָה מִשְׁפָּחָה אֶחָת – and in every country there was** exactly **one family group;**[47] **וְעַל כֵּן הֵם כֻּלָּם לְשׁוֹן רַבִּים – this is why they are all in the plural form.**[48] **וְהָרְאָיָה הַגְּמוּרָה ״אֲשֶׁר יָצְאוּ מִשָּׁם״** – Ibn Ezra concludes: **"The irrefutable proof is** the phrase *[Mizraim begot Casluhim,]* ***from where [the Philistines] came forth.*** **כִּי זֶה רֶמֶז לְמָקוֹם** – Casluhim in this verse must be the name of a country, **for this** word, *where,* **refers to a place**, not a person."[49]

43. This indicates that the sons of Mizraim (or at least some of them) lived in countries that bore their own name.

44. This is a further indication that Mizraim's sons (or at least some of them) lived within the general boundaries of Mizraim/Egypt.

45. This is clear from the context of the verse: *The sword will come against Egypt, and there will be a trembling in Ethiopia when the slain fall in Egypt ... Ethiopia, Put,* ***Lud*** *and all the people of mixed blood will fall with them by the sword.*

46. According to Ibn Ezra's interpretation, the question posed by Ramban above (i.e.: Why are we not told in which lands Mizraim's sons settled, as we were told for the other descendants of Ham?) is answered: The names given by Scripture (Ludim, Anamim, etc.) *are* in fact names of countries.

47. According to Ibn Ezra, when Scripture lists Mizraim's sons, it does not give their names, but the country in which each son settled and founded his nation (or, more accurately, the name of the nationality of the people in that country). This is unlike Ramban's interpretation, that these are the personal names of Mizraim's sons, who had countries named after them.

48. Individuals are generally not given names in the plural. This would indicate that these are names of countries and the nationalities of the countries' inhabitants: *The Ludites, the Anamites, the Lehabites,* etc.

49. If Casluhim were the name of a person, the verse would have said, מִמֶּנּוּ, *from* **whom** the Philistines came forth.

Just as Casluhim has been shown to be the name of a country, so too are the other names mentioned as the progeny of Mizraim.

טו כַּפְתֹּרִים: ס וּכְנַעַן יָלַד אֶת־צִידֹן
טז בְּכֹרוֹ וְאֶת־חֵת: וְאֶת־הַיְבוּסִי וְאֶת־הָאֱמֹרִי
יז וְאֵת הַגִּרְגָּשִׁי: וְאֶת־הַחִוִּי וְאֶת־הָעַרְקִי וְאֶת־
יח הַסִּינִי: וְאֶת־הָאַרְוָדִי וְאֶת־הַצְּמָרִי וְאֶת־
הַחֲמָתִי וְאַחַר נָפֹצוּ מִשְׁפְּחוֹת הַכְּנַעֲנִי:

קַפּוּטְקָאֵי: טו וּכְנַעַן אוֹלִיד יָת
צִידוֹן בֻּכְרֵהּ וְיָת חֵת: טז וְיָת
יְבוּסָאֵי וְיָת אֱמוֹרָאֵי וְיָת
גִּרְגָּשָׁאֵי: יז וְיָת חִוָּאֵי וְיָת עַרְקָאֵי
וְיָת אַנְתּוֹסָאֵי: יח וְיָת אַרְוָדָאֵי
וְיָת צְמָרָאֵי וְיָת חֲמָתָאֵי וּבָתַר
כֵּן אִתְבַּדַּרוּ זַרְעֲיַת כְּנַעֲנָאֵי:

רש"י

(יח) ואחר נפצו. מאלה נפוצו משפחות הרבה:

רמב"ן

[יד] וְטַעַם **אֲשֶׁר יָצְאוּ** עַל דַּעַת הַמְפָרְשִׁים[50], שֶׁהוֹלִידָם[51,52], כִּלְשׁוֹן "מֵחֲלָצֶיךָ יֵצֵאוּ" [להלן לה, יא].

וְכָתַב רַשִׁ"י: מִשְּׁנֵיהֶם יָצְאוּ[53], שֶׁהָיוּ הַפַּתְרוּסִים וְכַסְלוּחִים מַחֲלִיפִים נְשׁוֹתֵיהֶם זֶה לָזֶה, וְיָצְאוּ פְּלִשְׁתִּים מִבֵּינֵיהֶם. בְּרֵאשִׁית רַבָּה [לז, ה].

וְעַל דַּעְתִּי, בְּדֶרֶךְ הַפְּשָׁט[54], הָיוּ כַּסְלֻחִים יוֹשְׁבֵי עִיר שֶׁשְּׁמָהּ כֵּן, וְהָיְתָה מִכְּלַל אֶרֶץ כַּפְתּוֹר, אֲשֶׁר שָׁם כַּפְתּוֹרִים אֲחֵיהֶם, וְיָצְאוּ מִשָּׁם מִן הַכַּפְתּוֹרִים אֲשֶׁר הֵם מִזֶּרַע כַּסְלֻחִים[55], וְהָלְכוּ[56] "לָתוּר לָהֶם מְנוּחָה"[57], וְהֵנִיחוּ הָאָרֶץ

RAMBAN ELUCIDATED

14. [אֲשֶׁר יָצְאוּ – *CAME FORTH.*]

[According to Ibn Ezra, cited above, the phrase אֲשֶׁר יָצְאוּ מִשָּׁם means, *who **left** from there.* Ramban now continues with other explanations of this phrase:]

וְטַעַם "אֲשֶׁר יָצְאוּ" עַל דַּעַת הַמְפָרְשִׁים שֶׁהוֹלִידָם – The explanation of the phrase *[from where the Philistines]* ***came forth*** (lit., *came out*), **according to the opinion of the commentators,**[50] **is that [Casluhim]**[51] ***begot* [the Philistines],**[52] **כִּלְשׁוֹן "מֵחֲלָצֶיךָ יֵצֵאוּ" – corresponding to the expression,** *kings **will "go out" of your loins*** (below, 35:11), hence *go out* can refer to fathering children.

[Ramban notes that Rashi, as well, interprets *came forth* to mean *begot*:]

וְכָתַב רַשִׁ"י – Rashi writes:

מִשְּׁנֵיהֶם יָצְאוּ – [The Philistines] came forth[53] **from both of them, שֶׁהָיוּ הַפַּתְרוּסִים וְכַסְלוּחִים מַחֲלִיפִים נְשׁוֹתֵיהֶם זֶה לָזֶה, וְיָצְאוּ פְּלִשְׁתִּים מִבֵּינֵיהֶם – for the Pathrusim and Casluhim would exchange their wives with one another, and it was from** this illegitimate union **between them that the Philistines *came forth.*** בְּרֵאשִׁית רַבָּה – This is a citation **from *Bereishis Rabbah*** (37:5).

[Ramban now presents his own explanation of the verse. In his interpretation he seeks to reconcile a seeming contradiction regarding the Philistines. In our verse they are associated with the Casluhim, whereas elsewhere in Scripture they are associated with Caphtorim.[54] Ramban explains:]

וְעַל דַּעְתִּי בְּדֶרֶךְ הַפְּשָׁט הָיוּ כַּסְלֻחִים יוֹשְׁבֵי עִיר שֶׁשְּׁמָהּ כֵּן – In my opinion, following the plain meaning of the verses, **the Casluhim were the inhabitants of a *city* by that name** (*Casluah*), **וְהָיְתָה מִכְּלַל אֶרֶץ כַּפְתּוֹר אֲשֶׁר שָׁם כַּפְתּוֹרִים אֲחֵיהֶם – which was within the land of Caphtor, where their brothers, the Caphtorim, [dwelled].** **וְיָצְאוּ מִשָּׁם מִן הַכַּפְתּוֹרִים אֲשֶׁר הֵם מִזֶּרַע כַּסְלֻחִים – Some Caphtorians who were descendants of Casluhim**[55] **left [Casluah]**[56] **וְהָלְכוּ לָתוּר לָהֶם מְנוּחָה וְהֵנִיחוּ הָאָרֶץ**

50. See Radak.

51. Or Casluhim and Pathrusim together (see Radak).

52. *Came forth from* thus means *was born from*, according to them. As for Ibn Ezra's "irrefutable proof," that שָׁם (*there*) can only refer to places but not to people, Radak cites below, 49:24, where שָׁם also refers to a person.

53. That is, *were born*, as explained above.

54. In *Amos* 9:7 it states, *I brought up the Philistines from Caphtor*, indicating that the Philistines came from Caphtor, whereas our verse implies that the Philistines came from Casluhim (the brothers of Caphtorim). And again in *Deuteronomy* 2:23 we read, *As for the Avvim, the Caphtorim who went out of Caphtor destroyed them and dwelled in their place*, indicating that the Caphtorim invaded and settled the area of Avvim, which is in Philistia (see *Deuteronomy* ibid. and *Joshua* 13:3). Ramban seeks to reconcile these three statements.

55. People who dwelled in the *land* of Caphtor, but were Casluhim by nationality.

56. יָצְאוּ מִשָּׁם thus means, *they left from there*, as Ibn

15 Canaan begot Zidon his firstborn, and Heth; 16 and the Jebusite, the Amorite, the Girgashite, 17 the Hivite, the Arkite, the Sinite, 18 the Arvadite, the Zemarite, and the Hamathite. Afterward, the families of the Canaanites branched out.

רמב״ן

לַאֲחֵיהֶם, וְכָבְשׁוּ לָהֶם אֶרֶץ שֶׁשְּׁמָהּ פְּלֶשֶׁת. וְנִקְרְאוּ אַחַר כָּךְ פְּלִשְׁתִּים, עַל שֵׁם הָאָרֶץ[58]. וְהוּא מַה שֶּׁכָּתוּב "כַּפְתֹּרִים הַיֹּצְאִים מִכַּפְתּוֹר[59] הִשְׁמִידוּם וַיֵּשְׁבוּ תַחְתָּם" [דברים ב, כג], וְהֵם מִבְּנֵי כַסְלֻחִים יוֹשְׁבֵי אֶרֶץ כַּפְתּוֹר.
[טו-יט] וּכְנַעַן יָלַד אֶת צִידֹן בְּכֹרוֹ. אֵלֶּה עֲשָׂרָה עֲמָמִים[60] בְּנֵי כְנַעַן שֶׁנִּתְּנוּ לְאַבְרָהָם אָבִינוּ [להלן טו, יט-כא][61]. כִּי כָל זֶרַע כְּנַעַן נִמְכַּר לְעֶבֶד עוֹלָם, וְהֵם שֶׁנִּתְּנוּ לוֹ. אֲבָל נִתְחַלֵּף הַשֵּׁם בְּרֻבָּם בִּימֵי אַבְרָהָם[62]. כִּי בְּכָאן נִכְתְּבוּ בַּשֵּׁם שֶׁקְּרָאָם אֲבִיהֶם בְּיוֹם הִוָּלְדָם, וְאַחֲרֵי שֶׁנִּפְרְדוּ בְּאַרְצֹתָם לְגוֹיֵהֶם[63] נִקְרְאוּ בְּשֵׁמוֹת אֲחֵרִים.

RAMBAN ELUCIDATED

לַאֲחֵיהֶם – **and went to "search for a tranquil place,"**[57] **abandoning the land to their brothers [the Caphtorim],** וְכָבְשׁוּ לָהֶם אֶרֶץ שֶׁשְּׁמָהּ פְּלֶשֶׁת – **and they conquered for themselves a land that was named Phi-listia.** וְנִקְרְאוּ אַחַר כָּךְ פְּלִשְׁתִּים, עַל שֵׁם הָאָרֶץ – **They were thereafter called Philistines, after the land** that they had conquered and settled.[58] וְהוּא מַה שֶּׁכָּתוּב "כַּפְתֹּרִים הַיֹּצְאִים מִכַּפְתּוֹר הִשְׁמִידוּם וַיֵּשְׁבוּ תַחְתָּם" – **This is** the meaning **of what is written, *Caphtorim who went out of Caphtor***[59] ***destroyed them and dwelled in their place*** (*Deuteronomy* 2:23), וְהֵם מִבְּנֵי כַסְלֻחִים יוֹשְׁבֵי אֶרֶץ כַּפְתּוֹר – referring to **those sons of Casluhim who had** once **dwelled in the land of Caphtor.**

15-19. וּכְנַעַן יָלַד אֶת צִידֹן בְּכֹרוֹ – *CANAAN BEGOT ZIDON HIS FIRSTBORN.*

[Abraham was promised the land of the Canaanites (below, 15:19-21). However, some of the names of the Canaanite families mentioned here do not correspond to those mentioned later in that promise. Ramban resolves this discrepancy:]

אֵלֶּה עֲשָׂרָה עֲמָמִים בְּנֵי כְנַעַן שֶׁנִּתְּנוּ לְאַבְרָהָם אָבִינוּ – **These are the ten nations**[60] comprised of **the children of Canaan,** whose lands **were given to our father Abraham** (below, 15:19-21).[61] כִּי כָל זֶרַע כְּנַעַן נִמְכַּר לְעֶבֶד עוֹלָם – **For *all* of Canaan's descendants were sold as eternal slaves,** וְהֵם שֶׁנִּתְּנוּ לוֹ – **and it was they** – i.e., these ten nations – **who were given to [Abraham].** אֲבָל נִתְחַלֵּף הַשֵּׁם בְּרֻבָּם בִּימֵי אַבְרָהָם – **However, the names of most of these** sons of Canaan **were changed in the days of Abraham.**[62] כִּי בְּכָאן נִכְתְּבוּ בַּשֵּׁם שֶׁקְּרָאָם אֲבִיהֶם בְּיוֹם הִוָּלְדָם – **Here they are recorded using the name that their father** (Canaan) **called them at their birth.** וְאַחֲרֵי שֶׁנִּפְרְדוּ בְּאַרְצֹתָם לְגוֹיֵהֶם נִקְרְאוּ בְּשֵׁמוֹת אֲחֵרִים – **But after they "became separated to their lands by their nations"**[63] **they were called by other names.**

Ezra interpreted it. However, Ramban does not agree with Ibn Ezra's assertion that the names of Mizraim's "sons" are the names of countries or nationalities.

According to Ramban, the whole phrase should be translated as follows: *Mizraim begot ... Casluhim, [who lived in Casluah], from where the Philistines left.*

57. Stylistic citation from *Numbers* 10:33.

58. Thus, the "Philistines" (the *invaders* of Philistia) came from both Caphtor (geographically) and Casluhim (ethnically).

59. *Caphtorim who went out of Caphtor* is a difficult expression – obviously the Caphtrorim came from Caphtor! According to Ramban's explanation, however, this difficulty is resolved; these "Caphtorim" were not ethnic Caphtorim, but only *dwelled* in the land of Caphtor. Hence, the verse means: *Caphtorians, who [were called by this name only by virtue of the fact that they] went out of Caphtor [but not because they traced their lineage to Caphtorim] ...*

60. There are actually eleven nations enumerated here. Ramban discusses this matter shortly.

61. The ten nations listed in that verse are: The Kenite, the Kenizzite, the Kadmonite, the Hittite, the Perizzite, the Rephaim, the Amorite, the Canaanite, the Girgashite and the Jebusite.

[Rashi (ad loc.) disagrees with Ramban's assertion and maintains that three of these nations – the Kenite, the Kenizzite and the Kadmonite – were not Canaanites.]

62. Of the eleven names listed here, only four have exact counterparts in 15:19-21. The reason for this inconsistency, Ramban explains, is that some of these names were changed in Abraham's day.

63. Stylistic citation from above, 10:5, meaning, after they became nations.

יט וַיְהִ֞י גְּב֤וּל הַֽכְּנַעֲנִי֙ מִצִּיד֔ן בֹּאֲכָ֥ה גְרָ֖רָה עַד־
עַזָּ֑ה בֹּאֲכָ֞ה סְדֹ֧מָה וַעֲמֹרָ֛ה וְאַדְמָ֥ה וּצְבֹיִ֖ם
כ עַד־לָֽשַׁע׃ אֵ֣לֶּה בְנֵי־חָ֔ם לְמִשְׁפְּחֹתָ֖ם לִלְשֹׁנֹתָ֑ם
כא בְּאַרְצֹתָ֖ם בְּגוֹיֵהֶֽם׃ ס וּלְשֵׁ֥ם

יט וַהֲוָה תְּחוּם כְּנַעֲנָאֵי מִצִּידוֹן מָטֵי לִגְרָר עַד עַזָּה מָטֵי לִסְדוֹם וַעֲמוֹרָה וְאַדְמָה וּצְבוֹיִם עַד לָשַׁע: כ אִלֵּין בְּנֵי חָם לְזַרְעֲיָתְהוֹן לְלִישָּׁנְהוֹן בְּאַרְעָתְהוֹן בְּעַמְמֵיהוֹן: כא וּלְשֵׁם

רש"י

(יט) גבול. סוף ארלו. כל גבול ל' סוף וקלה: באכה. שם דבר. [ול"כ, כאדם האומר לחבירו גבול זה מגיע עד אשר תבא לגבול פלוני]: (כ) ללשנתם בארצתם. אע"פ שנחלקו ללשונות וארלות, כלם בני חם הם:

רמב"ן

אוּלַי הֶעֱלוּ לָהֶם שֵׁם עַל שֵׁם הָאָרֶץ, כְּמוֹ שֶׁפֵּירַשְׁנוּ[64]. וְכֵן "שֵׂעִיר הַחֹרִי" [להלן לו, כ] שֵׁם הָעִיר[65] שֵׂעִיר, וְכֵן רַבִּים.
אוֹ שֶׁהוֹלִידוּ הָעַרְקִי וְהַסִּינִי מִשְׁפָּחוֹת, וְנִכְרְתוּ מֵהֶם, וּבְנֵיהֶם הָיוּ קֵינִי וּקְנִיזִי, עַל דֶּרֶךְ מָשָׁל[66], וְהָיוּ לְרָאשֵׁי בָּתֵּי אָבוֹת, תִּקָּרֵא הָאוּמָּה בִּשְׁמָם - כְּנָהוּג בְּשִׁבְטֵי יִשְׂרָאֵל[67]. וְהִנֵּה קְרָאָם בַּשֵּׁם שֶׁהָיָה לָהֶם בִּימֵי אַבְרָהָם בְּמַתְּנָתוֹ[68].
וּרְאָיָה לַדָּבָר, כִּי הַחִוִּי הַנִּזְכָּר בְּכָאן אֵינֶנּוּ נִזְכָּר בְּמַתְּנָתוֹ שֶׁל אַבְרָהָם[69], וְהוּא הָיָה מֵהֶם, שֶׁנֶּאֱמַר [דברים ז, א]: "וְנָשַׁל גּוֹיִם רַבִּים מִפָּנֶיךָ - הַחִתִּי, וְהַגִּרְגָּשִׁי, וְהָאֱמֹרִי, וְהַכְּנַעֲנִי, וְהַפְּרִזִּי, וְהַחִוִּי, וְהַיְבוּסִי - שִׁבְעָה גוֹיִם"

RAMBAN ELUCIDATED

[Ramban suggests two possibilities as to how these new names came about:]

אוּלַי הֶעֱלוּ לָהֶם שֵׁם עַל שֵׁם הָאָרֶץ, כְּמוֹ שֶׁפֵּירַשְׁנוּ – **Perhaps they were called by the name of the land** that they inhabited, **as we have explained above.**[64] וְכֵן "שֵׂעִיר הַחֹרִי" שֵׁם הָעִיר שֵׂעִיר – **Similarly with** ***Seir the Horite*** (below, 36:20) – **the name of the city** that Seir came from **was Seir,**[65] וְכֵן רַבִּים – **and so, too, in many** other cases.

אוֹ שֶׁהוֹלִידוּ הָעַרְקִי וְהַסִּינִי מִשְׁפָּחוֹת וְנִכְרְתוּ מֵהֶם – **Alternatively,** it is possible that **the Arkite and the Sinite gave birth to** several **families, of which some** later **ceased to exist,** וּבְנֵיהֶם הָיוּ קֵינִי וּקְנִיזִי עַל דֶּרֶךְ מָשָׁל – **and their** surviving **children were Keni and Kenizi, for example.**[66] וְהָיוּ לְרָאשֵׁי בָּתֵּי אָבוֹת תִּקָּרֵא הָאוּמָּה בִּשְׁמָם כְּנָהוּג בְּשִׁבְטֵי יִשְׂרָאֵל – **They,** in turn, **became heads of families,** and then **the nation** that each formed **was called by their** own **names, as is the** Torah's **practice regarding the tribes of Israel.**[67] וְהִנֵּה קְרָאָם בַּשֵּׁם שֶׁהָיָה לָהֶם בִּימֵי אַבְרָהָם בְּמַתְּנָתוֹ – **Thus,** in 15:19-21, where the Torah describes the lands of the ten nations promised to Abraham, **[Scripture] called them by the names that they [were called] in the days of Abraham,** at the time he was granted **his gift.**

[Ramban has established that the ten nations promised to Abraham in Chap. 15 are, despite some name changes, the same nations enumerated here in Chap. 10.[68] Ramban now offers a proof for his position:]

וּרְאָיָה לַדָּבָר, כִּי הַחִוִּי הַנִּזְכָּר בְּכָאן אֵינֶנּוּ נִזְכָּר בְּמַתְּנָתוֹ שֶׁל אַבְרָהָם – **Proof for this matter is that the Hivvite mentioned here is not mentioned in the gift to Abraham.**[69] וְהוּא הָיָה מֵהֶם – **Yet** we know that **he was one of [the nations]** promised to Abraham, שֶׁנֶּאֱמַר "וְנָשַׁל גּוֹיִם רַבִּים מִפָּנֶיךָ הַחִתִּי וְהַגִּרְגָּשִׁי וְהָאֱמֹרִי וְהַכְּנַעֲנִי וְהַפְּרִזִּי וְהַחִוִּי וְהַיְבוּסִי, שִׁבְעָה גוֹיִם" – **as it says** in Moses' words to Israel, ***He will cast out many***

64. In the discussion of the nature of the names of Mizraim's sons, v. 10:13, citing Ibn Ezra.

65. The man Seir was so called because he was from the place Seir. See Ramban ad loc.

66. This is only an arbitrary attempt ("for example") to identify the Arkites and Sinites with Keni and Kenizi; there are other possibilities.

67. The reference is to *Numbers* Chap. 26, where we see that a child's family may replace a father's family that has disappeared. For example, five families of Benjamin's ten sons became depleted and disappeared as independent families, while two new families, the Ardite family and the Naamite family, emerged in their place. Similarly, it is reasonable to say here that the Arkite and the Sinite disappeared but had children who started their own family lines – named after themselves – the Keni and the Kenizi.

68. The alternative to this approach is that the seven nations mentioned here in Chapter 10 but not listed in Chapter 15 (Zidon, Hivvite, Arkite, Sinite, Aradite, Zemarite, and Hamathite) were not part of God's promise to Abraham. If so, this would mean that some of the Canaanite territory was left for the Canaanites.

69. According to the "alternative possibility" (see

19 And the Canaanite boundary extended from Zidon going toward Gerar, as far as Gaza; going toward Sodom, Gomorrah, Admah and Zeboiim, as far as Lasha. 20 These are the descendants of Ham, by their families, by their languages, in their lands, in their nations.

רמב״ן

[דברים ז, ו][70] וְכֵן בְּכָל מָקוֹם[71]. וְיִמְנֶה הַכְּנַעֲנִי [לקמן טו, כא] עִם בָּנָיו[72], וְלֹא יִמְנֶה בָּהֶן רַק עֲשָׂרָה[73], כִּי אֶחָד מִבָּנָיו לֹא גָּבַר כְּאֶחָיו, וְנִקְרָא עִם אָחִיו בְּשֵׁם אָבִיו[74]. וְיִתָּכֵן שֶׁהָיָה צִידוֹן בְּכוֹרוֹ, הַנִּקְרָא "כְּנַעֲנִי" עִם אֶחָד מֵאֶחָיו שֶׁלֹּא הָיָה לְגוֹי.

וְאַל יִקְשֶׁה עָלֶיךָ אֶרֶץ פְּלִשְׁתִּים שֶׁהָיְתָה לְאַבְרָהָם, כְּדִכְתִיב [לְהַלָּן כו, ג]: "גּוּר בָּאָרֶץ הַזֹּאת כִּי לְךָ וּלְזַרְעֲךָ אֶתֵּן אֶת כָּל הָאֲרָצוֹת הָאֵל"[75], וְהֵם מִבְּנֵי מִצְרַיִם [פסוק יד]. כִּי הַכָּתוּב אָמַר [יהושע יג, ג]: "לַכְּנַעֲנִי תֵּחָשֵׁב

RAMBAN ELUCIDATED

nations from before you – the Hittite, the Girgashite, the Amorite, the Canaanite, the Perizzite, the "Hivvite" and the Jebusite – seven nations (*Deuteronomy* 7:1),[70] **וְכֵן בְּכָל מָקוֹם** – **and as** it says **in every instance** where Scripture enumerates the Canaanite nations displaced by Israel.[71]

[If the nations listed in our verse are the same as those mentioned in Chap. 15, then why are eleven nations listed here and only ten there? Ramban explains:]

וְיִמְנֶה הַכְּנַעֲנִי עִם בָּנָיו – **[Scripture] counts** *the Canaanite* (below, 15:21) among his [Canaan's] sons,[72] **וְלֹא יִמְנֶה בָּהֶן רַק עֲשָׂרָה** – **and enumerates only ten** names[73] **כִּי אֶחָד מִבָּנָיו לֹא גָּבַר כְּאֶחָיו** – **because one of [Canaan's] sons did not become as powerful as his brothers; וְנִקְרָא עִם אָחִיו בְּשֵׁם אָבִיו** – **and** after joining **with his brother, he was called by the name of his father,** "Canaan."[74] **וְיִתָּכֵן שֶׁהָיָה צִידוֹן בְּכוֹרוֹ הַנִּקְרָא "כְּנַעֲנִי" עִם אֶחָד מֵאֶחָיו שֶׁלֹּא הָיָה לְגוֹי** – **It is possible that it was Zidon, [Canaan's] firstborn, who was** called **"Canaanite," along with another one of his brothers, who did not become a** separate **nation.**

[Ramban has established that God's gift to Abraham consisted of the territory of all of Canaan's eleven sons; no more and no less. He now deals with a difficulty that arises from this assertion. The Philistines were not descendants of Canaan, but Philistia, as Ramban will show, in part of *Eretz Yisrael.* To resolve this difficulty, Ramban will prove that Philistia was part of Canaan, but that the Philistines had taken it in war.]

וְאַל יִקְשֶׁה עָלֶיךָ אֶרֶץ פְּלִשְׁתִּים שֶׁהָיְתָה לְאַבְרָהָם – **Now, do not find it difficult** that **the land of the Philistines was to become Abraham's, כְּדִכְתִיב "גּוּר בָּאָרֶץ הַזֹּאת כִּי לְךָ וּלְזַרְעֲךָ אֶתֵּן אֶת כָּל הָאֲרָצוֹת הָאֵל"** – **as is written,** *Isaac went to Abimelech, king of the Philistines and* H*ASHEM said,* **Sojourn in this land for to you and your offspring will I give all these lands** *and establish the oath that I swore to Abraham*[75] (below, 26:1-3) – **וְהֵם מִבְּנֵי מִצְרַיִם** – **though they [the Philistines] were children of Mizraim** (v. 14) not of Canaan.

---

previous footnote), the Hivvites' land was thus not given over to Abraham. But this is not the case, as Ramban proceeds to demonstrate.

70. This list is identical to the list in "the gift of Abraham" (below, 15:19-21) except for the Hivvite which replaces the Rephaim. Ramban on *Deuteronomy* 2:23 asserts that the Hivvite and the Rephaim are one and the same. In any case, we see from the verse in *Deuteronomy* 7:1 that the Hivvite (mentioned here, in Chapter 10) was one of the nations promised to Abraham, though they are not mentioned (by this name) in the covenant in Chapter 15.

71. E.g., *Exodus* 3:8, ibid. 3:17, ibid. 13:5, etc.

72. For according to Ramban here, vv. 15:19-21 is a list of Canaan's *sons.*

73. Ramban deals with two questions: (a) Why is Canaan listed along with his sons in 15:21. (b) Why are only ten names mentioned there when there are eleven listed here?

74. I.e., a "weak" son of Canaan joined a stronger brother who took the name "Canaan" for himself. However, we do not know the identity of that stronger brother. Ramban suggests who this brother might be.

75. This citation makes it clear that the land of the Philistines was part of God's promise to Abraham.

יֻלַּד גַּם־הוּא אֲבִי כָּל־בְּנֵי־עֵבֶר אֲחִי יֶפֶת הַגָּדוֹל:

אִתְיְלִיד אַף הוּא אֲבוּהוֹן דְּכָל בְּנֵי עֵבֶר אֲחוּהִי דְּיֶפֶת רַבָּא:

רש"י

(כא) **אבי כל בני עבר** הנהר, היה שֵׁם: **אחי יפת הגדול.** איני יודע אם יפת הגדול אם שם. כשהוא אומר שם בן מאת שנה וגו' שנתים אחר המבול (להלן יא:י) הוי אומר יפת הגדול (ב"ר שם ז), שהרי בן ת"ק שנה היה נח כשהתחיל להוליד והמבול היה בשנת שש מאות שנה לנח, נמצא שהגדול בבניו היה בן מאה שנה, ושם לא הגיע למאה עד שנתים אחר המבול: **אחי יפת.** ולא אחי חם, שאלו שניהם כבדו את אביהם וזה בִּזָּהוּ (עי' תרגום יונתן):

רמב"ן

חֲמֵשֶׁת סַרְנֵי פְּלִשְׁתִּים," כִּי כָּבְשׁוּ מִקְצַת הָאָרֶץ וְיָשְׁבוּ בָהּ[76]. וּבְכָאן תִּרְאֶה כִּי "גְּבוּל הַכְּנַעֲנִי מִצִּידֹן בֹּאֲכָה גְרָרָה עַד עַזָּה" [שם, י, יט] - וְאֵלֶּה עָרֵי פְלִשְׁתִּים[77]! כִּי אֲבִימֶלֶךְ מֶלֶךְ גְּרָר[78], וְעַזָּה לְעַזָּתִי הִיא[79]. וְכֵן "לְעַזָּה אֶחָד" [שמואל-א ו, יז][80]. וְצִידוֹן לַפְּלִשְׁתִּים, דִּכְתִיב [יהושע יג, ב-ו]: [כָּל-גְּלִילוֹת הַפְּלִשְׁתִּים ...] "כָּל צִידֹנִים אָנֹכִי אוֹרִישֵׁם מִפְּנֵי בְּנֵי יִשְׂרָאֵל רַק הַפִּלֶהָ בְּנַחֲלָה". וְכָתוּב [יואל ד, ד]: "וְגַם מָה אַתֶּם לִי צֹר וְצִידוֹן וְכֹל גְּלִילוֹת פְּלָשֶׁת".

וְאוּלַי שְׁאָר אֶרֶץ פְּלִשְׁתִּים לֹא הָיְתָה לְיִשְׂרָאֵל, לְבַד אֵלּוּ חֲמֵשֶׁת סַרְנֵיהֶם[81].

וְדַע כִּי אֶרֶץ כְּנַעַן לִגְבוּלֹתֶיהָ, מֵאָז הָיְתָה לְגוֹי, הִיא רְאוּיָה לְיִשְׂרָאֵל, וְהִיא חֶבֶל נַחֲלָתָם, כְּמוֹ

RAMBAN ELUCIDATED

If so, why was Philistia awarded to Abraham? Ramban answers.

כִּי הַכָּתוּב אָמַר: "לַכְּנַעֲנִי תֵּחָשֵׁב חֲמֵשֶׁת סַרְנֵי פְּלִשְׁתִּים" – **For Scripture says,** of Philistia ***It was considered to be the Canaanite's – [the territory of] the five governors of the Philistines*** (*Joshua* 13:3), **כִּי כָּבְשׁוּ מִקְצַת הָאָרֶץ וְיָשְׁבוּ בָהּ** – **because [the Philistines] conquered part of the** Canaanite **land and settled there.**[76] **וּבְכָאן תִּרְאֶה כִּי "גְּבוּל הַכְּנַעֲנִי מִצִּידֹן בֹּאֲכָה גְרָרָה עַד עַזָּה"** – **And from** the verse **here, as well, you can see** that the Philistines had conquered land from the Canaanites, ***for the Canaanite boundary extended from Zidon, going toward Gerar, as far as Gaza*** (10:19) – **וְאֵלֶּה עָרֵי פְלִשְׁתִּים** – **yet** all of **these** places **were Philistine cities!**[77] **כִּי אֲבִימֶלֶךְ מֶלֶךְ גְּרָר** – **For Abimelech** (a Philistine) **was the king of Gerar,**[78] **וְעַזָּה לְעַזָּתִי הִיא** – **and Gaza belonged to the Gazites.**[79] **וְכֵן "לְעַזָּה אֶחָד"** – **Similarly,** it is written, ***One for Gaza*** (*I Samuel* 6:17).[80] **וְצִידוֹן לַפְּלִשְׁתִּים, דִּכְתִיב "כָּל צִידֹנִים אָנֹכִי אוֹרִישֵׁם מִפְּנֵי בְּנֵי יִשְׂרָאֵל רַק הַפִּלֶהָ בְּנַחֲלָה"** – **Likewise, Zidon belonged to the Philistines, as is written,** *all the districts of the Philistines*, ***all the Zidonians – I will drive them out from before the Children of Israel; You have only to allot it*** *to Israel* ***as a heritage*** (*Joshua* 13:2-6). **וְכָתוּב "וְגַם מָה אַתֶּם לִי צֹר וְצִידוֹן וְכֹל גְּלִילוֹת פְּלָשֶׁת"** – **Furthermore, it is written, *Also, what are you to Me, O Tyre and "Zidon" and all the districts of "Philistia"?*** (*Joel* 4:4). From all these sources, we must conclude that the land of the Philistines was territory conquered from the Canaanites.

[Ramban notes a possible exception:]

וְאוּלַי שְׁאָר אֶרֶץ פְּלִשְׁתִּים לֹא הָיְתָה לְיִשְׂרָאֵל, לְבַד אֵלּוּ חֲמֵשֶׁת סַרְנֵיהֶם – However it is **possible that the rest of the land of the Philistines – other than** the land of **these five governors of theirs – was** indeed **not** given **to Israel.**[81]

[Ramban closes with a fundamental comment about Israel's claim to the land of Canaan:]

וְדַע כִּי אֶרֶץ כְּנַעַן לִגְבוּלֹתֶיהָ מֵאָז הָיְתָה לְגוֹי הִיא רְאוּיָה לְיִשְׂרָאֵל וְהִיא חֶבֶל נַחֲלָתָם – **Know** with certainty

76. The Philistine's land was actually Canaanite territory, but was invaded and settled by the Philistines even before Abraham's time. Since it was originally Canaanite land, it fell under the curse of Canaan and was included in God's covenant with Abraham.

77. The boundary recorded here for Canaan thus included cities that were later known to be Philistine centers, confirming that this land originally belonged to the Canaanites but was subsequently settled by Philistines.

78. So Gerar was clearly a Philistine city.

79. And the "Gazites" were Philistines, according to *Joshua* 13:3.

80. This refers to the offerings sent by the five Philistine cities when they returned the Ark that they had looted. Thus Gaza is listed as one of the Philistine cities in later times, though it is listed here (10:19) as part of the Canaanite territory.

81. Since Israel was entitled to the land of the Philistines only by virtue of the fact that the

[21] *And to Shem, also to him were born; he was the ancestor of all those who lived on the other side; the brother of Japheth the elder.*

רמב״ן

שֶׁנֶּאֱמַר [דברים לב, ח]: ״בְּהַנְחֵל עֶלְיוֹן גּוֹיִם, בְּהַפְרִידוֹ בְּנֵי אָדָם, יַצֵּב גְּבוּלוֹת עַמִּים לְמִסְפַּר בְּנֵי יִשְׂרָאֵל״. אֲבָל נְתָנָהּ הַקָּדוֹשׁ בָּרוּךְ הוּא בְּעֵת הַפַּלָּגָה לִכְנַעַן, מִפְּנֵי הֱיוֹתוֹ עֶבֶד, לִשְׁמוֹר אוֹתָהּ לְיִשְׂרָאֵל, כְּאָדָם שֶׁמַּפְקִיד נִכְסֵי בֶּן הָאָדוֹן לְעַבְדּוֹ עַד שֶׁיִּגְדַּל וְיִזְכֶּה בַּנְּכָסִים וְגַם בָּעֶבֶד. וְעוֹד אֲבָאֵר בְּעֶזְרַת הָאֵל יִתְעַלֶּה[82].

[כא] וּלְשֵׁם יֻלַּד גַּם הוּא. בַּעֲבוּר שֶׁאִחֵר תּוֹלְדוֹת שֵׁם וְסִפֵּר תּוֹלְדוֹת אָחִיו הַקָּטָן מִמֶּנּוּ, כְּאִלּוּ לֹא הָיָה לוֹ בָּנִים - אָמַר בְּכָאן ״גַּם הוּא״.

וְטַעַם **אֲבִי כָּל בְּנֵי עֵבֶר**, שֶׁהוּא אֲבִי כָּל יוֹשְׁבֵי עֵבֶר הַנָּהָר[83], שֶׁהוּא מְקוֹם יִחוּס אַבְרָהָם. וְלֹא יִתָּכֵן שֶׁיִּהְיֶה עֵבֶר בַּמָּקוֹם הַזֶּה שֵׁם הָאִישׁ[84], אֲבִי פֶלֶג, כִּי לָמָּה יְיַחֵס אוֹתָן אֵלָיו[85]?

RAMBAN ELUCIDATED

that the land of Canaan, throughout its borders, ever since it became a nation, was destined for Israel, and it is the rightful **portion of their inheritance,** כְּמוֹ שֶׁנֶּאֱמַר: ״בְּהַנְחֵל עֶלְיוֹן גּוֹיִם בְּהַפְרִידוֹ בְּנֵי אָדָם יַצֵּב גְּבוּלוֹת עַמִּים לְמִסְפַּר בְּנֵי יִשְׂרָאֵל״ – **as it is said,** ***When the Supreme One gave the nations their inheritance, when He separated the children of man, He set the borders of the peoples according to the number of the Children of Israel*** (*Deuteronomy* 32:8). אֲבָל נְתָנָהּ הַקָּדוֹשׁ בָּרוּךְ הוּא בְּעֵת הַפַּלָּגָה לִכְנַעַן – **However, the Holy One, Blessed is He,** temporarily **gave [this land] to Canaan at the time of the Dispersion,** מִפְּנֵי הֱיוֹתוֹ עֶבֶד לִשְׁמוֹר אוֹתָהּ לְיִשְׂרָאֵל – **because of his status of slave, to safeguard it for Israel,** כְּאָדָם שֶׁמַּפְקִיד נִכְסֵי בֶּן הָאָדוֹן לְעַבְדּוֹ עַד שֶׁיִּגְדַּל וְיִזְכֶּה בַּנְּכָסִים – **as when a man deposits the property of a master's son with his slave until he will grow up and be** able to **take possession of that property** – וְגַם בָּעֶבֶד – **and also** take possession **of the slave as well!** וְעוֹד אֲבָאֵר בְּעֶזְרַת הָאֵל יִתְעַלֶּה – **I will explain this further, with the aid of God, Exalted be He!**[82]

21. וּלְשֵׁם יֻלַּד גַּם הוּא – ***AND TO SHEM, ALSO TO HIM WERE BORN.***

[Ramban addresses the seemingly superfluous expression, *also to him.*]

בַּעֲבוּר שֶׁאִחֵר תּוֹלְדוֹת שֵׁם – **Because [Scripture] postponed** recounting **the genealogy of** Shem וְסִפֵּר תּוֹלְדוֹת אָחִיו הַקָּטָן מִמֶּנּוּ, כְּאִלּוּ לֹא הָיָה לוֹ בָּנִים – and **related** first **the genealogy of** Ham, **his younger brother – as if [Shem] did not have sons** to record – אָמַר בְּכָאן ״גַּם הוּא״ – **it says at this point,** ***also to him.*** [I.e., he, too, had children].

□ **[אֲבִי כָּל בְּנֵי עֵבֶר]** – ***[THE ANCESTOR OF ALL THOSE WHO LIVED ON THE OTHER SIDE.]***

[Ramban elaborates on the meaning of the word עֵבֶר in this verse:]

וְטַעַם ״אֲבִי כָּל בְּנֵי עֵבֶר״, שֶׁהוּא אֲבִי כָּל יוֹשְׁבֵי עֵבֶר הַנָּהָר – **The meaning of** אֲבִי כָּל בְּנֵי עֵבֶר **is that [Shem] was the ancestor of all those who lived on the other side** (עֵבֶר) – i.e., the eastern side – **of the** [Euphrates] **River,**[83] שֶׁהוּא מְקוֹם יִחוּס אַבְרָהָם – **which is the place of Abraham's origins.** וְלֹא יִתָּכֵן שֶׁיִּהְיֶה עֵבֶר בַּמָּקוֹם הַזֶּה שֵׁם הָאִישׁ, אֲבִי פֶלֶג – **It is unfeasible,** however, **that** עֵבֶר **here is the name of the person** "Eber,"[84] **Peleg's father,** כִּי לָמָּה יְיַחֵס אוֹתָן אֵלָיו – **for why would [Scripture]** make special mention of this fact and **note the descent of [Eber's children] from [Shem]?**[85]

□ **אֲחִי יֶפֶת הַגָּדוֹל** – ***THE BROTHER OF JAPHETH, THE ELDER***

[The meaning of this phrase is ambiguous, as Rashi notes: *Who* was "the elder" – Shem or Japheth? Ramban explains:]

Philistines had conquered their territory from the Canaanites, as Ramban has explained, it is quite possible that the portion of Philistine territory *not* taken from the Canaanites was indeed not part of the Promised Land.

82. See Ramban below, 14:18; *Leviticus* 18:25; and *Deuteronomy* 2:23.

83. This agrees with Rashi's explanation of the phrase.

84. As Ibn Ezra (*Exodus* 21:2) and Radak (here) maintain

85. There is no reason to single out Eber from among all of Shem's descendants. (See *Mizrachi* on Rashi here.)

כב בְּנֵי שֵׁם עֵילָם וְאַשּׁוּר וְאַרְפַּכְשַׁד וְלוּד וַאֲרָם:
כג־כד וּבְנֵי אֲרָם עוּץ וְחוּל וְגֶתֶר וָמַשׁ: וְאַרְפַּכְשַׁד
כה יָלַד אֶת־שָׁלַח וְשֶׁלַח יָלַד אֶת־עֵבֶר: וּלְעֵבֶר
יֻלַּד שְׁנֵי בָנִים שֵׁם הָאֶחָד פֶּלֶג כִּי בְיָמָיו
כו נִפְלְגָה הָאָרֶץ וְשֵׁם אָחִיו יָקְטָן: וְיָקְטָן יָלַד
אֶת־אַלְמוֹדָד וְאֶת־שָׁלֶף וְאֶת־חֲצַרְמָוֶת וְאֶת־
כז יָרַח: וְאֶת־הֲדוֹרָם וְאֶת־אוּזָל וְאֶת־דִּקְלָה:
כח־כט וְאֶת־עוֹבָל וְאֶת־אֲבִימָאֵל וְאֶת־שְׁבָא: וְאֶת־
אוֹפִר וְאֶת־חֲוִילָה וְאֶת־יוֹבָב כָּל־אֵלֶּה בְּנֵי
ל יָקְטָן: וַיְהִי מוֹשָׁבָם מִמֵּשָׁא בֹּאֲכָה סְפָרָה הַר
לא הַקֶּדֶם: אֵלֶּה בְנֵי־שֵׁם לְמִשְׁפְּחֹתָם לִלְשֹׁנֹתָם
לב בְּאַרְצֹתָם לְגוֹיֵהֶם: אֵלֶּה מִשְׁפְּחֹת בְּנֵי־נֹחַ
לְתוֹלְדֹתָם בְּגוֹיֵהֶם וּמֵאֵלֶּה נִפְרְדוּ הַגּוֹיִם
בָּאָרֶץ אַחַר הַמַּבּוּל: פ

כב בְּנֵי שֵׁם עֵילָם וְאַשּׁוּר וְאַרְפַּכְשַׁד וְלוּד וַאֲרָם: כג וּבְנֵי אֲרָם עוּץ וְחוּל וְגֶתֶר וָמַשׁ: כד וְאַרְפַּכְשַׁד אוֹלִיד יָת שָׁלַח וְשֶׁלַח אוֹלִיד יָת עֵבֶר: כה וּלְעֵבֶר אִתְיְלִידוּ תְּרֵין בְּנִין שׁוּם חַד פֶּלֶג אֲרֵי בְיוֹמוֹהִי אִתְפְּלִיגַת אַרְעָא וְשׁוּם אֲחוּהִי יָקְטָן: כו וְיָקְטָן אוֹלִיד יָת אַלְמוֹדָד וְיָת שָׁלֶף וְיָת חֲצַרְמָוֶת וְיָת יָרַח: כז וְיָת הֲדוֹרָם וְיָת אוּזָל וְיָת דִּקְלָה: כח וְיָת עוֹבָל וְיָת אֲבִימָאֵל וְיָת שְׁבָא: כט וְיָת אוֹפִר וְיָת חֲוִילָה וְיָת יוֹבָב כָּל אִלֵּין בְּנֵי יָקְטָן: ל וַהֲוָה מוֹתְבָנְהוֹן מִמֵּשָׁא מָטֵי לִסְפַר טוּר מָדִינְחָא: לא אִלֵּין בְּנֵי שֵׁם לְזַרְעֲיָתְהוֹן לְלִישָׁנֵיהוֹן לְאַרְעָתְהוֹן לְעַמְמֵיהוֹן: לב אִלֵּין זַרְעֲיַת בְּנֵי נֹחַ לְתוּלְדָתְהוֹן בְּעַמְמֵיהוֹן וּמֵאִלֵּין אִתְפָּרְשׁוּ עַמְמַיָּא בְּאַרְעָא בָּתַר טוֹפָנָא:

רש״י

(כה) **נפלגה.** נתבלבלו הלשונות ונפוצו מן הבקעה ונתפלגו בכל העולם. למדנו שהיה עבר נביא, שקרא שם בנו ע״ש העתיד (ב״ר שם). ושנינו בסדר עולם (פרק א) שבסוף ימיו נתפלגו, שאם תאמר בתחלת ימיו, הרי יקטן אחיו לעיר ממנו והוליד כמה משפחות קודם לכן, שנא׳ ויקטן ילד וגו׳. ואח״כ ויהי כל הארץ וגו׳. וא״ת באמצע ימיו, לא בא הכתוב לסתום אלא לפרש, הא למדת שבשנת מות פלג נתפלגו: **יקטן.** שהיה ענו ומקטין עצמו (ב״ר שם) לכך זכה להעמיד כל המשפחות הללו: (כו) **חצרמות.** ע״ש מקומו. דברי אגדה (שם):

רמב״ן

אֲחִי יֶפֶת הַגָּדוֹל. דֶּרֶךְ הַכָּתוּב לְיַחֵס הַקָּטָן אֶל הַגָּדוֹל בְּאֶחָיו, וְלֹא אֶל הַנּוֹלָד אַחֲרָיו. וְכֵן "מִרְיָם הַנְּבִיאָה אֲחוֹת אַהֲרֹן" [שמות טו, כ][86].

וְטַעַם לְהַזְכִּיר זֶה כְּלָל[87], לוֹמַר כִּי הוּא אֲחִי הַנִּכְבָּד, שָׁוֶה אֵלָיו בִּכְבוֹדוֹ, לְהַגִּיד שֶׁלֹּא אִחֵר אוֹתוֹ מִפְּנֵי מַעֲלַת חָם עָלָיו.

RAMBAN ELUCIDATED

דֶּרֶךְ הַכָּתוּב לְיַחֵס הַקָּטָן אֶל הַגָּדוֹל בְּאֶחָיו וְלֹא אֶל הַנּוֹלָד אַחֲרָיו – It is common for Scripture to relate a younger [brother] to the oldest of his **brothers, but not to one that was born after him.** Accordingly, Japheth was the eldest brother. **וְכֵן "מִרְיָם הַנְּבִיאָה אֲחוֹת אַהֲרֹן" – Similarly,** we find, ***Miriam the prophetess, the sister of Aaron*** (*Exodus* 15:20).[86]

וְטַעַם לְהַזְכִּיר זֶה כְּלָל, לוֹמַר כִּי הוּא אֲחִי הַנִּכְבָּד שָׁוֶה אֵלָיו בִּכְבוֹדוֹ – The reason for mentioning this at all[87] **is to tell us that [Shem] was the brother of the respected [Japheth],** implying that he, Shem, was **equal to him in his stature, לְהַגִּיד שֶׁלֹּא אִחֵר אוֹתוֹ מִפְּנֵי מַעֲלַת חָם עָלָיו –** and **to** thereby **inform** us **that [Scripture] did not postpone** relating the genealogy of **[Shem]** until after Ham **for the reason that Ham was superior to him.**

---

86. In the context of that verse, where Moses is the center of the narrative, it would have been more appropriate to identify Miriam as Moses' sister. Yet Scripture says, *the sister of Aaron*, showing, as Ramban notes, that Scripture uses the older brother to identify the younger sibling.

87. I.e., that Shem was Japheth's brother, when the Torah has already mentioned several times that they were both Noah's sons!

22 *The sons of Shem: Elam, Asshur, Arpachshad, Lud and*
Aram. 23 *The sons of Aram: Uz, Hul, Gether and Mash.*
24 *Arpachshad begot Shelah, and Shelah begot Eber.*
25 *And to Eber were born two sons: The name of the first was*
Peleg, for in his days the earth was divided; and the name of
his brother was Joktan. 26 *Joktan begot Almodad, Sheleph,*
Hazarmaveth, Jerah, 27 *Hadoram, Uzal, Diklah,* 28 *Obal,*
Abimael, Sheba, 29 *Ophir, Havilah and Jobab; all these were*
the sons of Joktan. 30 *Their dwelling place extended from*
Mesha going toward Sephar, the mountain to the
east. 31 *These are the descendants of Shem according to their*
families, by their languages, in their lands, by their nations.
32 *These are the families of Noah's descendants, according*
to their generations, in their nations; and from these the
nations were separated on the earth after the Flood.

רמב״ן

וְהַנִּרְאֶה אֵלַי שֶׁיִּהְיֶה "הַגָּדוֹל" תֹּאַר לְשֵׁם, לוֹמַר שֶׁהוּא הָאָח הַגָּדוֹל שֶׁל יֶפֶת[89], כִּי חָם קָטָן מִכֻּלָּם, וְאִם הִקְדִּים אוֹתוֹ[90]. וְכֵן בְּכָל מָקוֹם תֹּאַר[91] לַמְדֻבָּר בּוֹ, כְּגוֹן "יְשַׁעְיָהוּ בֶן אָמוֹץ הַנָּבִיא" [מלכים־ב כ, א][92]; "חֲנַנְיָה בֶּן עַזּוּר הַנָּבִיא" [ירמיה כח, א][93] "לְחֹבָב בֶּן רְעוּאֵל הַמִּדְיָנִי חוֹתֵן מֹשֶׁה" [במדבר י, כט][94].

וְרַשִׁ"י כָּתַב: אֲחִי יֶפֶת וְלֹא אֲחִי חָם, שֶׁאֵלּוּ שְׁנֵיהֶם כִּבְּדוּ אֲבִיהֶם, וְזֶה בִּזָּהוּ.

RAMBAN ELUCIDATED

[Until this point, Ramban's premise has been that the word הַגָּדוֹל (*the elder*) refers to Japheth.[88] Ramban now proposes another possibility:]

וְהַנִּרְאֶה אֵלַי שֶׁיִּהְיֶה "הַגָּדוֹל" תֹּאַר לְשֵׁם – **It seems to me**, however, **that *the elder* is a description of Shem** rather than of Japheth; **לוֹמַר שֶׁהוּא הָאָח הַגָּדוֹל שֶׁל יֶפֶת** – **meaning, that [Shem] was the older of Japheth's** two **brothers,**[89] **כִּי חָם קָטָן מִכֻּלָּם, וְאִם הִקְדִּים אוֹתוֹ** – **for Ham was the youngest of them all, despite** the fact **that [Scripture] put him first.**[90] **וְכֵן בְּכָל מָקוֹם תֹּאַר לַמְדֻבָּר בּוֹ** – **And, similarly, throughout** Scripture, **descriptive words**[91] **relate to the** main **subject** of the verse, and not necessarily to the person mentioned in immediate proximity to the descriptive word – **כְּגוֹן "יְשַׁעְיָהוּ בֶן אָמוֹץ הַנָּבִיא"** – **as in, *Isaiah son of Amoz the prophet*** (*II Kings* 20:1),[92] **"חֲנַנְיָה בֶּן עַזּוּר הַנָּבִיא"** – ***Hananiah son of Azzur the prophet*** (*Jeremiah* 28:1),[93] **"לְחֹבָב בֶּן רְעוּאֵל הַמִּדְיָנִי חוֹתֵן מֹשֶׁה"** – and ***to Hobab son of Reuel the Midianite, the father-in-law of Moses***[94] (*Numbers* 10:29). Hence, *the elder* describes Shem since he is the subject of the verse.

[Ramban closes by citing and analyzing Rashi's comment on this phrase:]

וְרַשִׁ"י כָּתַב: – **Rashi writes:**

אֲחִי יֶפֶת וְלֹא אֲחִי חָם – ***The brother of Japheth*** – **but not the brother of Ham,** **שֶׁאֵלּוּ שְׁנֵיהֶם כִּבְּדוּ אֲבִיהֶם וְזֶה בִּזָּהוּ** – in the sense **that these two**, Shem and Japheth, **honored their father, and this one,** Ham, **disgraced him.**

88. In accordance with the interpretation of Rashi and the Sages (*Bereishis Rabbah*; *Sanhedrin* 69b).

89. Their order of birth was Japheth, Shem, Ham (see Ramban above, 6:10). Of Japheth's two brothers – both of whom were younger than he – Shem was older than Ham.

90. In other words, by describing Shem as *the older one* Scripture is noting that although his lineage is presented last, he was nevertheless older than Ham.

91. A תֹּאַר in classical Hebrew grammar refers to any descriptive word – noun or adjective.

92. "The prophet" describes the main subject, Isaiah – though his name is four words away from this descriptive word – rather than Amoz, whose name immediately precedes "the prophet."

93. Here, too, "the prophet" describes Hananiah, not Azzur.

94. Here, too, "the father-in-law of Moses" describes

שביעי **יא** א וַיְהִ֥י כָל־הָאָ֖רֶץ שָׂפָ֣ה אֶחָ֑ת וּדְבָרִ֖ים אֲחָדִֽים׃
ב וַיְהִ֖י בְּנָסְעָ֣ם מִקֶּ֑דֶם וַֽיִּמְצְא֥וּ בִקְעָ֛ה בְּאֶ֥רֶץ
ג שִׁנְעָ֖ר וַיֵּ֥שְׁבוּ שָֽׁם׃ וַיֹּאמְר֞וּ אִ֣ישׁ אֶל־רֵעֵ֗הוּ
הָ֚בָה נִלְבְּנָ֣ה לְבֵנִ֔ים וְנִשְׂרְפָ֖ה לִשְׂרֵפָ֑ה

א וַהֲוָה כָל אַרְעָא לִישָׁן חָד וּמַמְלַל חָד: ב וַהֲוָה בְּמִטַּלְהוֹן בְּקַדְמֵיתָא וְאַשְׁכָּחוּ בִקְעֲתָא בְּאַרְעָא דְבָבֶל וִיתִיבוּ תַמָּן: ג וַאֲמָרוּ גְּבַר לְחַבְרֵהּ הָבוּ נִרְמֵי לִבְנִין וְנִשְׂרְפִנּוּן בְּנוּרָא

רש"י

(א) **שפה אחת.** לשון הקודש (תנחומא יט; תרגום יונתן; ירושלמי מגילה א:ט): **ודברים אחדים.** באו בעצה אחת ואמרו, לא כל הימנו שיבור לו את העליונים, נעלה לרקיע ונעשה עמו מלחמה. ד"א, על יחידו של עולם (תנחומא ישן כד). ד"א, ודברים אחדים [ס"א דברים חדים], אמרו אחת לאלף ותרנ"ו שנים הרקיע מתמוטט כשם שעשה בימי המבול, בואו ונעשה לו סמוכות. ב"ר (לח:ו): (ב) **בנסעם מקדם.** שהיו יושבים שם, כדכתיב למעלה (י:ל) ויהי מושבם וגו' הר הקדם, ונסעו משם לתור להם מקום להחזיק את כלם, ולא מצאו אלא שנער (ב"ר שם ז): (ג) **איש אל רעהו.** אומה לאומה, מצרים לכוש (שם ח) וכוש לפוט ופוט לכנען (תנחומא יח): **הבה.** הזמינו עצמכם. כל הבה לשון הזמנה הוא, שמכינים עצמן ומתחברים למלאכה או לעצה או למשא. הבה, הזמינו, אפרליי"ר בלעז: **לבנים.** שאין אבנים בבבל (במ"ר יד:ג) שהיא בקעה: **ונשרפה לשרפה.** כך עושין הלבנים שקורים

רמב"ן

גַּם זֶה לוֹמַר שֶׁהוּא אֲחִי הַצַּדִּיק, וְלֹא אֲחִי הָרָשָׁע, אַף עַל פִּי שֶׁנִּמְנָה אַחֲרָיו[95].

יא [ב] בְּנָסְעָם מִקֶּדֶם. פֵּרֵשׁ רַשִׁ"י: שֶׁהָיוּ יוֹשְׁבִים שָׁם, כַּכָּתוּב לְמַעְלָה [י, ל]: "וַיְהִי מוֹשָׁבָם מִמֵּשָׁא בֹּאֲכָה סְפָרָה הַר הַקֶּדֶם". וְנָסְעוּ מִשָּׁם לָתוּר לָהֶם מָקוֹם הַמַּחֲזִיק אוֹתָם, וְלֹא מָצְאוּ אֶלָּא שִׁנְעָר.

וְאֵין זֶה נָכוֹן. כִּי תּוֹלְדוֹת שֵׁם לְבַדָּן הֵם שֶׁנֶּאֱמַר עֲלֵיהֶם כֵּן, וְלָמָּה יַחֵס הַפַּלָּגָה עֲלֵיהֶם, כִּי בְּנֵי יֶפֶת וּבְנֵי חָם רַבִּים מֵהֶם? וְעוֹד, כִּי מוֹשָׁבָם בְּאַרְצוֹתָם הָיָה מִמֵּשָׁא עַד הַר הַקֶּדֶם, וְהַפַּלָּגָה הָיְתָה טֶרֶם שֶׁהָיָה מוֹשָׁבָם.

RAMBAN ELUCIDATED

גַּם זֶה לוֹמַר שֶׁהוּא אֲחִי הַצַּדִּיק, וְלֹא אֲחִי הָרָשָׁע, אַף עַל פִּי שֶׁנִּמְנָה אַחֲרָיו – This, too, means **to say that [Shem] was the brother of the righteous one** (Japheth), **and not the brother of the wicked one** (Ham), **although he i.e., Shem's offspring, are listed after that of [Ham]** in the genealogies given in this chapter.[95]

11.

2. בְּנָסְעָם מִקֶּדֶם – ***WHEN THEY MIGRATED FROM THE EAST.***

[Scripture does not specify *who* migrated from the east, where is this "east," or how these people originally came to be in the east. Ramban explains, first citing Rashi:]

פֵּרֵשׁ רַשִׁ"י – Rashi explains:

שֶׁהָיוּ יוֹשְׁבִים שָׁם – For they were living there, in the east, **כַּכָּתוּב לְמַעְלָה – as is written above, "וַיְהִי מוֹשָׁבָם מִמֵּשָׁא בֹּאֲכָה סְפָרָה הַר הַקֶּדֶם" –** ***Their dwelling place extended from Mesha going toward Sephar, the mountain of the east*** (above, 10:30). **וְנָסְעוּ מִשָּׁם לָתוּר לָהֶם מָקוֹם הַמַּחֲזִיק אוֹתָם – They traveled from there to seek for themselves a place that could accommodate them all, וְלֹא מָצְאוּ אֶלָּא שִׁנְעָר – and they found none but Shinar** in Babylonia.

[Ramban differs with Rashi's explanation:]

וְאֵין זֶה נָכוֹן – But this explanation **is not sound. כִּי תּוֹלְדוֹת שֵׁם לְבַדָּן הֵם שֶׁנֶּאֱמַר עֲלֵיהֶם כֵּן – For it was only regarding the descendants of Shem that this** phrase *dwelled in the mountain of the east* **was said. וְלָמָּה יַחֵס הַפַּלָּגָה עֲלֵיהֶם – And why would [Scripture] attribute the** events of the **Dispersion** solely **to [Shem's descendants], כִּי בְּנֵי יֶפֶת וּבְנֵי חָם רַבִּים מֵהֶם – when the children of Japheth and the children of Ham were more numerous than they? וְעוֹד כִּי מוֹשָׁבָם בְּאַרְצוֹתָם הָיָה מִמֵּשָׁא עַד הַר הַקֶּדֶם – Furthermore, their dwelling [of the descendants of Shem]** ***in their lands*** (10:30) **was from Mesha to the mountain of the east, וְהַפַּלָּגָה הָיְתָה טֶרֶם שֶׁהָיָה מוֹשָׁבָם – but the Dispersion occurred** ***before*** the areas outlined in Chapter 10 **became the dwelling places** of Noah's descen-

Hobab, not Reuel.

95. Ramban maintains that Rashi agrees that the words *the brother of Japheth* are meant as a clarification to prevent us from drawing an erroneous conclusion that Ham somehow outranked Shem. But whereas, according to Ramban, it rules out our concluding that Shem was *younger* than Ham, according to Rashi it stops us from thinking that Shem was *inferior* to

11 [1]*The whole earth was of one language and of common*
purpose. [2]*And it came to pass, when they migrated from the east they*
found a valley in the land of Shinar and settled there. [3]*They said*
to one another, "Come, let us make bricks and burn them in fire."

רמב"ן

כִּי לֹא בָאוּ בְּנֵי יֶפֶת מֵאִיֵּי הַיָּם אֶל הַבִּקְעָה אֲשֶׁר בְּאֶרֶץ שִׁנְעָר, אֲבָל בְּהַפָּלָגָה הֱפִיצָם הַשֵּׁם עַל פְּנֵי כָּל הָאָרֶץ, וְאָז הוּשְׁבוּ בְּאַרְצוֹתָם לְגוֹיֵיהֶם [י, כ].

וְרַבִּי אַבְרָהָם פֵּרֵשׁ כִּי הָרֵי אֲרָרָט[1] בַּמִּזְרָח. וְיָפֶה אָמַר, כִּי הֵם בַּמִּזְרָח קְרוֹבִים לְאַשּׁוּר[2], שֶׁנֶּאֱמַר [מלכים־ב יט, לז]: "וְהֵמָּה נִמְלְטוּ אֶרֶץ אֲרָרָט". וְנֹחַ בְּרִדְתּוֹ מִן הָהָר נִתְיַשֵּׁב בָּאֲרָצוֹת הָהֵם הוּא וְתוֹלְדוֹתָיו, וְכַאֲשֶׁר רַבּוּ - נָסְעוּ מִשָּׁם אֶל הַבִּקְעָה הַזּוֹ.

וְאַנְשֵׁי הַפַּלָּגָה, עַל דִּבְרֵי רַבּוֹתֵינוּ [סנהדרין קט, א], מוֹרְדִים בְּבוֹרְאָם. וְרוֹדְפֵי הַפְּשָׁט[3] אוֹמְרִים שֶׁלֹּא הָיָה דַעְתָּם אֶלָּא שֶׁיִּהְיוּ יַחַד מְחֻבָּרִים, כִּי הִגִּיד הַכָּתוּב דַּעְתָּם "פֶּן נָפוּץ" [פסוק ד], וְלֹא סִפֵּר עֲלֵיהֶם עִנְיָן אַחֵר[4]. וְאִם כְּדִבְרֵיהֶם - יִהְיוּ טִפְּשִׁים, כִּי אֵיךְ תִּהְיֶה עִיר אַחַת וּמִגְדָּל אֶחָד מַסְפִּיק לְכָל בְּנֵי הָעוֹלָם? אוֹ שֶׁמָּא הָיוּ חוֹשְׁבִים שֶׁלֹּא יִפְרוּ וְשֶׁלֹּא יִרְבּוּ "וְזֶרַע רְשָׁעִים יִכָּרֵת"[5]?!

RAMBAN ELUCIDATED

dants. **כִּי לֹא בָאוּ בְּנֵי יֶפֶת מֵאִיֵּי הַיָּם אֶל הַבִּקְעָה אֲשֶׁר בְּאֶרֶץ שִׁנְעָר** – **For the children of Japheth** surely **did not come from the islands of the sea,** where they subsequently settled (cf. above, 10:5), all the way **to this valley, which was in the land of Shinar!** **אֲבָל בְּהַפָּלָגָה הֱפִיצָם הַשֵּׁם עַל פְּנֵי כָּל הָאָרֶץ וְאָז הוּשְׁבוּ בְּאַרְצוֹתָם לְגוֹיֵיהֶם** – **Rather, it was at** the time of **the Dispersion that God scattered them over all the face of the earth, and it was** only **then** after the Dispersion **that they were settled *in their lands in their nations*** (10:20).

[Ramban now cites Ibn Ezra's opinion on the matter:]

וְרַבִּי אַבְרָהָם פֵּרֵשׁ כִּי הָרֵי אֲרָרָט בַּמִּזְרָח – **Rabbi Avraham** Ibn Ezra **explains that the mountains of Ararat**[1] **are in the east**, and it was from this eastern point that these people "migrated."

[Ramban states his approval of Ibn Ezra's approach:]

וְיָפֶה אָמַר – **[Ibn Ezra] says well,** **כִּי הֵם בַּמִּזְרָח קְרוֹבִים לְאַשּׁוּר** – **for these** mountains **are** indeed **in the east, near Assyria,**[2] **שֶׁנֶּאֱמַר "וְהֵמָּה נִמְלְטוּ אֶרֶץ אֲרָרָט"** – **as is written, *they*** (the assassins of the king of Assyria) ***fled to the land of Ararat*** (*II Kings* 19:37). **וְנֹחַ בְּרִדְתּוֹ מִן הָהָר נִתְיַשֵּׁב בָּאֲרָצוֹת הָהֵם הוּא וְתוֹלְדוֹתָיו** – **Now, when Noah descended from the mountain** after the Flood, **he settled in those lands** adjacent to Ararat **along with his descendants.** **וְכַאֲשֶׁר רַבּוּ נָסְעוּ מִשָּׁם אֶל הַבִּקְעָה הַזּוֹ** – **And when they became numerous they migrated from there to this valley** of Shinar.

[Ramban now discusses the motives of the "generation of the Dispersion":]

וְאַנְשֵׁי הַפַּלָּגָה, עַל דִּבְרֵי רַבּוֹתֵינוּ, מוֹרְדִים בְּבוֹרְאָם – **The men of the Dispersion, according to the tradition of the Sages** (*Sanhedrin* 109a), **were rebels against their Creator.** **וְרוֹדְפֵי הַפְּשָׁט אוֹמְרִים שֶׁלֹּא הָיָה דַעְתָּם אֶלָּא שֶׁיִּהְיוּ יַחַד מְחֻבָּרִים** – **However, those** commentators **who pursue the plain meaning** of the Scriptures[3] **say that their intention was only to be unified,** **כִּי הִגִּיד הַכָּתוּב דַּעְתָּם "פֶּן נָפוּץ", וְלֹא סִפֵּר עֲלֵיהֶם עִנְיָן אַחֵר** – **for Scripture informs** us that this was **their intention: *Lest we be dispersed*** (v. 4), **and does not relate anything else** about them.[4] **וְאִם כְּדִבְרֵיהֶם יִהְיוּ טִפְּשִׁים** – **However, if it were** really as these commentators **say, [those people]** building the Tower of Babel **were fools,** **כִּי אֵיךְ תִּהְיֶה עִיר אַחַת וּמִגְדָּל אֶחָד מַסְפִּיק לְכָל בְּנֵי הָעוֹלָם** – **for how could one city and one tower suffice for all the people of the world?** **אוֹ שֶׁמָּא הָיוּ חוֹשְׁבִים שֶׁלֹּא יִפְרוּ וְשֶׁלֹּא יִרְבּוּ** – **Did they perhaps think that they would not be fruitful and multiply,** **וְזֶרַע רְשָׁעִים יִכָּרֵת** – **and that "the**

Ham in character.

1. Where Noah's Ark came to rest (above, 8:4)

2. Which is in the east, between the Tigris and Euphrates, in present-day Iraq.

3. Ibn Ezra and/or Radak.

4. According to these commentators, the people of that generation, in fact, committed no sin; they merely intended unification. However, it was God's will that they be dispersed.

וַתְּהִ֨י לָהֶ֤ם הַלְּבֵנָה֙ לְאָ֔בֶן וְהַ֣חֵמָ֔ר הָיָ֥ה לָהֶ֖ם
ד לַחֹֽמֶר׃ וַיֹּאמְר֞וּ הָ֣בָה ׀ נִבְנֶה־לָּ֣נוּ עִ֗יר וּמִגְדָּל֙
וְרֹאשׁ֣וֹ בַשָּׁמַ֔יִם וְנַֽעֲשֶׂה־לָּ֖נוּ שֵׁ֑ם פֶּן־נָפ֖וּץ עַל־פְּנֵ֥י
ה כָל־הָאָֽרֶץ׃ וַיֵּ֣רֶד יהוה לִרְאֹ֥ת אֶת־הָעִ֖יר וְאֶת־
ו הַמִּגְדָּ֑ל אֲשֶׁ֥ר בָּנ֖וּ בְּנֵ֥י הָאָדָֽם׃ וַיֹּ֣אמֶר יהוה הֵ֣ן עַ֤ם
אֶחָד֙ וְשָׂפָ֤ה אַחַת֙ לְכֻלָּ֔ם וְזֶ֖ה הַחִלָּ֣ם לַעֲשׂ֑וֹת
וְעַתָּה֙ לֹֽא־יִבָּצֵ֣ר מֵהֶ֔ם כֹּ֛ל אֲשֶׁ֥ר יָזְמ֖וּ לַעֲשֽׂוֹת׃
ז הָ֚בָה נֵֽרְדָ֔ה וְנָבְלָ֥ה שָׁ֖ם שְׂפָתָ֑ם אֲשֶׁר֙ לֹ֣א יִשְׁמְע֔וּ
ח אִ֖ישׁ שְׂפַ֥ת רֵעֵֽהוּ׃ וַיָּ֨פֶץ יהוה אֹתָ֛ם מִשָּׁ֖ם עַל־פְּנֵ֣י
ט כָל־הָאָ֑רֶץ וַֽיַּחְדְּל֖וּ לִבְנֹ֥ת הָעִֽיר׃ עַל־כֵּ֞ן קָרָ֤א שְׁמָהּ֙
בָּבֶ֔ל כִּי־שָׁ֛ם בָּלַ֥ל יהוה שְׂפַ֣ת כָּל־הָאָ֑רֶץ וּמִשָּׁם֙
הֱפִיצָ֣ם יהוה עַל־פְּנֵ֖י כָּל־הָאָֽרֶץ׃ פ
י אֵ֚לֶּה תּוֹלְדֹ֣ת שֵׁ֔ם שֵׁ֚ם בֶּן־מְאַ֣ת שָׁנָ֔ה וַיּ֖וֹלֶד אֶת־
יא אַרְפַּכְשָׁ֑ד שְׁנָתַ֖יִם אַחַ֥ר הַמַּבּֽוּל׃ וַֽיְחִי־שֵׁ֗ם אַֽחֲרֵי֙
הוֹלִיד֣וֹ אֶת־אַרְפַּכְשָׁ֔ד חֲמֵ֥שׁ מֵא֖וֹת שָׁנָ֑ה וַיּ֥וֹלֶד
יב בָּנִ֖ים וּבָנֽוֹת׃ ס וְאַרְפַּכְשַׁ֣ד חַ֔י חָמֵ֥שׁ
יג וּשְׁלֹשִׁ֖ים שָׁנָ֑ה וַיּ֖וֹלֶד אֶת־שָֽׁלַח׃ וַיְחִ֣י אַרְפַּכְשַׁ֗ד
אַחֲרֵי֙ הוֹלִיד֣וֹ אֶת־שֶׁ֔לַח שָׁלֹ֣שׁ שָׁנִ֔ים וְאַרְבַּ֥ע
יד מֵא֖וֹת שָׁנָ֑ה וַיּ֥וֹלֶד בָּנִ֖ים וּבָנֽוֹת׃ ס וְשֶׁ֥לַח חַ֖י
טו שְׁלֹשִׁ֣ים שָׁנָ֑ה וַיּ֖וֹלֶד אֶת־עֵֽבֶר׃ וַֽיְחִי־שֶׁ֗לַח אַֽחֲרֵי֙
הוֹלִיד֣וֹ אֶת־עֵ֔בֶר שָׁלֹ֣שׁ שָׁנִ֔ים וְאַרְבַּ֥ע מֵא֖וֹת שָׁנָ֑ה
טז וַיּ֥וֹלֶד בָּנִ֖ים וּבָנֽוֹת׃ ס וַֽיְחִי־עֵ֕בֶר אַרְבַּ֥ע
יז וּשְׁלֹשִׁ֖ים שָׁנָ֑ה וַיּ֖וֹלֶד אֶת־פָּֽלֶג׃ וַֽיְחִי־עֵ֗בֶר אַֽחֲרֵי֙
הוֹלִיד֣וֹ אֶת־פֶּ֔לֶג שְׁלֹשִׁ֣ים שָׁנָ֔ה וְאַרְבַּ֥ע מֵא֖וֹת
יח שָׁנָ֑ה וַיּ֥וֹלֶד בָּנִ֖ים וּבָנֽוֹת׃ ס וַֽיְחִי־פֶ֖לֶג
יט שְׁלֹשִׁ֣ים שָׁנָ֑ה וַיּ֖וֹלֶד אֶת־רְעֽוּ׃ וַֽיְחִי־פֶ֗לֶג אַֽחֲרֵי֙
הוֹלִיד֣וֹ אֶת־רְע֔וּ תֵּ֥שַׁע שָׁנִ֖ים וּמָאתַ֣יִם שָׁנָ֑ה וַיּ֥וֹלֶד

(יְקֵדְתָּא) וַהֲוַת לְהוֹן לְבֵנְתָּא לְאַבְנָא וְחֵימָרָא הֲוַת לְהוֹן לְשִׁיעַ: ד וַאֲמָרוּ הָבוּ נִבְנֵי לָנָא קַרְתָּא וּמַגְדְּלָא וְרֵישֵׁהּ מָטֵי עַד צֵית שְׁמַיָּא וְנַעְבֵּיד לָנָא שׁוּם דִּילְמָא נִתְבַּדַּר עַל אַפֵּי כָל אַרְעָא: ה וְאִתְגְּלִי יְיָ לְאִתְפְּרָעָא עַל עוֹבָדֵי קַרְתָּא וּמַגְדְּלָא דִּי בְנוֹ בְּנֵי אֲנָשָׁא: ו וַאֲמַר יְיָ הָא עַמָּא חַד וְלִישָּׁן חַד לְכָלְּהוֹן וְדֵין דְּשָׁרִיוּ לְמֶעְבָּד וּכְעַן לָא יִתְמְנַע מִנְּהוֹן כֹּל דִּי חַשִּׁיבוּ לְמֶעְבָּד: ז הָבוּ נִתְגְּלִי וּנְבַלְבֵּל תַּמָּן לִישָּׁנְהוֹן דִּי לָא יִשְׁמְעוּן גְּבַר (נ״א אֱנַשׁ) לִישַּׁן חַבְרֵהּ: ח וּבַדַּר יְיָ יָתְהוֹן מִתַּמָּן עַל אַפֵּי כָל אַרְעָא וּמְנָעוּ לְמִבְנֵי (נ״א וְאִתְמְנָעוּ מִלְּמִבְנֵי) קַרְתָּא: ט עַל כֵּן קְרָא שְׁמַהּ בָּבֶל אֲרֵי תַמָּן בַּלְבֵּל יְיָ לִישַּׁן כָּל אַרְעָא וּמִתַּמָּן בַּדְּרִנּוּן יְיָ עַל אַפֵּי כָּל אַרְעָא: י אִלֵּין תּוּלְדַת שֵׁם שֵׁם בַּר מְאָה שְׁנִין וְאוֹלִיד יָת אַרְפַּכְשָׁד תַּרְתֵּין שְׁנִין בָּתַר טוֹפָנָא: יא וַחֲיָא שֵׁם בָּתַר דְּאוֹלִיד יָת אַרְפַּכְשָׁד חֲמֵשׁ מְאָה שְׁנִין וְאוֹלִיד בְּנִין וּבְנָן: יב וְאַרְפַּכְשַׁד חֲיָא תְּלָתִין וַחֲמֵשׁ שְׁנִין וְאוֹלִיד יָת שָׁלַח: יג וַחֲיָא אַרְפַּכְשַׁד בָּתַר דְּאוֹלִיד יָת שֶׁלַח אַרְבַּע מְאָה וּתְלָת שְׁנִין וְאוֹלִיד בְּנִין וּבְנָן: יד וְשֶׁלַח חֲיָא תְּלָתִין שְׁנִין וְאוֹלִיד יָת עֵבֶר: טו וַחֲיָא שֶׁלַח בָּתַר דְּאוֹלִיד יָת עֵבֶר אַרְבַּע מְאָה וּתְלָת שְׁנִין וְאוֹלִיד בְּנִין וּבְנָן: טז וַחֲיָא עֵבֶר תְּלָתִין וְאַרְבַּע שְׁנִין וְאוֹלִיד יָת פָּלֶג: יז וַחֲיָא עֵבֶר בָּתַר דְּאוֹלִיד יָת פֶּלֶג אַרְבַּע מְאָה וּתְלָתִין שְׁנִין וְאוֹלִיד בְּנִין וּבְנָן: יח וַחֲיָא פֶלֶג תְּלָתִין שְׁנִין וְאוֹלִיד יָת רְעוּ: יט וַחֲיָא פֶלֶג בָּתַר דְּאוֹלִיד יָת רְעוּ מָאתָן וּתְשַׁע שְׁנִין וְאוֹלִיד

רש"י

טיול"ש בלע"ז, שורפים אותם בכבשן: **לחמר**. לטוח הקיר: (ד) **פן נפוץ**. שלא יביא עלינו שום מכה להפיצנו מכאן: (ה) **וירד ה' לראות**. לא הוצרך לכך אלא בא ללמד לדיינים שלא ירשיעו הנידון עד שיראו ויבינו. מדרש רבי תנחומא (שם): **בני האדם**. אלא בני מי, שמא בני חמורים וגמלים, אלא בני אדם הראשון שכפר [ס"א שכפה] את הטובה ואמר האשה אשר נתתה עמדי (לעיל ג:יב) אף אלו כפ[ר]ו בטובה למרוד במי שהשפיעם טובה ומלטם מן המבול: (ו) **הן עם אחד**. כל טובה זו יש עמהן שעם אחד הם **ושפה אחת לכולם**, ודבר זה החלו לעשות: **החלם**. כמו אמרם, עשותם, להתחיל הם לעשות: **לא יבצר מהם וגו' לעשות**. בתמיה. יבצר ל' מניעה כתרגומו, ודומה לו יבצור רוח נגידים (תהלים עו:יג): (ז) **הבה נרדה**. בבית דינו נמלך

And the brick served them as stone, and the bitumen
served them as mortar. 4 *And they said, "Come, let us*
build us a city, and a tower with its top in the heavens,
and let us make a name for ourselves, lest we be
dispersed across the whole earth."
5 *HASHEM descended to look at the city and the tower*
which the sons of man built, 6 *and HASHEM said, "Behold,*
they are one people with one language for all, and this
they begin to do! And now, should it not be withheld from
them all they proposed to do? 7 *Come, let us descend and*
there confuse their language, that they should not under-
stand one another's language."
8 *And HASHEM dispersed them from there over the face*
of the whole earth; and they stopped building the
city. 9 *That is why it was called Babel, because it was*
there that HASHEM confused the language of the whole
earth, and from there HASHEM scattered them over the face
of the whole earth. 10 *These are the descendants of*
Shem: Shem was one hundred years old when he begot
Arpachshad, two years after the Flood. 11 *And Shem lived*
five hundred years after begetting Arpachshad, and he
begot sons and daughters.
12 *Arpachshad had lived thirty-five years when he*
begot Shelah. 13 *And Arpachshad lived four hundred and*
three years after begetting Shelah; and he begot sons and
daughters.
14 *Shelah had lived thirty years when he begot*
Eber. 15 *And Shelah lived four hundred and three years*
after begetting Eber, and he begot sons and daughters.
16 *When Eber had lived thirty-four years, he begot*
Peleg. 17 *And Eber lived four hundred and thirty years after*
begetting Peleg, and he begot sons and daughters.
18 *When Peleg had lived thirty years, he begot*
Reu. 19 *And Peleg lived two hundred and nine years after*
begetting Reu, and he begot sons and daughters.

רש"י

מטעונתו יתירה (ב"ר ח:ח; סנהדרין לח:): **הבה.** מדה כנגד מדה. הם אמרו הבה נבנה, והוא כנגדם מדד ואמר הבה נרדה (תנחומא ישן כה): ונבלה. ונבלבל (אונקלוס). נו"ן משמש בלשון רבים וה"א אחרונה יתירה כה"א של נרדה: **לא ישמעו.** זה שואל לבינה וזה מביא טיט, וזה עומד עליו ופוצע את מוחו (ב"ר לח:י): **(ח) ויפץ ה׳ אותם משם.** בעוה"ז (סנהדרין קז:). מה שאמרו פן נפוץ נתקיים עליהם, הוא שאמר שלמה מגורת רשע היא תבואנו (משלי י:כד; תנחומא שם): **(ט) ומשם הפיצם.** למד שאין להם חלק לעוה"ב (סנהדרין שם). וכי איזו קשה, של דור המבול או של דור הפלגה. אלו לא פשטו יד בעיקר להלחם בו ואלו פשטו יד בעיקר להלחם בו, ואלו נשטפו, ואלו לא נאבדו מן העולם. אלא שדור המבול היו גזלנים והיתה מריבה ביניהם, לכך נאבדו, ואלו היו נוהגים אהבה וריעות ביניהם, שנא׳ שפה אחת ודברים אחדים. למדת ששנאוי המחלוקת וגדול השלום (ב"ר לח:ו): **(י) שם בן מאת שנה.** כשהוליד את ארפכשד **שנתים אחר המבול** (תרגום יונתן):

כ בָּנִים וּבָנוֹת: ס וַיְחִי רְעוּ שְׁתַּיִם וּשְׁלֹשִׁים
כא שָׁנָה וַיּוֹלֶד אֶת־שְׂרוּג: וַיְחִי רְעוּ אַחֲרֵי הוֹלִידוֹ
אֶת־שְׂרוּג שֶׁבַע שָׁנִים וּמָאתַיִם שָׁנָה וַיּוֹלֶד
כב בָּנִים וּבָנוֹת: ס וַיְחִי שְׂרוּג שְׁלֹשִׁים
כג שָׁנָה וַיּוֹלֶד אֶת־נָחוֹר: וַיְחִי שְׂרוּג אַחֲרֵי
הוֹלִידוֹ אֶת־נָחוֹר מָאתַיִם שָׁנָה וַיּוֹלֶד בָּנִים
כד וּבָנוֹת: ס וַיְחִי נָחוֹר תֵּשַׁע וְעֶשְׂרִים שָׁנָה
כה וַיּוֹלֶד אֶת־תָּרַח: וַיְחִי נָחוֹר אַחֲרֵי הוֹלִידוֹ אֶת־
תֶּרַח תְּשַׁע־עֶשְׂרֵה שָׁנָה וּמְאַת שָׁנָה וַיּוֹלֶד
כו בָּנִים וּבָנוֹת: ס וַיְחִי־תֶרַח שִׁבְעִים שָׁנָה
כז וַיּוֹלֶד אֶת־אַבְרָם אֶת־נָחוֹר וְאֶת־הָרָן: וְאֵלֶּה
תּוֹלְדֹת תֶּרַח תֶּרַח הוֹלִיד אֶת־אַבְרָם אֶת־נָחוֹר
כח וְאֶת־הָרָן וְהָרָן הוֹלִיד אֶת־לוֹט: וַיָּמָת הָרָן עַל־
פְּנֵי תֶּרַח אָבִיו בְּאֶרֶץ מוֹלַדְתּוֹ בְּאוּר כַּשְׂדִּים:

בְּנִין וּבְנָן: כ וַחֲיָא רְעוּ תְּלָתִין
וְתַרְתֵּין שְׁנִין וְאוֹלִיד יָת
שְׂרוּג: כא וַחֲיָא רְעוּ בָּתַר
דְּאוֹלִיד יָת שְׂרוּג מָאתָן
וּשְׁבַע שְׁנִין וְאוֹלִיד בְּנִין וּבְנָן:
כב וַחֲיָא שְׂרוּג תְּלָתִין שְׁנִין
וְאוֹלִיד יָת נָחוֹר: כג וַחֲיָא
שְׂרוּג בָּתַר דְּאוֹלִיד יָת נָחוֹר
מָאתָן שְׁנִין וְאוֹלִיד בְּנִין וּבְנָן:
כד וַחֲיָא נָחוֹר עַשְׂרִין וּתְשַׁע
שְׁנִין וְאוֹלִיד יָת תָּרַח:
כה וַחֲיָא נָחוֹר בָּתַר דְּאוֹלִיד
יָת תֶּרַח מְאָה וּתְשַׁע עֲשַׂר
שְׁנִין וְאוֹלִיד בְּנִין וּבְנָן:
כו וַחֲיָא תֶרַח שִׁבְעִין שְׁנִין
וְאוֹלִיד יָת אַבְרָם יָת נָחוֹר
וְיָת הָרָן: כז וְאִלֵּין תּוּלְדַת
תֶּרַח תֶּרַח אוֹלִיד יָת אַבְרָם
יָת נָחוֹר וְיָת הָרָן וְהָרָן אוֹלִיד
יָת לוֹט: כח וּמִית הָרָן עַל
אַפֵּי תֶּרַח אֲבוּהִי בְּאַרַע
יַלָּדוּתֵהּ בְּאוּרָא דְכַסְדָּאֵי:

רש"י

(כח) **על פני תרח אביו.** בחיי אביו (תנחומא אחרי ז). ומדרש אגדה אומר, ע"י אביו מת, שקבל תרח על אברם בנו לפני נמרוד על שכתת את צלמיו, והשליכו לכבשן האש, והרן יושב ואומר בלבו, אם אברם נוצח אני משלו, ואם נמרוד נוצח אני משלו. וכשניצל אברם אמרו לו להרן משל מי אתה, אמר להם הרן משל אברם אני. השליכוהו לכבשן האש ונשרף וזהו אור כשדים (ב"ר שם יג). ומנחם פירש אור בקעה, וכן באורים כבדו ה' (ישעיה כד:יד), וכן מאורת צפעוני (שם יא:ח). כל חור ובקע עמוק קרוי אור:

רמב"ן

אֲבָל הַיּוֹדֵעַ פֵּרוּשׁ שֵׁם, יָבִין כַּוָּנָתָם מִמַּה שֶּׁאָמְרוּ "וְנַעֲשֶׂה לָּנוּ שֵׁם", וְיֵדַע כַּמָּה הַשִּׁעוּר שֶׁיָּזְמוּ בַּמִּגְדָּל לַעֲשׂוֹתוֹ, וְיָבִין כָּל הָעִנְיָן. כִּי חָשְׁבוּ מַחְשָׁבָה רָעָה, וְהָעֹנֶשׁ שֶׁבָּא עֲלֵיהֶם לְהַפְרִידָם בִּלְשׁוֹנוֹת וּבַאֲרָצוֹת מִדָּה כְּנֶגֶד מִדָּה, כִּי הָיוּ קוֹצְצִים בַּנְּטִיעוֹת. וְהִנֵּה חֶטְאָם דּוֹמֶה לְחֵטְא אֲבִיהֶם, וְשֶׁמָּא בִּשְׁבִיל זֶה דָּרְשׁוּ [ב"ר לח ט]: "אֲשֶׁר בָּנוּ בְּנֵי הָאָדָם", אָמַר רַבִּי בֶּרֶכְיָה: מַה בְּנֵי חֲמָרַיָּא בְּנֵי גַּמְלַיָּא? אֶלָּא בְּנוֹי דְּאָדָם קַדְמָאָה וְכוּ׳. וְהִסְתַּכֵּל, כִּי בְּכָל עִנְיַן הַמַּבּוּל הִזְכִּיר "אֱלֹהִים", וּבְכָל עִנְיַן הַפַּלָּגָה הִזְכִּיר הַשֵּׁם הַמְיֻחָד, כִּי הַמַּבּוּל בַּעֲבוּר הַשְׁחָתַת הָאָרֶץ, וְהַפַּלָּגָה בַּעֲבוּר שֶׁקִּצְּצוּ בַּנְּטִיעוֹת, וְהִנָּם עֲנוּשִׁים בִּשְׁמוֹ הַגָּדוֹל, וְזֶה טַעַם הַיְרִידָה, וְכֵן בְּמִדַּת סְדוֹם. וְהַמַּשְׂכִּיל יָבִין:

[כח] עַל פְּנֵי תֶּרַח אָבִיו, בְּאֶרֶץ מוֹלַדְתּוֹ. כָּתַב רַשִׁ"י, כְּדֶרֶךְ דִּבְרֵי רַבּוֹתֵינוּ [בראשית רבה לח, יג]:

RAMBAN ELUCIDATED

offspring of the wicked would perish"?![5]

[Ramban now presents his own approach as to what was the sin of the Generation of the Dispersion, based on Kabbalistic ideas and beyond the scope of this elucidation. In the Hebrew text, Ramban's words appear in the paragraph beginning אֲבָל הַיּוֹדֵעַ and ending וְהַמַּשְׂכִּיל יָבִין.]

28. עַל פְּנֵי תֶּרַח אָבִיו בְּאֶרֶץ מוֹלַדְתּוֹ – ***IN THE PRESENCE OF TERAH HIS FATHER, IN HIS NATIVE LAND.***

[The Torah does not specify the circumstances of Haran's death, nor does it explain the significance of the name Ur-kasdim, if there is any. Ramban begins his discussion of these matters by citing Rashi:]

כָּתַב רַשִׁ"י, כְּדֶרֶךְ דִּבְרֵי רַבּוֹתֵינוּ – Rashi writes, in accordance with the words of the Sages in

5. Stylistic citation from *Psalms* 37:28.

[20] *When Reu had lived thirty-two years, he begot Serug.* [21] *And*
Reu lived two hundred and seven years after begetting Serug,
and he begot sons and daughters.
[22] *When Serug had lived thirty years, he begot Nahor.* [23] *And*
Serug lived two hundred years after begetting Nahor, and he
begot sons and daughters.
[24] *When Nahor had lived twenty-nine years, he begot*
Terah. [25] *And Nahor lived one hundred and nineteen years after*
begetting Terah, and he begot sons and daughters.
[26] *When Terah had lived seventy years, he begot Abram,*
Nahor and Haran.
[27] *Now these are the chronicles of Terah: Terah begot Abram,*
Nahor and Haran; and Haran begot Lot. [28] *Haran died in the*
presence of Terah his father, in his native land, in Ur-kasdim.

רמב״ן

״תֶּרַח קָבַל עַל אַבְרָם בְּנוֹ לִפְנֵי נִמְרוֹד עַל שְׁבִירַת צְלָמָיו, וְהִשְׁלִיכָהוּ לַכִּבְשָׁן. וְהָרָן יָשַׁב וְאָמַר: ״אִם אַבְרָם נוֹצֵחַ - אֲנִי שֶׁלּוֹ, וְאִם נִמְרוֹד נוֹצֵחַ - אֲנִי שֶׁלּוֹ״. וּכְשֶׁנִּצַּל אַבְרָם אָמְרוּ לוֹ: ״מִשֶּׁל מִי אַתָּה״? אָמַר לָהֶם: מִשֶּׁל אַבְרָם אֲנִי. הִשְׁלִיכוּהוּ לַכִּבְשָׁן, וְנִשְׂרַף. וְזֶהוּ אוּר כַּשְׂדִּים[6].

וּמְנַחֵם פֵּרַשׁ: ״אוּר״ - בִּקְעָה, וְכֵן ״עַל כֵּן בָּאוּרִים כַּבְּדוּ ה׳״ [ישעיה כד, טו], וְכֵן ״מְאוּרַת צִפְעוֹנִי״ [שם יא, ח] - כָּל חוֹר וּבֶקַע עָמֹק יִקָּרֵא אוּר[7].

וְהָעִנְיָן שֶׁקִּבְּלוּ רַבּוֹתֵינוּ בָּזֶה הוּא הָאֱמֶת[8], וַאֲנִי מְבָאֵר אוֹתוֹ[9]:

RAMBAN ELUCIDATED

Bereishis Rabbah (38:13): **תֶּרַח קָבַל עַל אַבְרָם בְּנוֹ לִפְנֵי נִמְרוֹד עַל שְׁבִירַת צְלָמָיו וְהִשְׁלִיכָהוּ לַכִּבְשָׁן** – **Terah denounced Abram, his son, before Nimrod**, the local ruler, **for having smashed [Terah's] idols, and [Nimrod] cast [Abram] into the furnace.** **וְהָרָן יָשַׁב וְאָמַר ״אִם אַבְרָם נוֹצֵחַ אֲנִי שֶׁלּוֹ, וְאִם נִמְרוֹד נוֹצֵחַ אֲנִי שֶׁלּוֹ״** – **Haran sat** in contemplation **and said** to himself, **"If Abram emerges victorious I am his** supporter, **but if Nimrod emerges victorious** then **I am his** supporter." **וּכְשֶׁנִּצַּל אַבְרָם אָמְרוּ לוֹ: ״מִשֶּׁל מִי אַתָּה״** – **When Abram was saved, they said to [Haran], "Of whose** supporters **are you?"** **אָמַר לָהֶם מִשֶּׁל אַבְרָם אֲנִי** – **[Haran] said to them, "I am of Abram's** supporters." **הִשְׁלִיכוּהוּ לַכִּבְשָׁן וְנִשְׂרַף** – **They cast him into the furnace, and he was burned** to death. **וְזֶהוּ אוּר כַּשְׂדִּים** – **This is** the meaning of the words **Ur-kasdim** – "the fire of the Chaldeans (Babylonians)."[6]

[Ramban continues to cite Rashi, who concludes with Menachem ben Saruk's explanation for the name "Ur-kasdim":]

וּמְנַחֵם פֵּרַשׁ: ״אוּר״, בִּקְעָה – **Menachem defined the word** **אור** as *valley*. **וְכֵן ״עַל כֵּן בָּאוּרִים כַּבְּדוּ ה׳״** – **And so** does he understand בָּאוּרִים in בָּאוּרִים כַּבְּדוּ ה׳ (*Isaiah* 24:15), ***Therefore, in the "valleys," honor*** ***HASHEM***. **וְכֵן ״מְאוּרַת צִפְעוֹנִי״** – **And so** מְאוּרַת in מְאוּרַת צִפְעוֹנִי (ibid. 11:8), ***a "hole" of a viper.*** **כָּל חוֹר וּבֶקַע עָמֹק יִקָּרֵא אוּר** – **Any hole or deep fissure,** according to Menachem, **is called an אור.**[7]

[Ramban now presents his own opinion:]

וְהָעִנְיָן שֶׁקִּבְּלוּ רַבּוֹתֵינוּ בָּזֶה הוּא הָאֱמֶת – **The matter that the Sages received** as a tradition **in** connection with **this** verse **is the** historical **truth.**[8] **וַאֲנִי מְבָאֵר אוֹתוֹ** – **I shall now elaborate on it** and upon other aspects of Abraham's origins.

6. According to this interpretation, "Ur" is not the name of a place, but simply means "fire." The verse is thus saying, *Haran died in the presence of Terah ... in the burning furnace of the Chaldeans.*

7. According to this interpretation as well, Ur-kasdim is not a name, but means "valley of the Chaldeans." The Torah, according to this interpretation, makes no allusion to a fiery furnace.

8. Rashi's interpretation should therefore be favored over Menachem's.

רמב"ן

אַבְרָהָם אָבִינוּ לֹא נוֹלַד בְּאֶרֶץ כַּשְׂדִּים[10], כִּי אֲבוֹתָיו בְּנֵי שֵׁם הָיוּ, וְכַשְׂדִּים וְכָל אֶרֶץ שִׁנְעָר אַרְצוֹת בְּנֵי חָם [ראה לעיל י, י][11]. וְהַכָּתוּב אָמַר [לקמן יד, יג]: "וַיַּגֵּד לְאַבְרָם הָעִבְרִי", לֹא הַכַּשְׂדִּי[12]. וּכְתִיב [יהושע כד, ב]: "בְּעֵבֶר הַנָּהָר יָשְׁבוּ אֲבוֹתֵיכֶם מֵעוֹלָם תֶּרַח אֲבִי אַבְרָהָם וַאֲבִי נָחוֹר" וּמִלַּת "מֵעוֹלָם" תּוֹרֶה כִּי מִשָּׁם תּוֹלְדוֹתָיו מֵאָז[13] וּכְתִיב [שם פסוק ג]: "וָאֶקַּח אֶת אֲבִיכֶם אֶת אַבְרָהָם מֵעֵבֶר הַנָּהָר"[14] וּרְאָיָה לַדָּבָר, כִּי נָחוֹר בְּחָרָן הָיָה [ראב לקמן כט, ד-ה][15]. וְאִם הָיָה מְקוֹם תֶּרַח אוּר כַּשְׂדִּים בְּאֶרֶץ שִׁנְעָר, וְהַכָּתוּב [לקמן פסוק לא] סִפֵּר כִּי בְּצֵאתוֹ מֵאוּר כַּשְׂדִּים לֹא לָקַח אִתּוֹ רַק אַבְרָם בְּנוֹ וְלוֹט בֶּן הָרָן בֶּן בְּנוֹ וְשָׂרַי כַּלָּתוֹ - אִם כֵּן הָיָה נָחוֹר נִשְׁאַר בְּאֶרֶץ כַּשְׂדִּים!

RAMBAN ELUCIDATED

[Ur-kasdim is mentioned again below (15:7), where God says to Abraham, *I am Hashem Who took you out of Ur-kasdim*. That verse implies that Abraham originally came from Ur-kasdim.[9] Ramban maintains that it should not be understood that way:]

אַבְרָהָם אָבִינוּ לֹא נוֹלַד בְּאֶרֶץ כַּשְׂדִּים – Our forefather Abraham was not born in the land of the Chaldeans.[10] Ramban offers several proofs to support this assertion. (1) **כִּי אֲבוֹתָיו בְּנֵי שֵׁם הָיוּ, וְכַשְׂדִּים וְכָל אֶרֶץ שִׁנְעָר אַרְצוֹת בְּנֵי חָם – For his forefathers were descendants of Shem, while the** land of **Chaldeans and all the land of Shinar (Babylonia) were the lands of the descendants of Ham** (see above, 10:10).[11] (2) **וְהַכָּתוּב אָמַר "וַיַּגֵּד לְאַבְרָם הָעִבְרִי", לֹא הַכַּשְׂדִּי – And Scripture states,** ***He told Abraham the Hebrew*** (below, 14:13), **not** ***Abraham the Chaldean.***[12] (3) **וּכְתִיב "בְּעֵבֶר הַנָּהָר יָשְׁבוּ אֲבוֹתֵיכֶם מֵעוֹלָם תֶּרַח אֲבִי אַבְרָהָם וַאֲבִי נָחוֹר"** – Furthermore, **it is written,** ***Beyond the [Euphrates] River your forefathers always dwelled – Terah, the father of Abraham and the father of Nahor*** (*Joshua* 24:2), **וּמִלַּת "מֵעוֹלָם" תּוֹרֶה כִּי מִשָּׁם תּוֹלְדוֹתָיו מֵאָז – and the word** ***always*** **implies that his forebears had always been there.**[13] (4) **וּכְתִיב "וָאֶקַּח אֶת אֲבִיכֶם אֶת אַבְרָהָם מֵעֵבֶר הַנָּהָר" – And it is written,** ***And I took your father Abraham from Beyond-the-River*** (ibid. verse 3).[14] (5) **וּרְאָיָה לַדָּבָר, כִּי נָחוֹר בְּחָרָן הָיָה – A** conclusive **proof for this matter** that Terah and his family were not natives of Chaldea **is** the fact **that Nahor**, Abram's other brother, **resided in Charan**[15] (see below 29:4-5), which is not in Chaldea.

וְאִם הָיָה מְקוֹם תֶּרַח אוּר כַּשְׂדִּים בְּאֶרֶץ שִׁנְעָר – Now, if Terah's native **place was Ur-kasdim,** which is **in the land of Shinar** (Babylonia), **וְהַכָּתוּב סִפֵּר כִּי בְּצֵאתוֹ מֵאוּר כַּשְׂדִּים לֹא לָקַח אִתּוֹ רַק אַבְרָם בְּנוֹ וְלוֹט בֶּן הָרָן בֶּן בְּנוֹ וְשָׂרַי כַּלָּתוֹ – and Scripture relates that when [Terah] left Ur-kasdim he took only** ***Abram his son and Lot the son of Haran*** – that is, **his son's son** – ***and Sarai his daughter-in-law*** (below, v. 31), **אִם כֵּן הָיָה נָחוֹר נִשְׁאַר בְּאֶרֶץ כַּשְׂדִּים – this would imply that** Terah's other son, **Nahor, remained** behind **in the land of the Chaldeans.** Yet the Torah gives Nahor's place of residence as Charan, which is in Aram, not Chaldea.

[Having dismissed the idea that Chaldea was Abraham's native land, Ramban goes on to establish which country was indeed Abraham's birthplace:]

---

9. As, in fact, Rashi (below, 24:7) and Ibn Ezra (above, 11:26) understand it.

10. *Kasdim* in Hebrew; *Kalda'ei* in Aramaic.

Chaldea is another name for Babylonia, located in lower Mesopotamia, while *Aram* is the biblical name for Syria, the area surrounding the upper Euphrates (see *Tosafos, Bava Kamma* 83a, ד"ה לשון סורסי; *Rambam, Hil. Terumos* 1:9). See map on p. 593.

Ramban's position is that Abraham's birthplace was not Babylonia but Aram, as he clarifies in the next paragraph.

11. It is unlikely that Abraham was born in the ancestral land of another people.

12. The term עִבְרִי ("Hebrew") connotes "one who comes from Beyond (עֵבֶר) the [Euphrates] River," as Ramban explains on 40:15. *Beyond-the-River* as a geographical area refers to a part of *Aram*, not Chaldea. Had Abraham been born in Chaldea, he would have been called "Abraham the Chaldean," not "Abraham the Hebrew."

13. Terah's homeland was thus in the territory of Beyond-the-River (i.e., east of the Euphrates), which is Aram, and not in Chaldea (Babylonia). Since Terah was from Beyond-the-River, it is reasonable to assume that Abraham was likewise born there. (See map on p. 593.)

14. This shows that Abraham himself did not originate in Chaldea, but was from Beyond-the-River.

15. This city (חָרָן) is spelled Haran in English translations of the Bible, but in this passage we will spell it Charan, to avoid confusion with Abraham's brother Haran (הָרָן), who is also discussed in this context.

רמב"ן

אֲבָל בֶּאֱמֶת אֶרֶץ מוֹלַדְתָּם אֶרֶץ אֲרָם הִיא, בְּעֵבֶר הַנָּהָר, וְהִיא מְנַחֲלַת אֲבוֹתָיו מֵעוֹלָם, וְהַכָּתוּב אוֹמֵר בִּבְנֵי שֵׁם "וַיְהִי מוֹשָׁבָם מִמֵּשָׁא בֹּאֲכָה סְפָרָה הַר הַקֶּדֶם" [לעיל י, ל] וְהוּא שֵׁם כּוֹלֵל, כְּדִכְתִיב "בְּאַרְצֹתָם לְגוֹיֵהֶם" [לעיל י, לא][16]. וְכָתוּב [במדבר כג, ז]: "מִן אֲרָם יַנְחֵנִי בָלָק מֶלֶךְ מוֹאָב מֵהַרְרֵי קֶדֶם"[17]. וְהִנֵּה הוּא וַאֲבוֹתָיו מִן הָאָרֶץ הַהִיא מֵעוֹלָם.

וּמָצִינוּ בַּתַּלְמוּד [בבא בתרא צא, א] כִּי אַבְרָהָם נֶחְבַּשׁ בְּכוּתָא[18]. וְזֹאת הָעִיר אֵינֶנָּה בְּאֶרֶץ כַּשְׂדִּים, דִּכְתִיב [מלכים-ב יז, כד]: "וַיָּבֵא מֶלֶךְ אַשּׁוּר מִבָּבֶל וּמִכּוּתָא וּמֵעַוָּה וּמֵחֲמָת"[19], וְכָתוּב "וְאַנְשֵׁי בָבֶל עָשׂוּ אֶת סֻכּוֹת בְּנוֹת וְאַנְשֵׁי כוּת עָשׂוּ אֶת נֵרְגַל" [שם פסוק ל][20]. אֲבָל יֵרָאֶה כִּי הִיא עִיר בְּעֵבֶר הַנָּהָר בְּאֶרֶץ אֲרַם נַהֲרַיִם[21], כִּי חָרָן שֵׁם עִיר בְּאֶרֶץ אֲרַם נַהֲרַיִם, דִּכְתִיב [להלן כד, י]: "וַיֵּלֶךְ אֶל אֲרַם נַהֲרַיִם, אֶל עִיר נָחוֹר", שֶׁהִיא חָרָן.

[22]וְעוֹד חָקַרְנוּ וְיָדַעְנוּ עַל פִּי תַּלְמִידִים רַבִּים שֶׁהָיוּ יוֹשְׁבֵי הָאָרֶץ הַהִיא כִּי כּוּתָא עִיר גְּדוֹלָה בֵּין

RAMBAN ELUCIDATED

אֲבָל בֶּאֱמֶת אֶרֶץ מוֹלַדְתָּם אֶרֶץ אֲרָם הִיא בְּעֵבֶר הַנָּהָר – Rather, the truth is that their native land was the land of Aram, in the area known as **Beyond-the-River, וְהִיא מְנַחֲלַת אֲבוֹתָיו מֵעוֹלָם – and that** land **was [Abraham's] ancestral inheritance from antiquity, וְהַכָּתוּב אוֹמֵר בִּבְנֵי שֵׁם "וַיְהִי מוֹשָׁבָם מִמֵּשָׁא בֹּאֲכָה סְפָרָה הַר הַקֶּדֶם" – as Scripture says of the descendants of Shem** (which includes Abraham): ***Their dwelling place extended from Mesha going toward Sephar, the mountain to the east*** (above, 10:30) – **וְהוּא שֵׁם כּוֹלֵל** – the "mountain of the east" **being a general name** for a large area, **כְּדִכְתִיב "בְּאַרְצֹתָם לְגוֹיֵהֶם" – as is written** of the descendants of Shem, ***in their lands, by their nations*** (above, 10:31).[16] **וְכָתוּב "מִן אֲרָם יַנְחֵנִי בָלָק מֶלֶךְ מוֹאָב מֵהַרְרֵי קֶדֶם" – And it is written, *From Aram did Balak, king of Moab, lead me, from the mountains of the east*** (*Numbers* 23:7).[17] **וְהִנֵּה הוּא וַאֲבוֹתָיו מִן הָאָרֶץ הַהִיא מֵעוֹלָם – Thus you see that [Abraham] and his forefathers were from that land** (Aram) **from antiquity.**

[Ramban brings yet another source that associates Abraham with a city in "Beyond-the-River" rather than Chaldea:]

וּמָצִינוּ בַּתַּלְמוּד כִּי אַבְרָהָם נֶחְבַּשׁ בְּכוּתָא – We find in the Talmud (*Bava Basra* 91a) **that Abraham was imprisoned in Cutha.**[18] **וְזֹאת הָעִיר אֵינֶנָּה בְּאֶרֶץ כַּשְׂדִּים – This city** (Cutha) **is not in the land of the Chaldeans, דִּכְתִיב "וַיָּבֵא מֶלֶךְ אַשּׁוּר מִבָּבֶל וּמִכּוּתָא וּמֵעַוָּה וּמֵחֲמָת" – for it is written, *The king of Assyria brought from Babylonia and from Cutha and from Avva and from Hamath***[19] (*II Kings* 17:24), **וְכָתוּב "וְאַנְשֵׁי בָבֶל עָשׂוּ אֶת סֻכּוֹת בְּנוֹת וְאַנְשֵׁי כוּת עָשׂוּ אֶת נֵרְגַל" – and it is written, *The people of Babylonia made [an idol called] Succoth Benoth, and the people of Cuth made [one called] Nergal*** (ibid. verse 30).[20] **אֲבָל יֵרָאֶה כִּי הִיא עִיר בְּעֵבֶר הַנָּהָר בְּאֶרֶץ אֲרַם נַהֲרַיִם – Rather, it seems that [Cutha] is a city in Beyond-the-River, in the land of Aram Naharaim,**[21] **כִּי חָרָן שֵׁם עִיר בְּאֶרֶץ אֲרַם נַהֲרַיִם – just as Charan is the name of a city in the land of Aram Naharaim, דִּכְתִיב "וַיֵּלֶךְ אֶל אֲרַם נַהֲרַיִם, אֶל עִיר נָחוֹר", שֶׁהִיא חָרָן – as it is written, *And he went to Aram Naharaim, to the city of Nahor*** (below, 24:10) – **which was Charan.**

[The following paragraph is an addition that Ramban appended to his Commentary after his arrival in *Eretz Yisrael*,[22] concerning the precise whereabouts of Cutha:]

וְעוֹד חָקַרְנוּ וְיָדַעְנוּ עַל פִּי תַּלְמִידִים רַבִּים שֶׁהָיוּ יוֹשְׁבֵי הָאָרֶץ הַהִיא – Furthermore, we have further

16. Thus, the geographical area known as "Mountain (or Mountains) of the East" describes the total territory of settlement of the Shemites including *all* "their lands."

17. This verse shows that Aram is in the area of the "Mountain of the East," and was thus populated by Shemites. Shemite territory included other lands besides Aram, but since we find that Abraham's family (i.e., his brother Nahor) lived in Aram, we may assume that he originated from there as well.

18. Abraham was imprisoned by Nimrod. See Ramban's citation of Rashi at the beginning of his commentary to this verse.

19. Hence Babylonia and Cutha are two distinct places.

20. Again, the Babylonians and Cuthans are listed as two distinct peoples.

21. "Aram Naharim," or Aram Between the Rivers, is in upper Mesopotamia. It is east of the Euphrates, and is thus found Beyond-the-River.

22. See the article "*Hosafos HaRamban*," in Rav Kalman Kahana's *Cheker VeIyun*, Vol. 3, reprinted at end of Vol. I of *Beis HaYayin*.

רמב״ן

חָרָן וּבֵין אַשּׁוּר, רְחוֹקָה מִמְּדִינַת בָּבֶל, וּבֵינָהּ[23] וּבֵין חָרָן כְּמוֹ שִׁשָּׁה יָמִים. אֲבָל הִיא נִכְלֶלֶת בְּעֵבֶר הַנָּהָר[24] בַּעֲבוּר הֱיוֹתָהּ בֵּין נְהָרִים[25] - בֵּין פְּרָת גְּבוּל אֶרֶץ יִשְׂרָאֵל, וּבֵין חִדֶּקֶל הַהוֹלֵךְ קִדְמַת אַשּׁוּר [לעיל ב, יד].

וְהִנֵּה תֶּרַח הוֹלִיד בָּנָיו הַגְּדוֹלִים אַבְרָהָם וְנָחוֹר בְּעֵבֶר הַנָּהָר אֶרֶץ אֲבוֹתָיו, וְהָלַךְ לוֹ עִם אַבְרָהָם בְּנוֹ אֶל אֶרֶץ כַּשְׂדִּים, וְשָׁם נוֹלַד לוֹ בְּנוֹ הַקָּטָן הָרָן. וְנִשְׁאַר נָחוֹר בְּנוֹ בְּעֵבֶר הַנָּהָר בְּעִיר חָרָן - אוֹ שֶׁנּוֹלַד בָּעִיר הַהִיא, אוֹ שֶׁנִּתְיַשֵּׁב בָּהּ מִכּוּתָא. וְזֶה טַעַם "בְּאֶרֶץ מוֹלַדְתּוֹ בְּאוּר כַּשְׂדִּים" כִּי שָׁם מוֹלַדְתּוֹ שֶׁל הָרָן לְבַדּוֹ[26].

וְהָעִנְיָן הַמְקֻבָּל הַזֶּה[27] נִמְצָא גַּם כֵּן בְּסֵפֶר קַדְמוֹנֵי הַגּוֹיִם, כְּמוֹ שֶׁכָּתַב הָרַב בְּמוֹרֵה הַנְּבוּכִים [ג, כט] -

RAMBAN ELUCIDATED

investigated the matter **and ascertained from the accounts of many** of my **students** in the land of Israel **who were** once **residents of that land** **כִּי כּוּתָא עִיר גְּדוֹלָה בֵּין חָרָן וּבֵין אַשּׁוּר רְחוֹקָה מִמְּדִינַת בָּבֶל** – **that Cutha is a large city between Charan and Assyria, far from the country of Babylonia,** **וּבֵינָהּ וּבֵין חָרָן כְּמוֹ שִׁשָּׁה יָמִים** – **and that between [Cutha]**[23] **and the city of Charan is** a journey of **about six days.** **אֲבָל הִיא נִכְלֶלֶת בְּעֵבֶר הַנָּהָר בַּעֲבוּר הֱיוֹתָהּ בֵּין נְהָרִים** – **However, [Cutha] is included in** the land of **"Beyond-the-River"**[24] **because it is between** the **two rivers**[25] – **בֵּין פְּרָת גְּבוּל אֶרֶץ יִשְׂרָאֵל, וּבֵין חִדֶּקֶל הַהוֹלֵךְ קִדְמַת אַשּׁוּר** – **between the Euphrates, the** eastern **border of the Land of Israel, and the Tigris,** ***which flows east of Assyria*** (above, 2:14).

[Having established that Abraham's ancestral home was Aram, Ramban now turns to our verse that identifies Ur-kasdim as the native land of his brother Haran:]

וְהִנֵּה תֶּרַח הוֹלִיד בָּנָיו הַגְּדוֹלִים אַבְרָהָם וְנָחוֹר בְּעֵבֶר הַנָּהָר אֶרֶץ אֲבוֹתָיו – **Now, Terah fathered his** two **older sons, Abraham and Nahor, in Beyond-the-River, his ancestral land;** **וְהָלַךְ לוֹ עִם אַבְרָהָם בְּנוֹ אֶל אֶרֶץ כַּשְׂדִּים** – **then traveled with his son Abraham to the land of the Chaldeans,** **וְשָׁם נוֹלַד לוֹ בְּנוֹ הַקָּטָן הָרָן** – **and there his youngest son Haran was born to him.** **וְנִשְׁאַר נָחוֹר בְּנוֹ בְּעֵבֶר הַנָּהָר בְּעִיר חָרָן** – **His son Nahor, however, remained behind in Beyond-the-River, in the city of Charan** – **אוֹ שֶׁנּוֹלַד בָּעִיר הַהִיא אוֹ שֶׁנִּתְיַשֵּׁב בָּהּ מִכּוּתָא** – which is either **where he was born or where he settled** after moving **from** nearby **Cutha** – when his father and his brother Abraham traveled to Chaldea. **וְזֶה טַעַם "בְּאֶרֶץ מוֹלַדְתּוֹ בְּאוּר כַּשְׂדִּים"** – **This is the meaning of the words,** *Haran died in the presence of Terah his father,* ***in "his" native land, in Ur-kasdim*** – **כִּי שָׁם מוֹלַדְתּוֹ שֶׁל הָרָן לְבַדּוֹ** – **for it was the native land only of Haran.**[26]

[Ramban cites an outside source that corroborates the story of Abraham's rescue from persecution:]

וְהָעִנְיָן הַמְקֻבָּל הַזֶּה נִמְצָא גַּם כֵּן בְּסֵפֶר קַדְמוֹנֵי הַגּוֹיִם – **This tradition**[27] **is found also in a book of the ancient nations,** **כְּמוֹ שֶׁכָּתַב הָרַב בְּמוֹרֵה הַנְּבוּכִים** – **as the Rabbi** (Rambam) **writes in** *Moreh*

23. We have interpreted בֵּינָהּ וּבֵין עִיר חָרָן ("between *it* and the city of Charan") to refer to Cutha. Mizrachi (below, 12:2) quotes Ramban as בֵּין בָּבֶל וּבֵין עִיר חָרָן ("between *Babylon* and the city of Charan"). We have not adopted this reading, because all our Ramban editions have וּבֵינָהּ (which, from the context, appears to be referring to Cutha), and also because the distance between Babylon and Charan (which are both well-known locations, even today) is over 800 km., much more than six days' journey. (See map on p. 593.)

24. Earlier, Ramban showed that Abraham came from Beyond-the-River, and then he quoted a source that Abraham was born in Cutha, implying that Cutha is in Beyond-the-River. Here, he explains how this can be so. For the geographical description of "Beyond-the-River" would seem to apply to the areas that are near the River (Euphrates). Cutha, however, was six days' journey east of Charan (which is on the Euphrates), which is not at all near the River. Ramban explains therefore that the description "Beyond-the-River" can apply to any place east of the Euphrates up to the Tigris River, thereby including Cutha (which, as Ramban noted, was not as far east as Assyria, on the banks of the Tigris). (See map.)

25. Most editions of Ramban read: בַּעֲבוּר הֱיוֹתָהּ בֵּין אֲרַם נַהֲרַיִם וּבֵין נְהַר פְּרָת ("because it is between Aram Naharaim and the Euphrates and between the Tigris"). This reading is problematic because Aram Naharaim is itself the name of the geographical area between the Euphrates and the Tigris. We have therefore chosen the version used by *Beis HaYayin*: בַּעֲבוּר הֱיוֹתָהּ בֵּין נְהָרִים, בֵּין פְּרָת, גְּבוּל אֶרֶץ יִשְׂרָאֵל, וּבֵין חִדֶּקֶל הַהוֹלֵךְ קִדְמַת אַשּׁוּר, ("because it is between [the] two rivers – between the Euphrates, the [eastern] border of the Land of Israel, and the Tigris, which flows east of Assyria").

26. If both Terah and Haran had been born in Ur-kasdim, as Rashi and Ibn Ezra maintain, the verse should have said, "in *their* native land." The use of the singular supports Ramban's view that only Haran was born in Ur-kasdim.

27. Namely, that Abraham was imprisoned because his beliefs contradicted the country's accepted religion and that he was subsequently freed miraculously.

רמב"ן

כִּי הִזְכִּירוּ בְּסֵפֶר "עֲבוֹדַת הָאִכָּרִים הַמִּצְרִים"[28] כִּי "אַבְרָם אֲשֶׁר נוֹלַד בְּכוּתָא חָלַק עַל דַּעַת הֶהָמוֹן שֶׁהָיוּ עוֹבְדִים הַשֶּׁמֶשׁ, וְנָתַן הַמֶּלֶךְ אוֹתוֹ בְּבֵית הַסּוֹהַר[29], וְהָיָה עִמָּהֶם בְּתוֹכֵחוֹת יָמִים רַבִּים שָׁם. אַחַר כָּךְ פָּחַד הַמֶּלֶךְ שֶׁיַּשְׁחִית עָלָיו אַרְצוֹ וְיָסִיר בְּנֵי הָאָדָם מֵאֱמוּנָתָם, וְגֵרֵשׁ אוֹתוֹ אֶל קְצֵה אֶרֶץ כְּנַעַן, אַחַר שֶׁלָּקַח כָּל הוֹנוֹ."

וְהִנֵּה עַל כָּל פָּנִים בַּמָּקוֹם הַהוּא בְּאֶרֶץ כַּשְׂדִּים נַעֲשָׂה נֵס לְאַבְרָהָם אָבִינוּ: אוֹ נֵס נִסְתָּר[30], שֶׁנָּתַן בְּלֵב אוֹתוֹ הַמֶּלֶךְ לְהַצִּילוֹ וְשֶׁלֹּא יְמִיתֵנוּ, וְהוֹצִיא אוֹתוֹ מִבֵּית הַסּוֹהַר שֶׁיֵּלֵךְ לְנַפְשׁוֹ - אוֹ נֵס מְפֻרְסָם, שֶׁהִשְׁלִיכוֹ לְכִבְשַׁן הָאֵשׁ וְנִצַּל, כְּדִבְרֵי רַבּוֹתֵינוּ.

וְאַל יְפַתֶּה אוֹתְךָ רַבִּי אַבְרָהָם בְּקֻשְׁיוֹתָיו, שֶׁאוֹמֵר[31] שֶׁלֹּא סִפֵּר הַכָּתוּב זֶה הַפֶּלֶא[32]. כִּי עוֹד אֶתֵּן לְךָ טַעַם וּרְאָיָה בָּזֶה וּבְכַיּוֹצֵא בוֹ[33].

אֲבָל הַגּוֹיִם הָהֵם לֹא הִזְכִּירוּ זֶה בְּסִפְרָם, לְפִי שֶׁהֵם חוֹלְקִים עַל דַּעְתּוֹ[34]. וְהָיוּ חוֹשְׁבִים בְּנִסּוֹ שֶׁהוּא מַעֲשֵׂה

RAMBAN ELUCIDATED

Nevuchim (III:29) – כִּי הִזְכִּירוּ בְּסֵפֶר "עֲבוֹדַת הָאִכָּרִים הַמִּצְרִים" – **that they mention in the book** ***Egyptian Agriculture***[28] – כִּי אַבְרָם אֲשֶׁר נוֹלַד בְּכוּתָא חָלַק עַל דַּעַת הֶהָמוֹן שֶׁהָיוּ עוֹבְדִים הַשֶּׁמֶשׁ – **that "Abram, who was born in Cutha, disagreed with the belief of the masses** in Chaldea, **who worshiped the sun,** וְנָתַן הַמֶּלֶךְ אוֹתוֹ בְּבֵית הַסּוֹהַר – **and**, as a result, **the king** of Chaldea **had him imprisoned.**[29] וְהָיָה עִמָּהֶם בְּתוֹכֵחוֹת יָמִים רַבִּים שָׁם – **He continued debating with them there for many days.** אַחַר כָּךְ פָּחַד הַמֶּלֶךְ שֶׁיַּשְׁחִית עָלָיו אַרְצוֹ וְיָסִיר בְּנֵי הָאָדָם מֵאֱמוּנָתָם – **After this the king feared that [Abram] would corrupt his kingdom and that he would draw people away from their beliefs,** וְגֵרֵשׁ אוֹתוֹ אֶל קְצֵה אֶרֶץ כְּנַעַן אַחַר שֶׁלָּקַח כָּל הוֹנוֹ – **so he banished him to the border of the land of Canaan, after confiscating all his possessions."**

וְהִנֵּה עַל כָּל פָּנִים בַּמָּקוֹם הַהוּא בְּאֶרֶץ כַּשְׂדִּים נַעֲשָׂה נֵס לְאַבְרָהָם אָבִינוּ – **In any event, in that place in Chaldea a miracle was wrought for Abraham our forefather.** אוֹ נֵס נִסְתָּר, שֶׁנָּתַן בְּלֵב אוֹתוֹ הַמֶּלֶךְ לְהַצִּילוֹ וְשֶׁלֹּא יְמִיתֵנוּ, וְהוֹצִיא אוֹתוֹ מִבֵּית הַסּוֹהַר שֶׁיֵּלֵךְ לְנַפְשׁוֹ – **It was either a hidden miracle**[30] – **that [God] put** the idea **into that king's heart to spare him and not execute him, and he** instead **released him from jail to go free,** as the ancient non-Jewish book relates – אוֹ נֵס מְפֻרְסָם, שֶׁהִשְׁלִיכוֹ לְכִבְשַׁן הָאֵשׁ וְנִצַּל כְּדִבְרֵי רַבּוֹתֵינוּ – **or** it was **an open miracle, that [the king] cast him into the fiery furnace and he was saved, as our Sages say.**

[Ramban now addresses Ibn Ezra's doubts regarding the story of Abraham's delivery as related by the Sages:]

וְאַל יְפַתֶּה אוֹתְךָ רַבִּי אַבְרָהָם בְּקֻשְׁיוֹתָיו – **Let Rabbi Avraham** Ibn Ezra **not mislead you with his questions,** שֶׁאוֹמֵר שֶׁלֹּא סִפֵּר הַכָּתוּב זֶה הַפֶּלֶא – **by noting**[31] **that Scripture does not relate this miracle.**[32] כִּי עוֹד אֶתֵּן לְךָ טַעַם וּרְאָיָה בָּזֶה וּבְכַיּוֹצֵא בוֹ – **For I will yet provide you with an explanation, and a proof** for the explanation, **for this and similar cases** where the Torah chooses not to relate miraculous occurrences.[33]

[After providing a general approach to explain why the Torah did not recount the miraculous incident of the furnace, Ramban now suggests a specific reason for this omission:]

אֲבָל הַגּוֹיִם הָהֵם לֹא הִזְכִּירוּ זֶה בְּסִפְרָם, לְפִי שֶׁהֵם חוֹלְקִים עַל דַּעְתּוֹ – **Those gentiles did not mention this** miracle **in their book,** *Egyptian Agriculture,* **because they disagreed with [Abraham's] ideas.**[34] וְהָיוּ חוֹשְׁבִים בְּנִסּוֹ שֶׁהוּא מַעֲשֵׂה כְשָׁפִים – **They believed that the miracle that occurred to him was an**

28. Rambam refers to it as, סֵפֶר עֲבוֹדָה הַנַּבָּטִית, *Book of Nabatean Labor* (see *Zichron Yitzchak*). This was a well-known work in the Middle Ages, and is cited by Ibn Ezra and *Kuzari* as well.

29. Above, Ramban cited the Talmudic account that Abraham was imprisoned in Cutha. Here he quotes the book *Egyptian Agriculture* that Abraham was imprisoned on another occasion, as well. Ramban interprets this account to refer to the incident in Ur-kasdim. (See *Kesef Mezukak.*)

30. Ramban writes elsewhere, in several places, that God often performs what he calls "hidden miracles," by which Divine intervention acts through apparently natural means.

31. In our editions of Ibn Ezra, no such point is made by him. However, it is found in the "Alternate Version" (שִׁיטָה אַחֶרֶת) of Ibn Ezra's commentary. Ramban may also be alluding to Ibn Ezra's comment on *Exodus* 46:23.

32. Which seems to indicate that it never occurred.

33. Below, 46:15.

34. The book was written by idolaters, who naturally

רמב״ן

כְשָׁפִים, כְּעִנְיַן מֹשֶׁה רַבֵּינוּ עִם הַמִּצְרִים בִּתְחִלַּת מַעֲשָׂיו[35]. וּמִפְּנֵי זֶה לֹא הִזְכִּיר עוֹד הַכָּתוּב הַנֵּס הַזֶּה - כִּי הָיָה צָרִיךְ לְהַזְכִּיר דִּבְרֵי הַחוֹלְקִים עָלָיו, כַּאֲשֶׁר הִזְכִּיר דִּבְרֵי חַרְטוּמֵי מִצְרַיִם וְלֹא נִתְבָּאֲרוּ דִּבְרֵי אַבְרָהָם עִמָּהֶם כַּאֲשֶׁר נִתְבָּאֲרוּ דִּבְרֵי מֹשֶׁה רַבֵּינוּ בַּסּוֹף[36].

וְזֶהוּ שֶׁאָמַר הַכָּתוּב [לקמן טו, ז]: "אֲנִי ה' אֲשֶׁר הוֹצֵאתִיךָ מֵאוּר כַּשְׂדִּים לָתֶת לְךָ אֶת הָאָרֶץ הַזֹּאת לְרִשְׁתָּהּ" [לקמן טו, ז]. כִּי מִלַּת "הוֹצֵאתִיךָ" תְּלַמֵּד עַל נֵס, כִּי לֹא אָמַר "אֲשֶׁר לְקַחְתִּיךָ מֵאוּר כַּשְׂדִּים", אֲבָל אָמַר "הוֹצֵאתִיךָ", שֶׁ"הוֹצִיא מִמַּסְגֵּר אָסִיר"[37], כְּמוֹ "אֲשֶׁר הוֹצֵאתִיךָ מֵאֶרֶץ מִצְרַיִם" [שמות כ, ב][38].

וְאָמַר "לָתֶת לְךָ אֶת הָאָרֶץ הַזֹּאת לְרִשְׁתָּהּ"[39], כִּי מֵעֵת הוֹצִיאוֹ אוֹתוֹ מֵאוּר כַּשְׂדִּים הָיָה הָרָצוֹן לְפָנָיו יִתְעַלֶּה שֶׁיְּגַדְּלֶנּוּ וְיִתֵּן לוֹ אֶת הָאָרֶץ הַהִיא[40].

RAMBAN ELUCIDATED

act of magic, **כְּעִנְיַן מֹשֶׁה רַבֵּינוּ עִם הַמִּצְרִים בִּתְחִלַּת מַעֲשָׂיו** – **similar to** the Egyptians' response at **the encounter of Moses our Teacher with the Egyptians when he began** performing **his** miraculous **activities** before them.[35] **וּמִפְּנֵי זֶה לֹא הִזְכִּיר עוֹד הַכָּתוּב הַנֵּס הַזֶּה** – **And it is for this** very reason **that Scripture does not** explicitly **mention this** particular **miracle** – **כִּי הָיָה צָרִיךְ לְהַזְכִּיר דִּבְרֵי הַחוֹלְקִים עָלָיו, כַּאֲשֶׁר הִזְכִּיר דִּבְרֵי חַרְטוּמֵי מִצְרַיִם** – **because it would have been necessary to mention** in the course of the narrative **the** heretical **opinions of those who disagreed with [Abraham], just as it mentioned the opinions of the Egyptian magicians** who denied that Moses' acts were miracles, **וְלֹא נִתְבָּאֲרוּ דִּבְרֵי אַבְרָהָם עִמָּהֶם כַּאֲשֶׁר נִתְבָּאֲרוּ דִּבְרֵי מֹשֶׁה רַבֵּינוּ בַּסּוֹף** – **and** Scripture wished to avoid this because **Abraham's position was never vindicated against theirs, as** was **Moses' position** which **was ultimately vindicated** against the Egyptian magicians.[36]

[Ramban now cites Scriptural support for his assertion that Ur-kasdim was where Abraham was miraculously saved:]

וְזֶהוּ שֶׁאָמַר הַכָּתוּב: – **This is why Scripture says,** **"אֲנִי ה' אֲשֶׁר הוֹצֵאתִיךָ מֵאוּר כַּשְׂדִּים לָתֶת לְךָ אֶת הָאָרֶץ הַזֹּאת לְרִשְׁתָּהּ"** – ***I am Hashem Who took you "out" of Ur-kasdim, to give you this land as an inheritance*** (below, 15:7). **כִּי מִלַּת "הוֹצֵאתִיךָ" תְּלַמֵּד עַל נֵס** – **The word הוֹצֵאתִיךָ** (*I took you out*, "I extricated you") **implies that there was some miracle,** **כִּי לֹא אָמַר "אֲשֶׁר לְקַחְתִּיךָ מֵאוּר כַּשְׂדִּים"** – **for it did not say, *Who "took" you from Ur-kasdim*,** **אֲבָל אָמַר "הוֹצֵאתִיךָ", שֶׁהוֹצִיא מִמַּסְגֵּר אָסִיר** – **but it said, *Who took you "out,"* for He "took out a prisoner from his confinement."**[37] **כְּמוֹ "אֲשֶׁר הוֹצֵאתִיךָ מֵאֶרֶץ מִצְרַיִם"** – **It is like *Who "took you out" of the land of Egypt*** (*Exodus* 20:2).[38]

[Ramban explains the connection between the first part of that verse – *I am Hashem* – *to the second part* – *to give you this land* – in light of his interpretation of the phrase, *Who took you "out" of Ur-kasdim*:[39]]

וְאָמַר "לָתֶת לְךָ אֶת הָאָרֶץ הַזֹּאת לְרִשְׁתָּהּ" – **[God] said, *to give you this land as an inheritance*,** **כִּי מֵעֵת הוֹצִיאוֹ אוֹתוֹ מֵאוּר כַּשְׂדִּים הָיָה הָרָצוֹן לְפָנָיו יִתְעַלֶּה שֶׁיְּגַדְּלֶנּוּ וְיִתֵּן לוֹ אֶת הָאָרֶץ הַהִיא** – **because from the moment He extricated him from Ur-kasdim (the "fire of the Chaldeans") it was the desire of**

sided against Abraham in his disputations with the local populace.

35. They, too, dismissed Moses' initial miracles as merely acts of magic (*Exodus* 7:11 ff.).

36. The Torah recorded the false position of the Egyptian magicians because they were ultimately disproved, and were forced to admit, *It is the finger of God* (*Exodus* 8:15). In the case of Abraham, however, the Torah did not wish to present the opinion of those who opposed Abraham and claimed that he was saved by magic, for this opinion was never empirically refuted. Ramban presents a similar idea below, on 12:2.

37. Stylistic citation from *Isaiah* 42:7.

38. Which refers to being extricated from danger.

39. That verse states, *I am Hashem, Who took you out of Ur-kasdim* (or, according to Ramban, *the fire of the Chaldeans*), *to give you this land as an inheritance*. According to the interpretation of Rashi and Ibn Ezra, that Abraham was a native of Ur-kasdim, the verse means simply that God took Abraham out of his homeland Ur-kasdim in order to give him the land of Canaan as an inheritance. According to Ramban, however, *I took you out of Ur-kasdim* refers to God's miraculous extrication of Abraham from *the fire of the Chaldeans* and it was to save his life, not *in order to give Abraham the land of Canaan as an inheritance*. If so, why does the verse say *I am Hashem, Who took you out of the fire of the Chaldeans to give you this land as an inheritance*? Ramban now addresses this question.

רמב"ן

וְתֶרַח אָבִיו וְאַבְרָהָם הָיָה בְּלִבָּם מִן הַיּוֹם הַהוּא שֶׁנִּצַּל שֶׁיֵּלְכוּ אֶל אֶרֶץ כְּנַעַן, לְהִתְרַחֵק מֵאֶרֶץ כַּשְׂדִּים מִפַּחַד הַמֶּלֶךְ, כִּי חָרָן קָרוֹב לָהֶם[41], וְעַם אֶחָד וְשָׂפָה אַחַת לְכֻלָּם, כִּי לְשׁוֹן אֲרָמִית לִשְׁנֵיהֶם[42], וְרָצוּ לָלֶכֶת אֶל עַם אֲשֶׁר לֹא יִשְׁמַע לְשׁוֹנוֹ הַמֶּלֶךְ הַהוּא וְעַמּוֹ. וְזֶהוּ טַעַם "וַיֵּצְאוּ אִתָּם מֵאוּר כַּשְׂדִּים לָלֶכֶת אַרְצָה כְּנַעַן וַיָּבֹאוּ עַד חָרָן" [לקמן פסוק לא] - אֲשֶׁר שָׁם מִשְׁפְּחוֹתֵיהֶם וַאֲבוֹתֵיהֶם מֵעוֹלָם, וְיָשְׁבוּ בֵּינֵיהֶם וְנִתְעַכְּבוּ שָׁם יָמִים רַבִּים[43]. וְשָׁם נִצְטַוָּה אַבְרָהָם לַעֲשׂוֹת מַה שֶּׁעָלָה בְדַעְתּוֹ - לָלֶכֶת אַרְצָה כְּנַעַן. וְעָזַב אֶת אָבִיו, וּמֵת שָׁם בְּחָרָן אַרְצוֹ, וְהוּא הָלַךְ עִם אִשְׁתּוֹ וְלוֹט בֶּן אָחִיו אַרְצָה כְּנָעַן. וְזֶהוּ שֶׁאָמַר הַכָּתוּב [יהושע כד, ג]: "וָאֶקַּח אֶת אֲבִיכֶם אֶת אַבְרָהָם מֵעֵבֶר הַנָּהָר, וָאוֹלֵךְ אוֹתוֹ בְּכָל אֶרֶץ כְּנָעַן"[44], כִּי בְּעֵבֶר הַנָּהָר נִצְטַוָּה בָּזֶה, וּמִשָּׁם לְקָחוֹ וְהוֹלִיכוֹ בְּכָל אֶרֶץ כְּנַעַן[45].

RAMBAN ELUCIDATED

[God,] exalted be He, to make him great and to give him this land.[40]

[Ramban now returns to his presentation of the chronology of events of Terah's and Abraham's travels:]

וְתֶרַח אָבִיו וְאַבְרָהָם הָיָה בְּלִבָּם מִן הַיּוֹם הַהוּא שֶׁנִּצַּל שֶׁיֵּלְכוּ אֶל אֶרֶץ כְּנַעַן – **[Abraham's] father Terah and Abraham planned, from that day when he was saved** from the furnace, **that they would go to the land of Canaan,** **לְהִתְרַחֵק מֵאֶרֶץ כַּשְׂדִּים מִפַּחַד הַמֶּלֶךְ** – **to distance themselves from the land of the Chaldeans, out of fear of the king,** **כִּי חָרָן קָרוֹב לָהֶם** – **for Charan was** too **near to them** (the Chaldeans),[41] **וְעַם אֶחָד וְשָׂפָה אַחַת לְכֻלָּם, כִּי לְשׁוֹן אֲרָמִית לִשְׁנֵיהֶם** – **and they all** – Charan and Ur-kasdim – **had a common nationality and language, for they both used the Aramaic language,**[42] **וְרָצוּ לָלֶכֶת אֶל עַם אֲשֶׁר לֹא יִשְׁמַע לְשׁוֹנוֹ הַמֶּלֶךְ הַהוּא וְעַמּוֹ** – **and** therefore **[Terah and Abraham] wanted to go to a people whose language was not understood by that** Chaldean **king and his people.** **וְזֶהוּ טַעַם "וַיֵּצְאוּ אִתָּם מֵאוּר כַּשְׂדִּים לָלֶכֶת אַרְצָה כְּנַעַן וַיָּבֹאוּ עַד חָרָן"** – **This is the explanation of,** ***and they*** (Lot and Sarai) ***departed with them*** (Terah and Abram) ***from Ur-kasdim to go to the land of Canaan, and they arrived at Charan*** (below, v. 31) – **אֲשֶׁר שָׁם מִשְׁפְּחוֹתֵיהֶם וַאֲבוֹתֵיהֶם מֵעוֹלָם** – for Charan was **where their family and forefathers had always been,** **וְיָשְׁבוּ בֵּינֵיהֶם וְנִתְעַכְּבוּ שָׁם יָמִים רַבִּים** – ***and they stayed*** (ibid.) **among [their relatives], tarrying there for many days.**[43]

[The question of where Abraham was born also affects the correct interpretation of the verse in which God commands Abraham to *go for yourself from your land, from your relatives and from your father's house* ... (below, 12:1), as Ramban now explains:]

וְשָׁם נִצְטַוָּה אַבְרָהָם לַעֲשׂוֹת מַה שֶּׁעָלָה בְדַעְתּוֹ לָלֶכֶת אַרְצָה כְּנַעַן – It was **there** in Charan, Abraham's native land, that **Abraham received the command to do what he had originally planned – to go to the land of Canaan.** **וְעָזַב אֶת אָבִיו, וּמֵת שָׁם בְּחָרָן אַרְצוֹ** – **He left his father, who** later **died there in Charan, [Terah's] homeland,** **וְהוּא הָלַךְ עִם אִשְׁתּוֹ וְלוֹט בֶּן אָחִיו אַרְצָה כְּנָעַן** – **and Abraham went with his wife and his nephew Lot to the land of Canaan.** **וְזֶהוּ שֶׁאָמַר הַכָּתוּב "וָאֶקַּח אֶת אֲבִיכֶם אֶת אַבְרָהָם מֵעֵבֶר הַנָּהָר וָאוֹלֵךְ אוֹתוֹ בְּכָל אֶרֶץ כְּנָעַן"** – **This is why Scripture says,** ***I took your father Abraham from Beyond-the-River and led him throughout all the land of Canaan*** (*Joshua* 24:3).[44] **כִּי בְּעֵבֶר הַנָּהָר נִצְטַוָּה בָּזֶה, וּמִשָּׁם לְקָחוֹ וְהוֹלִיכוֹ בְּכָל אֶרֶץ כְּנַעַן** – **For it was in Beyond-the-River**

---

40. Because Abraham was willing to be burned alive rather than to renounce his belief, God immediately ordained that He wanted to make him a great nation and give him the land of Canaan. This, then, is the connection between *I am Hashem, Who took you out of the fire of the Chaldeans* and *to give you this land as an inheritance*.

(Although God made this decision as soon as Abraham showed willingness to sacrifice himself in Ur-kasdim, nevertheless He did not tell this to Abraham until later, when he was in Charan [see Ramban later in this comment, and on 12:1].)

41. Although they could have fled from Ur-kasdim to Charan, Terah's hometown, which was also in a different country (Aram), they wanted to flee even farther away, to Canaan.

42. Charan is in Aram, so the language spoken there was obviously Aramaic. Aramaic was also spoken in Babylonia; see *Daniel* 2:4 ff.

43. The meaning of our verse, according to Ramban, is that God had not yet commanded Abraham to go to Canaan; Abraham and his father had decided on their own to head toward Canaan, mainly to escape from Nimrod and his people. On the way, they stopped off at Charan, their original homeland. See next note.

44. According to Ibn Ezra (12:1), Abraham was commanded by God to go to the land of Canaan while he was still in Ur-kasdim. Ramban, however, maintains that Abraham left Ur-kasdim for Canaan of his

מפטיר

כט וַיִּקַּח אַבְרָם וְנָחוֹר לָהֶם נָשִׁים שֵׁם אֵשֶׁת־
אַבְרָם שָׂרָי וְשֵׁם אֵשֶׁת־נָחוֹר מִלְכָּה בַּת־הָרָן
ל אֲבִי־מִלְכָּה וַאֲבִי יִסְכָּה: וַתְּהִי שָׂרַי עֲקָרָה
לא אֵין לָהּ וָלָד: וַיִּקַּח תֶּרַח אֶת־אַבְרָם בְּנוֹ וְאֶת־
לוֹט בֶּן־הָרָן בֶּן־בְּנוֹ וְאֵת שָׂרַי כַּלָּתוֹ אֵשֶׁת

כט וּנְסִיב אַבְרָם וְנָחוֹר לְהוֹן נְשִׁין שׁוּם אִתַּת אַבְרָם שָׂרָי וְשׁוּם אִתַּת נָחוֹר מִלְכָּה בַּת הָרָן אֲבוּהָא דְמִלְכָּה וַאֲבוּהָא דְיִסְכָּה: ל וַהֲוַת שָׂרַי עֲקָרָה לֵית לַהּ וְלָד: לא וּדְבַר תֶּרַח יָת אַבְרָם בְּרֵהּ וְיָת לוֹט בַּר הָרָן בַּר בְּרֵהּ וְיָת שָׂרַי כַּלָּתֵהּ אִתַּת

רש"י

(כט) יסכה. זו שרה, על שם שסוכה ברוח הקודש, ושהכל סוכין ביפיה (מגילה יד.) [ס"א כמו שנאמר ויראו אותה שרי פרעה (להלן יב:טו)]. ועוד, יסכה הוא לשון נסיכות, כמו שרה לשון שררה (ברכות יג.):

רמב"ן

וְהִנֵּה עַל דַּעַת רַבּוֹתֵינוּ יִהְיֶה אוּר כַּשְׂדִּים כִּפְשׁוּטוֹ, מִלְּשׁוֹן "חַמּוֹתִי רָאִיתִי אוּר" [ישעיה מד, טז]. וְאָמְרוּ "וַיֵּצְאוּ אִתָּם מֵאוּר כַּשְׂדִּים", [פסוק לא] וְתֶרַח לֹא יָצָא מִן הַכִּבְשָׁן! אֲבָל אַבְרָם הוּא עִקָּר[46], אוֹ הַמָּקוֹם נִקְרָא כֵּן בַּעֲבוּר הַנֵּס[47], כְּמוֹ "וּבְתַבְעֵרָה וּבְמַסָּה וּבְקִבְרֹת הַתַּאֲוָה" [דברים ט, כב][48], וְזוּלָתָם. וְיִרְמֹז הַכָּתוּב כִּי בְּצֵאת אַבְרָם מִן הַכִּבְשָׁן בָּרְחוּ לָהֶם כֻּלָּם מִשָּׁם[49].

RAMBAN ELUCIDATED

– in Charan – **that he was commanded regarding this** moving to Canaan, **and it was from there that [God] took him and led him throughout all the land of Canaan.**[45]

[Ramban now examines the name, *Ur-kasdim*:]

וְהִנֵּה עַל דַּעַת רַבּוֹתֵינוּ יִהְיֶה אוּר כַּשְׂדִּים כִּפְשׁוּטוֹ – **Now, according to the opinion of our Sages, the phrase *Ur-kasdim* is** to be understood **according to its literal meaning** – namely, *the fire of the Chaldeans.* It is not a location at all, but refers to the fire of a furnace. מִלְּשׁוֹן "חַמּוֹתִי רָאִיתִי אוּר" – **It is related to the expression** אוּר in: ***I have warmed myself; I can see by the flame*** [אוּר] (*Isaiah* 44:16).

[Ramban presents a difficulty with this understanding of אוּר כַּשְׂדִּים and offers two possible solutions:]

וְאָמְרוּ "וַיֵּצְאוּ אִתָּם מֵאוּר כַּשְׂדִּים", וְתֶרַח לֹא יָצָא מִן הַכִּבְשָׁן – **Now, [Scripture] says, *and they*** (Sarai and Lot) ***departed with "them"*** (Terah and Abram) ***from the fire of the Chaldeans*** (v. 31), **when** in fact **Terah did not emerge from any** fiery **furnace;** only Abram did! אֲבָל אַבְרָם הוּא עִקָּר – **Nevertheless, Abraham was the main person** in this account.[46] אוֹ הַמָּקוֹם נִקְרָא כֵּן בַּעֲבוּר הַנֵּס – **Alternatively, the place was called this** (Ur-kasdim) **on account of the miracle** that occurred there,[47] כְּמוֹ "וּבְתַבְעֵרָה וּבְמַסָּה וּבְקִבְרֹת הַתַּאֲוָה", וְזוּלָתָם – **similar to, *And in Tabera, and in Massah and in Kibroth Hattaavah*** (*Deuteronomy* 9:22)[48] **and** other examples **like these.** וְיִרְמֹז הַכָּתוּב כִּי בְּצֵאת אַבְרָם מִן הַכִּבְשָׁן בָּרְחוּ לָהֶם כֻּלָּם מִשָּׁם – **Scripture alludes** to the fact **that as soon as Abraham emerged from the** fiery **furnace, they all** – Terah, Abram, Sarai and Lot – **fled from there.**[49]

---

own volition, and received the Divine command to continue to Canaan while in Charan. This verse supports Ramban's opinion over Ibn Ezra's.

45. See below, 12:1, where this point is discussed by Ramban and Ibn Ezra.

46. According to this explanation, the verse should have indeed written, *and they departed with* ***him*** (referring to Abraham) *from the fire of the Chaldeans.* The reason it does say *with* ***them*** is in order to accord honor to Terah, as Ramban will explain in his next comment.

47. That is, even according to the Sages אוּר כַּשְׂדִּים can be understood as a name of a location, which derived its name from Nimrod's famous fiery furnace. The statement that Terah departed *from the Fire of the Chaldeans* is thus no longer difficult.

48. All three of these names – which literally mean "Conflagration," "Trial" and "Graves of Desire" – were named for events that transpired there. Here, too, Ur-kasdim took its name from the events that took place there.

49. Scripture names the place from which they departed in order to inform us that they all left by reason of, and immediately following, the incident of the fiery furnace (Ur-kasdim).

*29 And Abram and Nahor took themselves wives; the
name of Abram's wife was Sarai, and the name of Nahor's
wife was Milcah, the daughter of Haran, the father of
Milcah and the father of Iscah. 30 And Sarai was barren,
she had no child.*
*31 Terah took his son Abram, and Lot the son of Haran,
his grandson, and his daughter-in-law Sarai, the wife of*

רמב״ן

וּפֵרוּשׁ ״בָּאוּרִים כַּבְּדוּ ה׳ ״ [ישעיה כד, טו] עַל דַּעְתִּי, כְּדִבְרֵיהֶם[50], כִּי הֵם הֶהָרִים הַגְּבוֹהִים, שֶׁשָּׁם עוֹשִׂים אוֹרוֹת וּמַשִּׂיאִין מַשּׂוּאוֹת לְהוֹדִיעַ הַחֲדָשׁוֹת מַהֵר בַּמֶּרְחַקִּים, כַּאֲשֶׁר אָמַר ״בְּאִיֵּי הַיָּם שֵׁם ה׳ אֱלֹהֵי יִשְׂרָאֵל״[51]. וְהָעִנְיָן, שֶׁיּוֹדִיעוּ בְּכָל הָעוֹלָם הַנֵּס וְהַפֶּלֶא הַנַּעֲשָׂה לָהֶם לִכְבוֹד הַשֵּׁם. וְכֵן ״מְאוּרַת צִפְעוֹנִי״[52], הַחוֹר שֶׁלּוֹ שֶׁשָּׁם אוֹרוֹ וַחֲמִימוּתוֹ הַגָּדוֹל, כְּמוֹ שֶׁקּוֹרֵא אוֹתוֹ ״שָׂרָף״[53].

וְרָאִיתִי בְּמִדְרַשׁ ״קוּמִי אוֹרִי״[54]: ״עַל כֵּן בָּאוּרִים כַּבְּדוּ ה׳״, בַּמֶּה מְכַבְּדִין אוֹתוֹ? ר׳ יֵיבָא בַּר כַּהֲנָא אָמַר: בְּאִלֵּין פַּנָּסַיָּא. הֵן כְּגוֹן הָעֲשָׁשִׁיּוֹת שֶׁמַּדְלִיקִין בְּבָתֵּי כְּנֵסִיּוֹת, בְּכָל מָקוֹם, אֲפִילוּ בְּאִיֵּי הַיָּם, לִכְבוֹד הַשֵּׁם.

RAMBAN ELUCIDATED

[Having accepted the Sages' interpretation of the word Ur as *fire*, as opposed to Menachem's interpretation as *valley*, Ramban returns to account for the various verses that Menachem cited:]

וּפֵרוּשׁ ״בָּאוּרִים כַּבְּדוּ ה׳״ עַל דַּעְתִּי, כְּדִבְרֵיהֶם – The meaning of בָּאוּרִים כַּבְּדוּ ה׳ (*Isaiah* 24:15) **in my opinion, is in accordance with the words [of the Sages],** who translate אור as *fire*,[50] **כִּי הֵם הֶהָרִים הַגְּבוֹהִים, שֶׁשָּׁם עוֹשִׂים אוֹרוֹת וּמַשִּׂיאִין מַשּׂוּאוֹת לְהוֹדִיעַ הַחֲדָשׁוֹת מַהֵר בַּמֶּרְחַקִּים – so that it refers to the tall mountains, where people make fires and light bonfires to communicate** momentous **news quickly to distant places, כַּאֲשֶׁר אָמַר ״בְּאִיֵּי הַיָּם שֵׁם ה׳ אֱלֹהֵי יִשְׂרָאֵל״ – as [that verse] says** in its continuation, ***in the islands of the sea [honor] the Name of Hashem, God of Israel.***[51] **וְהָעִנְיָן, שֶׁיּוֹדִיעוּ בְּכָל הָעוֹלָם הַנֵּס וְהַפֶּלֶא הַנַּעֲשָׂה לָהֶם לִכְבוֹד הַשֵּׁם – The concept is that they should make known throughout the world the miracle and the wonder that were done for them – out of honor to God. וְכֵן ״מְאוּרַת צִפְעוֹנִי״, הַחוֹר שֶׁלּוֹ – Similarly,** מְאוּרַת צִפְעוֹנִי[52] may be explained ***"the fire of the viper,"*** *referring to* **its hole. שֶׁשָּׁם אוֹרוֹ וַחֲמִימוּתוֹ הַגָּדוֹל – For there,** in its lair, **is where its "fire" and greatest heat** – i.e., its venom – **are located, כְּמוֹ שֶׁקּוֹרֵא אוֹתוֹ ״שָׂרָף״ – just as a serpent** itself **is called a שָׂרָף** (*Saraph*), which means "fiery one."[53]

[Ramban closes with a proof that the Sages indeed differ with Menachem's interpretation of בָּאוּרִים כַּבְּדוּ ה׳:]

וְרָאִיתִי בְּמִדְרַשׁ ״קוּמִי אוֹרִי״ – I have seen in the Midrash called ***Kumi Ori***[54] the following: **״עַל כֵּן בָּאוּרִים כַּבְּדוּ ה׳״ –** ***Therefore honor Hashem with the Urim*** (*Isaiah* 24:15) **– בַּמֶּה מְכַבְּדִין אוֹתוֹ – With what are we to honor Him**? I.e., what are these "Urim"? **ר׳ יֵיבָא בַּר כַּהֲנָא אָמַר בְּאִלֵּין פַּנָּסַיָּא – Rabbi Yeiva bar Kahana said: With those torches. הֵן כְּגוֹן הָעֲשָׁשִׁיּוֹת שֶׁמַּדְלִיקִין בְּבָתֵּי כְּנֵסִיּוֹת, בְּכָל מָקוֹם, אֲפִילוּ בְּאִיֵּי הַיָּם, לִכְבוֹד הַשֵּׁם – These "**torches" **are, for example, the lanterns that are lit in**

50. Menachem interpreted בָּאוּרִים in this verse to mean *In the valleys*, and applied the same translation to Ur-kasdim: *Valley of the Chaldeans*. According to the Sages, however, אור in Ur-kasdim means "fire," so we should consistently interpret the word to mean "fire" – including the example in *Isaiah* 24:15.

51. The meaning of בָּאוּרִים כַּבְּדוּ ה׳ is thus, *On mountaintops give honor to Hashem*, by announcing His salvation to the distant lands by lighting bonfires on these peaks.

52. In this verse, too, מְאוּרַת (related to אור) was interpreted by Menachem to mean "hole" or "opening." Ramban now explains how the Sages (who translate אור as "fire") would interpret that word.

53. Just as the serpent is called "fiery one" (*Numbers* 21:6) because of its burning venom, so is its lair called "the place of fire."

54. This Midrash, which begins with the words קוּמִי אוֹרִי, is section 21 of *Pesikta DeRav Kahana*.

אַבְרָם בְּנוֹ וַיֵּצְאוּ אִתָּם מֵאוּר כַּשְׂדִּים לָלֶכֶת אַרְצָה
לב כְּנַעַן וַיָּבֹאוּ עַד־חָרָן וַיֵּשְׁבוּ שָׁם: וַיִּהְיוּ יְמֵי־תֶרַח
חָמֵשׁ שָׁנִים וּמָאתַיִם שָׁנָה וַיָּמָת תֶּרַח בְּחָרָן: פ פ פ

קנ"ג פסוקים. בצלא"ל סימן. אב"י יסכ"ה לו"ט סימן.

אַבְרָם בְּרֵהּ וּנְפָקוּ עִמְּהוֹן מֵאוּרָא דְכַסְדָּאֵי לְמֵיזַל לְאַרְעָא דִכְנַעַן וַאֲתוֹ עַד חָרָן וִיתִיבוּ תַמָּן: לב וַהֲווֹ יוֹמֵי תֶרַח מָאתָן וַחֲמֵשׁ שְׁנִין וּמִית תֶּרַח בְּחָרָן:

רש"י

(לא) ויצאו אתם. ויצאו תרח ואברם עם לוט ושרי: **(לב) וימת תרח בחרן.** לאחר שיצא אברם מחרן ובא לארץ כנען והיה שם יותר מששים שנה, שהרי כתיב ואברם בן חמש שנים ושבעים שנה בצאתו מחרן (להלן יב:ד) ותרח בן שבעים שנה היה כשנולד אברם, הרי קמ"ה לתרח כשיצא אברם מחרן, עדיין נשארו משנותיו הרבה. ולמה הקדים הכתוב מיתתו של תרח ליציאתו של אברם, שלא יהא הדבר מפורסם לכל ויאמרו לא קיים אברם את כבוד אביו שהניחו זקן והלך לו, לפיכך קראו הכתוב מת, [ועוד] שהרשעים אף בחייהם קרוים מתים והצדיקים אף במיתתן קרוים חיים, שנאמר ובניהו בן יהוידע בן איש חי (שמואל ב כג:כ; ב"ר לט:ז; ברכות יח.-יח:): **בחרן.** הנו"ן הפוכה, לומר לך עד אברם חרון אף של מקום בעולם (ספרי האזינו סי"א):

רמב"ן

הֲרֵי שֶׁעוֹשִׂין "בָּאוּרִים" מִלְּשׁוֹן אֵשׁ, כִּפְשׁוּטוֹ[55].

[לא] וַיֵּצְאוּ אִתָּם מֵאוּר כַּשְׂדִּים. בַּעֲבוּר כִּי אַבְרָם נִכְבָּד מֵאָבִיו, וְהַהוֹלְכִים - בַּעֲצָתוֹ וּבַעֲבוּרוֹ יֵלְכוּ, אָמַר הַכָּתוּב "וַיֵּצְאוּ אִתָּם"[56,57] וְאַף עַל פִּי שֶׁאָמַר "וַיִּקַּח תֶּרַח", כִּי בַּעֲבוּר שֶׁהָיָה אַבְרָהָם מְכַבֵּד אֶת אָבִיו וְהוֹלֵךְ אַחֲרָיו אָמַר "וַיִּקַּח תֶּרַח". אֲבָל לוֹט וְשָׂרַי בַּעֲבוּר אַבְרָם הָלְכוּ אִתָּם[58], כִּי גַּם אַחֲרֵי שֶׁנִּפְרַד אַבְרָם מֵאָבִיו הָלְכוּ אִתּוֹ.

RAMBAN ELUCIDATED

synagogues in all places, even in "the islands of the sea," for the honor of God. הֲרֵי שֶׁעוֹשִׂין "בָּאוּרִים" מִלְּשׁוֹן אֵשׁ כִּפְשׁוּטוֹ – **You see, then, that they interpret** בָּאוּרִים **to mean "fire," according to its plain meaning.**[55]

31. **וַיֵּצְאוּ אִתָּם מֵאוּר כַּשְׂדִּים** – ***AND THEY DEPARTED WITH THEM FROM UR-KASDIM.***

[There is an apparent inconsistency in this verse. It begins with *Terah took Abram Lot and Sarai*, implying that Terah was the leader of this journey. But then the verse continues, *They departed with **them*** (meaning: Lot and Sarai departed with Terah and Abram), which indicates that both Terah and Abram were the initiators of the trip. Ramban explains:]

בַּעֲבוּר כִּי אַבְרָם נִכְבָּד מֵאָבִיו, וְהַהוֹלְכִים בַּעֲצָתוֹ וּבַעֲבוּרוֹ יֵלְכוּ – **Because Abram was more eminent than his father, and** because **those who went** out of Ur-kasdim **went** as a result **of [Abram's] counsel and because of him,** אָמַר הַכָּתוּב "וַיֵּצְאוּ אִתָּם" – **Scripture says, *They departed with "them"*** (i.e., with Abram and Terah[56]), thereby referring to Abram as an initiator in this journey.[57] וְאַף עַל פִּי שֶׁאָמַר "וַיִּקַּח תֶּרַח" – **Although [Scripture] said, *Terah took***, indicating that Terah was the leader, כִּי בַּעֲבוּר שֶׁהָיָה אַבְרָהָם מְכַבֵּד אֶת אָבִיו וְהוֹלֵךְ אַחֲרָיו אָמַר "וַיִּקַּח תֶּרַח" – it is **because Abram accorded honor to his father and followed him that it said, *Terah took*.** אֲבָל לוֹט וְשָׂרַי בַּעֲבוּר אַבְרָם הָלְכוּ אִתָּם – **But Lot and Sarai went with them** only **on account of Abram,**[58] כִּי גַּם אַחֲרֵי שֶׁנִּפְרַד אַבְרָם מֵאָבִיו הָלְכוּ אִתּוֹ – **for** you see that **even after Abram parted from his father** and continued on to Canaan **they** still **went with [Abram].**

55. Everyone agrees that אור at times means "flame" – as in *Isaiah* 31:9, and ibid. 50:11. Menachem, apparently due partly to this verse (*Isaiah* 24:15), proposed a new meaning for the word: "Valley." Ramban demonstrates that the Midrash interprets the אור of *Isaiah* 24:15 in its ordinary sense of "flame."

56. Ramban thus differs with Rashi, who understands *with them* to mean that Abram and Terah went with *Sarai and Lot*, and with Radak who understands it to mean that Terah and Lot went with *Abram and Sarai.*

57. That is, Scripture should have written, *they departed with **him***, but out of respect to his father, Scripture attributed the departure to both of them (*Peirush Tur HaAroch*). See next footnote.

58. This is why Scripture describes their departing with *them* – which includes Abram. It was Terah who led the expedition (*Terah took*), but Sarai's and Lot's departure was due to Abram, who permitted Terah to lead (*they went with **them***).

Abram his son, and they departed with them from Ur-kasdim to go to the land of Canaan; they arrived at Charan and they settled there.

32 *The days of Terah were two hundred and five years, and Terah died in Charan.*

THE HAFTARAH FOR NOAH APPEARS ON PAGE 578.

When Rosh Chodesh Cheshvan coincides with Noah, the regular Maftir and Haftarah are replaced with the readings for Shabbos Rosh Chodesh: Maftir, page 586, Haftarah, page 586.

רמב״ן

[לב] וַיָּמָת תֶּרַח בְּחָרָן. כְּשֶׁיָּצָא אַבְרָם נִשְׁאֲרוּ מִשְּׁנוֹת תֶּרַח הַרְבֵּה,[59] וְלָמָּה הִקְדִּים הַכָּתוּב מִיתָתוֹ שֶׁל תֶּרַח לִיצִיאָתוֹ שֶׁל אַבְרָם? שֶׁלֹּא יְהֵא הַדָּבָר מְפֻרְסָם לַכֹּל וְיֹאמְרוּ לֹא קִיֵּם אַבְרָם כִּבּוּד אָב וָאֵם, שֶׁהִנִּיחוֹ זָקֵן וְהָלַךְ לוֹ, לְפִיכָךְ קְרָאוֹ מֵת. וְעוֹד, שֶׁאַף הָרְשָׁעִים בְּחַיֵּיהֶם קְרוּאִים מֵתִים[60].

לְשׁוֹן רַשִׁ״י, וּבִבְרֵאשִׁית רַבָּה הוּא [לט, ז].

וַאֲנִי תָּמֵהַּ עַל דִּבְרֵיהֶם, שֶׁזֶּה מִנְהַג כָּל הַכָּתוּב לְסַפֵּר חַיֵּי הָאָב וְהוֹלִידוֹ הַבֵּן וּמִיתָתוֹ, וְאַחַר כָּךְ מַתְחִיל בְּעִנְיַן הַבֵּן; בְּכָל הַדּוֹרוֹת כָּךְ נָהֲגוּ הַכְּתוּבִים [ראה לעיל פרק ה; לעיל יא, י-כה]. וְנֹחַ עַצְמוֹ הִנֵּה בְּיָמָיו שֶׁל אַבְרָם עוֹדֶנּוּ חַי[61], וְשֵׁם בְּנוֹ כָּל יְמֵי אַבְרָהָם הָיָה חַי[62].

RAMBAN ELUCIDATED

32. וַיָּמָת תֶּרַח בְּחָרָן – ***AND TERAH DIED IN CHARAN.***

[Ramban cites Rashi's comment this verse:]

כְּשֶׁיָּצָא אַבְרָם נִשְׁאֲרוּ מִשְּׁנוֹת תֶּרַח הַרְבֵּה – **When Abram left** Charan, **many years of [Terah's]** lifetime **still remained.**[59] **וְלָמָּה הִקְדִּים הַכָּתוּב מִיתָתוֹ שֶׁל תֶּרַח לִיצִיאָתוֹ שֶׁל אַבְרָם** – **Why** then **did Scripture place the death of Terah ahead of the departure of Abram? שֶׁלֹּא יְהֵא הַדָּבָר מְפֻרְסָם לַכֹּל** – The answer is: **So that the matter should not be publicized to all, וְיֹאמְרוּ לֹא קִיֵּם אַבְרָם כִּבּוּד אָב וָאֵם, שֶׁהִנִּיחוֹ זָקֵן וְהָלַךְ לוֹ** – **and [people] would** then **say, "Abram did not fulfill** the precept of **honoring one's father and mother, for he abandoned [his father] as an old man and went off." לְפִיכָךְ קְרָאוֹ מֵת** – **This is why the verse refers to [Terah] as dead. וְעוֹד שֶׁאַף הָרְשָׁעִים בְּחַיֵּיהֶם קְרוּאִים מֵתִים** – **Additionally,** "Terah died" figuratively, **for the wicked are called "dead" even during their lifetimes.**[60]

לְשׁוֹן רַשִׁ״י – The above is **a quote from Rashi. וּבִבְרֵאשִׁית רַבָּה הוּא** – **It is** found **in *Bereishis Rabbah*** (39:7).

[Ramban raises a difficulty with the Midrash's observation:]

וַאֲנִי תָּמֵהַּ עַל דִּבְרֵיהֶם – **But I am perplexed by their words, שֶׁזֶּה מִנְהַג כָּל הַכָּתוּב לְסַפֵּר חַיֵּי הָאָב וְהוֹלִידוֹ הַבֵּן וּמִיתָתוֹ** – **for this is the customary manner of Scripture, to narrate the life** story **of a father, his begetting of a son and then his death, וְאַחַר כָּךְ מַתְחִיל בְּעִנְיַן הַבֵּן** – **and after this to begin the subject of the son**, and it includes even those events of the son's life that *preceded* the father's death. **בְּכָל הַדּוֹרוֹת כָּךְ נָהֲגוּ הַכְּתוּבִים** – **This was Scripture's manner throughout** its record of **all the generations,** (above, Chap. 5; 11:10-25). **וְנֹחַ עַצְמוֹ הִנֵּה בְּיָמָיו שֶׁל אַבְרָם עוֹדֶנּוּ חַי** – For instance, **you can see that Noah himself was still alive in the days of Abraham,**[61] **וְשֵׁם בְּנוֹ כָּל יְמֵי אַבְרָהָם הָיָה חַי** – **and Shem, [Noah's] son, was alive throughout all of Abram's days,**[62] yet, in each case, the death of the former is recorded before the birth of the latter.

59. Terah lived an additional sixty years after Abraham left Charan (see Rashi).

60. And Abraham was justified in leaving him.

61. Noah died in the year 2006 After Creation, and Abraham was born in 1948. Nevertheless, Noah's death is recorded (9:29) long before the birth of Abraham (11:26).

62. Shem died in the year 2158 After Creation; Abraham died in 2123. Yet Shem's death is implied in 11:11, while Abraham's death is not mentioned until 25:8!

רמב"ן

וְיִתָּכֵן שֶׁבָּאוּ לַמִּדְרָשׁ הַזֶּה מִפְּנֵי שֶׁשִּׁנָּה הַכָּתוּב בְּתֶרַח סֵדֶר הַפָּרָשָׁה כֻּלָּהּ. כִּי בְּשֵׁם וְתוֹלְדוֹתָיו כֻּלָּם לֹא הִזְכִּיר הַכָּתוּב מִיתָה[63], וְלֹא חָזַר וְכָלַל הַשָּׁנִים, וּבְכָאן חָזַר וְתָפַשׂ הַסֵּדֶר הָרִאשׁוֹן שֶׁבְּבַעֲלֵי הַשָּׁנִים הָרַבִּים מֵאָדָם וְעַד נֹחַ - וְכָלַל "וַיִּהְיוּ כָּל יְמֵי תֶרַח ... וַיָּמָת"[64]. וְהוֹסִיף לְהַזְכִּיר עוֹד מְקוֹם הַמִּיתָה שֶׁהָיָה בְּחָרָן[65], הַמָּקוֹם שֶׁהִזְכִּיר לְאַבְרָהָם [לקמן יב, ד]. וּלְכָךְ דָּרְשׁוּ שֶׁכָּל זֶה כְּדֵי שֶׁיֵּרָאֶה מִבְּלִי עִיּוּן שֶׁהָיָה אַבְרָהָם שָׁם עִמּוֹ.

וְעוֹד, כִּי מִפְּנֵי שֶׁכְּבָר הִתְחִיל בְּעִנְיַן אַבְרָהָם, וְסִפֵּר שֶׁיָּצָא עִם אָבִיו מֵאוּר כַּשְׂדִּים לָלֶכֶת אַרְצָה כְּנַעַן, יִקְשֶׁה בְּעֵינֵיהֶם כְּשֶׁלֹּא סִדֵּר חַיָּיו וּמִיתָתוֹ עַל הַסֵּדֶר וְיִכְתֹּב אוֹתָהּ בִּזְמַנָּהּ[66].

וַאֲשֶׁר אָמְרוּ עוֹד [ב"ר שם]: בִּתְחִלָּה[67] אַתָּה דוֹרֵשׁ שֶׁהָרְשָׁעִים בְּחַיֵּיהֶם קְרוּיִין מֵתִים" - גַּם כֵּן תֵּמַהּ הוּא בְּעֵינַי,

RAMBAN ELUCIDATED

[Ramban now suggests a possible cause for the Midrash's comment:]

וְיִתָּכֵן שֶׁבָּאוּ לַמִּדְרָשׁ הַזֶּה מִפְּנֵי שֶׁשִּׁנָּה הַכָּתוּב בְּתֶרַח סֵדֶר הַפָּרָשָׁה כֻּלָּהּ – It is possible that [the Sages] arrived at this interpretation because, in its discussion of **Terah, Scripture changes the pattern** it had been using throughout **the entire section.** **כִּי בְּשֵׁם וְתוֹלְדוֹתָיו כֻּלָּם לֹא הִזְכִּיר הַכָּתוּב מִיתָה, וְלֹא חָזַר וְכָלַל הַשָּׁנִים – For with Shem and all his descendants** up to Terah, **[Scripture] made no** explicit **mention of** their **deaths**[63] **nor did it return to summarize the** number of **years** of their life as it did in describing the generations from Adam to Noah (above, Chap. 5). **וּבְכָאן חָזַר וְתָפַשׂ הַסֵּדֶר הָרִאשׁוֹן שֶׁבְּבַעֲלֵי הַשָּׁנִים הָרַבִּים מֵאָדָם וְעַד נֹחַ – But here** in the case of Terah, **it went back and adopted the earlier pattern** that was used in Chapter 5 – **the one used for the [people] of great longevity, from Adam to Noah** – **וְכָלַל "וַיִּהְיוּ כָּל יְמֵי תֶרַח ... וַיָּמָת" – and summarized:** ***All the days of Terah were ... and he died.***[64] **וְהוֹסִיף לְהַזְכִּיר עוֹד מְקוֹם הַמִּיתָה שֶׁהָיָה בְּחָרָן, הַמָּקוֹם שֶׁהִזְכִּיר לְאַבְרָהָם – [Scripture] also further mentions the place of** Terah's **death,** specifying **that it was in Charan**[65] – **the** same **place that it** had **mentioned** with regard **to Abraham** (12:4) as his place of departure. **וּלְכָךְ דָּרְשׁוּ שֶׁכָּל זֶה כְּדֵי שֶׁיֵּרָאֶה מִבְּלִי עִיּוּן שֶׁהָיָה אַבְרָהָם שָׁם עִמּוֹ – It is for this** reason **that they expounded that all this** was done **to make it appear** – at first glance, **without scrutiny** – **that Abraham was there**, in Charan, **with [Terah]** when he died.

[Ramban suggests a second possible motivation for the Midrash's comment:]

וְעוֹד כִּי מִפְּנֵי שֶׁכְּבָר הִתְחִיל בְּעִנְיַן אַבְרָהָם – Furthermore, because [Scripture] had already begun the story of Abraham, **וְסִפֵּר שֶׁיָּצָא עִם אָבִיו מֵאוּר כַּשְׂדִּים לָלֶכֶת אַרְצָה כְּנַעַן – recounting that he left with his father from Ur-kasdim to go to the land of Canaan,** **יִקְשֶׁה בְּעֵינֵיהֶם כְּשֶׁלֹּא סִדֵּר חַיָּיו וּמִיתָתוֹ עַל הַסֵּדֶר וְיִכְתֹּב אוֹתָהּ בִּזְמַנָּהּ – [the Sages] found it difficult that it did not arrange [Terah's] life and his death in proper order and record it chronologically.**[66]

[Ramban now analyzes the other Midrashic statement cited by Rashi:]

וַאֲשֶׁר אָמְרוּ עוֹד: – And that which [the Sages] said further (ibid.): **בִּתְחִלָּה אַתָּה דוֹרֵשׁ שֶׁהָרְשָׁעִים בְּחַיֵּיהֶם קְרוּיִין מֵתִים – "Your primary**[67] **explanation should be that the wicked in their lifetimes are called dead"** – **גַּם כֵּן תֵּמַהּ הוּא בְּעֵינַי – this also seems perplexing to me.**

63. For each generation described in Chapter 11, from Noah to Terah, we are told only that a man lived a certain amount of years before begetting children, and then lived for an additional amount of years after begetting children. Scripture does not state that the man died after the sum of those years, as it does in Chap. 5 when discussing the generations from Adam to Noah.

64. Paraphrase of 11:32.

65. Whereas Scripture did not specify the place of death of the people of previous generations.

66. For the generations that preceded Terah, the Torah records only the person's birth, his begetting of his first child, and his years of life after that, but no further details. With Terah, however, Scripture veers from this pattern and provides details of Terah's and his sons' lives. One would therefore have expected Scripture to record *all* the events of his life in chronological order, and mention his death when it actually occurred (in Abraham's 135th year). Therefore the Midrash explains that Scripture did not wish to publicize that Abraham "abandoned" his father.

67. See "Rashi" on *Bereishis Rabbah* 26:3 s.v. והלאיפה.

רמב״ן

שֶׁכְּבָר דָּרְשׁוּ מִפָּסוּק "וְאַתָּה תָּבוֹא אֶל אֲבֹתֶיךָ בְּשָׁלוֹם" [לקמן טו, טו] - בִּשְּׂרוֹ שֶׁיֵּשׁ לְאָבִיו חֵלֶק לָעוֹלָם הַבָּא[68]. וְאוּלַי כַּוָּנָתָם שֶׁעָשָׂה תְּשׁוּבָה בִּשְׁעַת מִיתָה, אֲבָל יָמָיו הָיוּ כֻּלָּם בְּרֶשַׁע, וְהָיָה קָרוּי מֵת[69].

וּלְשׁוֹן רַשִׁ"י, "לִמֶּדְךָ שֶׁעָשָׂה תֶּרַח תְּשׁוּבָה" - בִּשְׁעַת מִיתָה.

אוֹ שֶׁמָּא "יֵשׁ לוֹ חֵלֶק לָעוֹלָם הַבָּא" שֶׁאָמְרוּ חֲכָמֵינוּ זִכְרוֹנָם לִבְרָכָה, בִּזְכוּת בְּנוֹ[70]. וְהִיא הַבְּשׂוֹרָה, שֶׁהוּא לֹא הָיָה יוֹדֵעַ עַד שֶׁנִּתְבַּשֵּׂר בְּכָךְ בְּעֵת שֶׁאָמַר לוֹ "וְאַתָּה תָּבֹא אֶל אֲבֹתֶיךָ בְּשָׁלוֹם"[71]. וְכֵן מָצָאתִי בְּמִדְרָשׁ[72]: כָּל הָעֵצִים כְּשֵׁרִין, חוּץ מִשֶּׁל זַיִת וְשֶׁל גֶּפֶן, שֶׁהַשֶּׁמֶן וְהַיַּיִן קְרֵבִין לְגַבֵּי מִזְבֵּחַ. הִצִּילוּ הַפֵּרוֹת הָאִילָנוֹת. וְכֵן מָצִינוּ בְּאַבְרָהָם שֶׁהִצִּיל אֶת תֶּרַח שֶׁנֶּאֱמַר "וְאַתָּה תָּבֹא אֶל אֲבֹתֶיךָ בְּשָׁלוֹם".

RAMBAN ELUCIDATED

שֶׁכְּבָר דָּרְשׁוּ מִפָּסוּק "וְאַתָּה תָּבוֹא אֶל אֲבֹתֶיךָ בְּשָׁלוֹם" – **For [the Sages] have already derived from the verse,** ***As for you, you shall come to your ancestors in peace*** (below, 15:15), בִּשְּׂרוֹ שֶׁיֵּשׁ לְאָבִיו חֵלֶק לָעוֹלָם הַבָּא – **that "[God]** thereby **informed [Abraham] the good tidings that his father would have a share in the World to Come,"**[68] implying that Terah was *not* a wicked man.

[Ramban offers a possible solution to this problem:]

וְאוּלַי כַּוָּנָתָם שֶׁעָשָׂה תְּשׁוּבָה בִּשְׁעַת מִיתָה – **Perhaps [the Sages] mean that** although he was wicked, **he repented at the time of his death,** אֲבָל יָמָיו הָיוּ כֻּלָּם בְּרֶשַׁע וְהָיָה קָרוּי מֵת – **but** he lived **all his days in wickedness, and he was** therefore **called "dead"** during his lifetime.[69]

וּלְשׁוֹן רַשִׁ"י, לִמֶּדְךָ שֶׁעָשָׂה תֶּרַח תְּשׁוּבָה בִּשְׁעַת מִיתָה – **The words of Rashi** (on 15:15) – **"This has taught you that Terah repented"** – can also be understood to mean that he repented only **at the time of** his **death.**

[Ramban suggests a second possibility to resolve this difficulty:]

אוֹ שֶׁמָּא "יֵשׁ לוֹ חֵלֶק לָעוֹלָם הַבָּא" שֶׁאָמְרוּ חֲכָמֵינוּ זִכְרוֹנָם לִבְרָכָה, בִּזְכוּת בְּנוֹ – **Alternatively, perhaps when the Sages said "[Terah] has a share in the World to Come"** this was **by the merit of his son [Abraham]**, and not through any merit of his own, for he lived and died as a wicked man.[70] וְהִיא הַבְּשׂוֹרָה – ***This*** **was the "good tidings"** that God related to Abraham in the Midrash cited above, שֶׁהוּא לֹא הָיָה יוֹדֵעַ עַד שֶׁנִּתְבַּשֵּׂר בְּכָךְ בְּעֵת שֶׁאָמַר לוֹ "וְאַתָּה תָּבֹא אֶל אֲבֹתֶיךָ בְּשָׁלוֹם" – **for [Abraham] did not know** this **until he was informed of it when [God] said to him,** ***As for you, you shall come to your ancestors in peace.***[71] וְכֵן מָצָאתִי בְּמִדְרָשׁ: – Indeed, **I found such** an interpretation **in the Midrash:**[72] כָּל הָעֵצִים כְּשֵׁרִין חוּץ מִשֶּׁל זַיִת וְשֶׁל גֶּפֶן, שֶׁהַשֶּׁמֶן וְהַיַּיִן קְרֵבִין לְגַבֵּי מִזְבֵּחַ – **"All** kinds of **wood are acceptable** for use on the Altar's pyres **except for that of an olive tree and that of a grape vine, for oil and wine are offered upon the Altar.** הִצִּילוּ הַפֵּרוֹת הָאִילָנוֹת – These **fruits** thus **save** their parent **trees** from being burned. וְכֵן מָצִינוּ בְּאַבְרָהָם שֶׁהִצִּיל אֶת תֶּרַח – **And so too we find with Abraham** (the 'fruit'), **that he saved Terah** (the 'tree') from being burned in Gehinnom, שֶׁנֶּאֱמַר "וְאַתָּה תָּבֹא אֶל אֲבֹתֶיךָ בְּשָׁלוֹם" – **as it says,** ***As for you, you shall come to your ancestors in peace."***

68. *Bereishis Rabbah* 38:12, alluded to by Rashi on 15:15.

69. Ramban posits that Terah repented only close to his death because the Midrash is saying that Abraham did no wrong in leaving his elderly father, but if Terah had repented earlier in life, it would have been wrong of Abraham to have left him. Hence, Terah's repentance must have come only close to his death.

70. This is in contradistinction to Rashi's understanding of the Midrash, that Terah's share in the Next World was due to his own repentance.

71. Though Abraham's merit was not a recent development, God's statement, *"As for you"* can be understood as "tidings," for Abraham did not assume that his merit would stand his father in good stead.

72. *Lekach Tov, Vayikra* 4:2.

פרשת לך לך

Parashas Lech Lecha

יב א וַיֹּ֤אמֶר יהוה֙ אֶל־אַבְרָ֔ם לֶךְ־לְךָ֛ מֵאַרְצְךָ֥ וּמִמּֽוֹלַדְתְּךָ֖ וּמִבֵּ֣ית אָבִ֑יךָ אֶל־הָאָ֖רֶץ אֲשֶׁ֥ר אַרְאֶֽךָּ׃

א וַאֲמַר יְיָ לְאַבְרָם אִיזֵיל לָךְ מֵאַרְעָךְ וּמִיַּלָּדוּתָךְ וּמִבֵּית אֲבוּךְ לְאַרְעָא דִּי אַחֲזִנָּךְ׃

רש"י

(א) **לך לך.** להנאתך ולטובתך. שם אעשך לגוי גדול, וכאן אי אתה זוכה לבנים (ראש השנה טז:), ועוד, שאודיע טבעך בעולם (תנחומא ג): (ב) **ואעשך לגוי גדול.** לפי שהדרך גורמת לשלשה דברים, ממעטת פריה ורביה, וממעטת את הממון, וממעטת את השם, לכך הוזקק לשלש ברכות הללו, שהבטיחו על הבנים ועל הממון ועל השם [ס"א וזהו ואגדלה שמך, הריני מוסיף אות על שמך, שעד עכשיו שמך אברם, מכאן ואילך אברהם, ואברהם עולה רמ"ח, כנגד אבריו של אדם (ב"ר לט:יא): **ואברכך.** בממון. ב"ר (שם): **והיה ברכה.** הברכות נתונות בידך. עד עכשיו היו בידי, ברכתי את אדם ואת נח ואותך, ומעכשיו אתה תברך את אשר תחפוץ (שם). ד"א, ואעשך לגוי גדול, זה שאומרים אלהי אברהם. ואברכך, זה שאומרים אלהי יצחק. ואגדלה שמך, זה שאומרים אלהי יעקב. יכול יהיו חותמין בכולן, ת"ל והיה ברכה, בך חותמין ולא בהם (פסחים קיז:): **מארצך [וממולדתך].** והלא כבר יצא משם עם אביו ובא עד חרן. אלא כך אמר לו, התרחק עוד משם ולא מבית אביך: **אשר אראך.** לא גלה לו הארץ מיד, כדי לחבבה בעיניו ולתת לו שכר על כל דבור ודבור. כיוצא בו, את בנך את יחידך אשר אהבת את יצחק. כיוצא בו,

רמב"ן

יב [א] וַיֹּאמֶר ה' אֶל אַבְרָם לֶךְ לְךָ. לַהֲנָאָתְךָ וּלְטוֹבָתְךָ, וְשָׁם אֶעֶשְׂךָ לְגוֹי גָּדוֹל, וְכָאן אִי אַתָּה זוֹכֶה לְבָנִים. לְשׁוֹן רַשִׁ"י.

וְאֵין צוֹרֶךְ, כִּי מִשְׁפַּט הַלָּשׁוֹן כֵּן: "הַגֶּשֶׁם חָלַף הָלַךְ לוֹ" [שיר השירים ב, יא], "אֵלְכָה לִּי אֶל הַגְּדֹלִים" [ירמיה ה, ה], "קֻמוּ וְעִבְרוּ לָכֶם אֶת נַחַל זָרֶד" [דברים ב, יג]. וְרוּבָּם כָּכָה.

אֲבָל רַבּוֹתֵינוּ עָשׂוּ מִדְרָשׁ [יומא ג, ב; מנחות כח, ב] בְּמָה שֶׁאָמַר הַכָּתוּב: "וְעָשִׂיתָ לְּךָ אֲרוֹן עֵץ", [דברים י, א] וַ"עֲשֵׂה לְךָ שְׁתֵּי חֲצוֹצְרֹת כֶּסֶף" [במדבר י, ב], בַּעֲבוּר שֶׁאֵין הַמְּלָאכָה שֶׁלּוֹ[1] וְהָיָה רָאוּי שֶׁיֹּאמַר כְּמוֹ שֶׁאָמַר בַּמִּשְׁכָּן "וְאֶת הַמִּשְׁכָּן תַּעֲשֶׂה" [שמות כו, א][2].

RAMBAN ELUCIDATED

12.

1. וַיֹּאמֶר ה' אֶל אַבְרָם לֶךְ לְךָ – ***HASHEM SAID TO ABRAM, "GO FOR YOURSELF."***

[The word לְךָ ("for yourself") seems extraneous here. Rashi sees significance in this seemingly extra word, and derives a lesson from it:]

לַהֲנָאָתְךָ וּלְטוֹבָתְךָ – [*For yourself* –] **for your pleasure and for your benefit.** **וְשָׁם אֶעֶשְׂךָ לְגוֹי גָּדוֹל** – **There,** in the land of Israel, **"I will make of you a great nation"** (v. 2), **וְכָאן אִי אַתָּה זוֹכֶה לְבָנִים** – **whereas here you do not merit** having **children.**

לְשׁוֹן רַשִׁ"י – **This is a quote from Rashi.**

[Ramban disagrees with Rashi's approach:]

וְאֵין צוֹרֶךְ – **But there is no need** to attach significance to this extraneous word. **כִּי מִשְׁפַּט הַלָּשׁוֹן כֵּן:** – **For such is the norm of the language** to add ל ("for"), with the appropriate pronoun suffix, after the verb "to go" and other similar verbs, as in: **"הַגֶּשֶׁם חָלַף הָלַךְ לוֹ", "אֵלְכָה לִּי אֶל הַגְּדֹלִים", "קֻמוּ וְעִבְרוּ לָכֶם אֶת נַחַל זָרֶד"** – ***The rain has passed and gone "for itself"*** (לוֹ) (*Song of Songs* 2:11); ***I will go "for myself"*** (לִי) ***to the leaders*** (*Jeremiah* 5:5); ***Rise up and cross "for yourselves"*** (לָכֶם) ***Zered Brook*** (*Deuteronomy* 2:13). **וְרוּבָּם כָּכָה** – **Most** of the examples of the extraneous "for" **are** insignificant, **like these.**

[Having established that the extra לְךָ is of no interpretational significance in our verse (and others like it), Ramban notes that this is not always the case:]

אֲבָל רַבּוֹתֵינוּ עָשׂוּ מִדְרָשׁ בְּמָה שֶׁאָמַר הַכָּתוּב: "וְעָשִׂיתָ לְּךָ אֲרוֹן עֵץ", וַ"עֲשֵׂה לְךָ שְׁתֵּי חֲצוֹצְרֹת כֶּסֶף" – **However, the Rabbis** (*Yoma* 3b, 72b; *Menachos* 28b) **did expound** on an apparently extraneous לְךָ, **when Scripture says, *Make "for yourself"*** (לְךָ) ***a wooden Ark*** (*Deuteronomy* 10:1) **and *Make "for yourself"*** (לְךָ) ***two silver trumpets*** (*Numbers* 10:2). **בַּעֲבוּר שֶׁאֵין הַמְּלָאכָה שֶׁלּוֹ** – The Sages did so in these cases **because the work** that Moses did **was not for himself,**[1] **וְהָיָה רָאוּי שֶׁיֹּאמַר כְּמוֹ שֶׁאָמַר בַּמִּשְׁכָּן "וְאֶת הַמִּשְׁכָּן תַּעֲשֶׂה"** – **and it would have been more fitting had [Scripture] said as it said regarding the Tabernacle: *You shall make the Tabernacle*** (*Exodus* 26:1), where it does not add "for yourself."[2]

1. The wooden Ark and the trumpets were used by the community as a whole, and were not for Moses' private use.

2. Ramban has explained that in many cases the לְךָ is only a manner of speaking and is insignificant in meaning. But then why do the Sages expound on the

12 [1] *HASHEM said to Abram, "Go for yourself from your land, from your birthplace and from your father's house to the land that I will show you.*

רמב״ן

□ **מֵאַרְצְךָ וּמִמּוֹלַדְתְּךָ**[3]. כָּתַב רַשִׁ״י: וַהֲלֹא כְּבָר יָצָא מִשָּׁם עִם אָבִיו וּבָא עַד חָרָן. אֶלָּא כָּךְ אָמַר לוֹ הַקָּדוֹשׁ בָּרוּךְ הוּא: הִתְרַחֵק עוֹד מִבֵּית אָבִיךָ[4].

וְרַבִּי אַבְרָהָם פֵּרֵשׁ: וּכְבָר אָמַר הַשֵּׁם אֶל אַבְרָם לֶךְ לְךָ מֵאַרְצְךָ, כִּי הַדִּבּוּר הַזֶּה הָיָה בְּעוֹדֶנּוּ בְּאוּר כַּשְׂדִּים[5], וְשָׁם צִוָּהוּ לַעֲזֹב אַרְצוֹ וּמוֹלַדְתּוֹ וּבֵית אָבִיו אֲשֶׁר שָׁם.

וְאֵינֶנּוּ נָכוֹן, כִּי אִם הָיָה כֵּן הָיָה אַבְרָם עִקַּר הַנְּסִיעָה מִבֵּית אָבִיו בְּמִצְוַת הָאֱלֹהִים, וְתֶרַח אָבִיו בִּרְצוֹן נַפְשׁוֹ הָלַךְ עִמּוֹ, וְהַכָּתוּב אָמַר [לעיל יא, לא]: ״וַיִּקַּח תֶּרַח אֶת אַבְרָם בְּנוֹ״, יוֹרֶה כִּי אַבְרָם אַחֲרֵי אָבִיו וּבַעֲצָתוֹ יָצָא מֵאוּר כַּשְׂדִּים לָלֶכֶת אַרְצָה כְּנָעַן[6]. וְעוֹד, כִּי הַכָּתוּב שֶׁאָמַר [יהושע כד, ג]: ״וָאֶקַּח אֶת אֲבִיכֶם אֶת אַבְרָהָם מֵעֵבֶר הַנָּהָר וָאוֹלֵךְ אוֹתוֹ בְּכָל אֶרֶץ כְּנָעַן״, הָיָה רָאוּי שֶׁיֹּאמַר ״וָאֶקַּח אֶת

RAMBAN ELUCIDATED

□ **מֵאַרְצְךָ וּמִמּוֹלַדְתְּךָ** – ***FROM YOUR LAND, FROM YOUR BIRTHPLACE.***

[The Torah has already told us (above, 11:31) that Abraham left Ur-kasdim. Why, then, is God's command recorded here, after the fact? Ramban begins his discussion of this question by citing Rashi:[3]]

כָּתַב רַשִׁ״י: – **Rashi writes:**

וַהֲלֹא כְּבָר יָצָא מִשָּׁם עִם אָבִיו וּבָא עַד חָרָן – **Had he not already left there** (his birthplace) **with his father and come to Haran?** אֶלָּא כָּךְ אָמַר לוֹ הַקָּדוֹשׁ בָּרוּךְ הוּא: הִתְרַחֵק עוֹד מִבֵּית אָבִיךָ – **But the Holy One, Blessed is He, said to him as follows: "Distance [yourself] yet more from your father's house."**[4]

[Next, Ramban presents Ibn Ezra's explanation:]

וְרַבִּי אַבְרָהָם פֵּרֵשׁ: וּכְבָר אָמַר הַשֵּׁם אֶל אַבְרָם לֶךְ לְךָ מֵאַרְצְךָ – **Rabbi Avraham** Ibn Ezra **explains that God *had already* said to Abram, "Go for yourself from your land"** – כִּי הַדִּבּוּר הַזֶּה הָיָה בְּעוֹדֶנּוּ בְּאוּר כַּשְׂדִּים – **for this communication took place when [Abram] was still in Ur-kasdim,**[5] וְשָׁם צִוָּהוּ לַעֲזֹב אַרְצוֹ וּמוֹלַדְתּוֹ וּבֵית אָבִיו אֲשֶׁר שָׁם – **and it was there** in Ur-kasdim **that [God] commanded him to leave his land and birthplace and his father's house, which was there** in Ur-kasdim.

[Ramban takes issue with Ibn Ezra:]

וְאֵינֶנּוּ נָכוֹן – **But this is not so.** כִּי אִם הָיָה כֵּן הָיָה אַבְרָם עִקַּר הַנְּסִיעָה מִבֵּית אָבִיו בְּמִצְוַת הָאֱלֹהִים – **For if it were so** that the command "Go for yourself" was said in Ur-kasdim, **Abram would have been the central figure in the journey from his father's house, following God's command,** וְתֶרַח אָבִיו בִּרְצוֹן נַפְשׁוֹ הָלַךְ עִמּוֹ – **and his father Terah, of his own accord,** merely **went along with him.** וְהַכָּתוּב אָמַר: ״וַיִּקַּח תֶּרַח אֶת אַבְרָם בְּנוֹ״ – **Yet Scripture says, *Terah took his son Abram*** (above, 11:31), יוֹרֶה כִּי אַבְרָם אַחֲרֵי אָבִיו וּבַעֲצָתוֹ יָצָא מֵאוּר כַּשְׂדִּים לָלֶכֶת אַרְצָה כְּנָעַן – **which indicates that Abram left Ur-kasdim following his father and under his** (Terah's) **advice, "to go to the land of Canaan"** (ibid.).[6] וְעוֹד כִּי הַכָּתוּב שֶׁאָמַר: ״וָאֶקַּח אֶת אֲבִיכֶם אֶת אַבְרָהָם מֵעֵבֶר הַנָּהָר וָאוֹלֵךְ אוֹתוֹ בְּכָל אֶרֶץ כְּנָעַן״ – **Furthermore, the verse that says, *I took your forefather Abraham "from Beyond the River" and led him throughout all the land of Canaan*** (*Joshua* 24:3), הָיָה רָאוּי שֶׁיֹּאמַר ״וָאֶקַּח אֶת

---

extraneous לְךָ in some instances? Ramban answers that the Sages do so only when the לְךָ is not merely extraneous but misleading. For example, *Make "for yourself"* (לְךָ) *a wooden Ark* (*Deuteronomy* 10:1) gives the false impression that Moses was to make the Ark for *himself*, when in fact it was made for all of Israel. In such cases the Sages expound upon the word לְךָ because it must be alluding to something not mentioned explicitly in the verse.

3. Rashi and Ibn Ezra assume that Ur-kasdim is Abraham's birthplace. Ramban has previously (above, 11:28) taken issue with this assumption and will do so again here.

4. According to Rashi, then, לֵךְ should not be understood as "Go," but as "Keep going." God told Abraham in Haran that he should continue distancing himself from his birthplace, Ur-kasdim.

5. The statement described in our verse, though recorded later, had already taken place before the events described in the previous chapter, when Abraham was still in Ur-kasdim.

6. This verse clearly implies that when Terah and Abraham set out from Ur-kasdim heading for Canaan, Terah led the way and Abraham followed along. This refutes Ibn Ezra's claim that Abraham left Ur-kasdim as a result of God's command.

רמב״ן

אֲבִיכֶם אֶת אַבְרָהָם מֵאוּר כַּשְׂדִּים וָאֹלֵךְ אוֹתוֹ בְּכָל אֶרֶץ כְּנָעַן״, כִּי מִשָּׁם לֻקַּח[7] וְשָׁם נִצְטַוָּה בָּזֶה.
וְעוֹד יִקְשֶׁה עֲלֵיהֶם[8], כִּי אַבְרָהָם בְּצַוּוֹתוֹ אֶת אֱלִיעֶזֶר לָקַחַת אִשָּׁה לִבְנוֹ, אָמַר לוֹ [להלן כד, ד]: ״כִּי אֶל אַרְצִי וְאֶל מוֹלַדְתִּי תֵּלֵךְ״, וְהוּא הָלַךְ ״אֶל אֲרַם נַהֲרַיִם אֶל עִיר נָחוֹר״ [שם פסוק י]. אִם כֵּן הִיא אַרְצוֹ וּמוֹלַדְתּוֹ[9].
וְשָׁם נֶאֱמַר [בפסוק לח]: ״אִם לֹא אֶל בֵּית אָבִי תֵּלֵךְ וְאֶל מִשְׁפַּחְתִּי״, כִּי שָׁם בֵּית אָבִיו וּמִשְׁפַּחְתּוֹ שֶׁהִיא מוֹלַדְתּוֹ[10], לֹא כַּאֲשֶׁר הִשְׁתַּבֵּשׁ רַבִּי אַבְרָהָם לוֹמַר ״אֶל אַרְצִי״ חָרָן, וּ״מוֹלַדְתִּי״ אוּר כַּשְׂדִּים[11]. וְהִנֵּה הוּא הָאוֹמֵר כָּאן כִּי בְּאוּר כַּשְׂדִּים נֶאֱמַר לוֹ ״לֶךְ לְךָ מֵאַרְצְךָ וּמִמּוֹלַדְתְּךָ וּמִבֵּית אָבִיךָ״, וְהִנֵּה לוֹ אֲרָצוֹת רַבּוֹת.
אֲבָל הָעִקָּר כְּבָר יָדַעְתָּ אוֹתוֹ מִמָּה שֶׁכָּתַבְנוּ בַּסֵּדֶר שֶׁלְּפָנַי זֶה [יא, כח], כִּי חָרָן הִיא אַרְצוֹ, וְשָׁם מוֹלַדְתּוֹ, וְהִיא אֶרֶץ אֲבוֹתָיו מֵעוֹלָם, וְשָׁם נִצְטַוָּה לַעֲזוֹב אוֹתָם[12]. וְכָךְ אָמְרוּ בִּבְרֵאשִׁית רַבָּה [לט, ח]:

RAMBAN ELUCIDATED

אֲבִיכֶם אֶת אַבְרָהָם מֵאוּר כַּשְׂדִּים וָאֹלֵךְ אוֹתוֹ בְּכָל אֶרֶץ כְּנָעַן״ – **should have preferably said, "I took your forefather Abraham *from Ur-kasdim* and led him throughout all the land of Canaan,"** **כִּי מִשָּׁם לֻקַּח וְשָׁם נִצְטַוָּה בָּזֶה** – **for** according to this opinion **it was from there,** Ur-kasdim,[7] **that [Abraham] was "taken," and it was there that he was commanded this** command.

וְעוֹד יִקְשֶׁה עֲלֵיהֶם, כִּי אַבְרָהָם בְּצַוּוֹתוֹ אֶת אֱלִיעֶזֶר לָקַחַת אִשָּׁה לִבְנוֹ, אָמַר לוֹ: ״כִּי אֶל אַרְצִי וְאֶל מוֹלַדְתִּי תֵּלֵךְ״ – **Another question that can be put to them**[8] **is that when Abraham commanded Eliezer to take a wife for his son, he said to him, *"Rather, to my land and to my birthplace you shall go"*** (below, 24:4), **וְהוּא הָלַךְ ״אֶל אֲרַם נַהֲרַיִם אֶל עִיר נָחוֹר״** – **and [Eliezer]** subsequently **went *to Aram Naharaim, to the city of Nahor*** (ibid. v. 10). **אִם כֵּן הִיא אַרְצוֹ וּמוֹלַדְתּוֹ** – **If so, *this*** land (Aram Naharaim) **was [Abraham's] "land and birthplace"** and not Ur-kasdim, which was in Babylonia.[9]

וְשָׁם נֶאֱמַר: ״אִם לֹא אֶל בֵּית אָבִי תֵּלֵךְ וְאֶל מִשְׁפַּחְתִּי״ – **Furthermore, there** (ibid. v. 38) **it says** that Abraham said to Eliezer,***"Unless you go to my father's house and to my family,"*** **כִּי שָׁם בֵּית אָבִיו וּמִשְׁפַּחְתּוֹ שֶׁהִיא מוֹלַדְתּוֹ** – **for that was where his father's house and his family were, for that was his birthplace.**[10] **לֹא כַּאֲשֶׁר הִשְׁתַּבֵּשׁ רַבִּי אַבְרָהָם לוֹמַר ״אֶל אַרְצִי״ חָרָן, וּ״מוֹלַדְתִּי״ אוּר כַּשְׂדִּים** – This is **not as Rabbi Avraham** Ibn Ezra **erroneously says** (ibid. v. 4), that when Abraham told Eliezer to go *to my land and to my birthplace,* by ***to my land*** he meant **to Haran, and** by ***to my birthplace*** he meant to **Ur-kasdim.**[11] **וְהִנֵּה הוּא הָאוֹמֵר כָּאן כִּי בְּאוּר כַּשְׂדִּים נֶאֱמַר לוֹ: ״לֶךְ לְךָ מֵאַרְצְךָ וּמִמּוֹלַדְתְּךָ וּמִבֵּית אָבִיךָ״** – **Yet [Ibn Ezra]** himself **is the one who says here that it was in Ur-kasdim that [Abraham] was told, *"Go for yourself from your land and from your birthplace and from your father's house."*** It was *Ur-kasdim*, then, that was called Abraham's "land." **וְהִנֵּה לוֹ אֲרָצוֹת רַבּוֹת** – **It seems that** according to Ibn Ezra **[Abraham] had many "lands"** (a somewhat incredible assumption)!

[Ramban reiterates his own position on this matter:]

אֲבָל הָעִקָּר כְּבָר יָדַעְתָּ אוֹתוֹ מִמָּה שֶׁכָּתַבְנוּ בַּסֵּדֶר שֶׁלְּפָנַי זֶה – **Rather, you already know the primary** explanation of this subject **from what we wrote in the previous Torah-portion** (11:28), **כִּי חָרָן הִיא אַרְצוֹ, וְשָׁם מוֹלַדְתּוֹ** – namely, **that Haran was [Abraham's] "land," and that was his "birthplace."** **וְהִיא אֶרֶץ אֲבוֹתָיו מֵעוֹלָם, וְשָׁם נִצְטַוָּה לַעֲזוֹב אוֹתָם** – **It had always been the land of his forefathers, and it was there that he was commanded to leave them.**[12] **וְכָךְ אָמְרוּ בִּבְרֵאשִׁית רַבָּה:** –

7. Whereas "Beyond the River" refers to Aram, a considerable distance from Ur-kasdim (see Ramban above, 11:28).

8. I.e. to both Rashi and Ibn Ezra, who agree that Abraham's "birthplace" was Ur-kasdim.

9. See Ramban above, 11:28.

10. Since Abraham's family lived in Aram, it is logical to assume that Abraham was born there (see Ramban ibid.).

11. According to Ibn Ezra, Abraham gave Eliezer two locations in which to search for a bride for his son – his "land" of Aram and his "birthplace" of Ur-kasdim. "Land" and "birthplace" refer to two different places. Abraham referred to Aram (Haran) as his land because he lived there for some time just prior to leaving for Canaan (Ibn Ezra below, 24:4).

12. To summarize:
- According to Rashi, Abraham was born in *Ur-kasdim*; but the command "לֶךְ לְךָ" was said to him in Haran, where he was told to continue distancing himself from Ur-kasdim.
- According to Ibn Ezra, Abraham was born in *Ur-kasdim*; and it was there, in Ur-kasdim, that he was told "לֶךְ לְךָ."
- According to Ramban, Abraham was born in *Haran*; and it was there, in Haran, that he was told "לֶךְ לְךָ."

רמב״ן

״לֶךְ לְךָ״[13], אַחַת מֵאֲרַם נַהֲרַיִם וְאַחַת מֵאֲרַם נָחוֹר״[14].

וְטַעַם לְהַזְכִּיר ״אַרְצְךָ וּמוֹלַדְתְּךָ וּבֵית אָבִיךָ״, כִּי יִקְשֶׁה עַל הָאָדָם לַעֲזֹב אַרְצוֹ אֲשֶׁר הוּא יוֹשֵׁב בָּהּ וְשָׁם אוֹהֲבָיו וְרֵעָיו, וְכָל שֶׁכֵּן כְּשֶׁהִיא אֶרֶץ מוֹלַדְתּוֹ שֶׁשָּׁם נוֹלַד, וְכָל שֶׁכֵּן כְּשֶׁיֵּשׁ שָׁם כָּל בֵּית אָבִיו, וּלְכָךְ הוּצְרַךְ לוֹמַר לוֹ שֶׁיַּעֲזוֹב הַכֹּל לְאַהֲבָתוֹ שֶׁל הַקָּדוֹשׁ בָּרוּךְ הוּא.

□ **אֶל הָאָרֶץ אֲשֶׁר אַרְאֶךָּ.** הָיָה נוֹדֵד וְהוֹלֵךְ ״מִגּוֹי אֶל גּוֹי וּמִמַּמְלָכָה אֶל עַם אַחֵר״[15], עַד שֶׁבָּא אֶל אֶרֶץ כְּנַעַן וְאָמַר לוֹ [להלן יב,ז]: ״לְזַרְעֲךָ אֶתֵּן אֶת הָאָרֶץ הַזֹּאת״, אָז נִתְקַיֵּים ״אֶל הָאָרֶץ אֲשֶׁר אַרְאֶךָּ״, וְאָז נִתְעַכֵּב וְיָשַׁב בָּהּ[16].

וּמַה שֶּׁאָמַר [להלן יב,ה]: ״וַיֵּצְאוּ לָלֶכֶת אַרְצָה כְּנַעַן״, לֹא לְהִתְיַשֵּׁב בָּהּ, כִּי עֲדַיִן לֹא יָדַע כִּי עַל הָאָרֶץ הַהִיא

RAMBAN ELUCIDATED

And thus said [the Sages] in *Bereishis Rabbah* (39:8) as well: **״לֶךְ לְךָ״, אַחַת מֵאֲרַם נַהֲרַיִם וְאַחַת מֵאֲרַם נָחוֹר** – ***Go for yourself*** – the double expression indicates:[13] **once from Aram Naharaim and once from Aram of Nahor.**[14]

[Ramban now addresses a different question: Why does our verse use three descriptive terms to identify Aram?]

וְטַעַם לְהַזְכִּיר ״אַרְצְךָ וּמוֹלַדְתְּךָ וּבֵית אָבִיךָ״ – **The reason [Scripture] mentions *your land and your birthplace and your father's house*** **כִּי יִקְשֶׁה עַל הָאָדָם לַעֲזֹב אַרְצוֹ אֲשֶׁר הוּא יוֹשֵׁב בָּהּ וְשָׁם אוֹהֲבָיו וְרֵעָיו** – **is because it is difficult for a man to leave his land, in which he dwells, where his loved ones and friends are.** This is why Scripture writes *from your land.* **וְכָל שֶׁכֵּן כְּשֶׁהִיא אֶרֶץ מוֹלַדְתּוֹ שֶׁשָּׁם נוֹלַד** – This is **all the more so when it is** also **the land of his birthplace, where he was born.** Thus Scripture writes, *from your birthplace.* **וְכָל שֶׁכֵּן כְּשֶׁיֵּשׁ שָׁם כָּל בֵּית אָבִיו** – **And** it is even **all the more so when his father's entire household is there.** Thus it states, *from your father's house.* **וּלְכָךְ הוּצְרַךְ לוֹמַר לוֹ שֶׁיַּעֲזוֹב הַכֹּל לְאַהֲבָתוֹ שֶׁל הַקָּדוֹשׁ בָּרוּךְ הוּא** – **Therefore,** for Abraham to overcome all these difficulties, **it was necessary to tell him that he should leave everything for the love of the Holy One, Blessed is He.**

□ **אֶל הָאָרֶץ אֲשֶׁר אַרְאֶךָּ** – ***TO THE LAND THAT I WILL SHOW YOU.***

[God did not tell Abraham his destination. How did he decide where to go? Furthermore, when did God "show" the intended land to Abraham? Ramban explains:]

הָיָה נוֹדֵד וְהוֹלֵךְ ״מִגּוֹי אֶל גּוֹי וּמִמַּמְלָכָה אֶל עַם אַחֵר״ – **[Abraham] was wandering and going "from nation to nation and from one kingdom to another people,"**[15] **עַד שֶׁבָּא אֶל אֶרֶץ כְּנַעַן וְאָמַר לוֹ: ״לְזַרְעֲךָ אֶתֵּן אֶת הָאָרֶץ הַזֹּאת״** – **until he arrived in the land of Canaan, when [God] said to him, *"To your offspring I will give this land"*** (below, v. 7). **אָז נִתְקַיֵּים ״אֶל הָאָרֶץ אֲשֶׁר אַרְאֶךָּ״** – **It was then that** God's word, ***the land that I will show you,*** **was fulfilled,** **וְאָז נִתְעַכֵּב וְיָשַׁב בָּהּ** – **and it was then that [Abraham] stopped traveling and settled in [that land].**[16]

[But, if Abraham did not know his destination, how can we explain the verse (below, v. 5) that states that he headed for the land of Canaan? Ramban explains:]

וּמַה שֶּׁאָמַר: ״וַיֵּצְאוּ לָלֶכֶת אַרְצָה כְּנַעַן״ – **That which [Scripture] states** below, ***They left to go to the land of Canaan*** (12:5), **לֹא לְהִתְיַשֵּׁב בָּהּ, כִּי עֲדַיִן לֹא יָדַע כִּי עַל הָאָרֶץ הַהִיא נִצְטַוָּה** – does **not** mean that they went **to settle in it, for [Abraham] did not yet know that it was** to **that land** of Canaan **that**

13. See Midrash commentators as to why לֶךְ לְךָ is considered a "double expression."

14. "Aram of Nahor" is a city (also known as "Haran") in the country of "Aram Naharaim" (see below, 24:10 and Ramban above, 11:28). Thus by saying "once from Aram Naharaim and once from Aram of Nahor," the Midrash is asserting that Abraham left his "homeland" twice (see Midrash commentators for further explanation). What is clear from this Midrash, however, is that God's command to Abraham to leave his homeland was given to him in Aram – and not in Ur-kasdim, as Ibn Ezra maintains.

15. Stylistic citation from *I Chronicles* 16:20.

16. Ibn Ezra, however, writes (in one interpretation) that God did reveal to Abraham his intended destination before he set out on his journey, though this fact is not recorded in the Torah.

ב וְאֶֽעֶשְׂךָ֙ לְג֣וֹי גָּד֔וֹל וַאֲבָ֣רֶכְךָ֔ וַאֲגַדְּלָ֖ה שְׁמֶ֑ךָ
ג וֶהְיֵ֖ה בְּרָכָֽה׃ וַאֲבָֽרְכָה֙ מְבָ֣רְכֶ֔יךָ וּמְקַלֶּלְךָ֖ אָאֹ֑ר

ב וְאֶעְבְּדִנָּךְ לְעַם סַגִּי וַאֲבָרֵכִנָּךְ
וַאֲרַבֵּי שְׁמָךְ וּתְהֵא מְבָרָךְ:
ג וַאֲבָרֵךְ מְבָרְכָיךְ וּמְלַטְטָךְ אֵלוּט

רש"י

על אחד ההרים אשר אומר אליך (להלן כב:ב). כיוצא בו, וקרא אליה את הקריאה אשר אנכי דובר אליך (יונה ג:ב; ב"ר שם ט):

(ג) ונברכו בך. יש אגדות רבות, וזהו פשוטו, אדם אומר לבנו תהא כאברהם. וכן כל ונברכו בך שבמקרא, וזה מוכיח, בך

רמב"ן

נִצְטַוָּה, אֶלָּא שֶׁאָחַז צַדִּיק דַּרְכּוֹ דֶּרֶךְ אֶרֶץ כְּנַעַן, כִּי כֵן הָיָה בְּדַעְתּוֹ וּבְדַעַת אָבִיו גַּם מִתְּחִלָּה בְּצֵאתָם מֵאוּר כַּשְׂדִּים.

וּמִפְּנֵי זֶה אָמַר [להלן כ,יג]: "וַיְהִי כַּאֲשֶׁר הִתְעוּ אוֹתִי אֱלֹהִים מִבֵּית אָבִי", כִּי הָיָה תוֹעֶה כְּשֶׂה אוֹבֵד[17].

וְיִתָּכֵן לוֹמַר כִּי אַבְרָהָם מִבָּרִאשׁוֹנָה יָדַע כִּי אֶרֶץ כְּנַעַן הִיא נַחֲלַת ה' [שמואל־א כו, יט] וּבָהּ יִתֵּן ה' חֶלְקוֹ, וְהֶאֱמִין כִּי "אֶל הָאָרֶץ אֲשֶׁר אַרְאֶךָּ" יִרְמוֹז לוֹ עַל אֶרֶץ כְּנַעַן, אוֹ עַל כֻּלָּהּ אוֹ עַל אַחַת מִכָּל הָאֲרָצוֹת הָאֵל[18], וְשָׂם פָּנָיו אֶל כְּלַל אֶרֶץ כְּנַעַן, כִּי שָׁם הָאָרֶץ אֲשֶׁר יַרְאֶנּוּ בֶּאֱמֶת.

[ב] וֶהְיֵה בְּרָכָה. אַתָּה תִּהְיֶה הַבְּרָכָה אֲשֶׁר יִתְבָּרְכוּ בָהּ לֵאמֹר "יְשִׂמְךָ אֱלֹהִים כְּאַבְרָהָם"[19]. וְהוֹסִיף עוֹד כִּי כָּל מִשְׁפְּחוֹת הָאֲדָמָה יִתְבָּרְכוּ בוֹ, לֹא אַנְשֵׁי אַרְצוֹ בִּלְבַד[20]. אוֹ "וְנִבְרְכוּ בְךָ", שֶׁיִּהְיוּ מְבוֹרָכִים בַּעֲבוּרוֹ[21].

RAMBAN ELUCIDATED

he was commanded to go. אֶלָּא שֶׁאָחַז צַדִּיק דַּרְכּוֹ דֶּרֶךְ אֶרֶץ כְּנַעַן – **Rather, the righteous** Abraham **took up the path toward the land of Canaan,** כִּי כֵן הָיָה בְּדַעְתּוֹ וּבְדַעַת אָבִיו גַּם מִתְּחִלָּה בְּצֵאתָם מֵאוּר כַּשְׂדִּים – **for that had been his intention and his father's intention from the start, when they left from Ur-kasdim,** as Scripture records above, 11:31.

[Ramban brings support to his assertion that Abraham left Haran before knowing his destination:]

וּמִפְּנֵי זֶה אָמַר: "וַיְהִי כַּאֲשֶׁר הִתְעוּ אוֹתִי אֱלֹהִים מִבֵּית אָבִי", כִּי הָיָה תוֹעֶה כְּשֶׂה אוֹבֵד – **It is because of this** unknown destination when he left Haran **that [Abraham]** later **said** (20:13), ***"And so it was when God caused me to wander from my father's house ..."*** – **for he was "wandering about like a lost sheep"**[17] when he left Haran.

[Ramban now gives an alternative explanation as to why Abraham chose to travel to Canaan:]

וְיִתָּכֵן לוֹמַר כִּי אַבְרָהָם מִבָּרִאשׁוֹנָה יָדַע כִּי אֶרֶץ כְּנַעַן הִיא נַחֲלַת ה' וּבָהּ יִתֵּן ה' חֶלְקוֹ – **It is** also **possible to say that Abraham knew from the outset that the land of Canaan was *the heritage land of* H*ASHEM*** (*I Samuel* 26:19), **and that it was in it that God would grant** him **his portion,** וְהֶאֱמִין כִּי "אֶל הָאָרֶץ אֲשֶׁר אַרְאֶךָּ" יִרְמוֹז לוֹ עַל אֶרֶץ כְּנַעַן – **and he believed that *to the land that I will show you* was an allusion for him regarding the land of Canaan,** אוֹ עַל כֻּלָּהּ אוֹ עַל אַחַת מִכָּל הָאֲרָצוֹת הָאֵל – **either** to **all of [Canaan's lands] or to one of those countries** that comprised the "land of Canaan";[18] וְשָׂם פָּנָיו אֶל כְּלַל אֶרֶץ כְּנַעַן, כִּי שָׁם הָאָרֶץ אֲשֶׁר יַרְאֶנּוּ בֶּאֱמֶת – **so he turned toward the general** direction of the **land of Canaan, for** he believed that **that was surely the land that [God] would show him.**

2. וֶהְיֵה בְּרָכָה – ***AND YOU SHALL BE A BLESSING.***

[Ramban explains the meaning of *be a blessing,* and how this expression differs from the similar statement in the following verse, *All the families of the earth will be blessed through you*:]

אַתָּה תִּהְיֶה הַבְּרָכָה אֲשֶׁר יִתְבָּרְכוּ בָהּ לֵאמֹר "יְשִׂמְךָ אֱלֹהִים כְּאַבְרָהָם" – *You shall be a blessing* means: **You will be the blessing through which [people] will be blessed when [well-wishers] say, "May God make you like Abraham."**[19] וְהוֹסִיף עוֹד כִּי כָּל מִשְׁפְּחוֹת הָאֲדָמָה יִתְבָּרְכוּ בוֹ, לֹא אַנְשֵׁי אַרְצוֹ בִּלְבַד – **Then,** in the second statement, **[God] added further that *all the families of the earth* would be blessed through him, and not only the people of his own land.**[20] אוֹ "וְנִבְרְכוּ בְךָ", שֶׁיִּהְיוּ מְבוֹרָכִים בַּעֲבוּרוֹ –

17. Stylistic paraphrase from *Psalms* 119:176.

18. The "land of Canaan" was not a single country but a collection of smaller countries. See below, 26:3 – *to you and to your offspring will I give "all these lands."*

19. This is in contradistinction to Rashi's interpretation: "*And you will be a blessing* – The blessings are put into your hand"; i.e., "You will have the ability to give blessings."

20. According to this interpretation, both statements convey that Abraham's name would be used by people in

[2]*And I will make of you a great nation; I will bless you, and make your name great, and you shall be a blessing.* [3]*I will bless those who bless you, and he who curses you I will curse;*

רמב״ן

וְהִנֵּה זאת הַפָּרָשָׁה לֹא בֵאֲרָה כָּל הָעִנְיָן, כִּי מַה טַּעַם שֶׁיֹּאמַר לוֹ הַקָּדוֹשׁ בָּרוּךְ הוּא ״עֲזוֹב אַרְצְךָ וְאֵיטִיבָה עִמְּךָ טוֹבָה שֶׁלֹּא הָיְתָה כָּמוֹהוּ בָּעוֹלָם״ מִבְּלִי שֶׁיַּקְדִּים שֶׁהָיָה אַבְרָהָם עוֹבֵד אֱלֹהִים אוֹ צַדִּיק תָּמִים[22], אוֹ שֶׁיֹּאמַר טַעַם לַעֲזִיבַת הָאָרֶץ, שֶׁיִּהְיֶה בַּהֲלִיכָתוֹ אֶל אֶרֶץ אַחֶרֶת קִרְבַת אֱלֹהִים[23]? וּמִנְהַג הַכָּתוּב לֵאמֹר ״הִתְהַלֵּךְ לְפָנַי וְתִשְׁמַע בְּקוֹלִי וְאֵיטִיבָה עִמְּךָ״, כַּאֲשֶׁר בְּדָוִד [ראה מלכים־א ב, ד] וּבִשְׁלֹמֹה [שם ג,יד], וּכְעִנְיַן הַתּוֹרָה כֻּלָּהּ: ״אִם בְּחֻקֹּתַי תֵּלֵכוּ״ [ויקרא כו,ג], ״אִם שָׁמוֹעַ תִּשְׁמַע בְּקוֹל ה׳ אֱלֹהֶיךָ״ [דברים טו,ה; כח,א], וּבְיִצְחָק אָמַר [להלן כו,כד]: ״בַּעֲבוּר אַבְרָהָם עַבְדִּי״[24]. אֲבָל לְהַבְטִיחוֹ בַּעֲבוּר יְצִיאַת הָאָרֶץ אֵין בּוֹ טָעַם.

אֲבָל הַטַּעַם, מִפְּנֵי שֶׁעָשׂוּ אַנְשֵׁי אוּר כַּשְׂדִּים עִמּוֹ רָעוֹת רַבּוֹת עַל אֱמוּנָתוֹ בְּהַקָּדוֹשׁ בָּרוּךְ הוּא, וְהוּא בָּרַח מֵהֶם לָלֶכֶת אַרְצָה כְּנַעַן [לעיל יא, לא] וְנִתְעַכֵּב בְּחָרָן, אָמַר לוֹ לַעֲזֹב גַּם אֵלּוּ וְלַעֲשׂוֹת כַּאֲשֶׁר חָשַׁב מִתְּחִלָּה,

RAMBAN ELUCIDATED

Alternatively, the second statement – *[all the families of the earth]* ***will be blessed through you*** – means **that they would be blessed on his account.**[21]

[Ramban now calls attention to the striking fact that the Torah does not provide so much as a hint as to why Abraham was favored by God and as to what he did to merit God's covenant:]

וְהִנֵּה זאת הַפָּרָשָׁה לֹא בֵאֲרָה כָּל הָעִנְיָן – Now, in **this section [Scripture] does not elaborate on the entire subject** at hand. **כִּי מַה טַּעַם שֶׁיֹּאמַר לוֹ הַקָּדוֹשׁ בָּרוּךְ הוּא ״עֲזוֹב אַרְצְךָ וְאֵיטִיבָה עִמְּךָ טוֹבָה שֶׁלֹּא הָיְתָה כָּמוֹהוּ בָּעוֹלָם״ – For what would be the reason that the Holy One, Blessed is He, would tell [Abraham], "Leave your land and I will bestow upon you goodness, the likes of which have never before existed in the world," מִבְּלִי שֶׁיַּקְדִּים שֶׁהָיָה אַבְרָהָם עוֹבֵד אֱלֹהִים אוֹ צַדִּיק תָּמִים – without first stating that Abraham served God or** that he **was a wholly righteous person,**[22] **אוֹ שֶׁיֹּאמַר טַעַם לַעֲזִיבַת הָאָרֶץ, שֶׁיִּהְיֶה בַּהֲלִיכָתוֹ אֶל אֶרֶץ אַחֶרֶת קִרְבַת אֱלֹהִים – or it should tell us that the reason why [Abraham] was to leave** his **land** was **to experience, by his traveling to another land, closeness to God?**[23] **וּמִנְהַג הַכָּתוּב לֵאמֹר ״הִתְהַלֵּךְ לְפָנַי וְתִשְׁמַע בְּקוֹלִי וְאֵיטִיבָה עִמְּךָ״ כַּאֲשֶׁר בְּדָוִד וּבִשְׁלֹמֹה – It is customary for Scripture to say** something such as, ***Walk before Me and hearken to My voice, and*** *in reward for this* ***I will do good for you,*** **as with David** (*I Kings* 2:4) **and Solomon** (ibid. 3:14), **וּכְעִנְיַן הַתּוֹרָה כֻּלָּהּ: ״אִם בְּחֻקֹּתַי תֵּלֵכוּ״, ״אִם שָׁמוֹעַ תִּשְׁמַע בְּקוֹל ה׳ אֱלֹהֶיךָ״ – and such is the manner** of Scripture **throughout the Torah:** ***If you will follow my decrees*** (*Leviticus* 26:3), ***If you hearken to the voice of Hashem, your God*** (*Deuteronomy* 15:5, 28:1). **וּבְיִצְחָק אָמַר: ״בַּעֲבוּר אַבְרָהָם עַבְדִּי״ – And regarding Isaac [Scripture] says,** *[I will bless you and increase your offspring]* ***on account of My servant Abraham*** (below, 26:24).[24] **אֲבָל לְהַבְטִיחוֹ בַּעֲבוּר יְצִיאַת הָאָרֶץ אֵין בּוֹ טַעַם – But to promise [Abraham]** blessings merely **for leaving the land** of his birth seems **unfathomable.**

אֲבָל הַטַּעַם, מִפְּנֵי שֶׁעָשׂוּ אַנְשֵׁי אוּר כַּשְׂדִּים עִמּוֹ רָעוֹת רַבּוֹת עַל אֱמוּנָתוֹ בְּהַקָּדוֹשׁ בָּרוּךְ הוּא – However, the explanation of this passage is: **Because the people of Ur-kasdim did so many evils to [Abraham] due to his belief in the Holy One, Blessed is He, וְהוּא בָּרַח מֵהֶם לָלֶכֶת אַרְצָה כְּנַעַן וְנִתְעַכֵּב בְּחָרָן – so that he fled from them,** intending **to go to the land of Canaan** (above, 11:31), **but tarried in Haran, אָמַר לוֹ לַעֲזֹב גַּם אֵלּוּ וְלַעֲשׂוֹת כַּאֲשֶׁר חָשַׁב מִתְּחִלָּה –** therefore **[God] told him to leave these**

the context of bestowing blessings. The only distinction between them is that the first statement refers only to the local people of Canaan, and the second statement expands this to all peoples of the world.

21. I.e., God would impart his blessing to the people of the world in the merit of Abraham.

22. Regarding Noah, the Torah tells us why he merited to be saved from the Flood – for he was *a wholly righteous person* (above, 6:9). Why does the Torah not likewise tell us why Abraham merited the goodness being bestowed upon him by God.

23. Either Abraham had exhibited extraordinary righteousness in the past to deserve God's blessing, or his moving to Canaan was intended to be a process through which he would there perfect himself in order to earn this reward. However, the Torah offers neither explanation.

24. These examples demonstrate that the Torah generally tells us why an individual merits God's blessing. Why does it not do so for Abraham?

ד וְנִבְרְכוּ בְךָ כֹּל מִשְׁפְּחֹת הָאֲדָמָה: וַיֵּלֶךְ אַבְרָם
כַּאֲשֶׁר דִּבֶּר אֵלָיו יהוה וַיֵּלֶךְ אִתּוֹ לוֹט וְאַבְרָם
בֶּן־חָמֵשׁ שָׁנִים וְשִׁבְעִים שָׁנָה בְּצֵאתוֹ מֵחָרָן:
ה וַיִּקַּח אַבְרָם אֶת־שָׂרַי אִשְׁתּוֹ וְאֶת־לוֹט בֶּן־
אָחִיו וְאֶת־כָּל־רְכוּשָׁם אֲשֶׁר רָכָשׁוּ וְאֶת־הַנֶּפֶשׁ
אֲשֶׁר־עָשׂוּ בְחָרָן וַיֵּצְאוּ לָלֶכֶת אַרְצָה כְּנַעַן
וַיָּבֹאוּ אַרְצָה כְּנָעַן: ו וַיַּעֲבֹר אַבְרָם בָּאָרֶץ עַד
מְקוֹם שְׁכֶם עַד אֵלוֹן מוֹרֶה וְהַכְּנַעֲנִי אָז בָּאָרֶץ:

וְיִתְבָּרְכוּן בְּדִילָךְ כֹּל זַרְעֲיַת אַרְעָא: ד וַאֲזַל אַבְרָם כְּמָא דִי מַלִּיל עִמֵּהּ יְיָ וַאֲזַל עִמֵּהּ לוֹט וְאַבְרָם בַּר שִׁבְעִין וַחֲמֵשׁ שְׁנִין בְּמִפְּקֵהּ מֵחָרָן: ה וּדְבַר אַבְרָם יָת שָׂרַי אִתְּתֵהּ וְיָת לוֹט בַּר אֲחוּהִי וְיָת כָּל קִנְיָנְהוֹן דִּי קְנוֹ וְיָת נַפְשָׁתָא דְּשַׁעְבִּידוּ לְאוֹרַיְתָא בְּחָרָן וּנְפָקוּ לְמֵיזַל לְאַרְעָא דִכְנַעַן וַאֲתוֹ לְאַרְעָא דִכְנָעַן: ו וַעֲבַר אַבְרָם בְּאַרְעָא עַד אֲתַר שְׁכֶם עַד מֵישַׁר מוֹרֶה וּכְנַעֲנָאָה בְּכֵן בְּאַרְעָא:

רש"י

יברך ישראל לאמר ישימך אלהים כאפרים וכמנשה (להלן מח:כ): **(ה) אשר עשו בחרן.** שהכניסום תחת כנפי השכינה. אברהם מגייר את האנשים ושרה מגיירת הנשים, ומעלה עליהם הכתוב כאילו עשאום (ב"ר שם יד, פד:ד; סנהדרין לט:). ופשוטו של מקרא, עבדים ושפחות שקנו להם, כמו עשה את כל הכבד הזה (להלן לא:א) לשון קנין. וישראל עושה חיל (במדבר כד:יח) לשון קונה וכונס: **(ו) ויעבר אברם בארץ.** נכנס בתוכה: **עד מקום שכם.** להתפלל על בני יעקב כשיבאו להלחם בשכם (מדרש אגדה; ב"ר לט:טו): **אלון מורה.** היא שכם (סוטה לב.), הראהו הר גריזים והר עיבל, ששם קבלו ישראל שבועת התורה (מדרש אגדה): **והכנעני אז בארץ.** היה הולך וכובש את ארץ ישראל מזרעו של שם, שבחלקו של שם נפלה כשחִלֵק נח את הארץ לבניו, שנאמר ומלכי צדק מלך שלם (להלן יד:יח). לפיכך, ויאמר אל אברם לזרעך אתן את הארץ הזאת (פסוק ז), עתיד אני להחזירה לבניך, שהם מזרעו של שם (מדרש אגדה; ת"כ סוף קדושים):

רמב"ן

שֶׁתִּהְיֶה עֲבוֹדָתוֹ לוֹ וּקְרִיאַת בְּנֵי הָאָדָם לְשֵׁם ה׳[25] בָּאָרֶץ הַנִּבְחֶרֶת, וְשָׁם יִגְדַּל שְׁמוֹ וְיִתְבָּרְכוּ בּוֹ הַגּוֹיִם הָהֵם, לֹא כַּאֲשֶׁר עָשׂוּ עִמּוֹ בְּאוּר כַּשְׂדִּים שֶׁהָיוּ מְבַזִּין וּמְקַלְּלִים אוֹתוֹ, וְשָׂמוּ אוֹתוֹ בַּבּוֹר אוֹ בְּכִבְשַׁן הָאֵשׁ[26]. וְאָמַר לוֹ שֶׁיְּבָרֵךְ מְבָרְכָיו, וְאִם יָחִיד מְקַלְּלוֹ יוּאַר[27].

וְזֶה טַעַם הַפָּרָשָׁה. אֲבָל הַתּוֹרָה לֹא תִרְצֶה לְהַאֲרִיךְ בְּדֵעוֹת עוֹבְדֵי עֲבוֹדָה זָרָה וּלְפָרֵשׁ הָעִנְיָן שֶׁהָיָה בֵּינוֹ

RAMBAN ELUCIDATED

people **as well and to do what he had intended** to do **from the start** and travel on to Canaan. שֶׁתִּהְיֶה עֲבוֹדָתוֹ לוֹ וּקְרִיאַת בְּנֵי הָאָדָם לְשֵׁם ה׳ בָּאָרֶץ הַנִּבְחֶרֶת – So **that his service to Him and his "calling out to people for the Name of God"**[25] **should take place in that chosen land,** וְשָׁם יִגְדַּל שְׁמוֹ וְיִתְבָּרְכוּ בּוֹ הַגּוֹיִם הָהֵם – **and there his "name would become great"** and that **those nations "would bless each other with his** name," לֹא כַּאֲשֶׁר עָשׂוּ עִמּוֹ בְּאוּר כַּשְׂדִּים – **unlike what [people] had done to him in Ur-kasdim,** שֶׁהָיוּ מְבַזִּין וּמְקַלְּלִים אוֹתוֹ, וְשָׂמוּ אוֹתוֹ בַּבּוֹר אוֹ בְּכִבְשַׁן הָאֵשׁ – **for they denigrated and cursed him and cast him into a pit or a fiery furnace.**[26] וְאָמַר לוֹ שֶׁיְּבָרֵךְ מְבָרְכָיו, וְאִם יָחִיד מְקַלְּלוֹ יוּאַר – **[God] told him** further **that He would bless those who bless him, and** that **if an individual might curse him, he would** himself **be cursed.**[27]

[Having explained the reason behind God's blessing (and words of encouragement) to Abraham, Ramban now seeks to explain why in fact the Torah did not relate this information explicitly:]

וְזֶה טַעַם הַפָּרָשָׁה – **This** (the above) **is the explanation of this section.** אֲבָל הַתּוֹרָה לֹא תִרְצֶה לְהַאֲרִיךְ בְּדֵעוֹת עוֹבְדֵי עֲבוֹדָה זָרָה וּלְפָרֵשׁ הָעִנְיָן שֶׁהָיָה בֵּינוֹ וּבֵין הַכַּשְׂדִּים בֶּאֱמוּנָה – **The Torah, however, did not**

25. See below, v. 8, and Ramban ad loc., who discusses the meaning of this term.

26. Ramban cites the two opinions of the Sages (a fiery furnace) and of *Moreh Nevuchim* (a pit). See above, 11:28.

To summarize: According to Ramban, the statements of v. 3 are not so much *blessings* as *words of encouragement* to Abraham in his service of God, informing him that his holy work would meet with better results in Canaan than anywhere else. [Ramban disagrees with Rambam (Maimonides) who understands these verses as a reward to Abraham for having suffered so greatly for the sake of God (see *Moreh Nevuchim* III:29).]

27. Ramban here explains why the first phrase, *those who bless you,* is in the plural, while the subsequent phrase, *he who curses you,* is in the singular. God intimated to Abraham that his well-wishers would be

and all the families of the earth will be blessed through you."
4 So Abram went as HASHEM had spoken to him, and Lot went with
him; Abram was seventy-five years old when he left Haran. 5 Abram
took his wife Sarai and Lot, his brother's son, and all their wealth that they had amassed, and the souls they had acquired in Haran; and they left to go to the land of Canaan, and they came to the land of Canaan. 6 Abram passed into the land as far as the place of
Shechem, until Eilon Moreh. The Canaanite was then in the land.

רמב"ן

ובין הַכַּשְׂדִּים בֶּאֱמוּנָה, כַּאֲשֶׁר קִצְּרָה בְּעִנְיַן דּוֹר אֱנוֹשׁ [לעיל ד, כו] וּסְבָרָתָם בַּעֲבוֹדָה זָרָה שֶׁחִדְּשׁוּ[28].

[ו] וַיַּעֲבֹר אַבְרָם בָּאָרֶץ עַד מְקוֹם שְׁכֶם. אוֹמַר לְךָ כְּלָל, תָּבִין אוֹתוֹ בְּכָל הַפָּרָשִׁיּוֹת הַבָּאוֹת בְּעִנְיַן אַבְרָהָם יִצְחָק וְיַעֲקֹב, וְהוּא עִנְיָן גָּדוֹל, הִזְכִּירוּהוּ רַבּוֹתֵינוּ בְּדֶרֶךְ קְצָרָה, וְאָמְרוּ [ראה מדרש תנחומא לך לך ט] "כָּל מַה שֶּׁאֵירַע לָאָבוֹת סִימָן לַבָּנִים"[29].

וְלָכֵן יַאֲרִיכוּ הַכְּתוּבִים בְּסִפּוּר הַמַּסָּעוֹת וַחֲפִירַת הַבְּאֵרוֹת וּשְׁאָר הַמִּקְרִים, וְיַחְשׁוֹב הַחוֹשֵׁב בָּהֶם כְּאִלּוּ הֵם דְּבָרִים מְיֻתָּרִים אֵין בָּהֶם תּוֹעֶלֶת, וְכֻלָּם בָּאִים לְלַמֵּד עַל הֶעָתִיד, כִּי כַּאֲשֶׁר יָבוֹא הַמִּקְרֶה לְנָבִיא מִשְּׁלֹשֶׁת הָאָבוֹת[30] יִתְבּוֹנֵן מִמֶּנּוּ הַדָּבָר הַנִּגְזָר לָבֹא לְזַרְעוֹ.

RAMBAN ELUCIDATED

want to dwell at length on the opinions of the idolaters and to explain the matters that were discussed **between him and the Chaldeans concerning belief** in God, **כַּאֲשֶׁר קִצְּרָה בְּעִנְיַן דּוֹר אֱנוֹשׁ וּסְבָרָתָם בַּעֲבוֹדָה זָרָה שֶׁחִדְּשׁוּ – just as it was brief in** its mention of **the matter of the generation of Enosh** (above, 4:26) **and their idolatrous ideas that they innovated.**[28]

6. וַיַּעֲבֹר אַבְרָם בָּאָרֶץ עַד מְקוֹם שְׁכֶם – ***ABRAM PASSED INTO THE LAND AS FAR AS THE PLACE OF SHECHEM.***

[What is the significance of Abraham's various stations upon his arrival in the land of Canaan that the Torah saw fit to record them in detail? In a dissertation fundamental to the understanding of the stories of the Patriarchs recorded in the Torah, Ramban explains:]

אוֹמַר לְךָ כְּלָל, תָּבִין אוֹתוֹ בְּכָל הַפָּרָשִׁיּוֹת הַבָּאוֹת בְּעִנְיַן אַבְרָהָם יִצְחָק וְיַעֲקֹב – I will tell you a principle, which you should keep in mind throughout all the coming passages regarding the lives of **Abraham, Isaac and Jacob. וְהוּא עִנְיָן גָּדוֹל, הִזְכִּירוּהוּ רַבּוֹתֵינוּ בְּדֶרֶךְ קְצָרָה, וְאָמְרוּ "כָּל מַה שֶּׁאֵירַע לָאָבוֹת סִימָן לַבָּנִים" – It is a major principle, which the Sages mentioned succinctly when they said** (cf. *Midrash Tanchuma, Lech Lecha* 9), **"Everything that occurred to the Patriarchs is a sign** (or ***portent***) **for their descendants."**[29]

וְלָכֵן יַאֲרִיכוּ הַכְּתוּבִים בְּסִפּוּר הַמַּסָּעוֹת וַחֲפִירַת הַבְּאֵרוֹת וּשְׁאָר הַמִּקְרִים – This is the reason that the verses go to such length in recounting the details of the Patriarchs' **travels and** their **digging of wells and other incidents, וְיַחְשׁוֹב הַחוֹשֵׁב בָּהֶם כְּאִלּוּ הֵם דְּבָרִים מְיֻתָּרִים אֵין בָּהֶם תּוֹעֶלֶת – and one contemplating these** incidents **may consider them matters that are superfluous and without purpose. וְכֻלָּם בָּאִים לְלַמֵּד עַל הֶעָתִיד** – In truth, however, **all of these** events **come to teach** regarding **the future, כִּי כַּאֲשֶׁר יָבוֹא הַמִּקְרֶה לְנָבִיא מִשְּׁלֹשֶׁת הָאָבוֹת יִתְבּוֹנֵן מִמֶּנּוּ הַדָּבָר הַנִּגְזָר לָבֹא לְזַרְעוֹ – for when an incident occurred to a prophet among the three Patriarchs,**[30] **there can be understood from it** an allusion to **something that was decreed to happen to his descendants.**

many, and his detractors few.

28. The Torah did not want to present the heretical arguments of the idolaters, so it avoided mention of the confrontation between Abraham and the Chaldeans altogether. See Ramban above, 11:28, where he elaborates on this idea.

29. Whenever the Torah records an incident that occurred in the Patriarchs' personal lives, it is because that event foreshadowed some parallel event that would affect the Jewish people in the future. The purpose of this sort of harbinger of future events is explained by Ramban below.

30. All the Patriarchs were prophets (see *Seder Olam*, Chap. 21).

רמב״ן

וְדַע, כִּי כָל גְּזֵירַת עִירִין[31], כַּאֲשֶׁר תֵּצֵא מִכֹּחַ גְּזֵרָה אֶל פּוֹעַל דִּמְיוֹן, תִּהְיֶה הַגְּזֵרָה מִתְקַיֶּמֶת עַל כָּל פָּנִים[32]. וְלָכֵן יַעֲשׂוּ הַנְּבִיאִים מַעֲשֶׂה בַּנְּבוּאוֹת, כְּמַאֲמַר יִרְמְיָהוּ שֶׁצִּוָּה לִשְׂרָיָה "וְהָיָה כְּכַלֹּתְךָ לִקְרֹא אֶת [דִּבְרֵי] הַסֵּפֶר הַזֶּה תִּקְשֹׁר עָלָיו אֶבֶן וְהִשְׁלַכְתּוֹ אֶל תּוֹךְ פְּרָת וְאָמַרְתָּ כָּכָה תִּשְׁקַע בָּבֶל וגו׳" [ירמיה נא, סג-סד][33]. וְכֵן עִנְיַן אֱלִישָׁע בְּהַנִּיחוֹ זְרוֹעוֹ עַל הַקֶּשֶׁת, "וַיֹּאמֶר אֱלִישָׁע יְרֵה וַיּוֹר וַיֹּאמֶר חֵץ תְּשׁוּעָה לַה׳ וְחֵץ תְּשׁוּעָה בַּאֲרָם" [מלכים-ב יג, יז][34]. וְנֶאֱמַר שָׁם: "וַיִּקְצֹף עָלָיו אִישׁ הָאֱלֹהִים וַיֹּאמֶר לְהַכּוֹת חָמֵשׁ אוֹ שֵׁשׁ פְּעָמִים אָז הִכִּיתָ אֶת אֲרָם עַד כַּלֵּה, וְעַתָּה שָׁלֹשׁ פְּעָמִים תַּכֶּה אֶת אֲרָם" [שם יט][35]. וּלְפִיכָךְ הֶחֱזִיק הַקָּדוֹשׁ בָּרוּךְ הוּא אֶת אַבְרָהָם בָּאָרֶץ וְעָשָׂה לוֹ דִּמְיוֹנוֹת בְּכָל הֶעָתִיד לְהֵעָשׂוֹת בְּזַרְעוֹ[36] וְהָבֵן זֶה[37].

וַאֲנִי מַתְחִיל לְפָרֵשׁ הָעִנְיָנִים בִּפְרָט בִּפְסוּקֵיהֶם בְּעֶזְרַת הַשֵּׁם.

RAMBAN ELUCIDATED

[Having presented the basic principle that "the events of the Patriarchs are signs for their descendants," Ramban now explains the purpose of such signs altogether, namely, what do they add to a decree of God?]

וְדַע כִּי כָל גְּזֵירַת עִירִין, כַּאֲשֶׁר תֵּצֵא מִכֹּחַ גְּזֵרָה אֶל פּוֹעַל דִּמְיוֹן – You should know that any "decree of the angels,"[31] when it leaves the realm of a **potential decree to** become **a symbolic act, תִּהְיֶה הַגְּזֵרָה מִתְקַיֶּמֶת עַל כָּל פָּנִים – that decree will be fulfilled in any event.**[32] **וְלָכֵן יַעֲשׂוּ הַנְּבִיאִים מַעֲשֶׂה בַּנְּבוּאוֹת – This is why the prophets** often **perform some act in the course of their prophecies, כְּמַאֲמַר יִרְמְיָהוּ שֶׁצִּוָּה לִשְׂרָיָה "וְהָיָה כְּכַלֹּתְךָ לִקְרֹא אֶת הַסֵּפֶר הַזֶּה תִּקְשֹׁר עָלָיו אֶבֶן וְהִשְׁלַכְתּוֹ אֶל תּוֹךְ פְּרָת וְאָמַרְתָּ כָּכָה תִּשְׁקַע בָּבֶל וגו׳"** – as can be seen **with Jeremiah's statement, commanding Seraiah, *"When you finish reading this book, tie a stone onto it and throw it into the Euphrates, saying, 'Thus shall Babylonia sink'"*[33]** (*Jeremiah* 51:63-64). **וְכֵן עִנְיַן אֱלִישָׁע בְּהַנִּיחוֹ זְרוֹעוֹ עַל הַקֶּשֶׁת, "וַיֹּאמֶר אֱלִישָׁע יְרֵה וַיּוֹר וַיֹּאמֶר חֵץ תְּשׁוּעָה לַה׳ וְחֵץ תְּשׁוּעָה בַּאֲרָם" – The matter of Elisha** should be **similarly** understood, **when he placed his arm on the bow, *and Elisha said [to King Joash], "Shoot [the arrow]!" and he shot. He then said, "It is an arrow of salvation unto Hashem, and an arrow of salvation against Aram!"*[34]** (*II Kings* 13:17). **וְנֶאֱמַר שָׁם: "וַיִּקְצֹף עָלָיו אִישׁ הָאֱלֹהִים וַיֹּאמֶר לְהַכּוֹת חָמֵשׁ אוֹ שֵׁשׁ פְּעָמִים אָז הִכִּיתָ אֶת אֲרָם עַד כַּלֵּה, וְעַתָּה שָׁלֹשׁ פְּעָמִים תַּכֶּה אֶת אֲרָם" – And it says** further **there** (v. 19), ***The man of God became angry with him*[35] *and he said, "[Were you] to strike five or six times, then you would have smitten Aram to utter destruction! But now you will strike at Aram [only] three times."*** **וּלְפִיכָךְ הֶחֱזִיק הַקָּדוֹשׁ בָּרוּךְ הוּא אֶת אַבְרָהָם בָּאָרֶץ וְעָשָׂה לוֹ דִּמְיוֹנוֹת בְּכָל הֶעָתִיד לְהֵעָשׂוֹת בְּזַרְעוֹ – This is why the Holy One, Blessed is He, made Abraham take possession of the land[36] and** why **He performed symbolic acts for him** corresponding **to all the future events that would occur to his descendants.**

וְהָבֵן זֶה – Understand this principle well.[37]

וַאֲנִי מַתְחִיל לְפָרֵשׁ הָעִנְיָנִים בִּפְרָט בִּפְסוּקֵיהֶם בְּעֶזְרַת הַשֵּׁם – I will now **begin to interpret these matters in detail in their** respective **verses, with God's help.**

---

31. A stylistic citation from *Daniel* 4:14, referring to a heavenly decree.

32. [Ran (*Rabbeinu Nissim,* in *Derashos HaRan*), based on concepts developed by Rambam (Introduction to Mishneh: *Hilchos Yesodei HaTorah* 10:4), establishes that decrees for good, or decrees that are communicated directly (without use of an intermediary), whether for good or evil, are irrevocable. But, decrees for evil are conditional and they are based on the future behavior or repentance of the recipient, and can be rescinded. However, a decree for evil, when accompanied by a symbolic act, such as those cited by Ramban here, becomes irrevocable. See also *Tziyun LeNefesh Chayah* (*Tzlach*) on *Berachos* 7a.]

33. The sinking of the document in the river symbolically foretold Babylonia's "sinking" in defeat.

34. The shooting of the arrow symbolically foretold Joash's victory against Aram.

35. Elisha had instructed the king to take the arrows and strike them on the ground, expecting him to do so many times. When the king stopped after three times, Elisha informed him that his military success against Aram would be limited to three battles.

36. This was in itself a symbolic act done as a harbinger of his descendants' acquisition of the land, as Ramban will explain below.

37. For more examples of Ramban's use of the principle "the events of the Patriarchs are signs for their descendants," see Ramban below, vv. 10,11; 14:1,7,18; 15:9,10,12; 16:9; 28:12; 29:2; Preface to *Vayishlach*; 32:17,26; 33:15,18; 36:43; 43:14; 47:28; 48:22; and Preface to *Shemos*.

For more examples of symbolic acts performed by the Patriarchs, see Ramban below, 13:17 and 48:22.

רמב״ן

□ וַיַּעֲבֹר אַבְרָם בָּאָרֶץ עַד מְקוֹם שְׁכֶם הִיא עִיר שְׁכֶם, כֵּן זֶה שֵׁם הַמָּקוֹם הַהוּא, וּשְׁכֶם בֶּן חֲמוֹר עַל שֵׁם עִירוֹ נִקְרָא[38].

וְכָתַב רַשִׁ״י: נִכְנַס לְתוֹכָהּ עַד מְקוֹם שְׁכֶם לְהִתְפַּלֵּל עַל בְּנֵי יַעֲקֹב כְּשֶׁיָּבוֹאוּ מִן הַשָּׂדֶה עֲצֵבִים[39].

וְנָכוֹן הוּא. וַאֲנִי מוֹסִיף כִּי הֶחֱזִיק אַבְרָהָם בַּמָּקוֹם הַהוּא תְּחִלָּה, וְקוֹדֶם שֶׁנָּתַן לוֹ אֶת הָאָרֶץ, נִרְמַז לוֹ מִזֶּה כִּי בָנָיו יִכְבְּשׁוּ הַמָּקוֹם הַהוּא תְּחִלָּה קוֹדֶם הֱיוֹתָם זוֹכִים בּוֹ[40], וְקוֹדֶם הֱיוֹת עֲוֹן יוֹשֵׁב הָאָרֶץ שָׁלֵם[41] לְהַגְלוֹתָם מִשָּׁם[42], וְלָכֵן אָמַר ״וְהַכְּנַעֲנִי אָז בָּאָרֶץ״[43].

RAMBAN ELUCIDATED

□ וַיַּעֲבֹר אַבְרָם בָּאָרֶץ עַד מְקוֹם שְׁכֶם – *ABRAM PASSED INTO THE LAND AS FAR AS THE PLACE OF SHECHEM.*

[In the days of Abraham's grandson Jacob, there was a prince named Shechem whose father (Hamor) ruled over a city by the same name, "Shechem" (see below, Chap. 34). Now, in our verse, *the place of Shechem* could mean either "the place where Shechem (the person) lived" or "the place *called* Shechem." Ramban elaborates:]

הִיא עִיר שְׁכֶם – **This** refers to **the city of Shechem,** כֵּן זֶה שֵׁם הַמָּקוֹם הַהוּא, וּשְׁכֶם בֶּן חֲמוֹר עַל שֵׁם עִירוֹ נִקְרָא – **for this** (Shechem) **was the name of that place, and Shechem son of Hamor was named after his city.**[38]

[Ramban now addresses the significance of Abraham's stop in Shechem, applying the principle of "the events of the Patriarchs are signs for their descendants." He begins by citing Rashi, who interprets our verse along these lines as well:]

וְכָתַב רַשִׁ״י: – **Rashi writes:**

נִכְנַס לְתוֹכָהּ – [*Abram passed into the land* –] **He entered into [the land];** עַד מְקוֹם שְׁכֶם לְהִתְפַּלֵּל עַל בְּנֵי יַעֲקֹב כְּשֶׁיָּבוֹאוּ מִן הַשָּׂדֶה עֲצֵבִים – ***as far as the place of Shechem*** – **to pray for the sons of Jacob when they would "come from the field, saddened"** due to Dinah's defilement (below, 34:7) and to subsequently wage war against Shechem.[39]

וְנָכוֹן הוּא – **This is a sound** interpretation. וַאֲנִי מוֹסִיף כִּי הֶחֱזִיק אַבְרָהָם בַּמָּקוֹם הַהוּא תְּחִלָּה – **I would add** the following as well: In the fact **that Abraham** symbolically **took possession of that place** (Shechem) **first,** וְקוֹדֶם שֶׁנָּתַן לוֹ אֶת הָאָרֶץ, נִרְמַז לוֹ מִזֶּה כִּי בָנָיו יִכְבְּשׁוּ הַמָּקוֹם הַהוּא תְּחִלָּה קוֹדֶם הֱיוֹתָם זוֹכִים בּוֹ – even **before God had given him the land** – i.e., before He had promised to give it to him in v. 7 – **there was an allusion to him that his children would conquer that place first, before** actually **acquiring [the Land of Israel],**[40] וְקוֹדֶם הֱיוֹת עֲוֹן יוֹשֵׁב הָאָרֶץ שָׁלֵם לְהַגְלוֹתָם מִשָּׁם – **and before the *iniquity of the inhabitants of the land was complete***[41] **to** justify **expelling them from there.**[42] וְלָכֵן אָמַר ״וְהַכְּנַעֲנִי אָז בָּאָרֶץ״ – **This** – the concept just discussed – **is** also **why it says, *The Canaanite was then in the land.***[43]

38. This is in contradistinction to Ibn Ezra, who implies the reverse – that the city Shechem was named for the prince Shechem, and that this city therefore must have had a different name at the time of Abraham's arrival – some two hundred years before that prince lived.

39. This quote differs somewhat from our version of Rashi.

40. It is in keeping with the principle that "the events of the Patriarchs are signs for their descendants."

41. Below, 15:16, Abraham was told that he could not be given title to the land of Canaan immediately – his descendants would have to wait several centuries before the promise to him would be fulfilled – because *the iniquity of the Amorites will not yet be full until then.* The Canaanites had not yet sinned enough to deserve the punishment of being driven out of their land.

42. The children of Jacob conquered Shechem several centuries before the Children of Israel's general conquest of the Land of Israel under Joshua. Abraham's stop in Shechem before he was "given" the land by God augured his descendants' early conquest of that city.

43. The verse stresses that Abraham's stay in Shechem was while the Canaanites were still in possession of the land, i.e., before he had been granted possession of their land. This alluded to the fact that Jacob's sons' conquest of Shechem would take place *while the Canaanites were still in control* – i.e., before the full conquest of the land by Israel.

רמב״ן

וְכַאֲשֶׁר נָתַן לוֹ הַקָּדוֹשׁ בָּרוּךְ הוּא הָאָרֶץ בְּמַאֲמָר[44], אָז נָסַע מִשָּׁם וְנָטַע אֹהֶל בֵּין בֵּית אֵל וּבֵין הָעַי, כִּי הוּא הַמָּקוֹם אֲשֶׁר כָּבַשׁ יְהוֹשֻׁעַ בַּתְּחִלָּה[45].

וְיִתָּכֵן שֶׁהִזְכִּיר הַכָּתוּב ״וְהַכְּנַעֲנִי אָז בָּאָרֶץ״ לְהוֹרוֹת עַל עִנְיַן הַפָּרָשָׁה[46], לוֹמַר כִּי אַבְרָם בָּא בְּאֶרֶץ כְּנַעַן, וְלֹא הֶרְאָהוּ הַשֵּׁם הָאָרֶץ אֲשֶׁר יִעֲדוֹ[47], וְעָבַר ״עַד מְקוֹם שְׁכֶם״, וְהַכְּנַעֲנִי הַגּוֹי הַמַּר וְהַנִּמְהָר אָז בָּאָרֶץ, וְאַבְרָם יָרֵא מִמֶּנּוּ[48], וְלָכֵן לֹא בָּנָה מִזְבֵּחַ לַה׳. וּבְבוֹאוֹ בִּמְקוֹם שְׁכֶם בְּאֵלוֹן מוֹרֶה נִרְאָה אֵלָיו הַשֵּׁם וְנָתַן לוֹ הָאָרֶץ, וְסָרָה יִרְאָתוֹ, כִּי כְּבָר הוּבְטַח בְּ״אֶרֶץ אֲשֶׁר אַרְאֶךָּ״, וְאָז בָּנָה מִזְבֵּחַ לַה׳ לְעָבְדוֹ בְּפַרְהֶסְיָא[49].

RAMBAN ELUCIDATED

[Ramban now explains the significance of Abraham's next stop:]

וְכַאֲשֶׁר נָתַן לוֹ הַקָּדוֹשׁ בָּרוּךְ הוּא הָאָרֶץ בְּמַאֲמָר, אָז נָסַע מִשָּׁם וְנָטַע אֹהֶל בֵּין בֵּית אֵל וּבֵין הָעַי – After the Holy One, Blessed is He, "gave" [Abraham] the land through His statement[44] **– he then traveled from there and set up** his **tent between Beth-el and Ai, כִּי הוּא הַמָּקוֹם אֲשֶׁר כָּבַשׁ יְהוֹשֻׁעַ בַּתְּחִלָּה – for that was the place that Joshua conquered first.**[45]

[Ramban now suggests a second possible explanation for *The Canaanite was then in the land*:]

וְיִתָּכֵן שֶׁהִזְכִּיר הַכָּתוּב ״וְהַכְּנַעֲנִי אָז בָּאָרֶץ״ לְהוֹרוֹת עַל עִנְיַן הַפָּרָשָׁה – It is also **possible that Scripture mentions *the Canaanite was then in the land* to teach** us something **about the** main **subject of this section,**[46] **לוֹמַר כִּי אַבְרָם בָּא בְּאֶרֶץ כְּנַעַן, וְלֹא הֶרְאָהוּ הַשֵּׁם הָאָרֶץ אֲשֶׁר יִעֲדוֹ** – and it means **to say that Abram entered the land of Canaan, but God did not "show" him the land that He had designated** for him,[47] **וְעָבַר ״עַד מְקוֹם שְׁכֶם״ – and he** continued to **traverse** the land ***until the place of Shechem.*** **וְהַכְּנַעֲנִי הַגּוֹי הַמַּר וְהַנִּמְהָר אָז בָּאָרֶץ, וְאַבְרָם יָרֵא מִמֶּנּוּ – *The Canaanite* – that *bitter and impetuous nation***[48] **– *was then in the land*, and Abram was afraid of them, וְלָכֵן לֹא בָּנָה מִזְבֵּחַ לַה׳ – and he therefore did not build an altar to God** in the course of his travels through Canaan. **וּבְבוֹאוֹ בִּמְקוֹם שְׁכֶם בְּאֵלוֹן מוֹרֶה נִרְאָה אֵלָיו הַשֵּׁם וְנָתַן לוֹ הָאָרֶץ – But when he arrived at "the place of Shechem," in the plain of Moreh, God appeared to him and "gave"** – i.e., promised – **him the land, וְסָרָה יִרְאָתוֹ, כִּי כְּבָר הוּבְטַח בְּ״אֶרֶץ אֲשֶׁר אַרְאֶךָּ״ – so that his fear ceased, for he had already been promised concerning *the land that I will show you*** that he would be well received and not mistreated. **וְאָז בָּנָה מִזְבֵּחַ לַה׳ לְעָבְדוֹ בְּפַרְהֶסְיָא** – His fears allayed, **he then built an altar to God, to worship Him publicly.**[49]

44. *To your offspring I will give this land* (v. 7).

45. According to Ramban we may sum up Abraham's first travels in the land of Canaan as follows: His first stop – before God "gave" him the land – was at Shechem; then, after "receiving" the land, he encamped between Beth-el and Ai. This course of events foreshadowed Abraham's descendants taking Shechem before actually receiving the land from God, and that, *after* having received it, their first conquest would be Ai (*Joshua,* Chaps. 7-8; especially 8:9).

[Although Jericho was conquered before Ai (*Joshua*, Chap. 6), this was not considered the "first conquest," because it fell to the Israelites through miraculous means rather than through battle (R' Chavel, *Zichron Yitzchak*).]

46. According to Ramban's first interpretation, this sentence is inserted to emphasize the portentous aspect of Abraham's arrival at Shechem for his descendants. The interpretation that follows, however, relates the sentence more directly to Abraham himself. "The subject of this section," according to Ramban (above, v. 2), is Abraham's escape from the persecution he experienced in Ur-kasdim and God's promise that He would take him to a land where he would be able to "call out the Name of God" without fear. Our verse is conveying that this promise had not as yet been fulfilled because *the Canaanite was then in the land*.

47. According to God's instructions (above, 12:1; see Ramban ad loc.), Abraham was to keep traveling, toward an undisclosed location which God would "show" (i.e., identify) to him when he arrived there. It was only when he arrived at Shechem that God identified this as the designated place.

48. A stylistic citation from *Habakkuk* 1:6.

49. [According to this interpretation, *The Canaanite was then in the land* relates to the *following* verse (*so he built an altar there to Hashem* ...): Since the Canaanites were there (v. 6), God had to tell Abraham that this was the land He had designated for him before he ventured to build an altar there. According to the first interpretation, however, *The Canaanite was then in the land* relates to what *precedes* it, i.e., Abraham stopped in Shechem, although the Canaanites were still inhabiting the land.]

רמב״ן

וְאֵלוֹן מוֹרֶה[50] זֶהוּ בִּמְקוֹם שְׁכֶם[51], וְנִקְרָא גַּם כֵּן "אֵלוֹנֵי מוֹרֶה". כְּמוֹ שֶׁכָּתוּב [דברים יא, ל]: "מוּל הַגִּלְגָּל אֵצֶל אֵלוֹנֵי מֹרֶה", וְשָׁם הַר גְּרִזִים וְהַר עֵיבָל בִּשְׁכֶם וְקָרוֹב לַיַּרְדֵּן, שֶׁבָּאוּ שָׁם בִּתְחִלַּת בִּיאָתָם בָּאָרֶץ [יהושע ח, ל; ראה דברים יא, כט]. אֲבָל "אֵלוֹנֵי מַמְרֵא" הוּא מָקוֹם אֲשֶׁר הוּא בְּאֶרֶץ חֶבְרוֹן, רָחוֹק מִן הַיַּרְדֵּן[52].

וְדַע כִּי בְּכָל מָקוֹם שֶׁיֹּאמַר הַכָּתוּב "אֵלוֹנֵי מַמְרֵא", שֵׁם "מַמְרֵא" הוּא עַל שֵׁם אִישׁ אֱמֹרִי שֶׁהַמָּקוֹם הַהוּא שֶׁלּוֹ, כְּמוֹ שֶׁנֶּאֱמַר [להלן יד, יג]: "וְהוּא שֹׁכֵן בְּאֵלֹנֵי מַמְרֵא הָאֱמֹרִי אֲחִי אֶשְׁכֹּל וַאֲחִי עָנֵר"[53]. וְכָל "אֵלוֹן מוֹרֶה" וְ"אֵלוֹנֵי מוֹרֶה", נִקְרָא הַמָּקוֹם הַהוּא עַל שֵׁם אִישׁ שֶׁשְּׁמוֹ "מוֹרֶה", אֲבָל זֶה כְּנַעֲנִי הוּא מֵאֶרֶץ הַכְּנַעֲנִי הַיּוֹשֵׁב בָּעֲרָבָה[54] [דברים יא, ל].

וּכְשֶׁיַּזְכִּיר הַכָּתוּב "מַמְרֵא" סְתָם, הוּא שֵׁם הָעִיר, כְּמוֹ שֶׁנֶּאֱמַר [להלן לה, כז]: "וַיָּבֹא יַעֲקֹב אֶל יִצְחָק אָבִיו מַמְרֵא קִרְיַת הָאַרְבַּע הִיא חֶבְרוֹן", וְנֶאֱמַר [להלן כג, יט]: "עַל פְּנֵי מַמְרֵא הִיא חֶבְרוֹן"[55]. כִּי הָאִישׁ אֲשֶׁר לוֹ אֵלוֹנֵי

RAMBAN ELUCIDATED

[Our verse states that Abraham traveled *until the place of Shechem, until the plain of Moreh.* Are these two different locales? Ramban explains:]

וְאֵלוֹן מוֹרֶה זֶהוּ בִּמְקוֹם שְׁכֶם – The "Plain of Moreh"[50] is within the "the place of Shechem."[51] **וְנִקְרָא גַּם כֵּן "אֵלוֹנֵי מוֹרֶה" כְּמוֹ שֶׁכָּתוּב: "מוּל הַגִּלְגָּל אֵצֶל אֵלוֹנֵי מֹרֶה" – It is also called "the plains** (plural) **of Moreh," as it is written,** ***far from Gilgal, near the plains of Moreh*** (*Deuteronomy* 11:30). **וְשָׁם הַר גְּרִזִים וְהַר עֵיבָל בִּשְׁכֶם וְקָרוֹב לַיַּרְדֵּן, שֶׁבָּאוּ שָׁם בִּתְחִלַּת בִּיאָתָם בָּאָרֶץ – It is there** that **Mount Gerizim and Mount Ebal are** located as well, **within** the **Shechem** region **and near the Jordan – for [the Israelites] came there when they first entered the land** (*Joshua* 8:30 ff.; see *Deuteronomy* 11:29) by crossing the Jordan. **אֲבָל "אֵלוֹנֵי מַמְרֵא" הוּא מָקוֹם אֲשֶׁר הוּא בְּאֶרֶץ חֶבְרוֹן, רָחוֹק מִן הַיַּרְדֵּן –** ***The plains of Mamre,*** **however, is a** different **place, which is in the vicinity of Hebron, far from the Jordan.**[52]

[Ramban now explains the derivation of the names *plains of Mamre* and *plain of Moreh*:]

וְדַע כִּי בְּכָל מָקוֹם שֶׁיֹּאמַר הַכָּתוּב "אֵלוֹנֵי מַמְרֵא", שֵׁם "מַמְרֵא" הוּא עַל שֵׁם אִישׁ אֱמֹרִי שֶׁהַמָּקוֹם הַהוּא שֶׁלּוֹ – You should know that wherever Scripture says ***the plains of Mamre,*** **the name "Mamre" refers to an Amorite man** by that name, **to whom that place belonged,** **כְּמוֹ שֶׁנֶּאֱמַר: "וְהוּא שֹׁכֵן בְּאֵלֹנֵי מַמְרֵא הָאֱמֹרִי אֲחִי אֶשְׁכֹּל וַאֲחִי עָנֵר" – as it says,** ***who dwelt in the plains of Mamre the Amorite, the brother of Eshcol and the brother of Aner***[53] (below, 14:13). **וְכָל "אֵלוֹן מוֹרֶה" וְ"אֵלוֹנֵי מוֹרֶה", נִקְרָא הַמָּקוֹם הַהוּא עַל שֵׁם אִישׁ שֶׁשְּׁמוֹ "מוֹרֶה" – And** likewise **for the name** ***plain of Moreh*** **and** ***plains of Moreh*** **– that place was called** this **after the name of a man whose name was "Moreh,"** **אֲבָל זֶה כְּנַעֲנִי הוּא מֵאֶרֶץ הַכְּנַעֲנִי הַיּוֹשֵׁב בָּעֲרָבָה – except that he was** not an Amorite but **a Canaanite, from** ***the land of the Canaanites who dwell in the plain*** (*Deuteronomy* 11:30).[54]

[Ramban elaborates further on the name "Mamre":]

וּכְשֶׁיַּזְכִּיר הַכָּתוּב "מַמְרֵא" סְתָם, הוּא שֵׁם הָעִיר – Now, when Scripture mentions simply "Mamre" – i.e., without the word "plain" – **it is the name of a city** (also known as Hebron), **כְּמוֹ שֶׁנֶּאֱמַר: "וַיָּבֹא יַעֲקֹב אֶל יִצְחָק אָבִיו מַמְרֵא קִרְיַת הָאַרְבַּע הִיא חֶבְרוֹן", וְנֶאֱמַר: "עַל פְּנֵי מַמְרֵא הִיא חֶבְרוֹן" – as it says,** ***Jacob came to Isaac his father, at Mamre, Kiriath-arba, which is Hebron*** (below, 35:27), **and as it says,** ***facing Mamre, which is Hebron*** (below, 23:19).[55] **כִּי הָאִישׁ אֲשֶׁר לוֹ אֵלוֹנֵי נִקְרָא עַל שֵׁם הָעִיר – For the man** (Mamre)

50. The traditional translation of אֵלוֹן מוֹרֶה is "plain of Moreh," following Onkelos and others; see Ramban's opinion below, 14:6.

51. "The place of Shechem" (as opposed to "the city of Shechem") refers to a broad geographical area, and it was within this area that the "plain of Moreh" was situated.

52. Ramban here disputes the opinion cited by Ibn Ezra that אֵלוֹנֵי מוֹרֶה and אֵלוֹנֵי מַמְרֵא are one and the same: Since אֵלוֹנֵי מַמְרֵא was in Hebron, which is far from the Jordan River, and אֵלוֹנֵי מוֹרֶה was in Shechem, near the Jordan, we must conclude that אֵלוֹנֵי מַמְרֵא and אֵלוֹנֵי מוֹרֶה are two distinct and separate places.

53. It is clear from this verse that Mamre was the name of a person. (Rashi [below, 13:18] concurs with this assertion.)

54. Amorites were also Canaanites (see above, 10:16), but Moreh was a member of a different Canaanite tribe, one which "dwelt in the plain." Ramban has thus shown that "Mamre" and "Moreh" were the names of two different individuals. (Cf. Ibn Ezra.)

55. In these instances Mamre is obviously a city.

ז וַיֵּרָ֤א יהוה֙ אֶל־אַבְרָ֔ם וַיֹּ֕אמֶר לְזַ֨רְעֲךָ֔ אֶתֵּ֖ן אֶת־
הָאָ֣רֶץ הַזֹּ֑את וַיִּ֤בֶן שָׁם֙ מִזְבֵּ֔חַ לַיהוָ֖ה הַנִּרְאֶ֥ה
ח אֵלָֽיו׃ וַיַּעְתֵּ֨ק מִשָּׁ֜ם הָהָ֗רָה מִקֶּ֛דֶם לְבֵֽית־
אֵ֖ל וַיֵּ֣ט אָהֳלֹ֑ה בֵּֽית־אֵ֤ל מִיָּם֙ וְהָעַ֣י מִקֶּ֔דֶם וַיִּֽבֶן־
ט שָׁ֤ם מִזְבֵּ֨חַ֙ לַֽיהוָ֔ה וַיִּקְרָ֖א בְּשֵׁ֥ם יהוָֽה׃ וַיִּסַּ֣ע

ז וְאִתְגְּלִי יְיָ לְאַבְרָם וַאֲמַר לִבְנָיךְ אֶתֵּן יָת אַרְעָא הָדָא וּבְנָא תַמָּן מַדְבְּחָא קֳדָם יְיָ דְּאִתְגְּלִי לֵהּ׃ ח וְאִסְתַּלַּק מִתַּמָּן לְטוּרָא מִמַּדְנַח לְבֵית אֵל וּפְרַס מַשְׁכְּנֵהּ בֵּית אֵל מִמַּעְרְבָא וְעַי מִמָּדִינְחָא וּבְנָא תַמָּן מַדְבְּחָא קֳדָם יְיָ וְצַלִּי בִּשְׁמָא דַייָ׃ ט וּנְטַל

רש"י

(ז) ויבן שם מזבח. על בשורת הזרע ועל בשורת ארץ ישראל (ב"ר לט:טו־טז): **(ח) ויעתק משם.** אהלו: **מקדם לבית אל.** במזרחה של בית אל, נמצאת בית אל במערבו, הוא שנא' **בית אל מים: אהלה.** אהלה כתיב, בתחלה נטה את אהל אשתו ואח"כ את שלו (שם טו): **ויבן שם מזבח.** נתנבא שעתידין בניו להכשל שם על עון עכן, והתפלל שם עליהם (שם טז):

רמב"ן

נִקְרָא עַל שֵׁם הָעִיר[56], וְכֵן שְׁכֶם בֶּן חֲמוֹר כְּשֵׁם הָעִיר שְׁכֶם[57].

וּבִבְרֵאשִׁית רַבָּה [מב, ח]: עַל דַּעְתֵּיה דְּרַבִּי יְהוּדָה אַתְרָא הוּא דִּשְׁמֵיהּ מַמְרֵא, וְעַל דַּעְתֵּיה דְּרַבִּי נְחֶמְיָה גַּבְרָא הוּא דִּשְׁמֵיהּ מַמְרֵא.

[ז] וְטַעַם **לַה' הַנִּרְאֶה אֵלָיו**, כִּי הוֹדָה לַשֵּׁם הַנִּכְבָּד וְזָבַח לוֹ זֶבַח תּוֹדָה עַל שֶׁנִּרְאֶה אֵלָיו[58], כִּי עַד הֵנָּה לֹא נִרְאָה אֵלָיו הַשֵּׁם וְלֹא נִתְוַדַּע אֵלָיו בְּמַרְאֶה וְלֹא בְּמַחֲזֶה[59], אֲבָל נֶאֱמַר לוֹ "לֶךְ לְךָ מֵאַרְצְךָ" בַּחֲלוֹם הַלַּיְלָה אוֹ בְּרוּחַ הַקֹּדֶשׁ.

וְיִתָּכֵן שֶׁיִּרְמוֹז "הַנִּרְאֶה אֵלָיו" עַל סוֹד הַקָּרְבָּן, וְהַמַּשְׂכִּיל יָבִין.

RAMBAN ELUCIDATED

who owned the plains [of Mamre] was named after the city.[56] וְכֵן שְׁכֶם בֶּן חֲמוֹר כְּשֵׁם הָעִיר שְׁכֶם – **Likewise, Shechem son of Hamor** was **named like,** i.e. he was named after, **the city Shechem.**[57]

[Ramban closes by noting that his assertion – that the plains of Mamre is named after the man Mamre and not vice versa – is actually a subject of dispute in the Midrash:]

וּבִבְרֵאשִׁית רַבָּה: – In *Bereishis Rabbah* (42:8) we find: עַל דַּעְתֵּיה דְּרַבִּי יְהוּדָה אַתְרָא הוּא דִּשְׁמֵיהּ מַמְרֵא, וְעַל דַּעְתֵּיה דְּרַבִּי נְחֶמְיָה גַּבְרָא הוּא דִּשְׁמֵיהּ מַמְרֵא – **According to the opinion of Rabbi Yehudah, it is the place that had the name Mamre, and according to the opinion of Rabbi Nechemiah it was a man whose name was Mamre.**

7. [לַה' הַנִּרְאֶה אֵלָיו – *TO HASHEM WHO APPEARED TO HIM.*]

[There is only one God and the phrase "HASHEM Who appeared to him" is obviously not meant to identify Him. Then what *does* the phrase mean? Ramban explains:]

וְטַעַם "לַה' הַנִּרְאֶה אֵלָיו" – **The explanation of** ***to HASHEM Who appeared to him*** כִּי הוֹדָה לַשֵּׁם הַנִּכְבָּד וְזָבַח לוֹ זֶבַח תּוֹדָה עַל שֶׁנִּרְאֶה אֵלָיו – **is that [Abraham] thanked the glorious God and sacrificed a thanksgiving sacrifice to Him for His having appeared to him.**[58] כִּי עַד הֵנָּה לֹא נִרְאָה אֵלָיו הַשֵּׁם וְלֹא נִתְוַדַּע אֵלָיו בְּמַרְאֶה וְלֹא בְּמַחֲזֶה – **For until now God had never appeared to him and had never made Himself known to him in a vision or revelation.**[59] אֲבָל נֶאֱמַר לוֹ "לֶךְ לְךָ מֵאַרְצְךָ" בַּחֲלוֹם הַלַּיְלָה אוֹ בְּרוּחַ הַקֹּדֶשׁ – It is true that God did communicate with Abraham once before, when He told him to leave his homeland; **however,** ***Go for yourself from your land*** **was said to him** (v. 1) **in a nighttime dream, or through Divine inspiration**, and not through Divine revelation.

[Ramban closes by suggesting a possible Kabbalistic explanation for these words:]

וְיִתָּכֵן שֶׁיִּרְמוֹז "הַנִּרְאֶה אֵלָיו" עַל סוֹד הַקָּרְבָּן, וְהַמַּשְׂכִּיל יָבִין. – **It is possible that** ***Who appeared to him***

56. Thus, according to Ramban, the *plains* of Mamre was named after the *person* Mamre, who in turn got his name from the *city* Mamre.

57. As Ramban noted earlier in this piece.

58. This is in contradistinction to Rashi who maintains that it was for the tidings of children and the Land of Israel that Abraham was thanking God.

59. Thus, *Who appeared to him* is added not for purposes of identification, but to explain the reason for Abraham's thanksgiving sacrifice.

[7] HASHEM appeared to Abram and said, "To your descendants
I will give this land." So he built an altar there to HASHEM Who
appeared to him. [8] From there he relocated to the mountain
east of Beth-el and pitched his tent, with Beth-el on the west
and Ai on the east; and he built there an altar to HASHEM and
he called out in the Name of HASHEM. [9] Then Abram journeyed

רמב"ן

[ח] וַיִּקְרָא בְּשֵׁם ה'. פֵּרֵשׁ אוּנְקְלוֹס שֶׁהִתְפַּלֵּל שָׁם[60], כְּמוֹ [איכה ג, נה] "קָרָאתִי שִׁמְךָ ה' מִבּוֹר תַּחְתִּיּוֹת". וְהַנָּכוֹן שֶׁהָיָה קוֹרֵא בְּקוֹל גָּדוֹל שָׁם לִפְנֵי הַמִּזְבֵּחַ אֶת שֵׁם ה', מוֹדִיעַ אוֹתוֹ וֶאֱלֹהוּתוֹ לִבְנֵי אָדָם. כִּי בְּאוּר כַּשְׂדִּים הָיָה מְלַמְּדָם וְלֹא אָבוּ שְׁמֹעַ, וְעַתָּה כְּשֶׁבָּא בָּאָרֶץ הַזֹּאת שֶׁהוּבְטַח בָּהּ "וַאֲבָרְכָה מְבָרְכֶיךָ"[61], הָיָה מְלַמֵּד וּמְפַרְסֵם הָאֱלֹהוּת. וְכֵן אָמַר הַכָּתוּב בְּיִצְחָק, כַּאֲשֶׁר הָלַךְ אֶל נַחַל גְּרָר וְהוּבְטַח "אַל תִּירָא כִּי אִתְּךָ אָנֹכִי" [להלן כו, כד][62], שֶׁבָּנָה מִזְבֵּחַ "וַיִּקְרָא בְּשֵׁם ה'" [שם פסוק כה]. כִּי בָּא בְּמָקוֹם חָדָשׁ אֲשֶׁר לֹא שָׁמְעוּ אֶת שִׁמְעוֹ וְלֹא רָאוּ אֶת כְּבוֹדוֹ, וְהִגִּיד כְּבוֹדוֹ בַּגּוֹיִם הָהֵם[63].

וְלֹא נֶאֱמַר בְּיַעֲקֹב כֵּן[64], מִפְּנֵי שֶׁהוֹלִיד בָּנִים רַבִּים כֻּלָּם עוֹבְדֵי ה', וְהָיְתָה לוֹ קְהִלָּה גְּדוֹלָה נִקְרֵאת עֲדַת יִשְׂרָאֵל וְנִתְפַּרְסְמָה הָאֱמוּנָה בָּהֶם, וְנוֹדְעָה לַכֹּל, וְגַם כִּי מִימֵי אֲבוֹתָיו נִתְפַּרְסְמָה בְּכָל אֶרֶץ כְּנַעַן.

RAMBAN ELUCIDATED

alludes to the mystical secret of offering, and he who has the wisdom will understand.

8. וַיִּקְרָא בְּשֵׁם ה' – ***AND HE CALLED OUT IN THE NAME OF HASHEM.***

[Ramban discusses the meaning of the expression "to call out in the Name of HASHEM":]

פֵּרֵשׁ אוּנְקְלוֹס שֶׁהִתְפַּלֵּל שָׁם – **Onkelos interprets** this to mean **that he prayed there,**[60] כְּמוֹ "קָרָאתִי שִׁמְךָ ה' מִבּוֹר תַּחְתִּיּוֹת" – **as in** the verse, ***I called Your Name, HASHEM, from the depths of the pit*** (*Lamentations* 3:55), where the expression clearly refers to offering prayer.

וְהַנָּכוֹן שֶׁהָיָה קוֹרֵא בְּקוֹל גָּדוֹל שָׁם לִפְנֵי הַמִּזְבֵּחַ אֶת שֵׁם ה' – **But the correct** interpretation of the expression **is that [Abraham] would call out the Name of God in a loud voice there, in front of the altar,** מוֹדִיעַ אוֹתוֹ וֶאֱלֹהוּתוֹ לִבְנֵי אָדָם – **imparting knowledge of** the existence of **[God] and His Divinity, to people.** כִּי בְּאוּר כַּשְׂדִּים הָיָה מְלַמְּדָם וְלֹא אָבוּ שְׁמֹעַ – **For in Ur-kasdim he** tried to **teach [people]** about God, **but they refused to listen.** וְעַתָּה כְּשֶׁבָּא בָּאָרֶץ הַזֹּאת שֶׁהוּבְטַח בָּהּ "וַאֲבָרְכָה מְבָרְכֶיךָ" – **But now, when he arrived in this land about which he was promised, *"I will bless those who bless you"*** (v. 3),[61] הָיָה מְלַמֵּד וּמְפַרְסֵם הָאֱלֹהוּת – **he taught and proclaimed** God's **Divinity** without hindrance. וְכֵן אָמַר הַכָּתוּב בְּיִצְחָק – **And similarly Scripture says concerning Isaac,** כַּאֲשֶׁר הָלַךְ אֶל נַחַל גְּרָר וְהוּבְטַח "אַל תִּירָא כִּי אִתְּךָ אָנֹכִי", שֶׁבָּנָה מִזְבֵּחַ "וַיִּקְרָא בְּשֵׁם ה'" – **when he went to the valley of Gerar and was promised** by God, ***"Do not fear, for I am with you"*** (below, 26:24),[62] – **that he built an altar *and he called out in the Name of HASHEM*** (ibid. 26:25). This, too, should be understood as above – that Isaac proclaimed God's Divinity to others. כִּי בָּא בְּמָקוֹם חָדָשׁ אֲשֶׁר לֹא שָׁמְעוּ אֶת שִׁמְעוֹ וְלֹא רָאוּ אֶת כְּבוֹדוֹ, וְהִגִּיד כְּבוֹדוֹ בַּגּוֹיִם הָהֵם – **For [Isaac] had** arrived in **a new place, where [people] had not heard of [God's] fame and had not seen His glory, so he declared His glory among those nations.**[63]

וְלֹא נֶאֱמַר בְּיַעֲקֹב כֵּן – **Nothing similar is said of Jacob,**[64] מִפְּנֵי שֶׁהוֹלִיד בָּנִים רַבִּים כֻּלָּם עוֹבְדֵי ה' – **because he bore many children, all of them servants of God,** וְהָיְתָה לוֹ קְהִלָּה גְּדוֹלָה נִקְרֵאת עֲדַת יִשְׂרָאֵל וְנִתְפַּרְסְמָה הָאֱמוּנָה בָּהֶם, וְנוֹדְעָה לַכֹּל – **so that he had a large assembly, called "the**

60. Onkelos' words are וְצַלִּי בִּשְׁמָא דַיְיָ, "he prayed with the Name of God."

61. God meant to tell Abraham that his teachings would not be met with hostility (see Ramban above, 12:2).

62. Here, too, God told Isaac that his teachings would not be met with hostility.

63. Although the place in question is Beer-sheba (see 26:23-25), where Abraham had previously "called out in the Name of God" (see 21:33), Abraham had long since left that region, and in this sense it was a "new place in which [people] had not heard [God's] mention" when Isaac arrived there.

64. I.e., that *he called out in the Name of God.*

אַבְרָ֔ם הָל֥וֹךְ וְנָס֖וֹעַ הַנֶּֽגְבָּה: פ
י וַיְהִ֥י רָעָ֖ב בָּאָ֑רֶץ וַיֵּ֨רֶד אַבְרָ֤ם מִצְרַ֙יְמָה֙ לָג֣וּר שָׁ֔ם
יא כִּֽי־כָבֵ֥ד הָרָעָ֖ב בָּאָֽרֶץ: וַיְהִ֕י כַּאֲשֶׁ֥ר הִקְרִ֖יב לָב֣וֹא

אַבְרָם אֲזַל וְנָטֵל לְדָרוֹמָא:
י וַהֲוָה כַפְנָא בְּאַרְעָא וּנְחַת
אַבְרָם לְמִצְרַיִם לְאִתּוֹתָבָא
תַמָּן אֲרֵי תַקִּיף כַּפְנָא בְּאַרְעָא:
יא וַהֲוָה כַּד קְרֵיב לְמֵיעַל

רש"י

(ט) **הלוך ונסוע.** לפרקים יושב כאן חדש או יותר, ונוסע משם ונוטה אהלו במקום אחר, וכל מסעיו **הנגבה,** ללכת לדרומה של ארץ ישראל, והיא לצד ירושלים, שהיא בחלקו של יהודה, שנטלו בדרומה של ארץ ישראל הר המוריה שהיא נחלתו. [ב"ר שם]: (י) **רעב בארץ.** באותה הארץ לבדה, לנסותו אם יהרהר אחר דבריו של הקב"ה שאמר לו ללכת אל ארץ כנען ועכשיו

רמב"ן

וְכָךְ אָמְרוּ בִּבְרֵאשִׁית רַבָּה [לט, טז]: מְלַמֵּד שֶׁהִקְרִיא[65] שְׁמוֹ שֶׁל הַקָּדוֹשׁ בָּרוּךְ הוּא בְּפִי כָּל בְּרִיָּה.

[ט] **הַנֶּגְבָּה.** כָּתַב רַבֵּינוּ שְׁלֹמֹה: לָלֶכֶת לִדְרוֹמָהּ שֶׁל אֶרֶץ יִשְׂרָאֵל, וְהוּא בַּחֵלֶק שֶׁל בְּנֵי יְהוּדָה, שֶׁנָּטְלוּ בִּדְרוֹמָהּ שֶׁל אֶרֶץ יִשְׂרָאֵל.

וְכֵן לֶעָתִיד לָבֹא בְּבָנָיו, שֶׁנֶּאֱמַר [שופטים א, ב]: "יְהוּדָה יַעֲלֶה בַּתְּחִלָּה"[66,67].

[י] **וַיְהִי רָעָב בָּאָרֶץ.** הִנֵּה אַבְרָהָם יָרַד לְמִצְרַיִם מִפְּנֵי הָרָעָב לָגוּר שָׁם לְהַחֲיוֹת נַפְשׁוֹ בִּימֵי הַבַּצּוֹרֶת,

RAMBAN ELUCIDATED

congregation of Israel," and belief in God **was publicized through them, and became known to all.** **וְגַם כִּי מִימֵי אֲבוֹתָיו נִתְפַּרְסְמָה בְּכָל אֶרֶץ כְּנַעַן** – **Furthermore,** he did not need to "proclaim God's Name" **because it had already been publicized throughout the land of Canaan since the days of his fathers.**

[Ramban cites the Midrash as support for his interpretation:]

וְכָךְ אָמְרוּ בִּבְרֵאשִׁית רַבָּה: – **And [the Sages] said thus in *Bereishis Rabbah*** (39:16) as well: **מְלַמֵּד שֶׁהִקְרִיא שְׁמוֹ שֶׁל הַקָּדוֹשׁ בָּרוּךְ הוּא בְּפִי כָּל בְּרִיָּה** – **This** (i.e., the words וַיִּקְרָא בְּשֵׁם ה׳) **teaches that he caused the Name of the Holy One, Blessed is He, to be uttered**[65] **in the mouths of all people.** That is: He instructed them regarding the existence and greatness of God.

9. הַנֶּגְבָּה – ***TOWARD THE SOUTH.***

[Ramban explains this detail in light of the principle: "The events of the Patriarchs are signs for their descendants."]

כָּתַב רַבֵּינוּ שְׁלֹמֹה: – **Rabbi Shlomo** (Rashi) **writes:**

לָלֶכֶת לִדְרוֹמָהּ שֶׁל אֶרֶץ יִשְׂרָאֵל – **To go to the southern portion of the Land of Israel,** **וְהוּא בַּחֵלֶק שֶׁל בְּנֵי יְהוּדָה, שֶׁנָּטְלוּ בִּדְרוֹמָהּ שֶׁל אֶרֶץ יִשְׂרָאֵל** – **which is in the portion of the Tribe of Judah, who took** their portion **in the south of the Land of Israel.**

[Ramban elucidates Rashi's point:]

וְכֵן לֶעָתִיד לָבֹא בְּבָנָיו, שֶׁנֶּאֱמַר: "יְהוּדָה יַעֲלֶה בַּתְּחִלָּה" – **So, too, was it destined to be in the future with his descendants, as it says, *Judah shall go up*** to conquer their territory ***first***[66] (*Judges* 1:1-2).[67]

10. וַיְהִי רָעָב בָּאָרֶץ – ***THERE WAS A FAMINE IN THE LAND.***

[Ramban demonstrates that the events described in these verses are a clear illustration of the principle: "the events of the Patriarchs are signs for their descendants":]

הִנֵּה אַבְרָהָם יָרַד לְמִצְרַיִם מִפְּנֵי הָרָעָב לָגוּר שָׁם לְהַחֲיוֹת נַפְשׁוֹ בִּימֵי הַבַּצּוֹרֶת – **Now,** [1] **Abraham descended**

65. The Midrash interprets וַיִּקְרָא ("he called out") as if it were vocalized וַיַּקְרֵא ("he caused [others] to call out").

66. "בַּתְּחִלָּה" ("first") is taken from the previous verse: "מִי יַעֲלֶה לָּנוּ אֶל הַכְּנַעֲנִי בַּתְּחִלָּה" (*Who shall go up for us "first" against the Canaanite?*). And the next verse reads: "וַיֹּאמֶר ה׳ יְהוּדָה יַעֲלֶה" (*HASHEM said, "Judah shall go up"*). Judah, then, would be the first tribe to conquer territory from Canaan.

67. Judah was the tribe that initiated the conquest of *Eretz Yisrael* after Joshua's death, and Abraham's move to Judah's territory from Ai foreshadowed that fact. Abraham's first three stations in *Eretz Yisrael* thus presaged the order of the conquest: (1) Shechem – the first place in *Eretz Yisrael* to come under Israelite control, even before official conquest began; (2) Ai – the first place taken by Joshua in the Israelite conquest; and (3) the southern territory; Judah – the first area conquered by the Israelites in the post-

on, journeying steadily toward the south.
10 *There was a famine in the land, and Abram descended*
to Egypt to sojourn there, for the famine was severe
in the land. 11 *And it occurred, as he was about to enter*

רמב״ן

וְהַמִּצְרִים עָשְׁקוּ אוֹתוֹ חִנָּם לָקַחַת אֶת אִשְׁתּוֹ, וְהַקָּדוֹשׁ בָּרוּךְ הוּא נָקַם נִקְמָתוֹ בִּנְגָעִים גְּדוֹלִים, וְהוֹצִיאוֹ מִשָּׁם "בַּמִּקְנֶה בַּכֶּסֶף וּבַזָּהָב" [להלן יג, ב], וְגַם צִוָּה עָלָיו פַּרְעֹה אֲנָשִׁים לְשַׁלְּחָם[68]. נִרְמַז אֵלָיו כִּי בָּנָיו יֵרְדוּ מִצְרַיִם מִפְּנֵי רָעָב לָגוּר שָׁם בָּאָרֶץ, וְהַמִּצְרִים יָרֵעוּ לָהֶם וְיִקְחוּ מֵהֶם הַנָּשִׁים כַּאֲשֶׁר אָמַר "וְכָל הַבַּת תְּחַיּוּן" [שמות א, כב][69], וְהַקָּדוֹשׁ בָּרוּךְ הוּא יִנְקֹם נִקְמָתָם בִּנְגָעִים גְּדוֹלִים עַד שֶׁיּוֹצִיאֵם בְּכֶסֶף וְזָהָב "וְצֹאן וּבָקָר מִקְנֶה כָּבֵד מְאֹד" [שם יב, לח], וְהֶחֱזִיקוּ בָּהֶם "לְשַׁלְּחָם מִן הָאָרֶץ" [שם יב, לג][70]. לֹא נָפַל דָּבָר מִכֹּל מְאוֹרַע הָאָב שֶׁלֹּא הָיָה בַּבָּנִים.

וְהָעִנְיָן הַזֶּה פֵּרְשׁוּהוּ בִּבְרֵאשִׁית רַבָּה [מ, ו]: רַבִּי פִּנְחָס בְּשֵׁם רַבִּי אוֹשַׁעְיָא אָמַר, אָמַר הַקָּדוֹשׁ בָּרוּךְ הוּא לְאַבְרָהָם, צֵא וּכְבֹשׁ אֶת הַדֶּרֶךְ לִפְנֵי בָנֶיךָ. וְאַתָּה מוֹצֵא כָּל מַה שֶּׁכָּתוּב בְּאַבְרָהָם כָּתוּב בְּבָנָיו: בְּאַבְרָהָם כְּתִיב "וַיְהִי רָעָב בָּאָרֶץ", בְּיִשְׂרָאֵל כְּתִיב [להלן מה, ו] "כִּי זֶה שְׁנָתַיִם הָרָעָב בְּקֶרֶב הָאָרֶץ", וְכוּ׳.

RAMBAN ELUCIDATED

to Egypt because of famine, [2] **to sojourn there and keep himself alive during the days of the drought.** **וְהַמִּצְרִים עָשְׁקוּ אוֹתוֹ חִנָּם לָקַחַת אֶת אִשְׁתּוֹ** – [3] **The Egyptians maltreated him without cause,** [4] **by taking his wife.** **וְהַקָּדוֹשׁ בָּרוּךְ הוּא נָקַם נִקְמָתוֹ בִּנְגָעִים גְּדוֹלִים** – [5] **And the Holy One, Blessed is He, exacted vengeance for [Abraham] with *great plagues*** (v. 17) that were inflicted against his tormentor, **וְהוֹצִיאוֹ מִשָּׁם "בַּמִּקְנֶה בַּכֶּסֶף וּבַזָּהָב"** – **and took** [6] **him out of [Egypt] *with livestock, silver and gold*** (below, 13:2). **וְגַם צִוָּה עָלָיו פַּרְעֹה אֲנָשִׁים לְשַׁלְּחָם** – [7] **Moreover, Pharaoh assigned men to [Abraham] to send them away** (v. 20).[68] **נִרְמַז אֵלָיו כִּי בָּנָיו יֵרְדוּ מִצְרַיִם מִפְּנֵי רָעָב לָגוּר שָׁם בָּאָרֶץ** – **It was** thus **alluded to him that** [1] **his offspring would descend to Egypt on account of a famine,** [2] **to sojourn there** temporarily to survive the drought, **וְהַמִּצְרִים יָרֵעוּ לָהֶם וְיִקְחוּ מֵהֶם הַנָּשִׁים כַּאֲשֶׁר אָמַר "וְכָל הַבַּת תְּחַיּוּן"** – **and that** [3] **the Egyptians would mistreat them and** [4] **take the women from them – as it says, *and every daughter shall you keep alive,***[69] (*Exodus* 1:22) **וְהַקָּדוֹשׁ בָּרוּךְ הוּא יִנְקֹם נִקְמָתָם בִּנְגָעִים גְּדוֹלִים עַד שֶׁיּוֹצִיאֵם בְּכֶסֶף וְזָהָב "וְצֹאן וּבָקָר מִקְנֶה כָּבֵד מְאֹד"** – **and** [5] **the Holy One, Blessed is He, would exact vengeance for them with great plagues, until He would** [6] **bring them out with silver and gold** (ibid. 12:35), **and *flock and cattle, very much livestock*** (ibid. 12:38). **וְהֶחֱזִיקוּ בָּהֶם "לְשַׁלְּחָם מִן הָאָרֶץ"** – **And** [7] **they imposed themselves strongly upon them, *to send them out of the land*** (cf. ibid. 12:33).[70] **לֹא נָפַל דָּבָר מִכֹּל מְאוֹרַע הָאָב שֶׁלֹּא הָיָה בַּבָּנִים** – **There was nothing of all the events of the father that did not occur with the descendants.**

[Ramban notes that the Sages make the same observation:]

וְהָעִנְיָן הַזֶּה פֵּרְשׁוּהוּ בִּבְרֵאשִׁית רַבָּה: – **[The Sages] explained this issue in *Bereishis Rabbah*** (40:6): **רַבִּי פִּנְחָס בְּשֵׁם רַבִּי אוֹשַׁעְיָא אָמַר, אָמַר הַקָּדוֹשׁ בָּרוּךְ הוּא לְאַבְרָהָם, צֵא וּכְבֹשׁ אֶת הַדֶּרֶךְ לִפְנֵי בָנֶיךָ** – **Rabbi Pinchas, in the name of Rabbi Oshaia,** said: **The Holy One, Blessed is He, said to Abraham,** as it were, **"Go and pave the way for your children."** **וְאַתָּה מוֹצֵא כָּל מַה שֶּׁכָּתוּב בְּאַבְרָהָם כָּתוּב בְּבָנָיו:** – **For you will find that everything that is written regarding Abraham is** also **written regarding his descendants.** **בְּאַבְרָהָם כְּתִיב "וַיְהִי רָעָב בָּאָרֶץ", בְּיִשְׂרָאֵל כְּתִיב "כִּי זֶה שְׁנָתַיִם הָרָעָב בְּקֶרֶב הָאָרֶץ" וְכוּ׳** – **Concerning Abraham it is written, *There was a famine in the land,* and concerning Israel it is written, *For this has been two of the years of famine in the midst of the land*** (below, 45:6), **etc.**

Joshua era (*Beis HaYayin*).

68. Ramban interprets וַיְשַׁלְּחוּ in 12:20 as "they expelled him," whereas Onkelos, Rashi and Ibn Ezra take it to mean "they accompanied him." (Cf. Rav Saadiah Gaon, as cited in *Toras Chaim,* who agrees with Ramban.)

69. The Midrash (*Shemos Rabbah* 1:18) explains that the Egyptians' only reason for allowing the daughters to live was for immoral purposes.

70. I.e., the Egyptians escorts pressured the Israelites out of Egypt just as Pharaoh assigned escorts to expel Abraham from Egypt.

מִצְרָ֑יְמָה וַיֹּ֨אמֶר֙ אֶל־שָׂרַ֣י אִשְׁתּ֔וֹ הִנֵּה־נָ֣א יָדַ֔עְתִּי
יב כִּ֛י אִשָּׁ֥ה יְפַת־מַרְאֶ֖ה אָֽתְּ׃ וְהָיָ֗ה כִּֽי־יִרְא֤וּ אֹתָךְ֙

לְמִצְרָיִם וַאֲמַר לְשָׂרַי אִתְּתֵהּ הָא כְעַן יְדָעִית אֲרֵי אִתְּתָא שַׁפִּירַת חֵיזוּ אַתְּ׃ יב וִיהֵי כַּד (נ״א אֲרֵי) יֶחֱזוּן יָתִיךְ

רש״י

מסילו ללחת ממנה (תנחומא ה): **(יא) הנה נא ידעתי.** מדרש אגדה, עד עכשיו לא הכיר בה מתוך צניעות שבשניהם, ועכשיו הכיר בה על ידי מעשה (שם). ד״א, מנהג העולם שע״י טורח הדרך אדם מתבזה, וזאת עמדה ביופיה (ב״ר מ:ד). ופשוטו של מקרא, **הנה נא,** הגיעה השעה שיש לדאוג על יפיך. ידעתי זה ימים רבים **כי אשה יפת מראה את**, ועכשיו אנו באים בין אנשים שחורים ומכוערים אחיהם של כושים ולא הורגלו באשה יפה (שם). ודומה לו הנה נא אדני סורו נא (להלן יט:ב):

רמב״ן

וְדַע כִּי אַבְרָהָם אָבִינוּ חָטָא חֵטְא גָּדוֹל בִּשְׁגָגָה, שֶׁהֵבִיא אִשְׁתּוֹ הַצַּדֶּקֶת בְּמִכְשׁוֹל עָוֹן מִפְּנֵי פַּחְדּוֹ פֶּן יַהַרְגוּהוּ, וְהָיָה לוֹ לִבְטוֹחַ בַּשֵּׁם שֶׁיַּצִּיל אוֹתוֹ וְאֶת אִשְׁתּוֹ וְאֶת כָּל אֲשֶׁר לוֹ, כִּי יֵשׁ בֵּאלֹהִים כֹּחַ לַעֲזוֹר וּלְהַצִּיל[71]. גַּם יְצִיאָתוֹ מִן הָאָרֶץ שֶׁנִּצְטַוָּה עָלֶיהָ בַּתְּחִלָּה, מִפְּנֵי הָרָעָב, עָוֹן אֲשֶׁר חֵטְא[72], כִּי הָאֱלֹהִים בְּרָעָב יִפְדֶּנּוּ מִמָּוֶת[73], וְעַל הַמַּעֲשֶׂה הַזֶּה נִגְזַר עַל זַרְעוֹ הַגָּלוּת בְּאֶרֶץ מִצְרַיִם בְּיַד פַּרְעֹה. בִּמְקוֹם הַמִּשְׁפָּט שָׁמָּה הַחֵטְא[74].

[יא-יג] הִנֵּה נָא יָדַעְתִּי ... אִמְרִי נָא אֲחֹתִי אָתְּ. לֹא יָדַעְתִּי לָמָּה פָּחַד מִמֶּנָּה עַתָּה יוֹתֵר מִקֹּדֶם לָכֵן, וְאִם נֹאמַר שֶׁהָיוּ הַמִּצְרִים שְׁחוֹרִים וּמְכוֹעָרִים כְּדִבְרֵי רַשִׁ״י – הִנֵּה גַּם לַאֲבִימֶלֶךְ מֶלֶךְ פְּלִשְׁתִּים אָמַר כֵּן[75]. גַּם הוּא

RAMBAN ELUCIDATED

[Ramban now analyzes Abraham's behavior in going down to Egypt to flee the famine in Canaan:]

וְדַע כִּי אַבְרָהָם אָבִינוּ חָטָא חֵטְא גָּדוֹל בִּשְׁגָגָה – Know that our father Abraham unwittingly committed a great sin, **שֶׁהֵבִיא אִשְׁתּוֹ הַצַּדֶּקֶת בְּמִכְשׁוֹל עָוֹן מִפְּנֵי פַּחְדּוֹ פֶּן יַהַרְגוּהוּ – for he brought his righteous wife to a** potential **pitfall of sin because of his fear that [the Egyptians] may kill him.** **וְהָיָה לוֹ לִבְטוֹחַ בַּשֵּׁם שֶׁיַּצִּיל אוֹתוֹ וְאֶת אִשְׁתּוֹ וְאֶת כָּל אֲשֶׁר לוֹ** – Instead, **he should have trusted in God that He would save him and his wife and all that was his,** **כִּי יֵשׁ בֵּאלֹהִים כֹּחַ לַעֲזוֹר וּלְהַצִּיל – for "God has the power to help and to save."**[71] **גַּם יְצִיאָתוֹ מִן הָאָרֶץ שֶׁנִּצְטַוָּה עָלֶיהָ בַּתְּחִלָּה, מִפְּנֵי הָרָעָב, עָוֹן אֲשֶׁר חֵטְא – Furthermore, his leaving the land that he was originally commanded** to move to, **due to the famine, was "an iniquity which is a sin,"**[72] **כִּי הָאֱלֹהִים בְּרָעָב יִפְדֶּנּוּ מִמָּוֶת – for** he should have known that **God "in famine would deliver him from death."**[73] **וְעַל הַמַּעֲשֶׂה הַזֶּה נִגְזַר עַל זַרְעוֹ הַגָּלוּת בְּאֶרֶץ מִצְרַיִם בְּיַד פַּרְעֹה – And it was on account of this act** of Abraham **that exile in the land of Egypt, under Pharaoh's hand, was decreed upon his descendants.** **בִּמְקוֹם הַמִּשְׁפָּט שָׁמָּה הַחֵטְא – "In the place of judgment – there is the sin."**[74]

11-13. הִנֵּה נָא יָדַעְתִּי ... אִמְרִי נָא אֲחֹתִי אָתְּ – ***BEHOLD, NOW I HAVE KNOWN*** [that you are a woman of beautiful appearance] ***PLEASE SAY THAT YOU ARE MY SISTER.***

[Ramban discusses Abraham's motive for making this request of Sarai:]

לֹא יָדַעְתִּי לָמָּה פָּחַד מִמֶּנָּה עַתָּה יוֹתֵר מִקֹּדֶם לָכֵן – I do not know why [Abraham] was now more fearful regarding [Sarah] than previously, as they traveled through Babylonia, Aram and Canaan. **וְאִם נֹאמַר שֶׁהָיוּ הַמִּצְרִים שְׁחוֹרִים וּמְכוֹעָרִים כְּדִבְרֵי רַשִׁ״י – If we shall say that the Egyptians were "swarthy and ugly"** [and not accustomed to seeing beautiful women]**, as Rashi says,** this would not provide a satisfactory answer, **הִנֵּה גַּם לַאֲבִימֶלֶךְ מֶלֶךְ פְּלִשְׁתִּים אָמַר כֵּן – because he said the same thing** later on **to Abimelech, king of the Philistines** (below, 20:2);[75] **גַּם הוּא**

71. Stylistic paraphrase from *II Chronicles* 25:8.

72. Stylistic citation from *Hosea* 12:9.

73. Stylistic citation from *Job* 5:20.

74. Cf. *Ecclesiastes* 3:16. The intended reference is that Abraham's descendants were enslaved in Egypt, the place where Abraham "sinned." [This assertion of Ramban is highly controversial. Some (*Maharal* in his *Gevuros Hashem*) strongly dispute the attribution of such grave sin to Abraham. Others (*Divrei Shaul,* cited by R' Chavel) suggest that Abraham did not deem himself worthy of miracles. See also *HaKesav VeHa-Kabbalah* here.]

75. Though the Philistines were descendants of the Egyptians (above, 10:14), Ramban assumes that they were not "swarthy and ugly."

Egypt, he said to his wife Sarai, "Behold, now I have known that you are a woman of beautiful appearance.
12 *And it shall occur, when the Egyptians will see you,*

רמב״ן

גַּם יִצְחָק שֶׁהָיָה דָר בָּאָרֶץ הַהִיא בְּמִצְוַת ה׳[76]. אוּלַי הָיוּ הַכְּנַעֲנִים בַּדּוֹר הַהוּא[77] שְׁטוּפִים בַּעֲבוֹדָה זָרָה וּגְדוּרִים מִן הָעֲרָיוֹת יוֹתֵר מֵאַנְשֵׁי מִצְרַיִם וְהַפְּלִשְׁתִּים, וְאֵינֶנּוּ נָכוֹן[78]. וְיִתָּכֵן כִּי לֹא הָיָה לָהֶם פַּחַד רַק בְּבוֹאָם בְּעִיר מוֹשַׁב הַמְּלָכִים, כִּי הָיָה דַּרְכָּם לְהָבִיא לַמֶּלֶךְ הָאִשָּׁה הַיָּפָה מְאֹד וְלַהֲרֹג אֶת בַּעְלָהּ בַּעֲלִילָה שֶׁיָּשִׂימוּ עָלָיו.

וְהַנָּכוֹן בְּעֵינַי כִּי זֶה דַּרְכָּם לָמוֹ מֵעֵת צֵאתָם מֵחָרָן, בְּכָל מָקוֹם הָיָה אוֹמֵר "אֲחוֹתִי הִיא", כִּי כֵן אָמַר [להלן כ, יג] "וַיְהִי כַּאֲשֶׁר הִתְעוּ אוֹתִי אֱלֹהִים מִבֵּית אָבִי וגו׳" אֲבָל הַכָּתוּב יַזְכִּיר זֶה בַּמְּקוֹמוֹת אֲשֶׁר יִתְחַדֵּשׁ לָהֶם עִנְיָן בַּדָּבָר[79], וְהִנֵּה זֵרֵז אוֹתָהּ עַתָּה כַּאֲשֶׁר צִוָּה לָהּ מִתְּחִלָּה.

וְיִצְחָק לֹא פָּחַד בְּאַרְצוֹ וּבְעִירוֹ, רַק בְּבוֹאוֹ אֶל אֶרֶץ פְּלִשְׁתִּים אָחַז דֶּרֶךְ אָבִיו[80].

RAMBAN ELUCIDATED

גַּם יִצְחָק שֶׁהָיָה דָר בָּאָרֶץ הַהִיא בְּמִצְוַת ה׳ – **he** said this **as did Isaac** (below, 26:7), **who lived in that land** (Philistia) **by the command of God** (below, 26:1-3).[76] The question therefore remains: Why did he not make this request of her until now? **אוּלַי הָיוּ הַכְּנַעֲנִים בַּדּוֹר הַהוּא שְׁטוּפִים בַּעֲבוֹדָה זָרָה וּגְדוּרִים מִן הָעֲרָיוֹת יוֹתֵר מֵאַנְשֵׁי מִצְרַיִם וְהַפְּלִשְׁתִּים** – **Perhaps in that generation**[77] **the Canaanites,** though **pervaded with idolatry, were more restrained from sexual immorality than were the people of Egypt and the Philistines.** **וְאֵינֶנּוּ נָכוֹן** – **But this is not correct.**[78] **וְיִתָּכֵן כִּי לֹא הָיָה לָהֶם פַּחַד רַק בְּבוֹאָם בְּעִיר מוֹשַׁב הַמְּלָכִים** – **It is possible that they were not afraid except when they came into a city where the kings resided,** **כִּי הָיָה דַּרְכָּם לְהָבִיא לַמֶּלֶךְ הָאִשָּׁה הַיָּפָה מְאֹד וְלַהֲרֹג אֶת בַּעְלָהּ בַּעֲלִילָה שֶׁיָּשִׂימוּ עָלָיו** – **for it was their custom to bring to the king any woman who was very beautiful, and to kill her husband with** the pretext of **some false accusation that they would lodge against him.** **וְהַנָּכוֹן בְּעֵינַי כִּי זֶה דַּרְכָּם לָמוֹ מֵעֵת צֵאתָם מֵחָרָן** – **The** explanation that appears **most satisfactory to me is that this had been [Abraham and Sarah's] practice ever since they left Haran;** **בְּכָל מָקוֹם הָיָה אוֹמֵר "אֲחוֹתִי הִיא"** – **at every place he would say,** ***She is my sister.*** **כִּי כֵן אָמַר: "וַיְהִי כַּאֲשֶׁר הִתְעוּ אוֹתִי אֱלֹהִים מִבֵּית אָבִי וגו׳"** – **For this is what he said** to Abimelech at a later occasion (below, 20:13): ***And so it was, when God caused me to wander from my father's house,* etc.** *[I said to her, "to whatever place we come, say of me: He is my brother."]* **אֲבָל הַכָּתוּב יַזְכִּיר זֶה בַּמְּקוֹמוֹת אֲשֶׁר יִתְחַדֵּשׁ לָהֶם עִנְיָן בַּדָּבָר** – **But Scripture mentions this** fact only **in those places where some new development arose,** affecting their scheme.[79] **וְהִנֵּה זֵרֵז אוֹתָהּ עַתָּה כַּאֲשֶׁר צִוָּה לָהּ מִתְּחִלָּה** – **So now [Abraham] was** merely **urging her** to continue doing **what he had commanded her** to do **from the start.**

[Ramban notes that it was *not* the common practice of Isaac and Rebecca to claim to be sister and brother.]

וְיִצְחָק לֹא פָּחַד בְּאַרְצוֹ וּבְעִירוֹ, רַק בְּבוֹאוֹ אֶל אֶרֶץ פְּלִשְׁתִּים אָחַז דֶּרֶךְ אָבִיו – **Isaac did not fear** that his wife would be taken from him **in his land and in his city; it was only when he came to the land of the Philistines that he adopted the practice of his father.**[80]

76. One might have suggested that Abraham used this ruse when he traveled to a place without Divine sanction, for he felt that he would not merit God's assistance there. However, this would not account for the incident with Isaac, who dwelt in the Philistines' land by God's explicit command (*Pnei Yerushalayim*).

77. For in later times, when the Torah was given, the Canaanites (along with the Egyptians) were mentioned as the archetypes of sexual immorality (*Leviticus* Chap. 18).

78. The Canaanites of Abraham's time were in fact just as depraved as their descendants (see Ramban below, 13:13 and 34:7).

79. This happened with Pharaoh and Abimelech, who indeed took Sarah to their palaces.

80. Isaac did not have to fear maltreatment in his native city and country, so that the only time he had to resort to this ruse was the single occasion when he left his own environs and went to the Philistines. Abraham, on the other hand, was not a native of the land of Canaan and was considered a "stranger" by the local populace.

הַמִּצְרִים וְאָמְרוּ אִשְׁתּוֹ זֹאת וְהָרְגוּ אֹתִי
יג וְאֹתָךְ יְחַיּוּ: אִמְרִי־נָא אֲחֹתִי אָתְּ לְמַעַן
יִיטַב־לִי בַעֲבוּרֵךְ וְחָיְתָה נַפְשִׁי בִּגְלָלֵךְ:

מִצְרָאֵי וְיֵימְרוּן אִתְּתֵהּ דָא וְיִקְטְלוּן יָתִי וְיָתִיךְ יְקַיְּמוּן: יג אֱמַרִי כְעַן אֲחָתִי אַתְּ בְּדִיל דְּיוֹטִיב לִי בְדִילִיךְ וְתִתְקַיַּם נַפְשִׁי בְּפִתְגָּמָיִכִי:

רש"י

(יג) למען ייטב לי בעבורך. יתנו לי מתנות:

רמב"ן

וְאָמַר **לְמַעַן יִיטַב לִי בַעֲבוּרֵךְ וְחָיְתָה נַפְשִׁי בִּגְלָלֵךְ** כָּל יְמֵי הֱיוֹתֵנוּ גָּרִים בָּאָרֶץ הַזֹּאת עַד עֲבוֹר הָרָעָב[81]. כִּי אַבְרָהָם מִפְּנֵי הָרָעָב בָּא לָגוּר בָּאָרֶץ, וְכַעֲבוֹר הָרָעָב יָשׁוּב לָאָרֶץ אֲשֶׁר נִצְטַוָּה עָלֶיהָ וּנְתָנָהּ הַשֵּׁם לוֹ וּלְזַרְעוֹ. וְהָיָה חוֹשֵׁב שֶׁיְּחַיּוּ נַפְשָׁם בָּרָעָב וְיָבֹא לָהֶם רֶוַח וְהַצָּלָה מֵאֵת הָאֱלֹהִים לָשׁוּב, אוֹ שֶׁיִּתָּכֵן לָהֶם לִבְרֹחַ לְאֶרֶץ כְּנַעַן בְּהִתְיָאֲשָׁם מִמֶּנָּה.

וְכָתַב רַשִׁ"י: **הִנֵּה נָא יָדַעְתִּי.** מִדְרַשׁ אַגָּדָה [תנחומא ה]: עַד עַכְשָׁיו לֹא הִכִּיר בָּהּ מִתּוֹךְ צְנִיעוּתָם, וְעַכְשָׁיו עַל יְדֵי מַעֲשֶׂה הִסְתַּכֵּל בָּהּ[82]. דָּבָר אַחֵר [ב"ר מ, ד]: שֶׁעַל יְדֵי הַדֶּרֶךְ אָדָם מִתְבַּזֶּה וְזוֹ עוֹמֶדֶת בְּיָפְיָהּ[83]. וּלְפִי פְּשׁוּטוֹ: הִנֵּה נָא הִגִּיעַ הַשָּׁעָה שֶׁיֵּשׁ לִדְאוֹג עַל יָפְיֵךְ, וְיָדַעְתִּי זֶה כַּמָּה יָמִים כִּי יְפַת מַרְאֶה אָתְּ.

RAMBAN ELUCIDATED

[However, Abraham's statement: *"that ... I may live on account of you,"* implies that Sarah had not previously heard of this reason for the scheme! Ramban therefore presents a different explanation of these words:]

וְאָמַר "לְמַעַן יִיטַב לִי בַעֲבוּרֵךְ וְחָיְתָה נַפְשִׁי בִּגְלָלֵךְ" – **[Abraham] said,** ***that it may go well with me for your sake, and that I may live on account of you,*** כָּל יְמֵי הֱיוֹתֵנוּ גָּרִים בָּאָרֶץ הַזֹּאת עַד עֲבוֹר הָרָעָב – meaning **"all the days that we are sojourning in this land, until the famine passes."**[81] כִּי אַבְרָהָם מִפְּנֵי הָרָעָב בָּא לָגוּר בָּאָרֶץ – **For it was due to the famine that Abraham came to sojourn in the land,** וְכַעֲבוֹר הָרָעָב יָשׁוּב לָאָרֶץ אֲשֶׁר נִצְטַוָּה עָלֶיהָ וּנְתָנָהּ הַשֵּׁם לוֹ וּלְזַרְעוֹ – **and as soon as the famine would pass he would return to the land to which he was commanded** to go, **and which God had given to him and his descendants.** וְהָיָה חוֹשֵׁב שֶׁיְּחַיּוּ נַפְשָׁם בָּרָעָב וְיָבֹא לָהֶם רֶוַח וְהַצָּלָה מֵאֵת הָאֱלֹהִים לָשׁוּב – **His thought was that they would keep themselves alive throughout the famine** by moving temporarily to Egypt, **and that** there **relief and salvation would come to them from God,** enabling them **to return;** אוֹ שֶׁיִּתָּכֵן לָהֶם לִבְרֹחַ לְאֶרֶץ כְּנַעַן בְּהִתְיָאֲשָׁם מִמֶּנָּה – **or it would become possible for them to flee to the land of Canaan when [the Egyptians] would take their minds off her.**

[Ramban now turns to another difficult phrase in our verse: *Behold, now I have known that you are a woman of beautiful appearance.* Was Abraham not aware of this before? Ramban begins by citing Rashi's three responses to this question:]

וְכָתַב רַשִׁ"י – Rashi writes:

"הִנֵּה נָא יָדַעְתִּי", מִדְרַשׁ אַגָּדָה: עַד עַכְשָׁיו לֹא הִכִּיר בָּהּ מִתּוֹךְ צְנִיעוּתָם – ***Behold, now I have known*** – **An aggadic Midrash** says: **Until now he had not noticed** the quality of beauty **in her, due to their modesty.** וְעַכְשָׁיו עַל יְדֵי מַעֲשֶׂה הִסְתַּכֵּל בָּהּ – **But now, as the result of an incident, he looked at her.**[82] דָּבָר אַחֵר: – **Another** Aggadic **interpretation** (*Bereishis Rabbah* 40:4): שֶׁעַל יְדֵי הַדֶּרֶךְ אָדָם מִתְבַּזֶּה וְזוֹ עוֹמֶדֶת בְּיָפְיָהּ – **As a result of the hardship of travel a person becomes unsightly, but this one,** Sarah, **remained with her beauty** despite the journey.[83] וּלְפִי פְּשׁוּטוֹ: הִנֵּה נָא הִגִּיעַ הַשָּׁעָה שֶׁיֵּשׁ לִדְאוֹג עַל יָפְיֵךְ – **According to the simple meaning**, however, the verse is saying: **Behold now – the time has come to be concerned about your beauty.** וְיָדַעְתִּי זֶה כַּמָּה יָמִים כִּי יְפַת מַרְאֶה אָתְּ –

81. Abraham was not explaining to her that the reason she had to lie was to save him from being murdered, for she knew that already; rather, he was reassuring her that the situation would only be temporary, and the ruse would continue only as long as the famine lasted. He needed her to pretend to be his sister only "so that he might live" – and not die from *famine.*

82. When they arrived at the Nile, Abraham saw Sarah's reflection in the water and became aware of her beauty (*Tanchuma* 5). According to this interpretation, Abraham did indeed just now become aware of his wife's beauty.

83. According to this interpretation, Abraham now became aware of a new aspect of Sarah's beauty.

they will say, 'This is his wife!'; then they will kill me, but you they will let live. 13 *Please say that you are my sister, that it may go well with me for your sake, and that I may live on account of you."*

רמב״ן

וְעַכְשָׁיו אָנוּ בָּאִים בֵּין בְּנֵי אָדָם שְׁחוֹרִים, אֲחֵיהֶם שֶׁל כּוּשִׁים, וְלֹא הוּרְגְּלוּ בְּאִשָּׁה יָפָה[84]. וְדוֹמֶה לוֹ "הִנֵּה נָּא אֲדֹנַי סוּרוּ נָא"[85] [להלן יט, ב].

כָּל זֶה לְשׁוֹן הָרַב, וְהַמִּדְרָשׁ קַבָּלָה בַּעֲנָוָה שֶׁבָּהֶם, וְנִסְמָךְ לַמִּקְרָא.

אֲבָל אֵין צוֹרֶךְ לְכָל הַדְּבָרִים הָאֵלֶּה, שֶׁאֵין מִלַּת "נָא" מוֹרָה עַל דָּבָר שֶׁיִּתְחַדֵּשׁ בָּעֵת הַהִיא בִּלְבַד, אֲבָל עַל כָּל דָּבָר הוֶֹה וְעוֹמֵד יֹאמְרוּ כֵּן, כִּי הוּא רוֹמֵז עַל הָעִנְיָן לוֹמַר שֶׁהוּא עַתָּה כָּכָה: "הִנֵּה נָא יָדַעְתִּי כִּי אִשָּׁה יְפַת מַרְאֶה אָתְּ" מֵאָז וְעַד עַתָּה. וְכֵן "הִנֵּה נָא עֲצָרַנִי ה׳ מִלֶּדֶת" [להלן טז, ב], מִנְּעוּרַי וְעַד הַיּוֹם הַזֶּה. וְכֵן "הִנֵּה נָא לִי שְׁתֵּי בָנוֹת" [להלן יט, ח], כִּי לֹא נוֹלְדוּ עַתָּה, וְכֻלָּם כָּכָה.

וְיֵרָאֶה מִפְּשַׁט הַכְּתוּבִים כִּי שָׂרָה לֹא קִבְּלָה עָלֶיהָ לֵאמֹר כֵּן[86], אֲבָל הַמִּצְרִים הָיוּ רָעִים וְחַטָּאִים מְאֹד[87],

RAMBAN ELUCIDATED

And I have known – for many days, i.e., for a long time, **that you are of beautiful appearance.** וְעַכְשָׁיו אָנוּ בָּאִים בֵּין בְּנֵי אָדָם שְׁחוֹרִים, אֲחֵיהֶם שֶׁל כּוּשִׁים, וְלֹא הוּרְגְּלוּ בְּאִשָּׁה יָפָה – **But now we are coming among swarthy people, brothers of Cushites, and they are not accustomed to** seeing **a beautiful woman.**[84] וְדוֹמֶה לוֹ "הִנֵּה נָּא אֲדֹנַי סוּרוּ נָא" – **Similar to it** is נָא in, ***Behold now, my lords; turn aside, now*** (below, 19:2).[85]

כָּל זֶה לְשׁוֹן הָרַב – **All this is a quote from the Rabbi** (Rashi). וְהַמִּדְרָשׁ קַבָּלָה בַּעֲנָוָה שֶׁבָּהֶם וְנִסְמָךְ לַמִּקְרָא – **The Midrash** upon which Rashi based these interpretations **is** relating **a tradition about the** extraordinary **modesty of [Abraham and Sarah], and attaches** this tradition **to** our **verse.**

אֲבָל אֵין צוֹרֶךְ לְכָל הַדְּבָרִים הָאֵלֶּה – **However, there is no need for all these interpretations.** שֶׁאֵין מִלַּת "נָא" מוֹרָה עַל דָּבָר שֶׁיִּתְחַדֵּשׁ בָּעֵת הַהִיא בִּלְבַד – **For the word** נָא **does not necessarily indicate a new situation that has just then arisen;** אֲבָל עַל כָּל דָּבָר הוֶֹה וְעוֹמֵד יֹאמְרוּ כֵּן – **rather, concerning any matter that is current and ongoing [the word** נָא**] is used,** כִּי הוּא רוֹמֵז עַל הָעִנְיָן לוֹמַר שֶׁהוּא עַתָּה כָּכָה: – **for** [נָא] **alludes to any situation where the intent is to convey that it is currently that way** and is ongoing, "הִנֵּה נָא יָדַעְתִּי כִּי אִשָּׁה יְפַת מַרְאֶה אָתְּ" מֵאָז וְעַד עַתָּה – ***Behold, now, I have known that you are a woman of beautiful appearance*** means "that you have always been a woman of beautiful appearance, **from long ago, and up to the present."** וְכֵן "הִנֵּה נָא עֲצָרַנִי ה׳ מִלֶּדֶת", מִנְּעוּרַי וְעַד הַיּוֹם הַזֶּה – **And likewise, *See, now, HASHEM has restrained me from bearing*** (below, 16:2) means **"From my youth, and up to this day** He has restrained me from bearing children." וְכֵן "הִנֵּה נָא לִי שְׁתֵּי בָנוֹת", כִּי לֹא נוֹלְדוּ עַתָּה – **And likewise *See,*** (נָא) ***now, I have two daughters*** (below, 19:8) means "I *presently have* two daughters," **for they were not** just **born to him now!** וְכֻלָּם כָּכָה – **And all of them are like this** whenever Scripture says הִנֵּה נָא.

[Below, in vv. 18-19, Pharaoh reproaches Abraham with a double rebuke: (1) *"What is this you have done to me? Why did you not tell me that she is your wife?"* (2) *"Why did you say, 'She is my sister,' [so that I took her as my wife]?"* Yet he does not criticize Sarah. Based on this, Ramban makes several inferences:]

וְיֵרָאֶה מִפְּשַׁט הַכְּתוּבִים כִּי שָׂרָה לֹא קִבְּלָה עָלֶיהָ לֵאמֹר כֵּן – **Now, it appears from the plain reading of these verses that Sarah did not commit herself to saying this,** i.e., that she was Abraham's sister.[86] אֲבָל הַמִּצְרִים הָיוּ רָעִים וְחַטָּאִים מְאֹד – **But the Egyptians were "very evil and sinful,"**[87]

84. According to this interpretation, Abraham had always known of Sarah's beauty; but now this had become a problem for them.

85. There, too, נָא does not imply a newly discovered fact, but that the present situation requires that precautions be taken. See Rashi ad loc.

86. For it was only Abraham that Pharaoh rebuked for not revealing that Sarah was his wife.

87. Stylistic citation from below, 13:13. Unlike Abimelech of the Philistines, who took Sarah only after being told that she was Abraham's sister (below, 20:2), the Egyptians did not even bother to ask whether she was a married woman before taking her.

שני
יד וַיְהִ֕י כְּב֥וֹא אַבְרָ֖ם מִצְרָ֑יְמָה וַיִּרְא֤וּ הַמִּצְרִים֙
טו אֶת־הָ֣אִשָּׁ֔ה כִּֽי־יָפָ֥ה הִ֖וא מְאֹֽד׃ וַיִּרְא֤וּ אֹתָהּ֙
שָׂרֵ֣י פַרְעֹ֔ה וַיְהַֽלְל֥וּ אֹתָ֖הּ אֶל־פַּרְעֹ֑ה וַתֻּקַּ֥ח
טז הָאִשָּׁ֖ה בֵּ֥ית פַּרְעֹֽה׃ וּלְאַבְרָ֥ם הֵיטִ֖יב בַּעֲבוּרָ֑הּ
וַֽיְהִי־ל֤וֹ צֹאן־וּבָקָר֙ וַחֲמֹרִ֔ים וַעֲבָדִים֙ וּשְׁפָחֹ֔ת
יז וַאֲתֹנֹ֖ת וּגְמַלִּֽים׃ וַיְנַגַּ֨ע יְהוָ֧ה ׀ אֶת־פַּרְעֹ֛ה נְגָעִ֥ים
גְּדֹלִ֖ים וְאֶת־בֵּית֑וֹ עַל־דְּבַ֥ר שָׂרַ֖י אֵ֥שֶׁת אַבְרָֽם׃

יד וַהֲוָה כַּד עַל אַבְרָם לְמִצְרָיִם
וַחֲזוֹ מִצְרָאֵי יָת אִתְּתָא אֲרֵי
שַׁפִּירְתָא הִיא לַחֲדָא: טו וַחֲזוֹ
יָתַהּ רַבְרְבֵי פַּרְעֹה וְשַׁבַּחוּ
יָתַהּ לְפַרְעֹה וְאִדַּבָּרַת אִתְּתָא
לְבֵית פַּרְעֹה: טז וּלְאַבְרָם אוֹטִיב
בְּדִילַהּ וַהֲווֹ לֵהּ עָאן וְתוֹרִין
וַחֲמָרִין וְעַבְדִין וְאַמְהָן וְאַתְנָן
וְגַמְלִין: יז וְאַיְתִי יְיָ עַל פַּרְעֹה
מַכְתָּשִׁין רַבְרְבִין וְעַל אֱנָשׁ בֵּיתֵהּ
עַל עֵיסַק שָׂרַי אִתַּת אַבְרָם:

רש"י

(יד) ויהי כבוא אברם מצרימה. היה לו לומר כבואם מצרימה, אלא למד שהטמין אותה בתיבה, וע"י שתבעו את המכס פתחו וראו אותה (ב"ר שם ה; תנחומא שם): **(טו) ויהללו אתה אל פרעה.** הללוה ביניהם לומר הגונה זו למלך (תנחומא שם): **(טז) ולאברם היטיב.** פרעה בעבורה [נתן לו מתנות]: **(יז) וינגע ה' וגו'.** במכת ראתן לקה, שהתשמיש קשה לו (ב"ר מא:ב): **ואת ביתו.** כתרגומו ועל אינש ביתיה [ומדרשו לרבות כותליו עמודיו וכליו (תנחומא שם)]: **על דבר שרי.** על פי דבורה, אומרת למלאך הך והוא מכה (ב"ר שם; תנחומא שם):

רמב"ן

וְכַאֲשֶׁר רָאוּ אוֹתָהּ וַיְהַלְלוּ אוֹתָהּ אֶל פַּרְעֹה, לֻקְּחָה אֶל בֵּיתוֹ, וְלֹא שָׁאֲלוּ בָּהֶם כְּלָל אִם הִיא אִשְׁתּוֹ אוֹ אֲחוֹתוֹ, וְהִיא שָׁתְקָה וְלֹא הִגִּידָה כִּי אִשְׁתּוֹ הִיא, וְאַבְרָהָם סִפֵּר מֵעַצְמוֹ כִּי אֲחוֹתוֹ הִיא, וּלְכָךְ הֵיטִיבוּ לוֹ בַּעֲבוּרָהּ[88]. וְזֶהוּ שֶׁאָמַר הַכָּתוּב [לקמן פסוק יח]: "מַה זֹּאת עָשִׂיתָ לִּי לָמָּה לֹא הִגַּדְתָּ לִּי כִּי אִשְׁתְּךָ הִיא". הֶאֱשִׁים אוֹתוֹ כִּי בִּרְאוֹתוֹ שֶׁיִּקְחוּ אוֹתָהּ הָיָה לוֹ לְהַגִּיד לְפַרְעֹה כִּי אִשְׁתּוֹ הִיא, וְחָזַר וְהֶאֱשִׁים אוֹתוֹ עַל אָמְרוֹ אַחֲרֵי כֵן לַשָּׂרִים וּלְבֵית פַּרְעֹה כִּי אֲחוֹתוֹ הִיא. וְלֹא הֶאֱשִׁים אֶת הָאִשָּׁה כְּלָל, כִּי אֵין רָאוּי שֶׁתַּכְחִישׁ הִיא אֶת בַּעְלָהּ, וְהָרָאוּי לָהּ שֶׁתִּשְׁתּוֹק.

[טו] וְטַעַם **וַיִּרְאוּ אֹתָהּ שָׂרֵי פַרְעֹה,** כִּי כַּאֲשֶׁר רָאוּ אוֹתָהּ הַמִּצְרִים אָמְרוּ רְאוּיָה זֹאת לַשָּׂרִים הַגְּדוֹלִים,

RAMBAN ELUCIDATED

וְכַאֲשֶׁר רָאוּ אוֹתָהּ וַיְהַלְלוּ אוֹתָהּ אֶל פַּרְעֹה לֻקְּחָה אֶל בֵּיתוֹ, וְלֹא שָׁאֲלוּ בָּהֶם כְּלָל אִם הִיא אִשְׁתּוֹ אוֹ אֲחוֹתוֹ – **and when they saw her and *lauded her for Pharaoh*** (v. 15), **she was taken to his house, without their asking [Abraham and Sarah] at all whether she was his wife or his sister.** **וְהִיא שָׁתְקָה וְלֹא הִגִּידָה כִּי אִשְׁתּוֹ הִיא** – **She** herself **remained silent, and did not tell** them **that she was [Abraham's] wife.** **וְאַבְרָהָם סִפֵּר מֵעַצְמוֹ כִּי אֲחוֹתוֹ הִיא** – Afterwards, **Abraham, on his own, told** them **that she was his sister,** **וּלְכָךְ הֵיטִיבוּ לוֹ בַּעֲבוּרָהּ** – **and this is why they *treated him well for her sake***[88] (v. 16). **וְזֶהוּ שֶׁאָמַר הַכָּתוּב: "מַה זֹּאת עָשִׂיתָ לִּי לָמָּה לֹא הִגַּדְתָּ לִּי כִּי אִשְׁתְּךָ הִיא"** – **This is why Scripture says [quoting Pharaoh], *"What is this you have done to me? Why did you not tell me that she is your wife?"*** (v. 18): **הֶאֱשִׁים אוֹתוֹ כִּי בִּרְאוֹתוֹ שֶׁיִּקְחוּ אוֹתָהּ הָיָה לוֹ לְהַגִּיד לְפַרְעֹה כִּי אִשְׁתּוֹ הִיא** – **He reproached him that when [Abraham] saw that they were taking [Sarah] he should have** spoken up and **told Pharaoh that she was his wife.** **וְחָזַר וְהֶאֱשִׁים אוֹתוֹ עַל אָמְרוֹ אַחֲרֵי כֵן לַשָּׂרִים וּלְבֵית פַּרְעֹה כִּי אֲחוֹתוֹ הִיא** – Then **he additionally reproached him for having subsequently** told **the officers and to the household of Pharaoh that [Sarah] was his sister**: *"Why did you say, 'She is my sister'?"* (v. 19). **וְלֹא הֶאֱשִׁים אֶת הָאִשָּׁה כְּלָל** – **But he did not reproach the woman** (Sarah) **at all,** **כִּי אֵין רָאוּי שֶׁתַּכְחִישׁ הִיא אֶת בַּעְלָהּ, וְהָרָאוּי לָהּ שֶׁתִּשְׁתּוֹק** – **for it was not appropriate for her to contradict her husband; the appropriate thing for her was to remain silent,** as she did.

15. וַיִּרְאוּ אֹתָהּ שָׂרֵי פַרְעֹה – ***WHEN THE OFFICIALS OF PHARAOH SAW HER.***

[The previous verse states, *"The Egyptians saw" that the woman was very beautiful.* Why does it repeat now that *"the officials of Pharaoh saw" her*? Ramban explains:]

וְטַעַם "וַיִּרְאוּ אֹתָהּ שָׂרֵי פַרְעֹה" – **The explanation for *When the officials of Pharaoh saw her*** **כִּי כַּאֲשֶׁר רָאוּ אוֹתָהּ הַמִּצְרִים אָמְרוּ רְאוּיָה זֹאת לַשָּׂרִים הַגְּדוֹלִים** – **is that** at first, **when the Egyptians saw her**

88. I.e., they gave him dowry money for his "sister."

Though Scripture here does not record that Abraham told the Egyptians that Sarah was his sister, it is implicit from the fact that they "treated him well for

[14] *But it occurred, with Abram's coming to Egypt, the Egyptians saw that the woman was very beautiful.* [15] *When the officials of Pharaoh saw her, they lauded her for Pharaoh, and the woman was taken to Pharaoh's house.* [16] *And he treated Abram well for her sake, and he acquired sheep, cattle, donkeys, slaves and maidservants, female donkeys and camels.*

[17] *But* HASHEM *afflicted Pharaoh along with his household with severe plagues because of the matter of Sarai, the wife of Abram.*

רמב״ן

וְהִנֵּה הֱבִיאוּהָ אֲלֵיהֶם. וְגַם הֵם יָרְאוּ לְנַפְשָׁם מִנְּגוֹעַ בָּהּ, כִּי מִפְּנֵי הַיֹּפִי הַגָּדוֹל יָדְעוּ כִּי הַמֶּלֶךְ יַחְפֹּץ בָּהּ מְאֹד.

□ **וַיְהַלְלוּ אֹתָהּ** בֵּינֵיהֶם לוֹמַר רְאוּיָה[88b] הִיא לַמֶּלֶךְ. לְשׁוֹן רַשִׁ״י. וְזֶה דַעַת אוּנְקְלוֹס שֶׁאָמַר ״וְשַׁבַּחוּ יָתַהּ לְוָת פַּרְעֹה״[89].

אוֹ שֶׁהִלְּלוּהָ אֶל הַמֶּלֶךְ עַצְמוֹ, וְשָׁלַח וּלְקָחָהּ[90].

[יז] וְטַעַם **עַל דְּבַר שָׂרַי אֵשֶׁת אַבְרָם**, כִּי בַּעֲבוּר הֶחָמָס שֶׁעָשָׂה לְשָׂרָה גַּם לְאַבְרָהָם[91], וּבִזְכוּת שְׁנֵיהֶם בָּאוּ עָלָיו הַנְּגָעִים הַגְּדוֹלִים הָהֵם.

RAMBAN ELUCIDATED

(v. 14), **they said, "This** woman **is worthy** to become a wife **for** one of **the high officials."** וְהִנֵּה הֱבִיאוּהָ אֲלֵיהֶם – **Thus, they brought her to those** high officials. וְגַם הֵם יָרְאוּ לְנַפְשָׁם מִנְּגוֹעַ בָּהּ, כִּי מִפְּנֵי הַיֹּפִי הַגָּדוֹל יָדְעוּ כִּי הַמֶּלֶךְ יַחְפֹּץ בָּהּ מְאֹד – **But they, too, were afraid for their lives to touch her** and marry her, **for owing to** her **great beauty they knew that the king would very much desire** to marry **her.**

□ "וַיְהַלְלוּ אֹתָהּ" – *THEY LAUDED HER* [*for* (or *to*) *Pharaoh*].

[Ramban presents two possible interpretations for this phrase, the first being Rashi's:]

בֵּינֵיהֶם לוֹמַר רְאוּיָה הִיא לַמֶּלֶךְ – [*They lauded her*] **among themselves, saying, "She is fit**[88a] **for the king!"** לְשׁוֹן רַשִׁ״י – This is **a quote from Rashi.**

וְזֶה דַעַת אוּנְקְלוֹס שֶׁאָמַר "וְשַׁבַּחוּ יָתַהּ לְוָת פַּרְעֹה" – **This is also the opinion of Onkelos, who says,** וְשַׁבַּחוּ יָתַהּ לְוָת פַּרְעֹה **("they lauded her for Pharaoh").**[89]

[Ramban now proposes an alternative interpretation for this phrase:]

אוֹ שֶׁהִלְּלוּהָ אֶל הַמֶּלֶךְ עַצְמוֹ, וְשָׁלַח וּלְקָחָהּ – **Alternatively,** it means **that they lauded her to the king himself,** speaking to him directly, **and he sent** for her **and took her.**[90]

17. [עַל דְּבַר שָׂרַי אֵשֶׁת אַבְרָם] – *BECAUSE OF THE MATTER OF SARAI, THE WIFE OF ABRAM.*]

[Why does the Torah find it necessary here to identify Sarai as *the wife of Abram*? Ramban explains:]

וְטַעַם "עַל דְּבַר שָׂרַי אֵשֶׁת אַבְרָם" – **The explanation of** ***because of the matter of Sarai, the wife of Abram*** כִּי בַּעֲבוּר הֶחָמָס שֶׁעָשָׂה לְשָׂרָה גַּם לְאַבְרָהָם, וּבִזְכוּת שְׁנֵיהֶם בָּאוּ עָלָיו הַנְּגָעִים הַגְּדוֹלִים הָהֵם – **is that it was on account of the injustice [Pharaoh] had done to Sarah as well as to Abraham**[91] **– and in the merit of both – that those "severe plagues" came upon him.**

---

her sake."

88a. Extant texts of Rashi have the word הֲגוּנָה, *appropriate,* rather than רְאוּיָה, *fit.*

89. The conjunction, "לְוָת" — toward (or *for*), indicates that they were not addressing Pharaoh, but, rather, discussing her in *regard* to Pharaoh. (In today's editions of Onkelos, however, the reading is in fact לְפַרְעֹה.)

90. According to the first explanation, Pharaoh did not send for her, for he knew nothing of her. Rather, she was brought before him by the officials, who led him to believe that she was eligible for marriage. [Accordingly, Pharaoh would seem to have been an innocent party in the whole affair. Why, then, was he punished (v. 17)? Therefore, Ramban suggests the second explanation according to which the officers spoke directly to Pharaoh of the woman and *he personally* sent for her and took her to his palace without inquiring as to her status. This conduct was indeed deserving of punishment (*Tuv Yerushalayim*).]

91. Forcibly taking a woman is referred to as "חָמָס" by Ramban above, 6:4.

יח וַיִּקְרָא פַרְעֹה לְאַבְרָם וַיֹּאמֶר מַה־זֹּאת עָשִׂיתָ
יט לִּי לָמָּה לֹא־הִגַּדְתָּ לִּי כִּי אִשְׁתְּךָ הִוא: לָמָה
אָמַרְתָּ אֲחֹתִי הִוא וָאֶקַּח אֹתָהּ לִי לְאִשָּׁה
כ וְעַתָּה הִנֵּה אִשְׁתְּךָ קַח וָלֵךְ: וַיְצַו עָלָיו פַּרְעֹה
אֲנָשִׁים וַיְשַׁלְּחוּ אֹתוֹ וְאֶת־אִשְׁתּוֹ וְאֶת־כָּל־
יג א אֲשֶׁר־לוֹ: וַיַּעַל אַבְרָם מִמִּצְרַיִם הוּא וְאִשְׁתּוֹ
ב וְכָל־אֲשֶׁר־לוֹ וְלוֹט עִמּוֹ הַנֶּגְבָּה: וְאַבְרָם כָּבֵד
ג מְאֹד בַּמִּקְנֶה בַּכֶּסֶף וּבַזָּהָב: וַיֵּלֶךְ לְמַסָּעָיו מִנֶּגֶב
וְעַד־בֵּית־אֵל עַד־הַמָּקוֹם אֲשֶׁר־הָיָה שָׁם אָהֳלֹה

יח וּקְרָא פַרְעֹה לְאַבְרָם וַאֲמַר מָה דָא עֲבַדְתְּ לִי לְמָא לָא חַוֵּיתָא לִי אֲרֵי אִתְּתָךְ הִיא: יט לְמָא אֲמַרְתְּ אֲחָתִי הִיא וּדְבָרִית יָתַהּ לִי לְאִנְתּוּ וּכְעַן הָא אִתְּתָךְ דְּבַר וְאִיזֵיל: כ וּפַקֵּיד עֲלוֹהִי פַּרְעֹה גּוּבְרִין וְאַלְוִיאוּ יָתֵהּ וְיָת אִתְּתֵהּ וְיָת כָּל דִּי לֵהּ: א וּסְלִיק אַבְרָם מִמִּצְרַיִם הוּא וְאִתְּתֵהּ וְכָל דִּי לֵהּ וְלוֹט עִמֵּהּ לְדָרוֹמָא: ב וְאַבְרָם תַּקִּיף לַחֲדָא בִּבְעִירָא בְּכַסְפָּא וּבְדַהֲבָא: ג וַאֲזַל לְמַטְלָנוֹהִי מִדָּרוֹמָא וְעַד בֵּית אֵל עַד אַתְרָא דִּי פְרַס תַּמָּן מַשְׁכְּנֵהּ

רש"י

(יט) קח ולך. ולא כאבימלך שאמר לו הנה ארצי לפניך (להלן כ:טו) אלא אמר לו לך ואל תעמוד, שהמצרים שטופי זמה הם, שנא' וזרמת סוסים זרמתם (יחזקאל כג:כ; מדרש אגדה): **(כ) ויצו עליו.** על אודותיו לשלחו ולשמרו: **וישלחו.** כתרגומו ואלויאו: **(א) ויעל אברם וגו' הנגבה.** לבא לדרומה של ארץ ישראל. כמו שאמר למעלה (יב:ט) הלוך ונסוע הנגבה, להר המוריה. ומכל מקום כשהוא הולך ממצרים לארץ כנען מדרום לצפון הוא מהלך, שארץ מצרים בדרומה של ארץ ישראל, כמו שמוכיח במסעות ובגבולי הארץ: **(ב) כבד מאד.** טעון משאות: **(ג) וילך למסעיו.** כשחזר ממצרים לארץ כנען היה הולך ולן באכסניות שלן בהם בהליכתו למצרים (ב"ר מא:ג), למדך דרך ארץ שלא ישנה אדם מאכסניא שלו (ערכין טז:). ד"א, בחזרתו פרע הקפותיו (ב"ר שם): **מנגב.** ארץ מצרים בדרומה של ארץ כנען:

רמב"ן

[יח-כ] וַיִּקְרָא פַרְעֹה לְאַבְרָם. יִתָּכֵן כִּי בְּבֹא הַנְּגָעִים פִּתְאוֹם עָלָיו וְעַל בֵּיתוֹ בָּעֵת אֲשֶׁר לֻקְּחָה שָׂרָה אֶל בֵּיתוֹ הִרְהֵר בְּדַעְתּוֹ לֵאמֹר: מַה זֹּאת עָשָׂה אֱלֹהִים לָנוּ? וְשָׁאַל אוֹתָהּ, וְהִגִּידָה כִּי הִיא אִשְׁתּוֹ, וְלָכֵן קָרָא לְאַבְרָהָם וְהֶאֱשִׁים אוֹתוֹ[92].

אוֹ כַּאֲשֶׁר אָמְרוּ רַבּוֹתֵינוּ[93] שֶׁלָּקָה בְּרַאֲתָן שֶׁהַמִּשְׁגָּל קָשֶׁה לוֹ, וְחָשַׁשׁ כִּי שֶׁמָּא אִשְׁתּוֹ הִיא[94], וְאָמַר לוֹ בְּסָפֵק "**מַה זֹּאת עָשִׂיתָ לִּי?**" לְהוֹצִיא מִפִּיו הָאֱמֶת. כִּי אִם הָיְתָה אֲחוֹתוֹ הָיָה אוֹמֵר "אָמְנָם אֲחוֹתִי הִיא",

RAMBAN ELUCIDATED

18. וַיִּקְרָא פַרְעֹה לְאַבְרָם – ***PHARAOH SUMMONED ABRAM.***

[How did Pharaoh realize that Sarah was Abraham's wife? Ramban offers two suggestions:]

יִתָּכֵן כִּי בְּבֹא הַנְּגָעִים פִּתְאוֹם עָלָיו וְעַל בֵּיתוֹ בָּעֵת אֲשֶׁר לֻקְּחָה שָׂרָה אֶל בֵּיתוֹ הִרְהֵר בְּדַעְתּוֹ לֵאמֹר מַה זֹּאת עָשָׂה אֱלֹהִים לָנוּ – It is possible that when the plagues suddenly came upon him and his household precisely **at the time when Sarah was taken to his house, he thought to himself, saying, "What is this that God has done to us?"** **וְשָׁאַל אוֹתָהּ וְהִגִּידָה כִּי הִיא אִשְׁתּוֹ** – **He** then **asked her and she told** him **that she was [Abraham's] wife,** **וְלָכֵן קָרָא לְאַבְרָהָם וְהֶאֱשִׁים אוֹתוֹ** – **and this is why he called Abraham and reproached him.**[92]

אוֹ כַּאֲשֶׁר אָמְרוּ רַבּוֹתֵינוּ שֶׁלָּקָה בְּרַאֲתָן שֶׁהַמִּשְׁגָּל קָשֶׁה לוֹ – **Alternatively,** it is **as the Sages said,**[93] **that he was stricken with *raathan*,** a disease **which makes conjugal relations difficult,** **וְחָשַׁשׁ כִּי שֶׁמָּא אִשְׁתּוֹ הִיא** – **and,** as a result, **he suspected that perhaps [Sarah] was [Abraham's] wife.**[94] **וְאָמַר לוֹ בְּסָפֵק "מַה זֹּאת עָשִׂיתָ לִּי", לְהוֹצִיא מִפִּיו הָאֱמֶת** – **He** then **said to [Abraham] with doubt** in his mind, ***"What is this you have done to me?"*** **in order to elicit the truth from his mouth.** **כִּי אִם הָיְתָה אֲחוֹתוֹ הָיָה אוֹמֵר "אָמְנָם אֲחוֹתִי הִיא"** – **For if she** really **was his sister he would** be expected to **say,**

92. According to this explanation, it was the *timing* of the plague that made Pharaoh suspicious but he did not confront Abraham until Sarah admitted to being Abraham's wife.

93. *Bereishis Rabbah* 41:2, quoted by Rashi on v. 17.

94. According to this explanation, it was the *nature* of the plague that made Pharaoh suspicious. This was enough to warrant a confrontation with Abraham (*Beis HaYayin*).

18 *Pharaoh summoned Abram and said, "What is this you have done to me? Why did you not tell me that she is your wife?* 19 *Why did you say, 'She is my sister,' so that I took her as my wife? Now, here is your wife; take her and go!"* 20 *So Pharaoh gave men orders concerning him, and they sent away him and his wife and all that was his.*

13 1 *So Abram went up from Egypt, he with his wife and all that was his — and Lot with him — to the south.* 2 *Now Abram was very laden with livestock, silver and gold.* 3 *He proceeded on his journeys from the south to Beth-el to the place where his tent had been*

רמב״ן

וְאָמַר "**וְעַתָּה הִנֵּה אִשְׁתְּךָ קַח וָלֵךְ**" לִרְאוֹת מַה יְּדַבֵּר וּמַה יָּשִׁיב עַל תּוֹכַחְתּוֹ[95]. וְאַבְרָהָם שָׁתַק מִמֶּנּוּ וְלֹא הֵשִׁיב אוֹתוֹ דָּבָר מֵרֹב פַּחְדּוֹ. אָז הֵבִין פַּרְעֹה כִּי הִיא אִשְׁתּוֹ כַּאֲשֶׁר חָשַׁב, וְצִוָּה עָלָיו פַּרְעֹה אֲנָשִׁים לְשַׁלְּחָם[96].

[יט] וְטַעַם **וָאֶקַּח אֹתָהּ לִי לְאִשָּׁה,** שֶׁהָיָה רְצוֹנוֹ שֶׁתִּהְיֶה זֹאת אִשְׁתּוֹ הַמּוֹלֶכֶת, לֹא תִּהְיֶה פִּלֶגֶשׁ לוֹ. וְהִזְכִּיר זֶה בַּעֲבוּר שֶׁיּוֹדֶה לוֹ אִם הִיא אֲחוֹתוֹ, כַּאֲשֶׁר פֵּירַשְׁתִּי[97].

יג [א] וְטַעַם **הוּא וְאִשְׁתּוֹ וְכָל אֲשֶׁר לוֹ**[1], לְהוֹדִיעַ שֶׁלֹּא גָּזְלוּ מִמֶּנּוּ דָּבָר מִכָּל הַמַּתָּנוֹת הַגְּדוֹלוֹת שֶׁנִּתְּנוּ לוֹ בַּעֲבוּר שָׂרָה שֶׁתִּהְיֶה לַמֶּלֶךְ, וְלֹא אָמְרוּ "רִמִּיתָנוּ וּמַתָּנָה בְּטָעוּת הִיא". וְזֶה מַעֲשֵׂה נֵס.

RAMBAN ELUCIDATED

"Indeed, she is my sister." **וְאָמַר "וְעַתָּה הִנֵּה אִשְׁתְּךָ קַח וָלֵךְ" לִרְאוֹת מַה יְּדַבֵּר וּמַה יָּשִׁיב עַל תּוֹכַחְתּוֹ** – Even when **he said, *"Now here is your wife, take her and go!"***[95] it was only **to see what [Abraham] would say and what he would answer to his rebuke.** **וְאַבְרָהָם שָׁתַק מִמֶּנּוּ וְלֹא הֵשִׁיב אוֹתוֹ דָּבָר מֵרֹב פַּחְדּוֹ** – **But Abraham was silent toward him and did not answer anything, because of the enormity of his fear.** **אָז הֵבִין פַּרְעֹה כִּי הִיא אִשְׁתּוֹ כַּאֲשֶׁר חָשַׁב** – **It was then that Pharaoh understood that she was** indeed **[Abraham's] wife as he thought,** **וְצִוָּה עָלָיו פַּרְעֹה אֲנָשִׁים לְשַׁלְּחָם** – **and "Pharaoh gave men orders concerning him to send them away."**[96]

19. [**וָאֶקַּח אֹתָהּ לִי לְאִשָּׁה** – *SO THAT I TOOK HER AS MY WIFE.*]

[The expression *I took her as my wife* might be understood to mean that Pharaoh had consummated the marriage with Sarah. Ramban therefore informs us that לְאִשָּׁה (*as my wife*) has an entirely different meaning here:]

וְטַעַם "וָאֶקַּח אֹתָהּ לִי לְאִשָּׁה" – **The explanation of *so that I took her as my wife*** **שֶׁהָיָה רְצוֹנוֹ שֶׁתִּהְיֶה זֹאת אִשְׁתּוֹ הַמּוֹלֶכֶת, לֹא תִּהְיֶה פִּלֶגֶשׁ לוֹ** – **is that [Pharaoh] wanted this** woman **to be his royal wife, not that she should be a concubine to him.** **וְהִזְכִּיר זֶה בַּעֲבוּר שֶׁיּוֹדֶה לוֹ אִם הִיא אֲחוֹתוֹ, כַּאֲשֶׁר פֵּירַשְׁתִּי** – **He mentioned this in order** to coax Abraham **that he should admit to him whether she was** actually **his sister** or his wife**, as I have explained** (above, on the previous verse).[97]

13.

1. [**הוּא וְאִשְׁתּוֹ וְכָל אֲשֶׁר לוֹ** – *HE WITH HIS WIFE AND ALL THAT WAS HIS.*][1]

[This phrase seems superfluous. Obviously, Abraham took his wife and possessions with him when he left Egypt! What is the verse telling us? Ramban explains:]

וְטַעַם "הוּא וְאִשְׁתּוֹ וְכָל אֲשֶׁר לוֹ" – **The point of *he with his wife and all that was his*** **לְהוֹדִיעַ שֶׁלֹּא גָּזְלוּ מִמֶּנּוּ דָּבָר מִכָּל הַמַּתָּנוֹת הַגְּדוֹלוֹת שֶׁנִּתְּנוּ לוֹ בַּעֲבוּר שָׂרָה שֶׁתִּהְיֶה לַמֶּלֶךְ** – **is to tell** us **that [the Egyptians] robbed nothing of all the great gifts that were given to him in return for Sarah marrying the king,** **וְלֹא אָמְרוּ "רִמִּיתָנוּ וּמַתָּנָה בְּטָעוּת הִיא"** – **and they did not claim, "You deceived us, and the**

95. This would seem to imply that Pharaoh was certain that he was Sarah's husband!

96. This is a paraphrase from v. 20.

97. By his accusations in vv. 18-19 Pharaoh was testing Abraham to see if he would counter, "No, she really is my sister!" He made this reply seem more attractive to Abraham by pointing out to him that Sarah was destined for greatness as his queen.

1. In some versions of Ramban this comment appears not on 13:1, but on 12:20: *and they sent away him and*

ד בַּתְּחִלָּה בֵּין בֵּית־אֵל וּבֵין הָעָי: אֶל־מְקוֹם
הַמִּזְבֵּחַ אֲשֶׁר־עָשָׂה שָׁם בָּרִאשֹׁנָה וַיִּקְרָא
שלישי ה שָׁם אַבְרָם בְּשֵׁם יהוה: וְגַם־לְלוֹט הַהֹלֵךְ
ו אֶת־אַבְרָם הָיָה צֹאן־וּבָקָר וְאֹהָלִים: וְלֹא־
נָשָׂא אֹתָם הָאָרֶץ לָשֶׁבֶת יַחְדָּו כִּי־הָיָה
ז רְכוּשָׁם רָב וְלֹא יָכְלוּ לָשֶׁבֶת יַחְדָּו: וַיְהִי־
רִיב בֵּין רֹעֵי מִקְנֵה־אַבְרָם וּבֵין רֹעֵי מִקְנֵה־
לוֹט וְהַכְּנַעֲנִי וְהַפְּרִזִּי אָז יֹשֵׁב בָּאָרֶץ:

בְּקַדְמֵיתָא בֵּין בֵּית אֵל וּבֵין עָי: ד לַאֲתַר מַדְבְּחָא דִי עֲבַד תַּמָּן בְּקַדְמֵיתָא וְצַלִּי תַמָּן אַבְרָם בִּשְׁמָא דַייָ: ה וְאַף לְלוֹט דְּאָזֵיל עִם אַבְרָם הֲוָה עָאן וְתוֹרִין וּמַשְׁכְּנִין: ו וְלָא סוֹבָרַת יָתְהוֹן אַרְעָא לְמִיתַב כַּחֲדָא אֲרֵי הֲוָה קִנְיָנְהוֹן סַגִּי וְלָא יְכִילוּ לְמִיתַב כַּחֲדָא: ז וַהֲוַת מַצּוּתָא בֵּין רָעֵי בְעִירָא דְאַבְרָם וּבֵין רָעֵי בְעִירָא דְלוֹט וּכְנַעֲנָאָה וּפְרִזָּאָה בְּכֵן יָתִיב בְּאַרְעָא:

רש"י

(ד) אשר עשה שם בראשנה. ואשר קרא שם אברם בשם ה'. וגם יש לומר **ויקרא שם** עכשיו **בשם ה'**: **(ה) ההלך את אברם.** מי גרם שהיה לו זאת, הליכתו עם אברם (שם; ב"ק צג.): **(ו) ולא נשא אתם.** לא היתה יכולה להספיק מרעה למקניהם. ולשון קצר הוא וצריך להוסיף עליו, [כמו] ולא נשא אותם מרעה הארץ, לפיכך כתב ולא נשא בלשון זכר: **(ז) ויהי ריב.** לפי שהיו רועיו של לוט רשעים ומרעים בהמתם בשדות אחרים, ורועי אברם מוכיחים אותם על הגזל, והם אומרים נִתְּנָה הארץ לאברם, ולו אין יורש ולוט [בן אחיו] יורשו, ואין זה גזל, והכתוב אומר **והכנעני והפרזי אז ישב בארץ**, ולא זכה בה אברם

רמב"ן

[ז] וַיְהִי רִיב. כָּתַב רַשִׁ"י: לְפִי שֶׁהָיוּ רוֹעָיו שֶׁל לוֹט מַרְעִין בְּהֶמְתָּם בִּשְׂדוֹת אֲחֵרִים, וְהָיוּ רוֹעָיו שֶׁל אַבְרָם מוֹכִיחִין אוֹתָם עַל הַגָּזֵל, וְהֵם אוֹמְרִים נִתְּנָה הָאָרֶץ לְאַבְרָם וְלוֹ אֵין יוֹרֵשׁ, וְלוֹט יוֹרְשׁוֹ וְאֵין זֶה גָּזֵל, וְהַכָּתוּב אָמַר **וְהַכְּנַעֲנִי וְהַפְּרִזִּי אָז יוֹשֵׁב בָּאָרֶץ** וְלֹא זָכָה בָּהּ עֲדַיִן אַבְרָם.

וּמִדְרַשׁ רַבּוֹתֵינוּ הוּא [ב"ר מא, ה].

וַאֲנִי תָּמֵהַּ, כִּי הַמַּתָּנָה שֶׁנֶּאֶמְרָה לְאַבְרָם לְזַרְעוֹ הָיְתָה, שֶׁנֶּאֱמַר לְמַעְלָה [יב, ז]: "לְזַרְעֲךָ אֶתֵּן אֶת הָאָרֶץ הַזֹּאת", וְהֵיאַךְ יִירָשֶׁנּוּ לוֹט?

אוּלַי שָׁמְעוּ הָרוֹעִים הַמַּתָּנָה וְטָעוּ, וְהַכָּתוּב אוֹמֵר כִּי גַם לְלוֹט גַּם לְאַבְרָם אֵינֶנָּה עַתָּה[2].

RAMBAN ELUCIDATED

gifts were given under false pretenses." וְזֶה מַעֲשֶׂה נֵס – **This was a miraculous occurrence.**

7. וַיְהִי רִיב – ***AND THERE WAS QUARRELING.***

[What was the cause of this quarrel? Ramban first cites Rashi's opinion:]

כָּתַב רַשִׁ"י – Rashi writes:

לְפִי שֶׁהָיוּ רוֹעָיו שֶׁל לוֹט מַרְעִין בְּהֶמְתָּם בִּשְׂדוֹת אֲחֵרִים – The quarrel came about **because Lot's shepherds would graze their cattle in the fields of others,** **וְהָיוּ רוֹעָיו שֶׁל אַבְרָם מוֹכִיחִין אוֹתָם עַל הַגָּזֵל** – **and Abram's shepherds would rebuke them for the robbery** that they committed by grazing their cattle on other people's land. **וְהֵם אוֹמְרִים נִתְּנָה הָאָרֶץ לְאַבְרָם וְלוֹ אֵין יוֹרֵשׁ, וְלוֹט יוֹרְשׁוֹ וְאֵין זֶה גָּזֵל** – **[Lot's shepherds] would** respond, **"The land has been given to Abram, and he has no heir, and so Lot will be his heir and therefore this is not robbery,** for the land will eventually go to Lot." **וְהַכָּתוּב אָמַר "וְהַכְּנַעֲנִי וְהַפְּרִזִּי אָז יוֹשֵׁב בָּאָרֶץ"** – **But the verse says** in refutation of this argument, ***and the Canaanite and the Perizzite were then dwelling in the land,*** **וְלֹא זָכָה בָּהּ עֲדַיִן אַבְרָם** – **so that Abram had not yet acquired it.** **וּמִדְרַשׁ רַבּוֹתֵינוּ הוּא** – **This is a Midrash of the Sages** (*Bereishis Rabbah* 41:5).

[Ramban presents a problem with this Midrash, and proposes a solution:]

וַאֲנִי תָּמֵהַּ – **But I am perplexed,** **כִּי הַמַּתָּנָה שֶׁנֶּאֶמְרָה לְאַבְרָם לְזַרְעוֹ הָיְתָה** – **for the gift that was promised to Abram was for his descendants,** **שֶׁנֶּאֱמַר לְמַעְלָה: "לְזַרְעֲךָ אֶתֵּן אֶת הָאָרֶץ הַזֹּאת"** – **as it says above** (12:7), ***To "your offspring" I will give this land,*** **וְהֵיאַךְ יִירָשֶׁנּוּ לוֹט** – **so how would Lot,** who was not his *"offspring,"* **inherit** it from **him?**

[A possible solution:]

אוּלַי שָׁמְעוּ הָרוֹעִים הַמַּתָּנָה וְטָעוּ – **Perhaps the shepherds heard about the gift and erred** in its interpretation, **וְהַכָּתוּב אוֹמֵר כִּי גַם לְלוֹט גַּם לְאַבְרָם אֵינֶנָּה עַתָּה** – **and Scripture** therefore **states that at**

at first, between Beth-el and Ai, 4 to the site of the altar which he
had erected there at first; and there Abram called out in the Name of
HASHEM.
5 Also Lot who went with Abram had flocks, cattle and tents. 6 And
the land could not support them dwelling together, for their posses-
sions were abundant and they were unable to dwell together. 7 And
there was quarreling between the herdsmen of Abram's livestock and
the herdsmen of Lot's livestock — and the Canaanite and the
Perizzite were then dwelling in the land.

רמב״ן

וּלְפִי זֶה, מַה שֶׁאָמַר תְּחִלָּה ״כִּי הָיָה רְכוּשָׁם רָב״, לֵאמֹר כִּי מִפְּנֵי הָרְכוּשׁ הָרַב לֹא יִשָּׂא אוֹתָם הָאָרֶץ, וְהוּצְרְכוּ רוֹעֵי לוֹט לְהַכְנִיס מִקְנֵיהֶם בַּשָּׂדוֹת שֶׁיֵּשׁ לָהֶם בְּעָלִים, וְזֹאת סִבַּת הַמְּרִיבָה.

וְעַל דֶּרֶךְ הַפְּשָׁט הָיְתָה הַמְּרִיבָה עַל הַמִּרְעֶה, כִּי לֹא נָשָׂא אוֹתָם הָאָרֶץ, וְכַאֲשֶׁר הָיָה מִקְנֵה אַבְרָם רוֹעֶה בָּאָחוּ הָיוּ רוֹעֵי לוֹט בָּאִים בִּגְבוּלָם וְרוֹעִים שָׁם. וְהִנֵּה אַבְרָם וְלוֹט הָיוּ גֵּרִים וְתוֹשָׁבִים בָּאָרֶץ, וּפָחַד אַבְרָם פֶּן יִשְׁמַע הַכְּנַעֲנִי וְהַפְּרִזִּי יוֹשֵׁב הָאָרֶץ כֹּבֶד מִקְנֵיהֶם[3] וִיגָרְשׁוּם, אוֹ יַכּוּ אוֹתָם לְפִי חֶרֶב וְיִקְחוּ לָהֶם מִקְנֵיהֶם וּרְכוּשָׁם, כִּי יְשִׁיבַת הָאָרֶץ עַתָּה לָהֶם, לֹא לְאַבְרָם[4]. וְזֶה טַעַם וְהַכְּנַעֲנִי וְהַפְּרִזִּי, כִּי הִזְכִּיר שֶׁהָיוּ עַמִּים רַבִּים

RAMBAN ELUCIDATED

that time, [the land] belonged neither to Lot nor to Abram, but to "the Canaanites and the Perizzites."[2]

[If the quarrel was over the question of Lot's shepherds' right to graze on privately owned land, what is the relevance of: *and the land could not support them dwelling together,* etc. (v. 6)? Ramban explains:]

וּלְפִי זֶה, מַה שֶּׁאָמַר תְּחִלָּה ״כִּי הָיָה רְכוּשָׁם רָב״ – **According to this, the** statement **that [Scripture] said at first,** ***for their possessions were abundant,*** לֵאמֹר כִּי מִפְּנֵי הָרְכוּשׁ הָרַב לֹא יִשָּׂא אוֹתָם הָאָרֶץ – means **to say that it was due to these abundant possessions that "the land could not support them";** וְהוּצְרְכוּ רוֹעֵי לוֹט לְהַכְנִיס מִקְנֵיהֶם בַּשָּׂדוֹת שֶׁיֵּשׁ לָהֶם בְּעָלִים – **and Lot's shepherds needed to bring their livestock into fields that were** privately **owned,** וְזֹאת סִבַּת הַמְּרִיבָה – **and this was the cause of the quarrel.**

[Ramban now gives his own explanation of the quarrel:]

וְעַל דֶּרֶךְ הַפְּשָׁט – **According to the plain understanding,** however, הָיְתָה הַמְּרִיבָה עַל הַמִּרְעֶה – **the quarrel was over grazing land,** כִּי לֹא נָשָׂא אוֹתָם הָאָרֶץ – **for the land could not support them** both, וְכַאֲשֶׁר הָיָה מִקְנֵה אַבְרָם רוֹעֶה בָּאָחוּ – **and when Abram's livestock was grazing in the meadows,** הָיוּ רוֹעֵי לוֹט בָּאִים בִּגְבוּלָם וְרוֹעִים שָׁם – **Lot's shepherds would** also **come into their territory and graze** their livestock **there,** leading to quarrels. וְהִנֵּה אַבְרָם וְלוֹט הָיוּ גֵּרִים וְתוֹשָׁבִים בָּאָרֶץ – **Now, Abram and Lot were sojourners who settled in the land,** וּפָחַד אַבְרָם פֶּן יִשְׁמַע הַכְּנַעֲנִי וְהַפְּרִזִּי יוֹשֵׁב הָאָרֶץ כֹּבֶד מִקְנֵיהֶם וִיגָרְשׁוּם – **and Abram was fearful lest the Canaanites and Perizzites – the inhabitants of the land – hear of the vastness of their livestock**[3] **and would drive them out** אוֹ יַכּוּ אוֹתָם לְפִי חֶרֶב וְיִקְחוּ לָהֶם מִקְנֵיהֶם וּרְכוּשָׁם – **or slay them by the sword and take their livestock and possessions for themselves,** כִּי יְשִׁיבַת הָאָרֶץ עַתָּה לָהֶם לֹא לְאַבְרָם – **for the right to inhabit the land was now theirs, not Abram's.**[4] וְזֶה טַעַם וְהַכְּנַעֲנִי וְהַפְּרִזִּי – **This is the explanation of** ***and the Canaanite and the Perizzite*** *[were then dwelling in the land]* כִּי הִזְכִּיר שֶׁהָיוּ עַמִּים רַבִּים

his wife and all that was his.

2. Hence, even according to their mistaken assumption – that the land was given to Abraham himself – they were committing robbery, for Abraham had not yet taken possession of the land.

3. Abraham and Lot's livestock, when seen together, would give the impression of immense wealth, and their quarrel would draw the attention of the native inhabitants.

4. This is why Abraham was fearful of the Canaanites, though God had promised the land to him.

ח וַיֹּ֨אמֶר אַבְרָ֜ם אֶל־ל֗וֹט אַל־נָ֨א תְהִ֤י מְרִיבָה֙ בֵּינִ֣י
וּבֵינֶ֔ךָ וּבֵ֥ין רֹעַ֖י וּבֵ֣ין רֹעֶ֑יךָ כִּֽי־אֲנָשִׁ֥ים אַחִ֖ים
ט אֲנָֽחְנוּ׃ הֲלֹ֤א כָל־הָאָ֙רֶץ֙ לְפָנֶ֔יךָ הִפָּ֥רֶד נָ֖א מֵעָלָ֑י
אִם־הַשְּׂמֹ֣אל וְאֵימִ֔נָה וְאִם־הַיָּמִ֖ין וְאַשְׂמְאִֽילָה׃
י וַיִּשָּׂא־ל֣וֹט אֶת־עֵינָ֗יו וַיַּרְא֙ אֶת־כָּל־כִּכַּ֣ר הַיַּרְדֵּ֔ן
כִּ֥י כֻלָּ֖הּ מַשְׁקֶ֑ה לִפְנֵ֣י ׀ שַׁחֵ֣ת יהוה אֶת־סְדֹם֙
וְאֶת־עֲמֹרָ֔ה כְּגַן־יהוה֙ כְּאֶ֣רֶץ מִצְרַ֔יִם בֹּאֲכָ֖ה

ח וַאֲמַר אַבְרָם לְלוֹט לָא כְעַן תְּהֵי מַצּוּתָא בֵּינִי וּבֵינָךְ וּבֵין רַעֲוָתִי וּבֵין רַעֲוָתָךְ אֲרֵי גוּבְרִין אַחִין אֲנַחְנָא׃ ט הֲלָא כָל אַרְעָא קֳדָמָךְ אִיתְפְּרֵשׁ כְּעַן מִלְּוָתִי אִם אַתְּ לְצִפּוּנָא אֲנָא לְדָרוֹמָא וְאִם אַתְּ לְדָרוֹמָא אֲנָא לְצִפּוּנָא׃ י וּזְקַף לוֹט יָת עֵינוֹהִי וַחֲזָא יָת כָּל מֵישַׁר יַרְדְּנָא אֲרֵי כֻלַּהּ בֵּית שַׁקְיָא קֳדָם חַבָּלוּת יְיָ יָת סְדוֹם וְיָת עֲמוֹרָא כְּגִינְתָא דַייָ כְּאַרְעָא דְמִצְרַיִם מָטֵי

רש״י

עדיין (ב"ר שם ה): **(ח) אנשים אחים.** קרובים. ומדרש אגדה, דומין בקלסתר פנים (שם ו): **(ט) אם השמאל ואימנה.** בכל אשר תשב [ס"א אשב] לא אתרחק ממך ואעמוד לך למגן ולעזר. וסוף דבר הוצרך לו, שנא' וישמע אברם כי נשבה אחיו וגו' (להלן יד:יד): **ואימנה.** אַיְמִין את עצמי כמו ואשמאילה אשמאיל את עצמי. וא"ת היה לו לינקד וְאַיְמִינָה. כך מצינו במקום אחר, אם לְהֵמִין (שמואל-ב יד:יט) ואין נקוד לְהַיְמִין: **(י) כי כלה משקה.** ארץ נחלי מים: **לפני שחת ה' את סדם ואת עמרה.** היה אותו מישור: **בגן ה'.** לאילנות (ספרי עקב לח; ב"ר שם ז): **בארץ מצרים.** לזרעים (שם ושם):

רמב״ן

יוֹשְׁבִים בָּאָרֶץ הַהִיא[5], וְלָהֶם וּלְמִקְנֵיהֶם אֵין מִסְפָּר, וְלֹא יִשָּׂא אוֹתָם הָאָרֶץ וְאֶת אַבְרָם וְלוֹט.

וּמִמִּלַּת "אָז" יֵרָאֶה לִי כִּי הָעַמִּים הָיוּ בָּאָרֶץ בַּיָּמִים הָהֵם יוֹשְׁבֵי אֹהֶל וּמִקְנֶה[6] – נֶאֱסָפִים מִקְצָתָם אֶל עִיר אַחַת וְרוֹעִים שָׁם שָׁנָה אוֹ שְׁנָתַיִם, וְנוֹסְעִים מִשָּׁם אֶל גְּבוּל אַחֵר אֲשֶׁר לֹא רָעוּ אוֹתוֹ, וְכֵן יַעֲשׂוּ תָּמִיד כְּמִנְהַג בְּנֵי קֵדָר[7]. וְהַכְּנַעֲנִי וְהַפְּרִזִּי הָיוּ אָז בְּאֶרֶץ הַנֶּגֶב, וּבַשָּׁנָה הָאַחֶרֶת יָבוֹאוּ שָׁם הַיְבוּסִי וְהָאֱמֹרִי.

[י] כְּגַן ה' כְּאֶרֶץ מִצְרָיִם. יֹאמַר כִּי אֶרֶץ הַכִּכָּר כֻּלָּהּ מַשְׁקִים אוֹתָהּ בְּרֶגֶל מִן הַיַּרְדֵּן, כְּדֶרֶךְ הַנַּעֲשָׂה בְּגַן ה'

RAMBAN ELUCIDATED

יוֹשְׁבִים בָּאָרֶץ הַהִיא – for [Scripture] mentions that there were many peoples inhabiting that land at the time,[5] **וְלָהֶם וּלְמִקְנֵיהֶם אֵין מִסְפָּר – and they and their livestock were** abundant **beyond number, וְלֹא יִשָּׂא אוֹתָם הָאָרֶץ וְאֶת אַבְרָם וְלוֹט – so the land could not support them *and* Abram and Lot.**

[The word אָז ("then") in *the Canaanite and the Perizzite were "then" dwelling in the land* implies that at the time of this narrative they no longer lived in the land. But when the Torah was written the Canaanites and Perizzites were *still* in *Eretz Yisrael*! (See above, 12:6.) Ramban explains:]

וּמִמִּלַּת "אָז" יֵרָאֶה לִי – From the word אָז (*"then"*) it appears to me כִּי הָעַמִּים הָיוּ בָּאָרֶץ בַּיָּמִים הָהֵם יוֹשְׁבֵי אֹהֶל וּמִקְנֶה – that the nations who **were in the land in those days were "people who dwell in tents and** breed **livestock"**[6] – i.e., they were nomads – **נֶאֱסָפִים מִקְצָתָם אֶל עִיר אַחַת וְרוֹעִים שָׁם שָׁנָה אוֹ שְׁנָתַיִם – some of them gathering in a particular city and grazing there for a year or two, וְנוֹסְעִים מִשָּׁם אֶל גְּבוּל אַחֵר אֲשֶׁר לֹא רָעוּ אוֹתוֹ – and** then **moving on from there to another area where they had not yet grazed, וְכֵן יַעֲשׂוּ תָּמִיד כְּמִנְהַג בְּנֵי קֵדָר – and they would do this continuously, as is the custom of the sons of Kedar.**[7] **וְהַכְּנַעֲנִי וְהַפְּרִזִּי הָיוּ אָז בְּאֶרֶץ הַנֶּגֶב – The Canaanite and the Perizzite were then** in the land **of the south** where Abraham was at that time, **וּבַשָּׁנָה הָאַחֶרֶת יָבוֹאוּ שָׁם הַיְבוּסִי וְהָאֱמֹרִי – but in a different year the Jebusites or the Amorites would come there** while the Canaanites and Perizzites moved elsewhere.

10. כְּגַן ה' כְּאֶרֶץ מִצְרָיִם – ***LIKE THE GARDEN OF HASHEM, LIKE THE LAND OF EGYPT.***

[Ramban discusses why the Torah compares the Plain of the Jordan to the garden of HASHEM and to Egypt:]

יֹאמַר כִּי אֶרֶץ הַכִּכָּר כֻּלָּהּ מַשְׁקִים אוֹתָהּ בְּרֶגֶל מִן הַיַּרְדֵּן – [The verse] is stating that the entire land of the

5. The land is usually referred to as "the land of Canaan." Scripture here refer to the Perizzites as well to convey that, in addition to Canaanites, there were other inhabitants in the land.

6. A stylistic citation from above, 4:20.

7. Kedar was a son of Ishmael (above, 25:13), whose descendants lived in tents (*Psalms* 120:5; *Song of Songs* 1:5) in nomadic fashion.

8 So Abram said to Lot: "Please let there be no strife between me and you, and between my herdsmen and your herdsmen, for we are kinsmen. 9 Is not all the land before you? Please separate from me: If you go left then I will go right, and if you go right then I will go left."
10 So Lot raised his eyes and saw the entire plain of the Jordan that it was well watered everywhere — before HASHEM destroyed Sodom and Gomorrah — like the garden of HASHEM, like the land of Egypt, going

רמב״ן

שֶׁנֶּאֱמַר בּוֹ [לעיל ב, י]: "וְנָהָר יֹצֵא מֵעֵדֶן לְהַשְׁקוֹת אֶת הַגָּן"[8], וּכְדֶרֶךְ שֶׁהִיא בְּאֶרֶץ מִצְרַיִם, שֶׁנֶּאֱמַר בָּהּ [דברים יא, י]: "וְהִשְׁקִיתָ בְרַגְלְךָ כְּגַן הַיָּרָק"[9]. וְהִזְכִּיר שְׁנֵי הַמְּקוֹמוֹת. אָמַר "כְּגַן ה׳ ", שֶׁהַמָּקוֹם הַטּוֹב בַּתַּחְתּוֹנִים כֵּן הוּא כֻּלּוֹ מַשְׁקֶה, וְהִזְכִּיר "כְּאֶרֶץ מִצְרַיִם", מָקוֹם יָדוּעַ, לִרְאָיָה[10].

וְרַבּוֹתֵינוּ אָמְרוּ [ספרי עקב לח; ב״ר מא, ז]: כְּגַן ה׳, לְאִילָנוֹת; כְּאֶרֶץ מִצְרַיִם, לִזְרָעִים. יִרְצוּ לְפָרֵשׁ שֶׁיֵּשׁ בַּכִּכָּר נְהָרוֹת גְּדוֹלִים יַשְׁקוּ אִילָנֵי הַגַּנּוֹת כְּגַן ה׳[11], וּבוֹ יְאֹרִים כְּאֶרֶץ מִצְרַיִם יַשְׁקוּ גַּן הַיָּרָק[12].

וּבָחַר לוֹ לוֹט בָּזֶה, כִּי הָאָרֶץ שֶׁיַּשְׁקוּ אוֹתָהּ כֵּן רְחוֹקָה מִן הַבַּצֹּרֶת וְטוֹבָה לְמִרְעֶה[13].

RAMBAN ELUCIDATED

Jordan **Plain was irrigated by foot** (i.e., transporting water in buckets by foot) **from the Jordan** River,[8] **כְּדֶרֶךְ הַנַּעֲשָׂה בְּגַן ה׳ שֶׁנֶּאֱמַר בּוֹ: "וְנָהָר יֹצֵא מֵעֵדֶן לְהַשְׁקוֹת אֶת הַגָּן"** – **as was done in the garden of God** (the Garden of Eden) – **of which it is stated,** ***A river issues forth from Eden to water the garden*** (above, 2:10) – **וּכְדֶרֶךְ שֶׁהִיא בְּאֶרֶץ מִצְרַיִם, שֶׁנֶּאֱמַר בָּהּ: "וְהִשְׁקִיתָ בְרַגְלְךָ כְּגַן הַיָּרָק"** – **and in the manner that it is** done **in the land of Egypt, of which it is stated,** ***and you would water it on foot like a vegetable garden***[9] (*Deuteronomy* 11:10). **וְהִזְכִּיר שְׁנֵי הַמְּקוֹמוֹת** – **It mentions both places** – the Garden of Eden and Egypt – not sufficing with one of the two examples. **אָמַר "כְּגַן ה׳ " שֶׁהַמָּקוֹם הַטּוֹב בַּתַּחְתּוֹנִים כֵּן הוּא כֻּלּוֹ מַשְׁקֶה** – First **it states** that the Jordan Plain was ***like the garden of HASHEM,*** **for the best place on earth** – i.e., the Garden of Eden – **is** also ***well-watered everywhere.*** **וְהִזְכִּיר "כְּאֶרֶץ מִצְרַיִם" מָקוֹם יָדוּעַ לִרְאָיָה** – Then **it mentioned** that it was ***like the land of Egypt,*** **a place that is known** to man – as opposed to the Garden of Eden, which no person alive has seen – **for a** practical **illustration.**[10]

[Ramban notes that the Sages expound upon this passage in a manner that differs only slightly from his own explanation:]

וְרַבּוֹתֵינוּ אָמְרוּ: – **Our Sages** (*Sifrei, Deuteronomy* ad loc.; quoted by Rashi here), however, suggest another purpose for these two illustrations; they **say:** **כְּגַן ה׳, לְאִילָנוֹת; כְּאֶרֶץ מִצְרַיִם, לִזְרָעִים** – ***"Like the garden of HASHEM*** – **with regard to trees.** ***Like the land of Egypt*** – with regard to **sown crops."** **יִרְצוּ לְפָרֵשׁ שֶׁיֵּשׁ בַּכִּכָּר נְהָרוֹת גְּדוֹלִים יַשְׁקוּ אִילָנֵי הַגַּנּוֹת כְּגַן ה׳** – **Their intent is to explain that in this plain there were big rivers that watered the trees of** its **orchards** ***like the garden of God,***[11] **וּבוֹ יְאֹרִים כְּאֶרֶץ מִצְרַיִם יַשְׁקוּ גַּן הַיָּרָק** – **and there were** also smaller **canals in it,** ***as in the land of Egypt,***[12] **which irrigated** its **vegetable gardens.**

[Ramban explains why Lot, though not a farmer who cultivated trees or vegetables, would want this land:]

וּבָחַר לוֹ לוֹט בָּזֶה – **Lot chose this** particular land **for himself,** **כִּי הָאָרֶץ שֶׁיַּשְׁקוּ אוֹתָהּ כֵּן רְחוֹקָה מִן הַבַּצֹּרֶת וְטוֹבָה לְמִרְעֶה** – **for the land that is irrigated in this manner is** unlikely to suffer **drought,**

8. "מַשְׁקֶה" indicates that the land there was irrigated by the water of the nearby Jordan and did not depend solely on the vagaries of rainfall (see Ramban, *Deuteronomy* 11:10).

9. Both of these places, then, were known for their rivers that provided abundant fresh water for irrigation.

10. The Garden of Eden example was mentioned to describe how supremely fertile the area was, and Egypt was mentioned to provide an example that can be witnessed.

11. A major river flowed from the Garden, as described above, 2:10.

12. Egypt was known for its many irrigation canals (see Rashi on 41:1).

צֹעַר: יא וַיִּבְחַר־לוֹ לוֹט אֵת כָּל־כִּכַּר הַיַּרְדֵּן וַיִּסַּע
יב לוֹט מִקֶּדֶם וַיִּפָּרְדוּ אִישׁ מֵעַל אָחִיו: אַבְרָם יָשַׁב
בְּאֶרֶץ־כְּנָעַן וְלוֹט יָשַׁב בְּעָרֵי הַכִּכָּר וַיֶּאֱהַל
יג עַד־סְדֹם: וְאַנְשֵׁי סְדֹם רָעִים וְחַטָּאִים לַיהוָה
יד מְאֹד: וַיהוָה אָמַר אֶל־אַבְרָם אַחֲרֵי הִפָּרֶד־
לוֹט מֵעִמּוֹ שָׂא נָא עֵינֶיךָ וּרְאֵה מִן־הַמָּקוֹם
טו אֲשֶׁר־אַתָּה שָׁם צָפֹנָה וָנֶגְבָּה וָקֵדְמָה וָיָמָּה: כִּי
אֶת־כָּל־הָאָרֶץ אֲשֶׁר־אַתָּה רֹאֶה לְךָ אֶתְּנֶנָּה
טז וּלְזַרְעֲךָ עַד־עוֹלָם: וְשַׂמְתִּי אֶת־זַרְעֲךָ כַּעֲפַר
הָאָרֶץ אֲשֶׁר ׀ אִם־יוּכַל אִישׁ לִמְנוֹת אֶת־עֲפַר

לְצֹעַר: יא וּבְחַר לֵהּ לוֹט יָת כָּל מֵישַׁר יַרְדְּנָא וּנְטַל לוֹט מִלְּקַדְמִין וְאִתְפְּרָשׁוּ גְּבַר מֵעַל אֲחוּהִי: יב אַבְרָם יְתֵב בְּאַרְעָא דִכְנָעַן וְלוֹט יְתֵב בְּקִרְוֵי מֵישְׁרָא וּפְרַס עַד סְדוֹם: יג וְאֱנָשֵׁי דִסְדוֹם בִּישִׁין בְּמָמוֹנְהוֹן וְחַיָּבִין בְּגְוִיָּתְהוֹן קֳדָם יְיָ לַחֲדָא: יד וַייָ אֲמַר לְאַבְרָם בָּתַר דְּאִתְפָּרֵשׁ לוֹט מֵעִמֵּהּ זְקוֹף כְּעַן עֵינָךְ וַחֲזֵי מִן אַתְרָא דְּאַתְּ תַּמָּן לְצִפּוּנָא וּלְדָרוֹמָא וּלְמָדִינְחָא וּלְמַעְרְבָא: טו אֲרֵי יָת כָּל אַרְעָא דִּי אַתְּ חָזֵי לָךְ אֶתְּנִנַּהּ וְלִבְנָיךְ עַד עָלָם: טז וַאֲשַׁוֵּי יָת בְּנָךְ סַגִּיאִין כְּעַפְרָא דְאַרְעָא כְּמָא דִּי לָא אֶפְשַׁר לִגְבַר לְמִמְנֵי יָת עַפְרָא

רש"י

באכה צער. עד צוער. ומדרש אגדה דורשו לגנאי על שהיו שטופי זמה בחר לו לוט בשכונתם. במסכת הוריות (י:; ב"ר שם; תנחומא וירא יב): **(יא) ככר.** מישור, כתרגומו: **מקדם.** נסע מאצל אברם [ממזרחו] והלך לו למערבו של אברם, נמצא נוסע ממזרח למערב. ומדרש אגדה הסיע עצמו מקדמונו של עולם, אמר אי אפשי לא באברם ולא באלהיו (ב"ר שם, ועי' ב"ר לח:ז): **(יב) ויאהל.** נטה אהלים לרועיו ולמקנהו **עד סדם:** **(יג) ואנשי סדם רעים.** ואעפ"כ לא נמנע לוט מלשכון עמהם. ורבותינו למדו מכאן שם רשעים ירקב (משלי י:ז; יומא לח:; לקח טוב): **רעים.** בגופם: **וחטאים.** בממונם: **לה' מאד.** יודעים רבונם ומתכוונים למרוד בו (סנהדרין קט.; תורת כהנים בחקתי ב:א): **(יד) אחרי הפרד לוט.** כל זמן שהרשע עמו היה הדבור פורש ממנו (תנחומא ויצא י) [לפי שאמר לו הקב"ה לך לך ולא עם לוט (ב"ר מא:ח)]: **(טז) [ושמתי את זרעך כעפר הארץ.** שיהו מפוזרין בכל העולם כעפר המפוזר (שם ט). ועוד שאם אין עפר אין בעולם אילנות ותבואה, כך אם אין ישראל אין העולם מתקיים, שנאמר והתברכו בזרעך (להלן כו:ד; ב"ר שם). אבל לימות המשיח משולין כחול שמקהה שיני הכל כן יפלו ויקהו כל העולם, שנאמר ולו יקהת עמים (להלן מט:י; ב"ר לט:ח; במ"ר ב:יג):] **אשר אם יוכל איש.** כשם שאי אפשר לעפר להמנות כך זרעך לא ימנה:

רמב"ן

[יב] וְטַעַם **"אַבְרָם יָשַׁב בְּאֶרֶץ כְּנָעַן"**, בִּשְׁאָר אֶרֶץ כְּנַעַן כֻּלָּהּ[14], שֶׁלֹּא יַעֲמֹד בְּמָקוֹם אֶחָד, אֲבָל בְּכָל אֶרֶץ כְּנַעַן יָגוּר[15]. וְלוֹט נִתְיַשֵּׁב בְּמָקוֹם אֶחָד מִמֶּנָּה, בְּעָרֵי הַכִּכָּר, כִּי עָרֵי הַכִּכָּר מִכְּלַל אֶרֶץ כְּנַעַן[16].

RAMBAN ELUCIDATED

and is good for grazing.[13]

12. אַבְרָם יָשַׁב בְּאֶרֶץ כְּנָעַן – *ABRAM DWELLED IN THE LAND OF CANAAN.*

[There are two difficulties in this verse: (1) Why is Lot's dwelling-place more specific than Abraham's? (2) The cities of the Plain are within the land of Canaan; then what was the separation between Lot and Abraham?]

וְטַעַם "אַבְרָם יָשַׁב בְּאֶרֶץ כְּנָעַן" – **The meaning of *Abram dwelled in the land of Canaan* is:** בִּשְׁאָר אֶרֶץ כְּנַעַן כֻּלָּהּ – **"[Abraham dwelled] in all the** *remainder* of the land of Canaan," excluding the Plain of the Jordan.[14] שֶׁלֹּא יַעֲמֹד בְּמָקוֹם אֶחָד, אֲבָל בְּכָל אֶרֶץ כְּנַעַן יָגוּר – For **[Abraham] would not remain in one place, but rather he would sojourn** in various places **throughout the land of Canaan.**[15] וְלוֹט נִתְיַשֵּׁב בְּמָקוֹם אֶחָד מִמֶּנָּה בְּעָרֵי הַכִּכָּר – **Lot,** however, **settled in one place** that was part **of [the land of Canaan], in the cities of the Plain.** כִּי עָרֵי הַכִּכָּר מִכְּלַל אֶרֶץ כְּנַעַן – **For the cities of the Plain are included in the** term **"land of Canaan."**[16]

[If Lot settled in one particular area, then why is his location given as *the "cities" of the Plain,* in the plural? Ramban explains:]

13. He separated from Abraham for more favorable grazing conditions.

14. Hence, Abraham's and Lot did remain separate.

15. This is why Scripture does not specify Abraham's area of settlement.

16. Therefore the phrase, [*Abram dwelled in] the land of Canaan* must mean "in the *remainder* of the land of Canaan."

toward Zoar. 11 *So Lot chose for himself the whole plain of the Jordan,*
and Lot journeyed from the east; thus they parted, one from his brother.
12 *Abram dwelled in the land of Canaan while Lot dwelled in the*
cities of the plain and pitched tents as far as Sodom. 13 *Now the people*
of Sodom were wicked and sinful toward HASHEM, *exceedingly.*
14 HASHEM *said to Abram after Lot had parted from him, "Raise*
now your eyes and look out from where you are: northward, south-
ward, eastward and westward. 15 *For all the land that you see, to*
you will I give it, and to your descendants forever. 16 *I will make your*
offspring as the dust of the earth, so that if one can count the dust

רמב״ן

וְטַעַם **בְּעָרֵי הַכִּכָּר**, פַּעַם בְּזוֹ וּפַעַם בְּזוֹ, מִפְּנֵי כֹּבֶד הַמִּקְנֶה. וְזֶה טַעַם ״וַיִּבְחַר לוֹ לוֹט אֵת כָּל כִּכַּר הַיַּרְדֵּן״, כִּי הִתְנָה עִם אַבְרָם שֶׁלֹּא יָבֹא בְּכָל הַכִּכָּר[17].

[יג] וְטַעַם **וְאַנְשֵׁי סְדוֹם רָעִים וְחַטָּאִים**, יַאֲשִׁים הַכָּתוּב אֶת לוֹט שֶׁלֹּא נִמְנַע מִלִּשְׁכּוֹן עִמָּהֶם, כְּדִבְרֵי רַשִׁ״י. וִידַבֵּר עוֹד בִּזְכוּת הַצַּדִּיק שֶׁלֹּא נָפַל חֶבְלוֹ[18] בַּמָּקוֹם אֲשֶׁר שָׁמָּה הָרֶשַׁע, כִּי לֹא יָנוּחַ שֵׁבֶט הָרֶשַׁע עַל גּוֹרַל הַצַּדִּיקִים[19].

וְכָל עָרֵי הַכִּכָּר **רָעִים וְחַטָּאִים לַה׳ מְאֹד**, כִּי עַל כֵּן נֶהְפְּכוּ, אַף עַל פִּי שֶׁכָּל בְּנֵי כְנַעַן אַנְשֵׁי תוֹעֵבוֹת גְּדוֹלוֹת[20], כִּי כֵן כָּתוּב [ויקרא יח, כז][21].

RAMBAN ELUCIDATED

וְטַעַם ״בְּעָרֵי הַכִּכָּר״ – The meaning of ***the "cities" of the Plain*** **פַּעַם בְּזוֹ וּפַעַם בְּזוֹ מִפְּנֵי כֹּבֶד הַמִּקְנֶה – is** that he **sometimes** lived **in one [city] and sometimes in another [city] on account of the vastness of his livestock. וְזֶה טַעַם ״וַיִּבְחַר לוֹ לוֹט אֵת כָּל כִּכַּר הַיַּרְדֵּן״ – This is** also **the meaning of** the statement that ***Lot chose for himself the whole plain of the Jordan*** **– כִּי הִתְנָה עִם אַבְרָם שֶׁלֹּא יָבֹא בְּכָל הַכִּכָּר – for he made a condition** in his separation agreement **with Abram that he not come into any part of the Plain.**[17]

13. [וְאַנְשֵׁי סְדוֹם רָעִים וְחַטָּאִים – *NOW THE PEOPLE OF SODOM WERE WICKED AND SINFUL.*]

[Ramban discusses why the negative character of the Sodomites is mentioned here:]

וְטַעַם ״וְאַנְשֵׁי סְדוֹם רָעִים וְחַטָּאִים״ – The explanation of ***Now the people of Sodom were wicked and sinful*** **יַאֲשִׁים הַכָּתוּב אֶת לוֹט שֶׁלֹּא נִמְנַע מִלִּשְׁכּוֹן עִמָּהֶם, כְּדִבְרֵי רַשִׁ״י** – is that **Scripture faults Lot for not refraining from living among them, as Rashi says. וִידַבֵּר עוֹד בִּזְכוּת הַצַּדִּיק שֶׁלֹּא נָפַל חֶבְלוֹ בַּמָּקוֹם אֲשֶׁר שָׁמָּה הָרֶשַׁע – Furthermore, [Scripture]** here **speaks in praise of the righteous** Abraham, noting **that his "allocated portion did** ***not*** **fall"**[18] **in the place of wickedness, כִּי לֹא יָנוּחַ שֵׁבֶט הָרֶשַׁע עַל גּוֹרַל הַצַּדִּיקִים – "for the rod of wickedness does not rest upon the portion of the righteous."**[19]

[Lot "pitched his tent" in several places throughout the cities of the Plain. These places extended over a wide area, *as far as Sodom* (v. 12), as Ramban explained above. Scripture, however, singles out Sodom for criticism, implying that of all these places only Sodom was outrageously evil. Ramban clarifies:]

וְכָל עָרֵי הַכִּכָּר ״רָעִים וְחַטָּאִים לַה׳ מְאֹד״ – ***All*** **the cities of the Plain were** ***wicked and sinful toward*** ***HASHEM exceedingly,*** though Scripture mentions only Sodom, **כִּי עַל כֵּן נֶהְפְּכוּ – for that is the reason that they were overturned** along with Sodom, **אַף עַל פִּי שֶׁכָּל בְּנֵי כְנַעַן אַנְשֵׁי תוֹעֵבוֹת גְּדוֹלוֹת – although** ***all*** **the descendants of Canaan were people of great abominations,**[20] **כִּי כֵן כָּתוּב – for so it is written** (*Leviticus* 18:27).[21]

17. He reserved the entire Plain for himself, knowing that his extensive livestock holdings would require him to live in several separate cities.

18. Stylistic citation from *Psalms* 16:6.

19. Stylistic citation from ibid. 125:3. Ramban uses this quote here to express the idea that God protects the righteous person from becoming caught up with the wicked.

20. All the Canaanites were wicked, but not wicked enough to warrant the fate of Sodom and the other cities of the Jordan Plain that were destroyed along with it.

21. See above, 12:11-13, where Ramban considers – but

יז הָאָרֶץ גַּם זַרְעֲךָ יִמָּנֶה: קוּם הִתְהַלֵּךְ בָּאָרֶץ
יח לְאָרְכָּהּ וּלְרָחְבָּהּ כִּי לְךָ אֶתְּנֶנָּה: וַיֶּאֱהַל
אַבְרָם וַיָּבֹא וַיֵּשֶׁב בְּאֵלֹנֵי מַמְרֵא אֲשֶׁר
בְּחֶבְרוֹן וַיִּבֶן־שָׁם מִזְבֵּחַ לַיהוָה: פ
יד רביעי א וַיְהִי בִּימֵי אַמְרָפֶל מֶלֶךְ־שִׁנְעָר אַרְיוֹךְ מֶלֶךְ

דְּאַרְעָא אַף בְּנָיךְ לָא יִתְמְנוּן:
יז קוּם הַלִּיךְ בְּאַרְעָא לְאָרְכַּהּ
וּלְפָתְיַהּ אֲרֵי לָךְ אֶתְּנִנַּהּ:
יח וּפְרַס אַבְרָם וַאֲתָא וִיתֵב
בְּמֵישְׁרֵי מַמְרֵא דִּי בְחֶבְרוֹן
וּבְנָא תַמָּן מַדְבְּחָא קֳדָם
יְיָ: א וַהֲוָה בְּיוֹמֵי אַמְרָפֶל
מַלְכָּא דְבָבֶל אַרְיוֹךְ מַלְכָּא

רש"י

(יח) [ויאהל אברם. חזר לאהלו. כשראה שאינו מוליד פירש ממנה, כיון שאמר לו הקב"ה ושמתי את זרעך חזר לה:] ממרא. שם אדם (ב"ר מב:ח): [באלני ממרא. תמרא בע"ז: אשר בחברון. שחבר את עצמו להקב"ה:] (א) אמרפל. הוא נמרוד

רמב"ן

[יז] קוּם הִתְהַלֵּךְ בָּאָרֶץ לְאָרְכָּהּ וּלְרָחְבָּהּ. יִתָּכֵן שֶׁזֶּה רְשׁוּת כִּרְצוֹנוֹ[22], אָמַר לוֹ בְּכָל אֲשֶׁר תִּרְצֶה לָלֶכֶת בָּאָרֶץ לֵךְ, כִּי אֶהְיֶה עִמְּךָ וּשְׁמַרְתִּיךָ מֵרָעַת הַגּוֹיִם[23]. כִּי לְךָ אֶתְּנֶנָּה, כְּלוֹמַר שֶׁלְּךָ תִּהְיֶה[24].

וְאִם הִיא מִצְוָה שֶׁיֵּלֵךְ בָּהּ כָּל אָרְכָּהּ וְרָחְבָּהּ לְהַחֲזִיק בְּמַתְּנָתוֹ כַּאֲשֶׁר פֵּרַשְׁתִּי [לעיל יב, ו] לֹא נִצְטַוָּה לַעֲשׂוֹת זֶה מִיָּד, וְהִנֵּה עָשָׂה כֵן, כִּי עַתָּה הָיָה בַּמִּזְרָח[25] וְאַחַר כֵּן הָלַךְ אֶל אֶרֶץ פְּלִשְׁתִּים שֶׁהוּא בַּמַּעֲרָב[26], וְהִנֵּה קִיֵּם הַמִּצְוָה בְּחַיָּיו[27]. וְטַעַם לְךָ וּלְזַרְעֲךָ [לעיל פסוק טו], שֶׁתַּחֲזִיק בְּמַתָּנָה מֵעַכְשָׁיו לְהַנְחִילָהּ לְזַרְעֲךָ[28],

RAMBAN ELUCIDATED

17. קוּם הִתְהַלֵּךְ בָּאָרֶץ לְאָרְכָּהּ וּלְרָחְבָּהּ – ***ARISE, WALK ABOUT THE LAND THROUGH ITS LENGTH AND BREADTH*** [*for to you will I give it*].

[Why do we not find that Abraham followed God's command to *walk about* the length and breadth of *Eretz Yisrael*? Also, how does God's statement *for to you will I give it* serve as a reason for Abraham to walk through the land? Ramban explains:]

יִתָּכֵן שֶׁזֶּה רְשׁוּת כִּרְצוֹנוֹ – **It is possible that this** instruction **was optional** – and was **dependent on [Abraham's] will.**[22] **אָמַר לוֹ בְּכָל אֲשֶׁר תִּרְצֶה לָלֶכֶת בָּאָרֶץ לֵךְ** – **He said to him,** in effect: **"Wherever you wish to go in the land you may go, כִּי אֶהְיֶה עִמְּךָ וּשְׁמַרְתִּיךָ מֵרָעֵי הַגּוֹיִם** – **for I will be with you and guard you from the 'wicked ones of the nations,'**[23] **"כִּי לְךָ אֶתְּנֶנָּה," כְּלוֹמַר שֶׁלְּךָ תִּהְיֶה** – ***for to you will I give it,* meaning that '[the land] shall be yours.' "**[24]

[Ramban presents a second possible interpretation of the verse:]

וְאִם הִיא מִצְוָה שֶׁיֵּלֵךְ בָּהּ כָּל אָרְכָּהּ וְרָחְבָּהּ לְהַחֲזִיק בְּמַתְּנָתוֹ כַּאֲשֶׁר פֵּרַשְׁתִּי – **If,** on the other hand, **it is** to be understood as an actual **command that [Abraham] was to walk in [the land] throughout its length and breadth – in order to,** in effect, **take possession of his gift, as I explained** (above, 12:6) – **לֹא נִצְטַוָּה לַעֲשׂוֹת זֶה מִיָּד** – **he was not commanded to do this immediately. וְהִנֵּה עָשָׂה כֵן** – **But he did** eventually **do so, כִּי עַתָּה הָיָה בַּמִּזְרָח וְאַחַר כֵּן הָלַךְ אֶל אֶרֶץ פְּלִשְׁתִּים שֶׁהוּא בַּמַּעֲרָב** – **for now he was in the east,**[25] **and afterwards he went to the land of Philistines,**[26] **which is in the west, וְהִנֵּה קִיֵּם הַמִּצְוָה בְּחַיָּיו** – **so that he indeed fulfilled the commandment in his lifetime.**[27] **וְטַעַם "לְךָ וּלְזַרְעֲךָ"** – According to this interpretation, **the meaning of *to you and to your descendants*** (v. 15) **שֶׁתַּחֲזִיק בְּמַתָּנָה מֵעַכְשָׁיו לְהַנְחִילָהּ לְזַרְעֲךָ** – **is that "you should take possession of the gift** I

rejects – the possibility that the perversions for which the Canaanites were later noted (*Leviticus* Chap. 18) had not yet taken root in their society in Abraham's time.

22. This would indicate that Abraham did not in fact do so.

23. Stylistic citation from *Ezekiel* 7:24.

24. According to this interpretation, Abraham's walking about in the land was not related to God's *giving* him the land. Rather, God was in effect telling him, "Walk about the land as you wish, without fear, for I will protect you. The reason for this is that 'the land shall be yours' one day." (Ramban rephrases the words "for to you will I *give* it" as "[the land] *shall be* yours," to emphasize this point.)

25. As Scripture states, "and Lot journeyed from the east" (v. 11).

26. As we see below, 21:34. *Tur's* citation of Ramban adds: "and he went to Hebron, which is at the southern border."

27. According to this interpretation, *for to you will I give it* is the reason that Abraham was commanded to

of the earth, then your offspring, too, can be counted. [17]*Arise, walk about the land through its length and breadth! For to you will I give it."* [18]*And Abram moved his tent and came and dwelled in Eilonei Mamre which is in Hebron; and he built there an altar to* HASHEM.

14 [1]*And it happened in the days of Amraphel, king of Shinar; Arioch,*

רמב"ן

כְּמוֹ שֶׁאָמְרוּ רַבּוֹתֵינוּ [עבודה זרה נג,ב]: "יְרֻשָּׁה הִיא לָהֶם מֵאֲבוֹתֵיהֶם"[29].
וְעַל דֶּרֶךְ הַפְּשָׁט יִתָּכֵן, שֶׁיִּהְיֶה מוֹשֵׁל עָלֶיהָ וּנְשִׂיא אֱלֹהִים בְּתוֹכָהּ[30], בְּכָל מָקוֹם שֶׁיֵּלֵךְ בָּאָרֶץ הַהִיא[31].

יד [א] וַיְהִי בִּימֵי אַמְרָפֶל מֶלֶךְ שִׁנְעָר. הַמַּעֲשֶׂה הַזֶּה אֵרַע לְאַבְרָהָם לְהוֹרוֹת כִּי אַרְבַּע מַלְכֻיּוֹת תַּעֲמוֹדְנָה לִמְשֹׁל בָּעוֹלָם, וּבַסּוֹף יִתְגַּבְּרוּ בָּנָיו עֲלֵיהֶם, וְיִפְּלוּ כֻלָּם בְּיָדָם וְיָשִׁיבוּ כָּל שְׁבוּתָם וּרְכוּשָׁם. וְהָיָה הָרִאשׁוֹן מֵהֶם מֶלֶךְ בָּבֶל[1], כִּי כֵן הֶעָתִיד, כְּדִכְתִיב "אַנְתְּ הוּא רֵישָׁא דִּי דַהֲבָא" [דניאל ב, לח][2]. וְאוּלַי **אֶלָּסָר** שֵׁם עִיר בְּמָדַי אוֹ

RAMBAN ELUCIDATED

have given you **from this moment, so that you may bequeath it to your offspring,"**[28] כְּמוֹ שֶׁאָמְרוּ רַבּוֹתֵינוּ: "יְרֻשָּׁה הִיא לָהֶם מֵאֲבוֹתֵיהֶם" – **as the Sages say** (*Avodah Zarah* 53b): **"It is an inheritance to them** (the Israelites entering *Eretz Yisrael*) **from their forefathers."**[29]

[Ramban offers a third possible interpretation of *Arise, walk about the land:*]

וְעַל דֶּרֶךְ הַפְּשָׁט יִתָּכֵן שֶׁיִּהְיֶה מוֹשֵׁל עָלֶיהָ וּנְשִׂיא אֱלֹהִים בְּתוֹכָהּ – **According to the plain explanation** of the verse, **it is possible that** God told Abraham **that he would be a ruler of [the land] and "a prince of God in its midst"**[30] **בְּכָל מָקוֹם שֶׁיֵּלֵךְ בָּאָרֶץ הַהִיא** – **in every place that he would travel in that land.**[31]

14.

1. וַיְהִי בִּימֵי אַמְרָפֶל מֶלֶךְ שִׁנְעָר – ***AND IT HAPPENED IN THE DAYS OF AMRAPHEL, KING OF SHINAR.***

[Ramban explains the significance of the war described in this chapter in light of the principle, "the events of the Patriarchs are signs for their descendants" (see above, 12:6):]

הַמַּעֲשֶׂה הַזֶּה אֵרַע לְאַבְרָהָם – **This episode happened to Abraham** **לְהוֹרוֹת כִּי אַרְבַּע מַלְכֻיּוֹת תַּעֲמוֹדְנָה לִמְשֹׁל בָּעוֹלָם** – **to indicate that four kingdoms would arise to reign in the world** through the ages, **וּבַסּוֹף יִתְגַּבְּרוּ בָּנָיו עֲלֵיהֶם** – **and in the end his descendants would prevail over them;** **וְיִפְּלוּ כֻלָּם בְּיָדָם וְיָשִׁיבוּ כָּל שְׁבוּתָם וּרְכוּשָׁם** – **[the kingdoms] would all fall into their hands and [the kingdoms] would return all the captives and** plundered **possessions** taken from Abraham's descendants – just as Abraham defeated the four kings and rescued his captured nephew and retrieved the booty seized by those kings. **וְהָיָה הָרִאשׁוֹן מֵהֶם מֶלֶךְ בָּבֶל** – **The first of [the four kings] mentioned here, Amraphel of Shinar, was the king of Babylonia,**[1] **כִּי כֵן הֶעָתִיד** – **for so it would be in the future,** **כְּדִכְתִיב "אַנְתְּ הוּא רֵישָׁא דִּי דַהֲבָא"** – **as it is written, "You** [Nebuchadnezzar] **are the head of gold"** (*Daniel* 2:38).[2] **וְאוּלַי אֶלָּסָר שֵׁם עִיר בְּמָדַי אוֹ בְּפָרַס** – Regarding the second kingdom mentioned here –

walk through the land. It represents taking possession of the land.

28. Verse 17 mentions only *to you,* omitting mention of Abraham's descendants. This is presumably because *to you* clearly implies "to you *and* your descendants." Why, then, does v. 14 state both *to you* and *to your descendants*? Ramban answers that according to his present interpretation (of v. 17) the wording may be explained as follows: "*You* walk about through the land now, so that it will belong to *your descendants* in the future" (R' Chavel).

29. This demonstrates that *Eretz Yisrael* belonged to the people of Israel from the time of the Patriarchs, long before they conquered it under Joshua.

30. Stylistic citation from below, 23:6, meaning that Abraham was regarded by the natives as a leader and master.

31. According to this interpretation, when God said, "Arise, walk about the land," He meant to tell Abraham, "Go assert your authority over the inhabitants of the land."

1. Shinar being the same as Babylonia (see above, 11:2-9).

2. Nebuchadnezzar had a dream (*Daniel* Chap. 2) concerning Four Kingdoms that would arise as empires, one after the other, until Israel would emerge as the final victor. Daniel identified the first of these kingdoms as Babylonia, ruled by Nebuchadnezzar himself. The Four Kingdoms also appear in Daniel's dreams, in ibid. Chap. 7 and again in Chap. 8, where

אֶלָּסָ֑ר כְּדָרְלָעֹ֙מֶר֙ מֶ֣לֶךְ עֵילָ֔ם וְתִדְעָ֖ל מֶ֥לֶךְ
ב גּוֹיִֽם׃ עָשׂ֣וּ מִלְחָמָ֗ה אֶת־בֶּ֙רַע֙ מֶ֣לֶךְ סְדֹ֔ם וְאֶת־
בִּרְשַׁ֖ע מֶ֣לֶךְ עֲמֹרָ֑ה שִׁנְאָ֣ב ׀ מֶ֣לֶךְ אַדְמָ֗ה
וְשֶׁמְאֵ֙בֶר֙ מֶ֣לֶךְ צביים וּמֶ֥לֶךְ בֶּ֖לַע הִיא־צֹֽעַר׃ צְבוֹיִם ק׳
ג כָּל־אֵ֙לֶּה֙ חָֽבְר֔וּ אֶל־עֵ֖מֶק הַשִּׂדִּ֑ים ה֖וּא יָ֥ם
ד הַמֶּֽלַח׃ שְׁתֵּ֤ים עֶשְׂרֵה֙ שָׁנָ֔ה עָֽבְד֖וּ אֶת־
כְּדָרְלָעֹ֑מֶר וּשְׁלֹשׁ־עֶשְׂרֵ֥ה שָׁנָ֖ה מָרָֽדוּ׃
ה וּבְאַרְבַּע֩ עֶשְׂרֵ֨ה שָׁנָ֜ה בָּ֣א כְדָרְלָעֹ֗מֶר
וְהַמְּלָכִים֙ אֲשֶׁ֣ר אִתּ֔וֹ וַיַּכּ֤וּ אֶת־רְפָאִים֙
בְּעַשְׁתְּרֹ֣ת קַרְנַ֔יִם וְאֶת־הַזּוּזִ֖ים בְּהָ֑ם וְאֵת֙
ו הָֽאֵימִ֔ים בְּשָׁוֵ֖ה קִרְיָתָֽיִם׃ וְאֶת־הַחֹרִ֖י בְּהַרְרָ֣ם
שֵׂעִ֑יר עַ֚ד אֵ֣יל פָּארָ֔ן אֲשֶׁ֖ר עַל־הַמִּדְבָּֽר׃

דְאֶלָּסָר כְּדָרְלָעֹמֶר מַלְכָּא דְעֵילָם וְתִדְעָל מַלְכָּא דְעַמְמֵי׃ ב סְדָרוּ (נ״א עֲבַדוּ) קְרָבָא עִם בֶּרַע מַלְכָּא דִסְדֹם וְעִם בִּרְשַׁע מַלְכָּא דַעֲמֹרָה שִׁנְאָב מַלְכָּא דְאַדְמָה וְשֶׁמְאֵבֶר מַלְכָּא דִצְבוֹיִם וּמַלְכָּא דְבֶלַע הִיא צֹעַר׃ ג כָּל אִלֵּין אִתְכְּנָשׁוּ לְמֵישַׁר חַקְלַיָּא הוּא אֲתַר יַמָּא דְמִלְחָא׃ ד תַּרְתֵּי עֲשַׂר שְׁנִין פְּלָחוּ יָת כְּדָרְלָעֹמֶר וּתְלָת עֶשְׂרֵי שְׁנִין מְרָדוּ׃ ה וּבְאַרְבַּע עֶשְׂרֵי שְׁנִין אֲתָא כְדָרְלָעֹמֶר וּמַלְכַיָּא דִּי עִמֵּהּ וּמְחוֹ יָת גִּבָּרַיָּא דִּי בְעַשְׁתְּרוֹת קַרְנַיִם וְיָת תַּקִּיפַיָּא דִּבְהֶמְתָּא וְיָת אֵימְתָנֵי דִּבְשָׁוֵה קִרְיָתָיִם׃ ו וְיָת חוֹרָאֵי דִּי בְטוּרְהוֹן דְּשֵׂעִיר עַד מֵישַׁר פָּארָן דִּי סְמִיךְ עַל מַדְבְּרָא׃

רש״י

שאמר לאברם פול לתוך כבשן האש (עירובין נג.; תנחומא ו): **מלך גוים.** מקום יש ששמו גוים, על שם שנתקבצו שמה מכמה גוים ומקומות והמליכו איש עליהם ושמו תדעל (ב״ר מב:ד): **(ב) ברע.** רע לשמים ורע לבריות: **ברשע.** שנתעלה ברשעו: **שנאב.** שונא אביו שבשמים: **שמאבר.** שם אבר לעוף ולקפוץ ולמרוד בהקב״ה (תנחומא ח): **בלע.** שם העיר (ב״ר שם ה): **(ג) עמק השדים.** כך שמו, על שם שהיו בו שדות הרבה (אונקלוס): **הוא ים המלח.** לאחר זמן נמשך הים לתוכו ונעשה ים המלח. ומדרש אגדה אומר שנתבקעו הצורים סביבותיו ונמשכו יאורים לתוכו (ב״ר שם): **(ד) שתים עשרה שנה עבדו.** חמשה מלכים הללו את **כדרלעמר**: **(ה) ובארבע עשרה שנה.** למרדן (שם): **בא כדרלעמר.** לפי שהוא היה בעל המעשה נכנס בעובי הקורה (שם): **והמלכים וגו׳.** אלו שלשה מלכים: **זוזים.** הם זמזומים (דברים ב:כ): **(ו) בהררם.** בהר שלהם (אונקלוס): **איל פארן.** כתרגומו מישר. ואומר אני שאין איל לשון מישור, אלא מישור של פארן איל שמו, ושל ממרא אלוני שמו, ושל ירדן ככר שמו, ושל שטים אבל שמו אבל השטים (דברים לג:מט), וכן בעל גד (יהושע יא:יז) בעל שמו, וכולן מתורגמין מישר, וכל אחד שמו עליו: **על המדבר.** אצל המדבר, כמו ועליו מטה מנשה (במדבר ב:כ):

רמב״ן

בְּפָרָס. **וְעֵילָם**, בָּעִיר הַהִיא הָמְלַךְ מֶלֶךְ יָוָן, הוּא הַמֶּלֶךְ הָרִאשׁוֹן[3], וּמִשָּׁם נִתְפַּשֵּׁט מַלְכוּתוֹ כְּשֶׁנִּצַּח דָּרְיָוֶשׁ. וּכְבָר הִזְכִּירוּ זֶה רַבּוֹתֵינוּ בַּיְּוָנִים [עבודה זרה, י, א]: רַבִּי יוֹסֵי אוֹמֵר, שֵׁשׁ שָׁנִים מָלְכוּ בְּעֵילָם, וְאַחַר כָּךְ נִתְפַּשְּׁטָה מַלְכוּתָם בְּכָל הָעוֹלָם כֻּלּוֹ. **וּמֶלֶךְ גּוֹיִם** הָמְלַךְ עַל עַמִּים שׁוֹנִים[4] אֲשֶׁר שָׂמוּהוּ עֲלֵיהֶם לְרֹאשׁ וּלְקָצִין,

RAMBAN ELUCIDATED

perhaps *Ellasar* is the name of a city in Media or in Persia. וְעֵילָם, בָּעִיר הַהִיא הָמְלַךְ מֶלֶךְ יָוָן – **As for *Elam*,** the third kingdom mentioned here – it was **in that city** that **a** famous **king of the Greek [empire] was installed;** הוּא הַמֶּלֶךְ הָרִאשׁוֹן – **he was the first** Greek **king.**[3] וּמִשָּׁם נִתְפַּשֵּׁט מַלְכוּתוֹ כְּשֶׁנִּצַּח דָּרְיָוֶשׁ – And it was **from there [Elam]** that **his kingdom spread out when he defeated Darius** the Persian king. וּכְבָר הִזְכִּירוּ זֶה רַבּוֹתֵינוּ בַּיְּוָנִים: – **The Sages** (*Avodah Zarah* 10a) **have already mentioned this** fact **regarding the Greeks:** רַבִּי יוֹסֵי אוֹמֵר שֵׁשׁ שָׁנִים מָלְכוּ בְּעֵילָם – **"Rabbi Yosi said: Six years [the Greeks] ruled in Elam,** וְאַחַר כָּךְ נִתְפַּשְּׁטָה מַלְכוּתָם בְּכָל הָעוֹלָם כֻּלּוֹ – **and after this their kingdom spread throughout the entire world."** וּמֶלֶךְ גּוֹיִם הָמְלַךְ עַל עַמִּים שׁוֹנִים אֲשֶׁר שָׂמוּהוּ עֲלֵיהֶם לְרֹאשׁ וּלְקָצִין – **As for** the last king mentioned in the verse, **the *king of Goiim*** – **he was crowned king over** several **different nations**[4] **who accepted him as a chief and a leader.**

the second kingdom is identified as Persia/Media and the third as Greece. The fourth kingdom is not identified explicitly by Scripture, but according to tradition it is Edom/Rome.

3. Ramban is apparently referring to Alexander the Great, who defeated Darius' Persian army several times.

4. *Goiim* means "[various] nations" (see Rashi).

king of Ellasar; Chedorlaomer, king of Elam; and Tidal, king of
Goiim, 2 *that these made war on Bera, king of Sodom; Birsha,*
king of Gomorrah; Shinab, king of Admah; Shemeber, king of
Zeboiim; and the king of Bela, which is Zoar. 3 *All these had joined*
at the Valley of Siddim, now the Salt Sea. 4 *Twelve years they*
served Chedorlaomer, and they rebelled thirteen years. 5 *In the*
fourteenth year, Chedorlaomer and the kings who were with him
came and struck the Rephaim at Ashteroth-karnaim, the Zuzim in
Ham, the Emim at Shaveh-kiriathaim; 6 *and the Horites in their*
mountains of Seir, as far as Eil Paran which is by the wilderness.

רמב״ן

רֶמֶז לְמֶלֶךְ רוֹמִי אֲשֶׁר הָמְלַךְ עַל עִיר מְקֻבֶּצֶת מֵעַמִּים רַבִּים, כִּתִּים וֶאֱדוֹם וְיֶתֶר גּוֹיִם.

וְכָךְ אָמְרוּ בִּבְרֵאשִׁית רַבָּה [מב, ב]: אָמַר רַבִּי אָבִין, כְּשֵׁם שֶׁפָּתַח בְּאַרְבַּע מַלְכֻיּוֹת, כָּךְ אֵינוֹ חוֹתֵם אֶלָּא בְּאַרְבַּע מַלְכֻיּוֹת וְכוּ׳[5]. וְשָׁם עוֹד [ראה מב, ד]: וַיְהִי בִּימֵי אַמְרָפֶל מֶלֶךְ שִׁנְעָר, זוֹ בָּבֶל; אַרְיוֹךְ מֶלֶךְ אֶלָּסָר, זוֹ מָדַי; כְּדָרְלָעֹמֶר מֶלֶךְ עֵילָם, זוֹ יָוָן; וְתִדְעָל מֶלֶךְ גּוֹיִם, זוֹ מַלְכוּת הָרְשָׁעָה הַזּוֹ[6], שֶׁהִיא מַכְתֶּבֶת טִירוֹנְיָא[7] מִכָּל אֻמּוֹת הָעוֹלָם.

[ב] וְטַעַם וּמֶלֶךְ בֶּלַע, מִפְּנֵי שֶׁמָּלַךְ עַל עִיר קְטַנָּה[8] וַאֲנָשִׁים בָּהּ מְעָט, וְלֹא שֵׁם לוֹ עַל פְּנֵי חוּץ.

[ו] אֵיל פָּארָן. כְּתַרְגּוּמוֹ, מֵישַׁר פָּארָן. וַאֲנִי אוֹמֵר שֶׁאֵין אֵיל לְשׁוֹן מִישׁוֹר, אֶלָּא מִישׁוֹר שֶׁל פָּארָן ״אֵיל״ שְׁמוֹ;

RAMBAN ELUCIDATED

רֶמֶז לְמֶלֶךְ רוֹמִי אֲשֶׁר הָמְלַךְ עַל עִיר מְקֻבֶּצֶת מֵעַמִּים רַבִּים, כִּתִּים וֶאֱדוֹם וְיֶתֶר גּוֹיִם – This is an allusion to the king of Rome, who was crowned over a city whose populace **was a gathering of many peoples: Kittites, Edomites and other nations.**

[The above interpretation is based on remarks of the Sages in the Midrash:]

וְכָךְ אָמְרוּ בִּבְרֵאשִׁית רַבָּה: – And so said [the Sages] in *Bereishis Rabbah* (42:2): **אָמַר רַבִּי אָבִין, כְּשֵׁם שֶׁפָּתַח בְּאַרְבַּע מַלְכֻיּוֹת – "Rabbi Avin said: Just as Abraham's grief began with four kingdoms** waging war against Abraham, **כָּךְ אֵינוֹ חוֹתֵם אֶלָּא בְּאַרְבַּע מַלְכֻיּוֹת וְכוּ׳ – so, too, will it end only with four kingdoms, etc."**[5] **וְשָׁם עוֹד: – And** it states there **further** (42:4): **וַיְהִי בִּימֵי אַמְרָפֶל מֶלֶךְ שִׁנְעָר, זוֹ בָּבֶל; אַרְיוֹךְ מֶלֶךְ אֶלָּסָר, זוֹ מָדַי; כְּדָרְלָעֹמֶר מֶלֶךְ עֵילָם, זוֹ יָוָן – "*And it happened in the days of Amraphel, king of Shinar* – this is Babylonia; *Arioch, king of Ellasar* – this is Media; *Chedarlaomer, king of Elam* – this is Greece; וְתִדְעָל מֶלֶךְ גּוֹיִם, זוֹ מַלְכוּת הָרְשָׁעָה הַזּוֹ – *and Tidal, king of Goiim* – this is this Evil Kingdom,**[6] **שֶׁהִיא מַכְתֶּבֶת טִירוֹנְיָא מִכָּל אֻמּוֹת הָעוֹלָם – which conscripts soldiers**[7] **from all the nations of the world."**

2. [**וּמֶלֶךְ בֶּלַע** – *AND THE KING OF BELA.*]

[He is the only king in this narrative whose name is not mentioned. Ramban explains:]

וְטַעַם ״וּמֶלֶךְ בֶּלַע״ – The reason this king is not referred to by name but simply, **"the king of Bela,"** **מִפְּנֵי שֶׁמָּלַךְ עַל עִיר קְטַנָּה וַאֲנָשִׁים בָּהּ מְעָט – is because he ruled over only a small city**[8] **and the people in it are few, וְלֹא שֵׁם לוֹ עַל פְּנֵי חוּץ – and his fame was not widespread.**

6. אֵיל פָּארָן – *EIL PARAN.*

[Ramban discusses the meaning of אֵיל. He begins with Rashi's comment:]

כְּתַרְגּוּמוֹ מֵישַׁר פָּארָן – The meaning of the phrase is **as Targum** Onkelos renders it: **"plain of Paran."** [Rashi continues:] **וַאֲנִי אוֹמֵר – And I say** in explanation of Onkelos **שֶׁאֵין אֵיל לְשׁוֹן מִישׁוֹר, אֶלָּא מִישׁוֹר שֶׁל פָּארָן ״אֵיל״ שְׁמוֹ – that אֵיל** does not mean "plain"; rather, the ***proper name* of the plain of**

5. Viz., Babylonia, Persia, Greece and Rome.

6. A common epithet for the Roman Empire, which destroyed the Temple and mercilessly persecuted the Jews.

7. Alternatively, "which collects tribute from all the nations" (see Midrash commentaries ad loc.),

8. In fact, the city Bela was also known as Zoar, which means "small" (see below, 19:20-22 and Ibn Ezra ad loc.).

רמב״ן

וְשֶׁל מַמְרֵא ״אֵלוֹנֵי״ שְׁמוֹ וְשֶׁל יַרְדֵּן ״כִּכַּר״ שְׁמוֹ; וְשֶׁל שִׁטִּים ״אָבֵל״ שְׁמוֹ; וְכֻלָּם מְתֻרְגָּמִין ״מֵישְׁרָא״, וְכָל אֶחָד שְׁמוֹ עָלָיו. לְשׁוֹן רַשִׁ״י[9].

וְאִלּוּ הָיָה כֵּן, הָיָה אוּנְקְלוֹס מְתַרְגֵּם בִּשְׁמָם ״אֵילָא דְפָארָן״, ״אֵלוֹנֵי דְמַמְרֵא״, כְּמִנְהָגוֹ בַּשֵּׁמוֹת. וּמִי הִגִּיד לוֹ בִּמְקוֹמוֹת הָרַבִּים הָהֵם הַמִּישׁוֹר הֵם כֻּלָּם אוֹ הָרִים הַגְּבֹהִים[10]. וּ״מַמְרֵא״ שֵׁם הָאִישׁ הָאֱמֹרִי אֲחִי אֶשְׁכּוֹל וַאֲחִי עָנֵר בַּעֲלֵי בְּרִית אַבְרָם, וְהַמָּקוֹם הַהוּא שֶׁלּוֹ, כְּמוֹ שֶׁאָמַר [לקמן פסוק יג]: ״אֵלוֹנֵי מַמְרֵא הָאֱמֹרִי״, כַּאֲשֶׁר פֵּרַשְׁתִּי [לעיל יב, ו][11].

אֲבָל ״אֵיל פָּארָן״ מְקוֹם אֵילִים, ״כִּי יֵבֹשׁוּ מֵאֵילִים אֲשֶׁר חֲמַדְתֶּם״ [ישעיה א, כט]. וְ״אֵלוֹנֵי״ מְקוֹם אַלּוֹנִים, ״כָּאֵלָה וְכָאַלּוֹן״ [שם ו, יג], ״אַלּוֹנִים מִבָּשָׁן״ [יחזקאל כז, ו][12]. וְהַנָּהוּג בָּהֶם לִהְיוֹתָם נְטוּעִים בַּמִּישׁוֹר לִפְנֵי הַמְּדִינוֹת לִהְיוֹת לָעִיר כְּמוֹ מִגְרָשׁ[13].

RAMBAN ELUCIDATED

Paran is "Eil"; וְשֶׁל מַמְרֵא ״אֵלוֹנֵי״ שְׁמוֹ – **and the name** of the plain **of Mamre is "Elonei"** (above, 13:18, etc.); וְשֶׁל יַרְדֵּן ״כִּכַּר״ שְׁמוֹ – **and the name** of the plain **of the Jordan is "Kikkar"** (above, 13:10, etc.); וְשֶׁל שִׁטִּים ״אָבֵל״ שְׁמוֹ – **and the name** of the plain **of Shittim is "Avel"** (*Numbers* 33:49). וְכֻלָּם מְתֻרְגָּמִין ״מֵישְׁרָא״ – **All of them are rendered** by Onkelos **as "plain,"** וְכָל אֶחָד שְׁמוֹ עָלָיו – **and each one has its own name.** לְשׁוֹן רַשִׁ״י – The above is **a quote from Rashi.**[9]

[Ramban presents three difficulties with Rashi's interpretation:]

וְאִלּוּ הָיָה כֵּן הָיָה אוּנְקְלוֹס מְתַרְגֵּם בִּשְׁמָם ״אֵילָא דְפָארָן״, ״אֵלוֹנֵי דְמַמְרֵא״, כְּמִנְהָגוֹ בַּשֵּׁמוֹת – The first difficulty: **If it were so,** i.e. that אֵיל and אֵלוֹנֵי are names, **Onkelos would have translated** these places **using their names,** אֵילָא דְפָארָן – (**"Eil of Paran"**), אֵלוֹנֵי דְמַמְרֵא – (**"Elonei of Mamre"**), etc., reproducing them exactly as they are in the Hebrew text, **as is his custom with** proper **names.** The second difficulty is: וּמִי הִגִּיד לוֹ בִּמְקוֹמוֹת הָרַבִּים הָהֵם הַמִּישׁוֹר הֵם כֻּלָּם אוֹ הָרִים הַגְּבֹהִים – **Who told [Onkelos] that all these numerous places are all plains or** perhaps **high mountains?**[10] The third difficulty is: וּ״מַמְרֵא״ שֵׁם הָאִישׁ הָאֱמֹרִי אֲחִי אֶשְׁכּוֹל וַאֲחִי עָנֵר בַּעֲלֵי בְּרִית אַבְרָם, וְהַמָּקוֹם הַהוּא שֶׁלּוֹ – **Mamre is the name of an Amorite man – "the brother of Eshcol and the brother of Aner, Abram's allies"** (below, v. 13) – **to whom that place belonged,** כְּמוֹ שֶׁאָמַר: ״אֵלוֹנֵי מַמְרֵא הָאֱמֹרִי״, כַּאֲשֶׁר פֵּרַשְׁתִּי – **as it says, "Elonei of Mamre the Amorite"** (ibid.), **as I have explained** (above, 12:6).[11]

[Ramban now presents his own interpretation of these terms:]

אֲבָל ״אֵיל פָּארָן״ מְקוֹם אֵילִים – **Rather, Eil Paran is a place of** many **terebinth trees** (אֵילִים). The place name thus means "the Terebinth[s] of Paran," ״כִּי יֵבֹשׁוּ מֵאֵילִים אֲשֶׁר חֲמַדְתֶּם״ – as in the verse, ***for they will be ashamed of the*** *idolatrous* ***terebinths*** (אֵילִים) ***that you desired*** (*Isaiah* 1:29). וְ״אֵלוֹנֵי״ מְקוֹם אַלּוֹנִים – Similarly, **"Eilonei"** in the place names Eilonei Mamre and Eilonei Moreh means **a place of** many **oak trees,** ״כָּאֵלָה וְכָאַלּוֹן״, ״אַלּוֹנִים מִבָּשָׁן״ – as in the verses, ***like a terebinth and an oak*** (אַלּוֹן) (ibid. 6:13) and ***oaks*** (אַלּוֹנִים) ***from Bashan*** (*Ezekiel* 27:6).[12] וְהַנָּהוּג בָּהֶם לִהְיוֹתָם נְטוּעִים בַּמִּישׁוֹר לִפְנֵי הַמְּדִינוֹת לִהְיוֹת לָעִיר כְּמוֹ מִגְרָשׁ – **It was customary to have these** trees **planted in the plains before large cities to serve as a sort of park for the city.**[13] *Eilonei Mamre* thus means "Oaks of Mamre," and *Eil Paran* means "Terebinths of Paran," etc.

[Ramban now demonstrates that Rashi's interpretation of Onkelos is incorrect:]

---

9. Rashi explains that Onkelos did not intend to say that the terms אֵיל, אֵלוֹנֵי, כִּכַּר, אָבֵל mean "plain." Rather, they are the *proper names* of four different plains (*Mizrachi, Gur Aryeh*).

[Rashi actually mentions a fifth example (בַּעַל), but Ramban's Rashi text apparently did not include this example.]

10. If Eil, Eilon, etc. are proper names, then "plain" is never mentioned in the verse. How then could Onkelos assume that they were in fact plains?

11. A proper name is never associated with a person in this manner, as, for example, "the Hebron of Abraham" or "the Jerusalem of David." Thus, since Mamre is the name of the individual to whom אֵלוֹנֵי belonged, אֵלוֹנֵי מַמְרֵא cannot be translated, as Rashi would have it, "Elonei of Mamre."

12. Ramban asserts that the word אֵילוֹן indicates a place of many אַלּוֹן trees.

13. Onkelos knew that these places were plains because it was on level ground near the city that these wooded areas were customarily planted.

רמב״ן

וְכֵן תִּרְגֵּם ״אַלּוֹן בָּכוּת״ [להלן לה, ח], ״מֵישַׁר בְּכוּתָא״, וְשָׁם אֵינֶנּוּ שֵׁם הָעֶצֶם לַמָּקוֹם, רַק הוּא שֵׁם לָאַלּוֹן הַנָּטוּעַ שָׁם כְּמוֹ שֶׁמְּפֹרָשׁ ״תַּחַת הָאַלּוֹן״[14], אֶלָּא שֶׁהוּא רוֹדֵף הָעִנְיָן לֹא הַמִּלּוֹת[15].

וְהַתַּרְגּוּם הַיְרוּשַׁלְמִי[16] אָמַר בְּ״אֵיל פָּארָן״ וְ״אֵלוֹנֵי מַמְרֵא״ ״מֵישְׁרָא״[17] כְּדִבְרֵי אוּנְקְלוֹס, וְאָמַר בְּ״אַלּוֹן בָּכוּת״ ״בְּלוּט בְּכוּתָא״[18], כִּי ״אַלּוֹן בָּכוּת״ אֶצְלוֹ שֵׁם לְאִילָן, לֹא לְמָקוֹם. וְאוּנְקְלוֹס סָבַר שֶׁהוּא שֵׁם לְמָקוֹם, כִּי הָיוּ בּוֹ אַלּוֹנִים רַבִּים, כְּמוֹ ״אֵלוֹנֵי מַמְרֵא״, וּלְכָךְ אָמַר ״הָאַלּוֹן״[19].

וְהִנֵּה כֻּלָּם שְׁמוֹת תֹּאַר[20], אֲבָל ״כִּכַּר הַיַּרְדֵּן״ לְשׁוֹן מִישׁוֹר מַמָּשׁ הוּא[21], כִּי כֵן יִקָּרֵא בִּלְשׁוֹן הַקֹּדֶשׁ הַמָּקוֹם שֶׁהַנְּהָרוֹת מִתְפַּשְּׁטִין בָּהֶם בִּמְרוּצַת הַמַּיִם הַנִּגָּרִים הַשּׁוֹטְפִים שָׁם[22]. וְלָכֵן אָמַר [להלן יט, יז]: ״וְאַל

RAMBAN ELUCIDATED

וְכֵן תִּרְגֵּם ״אַלּוֹן בָּכוּת״ ״מֵישַׁר בְּכוּתָא״ – **[Onkelos] also translates אַלּוֹן בָּכוּת** (below, 35:8) **as מֵישַׁר בְּכוּתָא (“Plain of Weeping”), וְשָׁם אֵינֶנּוּ שֵׁם הָעֶצֶם לַמָּקוֹם** – **although there** אַלּוֹן is certainly **not a proper name for a place,** as Rashi would have it, **רַק הוּא שֵׁם לָאַלּוֹן הַנָּטוּעַ שָׁם** – **but rather the name of a** particular **oak tree that was planted there, כְּמוֹ שֶׁמְּפֹרָשׁ ״תַּחַת הָאַלּוֹן״** – **as it says explicitly, “under *the* oak tree”** (ibid.).[14] **אֶלָּא שֶׁהוּא רוֹדֵף הָעִנְיָן לֹא הַמִּלּוֹת** – **However, [Onkelos] pursues the meaning and not the** literal translation of the **words.**[15]

[Having explained Targum Onkelos’ translation of these places, Ramban now discusses the Jerusalemite Targum’s treatment of them:]

וְהַתַּרְגּוּם הַיְרוּשַׁלְמִי אָמַר בְּ״אֵיל פָּארָן״ וְ״אֵלוֹנֵי מַמְרֵא״ ״מֵישְׁרָא״ כְּדִבְרֵי אוּנְקְלוֹס – **The Jerusalemite Targum**[16] **translates ״אֵיל״ of אֵיל פָּארָן and** the ״אֵלוֹנֵי״ **of אֵלוֹנֵי מַמְרֵא** as **מֵישְׁרָא (“plain”),**[17] **in accord with Onkelos, וְאָמַר בְּ״אַלּוֹן בָּכוּת״ ״בְּלוּט בְּכוּתָא״** – **but it** translates **אַלּוֹן בָּכוּת** for **בְּלוּט בְּכוּתָא**[18] **(“the oak of Weeping”), כִּי ״אַלּוֹן בָּכוּת״ אֶצְלוֹ שֵׁם לְאִילָן לֹא לְמָקוֹם** – **for אַלּוֹן בָּכוּת in [the author’s] opinion is the name of a** particular **tree, not of a place. וְאוּנְקְלוֹס סָבַר שֶׁהוּא שֵׁם לְמָקוֹם** – **Onkelos,** however, **maintained that it is the name of a place** – i.e., a wooded area, **כִּי הָיוּ בּוֹ אַלּוֹנִים רַבִּים, כְּמוֹ ״אֵלוֹנֵי מַמְרֵא״** – **for there were many oak trees in [that place], just as** we explained **אֵלוֹנֵי מַמְרֵא** to mean “Oaks of Mamre.” **וּלְכָךְ אָמַר ״הָאַלּוֹן״** – **This is why it says *“The* oak.”**[19]

[Having explained the meaning of אֵיל, אֵלוֹן and אַלּוֹן, Ramban goes on to discuss כִּכָּר:]

וְהִנֵּה כֻּלָּם שְׁמוֹת תֹּאַר – **Now all of these** words – **אֵיל, אֵלוֹן** and **אַלּוֹן** – **are descriptive terms.**[20] **אֲבָל ״כִּכַּר הַיַּרְדֵּן״ לְשׁוֹן מִישׁוֹר מַמָּשׁ הוּא** – **But כִּכַּר הַיַּרְדֵּן literally means “plain,”**[21] **כִּי כֵן יִקָּרֵא בִּלְשׁוֹן הַקֹּדֶשׁ הַמָּקוֹם שֶׁהַנְּהָרוֹת מִתְפַּשְּׁטִין בָּהֶם בִּמְרוּצַת הַמַּיִם הַנִּגָּרִים הַשּׁוֹטְפִים שָׁם** – **for thus is called in the Holy Tongue** (Hebrew) **any area where the rushing currents of the rivers overflow.**[22] **וְלָכֵן אָמַר: ״וְאַל**

14. A proper name is never preceded by the definite article *the* and since we find the word אַלּוֹן with the ה (“the”) prefix, אַלּוֹן cannot be a proper name.

15. Ramban asserts that Onkelos agrees with him in interpreting אַלּוֹן as “oak tree” or “oak park.” Thus, when he renders אַלּוֹן בָּכוּת as “plain of Weeping,” Onkelos is translating literally, for he assumed that the oak tree in question was part of a larger wooded area which, as Ramban explained above, would have been planted in a plain outside of a city. Similarly, his translation of אֵלוֹנֵי מַמְרֵא (“oaks of Mamre”) as “plain of Mamre” is literal, expressing the location in terms of its topography rather than its flora.

16. A translation/Midrash on the Torah written in the *Eretz Yisrael* dialect of Aramaic. There are several variations of this Targum, the most familiar of which is commonly known as *Targum Yonasan ben Uzziel.* Until recently, this was the only known complete version of the Jerusalemite Targum. Fragments of another version, commonly known as *Targum Yerushalmi,* are also printed in some *Mikraos Gedolos* editions of *Chumashim.*

17. In contemporary editions of *Targum Yonasan ben Uzziel* we have מֵישְׁרָא for אֵיל פָּארָן and אֵלוֹן מוֹרֶה, but not for אֵלוֹנֵי מַמְרֵא. Another version of *Targum Yerushalmi* (Neofiti), however, has מֵישְׁרֵי for אֵלוֹנֵי מַמְרֵא as well.

18. This agrees with our present-day *Targum Yerushalmi* (and Neofiti), but not *Targum Yonasan ben Uzziel.”*

19. The definite article in “*the* אַלּוֹן” implies that the reference is to a specific אַלּוֹן. If אַלּוֹן means “oak tree,” the definite article would be inappropriate, for Scripture does not specify here any particular oak tree. This is why Onkelos prefers to interpret אַלּוֹן as “a place with many oak trees,” with the definite article making reference to a specific, known place (*Pnei Yerushalayim*).

20. A שֵׁם תֹּאַר in classical Hebrew grammar is a noun or adjective that ascribes a quality or attribute to an object or person. Ramban’s point is that אֵיל (“a place with many terebinth trees”) and אֵלוֹן (“a place with many oak trees”) are merely descriptive terms of places that *happened to be* plains, while the word כִּכָּר literally means “the plain of,” as Ramban goes on to say.

21. And is not a proper noun.

22. The root כר refers to running swiftly, as Ramban explains below. This term is applied to flat lands

ז וַיָּשֻׁבוּ וַיָּבֹאוּ אֶל־עֵין מִשְׁפָּט הִוא קָדֵשׁ וַיַּכּוּ אֶת־כָּל־שְׂדֵה הָעֲמָלֵקִי וְגַם אֶת־הָאֱמֹרִי הַיֹּשֵׁב

ז וְתָבוּ וַאֲתוֹ לְמֵישַׁר פְּלוּג דִּינָא הִיא רְקָם וּמְחוֹ יָת כָּל חֲקַל עֲמַלְקָאָה וְאַף יָת אֱמוֹרָאָה דְּיָתֵיב

רש״י

(ז) **עין משפט הוא קדש.** על שם העתיד, שעתידין משה ואהרן להשפט שם על עסקי אותו העין, והם מי מריבה (תנחומא ח). [ואונקלוס תרגמו כפשוטו, מקום שהיו בני המדינה מתקבלים שם לכל משפט]: **שדה העמלקי.** עדיין לא נולד עמלק, ונקרא

רמב״ן

תַּעֲמֹד בְּכָל הַכִּכָּר הָהָרָה הִמָּלֵט״[23], וְכֵן ״כַּר נִרְחָב״ [ישעיה ל, כג][24], ״לָבְשׁוּ כָרִים הַצֹּאן וַעֲמָקִים יַעַטְפוּ בָר״ [תהלים סה, יד][25].

פְּעָמִים יִכְפְּלוּ הַמִּלָּה וּפְעָמִים יָסִירוּ הַכֵּפֶל כְּמוֹ ״בַּת עָיִן״ [שם יז, ח][26], וְזוּלָתָם רַבִּים.

וְיִקָּרְאוּ גַּם כֵּן הַשְּׁלוּחִים הַמְּהִירִים בַּשֵּׁם הַזֶּה: ״לַכָּרִי[27] וְלָרָצִים״ [מלכים־ב יא, ד], ״שָׂרֵי הַמֵּאוֹת וְאֶת הַכָּרִי״ [שם פסוק יט]. וְכֵן ״בַּכִּרְכָּרוֹת״[28] [ישעיה סו, כ], שֵׁם לַגְּמַלִּים הַמְּרִיצִין שֶׁהִזְכִּירוּם בַּתַּלְמוּד [מכות ה, א]: ״גַּמְלָא פָּרְחָא״; וּמִמֶּנּוּ ״מְכַרְכֵּר״ [שמואל־ב ו, יד][29], כְּפוּלִים.

וְ״אָבֵל הַשִּׁטִּים״ [במדבר לג, מט] וְכֵן ״אָבֵל מְחוֹלָה״ [שופטים ז, כב], תִּרְגְּמוּ אוֹתוֹ ״מֵישַׁר״, הוּא הַמָּקוֹם

RAMBAN ELUCIDATED

תַּעֲמֹד בְּכָל הַכִּכָּר הָהָרָה הִמָּלֵט״ – **This is why it says,** ***and do not stop anywhere in all the "Kikkar"; flee to the mountain*** (below, 19:17).[23] **כֵּן ״כַּר נִרְחָב״, ״לָבְשׁוּ כָרִים הַצֹּאן וַעֲמָקִים יַעַטְפוּ בָר״** – **Similarly** we find ***a wide plain*** (כַּר)[24] (*Isaiah* 30:23) and ***The meadows*** (כָּרִים) ***don sheep, and the valleys cloak themselves with grain*** (*Psalms* 65:14).[25]

[Noting that the last two verses cited do not contain the word כִּכָּר, but כַּר, Ramban explains:]

פְּעָמִים יִכְפְּלוּ הַמִּלָּה וּפְעָמִים יָסִירוּ הַכֵּפֶל – **Sometimes** the first letter of **the word is doubled**, yielding כִּכָּר, **and sometimes the repeated** letter **is removed.** **כְּמוֹ ״בַּת עָיִן״, וְזוּלָתָם רַבִּים** – This is **similar to** ***the pupil*** (בַּת) ***of the eye***"[26] (*Psalms* 17:8), **and many other similar [words].**

[Ramban elaborates on the basic meaning of the root כר:]

וְיִקָּרְאוּ גַּם כֵּן הַשְּׁלוּחִים הַמְּהִירִים בַּשֵּׁם הַזֶּה: – **Swift messengers are also referred to with this noun,** **״לַכָּרִי וְלָרָצִים״, ״שָׂרֵי הַמֵּאוֹת וְאֶת הַכָּרִי״** – as in: ***to the "kari"***[27] (כָּרִי) ***and to the runners*** (*II Kings* 11:4) and ***the captains of hundreds and the kari*** [and the runners] (ibid. 11:19). **וְכֵן ״בַּכִּרְכָּרוֹת״, שֵׁם לַגְּמַלִּים הַמְּרִיצִין שֶׁהִזְכִּירוּם בַּתַּלְמוּד ״גַּמְלָא פָּרְחָא״** – **Similarly,** we find ***with "kirkaros"***[28] (*Isaiah* 66:20) – **the name** given **to camels that run swiftly, which are mentioned in the Talmud** (*Makkos* 5a) **as** ***flying*** (i.e., swift) **camels.** **וּמִמֶּנּוּ ״מְכַרְכֵּר״** – Similarly, **the word מְכַרְכֵּר** ("jump-ing," "dancing"),[29] as well, comes from this [root]. **כְּפוּלִים** – In these last two examples, the root כר is **doubled** into an expanded root כרכר.

[Ramban finally turns to the last of the four words mentioned by Rashi, אָבֵל:]

וְ״אָבֵל הַשִּׁטִּים״ וְכֵן ״אָבֵל מְחוֹלָה״, תִּרְגְּמוּ אוֹתוֹ ״מֵישַׁר״ – As for ***Avel HaShittim*** (*Numbers* 33:49) **and also** ***Avel Meholah*** (*Judges* 7:22) – **[the translators]** Onkelos and Yonasan ben Uzziel **rendered** the word

---

(plains), for it is into such lands that the rushing waters of the river overflow.

23. This suggests that *kikkar* means flat land, for in this verse the word is used in contrast to "the mountain." Also, the definite article (ה) indicates that it is not a proper noun (*Beis HaYayin, Pnei Yerushalayim*).

24. Hence the word כִּכָּר (or its short form, כַּר, see Ramban below) means "wide open space," a plain.

25. The Talmud (see *Rosh Hashanah* 8a) interprets כָּרִים in this verse to mean "rams." Nevertheless the continuation of the verse, which mentions "valleys," indicates that כָּרִים is a type of landscape, which Ramban explains as "meadows."

26. The basic form of the word for "pupil" is בַּת [עַיִן], "daughter [of the eye]," but it also appears with its initial letter doubled: בָּבַת (*Zechariah* 2:12).

27. This obscure word is usually translated as "soldiers" or "mighty men" (see Rashi, Radak ad loc.), but Ramban, based on its juxtaposition to "runners," interprets it to mean "swift messengers."

28. Rashi interprets the word to mean "joyous singing," but other commentators concur with Ramban, that it refers to a swift camel or other animal.

29. As in, וְדָוִד מְכַרְכֵּר בְּכָל עֹז, *David "was dancing" with all his might* (*II Samuel* 6:14).

[7] *Then they turned back and came to En-mishpat, which is Kadesh; they struck all the territory of the Amalekite; and also the Amorite*

רמב״ן

הַנֶּחֱרָב[30] אֵין בּוֹ נֶטַע וְלֹא בִּנְיָן, כִּי הַלָּשׁוֹן אֶצְלָם לְשׁוֹן חָרְבָה וּשְׁמָמָה, כְּמוֹ ״וַיַּאֲבֶל חֵל וְחוֹמָה״ [איכה ב, ח], ״אָבַל תִּירוֹשׁ אֻמְלְלָה גָפֶן״ [ישעיה כד, ז].

[ז] אֶל עֵין מִשְׁפָּט. עַל שֵׁם הֶעָתִיד, שֶׁעֲתִידִים מֹשֶׁה וְאַהֲרֹן לְהִשָּׁפֵט שָׁם עַל עִסְקֵי אוֹתוֹ הָעַיִן[31]. לְשׁוֹן רַשִׁ״י, מִדִּבְרֵי אַגָּדָה.

וְלֹא הֲבִינוֹתִי זֶה, כִּי ״קָדֵשׁ״ זֶה הוּא קָדֵשׁ בַּרְנֵעַ כִּי הוּא בְּ״אֵיל פָּארָן אֲשֶׁר עַל הַמִּדְבָּר״. וּמִמֶּנּוּ נִשְׁתַּלְּחוּ מְרַגְּלִים בְּשָׁנָה שְׁנִיָּה שֶׁנֶּאֱמַר [במדבר יג, כו]: ״אֶל מִדְבַּר פָּארָן קָדֵשָׁה״[32], וְכָתוּב [דברים א, יט, כב]: ״וַנָּבֹא עַד קָדֵשׁ בַּרְנֵעַ ... וַתֹּאמְרוּ נִשְׁלְחָה אֲנָשִׁים לְפָנֵינוּ״, וְשָׁם יָשְׁבוּ יִשְׂרָאֵל יָמִים רַבִּים[33]. אֲבָל קָדֵשׁ שֶׁשָּׁם מִשְׁפַּט הַצַּדִּיקִים הוּא בְּמִדְבַּר צִין, שֶׁבָּאוּ שָׁם בִּשְׁנַת הָאַרְבָּעִים[34], שֶׁנֶּאֱמַר [במדבר כ, א]: ״וַיָּבֹאוּ בְנֵי יִשְׂרָאֵל כָּל הָעֵדָה מִדְבַּר צִן בַּחֹדֶשׁ הָרִאשׁוֹן וַיֵּשֶׁב הָעָם בְּקָדֵשׁ״ וּגְמַר הַפָּרָשָׁה.

RAMBAN ELUCIDATED

מֵישַׁר (“plain”) as אָבֵל **הוּא הַמָּקוֹם הַנֶּחֱרָב[30] אֵין בּוֹ נֶטַע וְלֹא בִּנְיָן** – because [אָבֵל] **is a desolate place in which there is nothing planted and** there are **no buildings, כִּי הַלָּשׁוֹן אֶצְלָם לְשׁוֹן חָרְבָה וּשְׁמָמָה – for the expression** אָבֵל **in these** instances **is an expression of destruction and desolation, כְּמוֹ ״וַיַּאֲבֶל חֵל וְחוֹמָה״, ״אָבַל תִּירוֹשׁ אֻמְלְלָה גָפֶן״ – as in** ***He made desolate*** (וַיַּאֲבֶל) ***the rampart and wall*** (*Lamentations* 2:8) and ***The grapes are desolate*** (אָבַל)***; the vine is forlorn*** (*Isaiah* 24:7).

7. אֶל עֵין מִשְׁפָּט – *TO EN-MISHPAT* [which is Kadesh].

[Ramban discusses the identification of this place. He begins by quoting Rashi:]

עַל שֵׁם הֶעָתִיד – Kadesh is called “En-mishpat” – literally, “Spring (or *Fountain*) of Judgment” – **with reference to the future,** i.e., it alludes to an event which had not yet occurred at the time of the narrative, **שֶׁעֲתִידִים מֹשֶׁה וְאַהֲרֹן לְהִשָּׁפֵט שָׁם עַל עִסְקֵי אוֹתוֹ הָעַיִן – for Moses and Aaron were destined to be judged there over the affairs of that spring.**[31]

לְשׁוֹן רַשִׁ״י, מִדִּבְרֵי אַגָּדָה – This is **a quote from Rashi**, taken **from the words of an aggadaic** Midrash (*Tanchuma*, *Chukas* 11).

[Ramban raises a question regarding this Midrash:]

וְלֹא הֲבִינוֹתִי זֶה, כִּי ״קָדֵשׁ״ זֶה הוּא קָדֵשׁ בַּרְנֵעַ – But I do not understand this, for this Kadesh identified here with En-mishpat **is Kadesh-barnea, כִּי הוּא בְּ״אֵיל פָּארָן אֲשֶׁר עַל הַמִּדְבָּר״ – for it is** described here as being in ***Eil Paran, which is by the wilderness*** (v. 6). **וּמִמֶּנּוּ נִשְׁתַּלְּחוּ מְרַגְּלִים בְּשָׁנָה שְׁנִיָּה – It is from there that the Spies were sent in the second year** after the Exodus, **שֶׁנֶּאֱמַר: ״אֶל מִדְבַּר פָּארָן קָדֵשָׁה״ וְכָתוּב: ״וַנָּבֹא עַד קָדֵשׁ בַּרְנֵעַ ... וַתֹּאמְרוּ נִשְׁלְחָה אֲנָשִׁים לְפָנֵינוּ״ – as it says,** *[They returned from spying ...]* ***to the Wilderness of Paran at Kadesh*** (*Numbers* 13:26).[32] **And it is written, *And we came until Kadesh-barnea and you said, “Let us send men ahead of us*** *[and let them spy out the land]”* (*Deuteronomy* 1:19-22), **וְשָׁם יָשְׁבוּ יִשְׂרָאֵל יָמִים רַבִּים – and the Israelites stayed there for many days.**[33] **אֲבָל קָדֵשׁ שֶׁשָּׁם מִשְׁפַּט הַצַּדִּיקִים הוּא בְּמִדְבַּר צִין, שֶׁבָּאוּ שָׁם בִּשְׁנַת הָאַרְבָּעִים – The Kadesh where the judgment of the righteous** Moses and Aaron took place, **however, is in the Wilderness of Zin, where [the Israelites] arrived in the fortieth year,**[34] **שֶׁנֶּאֱמַר: ״וַיָּבֹאוּ בְנֵי יִשְׂרָאֵל כָּל הָעֵדָה מִדְבַּר צִן בַּחֹדֶשׁ הָרִאשׁוֹן וַיֵּשֶׁב הָעָם בְּקָדֵשׁ״ וּגְמַר הַפָּרָשָׁה – as it says, *The Children of Israel, the whole***

30. Some editions have הַנִּרְחָב, “a *wide*, open area.”

31. See *Numbers*, Chap. 20, for the background of the “judgment” of Moses and Aaron at Kadesh. It was there that God told them (v. 12), *“Because you did not believe in Me to sanctify Me in the eyes of the Children of Israel, therefore you will not bring this congregation to the land that I have given them.”*

32. We may assume that they returned to the place from which they were sent.

33. One might argue that Kadesh and Kadesh-barnea are one and the same. Ramban demonstrates that this is not so, for the Israelites “stayed at Kadesh for many days” (*Deuteronomy* 1:46) referring to Kadesh-barnea (see ibid. 1:19-22) after sending the Spies, whereas they did not arrive at the Kadesh of “judgment of Moses and Aaron” until the death of Miriam (*Numbers* 20:1), near the end of their forty years of wandering.

34. Hence the Israelites could not have stayed there

ח בְּחַֽצְצֹ֥ן תָּמָֽר׃ וַיֵּצֵ֨א מֶֽלֶךְ־סְדֹ֜ם וּמֶ֣לֶךְ עֲמֹרָ֗ה
וּמֶ֤לֶךְ אַדְמָה֙ וּמֶ֣לֶךְ °צביים וּמֶ֥לֶךְ בֶּ֖לַע הִוא־ °צְבוֹיִם ק׳
צֹ֑עַר וַיַּֽעַרְכ֤וּ אִתָּם֙ מִלְחָמָ֔ה בְּעֵ֖מֶק הַשִּׂדִּֽים׃
ט אֵ֣ת כְּדָרְלָעֹ֜מֶר מֶ֣לֶךְ עֵילָ֗ם וְתִדְעָל֙ מֶ֣לֶךְ גּוֹיִ֔ם
וְאַמְרָפֶל֙ מֶ֣לֶךְ שִׁנְעָ֔ר וְאַרְי֖וֹךְ מֶ֣לֶךְ אֶלָּסָ֑ר

בְּעֵין גֶּדִי: ח וּנְפַק מַלְכָּא דִסְדוֹם וּמַלְכָּא דַעֲמוֹרָה וּמַלְכָּא דְאַדְמָה וּמַלְכָּא דִצְבוֹיִם וּמַלְכָּא דְבֶלַע הִיא צוֹעַר וְסַדָּרוּ עִמְּהוֹן קְרָבָא בְּמֵישַׁר חַקְלַיָּא: ט עִם כְּדָרְלָעֹמֶר מַלְכָּא דְעֵילָם וְתִדְעָל מַלְכָּא דְעַמְמִין וְאַמְרָפֶל מַלְכָּא דְבָבֶל וְאַרְיוֹךְ מַלְכָּא דְאֶלָּסָר

רש״י

על שם העתיד (ב״ר מב:ז; תנחומא ח): **בחצצן תמר.** הוא עין גדי, מקרא מלא בדברי הימים (ב כ:ב) ביהושפט:

רמב״ן

אוּלַי הַמִּדְרָשׁ עַל הַשֵּׁם בִּלְבַד הוּא, רָמַז הַכָּתוּב כִּי הַשֵּׁם הַזֶּה ״קָדֵשׁ״ הוּא יִהְיֶה עֵין מִשְׁפָּט.

וְאוּנְקְלוּס אָמַר: ״מֵישַׁר פְּלוּג דִּינָא״, וְלֹא יָדַעְתִּי מַהוּ. אוּלַי הוּא מִלְּשׁוֹן ״פְּלָגִים יִבְלֵי מָיִם״ [ישעיה ל, כה], ״מִי פִלַּג לַשֶּׁטֶף תְּעָלָה״ [איוב לח, כה] וְכֵן בִּלְשׁוֹן חֲכָמִים: ״פִּלְגוֹ שֶׁל יָם״[35]. יֹאמַר, כִּי בְּמִישׁוֹר הַהוּא מַעְיַן הַמִּשְׁפָּט וְעֹמֶק הַדִּין[36], כִּי הָיָה מִישׁוֹר נָאֶה מְעֻתָּד לִמְלָכִים, שָׁם יָשְׁבוּ לִשְׁפּוֹט אֶת כָּל הַגּוֹיִם בְּאַרְצוֹת הָהֵם[37].

RAMBAN ELUCIDATED

assembly, arrived at the Wilderness of Zin in the first month and the people settled in Kadesh (*Numbers* 20:1), **and so on, to the end of the chapter**, which describes the sin of Moses and Aaron and their punishment.

[Ramban proposes an answer to his question:]

אוּלַי הַמִּדְרָשׁ עַל הַשֵּׁם בִּלְבַד הוּא – Perhaps the Midrash alludes **only to the name** "Kadesh," and not to the actual location of these events, for they indeed took place in a different Kadesh. **רָמַז הַכָּתוּב כִּי הַשֵּׁם הַזֶּה ״קָדֵשׁ״ הוּא יִהְיֶה עֵין מִשְׁפָּט** – I.e., **the verse alludes** to the fact **that** a place known by **this name, Kadesh,** but not necessarily Kadesh-barnea, **will** one day **be** the site of **a "wellspring of judgment."**

[Ramban now turns to the place name עֵין מִשְׁפָּט ("Wellspring of Judgment") and discusses its meaning:]

וְאוּנְקְלוּס אָמַר ״מֵישַׁר פְּלוּג דִּינָא״ – Onkelos says מֵישַׁר פְּלוּג דִּינָא ("the Plain of ***Pilug*** **of Justice"), וְלֹא יָדַעְתִּי מַהוּ – but I do not know what this [*Pilug*]** – **is** referring to. **אוּלַי הוּא מִלְּשׁוֹן ״פְּלָגִים יִבְלֵי מָיִם״, ״מִי פִלַּג לַשֶּׁטֶף תְּעָלָה״ – Perhaps it** means "deep water," and **is related to the expression *pools*** **(פְּלָגִים), *rivulets of water*** (*Isaiah* 30:25) and ***Who conveyed the water*** **(פִּלַּג) *of the torrent into a channel?*** (*Job* 38:25), **וְכֵן בִּלְשׁוֹן חֲכָמִים: ״פִּלְגוֹ שֶׁל יָם״ – and similarly in the idiom of the Sages** we find ***the deep waters*** **(פִּלְגוֹ) *of the sea.***[35] **יֹאמַר כִּי בְּמִישׁוֹר הַהוּא מַעְיַן הַמִּשְׁפָּט וְעֹמֶק הַדִּין – [Onkelos] is saying,** then, **that on that plain were** to be found **a "wellspring" of judgment and a depth of justice,**[36] **כִּי הָיָה מִישׁוֹר נָאֶה מְעֻתָּד לִמְלָכִים – for it was a pleasant plain that was designated for kings, שָׁם יָשְׁבוּ לִשְׁפּוֹט אֶת כָּל הַגּוֹיִם בְּאַרְצוֹת הָהֵם – where they would sit to judge all the nations of those lands.**[37]

"for many days." Scripture, then, must be referring to two different places, both called "Kadesh."

35. This exact expression cited by Ramban has not been found anywhere in the words of the Sages. There is, however, a similar expression in *Vayikra Rabbah* 12:1.

36. The Torah calls this place in Hebrew "Wellspring of Judgment." Onkelos (who "pursues the meaning and not the literal translation" Ramban above) alters the metaphor somewhat by rendering "Deep (i.e., profound) Judgment." [Ramban does not discuss why Onkelos adds the word מֵישַׁר, "Plain," in his translation.]

37. According to Onkelos, then, Kadesh was called *Enmishpat* ("Wellspring of Judgment") not as a reference to a future event or to a different "Kadesh," but because it was a place of judgment *at that time.*

who dwell in Hazazon-tamar.
8 *And the king of Sodom went forth with the king of Gomorrah, the king of Admah, the king of Zeboiim and the king of Bela, which is Zoar, and engaged them in battle in the Valley of Siddim:*
9 *With Chedorlaomer, king of Elam; Tidal, king of Goiim; Amraphel, king of Shinar; and Arioch, king of Ellasar —*

רמב״ן

□ **שְׂדֵה הָעֲמָלֵקִי.** לְשׁוֹן רַשִׁ״י: עֲדַיִן לֹא נוֹלַד עֲמָלֵק וְנִקְרָא עַל שֵׁם הֶעָתִיד.

וְלֹא יָדַעְתִּי אִם רְצוֹנוֹ לוֹמַר כִּי מֹשֶׁה רַבֵּינוּ קָרָא הַמָּקוֹם בַּשֵּׁם שֶׁהוּא נִקְרָא בְּיָמָיו, וְאִם כֵּן אֵין בְּכָאן דְּבַר עָתִיד. אוֹ מַה הָעֲתִידָה הַזֹּאת, שֶׁיִּתְנַבְּאוּ הַגּוֹיִם לִקְרֹא הַמָּקוֹם כֵּן[38].

וּלְשׁוֹן בְּרֵאשִׁית רַבָּה [מב, ז]: עֲדַיִן לֹא נוֹלַד עֲמָלֵק, וְאַתְּ אָמַרְתְּ ״אֶת כָּל שְׂדֵה הָעֲמָלֵקִי״! אֶלָּא [ישעיה מו, י] ״מַגִּיד מֵרֵאשִׁית אַחֲרִית״. וְזֶה דֶּרֶךְ הַדְּרָשׁ לָהֶם בִּמְקוֹמוֹת רַבִּים. גַּם בַּנְּהָרוֹת גַּן עֵדֶן אָמְרוּ כַּלָּשׁוֹן הַזֶּה [שם טז, ב], וְכַוָּנָתָם לוֹמַר כִּי מֵעֵת צֵאת הַנְּהָרוֹת נֶאֱמַר כִּי הַנָּהָר הוֹלֵךְ קִדְמַת אֶרֶץ הָעֲתִידָה לִהְיוֹת לְאַשּׁוּר[39].

RAMBAN ELUCIDATED

□ שְׂדֵה הָעֲמָלֵקִי – ***TERRITORY OF THE AMALEKITE.***

[Amalek was the fifth generation after Abraham and this narrative. How then did this territory get its name?]

לְשׁוֹן רַשִׁ״י – The following is **a quote from Rashi:**

עֲדַיִן לֹא נוֹלַד עֲמָלֵק וְנִקְרָא עַל שֵׁם הֶעָתִיד – **Amalek had not yet been born, and nevertheless it is called** "the territory of the Amalekite" **with reference to the future,** i.e., to a name that will be given to it in the future.

[Ramban analyzes Rashi's statement:]

וְלֹא יָדַעְתִּי אִם רְצוֹנוֹ לוֹמַר כִּי מֹשֶׁה רַבֵּינוּ קָרָא הַמָּקוֹם בַּשֵּׁם שֶׁהוּא נִקְרָא בְּיָמָיו – **I do not know if he intends to say that our teacher Moses referred to** this **place by the name which it was called in his day** וְאִם כֵּן אֵין בְּכָאן דְּבַר עָתִיד – **and if so there is nothing here referring to the future!** Moses simply used a name that was already established in his time. אוֹ מַה הָעֲתִידָה הַזֹּאת, שֶׁיִּתְנַבְּאוּ הַגּוֹיִם לִקְרֹא הַמָּקוֹם כֵּן – **Or,** if this is not Moses' description, then **what is this "**reference to **the future"** – **that the nations** of that place **prophesied in calling the place by this** name?![38]

[Ramban clarifies what the Midrash, upon which Rashi is based, meant by its comment:]

וּלְשׁוֹן בְּרֵאשִׁית רַבָּה – **The language of *Bereishis Rabbah*** (42:7) **is:** עֲדַיִן לֹא נוֹלַד עֲמָלֵק, וְאַתְּ אָמַרְתְּ ״אֶת כָּל שְׂדֵה הָעֲמָלֵקִי״ – **Amalek had not yet been born, and you say, *all the territory of the Amalekite*?!** אֶלָּא ״מַגִּיד מֵרֵאשִׁית אַחֲרִית״ – **Rather, *He [God] tells the end outcome from the beginning*** (*Isaiah* 46:10). וְזֶה דֶּרֶךְ הַדְּרָשׁ לָהֶם בִּמְקוֹמוֹת רַבִּים – **This is a method of homiletical interpretation** used **by [the Sages] in many places.** גַּם בַּנְּהָרוֹת גַּן עֵדֶן אָמְרוּ כַּלָּשׁוֹן הַזֶּה – **Likewise, concerning the rivers of Eden** (above, 2:11-14), which are described as flowing near the lands of Cush, Havilah and Asshur – lands named after people not yet born – **they use similar language** (*Bereishis Rabbah* 16:2). וְכַוָּנָתָם לוֹמַר כִּי מֵעֵת צֵאת הַנְּהָרוֹת נֶאֱמַר כִּי הַנָּהָר הוֹלֵךְ קִדְמַת אֶרֶץ הָעֲתִידָה לִהְיוֹת לְאַשּׁוּר – **Their intention is to say that from the time** those **rivers** first **emerged it was** already **said [by God] that** – for example – **the river** Hiddekel **flowed toward the east of the land that was** destined **to belong to Asshur** (cf. above, 2:14) **in the future.**[39] Likewise, in our verse it was said *by God* that the territory conquered by the kings was that (which would one day be) of Amalek.

38. There is no reason to suppose that these nations had the gift of prophecy.

39. The Midrash homiletically interprets the references to Asshur, etc., in these verses to be examples of God's knowing the future: He referred to the location of these rivers using the future names of countries not yet existent. This is considered a "homiletical" interpretation because the simple explanation of this phenomenon would be that Moses, when writing the Torah, used place names that existed in his time.

י אַרְבָּעָה מְלָכִים אֶת־הַחֲמִשָּׁה: וְעֵמֶק הַשִּׂדִּים
בֶּאֱרֹת בֶּאֱרֹת חֵמָר וַיָּנֻסוּ מֶלֶךְ־סְדֹם וַעֲמֹרָה
יא וַיִּפְּלוּ־שָׁמָּה וְהַנִּשְׁאָרִים הֶרָה נָּסוּ: וַיִּקְחוּ אֶת־
כָּל־רְכֻשׁ סְדֹם וַעֲמֹרָה וְאֶת־כָּל־אָכְלָם וַיֵּלֵכוּ:
יב וַיִּקְחוּ אֶת־לוֹט וְאֶת־רְכֻשׁוֹ בֶּן־אֲחִי אַבְרָם וַיֵּלֵכוּ

אַרְבְּעָה מַלְכִין לָקֳבֵיל חַמְשָׁא: י וּמֵישַׁר חַקְלַיָּא בֵּירִין בֵּירִין מַסְּקָן חֵימָרָא וַעֲרָקוּ מַלְכָּא דִסְדוֹם וַעֲמוֹרָה וּנְפַלוּ תַמָּן וּדְאִשְׁתְּאָרוּ לְטוּרָא עֲרָקוּ: יא וּשְׁבוֹ יָת כָּל קִנְיָנָא דִסְדוֹם וַעֲמוֹרָה וְיָת כָּל מֵיכַלְהוֹן וַאֲזַלוּ: יב וּשְׁבוֹ יָת לוֹט וְיָת קִנְיָנֵהּ בַּר אֲחוּהִי דְאַבְרָם וַאֲזַלוּ

רש"י

(ט) ארבעה מלכים וגו'. ואעפ"כ נצחו המועטים, להודיעך שגבורים היו, ואעפ"כ לא נמנע אברם מלרדוף אחריהם: (י) בארת בארת חמר. בארות הרבה היו שם שנוטלים משם אדמה לטיט של בנין (אונקלוס). ומדרש אגדה שהיה הטיט [מוגבל] בהם, ונעשה נס למלך סדום שיצא משם. לפי שהיו באומות מקצתן שלא היו מאמינים שניצול אברם מאור כשדים מכבשן האש, וכיון שיצא זה מן החמר האמינו באברם למפרע (ב"ר שם): הרה נסו. להר נסו. הרה כמו להר. כל תיבה שצריכה

רמב"ן

וְהַנָּכוֹן בְּעֵינַי בִּ'שְׂדֵה הָעֲמָלֵקִי', כִּי הָיָה בַּיָּמִים הַקַּדְמוֹנִים אָדָם נִכְבָּד מִבְּנֵי הַחוֹרִי יוֹשֵׁב הָאָרֶץ, וּמוֹשֵׁל עַל הַמָּקוֹם הַהוּא וּשְׁמוֹ עֲמָלֵק. וֶאֱלִיפָז בְּכוֹר עֵשָׂו קָרָא שֵׁם בְּנוֹ עַל שֵׁם הָאִישׁ הַהוּא, וְאוּלַי מִמִּשְׁפַּחַת תִּמְנָע אִמּוֹ הָיָה[40], וּמוֹשֵׁל גַּם בַּמָּקוֹם הַהוּא, וְהָיָה שָׁם אַלּוּף[41] עֲלֵיהֶם[41a].

[י] בֶּאֱרֹת בֶּאֱרֹת חֵמָר. בְּאֵרוֹת הַרְבֵּה הָיוּ שָׁם שֶׁנּוֹטְלִין מִשָּׁם אֲדָמָה לְטִיט הַבִּנְיָן. וּמִדְרַשׁ אַגָּדָה [ב"ר מב, ז]: שֶׁהָיָה הַטִּיט מוּגְבָּל בָּהֶן, וְנַעֲשָׂה נֵס לְמֶלֶךְ סְדוֹם שֶׁיָּצָא מִשָּׁם[42]. לְפִי שֶׁהָיוּ בָּאֻמּוֹת מִקְצָתָן שֶׁלֹּא הָיוּ

RAMBAN ELUCIDATED

[Ramban now presents his own plain (i.e., non-Midrashic) explanation for the phrase *territory of the Amalekite*:]

וְהַנָּכוֹן בְּעֵינַי בִּ"שְׂדֵה הָעֲמָלֵקִי" – **[The interpretation] that appears most satisfactory to me concerning *the territory of the Amalekite*** כִּי הָיָה בַּיָּמִים הַקַּדְמוֹנִים אָדָם נִכְבָּד מִבְּנֵי הַחוֹרִי יוֹשֵׁב הָאָרֶץ – **is that there was in ancient times** (i.e., in Abraham's days) **a distinguished man – one of the sons of the Horite inhabitants of the land** וּמוֹשֵׁל עַל הַמָּקוֹם הַהוּא – **who ruled over that area** וּשְׁמוֹ עֲמָלֵק – **and his name was Amalek.** וֶאֱלִיפָז בְּכוֹר עֵשָׂו קָרָא שֵׁם בְּנוֹ עַל שֵׁם הָאִישׁ הַהוּא – Many years later **Eliphaz, Esau's firstborn, called his son** Amalek **after that** famous **man.** וְאוּלַי מִמִּשְׁפַּחַת תִּמְנָע אִמּוֹ הָיָה – **Perhaps** this first **[Amalek] was from the family of Timna,** who was the latter **[Amalek's] mother,**[40] וּמוֹשֵׁל גַּם בַּמָּקוֹם הַהוּא, וְהָיָה שָׁם אַלּוּף עֲלֵיהֶם – **and ruled also in [Eliphaz's] location and was an *aluf* (chief)**[41] **over them there.**[41a]

10. בֶּאֱרֹת בֶּאֱרֹת חֵמָר – ***FULL OF SLIME PITS.***

[Ramban discusses the nature of these pits and the significance of the fact that the kings of Sodom and Gomorrah fell there. He begins by quoting Rashi:]

בְּאֵרוֹת הַרְבֵּה הָיוּ שָׁם שֶׁנּוֹטְלִין מִשָּׁם אֲדָמָה לְטִיט הַבִּנְיָן – **There were many pits there, because they took earth from [that valley] for clay** used in **construction,** leaving numerous pits in the places from which the earth had been removed. וּמִדְרַשׁ אַגָּדָה שֶׁהָיָה הַטִּיט מוּגְבָּל בָּהֶן – **And an aggadaic Midrash** (*Bereishis Rabbah* 42:7) states **that the clay was kneaded in [the pits],** i.e., the pits were not just empty excavations, but were used as places for kneading clay, וְנַעֲשָׂה נֵס לְמֶלֶךְ סְדוֹם שֶׁיָּצָא מִשָּׁם – **and a miracle took place for the king of Sodom in that he emerged from there.**[42] לְפִי שֶׁהָיוּ בָּאֻמּוֹת מִקְצָתָן שֶׁלֹּא הָיוּ

40. It stands to reason that Timna (a Horite) would name her firstborn son after her illustrious relative.

41. The Horite chieftains — and those descended from Esau who ruled after them — are referred to by the title "*aluf*" below, Chap. 36.

41a. This would be another plausible reason to name a child after him.

[Ramban's suggestion that the first Amalek was a Horite *aluf* is somewhat difficult, because the Torah presents a list of Horite *alufim* (below, 36:29-30), and the name Amalek does not appear there. It is noteworthy that in a quote of this Ramban comment in *Tur,* the words "and was an *aluf* over them there" are omitted.]

42. According to the first interpretation, that the pits were empty holes in the ground, the king of Sodom's emergence from the pit was not miraculous.

four kings against five.
[10] *The Valley of Siddim was full of slime pits. The kings of Sodom and Gomorrah fled and fell there while the rest fled to a mountain.* [11] *They seized all the possessions of Sodom and Gomorrah and all their food and they departed.* [12] *And they captured Lot and his possessions — Abram's nephew — and they left;*

רמב״ן

מַאֲמִינִים בְּאַבְרָם שֶׁנִּצַּל מִכִּבְשַׁן הָאֵשׁ, וְכֵיוָן שֶׁיָּצָא זֶה מִן הַחֵמָר הֶאֱמִינוּ בְּאַבְרָם לְמַפְרֵעַ. לְשׁוֹן רַשִׁ״י.

וְאֵין סָפֵק כִּי פֵּרוּשׁ ״בֶּאֱרוֹת חֵמָר״, בְּאֵרוֹת אֲשֶׁר בָּהֶם רֶפֶשׁ וָטִיט, כָּעִנְיָן שֶׁכָּתוּב [ירמיה לח, ו]: ״וּבַבּוֹר אֵין מַיִם כִּי אִם טִיט, וַיִּטְבַּע יִרְמְיָהוּ בַּטִּיט״[43]. וְכָתוּב [תהלים מ, ג]: ״וַיַּעֲלֵנִי מִבּוֹר שָׁאוֹן מִטִּיט הַיָּוֵן״ וְיִתָּכֵן שֶׁיָּצָא מִשָּׁם כָּרָאוּי בְּלֹא נֵס[44].

וַאֲנִי תָמֵהַּ בְּמִדְרַשׁ הַהַגָּדָה הַזֶּה. כִּי הָאֻמּוֹת שֶׁלֹּא הָיוּ מַאֲמִינִים שֶׁעָשָׂה הַקָּדוֹשׁ בָּרוּךְ הוּא נֵס לְאַבְרָהָם, בִּרְאוֹתָם נִסּוֹ שֶׁל מֶלֶךְ סְדוֹם לֹא יוֹסִיפוּ אֱמוּנָה בְּהַקָּדוֹשׁ בָּרוּךְ הוּא. כִּי מֶלֶךְ סְדוֹם עוֹבֵד עֲבוֹדָה זָרָה הָיָה, וְהִנֵּה נִסּוֹ אוֹ יְחַזֵּק יְדֵי עוֹבְדֵי עֲבוֹדָה זָרָה אוֹ שֶׁיַּאֲמִינוּ בְּכָל הַנִּסִּים שֶׁיִּהְיוּ בִּכְשָׁפִים אוֹ מִקְרֶה בְּאֶפְשָׁרוּת רְחוֹקָה[45], וְנִסּוֹ יִתֵּן סָפֵק בְּלֵב הַמַּאֲמִינִים בְּנִסּוֹ שֶׁל אַבְרָהָם[46].

RAMBAN ELUCIDATED

מַאֲמִינִים בְּאַבְרָם שֶׁנִּצַּל מִכִּבְשַׁן הָאֵשׁ – God performed this miracle **because there were some among the nations who did not believe that Abraham was rescued from the fiery furnace** at Ur-kasdim. **וְכֵיוָן שֶׁיָּצָא זֶה מִן הַחֵמָר** – **Since this** person, the king of Sodom, **emerged from the slime, הֶאֱמִינוּ בְּאַבְרָם לְמַפְרֵעַ** – **they, in retrospect, believed in** the miracle which took place for **Abraham.** **לְשׁוֹן רַשִׁ״י** – This is **a quote from Rashi.**

[Ramban rejects the first interpretation in Rashi, supporting the Midrash's understanding of the term:]

וְאֵין סָפֵק כִּי פֵּרוּשׁ ״בֶּאֱרוֹת חֵמָר״, בְּאֵרוֹת אֲשֶׁר בָּהֶם רֶפֶשׁ וָטִיט – **There is no doubt that the meaning of בֶּאֱרוֹת חֵמָר** is "pits in which there are slime and mud," and not "pits formed by the removal of slime." **כָּעִנְיָן שֶׁכָּתוּב: ״וּבַבּוֹר אֵין מַיִם כִּי אִם טִיט, וַיִּטְבַּע יִרְמְיָהוּ בַּטִּיט״** – It refers to **something similar to what is written,** ***There was no water in the pit, but only mud; and Jeremiah began to sink in the mud*** (*Jeremiah* 38:6).[43] **וְכָתוּב: ״וַיַּעֲלֵנִי מִבּוֹר שָׁאוֹן מִטִּיט הַיָּוֵן״** – **And it is** also **written,** ***He raised me up from the pit of raging waters, from the slimy mud*** (*Psalms* 40:3). **וְיִתָּכֵן שֶׁיָּצָא מִשָּׁם כָּרָאוּי בְּלֹא נֵס** – Nevertheless, **it is** also **possible that he emerged from there naturally, without a miracle.**[44]

[Ramban questions the Midrash's conclusion that once people saw the miracle of Sodom they acknowledged the miracle of Abraham:]

וַאֲנִי תָמֵהַּ בְּמִדְרַשׁ הַהַגָּדָה הַזֶּה – **I am perplexed by this aggadaic Midrash.** **כִּי הָאֻמּוֹת שֶׁלֹּא הָיוּ מַאֲמִינִים שֶׁעָשָׂה הַקָּדוֹשׁ בָּרוּךְ הוּא נֵס לְאַבְרָהָם, בִּרְאוֹתָם נִסּוֹ שֶׁל מֶלֶךְ סְדוֹם לֹא יוֹסִיפוּ אֱמוּנָה בְּהַקָּדוֹשׁ בָּרוּךְ הוּא** – **For the nations who did not believe that the Holy One, Blessed is He, performed a miracle for Abraham would not increase their belief in the Holy One, Blessed is He, upon seeing the miracle of the king of Sodom** escaping from the slimy pit. **כִּי מֶלֶךְ סְדוֹם עוֹבֵד עֲבוֹדָה זָרָה הָיָה** – **For the king of Sodom was an idolater,** **וְהִנֵּה נִסּוֹ אוֹ יְחַזֵּק יְדֵי עוֹבְדֵי עֲבוֹדָה זָרָה אוֹ שֶׁיַּאֲמִינוּ בְּכָל הַנִּסִּים שֶׁיִּהְיוּ בִּכְשָׁפִים אוֹ מִקְרֶה בְּאֶפְשָׁרוּת רְחוֹקָה** – **and hence a miracle** which occurred to **him would either strengthen the position of the idolaters or** lead **them to believe that** ***all*** **the miracles** – Abraham's as well as the king of Sodom's – **were** performed through **black magic or were** simply **remote coincidences.**[45] **וְנִסּוֹ יִתֵּן סָפֵק בְּלֵב הַמַּאֲמִינִים בְּנִסּוֹ שֶׁל אַבְרָהָם** – On the contrary, **a miracle done for [the king of Sodom] would only place doubt into the hearts of those who believed in the miracle of Abraham.**[46]

43. This cited verse and the next demonstrate that there are pits that naturally contain mud and slime.

44. Ramban agrees with the Midrash that the pits were not just empty holes, but does not find it necessary to ascribe the king's escape to a miracle.

45. Why would those who did not believe that a miracle occurred to Abraham be convinced when witnessing the king of Sodom's incredible escape? Even if the king's escape was incredible, they would attribute it either to their idols, to black magic or to some coincidence.

46. They might conclude that if someone as unworthy as the king of Sodom could experience such a miracle,

יג וְהוּא יֹשֵׁב בִּסְדֹם: וַיָּבֹא֙ הַפָּלִ֔יט וַיַּגֵּ֖ד לְאַבְרָ֣ם
הָעִבְרִ֑י וְהוּא֩ שֹׁכֵ֨ן בְּאֵלֹנֵ֜י מַמְרֵ֣א הָאֱמֹרִ֗י אֲחִ֤י
אֶשְׁכֹּל֙ וַאֲחִ֣י עָנֵ֔ר וְהֵ֖ם בַּעֲלֵ֥י בְרִית־אַבְרָֽם:
יד וַיִּשְׁמַ֣ע אַבְרָ֔ם כִּ֥י נִשְׁבָּ֖ה אָחִ֑יו וַיָּ֨רֶק אֶת־
חֲנִיכָ֜יו יְלִידֵ֣י בֵית֗וֹ שְׁמֹנָ֨ה עָשָׂ֤ר וּשְׁלֹשׁ֙ מֵא֔וֹת
טו וַיִּרְדֹּ֖ף עַד־דָּֽן: וַיֵּחָלֵ֨ק עֲלֵיהֶ֧ם ׀ לַ֛יְלָה ה֥וּא וַעֲבָדָ֖יו

וְהוּא יָתֵב בִּסְדוֹם: יג וַאֲתָא מְשֵׁיזְבָא וְחַוִּי לְאַבְרָם עִבְרָאָה וְהוּא שָׁרֵי בְּמֵישְׁרֵי מַמְרֵא אֱמוֹרָאָה אֲחוּהִי דְאֶשְׁכּוֹל וַאֲחוּהִי דְעָנֵר וְאִנּוּן אֱנָשֵׁי קְיָמֵהּ דְּאַבְרָם: יד וּשְׁמַע אַבְרָם אֲרֵי אִשְׁתְּבִי אֲחוּהִי וְזָרֵיז יָת עוּלֵימוֹהִי יְלִידֵי בֵיתֵהּ תְּלָת מְאָה וְתַמְנֵי עֲסַר וּרְדַף עַד דָּן: טו וְאִתְפְּלַג עֲלֵיהוֹן לֵילְיָא הוּא וְעַבְדוֹהִי

רש״י

למ״ד בתחלתה הטיל לה ה״א בסופה. ויש חילוק בין הרה לההרה, שה״א שבסוף התיבה עומדת במקום למ״ד שבראשה, אבל אינה עומדת במקום למ״ד ונקודה [ס״א לנקוד] פתח תחתיה, והרי הרה כמו לְהָר או כמו אל הר ואינו מפרש לאיזה הר אלא שכל א׳ נס באשר מלא הר תחלה. וכשהוא נותן ה״א בראשה לכתוב ההרה או המדברה פתרונו כמו אל ההר או כמו לההר, ומשמע לאותו הר הידוע ומפורש בפרשה: **(יב) והוא ישב בסדם.** מי גרם לו זאת, ישיבתו בסדום (שם): **(יג) ויבא הפליט.** לפי פשוטו זה עוג שפלט מן המלחמה, והוא שכתוב כי רק עוג נשאר מיתר הרפאים (דברים ג:יא) וזהו נשאר, שלא הרגוהו אמרפל וחביריו כשהכו את הרפאים בעשתרות קרנים. תנחומא (חקת כה). ומדרש ב״ר, זה עוג שפלט מדור המבול, וזהו מיתר הרפאים, שנאמר הנפילים היו בארץ וגו׳ (לעיל ו:ד). ומתכוין שֶׁיֵּהָרֵג אברם וישא את שרה (ב״ר שם ח): **העברי.** שבא מעבר הנהר (שם): **בעלי ברית אברם.** שכרתו עמו ברית [ד״א, שהשיאו לו עצה על המילה (שם) כמו שמפורש במקום אחר (ברש״י תחלת וירא)]: **(יד) וירק.** כתרגומו וזריז. וכן והריקותי אחריכם חרב (ויקרא כו:לג) אזדיין בתרבי עליכם. וכן אריק חרבי (שמות טו:ט). וכן והרק חנית וסגור (תהלים לה:ג): **חניכיו.** [חניכו כתיב [ס״א קרי] זה אליעזר שחנכו למצות], [ס״א שחינך אותו למצוות] והוא לשון התחלת כניסת האדם או כלי לאומנות שהוא עתיד לעמוד בה. וכן חנוך לנער (משלי כב:ו) חנוכת המזבח (במדבר ז:יא) חנוכת הבית (תהלים ל:א). ובלע״ז קורין לו איניציי״ר: **שמנה עשר וגו׳.** רבותינו אמרו אליעזר לבדו היה והוא מנין גימטריא של שמו (ב״ר מג:ב; נדרים לב.): **עד דן.** שם תשש כחו, שראה שעתידין בניו להעמיד שם עגל (סנהדרין צו.): **(טו) ויחלק עליהם.** לפי פשוטו סרס המקרא, ויחלק הוא ועבדיו עליהם לילה, כדרך הרודפים שמתפלגים אחר הנרדפים כשבורחים זה לכאן וזה לכאן: **לילה.** כלומר אחר שחשכה לא נמנע מלרדפם. ומדרש אגדה, שנחלק הלילה, ובחציו הראשון נעשה לו נס, וחציו השני נשמר ובא לו לחצות לילה של מצרים (ב״ר שם):

רמב״ן

וְאוּלַי יְפָרְשׁוּ ״וַיֵּצֵא מֶלֶךְ סְדוֹם לִקְרָאתוֹ״ שֶׁיָּצָא מִן הַבּוֹר כְּשֶׁעָבַר אַבְרָהָם עָלָיו, כִּי נַעֲשָׂה לוֹ נֵס לִכְבוֹד אַבְרָהָם שֶׁיָּצָא לִקְרָאתוֹ לִכְבוֹדוֹ וּלְבָרְכוֹ. וְאֶפְשָׁר כִּי אַבְרָהָם בְּשׁוּבוֹ הִבִּיט בַּבּוֹר הַהוּא כִּי חָפֵץ לְהַצִּיל הַמְּלָכִים וּלְהָשִׁיב לָהֶם רְכוּשָׁם, וְהִנֵּה נַעֲשָׂה הַנֵּס עַל יָדוֹ. וְאִם נַעֲשָׂה לְמֶלֶךְ סְדוֹם נֵס לִכְבוֹד אַבְרָהָם, כָּל שֶׁכֵּן שֶׁיֵּשׁ לְהַאֲמִין שֶׁיֵּעָשֶׂה נֵס לְאַבְרָהָם לְהַצִּיל מִמָּוֶת נַפְשׁוֹ[47].

RAMBAN ELUCIDATED

[Ramban proposes an explanation of the Midrash:]

וְאוּלַי יְפָרְשׁוּ ״וַיֵּצֵא מֶלֶךְ סְדוֹם לִקְרָאתוֹ״ שֶׁיָּצָא מִן הַבּוֹר כְּשֶׁעָבַר אַבְרָהָם עָלָיו – **Perhaps [the Sages]** of the Midrash **interpret** the statement ***The king of Sodom "went out" to greet [Abraham]*** (v. 17) **to mean that he *went out* from the pit** – i.e., found himself able to extricate himself from the mud – just **when Abraham passed by him,** **כִּי נַעֲשָׂה לוֹ נֵס לִכְבוֹד אַבְרָהָם שֶׁיָּצָא לִקְרָאתוֹ לִכְבוֹדוֹ וּלְבָרְכוֹ** – **for a miracle was done to him in the honor of Abraham, so that he should** be able to **emerge** from the pit **to greet him in his honor, and to bless him.** **וְאֶפְשָׁר כִּי אַבְרָהָם בְּשׁוּבוֹ הִבִּיט בַּבּוֹר הַהוּא** – **It is** also **possible that Abraham, when he returned** from battling the four kings, **looked into that pit** where the king of Sodom had fallen, **כִּי חָפֵץ לְהַצִּיל הַמְּלָכִים וּלְהָשִׁיב לָהֶם רְכוּשָׁם** – **for he wanted to rescue the** defeated **kings and to return their** plundered **possessions to them,** **וְהִנֵּה נַעֲשָׂה הַנֵּס עַל יָדוֹ** – **and thus the miracle** of the king of Sodom's extrication **was accomplished** directly **through him.** **וְאִם נַעֲשָׂה לְמֶלֶךְ סְדוֹם נֵס לִכְבוֹד אַבְרָהָם** – People would therefore reason: **"Now, if a miracle occurred to the king of Sodom** simply **to honor Abraham,** **כָּל שֶׁכֵּן שֶׁיֵּשׁ לְהַאֲמִין שֶׁיֵּעָשֶׂה נֵס לְאַבְרָהָם** **לְהַצִּיל מִמָּוֶת נַפְשׁוֹ** – **then all the more so** is it logical **to believe that a miracle should be performed for Abraham** himself, **'to save his soul from death'!"**[47]

then Abraham's miracle was not a proof of God's existence or of Abraham's righteousness after all.

47. Stylistic citation from *Psalms* 33:19.

Ramban has thus explained how the rescue of the

for he was residing in Sodom.
13 *Then there came the fugitive and told Abram, the Ivri, who dwelt in the Eilonei of Mamre, the Amorite, the brother of Eshcol and the brother of Aner, these being Abram's allies.* 14 *And when Abram heard that his kinsman was taken captive, he armed his disciples who had been born in his house — three hundred and eighteen — and he pursued them as far as Dan.*
15 *And he split up against them, he and his servants, at night,*

רמב״ן

וְנֹאמַר כִּי מֶלֶךְ עֲמֹרָה כְּבָר מֵת כַּאֲשֶׁר עָבַר אַבְרָהָם עָלָיו, אוֹ שֶׁנָּפַל בִּבְאֵר אַחֵר, כִּי ״שָׁמָּה״ רֶמֶז לָעֵמֶק.

[טו] וַיֵּחָלֵק עֲלֵיהֶם לַיְלָה. כָּתַב רַשִׁ״י לְפִי פְּשׁוּטוֹ, כְּדֶרֶךְ הָרוֹדְפִים שֶׁמִּתְפַּלְּגִים אַחַר בּוֹרְחֵיהֶם כְּשֶׁבּוֹרְחִין זֶה לְכָאן וְזֶה לְכָאן. **לַיְלָה,** כְּלוֹמַר לְאַחַר שֶׁחָשְׁכָה לֹא נִמְנַע מִלְּרָדְפָם[48].

וְהַנָּכוֹן, כִּי רָדַף אוֹתָם בַּיּוֹם עַד דָּן עִם כָּל מַחֲנֵהוּ, וְכַאֲשֶׁר חָשַׁךְ עֲלֵיהֶם הַלַּיְלָה וְלֹא הָיָה רוֹאֶה אֵי זֶה דֶרֶךְ אֲשֶׁר יִבְרְחוּ בָהּ, חִלֵּק עִמּוֹ וַעֲבָדָיו לִשְׁנַיִם אוֹ שְׁלֹשָׁה רָאשִׁים, וְלָקַח הַחֵלֶק הָאֶחָד עִמּוֹ[49] וְרָדְפוּ אַחֲרֵיהֶם בְּכָל הַדְּרָכִים.

RAMBAN ELUCIDATED

[The verse states that the kings of Sodom and Gomorrah fell "there," suggesting that they both fell into the same pit. Yet the king of Gomorrah – unlike the king of Sodom – is never mentioned again. If the king of Sodom was miraculously extricated from the pit as a sign of honor to Abraham, why was the king of Gomorrah not similarly rescued? Ramban explains:]

וְנֹאמַר כִּי מֶלֶךְ עֲמֹרָה כְּבָר מֵת כַּאֲשֶׁר עָבַר אַבְרָהָם עָלָיו – Apparently, **we** must **say that the king of Gomorrah had already died when Abraham passed by him** in the pit, **אוֹ שֶׁנָּפַל בִּבְאֵר אַחֵר** – **or** we may say that **he fell into a different pit** – **כִּי ״שָׁמָּה״ רֶמֶז לָעֵמֶק** – **for "**[they fell] **there"** does not **refer** to the pit, but **to the valley** as a whole.

15. וַיֵּחָלֵק עֲלֵיהֶם לַיְלָה – ***HE SPLIT UP AGAINST THEM ... AT NIGHT***

כָּתַב רַשִׁ״י – Rashi writes:

לְפִי פְּשׁוּטוֹ, כְּדֶרֶךְ הָרוֹדְפִים שֶׁמִּתְפַּלְּגִים אַחַר בּוֹרְחֵיהֶם כְּשֶׁבּוֹרְחִין זֶה לְכָאן וְזֶה לְכָאן – [*He split up against them* –] **According to its plain meaning,** Abraham pursued them **in the manner of pursuers, who split up** their forces to chase **after those who flee from them, when they flee in different directions.** **לַיְלָה, כְּלוֹמַר לְאַחַר שֶׁחָשְׁכָה לֹא נִמְנַע מִלְּרָדְפָם** – ***At night*** – **That is to say,** even **after it became dark he did not cease pursuing them.**[48]

[Ramban disagrees with Rashi's interpretation:]

וְהַנָּכוֹן כִּי רָדַף אוֹתָם בַּיּוֹם עַד דָּן עִם כָּל מַחֲנֵהוּ – **The most satisfactory** explanation **is that [Abraham] pursued them during the day as far as Dan along with all of his camp** as one unit, **וְכַאֲשֶׁר חָשַׁךְ עֲלֵיהֶם הַלַּיְלָה** – **and** after this, **when the darkness of night set in** **וְלֹא הָיָה רוֹאֶה אֵי זֶה דֶרֶךְ אֲשֶׁר יִבְרְחוּ בָהּ** – **and he could no** longer **see by which path they were fleeing,** **חִלֵּק עִמּוֹ וַעֲבָדָיו לִשְׁנַיִם אוֹ שְׁלֹשָׁה רָאשִׁים** – **he divided his people and servants into two or three units,** **וְלָקַח הַחֵלֶק הָאֶחָד עִמּוֹ** – **taking one group with him,**[49] **וְרָדְפוּ אַחֲרֵיהֶם בְּכָל הַדְּרָכִים** – **and they chased after them in *all* the** possible **paths**

king of Sodom would be a reason for people to be more inclined to believe in the miracle of Abraham's extrication from the fiery furnace, as the Midrash asserts.

48. Rashi also comments that Dan and Hobah are one and the same place. According to Rashi, then, the pursuit to Dan mentioned in v. 14 is the same event as the pursuit to Hobah described in v. 15. The latter verse is repeated only to impart additional information about the chase: that Abraham divided his men, that he did not stop when night fell, etc. Additionally, according to Rashi the forces were divided immediately at the start of the pursuit.

49. This is why the verse says, "he split up against them, he and his servants" rather than simply "they split up against them." Abraham himself ("he") took charge of one group.

וַיַּכֵּם וַיִּרְדְּפֵם עַד־חוֹבָה אֲשֶׁר מִשְּׂמֹאל
טו לְדַמָּשֶׂק: וַיָּשֶׁב אֵת כָּל־הָרְכֻשׁ וְגַם אֶת־לוֹט
אָחִיו וּרְכֻשׁוֹ הֵשִׁיב וְגַם אֶת־הַנָּשִׁים וְאֶת־הָעָם:
יז וַיֵּצֵא מֶלֶךְ־סְדֹם לִקְרָאתוֹ אַחֲרֵי שׁוּבוֹ מֵהַכּוֹת
אֶת־כְּדָרְלָעֹמֶר וְאֶת־הַמְּלָכִים אֲשֶׁר אִתּוֹ אֶל־
יח עֵמֶק שָׁוֵה הוּא עֵמֶק הַמֶּלֶךְ: וּמַלְכִּי־צֶדֶק מֶלֶךְ
שָׁלֵם הוֹצִיא לֶחֶם וָיָיִן וְהוּא כֹהֵן לְאֵל עֶלְיוֹן:

וּמְחוֹנוּן וּרְדָפִנּוּן עַד חוֹבָה דִּי מִצְּפּוּנָא לְדַמָּשֶׂק: טו וַאֲתֵיב יָת כָּל קִנְיָנָא וְאַף יָת לוֹט בַּר אֲחוּהִי וְקִנְיָנֵהּ אֲתֵיב וְאַף יָת נְשַׁיָּא וְיָת עַמָּא: יז וּנְפַק מַלְכָּא דִסְדוֹם לְקַדָּמוּתֵהּ בָּתַר דְּתָב מִלְּמִמְחֵי יָת כְּדָרְלָעוֹמֶר וְיָת מַלְכַיָּא דִּי עִמֵּהּ לְמֵישַׁר מַפְנָא הוּא אֲתַר בֵּית רֵיסָא דְמַלְכָּא: יח וּמַלְכִּי צֶדֶק מַלְכָּא דִירוּשְׁלֵם אַפֵּיק לְחֵם וַחֲמַר וְהוּא מְשַׁמֵּשׁ קֳדָם אֵל עִלָּאָה:

רש"י

עד חובה. אין מקום ששמו חובה, ודן קורא חובה על שם עבודת כוכבים שעתידה להיות שם (תנחומא יג): **(יז) עמק שוה.** כך שמו כתרגומו, למישר מפנא, פנוי מאילנות ומכל מכשול: **עמק המלך.** בית ריסא דמלכא (אונקלוס). בית ריס א' שהוא שלשים קנים שהיה מיוחד למלך לצחק שם. ומדרש אגדה, עמק שהושוו שם כל האומות והמליכו את אברם עליהם לנשיא אלהים ולקצין (ב"ר שם): **(יח) ומלכי צדק.** מדרש אגדה, הוא שם בן נח (נדרים לב:; תרגום יונתן): **לחם ויין.** כך עושים ליגיעי מלחמה, והראה

רמב"ן

וְהִכּוּם **עַד חוֹבָה אֲשֶׁר מִשְּׂמֹאל לְדַמָּשֶׂק**[50], וְחָזַר מִלִּרְדּוֹף אַחֲרֵיהֶם, וְשִׁעוּרוֹ: "וַיֵּחָלֵק עֲלֵיהֶם הוּא וַעֲבָדָיו לַיְלָה"[51].

☐ **וַיִּרְדְּפֵם עַד חוֹבָה אֲשֶׁר מִשְּׂמֹאל לְדַמָּשֶׂק.** יָדוּעַ כִּי מֶרְחָק רַב מִן אֵלוֹנֵי מַמְרֵא אֲשֶׁר בְּחֶבְרוֹן בְּאֶרֶץ יְהוּדָה לְדַמֶּשֶׂק אֲשֶׁר הוּא חוּצָה לָאָרֶץ. אִם כֵּן רָדַף אַחֲרֵיהֶם יָמִים רַבִּים[52] עַד הוֹצִיאוּ אוֹתָם מִן הָאָרֶץ,

RAMBAN ELUCIDATED

of escape. וְהִכּוּם "עַד חוֹבָה אֲשֶׁר מִשְּׂמֹאל לְדַמָּשֶׂק" – In this manner, **they struck them** ***as far as Hobah, which is to the north of Damascus.***[50] וְחָזַר מִלִּרְדּוֹף אַחֲרֵיהֶם – Only **then did he return from pursuing them.** וְשִׁעוּרוֹ: – **[The wording]** of the verse **is equivalent to** the rearranged wording, "וַיֵּחָלֵק עֲלֵיהֶם הוּא וַעֲבָדָיו לַיְלָה" – **"He split up against them – he and his servants – at night".**[51]

☐ **וַיִּרְדְּפֵם עַד חוֹבָה אֲשֶׁר מִשְּׂמֹאל לְדַמָּשֶׂק** – ***HE PURSUED THEM AS FAR AS HOBAH, WHICH IS TO THE NORTH OF DAMASCUS.***

[Ramban discusses the circumstances of Abraham's traversal of this vast distance:]

יָדוּעַ כִּי מֶרְחָק רַב מִן אֵלוֹנֵי מַמְרֵא אֲשֶׁר בְּחֶבְרוֹן בְּאֶרֶץ יְהוּדָה לְדַמֶּשֶׂק אֲשֶׁר הוּא חוּצָה לָאָרֶץ – **It is known that there is a great distance between Elonei Mamre – which is in Hebron in the land of Judah** at the southern end of *Eretz Yisrael* – **and Damascus, which is outside** the northern boundary **of the Land** of Israel. אִם כֵּן רָדַף אַחֲרֵיהֶם יָמִים רַבִּים עַד הוֹצִיאוּ אוֹתָם מִן הָאָרֶץ – **If so, [Abraham] pursued after them for many days**[52] **until he removed them from the** entire **Land** of Israel.

50. According to Ramban, the two verses, vv. 14 and 15, describe two separate incidents: v. 14 speaks of the daytime pursuit as far as Dan, when Abraham and all his forces were together, and v. 15 relates that after this, when night fell, Abraham split up his forces and continued the pursuit as far as Hobah.

51. By rearranging the words in this manner, Ramban stresses that the meaning of the phrase is that Abraham divided his servants into two separate units. This is unlike Radak ... and the Midrashic interpretation mentioned in Rashi, that the verb וַיֵּחָלֵק, "became divided," refers to the adjacent word לַיְלָה, "night" (i.e., the verse is saying that "the night was divided into two parts ..."). Rashi (in explaining the "plain meaning") also mentions such a rearrangement, which Ramban omitted in his quote of Rashi's words. This rearrangement is not found in all Rashi texts, however, and apparently Ramban did not have it in his version of Rashi.

52. [This seems to stand in contradiction to what Ramban wrote in his previous comment, that the chase from Dan to Hobah took place "at night," when the darkness forced Abraham's men to "split up" and give chase in several different directions, implying that until Dan all of Abraham's men were together. Why weren't the men forced to split up on any of the nights prior to their reaching Dan? *Pnei Yerushalayim* suggests the following explanation: The retreating armies of Chedorlaomer were headed for Babylonia, as Ramban explains here. From Sodom, etc., to Dan there was only one route that led to Babylonia, so Abraham and his men were able to pursue them along that route even at night. Upon reaching Dan, however, there were several different roads by which they might continue

and struck them; he pursued them as far as Hobah, which is to the north of Damascus. 16 *He brought back all the possessions; he also brought back his kinsman, Lot, with his possessions, as well as the women and the people.*

17 *The king of Sodom went out to meet him after his return from defeating Chedorlaomer and the kings that were with him, to the Valley of Shaveh which is the king's valley.* 18 *And Malchizedek, king of Salem, brought out bread and wine; he was a priest of the Supreme God.*

רמב״ן

כִּי הֵם אֶל בָּבֶל אַרְצָם הָיוּ חוֹזְרִים. אוֹ שֶׁהָיָה נֵס גָּדוֹל כַּאֲשֶׁר דָּרְשׁוּ רַבּוֹתֵינוּ בְּ״אֹרַח בְּרַגְלָיו לֹא יָבֹא״[53]. **(יח) וּמַלְכִּי צֶדֶק מֶלֶךְ שָׁלֵם.** הִיא יְרוּשָׁלַיִם, כְּעִנְיָן שֶׁנֶּאֱמַר [תהלים עו, ג]: ״וַיְהִי בְשָׁלֵם סֻכּוֹ״[54]. וּמַלְכָּהּ יִקָּרֵא גַּם בִּימֵי יְהוֹשֻׁעַ ״אֲדֹנִי צֶדֶק״ [יהושע י, א][55]. כִּי מֵאָז יָדְעוּ הַגּוֹיִם כִּי הַמָּקוֹם הַהוּא מִבְחַר הַמְּקוֹמוֹת בְּאֶמְצַע הַיִּשּׁוּב[56], אוֹ שֶׁיָּדְעוּ מַעֲלָתוֹ בְּקַבָּלָה שֶׁהוּא מְכֻוָּן כְּנֶגֶד בֵּית הַמִּקְדָּשׁ שֶׁל מַעְלָה[57], שֶׁשָּׁם שְׁכִינָתוֹ שֶׁל הַקָּדוֹשׁ בָּרוּךְ הוּא[58] שֶׁנִּקְרָא ״צֶדֶק״[59].

RAMBAN ELUCIDATED

כִּי הֵם אֶל בָּבֶל אַרְצָם הָיוּ חוֹזְרִים – For they were returning, in their flight, **to Babylonia,** which was **their land.** **אוֹ שֶׁהָיָה נֵס גָּדוֹל כַּאֲשֶׁר דָּרְשׁוּ רַבּוֹתֵינוּ בְּ״אֹרַח בְּרַגְלָיו לֹא יָבֹא״ – Alternatively, there was a great miracle** by which Abraham was enabled to pursue them to Damascus in one day, **as our Sages expounded** (*Bereishis Rabbah* 43:3) **on** the verse, *[He pursued them and emerged unhurt,]* ***on a path where his feet had never gone*** (*Isaiah* 41:3).[53]

18. וּמַלְכִּי צֶדֶק מֶלֶךְ שָׁלֵם – *AND MALCHIZEDEK, KING OF SALEM.*

[Ramban identifies Salem and analyzes the significance of its king's name:]

הִיא יְרוּשָׁלַיִם, כְּעִנְיָן שֶׁנֶּאֱמַר: ״וַיְהִי בְשָׁלֵם סֻכּוֹ״ – [Salem] is Jerusalem,[54] **as it is said, *His Tabernacle was in Salem*** (*Psalms* 76:3). **וּמַלְכָּהּ יִקָּרֵא גַּם בִּימֵי יְהוֹשֻׁעַ ״אֲדֹנִי צֶדֶק״ – Its king was called** by a similar name **also in the days of Joshua – "Adoni-zedek"**[55] (*Joshua* 10:1). **כִּי מֵאָז יָדְעוּ הַגּוֹיִם כִּי הַמָּקוֹם הַהוּא מִבְחַר הַמְּקוֹמוֹת בְּאֶמְצַע הַיִּשּׁוּב** – The kings of Jerusalem were given names containing the word "righteousness" **because** even **long ago the nations knew that that place** (Jerusalem) **was the choicest of places,** located **in the center of the inhabited regions of the earth.**[56] **אוֹ שֶׁיָּדְעוּ מַעֲלָתוֹ בְּקַבָּלָה שֶׁהוּא מְכֻוָּן כְּנֶגֶד בֵּית הַמִּקְדָּשׁ שֶׁל מַעְלָה, שֶׁשָּׁם שְׁכִינָתוֹ שֶׁל הַקָּדוֹשׁ בָּרוּךְ הוּא שֶׁנִּקְרָא ״צֶדֶק״ – Alternatively, they knew, through tradition, of [Jerusalem's]** spiritual **eminence, being aligned opposite the Celestial Temple,**[57] **where the Presence of the Holly one, Blessed is he – called צֶדֶק (*Zedek*)**[58] **– resides.**[59]

their retreat to Babylonia. Therefore, when darkness fell after they reached Dan several days into the chase, Abraham and his men had to split up their forces in order to cover all those possible routes, as Ramban explained above.]

53. I.e., he miraculously covered great distances in a very short time (Midrash commentaries).

54. This identification of Salem with Jerusalem is found in Onkelos and in the Midrash (*Bereishis Rabbah* 43:6, 56:10, etc.).

55. Malchizedek means "king of righteousness," and Adoni-zedek means "master of righteousness."

56. The "inhabited regions" of the Northern Hemisphere extend from the equator to the Arctic Circle (66 degrees north latitude). The midpoint of this area is at approximately 33 degrees north latitude. Jerusalem, which is close to 32 degrees north latitude, is quite close to the center of the "inhabited regions." See *Ezekiel* 5:5 and commentators ad loc. See also Ibn Ezra above, 1:2 and *Daniel* 8:9.

It is likely that Ramban has in mind this thought, found in Radak, *Ezekiel* (ibid.): "Since it is in the middle of the inhabited regions its climate is better and fairer than all other lands, and its inhabitants were expected to walk on the straight path and to act with justice" for climate has an effect on temperament (see *Yefe To'ar* on *Bereishis Rabbah* ibid.). It is for this reason that the kings of Jerusalem had the name (or title) *Zedek* (Righteousness) attributed to them.

57. The concept of a celestial Jerusalem corresponding to the earthly city is mentioned in *Taanis* 5a and in Midrashic sources.

58. This Kabbalistic concept is also referred to by Ramban, *Deuteronomy* 16:20.

59. This interpretation concurs with Ibn Ezra and Radak. Accordingly, the "Zedek" part of these kings'

רמב״ן

ובבראשית רבה [מג, ו]: המקום הזה מצדיק[60] את יושביו; "ומלכי צדק מלך שלם", "אדוני צדק". נקראת ירושלים "צדק", שנאמר [ישעיה א, כא]: "צדק ילין בה".

והזכיר **והוא כהן לאל עליון**, להודיע כי אברהם לא היה נותן מעשר לכהן לאלהים אחרים, אבל מפני שידע בו שהוא כהן לאל עליון נתן לו המעשר לכבוד השם.

והרמז לאברהם מזה, כי שם יהיה בית אלהים[61,62], ושם יוציא זרעו המעשר והתרומה[63], ושם יברכו את ה'[64].

ועל דעת רבותינו שאומרים כי מלכי צדק הוא שם בן נח[65], הלך מארצו לירושלם לעבד שם את ה'[66], והיה להם לכהן לאל עליון, כי הוא אחי אביהם הנכבד.

RAMBAN ELUCIDATED

[Ramban notes that the Midrash corroborates this view:]

ובבראשית רבה: – **In** ***Bereishis Rabbah*** (43:6) we find: **המקום הזה מצדיק את יושביו** – **This place bestows righteousness**[60] **upon its inhabitants,** as evidenced by their names: **"ומלכי צדק מלך שלם", "אדוני צדק"** – ***And "Malchizedek," king of Salem; "Adoni-zedek."*** **נקראת ירושלים צדק, שנאמר "צדק ילין בה"** – **Jerusalem** itself **is called "Zedek"** (***Righteousness***), **as it is stated,** ***Righteousness lodged in her [Jerusalem]*** (*Isaiah* 1:21).

[What is the relevancy of the fact that this king, who brought food to Abraham and his allies, was a priest of God?]

והזכיר "והוא כהן לאל עליון" – **And it mentions that he was a priest of the Supreme God** **להודיע כי אברהם לא היה נותן מעשר לכהן לאלהים אחרים** – **to inform** us **that Abraham would not give a tithe** (see v. 20) **to a priest of other gods,** **אבל מפני שידע בו שהוא כהן לאל עליון נתן לו המעשר לכבוד השם** – **but** only **because he knew of [Malchizedek] that he was a priest of the Supreme God, he gave him the tithe, in honor of God.**

[Ramban, invoking the principle that "the events of the Patriarchs are signs for their descendants" (see above, 12:6), notes that Malchizedek's actions were harbingers of future circumstances (see also Rashi):]

והרמז לאברהם מזה – **The allusion** made **for Abraham from this** conduct of Malchizedek **כי שם יהיה בית אלהים** – was **that** (1) **there would** one day **be a House of God**[61] in Jerusalem,[62] **ושם יוציא זרעו המעשר והתרומה** – **and** (2) **there his descendants would bring out their tithes and *terumah*-offerings,**[63] **ושם יברכו את ה'** – **and** (3) **there they would bless God.**[64]

[Ramban now analyzes the Midrash's identification of Malchizedek as Shem:][65]

ועל דעת רבותינו שאומרים כי מלכי צדק הוא שם בן נח – **According to the Sages** (*Nedarim* 32b, cited by Rashi here), **who say that Malchizedek was Shem, son of Noah,** **הלך מארצו לירושלם לעבד שם את ה'** – **he** apparently **journeyed from his** native **land** (Mesha, see Ramban below) **to Jerusalem to serve God there,**[66] **והיה להם לכהן לאל עליון** – **and became a priest to the Supreme God for [the**

names refers to the city in which they ruled and not to their personal virtue.

60. That is: These kings were named Zedek not because they themselves were righteous, but on account of their righteous city, which is called Zedek. The city thus bestowed an aura of righteousness upon its rulers regardless of their merit (*Yedei Moshe* on *Bereishis Rabbah*).

61. I.e. the Holy Temple.

62. This was alluded to by the fact that this priest of the Supreme God was king of Jerusalem.

63. Just as Abraham gave a tithe to Malchizedek (v. 20) and made a *terumah*-offering (v. 22, see Ramban there), so, too, will Abraham's descendants bring *ma'aser sheni* (the second tithe), *ma'aser beheimah* (the livestock tithe) and *terumah* to Jerusalem. (The *terumah* reference here is not to what is commonly called *terumah* – the part of the crop given to a Kohen, but to *bikkurim* – the first-ripening produce which is also known as *Terumah* [see Rashi to *Deuteronomy* 12:6] and wich is brought to and eaten in Jerusalem.)

64. Malchizedek did so in v. 20.

65. The underlying problem with the Midrash's position is that the descendants of the three sons of Noah (Shem, Ham and Japheth) each settled in a dif-ferent area of the world, as detailed above, in Chapter 10. There it is also recorded that Shem's descendants settled in the area *from Mesha toward Sephar* ... and not in *Eretz Yisrael.* Why then do we find Shem here, in Jerusalem, an area settled by the Canaanites?

66. Shem was aware of Jerusalem's spiritual emi-

רמב״ן

כִּי יְרוּשָׁלַיִם מִגְּבוּל הַכְּנַעֲנִי הִיא מֵעוֹלָם. וְרַשִׁ״י כָּתַב לְמַעְלָה [יב, ו] ״וְהַכְּנַעֲנִי אָז בָּאָרֶץ״, הָיָה הוֹלֵךְ וְכוֹבֵשׁ אֶת אֶרֶץ יִשְׂרָאֵל מִזַּרְעוֹ שֶׁל שֵׁם, זְקֵנוֹ שֶׁל אַבְרָהָם, שֶׁבְּחֶלְקוֹ שֶׁל שֵׁם נָפְלָה כְּשֶׁחִלֵּק נֹחַ לְבָנָיו אֶת הָאָרֶץ, שֶׁנֶּאֱמַר ״וּמַלְכִּי צֶדֶק מֶלֶךְ שָׁלֵם״[67].

וְאֵין זֶה נָכוֹן, כִּי ״גְּבוּל הַכְּנַעֲנִי מִצִּידֹן״ [לעיל י, יט] יִכְלוֹל כָּל אֶרֶץ יִשְׂרָאֵל, וּגְבוּל בְּנֵי שֵׁם בַּמִּזְרָח מִמֵּשָׁא רָחוֹק מֵאֶרֶץ יִשְׂרָאֵל[68]. אֲבָל אִם חִלֵּק נֹחַ לְבָנָיו הָאֲרָצוֹת וְנָתַן לְשֵׁם אֶרֶץ יִשְׂרָאֵל, הָיָה זֶה כִּ״מְחַלֵּק נְכָסָיו עַל פִּיו״[69], וְיֵשְׁבוּ בָהּ בְּנֵי כְנַעַן עַד אֲשֶׁר יַנְחִיל אוֹתָהּ הַשֵּׁם לְזֶרַע אוֹהֲבוֹ[70], כַּאֲשֶׁר הִזְכַּרְתִּי כְּבָר [לעיל י, טו][71].

□ **וְהוּא כֹהֵן לְאֵל עֶלְיוֹן.** בַּעֲבוּר הֱיוֹת בְּכָל הָעַמִּים כֹּהֲנִים מְשָׁרְתִים לַמַּלְאָכִים הַנִּקְרָאִים ״אֵלִים״, כָּעִנְיָן

RAMBAN ELUCIDATED

Canaanites]. **כִּי הוּא אֲחִי אֲבִיהֶם הַנִּכְבָּד** – He was accepted by them **because he was the venerable brother of [the Canaanites'] ancestor [Ham].**

[Ramban now demonstrates the correctness of his assertion that Shem's native land was far from Jerusalem, and notes that this is not in agreement with Rashi's opinion:]

כִּי יְרוּשָׁלַיִם מִגְּבוּל הַכְּנַעֲנִי הִיא מֵעוֹלָם – **For Jerusalem was always the territory of the Canaanites** and not of the Shemites. **וְרַשִׁ״י כָּתַב לְמַעְלָה** – **Rashi**, however, **wrote above** (12:6), **״וְהַכְּנַעֲנִי אָז בָּאָרֶץ״, הָיָה הוֹלֵךְ וְכוֹבֵשׁ אֶת אֶרֶץ יִשְׂרָאֵל, מִזַּרְעוֹ שֶׁל שֵׁם, זְקֵנוֹ שֶׁל אַבְרָהָם** – ***The Canaanite was then in the land*** – **[The Canaanite] was gradually conquering the Land of Israel from the offspring of Shem, Abraham's ancestor,** **שֶׁבְּחֶלְקוֹ שֶׁל שֵׁם נָפְלָה כְּשֶׁחִלֵּק נֹחַ לְבָנָיו אֶת הָאָרֶץ** – **for it fell in the portion of Shem when Noah apportioned the earth to his sons,** **שֶׁנֶּאֱמַר ״וּמַלְכִּי צֶדֶק מֶלֶךְ שָׁלֵם״** – **as it says, *and Malchizedek, king of Salem.***[67]

וְאֵין זֶה נָכוֹן – **But this is not sound,** **כִּי ״גְּבוּל הַכְּנַעֲנִי מִצִּידֹן״ יִכְלוֹל כָּל אֶרֶץ יִשְׂרָאֵל** – **for *the Canaanite boundary extended from Sidon*** [*going toward Gerar, as far as Gaza*] (above, 10:19), encompassing all of the Land of Israel, **וּגְבוּל בְּנֵי שֵׁם בַּמִּזְרָח מִמֵּשָׁא רָחוֹק מֵאֶרֶץ יִשְׂרָאֵל** – **while the Shemites' territory was east of Mesha** (ibid. 10:30), **far from the Land of Israel.**[68] **אֲבָל אִם חִלֵּק נֹחַ לְבָנָיו הָאֲרָצוֹת וְנָתַן לְשֵׁם אֶרֶץ יִשְׂרָאֵל** – **However, if Noah did apportion the lands** of the world **to his sons and he** did **give Shem the Land of Israel,** as Rashi claims, **הָיָה זֶה כִּ״מְחַלֵּק נְכָסָיו עַל פִּיו״** – **it was as "one who apportions his possessions by his mouth** for distribution after his death,"[69] **וְיֵשְׁבוּ בָהּ בְּנֵי כְנַעַן עַד אֲשֶׁר יַנְחִיל אוֹתָהּ הַשֵּׁם לְזֶרַע אוֹהֲבוֹ** – **and the sons of Canaan would dwell there** only **until God would endow it to the "offspring of** [Abraham] **who loved Him,"**[70] **כַּאֲשֶׁר הִזְכַּרְתִּי כְּבָר** – **as I have already mentioned.**[71]

□ **וְהוּא כֹהֵן לְאֵל עֶלְיוֹן** – ***HE WAS A PRIEST OF THE SUPREME GOD.***

[The term "the Supreme God (*El*)" gives the intolerable impression that (ח״ו) there are other gods (albeit not supreme). Ramban explains:]

בַּעֲבוּר הֱיוֹת בְּכָל הָעַמִּים כֹּהֲנִים מְשָׁרְתִים לַמַּלְאָכִים הַנִּקְרָאִים ״אֵלִים״ – **It is because among all the peoples there were priests ministering to angels, which are called *Elim*** (plural of *El*), **כָּעִנְיָן**

nence, as Ramban mentioned above.

67. Rashi sees our verse as a proof that Jerusalem (and the rest of *Eretz Yisrael*) was Shemite territory from the days of Noah.

In summation:

Rashi maintains that *Eretz Yisrael* was originally Shemite territory, and the Canaanites were usurpers.

Ramban's opinion is that *Eretz Yisrael* was first inhabited by Canaanites and that Shem was a stranger there from a distant land.

68. Then how can Rashi maintain that Noah gave Shem his share in *Eretz Yisrael*?

69. This term is used in the Talmud (*Bava Basra* 126b) to describe a person who apportions his property to his sons, to be effective after his death. What Ramban means is that even if we accept the premise that Noah apportioned *Eretz Yisrael* to Shem and his descendants, this gift was not to take effect immediately. Rather, the Canaanites occupied the land until the time would come for the Shemites to take possession of their rightful inheritance.

70. A stylistic paraphrase of *Isaiah* 41:8.

71. Above, 10:15. Ramban there mentions the idea that the Canaanites fulfilled the role of "guardians" over *Eretz Yisrael* until God saw fit to deliver it to its rightful owners, the descendants of Abraham.

יט וַיְבָרְכֵהוּ וַיֹּאמַר בָּרוּךְ אַבְרָם לְאֵל עֶלְיוֹן קֹנֵה
כ שָׁמַיִם וָאָרֶץ: וּבָרוּךְ אֵל עֶלְיוֹן אֲשֶׁר־מִגֵּן צָרֶיךָ

יט וּבָרְכֵהּ וַאֲמַר בְּרִיךְ אַבְרָם לְאֵל עִלָּאָה דְּקִנְיָנֵהּ שְׁמַיָּא וְאַרְעָא:
כ וּבְרִיךְ אֵל עִלָּאָה דִּמְסַר סָנְאָיךְ

רש"י

לו שאין בלבו עליו על שהרג את בניו (תנחומא טו). ומדרש אגדה, רמז לו על המנחות ועל הנסכים שיקריבו שם בניו (ב"ר שם): (יט) קנה שמים וארץ. כמו עושה שמים וארץ, על ידי עשייתו קנאן להיות שלו: (כ) אשר מגן. אשר הסגיר (אונקלוס). וכן

רמב"ן

שֶׁנֶּאֱמַר [שמות טו, יא]: "מִי כָמֹכָה בָּאֵלִים", יִקָּרֵא הַקָּדוֹשׁ בָּרוּךְ הוּא "אֵל עֶלְיוֹן"[72]. וְעִנְיָנוֹ הַתַּקִּיף הַגָּבֹהַּ עַל כָּל גְּבוֹהִים[73], כְּמוֹ "יֶשׁ לְאֵל יָדִי" [להלן לא, כט][74].

וּמַלְכִּי צֶדֶק לֹא הִזְכִּיר הַשֵּׁם, אֲבָל אַבְרָהָם אָמַר "ה' אֵל עֶלְיוֹן" [להלן פסוק כב][75].

[יט] קֹנֵה שָׁמַיִם וָאָרֶץ. כָּתַב רַשִׁ"י: קוֹנֵה כְּמוֹ עוֹשֶׂה, עַל יְדֵי עֲשִׂיָּתוֹ קְנָאָן לִהְיוֹת לוֹ.

וְאֵלֶּה שְׁנֵי פָנִים הֵם[76].

וְאוּלַי[77] כֵּן הַדָּבָר שֶׁיָּבֹא לְשׁוֹן קִנְיָן בְּעִנְיַן הָעֲשִׂיָּה, וְכֵן "כִּי אַתָּה קָנִיתָ כִלְיֹתָי" [תהלים קלט, יג][78],

RAMBAN ELUCIDATED

שֶׁנֶּאֱמַר: "מִי כָמֹכָה בָּאֵלִים" – as it says, ***Who is like You among the "Elim"*** (*Exodus* 15:11), **יִקָּרֵא הַקָּדוֹשׁ בָּרוּךְ הוּא "אֵל עֶלְיוֹן"** – that **God is called *the Supreme El.***[72] **וְעִנְיָנוֹ הַתַּקִּיף הַגָּבֹהַּ עַל כָּל גְּבוֹהִים** – **The meaning [of אֵל עֶלְיוֹן] is "the Highest of All High Powerful Ones,"**[73] **כְּמוֹ "יֶשׁ לְאֵל יָדִי"** – **as in *my hand has the power*** (אֵל) (below, 31:29).[74]

[Ramban notes that Abraham, although he adopted Malchizedek's appellation for God (i.e., *Supreme Power*), nevertheless, altered it somewhat:]

וּמַלְכִּי צֶדֶק לֹא הִזְכִּיר הַשֵּׁם – **Malchizedek did not mention the Name** of God when he invoked "the Supreme Power" (v. 19, v. 20), **אֲבָל אַבְרָהָם אָמַר "ה' אֵל עֶלְיוֹן"** – **but Abraham said, *"Hashem, the Supreme Power"*** (below, v. 22).[75]

19. קֹנֵה שָׁמַיִם וָאָרֶץ – ***MAKER OF HEAVEN AND EARTH.***

[קוֹנֶה usually means "to purchase" (see below, 25:10, 29:1, 47:19, etc.). In our context this is clearly not its meaning. Ramban cites Rashi's explanation for the term:]

כָּתַב רַשִׁ"י: – **Rashi writes:**

קוֹנֵה כְּמוֹ עוֹשֶׂה – The term **Acquirer** here has the **same** implication **as עוֹשֶׂה (Maker). [That is to say:]** **עַל יְדֵי עֲשִׂיָּתוֹ קְנָאָן לִהְיוֹת לוֹ** – **Through His making** them **He acquired them to be His.**

[Ramban clarifies Rashi's explanation:]

וְאֵלֶּה שְׁנֵי פָנִים הֵם – **These are two** distinct **interpretations.**[76]

[Ramban now considers the first half of Rashi's comment:]

וְאוּלַי כֵּן הַדָּבָר שֶׁיָּבֹא לְשׁוֹן קִנְיָן בְּעִנְיַן הָעֲשִׂיָּה – **Perhaps it is so**[77] **that the expression קִנְיָן** – the noun form for the word קוֹנֶה – **can appear in the sense of "making,"** **וְכֵן "כִּי אַתָּה קָנִיתָ כִלְיֹתָי"** – **and so** we find in the verse, ***For you have made*** (קָנִיתָ) ***my kidneys,***[78] (*Psalms* 139:13), and

72. *El* actually means "a Power," and does not necessarily refer to God. The expression אֵל עֶלְיוֹן would thus more accurately be translated "the Supreme Power." The implication is no longer that there are other gods, but only that there are other powers.

73. Ramban clarifies his interpretation of אֵל עֶלְיוֹן by translating it into synonyms, substituting תַּקִּיף (Powerful One) for אֵל (Power) and גָּבֹהַּ עַל גְּבוֹהִים (Highest of High) for עֶלְיוֹן (Supreme).

74. See Rashi ad loc.

75. Ramban's point is apparently that Abraham wanted to emphasize to all that "the Supreme Power" *is* Hashem. Alternatively, Scripture is telling us that Abraham's knowledge of God's essence surpassed that of Malchizedek, who referred to Him only by the general appellation "Supreme Power."

76. Ramban explains that Rashi's intent here is not just to demonstrate that קוֹנֶה is synonymous with עוֹשֶׂה, in which case Malchizedek made one simple declaration: "God is the Maker of heaven and earth." Rather, Ramban makes clear that Rashi is saying that Malchizedek meant two separate praises: (1) "God is the *Maker* of heaven and earth," (2) "God is the *Possessor* of heaven and earth."

77. [This is only "perhaps" so because in all the examples that follow, the expression קנה could conceivably be interpreted to mean "belonging to."]

78. "Kidneys" are poetically portrayed in the Bible as

[19] *He blessed him saying: "Blessed is Abram of the Supreme God, Maker of heaven and earth;* [20] *and blessed is God, the Most High, Who has delivered your foes*

רמב"ן

שֶׁיִּכְפּוֹל "תְּסֻכֵּנִי[79] בְּבֶטֶן אִמִּי"[80]. וְכֵן, "הֲלֹא הוּא אָבִיךָ קָּנֶךָ, הוּא עָשְׂךָ וַיְכֹנְנֶךָ" [דברים לב, ו][81], כִּי הַלָּשׁוֹן יֹאמַר "קִנְיָן" בַּעֲשִׂיָּה. וְהַהֵפֶךְ[82], "אֲשֶׁר עָשׂוּ בְחָרָן" [לעיל יב, ה], קָנוּ, "וּמֵאֲשֶׁר לְאָבִינוּ עָשָׂה" [להלן לא, א].

וְהַנָּכוֹן מַה שֶּׁאָמַר עוֹד: "קְנָאָן לִהְיוֹת לוֹ". כִּי כָּל אֲשֶׁר לָאָדָם יִקָּרֵא קִנְיָנוֹ[83], וְיִקָּרְאוּ הַצֹּאן "מִקְנֶה"[84] בַּעֲבוּר הֱיוֹתוֹ עִקַּר רְכוּשׁ הָאָדָם[85]. וּלְשׁוֹן חֲכָמִים: "הַמַּגְבִּיהַּ מְצִיאָה לַחֲבֵירוֹ קָנָה[86] חֲבֵרוֹ" [בבא מציעא ח, א], "הַבָּטָה בְּהֶפְקֵר קָנְיָא"[86] [שם קיח, א], "חֲצֵרוֹ שֶׁל אָדָם קוֹנָה[86] לוֹ שֶׁלֹּא מִדַּעְתּוֹ" [שם יא, א]. וְכֵן בְּכָל מָקוֹם תָּבוֹא לָהֶם בִּמְקוֹם זְכִיָּה, כְּלוֹמַר שֶׁהוּא שֶׁלּוֹ. וְלָזֶה נִתְכַּוֵּן אוּנְקְלוֹס שֶׁתִּרְגֵּם "דִּקְנְיָנֵיהּ",

RAMBAN ELUCIDATED

apparently קָנִיתָ here means "You have made," **שֶׁיִּכְפּוֹל "תְּסֻכֵּנִי בְּבֶטֶן אִמִּי"** – **for** at the end of the verse **it repeats, *You enveloped me*** *with flesh and bones*[79] ***in my mother's womb.***[80] **וְכֵן "הֲלֹא הוּא אָבִיךָ קָּנֶךָ הוּא עָשְׂךָ וַיְכֹנְנֶךָ"** – **Likewise,** we find, ***Is He not your Father, your Maker*** (קָּנֶךָ)? ***He made you and firmed you*** (*Deuteronomy* 32:6).[81] **כִּי הַלָּשׁוֹן יֹאמַר "קִנְיָן" בַּעֲשִׂיָּה** – **For the** Hebrew **language uses קִנְיָן** (the noun form for קוֹנֶה) **to mean "making."** **וְהַהֵפֶךְ "אֲשֶׁר עָשׂוּ בְחָרָן", קָנוּ** – **And the converse** is also true,[82] as we find in the verse, *[the souls]* ***that they had acquired*** (**עָשׂוּ**, lit., *made)* ***in Charan*** (above, 12:5), where עָשׂוּ means **"they acquired,"** **"וּמֵאֲשֶׁר לְאָבִינוּ עָשָׂה"** – and ***and from that which belonged to our father he acquired*** (**עָשָׂה**, lit., made) [*all this wealth*] (below, 31:1).

[Though Ramban has demonstrated that Rashi's first interpretation is feasible, he nevertheless prefers Rashi's next interpretation:]

וְהַנָּכוֹן מַה שֶּׁאָמַר עוֹד: – **The most satisfying** interpretation of the word, however, **is what [Rashi] says further** in his comment: **"קְנָאָן לִהְיוֹת לוֹ"** – **"He acquired them to be His."** **כִּי כָּל אֲשֶׁר לָאָדָם יִקָּרֵא קִנְיָנוֹ** – **For everything a man owns is called his "acquisitions."**[83] **וְיִקָּרְאוּ הַצֹּאן "מִקְנֶה" בַּעֲבוּר הֱיוֹתוֹ עִקַּר רְכוּשׁ הָאָדָם** – For example, **flocks of sheep and goats are called מִקְנֶה**[84] **because [flocks] were considered the primary possessions of a person.**[85] **וּלְשׁוֹן חֲכָמִים: "הַמַּגְבִּיהַּ מְצִיאָה לַחֲבֵירוֹ קָנָה חֲבֵרוֹ"** – **Rabbinic idiom** uses the word **קנה** in this sense as well, as in, **"If one picks up a found object on behalf of his friend, his friend has** thereby **acquired** (קָנָה)[86] **it"** (*Bava Metzia* 8a), **"הַבָּטָה בְּהֶפְקֵר קָנְיָא"** – **"looking at an ownerless object acquires it"**[86] (ibid. 118a), **"חֲצֵרוֹ שֶׁל אָדָם קוֹנָה לוֹ שֶׁלֹּא מִדַּעְתּוֹ"** – and **"a man's courtyard acquires for him** ownerless objects that enter it, even **without his knowledge"**[86] (ibid. 11a). **וְכֵן בְּכָל מָקוֹם תָּבוֹא לָהֶם בִּמְקוֹם זְכִיָּה** – **And so** you will find **in all** – i.e., many – **places, that** the word **[קְנִיָּה] is used in place of the word זְכִיָּה**, which is technically the more appropriate word to describe acquiring an ownerless object, **כְּלוֹמַר שֶׁהוּא שֶׁלּוֹ** – **meaning that [the object]** in question has become **his.** **וְלָזֶה נִתְכַּוֵּן אוּנְקְלוֹס שֶׁתִּרְגֵּם "דִּקְנְיָנֵיהּ",**

the seat of the intellect; the word is sometimes translated loosely as "mind."

79. See *Job* 10:11 and Ibn Ezra on *Psalms* ibid. Ramban interprets תְּסֻכֵּנִי to refer to the process of creation (or "making") that takes place with the fetus, and therefore deduces that this is the meaning of קָנִיתָ in the first phrase of the verse as well.

80. The poetic reiteration in the second half of the verse ("You have enveloped me ...") indicates that קָנִיתָ at the beginning of the verse means "You have made."

81. Here, too, the second half of the verse sheds light on the first half.

82. Just as the word קנה (which usually means "to acquire") is sometimes used to mean "to make," so too the word עשה (which usually means "to make") is used in the sense of "to acquire."

83. The usual connotation of קנה is acquisition through purchase. This, however, would be an inappropriate description of God's relationship to "heaven and earth." Ramban therefore demonstrates that קנה can also denote ownership that does not result from purchase.

Possibly, Ramban prefers Rashi's second interpretation because it calls for only one meaning for the root קנה: "acquisition."

84. Though usually translated as "livestock," its literal meaning is "acquisitions."

85. They are called מִקְנֶה even where they were not purchased from another person, but bred by the owner himself. This further shows that the root קנה describes any possessions, regardless of how they were acquired.

86. Here, too, the word קָנָה is used to describe coming into possession by means other than purchase.

חמישי כא בְּיָדֶךָ וַיִּתֶּן־לוֹ מַעֲשֵׂר מִכֹּל: וַיֹּאמֶר מֶלֶךְ־סְדֹם אֶל־אַבְרָם תֶּן־לִי הַנֶּפֶשׁ וְהָרְכֻשׁ קַח־לָךְ:

בִּידָךְ וִיהַב לֵהּ חַד מִן עַסְרָא מִכֹּלָּא: כא וַאֲמַר מַלְכָּא דִסְדוֹם לְאַבְרָם הַב לִי נַפְשָׁתָא וְקִנְיָנָא (סַב) דְּבַר לָךְ:

רש"י

אמגנך ישראל (הושע יא:ח): ויתן לו. אברם (ב"ר מג:ח; מד:ז; פס"ר כה (קכז:)): מעשר מכל. אשר לו, לפי שהיה כהן: (כא) תן לי הנפש. מן השבי שלי שהצלת, החזר לי הגופים לבדם:

רמב"ן

וְלֹא אָמַר "קָנֵי"[87].

(כ) וַיִּתֶּן לוֹ מַעֲשֵׂר מִכֹּל[88]. אַבְרָהָם לֹא רָצָה לָקַחַת לְעַצְמוֹ "מִחוּט וְעַד שְׂרוֹךְ נַעַל", אֲבָל חֵלֶק הַגָּבוֹהַּ הִפְרִישׁ לְתִתּוֹ לַכֹּהֵן.

וּמֶלֶךְ סְדוֹם יָצָא לִקְרַאת אַבְרָהָם אֶל עֵמֶק שָׁוֶה לִכְבוֹדוֹ, וְהָלַךְ עִמּוֹ עַד שָׁלֵם שֶׁהוֹצִיא מַלְכִּי צֶדֶק לֶחֶם וָיַיִן לָעָם אֲשֶׁר בְּרַגְלָיו. וְלֹא בִקֵּשׁ מֶלֶךְ סְדוֹם מִמֶּנּוּ דָבָר. אֲבָל כַּאֲשֶׁר רָאָה נְדִיבַת לִבּוֹ וְצִדְקָתוֹ שֶׁנָּתַן הַמַּעֲשֵׂר, אָז בִּקֵּשׁ גַּם הוּא הַנֶּפֶשׁ[89] בְּדֶרֶךְ צְדָקָה. וְאַבְרָהָם בָּטַח בֵּאלֹהָיו שֶׁיִּתֵּן לוֹ עֹשֶׁר וּנְכָסִים וְכָבוֹד וְלֹא רָצָה לָקַחַת מִמֶּנּוּ דָבָר, וְהֵשִׁיב לוֹ כָּל רְכוּשׁ סְדוֹם שֶׁהוּא שֶׁלּוֹ, וְכָל רְכוּשׁ עֲמוֹרָה לְהָשִׁיב אוֹתוֹ לִבְעָלָיו[90].

RAMBAN ELUCIDATED

וְלֹא אָמַר "קָנֵי" – This is what Onkelos intended when he translated קוֹנֵה שָׁמַיִם וָאָרֶץ as דִּקְנְיָנֵיהּ שְׁמַיָּא וְאַרְעָא – ("Whose possessions are heaven and earth"), rather than saying קָנֵי שְׁמַיָּא וְאַרְעָא – ("Acquirer [or Maker] of heaven and earth").[87]

20. וַיִּתֶּן לוֹ מַעֲשֵׂר מִכֹּל – *AND HE GAVE HIM A TENTH OF EVERYTHING.*[88]

אַבְרָהָם לֹא רָצָה לָקַחַת לְעַצְמוֹ "מִחוּט וְעַד שְׂרוֹךְ נַעַל" – **Abraham did not want to take for himself** ***so much as a thread to a shoestrap*** (v. 23), **אֲבָל חֵלֶק הַגָּבוֹהַּ הִפְרִישׁ לְתִתּוֹ לַכֹּהֵן** – **but** when it came to **the portion** to be dedicated **to the Most High he separated** it, **to give it to the priest.** He was willing to forgo his own portion, but not that of the representative of God.

[Now Ramban addresses a different issue: Verse 17 recounts that the king of Sodom came to greet Abraham. We would expect the narrative to continue with the king's request: "Give me the people ..." (v. 21). Why, then, does the Torah interrupt the narrative with a description of Abraham's tithing to Malchizedek (vv. 18-20)? Ramban explains:]

וּמֶלֶךְ סְדוֹם יָצָא לִקְרַאת אַבְרָהָם אֶל עֵמֶק שָׁוֶה לִכְבוֹדוֹ – **The king of Sodom went out to greet Abraham at the Valley of Shaveh** (v. 17) **to honor him,** with no intention of requesting anything. **וְהָלַךְ עִמּוֹ עַד שָׁלֵם שֶׁהוֹצִיא מַלְכִּי צֶדֶק לֶחֶם וָיַיִן לָעָם אֲשֶׁר בְּרַגְלָיו** – **He then accompanied him to Salem, where Malchizedek brought out bread and wine for the people that followed him.** **וְלֹא בִקֵּשׁ מֶלֶךְ סְדוֹם מִמֶּנּוּ דָבָר** – At this time **the king of Sodom had not** yet **made any request of him.** **אֲבָל כַּאֲשֶׁר רָאָה נְדִיבַת לִבּוֹ וְצִדְקָתוֹ שֶׁנָּתַן הַמַּעֲשֵׂר** – **But upon seeing [Abraham's] generosity and benevolence in giving a tenth** of the spoils to Malchizedek, **אָז בִּקֵּשׁ גַּם הוּא הַנֶּפֶשׁ בְּדֶרֶךְ צְדָקָה** – **then he too requested** from Abraham that he return to him the **human** captives (v. 21),[89] **by way of benevolence,** and not because he felt entitled. **וְאַבְרָהָם בָּטַח בֵּאלֹהָיו שֶׁיִּתֵּן לוֹ עֹשֶׁר וּנְכָסִים וְכָבוֹד וְלֹא רָצָה לָקַחַת מִמֶּנּוּ דָבָר** – **Abraham,** however, **trusted in his God, that He would give him riches and possessions and honor, and did not wish to take anything** at all **from him,** **וְהֵשִׁיב לוֹ כָּל רְכוּשׁ סְדוֹם שֶׁהוּא שֶׁלּוֹ, וְכָל רְכוּשׁ עֲמוֹרָה לְהָשִׁיב אוֹתוֹ לִבְעָלָיו** – **so he returned to him all the possessions** plundered from **Sodom** – **which belonged to**

87. "קָנֵי" in Aramaic is closer to the literal translation of the Hebrew "קוֹנֵה." However, קָנֵי is ambiguous for it could be understood to mean *either* Possessor *or* Maker. Onkelos' choice of דִּקְנְיָנֵיהּ, which has only one possible meaning: *whose possessions are,* indicates to Ramban that Onkelos concurs with Rashi's latter explanation of קוֹנֵה, i.e., *the Possessor of.*

88. Rashi explains that Abraham gave a tithe from all that he personally owned. Ramban, however, understands it to mean that he tithed from the spoils of the war against the kings. Ramban must now explain how Abraham could offer a tithe to Malchizedek from spoils that rightfully belonged to the king of Sodom. Moreover, Abraham had declared that he would not accept from the king of Sodom *so much as a thread ...* (v. 23). How now does he offer a tithe from those very spoils?

89. He did not request the material spoils.

into your hand"; and he gave him a tenth of everything.
21 *The king of Sodom said to Abram: "Give me the people and take the possessions for yourself."*

רמב"ן

כִּי בְּכֹל בִּקֵּשׁ מִמֶּנּוּ הַנֶּפֶשׁ, וּבְכֹל הָיְתָה טַעֲנָתוֹ שֶׁלֹּא יֹאמְרוּ הֵם הֶעֱשִׁירוּ אֶת אַבְרָם.

וּשְׁאָר הַמְּקוֹמוֹת הַנִּזְכָּרִים – לְפִי חֶרֶב הִכּוּ אוֹתָם[91]. וְלֹא לָקְחוּ מֵעָרֵי הַמְּלָכִים רַק רְכוּשׁ סְדוֹם וַעֲמֹרָה, כִּי בַּעֲבוּר שֶׁאָבְדוּ מַלְכֵיהֶם נִשְׁאֲרוּ עֲזוּבוֹת עָרֵיהֶם[92].

וְיִתָּכֵן[93] שֶׁיִּהְיֶה זֶה מַה שֶּׁאָמַר "אִם מִחוּט וְעַד שְׂרוֹךְ" יִשָּׁאֵר בְּיָדִי מִכָּל הָרְכוּשׁ הַבָּא אֵלַי מִכּוּלְּכֶם[94], "וְאִם אֶקַּח מִכָּל אֲשֶׁר לָךְ". בִּרְכוּשְׁךָ שֶׁנָּתַתָּ אַתָּה לִי[95].

RAMBAN ELUCIDATED

[the king of Sodom] – **and** also **all the property** plundered from **Gomorrah,** for him **to return to its owners.**[90] **כִּי בְּכֹל בִּקֵּשׁ מִמֶּנּוּ הַנֶּפֶשׁ** – **For** it was **concerning** ***all*** **the human** captives (both those of Sodom and those of Gomorrah) **that [the king of Sodom] requested of [Abraham],** **וּבְכֹל הָיְתָה טַעֲנָתוֹ שֶׁלֹּא יֹאמְרוּ הֵם הֶעֱשִׁירוּ אֶת אַבְרָם** – **and,** likewise, **it was regarding** ***all*** the spoils (i.e., of both Sodom and Gemorrah) that **[Abraham] argued, "Let them not claim, '[We] made Abram rich.'"**

[Ramban now addresses this question: Why did Chedarlaomer and his allies plunder only the possessions of Sodom and Gomorrah (v. 11) and not the possessions of the other three kingdoms (Admah, Zeboiim and Zoar) who also rose up against them? Ramban answers:]

וּשְׁאָר הַמְּקוֹמוֹת הַנִּזְכָּרִים – **As for the other places that are mentioned** (above, vv. 5-7) – i.e., Ashteroth-karnaim, Ham, Shaveh-kiriathaim, etc. **לְפִי חֶרֶב הִכּוּ אוֹתָם** – **[Chedarlaomer and his allies] struck them down by the sword.**[91] **וְלֹא לָקְחוּ מֵעָרֵי הַמְּלָכִים רַק רְכוּשׁ סְדוֹם וַעֲמֹרָה** – **They took nothing from the cities of the** five **kings, except for the possessions of Sodom and Gomorrah,** **כִּי בַּעֲבוּר שֶׁאָבְדוּ מַלְכֵיהֶם נִשְׁאֲרוּ עֲזוּבוֹת עָרֵיהֶם** – **because their kings were lost [and] their cities were left abandoned.**[92]

[Ramban applies the interpretation just presented to suggest a solution to another difficulty, found in vv. 22-23:[93]]

וְיִתָּכֵן שֶׁיִּהְיֶה זֶה מַה שֶּׁאָמַר "אִם מִחוּט וְעַד שְׂרוֹךְ", יִשָּׁאֵר בְּיָדִי מִכָּל הָרְכוּשׁ הַבָּא אֵלַי מִכּוּלְּכֶם – **It is** also **plausible that this is what** Abraham meant when **he said:** ***"That not so much as a thread to a shoestrap"*** – **shall remain in my hand from all the possessions that came to me** through the four kings **from all of you** collectively,[94] **"וְאִם אֶקַּח מִכָּל אֲשֶׁר לָךְ", בִּרְכוּשְׁךָ שֶׁנָּתַתָּ אַתָּה לִי** – ***"Nor shall I take from anything of yours"*** – **of your own possessions that you** seek to **give me.**[95]

90. We were told that the property of Sodom and Gomorrah were plundered (above, v. 11). Verse 22 relates that Abraham refused to keep any of the spoils taken from Sodom. But we are not told what happened to the spoils of Gomorrah. Ramban explains that Abraham must have refused these as well, for the same reason that he declined the spoils of Sodom (*so that no one should say "It is I who made Abram rich"*).

[The reason Abraham used the king of Sodom as an intermediary to return the possessions of the city of Gomorrah is because, as Ramban suggests above (v. 10), the king of Gomorrah had died.]

91. Verses 5-6 list a number of foes, such as the Rephaim, the Zuzim, etc. that Chedarlaomer and his allies wiped out. Hence the dialogue between Abraham and the king of Sodom did not concern them and dealt only with the five cities of the kings, of which only two were plundered. Ramban goes on to explain:

92. The kings of Sodom and Gomorrah fled and fell into the pits of the Valley of Siddim, whereupon the people of their cities fled to the mountains (above, v. 10). These two abandoned cities were thus easy to pillage. [The kings of the other three cities (Admah, Zeboiim and Zoar) presumably resisted Chedarlaomer and his allies, and their cities were therefore not plundered (*Zichron Yitzchak*).]

93. These verses state: *I lift up my hand to* HASHEM, *the Supreme God, Maker of heaven and earth, that not so much as a thread to a shoestrap, nor shall I take from anything of yours!* Abraham's oath seems to contain two parts: (1) *that not so much as a thread to a shoestrap [shall I take]* and (2) *nor shall I take from anything of yours.* What is the difference between these two statements? (See Rashi, Radak.) Furthermore, are not "thread" and "shoestrap" included in "anything"?

94. "From all of you" refers to the populations of *Sodom and Gomorrah.*

95. Perhaps Ramban is highlighting the words of the king of Sodom: "and *take* the possessions for yourself." Since the regained plunder was already in Abraham's hands, the king of Sodom should have said, "and *keep*

כב וַיֹּאמֶר אַבְרָם אֶל־מֶלֶךְ סְדֹם הֲרִמֹתִי יָדִי אֶל־יהוה אֵל עֶלְיוֹן קֹנֵה שָׁמַיִם וָאָרֶץ:

כב וַאֲמַר אַבְרָם לְמַלְכָּא דִסְדוֹם אֲרֵימִית יְדִי בִּצְלוֹ קֳדָם יְיָ (קֳדָם) אֵל עִלָּאָה דִּקְנָיְנֵהּ שְׁמַיָּא וְאַרְעָא:

רש"י

(כב) הרמתי ידי. לשון שבועה, מרים אני את ידי לאל עליון (ב"ר מג:ט; תרגום יונתן). וכן כי נשבעתי (להלן כב:טז) נשבע אני. וכן נתתי כסף השדה קח ממני (שם כג:יג) נותן אני לך כסף השדה וקחהו ממני:

רמב"ן

[כב] וְטַעַם הֲרִימוֹתִי יָדִי אֶל ה׳, לְשׁוֹן שְׁבוּעָה; מֵרִים אֲנִי יָדִי לְאֵל עֶלְיוֹן. וְכֵן "כִּי נִשְׁבַּעְתִּי" [להלן כב, טז], נִשְׁבָּע אֲנִי. לְשׁוֹן רַשִׁ"י.

וְכֵן מָצָאתִי בְּסִפְרֵי [ואתחנן ח]: מָצִינוּ בְּכָל הַצַּדִּיקִים שֶׁמַּשְׁבִּיעִין אֶת יִצְרָן שֶׁלֹּא לַעֲשׂוֹת[96]. בְּאַבְרָהָם הוּא אוֹמֵר: "הֲרִימֹתִי יָדִי אֶל ה׳", וְהִנֵּה הוּא כִּלְשׁוֹן "וַיָּרֶם יְמִינוֹ וּשְׂמֹאלוֹ אֶל הַשָּׁמַיִם וַיִּשָּׁבַע בְּחֵי הָעוֹלָם" [דניאל יב, ז].

וְאוּנְקְלוֹס אָמַר: "אֲרֵמִית יְדִי בִּצְלוֹ קֳדָם ה׳". יֹאמַר: "הִתְפַּלַּלְתִּי אֶל ה׳ וְכַפַּי פְּרוּשׂוֹת הַשָּׁמַיִם"[97].

RAMBAN ELUCIDATED

22. [הֲרִימוֹתִי יָדִי אֶל ה׳ – *I LIFT UP MY HAND TO HASHEM.*]

[This is clearly a figure of speech. Ramban discusses its meaning, starting with Rashi's opinion:] **וְטַעַם "הֲרִימוֹתִי יָדִי אֶל ה׳", לְשׁוֹן שְׁבוּעָה – The explanation for הֲרִימוֹתִי יָדִי אֶל ה׳** (lit., "I lifted up my hand to HASHEM") **is that** it is **an expression of oath. מֵרִים אֲנִי יָדִי לְאֵל עֶלְיוֹן** – As for the use of the past tense ("lifted"), it really means, **"I lift** (present tense) **up my hand to the Supreme God." וְכֵן "כִּי נִשְׁבַּעְתִּי" נִשְׁבָּע אֲנִי – Similarly,** ***By Myself have I sworn*** (past) (below, 22:16) means, **"I swear** (present)." **לְשׁוֹן רַשִׁ"י** – This is **a quote from Rashi.**

[Ramban brings support for Rashi's explanation from the words of the Sages:] **וְכֵן מָצָאתִי בְּסִפְרֵי: – And I have found the same** interpretation **in the Sifrei** (*Va'eschanan* 8): **מָצִינוּ בְּכָל הַצַּדִּיקִים שֶׁמַּשְׁבִּיעִין אֶת יִצְרָן שֶׁלֹּא לַעֲשׂוֹת – We find that all righteous people subject their natural impulses to oaths not to do** evil.[96] **בְּאַבְרָהָם הוּא אוֹמֵר: "הֲרִימֹתִי יָדִי אֶל ה׳" – With Abraham it says,** ***I lift up my hand to HASHEM,*** etc. **וְהִנֵּה הוּא כִּלְשׁוֹן "וַיָּרֶם יְמִינוֹ וּשְׂמֹאלוֹ אֶל הַשָּׁמַיִם וַיִּשָּׁבַע בְּחֵי הָעוֹלָם"** – According to this interpretation, **this** expression **is like the expression,** ***"he lifted his right hand and his left hand to the heavens and swore by the Life Source of the World"*** (*Daniel* 12:7), where "lifting up the hand" is clearly a gesture of taking an oath.

[Ramban notes that Onkelos does *not* interpret the phrase in this manner:] **וְאוּנְקְלוֹס: אָמַר "אֲרֵמִית יְדִי בִּצְלוֹ קֳדָם ה׳" – Onkelos, however, states** אֲרֵמִית יְדִי בִּצְלוֹ קֳדָם ה׳ (**"I have lifted up my hand** ***in prayer*** **before God"**). **יֹאמַר, "הִתְפַּלַּלְתִּי אֶל ה׳ וְכַפַּי פְּרוּשׂוֹת הַשָּׁמַיִם" – [Abraham] was saying,** according to Onkelos: **"I prayed to God, with my hands spread out heavenward** in prayer."[97]

the possessions." Apparently, the king of Sodom viewed at least part of the regained spoils as his own. Abraham thus told him, "I will keep neither the possessions I gained through the defeated four kings (which includes the possessions of Gomorrah) nor those that you see as your own."

[This interpretation is similar to that of Rashi (14:23) who explains that *a thread or a shoestrap* refers to the spoils of war, while *anything that is yours* refers to other payment ("from your treasury"). According to Ramban, however, Abraham's double oath is saying more: *a thread or a shoestrap* refers to the spoils of war that were taken from both Sodom and Gomorrah, while *anything that is yours* refers specifically to those spoils that the king of Sodom considered rightfully his.]

96. They resort to this in order to ensure that they not yield to temptation.

97. Spreading one's hands out heavenward is a common gesture of prayer in the Bible; see, e.g., *Exodus* 9:29, *I Kings* 8:22, ibid. 8:38.

According to Onkelos, Abraham was in effect saying to the king of Sodom: "I cannot accept your offer to keep the spoils because *when I originally* went out to war, I prayed for assistance. And, as part of my prayer, I told God that I was only joining the war to glorify His Name and not for my own gain. '*I will not take anything* for myself!'" According to this interpretation, the use of the past tense "I lifted" is precise. (See *Nefesh HaGer*; *Sha'arei Aharon.*)

22 Abram said to the king of Sodom: "I lift up my hand to HASHEM, the Supreme God, Maker of heaven and earth,

רמב״ן

אִם אֶקַּח[98] **מִכָּל אֲשֶׁר לָךְ.** כְּלוֹמַר, ״כֹּה יַעֲשֶׂה לִי אֱלֹהִים וְכֹה יוֹסִיף[99] אִם אֶקַּח״.
וְהַנָּכוֹן בְּעֵינַי, כִּי אָמַר ״הֲרִימֹתִי יָדִי אֶל ה׳ לִהְיוֹת הֶקְדֵּשׁ וְחֵרֶם[100] לְפָנָיו אִם אֶקַּח מִכָּל אֲשֶׁר לָךְ״[101]. כִּי הַהֶקְדֵּשׁוֹת יִקָּרְאוּ כֵן, ״תְּרוּמַת יָד״, כִּלְשׁוֹן ״כָּל מֵרִים תְּרוּמַת כֶּסֶף וּנְחֹשֶׁת״ [שמות לה, כד], ״וְכָל אִישׁ אֲשֶׁר הֵנִיף[102] תְּנוּפַת זָהָב לַה׳ ״ [שם פסוק כב]. וְאָמַר כֵּן בַּעֲבוּר שֶׁנָּתַן מִמֶּנּוּ מַעֲשֵׂר. כִּי כָּל אֲשֶׁר יִקַּח מִכָּל אֲשֶׁר לוֹ יִהְיֶה תְּרוּמָה לַה׳, לֹא יֵהָנֶה מִמֶּנּוּ דָּבָר.
וּבִבְרֵאשִׁית רַבָּה [מג, ט]: עֲשָׂאָן תְּרוּמָה, כְּמָה דְּאַתְּ אָמַר [במדבר יח, כו]: ״וַהֲרֵמֹתֶם מִמֶּנּוּ תְּרוּמַת ה׳ ״.

RAMBAN ELUCIDATED

[Ramban now explains the meaning of the expression אִם אֶקַּח מִכָּל אֲשֶׁר לָךְ, (*I lift up my hand to the Supreme God*) *"if" I shall take from anything of yours.* The word "if" is left dangling, without stating what consequences would follow "if I shall take."[98] Ramban explains that, though it was left unwritten, there is an implied conclusion:]

"אִם אֶקַּח מִכָּל אֲשֶׁר לָךְ" – According to both Rashi and Onkelos, ***If I shall not take from anything of yours*** **כְּלוֹמַר ״כֹּה יַעֲשֶׂה לִי אֱלֹהִים וְכֹה יוֹסִיף אִם אֶקַּח״** – **means, *"Such may God do to me and such may he do further*[99] *if I take*** from anything of yours."

[Ramban now gives his own interpretation of the expression, *I lift up my hand to HASHEM*:]

וְהַנָּכוֹן בְּעֵינַי כִּי אָמַר ״הֲרִימֹתִי יָדִי אֶל ה׳ לִהְיוֹת הֶקְדֵּשׁ וְחֵרֶם לְפָנָיו אִם אֶקַּח מִכָּל אֲשֶׁר לָךְ״ – **In my view, the most satisfying** interpretation **is that [Abraham] said, "I lift up my hand to God** to **consecrate and** designate as ***cherem***[100] all items **for Him if I take anything of yours,** and I shall thus not benefit from it."[101] **כִּי הַהֶקְדֵּשׁוֹת יִקָּרְאוּ כֵן, ״תְּרוּמַת יָד״** – **For this is how consecrated items are referred to** in the Torah – **"an item lifted by the hand,"** **כִּלְשׁוֹן ״כָּל מֵרִים תְּרוּמַת כֶּסֶף וּנְחֹשֶׁת״** – **as in the expression, *Every man who separated*** (lit., "who lifted up") ***a portion of silver or copper*** [*brought it as a portion for HASHEM*] (*Exodus* 35:24), **״וְכָל אִישׁ אֲשֶׁר הֵנִיף תְּנוּפַת זָהָב לַה׳ ״** – and ***and every man who raised up an offering***[102] ***of gold to HASHEM*** (ibid. v. 22). **וְאָמַר כֵּן בַּעֲבוּר שֶׁנָּתַן מִמֶּנּוּ מַעֲשֵׂר** – **[Abraham] said this because he had** already **given a tithe from [the spoils]** to Malchizedek the priest – thereby giving the impression that he intended to keep the remainder of the spoils for himself; **כִּי כָּל אֲשֶׁר יִקַּח מִכָּל אֲשֶׁר לוֹ יִהְיֶה תְּרוּמָה לַה׳** – he therefore declared to the king of Sodom **that anything he would take from all that belonged to him would be a "lifting up"** (consecrated offering) **unto God,** **לֹא יֵהָנֶה מִמֶּנּוּ דָּבָר** – **and he would not benefit from it at all.**

[Ramban notes that one of the Sages' interpretations given in the Midrash corroborates his explanation of the term "lifting of the hand":]

וּבִבְרֵאשִׁית רַבָּה: – **In *Bereishis Rabbah*** (43:9) we find: **עֲשָׂאָן תְּרוּמָה, כְּמָה דְּאַתְּ אָמַר: ״וַהֲרֵמֹתֶם מִמֶּנּוּ תְּרוּמַת ה׳ ״** – **[Abraham] made [the spoils] a consecrated offering** (תְּרוּמָה), **as you say** in the verse, ***you shall lift up from it a portion*** (lit., "a raised item") ***to HASHEM*** (*Numbers* 18:26).

98. Many of the oaths recorded in the Bible are expressed as conditional self-curses – "*If* I do such and such, *may I be cursed!*" The nature of the curse is often not disclosed, and in some cases the concluding phrase "may I be cursed" is not mentioned altogether. In such cases אִם is often rendered into English as "not" instead of "if," to avoid confusion. Here, too, many translations of our verse have, "*nor* shall I take from anything of yours." Ramban, however, consistently interprets the word אִם literally: "*if.*" (See Ramban below, on 21:23; Sforno here; and Rashi on *Numbers* 14:23.)

99. Ramban supplies the missing words of the conditional phrase, which is taken verbatim from *I Kings* 2:23. (See also *I Samuel* 3:17, 14:24, etc.) Ramban is thus asserting that Abraham's oath was of the sort that includes conditional, *implied* self-curses (see previous note).

100. The term "*cherem*" is used to describe something that is consecrated to God, and forbidden for use (see *Leviticus* 27:28).

101. According to this interpretation, there are no missing words in this phrase, and the word אִם can be understood in its simple meaning "if." Abraham was saying, "If I take any items from the spoils (אִם אֶקַּח מִכָּל אֲשֶׁר לָךְ), they will automatically be *cherem* because I have now declared them so! (הֲרִימֹתִי יָדִי אֶל ה׳)."

102. הֵנִיף תְּנוּפַת literally means "who waved a waving."

כג אִם־מִחוּט֙ וְעַ֣ד שְׂרוֹךְ־נַ֔עַל וְאִם־אֶקַּ֖ח מִכָּל־
אֲשֶׁר־לָ֑ךְ וְלֹ֣א תֹאמַ֔ר אֲנִ֖י הֶעֱשַׁ֥רְתִּי אֶת־אַבְרָֽם׃
כד בִּלְעָדַ֗י רַ֚ק אֲשֶׁ֣ר אָֽכְל֣וּ הַנְּעָרִ֔ים וְחֵ֙לֶק֙ הָֽאֲנָשִׁ֔ים
אֲשֶׁ֥ר הָלְכ֖וּ אִתִּ֑י עָנֵר֙ אֶשְׁכֹּ֣ל וּמַמְרֵ֔א הֵ֖ם יִקְח֥וּ
טו א חֶלְקָֽם׃ ס אַחַ֣ר ׀ הַדְּבָרִ֣ים הָאֵ֗לֶּה
הָיָ֤ה דְבַר־יהוה֙ אֶל־אַבְרָ֔ם בַּֽמַּחֲזֶ֖ה לֵאמֹ֑ר
אַל־תִּירָ֣א אַבְרָ֗ם אָנֹכִי֙ מָגֵ֣ן לָ֔ךְ שְׂכָרְךָ֖ הַרְבֵּ֥ה
ב מְאֹֽד׃ וַיֹּ֣אמֶר אַבְרָ֗ם אֲדֹנָ֤י יֱהוִה֙ מַה־תִּתֶּן־

כג אִם מִחוּטָא וְעַד עַרְקַת מְסָנָא וְאִם אֶסַּב מִכָּל דִּי לָךְ וְלָא תֵימַר אֲנָא עַתָּרִית יָת אַבְרָם: כד לְחוֹד (בַּר) מִדַּאֲכַלוּ עוּלֵמַיָּא וַחֲלָק גֻּבְרַיָּא דִּי אֲזָלוּ עִמִּי עָנֵר אֶשְׁכֹּל וּמַמְרֵא אִנּוּן יְקַבְּלוּן חֻלָקְהוֹן: א בָּתַר פִּתְגָּמַיָּא הָאִלֵּין הֲוָה פִּתְגָּמָא דַּייָ עִם אַבְרָם בִּנְבוּאָה לְמֵימַר לָא תִדְחַל אַבְרָם מֵימְרִי תְּקוֹף לָךְ אַגְרָךְ סַגִּי לַחֲדָא: ב וַאֲמַר אַבְרָם יְיָ אֱלֹהִים מַה תִּתֵּן

רש"י

(כג) אם מחוט ועד שרוך נעל. אעכב לעלמי מן השבי: **ואם אקח מכל אשר לך.** וא"ת לתת לי שכר מבית גנזיך לא אקח: **ולא תאמר וגו'.** שהקב"ה הבטיחני לעשרני, שנאמר ואברכך וגו' (לעיל יב:ב; תנחומא יג): **(כד) הנערים.** עבדי **אשר הלכו אתי** ועוד **ענר אשכל וממרא וגו'.** אע"פ שעבדי נכנסו למלחמה, שנאמר הוא ועבדיו ויכם, וענר וחביריו ישבו על הכלים לשמור, אפילו הכי הם יקחו חלקם. וממנו למד דוד, שאמר כחלק היורד במלחמה וכחלק היושב על הכלים יחדיו יחלוקו (שמואל־א ל:כד). ולכך נאמר ויהי מהיום ההוא ומעלה וישימה לחוק ומשפט (שם כה), ולא נאמר והלאה, לפי שכבר ניתן החוק בימי אברהם (ב"ר מג:ט): **(א) אחר הדברים האלה.** כ"מ שנאמר אחר, סמוך; אחרי, מופלג (ב"ר מד:ה). אחר הדברים האלה, אחר שנעשה לו נס זה שהרג את המלכים והיה דואג ואומר שמא קבלתי שכר על כל צדקותי, לכך אמר לו המקום **אל תירא אברם** (שם ד; תרגום יונתן): **אנכי מגן לך.** מן העונש, שלא תענש על כל אותן נפשות שהרגת (ב"ר שם; פדר"א פכ"ז). ומה שאתה דואג על קבול שכרך, שכרך הרבה מאד (ב"ר שם). [יש לי לתת לך שכר הרבה יותר ממה שרצה לתת לך מלך סדום, לפי שבטחת בי (תנחומא יג). וראיה לדבר בדברי הימים (ב כה:ט) ויאמר אמציהו לאיש האלהים וגו':]

רמב"ן

טו [א] הָיָה דְבַר ה' אֶל אַבְרָם בַּמַּחֲזֶה. זָכָה עַתָּה אַבְרָהָם לִהְיוֹת לוֹ דְּבַר ה' בַּמַּחֲזֶה בַּיּוֹם[1], כִּי מִתְּחִלָּה הָיְתָה נְבוּאָתוֹ בְּמַרְאוֹת הַלַּיְלָה. וְטַעַם "הָיָה דְבַר ה' אֶל אַבְרָם בַּמַּחֲזֶה" כְּטַעַם "וְכָל הָעָם רֹאִים אֶת הַקּוֹלֹת". וְסוֹדָם לְיוֹדְעֵי חֵן[2].

RAMBAN ELUCIDATED

15.

1. הָיָה דְבַר ה' אֶל אַבְרָם בַּמַּחֲזֶה – *THE WORD OF HASHEM CAME TO ABRAM IN A VISION.*

[Ramban calls attention to the word מַחֲזֶה in this phrase:]

זָכָה עַתָּה אַבְרָהָם לִהְיוֹת לוֹ דְּבַר ה' בַּמַּחֲזֶה בַּיּוֹם – Abraham now merited that the word of God should come to him in a vision during the day,[1] **כִּי מִתְּחִלָּה הָיְתָה נְבוּאָתוֹ בְּמַרְאוֹת הַלַּיְלָה – for initially his prophecies were through nighttime visions.**

[Ramban now addresses the question of how can one "see" *words* in a vision:]

וְטַעַם "הָיָה דְבַר ה' אֶל אַבְרָם בַּמַּחֲזֶה" – The explanation of the expression ***The word of Hashem came to Abram in a vision*** **כְּטַעַם "וְכָל הָעָם רֹאִים אֶת הַקּוֹלֹת" – is** the same **as the explanation of *The entire people saw the thunder*** (*Exodus* 20:15). There too Scripture speaks of a *sound* being *seen.* **וְסוֹדָם לְיוֹדְעֵי חֵן – The mystical meaning [of these verses] is** revealed **to those who "know grace."**[2]

Although the word "lift" (הֵרִים) is not found in this expression, "waving" is close in meaning to "lifting," and Ramban equates the idiomatic meaning of the two expressions.

1. Until now the word וַיֵּרָא ("[God] appeared") has been used in connection with Abraham's prophecies. The change in terminology to מַחֲזֶה ("vision") indicates that this revelation was of a higher level of prophecy than the previous ones. A מַרְאָה (as indicated by the word וַיֵּרָא), Ramban explains, refers to a nighttime vision, while a מַחֲזֶה is one that takes place during the day.

2. יוֹדְעֵי חֵן refers to people with Kabbalistic knowledge. חֵן ("grace") is used as an acronym for חָכְמָה נִסְתֶּרֶת ("hidden wisdom").

[23] *if so much as a thread to a shoestrap; or if I shall take from anything of yours! So you shall not say, 'It is I who made Abram rich.'* [24] *Far from me! Only what the young men have eaten, and the share of the men who accompanied me: Aner, Eshcol and Mamre — they will take their portion."*

15 [1] *After these events, the word of HASHEM came to Abram in a vision, saying, "Fear not, Abram, I am a shield for you; your reward is very great."*

[2] *And Abram said, "My Lord, HASHEM/ELOHIM: What can You give*

רמב״ן

□ **אַל תִּירָא אַבְרָם.** הָיָה מִתְיָרֵא[3] מִשְּׁנֵי דְבָרִים: מִן הַמְּלָכִים, פֶּן יִרְבּוּ צִבְאֹתָם עָלָיו – הֵם אוֹ הָעוֹמְדִים תַּחְתָּם[4] – וּבַמִּלְחָמָה יֵרֵד וְנִסְפָּה[5], אוֹ יוֹמוֹ יָבֹא לָמוּת[6] בְּלֹא זֶרַע. וְהִבְטִיחוֹ כִּי הוּא יִהְיֶה מָגֵן בַּעֲדוֹ מֵהֶם, וְעוֹד יִהְיֶה שְׂכַר לֶכְתּוֹ עִם ה׳[7] הַרְבֵּה מְאֹד[8].

[ב] וַיֹּאמֶר אַבְרָם אֲדֹנָי יֱהֹוִה מַה תִּתֶּן לִי. הִנֵּה הִצַּלְתַּנִי מִן הַמְּלָכִים אֲבָל מִן הַכָּרֵת לֹא הִבְטַחְתָּ אוֹתִי, רַק אָמַרְתָּ שֶׁתַּרְבֶּה לִי שָׂכָר הַרְבֵּה, וּמַה יִּהְיֶה שְׂכָרִי בְּלֹא בָנִים?

וְהִנֵּה לֹא עָלָה בְדַעְתּוֹ שֶׁיִּהְיֶה הַשָּׂכָר הַגָּדוֹל הַזֶּה עוֹלָם הַבָּא, כִּי זֶה אֵין צוֹרֵךְ לְהַבְטָחָה,

RAMBAN ELUCIDATED

□ **אַל תִּירָא אַבְרָם** – ***FEAR NOT, ABRAM.***

[What did Abraham have to fear?[3] Ramban explains:]

הָיָה מִתְיָרֵא מִשְּׁנֵי דְבָרִים: – **[Abraham] feared two things:** **מִן הַמְּלָכִים, פֶּן יִרְבּוּ צִבְאֹתָם עָלָיו – הֵם אוֹ הָעוֹמְדִים תַּחְתָּם** – (1) fear **of the kings** he had just routed, **that they may increase their armies** and regroup **against him – they themselves or their successors**[4] – **וּבַמִּלְחָמָה יֵרֵד וְנִסְפָּה** – **and in the** ensuing battle **"he would go forth in war and perish,"**[5] **אוֹ יוֹמוֹ יָבֹא לָמוּת בְּלֹא זֶרַע** – **"or** – (2) **his day would come to die"**[6] **without offspring.** **וְהִבְטִיחוֹ כִּי הוּא יִהְיֶה מָגֵן בַּעֲדוֹ מֵהֶם** – **[God]** therefore **assured him** on both counts: (1) **that He would be "a shield for him" against** an attack by **[the kings],** **וְעוֹד יִהְיֶה שְׂכַר לֶכְתּוֹ עִם ה׳ הַרְבֵּה מְאֹד** – **and furthermore** (2) **that "his reward – for walking with God**[7] **– would be very great."**[8]

2. וַיֹּאמֶר אַבְרָם אֲדֹנָי יֱהֹוִה מַה תִּתֶּן לִי – ***AND ABRAM SAID, "MY LORD, HASHEM/ELOHIM: WHAT CAN YOU GIVE ME?"***

[Ramban explains the continuity from the previous verse:]

הִנֵּה הִצַּלְתַּנִי מִן הַמְּלָכִים – Abraham was saying here, **"Now, You have saved me from the kings** **אֲבָל מִן הַכָּרֵת לֹא הִבְטַחְתָּ אוֹתִי** – **but You have not reassured me regarding** my concern over **dying childless.** **רַק אָמַרְתָּ שֶׁתַּרְבֶּה לִי שָׂכָר הַרְבֵּה** – **You have said only that You would grant me 'great reward';** **וּמַה יִּהְיֶה שְׂכָרִי בְּלֹא בָנִים** – **but what** comfort **can my reward be** to me **without children?** I cannot enjoy any 'reward' as long as I am fased with the prospect of dying childless!"

[But what made Abraham so sure that God's promise of reward was for this material world and not the ultimate reward in the World to Come? Ramban gives three answers:]

וְהִנֵּה לֹא עָלָה בְדַעְתּוֹ שֶׁיִּהְיֶה הַשָּׂכָר הַגָּדוֹל הַזֶּה עוֹלָם הַבָּא – **Now, it never entered [Abraham's] mind that this promise of great reward will be** in **the World to Come,** **כִּי זֶה אֵין צוֹרֵךְ לְהַבְטָחָה** – (1) **for this**

3. See Rashi.

4. This concept is mentioned in *Bereishis Rabbah* 44.

5. A stylistic citation from *I Samuel* 26:10.

6. A continuation of the stylistic citation from *I Samuel*.

7. This is unlike Ibn Ezra, who interprets the "reward" of our verse to be the reward for saving Lot.

8. This was to allay Abraham's second fear (though it did not fully satisfy him; see Ramban's next comment).

לִי וְאָנֹכִי הוֹלֵךְ עֲרִירִי וּבֶן־מֶשֶׁק בֵּיתִי הוּא
ג דַּמֶּשֶׂק אֱלִיעֶזֶר: וַיֹּאמֶר אַבְרָם הֵן לִי לֹא

לִי וַאֲנָא אָזֵיל בְּלָא וְלָד וּבַר פַּרְנָסָא
הָדֵין דִּבְבֵיתִי הוּא דַּמַּשְׂקָאָה
אֱלִיעֶזֶר: ג וַאֲמַר אַבְרָם הָא לִי לָא

רש"י

(ב) הולך ערירי. מנחם בן סרוק פירשו לשון יורש, וחבר לו ער ועונה (מלאכי ב:יב). ערירי בלא יורש, כאשר תאמר ובכל תבואתי תשרש (איוב לא:יב) תעקר שרשיה, כך לשון ערירי חסר בנים, ובלע"ז דישאנפנטי"ש. ולי נראה ער ועונה מגזרת ולבי ער (שה"ש ה:ב; שבת נה:), וערירי לשון חורבן, וכן ערו ערו (תהלים קלז:ז), וכן ערות יסוד (חבקוק ג:יג), וכן ערער תתערער (ירמיה נא:נח), וכן כי ארזה ערה (צפניה ב:יד): **ובן משק ביתי.** כתרגומו, שכל ביתי ניזון על פיו, כמו ועל פיך ישק (להלן מא:מ), אפוטרופס שלי, ואילו היה לי בן היה בני ממונה על שלי: **דמשק.** לפי התרגום, מדמשק היה. ולפי מדרש אגדה, שרדף המלכים עד דמשק (ב"ר שם). ובגמרא שלנו דרשו נוטריקון, דולה ומשקה מתורת רבו לאחרים (יומא כח:): **(ג) הן לי לא**

רמב"ן

כִּי כָּל עוֹבֵד אֱלֹהִים יִמְצָא חַיִּים[9] לְפָנָיו. אַךְ בָּעוֹלָם הַזֶּה יֵשׁ צַדִּיקִים שֶׁמַּגִּיעַ אֲלֵהֶם כְּמַעֲשֵׂה הָרְשָׁעִים[10], עַל כֵּן צְרִיכִים בִּטָּחוֹן. וְעוֹד, כִּי "הַרְבֵּה מְאֹד" לֹאמַר שֶׁיִּזְכֶּה לִשְׁתֵּי שֻׁלְחָנוֹת[11] בְּכָל הַטּוֹב הָרָאוּי לַצַּדִּיקִים הַגְּמוּרִים מֵאֵין עֹנֶשׁ כְּלָל. וְעוֹד, כִּי הַהַבְטָחָה לְמַה שֶּׁהָיָה מִתְיָרֵא מִמֶּנּוּ[12].

וְחָזַר וּפֵרַשׁ לוֹ הַבְטָחָתוֹ שֶׁלֹּא יִפְחַד גַּם מִזֶּה, כִּי יָשִׂים זַרְעוֹ כְּכוֹכְבֵי הַשָּׁמַיִם לָרֹב.

וְיֵשׁ עָלֶיךָ לִשְׁאוֹל: שֶׁכְּבָר נֶאֱמַר לוֹ לְאַבְרָהָם [לעיל יג, טו־טז]: "כִּי אֶת כָּל הָאָרֶץ אֲשֶׁר אַתָּה רֹאֶה לְךָ אֶתְּנֶנָּה וּלְזַרְעֲךָ עַד עוֹלָם", "וְשַׂמְתִּי אֶת זַרְעֲךָ כַּעֲפַר הָאָרֶץ", וְאֵיךְ יֹאמַר עַתָּה "וְאָנֹכִי הוֹלֵךְ עֲרִירִי", "וְהִנֵּה בֶן בֵּיתִי יוֹרֵשׁ אֹתִי"? וְלָמָּה לֹא הֶאֱמִין בַּנְּבוּאָה הָרִאשׁוֹנָה כַּאֲשֶׁר יַאֲמִין בְּזֹאת?

RAMBAN ELUCIDATED

does not require a promise, כִּי כָּל עוֹבֵד אֱלֹהִים יִמְצָא חַיִּים לְפָנָיו – **for every person who serves God will "find** [eternal] **life"**[9] **before Him.** אַךְ בָּעוֹלָם הַזֶּה יֵשׁ צַדִּיקִים שֶׁמַּגִּיעַ אֲלֵהֶם כְּמַעֲשֵׂה הָרְשָׁעִים – **In *this* world, however, "there are righteous people to whom there befalls [recompense] like the deeds of the wicked"** (*Ecclesiastes* 8:14),[10] עַל כֵּן צְרִיכִים בִּטָּחוֹן – and **therefore one requires an assurance.** וְעוֹד, כִּי "הַרְבֵּה מְאֹד" לֹאמַר שֶׁיִּזְכֶּה לִשְׁתֵּי שֻׁלְחָנוֹת בְּכָל הַטּוֹב הָרָאוּי לַצַּדִּיקִים הַגְּמוּרִים מֵאֵין עֹנֶשׁ כְּלָל – (2) **Furthermore,** God's wording – "[your reward is] ***very great***" – **implied that he would "merit** to eat at **two tables,"**[11] **with all the** material **goodness that befits completely righteous people, with no punishment** for sins **at all.** וְעוֹד, כִּי הַהַבְטָחָה לְמַה שֶּׁהָיָה מִתְיָרֵא מִמֶּנּוּ – (3) **Furthermore, [God's] assurance was** a response in kind **to what [Abraham] feared.**[12] וְחָזַר וּפֵרַשׁ לוֹ הַבְטָחָתוֹ שֶׁלֹּא יִפְחַד גַּם מִזֶּה – After Abraham made this request, **[God] repeated and explained His promise to [Abraham], that he need not fear this** childlessness **either,** כִּי יָשִׂים זַרְעוֹ כְּכוֹכְבֵי הַשָּׁמַיִם לָרֹב – **for He will make his offspring as numerous as the stars of the heavens** (v. 5).

[But why did Abraham fear dying childless? God had already told him – twice – that he would have offspring! Ramban raises this question and offers an answer:]

וְיֵשׁ עָלֶיךָ לִשְׁאוֹל: – **It is appropriate for you to ask** at this point: שֶׁכְּבָר נֶאֱמַר לוֹ לְאַבְרָהָם: "כִּי אֶת כָּל הָאָרֶץ אֲשֶׁר אַתָּה רֹאֶה לְךָ אֶתְּנֶנָּה וּלְזַרְעֲךָ עַד עוֹלָם", "וְשַׂמְתִּי אֶת זַרְעֲךָ כַּעֲפַר הָאָרֶץ" – **It had already been told to Abraham, *For all the land that you see, to you will I give it, and to your descendants forever*** (above, 13:15), **and** also ***I will make your offspring as the dust of the earth*** (ibid. 13:16), וְאֵיךְ יֹאמַר עַתָּה "וְאָנֹכִי הוֹלֵךְ עֲרִירִי", "וְהִנֵּה בֶן בֵּיתִי יוֹרֵשׁ אֹתִי" – **so how could he say now, *seeing that I am going childless ...*** (v. 2) and ***and see, a member of my household inherits me*** (v. 3)? וְלָמָּה לֹא הֶאֱמִין בַּנְּבוּאָה הָרִאשׁוֹנָה כַּאֲשֶׁר יַאֲמִין בְּזֹאת – **Why did he not believe the first prophecy just as he would believe this one** which God will presently reveal to him (v. 6)?

9. Stylistic citation from *Proverbs* 21:21.

10. It goes without saying that each and every person is rewarded for his good deeds in the World to Come, and a promise for such reward would be superfluous. Receiving reward for good deeds in *this* world, however, cannot be taken for granted without a specific blessing or promise from God.

11. This is a Talmudic expression (*Berachos* 5b) denoting one who is blessed to have both material prosperity in this world and spiritual blessing in the World to Come.

12. And since Abraham's concerns (see Ramban above, v. 1) were regarding material matters, it follows that God's response to him would also be regarding material matters.

me seeing that I am going childless, and the steward of my house is the Damascene Eliezer?"
3 *Then Abram said, "See, to me You have given no offspring;*

רמב״ן

וְהַתְּשׁוּבָה, כִּי הַצַּדִּיקִים לֹא יַאֲמִינוּ בְּעַצְמָם, בְּחֶטְאָם בִּשְׁגָגָה[13]. וְכָתוּב [ירמיה יח, ט-י]: ״רֶגַע אֲדַבֵּר עַל גּוֹי וְעַל מַמְלָכָה לִבְנֹת וְלִנְטֹעַ, וְשָׁב הַגּוֹי הַהוּא וְעָשָׂה הָרַע לְפָנַי וְנִחַמְתִּי עַל הַטּוֹבָה״[14,15]. וְהִנֵּה רָאָה עַצְמוֹ בָּא בַיָּמִים וְלֹא נִתְקַיְּמָה נְבוּאָתוֹ, וְחָשַׁב כִּי חֲטָאָיו מָנְעוּ הַטּוֹב. וְאוּלַי חָשַׁשׁ עַתָּה פֶּן יֵעָנֵשׁ עַל הַנְּפָשׁוֹת שֶׁהָרַג, כְּדִבְרֵי רַבּוֹתֵינוּ [ב״ר מד, ד][16].

וְכַלָּשׁוֹן הַזֶּה אָמְרוּ בִּבְרֵאשִׁית רַבָּה [עו, ב]: ״וַיִּירָא יַעֲקֹב מְאֹד וַיֵּצֶר לוֹ״ [להלן לב, ח], מִכָּאן שֶׁאֵין הַבְטָחָה לַצַּדִּיקִים בָּעוֹלָם הַזֶּה וְכוּ׳[17].

□ **מַה תִּתֶּן לִי וְאָנֹכִי הוֹלֵךְ עֲרִירִי.** פֵּירְשׁוּ בוֹ: אֲנִי מֵת בְּלֹא בָנִים[18], כְּטַעַם ״כִּי הֹלֵךְ הָאָדָם אֶל בֵּית עוֹלָמוֹ״ [קהלת יב, ה][19].

RAMBAN ELUCIDATED

וְהַתְּשׁוּבָה, כִּי הַצַּדִּיקִים לֹא יַאֲמִינוּ בְּעַצְמָם, בְּחֶטְאָם בִּשְׁגָגָה – **The answer is that the righteous do not trust in themselves, due to their inadvertent sins.**[13] **וְכָתוּב: ״רֶגַע אֲדַבֵּר עַל גּוֹי וְעַל מַמְלָכָה לִבְנֹת וְלִנְטֹעַ, וְשָׁב הַגּוֹי הַהוּא וְעָשָׂה הָרַע לְפָנַי וְנִחַמְתִּי עַל הַטּוֹבָה״** – **For it is written,** ***One moment I may speak concerning a nation or kingdom, to build and establish*** *it*, ***but*** *if* ***that nation turns away and does what is evil before Me, I will relent of the goodness*** *[that I had said to bestow upon them]*[14] (*Jeremiah* 18:9-10[15]). **וְהִנֵּה רָאָה עַצְמוֹ בָּא בַיָּמִים וְלֹא נִתְקַיְּמָה נְבוּאָתוֹ** – **And now** that **he saw himself advanced in years, and the prophecy had** as yet **not been fulfilled,** **וְחָשַׁב כִּי חֲטָאָיו מָנְעוּ הַטּוֹב** – **he assumed that his sins had withheld the goodness** of God's promise. **וְאוּלַי חָשַׁשׁ עַתָּה פֶּן יֵעָנֵשׁ עַל הַנְּפָשׁוֹת שֶׁהָרַג, כְּדִבְרֵי רַבּוֹתֵינוּ** – **Perhaps he was concerned** specifically **now that he might be punished for the people that he had killed** in his war with Chedarlaomer and the other kings, **as the Sages say.**[16]

[Ramban now finds the idea that the fulfillment of God's promise of goodness is dependent upon the recipient's subsequent merit in the words of the Sages:]

וְכַלָּשׁוֹן הַזֶּה אָמְרוּ בִּבְרֵאשִׁית רַבָּה: – **And [the Sages] made a statement similar to this in** *Bereishis Rabbah* (76:2): **״וַיִּירָא יַעֲקֹב מְאֹד וַיֵּצֶר לוֹ״, מִכָּאן שֶׁאֵין הַבְטָחָה לַצַּדִּיקִים בָּעוֹלָם הַזֶּה וְכוּ׳** – ***Jacob became very frightened, and it distressed him*** (below, 32:8) – **from here** we learn **that there is no guarantee for the righteous in this world etc.**[17]

□ **מַה תִּתֶּן לִי וְאָנֹכִי הוֹלֵךְ עֲרִירִי** – ***WHAT CAN YOU GIVE ME SEEING THAT I AM GOING CHILDLESS?***

[Ramban discusses the meaning of the word עֲרִירִי, and the related question of the use of the verb הוֹלֵךְ, "going" in this context:]

פֵּירְשׁוּ בוֹ: אֲנִי מֵת בְּלֹא בָנִים – **[The commentators**[18]**]** explain this phrase to mean, **"I am dying without children,"** **כְּטַעַם ״כִּי הֹלֵךְ הָאָדָם אֶל בֵּית עוֹלָמוֹ״** – **like the meaning of** הֹלֵךְ in the verse, ***For man goes*** (הֹלֵךְ) ***to his eternal home*** (the grave) (*Ecclesiastes* 12:5), where "goes" refers to dying. Here, too, "I am going childless" means "I am going *toward death* childless."[19]

---

13. Abraham believed the first prophecies, but he was worried lest he committed some act to make him unworthy of the fulfillment of these promises.

14. Hence, God's promise of bestowing goodness is conditional upon the recipient's remaining in God's good graces.

15. The quote is inexact.

16. *Bereishis Rabbah* 44:4, mentioned by Rashi here.

17. Despite God's promise of protection, Jacob was "frightened" and "distressed" (below, 28:15). A similar discussion regarding Jacob is found in the Gemara (*Berachos* 4a).

18. See Onkelos, Rashi and Radak.

19. The verb *to go* implies movement from one place to another. It does not seem to be an appropriate choice of word to use with the concept of being "childless." One doesn't "go" childless; one *is* childless.

ד נָתַ֖תָּה זָ֑רַע וְהִנֵּ֥ה בֶן־בֵּיתִ֖י יוֹרֵ֥שׁ אֹתִֽי׃ וְהִנֵּ֨ה דְבַר־
יְהוָ֤ה אֵלָיו֙ לֵאמֹ֔ר לֹ֥א יִירָשְׁךָ֖ זֶ֑ה כִּי־אִם֙ אֲשֶׁ֣ר יֵצֵ֣א
ה מִמֵּעֶ֔יךָ ה֖וּא יִירָשֶֽׁךָ׃ וַיּוֹצֵ֨א אֹת֜וֹ הַח֗וּצָה וַיֹּ֙אמֶר֙

יְהַבְתְּ וְלַד וְהָא בַר בֵּיתִי יָרֵית יָתִי: ד וְהָא פִתְגָּמָא דַייָ עִמֵּהּ לְמֵימַר לָא יֵרְתִנָּךְ דֵּין אֱלָהֵן בַּר דְּתוֹלִיד הוּא יֵרְתִנָּךְ: ה וְאַפֵּיק יָתֵהּ לְבָרָא וַאֲמַר

רש"י

נתתה זרע. ומה תועלת בכל אשר תתן לי (תרגום יונתן): (ה) **ויוצא אתו החוצה.** לפי פשוטו, הוציאו מאהלו לחוץ לראות הכוכבים. ולפי מדרשו, אמר לו צא מאצטגנינות שלך, שראית במזלות שאינך עתיד להעמיד בן, אברם אין לו בן אבל אברהם יש לו בן. וכן שרי לא תלד אבל שרה תלד. אני קורא לכם שם אחר וישתנה המזל (נדרים לב.; ב"ר שם י). ד"א, הוציאו מחללו של עולם והגביהו למעלה מן הכוכבים, וזהו לשון הבטה, מלמעלה למטה (ב"ר שם יב):

רמב"ן

וְהַנָּכוֹן בְּעֵינַי, כִּי מִתְּחִלָּה יִתְאוֹנֵן, מַה יִּהְיֶה שְׂכָרִי, אַחֲרֵי שֶׁאֵין לִי בָּנִים, וְאָנֹכִי הוֹלֵךְ נָע וָנָד[20] בְּאֶרֶץ נָכְרִיָּה, יְחִידִי כְּעַרְעָר[21] בָּעֲרָבָה. אֵין יוֹצֵא וְאֵין בָּא בְּבֵיתִי זוּלָתִי אֱלִיעֶזֶר – אִישׁ נָכְרִי אֲשֶׁר לְקַחְתִּי לִי מִדַּמֶּשֶׂק, לֹא מִבֵּית אָבִי וְלֹא מֵאַרְצִי[22].

וְאַחַר כָּךְ אָמַר: **הֵן לִי לֹא נָתַתָּה זָרַע** כַּאֲשֶׁר הִבְטַחְתַּנִי; **וְהִנֵּה בֶן בֵּיתִי** הַנִּזְכָּר **יוֹרֵשׁ אוֹתִי**, כִּי זָקַנְתִּי וְיָבֹא עִתִּי בְּלֹא זֶרַע[23]. וְהִנֵּה אֲנִי עָנוּשׁ, וְאָבַד שְׂכָרִי אֲשֶׁר הִבְטַחְתַּנִי בּוֹ בָּרִאשׁוֹנָה[24].

RAMBAN ELUCIDATED

[Ramban now presents his own interpretation of the word עֲרִירִי. In the course of his discussion he also explains the difference between Abraham's statement in v. 2 and his almost identical remarks in v. 3:]

וְהַנָּכוֹן בְּעֵינַי, כִּי מִתְּחִלָּה יִתְאוֹנֵן, מַה יִּהְיֶה שְׂכָרִי אַחֲרֵי שֶׁאֵין לִי בָּנִים בָּעֲרָבָה – The correct explanation **in my view is that at first [Abraham] complained, "What** good **is my reward, since I have no children,** **וְאָנֹכִי הוֹלֵךְ נָע וָנָד בְּאֶרֶץ נָכְרִיָּה, יְחִידִי כְּעַרְעָר – and I am *going* about as a vagrant and a wanderer**[20] **in a foreign land, as alone as a 'cactus** (עַרְעָר)[21] **in the desert'** (*Jeremiah* 17:6). **אֵין יוֹצֵא וְאֵין בָּא בְּבֵיתִי זוּלָתִי אֱלִיעֶזֶר – אִישׁ נָכְרִי אֲשֶׁר לְקַחְתִּי לִי מִדַּמֶּשֶׂק, לֹא מִבֵּית אָבִי וְלֹא מֵאַרְצִי – No one comes and goes in my house except for Eliezer** – who is **a foreigner whom I procured from Damascus,** and is **not from my father's family nor** even **from my** home **land."**[22]

[This completes Ramban's interpretation of Abraham's statement of v. 2. He now explains v. 3:]

וְאַחַר כָּךְ אָמַר: "הֵן לִי לֹא נָתַתָּה זָרַע" כַּאֲשֶׁר הִבְטַחְתַּנִי; "וְהִנֵּה בֶן בֵּיתִי" הַנִּזְכָּר "יוֹרֵשׁ אוֹתִי" – Then, after this [Abraham] said, "*See, to me You have not given offspring* as You promised; *and see, a member of my household* – the steward **mentioned above –** ***inherits me***, **כִּי זָקַנְתִּי וְיָבֹא עִתִּי בְּלֹא זֶרַע – for I have grown old and my time** to die **will come without** my having produced any **offspring.**[23] **וְהִנֵּה אֲנִי עָנוּשׁ, וְאָבַד שְׂכָרִי אֲשֶׁר הִבְטַחְתַּנִי בּוֹ בָּרִאשׁוֹנָה – Behold, I have been punished, and my reward – which You promised me originally – has been lost."**[24]

20. According to this interpretation, "going" is used in its usual sense of moving from place to place.

21. I.e., עֲרִירִי, from עַרְעָר, conveys aloneness, loneliness. Rashi cites other etymologies for עֲרִירִי.

[The translation of עַרְעָר as "cactus" follows Radak, *Jeremiah* ibid.]

22. So that despite having the company of Eliezer, Abraham still considered himself "alone" (עֲרִירִי). Eliezer was not family, nor even a compatriot, and he did not alleviate Abraham's feeling of being a foreigner, alone.

The thrust of Ramban's explanation is that in v. 2 Abraham bemoans his loneliness, and not his lack of offspring to inherit him. The issue of childlessness per se is raised only in Abraham's second statement, in v. 3.

23. Since he was already advanced in years without a child, Abraham assumed that God's promise to him that he would have numerous offspring (above, 12:2, 13:16, etc.) had been rescinded as a punishment for some sin.

24. According to Ramban (above, v. 1), the reward that God now promised Abraham was in return for his virtuous conduct ("walking with God"). Abraham was now, in effect, saying:

"You have now promised me great reward for my righteousness. But, You made this promise once before (above, 12:2-3), and part of that reward has already become annulled. I do not understand how my reward can be 'very great,' when my original reward has actually been diminished."

and see, a member of my household inherits me ..."
[4] *Suddenly, the word of* HASHEM *came to him, saying: "That one will not inherit you. Only one that shall come forth from within you shall inherit you."* [5] *And He took him outside, and said,*

רמב״ן

[ד] וְהִנֵּה דְבַר ה׳ אֵלָיו לֵאמֹר לֹא יִירָשְׁךָ זֶה. בַּעֲבוּר הֱיוֹת לוֹ הַבֵּן הַיּוֹרֵשׁ אַחֲרֵי זִקְנָתוֹ לֹא הִבְטִיחוֹ רַק עַל הַיְרֻשָּׁה, שֶׁלֹּא יִדְאַג, כִּי זַרְעוֹ יִירָשֶׁנּוּ[25].

וְטַעַם "וְהִנֵּה דְבַר ה׳ אֵלָיו", כִּי עוֹד בְּפִיו "וְהִנֵּה בֶן בֵּיתִי יוֹרֵשׁ אֹתִי" וּבָא אֵלָיו פִּתְאוֹם דְּבַר הַשֵּׁם, לֵאמֹר: "לֹא יִירָשְׁךָ זֶה"[26].

[ה] וַיּוֹצֵא אֹתוֹ הַחוּצָה. לְפִי פְשׁוּטוֹ, הוֹצִיאוֹ מֵאָהֳלוֹ אֶל הַחוּץ לִרְאוֹת הַכּוֹכָבִים. וּלְפִי מִדְרָשׁוֹ, אָמַר לוֹ: צֵא מֵאִצְטַגְנִינוּת שֶׁלְּךָ, שֶׁרָאִיתָ בַּמַּזָּלוֹת שֶׁאֵינְךָ עָתִיד לְהַעֲמִיד בֵּן - אַבְרָם אֵין לוֹ בֵּן, אַבְרָהָם יֵשׁ לוֹ בֵּן; שָׂרַי לֹא תֵלֵד, שָׂרָה תֵּלֵד. לְשׁוֹן רַשִׁ״י.

RAMBAN ELUCIDATED

4. וְהִנֵּה דְבַר ה׳ אֵלָיו לֵאמֹר לֹא יִירָשְׁךָ זֶה – ***SUDDENLY, THE WORD OF HASHEM CAME TO HIM, SAYING, "THAT ONE WILL NOT INHERIT YOU."***

[In the previous verses, Ramban explained that Abraham made two distinct complaints to God: (1) that he could not enjoy any material reward because of his loneness, (2) that he could not understand how "great reward" could come his way, if the original promise to him (i.e., of having offspring) was never fulfilled. In our verse, God seems to address only the latter complaint. Ramban explains:]

בַּעֲבוּר הֱיוֹת לוֹ הַבֵּן הַיּוֹרֵשׁ אַחֲרֵי זִקְנָתוֹ – **Because he would have a son who would inherit** him **after his old age, לֹא הִבְטִיחוֹ רַק עַל הַיְרֻשָּׁה שֶׁלֹּא יִדְאַג, כִּי זַרְעוֹ יִירָשֶׁנּוּ** – **[God] reassured him only regarding the inheritance,** assuring him **that he should not be concerned** about it, **for his descendant would inherit him.**[25]

[Ramban now addresses the word וְהִנֵּה (translated here as "suddenly"). It seems inappropriate here, for God was in mid conversation with Abraham (v. 1). Ramban explains:]

וְטַעַם "וְהִנֵּה דְבַר ה׳ אֵלָיו" – **The meaning of *"Suddenly" the word of* H*ASHEM* *came to him*** **כִּי עוֹד בְּפִיו "וְהִנֵּה בֶן בֵּיתִי יוֹרֵשׁ אֹתִי"** – **is that while** the words ***"See, a member of my household inherits me"*** were still in his mouth – i.e., he had hardly finished saying them – **וּבָא אֵלָיו פִּתְאוֹם דְּבַר הַשֵּׁם לֵאמֹר: "לֹא יִירָשְׁךָ זֶה"** – **the word of God came to him suddenly, saying, *"That one will not inherit you."***[26]

5. וַיּוֹצֵא אֹתוֹ הַחוּצָה – ***AND HE TOOK HIM OUTSIDE.***

[Ramban cites Rashi and analyzes his comment:]

לְפִי פְשׁוּטוֹ, הוֹצִיאוֹ מֵאָהֳלוֹ אֶל הַחוּץ לִרְאוֹת הַכּוֹכָבִים – **According to its simple meaning, [God] took [Abraham] from his tent outside to see the stars.** **וּלְפִי מִדְרָשׁוֹ, אָמַר לוֹ: צֵא מֵאִצְטַגְנִינוּת שֶׁלְּךָ** – **But according to its Midrashic interpretation, He said to him, "*Go out* from your astrology,** i.e., abandon your astrological considerations, **שֶׁרָאִיתָ בַּמַּזָּלוֹת שֶׁאֵינְךָ עָתִיד לְהַעֲמִיד בֵּן** – **for you have seen by the signs of the zodiac that you are not destined to beget a son.** **אַבְרָם אֵין לוֹ בֵּן, אַבְרָהָם יֵשׁ לוֹ בֵּן! שָׂרַי לֹא תֵלֵד, שָׂרָה תֵּלֵד** – It is true that ***Abram*** has no son according to the astrological signs, but ***Abraham*** – which will be your new name – ***does* have a son. *Sarai* shall not give birth,** but ***Sarah*** – her new name – ***shall* give birth."**

25. *Tur* explains: Abraham had no doubt that God would fulfill his promise and give him a child. He was only concerned that since this child might be born close to his death, Eliezer, being left in charge, would take advantage and do with the inheritance whatever he pleased. God thus reassured him, "This one will not inherit you. Isaac will be grown enough at your death to take charge."

Zichron Yitzchak explains: God did not respond to Abraham's concern regarding his loneness, for Isaac was indeed not born until he was very old. God only addressed the matter of the inheritance.

26. Thus the word וְהִנֵּה in this verse was not meant to convey that God's words came suddenly but that they

הַבֶּט־נָא הַשָּׁמַיְמָה וּסְפֹר הַכּוֹכָבִים אִם־
תּוּכַל לִסְפֹּר אֹתָם וַיֹּאמֶר לוֹ כֹּה יִהְיֶה
ו זַרְעֶךָ: וְהֶאֱמִן בַּיהוָה וַיַּחְשְׁבֶהָ לּוֹ צְדָקָה:

אִסְתְּכִי כְּעַן לִצְית שְׁמַיָּא וּמְנֵי כּוֹכְבַיָּא אִם תִּכּוּל לְמִמְנֵי יָתְהוֹן וַאֲמַר לֵהּ כְּדֵין יְהוֹן בְּנָיךְ: ו וְהֵימִין בְּמֵימְרָא דַייָ וְחָשְׁבַהּ לֵהּ לְזָכוּ:

רש"י

(ו) והאמן בה'. לא שאל לו אות על זאת, אבל על ירושת הארץ שאל לו אות ואמר לו במה אדע (להלן פסוק ח; נדרים שם; פס"ר מז (קל.)): **ויחשבה לו צדקה.** הקב"ה חשבה לאברם לזכות ולצדקה על האמונה שהאמין בו. ד"א, במה אדע, לא שאל לו אות, אלא אמר לפניו הודיעני באיזה זכות יתקיימו בה. אמר לו הקב"ה, בזכות הקרבנות (ב"ר שם; תענית כז:):

רמב"ן

וְהִנֵּה אַבְרָם הוֹלִיד אֶת יִשְׁמָעֵאל!

אֲבָל פֵּרוּשׁ הַמִּדְרָשׁ, כִּי אַבְרָם מְבַקֵּשׁ בֵּן יוֹרֵשׁ אתוֹ – כְּמוֹ שֶׁאָמַר "וְהִנֵּה בֶן בֵּיתִי יוֹרֵשׁ אֹתִי" – וְהַקָּדוֹשׁ בָּרוּךְ הוּא אָמַר לוֹ: "לֹא יִירָשְׁךָ זֶה. כִּי אִם אֲשֶׁר יֵצֵא מִמֵּעֶיךָ הוּא יִירָשֶׁךָ". וְצֵא מִן הָאִצְטַגְנִינוּת שֶׁלְּךָ – אַבְרָם אֵינוֹ מוֹלִיד בֵּן לְיוֹרְשׁוֹ[27], אֲבָל אַבְרָהָם מוֹלִיד בֵּן לְיוֹרְשׁוֹ[28].

וְיִתָּכֵן שֶׁהָיָה הָאִצְטַגְנִינוּת עַל זִוּוּגָם, שֶׁאַבְרָם וְשָׂרַי לֹא יוֹלִידוּ זֶה מִזֶּה[29] וְאַבְרָהָם וְשָׂרָה יוֹלִידוּ.

אֲבָל לְפִי דַעְתִּי "שָׂרָה" תּוֹסֶפֶת בַּמִּדְרָשׁ, לוֹמַר שֶׁהָיָה כֵּן גַּם בְּשָׂרָה, אֲבָל הַקָּדוֹשׁ בָּרוּךְ הוּא לֹא הִבְטִיחוֹ

RAMBAN ELUCIDATED

לְשׁוֹן רַשִׁ"י – This is **a quote from Rashi.**

[Ramban finds a difficulty with the Midrashic explanation cited by Rashi, that "Abram" was not destined to have children:]

וְהִנֵּה אַבְרָם הוֹלִיד אֶת יִשְׁמָעֵאל – **But Abram begot Ishmael** when his name was still Abram!

[Ramban proceeds to explain that the Midrash's intent is not as presented by Rashi:]

אֲבָל פֵּרוּשׁ הַמִּדְרָשׁ, כִּי אַבְרָם מְבַקֵּשׁ בֵּן יוֹרֵשׁ אתוֹ – **Rather, the explanation of the Midrash is that Abram was seeking a son to inherit him** – **כְּמוֹ שֶׁאָמַר "וְהִנֵּה בֶן בֵּיתִי יוֹרֵשׁ אֹתִי"** – **as** indicated by what **he said,** ***See, a member of my household inherits me*** (v. 3) – **וְהַקָּדוֹשׁ בָּרוּךְ הוּא אָמַר לוֹ: "לֹא יִירָשְׁךָ זֶה. כִּי אִם אֲשֶׁר יֵצֵא מִמֵּעֶיךָ הוּא יִירָשֶׁךָ"** – **so the Holy One, Blessed is He, said to him,** ***That one will not inherit you. Only one that shall come forth from within you shall inherit you.*** **וְצֵא מִן הָאִצְטַגְנִינוּת שֶׁלְּךָ – אַבְרָם אֵינוֹ מוֹלִיד בֵּן לְיוֹרְשׁוֹ, אֲבָל אַבְרָהָם מוֹלִיד בֵּן לְיוֹרְשׁוֹ** – **And** regarding the astrological signs that tell you otherwise – **go out of your astrology** – ***Abram*** **shall not beget a child** ***to inherit him,***[27] but ***Abraham*** **shall beget a child** (Isaac) **to inherit him."**[28]

[Ramban now suggests a second approach to the Midrash, whereby the difficulty posed by the birth of Ishmael can be resolved:]

וְיִתָּכֵן שֶׁהָיָה הָאִצְטַגְנִינוּת עַל זִוּוּגָם – **It is** also **possible that the astrological sign concerned [Abraham and Sarah] as a couple,** **שֶׁאַבְרָם וְשָׂרַי לֹא יוֹלִידוּ זֶה מִזֶּה** – saying **that Abram and Sarai would not have children** ***together,***[29] **וְאַבְרָהָם וְשָׂרָה יוֹלִידוּ** – **but Abraham and Sarah** ***would*** **have children** together.

[The approach just suggested by Ramban is based on the assumption that the phrase "*Sarai* will not give birth, but *Sarah* will give birth" found in the Midrash was also part of God's promise to Abraham. Accordingly, God told Abram that he and Sarai would have children together after their names would be changed. Ramban now rejects this assumption:]

אֲבָל לְפִי דַעְתִּי "שָׂרָה" תּוֹסֶפֶת בַּמִּדְרָשׁ, לוֹמַר שֶׁהָיָה כֵּן גַּם בְּשָׂרָה – **In my opinion, however, Sarah is an**

came immediately. God, so to speak, dispelled Abraham's negative thought as quickly as possible.

27. I.e., though Abram begat Ishmael, Ishmael would not inherit Abraham (see below, 25:3-4, also 21:12).

28. To summarize: Ramban maintains that the astrological signs could not have told Abraham that *Abram* would have no son – as Rashi understands the Midrash, for Abram already had a son Ishmael. He therefore explains that the astrological signs foretold that *Abram* would not have a son who would be his heir; only *Abraham* would beget an heir.

29. Since Ishmael was the son of Abram and Hagar and not Abram and Sarai, his birth was no contradiction to this astrological prediction.

"Gaze, now, toward the Heavens, and count the stars if you are able to count them!" And He said to him, "So shall your offspring be!" 6 *And he trusted in* HASHEM, *and He reckoned it to him as righteousness.*

רמב״ן

עַתָּה בְּשָׂרָה, וְגַם בְּעֵת נְבוּאַת הַמִּילָה עֲדַיִן הָיָה אַבְרָהָם מִסְתַּפֵּק בְּשָׂרָה שֶׁתֵּלֵד[30].

[ו] וְהֶאֱמִן בַּה׳ וַיַּחְשְׁבֶהָ לּוֹ צְדָקָה. פֵּרֵשׁ רַשִׁ״י, הַקָּדוֹשׁ בָּרוּךְ הוּא חָשַׁב לוֹ צְדָקָה וּזְכוּת עַל הָאֱמוּנָה שֶׁהֶאֱמִין בּוֹ.

וְאֵינִי מֵבִין מַה הַזְּכוּת הַזֹּאת, לָמָּה לֹא יַאֲמִין ״בֵּאלֹהֵי אָמֵן״? וְהוּא הַנָּבִיא בְּעַצְמוֹ! וְ״לֹא אִישׁ אֵל וִיכַזֵּב״[31]! וּמִי שֶׁהֶאֱמִין לִשְׁחֹט אֶת בְּנוֹ הַיָּחִיד הָאָהוּב, וּשְׁאָר הַנִּסְיוֹנוֹת[32] - אֵיךְ לֹא יַאֲמִין בִּבְשׂוֹרָה טוֹבָה?!

וְהַנָּכוֹן בְּעֵינַי, כִּי יֹאמַר שֶׁהֶאֱמִין בַּה׳, וְחָשַׁב כִּי בְּצִדְקוֹ שֶׁל הַקָּדוֹשׁ בָּרוּךְ הוּא יִתֵּן לוֹ זֶרַע עַל כָּל פָּנִים[33],

RAMBAN ELUCIDATED

addendum in the Midrash, by which the Midrash means **to say that this also happened with Sarai** – she, too, would give birth after her name change. אֲבָל הַקָּדוֹשׁ בָּרוּךְ הוּא לֹא הִבְטִיחוֹ עַתָּה בְּשָׂרָה – **But the Holy One, Blessed is He, made no promise to [Abraham] now regarding Sarah,** וְגַם בְּעֵת נְבוּאַת הַמִּילָה עֲדַיִן הָיָה אַבְרָהָם מִסְתַּפֵּק בְּשָׂרָה שֶׁתֵּלֵד – **for even at the time of the prophecy regarding circumcision** (below, Chap. 17) **Abraham was still in doubt as to whether Sarah would give birth** (see 17:17).[30]

6. וְהֶאֱמִן בַּה׳ וַיַּחְשְׁבֶהָ לּוֹ צְדָקָה – ***AND HE TRUSTED IN HASHEM, AND HE RECKONED IT TO HIM AS RIGHTEOUSNESS.***

[The phrase, "He reckoned it to him as righteousness," is difficult and ambiguous. Who reckoned what to whom? Ramban begins his discussion by citing Rashi:]

פֵּרֵשׁ רַשִׁ״י – **Rashi explains:**

הַקָּדוֹשׁ בָּרוּךְ הוּא חָשַׁב לוֹ צְדָקָה וּזְכוּת – **The Holy One, Blessed is He, reckoned for [Abram] as righteousness and as a credit** עַל הָאֱמוּנָה שֶׁהֶאֱמִין בּוֹ – **for the trust that [Abram] placed in Him.**

[Ramban finds Rashi's interpretation difficult:]

וְאֵינִי מֵבִין מַה הַזְּכוּת הַזֹּאת – **But I do not understand what merit this is** for Abraham. לָמָּה לֹא יַאֲמִין ״בֵּאלֹהֵי אָמֵן״ – **For why should he *not* believe in "the God of Trust"** (*Isaiah* 65:16)? וְהוּא הַנָּבִיא בְּעַצְמוֹ – After all, **he himself was the prophet** who personally heard God's word! וְ״לֹא אִישׁ אֵל וִיכַזֵּב״ – **Furthermore, *God is not a man that He should be deceitful*** (*Numbers* 23:19)![31] וּמִי שֶׁהֶאֱמִין לִשְׁחֹט אֶת בְּנוֹ הַיָּחִיד הָאָהוּב, וּשְׁאָר הַנִּסְיוֹנוֹת - אֵיךְ לֹא יַאֲמִין בִּבְשׂוֹרָה טוֹבָה – **How could someone who believed** in God to the extent that he was prepared **to slaughter his only beloved son, and** enough to pass **the other trials** which he had faced,[32] **now not believe in** God's **good tidings?!**

[Ramban now offers an interpretation different from that of Rashi:]

וְהַנָּכוֹן בְּעֵינַי כִּי יֹאמַר שֶׁהֶאֱמִין בַּה׳ – **The most satisfactory** explanation **in my view is that [Scripture] is saying that [Abraham] believed in God** that he would have offspring, וְחָשַׁב כִּי בְּצִדְקוֹ שֶׁל הַקָּדוֹשׁ בָּרוּךְ הוּא יִתֵּן לוֹ זֶרַע עַל כָּל פָּנִים – **but he thought that it would be because of *God's* righteousness**[33] (i.e., benevolence) **that He would grant him** that **offspring, in any event,** i.e.,

30. Abraham's doubts regarding Sarah demonstrate that God made no promise regarding Sarah. The mention of Sarah here is only the Midrash relating that, as it happens, Sarah, too, had a child only after her name was changed. [*Pnei Yerushalayim* points out that Ramban later (17:18) states that until God reassured him that Sarah would bear a child, Abraham thought that Ishmael would inherit him!]

31. Abraham had no reason to doubt God's word; consequently it should not have been a particular source of merit for him when he did believe him.

32. Abraham was put to ten trials (*Avos* 5:3).

33. Ramban, then, interprets וַיַּחְשְׁבֶהָ לּוֹ צְדָקָה to mean that *Abraham* considered it righteousness on the part of *God*, and not vice versa, as Rashi explains.

ששי ז וַיֹּאמֶר אֵלָיו אֲנִי יהוה אֲשֶׁר הוֹצֵאתִיךָ מֵאוּר כַּשְׂדִּים לָתֶת לְךָ אֶת־הָאָרֶץ הַזֹּאת לְרִשְׁתָּהּ׃

ז וַאֲמַר לֵהּ אֲנָא יְיָ דִּי אַפֵּקְתָּךְ מֵאוּרָא דְכַשְׂדָּאֵי לְמִתַּן לָךְ יָת אַרְעָא הָדָא לְמֵירְתַהּ׃

רמב״ן

לֹא בְּצִדְקַת אַבְרָם וּבִשְׂכָרוֹ - אַף עַל פִּי שֶׁאָמַר לוֹ ״שְׂכָרְךָ הַרְבֵּה מְאֹד״[34] - וּמֵעַתָּה לֹא יִירָא פֶּן יִגְרֹם הַחֵטְא. וְאַף עַל פִּי שֶׁבַּנְּבוּאָה הָרִאשׁוֹנָה חָשַׁב שֶׁתִּהְיֶה עַל תְּנַאי - כְּפִי שְׂכַר מַעֲשָׂיו, עַתָּה, כֵּיוָן שֶׁהִבְטִיחוֹ שֶׁלֹּא יִירָא מִן הַחֵטְא, וְיִתֵּן לוֹ זֶרַע - הֶאֱמִין כִּי נָכוֹן הַדָּבָר מֵעִם הָאֱלֹהִים, אֱמֶת לֹא יָשׁוּב מִמֶּנָּה[35], כִּי צִדְקַת ה׳ הִיא וְאֵין לָהּ הֶפְסֵק, כָּעִנְיָן שֶׁכָּתוּב [ישעיה מה, כג]: ״בִּי נִשְׁבַּעְתִּי יָצָא מִפִּי צְדָקָה דָּבָר וְלֹא יָשׁוּב״[36].

אוֹ יֹאמַר כִּי אַבְרָהָם הֶאֱמִין שֶׁיִּהְיֶה לוֹ זֶרַע יוֹרֵשׁ עַל כָּל פָּנִים[37]. וְהַקָּדוֹשׁ בָּרוּךְ הוּא עוֹד חָשַׁב לוֹ הַהַבְטָחָה הַזּוֹ שֶׁהִבְטִיחוֹ צְדָקָה, כִּי בְּצִדְקַת ה׳ יַעֲשֶׂה כֵּן[38], כְּמוֹ ״אֱלֹהִים חֲשָׁבָהּ לְטֹבָה״ [להלן נ, כ][39].

RAMBAN ELUCIDATED

whether Abraham merited it or not, לֹא בְּצִדְקַת אַבְרָם וּבִשְׂכָרוֹ – **and not on account of *Abram's* righteousness or as his** just **reward** אַף עַל פִּי שֶׁאָמַר לוֹ ״שְׂכָרְךָ הַרְבֵּה מְאֹד״ – this **even though [God] told him** (v. 1), ***"Your 'reward' is very great"*** –[34] וּמֵעַתָּה לֹא יִירָא פֶּן יִגְרֹם הַחֵטְא – **and as a result he would not fear that perhaps** his **sin would cause** him to forfeit the promise of having offspring. וְאַף עַל פִּי שֶׁבַּנְּבוּאָה הָרִאשׁוֹנָה חָשַׁב שֶׁתִּהְיֶה עַל תְּנַאי – כְּפִי שְׂכַר מַעֲשָׂיו – **Although he thought the first prophecy** (13:16) **to be conditional** – **in accordance with the** appropriate **reward for his deeds,** עַתָּה, כֵּיוָן שֶׁהִבְטִיחוֹ שֶׁלֹּא יִירָא מִן הַחֵטְא – **now that [God] assured him that he need *not* fear** the rescinding of the promise of offspring **because of** any **sin,** וְיִתֵּן לוֹ זֶרַע – **and that He would give him offspring** in any event – הֶאֱמִין כִּי נָכוֹן הַדָּבָר מֵעִם הָאֱלֹהִים, אֱמֶת לֹא יָשׁוּב מִמֶּנָּה – **he believed that the matter was "ready before God,"**[35] **as a true,** unconditional **fact from which He would not withdraw.** כִּי צִדְקַת ה׳ הִיא וְאֵין לָהּ הֶפְסֵק, כָּעִנְיָן שֶׁכָּתוּב ״בִּי נִשְׁבַּעְתִּי, יָצָא מִפִּי צְדָקָה, דָּבָר וְלֹא יָשׁוּב״ – **For, being** the result of **the righteousness** (benevolence) **of God, it would not be revocable, in accordance with the concept that is written** in *Isaiah* (45:23), ***I swear by Myself, righteousness has gone forth from My mouth, a word that will not be rescinded.***[36]

[After explaining וַיַּחְשְׁבֶהָ as *he thought*, Ramban now offers an explanation based on וַיַּחְשְׁבֶהָ meaning *he considered it*:]

אוֹ יֹאמַר כִּי אַבְרָהָם הֶאֱמִין שֶׁיִּהְיֶה לוֹ זֶרַע יוֹרֵשׁ עַל כָּל פָּנִים – **Alternatively, [the verse] is saying that Abraham believed that he would have offspring to inherit him in any event,** but thought that it would be through his own merit.[37] וְהַקָּדוֹשׁ בָּרוּךְ הוּא עוֹד חָשַׁב לוֹ הַהַבְטָחָה הַזּוֹ שֶׁהִבְטִיחוֹ צְדָקָה – **The Holy One, Blessed is He,** however, **further considered this promise that He promised him to be** based on **righteousness** (here meaning *benevolence*) – כִּי בְּצִדְקַת ה׳ יַעֲשֶׂה כֵּן – **for He would fulfill it through the righteousness of God.**[38] כְּמוֹ ״אֱלֹהִים חֲשָׁבָהּ לְטֹבָה״ – The meaning of וַיַּחְשְׁבֶהָ ("He reckoned it") is **as in *God considered it for good*** (below, 50:20).[39]

[Ramban now cites an example where his interpretation of וַיַּחְשְׁבֶהָ as "God considered it" would apply:]

34. Though "reward" implies that it is deserved and not an act of charity, nevertheless, Abraham, in his humility, considered himself unworthy of this reward.

35. Stylistic citation from below, 41:32.

36. A promise of reward from God is dependent on the recipient's continued merit. Abraham understood the promise of the first prophecy to be such reward and he feared that it could be revoked. Now, however, he realized that this new promise was purely benevolent and therefore irrevocable and he no longer needed to be concerned.

37. Accordingly, God's promise could possibly be rescinded.

38. I.e., God, in His benevolence, intended to fulfill His promise come what may. Accordingly, וַיַּחְשְׁבֶהָ לוֹ צְדָקָה means: *God* considered His own action as benevolence.

39. In this verse, too, the meaning of חשב is that God considered the selling of Joseph as ultimately for good rather than what it appeared to be (see Mahari Abohab).

7 He said to him, "I am HASHEM, Who brought you out of Ur-kasdim to give you this land to inherit it."

רמב״ן

וְכֵן "וַתֵּחָשֶׁב לוֹ לִצְדָקָה" דְּפִנְחָס [תהלים קו, לא], שֶׁחָשַׁב לוֹ הַבְטָחָתוֹ זוֹ שֶׁבָּטַח בַּשֵּׁם בְּמַעֲשֶׂה הַהוּא לִצְדָקָה
לְדוֹר וָדוֹר[40]. כִּי לְעוֹלָם יִשְׁמֹר לוֹ הָאֵל בַּעֲבוּרָהּ צִדְקָתוֹ וְחַסְדּוֹ, כְּדֶרֶךְ "לְעוֹלָם אֶשְׁמוֹר לוֹ חַסְדִּי" [שם פט, כט][41].
[ז־ח] אֲנִי ה' אֲשֶׁר הוֹצֵאתִיךָ מֵאוּר כַּשְׂדִּים לָתֶת לְךָ אֶת הָאָרֶץ הַזֹּאת לְרִשְׁתָּהּ. כְּבָר פֵּרַשְׁתִּי זֶה
[לעיל יא, כח], כִּי יֹאמַר "מֵעֵת שֶׁהוֹצֵאתִיךָ מֵאוּר כַּשְׂדִּים וְעָשִׂיתִי לְךָ נֵס[42], הָיָה הָרָצוֹן לְפָנַי לָתֵת לְךָ הָאָרֶץ
הַזֹּאת". וְהִנֵּה עַתָּה לֹא גָּזַר שֶׁיִּתְּנֶנָּה לוֹ, אֲבָל אָמַר שֶׁהוֹצִיאוֹ מֵאוּר כַּשְׂדִּים עַל דַּעַת שֶׁיִּתְּנֶנּוּ לוֹ[43]. וְלָכֵן חָשַׁשׁ
אַבְרָהָם פֶּן יִהְיֶה בִּירוּשַּׁת הָאָרֶץ תְּנַאי הַמַּעֲשִׂים אַף עַל פִּי שֶׁאָמַר לוֹ פַּעֲמַיִם "לְזַרְעֲךָ אֶתֵּן אֶת הָאָרֶץ הַזֹּאת"
[לעיל יב, ז; יג, טו], כִּי עַתָּה לֹא יִגְזוֹר הַמַּתָּנָה כַּאֲשֶׁר גָּזַר לוֹ זֶרַע. וְלָכֵן אָמַר: **"בַּמָּה אֵדַע כִּי אִירָשֶׁנָּה?"**[44]

RAMBAN ELUCIDATED

וְכֵן "וַתֵּחָשֶׁב לוֹ לִצְדָקָה" דְּפִנְחָס – **Similarly, regarding Phinehas** we find, ***It was "considered" for him as a*** *source of* ***benevolence*** *[for all generations, forever]* (*Psalms* 106:31), שֶׁחָשַׁב לוֹ הַבְטָחָתוֹ זוֹ שֶׁבָּטַח בַּשֵּׁם בְּמַעֲשֶׂה הַהוּא לִצְדָקָה לְדוֹר וָדוֹר – meaning **that [God] counted for him the trust that he placed in God in** doing **that deed** of slaying Zimri (*Numbers* 25:7, alluded to in *Psalms* ibid.) **as a** reason for Him to show "**benevolence** (צְדָקָה) **for all** his future **generations.**"[40] כִּי לְעוֹלָם יִשְׁמֹר לוֹ הָאֵל בַּעֲבוּרָהּ צִדְקָתוֹ וְחַסְדּוֹ – It means **that God would forever preserve His benevolence and kindness for [Phinehas] because of [his faith in God],** כְּדֶרֶךְ "לְעוֹלָם אֶשְׁמוֹר לוֹ חַסְדִּי" – **similar to** the concept expressed in the verse, ***Forever shall I preserve My kindness toward him*** (*Psalms* 89:29).[41]

7. אֲנִי ה' אֲשֶׁר הוֹצֵאתִיךָ מֵאוּר כַּשְׂדִּים לָתֶת לְךָ אֶת הָאָרֶץ הַזֹּאת לְרִשְׁתָּהּ – ***I AM HASHEM, WHO BROUGHT YOU OUT OF UR-KASDIM TO GIVE YOU THIS LAND TO INHERIT IT.***

[Abraham's response to this statement was a request for an assurance of its veracity (v. 8). Yet when God told Abraham that he would have innumerable offspring (v. 5), Abraham believed in this prophecy without any further assurance or proof (v. 6). Why did he react differently to the two statements? Ramban explains:]

כְּבָר פֵּרַשְׁתִּי זֶה, כִּי יֹאמַר "מֵעֵת שֶׁהוֹצֵאתִיךָ מֵאוּר כַּשְׂדִּים וְעָשִׂיתִי לְךָ נֵס, הָיָה הָרָצוֹן לְפָנַי לָתֵת לְךָ הָאָרֶץ הַזֹּאת" – **I have already explained this** verse (above, 11:28), showing **that [God] was stating** a fact: **"From the time I took you out of Ur-kasdim and performed a miracle for you,**[42] **it has been My will to give you this land."** וְהִנֵּה עַתָּה לֹא גָּזַר שֶׁיִּתְּנֶנָּה לוֹ – **Thus, at this time [God] did not decree that He would give [the land] to him;** אֲבָל אָמַר שֶׁהוֹצִיאוֹ מֵאוּר כַּשְׂדִּים עַל דַּעַת שֶׁיִּתְּנֶנּוּ לוֹ – **rather, He said that He extricated him from Ur-kasdim with** only **the intention of giving it to him.**[43] וְלָכֵן חָשַׁשׁ אַבְרָהָם פֶּן יִהְיֶה בִּירוּשַּׁת הָאָרֶץ תְּנַאי הַמַּעֲשִׂים – **This is why Abraham was concerned** lest **inheritance of the land be dependent upon his** virtuous **conduct,** אַף עַל פִּי שֶׁאָמַר לוֹ פַּעֲמַיִם "לְזַרְעֲךָ אֶתֵּן אֶת הָאָרֶץ הַזֹּאת" – **although [God] had told him twice,** ***"To your offspring I will give this land"*** (above, 12:7, 13:15). כִּי עַתָּה לֹא יִגְזוֹר הַמַּתָּנָה כַּאֲשֶׁר גָּזַר לוֹ זֶרַע – **For [God] at this time did not decree the giving** of *Eretz Yisrael* to Abraham **in the same way that He had decreed that [Abraham] would have offspring.** וְלָכֵן אָמַר: "בַּמָּה אֵדַע כִּי אִירָשֶׁנָּה" – **This is why [Abraham] said,** ***"Whereby shall I know that I am to inherit it?"***[44]

---

40. Instead of rewarding Phinehas with simply his just reward, God considered His reward *benevolence,* thereby making it unconditional and everlasting.

41. Summing up the interpretations of our verse: Rashi: *And God considered Abraham's faith as righteousness.* Ramban (a): *And Abraham "thought" that God's promise was benevolence.* Ramban (b): *And God "considered" the promise He made to Abraham as benevolence.*

42. See ibid. where Ramban explains that הוֹצֵאתִיךָ has the connotation of "I extricated you," thereby alluding to Abraham's miraculous escape from the fire of the Chaldeans.

43. Hence, Abraham had not been given an absolute promise regarding the land.

44. Whereas the prophecy regarding offspring was unequivocal, the prophecy regarding *Eretz Yisrael* was not yet even a promise. Abraham therefore considered the possibility that, either due to his possible sins or the Canaanites repenting their evil ways, he or his descendants may never receive the land. Abraham therefore sought assurance regarding the land.

ח וַיֹּאמַ֑ר אֲדֹנָ֣י יֱהוִ֔ה בַּמָּ֥ה אֵדַ֖ע כִּ֥י אִירָשֶֽׁנָּה׃
ט וַיֹּ֤אמֶר אֵלָיו֙ קְחָ֥ה לִי֙ עֶגְלָ֣ה מְשֻׁלֶּ֔שֶׁת וְעֵ֥ז
י מְשֻׁלֶּ֖שֶׁת וְאַ֣יִל מְשֻׁלָּ֑שׁ וְתֹ֖ר וְגוֹזָֽל׃ וַיִּֽקַּֽח־
לוֹ֙ אֶת־כָּל־אֵ֔לֶּה וַיְבַתֵּ֤ר אֹתָם֙ בַּתָּ֔וֶךְ וַיִּתֵּ֥ן

ח וַאֲמַר יְיָ אֱלֹהִים בְּמָא אִדַּע אֲרֵי אֵירְתִנַּהּ: ט וַאֲמַר לֵהּ קָרֵב קֳדָמַי עֶגְלָא תִּלְתָּא וְעִזָּא תִּלְתָּא וּדְכַר תִּלְתָּא (נ״א עֶגְלִין תְּלָתָא וְעִזִּין תְּלָת וְדִכְרִין תְּלָתָא) וְשַׁפְנִינָא וּבַר יוֹנָא: י וְקָרֵב קֳדָמוֹהִי יָת כָּל אִלֵּין וּפַלֵּיג יָתְהוֹן בִּשְׁוֶה וִיהַב

רש״י

(ט) עגלה משלשת. ג׳ עגלים, רמז לג׳ פרים, פר יום הכפורים ופר העלם דבר של לבור ועגלה ערופה (ב״ר שם): ועז משלשת. רמז לשעיר הנעשה בפנים ושעירי מוספין של מועד ושעירת חטאת יחיד (שם): ואיל משלש. אשם ודאי ואשם תלוי וכבשה של חטאת יחיד (שם): ותר וגוזל. תור ובן יונה (שם): (י) ויבתר אתם. חלק כל אחד לב׳ חלקים. ואין המקרא יולא מידי פשוטו, לפי שהיה כורת עמו ברית לשמור הבטחתו להוריש לבניו את הארץ, כדכתיב ביום ההוא כרת ה׳ את אברם ברית לאמר וגו׳ (להלן פסוק יח), ודרך כורתי ברית לחלק בהמה ולעבור בין בתריה, כמה שנאמר להלן העוברים בין בתרי העגל (ירמיה

רמב״ן

וְאֵינוֹ כִּשְׁאֵלַת ״מָה אוֹת?״[45] [מלכים־ב כ, ח], וְגַם הַקָּדוֹשׁ בָּרוּךְ הוּא לֹא עָשָׂה עִמּוֹ כִּשְׁאָר הָאוֹתוֹת לְהֵרָאוֹת לוֹ אוֹת אוֹ מוֹפֵת בְּדָבָר נִפְלָא[46]. אֲבָל בִּקֵּשׁ אַבְרָהָם שֶׁיֵּדַע יְדִיעָה אֲמִתִּית שֶׁיִּירָשֶׁנָּה, וְלֹא יִגְרֹם חֶטְאוֹ אוֹ חֵטְא זַרְעוֹ לְמָנְעָהּ מֵהֶם. אוֹ שֶׁמָּא יַעֲשׂוּ הַכְּנַעֲנִים תְּשׁוּבָה וִיקַיֵּם בָּהֶם ״רֶגַע אֲדַבֵּר עַל גּוֹי וְעַל מַמְלָכָה לִנְתוֹשׁ וְלִנְתוֹץ לְהַאֲבִיד וְשָׁב הַגּוֹי הַהוּא מֵרָעָתוֹ וְנִחַמְתִּי עַל הָרָעָה״ [ירמיה יח, ז־ח]. וְהַקָּדוֹשׁ בָּרוּךְ הוּא כָּרַת עִמּוֹ בְּרִית שֶׁיִּירָשֶׁנָּה עַל כָּל פָּנִים[47].

[ט] **עֶגְלָה מְשֻׁלֶּשֶׁת וְעֵז מְשֻׁלֶּשֶׁת.** פֵּרֵשׁ רַבִּי אַבְרָהָם בַּת שָׁלֹשׁ שָׁנִים, אֲבָל אוּנְקְלוֹס אָמַר שָׁלֹשׁ[48], וְכֵן הַדָּבָר, כִּי בַּת שָׁלֹשׁ לֹא תִקָּרֵא עֶגְלָה, כְּמוֹ שֶׁשָּׁנִינוּ [פרה א, א]: וַחֲכָמִים אוֹמְרִים עֶגְלָה בַּת שְׁתַּיִם פָּרָה בַּת שָׁלֹשׁ.

RAMBAN ELUCIDATED

[Ramban explains the exact nature of Abraham's question:]

וְאֵינוֹ כִּשְׁאֵלַת ״מָה אוֹת״ – Now, [Abraham's question] was not like the question posed by Hezekiah, ***"What is the sign?"*** (*II Kings* 20:8),[45] **וְגַם הַקָּדוֹשׁ בָּרוּךְ הוּא לֹא עָשָׂה עִמּוֹ כִּשְׁאָר הָאוֹתוֹת לְהֵרָאוֹת לוֹ אוֹת אוֹ מוֹפֵת בְּדָבָר נִפְלָא – nor did the Holy One, Blessed is He, perform for him** a sign **like other signs** produced to certify a Divine decree, **by showing him some sign or wonder through some miraculous act.**[46] **אֲבָל בִּקֵּשׁ אַבְרָהָם שֶׁיֵּדַע יְדִיעָה אֲמִתִּית שֶׁיִּירָשֶׁנָּה, וְלֹא יִגְרֹם חֶטְאוֹ אוֹ חֵטְא זַרְעוֹ לְמָנְעָהּ מֵהֶם – Rather, Abraham requested that he should know with absolute certainty that he would inherit [the land]** unconditionally, **and that neither his sins – nor his offsprings' sins – would cause it to be withheld from them.** **אוֹ שֶׁמָּא יַעֲשׂוּ הַכְּנַעֲנִים תְּשׁוּבָה וִיקַיֵּם בָּהֶם ״רֶגַע אֲדַבֵּר עַל גּוֹי וְעַל מַמְלָכָה לִנְתוֹשׁ וְלִנְתוֹץ וּלְהַאֲבִיד וְשָׁב הַגּוֹי הַהוּא מֵרָעָתוֹ ... וְנִחַמְתִּי עַל הָרָעָה״ – Another** concern of Abraham's was **that the Canaanites might repent and [God] would** then **fulfill for them** the verse, ***One moment I may speak concerning a nation or a kingdom, to destroy, demolish or annihilate*** *it, but if that nation repents of its evil ... then I relent of the evil decree* (*Jeremiah* 18:7-8). **וְהַקָּדוֹשׁ בָּרוּךְ הוּא כָּרַת עִמּוֹ בְּרִית שֶׁיִּירָשֶׁנָּה עַל כָּל פָּנִים – The Holy One, Blessed is He, therefore established a covenant with him that he would inherit [the land] in any event.**[47]

9. עֶגְלָה מְשֻׁלֶּשֶׁת וְעֵז מְשֻׁלֶּשֶׁת – ***A HEIFER OF THREE AND A GOAT OF THREE.***

[Ramban discusses the expressions, "heifer of three" and "goat of three":]

פֵּרֵשׁ רַבִּי אַבְרָהָם בַּת שָׁלֹשׁ שָׁנִים – Rabbi Avraham Ibn Ezra **explains** that "of three" means **"three years old."** **אֲבָל אוּנְקְלוֹס אָמַר שָׁלֹשׁ – Onkelos, however, says** that it means **"three."**[48] **וְכֵן הַדָּבָר – And so it is** as Onkelos writes, and not as Ibn Ezra, **כִּי בַּת שָׁלֹשׁ לֹא תִקָּרֵא עֶגְלָה – for a three-year-old** bovine **is no** longer **called a "heifer,"** but a cow, **כְּמוֹ שֶׁשָּׁנִינוּ: וַחֲכָמִים אוֹמְרִים עֶגְלָה בַּת שְׁתַּיִם פָּרָה**

45. Hezekiah sought confirmation that Isaiah's prophecy to him that he would be healed from his illness was in fact the word of God.

46. In the case of Hezekiah, for instance, God made the sun's rays on the sunclock turn back 10 degrees (*II Kings* 20:11).

47. This covenant was thus the first time that God committed Himself unequivocally to giving *Eretz Yisrael* to Abraham.

48. "Heifer of three" means "three heifers," etc. This is also the opinion of Rashi.

8 *He said, "My Lord, HASHEM/ELOHIM: Whereby shall I know that I am to inherit it?"*
9 *And He said to him, "Take to Me a heifer of three and a goat of three and a ram of three, a turtledove, and a young bird."*
10 *He took all these to Him: he cut them in the center, and placed*

רמב״ן

וְרָמַז לוֹ כִּי שְׁלֹשָׁה קָרְבָּנוֹת מֵהֶן[49] יַקְרִיבוּ לְפָנָיו זַרְעוֹ, הָעוֹלָה וְהַחַטָּאת וְהַשְּׁלָמִים[50], כִּי הָאָשָׁם כְּחַטָּאת הוּא, אֵין בֵּינֵיהֶם לְבַד הַשֵּׁם[51].

וְיִתָּכֵן שֶׁיִּהְיֶה טַעַם "מְשֻׁלֶּשֶׁת" שֶׁיָּבִיא אוֹתָן רְצוּפוֹת, וְיִהְיֶה כָּל מִין לְבַד[52]. וְכֵן "כִּי מְשֻׁלָּשׁוֹת הֵנָּה" [יחזקאל מב, ו], שֶׁהָיוּ הַלְּשָׁכוֹת הָעֶלְיוֹנוֹת וְהַתִּיכוֹנוֹת וְהַתַּחְתּוֹנוֹת[53].

[י] וַיְבַתֵּר אוֹתָם בַּתָּוֶךְ. לִכְרֹת עִמּוֹ בְּרִית לַעֲבֹר בֵּין הַבְּתָרִים הָאֵלֶּה[54].

וְנִרְמַז לוֹ גַּם כֵּן כִּי מֵאֵלֶּה יִהְיֶה כָּל קָרְבָּן בַּבְּהֵמָה וּבָעוֹף[55], כִּי הַגּוֹזָל בֶּן יוֹנָה. וְאָמַר בּוֹ גוֹזָל, שֶׁלֹּא הִכְשִׁרוּ

RAMBAN ELUCIDATED

בַּת שָׁלֹשׁ – **as we learn** in the Mishnah (*Parah* 1:1): **"The Sages say that a 'heifer' is** up to **two years old; a 'cow' is three years old** and older."

[Ramban now addresses the symbolism of the three heifers and the three goats (see also Rashi):]

וְרָמַז לוֹ כִּי שְׁלֹשָׁה קָרְבָּנוֹת מֵהֶן יַקְרִיבוּ לְפָנָיו זַרְעוֹ, הָעוֹלָה וְהַחַטָּאת וְהַשְּׁלָמִים – **[God] alluded to [Abraham]** with these animals **that his descendants would offer up three** types of **offerings from [these animals]**[49] **before Him** – namely, **the burnt-offering, the sin-offering and the peace-offering.**[50] **כִּי הָאָשָׁם כְּחַטָּאת הוּא, אֵין בֵּינֵיהֶם לְבַד הַשֵּׁם** – We do not list the guilt-offering as a fourth type of sacrifice, **for the guilt-offering is** like a **sin-offering; there is no difference between them except in name.**[51]

[Ramban explains the use of מְשֻׁלֶּשֶׁת, rather than the common word for "three" – שָׁלֹשׁ:]

וְיִתָּכֵן שֶׁיִּהְיֶה טַעַם "מְשֻׁלֶּשֶׁת" שֶׁיָּבִיא אוֹתָן רְצוּפוֹת – **It is possible that the explanation of מְשֻׁלֶּשֶׁת is that [Abraham] was to bring [all three]** of each specie **grouped together,** **וְיִהְיֶה כָּל מִין לְבַד** – **with each specie** set **by itself.**[52] **וְכֵן "כִּי מְשֻׁלָּשׁוֹת הֵנָּה"** – **Similarly,** we find, **"for they were by threes** (מְשֻׁלָּשׁוֹת)" (*Ezekiel* 42:6), **שֶׁהָיוּ הַלְּשָׁכוֹת הָעֶלְיוֹנוֹת וְהַתִּיכוֹנוֹת וְהַתַּחְתּוֹנוֹת** – meaning **that the chambers** of the Temple **were** divided into sets of **upper, middle and lower ones.**[53]

10. וַיְבַתֵּר אֹתָם בַּתָּוֶךְ – ***HE CUT THEM IN THE CENTER.***

[What was the reason for cutting the animals in half? Ramban explains:]

לִכְרֹת עִמּוֹ בְּרִית לַעֲבֹר בֵּין הַבְּתָרִים הָאֵלֶּה – This was done in order for God **to establish a covenant with [Abraham] by passing between these pieces.**[54]

[Ramban notes that there was an additional purpose in bringing these particular animals and in cutting them into two:]

וְנִרְמַז לוֹ גַּם כֵּן כִּי מֵאֵלֶּה יִהְיֶה כָּל קָרְבָּן בַּבְּהֵמָה וּבָעוֹף – **Also, it was alluded to [Abraham] that all offerings of animals and birds would be from these.**[55] **כִּי הַגּוֹזָל בֶּן יוֹנָה** – **For the "young bird"** mentioned here, although it is not identified specifically, **is a young dove.** **וְאָמַר בּוֹ גוֹזָל, שֶׁלֹּא הִכְשִׁרוּ**

49. The heifer (male and female, young and adult), the goat (male and female ...) and the sheep (male and female ...) were the only animals offered on the Altar (aside from birds; see below).

50. Each of the three species is eligible for the three kinds of offerings.

51. There are actually substantial differences between the sin-offering and the guilt-offering; Ramban means to say that they are identical in that they are both brought as atonement for specific sins. (For the types of offering, types of animal and the occasion for each, see Stone Edition of the *Chumash* pp. 1292, 1293.)

52. E.g., three heifers in one group, three goats in one group, etc. and not to mix species within a group.

53. Here, too, מְשֻׁלָּשׁוֹת represents a group of three.

54. Rashi explains that it was customary for the two parties to a covenant to pass between two halves of an animal carcass.

55. Viz., the heifer, the goat, the sheep, the turtledove and the dove.

אִישׁ־בִּתְרוֹ לִקְרַאת רֵעֵהוּ וְאֶת־הַצִּפֹּר לֹא בָתָר:
יא וַיֵּרֶד הָעַיִט עַל־הַפְּגָרִים וַיַּשֵּׁב אֹתָם אַבְרָם:

פַּלְגַּיָּא פְּלוּג לָקֳבֵל חַבְרֵהּ וְיָת עוֹפָא לָא פְלִיג: יא וּנְחַת עוֹפָא עַל פַּגְלַיָּא וְאַפְרַח יָתְהוֹן אַבְרָם:

רש"י

לד:יט), אף כאן תנור עשן ולפיד אש אשר עבר בין הגזרים הוא שלוחו של שכינה שהוא אש: **ואת הצפר לא בתר.** לפי שהאומות נמשלו לפרים ואילים ושעירים, שנאמר סבבוני פרים רבים וגו' (תהלים כב:יג), ואומר האיל אשר ראית בעל הקרנים מלכי מדי ופרס (דניאל ח:כ), ואומר והצפיר השעיר מלך יון (שם פסוק כא). וישראל נמשלו [בתורים ובני יונה, תור שנאמר אל תתן לחית נפש תורך (תהלים עד:יט)] לבני יונה, שנאמר יונתי בחגוי הסלע (שיר השירים ב:יד), לפיכך בתר הבהמות, רמז שיהיו האומות כלים והולכים, ואת הצפור לא בתר, רמז שיהיו ישראל קיימין לעולם (פדר"א פכ"ח): **(יא) העיט.** הוא עוף, על שם שהוא עט ושואף אל הנבלות לעוט עלי אוכל. כמו ותעט אל השלל (שמואל־א טו:יט): **על הפגרים.** על הבתרים: [ס"א **הפגרים.** מתרגמינן פגליא, אלא מתוך שהורגלו לתרגם איש בתרו ויהב פלגיה נתחלף להם תיבת פגליא לפלגיא ותרגמו הפגרים פלגיא, וכל המתרגם כן טועה לפי שאין להקיש בתרים לפגרים, שבתרים תרגומו פלגיא ופגרים תרגומו פגליא לשון פגול, כמו פגול הוא (ויקרא יט:ז) לשון פגר:] **וישב.** לשון נשיבה והפרחה, כמו ישב רוחו (תהלים קמז:יח). רמז שיבא דוד בן ישי

רמב"ן

בְּמִין הַהוּא אֶלָּא הַקְּטַנִּים[56].

וְאַף עַל פִּי שֶׁכָּל קְטַנֵּי הָעוֹפוֹת יִקָּרְאוּ "גוֹזָלִים", שֶׁנֶּאֱמַר [דברים לב,יא]: "כְּנֶשֶׁר יָעִיר קִנּוֹ עַל גּוֹזָלָיו יְרַחֵף", הֵבִין אַבְרָהָם מֵעַצְמוֹ הַמִּין הַנִּבְחָר[57].

אוֹ הִקְרִיב בֶּן יוֹנָה בִּרְצוֹנוֹ, וְהַכָּתוּב בָּחַר לְעוֹלָם בְּמִין אֲשֶׁר הִקְרִיב הַזָּקֵן[58].

וְהִנֵּה יָדַע שֶׁאֵלֶּה יִהְיוּ הַקָּרְבָּנוֹת, וְכָל הַקָּרְבָּנוֹת יִבָּתְרוּ – הָעוֹלָה לִנְתָחִים, וְהַשְּׁלָמִים לְחָזֶה וְשׁוֹק וַחֲלָבִים[59], וְהַחַטָּאת וְהָאָשָׁם לְחֶלְבֵּיהֶן[60].

RAMBAN ELUCIDATED

בְּמִין הַהוּא אֶלָּא הַקְּטַנִּים – [God] said concerning [the dove] "young bird" because it was only the young of that species [the dove] **that were acceptable.**[56]

[But how did *Abraham* understand that God meant for him to take specifically a dove? Ramban explains:]

וְאַף עַל פִּי שֶׁכָּל קְטַנֵּי הָעוֹפוֹת יִקָּרְאוּ "גוֹזָלִים", שֶׁנֶּאֱמַר: "כְּנֶשֶׁר יָעִיר קִנּוֹ עַל גּוֹזָלָיו יְרַחֵף" – Although *all* young birds not only doves **are called גוֹזָלִים – as it says, *Like an eagle arousing its nest, hovering over its young (*גּוֹזָלָיו*)*** (*Deuteronomy* 32:11) – **הֵבִין אַבְרָהָם מֵעַצְמוֹ הַמִּין הַנִּבְחָר – Abraham understood on his own**[57] the identity of **the designated specie.**

[Ramban presents another possibility as to God's intent when He said, "young bird":]

אוֹ הִקְרִיב בֶּן יוֹנָה בִּרְצוֹנוֹ – Alternatively, God did not intend any specific type of young bird, but **[Abraham] offered up a young dove of his own will, וְהַכָּתוּב בָּחַר לְעוֹלָם בְּמִין אֲשֶׁר הִקְרִיב הַזָּקֵן – and Scripture selected forever the specie that the elder** Patriarch **offered up.**[58]

[Now Ramban offers another explanation for the cutting of the animals:]

וְהִנֵּה יָדַע שֶׁאֵלֶּה יִהְיוּ הַקָּרְבָּנוֹת – Now, [Abraham] knew that these species **were to be the offerings** of the future, **וְכָל הַקָּרְבָּנוֹת יִבָּתְרוּ – הָעוֹלָה לִנְתָחִים, וְהַשְּׁלָמִים לְחָזֶה וְשׁוֹק וַחֲלָבִים, וְהַחַטָּאת וְהָאָשָׁם לְחֶלְבֵּיהֶן – and that all the offerings would be cut up – the burnt-offering into pieces, the peace-offering** has **the breast and thigh and fats** cut away from it,[59] **and the sin-offering and guilt-offering** have **their fats** cut out from them.[60]

□ **וְאֶת הַצִּפֹּר לֹא בָתָר** – ***THE BIRDS, HOWEVER, HE DID NOT CUT UP.***

[Ramban, following his line of interpretation begun in the previous piece, explains why the birds were not cut:]

56. Whereas concerning the turtledove, only mature birds could be brought (see *Chullin* 22a).

57. Abraham came to know God's will – either through Divine inspiration or through his own wisdom. See Ramban below, 26:5.

58. Hence, of the young bird only the young dove is fit for an offering.

59. The breast and the thigh are given to the Kohen and the fats are burned on the Altar.

60. The fats of these offerings are burned on the Altar.

This latter explanation clarifies why Abraham cut up the carcasses without being told to do so.

each piece opposite its counterpart. The birds, however, he did not cut up.

11 *Birds of prey descended upon the carcasses, and Abram drove them away.*

רמב"ן

וְאֶת הַצִּפּוֹר לֹא בָתָר. נָתַן הַתּוֹר וְהַגּוֹזָל אִישׁ לִקְרַאת רֵעֵהוּ, כִּי גַּם הֵם הָיוּ בַּבְּרִית[61]. אֲבָל לֹא בָּתַר אוֹתָם בַּתָּוֶךְ[62], כִּי בְּכָל הָעוֹף הַקָּרֵב נֶאֱמַר "לֹא יַבְדִּיל" [ויקרא א, יז][63].

וּבִבְרֵאשִׁית רַבָּה [מד, יד]: הֶרְאָה לוֹ הַקָּדוֹשׁ בָּרוּךְ הוּא שֶׁמַּבְדִּילִין בְּעוֹלַת הָעוֹף וְאֵין מַבְדִּילִין בְּחַטָּאת הָעוֹף[64].

[יא] וַיֵּרֶד הָעַיִט עַל הַפְּגָרִים. לֶאֱכֹל אוֹתָם, כְּמִנְהַג הָעוֹפוֹת.

וַיַּשֵּׁב אוֹתָם. נִרְמַז לוֹ כִּי יָבֹאוּ הָעַמִּים לְבַטֵּל הַקָּרְבָּנוֹת, וְזֶרַע אַבְרָהָם יַבְרִיחוּם.

RAMBAN ELUCIDATED

נָתַן הַתּוֹר וְהַגּוֹזָל אִישׁ לִקְרַאת רֵעֵהוּ – **He placed the turtledove and the young bird each one opposite its counterpart**, whole, כִּי גַּם הֵם הָיוּ בַּבְּרִית – **for they too were part of the covenant.**[61] אֲבָל לֹא בָּתַר אוֹתָם בַּתָּוֶךְ – **He did not "cut them**[62] **in the center," however,** כִּי בְּכָל הָעוֹף הַקָּרֵב נֶאֱמַר "לֹא יַבְדִּיל" – **for concerning all birds that are brought as sacrifices it says,** ***He shall not sever it*** (*Leviticus* 1:17, 5:8).[63]

[Ramban now notes that the Midrash also sees in Abraham's conduct with the birds an allusion to the future laws of sacrifices, but differs as to the details of that allusion:]

וּבִבְרֵאשִׁית רַבָּה: – **In** ***Bereishis Rabbah*** (44:14), however, we find: הֶרְאָה לוֹ הַקָּדוֹשׁ בָּרוּךְ הוּא שֶׁמַּבְדִּילִין בְּעוֹלַת הָעוֹף וְאֵין מַבְדִּילִין בְּחַטָּאת הָעוֹף – **The Holy One, Blessed is He, showed [Abraham] that the fowl burnt-offering is separated** at the head, **while the fowl sin-offering is not separated** at the head.[64]

11. וַיֵּרֶד הָעַיִט עַל הַפְּגָרִים – ***BIRDS OF PREY DESCENDED UPON THE CARCASSES.***

[As a preface to the next comment, Ramban notes:]

לֶאֱכֹל אוֹתָם כְּמִנְהַג הָעוֹפוֹת – The birds of prey descended upon the carcasses **to eat them, in the manner of** such **birds.**

☐ **וַיַּשֵּׁב אֹתָם** – ***AND (ABRAM) DROVE THEM AWAY.***

[Ramban explains what this action symbolized (see Rashi):]

נִרְמַז לוֹ כִּי יָבֹאוּ הָעַמִּים לְבַטֵּל הַקָּרְבָּנוֹת, וְזֶרַע אַבְרָהָם יַבְרִיחוּם – **It was** thus **alluded to him** from God **that the nations would come** and try **to put an end to the offerings, but Abraham's offspring would drive them away.**

61. The confirmation of the covenant took effect with the pillar of fire's passing between the pieces of the animals (v. 17). The pillar of fire passed through the two birds as well, but they were not cut into pieces, for the reason now given by Ramban.

62. Although the word צִפֹּר (translated here as "birds") is in the singular, Ramban apparently understands that it refers to both birds, as do Ibn Ezra and Radak.

63. A bird can be either a burnt-offering or a sin-offering. In either case, the Torah decrees that it "not be severed."

[The words לֹא יַבְדִּיל ("he shall not sever it"), however, refer to two different concepts in their respective contexts. In regard to the burnt-offering (*Leviticus* 1:17) it means that the body of the bird did not have to be torn in half, while in regard to the sin-offering (ibid. 5:8) it means that the throat of the bird should not be completely severed. Either the esophagus or the trachea are cut; not both. Nevertheless, not being severed is something both of these offerings have in common and Ramban sees an allusion to this in the fact that Abraham left both birds unsevered.]

64. The Midrash apparently takes the singular form of צִפֹּר literally, and understands the verse to mean that Abraham did not cut "one bird" – implying that he *did* cut the other. This fact, the Midrash explains, was to allude to the rule that the throat of the bird burnt-offering was completely cut through, while that of the bird sin-offering was only partially cut, as explained in the previous note. (See *Zevachim* 64b.)

יב וַיְהִי הַשֶּׁמֶשׁ לָבוֹא וְתַרְדֵּמָה נָפְלָה עַל־אַבְרָם
יג וְהִנֵּה אֵימָה חֲשֵׁכָה גְדֹלָה נֹפֶלֶת עָלָיו: וַיֹּאמֶר
לְאַבְרָם יָדֹעַ תֵּדַע כִּי־גֵר ׀ יִהְיֶה זַרְעֲךָ בְּאֶרֶץ
לֹא לָהֶם וַעֲבָדוּם וְעִנּוּ אֹתָם אַרְבַּע מֵאוֹת שָׁנָה:

יב וַהֲוָה שִׁמְשָׁא לְמֵיעַל וְשִׁנְתָא נְפָלַת עַל אַבְרָם וְהָא אֵימָא קְבַל סַגִּי נְפָלַת עֲלוֹהִי: יג וַאֲמַר לְאַבְרָם מִדַּע תִּדַּע אֲרֵי דַיָּרִין יְהוֹן בְּנָיךְ בְּאַרְעָא דְּלָא דִילְהוֹן וְיִפְלְחוּן בְּהוֹן וִיעַנּוּן יָתְהוֹן אַרְבַּע מְאָה שְׁנִין:

רש"י

לכלותם ואין מניחים אותו מן השמים עד שיבוא מלך המשיח (פדר"א שם): **(יב) והנה אימה חשכה גדלה וגו'.** רמז לצרות וחשך של גליות (שם; ב"ר מד:יז): **(יג) כי גר יהיה זרעך.** משנולד יצחק עד שיצאו ישראל ממצרים ד' מאות שנה. כיצד, יצחק בן ששים שנה כשנולד יעקב, ויעקב כשירד למצרים אמר ימי שני מגורי שלשים ומאת שנה (להלן מז:ט), הרי ק"ץ. ובמצרים היו מאתים ועשר כמנין רד"ו הרי ת' שנה. וא"ת במצרים היו ד' מאות, הרי קהת מיורדי מצרים היה, צא וחשוב שנותיו של קהת (שמות ו:יח) ושל עמרם (שם פסוק כ) ושמונים של משה שהיה כשיצאו ישראל ממצרים, אין אתה מוצא אלא שלש מאות וחמשים, ואתה צריך להוציא מהם כל השנים שחי קהת אחר לידת עמרם ושחי עמרם אחר לידת משה (סדר עולם רבה פ"ג): **בארץ לא להם.** ולא נאמר בארץ מצרים אלא לא להם משנולד יצחק ויגר אברהם וגו' (להלן כא:לד), ויגר [ס"א וישב] יצחק בגרר (שם כו:ו), [ס"א ויצחק גור בארץ הזאת (שם כו:ג),] ויעקב גר בארץ חם (תהלים קה:כג), לגור בארץ באנו (להלן מז:ד):

רמב"ן

[יב] וְהִנֵּה אֵימָה חֲשֵׁכָה גְדוֹלָה נֹפֶלֶת. דָּרְשׁוּ בּוֹ רֶמֶז לְשִׁעְבּוּד אַרְבַּע מַלְכֻיּוֹת[65] כִּי מָצָא הַנָּבִיא בְּנַפְשׁוֹ אֵימָה; וְאַחַר כָּךְ בָּא בַּחֲשֵׁכָה; וְאַחַר כָּךְ גָּדְלָה הַחֲשֵׁכָה; וְאַחַר כָּךְ הִרְגִּישׁ כְּאִלּוּ הִיא נוֹפֶלֶת עָלָיו כְּמַשָּׂא כָבֵד תִּכְבַּד מִמֶּנּוּ[66].

אָמְרוּ [ב"ר מד, יז]: "אֵימָה" – זוֹ בָּבֶל. "חֲשֵׁכָה" – זוֹ מָדַי, שֶׁהֶחֱשִׁיכָה עֵינֵיהֶם שֶׁל יִשְׂרָאֵל בְּצוֹם וּבְתַעֲנִית "גְּדֹלָה" – זוֹ יָוָן. "נֹפֶלֶת עָלָיו" – זוֹ אֱדוֹם.

וְהָיָה הָעִנְיָן הַזֶּה לְאַבְרָהָם כִּי כְּשֶׁהַקָּדוֹשׁ בָּרוּךְ הוּא כָּרַת עִמּוֹ בְּרִית לָתֵת הָאָרֶץ לְזַרְעוֹ לַאֲחֻזַּת עוֹלָם,

RAMBAN ELUCIDATED

12. וְהִנֵּה אֵימָה חֲשֵׁכָה גְדֹלָה נֹפֶלֶת – *BEHOLD – A DREAD, A GREAT DARKNESS FELL UPON HIM.*

[What did this dread and great darkness that overcame Abraham represent? Ramban cites the explanation given by the Midrash:]

דָּרְשׁוּ בּוֹ רֶמֶז לְשִׁעְבּוּד אַרְבַּע מַלְכֻיּוֹת – [The Sages] expounded on this, saying that it is **an allusion to the subjugation** of Israel **by the Four Kingdoms.**[65] **כִּי מָצָא הַנָּבִיא בְּנַפְשׁוֹ אֵימָה – For the prophet [Abraham] experienced a *dread* in his soul; וְאַחַר כָּךְ בָּא בַּחֲשֵׁכָה – after this he entered into a** sensation of ***darkness;*** **וְאַחַר כָּךְ גָּדְלָה הַחֲשֵׁכָה – then that darkness became *greater;*** **וְאַחַר כָּךְ הִרְגִּישׁ כְּאִלּוּ הִיא נוֹפֶלֶת עָלָיו כְּמַשָּׂא כָבֵד תִּכְבַּד מִמֶּנּוּ – and after this he felt as if [the darkness] was *falling upon him* like a heavy load that was too weighty for him** to bear.[66]

[Ramban now quotes the actual Midrash to which he has just referred:]

אָמְרוּ – [The Sages] said (*Bereishis Rabbah* 44:17): **"אֵימָה" זוֹ בָּבֶל – *A dread* – this** refers to **Babylonia. "חֲשֵׁכָה" זוֹ מָדַי, שֶׁהֶחֱשִׁיכָה עֵינֵיהֶם שֶׁל יִשְׂרָאֵל בְּצוֹם וּבְתַעֲנִית – *Darkness* – this** refers to **Media, who caused the eyes of Israel to become darkened from fasting and self-affliction** in prayer as a response to their oppression. **"גְּדֹלָה" זוֹ יָוָן – *Great* – this** refers to **Greece. "נֹפֶלֶת עָלָיו" זוֹ אֱדוֹם – *Fell upon him* – this** refers to **Edom.**

[What is the correlation between the Four Kingdoms and the covenant that God was forging with Abraham at this time? Ramban explains:]

וְהָיָה הָעִנְיָן הַזֶּה לְאַבְרָהָם – The relevance of all **this to Abraham was כִּי כְּשֶׁהַקָּדוֹשׁ בָּרוּךְ הוּא כָּרַת עִמּוֹ בְּרִית לָתֵת הָאָרֶץ לְזַרְעוֹ לַאֲחֻזַּת עוֹלָם – that when the Holy One, Blessed is He, forged** the **covenant**

65. The concept of the Four Kingdoms who would subjugate Israel throughout history is explained above, 14:1.

66. One might have understood the verse to be describing a single feeling, a "dreadful and great darkness that fell upon" Abraham. Ramban explains that in fact the verse is describing four distinct sensations, in consecutive stages. These four unpleasant sensations represent the four consecutive kingdoms to which Abraham's descendants were subjugated throughout history.

12 *And it happened, as the sun was about to set, a deep sleep fell upon Abram; and behold — a dread, a great darkness fell upon him.*
13 *And He said to Abram, "Know with certainty that your offspring shall be aliens in a land not their own, and they will enslave them and oppress them, four hundred years.*

רמב"ן

אָמַר לוֹ כְּמְשַׁיֵּר בְּמַתְּנָתוֹ, שֶׁאַרְבַּע גָּלֻיּוֹת יִשְׁתַּעְבְּדוּ בְּבָנָיו וְיִמְשְׁלוּ בְּאַרְצָם[67], וְזֶה בְּעַל מְנַת אִם יֶחֶטְאוּ לְפָנָיו.
וְאַחֲרֵי כֵן הוֹדִיעוֹ בְּבֵאוּר גָּלוּת אַחֶרֶת שֶׁיִּגְלוּ תְּחִלָּה – שֶׁהוּא גָּלוּת מִצְרַיִם, שֶׁכְּבָר נֶעֱנַשׁ בּוֹ כַּאֲשֶׁר פֵּרַשְׁתִּי[68].

[יג] כִּי גֵר יִהְיֶה זַרְעֲךָ בְּאֶרֶץ לֹא לָהֶם. זֶה מִקְרָא מְסוֹרָס, וְשִׁיעוּרוֹ: "כִּי גֵר יִהְיֶה זַרְעֲךָ בְּאֶרֶץ לֹא לָהֶם אַרְבַּע מֵאוֹת שָׁנָה, וַעֲבָדוּם וְעִנּוּ אֹתָם", וְלֹא פֵּרֵשׁ כַּמָּה יְמֵי הָעַבְדוּת וְהָעִנּוּי[69].
וְהַרְבֵּה מִקְרָאוֹת מְסֹרָסוֹת יֵשׁ בַּכָּתוּב. וְכֵן "בָּא אֵלַי הָעֶבֶד הָעִבְרִי אֲשֶׁר הֵבֵאתָ לָנוּ לְצַחֶק בִּי"[70] [לקמן לט, יז],

RAMBAN ELUCIDATED

with him to give the land to his offspring as an everlasting inheritance, אָמַר לוֹ כְּמְשַׁיֵּר בְּמַתְּנָתוֹ – **He said to him, as one who retains certain rights** for himself **when giving a gift,** שֶׁאַרְבַּע גָּלֻיּוֹת יִשְׁתַּעְבְּדוּ בְּבָנָיו וְיִמְשְׁלוּ בְּאַרְצָם – **that the Four Kingdoms would subjugate his descendants and rule over their land.**[67] וְזֶה בְּעַל מְנַת אִם יֶחֶטְאוּ לְפָנָיו – **This** reservation **was conditional** – the stipulated subjugations would occur only **if [Abraham's descendants] would sin before Him.**

[Ramban now explains the connection between this symbolic allusion to the Four Kingdoms and God's next words to Abraham (*"Know... that your offspring shall be aliens in a land not their own"*):]

וְאַחֲרֵי כֵן – **After this** general allusion to the exiles of the Four Kingdoms, הוֹדִיעוֹ בְּבֵאוּר גָּלוּת אַחֶרֶת שֶׁיִּגְלוּ תְּחִלָּה – **[God] informed him *explicitly* of yet another exile that** his offspring **would experience before** the others – שֶׁהוּא גָּלוּת מִצְרַיִם – **namely, the exile in Egypt,** שֶׁכְּבָר נֶעֱנַשׁ בּוֹ כַּאֲשֶׁר פֵּרַשְׁתִּי – **which had already been** decreed **as punishment for [Abraham], as I have explained.**[68]

13. כִּי גֵר יִהְיֶה זַרְעֲךָ בְּאֶרֶץ לֹא לָהֶם – ***THAT YOUR OFFSPRING SHALL BE ALIENS IN A LAND NOT THEIR OWN,*** [*and they will enslave them and oppress them, four hundred years*].

[The "Covenant Between the Parts" foretold two kinds of distress for Abraham's descendants: (1) being aliens in a foreign land and (2) suffering servitude and affliction at the hands of another nation. The structure of the verse would make it seem that the four hundred years applies to both distresses. Ramban notes that this is not so:]

זֶה מִקְרָא מְסוֹרָס – **This is an inverted verse**, i.e., it must be understood as if the words were written in a different order. וְשִׁיעוּרוֹ: "כִּי גֵר יִהְיֶה זַרְעֲךָ בְּאֶרֶץ לֹא לָהֶם אַרְבַּע מֵאוֹת שָׁנָה, וַעֲבָדוּם וְעִנּוּ אֹתָם" – **It is equivalent to** having said: **"that your offspring shall be aliens in a land not their own four hundred years, and they will enslave them and oppress them."** That is, "four hundred years" applies only to the time that they will be aliens in a land not their own; וְלֹא פֵּרֵשׁ כַּמָּה יְמֵי הָעַבְדוּת וְהָעִנּוּי – but **[Scripture] did not specify how many years the servitude and oppression** would last.[69]

[Ramban proceeds to show that it is not unusual for verses to be worded in such an "inverted" fashion:]

וְהַרְבֵּה מִקְרָאוֹת מְסֹרָסוֹת יֵשׁ בַּכָּתוּב – **There are many** such **inverted verses in Scripture.** וְכֵן "בָּא אֵלַי הָעֶבֶד הָעִבְרִי אֲשֶׁר הֵבֵאתָ לָנוּ לְצַחֶק בִּי" – **Similarly,** we find, ***He came to me – the Hebrew slave whom***

67. God, in effect, told Abraham, "This land is yours – with the stipulation that under certain circumstances it will be subject to subjugation by others."

68. See Ramban above, 12:10.

69. This must be so, for Abraham's descendants were in Egypt for only 210 years – and not all of that time

יד וְגַם אֶת־הַגּוֹי אֲשֶׁר יַעֲבֹדוּ דָּן אָנֹכִי וְאַחֲרֵי־כֵן

יד וְאַף יָת עַמָּא דִּיִפְלְחוּן בְּהוֹן דָּיִין אֲנָא וּבָתַר כֵּן

רש״י

(יד) וגם את הגוי. וגם לרבות הארבע מלכיות (ב״ר מד:יט) שאף הם כלים על ששעבדו את ישראל (פדר״א פכ״ח, פל״ה): דן אנכי. בעשר מכות (ב״ר מד:כ):

רמב״ן

וְכֵן ״וְכָל הָאָרֶץ בָּאוּ מִצְרַיְמָה לִשְׁבֹּר אֶל יוֹסֵף״[71] [שם מא, נז], וְכֵן ״כִּי כָּל אֹכֵל חָמֵץ וְנִכְרְתָה הַנֶּפֶשׁ הַהִוא מִיִּשְׂרָאֵל מִיּוֹם הָרִאשֹׁן עַד יוֹם הַשְּׁבִעִי״[72] [שמות יב, טו], וְכֵן ״בַּיּוֹם הַהוּא יַשְׁלִיךְ הָאָדָם אֵת אֱלִילֵי כַסְפּוֹ וְאֵת אֱלִילֵי זְהָבוֹ אֲשֶׁר עָשׂוּ לוֹ לְהִשְׁתַּחֲוֹת לַחְפֹּר פֵּרוֹת וְלָעֲטַלֵּפִים״[73] [ישעיה ב, כ], וְכֵן ״לְכוּ שִׁמְעוּ וַאֲסַפְּרָה כָּל יִרְאֵי אֱלֹהִים אֲשֶׁר עָשָׂה לְנַפְשִׁי״[74] [תהלים סו, טז], וְכֵן ״לִי יִזְעָקוּ אֱלֹהַי יְדַעֲנוּךָ יִשְׂרָאֵל״[75] [הושע ח, ב], וְכֵן ״וְהָיוּ לִי אָמַר ה׳ צְבָאוֹת לַיּוֹם אֲשֶׁר אֲנִי עֹשֶׂה סְגֻלָּה וְחָמַלְתִּי עֲלֵיהֶם״[76] [מלאכי ג, יז], וְרַבִּים כֵּן.

וְעִנְיַן הַכָּתוּב: אַף עַל פִּי שֶׁאֲנִי אוֹמֵר לְךָ ״לְזַרְעֲךָ נָתַתִּי אֶת הָאָרֶץ הַזֹּאת״ [לקמן פסוק יח], יָדוֹעַ תֵּדַע

RAMBAN ELUCIDATED

you brought to us to sport with me[70] (below, 39:17); **וְכֵן ״וְכָל הָאָרֶץ בָּאוּ מִצְרַיְמָה לִשְׁבֹּר אֶל יוֹסֵף״** – **and similarly,** ***All the land came to Egypt to buy provisions to Joseph***[71] (ibid. 41:57); **וְכֵן ״כִּי כָּל אֹכֵל חָמֵץ וְנִכְרְתָה הַנֶּפֶשׁ הַהִוא מִיִּשְׂרָאֵל מִיּוֹם הָרִאשֹׁן עַד יוֹם הַשְּׁבִעִי״** – **and similarly,** ***Anyone who eats leavened food, that soul shall be cut off from Israel from the first day to the seventh day***[72] (*Exodus* 12:15); **וְכֵן ״בַּיּוֹם הַהוּא יַשְׁלִיךְ הָאָדָם אֵת אֱלִילֵי כַסְפּוֹ וְאֵת אֱלִילֵי זְהָבוֹ אֲשֶׁר עָשׂוּ לוֹ לְהִשְׁתַּחֲוֹת לַחְפֹּר פֵּרוֹת וְלָעֲטַלֵּפִים״** – **and similarly,** ***On that day each man will throw away his silver gods and his golden gods that were made for him for bowing down to pits and batcaves***[73] (*Isaiah* 2:20); **וְכֵן ״לְכוּ שִׁמְעוּ וַאֲסַפְּרָה כָּל יִרְאֵי אֱלֹהִים אֲשֶׁר עָשָׂה לְנַפְשִׁי״** – **and similarly,** ***Come and hearken, and I shall tell of all the fearers of God what He made for my soul***[74] (*Psalms* 66:16); **וְכֵן ״לִי יִזְעָקוּ אֱלֹהַי יְדַעֲנוּךָ יִשְׂרָאֵל״** – **and similarly,** ***To me they should cry out: My God, we acknowledge You, Israel!***[75] (*Hoshea* 8:2); **וְכֵן ״וְהָיוּ לִי אָמַר ה׳ צְבָאוֹת לַיּוֹם אֲשֶׁר אֲנִי עֹשֶׂה סְגֻלָּה וְחָמַלְתִּי עֲלֵיהֶם״** – **and similarly,** ***They will be for Me, said HASHEM, Master of Legions, on the day which I am bringing about a precious treasure, and I will have mercy on them***[76] (*Malachi* 3:17). **וְרַבִּים כֵּן** – And there are **many** other examples **like this.**

[The central theme of the "Covenant Between the Parts" is God's bestowal of *Eretz Yisrael* as a gift to Abraham (see below, v. 18). What is the link between this prophecy of the future suffering and servitude of Abraham's descendants, and this Covenant? Ramban explains:]

וְעִנְיַן הַכָּתוּב: – **The point of the verse is** that God told Abraham: **אַף עַל פִּי שֶׁאֲנִי אוֹמֵר לְךָ ״לְזַרְעֲךָ נָתַתִּי אֶת הָאָרֶץ הַזֹּאת״** – **"Although I tell you,** ***'To your descendants have I given this land'*** (v. 18), **יָדוֹעַ תֵּדַע**

involved servitude or oppression. Their status as "aliens," however, did indeed last for 400 years, as Rashi explains.

70. The way the verse is written, it appears to say that the speaker is accusing her husband of bringing the Hebrew slave for the purpose of sporting with her. The proper word order should seemingly have been: "He came to me to sport with me – the Hebrew slave whom you brought to us."

71. The way the verse is written, it appears to say that all the people came to Egypt so that they could buy provisions to take to Joseph. The proper word order should seemingly have been: "All the land came to Egypt, to Joseph, to buy provisions."

72. The way the verse is written, it appears to say that the punishment for eating leavened food on Passover is being cut off from Israel for seven days. The proper word order should seemingly have been: "Anyone who eats leavened food from the first day to the seventh day, that soul shall be cut off from Israel."

73. The way the verse is written, it appears to say that the gods were made so that people could bow down to pits and batcaves. The proper word order should seemingly have been: "On that day each man will throw away to pits and batcaves his silver gods and his golden gods that were made for him for bowing down."

74. The proper word order should seemingly have been: "Come and hearken, all fearers of God, and I shall tell of all that He has done for my soul." ("Done" and "made" are both expressed by the same Hebrew word, עשה.)

75. The proper word order should seemingly have been: "To Me Israel should cry out: My God, we acknowledge You!"

76. The way the verse is written, it appears to say that the day which God is bringing about is itself a precious

[14] *And also the nation that they will serve, I shall judge, and afterwards*

רמב"ן

כִּי טֶרֶם תִּתִּי אוֹתָהּ לָהֶם יִהְיוּ גֵּרִים בְּאֶרֶץ לֹא לָהֶם אַרְבַּע מֵאוֹת שָׁנָה, וְגַם יַעַבְדוּם וְעִנּוּ אוֹתָם.

וְרַבִּי אַבְרָהָם אָמַר: יָדוֹעַ תֵּדַע כִּי גֵר יִהְיֶה זַרְעֲךָ בְּעַבְדוּת וְעִנּוּי עַד קֵץ אַרְבַּע מֵאוֹת שָׁנָה מִן הַיּוֹם הַזֶּה. וְאִם כֵּן הוֹדִיעוֹ קֵץ הַגְּאוּלָה, וְלֹא הוֹדִיעוֹ כַּמָּה יְמֵי הַגָּלוּת[77]. גַּם נָכוֹן הוּא[78].

[יד] וְגַם אֶת הַגּוֹי אֲשֶׁר יַעֲבֹדוּ. "וְגַם" – לְרַבּוֹת ד' מַלְכוּיוֹת, שֶׁאַף הֵן כָּלִין עַל שֶׁשִּׁעְבְּדוּ אֶת יִשְׂרָאֵל. לְשׁוֹן רַשִׁ"י.

וְעַל דֶּרֶךְ הַפְּשָׁט, יֹאמַר "כַּאֲשֶׁר דַּנְתִּי אֶת בָּנֶיךָ בְּגָלוּת וְעִנּוּי עַל עָוֹן אֲשֶׁר חֵטְא[79] – גַּם אֶת הַגּוֹי אֲשֶׁר יַעַבְדוּ אָדִין עַל הֶחָמָס אֲשֶׁר יַעֲשׂוּ לָהֶם"[80].

RAMBAN ELUCIDATED

כִּי טֶרֶם תִּתִּי אוֹתָהּ לָהֶם יִהְיוּ גֵּרִים בְּאֶרֶץ לֹא לָהֶם אַרְבַּע מֵאוֹת שָׁנָה – know with certainty that before I give it to them they will be aliens in a land not their own for four hundred years, וְגַם יַעַבְדוּם וְעִנּוּ אוֹתָם – and also [the host nation] will enslave them and oppress them."

[Ramban now cites Ibn Ezra who proposes an alternate means of reconciling the seeming contradiction between the prophecy of the 400 years and the Israelites' actual 210-year presence in Egypt:]

וְרַבִּי אַבְרָהָם אָמַר: – **Rabbi Avraham** Ibn Ezra **states** that the verse should be understood as follows: יָדוֹעַ תֵּדַע כִּי גֵר יִהְיֶה זַרְעֲךָ בְּעַבְדוּת וְעִנּוּי עַד קֵץ אַרְבַּע מֵאוֹת שָׁנָה מִן הַיּוֹם הַזֶּה – **"Know with certainty that your offspring shall be aliens, under servitude and oppression, until the end of four hundred years from today."** וְאִם כֵּן הוֹדִיעוֹ קֵץ הַגְּאוּלָה – **If so, [God] informed [Abraham] of a time limit for the redemption,** וְלֹא הוֹדִיעוֹ כַּמָּה יְמֵי הַגָּלוּת – **but did not inform him how many years the exile** would last.[77] גַּם נָכוֹן הוּא – **This, too, is a valid interpretation.**[78]

14. וְגַם אֶת הַגּוֹי אֲשֶׁר יַעֲבֹדוּ דָּן אָנֹכִי – ***AND ALSO THE NATION THAT THEY WILL SERVE, I SHALL JUDGE.***

["And *also* the nation ... I shall judge" implies that God will judge someone else as well. Who is this "other" that is being judged? Ramban explains, beginning by citing Rashi:]

"וְגַם" – לְרַבּוֹת ד' מַלְכוּיוֹת – ***And also*** is written **to include the Four Kingdoms,** besides Egypt, that were destined to subjugate Israel, **שֶׁאַף הֵן כָּלִין עַל שֶׁשִּׁעְבְּדוּ אֶת יִשְׂרָאֵל – for they, too, will be annihilated because they subjugated Israel.**

לְשׁוֹן רַשִׁ"י – This is a quote from Rashi.

[Ramban suggests an alternate explanation for the word "also":]

וְעַל דֶּרֶךְ הַפְּשָׁט – According to the plain interpretation, **יֹאמַר "כַּאֲשֶׁר דַּנְתִּי אֶת בָּנֶיךָ בְּגָלוּת וְעִנּוּי עַל עָוֹן אֲשֶׁר חֵטְא – [God] was saying that "Just as I pronounced judgment against your descendants that they be exiled and oppressed for the 'sin that was an iniquity,'**[79] **גַּם אֶת הַגּוֹי אֲשֶׁר יַעַבְדוּ אָדִין עַל הֶחָמָס אֲשֶׁר יַעֲשׂוּ לָהֶם" – I shall also judge the nation that [your descendants] will serve, for the injustice that [the nation] will do to them."**[80]

---

treasure. The proper word order should seemingly have been: "They will be for Me a precious treasure, said HASHEM, Master of Legions, on the day which I am bringing about, and I will have mercy on them."

77. According to Ibn Ezra, "four hundred years" relates to both kinds of affliction foretold at the Covenant – namely, being aliens and being enslaved and oppressed. However, he does not see "four hundred years" as the *duration* of either of these afflictions, but rather that the time of the Redemption would be four hundred years after the "Covenant Between the Parts."

78. The explanation of Ibn Ezra has the advantage that there is no need to transpose the words of the verse.

79. Stylistic citation from *Hosea* 12:9. See above, 12:10 for Ramban's explanation of the "iniquity" that engendered the punishments of the "Covenant Between the Parts."

80. The word "also," then, refers to the Israelites. Just as they will be punished with exile and oppression, so will their oppressors be punished for the suffering they will have inflicted.

רמב"ן

וְהַנָּכוֹן בְּעֵינַי, כִּי טַעַם "וְגַם": אַף עַל פִּי שֶׁאֲנִי גָזַרְתִּי עַל זַרְעֲךָ לִהְיוֹת גֵּרִים בְּאֶרֶץ לֹא לָהֶם, וַעֲבָדוּם וְעִנּוּ אוֹתָם – אַף עַל פִּי כֵן אֶשְׁפּוֹט אֶת הַגּוֹי אֲשֶׁר יַעַבְדוּ עַל אֲשֶׁר יַעֲשׂוּ לָהֶם[81], וְלֹא יִפָּטְרוּ בַּעֲבוּר שֶׁעָשׂוּ גְזֵרָתִי.

וְהַטַּעַם, כְּמוֹ שֶׁאָמַר הַכָּתוּב: [זכריה א, יד-טו] "קִנֵּאתִי לִירוּשָׁלַםִ וּלְצִיּוֹן קִנְאָה גְדוֹלָה, וְקֶצֶף גָּדוֹל אֲנִי קֹצֵף עַל הַגּוֹיִם הַשַּׁאֲנַנִּים אֲשֶׁר אֲנִי קָצַפְתִּי מְּעָט וְהֵמָּה עָזְרוּ לְרָעָה"[82] וְאוֹמֵר: [ישעיה מז, ו] "קָצַפְתִּי עַל עַמִּי חִלַּלְתִּי נַחֲלָתִי וְגוֹ' "[82]. וְכֵן הָיָה בְּמִצְרַיִם, שֶׁהוֹסִיפוּ לְהָרַע, כִּי הִשְׁלִיכוּ בְּנֵיהֶם לַיְאוֹר, וַיְמָרְרוּ אֶת חַיֵּיהֶם וְחָשְׁבוּ לִמְחוֹת אֶת שְׁמָם.

וְזֶה טַעַם "דָּן אָנֹכִי" שֶׁאָבִיא אוֹתָם בְּמִשְׁפָּט, אִם עָשׂוּ כַּנִּגְזָר עֲלֵיהֶם אוֹ הוֹסִיפוּ לְהָרַע לָהֶם[83]. וְזֶהוּ מַה שֶּׁאָמַר יִתְרוֹ [שמות יח, יא]: "כִּי בַדָּבָר אֲשֶׁר זָדוּ עֲלֵיהֶם"[84] כִּי הַנִּדּוֹן הוּא שֶׁהֵבִיא עֲלֵיהֶם הָעוֹנֶשׁ הַגָּדוֹל

RAMBAN ELUCIDATED

[Ramban now offers what he considers to be the best explanation:]

וְהַנָּכוֹן בְּעֵינַי, כִּי טַעַם "וְגַם" – The most satisfactory interpretation in my view is that the explanation for *And also* is: אַף עַל פִּי שֶׁאֲנִי גָזַרְתִּי עַל זַרְעֲךָ לִהְיוֹת גֵּרִים בְּאֶרֶץ לֹא לָהֶם, וַעֲבָדוּם וְעִנּוּ אוֹתָם – Although I have decreed for your descendants to be "aliens in a land not their own," and that [the host nation] "will enslave them and oppress them," אַף עַל פִּי כֵן אֶשְׁפּוֹט אֶת הַגּוֹי אֲשֶׁר יַעַבְדוּ עַל אֲשֶׁר יַעֲשׂוּ לָהֶם – nevertheless, I shall pass judgment against the nation whom [Israel] will serve for what they will do to [Israel],[81] וְלֹא יִפָּטְרוּ בַּעֲבוּר שֶׁעָשׂוּ גְזֵרָתִי – and they will not be acquitted on the grounds that they carried out My decree.

[Ramban now digresses to a lengthy discussion of a basic philosophical question that arises in light of his last interpretation: Why should the perpetrator of an offense be held accountable if that "offense" was in fact ordained by God? Ramban gives several explanations:]

וְהַטַּעַם כְּמוֹ שֶׁאָמַר הַכָּתוּב: "קִנֵּאתִי לִירוּשָׁלַםִ וּלְצִיּוֹן קִנְאָה גְדוֹלָה, וְקֶצֶף גָּדוֹל אֲנִי קֹצֵף עַל הַגּוֹיִם הַשַּׁאֲנַנִּים אֲשֶׁר אֲנִי קָצַפְתִּי מְּעָט וְהֵמָּה עָזְרוּ לְרָעָה" – The reason they will be held accountable **is, as the verse states** regarding subsequent enemies of Israel, ***I have become zealous for Jerusalem and Zion with great zeal; and I will become enraged with great rage against the complacent nations, who, when I became slightly angry, augmented the adversity***[82] (*Zechariah* 1:14-15). **וְאוֹמֵר: "קָצַפְתִּי עַל עַמִּי חִלַּלְתִּי נַחֲלָתִי וְגוֹ' " – And it states, *I became angry at My people; I degraded My heritage, etc.*** *[and I delivered them into your hand. But you showed them no compassion; you intensified your yoke greatly [even] upon the aged] (Isaiah 47:6).*[82] **וְכֵן הָיָה בְּמִצְרַיִם, שֶׁהוֹסִיפוּ לְהָרַע – And so it was with Egypt; they increased their mistreatment** of the Israelites beyond their mandate, **כִּי הִשְׁלִיכוּ בְּנֵיהֶם לַיְאוֹר, וַיְמָרְרוּ אֶת חַיֵּיהֶם וְחָשְׁבוּ לִמְחוֹת אֶת שְׁמָם – for they threw their children into the river and embittered their lives and attempted to eradicate the name [of Israel]** altogether.

וְזֶה טַעַם "דָּן אָנֹכִי" – This, then, is the explanation of *I shall judge:* שֶׁאָבִיא אוֹתָם בְּמִשְׁפָּט, אִם עָשׂוּ כַּנִּגְזָר עֲלֵיהֶם אוֹ הוֹסִיפוּ לְהָרַע לָהֶם – I shall bring them to judgment to determine **whether they did what was decreed for them** to do **or did** they **increase their mistreatment of them** beyond their mandate.[83] **וְזֶהוּ מַה שֶּׁאָמַר יִתְרוֹ: "כִּי בַדָּבָר אֲשֶׁר זָדוּ עֲלֵיהֶם" – This is** also the meaning of **what Jethro said,** "[*Now I know that* Hashem *is greater than all the gods,*] ***through the matter that [the Egyptians] acted wickedly against them*"** (*Exodus* 18:11),[84] **כִּי הַנִּדּוֹן הוּא שֶׁהֵבִיא עֲלֵיהֶם הָעוֹנֶשׁ הַגָּדוֹל**

81. According to this interpretation, "also" connotes: "They will oppress your offspring by My decree, but they will *also* be punished for the oppression they have inflicted." The word וְגַם in the text might thus be better rendered "But also" (i.e., "nevertheless") rather than "And also." (See Ramban below, 29:30.)

82. The idea expressed by this verse is that the nations who oppressed Israel, although they were acting as God's messengers, went far beyond their mandate in carrying out God's punishment against His people. For that additional oppression they could not expect to be exonerated for their actions. The same may be said for the Egyptian persecution of the Jews, as Ramban goes on to show.

83. According to this interpretation, "I shall judge them" means "I shall put them on trial," to determine whether they acted properly or not. According to the first two interpretations, however, "I shall judge" means "I shall pronounce judgment against them."

84. Jethro knew that the exile in Egypt was foreordained, but he recognized that the Egyptians had overstepped the bounds of the predetermined punishment, and that it was only for this "wickedness" that

רמב״ן

שֶׁאִבְּדָם מִן הָעוֹלָם. וְכֵן ״כִּי יָדַעְתָּ כִּי הֵזִידוּ עֲלֵיהֶם״ [נחמיה ט, י].

וְהָרַב נָתַן טַעַם בְּסֵפֶר הַמַּדָּע[85] [הל׳ תשובה ו, ה]: לְפִי שֶׁלֹּא גָּזַר עַל אִישׁ יָדוּעַ. וְכָל אוֹתָם הַמְּרִיעִים לְיִשְׂרָאֵל, אִלּוּ לֹא רָצָה כָּל אֶחָד מֵהֶם – הָרְשׁוּת בְּיָדוֹ, לְפִי שֶׁלֹּא נִגְזַר עַל אִישׁ יָדוּעַ[86].

וְלֹא נִתְכְּנוּ דְּבָרָיו אֶצְלִי. שֶׁאֲפִלּוּ גָּזַר שֶׁאֶחָד מִכָּל הָאֻמּוֹת יָרַע לָהֶם בְּכָךְ וְכָךְ, וְקָדַם זֶה וְעָשָׂה גְּזֵרָתוֹ שֶׁל הַקָּדוֹשׁ בָּרוּךְ הוּא – זָכָה בִּדְבַר מִצְוָה! וּמַה טַּעַם בִּדְבָרָיו? כַּאֲשֶׁר יְצַוֶּה הַמֶּלֶךְ שֶׁיַּעֲשׂוּ בְּנֵי מְדִינָה פְּלוֹנִית מַעֲשֶׂה מִן הַמַּעֲשִׂים, הַמִּתְרַשֵּׁל וּמַטִּיל הַדָּבָר עַל הָאֲחֵרִים – חוֹמֵס וְחוֹטֵא נַפְשׁוֹ[87], וְהָעוֹשֶׂה – יָפִיק רָצוֹן מִמֶּנּוּ[88]! וְכָל שֶׁכֵּן שֶׁהַכָּתוּב אָמַר ״וְגַם אֶת הַגּוֹי אֲשֶׁר יַעֲבֹדוּ״, שֶׁיַּעַבְדוּ הַגּוֹי כֻּלּוֹ[89], וְהֵם הָלְכוּ מֵעַצְמָם לְמִצְרַיִם[90]!

אֲבָל הַטַּעַם כַּאֲשֶׁר כָּתַבְתִּי. וּכְבָר הִזְכִּירוּ רַבּוֹתֵינוּ הָעִנְיָן הַזֶּה. אָמְרוּ בְּוְאֵלֶּה שְׁמוֹת רַבָּה [ל, טו]:

RAMBAN ELUCIDATED

שֶׁאִבְּדָם מִן הָעוֹלָם – **for it was the** Egyptians' ***wickedness*** **that brought such great punishment upon them** to the extent **that [God] annihilated them from the world.** וְכֵן ״כִּי יָדַעְתָּ כִּי הֵזִידוּ עֲלֵיהֶם״ – **Similarly,** it is written, ***For you knew that they [the Egyptians] had dealt wickedly with them*** (*Nehemiah* 9:10).

[Ramban discusses Rambam's answer to our philosophical question:]

וְהָרַב נָתַן טַעַם בְּסֵפֶר הַמַּדָּע – **The Rabbi** (Maimonides) **gave an explanation** for this **in the "Book of Knowledge"**[85] (*Hil. Teshuvah* 6:5): לְפִי שֶׁלֹּא גָּזַר עַל אִישׁ יָדוּעַ – It is **because [God] did not decree that a specific person** should be the instrument of God's punishment. וְכָל אוֹתָם הַמְּרִיעִים לְיִשְׂרָאֵל אִלּוּ לֹא רָצָה כָּל אֶחָד מֵהֶם, הָרְשׁוּת בְּיָדוֹ – He writes: **"All those who mistreated the Jews – if any individual of them had not wanted** to oppress the Jews **the option was his** to refrain from doing so, לְפִי שֶׁלֹּא נִגְזַר עַל אִישׁ יָדוּעַ – **for it was not decreed for any specific [individual]** to carry out the decree of oppressing the Jews."[86]

[Ramban rejects Maimonides' opinion:]

וְלֹא נִתְכְּנוּ דְּבָרָיו אֶצְלִי – **But I do not consider his words well founded.** שֶׁאֲפִלּוּ גָּזַר שֶׁאֶחָד מִכָּל הָאֻמּוֹת יָרַע לָהֶם בְּכָךְ וְכָךְ – **For even if [God] had decreed that an** unspecified **individual from** one of **all the nations should mistreat them in such and such a manner,** וְקָדַם זֶה וְעָשָׂה גְּזֵרָתוֹ שֶׁל הַקָּדוֹשׁ בָּרוּךְ הוּא – **and this one went eagerly and carried out the decree of the Holy One, Blessed is He,** זָכָה בִּדְבַר מִצְוָה – **he has acquired the merit of fulfilling a commandment!** וּמַה טַּעַם בִּדְבָרָיו – **What sense is there in his** (i.e., Rambam's) **words?** כַּאֲשֶׁר יְצַוֶּה הַמֶּלֶךְ שֶׁיַּעֲשׂוּ בְּנֵי מְדִינָה פְּלוֹנִית מַעֲשֶׂה מִן הַמַּעֲשִׂים – On the contrary, **when a king decrees that the people of a certain country should perform a particular act,** הַמִּתְרַשֵּׁל וּמַטִּיל הַדָּבָר עַל הָאֲחֵרִים, חוֹמֵס וְחוֹטֵא נַפְשׁוֹ – **anyone who is lax and leaves the matter up to others** to carry out would be considered by the king as **"one who angers him and forfeits his soul,"**[87] וְהָעוֹשֶׂה, יָפִיק רָצוֹן מִמֶּנּוּ – **while** anyone **who does carry it out "elicits favor from him"!**[88] וְכָל שֶׁכֵּן שֶׁהַכָּתוּב אָמַר ״וְגַם אֶת הַגּוֹי אֲשֶׁר יַעֲבֹדוּ״ – **This is all the more so** in our case, **where the verse says, *And also the "nation" whom they serve*** *[I shall judge],* שֶׁיַּעַבְדוּ הַגּוֹי כֻּלּוֹ – implying **that [the Israelites] would serve an entire nation,**[89] וְהֵם הָלְכוּ מֵעַצְמָם לְמִצְרַיִם – **and** where **they went of their own accord to Egypt!**[90]

אֲבָל הַטַּעַם כַּאֲשֶׁר כָּתַבְתִּי – **Rather, the** correct **explanation is as I wrote** above, that the Egyptians were punished for their excessive cruelty.

[Ramban now demonstrates that the Sages concur with his interpretation:]

וּכְבָר הִזְכִּירוּ רַבּוֹתֵינוּ הָעִנְיָן הַזֶּה – **The Sages have already mentioned this idea.** אָמְרוּ בְּוְאֵלֶּה שְׁמוֹת רַבָּה:

God punished them. (See also Ramban, *Exodus* ibid.)

85. This is the name of the first of the fourteen books that comprise Rambam's great compendium *Yad HaChazakah* or *Mishneh Torah*.

86. Although mistreatment of the Jews was ordained, individual Egyptians did not have to "volunteer" for the task.

87. Stylistic citation from *Proverbs* 20:2.

88. Stylistic citation from ibid. 8:35.

89. None of the Egyptians therefore had the option of leaving the execution of God's decree to others.

90. And as a result, the Egyptian *nation*, as a whole, was not given the option of passing the execution of God's decree on to another nation, for the Israelites themselves "chose" them to be their oppressors and not the other way around.

רמב״ן

מָשָׁל לְמֶלֶךְ שֶׁאָמַר לִבְנוֹ: ״יַעֲשֶׂה עִם פְּלוֹנִי, וְלֹא יְצַעֲרֶנּוּ״, הָלַךְ וְעָשָׂה, אַף עַל פִּי שֶׁעָשָׂה עִמּוֹ חִנָּם - לֹא הִנִּיחַ שֶׁלֹּא הָיָה מְצַעֲרוֹ. כְּשֶׁנִּתְרַצָּה הַמֶּלֶךְ לִבְנוֹ - גָּזַר עַל מְצַעֲרָיו הֲרִיגָה. כָּךְ גָּזַר הַקָּדוֹשׁ בָּרוּךְ הוּא שֶׁיִּהְיוּ יִשְׂרָאֵל מְשֻׁעְבָּדִין בְּמִצְרַיִם; עָמְדוּ עֲלֵיהֶם וְשִׁעְבְּדוּם בְּחֹזֶק. אָמַר הַקָּדוֹשׁ בָּרוּךְ הוּא: הָיָה לָכֶם לִנְהֹג בָּם כַּעֲבָדִים, וְיַעֲשׂוּ צָרְכֵיכֶם. ״אֲנִי קָצַפְתִּי מְּעָט וְהֵמָּה עָזְרוּ לְרָעָה״. עַד כָּאן לְשׁוֹנָם.

וְדָבָר בָּרוּר הוּא כִּי הַשְׁלָכַת בְּנֵיהֶם לַיְאוֹר אֵינָהּ בִּכְלַל ״וַעֲבָדוּם וְעִנּוּ אֹתָם״, אֲבָל הִיא עֲקִירָתָם לְגַמְרֵי. וְכֵן מַה שֶּׁאָמְרוּ תְּחִלָּה [שמות א, י]: ״הָבָה נִתְחַכְּמָה לוֹ פֶּן יִרְבֶּה״[91] אֵינוֹ בִּכְלַל עַבְדוּת וְעִנּוּי מִלְּבַד מַה שֶּׁהוֹסִיפוּ בְּעִנּוּי עַצְמוֹ, ״וַיְמָרְרוּ אֶת חַיֵּיהֶם בַּעֲבֹדָה קָשָׁה וגו׳״[92] [שם פסוק יד]. וְהוּא מַה שֶּׁאָמַר הַכָּתוּב ״וַיַּרְא אֶת עָנְיֵנוּ וְאֶת עֲמָלֵנוּ וְאֶת לַחֲצֵנוּ״[93].

וְדַע וְהָבֵן כִּי הָאִישׁ שֶׁנִּכְתָּב וְנֶחְתָּם בְּרֹאשׁ הַשָּׁנָה לַהֲרִיגָה - לֹא יִנָּקֶה הַלִּסְטִים הַהוֹרֵג אוֹתוֹ בַּעֲבוּר שֶׁעָשָׂה מַה שֶּׁנִּגְזַר עָלָיו. הוּא רָשָׁע בַּעֲוֹנוֹ יָמוּת, וְדָמוֹ מִיַּד הָרוֹצֵחַ יְבֻקָּשׁ[94]. אֲבָל כַּאֲשֶׁר

RAMBAN ELUCIDATED

– They said in *V'eileh Shemos Rabbah* (30:15): מָשָׁל לְמֶלֶךְ שֶׁאָמַר לִבְנוֹ: ״יַעֲשֶׂה עִם פְּלוֹנִי וְלֹא יְצַעֲרֶנּוּ״ – **This may be compared to a king who decreed** a punishment **against his son, "He must labor for So-and-so, but [that man] may not maltreat him."** הָלַךְ וְעָשָׂה, אַף עַל פִּי שֶׁעָשָׂה עִמּוֹ חִנָּם, לֹא הִנִּיחַ שֶׁלֹּא הָיָה מְצַעֲרוֹ – **[The son] went and worked** for the designated man, and **although he worked for him without receiving wages, he did not desist from maltreating him.** כְּשֶׁנִּתְרַצָּה הַמֶּלֶךְ לִבְנוֹ – **When the king** later **became appeased toward his son** and discovered what had been done to his son, גָּזַר עַל מְצַעֲרָיו הֲרִיגָה – **he sentenced [the son's] tormentors to death.** כָּךְ גָּזַר הַקָּדוֹשׁ בָּרוּךְ הוּא שֶׁיִּהְיוּ יִשְׂרָאֵל מְשֻׁעְבָּדִין בְּמִצְרַיִם – **So, too, the Holy One, Blessed is He, decreed that the Israelites would be subjugated in Egypt;** עָמְדוּ עֲלֵיהֶם וְשִׁעְבְּדוּם בְּחֹזֶק – **they rose up over them and subjugated them** too **harshly.** אָמַר הַקָּדוֹשׁ בָּרוּךְ הוּא: הָיָה לָכֶם לִנְהֹג בָּם כַּעֲבָדִים וְיַעֲשׂוּ צָרְכֵיכֶם – So **the Holy One, Blessed is He, said** to them, **"You should have treated them as servants, having them attend to your needs."** ״אֲנִי קָצַפְתִּי מְּעָט וְהֵמָּה עָזְרוּ לְרָעָה״ – ***I became slightly angry, but they augmented the adversity*** (*Zechariah* 1:15). עַד כָּאן לְשׁוֹנָם – **End quote.**

[Ramban now elaborates on how the Egyptians overstepped the bounds of the "Covenant Between the Parts" in their treatment of Israel:]

וְדָבָר בָּרוּר הוּא – **Now, it is clear** כִּי הַשְׁלָכַת בְּנֵיהֶם לַיְאוֹר אֵינָהּ בִּכְלַל ״וַעֲבָדוּם וְעִנּוּ אֹתָם״ – **that throwing [the Israelites'] sons into the river was not included in** the prophecy of ***They will enslave them and oppress them,*** אֲבָל הִיא עֲקִירָתָם לְגַמְרֵי – **but was rather** an attempt to achieve **their total annihilation.** וְכֵן מַה שֶּׁאָמְרוּ תְּחִלָּה: ״הָבָה נִתְחַכְּמָה לוֹ פֶּן יִרְבֶּה״, אֵינוֹ בִּכְלַל עַבְדוּת וְעִנּוּי – **Similarly, that which [the Egyptians] initially said, *Come, let us deal wisely with [Israel], lest it become numerous***[91] (*Exodus* 1:10), **is not included within** the prophecy's terms, **"servitude" and "oppression."** מִלְּבַד מַה שֶּׁהוֹסִיפוּ בְּעִנּוּי עַצְמוֹ, ״וַיְמָרְרוּ אֶת חַיֵּיהֶם בַּעֲבֹדָה קָשָׁה וגו׳״ – These arguments are **besides** the fact **that they intensified the oppression itself when *they embittered their life with difficult labor, etc.*** (ibid. 1:14).[92] וְהוּא מַה שֶּׁאָמַר הַכָּתוּב ״וַיַּרְא אֶת עָנְיֵנוּ וְאֶת עֲמָלֵנוּ וְאֶת לַחֲצֵנוּ״ – **This is** the meaning of **what Scripture says, *And He saw our oppression, our travail and our strain***[93] (*Deuteronomy* 26:7).

[Ramban continues his discussion of the circumstances under which an oppressor might claim exoneration on the grounds that the act he did was in any event decreed by God:]

וְדַע וְהָבֵן כִּי הָאִישׁ שֶׁנִּכְתָּב וְנֶחְתָּם בְּרֹאשׁ הַשָּׁנָה לַהֲרִיגָה – **You should know and understand that when a man's** fate **is inscribed and sealed on Rosh Hashanah** decreeing **that he be killed,** לֹא יִנָּקֶה הַלִּסְטִים הַהוֹרֵג אוֹתוֹ בַּעֲבוּר שֶׁעָשָׂה מַה שֶּׁנִּגְזַר עָלָיו – **the bandit who kills him is not exonerated on the grounds that he** merely **did what was decreed for [the victim].** הוּא רָשָׁע בַּעֲוֹנוֹ יָמוּת וְדָמוֹ מִיַּד הָרוֹצֵחַ יְבֻקָּשׁ – Rather, ***He, the wicked one, will die for his sin, and [the victim's] blood will be***

91. It was then that taskmasters were appointed to oppress the Israelites with unbearable burdens.

92. Besides inflicting on the Israelites cruel injustices not included in "servitude and oppression," even when the Egyptians did subject them to "servitude" — which they were entitled to do — they went far beyond what was called for.

93. "Travail" and "strain" were totally uncalled for by the terms of the prophecy and even the "oppression," which *was* included in the prophecy, was taken too far.

רמב״ן

תֵּצֵא הַגְּזֵרָה עַל פִּי נָבִיא – יֵשׁ בָּעוֹשֶׂה אוֹתָהּ דִּינִים. כִּי אִם שָׁמַע אוֹתָהּ וְרָצָה לַעֲשׂוֹת רְצוֹן בּוֹרְאוֹ כַּנִּגְזָר – אֵין עָלָיו חֵטְא, אֲבָל יֵשׁ לוֹ זְכוּת בּוֹ כַּאֲשֶׁר אָמַר בְּיֵהוּא [מלכים־ב י, ל]: ״יַעַן אֲשֶׁר הֱטִיבֹתָ לַעֲשׂוֹת הַיָּשָׁר בְּעֵינַי כְּכֹל אֲשֶׁר בִּלְבָבִי עָשִׂיתָ לְבֵית אַחְאָב בְּנֵי[ם] רְבִעִים יֵשְׁבוּ לְךָ עַל כִּסֵּא יִשְׂרָאֵל״. אֲבָל אִם לֹא שָׁמַע הַמִּצְוָה, וְהָרַג אוֹתוֹ לְשִׂנְאָה אוֹ לְשָׁלֹל אוֹתוֹ – יֵשׁ עָלָיו הָעֹנֶשׁ[95], כִּי הוּא לְחֵטְא נִתְכַּוֵּן, וַעֲבֵרָה הוּא לוֹ[96].

וְכֵן הַכָּתוּב אוֹמֵר בְּסַנְחֵרִיב [ישעיה י, ה־ו]: ״הוֹי אַשּׁוּר שֵׁבֶט אַפִּי וְגוֹ׳ בְּגוֹי חָנֵף אֲשַׁלְּחֶנּוּ וְעַל עַם עֶבְרָתִי אֲצַוֶּנּוּ״. וְאָמַר הַכָּתוּב [שם פסוק ז]: ״וְהוּא לֹא כֵן יְדַמֶּה וּלְבָבוֹ לֹא כֵן יַחְשֹׁב כִּי לְהַשְׁמִיד בִּלְבָבוֹ״, וְעַל כֵּן הֶעֱנִישׁוֹ בַּסּוֹף, כְּמוֹ שֶׁנֶּאֱמַר [שם פסוק יב]: ״וְהָיָה כִּי יְבַצַּע אֲדֹנָי אֶת כָּל מַעֲשֵׂהוּ בְּהַר צִיּוֹן וּבִירוּשָׁלָםִ אֶפְקֹד עַל פְּרִי גֹדֶל לְבַב מֶלֶךְ אַשּׁוּר וְעַל תִּפְאֶרֶת רוּם עֵינָיו וְגוֹ׳״ וְאָמַר בּוֹ עוֹד [ירמיהו נ, יז־יח]: ״שֶׂה פְזוּרָה יִשְׂרָאֵל אֲרָיוֹת הִדִּיחוּ, הָרִאשׁוֹן אֲכָלוֹ מֶלֶךְ אַשּׁוּר וְזֶה הָאַחֲרוֹן עִצְּמוֹ נְבוּכַדְרֶאצַּר מֶלֶךְ בָּבֶל. לָכֵן כֹּה אָמַר ה׳ [וְגוֹ׳] הִנְנִי פֹקֵד אֶל מֶלֶךְ בָּבֶל

RAMBAN ELUCIDATED

demanded from the hand of the murderer.[94] **אֲבָל כַּאֲשֶׁר תֵּצֵא הַגְּזֵרָה עַל פִּי נָבִיא – But when a decree goes forth by the word of a prophet,** **יֵשׁ בָּעוֹשֶׂה אוֹתָהּ דִּינִים** – there are varying **rules** applying **to the person who carries it out.** **כִּי אִם שָׁמַע אוֹתָהּ וְרָצָה לַעֲשׂוֹת רְצוֹן בּוֹרְאוֹ כַּנִּגְזָר, אֵין עָלָיו חֵטְא – For if he heard [the prophecy] and desires to do the will of his Creator as has been decreed, he has no sin** in carrying out the punishment, **אֲבָל יֵשׁ לוֹ זְכוּת בּוֹ – but,** on the contrary, **he has a merit in [doing so].** **כַּאֲשֶׁר אָמַר בְּיֵהוּא:** – This is **as it says concerning Jehu,** who annihilated the entire house of Ahab: **״יַעַן אֲשֶׁר הֱטִיבֹתָ לַעֲשׂוֹת הַיָּשָׁר בְּעֵינַי כְּכֹל אֲשֶׁר בִּלְבָבִי עָשִׂיתָ לְבֵית אַחְאָב בְּנֵי(ם) רְבִעִים יֵשְׁבוּ לְךָ עַל כִּסֵּא יִשְׂרָאֵל״** – ***Because you have done well, doing that which is upright in My eyes – for you have done to the House of Ahab according to all that was My will – your descendants up to the fourth generation will sit upon the throne of Israel for your sake*** (*II Kings* 10:30). **אֲבָל אִם לֹא שָׁמַע הַמִּצְוָה, וְהָרַג אוֹתוֹ לְשִׂנְאָה אוֹ לְשָׁלֹל אוֹתוֹ – But if he did not hear the commandment** from the prophet, **but killed [his victim] out of hatred or to rob him,** **יֵשׁ עָלָיו הָעֹנֶשׁ – there will be punishment for him,**[95] **כִּי הוּא לְחֵטְא נִתְכַּוֵּן – for his intention was sinful,** **וַעֲבֵרָה הוּא לוֹ – and [his act] is** thus considered **an iniquity for him.**[96]

[Ramban illustrates this principle with some Biblical examples:]

וְכֵן הַכָּתוּב אוֹמֵר בְּסַנְחֵרִיב: – Similarly, Scripture says regarding Sennacherib: **״הוֹי אַשּׁוּר שֵׁבֶט אַפִּי וְגוֹ׳ בְּגוֹי חָנֵף אֲשַׁלְּחֶנּוּ וְעַל עַם עֶבְרָתִי אֲצַוֶּנּוּ״ – *Woe to Assyria, the rod of My anger* etc. *I will send them against a hypocritical people [Israel] and I will charge them against the people*** *who have incurred* ***My wrath*** (*Isaiah* 10:5-6). Thus God designated Assyria as the instrument of His punishment against Israel. **וְאָמַר הַכָּתוּב: ״וְהוּא לֹא כֵן יְדַמֶּה וּלְבָבוֹ לֹא כֵן יַחְשֹׁב כִּי לְהַשְׁמִיד בִּלְבָבוֹ״ – And** then **Scripture says, *But he does not realize this, and his heart does not think like this; for his heart is set to destroy*** (ibid. v. 7). Assyria's motivation was purely destructive, and there was no intent to carry out God's decree. **וְעַל כֵּן הֶעֱנִישׁוֹ בַּסּוֹף – Therefore, [God] punished [Assyria] in the end,** **כְּמוֹ שֶׁנֶּאֱמַר: ״וְהָיָה כִּי יְבַצַּע ה׳ אֶת כָּל מַעֲשֵׂהוּ בְּהַר צִיּוֹן וּבִירוּשָׁלָםִ אֶפְקֹד עַל פְּרִי גֹדֶל לְבַב מֶלֶךְ אַשּׁוּר וְעַל תִּפְאֶרֶת רוּם עֵינָיו וְגוֹ׳״ – as it says, *But it will be that after the Lord completes all His work, at Mount Zion and Jerusalem, I will deal with the fruits of the Assyrian king's conceit, and with the glory of his arrogance, etc.*** (ibid. v. 12). **וְאָמַר בּוֹ עוֹד, ״שֶׂה פְזוּרָה יִשְׂרָאֵל אֲרָיוֹת הִדִּיחוּ, הָרִאשׁוֹן אֲכָלוֹ מֶלֶךְ אַשּׁוּר וְזֶה הָאַחֲרוֹן עִצְּמוֹ נְבוּכַדְרֶאצַּר מֶלֶךְ בָּבֶל, לָכֵן כֹּה אָמַר ה׳ [וְגוֹ׳] הִנְנִי פֹקֵד אֶל מֶלֶךְ בָּבֶל**

94. Stylistic paraphrase from *Ezekiel* 3:18.

In this case, Maimonides' logic surely applies: Although it is certainly true that the murder victim was fated to die, the identity of his executioner was not pre-ordained, and no one forced or exhorted this particular perpetrator to commit his crime. This logic does not apply, however, when God's decision to punish someone is made known through a prophecy, as was the case in the "Covenant Between the Parts," as Ramban proceeds to explain.

95. Even if there was indeed a Divine decree that the victim must die, since the murderer was not aware of this decree, his actions are criminal.

96. Ramban at first states that a person is held culpable for his actions when carrying out a Divine decree against someone if he goes beyond his ordained mandate. Now he adds that even if the person did not overstep the bounds of the decree, but carried out the decree for selfish reasons he, too, is held accountable. [*Beis HaYayin* suggests that the Egyptians were guilty on both counts: (1) They oppressed the Israelites far

רמב"ן

וְאֶל אַרְצוֹ כַּאֲשֶׁר פָּקַדְתִּי אֶל מֶלֶךְ אַשּׁוּר". וְהִנֵּה זוֹ רְאָיָה שֶׁנֶּעֱנַשׁ מֶלֶךְ אַשּׁוּר עַל הָרָעָה שֶׁעָשָׂה לְיִשְׂרָאֵל.
וְהִנֵּה נְבוּכַדְרֶאצַּר שָׁמַע כִּי הַנְּבִיאִים פֶּה אֶחָד קוֹרְאִים אוֹתוֹ לְהַחֲרִיב יְרוּשָׁלַיִם, וְהוּא וְכָל עַמּוֹ נִצְטַוּוּ עַל כָּךְ מִפִּי הַנָּבִיא כְּמוֹ שֶׁכָּתוּב [ירמיהו כה, ט]: "הִנְנִי שֹׁלֵחַ [לך] וְלָקַחְתִּי אֶת כָּל מִשְׁפְּחוֹת צָפוֹן נְאֻם ה' וְאֶל נְבוּכַדְרֶאצַּר מֶלֶךְ בָּבֶל עַבְדִּי וַהֲבִאֹתִים עַל הָאָרֶץ הַזֹּאת וְעַל יוֹשְׁבֶיהָ ... וְהַחֲרַמְתִּים" וּכְתִיב [שם לב, כח-כט]: "הִנְנִי נֹתֵן אֶת הָעִיר הַזֹּאת בְּיַד הַכַּשְׂדִּים וּבְיַד נְבוּכַדְרֶאצַּר מֶלֶךְ בָּבֶל ... וְהִצִּיתוּ אֶת הָעִיר בָּאֵשׁ". וְאַף עַל בֵּית הַמִּקְדָּשׁ עַצְמוֹ אָמַר [שם כו, ו]: "וְנָתַתִּי אֶת הַבַּיִת הַזֶּה כְּשִׁלֹה". וְהֵם יוֹדְעִים כִּי מִצְוַת הַשֵּׁם הִיא. כְּמוֹ שֶׁאָמַר נְבוּזַרְאֲדָן לְיִרְמְיָהוּ [שם מ, ב-ג]: "ה' אֱלֹהֶיךָ דִּבֶּר אֶת הָרָעָה הַזֹּאת אֶל הַמָּקוֹם הַזֶּה וַיָּבֵא וַיַּעַשׂ ה' כַּאֲשֶׁר דִּבֵּר כִּי חֲטָאתֶם לַה'". וְאַף עַל פִּי כֵן נֶעֶנְשׁוּ הַכַּשְׂדִּים כֻּלָּם בַּסּוֹף. וְהָיָה זֶה מִפְּנֵי שְׁנֵי טְעָמִים:
הָאֶחָד, שֶׁגַּם הוּא נִתְכַּוֵּן לְהַשְׁמִיד כָּל הָאָרֶץ לְהַגְדִּיל מֶמְשַׁלְתּוֹ, כְּמוֹ שֶׁכָּתוּב בּוֹ [ישעיה יג, יא]: "וְהִשְׁבַּתִּי גְּאוֹן זֵדִים וְגַאֲוַת עָרִיצִים אַשְׁפִּיל", וּכְתִיב [שם יד, יג-יב]: וְאַתָּה אָמַרְתָּ בִלְבָבְךָ הַשָּׁמַיִם אֶעֱלֶה וְגוֹ' [וְכָתוּב] אֶעֱלֶה עַל בָּמֳתֵי עָב אֶדַּמֶּה לְעֶלְיוֹן", וּכְתִיב בְּאֻמָּתוֹ [שם מז, ח]: "הָאוֹמֶרֶת בִּלְבָבָהּ אֲנִי וְאַפְסִי

RAMBAN ELUCIDATED

וְאֶל אַרְצוֹ כַּאֲשֶׁר פָּקַדְתִּי אֶל מֶלֶךְ אַשּׁוּר" – **And it says further about [Assyria]:** ***Israel is like scattered sheep – lions have dispersed them; the first one, the king of Assyria, devoured him, and this last one, Nebuchadrezzar king of Babylonia, chewed up the bones. Therefore, thus said HASHEM . . . : Behold, I am dealing with the king of Babylonia and with his land, just as I dealt with the king of Assyria*** (*Jeremiah* 50:17-18). וְהִנֵּה זוֹ רְאָיָה שֶׁנֶּעֱנַשׁ מֶלֶךְ אַשּׁוּר עַל הָרָעָה שֶׁעָשָׂה לְיִשְׂרָאֵל – **Now, this** verse **is a proof that the king of Assyria was** indeed **punished because of the evil that he did to Israel.**

[Ramban now discusses the case of Nebuchadrezzar, the Babylonian king who destroyed Jerusalem and the First Temple:]

וְהִנֵּה נְבוּכַדְרֶאצַּר שָׁמַע כִּי הַנְּבִיאִים פֶּה אֶחָד קוֹרְאִים אוֹתוֹ לְהַחֲרִיב יְרוּשָׁלַיִם – **Now, Nebuchadrezzar heard that the prophets were unanimously calling upon him to destroy Jerusalem,** וְהוּא וְכָל עַמּוֹ נִצְטַוּוּ עַל כָּךְ מִפִּי הַנָּבִיא – **and he and all his people were commanded to do so through the word of the prophet,** כְּמוֹ שֶׁכָּתוּב: "הִנְנִי שֹׁלֵחַ וְלָקַחְתִּי אֶת כָּל מִשְׁפְּחוֹת צָפוֹן נְאֻם ה' וְאֶל נְבוּכַדְרֶאצַּר מֶלֶךְ בָּבֶל עַבְדִּי וַהֲבִאֹתִים עַל הָאָרֶץ הַזֹּאת וְעַל יֹשְׁבֶיהָ ... וְהַחֲרַמְתִּים" – as it is written, ***Behold I am sending for and taking all the families of the North, says HASHEM, and [I am sending] for Nebuchadrezzar king of Babylonia, My servant; and I shall bring them upon this land and upon its inhabitants ... and I shall destroy them*** (ibid. 25:9). וּכְתִיב: "הִנְנִי נֹתֵן אֶת הָעִיר הַזֹּאת בְּיַד הַכַּשְׂדִּים וּבְיַד נְבוּכַדְרֶאצַּר מֶלֶךְ בָּבֶל ... וְהִצִּיתוּ אֶת הָעִיר הַזֹּאת בָּאֵשׁ" – **And it is written,** ***Behold, I am delivering this city into the hands of the Chaldeans and into the hand of Nebuchadrezzar, king of Babylonia; they will come and set fire to this city*** (ibid. 32:28-29). These two verses demonstrate that the Babylonians were designated by God for this task of destroying Jerusalem. וְאַף עַל בֵּית הַמִּקְדָּשׁ עַצְמוֹ אָמַר: "וְנָתַתִּי אֶת הַבַּיִת הַזֶּה כְּשִׁלֹה" – **And even concerning the Temple itself it says,** ***I shall make this Temple [destroyed] like Shiloh*** (ibid. 26:6). וְהֵם יוֹדְעִים כִּי מִצְוַת הַשֵּׁם הִיא – **And [the Babylonians]** themselves **knew that this was the commandment of God,** כְּמוֹ שֶׁאָמַר נְבוּזַרְאֲדָן לְיִרְמְיָהוּ: "ה' אֱלֹהֶיךָ דִּבֶּר אֶת הָרָעָה הַזֹּאת אֶל הַמָּקוֹם הַזֶּה. וַיָּבֵא וַיַּעַשׂ ה' כַּאֲשֶׁר דִּבֵּר כִּי חֲטָאתֶם לַה'" – **as** the Babylonian general **Nebuzaradan said to Jeremiah,** ***HASHEM your God foretold this evil concerning this place, and HASHEM brought it about and did as He had said, because you*** *people* ***sinned unto HASHEM*** (ibid. 40:2-3). וְאַף עַל פִּי כֵן נֶעֶנְשׁוּ הַכַּשְׂדִּים כֻּלָּם בַּסּוֹף – **Nevertheless, the Chaldeans** (Babylonians) **were all punished in the end.** וְהָיָה זֶה מִפְּנֵי שְׁנֵי טְעָמִים – **This was for two reasons:**

הָאֶחָד שֶׁגַּם הוּא נִתְכַּוֵּן לְהַשְׁמִיד כָּל הָאָרֶץ לְהַגְדִּיל מֶמְשַׁלְתּוֹ – **The first** reason **was that [the Babylonian king] also intended to destroy the entire land in order to enlarge his realm,** כְּמוֹ שֶׁכָּתוּב בּוֹ: "וְהִשְׁבַּתִּי גְּאוֹן זֵדִים וְגַאֲוַת עָרִיצִים אַשְׁפִּיל" – **as it is written concerning him,** ***I [God] will abolish the pride of the wicked and put down the haughtiness of the fierce ones*** (*Isaiah* 13:11). וּכְתִיב "וְאַתָּה אָמַרְתָּ בִלְבָבְךָ הַשָּׁמַיִם אֶעֱלֶה וְגוֹ'. אֶעֱלֶה עַל בָּמֳתֵי עָב אֶדַּמֶּה לְעֶלְיוֹן" – **And it is written,** ***You said in your heart, "I will ascend to the heavens ... I will ascend over the tops of the clouds; I will make myself similar to the Most High!"*** (*Isaiah* 14:13-14). וּכְתִיב בְּאֻמָּתוֹ: "הָאוֹמֶרֶת בִּלְבָבָהּ אֲנִי וְאַפְסִי

רמב״ן

עוד״, וְאָמַר בּוֹ חֲבַקּוּק [ב, ט]: ״הוֹי בֹּצֵעַ בֶּצַע רָע לְבֵיתוֹ לָשׂוּם בַּמָּרוֹם קִנּוֹ וְגוֹ׳״. וְהִנֵּה זֶה כְּעָנְשׁוֹ שֶׁל סַנְחֵרִיב[97] וְלָכֵן הִשְׁוָם הַכָּתוּב [ירמיה נ, יח]: ״לָכֵן כֹּה אָמַר ה׳ ... הִנְנִי פֹקֵד אֶל מֶלֶךְ בָּבֶל וְאֶל אַרְצוֹ כַּאֲשֶׁר פָּקַדְתִּי עַל מֶלֶךְ אַשּׁוּר״.

אֲבָל הָיָה בְּמֶלֶךְ בָּבֶל עֹנֶשׁ אַחֵר, שֶׁהוֹסִיף עַל הַגְּזֵרָה וְהֵרַע לְיִשְׂרָאֵל יוֹתֵר מְאֹד, כְּמוֹ שֶׁאָמַר בּוֹ [ישעיה מז, ו]: ״קָצַפְתִּי עַל עַמִּי, חִלַּלְתִּי נַחֲלָתִי, וָאֶתְּנֵם בְּיָדֵךְ. לֹא שַׂמְתְּ לָהֶם רַחֲמִים, עַל זָקֵן הִכְבַּדְתְּ עֻלֵּךְ מְאֹד״. וְעַל כֵּן בָּא עֲלֵיהֶם עֹנֶשׁ כָּפוּל וּמְכֻפָּל[98], שֶׁנִּשְׁמַד זַרְעוֹ לִגְמָרֵי וְלֹא יִהְיֶה ״לְבָבֶל שֵׁם וּשְׁאָר נִין וָנֶכֶד״ [שם יד, כב]. וְנִשְׁמְדָה עִירוֹ לְעוֹלָמִים, שֶׁנֶּאֱמַר [שם יג, יט-כא]: ״וְהָיְתָה בָבֶל, צְבִי מַמְלָכוֹת תִּפְאֶרֶת גְּאוֹן כַּשְׂדִּים, כְּמַהְפֵּכַת אֱלֹהִים אֶת סְדֹם וְאֶת עֲמֹרָה לֹא תֵשֵׁב לָנֶצַח וְלֹא תִשְׁכֹּן עַד דּוֹר וָדוֹר... וְרָבְצוּ שָׁם צִיִּים... וּשְׂעִירִים יְרַקְּדוּ שָׁם״. וְאָמַר בּוֹ הַכָּתוּב [ירמיהו נא, יא]: ״כִּי נִקְמַת ה׳ הִיא נִקְמַת הֵיכָלוֹ״. וּכְתִיב [שם נא, לה-לו]: ״חֲמָסִי וּשְׁאֵרִי עַל בָּבֶל תֹּאמַר יֹשֶׁבֶת צִיּוֹן, וְדָמִי אֶל יֹשְׁבֵי כַשְׂדִּים תֹּאמַר יְרוּשָׁלָם, לָכֵן כֹּה אָמַר ה׳, הִנְנִי רָב אֶת רִיבֵךְ וְנִקַּמְתִּי אֶת נִקְמָתֵךְ״.

RAMBAN ELUCIDATED

עוד״ – **And it is written concerning his nation,** ***who says in her heart, "I exist and no one else"*** (ibid. 47:8). וְאָמַר בּוֹ חֲבַקּוּק: ״הוֹי בֹּצֵעַ בֶּצַע רָע לְבֵיתוֹ לָשׂוּם בַּמָּרוֹם קִנּוֹ וְגוֹ׳״ – **Furthermore, Habakkuk said about him,** ***Woe to him who gains evil profit for his house, so that he may set his nest up high, etc.*** (*Habakkuk* 2:9). These verses all confirm that Babylonia had grandiose conquest in mind and not the fulfillment of God's will. וְהִנֵּה זֶה כְּעָנְשׁוֹ שֶׁל סַנְחֵרִיב – **Now, this is just like the punishment of** the Assyrian king **Sennacherib.**[97] וְלָכֵן הִשְׁוָם הַכָּתוּב: ״לָכֵן כֹּה אָמַר ה׳ ... הִנְנִי פֹקֵד אֶל מֶלֶךְ בָּבֶל וְאֶל אַרְצוֹ כַּאֲשֶׁר פָּקַדְתִּי אֶל מֶלֶךְ אַשּׁוּר״ – **This is why Scripture equates them,** saying, ***Therefore, thus said HASHEM: Behold, I am dealing with the king of Babylonia and with his land, just as I dealt with the king of Assyria*** (*Jeremiah* 50:18).

[The second reason that God punished the Babylonians:]

אֲבָל הָיָה בְּמֶלֶךְ בָּבֶל עֹנֶשׁ אַחֵר – **But in** the case of **the king of Babylonia there were** grounds for **another punishment as well,** שֶׁהוֹסִיף עַל הַגְּזֵרָה וְהֵרַע לְיִשְׂרָאֵל יוֹתֵר מְאֹד – **for he added to** God's original **decree and maltreated the Israelites much more** than they deserved, כְּמוֹ שֶׁאָמַר בּוֹ: ״קָצַפְתִּי עַל עַמִּי חִלַּלְתִּי נַחֲלָתִי וָאֶתְּנֵם בְּיָדֵךְ. לֹא שַׂמְתְּ לָהֶם רַחֲמִים, עַל זָקֵן הִכְבַּדְתְּ עֻלֵּךְ מְאֹד״ – **as it says concerning him,** ***I became angry at My people; I degraded My heritage, and I delivered them into your hand. But you did not show them any compassion; you intensified your yoke greatly [even] upon the aged*** (*Isaiah* 47:6). וְעַל כֵּן בָּא עֲלֵיהֶם עֹנֶשׁ כָּפוּל וּמְכֻפָּל – **Because of this,**[98] **double and manifold punishment came upon [Babylonia]:** שֶׁנִּשְׁמַד זַרְעוֹ לִגְמָרֵי – **that its descendants were totally annihilated,** וְלֹא יִהְיֶה ״לְבָבֶל שֵׁם וּשְׁאָר נִין וָנֶכֶד״ – **and there would not be** ***for Babylonia any remembrance or remnant or descendant or grandson*** (ibid. 14:22), וְנִשְׁמְדָה עִירוֹ לְעוֹלָמִים – **and its** capital **city was destroyed forever,** שֶׁנֶּאֱמַר: ״וְהָיְתָה בָבֶל צְבִי מַמְלָכוֹת תִּפְאֶרֶת גְּאוֹן כַּשְׂדִּים כְּמַהְפֵּכַת אֱלֹהִים אֶת סְדֹם וְאֶת עֲמֹרָה. לֹא תֵשֵׁב לָנֶצַח וְלֹא תִשְׁכֹּן עַד דּוֹר וָדוֹר... וְרָבְצוּ שָׁם צִיִּים... וּשְׂעִירִים יְרַקְּדוּ שָׁם״ – **as it says,** ***Babylonia, the choicest of the kingdoms, the glory of the pride of the Chaldeans, will be [destroyed] as when God overturned Sodom and Gomorrah. It will be uninhabited forever and will not be settled from generation to generation ... Weasels will settle there ... and demons will dance about there*** (ibid. 13:19-21). וְאָמַר בּוֹ הַכָּתוּב: ״כִּי נִקְמַת ה׳ הִיא נִקְמַת הֵיכָלוֹ״ – **Scripture** also **says about [Babylonia],** ***For it is the vengeance of HASHEM – vengeance for His Sanctuary*** (*Jeremiah* 51:11). וּכְתִיב: ״חֲמָסִי וּשְׁאֵרִי עַל בָּבֶל תֹּאמַר יֹשֶׁבֶת צִיּוֹן, וְדָמִי אֶל יֹשְׁבֵי כַשְׂדִּים תֹּאמַר יְרוּשָׁלָם. לָכֵן כֹּה אָמַר ה׳ הִנְנִי רָב אֶת רִיבֵךְ וְנִקַּמְתִּי אֶת נִקְמָתֵךְ״ – **And it is written,** – ***"[My complaint is] against Babylonia for their robbing of my possessions and their eating of my flesh," says the inhabitant of Zion, "and [my complaint is] against the inhabitants of the Chaldeans for their***

beyond what God had decreed, and they therefore deserved punishment for their excesses. (2) Their motives were cruel and selfish and they deserved retribution for causing even the amount of suffering that *was* decreed.]

97. According to this explanation, God's punishment of the Babylonians and Assyrians is for identical reasons – namely, that they acted out of selfish, nonvirtuous motivations.

98. They deserved double because there were *two* reasons for which Babylonia was deserving of punishment, as Ramban has explained.

טו יֵצְאוּ בִּרְכֻשׁ גָּדוֹל: וְאַתָּה תָּבוֹא אֶל־אֲבֹתֶיךָ
טז בְּשָׁלוֹם תִּקָּבֵר בְּשֵׂיבָה טוֹבָה: וְדוֹר רְבִיעִי
יָשׁוּבוּ הֵנָּה כִּי לֹא־שָׁלֵם עֲוֺן הָאֱמֹרִי עַד־הֵנָּה:

יִפְּקוּן בְּקִנְיָנָא סַגִּי: טו וְאַתְּ תֵּיעוֹל לְוַת אֲבָהָתָךְ בִּשְׁלָם תִּתְקְבַר בְּסֵיבוּ טָבָא: טז וְדָרָא רְבִיעָאָה יְתוּבוּן הָכָא אֲרֵי לָא שְׁלִים חוֹבָא דֶאֱמוֹרָאָה עַד כְּעָן:

רש"י

ברכוש גדול. בממון גדול כמו שנא' וינצלו את מצרים (שמות יב:לו; ברכות ט.-ט:): **(טו) ואתה תבוא.** ולא תראה כל אלה: **אל אבתיך.** אביו עובד כוכבים והוא מבשרו שיבא אליו, ללמדך שעשה תרח תשובה (ב"ר לח:יב): **תקבר בשיבה טובה.** בשרו שיעשה ישמעאל תשובה בימיו (שם), ולא יצא עשו לתרבות רעה בימיו, ולפיכך מת ה' שנים קודם זמנו ובו ביום מרד עשו (שם סג:יב): **(טז) ודור רביעי ישובו הנה.** לאחר שיגלו למצרים יהיו שם ג' דורות והרביעי ישובו לארץ הזאת (תרגום יונתן; עדיות ב:ט וכפי' הרמב"ם), לפי שבארץ כנען היה מדבר עמו וכרת ברית זו, כדכתיב לתת לך את הארץ הזאת לרשתה (לעיל פסוק ז). וכן היה, ירד יעקב למצרים, צא וחשוב דורותיו, יהודה פרץ וחצרון, וכלב בן חצרון מבאי הארץ היה (סוטה יא:; סנהדרין סט:): **כי לא שלם עון האמרי.** להיות משתלח מארצו עד אותו זמן, שאין הקב"ה נפרע מאומה עד שתתמלא סאתה, שנא' בסאסאה בשלחה

רמב"ן

וּפְסוּקִים רַבִּים כָּאֵלֶּה.

[טו] וְאַתָּה תָּבוֹא אֶל אֲבֹתֶיךָ בְּשָׁלוֹם. וְלֹא תִרְאֶה כָּל אֵלֶּה[99]. לְשׁוֹן רַשִׁ"י.

וְאֵינוֹ נָכוֹן כְּפִי פֵּרוּשׁוֹ [לעיל לפסוק יג], שֶׁאָמַר: "כִּי גֵר יִהְיֶה זַרְעֲךָ" מִשֶּׁיִּהְיֶה לְךָ זֶרַע וּמִשֶּׁנּוֹלַד יִצְחָק נֶאֱמַר בּוֹ "וַיָּגָר אַבְרָהָם בְּאֶרֶץ פְּלִשְׁתִּים"[101], "וַיָּגָר יִצְחָק בִּגְרָר"[100,102]. אִם כֵּן גַּם הוּא בִּכְלַל הַגְּזֵרָה[103].

אֲבָל טַעְמוֹ: "וְאַתָּה תָּבֹא אֶל אֲבֹתֶיךָ בְּשָׁלוֹם", שֶׁלֹּא יַגִּיעֲךָ שׁוּם עֹנֶשׁ דָּבָר מֵאִתִּי, אַף עַל פִּי שֶׁאֲנִי

RAMBAN ELUCIDATED

shedding of my blood," says Jerusalem. Therefore, thus said Hashem: Behold, I am taking up your grievance and avenging your vengeance (ibid. 51:35-36). **וּפְסוּקִים רַבִּים כָּאֵלֶּה – And there are many** other **verses like these.**

15. וְאַתָּה תָּבוֹא אֶל אֲבֹתֶיךָ בְּשָׁלוֹם – ***AS FOR YOU: YOU SHALL COME TO YOUR ANCESTORS IN PEACE.***

[What did God mean to tell Abraham with these words? Ramban cites Rashi:]

וְלֹא תִרְאֶה כָּל אֵלֶּה – And you will not see all of these developments.[99] **לְשׁוֹן רַשִׁ"י** – This is **a quote from Rashi.**

[Ramban notes that this comment of Rashi seems incompatible with what Rashi himself wrote earlier in this chapter:]

וְאֵינוֹ נָכוֹן כְּפִי פֵּרוּשׁוֹ – But this is not correct, according to his own **interpretation** (above, on v. 13), **שֶׁאָמַר: "כִּי גֵר יִהְיֶה זַרְעֲךָ" מִשֶּׁיִּהְיֶה לְךָ זֶרַע – for he said** that the decree of *[Know with certainty]* ***that your offspring shall be aliens ... [four hundred years]*** begins **"when you have offspring,"** i.e., upon the birth of Isaac. Rashi continues (ibid.): **וּמִשֶּׁנּוֹלַד יִצְחָק נֶאֱמַר בּוֹ "וַיָּגָר אַבְרָהָם בְּאֶרֶץ פְּלִשְׁתִּים", "וַיָּגָר יִצְחָק בִּגְרָר"[100] – And once Isaac was born it says about [Abraham], *And Abraham sojourned*[101] *in the land of the Philistines*** (below, 21:34)**, and** about **Isaac** it also says that he **sojourned in Gerar."**[102] **אִם כֵּן גַּם הוּא בִּכְלַל הַגְּזֵרָה – If so,** then, **[Abraham] too was included in the decree.**[103]

[Ramban now gives his own interpretation:]

אֲבָל טַעְמוֹ: "וְאַתָּה תָּבֹא אֶל אֲבֹתֶיךָ בְּשָׁלוֹם", שֶׁלֹּא יַגִּיעֲךָ שׁוּם עֹנֶשׁ דָּבָר מֵאִתִּי – Rather, its explanation is: ***As for you: you shall come to your ancestors in peace*** – **for no manner of** ***punishment*** **from Me will**

99. The implication is that God promised Abraham that he would not see even the implementation of "being an alien in a foreign land."

100. There is no such verse in Scripture. Ramban apparently alludes to גוּר בָּאָרֶץ הַזֹּאת (below, 26:3).

101. "Sojourn," implying transient residence, has the same Hebrew root (גר) as "alien."

102. Scripture states: "And Isaac went to Gerar and Hashem appeared to him and said 'Sojourn in this land'" (below, 26:1-3).

103. The implementation of the decree of "being an alien in a foreign land" began with Abraham himself. How, then, can Rashi say that Abraham would not be affected by any of the decrees of the Covenant?

they will leave with great wealth. [15] *As for you: you shall come to your ancestors in peace; you shall be buried in a good old age.* [16] *And the fourth generation shall return here, for the iniquity of the Amorite shall not yet be full until then."*

רמב״ן

גּוֹזֵר עַל בָּנֶיךָ עֳנָשִׁים בְּעַבְדוּת וְעִנּוּי[104].

[טז] וְדוֹר רְבִיעִי יָשׁוּבוּ הֵנָּה. לְאַחַר שֶׁיִּגְלוּ לְמִצְרַיִם יִהְיוּ שְׁלֹשָׁה דוֹרוֹת. וְכֵן הָיָה, יַעֲקֹב גָּלָה, צֵא וַחֲשֹׁב דּוֹרוֹתָיו: יְהוּדָה, פֶּרֶץ, חֶצְרוֹן, וְכָלֵב בֶּן חֶצְרוֹן מִבָּאֵי הָאָרֶץ הָיָה.

לְשׁוֹן רַשִׁ״י. וְאֵינֶנּוּ נָכוֹן כְּלָל[105].

וְהַנָּכוֹן בְּעֵינַי, כִּי ״דוֹר רְבִיעִי״ לָאֱמוֹרִי, הַמַּשְׁלִים עֲוֹנוֹ[106]. כִּי מִיּוֹם הַגְּזֵרָה הֶאֱרִיךְ לוֹ, כִּי הוּא ״פּוֹקֵד עֲוֹן ... עַל שִׁלֵּשִׁים וְעַל רִבֵּעִים״[107], כִּי אִם יָשׁוּבוּ לֹא יַחֲרִימֵם, אֲבָל יִהְיוּ לְמַס עוֹבֵד אוֹ יִפְנוּ לָהֶם.

RAMBAN ELUCIDATED

come to you, אַף עַל פִּי שֶׁאֲנִי גּוֹזֵר עַל בָּנֶיךָ עֳנָשִׁים בְּעַבְדוּת וְעִנּוּי – **even though I am decreeing upon your children punishments of servitude and oppression.**[104]

16. וְדוֹר רְבִיעִי יָשׁוּבוּ הֵנָּה – ***AND THE FOURTH GENERATION SHALL RETURN HERE.***

[What is the reference point of *the fourth generation*? Ramban begins his discussion by citing Rashi:]

לְאַחַר שֶׁיִּגְלוּ לְמִצְרַיִם יִהְיוּ שְׁלֹשָׁה דוֹרוֹת – **After they will be exiled to Egypt they will be** there **for three generations,** [and the fourth will return to this land]. וְכֵן הָיָה, יַעֲקֹב גָּלָה – **And so it was: Jacob went into exile** to Egypt. צֵא וַחֲשׁוֹב דּוֹרוֹתָיו: יְהוּדָה פֶּרֶץ חֶצְרוֹן, וְכָלֵב בֶּן חֶצְרוֹן מִבָּאֵי הָאָרֶץ הָיָה – **Go and calculate his generations: Judah** is the first, **Perez** is the second, **Hezron** is the third **and Caleb son of Hezron,** of the fourth generation, **was among those who entered the Land** of Israel. לְשׁוֹן רַשִׁ״י – **This is a quote from Rashi.** וְאֵינֶנּוּ נָכוֹן כְּלָל – **But this** interpretation **is not at all satsifactory.**[105]

[Ramban presents his own interpretation:]

וְהַנָּכוֹן בְּעֵינַי, כִּי ״דוֹר רְבִיעִי״ לָאֱמוֹרִי הַמַּשְׁלִים עֲוֹנוֹ – **The proper** explanation **in my view is that *the fourth generation*** refers **to the Amorite nation,**[106] mentioned in the verse, **which completed** the full measure of **its sins.** כִּי מִיּוֹם הַגְּזֵרָה הֶאֱרִיךְ לוֹ, כִּי הוּא ״פּוֹקֵד עָוֹן ... עַל שִׁלֵּשִׁים וְעַל רִבֵּעִים״ – **For** starting **from the day of the decree** that Abraham was to receive *Eretz Yisrael,* **[God] granted an extension for [the Amorite nation], for He *visits sins ... upon the third and fourth generations*** (*Exodus* 20:5).[107] כִּי אִם יָשׁוּבוּ לֹא יַחֲרִימֵם – **For if they would repent He would not destroy them;** אֲבָל יִהְיוּ לְמַס עוֹבֵד אוֹ יִפְנוּ לָהֶם – **rather, they would be subjugated to** Israel to **be indentured laborers, or they would depart** to another land.

104. "Being an alien" was not a punishment. God was merely informing Abraham that the gift of *Eretz Yisrael* would not take effect for four hundred years, and that until then he and his descendants would not have any land to call their own. When God told Abraham that he would "come to his ancestors in peace," He meant only that he would experience none of the *punishments* foretold for his offspring.

105. Counting the generations from Judah seems totally arbitrary. If we take into account the first generation to enter Egypt we would begin with Jacob and find that the fifth generation entered *Eretz Yisrael.* If we begin with the younger generations which arrived in Egypt we would have to start with Hezron (below, 46:12) and find that it was the second generation that entered *Eretz Yisrael* (*Tur, Abarbanel*).

106. The Amorites were among the nations that were inhabiting *Eretz Yisrael* at that time (Ramban soon explains why the Amorite is singled out).

107. When one sins grievously and his descendants continue to sin after him, God punishes the entire family with extinction – in the second, third or fourth generation, depending on when the full measure of sinfulness has been reached (Ramban, *Exodus* ibid.). Since the Amorites had then begun to sin, God told Abraham that he would begin counting the four generations from that time.

יז וַיְהִ֤י הַשֶּׁ֨מֶשׁ֙ בָּ֔אָה וַעֲלָטָ֖ה הָיָ֑ה וְהִנֵּ֨ה תַנּ֤וּר
עָשָׁן֙ וְלַפִּ֣יד אֵ֔שׁ אֲשֶׁ֣ר עָבַ֔ר בֵּ֖ין הַגְּזָרִ֥ים
יח הָאֵֽלֶּה׃ בַּיּ֣וֹם הַה֗וּא כָּרַ֧ת יהו֛ה אֶת־אַבְרָ֖ם
בְּרִ֣ית לֵאמֹ֑ר לְזַרְעֲךָ֗ נָתַ֨תִּי֙ אֶת־הָאָ֣רֶץ הַזֹּ֔את
מִנְּהַ֣ר מִצְרַ֔יִם עַד־הַנָּהָ֥ר הַגָּדֹ֖ל נְהַר־פְּרָֽת׃

יז וַהֲוָה שִׁמְשָׁא עָלַת וְקַבְלָא הֲוָה וְהָא תַנּוּר דִּתְנַן וּבְעוּר דְּאֶשָּׁתָא דִּי עֲדָא בֵּין פַּלְגַיָּא הָאִלֵּין׃ יח בְּיוֹמָא הַהוּא גְּזַר יְיָ עִם אַבְרָם קְיָם לְמֵימַר לִבְנָיךְ יְהָבִית יָת אַרְעָא הָדָא מִן נַהֲרָא דְמִצְרַיִם וְעַד נַהֲרָא רַבָּא נַהֲרָא פְרָת׃

רש"י

תריבנה (ישעיה כז:ח; סוטה ט.): **(יז) ויהי השמש באה.** כמו ויהי הם מריקים שקיהם (להלן מב:לה) ויהי הם קוברים איש (מלכים־ב יג:כא), כלומר, ויהי דבר זה: **השמש באה.** שקעה: **ועלטה היה.** חשך היום: **והנה תנור עשן וגו'.** רמז לו שיפלו המלכיות בגיהנם (פדר"א פכ"ח): **באה.** טעמו למעלה, לכך הוא מבואר שבאה כבר. ואם היה טעמו למטה באל"ף היה מבואר כשהיא שוקעת, ואי אפשר לומר כן, שהרי כבר כתוב ויהי השמש לבא (לעיל פסוק יב) והעברת תנור עשן לאחר מכאן היתה, נמצא שכבר שקעה. וזה חילוק בכל תיבה לשון נקבה שיסודה שתי אותיות, כמו בא, קם, שב, כשהטעם למעלה לשון עבר הוא, כגון זה, וכגון ורחל באה (להלן כט:ט) קמה אלומתי (שם לז:ז) הנה שבה יבמתך (רות א:טו). וכשהטעם למטה הוא לשון הווה, דבר שנעשה עכשיו והולך, כמו באה עם הצאן (להלן כט:ו) בערב היא באה ובבקר היא שבה (אסתר ב:יד): **(יח) לזרעך נתתי.** אמירתו של הקב"ה כאילו היא עשויה (ב"ר מד:כב): **עד הנהר הגדל נהר פרת.** לפי שהוא דבוק לארץ ישראל קוראהו גדול,

רמב"ן

□ **עֲוֹן הָאֱמֹרִי.** הִזְכִּיר הַתַּקִּיף שֶׁבָּהֶם, אֲשֶׁר כְּגֹבַהּ אֲרָזִים גָּבְהוֹ, וְלֹא יוּכְלוּ לוֹ עַד שֶׁתִּתְמַלֵּא סְאָתוֹ וַעֲוֹנוֹתָיו יִלְכְּדוּנוֹ[108] וְעוֹד, כִּי הוּא הַנִּלְכָּד לָהֶם אֲשֶׁר הוֹרִישׁוּ בַּתְּחִלָּה[109].

[יז] וְהִנֵּה תַנּוּר עָשָׁן וְלַפִּיד אֵשׁ. רָאָה כְּאִלּוּ תַּנּוּר עָשָׁן כֻּלּוֹ, וּבְתוֹכוֹ לַפִּיד אֵשׁ בּוֹעֵרָה[110], כְּעִנְיַן "עָנָן גָּדוֹל וְאֵשׁ מִתְלַקַּחַת". וְהֶעָשָׁן הוּא הֶעָנָן וְהָעֲרָפֶל הַנִּזְכָּר בְּמַתַּן תּוֹרָה, וְלַפִּיד הָאֵשׁ בְּתוֹכוֹ הוּא הָאֵשׁ הָאָמוּר שָׁם

RAMBAN ELUCIDATED

□ עֲוֹן הָאֱמֹרִי – *THE INIQUITY OF THE AMORITE.*

[There were ten nations included in God's covenant with Abraham (vv. 19-21). Why, then, does He mention only the Amorite here? Ramban explains:]

הִזְכִּיר הַתַּקִּיף שֶׁבָּהֶם אֲשֶׁר כְּגֹבַהּ אֲרָזִים גָּבְהוֹ – **[God] mentioned the strongest of [the Canaanite nations],** ***whose height was like the height of cedars*** (*Amos* 2:9, describing the Amorites). וְלֹא יוּכְלוּ לוֹ עַד שֶׁתִּתְמַלֵּא סְאָתוֹ – Being so strong, **[the Israelites] would not be able to overpower them until their full measure** of sin **would be complete** וַעֲוֹנוֹתָיו יִלְכְּדוּנוֹ – **and "their iniquities would defeat them."**[108] וְעוֹד, כִּי הוּא הַנִּלְכָּד לָהֶם אֲשֶׁר הוֹרִישׁוּ בַּתְּחִלָּה – **Another** reason **is that [the Amorites] were the** first nation **conquered by [the Israelites],** the one **that they dispossessed first.**[109]

17. וְהִנֵּה תַנּוּר עָשָׁן וְלַפִּיד אֵשׁ – *BEHOLD – THERE WAS A SMOKY FURNACE AND A TORCH OF FIRE.*

[Ramban explains the symbolism of this occurrence:]

רָאָה כְּאִלּוּ תַּנּוּר עָשָׁן כֻּלּוֹ – **He saw something that appeared like a furnace that was entirely** full of **smoke,** וּבְתוֹכוֹ לַפִּיד אֵשׁ בּוֹעֵרָה – **with a flaming torch inside it.**[110] כְּעִנְיַן "עָנָן גָּדוֹל וְאֵשׁ מִתְלַקַּחַת" – The fire **was like the matter** of the description of God's presence in *Ezekiel* (1:4) – ***a great cloud with flashing fire.*** וְהֶעָשָׁן הוּא הֶעָנָן וְהָעֲרָפֶל הַנִּזְכָּר בְּמַתַּן תּוֹרָה – **The** ***smoke*** **was** the same as **the cloud and thick cloud that are mentioned in** connection with **the giving of the Torah** (*Exodus* 19:9, 20:17; *Deuteronomy* 4:11; ibid. 5:18), וְלַפִּיד הָאֵשׁ בְּתוֹכוֹ הוּא הָאֵשׁ הָאָמוּר שָׁם: – **and the** ***torch of fire*** **within [the smoke] was** also the same as **the fire spoken of there:**

108. Stylistic citation from *Proverbs* 5:22.

109. Moses himself defeated Sihon, the king of the Amorites (*Numbers* 21:21 ff.), before any of the wars with the other nations that followed.

110. The verse describes not two items (a furnace and a torch), but one item (a furnace with smoke and fire inside). This explains why the verse uses the singular verb (עבר, *passed*).

[17] *So it happened: The sun set, and it was very dark. Behold — there was a smoky furnace and a torch of fire which passed between these pieces.* [18] *On that day* HASHEM *made a covenant with Abram, saying, "To your descendants have I given this land, from the river of Egypt to the great river, the Euphrates River:*

רמב״ן

[דברים ד, לו]: ״וּדְבָרָיו שָׁמַעְתָּ מִתּוֹךְ הָאֵשׁ״[111], וְכָתוּב [שמות כד, יז]: ״וּמַרְאֵה כְּבוֹד ה׳ כְּאֵשׁ אוֹכֶלֶת וְגוֹ׳ ״[112]. וְהִנֵּה הַשְּׁכִינָה עָבְרָה בֵּין הַבְּתָרִים.

וְהוּא הַבְּרִית אֲשֶׁר הָיְתָה אִתּוֹ מֵעוֹלָם. וְזֶה טַעַם ״כָּרַת ה׳ אֶת אַבְרָם בְּרִית״, כִּי הַקָּדוֹשׁ בָּרוּךְ הוּא בְּעַצְמוֹ הֶעֱבִיר בְּרִית בֵּין הַבְּתָרִים, וְהַמַּשְׂכִּיל יָבִין:

[יח] בַּיּוֹם הַהוּא כָּרַת ה׳ אֶת אַבְרָם בְּרִית לֵאמֹר. הִנֵּה הַקָּדוֹשׁ בָּרוּךְ הוּא הִבְטִיחַ אֶת אַבְרָהָם בְּמַתְּנַת הָאָרֶץ פְּעָמִים רַבִּים, וְכֻלָּם לְצֹרֶךְ עִנְיָן.

בְּבוֹאוֹ בָּאָרֶץ מִתְּחִלָּה אָמַר לוֹ [לעיל יב, ז]: ״לְזַרְעֲךָ אֶתֵּן אֶת הָאָרֶץ הַזֹּאת״, וְלֹא בֵּאֵר מַתְּנָתוֹ, כִּי אֵין בְּמַשְׁמָע רַק בַּמֶּה שֶׁהָלַךְ בָּאָרֶץ ״עַד מְקוֹם שְׁכֶם עַד אֵילוֹן מוֹרֶה״[113].

וְאַחֲרֵי כֵן, כְּשֶׁרַבּוּ זְכֻיּוֹתָיו בָּאָרֶץ, הוֹסִיף לוֹ [שם יג, יד-טו]: ״שָׂא נָא עֵינֶיךָ וּרְאֵה ... צָפֹנָה וָנֶגְבָּה וָקֵדְמָה וָיָמָּה״,

RAMBAN ELUCIDATED

״וּדְבָרָיו שָׁמַעְתָּ מִתּוֹךְ הָאֵשׁ״ – ***You heard His words from the midst of the fire*** (*Deuteronomy* 4:36).[111] וְכָתוּב: ״וּמַרְאֵה כְּבוֹד ה׳ כְּאֵשׁ אוֹכֶלֶת וְגוֹ׳ ״ – **And it is** also **written, *And the appearance of the glory of HASHEM was like a consuming fire, etc.*** (*Exodus* 24:17).[112] וְהִנֵּה הַשְּׁכִינָה עָבְרָה בֵּין הַבְּתָרִים – **Thus, the *Shechinah*** **Itself,** as represented by this smoke and fire, **passed between the** animal **parts.**

[The next part of this comment discusses the deep Kabbalistic concepts implicit in this symbol of the covenant and is not within the scope of this elucidation. In the Hebrew text, Ramban's words appear in the paragraph beginning וְהוּא הַבְּרִית and ending וְהַמַּשְׂכִּיל יָבִין.]

18. בַּיּוֹם הַהוּא כָּרַת ה׳ אֶת אַבְרָם בְּרִית לֵאמֹר – ***ON THAT DAY HASHEM MADE A COVENANT WITH ABRAM, SAYING ...***

[Ramban notes that God had already promised the Land of Israel to Abraham several times. He explains the differences between each of these bequests:]

הִנֵּה הַקָּדוֹשׁ בָּרוּךְ הוּא הִבְטִיחַ אֶת אַבְרָהָם בְּמַתְּנַת הָאָרֶץ פְּעָמִים רַבִּים – **The Holy One, Blessed is He, promised Abraham the gift of the Land** of Israel **many times,** וְכֻלָּם לְצֹרֶךְ עִנְיָן – **but all of [those promises] were necessary,** each **for a** unique **purpose.**

[Ramban proceeds to enumerate the four promises and explain each one's uniqueness. The first promise:]

בְּבוֹאוֹ בָּאָרֶץ מִתְּחִלָּה אָמַר לוֹ: ״לְזַרְעֲךָ אֶתֵּן אֶת הָאָרֶץ הַזֹּאת״ – **When [Abraham] first came to the land, [God] said to him, *"To your descendants I will give this land"*** (above, 12:7), וְלֹא בֵּאֵר מַתְּנָתוֹ – **but He did not elaborate on** the exact extent of **His gift,** כִּי אֵין בְּמַשְׁמָע רַק בַּמֶּה שֶׁהָלַךְ בָּאָרֶץ ״עַד מְקוֹם שְׁכֶם עַד אֵילוֹן מוֹרֶה״ – **for the implication** of His words was that He promised him **only the land that he had** actually **traversed,** namely, ***as far as the place of Shechem, until Eilon Moreh*** (ibid. 12:6).[113]

[The second promise:]

וְאַחֲרֵי כֵן, כְּשֶׁרַבּוּ זְכֻיּוֹתָיו בָּאָרֶץ – Then, **after this, when his merits increased in the land,** הוֹסִיף לוֹ: ״שָׂא נָא עֵינֶיךָ וּרְאֵה ... צָפֹנָה וָנֶגְבָּה וָקֵדְמָה וָיָמָּה״ – **[God] added on for him, *"Raise now your eyes and look out ... north, south, east and west*** *[for all the land that you see, to you will I give it]"* (above, 13:14-15), כִּי יִתֵּן לוֹ כָּל הָאֲרָצוֹת הַהֵן בִּכְלָלָן – meaning **that He would give him all those lands** of the Canaanites,

111. Ramban submits that the fire and smoke which passed between the animal parts were similar to the signs that indicated God's Presence at the giving of the Torah at Mount Sinai.

112. This verse also indicates that God's glory manifested itself at Sinai through fire.

113. I.e., Abraham now knew that the area he traversed was part of the land, but was not yet told its final borders.

יט־כ אֶת־הַקֵּינִי֙ וְאֶת־הַקְּנִזִּ֔י וְאֵ֖ת הַקַּדְמֹנִֽי׃ וְאֶת־
כא הַחִתִּ֥י וְאֶת־הַפְּרִזִּ֖י וְאֶת־הָרְפָאִֽים׃ וְאֶת־
הָאֱמֹרִי֙ וְאֶת־הַֽכְּנַעֲנִ֔י וְאֶת־הַגִּרְגָּשִׁ֖י וְאֶת־
טז א הַיְבוּסִֽי׃ ס וְשָׂרַי֙ אֵ֣שֶׁת אַבְרָ֔ם לֹ֥א
יָלְדָ֖ה ל֑וֹ וְלָ֛הּ שִׁפְחָ֥ה מִצְרִ֖ית וּשְׁמָ֥הּ הָגָֽר׃

יט יָת שַׁלְמָאֵי וְיָת קְנִזָּאֵי וְיָת
קַדְמוֹנָאֵי׃ כ וְיָת חִתָּאֵי וְיָת
פְּרִזָּאֵי וְיָת גִּבָּרַיָּא׃ כא וְיָת
אֱמוֹרָאֵי וְיָת כְּנַעֲנָאֵי וְיָת
גִּרְגָּשָׁאֵי וְיָת יְבוּסָאֵי׃
א וְשָׂרַי אִתַּת אַבְרָם לָא
יְלִידַת לֵהּ וְלַהּ אַמְתָא
מִצְרֵיתָא וּשְׁמַהּ הָגָר׃

רש״י

אע״פ שהוא מאוחר בארבעה נהרות היוצאים מעדן, שנא׳ והנהר הרביעי הוא פרת (לעיל ב:יד). משל הדיוט, עבד מלך מלך, הדבק לשחור וישתחוו לך (ספרי דברים ו; שבועות מז:ב): **(יט) את הקיני.** עשר אומות יש כאן ולא נתן להם אלא שבעה גוים. והשלשה אדום ומואב ועמון, והם קיני קניזי קדמוני, עתידים להיות ירושה לעתיד, שנאמר אדום ומואב משלוח ידם ובני עמון משמעתם (ישעיה יא:יד; ב״ר מד:כג): **(כ) ואת הרפאים.** ארץ עוג, שנאמר בה ההוא יקרא ארץ רפאים (דברים ג:יג): **(א) שפחה מצרית.** בת פרעה היתה, כשראה נסים שנעשו לשרה אמר מוטב שתהא בתי שפחה בבית זה ולא גבירה

רמב״ן

כִּי יִתֵּן לוֹ כָּל הָאֲרָצוֹת הַהֵן בִּכְלָלָן[114]. וְאֵין הַטַּעַם "אֲשֶׁר אַתָּה רוֹאֶה" בְּעֵינֶיךָ, כִּי רְאוּת הָאָדָם אֵינֶנּוּ לְמֶרְחָק. רַק שֶׁיִּתֵּן לוֹ לְכָל מַרְאֵה עֵינָיו הָרוּחוֹת, אוֹ שֶׁהֶרְאָהוּ כָּל אֶרֶץ יִשְׂרָאֵל, כַּאֲשֶׁר הָיָה בְּמֹשֶׁה רַבֵּינוּ[115]. וְהוֹסִיף לוֹ בַּבְּרָכָה הַשֵּׁנִית הַזֹּאת עוֹד "וּלְזַרְעֲךָ עַד עוֹלָם", וְשֶׁיַּרְבֶּה זַרְעוֹ כַּעֲפַר הָאָרֶץ.

וּבַפַּעַם הַשְּׁלִישִׁית בֵּאֵר לוֹ תְּחוּמֵי הָאָרֶץ, וְהִזְכִּיר לוֹ כָּל הָעַמִּים עֲשָׂרָה אֻמּוֹת, וְהוֹסִיף לִכְרוֹת לוֹ בְּרִית עֲלֵיהֶן שֶׁלֹּא יִגְרֹם הַחֵטְא[116].

וְכַאֲשֶׁר צִוָּהוּ עַל הַמִּילָה אָמַר לוֹ "לַאֲחֻזַּת עוֹלָם" לֵאמֹר שֶׁאִם יִגְלוּ מִמֶּנָּה עוֹד יָשׁוּבוּ וְיִנְחָלוּהָ.

RAMBAN ELUCIDATED

in a general way.[114] The gift was not limited to the lands within Abraham's sight at that moment, as the words might have been understood, **וְאֵין הַטַּעַם "אֲשֶׁר אַתָּה רוֹאֶה" בְּעֵינֶיךָ – for the explanation of "**[the land] **that you see" does not mean** "that you see ***with your eyes***" literally, **כִּי רְאוּת הָאָדָם אֵינֶנּוּ לְמֶרְחָק – for man's sight does not extend far into the distance. רַק שֶׁיִּתֵּן לוֹ לְכָל מַרְאֵה עֵינָיו הָרוּחוֹת – Rather,** it means that **[He] would give him** the land **in all directions that his eyes could see. אוֹ שֶׁהֶרְאָהוּ כָּל אֶרֶץ יִשְׂרָאֵל – Alternatively, He showed him all of *Eretz Yisrael*** when He referred to "the land that you see," **כַּאֲשֶׁר הָיָה בְּמֹשֶׁה רַבֵּינוּ – as happened with Moses our teacher** (*Deuteronomy* 34:1-4).[115] **וְהוֹסִיף לוֹ בַּבְּרָכָה הַשֵּׁנִית הַזֹּאת עוֹד "וּלְזַרְעֲךָ עַד עוֹלָם" – He further added to [Abraham] in this second blessing, *"and to your descendants, forever"*** (above, 13:15) – "forever" not having been part of the original promise – **וְשֶׁיַּרְבֶּה זַרְעוֹ כַּעֲפַר הָאָרֶץ – and also that He would multiply his descendants like the dust of the earth**, which was also not included in the first promise.

[The third promise:]

וּבַפַּעַם הַשְּׁלִישִׁית בֵּאֵר לוֹ תְּחוּמֵי הָאָרֶץ – The third time (i.e., in our verse) **[God] elaborated to [Abraham] on the** exact **borders of the land, וְהִזְכִּיר לוֹ כָּל הָעַמִּים עֲשָׂרָה אֻמּוֹת – and mentioned to him all the peoples – ten nations** – whose lands were included in the promise. **וְהוֹסִיף לִכְרוֹת לוֹ בְּרִית עֲלֵיהֶן – He also went further** on this occasion in **that he sealed a covenant with him over [those lands], שֶׁלֹּא יִגְרֹם הַחֵטְא** – thus ensuring **that no sin should** ever **lead to** the revocation of the promise.[116]

[The fourth promise:]

וְכַאֲשֶׁר צִוָּהוּ עַל הַמִּילָה אָמַר לוֹ "לַאֲחֻזַּת עוֹלָם" – When [God] commanded him concerning circumcision, He said to him, *"[I will give to you and to your offspring after you ... the whole of the land of Canaan* ***for an everlasting possession"*** (below, 17:8), **לֵאמֹר שֶׁאִם יִגְלוּ מִמֶּנָּה עוֹד יָשׁוּבוּ וְיִנְחָלוּהָ – mean-**

114. I.e., without being specific about the boundaries.

115. According to this interpretation, the words "[the land] that you see" are indeed to be taken literally, for Abraham could miraculously see all of *Eretz Yisrael* from where he was.

116. See Ramban above, 15:6, that the purpose of the covenant was to make the gift of *Eretz Yisrael* irrevocable, and not dependent on Abraham's descendants'

[19] *the Kennite, the Kenizzite, and the Kadmonite;* [20] *the Hittite, the Perizzite, and the Rephaim;* [21] *the Amorite, the Canaanite, the Girgashite, and the Jebusite."*

16 [1] *Now Sarai, Abram's wife, had borne him no children. She had an Egyptian maidservant whose name was Hagar.*

רמב״ן

וְהוֹסִיף "וְהָיִיתִי לָהֶם לֵאלֹהִים", שֶׁהוּא בִּכְבוֹדוֹ יַנְהִיג אוֹתָם, וְלֹא יִהְיוּ בְּמֶמְשֶׁלֶת כּוֹכָב וּמַזָּל אוֹ שַׂר מִשָּׂרֵי מַעְלָה[117], כַּאֲשֶׁר יִתְבָּאֵר עוֹד בַּתּוֹרָה[118].

וְאָמַר הַכָּתוּב בַּפַּעַם הָרִאשׁוֹנָה "לְזַרְעֲךָ אֶתֵּן", בִּלְשׁוֹן עָתִיד, וְכֵן בַּשֵּׁנִית, כִּי עַד הֵנָּה לֹא נְתָנָהּ אֵלָיו כֻּלָּהּ, וּלְפִיכָךְ אָמַר לוֹ אֶתְּנֶנָּה. אֲבָל בַּשְּׁלִישִׁית בִּשְׁעַת הַבְּרִית אָמַר "לְזַרְעֲךָ נָתַתִּי". לֵאמֹר שֶׁיִּכְרוֹת לוֹ בְּרִית עַל הַמַּתָּנָה שֶׁכְּבָר נָתַן לוֹ. וְכֵן בְּעֵת הַמִּילָה כְּשֶׁאָמַר "לַאֲחֻזַּת עוֹלָם" אָמַר לוֹ "וְנָתַתִּי לְךָ", בֶּעָתִיד[119].

וְרַשִׁ"י כָּתַב: "לְזַרְעֲךָ נָתַתִּי", אֲמִירַת הַגָּבוֹהַּ כְּמוֹ שֶׁהִיא עֲשׂוּיָה[120].

וְאֵין צֹרֶךְ בַּמָּקוֹם הַזֶּה[121].

RAMBAN ELUCIDATED

ing that even **if they would be exiled from [their land] they would** eventually **return and re-inherit it.** וְהוֹסִיף "וְהָיִיתִי לָהֶם לֵאלֹהִים" – **He added further** on this fourth occasion, ***"And I shall be a God to them"*** (ibid.), שֶׁהוּא בִּכְבוֹדוֹ יַנְהִיג אוֹתָם – meaning **that He Himself, in His Glory, would lead them,** וְלֹא יִהְיוּ בְּמֶמְשֶׁלֶת כּוֹכָב וּמַזָּל אוֹ שַׂר מִשָּׂרֵי מַעְלָה – **and they would not be subject to the rule of any star or constellation or of any of the Heavenly ministers,**[117] כַּאֲשֶׁר יִתְבָּאֵר עוֹד בַּתּוֹרָה – **as will be explained further in the Torah.**[118]

[Ramban points out another difference between the various promises, and explains it in light of his interpretation of these verses:]

וְאָמַר הַכָּתוּב בַּפַּעַם הָרִאשׁוֹנָה "לְזַרְעֲךָ אֶתֵּן", בִּלְשׁוֹן עָתִיד – **Scripture says the first time, *"To your descendants 'I will give'"*** (above, 12:7), **in the future tense.** וְכֵן בַּשֵּׁנִית – **The same thing** was said **the second** time, כִּי עַד הֵנָּה לֹא נְתָנָהּ אֵלָיו כֻּלָּהּ – **for until now He had not** yet **given [the land] to him in its entirety,** וּלְפִיכָךְ אָמַר לוֹ אֶתְּנֶנָּה – **and therefore He said to him, "I *will* give it"** – fu-ture tense – (above, 13:15) the second time as well. אֲבָל בַּשְּׁלִישִׁית בִּשְׁעַת הַבְּרִית אָמַר "לְזַרְעֲךָ נָתַתִּי" – **But the third time, at the time of the covenant, He said, *"To your descendants I have given"*** (15:18), לֵאמֹר שֶׁיִּכְרוֹת לוֹ בְּרִית עַל הַמַּתָּנָה שֶׁכְּבָר נָתַן לוֹ – **meaning that He sealed a covenant with him over the gift that he had *already* given him**, for it was only then that the gift was irrevocably given. וְכֵן בְּעֵת הַמִּילָה כְּשֶׁאָמַר "לַאֲחֻזַּת עוֹלָם" אָמַר לוֹ "וְנָתַתִּי לְךָ" בֶּעָתִיד – **Similarly, at the time of circumci-sion, when He said,** *"I will give to you and to your descendants ... the whole of the land of Canaan* ***for an everlasting possession,"*** **He said to him, *"I 'will' give to you,"* in the future.**[119]

Ramban now cites Rashi's explanation for the use of the past tense in the third promise (15:18), and rejects it:

וְרַשִׁ"י כָּתַב – **Rashi writes** (here):

"לְזַרְעֲךָ נָתַתִּי", אֲמִירַת הַגָּבוֹהַּ כְּמוֹ שֶׁהִיא עֲשׂוּיָה – ***To your descendants have I given*** – **The statement of the One on High is considered done.**[120]

state of merit.

117. I.e., the angels that are appointed to oversee the affairs of each nation on earth (other than the Land of Israel, wich is overseen directly by God).

118. See *Deuteronomy* 4:19 and Ramban ad loc. and on *Leviticus* 18:25.

119. As Ramban explained above, the new element of the fourth promise (at that time of the circumcision) was that God informed Abraham that even if his descendants were exiled from the land they would return. Since this referred to a future event, the future tense is warranted.

120. According to Rashi, the giving of the land refers to an event that had not yet occurred, and he therefore explains the use of the past tense by attributing it to the absolute certainty of the fulfillment of God's word.

121. Although Rashi's line of argument might be applicable in *other* places in the Torah (see *Bereishis*

ב וַתֹּאמֶר שָׂרַי אֶל־אַבְרָם הִנֵּה־נָא עֲצָרַנִי יהוה
מִלֶּדֶת בֹּא־נָא אֶל־שִׁפְחָתִי אוּלַי אִבָּנֶה מִמֶּנָּה
ג וַיִּשְׁמַע אַבְרָם לְקוֹל שָׂרָי: וַתִּקַּח שָׂרַי אֵשֶׁת־אַבְרָם
אֶת־הָגָר הַמִּצְרִית שִׁפְחָתָהּ מִקֵּץ עֶשֶׂר שָׁנִים
לְשֶׁבֶת אַבְרָם בְּאֶרֶץ כְּנָעַן וַתִּתֵּן אֹתָהּ לְאַבְרָם
ד אִישָׁהּ לוֹ לְאִשָּׁה: וַיָּבֹא אֶל־הָגָר וַתַּהַר וַתֵּרֶא
ה כִּי הָרָתָה וַתֵּקַל גְּבִרְתָּהּ בְּעֵינֶיהָ: וַתֹּאמֶר שָׂרַי

ב וַאֲמַרַת שָׂרַי לְאַבְרָם הָא כְעַן
מַנְעַנִי יְיָ מִלְמֵילַד עוּל כְּעַן לְוָת
אַמְתִי מָאִים אִתְבְּנֵי מִנַּהּ וְקַבִּיל
אַבְרָם לְמֵימַר שָׂרָי: ג וּדְבָרַת שָׂרַי
אִתַּת אַבְרָם יָת הָגָר מִצְרֵיתָא
אַמְתַהּ מִסּוֹף עֲשַׂר שְׁנִין לְמִתַּב
אַבְרָם בְּאַרְעָא דִכְנָעַן וִיהָבַת
יָתַהּ לְאַבְרָם בַּעְלַהּ לֵהּ לְאִנְתּוּ:
ד וְעַל לְוָת הָגָר וְעַדִּיאַת
וַחֲזַת אֲרֵי עַדִּיאַת וּקְלַת
רִבּוֹנְתַהּ בְּעֵינָהָא: ה וַאֲמַרַת שָׂרַי

רש"י

בבית אחר (ב"ר מה:א): (ב) **אולי אבנה ממנה.** לימד על מי שאין לו בנים שאינו בנוי אלא הרוס (שם ב): **אבנה ממנה.** בזכות שאכניס צרתי לתוך ביתי (שם עא:ז). [כמו שאמר נתן אלהים שכרי אשר נתתי שפחתי לאישי (להלן ל:יח)]: **לקול שרי.** לרוח הקדש שבה (ב"ר מה:ב): (ג) **ותקח שרי.** לקחתה בדברים, אשריך שזכית לידבק בגוף קדוש כזה (שם ג): **מקץ עשר שנים.** מועד הקבוע לאשה ששהתה י' שנים ולא ילדה לבעלה חייב לישא אחרת (יבמות סד.; ב"ר שם): **לשבת אברם וגו'.** מגיד שאין ישיבת חוצה לארץ עולה מן המנין, לפי שלא נאמר לו ואעשך לגוי גדול (לעיל יב:ב) עד שבא לארץ ישראל (יבמות שם; ב"ר שם): (ד) **ויבא אל הגר ותהר.** מביאה ראשונה (ב"ר שם ד): **ותקל גברתה בעיניה.** אמרה, שרה זו אין סתרה כגלויה, מראה עצמה כאילו היא צדקת ואינה צדקת, שלא זכתה להריון כל השנים הללו, ואני נתעברתי מביאה ראשונה (שם):

רמב"ן

טז [ב] וַיִּשְׁמַע אַבְרָם לְקוֹל שָׂרָי. לֹא אָמַר הַכָּתוּב "וַיַּעַשׂ כֵּן". אֲבָל אָמַר כִּי שָׁמַע לְקוֹל שָׂרָי, יִרְמֹז כִּי אַף עַל פִּי שֶׁאַבְרָם מִתְאַוֶּה מְאֹד לְבָנִים, לֹא עָשָׂה כֵן בְּלֹא רְשׁוּת שָׂרָי[1]. וְגַם עַתָּה לֹא נִתְכַּוֵּן שֶׁיִּבָּנֶה הוּא מֵהָגָר וְיִהְיֶה זַרְעוֹ מִמֶּנָּה; אֲבָל כָּל כַּוָּנָתוֹ לַעֲשׂוֹת רְצוֹן שָׂרָה, שֶׁתִּבָּנֶה מִמֶּנָּה[2] – שֶׁיִּהְיֶה לָהּ נַחַת רוּחַ בִּבְנֵי שִׁפְחָתָהּ, אוֹ זְכוּת שֶׁתִּזְכֶּה הִיא לְבָנִים בַּעֲבוּר כֵּן, כְּדִבְרֵי רַבּוֹתֵינוּ[3].

RAMBAN ELUCIDATED

וְאֵין צֹרֶךְ בַּמָּקוֹם הַזֶּה – **But there is no need** for this explanation **here.**[121]

16.

2. וַיִּשְׁמַע אַבְרָם לְקוֹל שָׂרָי – ***AND ABRAM HEEDED THE VOICE OF SARAI.***

[Why did the Torah not say simply, "And Abram did so"? Ramban explains:]

לֹא אָמַר הַכָּתוּב "וַיַּעַשׂ כֵּן" – **Scripture did not say, "And he did so."** אֲבָל אָמַר כִּי שָׁמַע לְקוֹל שָׂרָי – **It said rather that [Abram] "heeded Sarai's voice,"** יִרְמֹז כִּי אַף עַל פִּי שֶׁאַבְרָם מִתְאַוֶּה מְאֹד לְבָנִים – **intimating that although Abram had a great desire to have children,** לֹא עָשָׂה כֵן בְּלֹא רְשׁוּת שָׂרָי – **he did not [marry Hagar] without Sarai's permission.**[1] וְגַם עַתָּה לֹא נִתְכַּוֵּן שֶׁיִּבָּנֶה הוּא מֵהָגָר וְיִהְיֶה זַרְעוֹ מִמֶּנָּה – **Furthermore, even now** that he did marry Hagar, **he did not do so with the intention that *he* should become built up through her and that *he* should have descendants through her;** אֲבָל כָּל כַּוָּנָתוֹ לַעֲשׂוֹת רְצוֹן שָׂרָה, שֶׁתִּבָּנֶה מִמֶּנָּה – **rather, his entire intention was to do the will of Sarah, that *she* should be built up through [Hagar].**[2]

[Ramban now explains what Sarah meant when she spoke of being "built up" through Hagar:]

שֶׁיִּהְיֶה לָהּ נַחַת רוּחַ בִּבְנֵי שִׁפְחָתָהּ – By "built up" Sarah meant **that she would derive satisfaction from the children of her maidservant.** אוֹ זְכוּת שֶׁתִּזְכֶּה הִיא לְבָנִים בַּעֲבוּר כֵּן, כְּדִבְרֵי רַבּוֹתֵינוּ – **Alternatively,** she meant that she would obtain **merit, so that she should be found deserving of** having her own **children because of [her sacrifice]** of giving Hagar to Abraham, **as the Sages say.**[3]

Rabbah 44:22, the source for Rashi's interpretation), it is unnecessary here.

1. The verse says that Abram "heeded Sarai's voice" to stress that he made sure that Sarah was amenable to the arrangement.

2. This is a second reason for the choice of words: Abraham married Hagar for the precise reason mentioned by Sarah – so that it could be beneficial to *Sarah* – and not for any selfish motivation.

3. See *Bereishis Rabbah* 71:7 and Rashi here ("*I will be*

2 And Sarai said to Abram, "See, now, HASHEM has restrained me from
bearing; consort, now, with my maidservant, perhaps I will be built
up through her." And Abram heeded the voice of Sarai.
3 So Sarai, Abram's wife, took Hagar the Egyptian, her maidservant
— at the end of ten years of Abram's dwelling in the land of Canaan —
and gave her to Abram her husband, to him as a wife. 4 He con-
sorted with Hagar and she conceived; and when she saw that she had
conceived, her mistress was lowered in her esteem. 5 So Sarai said

רמב״ן

וְאָמַר עוֹד[3a] **וַתִּקַּח שָׂרַי**[3b], לְהוֹדִיעַ שֶׁלֹּא מִהֵר אַבְרָם לַדָּבָר עַד שֶׁלְּקָחָהּ שָׂרַי וּנְתָנָהּ בְּחֵיקוֹ[4].

וְהִזְכִּיר הַכָּתוּב **שָׂרַי אֵשֶׁת אַבְרָם, וּלְאַבְרָם אִישָׁהּ**[4a], לִרְמֹז כִּי שָׂרָה לֹא נִתְיָאֲשָׁה מֵאַבְרָם וְלֹא הִרְחִיקָה עַצְמָהּ מֵאֶצְלוֹ, כִּי הִיא אִשְׁתּוֹ וְהוּא אִישָׁהּ. אֲבָל רָצְתָה שֶׁתִּהְיֶה גַּם הָגָר אִשְׁתּוֹ[5]. וּלְכָךְ אָמַר לוֹ "לְאִשָּׁה", שֶׁלֹּא תִּהְיֶה כִּפִּלֶגֶשׁ רַק כְּאִשָּׁה נְשׂוּאָה לוֹ. וְכָל זֶה מוּסַר שָׂרָה וְהַכָּבוֹד שֶׁהִיא נוֹהֶגֶת בְּבַעְלָהּ[6].

[ג] **מִקֵּץ עֶשֶׂר שָׁנִים.** מוֹעֵד הַקָּבוּעַ לְאִשָּׁה שֶׁשָּׁהֲתָה עִם בַּעְלָהּ י׳ שָׁנִים וְלֹא יָלְדָה חַיָּב לִשָּׂא אַחֶרֶת. "לְשֶׁבֶת אַבְרָם בְּאֶרֶץ כְּנָעַן", מַגִּיד שֶׁאֵין יְשִׁיבַת חוּצָה לָאָרֶץ עוֹלָה לוֹ מִן הַמִּנְיָן, לְפִי שֶׁלֹּא

RAMBAN ELUCIDATED

וְאָמַר עוֹד "וַתִּקַּח שָׂרַי" – **[Scripture] says further,**[3a] ***So Sarai took,***[3b] לְהוֹדִיעַ שֶׁלֹּא מִהֵר אַבְרָם לַדָּבָר עַד שֶׁלְּקָחָהּ שָׂרַי וּנְתָנָהּ בְּחֵיקוֹ – **to inform us that Abram did not hurry to** do **this thing** – i.e., to marry Hagar – and waited **until Sarai** actually **"took her" and "gave her"** (*later in this verse*) **into his bosom.**[4]

וְהִזְכִּיר הַכָּתוּב "שָׂרַי אֵשֶׁת אַבְרָם", וּ"לְאַבְרָם אִישָׁהּ" – **[Scripture] mentions *Sarai, Abram's wife,* and *to Abram her husband***[4a] לִרְמֹז כִּי שָׂרָה לֹא נִתְיָאֲשָׁה מֵאַבְרָם וְלֹא הִרְחִיקָה עַצְמָהּ מֵאֶצְלוֹ – **to allude** to the fact **that Sarah did not despair of** being a wife to **Abram, and did not distance herself from him,** כִּי הִיא אִשְׁתּוֹ וְהוּא אִישָׁהּ – **for she still** considered herself **his wife and** considered **him her husband;** אֲבָל רָצְתָה שֶׁתִּהְיֶה גַּם הָגָר אִשְׁתּוֹ – **but she wanted that Hagar should *also* be his wife.**[5] וּלְכָךְ אָמַר לוֹ "לְאִשָּׁה", שֶׁלֹּא תִּהְיֶה כִּפִּלֶגֶשׁ רַק כְּאִשָּׁה נְשׂוּאָה לוֹ – **This is why [Scripture] says,** *[Sarai gave her to Abram]* ***to him "as a wife"*** – to indicate **that [Hagar] was not to be** taken **as a concubine, but as a wife,** fully **married to [Abraham].** וְכָל זֶה מוּסַר שָׂרָה וְהַכָּבוֹד שֶׁהִיא נוֹהֶגֶת בְּבַעְלָהּ – **All this** illustrates **Sarai's ethical character and the respect with which she treated her husband.**[6]

3. מִקֵּץ עֶשֶׂר שָׁנִים – ***AT THE END OF TEN YEARS***

[Ramban quotes Rashi's citation of a Talmudic dictum:]

מוֹעֵד הַקָּבוּעַ לְאִשָּׁה שֶׁשָּׁהֲתָה עִם בַּעְלָהּ י׳ שָׁנִים וְלֹא יָלְדָה – *At the end of ten years* is **the time which is fixed for a woman who has waited ten years** since her marriage **and has not borne children to her husband.** חַיָּב לִשָּׂא אַחֶרֶת – **He is obligated** then **to marry another woman.** "לְשֶׁבֶת אַבְרָם בְּאֶרֶץ כְּנָעַן", מַגִּיד שֶׁאֵין יְשִׁיבַת חוּצָה לָאָרֶץ עוֹלָה לוֹ מִן הַמִּנְיָן – ***Of Abram's dwelling in the land of Canaan*** – **This tells** us **that the** time of his **dwelling outside the Land** of Israel **is not included in**

---

built up – through the merit of my bringing a rival wife into my house").

3a. Below, v. 3.

3b. [We would have expected the Torah, after saying, *Abram heeded the voice of Sarai,* to continue by saying, "So Abram took Hagar." Why is Sarai's role mentioned? Ramban explains:]

4. This is in accord with the point Ramban made in the previous verse, that Abraham made sure that Sarah was completely amenable to his marrying Hagar.

4a. Why does Scripture here tell us the well-known fact that Abram and Sarai were husband and wife?

5. Sarai's intent was *not* that Hagar replace her, but only that she be a second wife alongside her.

6. A second wife is more honorable than a concubine. On the other hand, a wife would surely prefer to have her husband take a concubine than a second wife. Now, Sarah, out of her great modesty and respect for Abraham, encouraged him to take Hagar as a full-fledged wife.

[It appears, however, that Abraham in fact took Hagar as a concubine, out of *his* great respect for

אֶל־אַבְרָם֮ חֲמָסִ֣י עָלֶ֒יךָ֒ אָנֹכִ֗י נָתַ֤תִּי שִׁפְחָתִי֙ בְּחֵיקֶ֔ךָ
וַתֵּ֙רֶא֙ כִּ֣י הָרָ֔תָה וָאֵקַ֖ל בְּעֵינֶ֑יהָ יִשְׁפֹּ֥ט יהוָ֖ה בֵּינִ֥י
6 וּבֵינֶֽיךָ׃ וַיֹּ֨אמֶר אַבְרָ֜ם אֶל־שָׂרַ֗י הִנֵּ֤ה שִׁפְחָתֵךְ֙ בְּיָדֵ֔ךְ
עֲשִׂי־לָ֖הּ הַטּ֣וֹב בְּעֵינָ֑יִךְ וַתְּעַנֶּ֣הָ שָׂרַ֔י וַתִּבְרַ֖ח מִפָּנֶֽיהָ׃

לְאַבְרָם דִּין לִי עֲלָךְ אֲנָא יְהָבִית אַמְתִּי לָךְ וַחֲזַת אֲרֵי עַדִּיאַת וְקַלִּית בְּעֵינָהָא יְדוּן יְיָ בֵּינִי וּבֵינָךְ׃ ו וַאֲמַר אַבְרָם לְשָׂרַי הָא אַמְתִיךְ בִּידִיךְ עֲבִידִי לַהּ כִּדְתַקִּין בְּעֵינָיְכִי וְעַנִּיתַהּ שָׂרַי וַעֲרַקַת מִקֳּדָמָהָא׃

רש"י

(ה) חמסי עליך. חמס העשוי לי עליך אני מטילה העונש. כשהתפללת להקב"ה מה תתן לי ואנכי הולך ערירי (לעיל טו:ב) לא התפללת אלא עליך, והיה לך להתפלל על שנינו והייתי אני נפקדת עמך. ועוד, דבריך אתה חומס ממני, שאתה שומע בזיוני ושותק (ב"ר שם ה): **אנכי נתתי שפחתי וגו' ביני ובינך.** כל בינך שבמקרא חסר וזה מלא, קרי ביה ובינך, שהכניסה עין הרע בעיבורה של הגר והפילה עוברה. הוא שהמלאך אומר להגר הנך הרה (להלן פסוק יא), והלא כבר הרתה והוא מבשר לה שתהר, אלא מלמד שהפילה הריון הראשון (ב"ר שם): **(ו) ותענה שרי.** היתה משעבדת בה בקושי (שם ו):

רמב"ן

נֶאֱמַר לוֹ "וְאֶעֶשְׂךָ לְגוֹי גָּדוֹל" עַד שֶׁבָּא לְאֶרֶץ יִשְׂרָאֵל. לְשׁוֹן רַשִׁ"י.

וְהַטַּעַם הַזֶּה אֵינֶנּוּ יָפֶה, שֶׁיְּשִׁיבַת חוּצָה לָאָרֶץ הֲלָכָה פְּסוּקָה הִיא שֶׁאֵינָהּ עוֹלָה לְשׁוּם אָדָם בָּעוֹלָם, וּמִשְׁנָה שֶׁשָּׁנִינוּ בָּהּ[7] בְּכָל אָדָם הִיא[8], וְאִם הָיָה מִפְּנֵי הַהַבְטָחָה הַזּוֹ לְאַבְרָם - הָיְתָה עוֹלָה לִשְׁאָר הָאֲנָשִׁים[9].

RAMBAN ELUCIDATED

the count of ten years, **לְפִי שֶׁלֹּא נֶאֱמַר לוֹ "וְאֶעֶשְׂךָ לְגוֹי גָּדוֹל" עַד שֶׁבָּא לְאֶרֶץ יִשְׂרָאֵל** – **because "*And I will make of you a great nation*"** (above, 12:2) **was not said to him until he came to the Land of Israel.**

לְשׁוֹן רַשִׁ"י – This is **a quote from Rashi.**

[Ramban takes issue with Rashi's presentation of the Sages' dictum:]

וְהַטַּעַם הַזֶּה אֵינֶנּוּ יָפֶה – **This explanation is not accurate, however,** **שֶׁיְּשִׁיבַת חוּצָה לָאָרֶץ הֲלָכָה פְּסוּקָה הִיא** – **for** concerning the matter of time spent **"dwelling outside of the land"** not counting toward the ten years there **is an established rule,** **שֶׁאֵינָהּ עוֹלָה לְשׁוּם אָדָם בָּעוֹלָם** – **that it does not count for any person in the world,** **וּמִשְׁנָה שֶׁשָּׁנִינוּ בָּהּ בְּכָל אָדָם הִיא** – and, in fact, **the Mishnah in** relation to **which** this law **is taught**[7] **refers to *all* people,** whereas Rashi presents the rule as being applicable only to the specific case of Abraham.[8] **וְאִם הָיָה מִפְּנֵי הַהַבְטָחָה הַזּוֹ לְאַבְרָם** – **If,** as Rashi asserts, **[the fact]** that the ten years spent by Abraham outside of *Eretz Yisrael* did not count for him **was** only **because of** God's **promise to Abram** ("*And I will make of you a great nation,*" which was not said to him until he came to the Land of Israel), **הָיְתָה עוֹלָה לִשְׁאָר הָאֲנָשִׁים** – then one's years of dwelling **[outside the land]** ***would* count for other people** toward the ten-year limit.[9]

Sarah, for Ramban below (16:11, 25:6) refers to Hagar as Abraham's concubine (*Pnei Yerushalayim, Beis HaYayin*).]

7. The Mishnah (*Yevamos* 64a) states the law that a person must marry a new wife after ten years of a childless marriage. In its discussion of this Mishnah, the Gemara (ibid.) cites the Baraisa (a Tannaitic dictum not included in the Mishnah) on which Rashi's statement (concerning the exemption of years spent out of the land) is based.

8. Rashi's comment on our verse is explained by Ramban in his Talmud commentary (*Yevamos* 64a) as follows: Abraham was infertile (as the Talmud ibid. teaches), but this situation was remedied as soon as he arrived in *Eretz Yisrael,* when God told Him that He would have numerous offspring (above, 12:2). Although Abraham had been married to Sarah for many years before coming to *Eretz Yisrael,* he was not expected to marry a second wife at that time because of *his* infertility; it was only after ten years in *Eretz Yisrael,* during which time he had become physically capable of having children, that this requirement became applicable to him. Thus, according to Rashi, the issue of whether one lives in the land or outside the land is irrelevant to the halachah, and after ten years of childless marriage a man must seek a new wife regardless of where he lives. Only in the case of Abraham did the years outside of *Eretz Yisrael* not count, because he was infertile there; otherwise he too, even outside of *Eretz Yisrael,* would have been bound to look for another wife as soon as ten years of marriage had passed.

9. And this, according to Ramban, is halachically incorrect. [However, the opinion of many halachah authorities, such as Rosh, etc., is like Rashi, that the exception to the ten-year rule was only in Abraham's situation, and is not applicable to anyone else. The *Shulchan Aruch* (*E.H.* 154), too, does not mention any exemption for those living outside *Eretz Yisrael.*]

to Abram, "The outrage against me is due to you! It was I who gave my maidservant into your bosom, and when she saw that she had conceived, I became lowered in her esteem. Let HASHEM judge between me and you!"

6 *Abram said to Sarai, "Behold! — your maidservant is in your hand; do to her as you see fit." And Sarai dealt harshly with her, so she fled from her.*

רמב"ן

וּכְבָר טָעוּ בָּהּ גַּם כֵּן מִן הַמְפָרְשִׁים[10] טָעוּת אַחֶרֶת, שֶׁאָמְרוּ שֶׁאֵין דִּין הַיּוֹשֵׁב בְּחוּצָה לָאָרֶץ לְהוֹצִיא הָאִשָּׁה שֶׁשָּׁהֲתָה עִמּוֹ עֶשֶׂר שָׁנִים וְלֹא יָלְדָה, וְלֹא שֶׁיִּשָּׂא אַחֶרֶת[11]. וְאֵין הָעִנְיָן כֵּן[12].

אֲבָל הַכַּוָּנָה לוֹמַר שֶׁאִם שָׁהָה אָדָם עִם אִשְׁתּוֹ בְּחוּצָה לָאָרֶץ חָמֵשׁ אוֹ עֶשֶׂר שָׁנִים, וּבָאוּ לְאֶרֶץ יִשְׂרָאֵל - שֶׁנּוֹתְנִין לָהֶם זְמַן עֶשֶׂר שָׁנִים מֵעֵת בִּיאָתָם לָאָרֶץ[13], אוּלַי בִּזְכוּת הָאָרֶץ יִבָּנוּ[14]. וְכֵן עָשׂוּ אַבְרָהָם וְשָׂרָה - מָנוּ מֵעֵת בּוֹאָם שָׁם[15].

[ו] וַתְּעַנֶּהָ שָׂרַי וַתִּבְרַח מִפָּנֶיהָ. חָטְאָה שָׂרָה אִמֵּנוּ בְּעִנּוּי הַזֶּה, וְגַם אַבְרָהָם בְּהַנִּיחוֹ לַעֲשׂוֹת כֵּן. וְשָׁמַע ה׳

RAMBAN ELUCIDATED

[After having disagreed with Rashi's interpretation of the Talmudic passage in question, Ramban notes that there are also others who err conversely:]

וּכְבָר טָעוּ בָּהּ גַּם כֵּן מִן הַמְפָרְשִׁים טָעוּת אַחֶרֶת – **Then there are some commentators**[10] who made another mistake concerning this matter. שֶׁאָמְרוּ שֶׁאֵין דִּין הַיּוֹשֵׁב בְּחוּצָה לָאָרֶץ לְהוֹצִיא הָאִשָּׁה שֶׁשָּׁהֲתָה עִמּוֹ עֶשֶׂר שָׁנִים וְלֹא יָלְדָה – **For they say that there is no requirement for one who lives outside the Land** of Israel **to divorce his wife who has spent ten years with him without bearing children,** וְלֹא שֶׁיִּשָּׂא אַחֶרֶת – nor for him **to marry another wife** without divorcing his first wife.[11] וְאֵין הָעִנְיָן כֵּן – But the truth of the **matter is not so.**[12]

[Ramban now gives his own interpretation of the Talmud's rule:]

אֲבָל הַכַּוָּנָה לוֹמַר – Rather, the Sages' **intent is to say** שֶׁאִם שָׁהָה אָדָם עִם אִשְׁתּוֹ בְּחוּצָה לָאָרֶץ חָמֵשׁ אוֹ עֶשֶׂר שָׁנִים – **that if a man spent five or ten years outside the land with his wife** and bore no children, וּבָאוּ לְאֶרֶץ יִשְׂרָאֵל – **and they** subsequently **came to *Eretz Yisrael*,** שֶׁנּוֹתְנִין לָהֶם זְמַן עֶשֶׂר שָׁנִים מֵעֵת בִּיאָתָם לָאָרֶץ – **they are given** another **ten years time from the time they arrived in the land.**[13] אוּלַי בִּזְכוּת הָאָרֶץ יִבָּנוּ – The reason for this is that **perhaps through the merit of** living in **the land they will be able to become "built up"** – i.e., have children.[14] וְכֵן עָשׂוּ אַבְרָהָם וְשָׂרָה – **And this is what Abraham and Sarah did;** מָנוּ מֵעֵת בּוֹאָם שָׁם – **they counted** again **from the time they arrived there** in the land.[15]

6. וַתְּעַנֶּהָ שָׂרַי וַתִּבְרַח מִפָּנֶיהָ – ***AND SARAI DEALT HARSHLY WITH HER, SO SHE FLED FROM HER.***

[Was Sarai justified in her treatment of Hagar? Ramban states his opinion:]

חָטְאָה שָׂרָה אִמֵּנוּ בְּעִנּוּי הַזֶּה – **Our matriarch Sarah sinned in this oppression** of Hagar, וְגַם אַבְרָהָם בְּהַנִּיחוֹ לַעֲשׂוֹת כֵּן – **as did Abraham** sin **for allowing her to do so.** וְשָׁמַע ה׳ אֶל עָנְיָהּ וְנָתַן

10. This is the opinion of several halachah authorities, such as *Avi Ezri*, *Smag*, etc.

11. In ancient times polygamy was acceptable and commonplace.

12. These commentators see Abraham's not divorcing Sarah during the many years before coming to *Eretz Yisrael* as evidence that the ten-year rule only applies in *Eretz Yisrael.* Most subsequent authorities agree with Ramban and reject this view. (See Rosh on *Yevamos* ad loc.; *Shulchan Aruch, Even HaEzer* 154.)

13. According to this opinion, when the Sages said that "years spent living outside the land do not count" they did not mean that these years do not count *at all*, but only that if the couple moves to *Eretz Yisrael* the ten-year count may be started anew.

14. This middle position of the Ramban is cited by several halachah authorities (*Rosh*, *Tur*, *Beis Shmuel*).

15. To sum up, Ramban mentions three opinions:

(1) There is no difference between those who live in *Eretz Yisrael* and those who live outside it; in either case a man must marry another woman after ten years of a childless marriage. The Gemara's derivation from our verse that "outside the land" is

ז וַיִּמְצָאָהּ מַלְאַךְ יְהוָה עַל־עֵין הַמַּיִם בַּמִּדְבָּר
ח עַל־הָעַיִן בְּדֶרֶךְ שׁוּר: וַיֹּאמַר הָגָר שִׁפְחַת שָׂרַי
אֵי־מִזֶּה בָאת וְאָנָה תֵלֵכִי וַתֹּאמֶר מִפְּנֵי שָׂרַי
ט גְּבִרְתִּי אָנֹכִי בֹּרַחַת: וַיֹּאמֶר לָהּ מַלְאַךְ יְהוָה
י שׁוּבִי אֶל־גְּבִרְתֵּךְ וְהִתְעַנִּי תַּחַת יָדֶיהָ: וַיֹּאמֶר
לָהּ מַלְאַךְ יְהוָה הַרְבָּה אַרְבֶּה אֶת־זַרְעֵךְ
יא וְלֹא יִסָּפֵר מֵרֹב: וַיֹּאמֶר לָהּ מַלְאַךְ יְהוָה
הִנָּךְ הָרָה וְיֹלַדְתְּ בֵּן וְקָרָאת שְׁמוֹ יִשְׁמָעֵאל

ז וְאַשְׁכְּחַהּ מַלְאֲכָא דַייָ עַל עֵינָא דְמַיָּא בְּמַדְבְּרָא עַל עֵינָא בְּאָרְחָא דְחַגְרָא: ח וַאֲמַר הָגָר אַמְתָא דְשָׂרַי מְנָן אַתְּ אָתְיָא וּלְאָן אַתְּ אָזְלָא וַאֲמַרַת מִן קֳדָם שָׂרַי רִבָּנְתִּי אֲנָא עָרְקָא (נ״א עֲרָקַת): ט וַאֲמַר לַהּ מַלְאֲכָא דַייָ תּוּבִי לְוַת רִבּוֹנְתִּךְ וְאִשְׁתַּעְבְּדִי תְּחוֹת יְדָהָא: י וַאֲמַר לַהּ מַלְאֲכָא דַייָ אַסְגָּאָה אַסְגֵּי יָת בְּנָיְכִי וְלָא יִתְמְנוּן מִסְּגֵי: יא וַאֲמַר לַהּ מַלְאֲכָא דַייָ הָא אַתְּ מְעַדְיָא וּתְלִידִי בַר וְתִקְרֵי שְׁמֵהּ יִשְׁמָעֵאל

רש״י

(ח) **אי מזה באת.** מהיכן באת. יודע היה, אלא ליתן לה פתח ליכנס עמה בדברים. ולשון אי מזה, איה המקום שתאמר עליו מזה אני באה: (ט) **ויאמר לה מלאך ה׳ וגו׳.** על כל אמירה היה שלוח לה מלאך אחר, לכך נאמר מלאך בכל אמירה ואמירה (שם ז): (יא) **הנך הרה.** כשתשובי תהרי, כמו הנך הרה (שופטים יג:ז) דאשת מנוח: **וילדת בן.** כמו וְיוֹלֶדֶת. ודומה לו יֹשַׁבְתְּ בלבנון מְקֻנַּנְתְּ בארזים (ירמיה כב:כג): **וקראת שמו.** צווי הוא. כמו שאומר לזכר וקראת את שמו יצחק (להלן יז:יט):

רמב״ן

אֶל עָנְיָהּ, וְנָתַן לָהּ בֵּן שֶׁיְּהֵא "פֶּרֶא אָדָם"[16] לְעַנּוֹת זֶרַע אַבְרָהָם וְשָׂרָה בְּכָל מִינֵי הָעִנּוּי[16a].

[ט] **שׁוּבִי אֶל גְּבִרְתֵּךְ וְהִתְעַנִּי תַּחַת יָדֶיהָ.** צִוָּה אוֹתָהּ לָשׁוּב וּלְקַבֵּל עָלֶיהָ מֶמְשֶׁלֶת גְּבִרְתָּהּ[16b,16c]. רָמַז כִּי לֹא תֵצֵא לַחָפְשִׁי מִמֶּנָּה, כִּי בְּנֵי שָׂרָה יִמְשְׁלוּ בְּזַרְעָהּ לְעוֹלָם[17].

RAMBAN ELUCIDATED

לָהּ בֵּן שֶׁיְּהֵא "פֶּרֶא אָדָם" – God therefore **"heard her prayer"** (v. 11) **and gave her a son who would be** ***a wild-ass of a man*** (v. 12),[16] לְעַנּוֹת זֶרַע אַבְרָהָם וְשָׂרָה בְּכָל מִינֵי הָעִנּוּי – **to oppress the descendants of Abraham and Sarah with all sorts of oppression** – measure for measure.[16a]

9. שׁוּבִי אֶל גְּבִרְתֵּךְ וְהִתְעַנִּי תַּחַת יָדֶיהָ – ***RETURN TO YOUR MISTRESS, AND SUBMIT YOURSELF TO HER DOMINATION.***

[Why did the angel tell her to go back? This is especially mystifying. Ramban stated earlier (v. 6) that Sarah and Abraham sinned in oppressing Hagar. Why then would the angel suggest to return to that situation?[16b] (*Pnei Yerushalayim*):]

צִוָּה אוֹתָהּ לָשׁוּב וּלְקַבֵּל עָלֶיהָ מֶמְשֶׁלֶת גְּבִרְתָּהּ – **[The angel] commanded her to go back and to accept upon herself the dominion of her mistress.**[16c] רָמַז כִּי לֹא תֵצֵא לַחָפְשִׁי מִמֶּנָּה – This is an **allusion that [Hagar] would never gain freedom from her,** כִּי בְּנֵי שָׂרָה יִמְשְׁלוּ בְּזַרְעָהּ לְעוֹלָם – **for the**

different only applied to Abraham and Sarah and is irrelevant to us today (Rashi).

(2) Only a man who lives in *Eretz Yisrael* must marry a different wife after ten years of childlessness; one who lives outside the land is exempt from this rule. The Gemara's derivation from our verse "outside the land" always applies (*Avi Ezri*).

(3) There is no difference between those who live in *Eretz Yisrael* and those who live outside of it; in either case a man must marry a different wife after ten years of a childless marriage. However, if the couple moves from outside the land to *Eretz Yisrael* they may begin the count anew. The Gemara's derivation from our verse regarding the time spent "outside the land" applies only where the couple moved to *Eretz Yisrael* during, or at the end of, the ten years (Ramban).

16. Ramban is consistent with his own interpretation of *wild-ass of a man;* see below, v. 12.

16a. *Haamek Davar* here defends Sarai's treatment of Hagar. He cites the Midrash (beginning of *Chayei Sarah*) which he explains thus: Sarai, being a righteous prophetess, was a representative of God to the people of her time. Hagar's disrespectfulness toward Sarai was taken by Sarai as an affront to God. Sarai therefore reprimanded her by dealing harshly with her.

16b. These questions assume that וְהִתְעַנִּי stems from the same root as וַתְּעַנֶּהָ (v. 6), both relating to oppression (*Beis HaYayin*).

16c. Ramban now clarifies that וְהִתְעַנִּי does not mean *be oppressed* but rather *submit to another's authority*.

[7] *An angel of Hashem found her by the spring of water in the desert, at the spring on the road to Shur.* [8] *And he said, "Hagar, maidservant of Sarai, where have you come from and where are you going?" And she said, "I am running away from Sarai my mistress."*

[9] *And an angel of Hashem said to her, "Return to your mistress, and submit yourself to her domination."*

[10] *And an angel of Hashem said to her, "I will greatly increase your offspring, and they will not be counted for abundance."*

[11] *And an angel of Hashem said to her, "Behold, you will conceive, and give birth to a son; you shall call his name Ishmael,*

רמב״ן

[יא] וְקָרָאת שְׁמוֹ יִשְׁמָעֵאל. הוֹדִיעַ הַמַּלְאָךְ לְהָגָר שֶׁיִּהְיֶה שְׁמוֹ יִשְׁמָעֵאל[18], כְּדֶרֶךְ "הִנֵּה בֵן נוֹלָד לְבֵית דָּוִד יֹאשִׁיָּהוּ שְׁמוֹ" [מלכים יג, ב][19].

וְאָמַר לָהּ שֶׁהִיא תִּקְרָאֶנּוּ כֵּן, וְתִזְכֹּר כִּי שָׁמַע אֱלֹהִים אֶל עָנְיָהּ[20]. וְאַבְרָהָם מֵעַצְמוֹ קָרָא שְׁמוֹ כֵּן, שֶׁיִּשְׁמַע אֵל[21] וְיַעֲנֶנּוּ. אוֹ שֶׁשָּׁרְתָה עָלָיו רוּחַ הַקֹּדֶשׁ, כְּדִבְרֵי רַשִׁ"י [לקמן פסוק טו], וְקָרָא אוֹתוֹ יִשְׁמָעֵאל כִּי שָׁמַע אֱלֹהִים אֶל עֳנִי אִמּוֹ כִּדְבַר הַמַּלְאָךְ.

וְהַנָּכוֹן בְּעֵינַי, כִּי הַמַּלְאָךְ צִוָּה לְהָגָר שֶׁתִּקְרָאֶנּוּ כֵן, וְהִיא יָרְאָה – בַּעֲבוּר הֱיוֹתָהּ פִּלֶגֶשׁ –

RAMBAN ELUCIDATED

children of Sarah would rule over her descendants forever.[17]

11. וְקָרָאת שְׁמוֹ יִשְׁמָעֵאל – ***YOU SHALL CALL HIS NAME ISHMAEL.***

[The angel told Hagar that *she* shall call her child Ishmael. Yet below, in v. 15, we read that it was *Abraham* who gave him this name. Ramban suggests possible approaches to reconciling the two verses:] **הוֹדִיעַ הַמַּלְאָךְ לְהָגָר שֶׁיִּהְיֶה שְׁמוֹ יִשְׁמָעֵאל – The angel informed Hagar that [the child's] name will be Ishmael,** but did not command her to name him.[18] **כְּדֶרֶךְ "הִנֵּה בֵן נוֹלָד לְבֵית דָּוִד יֹאשִׁיָּהוּ שְׁמוֹ"** – It is to be understood **in the same manner as** the verse, ***Behold, a son will be born to the house of David; Josiah will be his name*** (*I Kings* 13:2).[19]

[However, the angel's statement to Hagar, "for God has heard (שָׁמַע אֵל) your prayer," would seem to indicate that Hagar would be the one to name him! Ramban therefore explains:] **וְאָמַר לָהּ שֶׁהִיא תִּקְרָאֶנּוּ כֵּן, וְתִזְכֹּר כִּי שָׁמַע אֱלֹהִים אֶל עָנְיָהּ – [The angel] told her that she would call him [Ishmael] and** thereby **recall that God had heard her prayer** on that day long ago when she saw the angel.[20] **וְאַבְרָהָם מֵעַצְמוֹ קָרָא שְׁמוֹ כֵּן, שֶׁיִּשְׁמַע אֵל וְיַעֲנֶנּוּ – And Abraham,** either **on his own, called his name [Ishmael],** in order to express his hope **that "God would hear** his prayers[21] **and answer him," אוֹ שֶׁשָּׁרְתָה עָלָיו רוּחַ הַקֹּדֶשׁ כְּדִבְרֵי רַשִׁ"י – or Divine revelation rested on him, as Rashi says** (below, v. 15), **וְקָרָא אוֹתוֹ יִשְׁמָעֵאל כִּי שָׁמַע אֱלֹהִים אֶל עֳנִי אִמּוֹ כִּדְבַר הַמַּלְאָךְ – and he called him Ishmael because "God heard his mother's prayer," just as the angel had said.**

[Now Ramban gives what he considers the best interpretation:]

וְהַנָּכוֹן בְּעֵינַי, כִּי הַמַּלְאָךְ צִוָּה לְהָגָר שֶׁתִּקְרָאֶנּוּ כֵן – The most satisfying explanation **in my view is that the angel commanded Hagar that *she* should name him [Ishmael], וְהִיא יָרְאָה בַּעֲבוּר הֱיוֹתָהּ פִּלֶגֶשׁ**

17. I.e., she had to go back because of מַעֲשֵׂה אָבוֹת סִימָן לַבָּנִים – *the deeds of the fathers are signs for the descendants.* She had to submit to Sarai's rule so as to actualize the mastery of Sarah's descendants over Hagar's descendants. See Ramban above, 12:6.

18. Accordingly, "You shall call him Ishmael" was a prophecy, not a command.

19. There, too, *Josiah will be his name* was a prophecy and not a command.

20. Accordingly, "כִּי שָׁמַע ה׳ אֶל עָנְיֵךְ" does not mean *because Hashem heard your prayer* but, so that you will remember *that* Hashem heard your prayer (*Beis HaYayin*).

21. That is, Yishmael's prayers (*Beis HaYayin*).

יב כִּי־שָׁמַע יְהוָה אֶל־עָנְיֵךְ: וְהוּא יִהְיֶה פֶּרֶא אָדָם
יָדוֹ בַכֹּל וְיַד כֹּל בּוֹ וְעַל־פְּנֵי כָל־אֶחָיו יִשְׁכֹּן:
יג וַתִּקְרָא שֵׁם־יְהוָה הַדֹּבֵר אֵלֶיהָ אַתָּה אֵל רֳאִי כִּי
יד אָמְרָה הֲגַם הֲלֹם רָאִיתִי אַחֲרֵי רֹאִי: עַל־כֵּן קָרָא
לַבְּאֵר בְּאֵר לַחַי רֹאִי הִנֵּה בֵין־קָדֵשׁ וּבֵין בָּרֶד:
טו וַתֵּלֶד הָגָר לְאַבְרָם בֵּן וַיִּקְרָא אַבְרָם שֶׁם־בְּנוֹ
טז אֲשֶׁר־יָלְדָה הָגָר יִשְׁמָעֵאל: וְאַבְרָם בֶּן־שְׁמֹנִים
שָׁנָה וְשֵׁשׁ שָׁנִים בְּלֶדֶת־הָגָר אֶת־יִשְׁמָעֵאל

אֲרֵי קַבִּיל יְיָ צְלוֹתִיךְ: יב וְהוּא יְהֵא מָרוֹד בְּאֱנָשָׁא הוּא יְהֵא צְרִיךְ לְכֹלָּא וִידָא דְכָל בְּנֵי אֱנָשָׁא יְהוֹן צְרִיכִין לֵהּ וְעַל אַפֵּי כָל אֲחוֹהִי יִשְׁרֵי: יג וְצַלִּיאַת בִּשְׁמָא דַיְיָ דְמִתְמַלֵּל עִמַּהּ אֲמֶרֶת אַתְּ הוּא אֱלָהָא דְחָזֵי כֹּלָּא אֲרֵי אֲמֶרֶת הַבְרַם הָכָא (נ״א הַאַף אֲנָא) שָׁרֵתִי חָזְיָא בָּתַר דְּאִתְגְּלִי לִי: יד עַל כֵּן קְרָא לְבֵירָא בֵּירָא דְמַלְאַךְ קַיָּמָא אִתַּחֲזִי עֲלַהּ הָא (הִיא) בֵּין רְקָם וּבֵין חַגְרָא: טו וִילִידַת הָגָר לְאַבְרָם בַּר וּקְרָא אַבְרָם שׁוּם בְּרֵהּ דִּי יְלִידַת הָגָר יִשְׁמָעֵאל: טז וְאַבְרָם בַּר תְּמָנַן וְשִׁית שְׁנִין כַּד יְלִידַת הָגָר יָת יִשְׁמָעֵאל

רש״י

(יב) **פרא אדם.** אוהב מדברות לצוד חיות. כמו שכתוב וישב במדבר ויהי רובה קשת (שם כא:כ; ב״ר שם ט; פדר״א פ״ל): **ידו בכל.** לסטים (תנחומא שמות א): **ויד כל בו.** הכל שונאין אותו ומתגרין בו: **ועל פני כל אחיו ישכן.** שיהיה זרעו גדול: **(יג) אתה אל ראי.** נקוד חטף קמ״ץ מפני שהוא שם דבר, אלוה הראיה, שרואה בעלבון של עלובין (ב״ר מה:י) [ס״א ד״א, אתה אל ראי ומשמע שהוא רואה הכל ואין שום דבר רואה אותו (תרגום יונתן)]: **הגם הלם.** ל׳ תימה, וכי סבורה הייתי שאף הלום במדברות ראיתי שלוחיו של מקום **אחרי ראי** אותם בביתו של אברהם [ששם הייתי רגילה לראות מלאכים]. ותדע שהיתה רגילה לראות, שהרי מנוח ראה את המלאך פעם אחת ואמר מות נמות (שופטים יג:כב), וזו ראתה ארבעה זה אחר זה ולא חרדה (מעילה יז:; ב״ר שם ז): **(יד) באר לחי ראי.** כתרגומו, בירא דמלאך קימא אתחזי עלה: **(טו) ויקרא אברם שם וגו׳.** אע״פ שלא שמע אברם דברי המלאך שאמר וקראת שמו ישמעאל, שרתה רוח הקודש עליו וקראו ישמעאל (מדרש אגדה): [(טז) **ואברם בן שמנים וגו׳.** לשבחו של ישמעאל נכתב, להודיעך שהי׳ בן י״ג שנה כשנמול ולא עכב (שם):]

רמב״ן

לִקְרֹא שֵׁם לְבֶן אֲדוֹנֶיהָ, וְגִלְּתָה לוֹ הָעִנְיָן, וְאַבְרָם קִיֵּם דְּבַר ה׳. אֲבָל לֹא הוּצְרַךְ הַכָּתוּב לְהַאֲרִיךְ בָּזֶה.

[יב] פֶּרֶא אָדָם. לְשׁוֹן רַשִׁ״י: אוֹהֵב מִדְבָּרוֹת לָצוּד חַיּוֹת, כְּמוֹ שֶׁכָּתוּב [להלן כא, כ]: ״וַיֵּשֶׁב בַּמִּדְבָּר וַיְהִי רֹבֶה קַשָּׁת״. **יָדוֹ בַכֹּל.** לִסְטִים. **וְיַד כֹּל בּוֹ.** הַכֹּל שׂוֹנְאִין אוֹתוֹ וּמִתְגָּרִין בּוֹ[22].

וְהַנָּכוֹן, כִּי ״פֶּרֶא אָדָם״ סָמוּךְ[23], שֶׁיִּהְיֶה אִישׁ ״פֶּרֶה לִמּוּד מִדְבָּר״[23a] [ירמיהו ב, כד], יֵצֵא בְּפָעֳלוֹ מְשַׁחֵר

RAMBAN ELUCIDATED

לִקְרֹא שֵׁם לְבֶן אֲדוֹנֶיהָ – but she was afraid – on account of her being a lowly **concubine – to give a name to the son of her master,** **וְגִלְּתָה לוֹ הָעִנְיָן, וְאַבְרָם קִיֵּם דְּבַר ה׳ – so she revealed the matter** about the angel **to him, and Abram fulfilled the word of God** in naming him Ishmael. **אֲבָל לֹא הוּצְרַךְ הַכָּתוּב לְהַאֲרִיךְ בָּזֶה – But the verse did not find it necessary to go to length about this,** and therefore it left this part of the narrative unstated.

12. פֶּרֶא אָדָם – ***A WILD-ASS OF A MAN.***

[What exactly did the angel mean by this prophecy? Ramban begins his discussion by citing Rashi:]

לְשׁוֹן רַשִׁ״י – The following is **a quote from Rashi:**

אוֹהֵב מִדְבָּרוֹת לָצוּד חַיּוֹת – One who loves wildernesses, to hunt animals, **כְּמוֹ שֶׁכָּתוּב ״וַיֵּשֶׁב בַּמִּדְבָּר וַיְהִי רֹבֶה קַשָּׁת״ – as it says,** ***He dwelt in the desert and became a shooter, an archer*** (below, 21:20). **״יָדוֹ בַכֹּל״, לִסְטִים –** ***His hand against everyone*** – This means he will be **a bandit.** **״וְיַד כֹּל בּוֹ״, הַכֹּל שׂוֹנְאִין אוֹתוֹ וּמִתְגָּרִין בּוֹ –** ***And everyone's hand against him*** – **Everyone** will **hate him and attack him.**[22]

[Ramban now presents his own interpretation:]

וְהַנָּכוֹן כִּי ״פֶּרֶא אָדָם״ סָמוּךְ – The most satisfactory interpretation **is that** ***wild-ass of a man*** **is connected** to the words that follow it,[23] **שֶׁיִּהְיֶה אִישׁ ״פֶּרֶה לִמֻּד מִדְבָּר״** – so that it means **that he will**

22. Rashi's opinion is that Ishmael will possess two characteristics: (1) He will be a man who loves the wilderness and to hunt; (2) he will be a bandit despised by all.

23. According to Rashi, *he will be a wild-ass of a man* and *his hand against everyone* . . . are two separate and unrelated prophecies. In Ramban's opinion, the two expressions are connected and refer to the same traits.

for HASHEM has heard your prayer. 12 *And he shall be a*
wild-ass of a man: his hand against everyone, and every-
one's hand against him; and amid all his brothers shall he
dwell."
13 *And she called the Name of HASHEM Who spoke to her*
"You are the God of Seeing," for she said, "Could I have
seen [God] even here, after he has seen me?" 14 *Therefore*
the well was called "The Well of the Living One Appearing
to Me." It is between Kadesh and Bered.
15 *Hagar bore Abram a son and Abram called the name*
of his son that Hagar bore him Ishmael. 16 *And Abram was*
eighty-six years old when Hagar bore Ishmael to Abram.

רמב״ן

לַטָּרֶף [ראה איוב כד, ה], וְיִטְרֹף הַכֹּל, וְהַכֹּל יִטְרְפוּהוּ[24]. וְהָעִנְיָן עַל זַרְעוֹ[25], שֶׁיִּגְדַּל וְיִשְׁכְּנוּ כִּפְרָאִים בַּמִּדְבָּר וְיִהְיוּ לָהֶם מִלְחָמוֹת עִם כָּל הָעַמִּים.

וְרַבִּי אַבְרָהָם אָמַר ״יָדוֹ בַכֹּל״ שֶׁיְּנַצֵּחַ מִתְּחִלָּה כָּל הַגּוֹיִם, וְאַחַר כֵּן ״יַד כֹּל בּוֹ״, שֶׁיְּנֻצַּח בַּסּוֹף.

□ **וְעַל פְּנֵי כָל אֶחָיו יִשְׁכֹּן.** ״וְעַל פְּנֵי כָל אֶחָיו,״ שֶׁהֵם בְּנֵי קְטוּרָה[26], יִשְׁכֹּן, שֶׁיִּגְדַּל זַרְעוֹ מֵהֶם[27].

RAMBAN ELUCIDATED

be a man who would be like ***a wild-ass accustomed to the wilderness*** (cf. *Jeremiah* 2:24), ״יֵצֵא בְּפָעֳלוֹ מְשַׁחֲרֵי לַטָּרֶף״[23a] – and "[like a wild-ass in the wilderness] **he will go out for his labor, searching for [prey] to tear apart"** (cf. *Job* 24:5). וְיִטְרֹף הַכֹּל, וְהַכֹּל יִטְרְפוּהוּ – That is: **He would rip apart all others, and all others would rip him apart.**[24] וְהָעִנְיָן עַל זַרְעוֹ, שֶׁיִּגְדַּל וְיִשְׁכְּנוּ כִּפְרָאִים בַּמִּדְבָּר וְיִהְיוּ לָהֶם מִלְחָמוֹת עִם כָּל הָעַמִּים – **The intent** of the prophecy was **toward his offspring,**[25] foretelling **that they would become great, dwelling in the wilderness like wild asses, and would have wars with all** other **peoples.**

[Another interpretation mentioned by Ramban – that of Ibn Ezra:]

וְרַבִּי אַבְרָהָם אָמַר ״יָדוֹ בַכֹּל״ שֶׁיְּנַצֵּחַ מִתְּחִלָּה כָּל הַגּוֹיִם – **Rabbi Avraham** Ibn Ezra **says** that ***His hand against everyone*** means **that he would first conquer all the nations,** וְאַחַר כֵּן ״יַד כֹּל בּוֹ״, שֶׁיְּנֻצַּח בַּסּוֹף – **but after that, *everyone's hand will be against him,*** meaning that **he would be defeated in the end.**

□ [וְעַל פְּנֵי כָל אֶחָיו יִשְׁכֹּן – *AND AMID ALL HIS BROTHERS SHALL HE DWELL.*]

[Who are these "brothers," and what is the meaning of this prophecy? Ramban explains:]

״וְעַל פְּנֵי כָל אֶחָיו״, שֶׁהֵם בְּנֵי קְטוּרָה – The angel told Hagar that ***amid all his brothers,*** **who are the children of Keturah** (below, 25:1 ff.),[26] ״יִשְׁכֹּן״ – ***shall he dwell,*** שֶׁיִּגְדַּל זַרְעוֹ מֵהֶם – meaning **that [Ishmael's] offspring would be more numerous than them.**[27]

23a. Ramban understands פֶּרֶא אָדָם as describing Yishmael's essence as being פֶּרֶא – *a wild-ass* who appears to be a man.

24. This is the interpretation of the words *his hand against everyone, and everyone's hand against him.*

25. Rashi and Ramban agree that the angel's prophecy compared Ishmael to a wild-ass to describe two different traits — an inclination toward living in the wilderness and a desire for hunting. According to Rashi, however, the prophecy was more benign and related to Ishmael himself, referring to the fact that "he dwelt in the wilderness and became an accomplished archer." In Ramban's opinion, the prophecy was much more foreboding, but referred to Ishmael's *offspring.* (According to Ramban, וְהוּא יִהְיֶה would be better translated "*It* [your child's offspring] will be a wild-ass of a man" rather than "*He* will be a wild-ass of a man.")

26. This is a quote from Ibn Ezra.

27. If Ishmael would "dwell amid *all* his brothers," this means that his descendants by themselves would be more or less equal in number to all their descendants combined. Thus, the Ishmaelites would be more numerous than any one of their "brother" tribes.

יז א לְאַבְרָם: ס וַיְהִי אַבְרָם בֶּן־תִּשְׁעִים שָׁנָה
וְתֵשַׁע שָׁנִים וַיֵּרָא יהוה אֶל־אַבְרָם וַיֹּאמֶר אֵלָיו
ב אֲנִי־אֵל שַׁדַּי הִתְהַלֵּךְ לְפָנַי וֶהְיֵה תָמִים: וְאֶתְּנָה
בְרִיתִי בֵּינִי וּבֵינֶךָ וְאַרְבֶּה אוֹתְךָ בִּמְאֹד מְאֹד:

לְאַבְרָם: א וַהֲוָה אַבְרָם בַּר תִּשְׁעִין וּתְשַׁע שְׁנִין וְאִתְגְּלִי יְיָ לְאַבְרָם וַאֲמַר לֵהּ אֲנָא אֵל שַׁדַּי פְּלַח קֳדָמַי וֶהֱוֵי שְׁלִים: ב וְאֶתֵּן קְיָמִי בֵּין מֵימְרִי וּבֵינָךְ וְאַסְגֵּי יָתָךְ לַחֲדָא לַחֲדָא:

רש״י

(א) אני אל שדי. אני הוא שיש די באלהותי לכל בריה. ולפיכך **התהלך לפני** ואהיה לך לאלוה ולפטרון. וכן כל מקום שהוא במקרא פירושו כך, די שלו [ס״א די יש לו] והכל לפי הענין (ב״ר מו:ג): **התהלך לפני.** כתרגומו, פלח קדמי, הדבק בעבודתי: **והיה תמים.** אף זה צווי אחר צווי, היה שלם בכל נסיונותי. ולפי מדרשו, התהלך לפני במצות מילה ובדבר הזה תהיה תמים, שכל זמן שהערלה בך אתה בעל מום לפני (ב״ר שם ד). ד״א, והיה תמים, [עכשיו אתה חסר ה׳ איברים, ב׳ עינים ב׳ אזנים וראש הגויה.] אוסיף לך אות על שמך ויהיו מנין אותיותיך רמ״ח כמנין איבריך (תנחומא טז; נדרים לב:): **(ב) ואתנה בריתי.** ברית של אהבה וברית הארץ להורישה לך ע״י מצוה זו (ב״ר שם ט):

רמב״ן

יז [א] אֵל שַׁדַּי. שְׁנֵי שֵׁמוֹת, כָּל אֶחָד תֹּאַר לְעַצְמוֹ.

וּפֵרוּשׁ ״אֵל״, תַּקִּיף, מִלְּשׁוֹן ״אֵילֵי מוֹאָב״[1].

וּפֵרוּשׁ ״שַׁדַּי״, אָמַר רַשִׁ״י: שֶׁיֵּשׁ דַּי[1a] בֶּאֱלֹהוּתוֹ לְכָל בְּרִיָּה.

וּבְסֵפֶר מוֹרֵה הַנְּבוּכִים [א, סג] פֵּרֵשׁ הָרַב: כְּלוֹמַר, שֶׁאֵינוֹ צָרִיךְ בִּמְצִיאוּת מַה שֶּׁנִּמְצָא, וְלֹא בְּקִיּוּם מְצִיאוּתוֹ - לְזוּלָתוֹ, אֲבָל מְצִיאוּתוֹ תַּסְפִּיק בְּעַצְמָהּ[2].

וְרַבִּי אַבְרָהָם[3] פֵּרְשׁוֹ בְּשֵׁם הַנָּגִיד זִכְרוֹנוֹ לִבְרָכָה, מִגִּזְרַת שׁוֹדֵד, כְּלוֹמַר מְנַצֵּחַ וּמְשׁוֹדֵד מַעַרְכוֹת הַשָּׁמַיִם.

RAMBAN ELUCIDATED

17.

1. אֵל שַׁדַּי – *EL SHADDAI.*

[Ramban discusses the meaning of this particular appellation of God:]

שְׁנֵי שֵׁמוֹת – These are **two** distinct Divine **Names,** **כָּל אֶחָד תֹּאַר לְעַצְמוֹ** – **each one being an independent descriptive term.**

[Ramban now explains the meaning of these two terms, beginning with *El*:]

וּפֵרוּשׁ ״אֵל״ תַּקִּיף – **The explanation for** the word ***El*** **is "Powerful,"** **מִלְּשׁוֹן ״אֵילֵי מוֹאָב״** – as in the expression ***the powers*** (אֵילֵי) ***of Moab*** (*Exodus* 15:15).[1]

[Ramban now brings several of his predecessors' explanations of the Name *Shaddai*:]

וּפֵרוּשׁ ״שַׁדַּי״ – As for **the explanation of** the word ***Shaddai:*** **אָמַר רַשִׁ״י: שֶׁיֵּשׁ דַּי בֶּאֱלֹהוּתוֹ** – **Rashi says**[1a] **that** (שֶׁיֵּשׁ) **there are** (דַּי) **sufficient means in His Divinity** **לְכָל בְּרִיָּה** – to provide **for every creature.**

וּבְסֵפֶר מוֹרֵה הַנְּבוּכִים – **In the book *Moreh Nevuchim*** (I, 63), **פֵּרֵשׁ הָרַב:** – **the Rabbi** (Rambam) **explains** *Shaddai* thus: **כְּלוֹמַר, שֶׁאֵינוֹ צָרִיךְ בִּמְצִיאוּת מַה שֶּׁנִּמְצָא** – **That is to say that He has no need for the existence of any** other **existing thing,** **וְלֹא בְּקִיּוּם מְצִיאוּתוֹ, לְזוּלָתוֹ** – **nor for anything outside of Himself for His own continued existence;** **אֲבָל מְצִיאוּתוֹ תַּסְפִּיק בְּעַצְמָהּ** – **rather, His existence is self-sufficient.**[2]

וְרַבִּי אַבְרָהָם פֵּרְשׁוֹ בְּשֵׁם הַנָּגִיד זִכְרוֹנוֹ לִבְרָכָה – **Rabbi Avraham** Ibn Ezra,[3] **quoting** Rav Shmuel **the *Nagid,* may his memory be blessed, explains [*Shaddai*]** **מִגִּזְרַת שׁוֹדֵד** – as deriving **from the** same **root** as **שׁוֹדֵד** ("despoiler," "vanquisher"), **כְּלוֹמַר מְנַצֵּחַ וּמְשׁוֹדֵד מַעַרְכוֹת הַשָּׁמַיִם** – **meaning that He triumphs over and vanquishes the Heavenly constellations** that normally dictate man's fate.

---

1. See Ramban above, 1:1 and 14:18.

1a. שַׁדַּי is a contraction of שֶׁיֵּשׁ דַּי.

2. Rambam, like Rashi, sees the Name *Shaddai* as a combination of שֶׁ and דַּי, "Who is sufficient," but he explains the meaning of that description differently, viz., His own existence is sufficient for His own existence.

3. In his commentary on *Exodus* 6:3. (He mentions this interpretation here as well, but does not accredit it to the *Nagid.*)

17 [1] *When Abram was ninety-nine years old, HASHEM appeared to Abram and said to him, "I am El Shaddai; walk before Me and be perfect. [2] I will set My covenant between Me and you, and I will increase you most exceedingly."*

רמב״ן

וְזֶהוּ הַנָּכוֹן, כִּי הִיא מִדַּת הַגְּבוּרָה מַנְהֶגֶת הָעוֹלָם, שֶׁיֹּאמְרוּ בָּהּ הַחֲכָמִים [ב״ר לה, ג] ״מִדַּת הַדִּין שֶׁל מַטָּה״[4].
וְטַעַם לְהַזְכִּיר עַתָּה זֶה הַשֵּׁם, כִּי בּוֹ יֵעָשׂוּ הַנִּסִּים הַנִּסְתָּרִים לַצַּדִּיקִים, לְהַצִּיל מִמָּוֶת נַפְשָׁם, וּלְחַיּוֹתָם בָּרָעָב[5], וְלִפְדּוֹתָם בַּמִּלְחָמָה מִידֵי חָרֶב[6], כְּכָל הַנִּסִּים הַנַּעֲשִׂים לְאַבְרָהָם וְלָאָבוֹת, וּכְכָל הַבָּאִים בַּתּוֹרָה בְּפָרָשַׁת אִם בְּחֻקֹּתַי וּבְפָרָשַׁת וְהָיָה כִּי תָבֹא בַּבְּרָכוֹת וּבַקְּלָלוֹת. שֶׁכֻּלָּם נִסִּים הֵם, כִּי אֵין מִן הַטֶּבַע שֶׁיָּבוֹאוּ הַגְּשָׁמִים בְּעִתָּם בְּעָבְדֵנוּ הָאֱלֹהִים[7], וְלֹא שֶׁיִּהְיוּ הַשָּׁמַיִם כַּבַּרְזֶל כַּאֲשֶׁר נִזְרַע בַּשָּׁנָה הַשְּׁבִיעִית[8], וְכֵן כָּל הַיִּעוּדִים שֶׁבַּתּוֹרָה. אֲבָל כֻּלָּם נִסִּים, וּבְכֻלָּם תִּתְנַצַּח מַעֲרֶכֶת הַמַּזָּלוֹת, אֶלָּא שֶׁאֵין בָּהֶם שִׁנּוּי מִמִּנְהָגוֹ שֶׁל עוֹלָם כַּנִּסִּים הַנַּעֲשִׂים עַל יְדֵי מֹשֶׁה רַבֵּינוּ בְּעֶשֶׂר הַמַּכּוֹת וּבִקְרִיעַת הַיָּם וְהַמָּן וְהַבְּאֵר וְזוּלָתָם, שֶׁהֵם מוֹפְתִים מְשַׁנִּים הַטֶּבַע בְּפִרְסוּם, וְהֵם שֶׁיֵּעָשׂוּ בַּשֵּׁם הַמְיֻחָד אֲשֶׁר הִגִּיד לוֹ. וְלָכֵן אָמַר עַתָּה לְאַבְרָהָם אָבִינוּ

RAMBAN ELUCIDATED

[Ramban concludes that he favors the *Nagid*'s interpretations over the others:]

וְזֶהוּ הַנָּכוֹן – **This is the most satisfactory** explanation of all, כִּי הִיא מִדַּת הַגְּבוּרָה מַנְהֶגֶת הָעוֹלָם – **for it** refers to God's **Attribute of Strength, which guides the** affairs of the **world,** שֶׁיֹּאמְרוּ בָּהּ הַחֲכָמִים ״מִדַּת הַדִּין שֶׁל מַטָּה״ – **which the Sages** (*Bereishis Rabbah* 35:3) **call "The Attribute of Justice of Below."**[4]

[Having established the meaning of this Name of God, Ramban explains why this particular Name was used in our context:]

וְטַעַם לְהַזְכִּיר עַתָּה זֶה הַשֵּׁם – **The reason this Name is mentioned here** כִּי בּוֹ יֵעָשׂוּ הַנִּסִּים הַנִּסְתָּרִים לַצַּדִּיקִים – **is that it is through [this Name] that hidden miracles occur for the righteous,** לְהַצִּיל מִמָּוֶת נַפְשָׁם, וּלְחַיּוֹתָם בָּרָעָב – **to "save their souls from death and to sustain them in famine"**[5] וְלִפְדּוֹתָם בַּמִּלְחָמָה מִידֵי חָרֶב – **and to "redeem them from the sword in war,"**[6] כְּכָל הַנִּסִּים הַנַּעֲשִׂים לְאַבְרָהָם וְלָאָבוֹת – **like all the miracles that were performed for Abraham and for the other Patriarchs**, which are hidden miracles, וּכְכָל הַבָּאִים בַּתּוֹרָה – **and like all the occurrences mentioned in the Torah,** בְּפָרָשַׁת אִם בְּחֻקֹּתַי וּבְפָרָשַׁת וְהָיָה כִּי תָבֹא – **in the Torah-portion** ***Im Bechukosai*** **(*Leviticus*** **Chap. 26) and in the Torah-portion** ***Vehayah Ki Savo*** **(*Deuteronomy*** **Chap. 28),** בַּבְּרָכוֹת וּבַקְּלָלוֹת – **in the blessings and in the curses** enumerated in those passages, שֶׁכֻּלָּם נִסִּים הֵם – **for all these** occurrences mentioned there **are** in fact hidden **miracles.** כִּי אֵין מִן הַטֶּבַע שֶׁיָּבוֹאוּ הַגְּשָׁמִים בְּעִתָּם בְּעָבְדֵנוּ הָאֱלֹהִים – **For it is not natural that the rains should come in their proper time when we serve God,**[7] וְלֹא שֶׁיִּהְיוּ הַשָּׁמַיִם כַּבַּרְזֶל – **nor that the heavens should be** dry **as iron** כַּאֲשֶׁר נִזְרַע בַּשָּׁנָה הַשְּׁבִיעִית – **when we sow** crops **in the Seventh Year,**[8] וְכֵן כָּל הַיִּעוּדִים שֶׁבַּתּוֹרָה – **and similarly for all** such **promises found in the Torah.** אֲבָל כֻּלָּם נִסִּים – **Rather, all these are miracles,** וּבְכֻלָּם תִּתְנַצַּח מַעֲרֶכֶת הַמַּזָּלוֹת – **and in all these** cases the control **of the array of constellations is overpowered** by God, אֶלָּא שֶׁאֵין בָּהֶם שִׁנּוּי מִמִּנְהָגוֹ שֶׁל עוֹלָם – **except that there is no** noticeable **change from the natural course of the world in these** miracles, כַּנִּסִּים הַנַּעֲשִׂים עַל יְדֵי מֹשֶׁה רַבֵּינוּ – **as** there is, for example, **in the miracles performed through Moses our teacher** בְּעֶשֶׂר הַמַּכּוֹת וּבִקְרִיעַת הַיָּם וְהַמָּן וְהַבְּאֵר – **in the Ten Plagues, the Splitting of the Sea, the manna, the Well** of water in the Wilderness וְזוּלָתָם – **and others like these,** שֶׁהֵם מוֹפְתִים מְשַׁנִּים הַטֶּבַע בְּפִרְסוּם – **which were wonders that changed nature in an obvious manner.** וְהֵם שֶׁיֵּעָשׂוּ בַּשֵּׁם הַמְיֻחָד אֲשֶׁר הִגִּיד לוֹ – Those open miracles **are brought about through the Unique Name** of God (י׳ ה׳ ו׳ ה׳), **which [God] told [Moses].** וְלָכֵן אָמַר עַתָּה לְאַבְרָהָם אָבִינוּ – **This is why [God] told Abraham now**

4. Ramban cited the Midrash that mentions this term and discusses the Kabbalistic concept behind it above, 9:12 (not translated).

5. Stylistic citation from *Psalms* 33:19.

6. Stylistic citation from *Job* 5:20.

7. This is indicated in those passages cited from *Leviticus* and *Deuteronomy*.

8. See *Leviticus* 26:34-35.

רמב״ן

כִּי הוּא הַתַּקִּיף הַמְנַצֵּחַ שֶׁיִּגְבַּר עַל מַזָּלוֹ וְיוֹלִיד בָּנִים, וְיִהְיֶה בְּרִית בֵּינוֹ וּבֵין זַרְעוֹ לְעוֹלָם שֶׁיִּהְיֶה חֵלֶק ה׳ עַמּוֹ, וּבִרְצוֹנוֹ יַנְהִיגֵם, לֹא יִהְיוּ תַּחַת מֶמְשֶׁלֶת כּוֹכָב וּמַזָּל.

וְדַע וּרְאֵה כִּי אַבְרָהָם אָבִינוּ לֹא הִזְכִּיר בִּדְבָרָיו שֵׁם יוּ״ד ה׳ רַק בְּצֵרוּף הַשֵּׁם הַכָּתוּב בְּאָלֶ״ף דָּלֶ״ת [לעיל טו, ב] אוֹ בְּצֵרוּף ״אֵל עֶלְיוֹן״ עִמּוֹ [לעיל יד, כב], וְיַזְכִּיר בְּעִנְיָנָיו ״אֱלֹהִים״ [לקמן פסוק ג ועוד], וְכֵן יֹאמַר ״ה׳ אֱלֹהֵי הַשָּׁמַיִם״ [להלן כד, ז], וְאָמַר ״ה׳ יִרְאֶה״ [להלן כב, יד] עַל מְקוֹם הַמִּקְדָּשׁ הֶעָתִיד. וְיַעֲקֹב הִזְכִּיר תָּמִיד ״אֵל שַׁדַּי״ [להלן מג יד, מח ג], וּמֹשֶׁה רַבֵּינוּ לֹא יַזְכִּיר כֵּן לְעוֹלָם. וְאִם תִּזְכֶּה תָּבִין זֶה כֻּלּוֹ מִמַּה שֶּׁאָמְרוּ בְּמַסֶּכֶת יְבָמוֹת [מט, ב]: ״כָּל הַנְּבִיאִים נִסְתַּכְּלוּ בְּאִיסְפַּקְלַרְיָא שֶׁאֵינָהּ מְאִירָה, וּלְפִיכָךְ אָמַר יְשַׁעְיָה ״וָאֶרְאֶה אֶת ה׳״ [ישעיה ו, א], וּמֹשֶׁה נִסְתַּכֵּל בְּאִיסְפַּקְלַרְיָא הַמְּאִירָה, וּלְפִיכָךְ אָמַר ״כִּי לֹא יִרְאַנִי הָאָדָם וָחָי״ [שמות לג, כ], ״וָאֶרְאֶה אֶת ה׳״ כָּתוּב בְּאָלֶ״ף דָּלֶ״ת. וְעוֹד אַזְכִּיר זֶה בְּפָרָשַׁת וָאֵרָא [שמות ו, ב] אִם יִרְאֶה אֱלֹהִים בְּעָנְיִי:

□ **הִתְהַלֵּךְ לְפָנַי.** לָלֶכֶת בַּדֶּרֶךְ אֲשֶׁר אוֹרֶה אוֹתְךָ, כְּטַעַם ״אַחֲרֵי ה׳ אֱלֹהֵיכֶם תֵּלֵכוּ וְאֹתוֹ תִירָאוּ״ [דברים יג, ה], כִּי הַמְצַוֶּה לֶאֱחֹז דַּרְכּוֹ[9], קוֹדֶם שֶׁיּוֹרֶנּוּ יֹאמַר ״הִתְהַלֵּךְ לְפָנַי״[10], וְהַבָּא אַחֲרֵי הַצַּוָּאָה יֹאמַר ״אַחֲרֵי ה׳ אֱלֹהֵיכֶם תֵּלֵכוּ״ [ראה דברים יג, ה], וְהָעִנְיָן בִּשְׁנֵיהֶם לָלֶכֶת אַחֲרֵי הַשֵּׁם, לִירָא מִמֶּנּוּ לְבַדּוֹ, וְלַעֲשׂוֹת מַה שֶּׁיְּצַוֶּה[11].

RAMBAN ELUCIDATED

כִּי הוּא הַתַּקִּיף הַמְנַצֵּחַ – that He is "the Powerful One Who Conquers the Forces of Nature" (that is, "*El, Shaddai*"). שֶׁיִּגְבַּר עַל מַזָּלוֹ וְיוֹלִיד בָּנִים – The use of this name indicated **that [Abraham] would overcome his natural fate and father children,** וְיִהְיֶה בְּרִית בֵּינוֹ וּבֵין זַרְעוֹ לְעוֹלָם – **and** that **there would be a covenant between [God] and [Abraham's] descendants forever** שֶׁיִּהְיֶה חֵלֶק ה׳ עַמּוֹ – to the effect **that His people** (Israel) **would be the portion of God,** וּבִרְצוֹנוֹ יַנְהִיגֵם – meaning that **He would guide them** directly **by His will** לֹא יִהְיוּ תַּחַת מֶמְשֶׁלֶת כּוֹכָב וּמַזָּל – and **that they,** too, **would not be subject to the control of stars and constellations.**

[The next part of this comment discusses the deep Kabbalistic concepts of these Names of God and is beyond the scope of this elucidation. In the Hebrew text, Ramban's words appear in the paragraph beginning וְדַע וּרְאֵה and ending יִרְאֶה אֱלֹהִים בְּעָנְיִי.]

□ הִתְהַלֵּךְ לְפָנַי – *WALK BEFORE ME.*

[Ramban explains the meaning of this figurative expression:]

לָלֶכֶת בַּדֶּרֶךְ אֲשֶׁר אוֹרֶה אוֹתְךָ – To "walk before Me" means **"to walk in the path on which I shall instruct you."** כְּטַעַם ״אַחֲרֵי ה׳ אֱלֹהֵיכֶם תֵּלֵכוּ וְאֹתוֹ תִירָאוּ״ – Its meaning is **like the meaning of** the similar expression, ***After HASHEM, your God, shall you walk and Him shall you fear*** (*Deuteronomy* 13:5).

[Addressing the difference in expression between the two verses – "to walk *after* God" and "to walk *before* God" – Ramban explains:]

כִּי הַמְצַוֶּה לֶאֱחֹז דַּרְכּוֹ קוֹדֶם שֶׁיּוֹרֶנּוּ – **For the One Who commands to conform to His way**[9] **before He instructs him,** specifically, יֹאמַר ״הִתְהַלֵּךְ לְפָנַי״ – **will say, *Walk "before" Me,***[10] וְהַבָּא אַחֲרֵי הַצַּוָּאָה יֹאמַר ״אַחֲרֵי ה׳ אֱלֹהֵיכֶם תֵּלֵכוּ״ – but when the demand for compliance **comes after the command** has been issued, He **says, *"After" HASHEM, your God, shall you walk.*** וְהָעִנְיָן בִּשְׁנֵיהֶם לָלֶכֶת אַחֲרֵי הַשֵּׁם, לִירָא מִמֶּנּוּ לְבַדּוֹ, וְלַעֲשׂוֹת מַה שֶּׁיְּצַוֶּה – **The meaning of both [expressions] is "to follow God, to fear only Him and to do whatever He commands."**[11]

□ וְהְיֵה תָמִים – *AND BE PERFECT.*

[What did God mean by this command? Ramban notes several explanations, beginning with his own:]

9. Lit., to grasp His way.

10. Abraham could not be expected at this point to *follow* God's instructions because they had not yet been issued. Therefore, God told him, "Walk *before* Me," meaning, "commit yourself now to comply with My instructions that I am about to issue."

11. See also Ramban above, 6:9.

12. Ramban apparently means to disagree with Radak, who interprets וֶהְיֵה תָמִים not as a command, but as a promise: "If you walk with Me, you will become perfect."

רמב״ן

☐ **וֶהְיֵה תָמִים.** מִצְוָה אַחֶרֶת עוֹד בְּעִנְיָן הַזֶּה[12], כְּטַעַם ״תָּמִים תִּהְיֶה עִם ה׳ אֱלֹהֶיךָ״ [דברים יח, יג] אַחֲרֵי אַזְהָרַת ״לֹא יִמָּצֵא בְךָ ... קֹסֵם קְסָמִים מְעוֹנֵן וּמְנַחֵשׁ וּמְכַשֵּׁף וְגוֹ׳״ [שם פסוק י]. וְהָעִנְיָן בִּשְׁנֵיהֶם שֶׁיַּאֲמִין בְּלִבּוֹ כִּי הַקָּדוֹשׁ בָּרוּךְ הוּא לְבַדּוֹ הוּא בַּעַל הַיְכֹלֶת בַּתְּחִלָּה וּבַסּוֹף, הוּא הַיָּכוֹל לַעֲשׂוֹת וּלְבַטֵּל, וְלֹא יִשְׁמַע אֶל מְעוֹנְנִים וְאֶל קוֹסְמִים אוֹ לִמְנַחֵשׁ וּמְכַשֵּׁף, וְלֹא יַאֲמִין שֶׁיָּבֹאוּ דִּבְרֵיהֶם עַל כָּל פָּנִים. אֲבָל יִגְזֹר בְּלִבּוֹ שֶׁהַכֹּל בְּיַד עֶלְיוֹן הָעֶלְיוֹנִים, שֶׁהוּא ״אֵל״[13] וְהוּא ״שַׁדַּי״[13], עוֹשֶׂה טוֹבָה שֶׁלֹּא הָיָה בַּמַּזָּל, וּמֵבִיא רָעָה בִּהְיוֹת הַמַּזָּל טוֹב וְיָפֶה, כְּפִי שֶׁיִּתְהַלֵּךְ הָאָדָם לְפָנָיו. ״מֵפֵר אֹתוֹת בַּדִּים וְקֹסְמִים יְהוֹלֵל״ [ישעיה מד, כה], וְזֶהוּ שֶׁאָמְרוּ [שבת קנו, א]: ״צֵא מֵאִצְטַגְנִינוּת שֶׁלְּךָ וְכוּ׳״[14].

וְרַשִׁ״י פֵּרֵשׁ ״וֶהְיֵה תָמִים״, הֱיֵה שָׁלֵם בְּכָל הַנִּסְיוֹנוֹת[15].

וְרַבִּי אַבְרָהָם אָמַר שֶׁלֹּא יִשְׁאַל עַל הַמִּילָה לָמָּה, וְהוּא כְּטַעַם ״יְהִי לִבִּי תָמִים בְּחֻקֶּיךָ״ [תהלים קיט, פ].

וְהַנָּכוֹן מַה שֶּׁפֵּרַשְׁתִּי.

RAMBAN ELUCIDATED

מִצְוָה אַחֶרֶת עוֹד בְּעִנְיָן הַזֶּה – This was **a separate, additional command in this matter.**[12] **כְּטַעַם ״תָּמִים תִּהְיֶה עִם ה׳ אֱלֹהֶיךָ״** – Its meaning is **like the meaning of** the similar expression, ***You shall be wholehearted*** (תָּמִים) ***with Hashem your God"*** (*Deuteronomy* 18:13), **אַחֲרֵי אַזְהָרַת הַשֵּׁם ״לֹא יִמָּצֵא בְךָ ... קֹסֵם קְסָמִים מְעוֹנֵן וּמְנַחֵשׁ וּמְכַשֵּׁף וְגוֹ׳ ״** – which is written **after the prohibition, *There shall not be found among you... one who practices divinations, a cloud-reader, one who reads omens, or a sorcerer, etc.*** (ibid. 18:10). **וְהָעִנְיָן בִּשְׁנֵיהֶם** – **The meaning of both these** expressions **שֶׁיַּאֲמִין בְּלִבּוֹ כִּי הַקָּדוֹשׁ בָּרוּךְ הוּא לְבַדּוֹ הוּא בַּעַל הַיְכֹלֶת בַּתְּחִלָּה וּבַסּוֹף** – **is that one should believe in his heart that the Holy One, Blessed is He, alone is the all-Powerful One at the beginning and at the end** of all events, **הוּא הַיָּכוֹל לַעֲשׂוֹת וּלְבַטֵּל** – meaning that **He** alone **is capable of putting** events **into action and of annulling** events that were already set to occur, **וְלֹא יִשְׁמַע אֶל מְעוֹנְנִים וְאֶל קוֹסְמִים אוֹ לִמְנַחֵשׁ וּמְכַשֵּׁף** – **and** consequently **one should not listen to cloud-readers, diviners, omen-readers or sorcerers, וְלֹא יַאֲמִין שֶׁיָּבֹאוּ דִּבְרֵיהֶם עַל כָּל פָּנִים** – **and** one **should not believe that their words will surely come true. אֲבָל יִגְזֹר בְּלִבּוֹ** – **Rather, he should conclude with certainty in his heart שֶׁהַכֹּל בְּיַד עֶלְיוֹן הָעֶלְיוֹנִים** – **that everything is in the hands of the Most Superior One, שֶׁהוּא ״אֵל״ וְהוּא ״שַׁדַּי״** – **Who is *El*** (the Mighty One[13]) **and *Shaddai*** (the One Who overrides natural fate[13]), **עוֹשֶׂה טוֹבָה שֶׁלֹּא הָיָה בַּמַּזָּל** – **Who can do kindness** even **when it is not in the** person's **fate, וּמֵבִיא רָעָה בִּהְיוֹת הַמַּזָּל טוֹב וְיָפֶה** – **and bring evil** even **when the** person's **fate is good and favorable, כְּפִי שֶׁיִּתְהַלֵּךְ הָאָדָם לְפָנָיו** – all **in accordance with the extent to which the person has walked before Him. ״מֵפֵר אֹתוֹת בַּדִּים וְקֹסְמִים יְהוֹלֵל״** – ***He abrogates the omens of the stargazers and makes fools of the diviners*** (*Isaiah* 44:25). **וְזֶהוּ שֶׁאָמְרוּ** – **This is what [the Sages]** meant when they **said** that God told Abraham, **״צֵא מֵאִצְטַגְנִינוּת שֶׁלְּךָ וְכוּ׳ ״** – ***"Abandon your astrology, etc.!"***[14] (*Shabbos* 156a).

[Ramban now presents the interpretations of Rashi and Ibn Ezra, and states his conclusion:]

וְרַשִׁ״י פֵּרֵשׁ ״וֶהְיֵה תָמִים״ – **Rashi interprets *be perfect* as, הֱיֵה שָׁלֵם בְּכָל הַנִּסְיוֹנוֹת** – **be complete in all of the trials** through which I will put you.[15]

וְרַבִּי אַבְרָהָם אָמַר שֶׁלֹּא יִשְׁאַל עַל הַמִּילָה לָמָּה – **Rabbi Avraham** Ibn Ezra **says** that Abraham was to be perfect in the sense **that "he should not ask what the purpose of circumcision was."** According to Ibn Ezra, then, it means "be innocent," **וְהוּא כְּטַעַם ״יְהִי לִבִּי תָמִים בְּחֻקֶּיךָ״** – **like the meaning of** the similar expression in ***May my heart be innocent*** (תָּמִים) ***concerning Your statutes*** (*Psalms* 119:80).

וְהַנָּכוֹן מַה שֶּׁפֵּרַשְׁתִּי – **But the correct** interpretation **is what I have explained.**

13. Following Ramban's interpretation of this Name above in this verse.

14. Abraham had been convinced, based on his astrological fate, that he would never have children. God told him to abandon his astrological considerations, for they were irrelevant. (See Ramban above, 15:5, where this dictum is discussed at length.)

15. Meaning, "When hardship comes your way, do not question My conduct toward you" (*Mizrachi*).

ג וַיִּפֹּ֥ל אַבְרָ֖ם עַל־פָּנָ֑יו וַיְדַבֵּ֥ר אִתּ֛וֹ אֱלֹהִ֖ים לֵאמֹֽר:
ד אֲנִ֕י הִנֵּ֥ה בְרִיתִ֖י אִתָּ֑ךְ וְהָיִ֕יתָ לְאַ֖ב הֲמ֥וֹן גּוֹיִֽם:
ה וְלֹא־יִקָּרֵ֥א ע֛וֹד אֶת־שִׁמְךָ֖ אַבְרָ֑ם וְהָיָ֤ה שִׁמְךָ֙
ו אַבְרָהָ֔ם כִּ֛י אַב־הֲמ֥וֹן גּוֹיִ֖ם נְתַתִּֽיךָ: וְהִפְרֵתִ֤י
אֹֽתְךָ֙ בִּמְאֹ֣ד מְאֹ֔ד וּנְתַתִּ֖יךָ לְגוֹיִ֑ם וּמְלָכִ֖ים

ג וּנְפַל אַבְרָם עַל אַפּוֹהִי וּמַלִּיל עִמֵּהּ יְיָ לְמֵימָר: ד אֲנָא הָא (גְזַר) קְיָמִי עִמָּךְ וּתְהֵי לְאַב סְגִי עַמְמִין: ה וְלָא יִתְקְרֵי עוֹד יָת שְׁמָךְ אַבְרָם וִיהֵי שְׁמָךְ אַבְרָהָם אֲרֵי אַב סְגִי עַמְמִין יְהָבְתָּךְ: ו וְאַפֵּישׁ יָתָךְ לַחֲדָא לַחֲדָא וְאֶתְנִנָּךְ לְעַמְמִין וּמַלְכִין

רש"י

(ג) **ויפל אברם על פניו.** ממורא השכינה, שעד שלא מל לא היה בו כח לעמוד ורוה"ק נצבת עליו, וזהו שנאמר בבלעם נופל וגלוי עינים (במדבר כד:ד). בברייתא דרבי אליעזר מצאתי כן (פדר"א פכ"ט): (ה) **כי אב המון גוים.** ל' נוטריקון של שמו (ב"ר שם ז). ורי"ש שהיתה בו בתחלה, שלא היה אב אלא לארם שהוא מקומו ועכשיו אב לכל העולם (ברכות יג.), לא זזה ממקומה. שאף יו"ד של שרי נתרעמה על השכינה עד שהוסיפה ליהושע, שנאמר ויקרא משה להושע בן נון יהושע (במדבר יג:טז; סנהדרין קז.; ב"ר מז:א): (ו) **ונתתיך לגוים.** ישראל ואדום, שהרי ישמעאל כבר היה לו ולא היה מבשרו עליו:

רמב"ן

[ג] וְטַעַם **וַיִּפֹּל אַבְרָם עַל פָּנָיו**, לְכַוֵּן דַּעְתּוֹ לִנְבוּאָה. וְכַאֲשֶׁר הִשְׁלִים לוֹ נְבוּאַת הַמִּצְוָה בְּמִילָה קָם אַבְרָהָם וְעָמַד[16], וּבָא אֵלָיו הַדִּבּוּר שֵׁנִית מִן הַשָּׁמַיִם וְאָמַר לוֹ [לקמן פסוק טו] "שָׂרַי אִשְׁתְּךָ וְגוֹ'", וְחָזַר וְנָפַל עַל פָּנָיו לְכַוֵּן דַּעְתּוֹ, וְהִתְפַּלֵּל עַל יִשְׁמָעֵאל[17], כְּדֶרֶךְ "וַיִּפְּלוּ עַל פְּנֵיהֶם וַיֹּאמְרוּ אֵל אֱלֹהֵי הָרוּחֹת וְגוֹ'" [במדבר טז, כב][18], וְכֵן "וַאֲכַלֶּה אֹתָם כְּרָגַע וַיִּפְּלוּ עַל פְּנֵיהֶם" [שם יז, י][19].

[ד] **הִנֵּה בְרִיתִי אִתָּךְ וְהָיִיתָ לְאַב הֲמוֹן גּוֹיִם.** הוּא בְּרִית הַמִּילָה אֲשֶׁר יְפָרֵשׁ [לקמן פסוקים י, יא] "זֹאת אוֹת

RAMBAN ELUCIDATED

3. [וַיִּפֹּל אַבְרָם עַל פָּנָיו – *ABRAM FELL UPON HIS FACE.*]

[What did Abraham's falling upon his face signify?]

וְטַעַם "וַיִּפֹּל אַבְרָם עַל פָּנָיו" – The explanation of *Abram fell upon his face* **לְכַוֵּן דַּעְתּוֹ לִנְבוּאָה** – is that it was **in order for him to direct his mind toward** receiving **the prophecy** that God was revealing to him. **וְכַאֲשֶׁר הִשְׁלִים לוֹ נְבוּאַת הַמִּצְוָה בְּמִילָה – And when the prophecy concerning the commandment of circumcision was completed, קָם אַבְרָהָם וְעָמַד – Abraham arose and stood,**[16] **וּבָא אֵלָיו הַדִּבּוּר שֵׁנִית מִן הַשָּׁמַיִם – and then the word came to him a second time from heaven וְאָמַר לוֹ "שָׂרַי אִשְׁתְּךָ וְגוֹ'" – and said to him, *"As for Sarai, your wife..."*** (below, v. 15), **וְחָזַר וְנָפַל עַל פָּנָיו – and he once again fell upon his face** (v. 17), **לְכַוֵּן דַּעְתּוֹ וְהִתְפַּלֵּל עַל יִשְׁמָעֵאל** – this time **to direct his mind to pray for Ishmael** (v. 18).[17] **כְּדֶרֶךְ "וַיִּפְּלוּ עַל פְּנֵיהֶם וַיֹּאמְרוּ אֵל אֱלֹהֵי הָרוּחֹת וְגוֹ'"** – This is **like, *They fell on their faces and said, "God, God of the spirits, etc."***[18] (*Numbers* 16:22), **וְכֵן "וַאֲכַלֶּה אֹתָם כְּרֶגַע וַיִּפְּלוּ עַל פְּנֵיהֶם" – and so too:** *[Hashem spoke to Moses...]* ***"I shall destroy them in an instant!" And [Moses and Aaron] fell on their faces***[19] (ibid. 17:10).

4. **הִנֵּה בְרִיתִי אִתָּךְ וְהָיִיתָ לְאַב הֲמוֹן גּוֹיִם** – ***THIS IS MY COVENANT WITH YOU, AND YOU SHALL BE A FATHER OF A MULTITUDE OF NATIONS.***

[This sentence could easily be read to imply (as does Radak) that the "covenant" mentioned in the first part of the verse is specified in the second part – namely, that Abraham would be a father of a

16. Although the Torah does not tell us that Abraham arose, we may assume so, for in v. 17 we are told that he fell upon his face once again.

[Ramban's opinion here is in contradistinction to Rashi and Radak. Rashi explains that he fell on his face in awe, unable to experience God's Presence while uncircumcised. Radak explains the falling as an expression of appreciation for the good tidings which he had just received from God.]

17. The first time Abraham fell he knew that he was about to receive a prophecy, for God had told him, "Walk before Me," which, as Ramban explained above (on v. 1), meant that he was to follow God's imminent command. The second time, however, no prophecy was forthcoming; therefore, Ramban explains that his falling was for a different reason – to pray for Ishmael.

18. In that context as well, "falling on the face" was for the purpose of prayer, as indicated by the verse itself.

19. There, too, "falling on the face" was for the purpose of prayer, though prayer is not explicitly mentioned in

[3] Abram fell upon his face, and God spoke with him saying, [4] "As for Me, this is My covenant with you, and you shall be a father of a multitude of nations; [5] your name shall no longer be called Abram, but your name shall be Abraham, for I have made you the father of a multitude of nations; [6] I will make you most exceedingly fruitful, and I will make nations of you; and kings

רמב״ן

הַבְּרִית״[19a], וְאַחֲרֵי הַבְּרִית תִּהְיֶה לְאַב הֲמוֹן גּוֹיִם.

וּבָרוּךְ הַשֵּׁם אֲשֶׁר לוֹ לְבַדּוֹ נִתְכְּנוּ עֲלִילוֹת[20], שֶׁהִקְדִּים וְצִוָּה אֶת אַבְרָהָם לָבֹא בִּבְרִיתוֹ לְהִמּוֹל קוֹדֶם שֶׁתַּהַר שָׂרָה, לִהְיוֹת זַרְעוֹ קָדוֹשׁ[21].

[ו] **וּנְתַתִּיךָ לְגוֹיִם.** לְשׁוֹן רַשִׁ״י: יִשְׂרָאֵל וֶאֱדוֹם, שֶׁהֲרֵי יִשְׁמָעֵאל כְּבָר הָיָה לוֹ וְלֹא הָיָה מְבַשֵּׂר לוֹ עָלָיו.

וְאֵינֶנּוּ נָכוֹן בְּעֵינַי שֶׁיְּבַשְּׂרֶנּוּ בְּעֵת בְּרִית הַמִּילָה עַל עֵשָׂו, וְהוּא אֵינוֹ מְקַיֵּם הַמִּילָה[21a] וְגַם לֹא נִצְטַוָּה עָלֶיהָ, כְּמוֹ שֶׁדָּרְשׁוּ בְּסַנְהֶדְרִין [נט,ב]: כִּי בְיִצְחָק וְלֹא כָּל יִצְחָק[22].

RAMBAN ELUCIDATED

multitude of nations. Ramban, however, rejects this interpretation:]

הוּא בְּרִית הַמִּילָה – [This covenant] was the covenant of circumcision, אֲשֶׁר יְפָרֵשׁ ״זֹאת אוֹת הַבְּרִית״ **– that [Scripture] will** later **state explicitly, *This is ... the sign of the covenant*** (below, cf. vv. 10-11).[19a] **וְאַחֲרֵי הַבְּרִית תִּהְיֶה לְאַב הֲמוֹן גּוֹיִם** – God was saying, in effect: ***"After*** you observe **that covenant** by circumcising yourself, ***you will be the father of a multitude of nations."***

[The question then is: What indeed is the connection between the covenant of circumcision and God's promise to Abraham that he would be the father of a multitude of nations? Ramban explains (citing Ibn Ezra v. 5):]

וּבָרוּךְ הַשֵּׁם אֲשֶׁר לוֹ לְבַדּוֹ נִתְכְּנוּ עֲלִילוֹת – Praised be God, to Whom alone are [man's] deeds accounted,[20] **שֶׁהִקְדִּים וְצִוָּה אֶת אַבְרָהָם לָבֹא בִּבְרִיתוֹ לְהִמּוֹל – Who preceded to command Abraham to enter His covenant and become circumcised** **קוֹדֶם שֶׁתַּהַר שָׂרָה – before Sarah would conceive** from him, **לִהְיוֹת זַרְעוֹ קָדוֹשׁ – so that his offspring** from her **be holy.**[21]

6. וּנְתַתִּיךָ לְגוֹיִם – *I WILL MAKE NATIONS OF YOU*

[To which "nations" was God referring here? Ramban begins his discussion of this issue by citing Rashi:]

לְשׁוֹן רַשִׁ״י – The following is **a quote from Rashi:**

יִשְׂרָאֵל וֶאֱדוֹם – This refers to **Israel and Edom,** **שֶׁהֲרֵי יִשְׁמָעֵאל כְּבָר הָיָה לוֹ – for [Abraham] had already begotten Ishmael,** **וְלֹא הָיָה מְבַשֵּׂר לוֹ עָלָיו – so [God] would not be informing [Abraham] about him.**

[Ramban takes issue with Rashi's interpretation:]

וְאֵינֶנּוּ נָכוֹן בְּעֵינַי – It is not a sound interpretation **in my view** **שֶׁיְּבַשְּׂרֶנּוּ בְּעֵת בְּרִית הַמִּילָה עַל עֵשָׂו – that [God] should inform [Abraham], at this time of** introducing **the covenant of circumcision, about Esau** (the progenitor of Edom), **וְהוּא אֵינוֹ מְקַיֵּם הַמִּילָה – who** himself **did not fulfill** the precept of **circumcision**[21a] **וְגַם לֹא נִצְטַוָּה עָלֶיהָ – and** who was in fact **not commanded in its regard.** **כְּמוֹ שֶׁדָּרְשׁוּ בְּסַנְהֶדְרִין – As [the Sages] derive in** Tractate ***Sanhedrin*** (59b) in reference to circumcision: **״כִּי בְיִצְחָק״ וְלֹא כָּל יִצְחָק** – ***For in Isaac*** [*will offspring be considered yours*] (below, 21:12) – *in* Isaac, **but not *all* of Isaac.**[22]

---

the verse.

19a. There the verse states: זֹאת בְּרִיתִי – *This is My covenant.* זֹאת אוֹת הַבְּרִית is from above 9:12. See Ramban ad loc.

20. Stylistic paraphrase of *I Samuel* 2:3.

21. Ramban here disputes Rashi's understanding of לְאַב הֲמוֹן גּוֹיִם. Where Rashi takes it to mean "a father of a multitude of nations," i.e., nations of the world, Ramban interprets it as "father of the Jewish people." This dispute carries over to v. 6.

21a. That is, Esau did not circumcise his children.

22. See, however, Ramban on *Deuteronomy* 2:4, where

שביעי ז מִמְּךָ יֵצֵאוּ: וַהֲקִמֹתִי אֶת־בְּרִיתִי בֵּינִי וּבֵינֶךָ
וּבֵין זַרְעֲךָ אַחֲרֶיךָ לְדֹרֹתָם לִבְרִית עוֹלָם
ח לִהְיוֹת לְךָ לֵאלֹהִים וּלְזַרְעֲךָ אַחֲרֶיךָ: וְנָתַתִּי
לְךָ וּלְזַרְעֲךָ אַחֲרֶיךָ אֵת ׀ אֶרֶץ מְגֻרֶיךָ אֵת כָּל־
אֶרֶץ כְּנַעַן לַאֲחֻזַּת עוֹלָם וְהָיִיתִי לָהֶם לֵאלֹהִים:
ט וַיֹּאמֶר אֱלֹהִים אֶל־אַבְרָהָם וְאַתָּה אֶת־בְּרִיתִי
י תִשְׁמֹר אַתָּה וְזַרְעֲךָ אַחֲרֶיךָ לְדֹרֹתָם: זֹאת
בְּרִיתִי אֲשֶׁר תִּשְׁמְרוּ בֵּינִי וּבֵינֵיכֶם וּבֵין זַרְעֲךָ
יא אַחֲרֶיךָ הִמּוֹל לָכֶם כָּל־זָכָר: וּנְמַלְתֶּם אֵת בְּשַׂר

דְּשַׁלִּיטִין בְּעַמְמַיָּא מִנָּךְ יִפְּקוּן: ז וַאֲקִים יָת קְיָמִי בֵּין מֵימְרִי וּבֵינָךְ וּבֵין בְּנָיךְ בַּתְרָךְ לְדָרֵיהוֹן לִקְיָם עָלָם לְמֶהֱוֵי לָךְ לֵאלָהָא וְלִבְנָיךְ בַּתְרָךְ: ח וְאֶתֵּן לָךְ וְלִבְנָיךְ בַּתְרָךְ יָת אֲרַע תּוֹתָבוּתָךְ יָת כָּל אַרְעָא דִכְנַעַן לְאַחֲסָנַת עָלָם וְאֶהֱוֵי לְהוֹן לֵאלָהָא: ט וַאֲמַר יְיָ לְאַבְרָהָם וְאַתְּ יָת קְיָמִי תִטַּר אַתְּ וּבְנָיךְ בַּתְרָךְ לְדָרֵיהוֹן: י דָּא קְיָמִי דִּי תִטְּרוּן בֵּין מֵימְרִי וּבֵינֵיכוֹן וּבֵין בְּנָיךְ בַּתְרָךְ מִגְזַר לְכוֹן כָּל דְּכוּרָא: יא וְתִגְזְרוּן יָת בִּשְׂרָא

רש"י

(ז) והקמתי את בריתי. ומה היא הברית, **להיות לך לאלהים: (ח) לאחזת עולם.** ושם אהיה [ס"א **והייתי**] **להם לאלהים** (ב"ר מו:ט) אבל [בן ישראל] הדר בחוצה לארץ כמי שאין לו אלוה (כתובות קי:): **(ט) ואתה.** וי"ו זו מוסיף על ענין ראשון. אני הנה בריתי אתך ואתה היה זהיר לשמרו, ומה היא שמירתו, זאת בריתי אשר תשמרו וגו' המול לכם וגו' (ב"ר מו:ט): **(י) ביני וביניכם וגו'.** אותם של עכשיו: **ובין זרעך אחריך.** העתידין להולד אחריך: **המול.** כמו להמול כמו שאתה אומר עשות כמו לעשות: **(יא) ונמלתם.** כמו ומלתם, והנו"ן בו יתירה ליסוד הנופל [בו] לפרקים, כמו נ' של נושך ונ' של נושא. ונמלתם כמו ונשאתם (להלן מה:יט). אבל יִמּוֹל לשון יִפָּעֵל, כמו יֵעָשֶׂה, יֵאָכֵל:

רמב"ן

אֲבָל יִשְׂרָאֵל לְבַדָּם יִקָּרְאוּ "גּוֹיִם" וְ"עַמִּים"[23], וְכֵן "אַף חֹבֵב עַמִּים" [דברים לג, ג], "עַמִּים הַר יִקְרָאוּ" [שם פסוק יט], "אַחֲרֶיךָ בִנְיָמִין בַּעֲמָמֶיךָ" [שופטים ה, יד][24]. גַּם אַחֲרֵי הֻלֶּדֶת הַשְּׁבָטִים כֻּלָּם אָמַר [להלן לה, יא]: "גּוֹי וּקְהַל גּוֹיִם יִהְיֶה מִמֶּךָּ", "וּנְתַתִּיךָ לִקְהַל עַמִּים" [להלן מח, ד][25].

RAMBAN ELUCIDATED

[Ramban now presents his own interpretation of who the "nations" to emanate from Abraham would be:]

אֲבָל יִשְׂרָאֵל לְבַדָּם – Rather, the people of **Israel by themselves** יִקָּרְאוּ "גּוֹיִם" וְ"עַמִּים" – **are called** ***nations* and *peoples,***[23] וְכֵן "אַף חֹבֵב עַמִּים" – **and so** we find, ***Indeed, you loved peoples greatly*** (*Deuteronomy* 33:3), "עַמִּים הַר יִקְרָאוּ" – ***Peoples will assemble at the mount*** (ibid. 33:19), "אַחֲרֶיךָ בִנְיָמִין בַּעֲמָמֶיךָ" – ***after you came Benjamin with your peoples*** (*Judges* 5:14).[24] גַּם אַחֲרֵי הֻלֶּדֶת הַשְּׁבָטִים כֻּלָּם – **Even after all the** progenitors of the **tribes were** already **born,** אָמַר "גּוֹי וּקְהַל גּוֹיִם יִהְיֶה מִמֶּךָּ" – **[God] said,** ***A nation and a congregation of nations shall descend from you*** (below, 35:11) "וּנְתַתִּיךָ לִקְהַל עַמִּים" – and ***and I will make you a congregation of nations*** (below, 48:4).[25]

9. וְאַתָּה אֶת בְּרִיתִי תִשְׁמֹר – ***AND AS FOR YOU, YOU SHALL KEEP MY COVENANT.***

[What is meant by "and as for you"? The verse could have said simply אֶת בְּרִיתִי תִשְׁמֹר ("Keep my covenant"). Ramban cites Rashi's explanation:]

he writes that the descendants of Esau were in fact circumcised.

23. Rashi (*Deuteronomy* 33:3) explains that they are called "nations," in the plural, because they consist of twelve tribes. Ramban here, however, maintains that the people of Israel, in and of themselves are called "nations," as Ramban proceeds to conclude.

24. In all these cases, "peoples" refers only to the nation of Israel. Here, too, when God said, "I will make nations of you," He was referring only to the Jewish people.

25. The latter two statements were said to Jacob after he had already fathered eleven of the twelve progenitors of the tribes of Israel. The plural "nations" therefore does not result from the tribes. Rather, the plural "nations" is used to describe the people of Israel. (See, however, Rashi on those verses in *Genesis*, who explains how even in these two instances the plural word "nations" can refer to the tribes.)

shall descend from you. 7 *I will ratify My covenant between Me and*
you and between your descendants after you, throughout their
generations, as an everlasting covenant, to be a God to you and to your
offspring after you; 8 *and I will give to you and to your descendants*
after you the land of your sojourns — the whole of the land of Canaan
— as an everlasting possession; and I shall be a God to them."
9 *God said to Abraham, "And as for you, you shall keep My*
covenant — you and your descendants after you throughout
their generations. 10 *This is My covenant which you shall keep*
between Me and you and your descendants after you: Every male
among you shall be circumcised. 11 *You shall circumcise the flesh*

רמב"ן

[ט] וְאַתָּה אֶת בְּרִיתִי תִשְׁמֹר. כָּתַב רַשִׁ"י: וָי"ו מוֹסִיף עַל עִנְיָן רִאשׁוֹן, אֲנִי הִנֵּה בְרִיתִי אִתָּךְ וְאַתָּה הֱוֵי זָהִיר לְשָׁמְרוֹ, וּמַה שְּׁמִירָתוֹ? "זֹאת בְּרִיתִי אֲשֶׁר תִּשְׁמְרוּ" [וכו'] - אוֹתָם שֶׁל עַכְשָׁיו, וּבֵין זַרְעֲךָ אַחֲרֶיךָ - הָעֲתִידִים לְהִוָּלֵד.

וְצָדַק הָרַב בִּפְשׁוּטוֹ[26].

וְאָמְרוּ בְּטַעַם הַמִּילָה, שֶׁשָּׂם זִכָּרוֹן בְּאֵבַר הַתַּאֲוָה רַב הַמְּהוּמָה וְהַחֵטְא, לְבַל יִשְׁתַּמְּשׁוּ בּוֹ רַק בַּמִּצְוָה וּבַמֻּתָּר.

וְעַל דֶּרֶךְ הָאֱמֶת, טַעַם "הִנֵּה בְּרִיתִי אִתָּךְ" [לעיל פסוק ד] כְּטַעַם "הִנֵּה אָנֹכִי עִמָּךְ" [להלן כח, טו], "וַיֹּאמֶר כִּי אֶהְיֶה עִמָּךְ" [שמות ג, יב], "יְהִי ה' אֱלֹהֵינוּ עִמָּנוּ" [מלכים-א ח, נז]. יֹאמַר כִּי הַבְּרִית יִהְיֶה עִמּוֹ, וְלָכֵן יִפְרֶה וְיִרְבֶּה. וְאַחַר כָּךְ צִוָּה שֶׁיִּשְׁמֹר אַבְרָהָם הַבְּרִית הַזֹּאת, וְתִהְיֶה הַמִּילָה לְאוֹת בְּרִית, וְהִנֵּה הָאוֹת הַזֶּה אוֹת שַׁבָּת [שמות לא, יג], וְלָכֵן יִדְחֶה אוֹתוֹ. וְהָבֵן זֶה.

RAMBAN ELUCIDATED

כָּתַב רַשִׁ"י: – **Rashi writes:**

וָי"ו מוֹסִיף עַל עִנְיָן רִאשׁוֹן – **The** ו ("and") adds on to the first matter, i.e., it connects that which follows to a preceding statement, **אֲנִי הִנֵּה בְרִיתִי אִתָּךְ וְאַתָּה הֱוֵי זָהִיר לְשָׁמְרוֹ** – as if to say, **"As for Me, this is My covenant with you ...** (v. 4) ***and as for you*" – you be careful to keep it.** **וּמַה שְּׁמִירָתוֹ** – **And what constitutes keeping it?** **"זֹאת בְּרִיתִי אֲשֶׁר תִּשְׁמְרוּ"** – ***"This is My covenant which you shall keep*** *[between Me and you and your descendants after you: Every male among you shall be circumcised"* (v. 10)]. **אוֹתָם שֶׁל עַכְשָׁיו** – *[Between Me and you –] You* refers to **those of the present;** **"וּבֵין זַרְעֲךָ אַחֲרֶיךָ"** – ***and your descendants after you*** **הָעֲתִידִים לְהִוָּלֵד** – refers to those **who are destined to be born.**

וְצָדַק הָרַב בִּפְשׁוּטוֹ – The interpretation of **the rabbi** (Rashi) **is correct in the plain meaning** of the verse.[26]

[Ramban makes a further point in regard to the symbolic significance of circumcision, which is applicable to the "plain" (but not Kabbalistic) interpretation of our verse:]

וְאָמְרוּ בְּטַעַם הַמִּילָה – **[Some commentators] give a reason behind** the precept of **circumcision:** **שֶׁשָּׂם זִכָּרוֹן בְּאֵבַר הַתַּאֲוָה** – **that [God] placed a reminder in the organ of desire,** **רַב הַמְּהוּמָה וְהַחֵטְא** – **which is abundant in** its potential for **agitation and sin,** **לְבַל יִשְׁתַּמְּשׁוּ בּוֹ רַק בַּמִּצְוָה וּבַמֻּתָּר** – **that [people] should use it only for** following God's **command and for that which is permitted.**

[The next part of this comment discusses the deep Kabbalistic concepts implicit in the word בְּרִיתִי and is not within the scope of this elucidation. In the Hebrew text, Ramban's words appear in the paragraph beginning וְעַל דֶּרֶךְ הָאֱמֶת and ending וְהָבֵן זֶה.]

26. Ramban cites the Kabbalistic interpretation below.

יב עָרְלַתְכֶם וְהָיָה֙ לְא֣וֹת בְּרִ֔ית בֵּינִ֖י וּבֵינֵיכֶֽם׃ וּבֶן־
שְׁמֹנַ֣ת יָמִ֗ים יִמּ֥וֹל לָכֶ֛ם כָּל־זָכָ֖ר לְדֹרֹתֵיכֶ֑ם יְלִ֣יד
בָּ֔יִת וּמִקְנַת־כֶּ֙סֶף֙ מִכֹּ֣ל בֶּן־נֵכָ֔ר אֲשֶׁ֛ר לֹ֥א מִזַּרְעֲךָ֖
יג הֽוּא׃ הִמּ֧וֹל ׀ יִמּ֛וֹל יְלִ֥יד בֵּֽיתְךָ֖ וּמִקְנַ֣ת כַּסְפֶּ֑ךָ
וְהָיְתָ֧ה בְרִיתִ֛י בִּבְשַׂרְכֶ֖ם לִבְרִ֥ית עוֹלָֽם׃ יד וְעָרֵ֣ל ׀ זָכָ֗ר
אֲשֶׁ֤ר לֹֽא־יִמּוֹל֙ אֶת־בְּשַׂ֣ר עָרְלָת֔וֹ וְנִכְרְתָ֛ה הַנֶּ֥פֶשׁ
טו הַהִ֖וא מֵעַמֶּ֑יהָ אֶת־בְּרִיתִ֖י הֵפַֽר׃ ס וַיֹּ֤אמֶר
אֱלֹהִים֙ אֶל־אַבְרָהָ֔ם שָׂרַ֣י אִשְׁתְּךָ֔ לֹא־תִקְרָ֥א
טז אֶת־שְׁמָ֖הּ שָׂרָ֑י כִּ֥י שָׂרָ֖ה שְׁמָֽהּ׃ וּבֵרַכְתִּ֣י
אֹתָ֔הּ וְגַ֨ם נָתַ֧תִּי מִמֶּ֛נָּה לְךָ֖ בֵּ֑ן וּבֵֽרַכְתִּ֙יהָ֙
וְהָיְתָ֣ה לְגוֹיִ֔ם מַלְכֵ֥י עַמִּ֖ים מִמֶּ֥נָּה יִהְיֽוּ׃

דְעָרְלַתְכוֹן וּתְהֵי (נ״א וִיהֵי) לְאָת קְיָם בֵּין מֵימְרִי וּבֵינֵיכוֹן: יב וּבַר תְּמַנְיָא יוֹמִין יִתְגְּזַר (נ״א יִגְזַר) לְכוֹן כָּל דְּכוּרָא לְדָרָתֵיכוֹן יְלִידֵי בֵיתָא וּזְבִינֵי כַסְפָּא מִכֹּל בַּר עַמְמִין דְּלָא מִבְּנָךְ הוּא: יג אִתְגַּזָּרָא יִתְגַּזְרוּן (נ״א מִגְזַר יִגְזַר) יְלִיד בֵּיתָךְ וּזְבִינֵי כַסְפָּךְ וּתְהֵי (נ״א וִיהֵי) קְיָמִי בִּבְשַׂרְכוֹן לִקְיָם עָלָם: יד וְעָרֵל דְּכוּרָא דִּי לָא יִגְזַר יָת בְּשַׂר עָרְלְתֵהּ וְיִשְׁתֵּיצֵי אֲנָשָׁא הַהוּא מֵעַמֵּיהּ יָת קְיָמִי אַשְׁנִי: טו וַאֲמַר יְיָ לְאַבְרָהָם שָׂרַי אִתְּתָךְ לָא תִקְרֵי יָת שְׁמַהּ שָׂרָי אֲרֵי שָׂרָה שְׁמַהּ: טז וְאֶבָרֵךְ יָתַהּ וְאַף אֶתֵּן מִנַּהּ לָךְ בַּר וְאֶבָרְכִנַּהּ וּתְהֵי לִכְנִשַׁת עַמְמִין מַלְכִין דְּשַׁלִּיטִין בְּעַמְמַיָּא מִנַּהּ יְהוֹן:

רש״י

(יב) יליד בית. שילדתו השפחה בבית: **ומקנת כסף.** שקנאו משנולד: **(יג) המול ימול יליד ביתך.** כאן תלה עליו ולא אמר לח' ימים, ללמדך שיש יליד בית נמול לאחד [ס"א לאחר שמנה ימים], כמו שמפורש במסכת שבת (קלה:): **(יד) וערל זכר.** כאן למד שהמילה באותו מקום שהוא ניכר בין זכר לנקבה (שם קח.): **אשר לא ימול.** משיגיע לכלל עונשין (שבת קלג:) **ונכרתה,** אבל אביו אין ענוש עליו כרת (יבמות ע:) אבל עובר בעשה (קידושין כט.): **ונכרתה הנפש.** הולך ערירי (יבמות נה.) ומת קודם זמנו (מו"ק כח.): **(טו) לא תקרא את שמה שרי.** דמשמע שרי לי ולא לאחרים. **כי שרה שמה,** שתהא שרה על כל (ברכות יג.): **(טז) וברכתי אתה.** ומה היא הברכה, שחזרה לנערותה, שנאמר היתה לי עדנה (להלן יח:יב; ב"ר מז:ג): **וברכתיה.** בהנקת שדים

רמב״ן

[יד] וְעָרֵל זָכָר. כָּאן לִמֶּדְךָ שֶׁהַמִּילָה הִיא בְּאוֹתוֹ מָקוֹם שֶׁהוּא נִכָּר בֵּין זָכָר לִנְקֵבָה. לְשׁוֹן רַשִׁ״י. וְכֵן הִזְכִּירוּ רַבּוֹתֵינוּ עִם טְעָמִים אֲחֵרִים [ב״ר מו, ד].
וְרַבִּי אַבְרָהָם אָמַר [ויקרא יב, ג]: עָרְלָתוֹ יְדוּעָה - כִּי הִיא בָּעֶרְוָה; וְאֵין כֵּן עָרְלַת לֵב וְשָׂפָה וְאֹזֶן, כִּי כֻלָּם סְמוּכִים[27].

RAMBAN ELUCIDATED

14. וְעָרֵל זָכָר – ***AN UNCIRCUMCISED MALE***

[The Torah does not define what part of the body is to be circumcised. How is it known that it is the foreskin? Ramban begins his discussion of this matter by citing Rashi:]

כָּאן לִמֶּדְךָ – Here [Scripture] teaches you שֶׁהַמִּילָה הִיא בְּאוֹתוֹ מָקוֹם – that circumcision is done **on that place** of the body **שֶׁהוּא נִכָּר בֵּין זָכָר לִנְקֵבָה – which is distinguishable between a male and a female.**

לְשׁוֹן רַשִׁ״י – This is **a quote from Rashi. וְכֵן הִזְכִּירוּ רַבּוֹתֵינוּ – The Sages** (*Shabbos* 108a) **also mentioned this** derivation, **עִם טְעָמִים אֲחֵרִים – along with other reasons** for determining the organ to be circumcised (*Bereishis Rabbah* 46:4).

[Next Ramban cites Ibn Ezra's opinion:]

וְרַבִּי אַבְרָהָם אָמַר – Rabbi Avraham Ibn Ezra **says** (*Leviticus* 12:3):

עָרְלָתוֹ יְדוּעָה – עָרְלָתוֹ ("his foreskin," lit., "his uncircumcised part") **is a known entity – כִּי הוּא בָּעֶרְוָה – being on the** male **genital; וְאֵין כֵּן עָרְלַת לֵב וְשָׂפָה וְאֹזֶן – this is not the case with "the uncircumcised part of your heart"** (*Deuteronomy* 10:16) **and** the expressions "uncircumcised **in the lip"** (*Exodus* 6:12) and "uncircumcised **in the ear"** (*Jeremiah* 6:10), **כִּי כֻלָּם סְמוּכִים – for all these** are in the construct state.[27]

27. Whenever the word "uncircumcised" is mentioned in connection with a particular part of the body it refers to that organ, but when it is written without any further elaboration (יְדוּעָה) it refers to the foreskin.

of your foreskin, and that shall be the sign of the covenant
between Me and you. 12 *At the age of eight days every male*
among you shall be circumcised, throughout your generations — he that is born in the household or purchased with money from any stranger who is not of your offspring.
13 *He that is born in your household or purchased with your money shall surely be circumcised. Thus, My covenant shall be in your flesh for an*
everlasting covenant. 14 *An uncircumcised male the flesh of whose foreskin shall not be circumcised — that soul shall be cut off from its people; he has invalidated My covenant."*
15 *And God said to Abraham, "As for Sarai your wife — do*
not call her name Sarai, for Sarah is her name. 16 *I will bless her; indeed, I will give you a son through her; I will bless her and she shall give rise to nations; kings of peoples will rise from her."*

רמב״ן

ולְפִי דַּעְתִּי הַדָּבָר מְפֹרָשׁ בַּכָּתוּב, כִּי לֹא אָמַר "וּנְמַלְתֶּם אֶת עָרְלַתְכֶם"[28] שֶׁיִּהְיֶה הַדָּבָר בְּסָפֵק, וְכֵן לֹא אָמַר "עָרְלַת בְּשַׂרְכֶם" כְּמוֹ שֶׁיֹּאמַר "עָרְלַת לְבַבְכֶם" [דברים י, טז] וְעָרְלַת שְׂפַתְכֶם [ראה שמות ו, יב][29], אֲבָל אָמַר "בְּשַׂר עָרְלַתְכֶם", שֶׁתִּכְרְתוּ הַבָּשָׂר שֶׁהוּא עָרְלָה בָּכֶם, כְּלוֹמַר הַבָּשָׂר הָאוֹטֵם בָּכֶם, וְאֵין בַּגּוּף בָּשָׂר אוֹטֵם וְכוֹסֶה אֵבֶר שֶׁיִּכָּרֵת הַבָּשָׂר הַהוּא וְיִשָּׁאֵר בְּלֹא עָרְלָה, זוּלָתִי בְּשַׂר הַחוֹפֶה אֶת הָעֲטָרָה שֶׁהִזְכִּירוּ חֲכָמִים [שבת קלז, א].
וְ"עֶרֶל בָּשָׂר"[30] [יחזקאל מד, ט] כִּנּוּי, כְּמוֹ "גִּדְלֵי בָשָׂר" [שם טז, כו], "זָב מִבְּשָׂרוֹ" [ויקרא טו, ב][31].

RAMBAN ELUCIDATED

[Ramban now states his own view on the question of how to determine the place of circumcision:]

ולְפִי דַּעְתִּי הַדָּבָר מְפֹרָשׁ בַּכָּתוּב – In my opinion, the matter is explicit in Scripture, כִּי לֹא אָמַר "וּנְמַלְתֶּם אֶת עָרְלַתְכֶם" – for it did not say, "You shall cut off your blockage,"[28] **שֶׁיִּהְיֶה הַדָּבָר בְּסָפֵק – in which case the matter would still be ambiguous, וְכֵן לֹא אָמַר "עָרְלַת בְּשַׂרְכֶם" – and similarly it did not say, "the blockage of your flesh," כְּמוֹ שֶׁיֹּאמַר "עָרְלַת לְבַבְכֶם" וְעָרְלַת שְׂפַתְכֶם – as it says** ***the blockage of your heart*** (*Deuteronomy* 10:16) **and "the blockage of your lip."**[29] **אֲבָל אָמַר "בְּשַׂר עָרְלַתְכֶם" – Rather, it said, *your flesh of blockage*** (בְּשַׂר עָרְלַתְכֶם) (v. 11), **שֶׁתִּכְרְתוּ הַבָּשָׂר שֶׁהוּא עָרְלָה בָּכֶם** – meaning **that you should cut off that flesh which is a blockage in you, כְּלוֹמַר הַבָּשָׂר הָאוֹטֵם בָּכֶם – that is, the flesh that is a seal on your** body. **וְאֵין בַּגּוּף בָּשָׂר – And there is no flesh on the body אוֹטֵם וְכוֹסֶה אֵבֶר – that seals off and covers over an organ שֶׁיִּכָּרֵת הַבָּשָׂר הַהוּא וְיִשָּׁאֵר בְּלֹא עָרְלָה – such that when that flesh is cut off, [the organ] remains without any blockage, זוּלָתִי בְּשַׂר הַחוֹפֶה אֶת הָעֲטָרָה – except for "the flesh that covers over the tip of the male organ," שֶׁהִזְכִּירוּ חֲכָמִים – as the Sages refer to it** (*Shabbos* 137a).

[Ramban now deals with an expression that is difficult according to his interpretation – עֶרֶל בָּשָׂר, *one who is blocked in his flesh:*[30]]

וְ"עֶרֶל בָּשָׂר" – In **the expression עֶרֶל בָּשָׂר, *one who is blocked in his flesh*** (*Ezekiel* 44:9), the word "flesh" **כִּנּוּי – is a euphemism** for the male organ. *One who is blocked in his flesh* is thus "one whose male organ is blocked (by a foreskin)." **כְּמוֹ "גִּדְלֵי בָשָׂר", "זָב מִבְּשָׂרוֹ"** – It is **like *who were of***

28. In this interpretation, Ramban understands עָרְלָה to mean a "seal" or "blockage," as in *Leviticus* 19:23 (see Rashi and Ramban ad loc.).

29. This is not an actual quote, but Scripture does mention the concept of blockage (עָרְלָה) of the lips in *Exodus* 6:12 and 6:30.

30. According to Ibn Ezra, the word עָרְלָה has a specific meaning – "foreskin." And עָרֵל means "one who has a foreskin"; i.e., an uncircumcised person. עֶרֶל בָּשָׂר can thus be translated simply as "one who is of uncircumcised flesh." According to Ramban, however, עָרְלָה is a more general word, meaning "blockage," and עָרֵל means "one who is blocked." How, then, are we to know what the expression עֶרֶל בָּשָׂר (lit., one of blocked flesh) means? To which part of the flesh is the verse referring?

יז וַיִּפֹּל אַבְרָהָם עַל־פָּנָיו וַיִּצְחָק וַיֹּאמֶר בְּלִבּוֹ הַלְּבֶן מֵאָה־שָׁנָה יִוָּלֵד וְאִם־שָׂרָה הֲבַת־

יז וּנְפַל אַבְרָהָם עַל אַפּוֹהִי וַחֲדִי וַאֲמַר בְּלִבֵּהּ הַלְּבַר מְאָה שְׁנִין יְהֵי וְלַד וְאִם שָׂרָה הֲבַת

רש"י

(ב"ר שם) כשנצרכה לכך ביום משתה של יצחק, שהיו מרננים עליהם שהביאו אסופי מן השוק ואומרים בננו הוא, והביאה כל אחת בנה עמה ומניקתה לא הביאה, והיא הניקה את כולם. הוא שנאמר היניקה בנים שרה (להלן כא:ז). ב"ר (נג:ט) רמזו במקצת: **(יז) ויפל אברהם על פניו ויצחק.** זה ת"א לשון שמחה וחדי, ושל שרה לשון מחוך (להלן יח:יב). למדת שאברהם האמין ושמח, ושרה לא האמינה ולגלגה. וזהו שהקפיד הקב"ה על שרה (שם יג) ולא הקפיד על אברהם: **הלבן.** יש תמיהות שהן קיימות, כמו הנגלה נגליתי (שמואל-א ב:כז), הרואה אתה (שם ב טו:כז). אף זו היא קיימת, וכך אמר בלבו, הנעשה חסד זה לאחר מה שהקב"ה עושה לי:

רמב"ן

[יז] וַיִּצְחָק. תִּרְגֵּם אוּנְקְלוּס "וַחֲדִי", וְכֵן הַדָּבָר, כִּי הַצְּחוֹק פַּעַם יֵאָמֵר לְלַעַג וּפַעַם לְשִׂמְחָה, כְּמוֹ "מְשַׂחֶקֶת בְּתֵבֵל אַרְצוֹ" [משלי ח, לא], וְכֵן[31a] "וְדָוִד וְכָל בֵּית יִשְׂרָאֵל מְשַׂחֲקִים לִפְנֵי ה'" [שמואל-ב ו, ה].

וּלְפִי דַעְתִּי, שֶׁהַכַּוָּנָה בַּלָּשׁוֹן הַזֶּה, כִּי כָל רוֹאֶה דָבָר נִפְלָא בְּאָדָם לְטוֹב לוֹ - יִשְׂמַח עַד שֶׁיִּמָּלֵא שְׂחוֹק פִּיו[31b]. וְהוּא מַה שֶּׁאָמְרָה שָׂרָה [להלן כא, ו]: "צְחֹק עָשָׂה לִי אֱלֹהִים כָּל הַשֹּׁמֵעַ יִצְחַק לִי", כְּעִנְיַן "אָז יִמָּלֵא שְׂחוֹק פִּינוּ וּלְשׁוֹנֵנוּ רִנָּה" [תהלים קכו, ב]. וְכֵן עָשָׂה אַבְרָהָם, כַּאֲשֶׁר נֶאֱמַר לוֹ זֶה – שָׂמַח וּמִלֵּא שְׂחוֹק פִּיו,

RAMBAN ELUCIDATED

great flesh (*Ezekiel* 16:26) **and *who has a discharge from his flesh*** (*Leviticus* 15:2), both of which verses use "flesh" as a euphemism for the male organ.[31]

17. וַיִּצְחָק – ***AND [ABRAHAM] LAUGHED.***

[Sarah, too, laughed when she heard the news that she would have a child in her old age (below, 18:12). Sarah's laughing was considered inappropriate (ibid. 18:13-14), whereas Abraham's laughing was not. Why is this so?]

תִּרְגֵּם אוּנְקְלוּס "וַחֲדִי" – **Onkelos translates** this word as וַחֲדִי ("he rejoiced"). **וְכֵן הַדָּבָר** – **And so it is,** **כִּי הַצְּחוֹק פַּעַם יֵאָמֵר לְלַעַג** – **for** צחוק ("laughter"), as well as the related word שְׂחוֹק, **is sometimes said of scoffing** **וּפַעַם לְשִׂמְחָה** – **and sometimes of rejoicing,** **כְּמוֹ "מְשַׂחֶקֶת בְּתֵבֵל אַרְצוֹ"** – **as in *playing*** *joyfully* (מְשַׂחֶקֶת) ***in the inhabited areas of His earth*** (*Proverbs* 8:31), **וְכֵן "וְדָוִד וְכָל בֵּית יִשְׂרָאֵל מְשַׂחֲקִים לִפְנֵי ה'"** – **and similarly,**[31a] ***and David and all the entire House of Israel were rejoicing*** (מְשַׂחֲקִים) ***before Hashem*** (*II Samuel* 6:5).

[Ramban explains the use of "laughter" to express joy:]

וּלְפִי דַעְתִּי שֶׁהַכַּוָּנָה בַּלָּשׁוֹן הַזֶּה – **In my opinion, the** Torah's **intention in** using **this expression** **כִּי כָל רוֹאֶה דָבָר נִפְלָא בְּאָדָם לְטוֹב לוֹ** – **is that whoever sees some wondrous occurrence that is for his benefit** **יִשְׂמַח עַד שֶׁיִּמָּלֵא שְׂחוֹק פִּיו** – **rejoices to the point that his "mouth becomes filled with laughter."**[31b] **וְהוּא מַה שֶּׁאָמְרָה שָׂרָה** – **This is** the meaning of **what Sarah said** (below, 21:6), **"צְחֹק עָשָׂה לִי אֱלֹהִים כָּל הַשֹּׁמֵעַ יִצְחַק לִי"** – ***"God has made laughter for me; whoever hears will laugh for me,"*** **כְּעִנְיַן "אָז יִמָּלֵא שְׂחוֹק פִּינוּ וּלְשׁוֹנֵנוּ רִנָּה"** – **similar to** the meaning of the word in the verse, ***then our mouth will be filled with laughter, and our tongue with glad song*** (*Psalms* 126:2). **וְכֵן עָשָׂה אַבְרָהָם** – **Abraham acted this way as well;** **כַּאֲשֶׁר נֶאֱמַר לוֹ זֶה, שָׂמַח וּמִלֵּא שְׂחוֹק פִּיו** – **when this** tiding **was told to him he rejoiced and his mouth filled with laughter.**

☐ **וַיֹּאמֶר בְּלִבּוֹ** – ***AND HE SAID IN HIS HEART.***

[Having explained that Abraham did not laugh out of scorn, Ramban now proceeds to explain Abraham's question, "*Shall a child be born to a hundred-year-old man? And shall Sarah, a ninety-*

31. The concept that בָּשָׂר is sometimes used as a euphemism for the male organ is found in Ibn Ezra (*Leviticus* 6:3 and 15:2) and Radak (*Ezekiel* 16:26 and 23:20). See also Sforno here (v. 13).

31a. Ramban's use of וְכֵן – *similarly,* suggests that the citing of both these verses is to show examples of צחק (or שחק) meaning *rejoicing.* However, Rashi in *Proverbs* explains מְשַׂחֲקִים as *mocking.* Hence, possibly Ramban intends מְשַׂחֲקִים as an example of scoffing. In some versions of Ramban the word וְכֵן – *similarly,* is missing and increases the likelihood that Ramban understood it as Rashi did (*Beis HaYayin*).

31b. Stylistic citation from *Psalms* 126:2.

17 *And Abraham threw himself upon his face and laughed; and he said in his heart, "Shall a child be born to a hundred-year-old man? And shall Sarah —*

רמב״ן

□ **וַיֹּאמֶר בְּלִבּוֹ:** רָאוּי זֶה לִשְׂחוֹק, כִּי הוּא עִנְיָן נִפְלָא מְאֹד! **הַלְּבֶן מֵאָה שָׁנָה יִוָּלֵד וְאִם שָׂרָה הֲבַת תִּשְׁעִים תֵּלֵד,** וְלֹא יִהְיֶה זֶה לִשְׂחוֹק וּלְשִׂמְחָה[32]?!

וְיִקַצֵּר הַכָּתוּב בַּתְּמִיהָה, כִּי הִיא נִקְשֶׁרֶת בְּמַה שֶּׁאָמַר "וַיִּצְחָק"[33]. וְכֵן "הֲגַם הֲלֹם רָאִיתִי" [לעיל טז, יג] נִקְשַׁר בְּרֹאשׁ הַפָּסוּק, "כִּי אָמְרָה הֲגַם הֲלוֹם רָאִיתִי" הַשֵּׁם שֶׁנִּגְלָה לִי כִּי רָאָה בְּעָנְיִי[34], וְלֹא אֶקְרָאֶנּוּ "אֵל רֳאִי"[35]?! וְכֵן "הֲנִגְלֹה נִגְלֵיתִי אֶל בֵּית אָבִיךָ" [שמואל-א ב, כז] קָשׁוּר עִם "לָמָּה תִבְעֲטוּ בְּזִבְחִי וּבְמִנְחָתִי" [שם פסוק כט], יֹאמַר: הַאִם בָּחַרְתִּי בָּכֶם שֶׁתִּבְעֲטוּ בְּזִבְחִי וּמִנְחָתִי[36], וְלָמָּה תַּעֲשׂוּ כֵן?!

RAMBAN ELUCIDATED

year-old woman, give birth?" in a manner that does not reflect disbelief or skepticism:]

רָאוּי זֶה לִשְׂחוֹק – Abraham meant: **This calls for laughter,** כִּי הוּא עִנְיָן נִפְלָא מְאֹד – **for it is a very wondrous thing!** "הַלְּבֶן מֵאָה שָׁנָה יִוָּלֵד וְאִם שָׂרָה הֲבַת תִּשְׁעִים תֵּלֵד" – ***Shall a child be born to a hundred-year-old man? And shall Sarah, a ninety-year-old woman, give birth*** וְלֹא יִהְיֶה זֶה לִשְׂחוֹק וּלְשִׂמְחָה – **without this causing laughter and joy?!**[32]

[However, this explanation raises a question: Why does the Torah omit the last part of the sentence, viz., "without this causing laughter and joy," and thereby leave Abraham's laughter open to misinterpretation? Ramban explains:]

וְיִקַצֵּר הַכָּתוּב בַּתְּמִיהָה – **Scripture abbreviates** Abraham's **expression of wonderment** by omitting the ending: "without this causing laughter and joy," כִּי הִיא נִקְשֶׁרֶת בְּמַה שֶּׁאָמַר "וַיִּצְחָק" – **because it is connected with** – i.e., it is understood from the context of – **what it had stated** earlier: ***and he laughed.***[33]

[Ramban now demonstrates that it is not unusual for Scripture to omit part of a rhetorical question when the missing words are implied by the context of the verse:]

וְכֵן "הֲגַם הֲלֹם רָאִיתִי" – **Similarly, Hagar's rhetorical question, *"Could I have seen [God] even here?"*** (above, 16:13) נִקְשַׁר בְּרֹאשׁ הַפָּסוּק – **is connected to the beginning of the verse:** *She called the Name of Hashem Who spoke to her "You are the God of Seeing."* "כִּי אָמְרָה הֲגַם הֲלֹם רָאִיתִי" הַשֵּׁם – Hagar's statement, then, should be read together with the beginning: *She called the Name of Hashem... "You are the God of Seeing,"* ***for she said** to herself, **"Could I have seen God even here;*** שֶׁנִּגְלָה לִי כִּי רָאָה בְּעָנְיִי – that is, *"How can I behold the One **Who revealed Himself to me because He saw my affliction***[34] וְלֹא אֶקְרָאֶנּוּ "אֵל רֳאִי" – ***and not call Him 'God of Seeing'?!"***[35] וְכֵן "הֲנִגְלֹה נִגְלֵיתִי אֶל בֵּית אָבִיךָ" – **Similarly, *"Did I appear to your ancestor's family"*** (*I Samuel* 2:27) קָשׁוּר עִם "לָמָּה תִבְעֲטוּ בְּזִבְחִי וּבְמִנְחָתִי" – **is connected with *"Why do you scorn My sacrifice and My meal-offering?"*** (ibid. 2:29). יֹאמַר הַאִם בָּחַרְתִּי בָּכֶם – **[God] was saying, "Did I choose** your ancestors and **you** שֶׁתִּבְעֲטוּ בְּזִבְחִי וּמִנְחָתִי – **so that you should scorn My sacrifice and My meal-offering?!**[36] וְלָמָּה תַּעֲשׂוּ כֵן – **Why,** then, **do you do so?!"**

32. When Abraham said, *"Shall a child be born to a hundred-year-old man? And shall Sarah, a ninety-year-old woman, give birth?"* he did not mean it incredulously (as Sarah did); rather, he meant, "Can such things happen without causing unbridled joy?"

33. The ending (and hence the intent) of Abraham's statement of astonishment and amazement can be deduced from the word used immediately prior to that statement: "and he laughed." Scripture is thus saying, "He laughed, saying to himself: 'Shall a child be born *without [joyous] laughter*?' "

34. With this insertion Ramban tells us his interpretation of the words רָאִיתִי אַחֲרֵי רֹאִי. It does not mean, as Rashi (ad loc.) interprets it, "I have seen [God] here, after I have seen [Him elsewhere]," but "I have seen [God] here, after He has seen me [in my distress]," i.e., "God has appeared to me because He saw my distress." (Ibn Ezra ad loc. interprets the words in a similar manner.)

35. Here, too, the concluding words, "and not call Him 'God of Seeing'?" are omitted from Hagar's statement because they can be inferred from the words that precede the quote.

36. Here, too, the concluding words, "so that you should scorn My sacrifice and My meal-offering?" are omitted from God's statement, because they can be inferred from the context of the statement which follows.

יח תִּשְׁעִים שָׁנָה תֵּלֵד: וַיֹּאמֶר אַבְרָהָם אֶל־הָאֱלֹהִים
יט לוּ יִשְׁמָעֵאל יִחְיֶה לְפָנֶיךָ: וַיֹּאמֶר אֱלֹהִים

תִּשְׁעִין שְׁנִין תְּלִיד: יח וַאֲמַר אַבְרָהָם קֳדָם יְיָ לְוַי יִשְׁמָעֵאל יִתְקַיַּם קֳדָמָךְ: יט וַאֲמַר יְיָ

רש״י

ואם שרה הבת תשעים שנה. היתה כדאי לילד. ואף על פי שדורות הראשונים היו מולידים בני ת״ק שנה, בימי אברהם נתמעטו השנים כבר ובא תשות כח לעולם, וצא ולמד מעשרה דורות שמנח ועד אברהם שמהרו תולדותיהם בני שלשים ובני שבעים (פדר״א פכ״ב): **(יח) לו ישמעאל יחיה.** הלואי שיחיה ישמעאל, איני כדאי לקבל מתן שכר כזה (ב״ר מז:ד): **יחיה לפניך.** יחיה ביראתך (תרגום יונתן) כמו התהלך לפני (לעיל פסוק א) פלח קדמי:

רמב״ן

אוֹ שֶׁתִּהְיֶה "הַלְּבֶן מֵאָה שָׁנָה" בִּשְׁאֵלָה לְדְבַר פֶּלֶא[37], לֹא כְּדָבָר נִמְנָע[38]. כְּמוֹ "הֲתִשְׁפֹּט הֲתִשְׁפֹּט אֶת עִיר הַדָּמִים?" [יחזקאל כב, ב], שֶׁעִנְיָנוֹ, הֲתִרְצֶה לִשְׁפּוֹט אוֹתָהּ וּלְהוֹדִיעָהּ אֶת כָּל תּוֹעֲבוֹתֶיהָ? וְכֵן "הֲתָעִיף עֵינֶיךָ בּוֹ וְאֵינֶנּוּ?" [משלי כג, ה], וְכֵן "הֲמִן הָעֵץ אֲשֶׁר צִוִּיתִיךָ לְבִלְתִּי אֲכָל מִמֶּנּוּ אָכָלְתָּ?" [לעיל ג, יא], כְּלוֹמַר: הַאִם עָלָה בְדַעְתְּךָ לֶאֱכוֹל מִן הָעֵץ? וְכֵן זֶה: הַאִם יַעֲלֶה עַל הַלֵּב שֶׁלְּבֶן מֵאָה שָׁנָה יִוָּלֵד, וְשָׂרָה בַּת תִּשְׁעִים שָׁנָה תֵּלֵד? וְאַחַר כֵּן אָמַר לוֹ שֶׁיִּהְיֶה הַנֵּס הַזֶּה עִם חַיֵּי יִשְׁמָעֵאל[39].

□ **הַלְּבֶן מֵאָה שָׁנָה יִוָּלֵד.** אֵין הַפֶּלֶא בְּבֶן מֵאָה שָׁנָה שֶׁיּוֹלִיד, כִּי הָאֲנָשִׁים יוֹלִידוּ כָּל יְמֵי הֱיוֹת בָּהֶם הַלֵּיחָה בְּנֵי תִּשְׁעִים וּבְנֵי מֵאָה גַּם בַּדּוֹרוֹת הָאֵלֶּה, אַף כִּי אַבְרָהָם שֶׁלֹּא עָבְרוּ מֵימָיו פִּי הַשְּׁנַיִם[40],

RAMBAN ELUCIDATED

[Ramban now offers a second possible interpretation for Abraham's rhetorical question:]

אוֹ שֶׁתִּהְיֶה "הַלְּבֶן מֵאָה שָׁנָה" בִּשְׁאֵלָה לְדְבַר פֶּלֶא – Alternatively, "*Shall* a child be born *to a hundred-year-old man?*" is a question expressing amazement,[37] **לֹא כְּדָבָר נִמְנָע** – not a question that dismissed having a child **as an impossible thing.**[38] **כְּמוֹ "הֲתִשְׁפֹּט הֲתִשְׁפֹּט אֶת עִיר הַדָּמִים"** – It is **like** the verse, ***Will you rebuke, will you rebuke the city of bloodshed?*** (*Ezekiel* 22:2), **שֶׁעִנְיָנוֹ, הֲתִרְצֶה לִשְׁפּוֹט אוֹתָהּ וּלְהוֹדִיעָהּ אֶת כָּל תּוֹעֲבוֹתֶיהָ – which means, "Do you** really **want to rebuke it and inform it of all its abominations?"** **וְכֵן "הֲתָעִיף עֵינֶיךָ בּוֹ וְאֵינֶנּוּ"** – **Similarly,** we find, ***Do you cast your eyes upon [wealth] and it is gone?*** (*Proverbs* 23:5), which means: "It is amazing that wealth is so fleeting!" **וְכֵן "הֲמִן הָעֵץ אֲשֶׁר צִוִּיתִיךָ לְבִלְתִּי אֲכָל מִמֶּנּוּ אָכָלְתָּ"** – **Similarly,** we find, **"*Have you eaten from the tree from which I commanded you not to eat?*"** (above, 3:11), **כְּלוֹמַר הַאִם עָלָה בְדַעְתְּךָ לֶאֱכוֹל מִן הָעֵץ – meaning: "Did it** really **enter your mind to eat from the tree?!"** **וְכֵן זֶה: הַאִם יַעֲלֶה עַל הַלֵּב – Similarly** in **this** verse, it is to be understood, **"Can it** really **be imagined שֶׁלְּבֶן מֵאָה שָׁנָה יִוָּלֵד, וְשָׂרָה בַּת תִּשְׁעִים שָׁנָה תֵּלֵד – that a child should be born to a hundred-year-old, and** that **Sarah, a ninety-year-old woman, should give birth?"**

[Having explained that Abraham did not have the slightest doubt that God would grant him a son through Sarah, Ramban proceeds to explain the next verse, which seems to imply otherwise:]

וְאַחַר כֵּן אָמַר לוֹ – Afterwards, [Abraham] said to [God], שֶׁיִּהְיֶה הַנֵּס הַזֶּה עִם חַיֵּי יִשְׁמָעֵאל – "May this miracle occur while Ishmael continues to **live!"**[39]

□ **הַלְּבֶן מֵאָה שָׁנָה יִוָּלֵד** – ***SHALL A CHILD BE BORN TO A HUNDRED-YEAR-OLD MAN?***

[Ramban discusses why Abraham was so astonished:]

אֵין הַפֶּלֶא בְּבֶן מֵאָה שָׁנָה שֶׁיּוֹלִיד – The wonderment here **is not that a hundred-year-old man should father a child, כִּי הָאֲנָשִׁים יוֹלִידוּ כָּל יְמֵי הֱיוֹת בָּהֶם הַלֵּיחָה בְּנֵי תִּשְׁעִים וּבְנֵי מֵאָה – for men can father children as long as they have moistness** in their bodies, even when they are **ninety or a hundred years old, גַּם בַּדּוֹרוֹת הָאֵלֶּה – even in these** present **generations, אַף כִּי אַבְרָהָם – and all the more so** concerning **Abraham,** when people lived longer, **שֶׁלֹּא עָבְרוּ מֵימָיו פִּי הַשְּׁנַיִם – for he had**

37. Abraham meant, in effect, "A child born to a hundred-year-old man? That's incredible!" He was expressing amazement, not disbelief.

38. As was the case with Sarah's similar utterance (below, 18:22).

39. I.e., "May Ishmael continue to live even after the miracle occurs," as Ramban explains in his comment on the next verse. Ramban's point is that we should not detect a note of incredulity in Abraham's statement in v. 18, commonly translated, "If only Ishmael might live before You!" Rather, it is to be understood as Ramban explains it below.

a ninety-year-old woman — give birth?" [18] *And Abraham said to God, "If Ishmael will live before You!"* [19] *God said,*

רמב״ן

וְהִנֵּה אַחֲרֵי זֶה אַרְבָּעִים שָׁנָה הוֹלִיד בָּנִים רַבִּים מִקְּטוּרָה [להלן כה,א-ב][41]. אֲבָל אָמַר הֲלְּבֶן מֵאָה שָׁנָה שֶׁלֹּא הוֹלִיד בְּבַחֲרוּתוֹ מִן הָאִשָּׁה הַזֹּאת יוֹלִיד מִמֶּנָּה עַתָּה אַחֲרֵי מֵאָה שָׁנָה וְאַחֲרֵי תִּשְׁעִים וּפָסַק מִמֶּנָּה אֹרַח נָשִׁים, כִּי יָדַע כֵּן, וּלְכָךְ לֹא אָמַר כֵּן מִתְּחִלָּה כְּשֶׁנֶּאֱמַר לוֹ [לעיל פסוק ו] "וּנְתַתִּיךָ לְגוֹיִם"[42], עַד אָמְרוּ אֵלָיו כִּי מִשָּׂרָה יוֹלִיד. וְצִוָּה אוֹתוֹ **וְקָרָאתָ אֶת שְׁמוֹ יִצְחָק** בַּעֲבוּר הַצְּחוֹק שֶׁעָשָׂה אַבְרָהָם, וְזֶה לְאוֹת כִּי הָיָה לֶאֱמוּנָה וּלְשִׂמְחָה[43]. וְאַחֲרֵי שֶׁקָּרָא אוֹתוֹ אַבְרָהָם כֵּן כַּאֲשֶׁר צִוָּה ה׳ אוֹתוֹ, אָמְרָה שָׂרָה: הֲכִי קָרָא שְׁמוֹ יִצְחָק, כִּי "צְחֹק עָשָׂה לִי אֱלֹהִים" [להלן כא,ו][44].

RAMBAN ELUCIDATED

not yet even reached two thirds of his years.[40] **וְהִנֵּה אַחֲרֵי זֶה אַרְבָּעִים שָׁנָה הוֹלִיד בָּנִים רַבִּים מִקְּטוּרָה** – Furthermore, **note that forty years after this** story **he fathered many children from Keturah** (below, 25:1 ff).[41] **אֲבָל אָמַר הֲלְּבֶן מֵאָה שָׁנָה** – **Rather, he said, "Shall a hundred-year-old man** **שֶׁלֹּא הוֹלִיד בְּבַחֲרוּתוֹ מִן הָאִשָּׁה הַזֹּאת** – **who did not father any children in his younger years with *this* wife** **יוֹלִיד מִמֶּנָּה עַתָּה אַחֲרֵי מֵאָה שָׁנָה** – suddenly **father children through her now, after** he is **a hundred years** old **וְאַחֲרֵי תִּשְׁעִים וּפָסַק מִמֶּנָּה אֹרַח נָשִׁים** – **and after** she is **ninety years old and** after **the 'manner of women'** (below, 18:11) **has ceased from her?"** **כִּי יָדַע כֵּן** – **For he knew that it was so,** that the "manner of women" had ceased from her. **וּלְכָךְ לֹא אָמַר כֵּן מִתְּחִלָּה** – **That is why he did not say this** statement of wonderment **at first,** **כְּשֶׁנֶּאֱמַר לוֹ "וּנְתַתִּיךָ לְגוֹיִם"** – as soon **as it was told to him, *"I will make nations of you"*** (above, v. 6),[42] **עַד אָמְרוּ אֵלָיו כִּי מִשָּׂרָה יוֹלִיד** – **until [God] told him** in our verse **that it would be through Sarah that he would father a child.**

[Ramban now returns to the issue of Abraham's laughing, showing that it was indeed a laugh of joy rather than one of disbelief:]

וְצִוָּה אוֹתוֹ "וְקָרָאתָ אֶת שְׁמוֹ יִצְחָק" – **[God] commanded [Abraham], *"You shall call his name Isaac,"*** **בַּעֲבוּר הַצְּחוֹק שֶׁעָשָׂה אַבְרָהָם** – **because of the laughter that Abraham laughed,** **וְזֶה לְאוֹת כִּי הָיָה לֶאֱמוּנָה וּלְשִׂמְחָה** – **and this is a proof that [the laughter] was one of faith and joy.**[43] **וְאַחֲרֵי שֶׁקָּרָא אוֹתוֹ אַבְרָהָם כֵּן** – **After Abraham called him thus** (below, 21:3), **כַּאֲשֶׁר צִוָּה ה׳ אוֹתוֹ** – **as [God] had commanded him,** **אָמְרָה שָׂרָה הֲכִי קָרָא שְׁמוֹ יִצְחָק כִּי "צְחֹק עָשָׂה לִי אֱלֹהִים"** – **Sarah said, "Is it not** fitting **that he called his name Isaac? For *God has made laughter for me!*"**[44]

18. לוּ יִשְׁמָעֵאל יִחְיֶה לְפָנֶיךָ – ***IF ISHMAEL WILL LIVE BEFORE YOU!***

[לוּ is usually translated here as "if only," as it is understood here by Rashi and Radak. That would connote a wish that something that is not presently occurring should now happen. But God did not suggest in any manner that Ishmael would not live; why, then, should Abraham wish, "If

40. Abraham had lived only 99 of his 175 years, and was therefore presumably the equivalent of a modern-day man in his lower forties.

41. Abraham married Keturah after Sarah's death, when he was one hundred and thirty-seven years old. That means it was at least thirty-eight years after the prophecy of our verse took place, when Abraham was ninety-nine years old. Since he had many children with Keturah thereafter, he must have fathered most of them more than forty years after the events of our chapter.

42. Abraham did not find it amazing that he would still, at an advanced age, become the progenitor of nations; he was only surprised to hear that this would occur through Sarah.

43. God would not have commemorated Abraham's laughter through his child's name if it had been sinful or inappropriate.

44. Below, in Chap. 21, the Torah writes, *Abraham called the name of his son ... Isaac* (v. 3), and then, *Sarah said, "God has made laughter for me"* (v. 6). One might have understood these verses to imply that the name Isaac (which means "he will laugh") was based on Sarah's joyous laughter rather than that of Abraham the previous year (see Ralbag on our verse). If such were the case, Ramban would obviously have no proof that Abraham's laughter was not inappropriate. He therefore explains that this is not the correct interpretation of those verses. Rather, Sarah's comment about her own laughter was an afterthought on the coincidental implication of Isaac's name.

אֲבָל֙ שָׂרָ֣ה אִשְׁתְּךָ֗ יֹלֶ֤דֶת לְךָ֙ בֵּ֔ן וְקָרָ֥אתָ אֶת־
שְׁמ֖וֹ יִצְחָ֑ק וַהֲקִמֹתִ֨י אֶת־בְּרִיתִ֥י אִתּ֛וֹ לִבְרִ֥ית
כ עוֹלָ֖ם לְזַרְע֥וֹ אַחֲרָֽיו׃ וּֽלְיִשְׁמָעֵאל֮ שְׁמַעְתִּיךָ֒
הִנֵּ֣ה ׀ בֵּרַ֣כְתִּי אֹת֗וֹ וְהִפְרֵיתִ֥י אֹת֛וֹ וְהִרְבֵּיתִ֥י אֹת֖וֹ

בְּקוּשְׁטָא שָׂרָה אִתְּתָךְ תְּלִיד לָךְ בַּר וְתִקְרֵי יָת שְׁמֵהּ יִצְחָק וַאֲקֵים יָת קְיָמִי עִמֵּהּ לִקְיָם עָלַם לִבְנוֹהִי בַתְרוֹהִי: כ וּלְיִשְׁמָעֵאל קַבֵּלִית צְלוֹתָךְ הָא בָּרֵכִית יָתֵהּ וְאַפֵּשׁ יָתֵהּ וְאַסְגֵּי יָתֵהּ

רש"י

(יט) אבל. לשון אמתת דברים (אונקלוס; תרגום יונתן), וכן אבל אשמים אנחנו (להלן מב:כא) אבל בן אין לה (מלכים־ב ד:יד): **וקראת את שמו יצחק.** על שם הצחוק (מדרש חו"י). וי"א על שם עשרה נסיונות וצ' שנה של שרה וח' ימים שנימול וק' שנה של אברהם (פדר"א לב; ב"ר נג:ז): **[והקמתי את בריתי.** למה נאמר, והרי כבר כתיב ואתה את בריתי תשמור אתה וזרעך וגו', אלא לפי שאומר והקימותי וגו', יכול בני ישמעאל ובני קטורה בכלל הקיום, ת"ל והקימותי את בריתי אתו, ולא עם אחרים (עי' סנהדרין נט:): **ואת בריתי אקים את יצחק.** למה נאמר, אלא למד שהיה קדוש מבטן (עי' שבת קלז:). ד"א, אמר רבי אבא מכאן למד ק"ו בן הגבירה מבן האמה. כתיב הנה ברכתי אותו והרביתי אותו והפריתי אותו, זה ישמעאל, וק"ו ואת בריתי אקים את יצחק (ב"ר מז:ה):] **את בריתי.** ברית המילה תהא מסורה לזרעו של יצחק (סנהדרין שם):

רמב"ן

[יח] לוּ יִשְׁמָעֵאל יִחְיֶה לְפָנֶיךָ. פֵּרוּשׁ הַמִּלָּה הַזֹּאת בְּכָל הַכָּתוּב כְּטַעַם "אִם"[45], וְהוּרְכְּבָה בְּמִלַּת "לוּלֵי" [להלן לא, מב], וְטַעְמָהּ "אִם לֹא", וְנִכְתְּבָה לִפְעָמִים בְּאָלֶ"ף [להלן מג, י]. וְכֵן יַרְכִּיבוּהָ עוֹד וְיֹאמְרוּ "אִלּוּ", "וְאִלּוּ לַעֲבָדִים וְלִשְׁפָחוֹת" [אסתר ז, ד], "וְאִלּוּ חָיָה אֶלֶף שָׁנִים פַּעֲמַיִם" [קהלת ו, ו]. וְעִנְיַן הַמִּלָּה "אִם לוּ" וְטַעְמָהּ כְּמוֹ "אִם אִם"[46], וּבָא הַכֵּפֶל לְחִזּוּק, כְּמוֹ "הֲרַק אַךְ בְּמֹשֶׁה" [במדבר יב, ב][47], "הֲמִבְּלִי אֵין קְבָרִים" [שמות יד, יא][47], וְדוֹמֵיהֶם.

RAMBAN ELUCIDATED

only Ishmael would live"? Why would he *not* live? Ramban explains that in fact "if only" is not an accurate translation of the word לוּ:]

פֵּרוּשׁ הַמִּלָּה הַזֹּאת בְּכָל הַכָּתוּב כְּטַעַם "אִם" – The meaning of this word (לוּ) **throughout Scripture is like the meaning of** אִם **("if").**[45]

[Before explaining our verse according to this interpretation of לוּ, Ramban first discusses some of the compound words formed from לוּ, and explains them in light of his interpretation of the word לוּ:]

וְהוּרְכְּבָה בְּמִלַּת "לוּלֵי" – It is sometimes **combined** with the word לֹא **into the word לוּלֵי,** a contraction of לוּ and לֹא, **וְטַעְמָהּ "אִם לֹא" – whose meaning is "if not." וְנִכְתְּבָה לִפְעָמִים בְּאָלֶ"ף – [The word]** [לוּלֵי] **is sometimes written with an** ***alef*** instead of a *yud* at the end of the word – לוּלֵא – in which case the etymology of the word (i.e., as a combination of לוּ and לֹא) is more evident. **וְכֵן יַרְכִּיבוּהָ עוֹד וְיֹאמְרוּ "אִלּוּ" – [People] also combine it** into a compound word **and say אִלּוּ** – "וְאִלּוּ לַעֲבָדִים וְלִשְׁפָחוֹת" – as in ***If*** (אִלּוּ) ***we would be sold as slaves and maidservants*** (*Esther* 7:4), "וְאִלּוּ חָיָה אֶלֶף שָׁנִים פַּעֲמַיִם" – and **And If** (אִלּוּ) ***he would live a thousand years twice over*** (*Ecclesiastes* 6:6). **וְעִנְיַן הַמִּלָּה "אִם לוּ" – The intent of the word** [אִלּוּ] is as a contraction of **אִם** and **לוּ**, **וְטַעְמָהּ כְּמוֹ "אִם אִם" – meaning the same as אִם אִם** ("if if").[46] **וּבָא הַכֵּפֶל לְחִזּוּק – The doubling** of the word (אִם אִם) **comes for emphasis, כְּמוֹ "הֲרַק אַךְ בְּמֹשֶׁה" – as in** ***Was it only*** (רַק) ***only*** (אַךְ) ***with Moses?*** (*Numbers* 12:2),[47] "הֲמִבְּלִי אֵין קְבָרִים" – and as in ***Is it because there are no*** (בְּלִי) ***no*** (אֵין) ***graves?***[47] (*Exodus* 14:11), **וְדוֹמֵיהֶם – and others like these.**

[Having established that לוּ means "if," Ramban now explains the meaning of our verse in light of this interpretation:]

45. Rashi (below, on 50:15, apparently basing himself on Menachem's *Machberes*, s.v. אולי) writes that לוּ is used in Scripture with three distinct meanings: "if only" (a wish), "if" and "perhaps." (Radak makes the same observation in his *Sefer HaShorashim*.) Ramban here maintains that there is actually only one basic meaning of the word: "if," and all the various occurrences of the word throughout Scripture can be made to accommodate this definition. He further discusses this below, 23:13.

46. If, as Ramban has asserted, אִם = לוּ, then it follows that אִם אִם = אִם לוּ.

47. Here, too, two words that are synonyms appear in immediate succession to indicate emphasis.

"Nonetheless, your wife Sarah will bear you a son and you shall call his name Isaac; and I will fulfill My covenant with him as an everlasting covenant for his descendants after him. 20 But regarding Ishmael I have heard you: I have blessed him, will make him fruitful

רמב״ן

וְאָמַר אַבְרָהָם: אִם יִשְׁמָעֵאל יִחְיֶה לְפָנֶיךָ אֶרְצֶה בַּבְּרָכָה הַזּאת אֲשֶׁר בֵּרַכְתָּנִי בְּזֶרַע שָׂרָה. כִּי הִבְטִיחוֹ מִתְּחִלָּה "אֲשֶׁר יֵצֵא מִמֵּעֶיךָ הוּא יִירָשֶׁךָ", וְהִנֵּה הַיּוֹרֵשׁ אוֹתוֹ יָחִיד, וְהָיָה חוֹשֵׁב שֶׁהוּא יִשְׁמָעֵאל. וְעַתָּה, כַּאֲשֶׁר נֶאֱמַר לוֹ כִּי מִשָּׂרָה יוֹלִיד, וְהֵבִין כִּי הוּא הַיּוֹרֵשׁ - פָּחַד פֶּן יָמוּת יִשְׁמָעֵאל, וְלָכֵן אָמַר זֶה.

□ **יִחְיֶה לְפָנֶיךָ.** פֵּרַשׁ רַשִׁ"י: יִחְיֶה בְּיִרְאָתֶךָ, כְּמוֹ "הִתְהַלֵּךְ לְפָנַי" [לעיל פסוק א], "פְּלַח קֳדָמַי" [אונקלוס שם]. וְאֵינֶנּוּ נָכוֹן, בַּעֲבוּר שֶׁאָמַר **וּלְיִשְׁמָעֵאל שְׁמַעְתִּיךָ**[48]. אֲבָל פֵּרוּשׁוֹ: יִחְיֶה וְיִתְקַיֵּם זַרְעוֹ כָּל יְמֵי עוֹלָם[49].

[יט] אֲבָל[50] **שָׂרָה אִשְׁתְּךָ.** כְּמוֹ "אֲבָל בֵּן אֵין לָהּ" [מלכים־ב ד,יד] כְּטַעַם "רַק"[51]. אָמַר: רַק הַבֵּן אֲשֶׁר

RAMBAN ELUCIDATED

וְאָמַר אַבְרָהָם: – **Abraham was saying,** in effect: אִם יִשְׁמָעֵאל יִחְיֶה לְפָנֶיךָ – **"If** (לוּ) **Ishmael lives before You,** אֶרְצֶה בַּבְּרָכָה הַזּאת אֲשֶׁר בֵּרַכְתָּנִי בְּזֶרַע שָׂרָה – **I will be pleased with this blessing that You have blessed me concerning Sarah** producing **offspring."** כִּי הִבְטִיחוֹ מִתְּחִלָּה – **For [God] had promised [Abraham] originally,** "אֲשֶׁר יֵצֵא מִמֵּעֶיךָ הוּא יִירָשֶׁךָ" – ***"someone who shall come forth from within you shall inherit you"*** (above, 15:4). וְהִנֵּה הַיּוֹרֵשׁ אוֹתוֹ יָחִיד – **Now,** this implied that **there would be** only **a single person who would inherit him,** וְהָיָה חוֹשֵׁב שֶׁהוּא יִשְׁמָעֵאל – **and [Abraham] had** always **thought that this** "one" **was Ishmael.** וְעַתָּה כַּאֲשֶׁר נֶאֱמַר לוֹ כִּי מִשָּׂרָה יוֹלִיד – **So now, when he was told that he would father a child through Sarah,** וְהֵבִין כִּי הוּא הַיּוֹרֵשׁ – **and he understood that this** child **would be the heir,** פָּחַד פֶּן יָמוּת יִשְׁמָעֵאל – **he feared that perhaps Ishmael would die** – for why else would he not share Abraham's inheritance with his new brother? וְלָכֵן אָמַר זֶה – **This is why he said this** – "I am happy to hear about the birth of Isaac, but only *if Ishmael continues to live*!"

□ **יִחְיֶה לְפָנֶיךָ** – ***WILL LIVE BEFORE YOU!***

[Ramban cites Rashi's explanation of the word לְפָנֶיךָ ("before You") and rejects it:]

פֵּרַשׁ רַשִׁ"י – Rashi explains:

יִחְיֶה בְּיִרְאָתֶךָ – "Will live *before You*" means **"will live in fear of You,"** כְּמוֹ "הִתְהַלֵּךְ לְפָנַי", "פְּלַח קֳדָמַי" – **just as "walk *before Me*"** is rendered by Onkelos as **פְּלַח קֳדָמַי** ("serve before Me").

וְאֵינֶנּוּ נָכוֹן, בַּעֲבוּר שֶׁאָמַר "וּלְיִשְׁמָעֵאל שְׁמַעְתִּיךָ" – **This** interpretation, however, **is not correct, because of what [God] replied, *"But regarding Ishmael I have heard you"*** (v. 20).[48] אֲבָל פֵּרוּשׁוֹ: יִחְיֶה וְיִתְקַיֵּם זַרְעוֹ כָּל יְמֵי עוֹלָם – **Rather, its** true **explanation is: "May his offspring live and survive all the days of the world."**[49]

19. אֲבָל שָׂרָה אִשְׁתְּךָ – *NONETHELESS, YOUR WIFE SARAH.*

[The word אֲבָל is usually understood to mean "however." But this meaning seems inappropriate here, for the statement it introduces does not contradict or moderate anything that was said before.[50] Ramban explains that the usual meaning of "however" can, in fact, be applied here:]

כְּמוֹ "אֲבָל בֵּן אֵין לָהּ" – אֲבָל in this phrase is **like** the same word in ***However* (אֲבָל)*, she has no son"*** (*II Kings* 4:14), כְּטַעַם "רַק" – which is **like the meaning of רַק** ("only," "however").[51] אָמַר, רַק הַבֵּן

48. God told Abraham that He would fulfill his request regarding Ishmael. But God would not promise that Ishmael would live a life full of fear of God, since fear of God is not decreed by Heaven, but is left up to the individual (see *Berachos* 33b). Furthermore, if this was, in fact, Abraham's request, it was never fulfilled (*Mahari Abohab*).

49. "To live before God" means to say "to live forever."

50. This is apparently why Rashi (and Onkelos, and Ibn Ezra in "Alternate Version") interpret it to mean "indeed" in our verse.

51. Rashi adduces the same verse to prove *his* opinion, that אֲבָל means "indeed," and it is in fact easier to see how that meaning fits into the context there, for the

בִּמְאֹד מְאֹד שְׁנֵים־עָשָׂר נְשִׂיאִם יוֹלִיד
כא וּנְתַתִּיו לְגוֹי גָּדוֹל: וְאֶת־בְּרִיתִי אָקִים אֶת־
יִצְחָק אֲשֶׁר תֵּלֵד לְךָ שָׂרָה לַמּוֹעֵד הַזֶּה
כב בַּשָּׁנָה הָאַחֶרֶת: וַיְכַל לְדַבֵּר אִתּוֹ וַיַּעַל
כג אֱלֹהִים מֵעַל אַבְרָהָם: וַיִּקַּח אַבְרָהָם אֶת־
יִשְׁמָעֵאל בְּנוֹ וְאֵת כָּל־יְלִידֵי בֵיתוֹ וְאֵת כָּל־
מִקְנַת כַּסְפּוֹ כָּל־זָכָר בְּאַנְשֵׁי בֵּית אַבְרָהָם
וַיָּמָל אֶת־בְּשַׂר עָרְלָתָם בְּעֶצֶם הַיּוֹם הַזֶּה
מפטיר כד כַּאֲשֶׁר דִּבֶּר אִתּוֹ אֱלֹהִים: וְאַבְרָהָם בֶּן־
תִּשְׁעִים וָתֵשַׁע שָׁנָה בְּהִמֹּלוֹ בְּשַׂר עָרְלָתוֹ:
כה וְיִשְׁמָעֵאל בְּנוֹ בֶּן־שְׁלֹשׁ עֶשְׂרֵה שָׁנָה
כו בְּהִמֹּלוֹ אֵת בְּשַׂר עָרְלָתוֹ: בְּעֶצֶם הַיּוֹם הַזֶּה

לַחֲדָא לַחֲדָא תְּרֵין עֲשַׂר רַבְרְבַיָּא יוֹלִיד וְאֶתְּנִנֵּהּ לְעַם סַגִּי: כא וְיָת קְיָמִי אֲקִים עִם יִצְחָק דִּי תְלִיד לָךְ שָׂרָה לְזִמְנָא הָדֵין בְּשַׁתָּא אָחֳרַנְתָּא: כב וְשֵׁצִי לְמַלָּלָא עִמֵּהּ וְאִסְתַּלַּק יְקָרָא דַייָ מֵעִלָּווֹהִי דְּאַבְרָהָם: כג וּדְבַר אַבְרָהָם יָת יִשְׁמָעֵאל בְּרֵהּ וְיָת כָּל יְלִידֵי בֵיתֵהּ וְיָת כָּל זְבִינֵי כַסְפֵּהּ כָּל דְּכוּרָא בֶּאֱנָשֵׁי בֵּית אַבְרָהָם וּגְזַר יָת בִּשְׂרָא דְעָרְלָתְהוֹן בִּכְרַן יוֹמָא הָדֵין כְּמָא דִּי מַלִּיל עִמֵּהּ יְיָ: כד וְאַבְרָהָם בַּר תִּשְׁעִין וּתְשַׁע שְׁנִין כַּד גְּזַר בִּשְׂרָא דְעָרְלְתֵהּ: כה וְיִשְׁמָעֵאל בְּרֵהּ בַּר תְּלָת עַשְׂרֵי שְׁנִין כַּד גְּזַר יָת בִּשְׂרָא דְעָרְלְתֵהּ: כו בִּכְרַן יוֹמָא הָדֵין

רש"י

(כ) שנים עשר נשיאם. כעננים יכלו, כמו נשיאים ורוח (משלי כה:יד; ב"ר סס): **(כב) מעל אברהם.** לשון נקיה הוא כלפי שכינה. ולמדנו שהצדיקים מרכבתו של מקום (ב"ר סס ו, ועי' סט:ג): **(כג) בעצם היום.** בו ביום שנצטוה, ביום ולא בלילה, לא נתיירא לא מן הגוים ולא מן הליצנים, ושלא יהיו אויביו [ס"א אוהביו] ובני דורו אומרים אילו ראינוהו לא הנחנוהו למול ולקיים מצותו של מקום (ב"ר מז:ט): **וימל.** לשון וַיִּפְעַל: **(כד) בהמלו.** בְּהִפָּעֲלוֹ כמו בהבראם (לעיל ב:ד) [נטל אברהם סכין ואחז בערלתו ורצה לחתוך והיה מתירא, שהיה זקן, מה עשה הקב"ה, שלח ידו ואחז עמו, שנא' וכרות עמו הברית (נחמיה ט:ח) לו לא נאמר אלא עמו. ב"ר (מט:ב)]: **(כה) בהמלו את בשר ערלתו.** באברהם לא נאמר את, לפי שלא היה חסר אלא חתוך בשר, שכבר נתמעך על ידי תשמיש, אבל ישמעאל שהיה ילד הוזקק לחתוך ערלה ולפרוע המילה, לכך נאמר בו את (ב"ר מז:ח): **(כו) בעצם היום.** שמלאו לאברהם צ"ט שנה ולישמעאל י"ג שנים **נמול אברהם וישמעאל בנו.**

רמב"ן

אֲנִי מְבַשֶּׂרְךָ עָלָיו - שָׂרָה אִשְׁתְּךָ תֵּלֵד אוֹתוֹ, וּבוֹ אֲנִי מְקַיֵּם בְּרִיתִי לְעוֹלָם וּבְזַרְעוֹ אַחֲרָיו. וְיִשְׁמָעֵאל - אֲבָרֵךְ לְהַרְבּוֹת זַרְעוֹ, אַךְ לֹא מִבְּרִיתִי.

[כב] וַיַּעַל אֱלֹהִים מֵעַל אַבְרָהָם. לְשׁוֹן כָּבוֹד כְּלַפֵּי הַמָּקוֹם[52], וְלָמַדְנוּ שֶׁהַצַּדִּיקִים מֶרְכַּבְתּוֹ שֶׁל

RAMBAN ELUCIDATED

אֲשֶׁר אֲנִי מְבַשֶּׂרְךָ עָלָיו – [God] said, in effect: "You may love your son Ishmael. ***However***, **the son about whom I have given you the good tidings** that I will establish My covenant with him and his descendants (v. 7), **שָׂרָה אִשְׁתְּךָ תֵּלֵד אוֹתוֹ – it is your wife Sarah who will give birth to him, וּבוֹ אֲנִי מְקַיֵּם בְּרִיתִי לְעוֹלָם וּבְזַרְעוֹ אַחֲרָיו – and it is 'with him and his descendants after him that I shall establish My covenant forever.' וְיִשְׁמָעֵאל, אֲבָרֵךְ לְהַרְבּוֹת זַרְעוֹ – As for Ishmael – I will bless** him, **making his offspring numerous, אַךְ לֹא מִבְּרִיתִי – but not because of My covenant,** which will be with Isaac."

22. וַיַּעַל אֱלֹהִים מֵעַל אַבְרָהָם – ***GOD ASCENDED FROM UPON ABRAHAM.***

[Why does the verse say "from *upon* Abraham" rather than simply "from Abraham"? Ramban cites Rashi:]

לְשׁוֹן כָּבוֹד כְּלַפֵּי הַמָּקוֹם – This is **an expression of respect toward God.**[52] **וְלָמַדְנוּ שֶׁהַצַּדִּיקִים מֶרְכַּבְתּוֹ שֶׁל**

statement following אֲבָל does not seem to contradict or moderate any previous statement, as would be implied by the use of "however." See Radak (loc. cit.), on the other hand, who explains how the meaning "however" *is* applicable there: "Gehazi said to Elisha, 'The things that you offered to this woman – she does not need any of these. *However*, there is one thing she does need: *She has no child.*' "

52. By saying that God ascended "from *upon* Abraham" rather than "from Abraham," the Torah respect-

and will increase him most exceedingly; he will beget twelve
princes and I will make him into a great nation. 21 *But I will main-*
tain My covenant through Isaac whom Sarah will bear to you at
this time next year." 22 *And when He had finished speaking with*
him, God ascended from upon Abraham.
23 *Then Abraham took his son Ishmael and all those servants*
born in his household and all those he had purchased for money
— all the male members of Abraham's house — and he circum-
cised the flesh of their surplusage on that very day as God had
spoken with him. 24 *Abraham was ninety-nine years old when*
he was circumcised on the flesh of his surplusage; 25 *and his son*
Ishmael was thirteen years old when he was circumcised on
the flesh of his surplusage. 26 *On that very day was Abraham*

רמב״ן

הַקָּדוֹשׁ בָּרוּךְ הוּא[53]. לְשׁוֹן רַשִׁ״י.

אֲבָל לְשׁוֹנָם בִּבְרֵאשִׁית רַבָּה [מז, ו]: הָאָבוֹת הֵן הֵן הַמֶּרְכָּבָה.

יִרְמֹז לְמַה שֶּׁכָּתוּב [מִיכָה ז, כ]: ״תִּתֵּן אֱמֶת לְיַעֲקֹב חֶסֶד לְאַבְרָהָם״, ״וּפַחַד יִצְחָק הָיָה לִי״ [לְהַלָּן לא, מב], וְהַמַּשְׂכִּיל יָבִין:

[כו] בְּעֶצֶם הַיּוֹם הַזֶּה. כָּתַב רַשִׁ״י: בְּעֶצֶם הַיּוֹם הַזֶּה שֶׁמָּלְאוּ לְאַבְרָהָם תִּשְׁעִים וָתֵשַׁע שָׁנָה וּלְיִשְׁמָעֵאל שְׁלֹשׁ עֶשְׂרֵה נִמּוֹלוּ״[54].

RAMBAN ELUCIDATED

הַקָּדוֹשׁ בָּרוּךְ הוּא – And it teaches us that the righteous are the chariot of the Holy One, Blessed is He.[53]

לְשׁוֹן רַשִׁ״י – This is a quote from Rashi, based on the Midrash (*Bereishis Rabbah* 47:6).

[Ramban agrees with this interpretation of "upon," but takes issue with Rashi's use of "righteous":]

אֲבָל לְשׁוֹנָם בִּבְרֵאשִׁית רַבָּה – However, the exact **language [of the Sages] in *Bereishis Rabbah*** (ibid. 82:6) **is: הָאָבוֹת הֵן הֵן הַמֶּרְכָּבָה – The *Patriarchs* are the chariot of God** – referring specifically to the Patriarchs, and not to the righteous in general, as Rashi has it.

[The next part of this comment discusses the deep Kabbalistic concept of the Patriarchs serving as the "chariot" of God. In the Hebrew text, Rambam's words appear in the paragraph beginning יִרְמֹז לְמַה and ending וְהַמַּשְׂכִּיל יָבִין:.]

26. בְּעֶצֶם הַיּוֹם הַזֶּה – *ON THAT VERY DAY.*

[The Torah has already told us (v. 23) that Abraham and his household were circumcised *on that very day* – meaning on the very same day on which the command was given. Why, then, does the Torah repeat this information in our verse? Ramban explains, beginning by citing Rashi's comment:]

כָּתַב רַשִׁ״י – Rashi writes:

בְּעֶצֶם הַיּוֹם הַזֶּה שֶׁמָּלְאוּ לְאַבְרָהָם תִּשְׁעִים וָתֵשַׁע שָׁנָה וּלְיִשְׁמָעֵאל שְׁלֹשׁ עֶשְׂרֵה נִמּוֹלוּ – On the very day when ninety-nine years of life **were completed for Abraham and thirteen** years of life were completed **for Ishmael, they were circumcised.**[54]

---

fully accents God's superiority.

53. That is: They were the means of conveying the Divine Presence into the world.

54. According to Rashi the phrase "on that very day" in our verse refers to the ages of Abraham and Ishmael that had just been mentioned (vv. 24-25). Our verse, then, informs us that both circumcisions took place on the "very day" on which they had reached the ages of ninety-nine and thirteen, respectively. But the identical expression ("on that very day") in v. 23 refers to a different thought: Abraham performed the circumcision "on the very day" that he was commanded to do so.

כז נִמּוֹל אַבְרָהָם וְיִשְׁמָעֵאל בְּנוֹ: וְכָל־אַנְשֵׁי בֵיתוֹ
יְלִיד בָּיִת וּמִקְנַת־כֶּסֶף מֵאֵת בֶּן־נֵכָר נִמֹּלוּ
אִתּוֹ: פ פ פ

קכ״ו פסוקים. נמל״ו סימן. מכנדי״ב סימן.

אִתְגְּזַר (נ״א גְּזַר) אַבְרָהָם וְיִשְׁמָעֵאל בְּרֵהּ: כז וְכָל אֱנָשֵׁי בֵיתֵהּ יְלִידֵי בֵיתָא וּזְבִינֵי כַסְפָּא מִן בַּר עַמְמִין אִתְגְּזָרוּ (נ״א גְּזָרוּ) עִמֵּהּ:

רמב״ן

וּמַה טַּעַם לְהַזְכִּיר זֶה[55]? וְעוֹד, אִי אֶפְשָׁר, שֶׁכְּבָר הִסְכִּימוּ לְדִבְרֵי רַבִּי אֱלִיעֶזֶר[56] שֶׁבְּתִשְׁרֵי נִבְרָא הָעוֹלָם [ראש השנה י, ב] וּבְתִשְׁרֵי נוֹלְדוּ אָבוֹת וּבְפֶסַח נוֹלַד יִצְחָק, וְהַכָּתוּב אָמַר ״לַמּוֹעֵד הַזֶּה בַּשָּׁנָה הָאַחֶרֶת״[57], וְהוּא כָּתַב בְּסֵדֶר וַיֵּרָא כִּי הַבְּשׂוֹרָה הָיְתָה בְּפֶסַח, וְלַפֶּסַח הַבָּא נוֹלַד יִצְחָק[58].

אֲבָל בְּעֶצֶם הַיּוֹם הַזֶּה שֶׁנִּצְטַוָּה בַּמִּצְוָה הַזֹּאת נִמּוֹל הוּא **וִילִידֵי בֵיתוֹ** - שְׁמֹנָה עָשָׂר וּשְׁלֹשׁ מֵאוֹת[59], **וְכָל מִקְנַת כַּסְפּוֹ**. סִפֵּר הַכָּתוּב מַעֲלָתוֹ בְּיִרְאַת ה׳ וּמַעֲלַת כָּל בְּנֵי בֵיתוֹ, שֶׁכֻּלָּם זְרִיזִים מַקְדִּימִין לְמִצְוֹת[60].

RAMBAN ELUCIDATED

[Ramban raises two objections against Rashi's interpretation:]

וּמַה טַּעַם לְהַזְכִּיר זֶה – **But what would be the significance of mentioning this** fact?[55] וְעוֹד אִי אֶפְשָׁר – **Furthermore, it is impossible** that the circumcision took place on Abraham's birthday. שֶׁכְּבָר הִסְכִּימוּ לְדִבְרֵי רַבִּי אֱלִיעֶזֶר – **For [the later Sages] have concurred** in favor of **Rabbi Eliezer's opinion**[56] שֶׁבְּתִשְׁרֵי נִבְרָא הָעוֹלָם וּבְתִשְׁרֵי נוֹלְדוּ אָבוֹת וּבְפֶסַח נוֹלַד יִצְחָק – that **"The world was created in Tishrei, and the Patriarchs** (except for Isaac) **were born in Tishrei... and Isaac was born on Passover"** (*Rosh Hashanah* 10b), וְהַכָּתוּב אָמַר ״לַמּוֹעֵד הַזֶּה בַּשָּׁנָה הָאַחֶרֶת״ – **and Scripture says** (above, v. 21), *[Isaac, whom Sarah will bear to you]* ***at this time, next year.***[57] וְהוּא כָּתַב בְּסֵדֶר וַיֵּרָא – **[Rashi]** himself **writes in the Torah-portion of *Vayeira*** (below, 18:10) כִּי הַבְּשׂוֹרָה הָיְתָה בְּפֶסַח – **that** the angels' announcement of **the good news** of Isaac's future birth **was on Passover,** וְלַפֶּסַח הַבָּא נוֹלַד יִצְחָק – **and that it was on the following Passover that Isaac was born.**[58]

[Having disputed Rashi's interpretation, Ramban now gives his own:]

אֲבָל בְּעֶצֶם הַיּוֹם הַזֶּה שֶׁנִּצְטַוָּה בַּמִּצְוָה הַזֹּאת נִמּוֹל – **Rather,** the verse means that ***on that very day*** **on which [Abraham] was commanded** to do **this mitzvah** ***he was circumcised,*** הוּא ״וִילִידֵי בֵיתוֹ״ – **he** ***and all those born in his household*** שְׁמֹנָה עָשָׂר וּשְׁלֹשׁ מֵאוֹת – **three hundred and eighteen** men[59] ״וְכָל מִקְנַת כַּסְפּוֹ״ – ***and all those*** *servants* ***purchased for money.*** סִפֵּר הַכָּתוּב מַעֲלָתוֹ בְּיִרְאַת ה׳ – **Scripture is** thus **telling** us **of [Abraham's] greatness in** his **fear of God,** וּמַעֲלַת כָּל בְּנֵי בֵיתוֹ – **and of the greatness of all the members of his household,** שֶׁכֻּלָּם זְרִיזִים מַקְדִּימִין לְמִצְוֹת – **for they were all dedicated people who hurried to do** God's **commandments.**[60]

55. Of what relevance is the fact that Abraham's and Ishmael's circumcision took place on their birthdays? What purpose does it serve for the Torah to tell us this information?

56. See Ramban above, 8:5.

57. God's revelation to Abraham described in this chapter, then, took place at the time of year of Isaac's future birthday, which was Passover (in Nissan), and it was on that very day (v. 23) that the circumcision took place. Abraham's birthday, however, was in Tishrei. Thus, the circumcision could not have taken place on Abraham's birthday.

58. Rashi himself cites the Talmud's statement that Isaac was born on Passover. This seems to contradict his opinion here that Abraham's circumcision, which also must have taken place around Passover time (see previous footnote), was on Abraham's birthday.

[An obvious answer that could be offered on behalf of Rashi is that he follows the opinion not of Rabbi Eliezer (cited by Ramban), but that of Rabbi Yehoshua (*Rosh Hashanah* ibid.), who maintains that the Patriarchs were all born in Nissan. According to him, then, it is quite possible that Abraham's circumcision took place on his birthday.]

59. This is the number of "those born in Abraham's household" given above, in 14:14.

60. According to Ramban, then, "that very day" in v. 26 has the same connotation as the identical phrase in

circumcised with Ishmael his son, 27 *and all the people of his household, born in his household and purchased for money from a stranger, were circumcised with him.*

THE HAFTARAH FOR LECH LECHA APPEARS ON PAGE 579.

רמב״ן

וְאֵין טַעַם **נִמּוֹל אַבְרָהָם** שֶׁנִּמּוֹל הוּא בַּתְּחִלָּה, אֲבָל יִשְׁמָעֵאל בְּנוֹ נִמּוֹל מִתְּחִלָּה וְכָל בְּנֵי בֵיתוֹ, כִּי כֵן כָּתוּב [לעיל פסוק כג]: "וַיִּקַּח אַבְרָהָם אֶת **יִשְׁמָעֵאל בְּנוֹ וְאֵת כָּל יְלִידֵי בֵיתוֹ**", וְאַחֲרֵי כֵן **וְאַבְרָהָם בֶּן תִּשְׁעִים וָתֵשַׁע שָׁנָה בְּהִמֹּלוֹ** [פסוק כד][61]. וְהַטַּעַם, כִּי אַבְרָהָם נִזְדָּרֵז בַּמִּילָה שֶׁלָּהֶם תְּחִלָּה, וּמָל אוֹתָם הוּא בְּעַצְמוֹ, אוֹ שֶׁזִּמֵּן לָהֶם מוֹהֲלִים הַרְבֵּה וְהוּא עוֹמֵד עֲלֵיהֶם, וְאַחַר כָּךְ מָל אֶת עַצְמוֹ. שֶׁאִלּוּ הִקְדִּים מִילָתוֹ - הָיָה חוֹלֶה אוֹ מְסֻכָּן בָּהּ מִפְּנֵי זִקְנָתוֹ, וְלֹא הָיָה יָכוֹל לְהִשְׁתַּדֵּל בְּמִילָתָם.

RAMBAN ELUCIDATED

וְאֵין טַעַם "נִמּוֹל אַבְרָהָם" שֶׁנִּמּוֹל הוּא בַּתְּחִלָּה – Now, the explanation of *[On that very day]* ***was Abraham circumcised*** *[with Ishmael... and all the people of his household* **is not that [Abraham] was circumcised first,** before all the others, as one might have inferred from the fact that his name is mentioned before them. **אֲבָל יִשְׁמָעֵאל בְּנוֹ נִמּוֹל מִתְּחִלָּה – Rather, his son Ishmael was circumcised first, וְכָל בְּנֵי בֵיתוֹ – and** then **all the members of his household,** and Abraham was last. **כִּי כֵן כָּתוּב – For so it is written** above (v. 23): **"וַיִּקַּח אַבְרָהָם אֶת יִשְׁמָעֵאל בְּנוֹ וְאֵת כָּל יְלִידֵי בֵיתוֹ"** – ***Then Abraham took his son Ishmael and all those [servants] born in his household*** *and he circumcised, etc.,* **וְאַחֲרֵי כֵן "וְאַבְרָהָם בֶּן תִּשְׁעִים וָתֵשַׁע שָׁנָה בְּהִמֹּלוֹ" – and** only **afterwards** does it say, ***Abraham was ninety-nine when he was circumcised*** (v. 24).[61] **וְהַטַּעַם, כִּי אַבְרָהָם נִזְדָּרֵז בַּמִּילָה שֶׁלָּהֶם תְּחִלָּה – The reason** for Abraham delaying his own circumcision to the end **was that Abraham hastened** to attend **to their circumcisions first, וּמָל אוֹתָם הוּא בְּעַצְמוֹ – and he himself circumcised them, אוֹ שֶׁזִּמֵּן לָהֶם מוֹהֲלִים הַרְבֵּה וְהוּא עוֹמֵד עֲלֵיהֶם – or he arranged many** other **circumcisers for them and he supervised them, וְאַחַר כָּךְ מָל אֶת עַצְמוֹ – and** only **after this did he circumcise himself. שֶׁאִלּוּ הִקְדִּים מִילָתוֹ – For if he had given precedence to his own circumcision, הָיָה חוֹלֶה אוֹ מְסֻכָּן בָּהּ – he would have become ill, or** perhaps even **dangerously ill מִפְּנֵי זִקְנָתוֹ – because of his old age, וְלֹא הָיָה יָכוֹל לְהִשְׁתַּדֵּל בְּמִילָתָם – and he would** thus **not have been able to involve himself in their circumcisions.**

v. 23. The question therefore remains: Why does the Torah repeat this statement? The answer is that in v. 23 it is not made clear that Abraham himself was circumcised "on that very day"; it says only that *Abraham took ... Ishmael ... and ... his servants ... and all those he had purchased ... and he circumcised them... on that very day.* Abraham did not perform circumcision on himself until after he had done so to his vast household – which numbered in the hundreds – as Ramban goes on to explain now. We therefore might easily have expected that Abraham's own circumcision was delayed a day or two. Scripture therefore states now that *On that very day was "Abraham" circumcised, along with Ishmael ... and all the people of his household.* (See Radak.)

61. And since Abraham performed – or supervised – circumcisions for so many people before circumcising himself, the Torah sees fit to stress in our verse that nevertheless he finished this task and finally circumcised himself *on that same day.*

פרשת וירא
Parashas Vayeira

יח א וַיֵּרָ֤א אֵלָיו֙ יְהֹוָ֔ה בְּאֵלֹנֵ֖י מַמְרֵ֑א וְה֛וּא יֹשֵׁ֥ב
ב פֶּֽתַח־הָאֹ֖הֶל כְּחֹ֥ם הַיּֽוֹם׃ וַיִּשָּׂ֤א עֵינָיו֙

א וְאִתְגְּלִי לֵהּ יְיָ בְּמֵישְׁרֵי מַמְרֵא וְהוּא יָתֵב בִּתְרַע מַשְׁכְּנָא כְּמֵיחַם יוֹמָא: ב וּזְקַף עֵינוֹהִי

רש״י

(א) **וירא אליו.** לבקר את החולה (סוטה יד.; תנחומא ישן א) [אמר רבי חמא בר חנינא יום שלישי למילתו היה, ובא הקב״ה ושאל בשלומו (ב״מ פו:)]: **באלוני ממרא.** הוא שנתן לו עצה על המילה, לפיכך נגלה אליו בחלקו (תנחומא ג; ב״ר מב:ח): **ישב.** ישב כתיב, בקש לעמוד, א״ל הקב״ה שב ואני אעמוד, ואתה סימן לבניך, שעתיד אני להתיצב בעדת הדיינין והן יושבין, שנא׳ אלהים נצב בעדת אל (תהלים פב:א; ב״ר מח:ז; שבועות ל:): **פתח האהל.** לראות אם יש עובר ושב ויכניסם בביתו (ב״מ פו:): **כחם היום.** הוציא הקב״ה חמה מנרתיקה שלא להטריחו באורחים, ולפי שראהו מצטער שלא היו אורחים באים הביא מלאכים עליו

רמב״ן

יח [א] וַיֵּרָא אֵלָיו ה׳. לְשׁוֹן רַשִׁ״י: לְבַקֵּר אֶת הַחוֹלֶה. אָמַר רַבִּי חָמָא בַּר חֲנִינָא: יוֹם שְׁלִישִׁי לְמִילָתוֹ הָיָה וּבָא הַקָּדוֹשׁ בָּרוּךְ הוּא וְשָׁאַל בּוֹ[1].

״וְהִנֵּה שְׁלֹשָׁה אֲנָשִׁים.״ הַמַּלְאָכִים שֶׁבָּאוּ אֵלָיו בִּדְמוּת אֲנָשִׁים[2], ״שְׁלֹשָׁה״ – אֶחָד לְבַשֵּׂר אֶת שָׂרָה; וְאֶחָד לְרַפְּאוֹת אֶת אַבְרָהָם; וְאֶחָד לַהֲפֹךְ אֶת סְדוֹם[2a]. וּרְפָאֵל, שֶׁרִפֵּא אֶת אַבְרָהָם – הָלַךְ מִשָּׁם לְהַצִּיל אֶת לוֹט, שֶׁאֵין זֶה שְׁתֵּי שְׁלִיחֻיּוֹת כִּי הָיָה בְּמָקוֹם אַחֵר וְנִצְטַוָּה בוֹ אַחַר כֵּן, אוֹ שֶׁשְּׁתֵּיהֶן לְהַצָּלָה[3].

RAMBAN ELUCIDATED

18.

1. וַיֵּרָא אֵלָיו ה׳ – *HASHEM APPEARED TO HIM.*

[The Torah tells us that God appeared to Abraham, but does not record either the purpose of this revelation or God's words to Abraham. Before stating his own interpretation of this passage, Ramban discusses the differing approaches of Rashi and Rambam (Maimonides):]

לְשׁוֹן רַשִׁ״י: – The following two paragraphs are **quotes from Rashi** (the first from s.v., וַיֵּרָא אֵלָיו): **לְבַקֵּר אֶת הַחוֹלֶה** – *Hashem appeared to him* **to visit the sick [Abraham].** **אָמַר רַבִּי חָמָא בַּר חֲנִינָא: יוֹם שְׁלִישִׁי לְמִילָתוֹ הָיָה** – In the Talmud (*Bava Metzia* 86b), **R' Chama the son of Chanina said: "It was the third day since his circumcision,** **וּבָא הַקָּדוֹשׁ בָּרוּךְ הוּא וְשָׁאַל בּוֹ** – **and the Holy One, Blessed is He, came and inquired after him."**[1]

[Rashi's second comment (v. 2):]

״וְהִנֵּה שְׁלֹשָׁה אֲנָשִׁים״ – ***And behold! three men:*** **הַמַּלְאָכִים שֶׁבָּאוּ אֵלָיו בִּדְמוּת אֲנָשִׁים** – This refers to **the angels who came to him in the guise of men.**[2] **״שְׁלֹשָׁה״** – ***Three*** – **אֶחָד לְבַשֵּׂר אֶת שָׂרָה וְאֶחָד לְרַפְּאוֹת אֶת אַבְרָהָם וְאֶחָד לַהֲפֹךְ אֶת סְדוֹם** – **One to bring tidings to Sarah** that she would give birth to a son in a year's time; **and one to heal Abraham; and one to overturn Sodom ...**[2a] **וּרְפָאֵל שֶׁרִפֵּא אֶת אַבְרָהָם הָלַךְ מִשָּׁם לְהַצִּיל אֶת לוֹט** – **Raphael,** the angel **who healed Abraham, went from there to rescue Lot.**

[Ramban explains Rashi's latter statement:]

שֶׁאֵין זֶה שְׁתֵּי שְׁלִיחֻיּוֹת – **For this** fact that Raphael healed Abraham and also saved Lot **is not considered** "one angel performing **two missions,"** **כִּי הָיָה בְּמָקוֹם אַחֵר וְנִצְטַוָּה בוֹ אַחַר כֵּן** – either **because** the mission of rescuing Lot **was** performed **in a different place, and he was commanded regarding that** mission only **later,** after he had already healed Abraham **אוֹ שֶׁשְּׁתֵּיהֶן לְהַצָּלָה** – **or because both [missions] were for the** single **purpose of rescue.**[3]

---

1. According to Rashi, then, God's revelation to Abraham was not for the purpose of communicating any prophecy. Therefore the Torah does not record God's words to Abraham, if there were any. Ramban expands on this concept below.

2. This last sentence – וְהִנֵּה ... בִּדְמוּת אֲנָשִׁים, *And behold ... in the guise of men* – is not found in our editions of Rashi. It is possible that Ramban added it in order to flesh out Rashi's understanding of the verses.

2a. At this point Rashi states: שֶׁאֵין מַלְאָךְ אֶחָד עוֹשֶׂה שְׁתֵּי שְׁלִיחֻיּוֹת, *for one angel does not perform two missions,* and goes on to prove that assertion. Then he continues: ... וּרְפָאֵל, *and Raphael ...,* as Ramban quotes.

3. The rescue of Abraham, i.e., the healing of his wound, and the rescue of Lot from the destruction of Sodom were similar missions, and therefore did not contradict the rule that "one angel does not perform two [dissimilar] missions" (see preceding note).

18 [1] *HASHEM appeared to him in Eilonei Mamre while he was sitting at the entrance of the tent in the heat of the day.* [2] *He lifted his eyes*

רמב"ן

"וַיֹּאכֵלוּ", נִרְאוּ כְּמוֹ שֶׁאָכְלוּ[4].

וּבְסֵפֶר מוֹרֶה הַנְּבוֹכִים [ב, מב] נֶאֱמַר כִּי הַפָּרָשָׁה כְּלָל וּפְרָט. אָמַר הַכָּתוּב תְּחִלָּה כִּי נִרְאָה אֵלָיו הַשֵּׁם בְּמַרְאוֹת הַנְּבוּאָה. וְאֵיךְ הָיְתָה הַמַּרְאָה הַזֹּאת? כִּי נָשָׂא עֵינָיו בַּמַּרְאֶה "וְהִנֵּה שְׁלֹשָׁה אֲנָשִׁים נִצָּבִים עָלָיו ... וַיֹּאמַר ... אִם נָא מָצָאתִי חֵן בְּעֵינֶיךָ" זֶה סִפּוּר מַה שֶּׁאָמַר בְּמַרְאֵה הַנְּבוּאָה לְאֶחָד מֵהֶם[5], הַגָּדוֹל שֶׁבָּהֶם[6].

וְאִם בַּמַּרְאָה לֹא נִרְאוּ אֵלָיו רַק אֲנָשִׁים אוֹכְלִים בָּשָׂר, אֵיךְ אָמַר "וַיֵּרָא אֵלָיו ה'"? כִּי הִנֵּה לֹא נִרְאָה לוֹ הַשֵּׁם לֹא בְּמַרְאֶה וְלֹא בְּמַחְשָׁבָה! וְכָכָה לֹא נִמְצָא בְּכָל הַנְּבוּאוֹת. וְהִנֵּה לִדְבָרָיו לֹא לָשָׁה שָׂרָה עוּגוֹת, וְלֹא עָשָׂה אַבְרָהָם בֶּן בָּקָר, וְגַם לֹא צָחֲקָה שָׂרָה, רַק הַכֹּל מַרְאֶה. וְאִם כֵּן, בָּא הַחֲלוֹם הַזֶּה בְּרֹב עִנְיָן[7] כַּחֲלוֹמוֹת הַשֶּׁקֶר,

RAMBAN ELUCIDATED

[Ramban quotes a third comment from Rashi (on v. 8):]

"וַיֹּאכֵלוּ", נִרְאוּ כְּמוֹ שֶׁאָכְלוּ – ***And they ate*** – That is, **they *appeared* as if they ate.**[4]

[At this point Ramban neither accepts nor rejects Rashi's interpretation; rather he turns to the interpretation offered by Rambam (Maimonides). What follows is one of the most lengthy and complex, yet fundamental discussions in all of Ramban's commentary. In it he discusses the nature of prophecy and differs sharply with the view of Rambam regarding certain basic issues. In the process, we are shown the differences in their understanding of many Scriptural passages.]

וּבְסֵפֶר מוֹרֶה הַנְּבוֹכִים נֶאֱמַר כִּי הַפָּרָשָׁה כְּלָל וּפְרָט – **In [Rambam's] book *Moreh HaNevuchim*** (II; 42) **it says that this chapter is** written in the style of **"a general statement** followed by **a detailed statement."** אָמַר הַכָּתוּב תְּחִלָּה כִּי נִרְאָה אֵלָיו הַשֵּׁם בְּמַרְאוֹת הַנְּבוּאָה – That is, **Scripture initially** generalized and **stated that God appeared to [Abraham] in a prophetic vision.** וְאֵיךְ הָיְתָה הַמַּרְאָה הַזֹּאת? – **And what was the nature of this vision?** Scripture continues with the details, כִּי נָשָׂא עֵינָיו בַּמַּרְאֶה "וְהִנֵּה שְׁלֹשָׁה אֲנָשִׁים נִצָּבִים עָלָיו ... וַיֹּאמַר ... אִם נָא מָצָאתִי חֵן בְּעֵינֶיךָ" – saying **that [Abraham] lifted his eyes – in the vision – *and behold, three men were standing over him ... And he said ... "If I find favor in your*** (singular) ***eyes ..."*** (v. 3). זֶה סִפּוּר מַה שֶּׁאָמַר בְּמַרְאֵה הַנְּבוּאָה לְאֶחָד מֵהֶם, הַגָּדוֹל שֶׁבָּהֶם – **This is the account of what [Abraham] said, in** his **prophetic vision, to one of [the men],**[5] namely, **the principal one among them.**[6]

[Ramban raises a series of questions on Rambam's interpretation of this and other Scriptural narratives:]

וְאִם בַּמַּרְאָה לֹא נִרְאוּ אֵלָיו רַק אֲנָשִׁים אוֹכְלִים בָּשָׂר אֵיךְ אָמַר "וַיֵּרָא אֵלָיו ה'"? – **Now, if in [Abraham's] vision there appeared to him nothing but men eating meat, how could [Scripture] say, *HASHEM appeared to him*?** כִּי הִנֵּה לֹא נִרְאָה לוֹ הַשֵּׁם לֹא בְּמַרְאֶה וְלֹא בְּמַחְשָׁבָה – **For actually God did *not* appear to him, neither in a vision nor in his thought!** וְכָכָה לֹא נִמְצָא בְּכָל הַנְּבוּאוֹת – **Such [a vision] is never found in any of the** other **prophecies** in Scripture. וְהִנֵּה לִדְבָרָיו לֹא לָשָׁה שָׂרָה עוּגוֹת, וְלֹא עָשָׂה אַבְרָהָם בֶּן בָּקָר, וְגַם לֹא צָחֲקָה שָׂרָה, רַק הַכֹּל מַרְאֶה – **Now, according to [Rambam], Sarah did not** actually **knead cakes** (v. 6), **nor did Abraham prepare a calf** (v. 7), **nor did Sarah laugh** (v. 12); **rather, all** this **was** only seen by Abraham in **a vision.** וְאִם כֵּן בָּא הַחֲלוֹם הַזֶּה בְּרֹב עִנְיָן כַּחֲלוֹמוֹת הַשֶּׁקֶר – **If this is so, this dream "came with many details,"**[7] **like false** (i.e., insignificant,

---

4. Having established that the three "men" were in reality angels, Rashi is forced to interpret "they ate" as "they appeared to eat," for angels do not eat (see note 41 below).

5. Hence the use of the singular. In this, Rambam's interpretation corresponds to the first of Rashi's two explanations (below, v. 3) for this usage.

6. According to Rambam, the three men "seen" by Abraham (in his prophetic vision) were in fact ordinary people. And so, they really did (in the vision) eat the meat that he served them.

7. Stylistic paraphrase of *Ecclesiastes* 5:2, a verse describing dreams.

רמב"ן

כִּי מַה תּוֹעֶלֶת לְהַרְאוֹת לוֹ כָּל זֶה[8]?

וְכֵן אָמַר בְּעִנְיַן "וַיֵּאָבֵק אִישׁ עִמּוֹ" [לקמן לב, כה-לג], שֶׁהַכֹּל מַרְאֵה הַנְּבוּאָה. וְלֹא יָדַעְתִּי לָמָּה הָיָה "צֹלֵעַ עַל יְרֵכוֹ" בְּהָקִיץ; וְלָמָּה אָמַר "כִּי רָאִיתִי אֱלֹהִים פָּנִים אֶל פָּנִים וַתִּנָּצֵל נַפְשִׁי", כִּי הַנְּבִיאִים לֹא יִפְחֲדוּ שֶׁיָּמוּתוּ מִפְּנֵי מַרְאוֹת הַנְּבוּאָה. וּכְבָר רָאָה מַרְאָה גְּדוֹלָה וְנִכְבֶּדֶת מִזּאת, כִּי גַּם אֶת הַשֵּׁם הַנִּכְבָּד רָאָה פְּעָמִים רַבּוֹת בְּמַרְאוֹת הַנְּבוּאָה[9].

וְהִנֵּה לְפִי דַעְתּוֹ זֹאת יִצְטָרֵךְ לוֹמַר כֵּן בְּעִנְיַן לוֹט [לקמן יט, א-כג], כִּי לֹא בָאוּ הַמַּלְאָכִים אֶל בֵּיתוֹ, וְלֹא אָפָה לָהֶם מַצּוֹת וַיֹּאכֵלוּ; אֲבָל הַכֹּל הָיָה מַרְאֶה. וְאִם יַעֲלֶה אֶת לוֹט לְמַעֲלַת מַרְאֵה הַנְּבוּאָה, אֵיךְ יִהְיוּ אַנְשֵׁי סְדוֹם הָרָעִים וְהַחַטָּאִים נְבִיאִים[10]? כִּי מִי הִגִּיד לָהֶם שֶׁבָּאוּ אֲנָשִׁים אֶל בֵּיתוֹ? וְאִם הַכֹּל מַרְאוֹת נְבוּאָתוֹ שֶׁל לוֹט[11], יִהְיֶה "וַיָּאִיצוּ הַמַּלְאָכִים וגו' קוּם קַח אֶת אִשְׁתְּךָ", "וַיֹּאמֶר הִמָּלֵט עַל נַפְשֶׁךָ", וְ"הִנֵּה נָשָׂאתִי פָנֶיךָ", וְכָל הַפָּרָשָׁה כֻּלָּהּ מַרְאֶה, וְיִשָּׁאֵר לוֹט בִּסְדוֹם! אֲבָל יַחְשֹׁב שֶׁהָיוּ הַמַּעֲשִׂים נַעֲשִׂים

RAMBAN ELUCIDATED

foolish) **dreams,** **כִּי מַה תּוֹעֶלֶת לְהַרְאוֹת לוֹ כָּל זֶה** – **for what was the purpose of showing [Abraham] all this?**[8]

[Rambam applies this same approach to another, similar narrative in the Torah, and Ramban disagrees with it there too:]

וְכֵן אָמַר בְּעִנְיַן "וַיֵּאָבֵק אִישׁ עִמּוֹ", שֶׁהַכֹּל מַרְאֵה הַנְּבוּאָה – **[Rambam]** (ibid.) **says the same thing concerning the story of** ***a man wrestled with him*** (below, 32:25-33) – namely, **that it was all through a prophetic vision.** **וְלֹא יָדַעְתִּי לָמָּה הָיָה "צֹלֵעַ עַל יְרֵכוֹ" בְּהָקִיץ** – If this is so, **I do not know why** ***[Jacob] was limping on his thigh*** (32:32) **when he was awake,** i.e., after the "vision" had concluded; **וְלָמָּה אָמַר "כִּי רָאִיתִי אֱלֹהִים פָּנִים אֶל פָּנִים וַתִּנָּצֵל נַפְשִׁי"** – **nor why he said,** ***"For I have seen the Divine, face to face, yet my life was spared"*** (32:31), **כִּי הַנְּבִיאִים לֹא יִפְחֲדוּ שֶׁיָּמוּתוּ מִפְּנֵי מַרְאוֹת הַנְּבוּאָה** – **for prophets are never afraid that they will die as a result of** their **prophetic visions.** **וּכְבָר רָאָה מַרְאָה גְּדוֹלָה וְנִכְבֶּדֶת מִזּאת,** – **Furthermore, [Jacob] had already seen a vision that was** even **greater and more august than this,** **כִּי גַּם אֶת הַשֵּׁם הַנִּכְבָּד רָאָה פְּעָמִים רַבּוֹת בְּמַרְאוֹת הַנְּבוּאָה** – **for he had even seen the Glorious God many times in prophetic visions.**[9]

[Ramban continues to question Rambam's position:]

וְהִנֵּה לְפִי דַעְתּוֹ זֹאת יִצְטָרֵךְ לוֹמַר כֵּן בְּעִנְיַן לוֹט – **Now, according to this opinion of [Rambam], he will have to say the same thing concerning the story of Lot** (below, 19:1-23), **כִּי לֹא בָאוּ הַמַּלְאָכִים אֶל בֵּיתוֹ, וְלֹא אָפָה לָהֶם מַצּוֹת וַיֹּאכֵלוּ, אֲבָל הַכֹּל הָיָה מַרְאֶה** – namely, **that the angels** (see 19:1) **did not** really **go to his house and that he did not bake unleavened bread for them, which they ate** (19:3); **rather, it was all a vision.** **וְאִם יַעֲלֶה אֶת לוֹט לְמַעֲלַת מַרְאֵה הַנְּבוּאָה אֵיךְ יִהְיוּ אַנְשֵׁי סְדוֹם הָרָעִים וְהַחַטָּאִים נְבִיאִים,** – **Now,** even **if he elevates Lot to the level** of being able to experience **a prophetic vision, how could the wicked and sinful people of Sodom be prophets** so that they, too, could see the angels (19:4-5)?[10] And they must have seen them, **כִּי מִי הִגִּיד לָהֶם שֶׁבָּאוּ אֲנָשִׁים אֶל בֵּיתוֹ** – **for** otherwise **who told them that men had come to [Lot's] house?** **וְאִם הַכֹּל מַרְאוֹת נְבוּאָתוֹ שֶׁל לוֹט,** – **And if everything was** occurring only in **Lot's prophetic visions,**[11] **יִהְיֶה "וַיָּאִיצוּ הַמַּלְאָכִים וגו' קוּם קַח אֶת אִשְׁתְּךָ", "וַיֹּאמֶר הִמָּלֵט עַל נַפְשֶׁךָ", וְ"הִנֵּה נָשָׂאתִי פָנֶיךָ", וְכָל הַפָּרָשָׁה כֻּלָּהּ מַרְאֶה,** – then the verses, ***The angels urged on Lot ... Get up, take your wife*** (19:15), ***He said, "Flee for your life"*** (19:17), ***Behold, I have granted you consideration*** (19:21), **and the entire chapter would all be** nothing more than **a vision,** **וְיִשָּׁאֵר לוֹט בִּסְדוֹם** – **for,** in reality, **Lot remained in Sodom!** **אֲבָל יַחְשֹׁב שֶׁהָיוּ הַמַּעֲשִׂים נַעֲשִׂים**

8. According to Rambam, the vision of Abraham's three visitors was part of a prophetic vision regarding the birth of Isaac to Sarah. Yet none of the details of the meal are pertinent to that prophecy! We must conclude that they were irrelevant and meaningless, like the many meaningless features of ordinary dreams. This, too, presents a difficulty with Rambam's approach, for a prophecy should not contain meaningless features.

9. See below, 28:13 and 31:3 (see *Zichron Yitzchak*).

10. According to Rambam, the angels that came to Abraham and subsequently went to Lot did not really exist physically; they were "seen" only in the prophetic vision of Abraham – and apparently Lot. How, then, did the people of Sodom see them?

11. That is, if the Sodomites did not see the angels and did not converge on Lot's house; rather all this occurred only in Lot's vision.

רמב״ן

מֵאֱלֵיהֶם, וְהַמַּאֲמָרִים בְּכָל דָּבָר וְדָבָר מַרְאֶה[11a].

וְאֵלֶּה דְּבָרִים סוֹתְרִים הַכָּתוּב. אָסוּר לְשָׁמְעָם אַף כִּי לְהַאֲמִין בָּהֶם![12]

וּבֶאֱמֶת כִּי כָּל מָקוֹם שֶׁהֻזְכַּר בַּכָּתוּב רְאִיַּת מַלְאָךְ אוֹ דִּבּוּר מַלְאָךְ הוּא בְּמַרְאֶה אוֹ בַּחֲלוֹם[13], כִּי הַהֶרְגֵּשִׁים לֹא יַשִּׂיגוּ הַמַּלְאָכִים[14], אֲבָל לֹא מַרְאוֹת הַנְּבוּאָה, כִּי הַמַּשִּׂיג לִרְאוֹת מַלְאָךְ אוֹ דִּבּוּרוֹ אֵינֶנּוּ נָבִיא. שֶׁאֵין הַדָּבָר כְּמוֹ שֶׁהָרַב גּוֹזֵר[15] כִּי כָּל נָבִיא זוּלַת מֹשֶׁה רַבֵּינוּ נְבוּאָתוֹ עַל יְדֵי מַלְאָךְ. וּכְבָר אָמְרוּ בְּדָנִיֵּאל [מגילה ג, א]: ״אִינְהוּ עֲדִיפֵי מִינֵּיהּ דְּאִינְהוּ נְבִיאֵי וְאִיהוּ לָאו נָבִיא״[16,17] וְכֵן לֹא נִכְתַּב סִפְרוֹ עִם סִפְרֵי הַנְּבִיאִים[18], מִפְּנֵי שֶׁהָיָה עִנְיָנוֹ עִם גַּבְרִיאֵל[19] – אַף עַל פִּי שֶׁהָיָה נִרְאֶה אֵלָיו וּמְדַבֵּר עִמּוֹ בְּהָקִיץ[20], כְּמוֹ שֶׁנֶּאֱמַר בְּמַרְאָה שֶׁל בַּיִת שֵׁנִי [דניאל ט, כא]: ״וְעוֹד אֲנִי מְדַבֵּר בַּתְּפִלָּה וְהָאִישׁ גַּבְרִיאֵל ...״

RAMBAN ELUCIDATED

מֵאֱלֵיהֶם, וְהַמַּאֲמָרִים בְּכָל דָּבָר וְדָבָר מַרְאֶה – **In truth, [Rambam] thinks that** all those **events occurred by themselves,**[11a] **and** only **the utterances** of the angels **accompanying each event were** in the form of **a vision.**

[Ramban sums up his opinion of Rambam's approach:]

וְאֵלֶּה דְּבָרִים סוֹתְרִים הַכָּתוּב. אָסוּר לְשָׁמְעָם אַף כִּי לְהַאֲמִין בָּהֶם – **These words contradict Scripture. It is forbidden** even **to hear them, and** it is **certainly** forbidden **to believe them!**[12]

[Ramban now presents his own opinion about the issues discussed by Rambam. He begins by partially agreeing with one of Rambam's points:]

וּבֶאֱמֶת כִּי כָּל מָקוֹם שֶׁהֻזְכַּר בַּכָּתוּב רְאִיַּת מַלְאָךְ אוֹ דִּבּוּר מַלְאָךְ הוּא בְּמַרְאֶה אוֹ בַּחֲלוֹם – **The truth is that wherever Scripture mentions seeing an angel or** hearing **an angel's words, it** means that it takes place **in a vision or in a dream,**[13] **כִּי הַהֶרְגֵּשִׁים לֹא יַשִּׂיגוּ הַמַּלְאָכִים** – **for the physical senses cannot perceive angels,**[14] **אֲבָל לֹא מַרְאוֹת הַנְּבוּאָה** – **nevertheless,** these are **not** necessarily ***prophetic* visions, כִּי הַמַּשִּׂיג לִרְאוֹת מַלְאָךְ אוֹ דִּבּוּרוֹ אֵינֶנּוּ נָבִיא** – **for one who perceives an angel or his speech is not** necessarily **a prophet.**

[At this point, Ramban begins a lengthy digression to prove the validity of the opinion he has just stated. Following this digression, he will return to the particular case of Abraham and the angels recorded in our verse:]

שֶׁאֵין הַדָּבָר כְּמוֹ שֶׁהָרַב גּוֹזֵר כִּי כָּל נָבִיא זוּלַת מֹשֶׁה רַבֵּינוּ נְבוּאָתוֹ עַל יְדֵי מַלְאָךְ – **For** the truth of **the matter is not as the rabbi** (Rambam) **declares,**[15] **that every prophet other than our teacher Moses** received **his prophecy through an angel. וּכְבָר אָמְרוּ בְּדָנִיֵּאל: ״אִינְהוּ עֲדִיפֵי מִינֵּיהּ דְּאִינְהוּ נְבִיאֵי וְאִיהוּ לָאו נָבִיא״** – For **[the Sages] have already stated concerning Daniel: "They** (Haggai, Zechariah and Malachi) **were greater than he** (Daniel), **in that they were prophets, whereas he was not a prophet"** (*Megillah* 3a).[16,17] **וְכֵן לֹא נִכְתַּב סִפְרוֹ עִם סִפְרֵי הַנְּבִיאִים מִפְּנֵי שֶׁהָיָה עִנְיָנוֹ עִם גַּבְרִיאֵל** – **And so, too, his book was not written together with the books of the Prophets**[18] **because his dealings were with** the angel **Gabriel** (and not directly with God)[19] – **אַף עַל פִּי שֶׁהָיָה נִרְאֶה אֵלָיו וּמְדַבֵּר עִמּוֹ בְּהָקִיץ, כְּמוֹ שֶׁנֶּאֱמַר בְּמַרְאָה שֶׁל בַּיִת שֵׁנִי ״וְעוֹד אֲנִי מְדַבֵּר בַּתְּפִלָּה וְהָאִישׁ גַּבְרִיאֵל ...״** – **although [Gabriel] appeared to [Daniel] and spoke with him while he was awake,**[20] **as it says in [his] vision of the Second**

11a. That is, while experiencing a prophetic vision, the visionary's body acted in cadence with the prophecy that his mind's eye was witnessing.

12. See *Moreh Nevuchim* commentators for defenses of Rambam's approach.

13. This is not true in our case, however, as Ramban later explains.

14. This is clear from the stories of Daniel, Balaam and Elisha, all cited by Ramban below (see note 16).

15. *Moreh Nevuchim* II; 34, 45; *Mishneh Torah, Hil. Yesodei HaTorah* 7:6.

16. The Talmudic passage continues: "And he was greater than they in that he saw the angel whereas they did not. As it is written, *I, Daniel, alone saw the vision [of the angel]; the men who were with me did not see the vision" (Daniel* 10:7).

17. It is clear, then, that Daniel saw an angel even though he was not a prophet.

18. Daniel's book is not in the Prophets section of *Tanach,* but in the Writings section. This is another proof that Daniel is not considered a prophet.

19. This presents a difficulty for Rambam, who maintains that *all* prophets receive their prophecy from angels. How, then, was Daniel's revelation inferior to theirs?

20. With these words Ramban negates a possible

רמב"ן

וְכֵן הַמַּרְאָה שֶׁל קֵץ הַגְּאֻלָּה [דניאל י, ד] בְּהָקִיץ הָיְתָה, בְּלֶכְתּוֹ עִם חֲבֵרָיו עַל יַד הַנָּהָר. וְאֵין הָגָר הַמִּצְרִית מִכְּלַל הַנְּבִיאוֹת. וּבָרוּר הוּא גַּם כֵּן שֶׁלֹּא הָיָה עִנְיָנָהּ בַּת קוֹל[21] כְּמוֹ שֶׁאָמַר הָרַב. וְהַכָּתוּב חִלֵּק נְבוּאַת מֹשֶׁה רַבֵּינוּ מִנְּבוּאַת הָאָבוֹת כְּמוֹ שֶׁנֶּאֱמַר [שמות ו, ג]: "וָאֵרָא אֶל אַבְרָהָם אֶל יִצְחָק וְאֶל יַעֲקֹב בְּאֵל שַׁדָּי"[21a] - וְזֶה שֵׁם מִשְּׁמוֹת הַקֹּדֶשׁ לַבּוֹרֵא, אֵינֶנּוּ כִּנּוּי לְמַלְאָךְ[22]. וְרַבּוֹתֵינוּ עוֹד לִמְּדוּ עַל הַחִלּוּק שֶׁבֵּינֵיהֶם וְאָמְרוּ: מַה בֵּין מֹשֶׁה לְכָל הַנְּבִיאִים? רַבָּנָן אָמְרֵי: כָּל הַנְּבִיאִים רָאוּ מִתּוֹךְ אַסְפַּקְלַרְיָא שֶׁאֵינָהּ מְצוּחְצַחַת[23], הָדָא הוּא דִּכְתִיב [הושע יב, יא]: "וְאָנֹכִי חָזוֹן הִרְבֵּיתִי וּבְיַד הַנְּבִיאִים אֲדַמֶּה". וּמֹשֶׁה רָאָה מִתּוֹךְ אַסְפַּקְלַרְיָא מְצוּחְצַחַת, הָדָא הוּא דִּכְתִיב [במדבר יב, ח]: "וּתְמֻנַת ה' יַבִּיט". כְּמוֹ שֶׁמְּפֹרָשׁ בְּוַיִּקְרָא רַבָּה [א, יד] וּמְקוֹמוֹת אֲחֵרִים [יבמות מט, ב]. וְלֹא נָתְנוּ בְּשׁוּם מָקוֹם נְבוּאָתָם לְמַלְאָךְ[24].

RAMBAN ELUCIDATED

Temple, ***I was still speaking in prayer, when the man Gabriel ...*** (*Daniel* 9:21). **וְכֵן הַמַּרְאָה שֶׁל קֵץ הַגְּאֻלָּה בְּהָקִיץ הָיְתָה בְּלֶכְתּוֹ עִם חֲבֵרָיו עַל יַד הַנָּהָר – Similarly, the vision about the Final Redemption** (*Daniel* 10:4) **took place while** he was **awake, as he was walking beside the river with his friends.**

[Ramban adduces another incident to show that one need not be a prophet to see or hear an angel, thus contradicting Rambam's view to the contrary, cited above:]

וְאֵין הָגָר הַמִּצְרִית מִכְּלַל הַנְּבִיאוֹת – Furthermore, Hagar, the Egyptian, is not counted **among the prophetesses,** and yet she saw and heard angels (above, 16:8 ff.). **וּבָרוּר הוּא גַּם כֵּן שֶׁלֹּא הָיָה עִנְיָנָהּ בַּת קוֹל כְּמוֹ שֶׁאָמַר הָרַב – It is clear as well that [Hagar's] experience was not through a "Heavenly voice" (בַּת קוֹל),**[21] **as the rabbi** (ibid.) **states.**

[Focusing on Rambam's assertion that one of the differences between ordinary prophets and Moses was that the former received their prophecies from angels, whereas Moses received his directly from God, Ramban raises several objections:]

וְהַכָּתוּב חִלֵּק נְבוּאַת מֹשֶׁה רַבֵּינוּ מִנְּבוּאַת הָאָבוֹת כְּמוֹ שֶׁנֶּאֱמַר: "וָאֵרָא אֶל אַבְרָהָם אֶל יִצְחָק וְאֶל יַעֲקֹב בְּאֵל שַׁדָּי" – Now, Scripture distinguishes between the prophecy of our teacher Moses and the prophecy of the Patriarchs as it says, *"I appeared to Abraham, to Isaac and to Jacob as El Shaddai* *but with my Name Hashem I did not make Myself known to them"* (*Exodus* 6:3),[21a] **וְזֶה שֵׁם מִשְּׁמוֹת הַקֹּדֶשׁ לַבּוֹרֵא, אֵינֶנּוּ כִּנּוּי לְמַלְאָךְ – and this is one of the holy Names of the Creator; it is not an appellation for an angel.**[22] **וְרַבּוֹתֵינוּ עוֹד לִמְּדוּ עַל הַחִלּוּק שֶׁבֵּינֵיהֶם וְאָמְרוּ: – The Sages taught** us **furthermore about the difference between [Moses and other prophets], and said: מַה בֵּין מֹשֶׁה לְכָל הַנְּבִיאִים? – What is the difference between Moses and all the** other **prophets? רַבָּנָן אָמְרֵי: כָּל הַנְּבִיאִים רָאוּ מִתּוֹךְ אַסְפַּקְלַרְיָא שֶׁאֵינָהּ מְצוּחְצַחַת, הָדָא הוּא דִּכְתִיב: "וְאָנֹכִי חָזוֹן הִרְבֵּיתִי וּבְיַד הַנְּבִיאִים אֲדַמֶּה" – The Rabbis say: All the prophets saw [God] through an unpolished glass,**[23] **as it is written, *I provided numerous visions, and through the prophets I conveyed allegories*** (*Hosea* 12:11). **וּמֹשֶׁה רָאָה מִתּוֹךְ אַסְפַּקְלַרְיָא מְצוּחְצַחַת, הָדָא הוּא דִּכְתִיב: "וּתְמֻנַת ה' יַבִּיט" – Moses,** however, **saw [God] through a polished glass, as it is written, *at the image of Hashem does he gaze*** (*Numbers* 12:8). **כְּמוֹ שֶׁמְּפֹרָשׁ בְּוַיִּקְרָא רַבָּה וּמְקוֹמוֹת אֲחֵרִים** – All this is **as explicitly stated in** Midrash ***Vayikra Rabbah*** (1:14) **and** in similar language **in other places** (e.g., *Yevamos* 49b). **וְלֹא נָתְנוּ בְּשׁוּם מָקוֹם נְבוּאָתָם לְמַלְאָךְ – But nowhere did [the**

---

defense for Rambam. The question Ramban asked was: Daniel saw angels, so why was he not considered a prophet according to Rambam? The possible defense is (see *Moreh Nevuchim*, II:45): Daniel saw angels in a dream, while sleeping, whereas a real prophet can see an angel even while awake (see, however, *Mishneh Torah*, *Hil. Yesodei HaTorah* 7:2). Ramban shows that this line of argument is untenable.

21. This refers to a level of inspiration below that of prophecy. If we could say that Hagar heard the angel through such a "Heavenly voice" (as Rambam indeed does; see *Moreh Nevuchim* II:42) it would eliminate the proof that a nonprophet can hear an angel speak. Ramban rejects this possibility, however.

21a. In distinguishing the prophecy of the Patriarchs from that of Moses, Scripture tells us that God revealed Himself to the Patriarchs as *El Shaddai,* and not as *Hashem*, as He did to Moses.

22. Even the Patriarchs, whose level of prophecy was inferior to that of Moses, experienced revelations from God as *El Shaddai.* This contradicts Rambam's assertion that all prophets other than Moses experienced prophecy only through the medium of an angel.

23. That is, their perception of Him was blurred and inexact. The implication of this statement is that the other prophets communicated with God Himself just as Moses

רמב"ן

וְאַל תִּשּׁוֹמֵם בַּעֲבוּר שֶׁכָּתוּב "גַּם אֲנִי נָבִיא כָּמוֹךָ וּמַלְאָךְ דִּבֶּר אֵלַי בִּדְבַר ה' לֵאמֹר"[25] כִּי פֵּרוּשׁוֹ גַּם אֲנִי נָבִיא כָּמוֹךָ, וְיוֹדֵעַ אֲנִי שֶׁהַמַּלְאָךְ שֶׁדִּבֵּר אֵלַי בִּדְבַר ה' הוּא[26] – וְזוֹ מַדְרֵגָה מִמַּדְרֵגוֹת הַנְּבוּאָה, כַּאֲשֶׁר אָמַר אִישׁ הָאֱלֹהִים[27] "כִּי כֵן צִוָּה אוֹתִי בִּדְבַר ה'", וְאָמַר "כִּי דָבָר אֵלַי בִּדְבַר ה'".

וּכְבָר אָמְרוּ רַבּוֹתֵינוּ בְּעִנְיַן בִּלְעָם[27a] [תנחומא בלק י], שֶׁאָמַר "וְעַתָּה אִם רַע בְּעֵינֶיךָ אָשׁוּבָה לִּי" [במדבר כב, לד]: אֲנִי לֹא הָלַכְתִּי עַד שֶׁאָמַר לִי הַקָּדוֹשׁ בָּרוּךְ הוּא "קוּם לֵךְ אִתָּם", וְאַתָּה אוֹמֵר שֶׁאֶחֱזֹר! כָּךְ הוּא אֻמָּנוּתוֹ! לֹא כָּךְ אָמַר לְאַבְרָהָם לְהַקְרִיב אֶת בְּנוֹ – וְאַחַר כָּךְ "וַיִּקְרָא אֵלָיו מַלְאַךְ ה' ... וַיֹּאמֶר אַל תִּשְׁלַח יָדְךָ אֶל הַנַּעַר" [לקמן כב, יא-יב]? לָמוּד הוּא לוֹמַר דָּבָר וּמַלְאָךְ מַחֲזִירוֹ! וְכוּ'.

הִנֵּה הַחֲכָמִים מִתְעוֹרְרִים לוֹמַר שֶׁאֵין הַנְּבוּאָה בַּדִּבּוּר הָרִאשׁוֹן שֶׁהִזְכִּיר בּוֹ הַשֵּׁם[27b] שָׁוָה לַדִּבּוּר הַשֵּׁנִי שֶׁאָמַר בּוֹ שֶׁהוּא עַל יְדֵי מַלְאָךְ[28]. אֶלָּא שֶׁהוּא דֶּרֶךְ בַּנְּבִיאִים שֶׁיְּצַוֶּה בִּנְבוּאָה וִיבַטֵּל הַצַּוָּאָה

RAMBAN ELUCIDATED

Sages] attribute the prophecies [of the other prophets] to angels as Rambam does.[24]

[Ramban now deals with what is ostensibly a proof for Rambam's approach:]

וְאַל תִּשּׁוֹמֵם בַּעֲבוּר שֶׁכָּתוּב "גַּם אֲנִי נָבִיא כָּמוֹךָ וּמַלְאָךְ דִּבֶּר אֵלַי בִּדְבַר ה' לֵאמֹר" – **Now, do not be taken aback because it is written, *I am also a prophet like you, and an angel spoke to me by the word of Hashem, saying ...*** (*I Kings* 13:18), which might be taken to imply that only a prophet can hear the words of an angel.[25] כִּי פֵּרוּשׁוֹ גַּם אֲנִי נָבִיא כָּמוֹךָ וְיוֹדֵעַ אֲנִי שֶׁהַמַּלְאָךְ שֶׁדִּבֵּר אֵלַי בִּדְבַר ה' הוּא – **For the explanation of [this verse] is: "I am also a prophet like you, so I know that the angel who spoke to me** spoke ***by the word of Hashem***"[26] – וְזוֹ מַדְרֵגָה מִמַּדְרֵגוֹת הַנְּבוּאָה, כַּאֲשֶׁר אָמַר אִישׁ הָאֱלֹהִים "כִּי כֵן צִוָּה אוֹתִי בִּדְבַר ה'", וְאָמַר "כִּי דָבָר אֵלַי בִּדְבַר ה'" – **and *this* is one of the several levels of prophecy, as *the man of God*[27] said, *"For thus has it been commanded to me by the word of Hashem ..."*** (ibid. 13:9), and he said, ***"For a decree has come to me by the word of Hashem"*** (ibid. 13:17).

[Ramban continues to strengthen his opinion that ordinary prophets (i.e., other than Moses) can receive communication either directly from God or from an angel. He begins by citing the Midrash:]

וּכְבָר אָמְרוּ רַבּוֹתֵינוּ בְּעִנְיַן בִּלְעָם שֶׁאָמַר "וְעַתָּה אִם רַע בְּעֵינֶיךָ אָשׁוּבָה לִּי" – **The Sages have already stated concerning Balaam, who said, *"And now, if it is evil in your eyes I shall return"*** (*Numbers* 22:34): אֲנִי לֹא הָלַכְתִּי עַד שֶׁאָמַר לִי הַקָּדוֹשׁ בָּרוּךְ הוּא "קוּם לֵךְ אִתָּם", וְאַתָּה אוֹמֵר שֶׁאֶחֱזֹר – Balaam said: "**I did not go until the Holy One, Blessed is He, said to me, *'Arise and go with them'*** (ibid. 22:20), and now **you say that I should return!** כָּךְ הוּא אֻמָּנוּתוֹ! – **This is His art!** לֹא כָּךְ אָמַר לְאַבְרָהָם לְהַקְרִיב אֶת בְּנוֹ וְאַחַר כָּךְ "וַיִּקְרָא אֵלָיו מַלְאַךְ ה' ... וַיֹּאמֶר אַל תִּשְׁלַח יָדְךָ אֶל הַנַּעַר" – **Did He not say this to Abraham – to sacrifice his son – and afterwards *an angel of Hashem called to him [Abraham] and said, 'Do not stretch out your hand against the lad'*** (below, 22:11-12)? לָמוּד הוּא לוֹמַר דָּבָר וּמַלְאָךְ מַחֲזִירוֹ וְכוּ' – **He is accustomed to say one thing and** then **an angel retracts it, etc."** (*Midrash Tanchuma, Balak*, 10).[27a]

[Ramban proceeds to expound on this Midrash:]

הִנֵּה הַחֲכָמִים מִתְעוֹרְרִים לוֹמַר שֶׁאֵין הַנְּבוּאָה בַּדִּבּוּר הָרִאשׁוֹן שֶׁהִזְכִּיר בּוֹ הַשֵּׁם שָׁוָה לַדִּבּוּר הַשֵּׁנִי שֶׁאָמַר בּוֹ שֶׁהוּא עַל יְדֵי מַלְאָךְ – **You see that the Sages took note of the fact that** in these two examples[27b] **the prophecy of the first statement, which *[Balaam] attributed to God*** Himself, **is not equivalent to the sec-ond statement that he said came through an angel.**[28] אֶלָּא שֶׁהוּא דֶּרֶךְ בַּנְּבִיאִים שֶׁיְּצַוֶּה בִּנְבוּאָה וִיבַטֵּל הַצַּוָּאָה

---

did, except that their perception of Him was imperfect.

24. To summarize the two positions: Rambam holds that prophets (other than Moses) receive communica-tion from angels, and that anyone who receives a communication from an angel is, in effect, a prophet. Ramban maintains that all prophets can receive communication directly from God; moreover, commu-nication with angels is possible even for ordinary people (under certain circumstances).

25. This would be a proof for Rambam's position (see note 24).

26. One need not be a prophet to hear an angel speaking, but prophecy is required to ascertain whether the angel is communicating the word of God.

27. *"The man of God"* refers to the first prophet – who was a true prophet – in that story.

27a. Cited in Rashi's commentary to *Numbers* 22:34.

27b. Balaam going to curse Israel and Abraham going to sacrifice his son.

28. Thus, it is clear that an ordinary prophet can receive prophecy either from an angel or from God Himself.

רמב״ן

בְּמַלְאָךְ, כִּי הַנָּבִיא יוֹדֵעַ כִּי דְּבַר ה׳ הוּא[29].

וּבִתְחִלַּת וַיִּקְרָא רַבָּה אָמְרוּ: ״וַיִּקְרָא אֶל מֹשֶׁה״. לֹא כְּאַבְרָהָם, בְּאַבְרָהָם כָּתוּב ״וַיִּקְרָא מַלְאַךְ ה׳ אֶל אַבְרָהָם שֵׁנִית מִן הַשָּׁמַיִם״, הַמַּלְאָךְ קוֹרֵא וְהַדִּבּוּר מְדַבֵּר. בְּרַם הָכָא, אָמַר הַקָּדוֹשׁ בָּרוּךְ הוּא: אֲנִי הוּא הַקּוֹרֵא, וַאֲנִי הוּא הַמְדַבֵּר. כְּלוֹמַר שֶׁלֹּא הָיָה אַבְרָהָם מַשִּׂיג הַנְּבוּאָה עַד הֵכִינוּ נַפְשׁוֹ בִּתְחִלָּה לְהַשָּׂגַת מַלְאָךְ, וְיַעֲלֶה מִן הַמַּדְרֵגָה הַהִיא לְמַעֲלַת דִּבּוּר הַנְּבוּאָה[30]. אֲבָל מֹשֶׁה מוּכָן לִנְבוּאָה בְּכָל עֵת.

הִנֵּה בְּכָל מָקוֹם יִתְעוֹרְרוּ הַחֲכָמִים לְהוֹדִיעֵנוּ כִּי רְאִיַּת הַמַּלְאָךְ אֵינֶנָּה נְבוּאָה, וְאֵין הָרוֹאִים מַלְאָכִים וְהַמְדַבְּרִים עִמָּם מִכְּלַל הַנְּבִיאִים, כַּאֲשֶׁר הִזְכַּרְתִּי בְּדָנִיֵּאל. אֲבָל הִיא מַרְאָה, תִּקָּרֵא ״גִּלּוּי עֵינַיִם״, כְּמוֹ ״וַיְגַל ה׳ אֶת עֵינֵי בִלְעָם וַיַּרְא אֶת מַלְאַךְ ה׳״ [במדבר כב, לא], וְכֵן ״וַיִּתְפַּלֵּל אֱלִישָׁע וַיֹּאמַר: ה׳, פְּקַח נָא אֶת עֵינָיו וְיִרְאֶה!״ [מלכים־ב ו, יז].

RAMBAN ELUCIDATED

בְּמַלְאָךְ, – **Rather,** Balaam meant that **it is [God's] manner with prophets to issue a com-mand through a** direct **prophecy and** then **annul that command through an angel,** כִּי הַנָּבִיא יוֹדֵעַ כִּי דְּבַר ה׳ הוּא – **for the prophet knows that [the angel's communication] is the word of God.**[29]

[Ramban cites another Midrash:]

וּבִתְחִלַּת וַיִּקְרָא רַבָּה אָמְרוּ: – **At the beginning of** Midrash ***Vayikra Rabbah*** (1:9) **they said:** ״וַיִּקְרָא אֶל מֹשֶׁה״ – Scripture states, ***He called to Moses*** (*Leviticus* 1:1). לֹא כְּאַבְרָהָם – This is **not like** what is stated concerning **Abraham,** בְּאַבְרָהָם כָּתוּב ״וַיִּקְרָא מַלְאַךְ ה׳ אֶל אַבְרָהָם שֵׁנִית מִן הַשָּׁמַיִם״, הַמַּלְאָךְ קוֹרֵא וְהַדִּבּוּר מְדַבֵּר – for **concerning Abraham it is written, *An angel of Hashem called to Abraham a second time from heaven*** (below, 22:15), which means, **the angel called** Abraham, **and** then **the utterance** of God Himself **spoke out.** בְּרַם הָכָא, אָמַר הַקָּדוֹשׁ בָּרוּךְ הוּא אֲנִי הוּא הַקּוֹרֵא וַאֲנִי הוּא הַמְדַבֵּר – **Here, however,** concerning Moses, **the Holy One, Blessed is He, said, "*I* am the One Who calls, and I am the One Who speaks."**

[Ramban explains this Midrash:]

כְּלוֹמַר שֶׁלֹּא הָיָה אַבְרָהָם מַשִּׂיג הַנְּבוּאָה עַד הֵכִינוּ נַפְשׁוֹ בִּתְחִלָּה לְהַשָּׂגַת מַלְאָךְ – **This means to say that Abraham could not reach the state of prophecy until preparing himself in advance to** merit **perceiving an angel,** וְיַעֲלֶה מִן הַמַּדְרֵגָה הַהִיא לְמַעֲלַת דִּבּוּר הַנְּבוּאָה – and then **he could ascend from that level** of prophecy **to the level of** hearing **the utterance of** God's **prophecy.**[30] אֲבָל מֹשֶׁה מוּכָן לִנְבוּאָה בְּכָל עֵת – **Moses, however, was prepared** to perceive **prophecy at all times**, without the need to undergo the preparatory steps.

[Ramban concludes his digression[30a] and clarifies his main point:]

הִנֵּה בְּכָל מָקוֹם יִתְעוֹרְרוּ הַחֲכָמִים לְהוֹדִיעֵנוּ כִּי רְאִיַּת הַמַּלְאָךְ אֵינֶנָּה נְבוּאָה וְאֵין הָרוֹאִים מַלְאָכִים וְהַמְדַבְּרִים עִמָּם מִכְּלַל הַנְּבִיאִים כַּאֲשֶׁר הִזְכַּרְתִּי בְּדָנִיֵּאל – **Now, in all** these **places the Sages make a point of telling us that seeing an angel is not** necessarily **prophecy, and those who see angels and speak to them are not** necessarily considered to be **among the prophets, as I have mentioned** earlier in this comment, **concerning Daniel.** אֲבָל הִיא מַרְאָה, תִּקָּרֵא ״גִּלּוּי עֵינַיִם״ – **Rather, [seeing an angel] is a vision which is called "uncovering of the eyes,"** כְּמוֹ ״וַיְגַל ה׳ אֶת עֵינֵי בִלְעָם וַיַּרְא אֶת מַלְאַךְ ה׳״ – **as in *Hashem uncovered Balaam's eyes and he saw the angel of Hashem*** (*Numbers* 22:31), וְכֵן ״וַיִּתְפַּלֵּל אֱלִישָׁע וַיֹּאמַר ה׳ פְּקַח נָא אֶת עֵינָיו וְיִרְאֶה״ – **and similarly, *Elisha then prayed and said, "Hashem, please open up his eyes that he may see!"*** (*II Kings* 6:17). It is not, however, a form of prophecy.

---

29. As Ramban explained above, one of the powers of prophecy is the ability to discern that an angel is communicating the word of God.

30. When Abraham was "called" by the angel, this stage was not yet considered "prophecy." This contradicts Rambam's assertion that an angel can be heard only through prophecy. Furthermore, Abraham ultimately did experience direct communication from God, and not just from an angel. This contradicts Rambam's other assertion, that ordinary prophets do not communicate with God directly.

30a. That is, the discussion which began with Rambam's opinion (as he presents it in *Moreh Nevuchim*) early in this comment.

רמב״ן

אֲבָל בְּמָקוֹם אֲשֶׁר יַזְכִּיר הַמַּלְאָכִים בְּשֵׁם ״אֲנָשִׁים״, כְּעִנְיַן הַפָּרָשָׁה הַזֹּאת וּפָרָשַׁת לוֹט, וְכֵן ״וַיֵּאָבֵק אִישׁ עִמּוֹ״[31] [לקמן לב, כה], וְכֵן ״וַיִּמְצָאֵהוּ אִישׁ״ [לקמן לז, טו] עַל דַּעַת רַבּוֹתֵינוּ[32] [תנחומא וישב ב] - הוּא כָּבוֹד נִבְרָא בַּמַּלְאָכִים, יִקָּרֵא אֵצֶל הַיּוֹדְעִים ״מַלְבּוּשׁ״, יֻשַּׂג לְעֵינֵי בָּשָׂר[33] בְּזַכֵּי הַנְּפָשׁוֹת, כַּחֲסִידִים וּבְנֵי הַנְּבִיאִים[34]. וְלֹא אוּכַל לְפָרֵשׁ[35].

וְהַמָּקוֹם אֲשֶׁר תִּמְצָא בּוֹ רְאִיַּת ה׳ וְדִבּוּר מַלְאָךְ[36], אוֹ רְאִיַּת מַלְאָךְ וְדִבּוּר ה׳, כַּכָּתוּב בְּדִבְרֵי מֹשֶׁה בִּתְחִלַּת נְבוּאָתוֹ[36a], [שמות ג, ב-ד] וּבְדִבְרֵי זְכַרְיָה[37] [ג, א-ב] – עוֹד אֲגַלֶּה בּוֹ דִּבְרֵי אֱלֹהִים חַיִּים[38] בִּרְמִיזוֹת[39] [עיין שמות שם].

RAMBAN ELUCIDATED

[Having ended his lengthy digression, Ramban now returns to his earlier statement, "The truth is that wherever Scripture mentions seeing ... or hearing an angel's words, it means in a vision or in a dream":]

אֲבָל בְּמָקוֹם אֲשֶׁר יַזְכִּיר הַמַּלְאָכִים בְּשֵׁם ״אֲנָשִׁים״ כְּעִנְיַן הַפָּרָשָׁה הַזֹּאת וּפָרָשַׁת לוֹט – However, in a place in which [Scripture] refers to angels with the term "men," as is the case of this section about Abraham **and the section** below **about Lot** (Chap. 19), **וְכֵן ״וַיֵּאָבֵק אִישׁ עִמּוֹ״, – and similarly** regarding the incident of ***A man wrestled with him*** (below, 32:25),[31] **וְכֵן ״וַיִּמְצָאֵהוּ אִישׁ״ עַל דַּעַת רַבּוֹתֵינוּ – and similarly,** regarding the incident of ***A man discovered him*** (below, 37:15) **according to the Sages'** interpretation of that passage (*Midrash Tanchuma, Vayeishev*, 2)[32] – **הוּא כָּבוֹד נִבְרָא בַּמַּלְאָכִים, יִקָּרֵא אֵצֶל הַיּוֹדְעִים ״מַלְבּוּשׁ״, יֻשַּׂג לְעֵינֵי בָּשָׂר בְּזַכֵּי הַנְּפָשׁוֹת כַּחֲסִידִים וּבְנֵי הַנְּבִיאִים – this is a** kind of **aura that is created for the angels, which is called "a garb" by those who have** mystical **knowledge,** and **which can be perceived with human eyes**[33] **by people of purified soul, such as pious people and disciples of the prophets.**[34] **וְלֹא אוּכַל לְפָרֵשׁ – I am not permitted to explain** this concept further.[35]

[Ramban now discusses prophecies that involve God and angels at the same time[36]:]

וְהַמָּקוֹם אֲשֶׁר תִּמְצָא בּוֹ רְאִיַּת ה׳ וְדִבּוּר מַלְאָךְ – Concerning a place where you find Scripture referring to **the sight of God and the speech of an angel, אוֹ רְאִיַּת מַלְאָךְ וְדִבּוּר ה׳ – or the sight of an angel and the speech of God, כַּכָּתוּב בְּדִבְרֵי מֹשֶׁה בִּתְחִלַּת נְבוּאָתוֹ, וּבְדִבְרֵי זְכַרְיָה – as is written concerning the words of our teacher Moses in the beginning of his prophecy**[36a] **and in the words of Zechariah**[37] **עוֹד אֲגַלֶּה בּוֹ דִּבְרֵי אֱלֹהִים חַיִּים בִּרְמִיזוֹת – I will yet reveal "the words of the living God"**[38] **regarding this** matter, but only **in allusions.**[39]

---

31. Ramban cites this verse earlier in this comment. The "man" was actually an angel, as the context of that verse makes clear.

32. The Sages identify that "man" as the angel Gabriel.

33. That is, without the need to experience a vision. This is how Abraham, Sarah and Lot were able to see and hear the angels.

34. Disciples of the prophets are mentioned several times in Scripture (*I Kings* 20:35, *II Kings* 2:3, etc.). For an explanation of the term, see *Mishneh Torah, Hil. Yesodei HaTorah* 7:5.

Abu Sahula (citing "his teacher"; see responsa of Rashba, Vol. I, 548; see *Zichron Yitzchak*) adds that sometimes common – or even base – people (such as the Sodomites) are able to see angels in this "garb" if there is some important need for the angels to be seen by them.

35. It is forbidden to reveal mystical secrets except to the initiated.

36. These instances would seem to be a proof for Rambam's position, that whenever Scripture writes that "God spoke to a prophet," it really means that "an angel spoke to a prophet in God's name." Ramban therefore explains how these verses are to be understood so as not to be a proof for Rambam.

36a. *An angel of* HASHEM *appeared to him ...* HASHEM *saw that he turned aside to see; and God called out to him ...* (*Exodus* 3:2,4).

37. *He showed me Joshua ... standing before the angel of* HASHEM *... And* HASHEM *said ...* (*Zechariah* 3:1-2).

These two examples are both cases of seeing an angel and hearing God speaking. Examples of the converse case of seeing God and hearing an angel speaking can be found in *Isaiah* Chap. 6 (*Zichron Yitzchak*) or in the case of Hagar (above, 16:7 ff.; see Ramban on 17:17 above).

38. A stylistic citation from *Jeremiah* 23:36, used by Ramban to refer to the teaching of the Kabbalah.

39. See Ramban on *Exodus* 3:2, and his essay *Toras Hashem Temimah* (Mosad HaRav Kook, p. 148).

רמב״ן

וְעִנְיַן ״וַיֹּאכֵלוּ״[41]: אָמְרוּ חֲכָמִים, רִאשׁוֹן רִאשׁוֹן מִסְתַּלֵּק. וְעִנְיַן הַהִסְתַּלְּקוּת תָּבִין אוֹתוֹ מִדְּבַר מָנוֹחַ[42], אִם תִּזְכֶּה אֵלָיו.

וְהִנֵּה פֵּרוּשׁ הַפָּרָשָׁה הַזֹּאת. אַחֲרֵי שֶׁאָמַר כִּי ״בְּעֶצֶם הַיּוֹם הַזֶּה נִמּוֹל אַבְרָהָם״ אָמַר שֶׁנִּרְאָה אֵלָיו הַשֵּׁם בִּהְיוֹתוֹ חוֹלֶה בְּמִילָתוֹ, יוֹשֵׁב וּמִתְקָרֵר בְּפֶתַח אָהֳלוֹ מִפְּנֵי חוֹם הַיּוֹם אֲשֶׁר יַחֲלִישֶׁנּוּ[43]. וְהִזְכִּיר זֶה לְהוֹדִיעַ שֶׁלֹּא הָיָה מִתְכַּוֵּן לִנְבוּאָה, לֹא נוֹפֵל עַל פָּנָיו וְלֹא מִתְפַּלֵּל, וְאַף עַל פִּי כֵן בָּאָה אֵלָיו הַמַּרְאָה הַזֹּאת.

וְאָמַר ״בְּאֵלֹנֵי מַמְרֵא״[44], לְהוֹדִיעַ הַמָּקוֹם אֲשֶׁר בּוֹ נִמּוֹל[45]. וְזֶה גִּלּוּי הַשְּׁכִינָה אֵלָיו לְמַעְלָה וְכָבוֹד לוֹ[46],

RAMBAN ELUCIDATED

[Having established that the angels actually did visit Abraham,[40] and did so in the guise of angels, Ramban addresses the problem he raised earlier: Angels do not eat![41]]

וְעִנְיַן ״וַיֹּאכֵלוּ״ – As far as the meaning of *and they ate* (v. 8) **is concerned: אָמְרוּ חֲכָמִים, רִאשׁוֹן רִאשׁוֹן מִסְתַּלֵּק – The Sages said** (*Bereishis Rabbah* 48:14), **"One after the other,** the pieces of food **disappeared." וְעִנְיַן הַהִסְתַּלְּקוּת תָּבִין אוֹתוֹ מִדְּבַר מָנוֹחַ אִם תִּזְכֶּה אֵלָיו – You will be able to understand the idea of this "disappearing" from the incident of Manoah** (*Judges* 13:19-20),[42] **if you merit to do so.**

[In the remainder of this comment, Ramban presents his own interpretation of the entire incident:]

וְהִנֵּה פֵּרוּשׁ הַפָּרָשָׁה הַזֹּאת – Now here is the explanation of this section. אַחֲרֵי שֶׁאָמַר כִּי ״בְּעֶצֶם הַיּוֹם הַזֶּה נִמּוֹל אַבְרָהָם״ – After having said that *on that very day Abraham was circumcised* (above, 17:26), **אָמַר שֶׁנִּרְאָה אֵלָיו הַשֵּׁם בִּהְיוֹתוֹ חוֹלֶה בְּמִילָתוֹ –** [Scripture] **says** here **that God appeared to Him when he was ill from his circumcision, יוֹשֵׁב וּמִתְקָרֵר בְּפֶתַח אָהֳלוֹ מִפְּנֵי חוֹם הַיּוֹם אֲשֶׁר יַחֲלִישֶׁנּוּ – sitting at the entrance to his tent, and cooling off from the heat of the day that weakened him.**[43] **וְהִזְכִּיר זֶה לְהוֹדִיעַ שֶׁלֹּא הָיָה מִתְכַּוֵּן לִנְבוּאָה – It mentions this** fact, that Abraham was relaxing outside his tent, **to inform** us **that [Abraham] was not intending to** receive **prophecy** at that time, **לֹא נוֹפֵל עַל פָּנָיו וְלֹא מִתְפַּלֵּל – he had not fallen upon his face and was not praying, וְאַף עַל פִּי כֵן בָּאָה אֵלָיו הַמַּרְאָה הַזֹּאת – nevertheless, this vision came to him.**

[Having explained the significance of the seemingly irrelevant detail that Abraham "was sitting at the entrance of the tent," Ramban now addresses the fact that Scripture mentions the geographical location where the revelation took place:[44]]

וְאָמַר ״בְּאֵלֹנֵי מַמְרֵא״ לְהוֹדִיעַ הַמָּקוֹם אֲשֶׁר בּוֹ נִמּוֹל – [Scripture] says *in the plains of Mamre,* to inform us **of the** geographical **location at which he was circumcised.**[45]

[Ramban now returns to the basic question of the passage, as presented at the beginning of this comment: What was the purpose of God's revelation to Abraham?]

וְזֶה גִּלּוּי הַשְּׁכִינָה אֵלָיו לְמַעְלָה וְכָבוֹד לוֹ – Now, this revelation of God's Presence to [Abraham] was a

40. As opposed to Rambam's opinion, that the visit of the angels was merely "perceived" by Abraham in his prophetic vision.

41. According to Rashi the angels pretended to eat the food that Abraham served them in order to be "polite" (see note 4 above). And according to Rambam they appeared to Abraham as men who actually ate what they were served. But, according to Ramban, Abraham knew that they were angels (see below, on 18:15); he therefore had no reason to offer them food and they had no reason to pretend to eat it.

42. The food was a type of offering, and its consumption ("disappearance") signified the acceptance of the offering (see below, on v. 6, and Abu Sahula here).

43. This differs from Rashi (s.v., פֶּתַח הָאֹהֶל), who says that Abraham was sitting outside his tent waiting to receive wayfarers.

44. Rashi also provides an explanation as to why the name of this place is mentioned here: Abraham had consulted with Mamre regarding some of the details of his circumcision. God appeared to Abraham in Mamre's territory in order to reward Mamre for advising Abraham.

45. The vision in our Torah-portion is closely associated with the description of the circumcision found at the end of the previous Torah-portion (*Lech Lecha*), as Ramban has explained. Thus, by stating, *Hashem appeared to him in the Eilonei Mamre*, the Torah teaches that Abraham's circumcision was performed there.

רמב"ן

כְּעִנְיָן שֶׁבָּא בַּמִּשְׁכָּן [ויקרא ט, כג]: "וַיֵּצְאוּ וַיְבָרְכוּ אֶת הָעָם, וַיֵּרָא כְבוֹד ה' אֶל כָּל הָעָם"[47], כִּי מִפְּנֵי הִשְׁתַּדְּלוּתָם בְּמִצְוַת הַמִּשְׁכָּן זָכוּ לִרְאִיַּת הַשְּׁכִינָה. וְאֵין גִּלּוּי הַשְּׁכִינָה כָּאן וְכָאן לְצַוּוֹת לָהֶם מִצְוָה אוֹ לְדִבּוּר כְּלָל, אֶלָּא גְּמוּל הַמִּצְוָה הַנַּעֲשֵׂית כְּבָר, וּלְהוֹדִיעַ כִּי רָצָה הָאֱלֹהִים אֶת מַעֲשֵׂיהֶם; כְּעִנְיָן שֶׁנֶּאֱמַר [תהלים יז, טו]: "אֲנִי בְּצֶדֶק אֶחֱזֶה פָנֶיךָ אֶשְׂבְּעָה בְהָקִיץ תְּמוּנָתֶךָ". וְכֵן בְּיַעֲקֹב אָמַר [לקמן לב, ב]: "וַיִּפְגְּעוּ בוֹ מַלְאֲכֵי אֱלֹהִים", וְאֵין שָׁם דִּבּוּר, וְלֹא שֶׁחִדְּשׁוּ בוֹ דָּבָר, רַק שֶׁזָּכָה לִרְאִיַּת מַלְאֲכֵי עֶלְיוֹן, וְיָדַע כִּי מַעֲשָׂיו רְצוּיִים[48]. וְכֵן הָיָה לְאַבְרָהָם בִּרְאִיַּת הַשְּׁכִינָה זְכוּת וְהַבְטָחָה. וְכֵן אָמְרוּ בְּיוֹרְדֵי הַיָּם[49], שֶׁאָמְרוּ "זֶה אֵלִי וְאַנְוֵהוּ" [שמות טו, ב, ומכילתא שם]: רָאֲתָה שִׁפְחָה עַל הַיָּם[50] מַה שֶּׁלֹּא רָאָה יְחֶזְקֵאל הַנָּבִיא[51] - הָיָה לָהֶם זְכוּת בְּעֵת הַנֵּס הַגָּדוֹל, שֶׁהֶאֱמִינוּ בַּה' וּבְמֹשֶׁה עַבְדּוֹ.

וּפְעָמִים יָבֹא בִּשְׁעַת הַקֶּצֶף "וַיֹּאמְרוּ כָּל הָעֵדָה לִרְגּוֹם אוֹתָם בָּאֲבָנִים וּכְבוֹד ה' נִרְאָה בְּאֹהֶל מוֹעֵד אֶל כָּל

RAMBAN ELUCIDATED

כְּעִנְיָן שֶׁבָּא בַּמִּשְׁכָּן: "וַיֵּצְאוּ וַיְבָרְכוּ אֶת הָעָם וַיֵּרָא כְבוֹד ה' אֶל כָּל הָעָם" **distinction and an honor for him,**[46] **– similar to what is mentioned regarding the Tabernacle, *They went out and they blessed the people, and the glory of Hashem appeared to the entire people*** (*Leviticus* 9:23).[47] **כִּי מִפְּנֵי הִשְׁתַּדְּלוּתָם בְּמִצְוַת הַמִּשְׁכָּן זָכוּ לִרְאִיַּת הַשְּׁכִינָה – For because of the efforts they had undertaken in** fulfilling **the commandment of** building **the Tabernacle, they merited** to experience **an appearance of God's Presence. וְאֵין גִּלּוּי הַשְּׁכִינָה כָּאן וְכָאן לְצַוּוֹת לָהֶם מִצְוָה אוֹ לְדִבּוּר כְּלָל – The revelation of God's Presence** both **here and there was not for the purpose of giving them some commandment or for the purpose of making a statement at all, אֶלָּא גְּמוּל הַמִּצְוָה הַנַּעֲשֵׂית כְּבָר – rather,** it was **a reward for the commandment that had been performed previously וּלְהוֹדִיעַ כִּי רָצָה הָאֱלֹהִים אֶת מַעֲשֵׂיהֶם – and to let** them **know that God was pleased with their deeds; כְּעִנְיָן שֶׁנֶּאֱמַר: "אֲנִי בְּצֶדֶק אֶחֱזֶה פָנֶיךָ אֶשְׂבְּעָה בְהָקִיץ תְּמוּנָתֶךָ" –** that is **similar to the idea expressed** in the verse, ***I, in righteousness, shall behold Your face; upon awakening I will be sated by Your image*** (*Psalms* 17:15). **וְכֵן בְּיַעֲקֹב אָמַר "וַיִּפְגְּעוּ בוֹ מַלְאֲכֵי אֱלֹהִים" – Similarly, concerning Jacob [Scripture] says, *angels of God encountered him*** (below, 32:2), **וְאֵין שָׁם דִּבּוּר וְלֹא שֶׁחִדְּשׁוּ בוֹ דָּבָר – and there is no** Divine **statement** mentioned **there, nor** does it say **that they told him anything new; רַק שֶׁזָּכָה לִרְאִיַּת מַלְאֲכֵי עֶלְיוֹן, וְיָדַע כִּי מַעֲשָׂיו רְצוּיִים – only that he merited to see the angels of the Supreme One, and he knew** thereby **that his deeds were pleasing** to God.[48]

וְכֵן הָיָה לְאַבְרָהָם בִּרְאִיַּת הַשְּׁכִינָה זְכוּת וְהַבְטָחָה – So, too, with Abraham, his **seeing of the Divine Presence** was a sign of **merit** for him **and** of **a reassurance** for the future. **וְכֵן אָמְרוּ בְּיוֹרְדֵי הַיָּם, שֶׁאָמְרוּ "זֶה אֵלִי וְאַנְוֵהוּ" – Similarly, [the Sages] said, concerning those who went down into the Sea**[49] – i.e., those who participated in the miracle of the splitting of the Sea of Reeds – **who declared, "*This is my God and I shall glorify Him*"** (*Exodus* 15:2): **רָאֲתָה שִׁפְחָה עַל הַיָּם מַה שֶּׁלֹּא רָאָה יְחֶזְקֵאל הַנָּבִיא – The** simple **maidservant saw at the Sea**[50] **what** even **Ezekiel the prophet did not see.**[51] **הָיָה לָהֶם זְכוּת בְּעֵת הַנֵּס הַגָּדוֹל שֶׁהֶאֱמִינוּ בַּה' וּבְמֹשֶׁה עַבְדּוֹ – They had** earned **merit at the time of** this **great miracle, because they had faith *in Hashem and in Moses His servant*** (*Exodus* 14:31), and it was to acknowledge that merit that God appeared to them, although He did not communicate any message to them.

[Having established that the Divine Presence sometimes makes itself known as a sign of Divine favor, Ramban shows that such appearances can come for other purposes as well:]

וּפְעָמִים יָבֹא בִּשְׁעַת הַקֶּצֶף – Sometimes [a Divine appearance] comes at a time of anger as well, for example: **"וַיֹּאמְרוּ כָּל הָעֵדָה לִרְגּוֹם אֹתָם בָּאֲבָנִים וּכְבוֹד ה' נִרְאָה בְּאֹהֶל מוֹעֵד אֶל כָּל בְּנֵי יִשְׂרָאֵל" – *The entire***

46. The entire purpose of God's appearance was to show that Abraham's actions were accepted favorably by Him.

47. There, too, we read of God appearing to people without telling them anything.

48. This is in contrast with Rambam's opinion (ibid.), that included among the angels described in 32:2 below the angel who wrestled with Jacob (below, 32:25) and then blessed him (32:27,30); Jacob's two encounters (in 32:2 and 32:25), Rambam asserts, were one and the same.

49. Stylistic citation from *Psalms* 107:23.

50. For all the people – even the lowliest – perceived God clearly enough to "point" to Him and say, *"This is my God."*

51. *Mechilta* to 15:2.

וַיַּ֫רְא וְהִנֵּה֙ שְׁלֹשָׁ֣ה אֲנָשִׁ֔ים נִצָּבִ֖ים עָלָ֑יו וַיַּ֗רְא

וַחֲזָא וְהָא תְּלָתָא גֻבְרִין (נ״א גַּבְרִין) קָיְמִין עִלָּווֹהִי וַחֲזָא

רש״י

בדמות אנשים (שם): (ב) **והנה שלשה אנשים.** אחד לבשר את שרה ואחד להפוך את סדום ואחד לרפאות את אברהם, שאין מלאך אחד עושה שתי שליחיות (ב״ר נ:ב). תדע לך שכן, כל הפרשה הוא מזכירן בלשון רבים, ויאכלו (פסוק ח) ויאמרו אליו (פסוק ט), ובבשורה נאמר ויאמר שוב אשוב אליך (פסוק י) ובהפיכת סדום הוא אומר כי לא אוכל לעשות דבר (להלן יט:כב) לבלתי הפכי (שם כא). ורפאל שרפא את אברהם הלך משם להציל את לוט, הוא שנאמר ויהי כהוציאם אותם החוצה ויאמר המלט על נפשך (שם יז) למדת שהאחד היה מציל (ב״מ פו:): **נצבים עליו.** לפניו (תרגום יונתן) [כמו ועליו מטה מנשה (במדבר ב:כ)], אבל לשון נקיה הוא כלפי המלאכים: **וירא.** מהו וירא וירא שני פעמים, הראשון כמשמעו, והשני לשון הבנה. נסתכל שהיו נצבים במקום אחד והבין שלא היו רוצים להטריחו, [ואף על פי שיודעים היו שילא לקראתם עמדו במקומם לכבודו, להראותו שלא רצו להטריחו,] וקדם הוא ורץ לקראתם. [בבבא מציעא (פו:), כתיב נצבים עליו וכתיב וירץ לקראתם, כד חזיוהו דהוה

רמב״ן

בְּנֵי יִשְׂרָאֵל״ [במדבר יד, י]. וְיִהְיֶה זֶה לְהָגֵן עַל עֲבָדָיו הַצַּדִּיקִים, וְלִכְבוֹדָם.

וְאַל תָּחוּשׁ לְהֶפְסֵק הַפָּרָשָׁה[52], כִּי הָעִנְיָן מְחֻבָּר, וְלָכֵן אָמַר ״וַיֵּרָא אֵלָיו״ וְלֹא אָמַר ״וַיֵּרָא ה׳ אֶל אַבְרָהָם״[53]. אֲבָל בַּפָּרָשָׁה רָצָה לְסַדֵּר הַכָּבוֹד הַנַּעֲשֶׂה לוֹ בְּעֵת שֶׁעָשָׂה הַמִּילָה, וְאָמַר כִּי נִגְלֵית עָלָיו הַשְּׁכִינָה, וְשָׁלַח אֵלָיו מַלְאָכָיו לְבַשֵּׂר אֶת אִשְׁתּוֹ וְגַם לְהַצִּיל לוֹט אָחִיו בַּעֲבוּרוֹ[54]. כִּי אַבְרָהָם נִתְבַּשֵּׂר[55] בְּבֵן מִפִּי הַשְּׁכִינָה כְּבָר, וְשָׂרָה מִפִּי הַמַּלְאָךְ שֶׁדִּבֵּר עִם אַבְרָהָם כְּדֵי שֶׁתִּשְׁמַע שָׂרָה[56], כְּמוֹ שֶׁאָמַר ״וְשָׂרָה שֹׁמַעַת״.

RAMBAN ELUCIDATED

assembly said to pelt them with stones – and the glory of Hashem appeared in the Tent of Meeting to all the Children of Israel (*Numbers* 14:10). **וְיִהְיֶה זֶה לְהָגֵן עַל עֲבָדָיו הַצַּדִּיקִים וְלִכְבוֹדָם – This** Divine appearance **was to protect His servants, the righteous [Moses and Aaron], and was** also a sign of **honor for them.**

[Ramban has explained that God's revelation to Abraham was engendered by his circumcision. Now he calls attention to an apparent difficulty with this explanation:]

וְאַל תָּחוּשׁ לְהֶפְסֵק הַפָּרָשָׁה, כִּי הָעִנְיָן מְחֻבָּר – Now, do not be concerned about the break of the paragraph,[52] **for the subject matter** of our passage **is** nevertheless **connected** to that of the previous passage, **וְלָכֵן אָמַר ״וַיֵּרָא אֵלָיו״ וְלֹא אָמַר ״וַיֵּרָא ה׳ אֶל אַבְרָהָם״ – and this is why [Scripture] said, *[Hashem] appeared to* "*him,*" but did not say, Hashem appeared to "*Abraham.*"** [53] **אֲבָל בַּפָּרָשָׁה רָצָה לְסַדֵּר הַכָּבוֹד הַנַּעֲשֶׂה לוֹ בְּעֵת שֶׁעָשָׂה הַמִּילָה –** Our passage, then, though it opens with a new paragraph, does not begin a new, unrelated topic; **rather, in** our **passage [Scripture] wanted to present the** manifestations of **honor accorded [Abraham] at the time he performed** his **circumcision, וְאָמַר כִּי נִגְלֵית עָלָיו הַשְּׁכִינָה – and so** Scripture **stated that the Divine Presence appeared to him, וְשָׁלַח אֵלָיו מַלְאָכָיו לְבַשֵּׂר אֶת אִשְׁתּוֹ – and** that **He sent His angels to him to bring tidings** of Isaac's future birth **to his wife וְגַם לְהַצִּיל לוֹט אָחִיו בַּעֲבוּרוֹ – and also to save Lot, [Abraham's] kinsman, for his sake.**[54] **כִּי אַבְרָהָם נִתְבַּשֵּׂר בְּבֵן מִפִּי הַשְּׁכִינָה כְּבָר – For Abraham had already been informed**[55] **about the** future birth of a **son** through Sarah **by the mouth of the Divine Presence** (above, 17:16). **וְשָׂרָה מִפִּי הַמַּלְאָךְ שֶׁדִּבֵּר עִם אַבְרָהָם כְּדֵי שֶׁתִּשְׁמַע שָׂרָה, כְּמוֹ שֶׁאָמַר ״וְשָׂרָה שֹׁמַעַת״ – Sarah, however,** was now informed of this **by the mouth of the angel who spoke with Abraham in order**

52. Scripture's report of Abraham's circumcision ends with a פְּרָשָׁה פְּתוּחָה, *open paragraph*, i.e., the paragraph ends in the middle of a line in the Torah scroll and the following paragraph begins on the next line; unlike the פָּרָשָׁה סְתוּמָה, *closed paragraph,* in which case the following paragraph begins on the same line as the ending of the previous paragraph, but with a space large enough to contain nine letters. An open paragraph generally indicates a full break between paragraphs.

53. The fact that the verse uses a pronoun – whose antecedent appears in the previous passage – instead of a proper name for the object of the sentence [Abraham's name does not appear in our passage until verse 6] is a proof to Ramban's assertion that the verse actually relates to what preceded it.

54. All these were signs of God's favor toward Abraham in light of the great merit he had gained through the circumcision.

55. This explains why the angels came specifically to inform Sarah of the good news, and not Abraham, especially since it was *his* merit that engendered the visit.

and saw: And behold! three men were standing over him. He perceived,

רמב״ן

וְזוּ כַּוָּנָתָם שֶׁאָמְרוּ [סוטה יד, א]: "לְבַקֵּר אֶת הַחוֹלֶה", שֶׁלֹּא הָיָה לְדִבּוּר, אֶלָּא לְכָבוֹד לוֹ. וְעוֹד אָמְרוּ [ב״ר מד, ד]: "מִזְבַּח אֲדָמָה תַּעֲשֶׂה לִּי ..." [שמות כ, כא][57a], וּמָה אִם זֶה שֶׁבָּנָה מִזְבֵּחַ לִשְׁמִי הֲרֵינִי נִגְלֶה עָלָיו וּמְבָרְכוֹ, אַבְרָהָם שֶׁמָּל עַצְמוֹ לִשְׁמִי עַל אַחַת כַּמָּה וְכַמָּה[58]!

וְשֶׁמָּא כִּוְּנוּ עוֹד בָּזֶה לוֹמַר שֶׁהָיָה לוֹ בְּמַרְאֵה הַשְּׁכִינָה רִפּוּי לְמַחֲלַת הַמִּילָה. כִּי כֵן רָאוּי לִהְיוֹת, כְּדִכְתִיב [משלי טז, טו]: "בְּאוֹר פְּנֵי מֶלֶךְ חַיִּים".

[ב] וְטַעַם נִצָּבִים עָלָיו, שֶׁהָיוּ עוֹמְדִים לְנֶגְדּוֹ מִסְתַּכְּלִים, כִּלְשׁוֹן "הַנִּצָּב עַל הַקּוֹצְרִים" [רות ב,ה], "מִשָּׂרֵי הַנִּצָּבִים" [מלכים-א ה, ל][59], וּלְפִי שֶׁהוּא יוֹשֵׁב וְהֵם הָיוּ עוֹמְדִים וְרוֹאִים בּוֹ, אָמַר "עָלָיו"[60,61].

RAMBAN ELUCIDATED

that Sarah should hear,[56] **as it says,** ***and Sarah could hear*** (below, v. 10).

[Ramban now asserts that his interpretation of this section is borne out by the words of the Sages:]

וְזוּ כַּוָּנָתָם שֶׁאָמְרוּ "לְבַקֵּר אֶת הַחוֹלֶה", – **This is the intent of [the Sages] when they said**[57] that the purpose of God's revelation was **"to visit the sick"** – **שֶׁלֹּא הָיָה לְדִבּוּר, אֶלָּא לְכָבוֹד לוֹ** – **that God's revelation was not for the purpose of speaking** to [Abraham], **but was in order to honor him. וְעוֹד אָמְרוּ** – **And [the Sages] said further:** **"מִזְבַּח אֲדָמָה תַּעֲשֶׂה לִּי ..."** – Scripture states, ***An altar of earth shall you make for Me ...*** (*Exodus* 20:21).[57a] **וּמָה אִם זֶה שֶׁבָּנָה מִזְבֵּחַ לִשְׁמִי הֲרֵינִי נִגְלֶה עָלָיו וּמְבָרְכוֹ** – **Now, if for this person who built an altar for My Name I will reveal Myself to him and bless him,** **אַבְרָהָם שֶׁמָּל עַצְמוֹ לִשְׁמִי עַל אַחַת כַּמָּה וְכַמָּה** – **then Abraham, who** actually **circumcised himself for My Name, all the more so!"**[58]

[Ramban suggests an additional explanation for the Sages' statement, "He came to visit the sick." God's revelation was more than a mere gesture of honor, for it had a practical purpose:]

וְשֶׁמָּא כִּוְּנוּ עוֹד בָּזֶה לוֹמַר – **Perhaps [the Sages] intend more with this** statement; perhaps they mean **to indicate** **שֶׁהָיָה לוֹ בְּמַרְאֵה הַשְּׁכִינָה רִפּוּי לְמַחֲלַת הַמִּילָה** – **that within the vision of the Divine Presence there was a healing effect for [Abraham], for the ailment** brought on by **the circumcision.** **כִּי כֵן רָאוּי לִהְיוֹת, כְּדִכְתִיב "בְּאוֹר פְּנֵי מֶלֶךְ חַיִּים"** – **For it is fitting to be so, as it is written,** ***In the light of the King's countenance is life*** (*Proverbs* 16:15).

2. [נִצָּבִים עָלָיו – *STANDING OVER HIM.*]

[From the fact that Abraham had to "run toward them," it is evident that the men were not "standing over him," an expression denoting proximity (see Rashi).]

וְטַעַם "נִצָּבִים עָלָיו", שֶׁהָיוּ עוֹמְדִים לְנֶגְדּוֹ מִסְתַּכְּלִים – **The explanation of** ***standing over him*** **is that they were standing opposite him, observing** him, **כִּלְשׁוֹן "הַנִּצָּב עַל הַקּוֹצְרִים" "מִשָּׂרֵי הַנִּצָּבִים"** – **as in the** similar **expressions,** ***who was standing over the harvesters*** (*Ruth* 2:5), and ***of the officers standing over*** (*I Kings* 5:30), where "standing over" means "overseeing" or "observing."[59] **וּלְפִי שֶׁהוּא יוֹשֵׁב וְהֵם הָיוּ עוֹמְדִים וְרוֹאִים בּוֹ, אָמַר "עָלָיו"** – The same idea could have been conveyed had Scripture used some other preposition[60] but **because he was sitting and they were standing and looking at him,**

56. The angel "informed" Abraham about the birth of Isaac only so that Sarah could overhear the news.

57. *Sotah* 14a, cited by Rashi.

57a. That verse ends: *wherever I permit My Name to be mentioned I shall come to you and bless you.*

58. *Bereishis Rabbah* 48:4. This dictum, too, shows that the Sages regarded God's revelation to Abraham as a sign of recognition and honor, and not for the purposes of conveying a prophecy to him.

59. The phrase נִצָּב עַל, lit., standing over, is often used in *Tanach* to connote "standing near" or "standing on top of" (see below, 24:13). Ramban adduces these two verses to show that it is sometimes used even when a person is not actually standing near or on top of those he is watching, in which case it means "overseeing."

60. Using some other preposition, such as לְפָנָיו, *before him,* לִקְרָאתוֹ or לְנֶגְדּוֹ, *opposite him,* instead of עָלָיו, literally, *upon him,* would avoid the implication of immediate proximity.

וַיָּרָץ לִקְרָאתָם מִפֶּתַח הָאֹהֶל וַיִּשְׁתַּחוּ
ג אָרְצָה: וַיֹּאמַר אֲדֹנָי אִם־נָא מָצָאתִי חֵן
בְּעֵינֶיךָ אַל־נָא תַעֲבֹר מֵעַל עַבְדֶּךָ:

וּרְהַט לְקַדָּמוּתְהוֹן מִתְּרַע מַשְׁכְּנָא וּסְגִיד עַל אַרְעָא: ג וַאֲמַר יְיָ אִם כְּעַן אַשְׁכָּחִית רַחֲמִין קֳדָמָךְ (נ"א בְּעֵינָךְ) לָא כְעַן תִּעְבַּר מֵעַל עַבְדָּךְ:

רש"י

שרי ואסר פירשו הימנו, מיד וירץ לקראתם]: (ג) **ויאמר אדני אם נא וגו'**. לגדול שבהם אמר, וקראם כולם אדונים, ולגדול אמר אל נא תעבור, וכיון שלא יעבור הוא יעמדו חביריו עמו, ובלשון זה הוא חול. ד"א, קדש (שבועות לה:) והיה אומר להקב"ה להמתין לו עד שירוץ ויכניס את האורחים (שבת קכז.). ואע"פ שכתוב אחר וירץ לקראתם, האמירה קודם לכן היתה. ודרך המקראות לדבר כן, כמו שפירשתי אצל לא ידון רוחי באדם (לעיל ו:ג) שנכתב אחר ויולד נח (שם ה:לב), וא"א לומר כן אא"כ קדמה גזרת ק"ך שנה [ס"א קדמה הגזירה כ' שנים]. ושתי הלשונות בב"ר (מח:י, ט, מט:ז; ועי' ויק"ר יח:ה):

רמב"ן

וְזֶה טַעַם "וַיַּרְא וַיָּרָץ לִקְרָאתָם", כִּי כַּאֲשֶׁר רָאָה אוֹתָם עוֹמְדִים נֶגְדּוֹ[62], וְלֹא הָיוּ הוֹלְכִים לְדַרְכָּם - רָץ לִקְרָאתָם לַהֲבִיאָם אֶל בֵּיתוֹ[62a].

וְטַעַם **מִפֶּתַח הָאֹהֶל**, לְהַגִּיד שֶׁהָיָה עֲדַיִן יוֹשֵׁב שָׁם אַחֲרֵי הִסְתַּלֵּק מִמֶּנּוּ מַרְאֵה הַשְּׁכִינָה[63]. וְיִתָּכֵן שֶׁיִּהְיֶה "עָלָיו" עַל הָאֹהֶל, שֶׁהָיוּ קְרוֹבִים אֵלָיו[64] מִן הַצַּד הָאַחֵר שֶׁלֹּא כְּנֶגֶד הַפֶּתַח[65], וְהָיוּ נִצָּבִים שָׁם וְלֹא הָיוּ מִתְקָרְבִין אֶל אַבְרָהָם, כְּטַעַם "חֹנִים עַל הַיָּם"[66].

RAMBAN ELUCIDATED

it said, "*over*" *him.*[61] וְזֶה טַעַם "וַיַּרְא וַיָּרָץ לִקְרָאתָם" – This is the explanation for, *he saw, and he ran toward them* – כִּי כַּאֲשֶׁר רָאָה אוֹתָם עוֹמְדִים נֶגְדּוֹ וְלֹא הָיוּ הוֹלְכִים לְדַרְכָּם – for when he saw them standing opposite him and saw[62] that **they were not going on their way, רָץ לִקְרָאתָם לַהֲבִיאָם אֶל בֵּיתוֹ – he ran toward them to bring them to his house.**[62a]

☐ [מִפֶּתַח הָאֹהֶל – *FROM THE ENTRANCE OF THE TENT.*]

[This phrase seems superfluous, for we have already been told (v. 1) that Abraham was sitting at the entrance of his tent.]

וְטַעַם "מִפֶּתַח הָאֹהֶל" לְהַגִּיד שֶׁהָיָה עֲדַיִן יוֹשֵׁב שָׁם – The reason for the phrase ***from the entrance of the tent*** is to tell us **that he was still sitting there** אַחֲרֵי הִסְתַּלֵּק מִמֶּנּוּ מַרְאֵה הַשְּׁכִינָה – even **after the vision of the Divine Presence had departed from him.**[63]

[Ramban now provides another explanation which explains both the use of עָלָיו and the repetition of מִפֶּתַח הָאֹהֶל:]

וְיִתָּכֵן שֶׁיִּהְיֶה "עָלָיו" עַל הָאֹהֶל, – It is also **possible that the antecedent of עָלָיו** (here translated *over him*) **is** הָאֹהֶל***, the tent***, and not Abraham, **שֶׁהָיוּ קְרוֹבִים אֵלָיו מִן הַצַּד הָאַחֵר שֶׁלֹּא כְּנֶגֶד הַפֶּתַח – for they were near it**[64] **on a different side, which was not facing the entrance.**[65] **וְהָיוּ נִצָּבִים שָׁם וְלֹא הָיוּ מִתְקָרְבִין אֶל אַבְרָהָם, – They were standing there and did not go near Abraham. כְּטַעַם "חֹנִים עַל הַיָּם"** – The word עַל is thus to be understood **in the sense** that it is used in the phrase, ***encamped near the sea*** (*Exodus* 14:9).[66]

61. This differs from Rashi's explanation.

62. Like Rashi, Ramban is bothered by the repetition of the word וַיַּרְא, *he saw*. And like Rashi, he understands the second וַיַּרְא to mean that Abraham saw something in their behavior that caused him to run after them. According to Rashi, the second וַיַּרְא means *he understood* that they did not wish to trouble him. According to Ramban, however, it means *he saw* that they were not hurrying on their way, and might therefore be amenable to stopping at his house for a while.

62a. Ramban offers another interpretation of עָלָיו in his next comment.

63. When the entrance of the tent was mentioned in v. 1, however, it was describing Abraham's position *before* God appeared to him.

64. עַל (usually translated *on*) can also mean *near*, as Ramban will soon show. Taken in this sense, עָלָיו would mean *near him* or *near it*. Ramban asserts that it has the latter meaning, and that *it* refers to the tent.

65. They were standing near the tent, but they were not near Abraham. This is why he "ran toward them."

66. According to this explanation, the repetition of the phrase *from the entrance of the tent* is no longer difficult. The verse means that although both Abraham and the angels were positioned near the tent, he nevertheless had to run toward them, because he was "at the entrance of the tent," and they were on a different side of the tent.

so he ran toward them from the entrance of the tent, and bowed toward the ground. 3 *And he said, "My Lord, if I find favor in Your eyes now, please do not pass away from Your servant."*

רמב״ן

[ג] **אֲדֹנָי אִם נָא מָצָאתִי חֵן בְּעֵינֶיךָ.** מָצִינוּ אוֹתוֹ בִּסְפָרִים קָמוּץ[67]. וְהִנֵּה קְרָאָם בְּשֵׁם רַבָּם בְּאָלֶ״ף דָלֶ״ת, כִּי הִכִּיר בָּהֶם שֶׁהֵם מַלְאֲכֵי עֶלְיוֹן, כַּאֲשֶׁר יִקָּרְאוּ אֱלֹהִים[68] וְאֵלִים[69,70], וְלָכֵן הִשְׁתַּחֲוָה לָהֶם אַרְצָה[71]. □ **אַל נָא תַעֲבֹר מֵעַל עַבְדֶּךָ.** עִם כָּל אֶחָד יְדַבֵּר[72], כְּדֶרֶךְ כָּל הַתּוֹרָה: ״וּשְׁמַרְתֶּם אֶת כָּל חֻקֹּתַי ... וַעֲשִׂיתֶם אֹתָם ...[73] עֶרְוַת אָבִיךָ וְעֶרְוַת אִמְּךָ לֹא תְגַלֵּה״ [ויקרא יח, ה, ז]; ״וּבְקֻצְרְכֶם אֶת קְצִיר אַרְצְכֶם לֹא תְכַלֶּה״ [שם יט, ט]; ״וּבִקַּשְׁתֶּם מִשָּׁם אֶת ה׳ אֱלֹהֶיךָ וּמָצָאתָ כִּי תִדְרְשֶׁנּוּ בְּכָל לְבָבְךָ וּבְכָל נַפְשֶׁךָ״ [דברים ד, כט]; וְרֹב מִשְׁנֵה הַתּוֹרָה כֵּן. וְהֵפֶךְ מִזֶּה: ״רְאֵה אָנֹכִי נֹתֵן לִפְנֵיכֶם הַיּוֹם״ [שם יא, כו][74].

RAMBAN ELUCIDATED

3. אֲדֹנָי אִם נָא מָצָאתִי חֵן בְּעֵינֶיךָ – ***MY LORD, IF I FIND FAVOR IN YOUR EYES NOW.***

[Ramban explains the term אדני[67] in our verse:]

מָצִינוּ אוֹתוֹ בִּסְפָרִים קָמוּץ – **We find this** word **vowelized in the** Torah **texts with a *kamatz,*** i.e., אֲדֹנָי, *My Lord,* referring to God. **וְהִנֵּה קְרָאָם בְּשֵׁם רַבָּם בְּאָלֶ״ף דָלֶ״ת,** – **Thus, [Abraham] referred to the [angels]** collectively **by the Name of their Master, by** the Name beginning with the letters **א״ד,** **כִּי הִכִּיר בָּהֶם שֶׁהֵם מַלְאֲכֵי עֶלְיוֹן** – **for he** immediately **recognized that they were angels of the Supreme One.** **כַּאֲשֶׁר יִקָּרְאוּ אֱלֹהִים וְאֵלִים** – This is **similar** to the phenomenon **that [angels] are called *Elohim***[68] – **and *Elim***[69] – words normally used to refer to God.[70] **וְלָכֵן הִשְׁתַּחֲוָה לָהֶם אַרְצָה** – **This is why he bowed down to the ground to them.**[71]

□ **אַל נָא תַעֲבֹר מֵעַל עַבְדֶּךָ** – ***PLEASE DO NOT PASS AWAY FROM YOUR SERVANT.***

[Ramban explained above that Abraham was speaking to all three angels. He now offers three explanations for Abraham's use of the singular forms בְּעֵינֶיךָ, *in your eyes,* and אַל נָא תַעֲבֹר, *please do not pass away,* rather than the plural בְּעֵינֵיכֶם and תַעַבְרוּ. The first explanation:]

עִם כָּל אֶחָד יְדַבֵּר – **[Abraham] was speaking with each one** of the angels individually.[72] **כְּדֶרֶךְ כָּל הַתּוֹרָה** – This vacillation between singular and plural when speaking to members of a group is **consistent with the style of the whole Torah,** as in the verse: **״וּשְׁמַרְתֶּם אֶת כָּל חֻקֹּתַי ... וַעֲשִׂיתֶם אֹתָם ... עֶרְוַת אָבִיךָ וְעֶרְוַת אִמְּךָ לֹא תְגַלֵּה״** – ***You*** (plural) ***shall observe all My decrees ... and do them ...***[73] ***the nakedness of your*** (singular) ***father and the nakedness of your*** (sing.) ***mother you*** (sing.) ***shall not uncover*** (*Leviticus* 18:5,7); **״וּבְקֻצְרְכֶם אֶת קְצִיר אַרְצְכֶם לֹא תְכַלֶּה״** – ***When you*** (pl.) ***reap the harvest of your*** (pl.) ***land, you*** (sing.) ***shall not remove completely ...*** (ibid. 19:9); **״וּבִקַּשְׁתֶּם מִשָּׁם אֶת ה׳ אֱלֹהֶיךָ וּמָצָאתָ כִּי תִדְרְשֶׁנּוּ בְּכָל לְבָבְךָ וּבְכָל נַפְשֶׁךָ״** – ***And from there you*** (pl.) ***will seek HASHEM your*** (sing.) ***God and you*** (sing.) ***will find Him, if you*** (sing.) ***search for Him with all your*** (sing.) ***heart and all your*** (sing.) ***soul*** (*Deuteronomy* 4:29). **וְרֹב מִשְׁנֵה הַתּוֹרָה כֵּן** – **A good deal of *Deuteronomy* is** written **like this,** with the verse beginning in plural and then switching to singular. **וְהֵפֶךְ מִזֶּה ״רְאֵה אָנֹכִי נֹתֵן לִפְנֵיכֶם הַיּוֹם״** – **The opposite of this** phenomenon is found in the verse: ***See*** (sing.), ***I present before you*** (pl.) ***today*** (ibid. 11:26), where the verse begins in singular and changes to plural.[74]

67. The word אדני can be vowelized either אֲדֹנַי, in which case it means *my lords,* i.e., my superiors, or אֲדֹנָי, meaning, *my Lord,* a reference to God. Its meaning in our verse is the subject of a Talmudic controversy (*Shevuos* 35b), cited in Rashi's commentary on our verse.

68. See Ramban on *Exodus* 20:3.

69. See Ramban on *Exodus* 15:11. See also on above, 14:18.

70. Here, too, Abraham referred to the angels with a word normally used to refer to God.

71. This is a proof that Abraham knew they were angels. If he had thought they were ordinary men (as Rashi writes in v. 4) he would have no reason to bow down to them.

72. After addressing them all collectively as אֲדֹנָי, he phrased his request to them as individuals, using the singular.

73. This quote is from *Leviticus* 20:22, a verse not at all in proximity to the verse cited alongside it (18:7). Apparently, a copyist's error substituted 20:22 for 18:5, which reads: ... וּשְׁמַרְתֶּם אֶת חֻקֹּתַי וְאֶת מִשְׁפָּטַי, *you* (plural) *shall observe My decrees and My laws ...*

74. All these examples should be understood as

ד יִֽקַּֽח־נָ֣א מְעַט־מַ֔יִם וְרַחֲצ֖וּ רַגְלֵיכֶ֑ם וְהִֽשָּׁעֲנ֖וּ
ה תַּ֥חַת הָעֵֽץ׃ וְאֶקְחָ֨ה פַת־לֶ֜חֶם וְסַעֲד֣וּ
לִבְּכֶ֗ם אַחַ֚ר תַּעֲבֹ֔רוּ כִּֽי־עַל־כֵּ֥ן עֲבַרְתֶּ֖ם עַל־
עַבְדְּכֶ֑ם וַיֹּ֣אמְר֔וּ כֵּ֥ן תַּעֲשֶׂ֖ה כַּאֲשֶׁ֥ר דִּבַּֽרְתָּ׃

ד יִסְּבוּן כְּעַן זְעֵיר מַיָּא וְאַסְחוּ רַגְלֵיכוֹן וְאִסְתְּמִיכוּ תְּחוֹת אִילָנָא׃ ה וְאֶסַּב פִּתָּא דִלְחְמָא וּסְעִידוּ לִבְּכוֹן בָּתַר כֵּן תִּעְבְּרוּן אֲרֵי עַל כֵּן עֲבַרְתּוּן עַל עַבְדְּכוֹן וַאֲמָרוּ כֵּן תַּעְבֵּד כְּמָא דִי מַלֵּלְתָּא׃

רש"י

(ד) **יקח נא.** על ידי שליח, והקב"ה שלם לבניו ע"י שליח, שנאמר וירם משה את ידו ויך את הסלע (במדבר כ:יא; ב"מ שם): **ורחצו רגליכם.** כסבור שהם ערביים שמשתחוים לאבק רגליהם (ב"מ שם) והקפיד שלא להכניס עבודה זרה לביתו. אבל לוט שלא הקפיד הקדים לינה לרחיצה, שנאמר ולינו ורחצו רגליכם (להלן יט:ב; ב"ר נ:ד): **תחת העץ.** תחת האילן (אונקלוס): (ה) [**וסעדו לבכם.** בתורה בנביאים ובכתובים מצינו דפתא סעדתא דלבא. בתורה וסעדו לבכם. בנביאים סעד לבך פת לחם (שופטים יט:ה). בכתובים ולחם לבב אנוש יסעד (תהלים קד:טו). א"ר חמא לבבכם אין כתיב כאן אלא לבכם, מגיד שאין יצה"ר שולט במלאכים. בראשית רבה (מח:יא):] **אחר תעבורו.** אחר כך תלכו: **כי על כן עברתם.** כי הדבר הזה אני מבקש מכם מאחר שעברתם עלי לכבודי: **כי על כן.** כמו על אשר, וכן כל כי על כן שבמקרא. כי על כן באו בצל קורתי (להלן יט:ח) כי על כן ראיתי פניך (להלן לג:י) כי על כן לא נתתיה (שם לח:כו) כי על כן ידעת חנותנו (במדבר י:לא):

רמב"ן

וְרַבּוֹתֵינוּ אָמְרוּ [ב"ר מח, י][75]: לַגָּדוֹל שֶׁבָּהֶם אָמַר. וְגַם זֶה יִתָּכֵן[76], שֶׁאָמַר לַגָּדוֹל "אַל נָא תַעֲבֹר", וְאַתָּה וְרֵעֶיךָ אֲשֶׁר יִשָּׁאֲרוּ עִמְּךָ תִּרְחֲצוּ[77] רַגְלֵיכֶם.

וְהַנָּכוֹן בְּעֵינַי, שֶׁקָּרָא אֶת כֻּלָּם אֲדוֹנִים[78]. וּפָנָה אֶל כָּל אֶחָד: לָרִאשׁוֹן אָמַר "אִם נָא מָצָאתִי חֵן בְּעֵינֶיךָ אַל נָא תַעֲבֹר", וְכֵן אָמַר לַשֵּׁנִי, וְכֵן אָמַר לַשְּׁלִישִׁי - לְכָל אֶחָד בִּפְנֵי עַצְמוֹ יִתְחַנֵּן "אִם נָא מָצָאתִי חֵן בְּעֵינֶיךָ אַל נָא תַעֲבֹר מֵעַל עַבְדֶּךָ", וְ"יֻקַּח נָא מְעַט מַיִם וְרַחֲצוּ" כֻּלְּכֶם "רַגְלֵיכֶם"[79]. וְזֶה דֶּרֶךְ מוּסָר

RAMBAN ELUCIDATED

[The second explanation:]

וְרַבּוֹתֵינוּ אָמְרוּ: לַגָּדוֹל שֶׁבָּהֶם אָמַר – Our Sages[75] said in regard to this question: **"He was speaking to the principal one among them."** וְגַם זֶה יִתָּכֵן, שֶׁאָמַר לַגָּדוֹל "אַל נָא תַעֲבֹר", וְאַתָּה וְרֵעֶיךָ אֲשֶׁר יִשָּׁאֲרוּ עִמְּךָ תִּרְחֲצוּ רַגְלֵיכֶם **– This is also possible,[76] that [Abraham] said to the principal one, *"Please do not pass away;* let you** (sing.) **and your** (sing.) **colleagues – who will** of course **remain with you** (sing.) **– wash** (pl.)[77] **your** (pl.) **feet."**

[The third explanation:]

וְהַנָּכוֹן בְּעֵינַי שֶׁקָּרָא אֶת כֻּלָּם אֲדוֹנִים – The soundest interpretation in my view is that [Abraham] called all of them "lords."[78] וּפָנָה אֶל כָּל אֶחָד: **– Then he turned to each one** individually. לָרִאשׁוֹן אָמַר "אִם נָא מָצָאתִי חֵן בְּעֵינֶיךָ אַל נָא תַעֲבֹר," **– To the first one he said, *"If I find favor in your*** (sing.) ***eyes now, please do not pass away*** (sing.) ...," וְכֵן אָמַר לַשֵּׁנִי, וְכֵן אָמַר לַשְּׁלִישִׁי **– and he said the same to the second one, and the same to the third one –** לְכָל אֶחָד בִּפְנֵי עַצְמוֹ יִתְחַנֵּן "אִם נָא מָצָאתִי חֵן בְּעֵינֶיךָ אַל נָא תַעֲבֹר מֵעַל עַבְדֶּךָ," וְ"יֻקַּח נָא מְעַט מַיִם וְרַחֲצוּ" כֻּלְּכֶם "רַגְלֵיכֶם" **– to each one individually he implored, *"If I find favor in your eyes now, please do not pass away from your servant,*** and ***let some water be taken and*** **all of you** ***wash your*** (pl.) ***feet."***[79] וְזֶה דֶּרֶךְ מוּסָר

Ramban has explained in our verse: The words in plural refer to the group collectively, and those in singular refer to the members of the group as individuals.

75. *Bereishis Rabbah* 48, cited by Rashi here.

76. According to the Midrash's explanation, Abraham addressed only one of the angels – the most senior of them – at first. This is a difficult interpretation, however, for after the first few words the use of the plural is resumed. Ramban shows that nevertheless it is possible to explain the verse's change in number using the Midrash's interpretation.

77. Beginning with וְרַחֲצוּ רַגְלֵיכֶם, *and wash your feet,* in v. 4, Abraham resumed speaking in the plural.

78. This is in accordance with the view of the Tanna Kamma in *Shevuos* 35b. According to this interpretation, the word should be translated as *my lords,* and the proper vowelization should be אֲדֹנַי, although this is not the vowelization found in extant manuscripts or printed versions of the *Chumash* (nor was it in Ramban's day, as he has stated above). Ramban goes on to explain why it is vowelized in the singular.

79. The Torah records this sentence only once, but

4 *"Let some water be taken and wash your feet, and recline beneath the tree.* 5 *I will fetch a morsel of bread that you may sustain yourselves, then go on — inasmuch as you have passed your servant's way." They said, "Do so, just as you have said."*

רמב״ן

וְכָבוֹד[80] מֵרֹב חֶפְצוֹ לְהִתְנַדֵּב עִמָּהֶם. וְהִנֵּה הִכִּיר בָּהֶם שֶׁהֵם עוֹבְרֵי דֶרֶךְ וְאֵין חֶפְצָם לָלוּן שָׁם[82], וְלָכֵן לֹא בִקֵּשׁ מֵהֶם רַק שֶׁיֻּקַּח מְעַט מַיִם לִרְחֹץ רַגְלֵיהֶם מְעַט מִפְּנֵי הַחוֹם, לָתֵת מַיִם קָרִים עַל נֶפֶשׁ עֲיֵפָה[83], וְיִשָּׁעֲנוּ תַּחַת הָעֵץ לְרוּחַ הַיּוֹם[84], לֹא יָבוֹאוּ בְּאֹהֶל וּבְמִשְׁכָּן[85]. וְטַעַם **"כִּי עַל כֵּן עֲבַרְתֶּם"**, כִּי אַחֲרֵי שֶׁדַּרְכְּכֶם עָלַי - אֵינֶנּוּ נָכוֹן שֶׁלֹּא תָנוּחוּ מְעַט אֶצְלִי[86].

כֵּן תַּעֲשֶׂה כַּאֲשֶׁר דִּבַּרְתָּ. דֶּרֶךְ מוּסָר, שֶׁבְּפַת לֶחֶם דַּי. לְשׁוֹן רַבִּי אַבְרָהָם.

RAMBAN ELUCIDATED

וְכָבוֹד מֵרֹב חֶפְצוֹ לְהִתְנַדֵּב עִמָּהֶם – **This** form of invitation **was** in accord with **the way of proper behavior and respect,**[80] **because of his great desire to show generosity to them.**

[The question now arises: If Abraham was so anxious to be gracious and generous to his guests, why did his invitation include only "a bit of water" for washing their feet, an opportunity to recline under the tree, and a morsel of bread? Why did he not offer them lodging or a more substantial meal?[81]]

וְהִנֵּה הִכִּיר בָּהֶם שֶׁהֵם עוֹבְרֵי דֶרֶךְ וְאֵין חֶפְצָם לָלוּן שָׁם – **[Abraham] recognized that they were traveling on the road** to their destination **and would not want to spend the night there;**[82] **וְלָכֵן לֹא בִקֵּשׁ מֵהֶם רַק שֶׁיֻּקַּח מְעַט מַיִם לִרְחֹץ רַגְלֵיהֶם מְעַט מִפְּנֵי הַחוֹם** – **this is why he requested of them only that some water be brought to wash their feet a bit because of the heat,** **לָתֵת מַיִם קָרִים עַל נֶפֶשׁ עֲיֵפָה** – **putting "cold water on a weary soul,"**[83] **וְיִשָּׁעֲנוּ תַּחַת הָעֵץ לְרוּחַ הַיּוֹם** – **and that they recline beneath the tree "in the daytime breeze";**[84] **לֹא יָבוֹאוּ בְּאֹהֶל וּבְמִשְׁכָּן** – but **not for them to enter "a tent or dwelling."**[85] **וְטַעַם "כִּי עַל כֵּן עֲבַרְתֶּם"** – This is also **the explanation of** the words, ***inasmuch as you have passed*** *your servant's way.* **כִּי אַחֲרֵי שֶׁדַּרְכְּכֶם עָלַי אֵינֶנּוּ נָכוֹן שֶׁלֹּא תָנוּחוּ מְעַט אֶצְלִי** – Abraham meant, "I would normally not detain you at all, but **since you have** already **passed my way it would not be proper if you would not rest a bit by me."**[86]

☐ **כֵּן תַּעֲשֶׂה כַּאֲשֶׁר דִּבַּרְתָּ** – ***DO SO, JUST AS YOU HAVE SAID.***

[It seems to be somewhat inappropriate for a guest to demand that his host serve him, even if the host had already offered to do it.[86a] Ramban cites Ibn Ezra's explanation:]

דֶּרֶךְ מוּסָר שֶׁבְּפַת לֶחֶם דַּי – **This was an** appropriate response according to the **proper manner of behavior,** telling Abraham **that with a morsel of bread,** it will be **sufficient.** **לְשׁוֹן רַבִּי אַבְרָהָם** – This is **a quote from Rabbi Avraham** Ibn Ezra.

Abraham actually said it three times, once to each angel.

80. In order to make each one feel welcome, Abraham repeated his invitation to each one individually.

81. Indeed, that is what his nephew Lot did when they came to him in Sodom (below, 19:2; see Rashbam here).

82. They would not want to be delayed in their traveling.

83. A phrase borrowed from *Proverbs* 25:25. Ramban means that Abraham gave water to refresh them, and not, as Rashi says, to clean the dirt from their feet.

84. Stylistic citation from above, 3:8.

85. Stylistic citation from *II Samuel* 7:6.

86. [Although Abraham recognized that his "visitors" were angels, nonetheless, when an angel is sent to earth for a mission he conducts himself in accordance with the needs of mortal men (*Shemos Rabbah* 47:5); thus Abraham offered them a place to rest.]

86a. Alternatively: We would expect the guest to have replied, כֵּן נַעֲשֶׂה, *so shall we do.* Ramban explains why they said כֵּן תַּעֲשֶׂה, *so shall you do.*

ו וַיְמַהֵר אַבְרָהָם הָאֹהֱלָה אֶל־שָׂרָה וַיֹּאמֶר
מַהֲרִי שְׁלֹשׁ סְאִים קֶמַח סֹלֶת לוּשִׁי וַעֲשִׂי
ז עֻגוֹת: וְאֶל־הַבָּקָר רָץ אַבְרָהָם וַיִּקַּח בֶּן־בָּקָר
רַךְ וָטוֹב וַיִּתֵּן אֶל־הַנַּעַר וַיְמַהֵר לַעֲשׂוֹת אֹתוֹ:
ח וַיִּקַּח חֶמְאָה וְחָלָב וּבֶן־הַבָּקָר אֲשֶׁר עָשָׂה וַיִּתֵּן
לִפְנֵיהֶם וְהוּא עֹמֵד עֲלֵיהֶם תַּחַת הָעֵץ וַיֹּאכֵלוּ:

ו וְאוֹחִי אַבְרָהָם לְמַשְׁכְּנָא לְוָת שָׂרָה וַאֲמַר אוֹחָא תְּלָת סְאִין קִמְחָא דְסָלְתָּא לוּשִׁי וְעַבִידִי גְרִיצָן: ז וּלְוָת תּוֹרֵי רְהַט אַבְרָהָם וּדְבַר בַּר תּוֹרֵי רַכִּיךְ וְטָב וִיהַב לְעוּלֵימָא וְאוֹחִי לְמֶעְבַּד יָתֵהּ: ח וּנְסִיב שְׁמַן וַחֲלָב וּבַר תּוֹרֵי דִּי עֲבַד וִיהַב קֳדָמֵיהוֹן וְהוּא מְשַׁמֵּשׁ עֲלָוֵיהוֹן תְּחוֹת אִילָנָא וַאֲכָלוּ:

רש״י

(ו) **קמח סלת.** סלת לעוגות. קמח לעמילן של טבחים לכסות את הקדירה [ו]לשאוב את הזוהמא (עי׳ ב״מ שם, פסחים מב:): (ז) **בן בקר רך וטוב.** ג׳ פרים היו, כדי להאכילן ג׳ לשונות בחרדל (ב״מ שם): **אל הנער.** זה ישמעאל, לחנכו במצות (ב״ר שם יג): (ח) **ויקח חמאה וגו׳.** ולחם לא הביא, לפי שפירסה שרה נדה, שחזר לה אורח נשים אותו היום ונטמאת העיסה (ב״ר שם יד; ב״מ פז.): **חמאה.** שומן החלב שקולטין מעל פניו: **ובן הבקר אשר עשה.** אשר תקן, קמא קמא שתיקן אמטי ואייתי קמייהו (ב״מ פו:): **ויאכלו.** נראו כמו שאכלו, מכאן שלא ישנה אדם מן המנהג (שם):

רמב״ן

אוֹ יֹאמַר, כֵּן תַּעֲשֶׂה לָנוּ, לְהִשָּׁעֵן תַּחַת הָעֵץ וְלַעֲבֹר מִיָּד, כִּי שְׁלוּחִים אֲנַחְנוּ, וְאַל תְּעַכְּבֵנוּ לָבֹא בְּאֹהֶל אוֹ לָלוּן עִמָּךְ.

[ו] קֶמַח סֹלֶת. סֹלֶת לְעֻגוֹת, קֶמַח[87] לַעֲמִילָן שֶׁל טַבָּחִים לְכַסּוֹת אֶת הַקְּדֵרָה לִשְׁאֹב אֶת הַזֻּהֲמָא[88].
לְשׁוֹן רַשִׁ״י, וְכָךְ הוּא בִּבְרֵאשִׁית רַבָּה [מח, יב][89].

וְשָׁם פֵּרְשׁוּ שֶׁהָיוּ שָׁלֹשׁ סְאִים[89a] לְכָל אֶחָד[89b]. וְלֹא יָדַעְנוּ לָמָּה הִרְבָּה בְּלֶחֶם כָּל כָּךְ לִשְׁלֹשָׁה אֲנָשִׁים.

RAMBAN ELUCIDATED

אוֹ יֹאמַר – **Alternatively: The verse means** that the angels said, כֵּן תַּעֲשֶׂה לָנוּ לְהִשָּׁעֵן תַּחַת הָעֵץ וְלַעֲבֹר מִיָּד – **"So shall you do for us,** i.e., allow us **to recline under the tree and** then **to leave immediately** כִּי שְׁלוּחִים אֲנַחְנוּ – **for we are agents** on a mission; וְאַל תְּעַכְּבֵנוּ לָבֹא בְּאֹהֶל אוֹ לָלוּן עִמָּךְ – **do not detain us** by asking us **to enter a tent or to spend the night with you."**

6. קֶמַח סֹלֶת – *FLOUR, MEAL.*

["Meal" and "flour" are two different things.[87] Why did Abraham include both in his instruction to Sarah? Ramban cites Rashi:]

סֹלֶת לְעֻגוֹת – *Meal* for the cakes, קֶמַח לַעֲמִילָן שֶׁל טַבָּחִים לְכַסּוֹת אֶת הַקְּדֵרָה לִשְׁאֹב אֶת הַזֻּהֲמָא – and ***flour* for the dough of cooks,** which they use **to cover the pot so as to absorb the froth.**[88]

לְשׁוֹן רַשִׁ״י, וְכָךְ הוּא בִּבְרֵאשִׁית רַבָּה – This is **a quote from Rashi, and so it is** stated **in *Bereishis Rabbah*** (48:12).[89]

[Ramban cites another detail from the same Midrash and explains it:]

וְשָׁם פֵּרְשׁוּ שֶׁהָיוּ שָׁלֹשׁ סְאִים לְכָל אֶחָד – There they explain as well **that there were three *se'ahs*[89a] *for each one*.**[89b] **וְלֹא יָדַעְנוּ לָמָּה הִרְבָּה בְּלֶחֶם כָּל כָּךְ לִשְׁלֹשָׁה אֲנָשִׁים – We do not know why he made so**

87. קֶמַח, *flour,* is the material produced when wheat (or another grain) is ground in a mill. When this flour is sifted, the fine flour goes through the sieve, while the coarser flour, called סֹלֶת, *meal,* remains in the sieve. (See *Avos* 5:15; Radak's *Sefer HaShorashim.*)

88. According to Rashi, then, Sarah was to prepare cakes of flour as well as cakes of meal. [According to this interpretation, the implied word "and" must be inserted between "flour" and "meal."] This is in contradistinction to the interpretation of Rashbam and Radak, that Sarah was to prepare only one kind of cake, which was made from "meal of flour." [According to that interpretation there is no need to insert "and" between "flour" and "meal."]

89. *Bereishis Rabbah,* like Rashi, interprets that Sarah was to prepare two distinct types of cake, one from "flour" and one from "meal." However, the Midrash and Rashi differ in some details.

89a. Opinions regarding the modern-day equivalent of a *se'ah* range between .25 and .5 bushel.

89b. The Midrash there explains that Abraham asked her to make three types of food from the flour and meal, and records two opinions regarding how much she should make of each: (a) three *se'ah* of each food, for a total of nine *se'ah;* (b) one *se'ah* of each, for a total of three *se'ah.*

6 *So Abraham hastened to the tent to Sarah and said, "Hurry! Three se'ahs of flour, meal! Knead and make cakes!"* 7 *Then Abraham ran to the cattle, took a calf, tender and good, and gave it to the youth who hurried to prepare it.* 8 *He took cream and milk and the calf which he had prepared, and placed these before them; he stood over them beneath the tree and they ate.*

רמב״ן

אולַי יָדַע הִסְתַּלְּקוּת הַמַּאֲכָל רִאשׁוֹן רִאשׁוֹן[90], וְהוּא כִּמְרַבֶּה עוֹלוֹת לַמִּזְבֵּחַ, אוֹ שֶׁסָּעֲדוּ גְּדוֹלֵי בֵּיתוֹ עִמָּהֶם לִכְבוֹדָם.

וְעַל דֶּרֶךְ הַפְּשָׁט, מַהֲרִי שְׁלֹשׁ סְאִים קֶמַח לַעֲשׂוֹת מֵהֶן סֹלֶת. וְהִנֵּה הוֹצִיאָה מִכָּל הַשָּׁלֹשׁ סְאִין סֹלֶת נְקִיָּה מְעַט.

[ז] וְטַעַם **וְאֶל הַבָּקָר רָץ אַבְרָהָם**, לְהַגִּיד רוֹב חֶשְׁקוֹ בִּנְדִיבוֹת. כִּי הָאָדָם הַגָּדוֹל, אֲשֶׁר הָיוּ בְּבֵיתוֹ שְׁמוֹנָה עָשָׂר וּשְׁלֹשׁ מֵאוֹת אִישׁ שׁוֹלֵף חֶרֶב, וְהוּא זָקֵן מְאֹד וְחָלוּשׁ בְּמִילָתוֹ - הָלַךְ הוּא בְּעַצְמוֹ אֶל אֹהֶל שָׂרָה לְזָרֵז אוֹתָהּ בַּעֲשִׂיַּת הַלֶּחֶם, וְאַחֲרֵי כֵן רָץ אֶל מְקוֹם הַבָּקָר לְבַקֵּר מִשָּׁם "בֶּן בָּקָר רַךְ וָטוֹב" לַעֲשׂוֹת לְאוֹרְחָיו, וְלֹא עָשָׂה כָּל זֶה עַל יְדֵי אֶחָד מִמְּשָׁרְתָיו הָעוֹמְדִים לְפָנָיו.

RAMBAN ELUCIDATED

much bread for only **three people.** **אולַי יָדַע הִסְתַּלְּקוּת הַמַּאֲכָל רִאשׁוֹן רִאשׁוֹן, וְהוּא כִּמְרַבֶּה עוֹלוֹת לַמִּזְבֵּחַ** – **Perhaps he knew about** the concept of **"the disappearance of the food one** piece **after the other,"**[90] so by preparing such a large amount of food **he was like one who brings many burnt-offerings upon the Altar.** **אוֹ שֶׁסָּעֲדוּ גְּדוֹלֵי בֵּיתוֹ עִמָּהֶם לִכְבוֹדָם** – **Alternatively,** the large amount of bread was necessary because **the senior members of his household ate with them, as an honor for them.**

[Ramban returns to the original question: Why did Abraham mention both "meal" and "flour"? Having presented the Midrash's answer, he now proposes his own explanation:]

וְעַל דֶּרֶךְ הַפְּשָׁט – **According to the plain meaning** of the verse, Abraham meant: **מַהֲרִי שְׁלֹשׁ סְאִים קֶמַח לַעֲשׂוֹת מֵהֶן סֹלֶת** – **"Quickly bring three *se'ahs* of** unsifted **flour, from which to prepare meal** by sifting it." **וְהִנֵּה הוֹצִיאָה מִכָּל הַשָּׁלֹשׁ סְאִין סֹלֶת נְקִיָּה מְעַט** – **She then extracted from all three *se'ahs*** of flour **just a bit of pure meal,** an appropriate amount for three guests.

7. [וְאֶל הַבָּקָר רָץ אַבְרָהָם – *THEN ABRAHAM RAN TO THE CATTLE.*]

[Why did Abraham have to "run" to the cattle?]

וְטַעַם "וְאֶל הַבָּקָר רָץ אַבְרָהָם" לְהַגִּיד רוֹב חֶשְׁקוֹ בִּנְדִיבוֹת – **The significance of** the phrase ***then Abraham ran to the cattle*** **is to tell** us **of his great desire to act generously.** **כִּי הָאָדָם הַגָּדוֹל אֲשֶׁר הָיוּ בְּבֵיתוֹ שְׁמוֹנָה עָשָׂר וּשְׁלֹשׁ מֵאוֹת אִישׁ שׁוֹלֵף חֶרֶב** – **For this great man, who had three hundred and eighteen men bearing swords in his household,** and thus must have had many servants to attend to the chores, **וְהוּא זָקֵן מְאֹד וְחָלוּשׁ בְּמִילָתוֹ** – **and who was very old and weakened by his** recent **circumcision,** **הָלַךְ הוּא בְּעַצְמוֹ אֶל אֹהֶל שָׂרָה לְזָרֵז אוֹתָהּ בַּעֲשִׂיַּת הַלֶּחֶם** – **went himself to Sarah's tent to urge her on about making the bread,** **וְאַחֲרֵי כֵן רָץ אֶל מְקוֹם הַבָּקָר לְבַקֵּר מִשָּׁם "בֶּן בָּקָר רַךְ וָטוֹב" לַעֲשׂוֹת לְאוֹרְחָיו** – **and afterwards ran** himself **to the place of the cattle, to choose from there *a calf, tender and good,*** **to prepare for his guests,** **וְלֹא עָשָׂה כָּל זֶה עַל יְדֵי אֶחָד מִמְּשָׁרְתָיו הָעוֹמְדִים לְפָנָיו** – **and he did not do all this through one of his attendants who stood** in wait **before him.**

90. See Ramban above, on v. 1, with note 42. [Ramban says "perhaps" because this concept is first mentioned in Scripture in the incident of Manoah in *Judges* 13; it is not certain that Abraham was aware of it.]

ט וַיֹּאמְרוּ אֵלָיו אַיֵּה שָׂרָה אִשְׁתֶּךָ וַיֹּאמֶר
י הִנֵּה בָאֹהֶל: וַיֹּאמֶר שׁוֹב אָשׁוּב אֵלֶיךָ
כָּעֵת חַיָּה וְהִנֵּה־בֵן לְשָׂרָה אִשְׁתֶּךָ וְשָׂרָה
שֹׁמַעַת פֶּתַח הָאֹהֶל וְהוּא אַחֲרָיו:

ט וַאֲמָרוּ לֵהּ אָן שָׂרָה אִתְּתָךְ וַאֲמַר הָא בְמַשְׁכְּנָא: י וַאֲמַר מִתַּב אֵתוּב לְוָתָךְ כְּעִדָּן דְּאַתּוּן קַיָּמִין וְהָא בַר לְשָׂרָה אִתְּתָךְ וְשָׂרָה שְׁמַעַת בִּתְרַע מַשְׁכְּנָא וְהוּא אֲחוֹרוֹהִי:

רש״י

(ט) **ויאמרו אליו.** נקוד על אי״ו [שבאליו], ותניא ר' שמעון בן אלעזר אומר כל מקום שהכתב רבה על הנקודה אתה דורש הכתב, וכאן הנקודה רבה על הכתב ואתה דורש הנקודה, שאף לשרה שאלו איו אברהם, למדנו שישאל אדם באכסניא שלו לאיש על האשה ולאשה על האיש (ב״ר מח:טו) [בבבא מציעא (פז.) איתא, יודעין היו מלאכי השרת שרה אמנו היכן היתה, אלא להודיע שצנועה היתה כדי לחבבה על בעלה. אמר רבי יוסי בר חנינא, כדי לשגר לה כוס של ברכה]: **הנה באהל.** צנועה היא: (י) **בעת חיה.** כעת הזאת לשנה הבאה, ופסח היה, ולפסח הבא נולד יצחק (סדר עולם פ״ה) מדלא קרינן כְּעֵת אלא כָּעֵת: **בעת חיה.** כעת הזאת שתהא חיה לכם, שתהיו כלכם שלמים וקיימים (אונקלוס): **שוב אשוב.** לא בשרו המלאך שישוב אליו, אלא בשליחותו של מקום אמר לו, כמו ויאמר לה מלאך ה' הרבה ארבה (לעיל טז:י) והוא אין בידו להרבות, אלא בשליחותו של מקום, אף כאן בשליחותו של מקום אמר לו כן [אלישע אמר לשונמית למועד הזה כעת חיה את חובקת בן. ותאמר, אל אדני איש האלהים, אל תכזב בשפחתך (מלכים ב ד:טז), אותן המלאכים שבשרו את שרה אמרו למועד אשוב. אמר לה אלישע, אותן המלאכים שהם חיים וקיימים לעולם אמרו למועד אשוב, אבל אני בשר ודם שהיום חי ומחר מת, בין חי ובין מת למועד הזה וגו' (ב״ר נג:ב)]: **והוא אחריו.** הפתח היה אחר המלאך (מדרש אגדה):

רמב״ן

[י] **שׁוֹב אָשׁוּב אֵלֶיךָ** לְשׁוֹן רַשִׁ״י: לֹא בִשְּׂרוֹ הַמַּלְאָךְ שֶׁיָּשׁוּב אֵלָיו, אֶלָּא בִּשְׁלִיחוּתוֹ שֶׁל מָקוֹם אָמַר לוֹ[90a]. כְּמוֹ "וַיֹּאמֶר לָהּ מַלְאַךְ ה' הַרְבָּה אַרְבֶּה אֶת זַרְעֵךְ", וְהוּא אֵין בְּיָדוֹ לְהַרְבּוֹת, אֶלָּא בִּשְׁלִיחוּתוֹ שֶׁל מָקוֹם אָמַר [לוֹ] לָהּ[90b, 90c], אַף כָּאן בִּשְׁלִיחוּתוֹ שֶׁל מָקוֹם אָמַר לוֹ.

וְהֻצְרַךְ הָרַב לֵאמֹר כֵּן, מִפְּנֵי שֶׁהַקָּדוֹשׁ בָּרוּךְ הוּא אָמַר לוֹ בְּכָאן "לַמּוֹעֵד אָשׁוּב אֵלֶיךָ".

וּבֵין בַּמַּלְאָךְ אוֹ בְּהַקָּדוֹשׁ בָּרוּךְ הוּא לֹא מָצִינוּ שֶׁשָּׁב אֵלָיו לְמוֹעֲדוֹ!

RAMBAN ELUCIDATED

10. שׁוֹב אָשׁוּב אֵלֶיךָ – *I WILL SURELY RETURN TO YOU.*

[Who was to return to Abraham and Sarah – the angel or God? And did this return visit actually occur? Ramban begins his discussion of these questions by citing Rashi:]

לְשׁוֹן רַשִׁ״י – The following is **a quote from Rashi:** **לֹא בִשְּׂרוֹ הַמַּלְאָךְ שֶׁיָּשׁוּב אֵלָיו, אֶלָּא בִּשְׁלִיחוּתוֹ שֶׁל מָקוֹם אָמַר לוֹ** – **[The angel] did not inform him that he,** personally, **would return to him. Rather, he said** this **to [Abraham] in the agency of the Omnipresent.**[90a] **כְּמוֹ "וַיֹּאמֶר לָהּ מַלְאַךְ ה' הַרְבָּה אַרְבֶּה אֶת זַרְעֵךְ", וְהוּא אֵין בְּיָדוֹ לְהַרְבּוֹת** – It is **like** we find in the verse, ***An angel of Hashem said to her, "I will greatly increase your offspring"*** (above, 16:10), **yet he** (the angel) **does not have the ability to increase** her offspring; **אֶלָּא בִּשְׁלִיחוּתוֹ שֶׁל מָקוֹם אָמַר לוֹ [לָהּ]** – **rather, he said** this **to her**[90b] **in the agency of the Omnipresent.**[90c] **אַף כָּאן בִּשְׁלִיחוּתוֹ שֶׁל מָקוֹם אָמַר לוֹ** – **Here, too, he said** this **to him in the agency of the Omnipresent.**

[Ramban explains what forced Rashi to interpret the verse in this manner:]

וְהֻצְרַךְ הָרַב לֵאמֹר כֵּן – **The rabbi** (Rashi) **was forced to say this** **מִפְּנֵי שֶׁהַקָּדוֹשׁ בָּרוּךְ הוּא אָמַר לוֹ בְּכָאן "לַמּוֹעֵד אָשׁוּב אֵלֶיךָ"** – **because the Holy One, Blessed is He, said to [Abraham] here, *"At the appointed time I will return to you"*** (v. 14), so that it was God – and not the angels – who was to return to Abraham the following year.

[Ramban notes an unresolved difficulty here:]

וּבֵין בַּמַּלְאָךְ אוֹ בְּהַקָּדוֹשׁ בָּרוּךְ הוּא לֹא מָצִינוּ שֶׁשָּׁב אֵלָיו לְמוֹעֲדוֹ – **But we do not find that either the angel**

90a. That is, the angel meant that God would return.

90b. Most editions of Rashi do not include the words אָמַר לָהּ, *he said [this] to her,* and virtually all editions of Ramban cite Rashi as saying אָמַר לוֹ, *he said [this] to him.* However, the Alkabetz edition of Rashi (1476), which most closely matches the Rashi texts cited by Ramban, includes the words אָמַר לָהּ, *he said [this] to her.* It is possible that Ramban originally had the abbreviation א״ל, which a copyist mistakenly interpreted as the common אָמַר לוֹ, *he said [this] to him.*

90c. That is, the angel meant that God would increase her offspring.

[9] *They said to him, "Where is Sarah your wife?" And he said, "Behold! — in the tent!"*

[10] *And he said, "I will surely return to you at this time next year, and behold Sarah your wife will have a son." Now Sarah was listening at the entrance of the tent which was behind him.*

רמב"ן

אולי נכלל בלשון "וה' פקד את שרה כאשר אמר ויעש ה' לשרה כאשר דבר"[91].

ורבי אברהם אמר[92], כי "ויאמר ה' אל אברהם" הוא דבר המלאך בשם שולחו[93], ושב אליו "למועד אשר דבר אתו", ואם לא נכתב.

והנכון בעיני שהוא מן "לתשובת השנה"[94], - יאמר כי שוב אשוב אליך כעת הזאת, שתהיו בו חיים[95], ויהיה בן לשרה אשתך[96]. וזהו כאשר נאמר לאברהם "למועד הזה בשנה האחרת". ויהיה "אשוב" כמו "ושב ה' אלהיך... ושב וקבצך" [דברים ל, ג][97].

RAMBAN ELUCIDATED

***or* the Holy One, Blessed is He, returned to [Abraham] at His appointed time!**

[Ramban suggests a solution:]

אולי נכלל בלשון "וה' פקד את שרה כאשר אמר ויעש ה' לשרה כאשר דבר" – Perhaps [God's return] is included in the expression, *HASHEM remembered Sarah as He had said; and HASHEM did for Sarah as He had spoken* (below, 21:1).[91] God, then, did indeed come back to Abraham and Sarah at the appointed time.

[Ramban turns to Ibn Ezra's approach to our verse:]

ורבי אברהם אמר – Rabbi Avraham Ibn Ezra **says**[92] **כי "ויאמר ה' אל אברהם" הוא דבר המלאך בשם שולחו – that** when verse 13 states, ***HASHEM said to Abraham,*** "... *[At the appointed time I will return to you,]*" **it is** in fact **the words of the angel,** speaking **in the name of his Sender;**[93] **ושב אליו "למועד אשר דבר אתו" – and he *did* return to [Abraham] *at the appointed time of which He had spoken,*** (below, 21:2) **ואם לא נכתב – although this is not written** explicitly.

והנכון בעיני שהוא מן "לתשובת השנה" – The soundest interpretation **in my view is that [the word שוב]** here **is from** the expression **לתשובת השנה** ***(at the return of the year)*** *(II Samuel* 11:1).[94] **יאמר כי שוב אשוב אליך כעת הזאת שתהיו בו חיים ויהיה בן לשרה אשתך – [God] was saying, "For I will surely bring back this very season for you, and you** (Abraham and Sarah) **will be alive** then,[95] **and Sarah your wife will have a son."**[96] **וזהו כאשר נאמר לאברהם "למועד הזה בשנה האחרת" – This** statement **was** thus **the same as was said to Abraham,** *"Isaac, whom Sarah will bear to you **this time next year**"* (above, 17:21). **ויהיה "אשוב" כמו "ושב ה' אלהיך ... ושב וקבצך" –** According to this interpretation, **אשוב would be like** the similar word in the verse, ***Then HASHEM your God will bring back** your captivity... **and He will bring you back and gather you in*** *(Deuteronomy* 30:3).[97]

---

91. When this verse tells us *HASHEM did as He had said,* it includes God's return visit to Abraham and Sarah upon Isaac's birth. Thus, although it is not mentioned explicitly, God did indeed return.

92. Ibn Ezra implies this here (on vv. 12-13) and below, on 21:2.

93. Ibn Ezra's interpretation, then, is the diametric opposite of Rashi's. Rashi interprets the angel's promise to return (v. 10) to be the word of God, so that it should accord with verse 14, where it is God who made that promise. Ibn Ezra interprets God's promise of verse 14 to be the words of the angel, so that it should accord with v. 10, where it is the angel who makes that promise.

94. Ramban asserts that שוב in our verse does not mean *to return* at all, but rather *to cause [a cycle of time] to return.*

95. Ramban's explanation for the word חיה – *you will be alive then* – concurs with Rashi's interpretation of the word.

96. Ramban agrees with Rashi that the angel was speaking in the agency of God. However, he does not say, as Rashi does, that God told Abraham that he would return. Rather, by שוב אשוב אליך, God meant something else entirely, as Ramban explains.

97. אשוב would usually be translated as *I shall return (come back).* However, it can also have the meaning *I shall cause [others] to return,* as in the verse cited by Ramban. It is this causative meaning that Ramban attributes to the words שוב אשוב in our verse, so that they mean, *I shall surely cause [the cycle of time] to return.*

יא וְאַבְרָהָם וְשָׂרָה זְקֵנִים בָּאִים בַּיָּמִים חָדַל
יב לִהְיוֹת לְשָׂרָה אֹרַח כַּנָּשִׁים: וַתִּצְחַק שָׂרָה
בְּקִרְבָּהּ לֵאמֹר אַחֲרֵי בְלֹתִי הָיְתָה־לִּי עֶדְנָה
יג וַאדֹנִי זָקֵן: וַיֹּאמֶר יהוה אֶל־אַבְרָהָם
לָמָּה זֶּה צָחֲקָה שָׂרָה לֵאמֹר הַאַף אֻמְנָם
יד אֵלֵד וַאֲנִי זָקַנְתִּי: הֲיִפָּלֵא מֵיהוה דָּבָר
לַמּוֹעֵד אָשׁוּב אֵלֶיךָ כָּעֵת חַיָּה וּלְשָׂרָה בֵן:

יא וְאַבְרָהָם וְשָׂרָה סִיבוּ עֲלוּ
בְּיוֹמִין פְּסַק מִלְּמֶהֱוֵי לְשָׂרָה
אוֹרַח כִּנְשַׁיָּא: יב וְחַיְכַת שָׂרָה
בִּמְעָהָא לְמֵימָר בָּתַר דְּסֵיבִית
הֲוַת לִי עוּלֵימוּ וְרִבּוֹנִי סִיב:
יג וַאֲמַר יְיָ לְאַבְרָהָם לְמָא
דְנָן חַיְכַת שָׂרָה לְמֵימַר
הַבְרַם בְּקוּשְׁטָא אוֹלִיד וַאֲנָא
סֵיבִית: יד הֲיִתְכַּסֵּי מִן קֳדָם
יְיָ פִּתְגָּמָא לִזְמַן אִתּוּב לְוָתָךְ
כְּעִדָּן דְּאַתּוּן קַיָּמִין וּלְשָׂרָה בָר:

רש"י

(יא) חדל להיות. פסק ממנה (ב"ר מח:טז): אורח כנשים. אורח נדות: (יב) בקרבה. מסתכלת במעיה ואומרת אפשר הקרבים הללו טעונין ולד, השדים הללו שצמקו מושכין חלב. תנחומא (שופטים יח): עדנה. צחות בשר (ב"מ פז.), ול' משנה משיר את השער ומעדן את הבשר (מנחות פו.). ד"א, לשון עידן, זמן וסת נדות (ב"ר מח:יז): (יג) האף אמנם. הגם אמת אלד: ואני זקנתי. שינה הכתוב מפני השלום, שהרי היא אמרה ואדני זקן (ב"מ שם; ב"ר שם יח): (יד) היפלא. כתרגומו, היתכסי, וכי שום דבר מופלא ומופרד ומכוסה ממני מלעשות כרצוני: למועד. לאותו מועד המיוחד שקבעתי לך אתמול, למועד הזה בשנה האחרת:

רמב"ן

[יא] בָּאִים בַּיָּמִים הָאָדָם בִּימֵי בְּחוּרוֹתָיו יִקָּרֵא "עוֹמֵד בַּיָּמִים"[98], וְיִקָּרְאוּ "יָמָיו" כִּי הֵם שֶׁלּוֹ[99], כִּלְשׁוֹן "אֶת מִסְפַּר יָמֶיךָ אֲמַלֵּא" [שמות כג, כו][100]. אֲבָל כַּאֲשֶׁר יַזְקִין וְיִחְיֶה יָמִים רַבִּים מֵרֹב בְּנֵי הָאָדָם בְּדוֹרוֹ יִקָּרֵא "בָּא בַּיָּמִים" מִפְּנֵי שֶׁהוּא כְּבָא בְּאֶרֶץ אַחֶרֶת, נוֹסֵעַ מֵעִיר וּבָא אֶל עִיר[101] מִיּוֹם אֶל יוֹם[102].

□ **חָדַל לִהְיוֹת לְשָׂרָה אֹרַח כַּנָּשִׁים.** הוּא הַזְּמַן לְהֵרָיוֹן, כִּי אַחֲרֵי הִפָּסֵק הָאֹרַח מֵחֲמַת זִקְנָה לֹא תַּהֲרֶינָה[103].

RAMBAN ELUCIDATED

11. בָּאִים בַּיָּמִים – ***WELL ON IN YEARS.***

[Ramban explains the implication of the expression בָּאִים בַּיָּמִים, lit., "coming in years":]

הָאָדָם בִּימֵי בְּחוּרוֹתָיו יִקָּרֵא "עוֹמֵד בַּיָּמִים" – **A person in his days of youth is called "stationary in days,"**[98] **וְיִקָּרְאוּ "יָמָיו" כִּי הֵם שֶׁלּוֹ,** – **and** furthermore, **[the days of his life] are called *"his* days," for they belong to him,**[99] **כִּלְשׁוֹן "אֶת מִסְפַּר יָמֶיךָ אֲמַלֵּא"** – **as in the expression, *I shall fill the number of "your" days*** (*Exodus* 23:26).[100] **אֲבָל כַּאֲשֶׁר יַזְקִין וְיִחְיֶה יָמִים רַבִּים מֵרֹב בְּנֵי הָאָדָם בְּדוֹרוֹ יִקָּרֵא "בָּא בַּיָּמִים"** – **When he grows old, however, and has lived more years than most people of his generation, he is called "coming in years," מִפְּנֵי שֶׁהוּא כְּבָא בְּאֶרֶץ אַחֶרֶת** – **because he is like someone who comes to a different land, נוֹסֵעַ מֵעִיר וּבָא אֶל עִיר מִיּוֹם אֶל יוֹם** – traveling from one **city and arriving at** another **city**[101] **day after day.**[102]

□ **חָדַל לִהְיוֹת לְשָׂרָה אֹרַח כַּנָּשִׁים** – ***THE MANNER OF WOMEN HAD CEASED TO BE WITH SARAH.***

[Ramban explains why the Torah must mention this fact after having stated that Sarah was old, well on in her years:]

הוּא הַזְּמַן לְהֵרָיוֹן – **This,** i.e., the time of life during which women experience the "manner of women" **is the time for conception, כִּי אַחֲרֵי הִפָּסֵק הָאֹרַח מֵחֲמַת זִקְנָה לֹא תַּהֲרֶינָה** – **for after the "manner** of women**" has stopped due to old age, they cannot conceive.**[103]

98. This expression does not occur anywhere in *Tanach.* It is an idiom that denotes security and permanence, for a youthful person feels secure in his way of life and in his future.

99. That is, he has a feeling of being in control of his daily dealings and his future.

100. For the elderly, however, the expression is בָּאִים בַּיָּמִים, *coming in days,* and not בָּאִים בִּימֵיהֶם, *coming in "their" days,* because, as a consequence of their insecurity, their days are not considered their own.

101. He feels a lack of security and permanence, like a newcomer to a strange city, not knowing what tomorrow will bring.

102. Ramban's phrase מִיּוֹם אֶל יוֹם, *from day to day,* is a paraphrase of the word בַּיָּמִים in the expression בָּאִים בַּיָּמִים. The expression as a whole thus means, *one who [feels as if he] is coming [to a new city] day after day.*

103. Ramban stresses that it was not old age *per se* that made Sarah an unlikely candidate for pregnancy (see Ramban below, 46:15); rather, she could not

[11] *Now Abraham and Sarah were old, well on in years; the manner of women had ceased to be with Sarah —*

[12] *And Sarah laughed to herself, saying, "After I have withered, shall I again have delicate skin? And my husband is old!"*

[13] *Then HASHEM said to Abraham, "Why is it that Sarah laughed, saying: 'Shall I in truth bear a child, though I have become old?'*

[14] *— Is anything beyond HASHEM?! At the appointed time I will return to you at this time next year, and Sarah will have a son."*

רמב״ן

[יג] וַאֲנִי זָקַנְתִּי הוא פֵּרוּשׁ "אַחֲרֵי בְלֹתִי", וּדְבָרָיו אֱמֶת[104], אַךְ מִפְּנֵי הַשָּׁלוֹם לֹא רָצָה לְגַלּוֹת מַה שֶׁאָמְרָה "וַאדֹנִי זָקֵן", כִּי הָיָה רָאוּי שֶׁיֹּאמַר "וַאֲנִי וַאדֹנִי זְקֵנִים", כִּי שָׂרָה בִּשְׁנֵיהֶם תִּצְחַק[105].

[יד] הֲיִפָּלֵא מֵה׳ דָּבָר. אִם דָּבָר נִפְלָא וְרָחוֹק הוּא שֶׁיִּהְיֶה מֵאֵת[106] ה׳ כָּכָה[107]? כִּלְשׁוֹן "כִּי מִמְּךָ הַכֹּל וּמִיָּדְךָ נָתַנּוּ לָךְ" [דה״א כט, יד]. וְדוֹמֶה לָזֶה "מֵאָשֵׁר שְׁמֵנָה לַחְמוֹ" [לקמן מט, כ], מֵאֵת אָשֵׁר תָּבֹא לֶחֶם שְׁמֵנָה.

RAMBAN ELUCIDATED

13. וַאֲנִי זָקַנְתִּי – ***THOUGH I HAVE BECOME OLD.***

[Sarah said, *"My husband is old"* (v. 12). Yet, our verse quotes her words as, *"I have become old."* Ramban explains:]

הוּא פֵּרוּשׁ "אַחֲרֵי בְלֹתִי", וּדְבָרָיו אֱמֶת – **[The phrase]** *I have become old* **is an interpretation,** i.e., a paraphrase, **of** Sarah's words, ***after I have withered*** (v. 12), **so [God's] words were in fact truthful.**[104] **אַךְ מִפְּנֵי הַשָּׁלוֹם לֹא רָצָה לְגַלּוֹת מַה שֶּׁאָמְרָה "וַאדֹנִי זָקֵן"** – **However, for the sake of peace, He did not want to reveal what [Sarah] said** in her second statement, ***"And my husband is old."*** **כִּי הָיָה רָאוּי שֶׁיֹּאמַר "וַאֲנִי וַאדֹנִי זְקֵנִים",** – **For it would have been fitting for Him to have said,** "Why is it that Sarah laughed, saying: 'Shall I in truth bear a child, ***though I and my husband have grown old,'"*** **כִּי שָׂרָה בִּשְׁנֵיהֶם תִּצְחַק** – for Sarah did, after all, **laugh concerning both of them.**[105]

14. הֲיִפָּלֵא מֵה׳ דָּבָר – ***IS ANYTHING BEYOND HASHEM?***

[Ramban considers various interpretations of the verb הֲיִפָּלֵא. The first interpretation:]

אִם דָּבָר נִפְלָא וְרָחוֹק הוּא שֶׁיִּהְיֶה מֵאֵת ה׳ כָּכָה – **This means: "Is it so wondrous and far removed that such a thing should come from God** – i.e., should originate from[106] God?"[107] **כִּלְשׁוֹן "כִּי מִמְּךָ הַכֹּל וּמִיָּדְךָ נָתַנּוּ לָךְ"** – This is **like the meaning** of the מ prefix of וּמִיָּדְךָ in the verse, ***for every-thing is from You, and it is from Your own munificence that we have given You*** (*I Chronicles* 29:14), where *from Your own munificence* means *the munificence that originated from You.* **וְדוֹמֶה לָזֶה "מֵאָשֵׁר שְׁמֵנָה לַחְמוֹ", מֵאֵת אָשֵׁר תָּבֹא לֶחֶם שְׁמֵנָה** – **Similar to this** expression **is *From Asher – his bread will have richness*** (below, 49:20), **meaning, "Originating from Asher will come rich bread."**

---

expect to become pregnant for she had already ceased to experience the "manner of women."

104. The Sages derived from this change in wording that Scripture altered its report of Sarah's word for the sake of peace (*Bava Metzia* 87a). From the way Rashi cites this Talmudic passage in his comment to our verse it appears that God actually *misstated* Sarah's words for the sake of peace. Ramban's opinion is that God's "quote" of Sarah – *I have become old* – was based not on her words *my husband is old,* but on her other statement, *"After I have withered, shall I again have delicate skin?"* According to this, God did not change the intent of Sarah's statement at all. Ramban goes on to explain the Sages' dictum in light of this interpretation.

105. According to Ramban, the Sages mean that God "altered" Sarah's statement by deleting part of it, not by actually misquoting any part of it.

106. Ramban explains that the prefix -מִ, *from,* can have two meanings. It can mean from a particular place, i.e., something moved from one place to another, or it can refer to the origin or source of a thing's being.

107. According to this interpretation, the word הֲיִפָּלֵא means, *Is it wondrous?* The verb relates to the general public: Is it something wondrous in the eyes of people that God can do such a thing? Thus, there is a pause after הֲיִפָּלֵא, and the words מֵה׳ דָּבָר are to be connected: "Is it far removed (הֲיִפָּלֵא) that such a thing should originate from God (מֵה׳ דָּבָר)?" (This is how R' Yosef Bechor-Shor interprets the phrase as well.)

שני טו וַתְּכַחֵשׁ שָׂרָה ׀ לֵאמֹר לֹא צָחַקְתִּי כִּי ׀ יָרֵאָה
טז וַיֹּאמֶר ׀ לֹא כִּי צָחָקְתְּ: וַיָּקֻמוּ מִשָּׁם הָאֲנָשִׁים
וַיַּשְׁקִפוּ עַל־פְּנֵי סְדֹם וְאַבְרָהָם הֹלֵךְ עִמָּם לְשַׁלְּחָם:

טו וְכַדִּיבַת שָׂרָה לְמֵימַר לָא חַיְכִית אֲרֵי דְחֵילַת וַאֲמַר לָא בְּרַם חַיְכַתְּ: טז וְקָמוּ מִתַּמָּן גֻּבְרַיָּא וְאִסְתְּכִיאוּ עַל אַפֵּי סְדוֹם וְאַבְרָהָם אָזֵל עִמְּהוֹן לְאַלְוָאֵיהוֹן:

רש"י

(טו) כי יראה וגו׳ כי צחקת. כי הראשון משמש לשון דהא, שנותן טעם לדבר, ותכחש שרה לפי שיראה. והשני משמש בלשון אלא, ויאמר לא כדבריך הוא, אלא צחקת. שאמרו רבותינו כי משמש בד׳ לשונות, אי, דלמא, אלא, דהא (ראש השנה ג.; גיטין צ.): (טז) וישקפו. כל השקפה שבמקרא לרעה חוץ מהשקיפה ממעון קדשך (דברים כו:טו), שגדול כח מתנות עניים שהופך מדת הרוגז לרחמים (שמות רבה מא:א): לשלחם. ללוותם, כסבור אורחים הם (מדרש אגדה):

רמב"ן

וְאוּנְקְלוֹס תִּרְגֵּם: "הֲיִתְכַּסֵּי", עֲשָׂאוֹ כִּלְשׁוֹן "כִּי יִפָּלֵא מִמְּךָ דָבָר לַמִּשְׁפָּט" [דברים יז,ח]. וְאִם כֵּן יֵשׁ בּוֹ סוֹד נֶעְלָם[108].
וּלְשׁוֹן רַשִׁ"י: הֲיִפָּלֵא, הֲיִתְכַּסֵּי, וְכִי שׁוּם דָּבָר מֻפְלָא וּמְכֻסֶּה מִמֶּנִּי מִלַּעֲשׂוֹת כִּרְצוֹנִי? הִרְכִּיב בּוֹ שְׁנֵי עִנְיָנִים[109].

[טו] וַתְּכַחֵשׁ שָׂרָה לֵאמֹר. אֲנִי תָּמֵהַּ בַּנְּבִיאָה הַצַּדֶּקֶת[110] אֵיךְ תְּכַחֵשׁ בַּאֲשֶׁר אָמַר הַשֵּׁם לַנָּבִיא? וְגַם לָמָּה לֹא הֶאֱמִינָה לְדִבְרֵי מַלְאֲכֵי אֱלֹהִים?
וְהַנִּרְאֶה בְּעֵינַי כִּי הַמַּלְאָכִים הָאֵלֶּה, הַנִּדְמִים כַּאֲנָשִׁים, בָּאוּ אֶל אַבְרָהָם, וְהוּא בְּחָכְמָתוֹ הִכִּיר בָּהֶם.

RAMBAN ELUCIDATED

[The second interpretation:]

וְאוּנְקְלוֹס תִּרְגֵּם "הֲיִתְכַּסֵּי" – Onkelos translates הֲיִפָּלֵא as הֲיִתְכַּסֵּי **(Can [anything] be covered up [before God]?)** That is: "Is anything unavailable to Him, that He cannot do?" **עֲשָׂאוֹ כִּלְשׁוֹן "כִּי יִפָּלֵא מִמְּךָ דָבָר לַמִּשְׁפָּט" – He treated [יִפָּלֵא] here like** the same word in **the expression** in, ***If a matter becomes hidden*** (יִפָּלֵא) ***from you*** (*Deuteronomy* 17:8). **וְאִם כֵּן יֵשׁ בּוֹ סוֹד נֶעְלָם** – If **so, there is a hidden secret in [this matter].**[108]

[The third interpretation:]

וּלְשׁוֹן רַשִׁ"י – The following is **a quote from Rashi:**

הֲיִפָּלֵא, הֲיִתְכַּסֵּי, וְכִי שׁוּם דָּבָר מֻפְלָא וּמְכֻסֶּה מִמֶּנִּי מִלַּעֲשׂוֹת כִּרְצוֹנִי – הֲיִפָּלֵא is to be understood as Onkelos renders it: **הֲיִתְכַּסֵּי.** That is to say, **"Is there anything too wondrous and covered from Me from being able to do as I wish?"**

הִרְכִּיב בּוֹ שְׁנֵי עִנְיָנִים – [Rashi] thus combines two meanings into [this word] – "wondrous" and "hidden."[109]

15. וַתְּכַחֵשׁ שָׂרָה לֵאמֹר – ***SARAH DENIED IT, SAYING ...***

[Ramban asks two questions concerning Sarah:]

אֲנִי תָּמֵהַּ בַּנְּבִיאָה הַצַּדֶּקֶת – I am perplexed about the righteous prophetess Sarah:[110] **אֵיךְ תְּכַחֵשׁ בַּאֲשֶׁר אָמַר הַשֵּׁם לַנָּבִיא – How could she deny that which God had told the prophet** Abraham regarding her laughter? **וְגַם לָמָּה לֹא הֶאֱמִינָה לְדִבְרֵי מַלְאֲכֵי אֱלֹהִים – Furthermore, why did she not believe the words of the angels of God,** when they told Abraham that she would bear him a son?

[Ramban answers his second question first:]

וְהַנִּרְאֶה בְּעֵינַי כִּי הַמַּלְאָכִים הָאֵלֶּה הַנִּדְמִים כַּאֲנָשִׁים בָּאוּ אֶל אַבְרָהָם – It seems to me that these angels, who resembled ordinary **men, came to Abraham,** **וְהוּא בְּחָכְמָתוֹ הִכִּיר בָּהֶם – and he, in his**

108. According to this interpretation, (as opposed to the first interpretation; see note 107) הֲיִפָּלֵא means *Is it covered?* Furthermore, this interpretation connects הֲיִפָּלֵא with the word מֵה׳ – "Is it concealed from Hashem?" (as opposed to the first interpretation; see note 107). Ramban means that Sarah's giving birth at her age was a (Kabbalistic) mystery of some sort, and it is concerning that mystery that God said, in effect, "Are there mysteries that are hidden from Me?"

109. However, as Ramban has shown, these two meanings are not mutually compatible. For if הֲיִפָּלֵא means *Is it wondrous?*, it is referring to the general public, whereas if it means *Is it covered?*, it is referring to God. (See above, notes 107 and 108.)

110. Sarah was one of seven prophetesses of Israel (*Megillah* 14a).

15 *Sarah denied it, saying, "I did not laugh," for she was frightened. But he said, "No, you laughed indeed."*
16 *So the men got up from there, and gazed down toward Sodom, while Abraham walked with them to escort them.*

רמב"ן

ובִשֵּׂר אותו "שׁוּב אָשׁוּב אֵלֶיךָ ... וּלְשָׂרָה בֵן ... וְשָׂרָה שֹׁמַעַת"[110a], וְלֹא יָדְעָה כִּי מַלְאֲכֵי עֶלְיוֹן הֵם, כָּעִנְיָן בְּאֵשֶׁת מָנוֹחַ[110b], וְאוּלַי לֹא רָאֲתָה אוֹתָם כְּלָל[111].

וַתִּצְחַק בְּקִרְבָּהּ לְלַעַג, כְּמוֹ [תהלים ב, ד]: "יוֹשֵׁב בַּשָּׁמַיִם יִשְׂחָק[112] ה׳ יִלְעַג לָמוֹ" כִּי הַשְּׂחוֹק לְשִׂמְחָה הוּא בַּפֶּה, "אָז יִמָּלֵא שְׂחוֹק פִּינוּ" [שם קכו, ב], אֲבָל הַשְּׂחוֹק בַּלֵּב[113] לֹא יֵאָמֵר בְּשִׂמְחָה. וְהַקָּדוֹשׁ בָּרוּךְ הוּא הֶאֱשִׁים אוֹתָהּ לְאַבְרָהָם לָמָּה הָיָה הַדָּבָר נִמְנָע בְּעֵינֶיהָ וְרָאוּי לָהּ שֶׁתַּאֲמִין, אוֹ שֶׁתֹּאמַר "אָמֵן כֵּן יַעֲשֶׂה ה׳!"[114].

וְהִנֵּה אַבְרָהָם אָמַר אֵלֶיהָ, לָמָּה צָחַקְתְּ? הֲיִפָּלֵא מֵה׳ דָּבָר?[115], וְלֹא פֵּרֵשׁ אֵלֶיהָ כִּי הַשֵּׁם גִּלָּה אֵלָיו סוֹדָהּ[115a],

RAMBAN ELUCIDATED

wisdom, recognized them as angels. וּבִשֵּׂר אוֹתוֹ "שׁוּב אָשׁוּב אֵלֶיךָ ... וּלְשָׂרָה בֵן ... וְשָׂרָה שֹׁמַעַת" – **Then** [one] of them **informed him, "I will surely return to you ... and Sarah will have a son, ... and Sarah heard,"**[110a] וְלֹא יָדְעָה כִּי מַלְאֲכֵי עֶלְיוֹן הֵם – **but she did not know that** these **["men"] were angels of the Supreme One.** כָּעִנְיָן בְּאֵשֶׁת מָנוֹחַ – **This is similar to** what occurred in **the incident of Manoah's wife** (*Judges* Chap. 13); she also saw an angel and thought it was a man.[110b] וְאוּלַי לֹא רָאֲתָה אוֹתָם כְּלָל – It is also possible that **perhaps [Sarah] did not see them at all.**[111]

[If, as Ramban has asserted, Sarah was unaware that these men spoke the word of God, why was He displeased with her for her reaction? Ramban explains:]

וַתִּצְחַק בְּקִרְבָּהּ לְלַעַג – ***She laughed to herself,* out of ridicule,** כְּמוֹ: "יוֹשֵׁב בַּשָּׁמַיִם יִשְׂחָק ה׳ יִלְעַג לָמוֹ" – for the implication of וַתִּצְחַק here is **similar to** that of יִשְׂחָק[112] in the verse, ***He Who sits in heaven will laugh; Hashem will ridicule them*** (*Psalms* 2:4). כִּי הַשְּׂחוֹק לְשִׂמְחָה הוּא בַּפֶּה – **For the laughter of joy is** described as "laughter **with the mouth,"** "אָז יִמָּלֵא שְׂחוֹק פִּינוּ" – as in, ***Then our mouth will be filled with laughter*** (ibid. 126:2). אֲבָל הַשְּׂחוֹק בַּלֵּב לֹא יֵאָמֵר בְּשִׂמְחָה – **But** the descriptive phrase **"laughter of the heart"**[113] **is never said regarding** laughter of **joy.** וְהַקָּדוֹשׁ בָּרוּךְ הוּא הֶאֱשִׁים אוֹתָהּ לְאַבְרָהָם – Nevertheless, **the Holy One, Blessed is He, complained about her to Abraham,** לָמָּה הָיָה הַדָּבָר נִמְנָע בְּעֵינֶיהָ – asking **why the matter seemed** so **impossible to her;** וְרָאוּי לָהּ שֶׁתַּאֲמִין, אוֹ שֶׁתֹּאמַר "אָמֵן כֵּן יַעֲשֶׂה ה׳" – **for it would have been fitting for her to believe** the prediction, **or to say, "Amen, may God do so!"**[114]

[Having answered his second question, Ramban now returns to answer his first question: How could Sarah deny that she had laughed when God had already told Abraham that she had?]

וְהִנֵּה אַבְרָהָם אָמַר אֵלֶיהָ, לָמָּה צָחַקְתְּ? הֲיִפָּלֵא מֵה׳ דָּבָר? – **Thereupon Abraham said to her, "Why did you laugh? Is anything beyond God?"**[115] וְלֹא פֵּרֵשׁ אֵלֶיהָ כִּי הַשֵּׁם גִּלָּה אֵלָיו סוֹדָהּ – **But he did not divulge to her that God had revealed her secret** thoughts **to him.**[115a] וְהִיא מִפְּנֵי יִרְאָתוֹ שֶׁל אַבְרָהָם

110a. This is a paraphrase of verse 10.

110b. Thus, Sarah did not lack belief in the words of the angels of God; rather, she lacked belief in the words of three strange men.

111. According to this interpretation Sarah, being a prophetess (unlike Manoah's wife), would have recognized that the "men" were angels had she seen them; however, she only heard their voices, but did not see them.

112. Ramban assumes that the roots שחק and צחק are identical in meaning.

113. The literal meaning of וַתִּצְחַק בְּקִרְבָּהּ, translated here as *[Sarah] laughed to herself,* is *[Sarah] laughed inside of her.* Ramban refers to this as "laughter of the heart."

114. Upon hearing a blessing or a wish for good fortune, even from an ordinary person, it is inappropriate to dismiss it by thinking, "But that's impossible!" Such a reaction betrays a lack of faith in God's ability to bring about whatever He desires.

115. Although Scripture does not record this fact, Abraham relayed (in his own words) God's rebuke of Sarah (v. 13) to her.

115a. Sarah had laughed to herself. God then told Abraham that she had done so. Abraham admonished her, but did not tell her how he had become aware of her innermost feelings.

יז וַיהוָה אָמָר הַֽמְכַסֶּה אֲנִי֙ מֵֽאַבְרָהָם
יח אֲשֶׁר אֲנִי עֹשֶֽׂה: וְאַ֨בְרָהָ֔ם הָי֧וֹ יִֽהְיֶ֛ה לְג֥וֹי
גָּד֖וֹל וְעָצ֑וּם וְנִ֨בְרְכוּ־ב֔וֹ כֹּ֖ל גּוֹיֵ֥י הָאָֽרֶץ:

יז וַייָ אֲמַר הַמְכַסֵּי אֲנָא מֵאַבְרָהָם דִּי אֲנָא עָבֵד: יח וְאַבְרָהָם מֶהֱוֵי יְהֵוֵי לְעַם סַגִּי וְתַקִּיף וְיִתְבָּרְכוּן בְּדִילֵהּ כֹּל עַמְמֵי אַרְעָא:

רש"י

(יז) המכסה אני. בתמיה: **אשר אני עושה.** בסדום. לא יפה לי לעשות דבר זה שלא מדעתו. אני נתתי לו את הארץ הזאת, וחמשה כרכין הללו שלו הן, שנא' גבול הכנעני מצידון באכה סדומה ועמורה וגו' (לעיל י:יט; ב"ר מט:ב; תנחומא ה; תרגום ירושלמי). קראתי אותו אברהם [ס"א אביהם] אב המון גוים (לעיל יז:ה), ואשמיד את הבנים ולא אודיע לאב (ב"ר שם) שהוא אוהבי (תנחומא שם; תרגום יונתן): **(יח) ואברהם היו יהיה.** מ"א, זכר לדיק לברכה (משלי י:ז), הואיל והזכירו ברכו (יומא לח:; ב"ר מט:א).

רמב"ן

וְהִיא מִפְּנֵי יִרְאָתוֹ שֶׁל אַבְרָהָם תְּכַחֵשׁ בּוֹ, כִּי חָשְׁבָה שֶׁאַבְרָהָם בְּהַכָּרַת פָּנֶיהָ יֹאמַר כֵּן, אוֹ מִפְּנֵי שֶׁשָּׁתְקָה וְלֹא נָתְנָה שֶׁבַח וְהוֹדָאָה בַּדָּבָר וְלֹא שִׂמְחָה[116]. וְהוּא אָמַר[117]: "לֹא, כִּי צָחָקְתְּ!" אָז הֵבִינָה כִּי בִנְבוּאָה נֶאֱמַר לוֹ כֵּן, וְשָׁתְקָה וְלֹא עָנְתָה אוֹתוֹ דָּבָר.

וְרָאוּי שֶׁנֹּאמַר עוֹד, כִּי אַבְרָהָם לֹא גִלָּה לָהּ הַנֶּאֱמַר לוֹ מִתְּחִלָּה [לעיל יז, יט] "אֲבָל שָׂרָה אִשְׁתְּךָ יֹלֶדֶת לְךָ בֵּן". אוּלַי הַמְתִּין עַד שְׁלוֹחַ הַשֵּׁם אֵלֶיהָ הַבְּשׂוֹרָה בְּיוֹם מָחָר[118], כִּי יָדַע כֵּן "כִּי לֹא יַעֲשֶׂה ה' אֱלֹהִים דָּבָר כִּי אִם גָּלָה סוֹדוֹ אֶל עֲבָדָיו הַנְּבִיאִים"[119]. אוֹ מֵרֹב זְרִיזוּתוֹ בְּמִצְוֹת הָיָה טָרוּד בְּמִילָתוֹ וּמִילַת עִם רַב אֲשֶׁר בְּבֵיתוֹ, וְאַחַר כֵּן בְּחוּלְשָׁתוֹ יָשַׁב לוֹ פֶּתַח הָאֹהֶל, וְהַמַּלְאָכִים בָּאוּ טֶרֶם שֶׁהִגִּיד לָהּ דָּבָר.

RAMBAN ELUCIDATED

תְּכַחֵשׁ בּוֹ – Then **she, due to** her **fear of Abraham, denied his [accusation],** כִּי חָשְׁבָה שֶׁאַבְרָהָם בְּהַכָּרַת פָּנֶיהָ יֹאמַר כֵּן – **for she thought that Abraham said this when he perceived** her feelings through **her facial expression,** אוֹ מִפְּנֵי שֶׁשָּׁתְקָה וְלֹא נָתְנָה שֶׁבַח וְהוֹדָאָה בַּדָּבָר וְלֹא שִׂמְחָה – **or** that he deduced it **because she remained silent and she neither offered thanks and acknowledgment** to God **about the matter, nor did she rejoice.**[116] וְהוּא אָמַר "לֹא כִּי צָחָקְתְּ" – **And** so, **[Abraham]**[117] **said** to her, ***"No, you laughed indeed!"*** אָז הֵבִינָה כִּי בִנְבוּאָה נֶאֱמַר לוֹ כֵּן – **Then she** first **realized that he had been told in a prophecy [that she had laughed],** וְשָׁתְקָה וְלֹא עָנְתָה אוֹתוֹ דָּבָר – **so she remained silent and did not answer him** another **word.**

[Ramban now addresses another difficulty: Abraham had already been informed that Sarah would bear him a son (see above, 17:15-21). It is clear here, however, that Sarah was unaware of this. Ramban now explains why this was so:]

וְרָאוּי שֶׁנֹּאמַר עוֹד כִּי אַבְרָהָם לֹא גִלָּה לָהּ הַנֶּאֱמַר לוֹ מִתְּחִלָּה "אֲבָל שָׂרָה אִשְׁתְּךָ יֹלֶדֶת לְךָ בֵּן" – **It is appropriate for us to add that Abraham did not reveal to [Sarah] what had been told to him earlier, *"Nevertheless, your wife Sarah will bear you a son"*** (above, 17:19). אוּלַי הַמְתִּין עַד שְׁלוֹחַ הַשֵּׁם אֵלֶיהָ הַבְּשׂוֹרָה בְּיוֹם מָחָר – And why did he not tell her? **Perhaps he waited until God would send her the good tidings** Himself **on a later day,**[118] כִּי יָדַע כֵּן "כִּי לֹא יַעֲשֶׂה אֲדֹנָי אֱלֹהִים דָּבָר כִּי אִם גָּלָה סוֹדוֹ אֶל עֲבָדָיו הַנְּבִיאִים" – **for he knew that [this would happen], *"for the Lord HASHEM/ELOHIM does not do anything unless He has revealed His secret to His servants, the prophets"***[119] (*Amos* 3:7; see *Sanhedrin* 89b). אוֹ מֵרֹב זְרִיזוּתוֹ בְּמִצְוֹת הָיָה טָרוּד בְּמִילָתוֹ וּמִילַת עִם רַב אֲשֶׁר בְּבֵיתוֹ – **Alternatively: Because of his great enthusiasm for** fulfilling God's **commandments he was preoccupied with his circumcision and the circumcision of the many people in his household,** וְאַחַר כֵּן בְּחוּלְשָׁתוֹ יָשַׁב לוֹ פֶּתַח הָאֹהֶל – **and** immediately **afterwards, in his weakness, he sat himself at the entrance of the tent,** וְהַמַּלְאָכִים בָּאוּ טֶרֶם שֶׁהִגִּיד לָהּ דָּבָר – **and the angels came before he could tell [Sarah] anything.**

116. Thus, Sarah did not deny an accusation put to her by God (or so she thought), but only an accusation made by her husband. The first question posed above is thus answered.

117. It was to Abraham – not to God – that Sarah denied laughing (see previous note), and it was Abraham who responded, *"No, you laughed indeed."*

118. Ramban says "a later day," for he is telling us what Abraham was thinking. In truth, however, the angels came on that same day (not "a later day") to tell Sarah that she was to have a child, as Ramban implies several times.

119. And, as mentioned above, Sarah was a prophetess.

17 And HASHEM said, "Shall I conceal from Abraham what I do? 18 For Abraham is surely to become a great and mighty nation, and all the nations of the earth shall be blessed through him.

רמב״ן

[יז] וַה' אָמַר. אֶל צְבָא הַשָּׁמַיִם הָעוֹמְדִים עָלָיו[119a], אוֹ אֶל הַמַּלְאָכִים הַשְּׁלוּחִים. וְיִתָּכֵן שֶׁהוּא הַמַּחֲשָׁבָה, כִּי חָשַׁב שֶׁלֹּא יִתְכַּסֶּה מִמֶּנּוּ, מִפְּנֵי הַטְּעָמִים הַלָּלוּ. וְכֵן "אֲנִי אָמַרְתִּי בִּדְמִי יָמַי" [ישעיה לח, י], וְכֵן "וַיֹּאמֶר לְהַכּוֹת אֶת דָּוִד" [שמואל־ב כא, טז], וְכֵן כָּל אֲמִירָה עִם הַלֵּב מַחְשָׁבָה.

[יח] וְאַבְרָהָם הָיוֹ יִהְיֶה. מִדְרַשׁ אַגָּדָה: "זֵכֶר צַדִּיק לִבְרָכָה" [משלי י, ז], הוֹאִיל וְהִזְכִּירוֹ – בֵּרְכוֹ[120]. וּפְשׁוּטוֹ שֶׁל מִקְרָא": וְכִי מִמֶּנּוּ אֲנִי מַעֲלִים? וַהֲלֹא חָבִיב לְפָנַי לִהְיוֹת לְגוֹי עָצוּם[121]. לְשׁוֹן רַשִׁ"י[121a].

וְהַנָּכוֹן, כִּי הַשֵּׁם יִתְבָּרַךְ דִּבֵּר בִּכְבוֹד אַבְרָהָם. אָמַר: הִנֵּה הוּא עָתִיד לִהְיוֹת לְגוֹי גָּדוֹל וְעָצוּם,

RAMBAN ELUCIDATED

17. וַה' אָמַר – ***AND HASHEM SAID.***

[The verse does not tell us to whom God was speaking. Ramban offers three possibilities:]

אֶל צְבָא הַשָּׁמַיִם הָעוֹמְדִים עָלָיו – He said this **"to the hosts of Heaven who stand before Him,**[119a] i.e., to the angels in Heaven. **אוֹ אֶל הַמַּלְאָכִים הַשְּׁלוּחִים** – **Alternatively:** He said it **to the angels who had been sent** to Abraham and Lot. **וְיִתָּכֵן שֶׁהוּא הַמַּחֲשָׁבָה** – Alternatively: **It is possible that** [***and HASHEM said,***] here **refers to thought, כִּי חָשַׁב שֶׁלֹּא יִתְכַּסֶּה מִמֶּנּוּ מִפְּנֵי הַטְּעָמִים הַלָּלוּ** – meaning **that He thought that** it **should not be concealed from [Abraham]** what He was about to do, **because of these reasons,** mentioned in verses 18-19. **וְכֵן "אֲנִי אָמַרְתִּי בִּדְמִי יָמַי",** – **Similarly,** we find this usage in the verse, ***I had said, With my days cut short ...*** (*Isaiah* 38:10), where "I had said" means "I had thought," **וְכֵן "וַיֹּאמֶר לְהַכּוֹת אֶת דָּוִד"** – **and similarly** in the verse, ***He said that he would strike David*** (*II Samuel* 21:16), where "he said" means "he thought." **וְכֵן כָּל אֲמִירָה עִם הַלֵּב מַחְשָׁבָה** – **And similarly every** appearance of the term **"saying" in conjunction with "the heart"** means **"thought."**

18. וְאַבְרָהָם הָיוֹ יִהְיֶה – ***FOR ABRAHAM IS SURELY TO BECOME.***

[Verses 18 and 19, which sing the praises of Abraham, seem to be extraneous to the matter at hand – God's intention to reveal to Abraham the impending destruction of Sodom. Ramban discusses the function of these verses, beginning by citing Rashi's two explanations:]

מִדְרַשׁ אַגָּדָה – **"An aggadaic Midrash** says: **"זֵכֶר צַדִּיק לִבְרָכָה"** – ***The mention of a righteous person is for a blessing*** (*Proverbs* 10:7): **הוֹאִיל וְהִזְכִּירוֹ בֵּרְכוֹ** – **Since He mentioned him, He blessed him.**[120] **וּפְשׁוּטוֹ שֶׁל מִקְרָא:** – **[The verse's] simple meaning,** however, **is: וְכִי מִמֶּנּוּ אֲנִי מַעֲלִים** – **Would I keep a secret from him? וַהֲלֹא חָבִיב לְפָנַי לִהְיוֹת לְגוֹי עָצוּם** – **But is it not so that he is** so **precious before Me** as **to** ***become a mighty nation?'*** "[121]

לְשׁוֹן רַשִׁ"י – This is **a quote from Rashi.**[121a]

[Ramban now presents his own interpretation, in which he paraphrases the verses in order to show their relevance to the destruction of Sodom:]

וְהַנָּכוֹן, כִּי הַשֵּׁם יִתְבָּרַךְ דִּבֵּר בִּכְבוֹד אַבְרָהָם – **The soundest** interpretation **is that God, Blessed is He, spoke** these words **for Abraham's honor. אָמַר: הִנֵּה הוּא עָתִיד לִהְיוֹת לְגוֹי גָּדוֹל וְעָצוּם** – **He said:**

119a. Stylistic paraphrase from *I Kings* 22:19.

120. According to this interpretation, Abraham's praises are not relevant to the context; they are inserted as a tribute to Abraham, for it is appropriate to say some words of acclamation whenever one mentions a righteous person.

121. According to this interpretation, God explains in these two verses why He wishes to divulge to Abraham His plans concerning Sodom: Since he is so precious to Me, it would be unfitting for Me to leave him uninformed. God's reason is not specific to this case, but is a general explanation of why He wanted to keep Abraham informed.

121a. Ramban's citation differs somewhat from extant editions of Rashi, which read: וַהֲרֵי הוּא חָבִיב לְפָנַי לִהְיוֹת "לְגוֹי גָּדוֹל", וּלְהִתְבָּרֵךְ בּוֹ "כֹּל גּוֹיֵי הָאָרֶץ" – Would I keep a secret from him? But, see now, that he is so precious before Me as to *become a great nation,* and for *all the nations of the world* to bless themselves by him.

יט כִּ֣י יְדַעְתִּ֗יו לְמַ֩עַן֩ אֲשֶׁ֨ר יְצַוֶּ֜ה אֶת־בָּנָ֤יו וְאֶת־בֵּיתוֹ֙ אַחֲרָ֔יו וְשָֽׁמְרוּ֙ דֶּ֣רֶךְ יהוה לַעֲשׂ֥וֹת צְדָקָ֖ה וּמִשְׁפָּ֑ט לְמַ֗עַן הָבִ֤יא יהוה֙ עַל־אַבְרָהָ֔ם אֵ֥ת אֲשֶׁר־דִּבֶּ֖ר עָלָֽיו:

יט אֲרֵי גְלֵי קֳדָמַי (נ״א יְדַעְתִּנֵּהּ) בְּדִיל דִּי יְפַקֵּד יָת בְּנוֹהִי וְיָת אֱנָשׁ בֵּיתֵהּ בַּתְרוֹהִי וְיִטְּרוּן אָרְחָן דְּתַקְּנָן קֳדָם יְיָ לְמֶעְבַּד צְדַקְתָּא וְדִינָא בְּדִיל דְּיַיְתֵי יְיָ עַל אַבְרָהָם יָת דִּי מַלֵּיל עֲלוֹהִי:

רש״י

ופשוטו, וכי ממנו אני מעלים, והרי הוא חביב לפני להיות לגוי גדול ולהתברך בו כל גויי הארץ: (יט) כי ידעתיו. [אחרי ידעתיה, כתרגומו,] לשון חבה, כמו מודע לאישה (רות ב:א) הלא בועז מודעתנו (שם ג:ב) ואדעך בשם (שמות לג:יז). ואמנם עיקר לשון כולם אינו אלא לשון ידיעה, שהמחבב את האדם מקרבו אצלו ויודעו ומכירו. ולמה ידעתיו, למען אשר יצוה, לפי שהוא מצוה את בניו עלי לשמור דרכי. ואם תפרשהו כתרגומו, יודע אני בו שיצוה את בניו וגו', אין למען נופל על הלשון: יצוה. לשון הווה, כמו ככה יעשה איוב (איוב א:ה): למען הביא. כך הוא מצוה לבניו, שמרו דרך ה' כדי שיביא ה' על אברהם וגו'. על בית אברהם לא נאמר

רמב״ן

וִיהְיֶה זִכְרוֹ בְּזַרְעוֹ וּבְכָל גּוֹיֵי הָאָרֶץ לִבְרָכָה[122]; לָכֵן לֹא אֲכַסֶּה מִמֶּנּוּ. כִּי יֹאמְרוּ הַדּוֹרוֹת הַבָּאִים: אֵיךְ כִּסָּה מִמֶּנּוּ[123]? אוֹ אֵיךְ נִתְאַכְזֵר הַצַּדִּיק עַל שְׁכֵנָיו הַחוֹנִים עָלָיו, וְלֹא רִחֵם וְלֹא הִתְפַּלֵּל עֲלֵיהֶם כְּלָל[124]?

וְהַגִּלּוּי אֵלָיו טוֹב וְיָפֶה[125], כִּי יְדַעְתִּי[126] בּוֹ שֶׁהוּא מַכִּיר וְיוֹדֵעַ שֶׁאֲנִי ה' אוֹהֵב צְדָקָה וּמִשְׁפָּט - כְּלוֹמַר, שֶׁאֲנִי עוֹשֶׂה מִשְׁפָּט רַק בִּצְדָקָה[127], וּלְכָךְ יְצַוֶּה אֶת בָּנָיו וּבֵיתוֹ אַחֲרָיו לֶאֱחֹז דְּרָכַי. וְהִנֵּה, אִם בְּדֶרֶךְ צְדָקָה וּמִשְׁפָּט יִפָּטְרוּ, יִתְפַּלֵּל לְפָנַי לְהַנִּיחָם, וְטוֹב הַדָּבָר. וְאִם חַיָּבִין הֵם לִגְמְרֵי, גַּם הוּא יַחְפֹּץ בְּמִשְׁפָּטָם. וְלָכֵן רָאוּי שֶׁיָּבֹא בְּסוֹד ה'[128,129]:

RAMBAN ELUCIDATED

"Now, he is destined to become a great and mighty nation, וִיהְיֶה זִכְרוֹ בְּזַרְעוֹ וּבְכָל גּוֹיֵי הָאָרֶץ לִבְרָכָה **– and his memory will be a blessing among his own descendants and among all the nations of the earth;**[122] לָכֵן לֹא אֲכַסֶּה מִמֶּנּוּ **– therefore, I will not conceal** My plans **from him.** כִּי יֹאמְרוּ הַדּוֹרוֹת הַבָּאִים, אֵיךְ כִּסָּה מִמֶּנּוּ **– For future generations would say, 'How did [God] conceal it from him?**[123] אוֹ אֵיךְ נִתְאַכְזֵר הַצַּדִּיק עַל שְׁכֵנָיו הַחוֹנִים עָלָיו, וְלֹא רִחֵם וְלֹא הִתְפַּלֵּל עֲלֵיהֶם כְּלָל **– Or,** if He did in fact tell him about it, **how could the righteous** Abraham **be so cruel toward his neighbors who dwelt at his side, not having mercy** on them **and not praying for them at all?'**[124]

[Ramban continues with his interpretive paraphrase of verse 19:]

וְהַגִּלּוּי אֵלָיו טוֹב וְיָפֶה **– "Furthermore,"**[125] God continued, **"revealing** My plan **to him is good and appropriate,** כִּי יָדַעְתִּי בּוֹ שֶׁהוּא מַכִּיר וְיוֹדֵעַ שֶׁאֲנִי ה' אוֹהֵב צְדָקָה וּמִשְׁפָּט **– for I know about him that**[126] **he recognizes and knows that I am Hashem, Who loves righteousness and justness –** כְּלוֹמַר, שֶׁאֲנִי עוֹשֶׂה מִשְׁפָּט רַק בִּצְדָקָה **– that is, that I perform justice only with righteousness,** i.e., compassion[127] – וּלְכָךְ יְצַוֶּה אֶת בָּנָיו וּבֵיתוֹ אַחֲרָיו לֶאֱחֹז דְּרָכַי **– and because of this he will command his sons and his household after him to adhere to My ways** of righteousness and justness. וְהִנֵּה, אִם בְּדֶרֶךְ צְדָקָה וּמִשְׁפָּט יִפָּטְרוּ, יִתְפַּלֵּל לְפָנַי לְהַנִּיחָם וְטוֹב הַדָּבָר **– Thus, if, according to the way of righteousness and justness [the Sodomites] will be exonerated, [Abraham] will pray before Me to spare them, and this situation will be good.** וְאִם חַיָּבִין הֵם לִגְמְרֵי, גַּם הוּא יַחְפֹּץ בְּמִשְׁפָּטָם **– And if,** on the other hand, **they are** found to be **completely guilty, he will also wish for their judgment** to be carried out. וְלָכֵן רָאוּי שֶׁיָּבֹא בְּסוֹד ה' **– Therefore, it is fitting that he 'enter the counsel of Hashem,'**[128] i.e., that he be informed of My plans."[129]

122. This constitutes Ramban's interpretation and paraphrase of the words *all the nations of the earth shall be blessed through him* (v. 18).

123. This would reflect poorly upon Abraham; people would think, "Apparently he was not all that important, if God concealed His plan from him." It would constitute a contradiction to God's promise (mentioned in this verse), "*all the nations of the earth would be blessed through him.*"

124. This, too, would be a poor reflection upon Abraham.

125. This is a paraphrase of verse 19 and constitutes a second reason that God gives for revealing His plans for Sodom to Abraham.

126. See below, note 137.

127. This is Ramban's interpretation of this word צְדָקָה as expounded in his commentary above, on 6:9.

128. Stylistic paraphrase of *Jeremiah* 23:18.

129. To summarize Ramban's interpretation: In these two verses God declares two reasons for revealing His intentions to Abraham, both of which relate specifi-

19 *For I have known him, because he commands his children and his household after him that they keep the way of* HASHEM, *acting with righteousness and justice, in order that* HASHEM *might then bring upon Abraham that which He had spoken of him."*

רמב"ן

[יט] כִּי יְדַעְתִּיו לְמַעַן אֲשֶׁר יְצַוֶּה. לְשׁוֹן רַשִׁ"י: "אֲרֵי יְדַעְתִּנֵּהּ," כְּתַרְגּוּמוֹ[130], לְשׁוֹן חִבָּה[131], כְּמוֹ: "מוֹדַע לְאִישָׁהּ"[131a], "וָאֵדָעֲךָ"[132] אָמְנָם עִקַּר כֻּלָּם לְשׁוֹן יְדִיעָה, שֶׁהַמְחַבֵּב אֶת הָאָדָם וּמְקָרְבוֹ אֶצְלוֹ יוֹדְעוֹ וּמַכִּירוֹ[132a]. וְאִם תְּפָרְשֵׁהוּ יוֹדֵעַ אֲנִי בּוֹ שֶׁיְּצַוֶּה אֶת בָּנָיו[133], אֵין "לְמַעַן"[134] נוֹפֵל עַל הַלָּשׁוֹן[134a].

וְיִתָּכֵן שֶׁיִּהְיֶה "יְדַעְתִּיו" גִּדַּלְתִּיו וְרוֹמַמְתִּיו, בַּעֲבוּר "אֲשֶׁר יְצַוֶּה אֶת בָּנָיו ... אַחֲרָיו ... לַעֲשׂוֹת" אֶת הַיָּשָׁר

RAMBAN ELUCIDATED

19. כִּי יְדַעְתִּיו לְמַעַן אֲשֶׁר יְצַוֶּה – ***FOR I HAVE KNOWN HIM, BECAUSE HE COMMANDS.***

[Ramban cites four possible interpretations of the phrase כִּי יְדַעְתִּיו, translated here as *for I have known him,* in the context of the verse, beginning with Rashi's:]

לְשׁוֹן רַשִׁ"י – This is **a quote from Rashi:**

"אֲרֵי יְדַעְתִּנֵּהּ" כְּתַרְגּוּמוֹ – The phrase כִּי יְדַעְתִּיו should be understood **as Targum [Onkelos] renders it:** אֲרֵי יְדַעְתִּנֵּהּ, ***for I have known him.***[130] **לְשׁוֹן חִבָּה, כְּמוֹ** – **It is an expression of endearment,**[131] **"מוֹדַע לְאִישָׁהּ",** – like the word מוֹדַע, in the phrase, ***an intimate of her husband*** (*Ruth* 2:1),[131a] **"וָאֵדָעֲךָ"** – and like the word וָאֵדָעֲךָ, in ***I have become familiar with you*** (*Exodus* 33:17).[132] **אָמְנָם עִקַּר כֻּלָּם לְשׁוֹן יְדִיעָה, שֶׁהַמְחַבֵּב אֶת הָאָדָם וּמְקָרְבוֹ אֶצְלוֹ יוֹדְעוֹ וּמַכִּירוֹ** – **In truth, the essential meaning of all of them is "knowing," for one who cherishes a person and draws him close to him *knows* him, and becomes familiar with him ...**[132a] **וְאִם תְּפָרְשֵׁהוּ יוֹדֵעַ אֲנִי בּוֹ שֶׁיְּצַוֶּה אֶת בָּנָיו,** – **However, if you will explain it, *I know of him that he will command his children,***[133] **אֵין "לְמַעַן" נוֹפֵל עַל הַלָּשׁוֹן** – the word **לְמַעַן**[134] **does not fit the language** of the verse.[134a] [End of quote from Rashi]

[The second interpretation:]

וְיִתָּכֵן שֶׁיִּהְיֶה "יְדַעְתִּיו" גִּדַּלְתִּיו וְרוֹמַמְתִּיו – **It is** also **possible that יְדַעְתִּיו means *I have elevated him to greatness.*** The verse then gives the reason for this exaltation: **בַּעֲבוּר "אֲשֶׁר יְצַוֶּה אֶת בָּנָיו ... אַחֲרָיו ... לַעֲשׂוֹת" אֶת הַיָּשָׁר לְפָנַי** – It is **so that *he will command his children ... after him ... to do* what**

cally to the case of Sodom. The first is negative (it *would not be* appropriate to conceal the matter from Abraham), the second positive (it *would be* proper to reveal it to him).

130. Today's editions of Rashi do not have this introductory comment citing Onkelos. (It is found, however, in the early Rome and Alkabetz editions.) Furthermore, today's editions of Onkelos do not have the reading אֲרֵי יְדַעְתִּנֵּהּ,*"for I know him,"* but אֲרֵי גְלֵי קֳדָמַי, *for it is revealed before Me.*

131. According to this, the verse should be translated: *For I have cherished him, because he commands his children ... that they keep the way of* HASHEM ... The alternative interpretation, which Rashi rejects is, as he explains later: "I know [about] him that he will command his children to follow My way."

131a. Extant versions of Rashi also cite a second example from the Book of *Ruth*: "הֲלֹא בֹעַז מֹדַעְתָּנוּ," *Is not Boaz our intimate?* (3:2).

132. In all these examples the word having the root ידע, to *know,* denotes a relationship of closeness and friendship.

132a. Extant versions of Rashi continue: [The verse means:] וְלָמָה יְדַעְתִּיו "לְמַעַן אֲשֶׁר יְצַוֶּה" לְפִי שֶׁהוּא מְצַוֶּה אֶת בָּנָיו עָלַי לִשְׁמוֹר דְּרָכַי – And why have I cherished him? *Because he commands,* [i.e.,] because he commands his sons about Me, to keep My ways.

133. In our versions of Rashi, this explanation (which Rashi rejects) is attributed to Targum [Onkelos], who translates (according to some versions, such as those in today's editions) אֲרֵי גְלֵי קֳדָמַי וגו׳, *for it is revealed to Me that he will command his children.*

To summarize: There are two versions of Onkelos on the words כִּי יְדַעְתִּיו: (i) אֲרֵי גְלֵי קֳדָמַי and (ii) אֲרֵי יְדַעְתִּנֵּהּ. Rashi rejects the interpretation embodied by גְלֵי קֳדָמַי and accepts that of יְדַעְתִּנֵּהּ; it is unclear, however, which of these two versions of Onkelos is the one that Rashi had.

134. לְמַעַן always indicates a cause and effect relationship. According to Rashi's first explanation it is translated as "because," which is appropriate for the word לְמַעַן. The alternate interpretation, however, is forced to translate it as "that," which does not fit the word לְמַעַן.

134a. Regarding לְמַעַן used in the sense of "that," see Ramban's second and third interpretation with notes 138 and 139 below.

כ וַיֹּאמֶר יהוה זַעֲקַת סְדֹם וַעֲמֹרָה כִּי־רָבָּה
כא וְחַטָּאתָם כִּי כָבְדָה מְאֹד: אֵרְדָה־נָּא

כ וַאֲמַר יְיָ קְבֵלַת דִסְדוֹם וַעֲמוֹרָה אֲרֵי סְגִיאַת וְחוֹבַתְהוֹן אֲרֵי תְקִיפַת לַחֲדָא: כא אִתְגְלֵי כְעַן

רש"י

אלא על אברהם, למדנו, כל המעמיד בן צדיק כאילו אינו מת (ב"ר שם ד): **(כ) ויאמר ה'.** אל אברהם, שעשה כאשר אמר שלא יכסה ממנו: **כי רבה.** כל רבה שבמקרא הטעם למטה בבי"ת לפי שהן מתורגמין גדולה או גדלה והולכת (שם ה, כז:ג), אבל זה טעמו למעלה ברי"ש לפי שמתורגם גדלה כבר, כמו שפירשתי ויהי השמש באה (לעיל טו:יז) הנה שבה יבמתך (רות א:טו): **(כא) ארדה נא.** למד לדיינים שלא יפסקו דיני נפשות אלא בראיה, הכל כמו שפירשתי בפרשת הפלגה (לעיל יא:ה). ד"א, ארדה

רמב"ן

לְפָנַי[134b], וּלְכָךְ אֲשִׂימֶנּוּ "לְגוֹי גָּדוֹל וְעָצוּם" שֶׁיַּעַבְדוּנִי[135]. וְכָמוֹהוּ "יְדַעְתִּיךָ בְשֵׁם" [שמות לג, יב][135a], "מָה אָדָם וַתֵּדָעֵהוּ" [תהלים קמד, ג][136].

אוֹ יֹאמַר "יְדַעְתִּיו[137] שֶׁיְּצַוֶּה"[138], וְכֵן "לְמַעַן יָנוּחַ עַבְדְּךָ וַאֲמָתְךָ כָּמוֹךָ"[138a] [דברים ה, יד], שֶׁיָּנוּחַ[139].

וְהַנָּכוֹן בְּעֵינַי שֶׁהִיא יְדִיעָה בּוֹ מַמָּשׁ, יִרְמֹז, כִּי יְדִיעַת הַשֵּׁם, שֶׁהִיא הַשְׁגָּחָתוֹ בָּעוֹלָם הַשָּׁפֵל[140], הִיא לִשְׁמוֹר

RAMBAN ELUCIDATED

is upright before Me.[134b] **וּלְכָךְ אֲשִׂימֶנּוּ "לְגוֹי גָּדוֹל וְעָצוּם" שֶׁיַּעַבְדוּנִי – And for this reason I shall establish him** ***as a great and mighty nation*** **that will serve Me.**[135] **וְכָמוֹהוּ "יְדַעְתִּיךָ בְשֵׁם" – Similar to this is** the word יְדַעְתִּיךָ of the phrase, ***I will exalt you by*** *virtue of My Name* (*Exodus* 33:12),[135a] **"מָה אָדָם וַתֵּדָעֵהוּ"** – and the word וַתֵּדָעֵהוּ of the phrase, ***What is man that You should exalt him****?* (*Psalms* 144:3).[136]

[The third interpretation:]

"אוֹ יֹאמַר "יְדַעְתִּיו שֶׁיְּצַוֶּה – Alternatively: [The verse] means to **say:** [God] said, ***"I know*** of ***him***[137] ***that he will command ..."***[138] **וְכֵן "לְמַעַן יָנוּחַ עַבְדְּךָ וַאֲמָתְךָ כָּמוֹךָ", – Similarly,** the phrase לְמַעַן יָנוּחַ in the verse, ***that your slave and your maidservant may rest like you*** (*Deuteronomy* 5:14),[138a] means **שֶׁיָּנוּחַ – *that [your ...] may rest.***[139]

[The fourth interpretation is based on the different levels of Providence that God visits upon people, each according to his personal attitude toward God:]

וְהַנָּכוֹן בְּעֵינַי שֶׁהִיא יְדִיעָה בּוֹ מַמָּשׁ – The soundest interpretation **in my view is that [the word יְדַעְתִּיו] refers to "knowing him" literally. יִרְמֹז, כִּי יְדִיעַת הַשֵּׁם, שֶׁהִיא הַשְׁגָּחָתוֹ בָּעוֹלָם הַשָּׁפֵל – [The verse] alludes to** the principle **that God's knowledge – which is His providential supervision of this temporal world**[140] **– הִיא לִשְׁמוֹר הַכְּלָלִים – is** only **to preserve general**

134b. Having explained the meaning of כִּי יְדַעְתִּיו in verse 19 as *for I have elevated him,* Ramban proceeds to show how that phrase continues the thought of verse 18.

135. This is Ramban's explanation for verse 18. Verse 19 begins with the word כִּי, *For*, indicating that it provides a reason for what preceded it. The reason God was determined to make Abraham into a great nation (v. 18) was that His entire purpose for exalting Abraham altogether was for him to instruct his children and household in the ways of righteousness (v. 19). That instruction would be more fruitful if Abraham would father a great and mighty nation.

135a. See Ramban's commentary to that verse.

136. In each of these verses, ידע has the meaning *elevate* or *exalt.*

137. This is the interpretation of יְדַעְתִּיו used by Ramban in his commentary to v. 17 above (see note 17 there).

138. Ramban paraphrases the phrase לְמַעַן אֲשֶׁר יְצַוֶּה as שֶׁיְּצַוֶּה, in which the prefix -שֶׁ means *that.* This is the interpretation rejected by Rashi (see Ramban above, with note 134) on the grounds that it forces us to translate לְמַעַן as *that* rather than *in order that.* Ramban now defends this interpretation, showing that there is at least one other instance where לְמַעַן means "that."

138a. In his commentary on that verse, Ramban explains לְמַעַן יָנוּחַ as כְּשֶׁיָּנוּחַ, *when [your ...] will rest.*

139. The verse there says, *You shall not do any work – you, your son, your daughter, your slave, and your maidservant ...* לְמַעַן *your slave and maidservant shall rest [from work] like you.* But if לְמַעַן can only mean *in order that,* then the verse is a tautology: *Your slave shall not work in order that your slave shall refrain from work.*

[According to Ramban's interpretation, לְמַעַן has the same meaning as the prefix -שֶׁ, which serves as an abbreviated form of אֲשֶׁר, *that.* If so, the phrase לְמַעַן אֲשֶׁר in our verse means אֲשֶׁר אֲשֶׁר (*Zichron Yitzchak*)! However, see Ramban above, on 17:18, where he discusses the phenomenon of such doubled words.]

140. Lit., the lower world, as opposed to the supernal, spiritual world.

[20] So Hashem said, "The outcry of Sodom and Gomorrah that has become great, and their sin that has become very grave, [21] I will descend

רמב"ן

הַכְּלָלִים[140a], וְגַם בְּנֵי הָאָדָם מֻנָּחִים בּוֹ לְמִקְרִים[141] עַד בֹּא עֵת פְּקוּדָתָם[142,143]. אֲבָל בַּחֲסִידָיו יָשׂוּם אֵלָיו לִבּוֹ לָדַעַת אוֹתוֹ בִּפְרָט, לִהְיוֹת שְׁמִירָתוֹ דְּבֵקָה בוֹ תָּמִיד, לֹא תִפָּרֵד הַיְדִיעָה וְהַזְּכִירָה מִמֶּנּוּ כְּלָל[144] כְּטַעַם "לֹא יִגְרַע מִצַּדִּיק עֵינָיו" [איוב לו, ז]; וּבָאוּ מִזֶּה פְּסוּקִים רַבִּים, כְּדִכְתִיב [תהלים לג, יח]: "הִנֵּה עֵין ה' אֶל יְרֵאָיו," וְזוּלַת זֶה.

[כ] וַיֹּאמֶר ה' זַעֲקַת סְדֹם וַעֲמֹרָה לְשׁוֹן רַשִׁ"י: "וַיֹּאמֶר ה' " אֶל אַבְרָהָם, שֶׁעָשָׂה כַּאֲשֶׁר אָמַר, שֶׁלֹּא יְכַסֶּה מִמֶּנּוּ[144a].

וְאָמַר רַבִּי אַבְרָהָם[145], כִּי נִכְנַס פָּסוּק "וַיִּפְנוּ מִשָּׁם הָאֲנָשִׁים" בֵּנְתַיִם לְהוֹדִיעַ כִּי בְּעֵת שֶׁבָּאוּ לִסְדוֹם אָז אָמַר הַשֵּׁם לְאַבְרָהָם "זַעֲקַת סְדוֹם וַעֲמֹרָה כִּי רָבָּה"[146,146a].

RAMBAN ELUCIDATED

groups,[140a] **וְגַם בְּנֵי הָאָדָם מֻנָּחִים בּוֹ לְמִקְרִים – and even human beings are** often[141] **left** to fend for themselves **in [this world] against** its haphazard **vicissitudes עַד בֹּא עֵת פְּקוּדָתָם – until their "time of accounting"**[142] **arrives.**[143] **אֲבָל בַּחֲסִידָיו יָשׂוּם אֵלָיו לִבּוֹ לָדַעַת אוֹתוֹ בִּפְרָט – However, when it comes to His pious ones He directs His heart to "know" [each of them] individually, לִהְיוֹת שְׁמִירָתוֹ דְּבֵקָה בוֹ תָּמִיד –** i.e., **to have His protection cleave to him at all times. לֹא תִפָּרֵד הַיְדִיעָה וְהַזְּכִירָה מִמֶּנּוּ כְּלָל –** Thus, God's **knowledge and remembrance do not depart from him at all,**[144] **כְּטַעַם "לֹא יִגְרַע מִצַּדִּיק עֵינָיו" – in accordance with** the verse, ***He does not remove His eyes from the righteous man*** (*Job* 36:7); **וּבָאוּ מִזֶּה פְּסוּקִים רַבִּים, כְּדִכְתִיב "הִנֵּה עֵין ה' אֶל יְרֵאָיו", וְזוּלַת זֶה – many** other **verses** expressing **this [concept] exist, as it is written,** e.g., ***Behold, the eye of Hashem is toward those who fear Him*** (*Psalms* 33:18), **and** other verses **besides this** one.

20. וַיֹּאמֶר ה' זַעֲקַת סְדֹם וַעֲמֹרָה – ***SO HASHEM SAID, "THE OUTCRY OF SODOM AND GOMORRAH."***

[The verse does not tell us to whom God was speaking. Ramban cites Rashi's understanding:]

לְשׁוֹן רַשִׁ"י – The following is **a quote from Rashi:**

"וַיֹּאמֶר ה' " אֶל אַבְרָהָם, שֶׁעָשָׂה כַּאֲשֶׁר אָמַר, שֶׁלֹּא יְכַסֶּה מִמֶּנּוּ – ***So Hashem said*** **to Abraham; for He did as He said** He would (in v. 17), **that He would not conceal** His intentions **from [Abraham].**[144a]

[But if God was talking to Abraham in verses 20-21, why does verse 22 (*The men turned from there* ...) interpose between God's statement to Abraham and Abraham's response in verses 23-32? Ramban explains, beginning by citing Ibn Ezra (on v. 13):]

וְאָמַר רַבִּי אַבְרָהָם כִּי נִכְנַס פָּסוּק "וַיִּפְנוּ מִשָּׁם הָאֲנָשִׁים" בֵּנְתַיִם – Rabbi Avraham Ibn Ezra **says**[145] **that the verse, *The men turned from there*** (v. 22), **interrupts in the middle** of God's conversation with Abraham **לְהוֹדִיעַ כִּי בְּעֵת שֶׁבָּאוּ לִסְדוֹם – to inform** us **that at the time they arrived in Sodom, אָז אָמַר הַשֵּׁם לְאַבְרָהָם "זַעֲקַת סְדוֹם וַעֲמֹרָה כִּי רָבָּה" – that was when God said to Abraham, *The outcry of***

140a. That is, species, as opposed to individuals. This includes the animal and vegetable kingdoms and, as Ramban goes on to say, sometimes people.

141. The word "often" is added based on Ramban's commentary to *Job* 36:7.

142. Stylistic citation from *Jeremiah* 8:12.

143. That is, until their death. In the sense that God keeps a precise reckoning of all of men's deeds, there is of course Divine Providence on an individual level as well. What Ramban means is that when it comes to reward and punishment for those deeds, ordinary people (those who are not thoroughly righteous) are not recompensed for their actions in this world, but only in the Next World (see Rabbeinu Bachya). Furthermore, the amount of "abandonment to fate" versus direct Divine Providence experienced by each individual is precisely regulated and decreed by God in accordance with the individual's merit (*Chochmah U'Mussar*, Vol. II, 214).

144. According to this interpretation, then, the term יְדַעְתִּיו means: *I have bestowed upon him the gift of My special attention and protection,* which is reserved for the most righteous people.

144a. Verse 23 records Abraham's prayer on behalf of Sodom and its sister cities. But we are not told how or when he had learned of their impending destruction. Rashi explains that (in verse 20) God informed Abraham of His intentions.

145. Ibn Ezra agrees with Rashi's assertion that in verses 20-21 God is addressing Abraham.

רמב״ן

וְכֵן דַּעַת כָּל הַמְפָרְשִׁים כִּי עִם אַבְרָהָם יְדַבֵּר[146b]. וּלְפִי זֶה הַנָּכוֹן בַּפָּסוּק ״וַיִּפְנוּ מִשָּׁם הָאֲנָשִׁים,״ לוֹמַר כִּי כַּאֲשֶׁר אָמַר הַשֵּׁם לְאַבְרָהָם בִּנְסֹעַ הָאֲנָשִׁים מִמֶּנּוּ ״זַעֲקַת סְדוֹם וַעֲמֹרָה כִּי רָבָּה״[147], עָמַד אַבְרָהָם בִּתְפִלָּה וּתְחִנָּה לְפָנָיו[148] לִמְחֹל לָהֶם וְלָתֵת לוֹ רְשׁוּת לְדַבֵּר, וְהֶאֱרִיךְ בִּתְפִלָּתוֹ עַד שֶׁבָּאוּ הָאֲנָשִׁים סְדוֹמָה, וְאָז נִגַּשׁ אַבְרָהָם וְאָמַר ״הַאַף תִּסְפֶּה״[149].

אוֹ יִהְיֶה פֵּירוּשׁוֹ שֶׁשָּׁב לְבָאֵר ״עוֹדֶנּוּ עוֹמֵד לִפְנֵי ה׳״, כִּי נִגַּשׁ אַבְרָהָם וְאָמַר[150] ״הַאַף תִּסְפֶּה״,

RAMBAN ELUCIDATED

Sodom and Gomorrah that has become great . . . .[146,146a]

[For the time being, Ramban accepts that God was speaking to Abraham[146b] in verses 20-21. However, he provides a different explanation for verse 22 than the one given by Ibn Ezra:]

וְכֵן דַּעַת כָּל הַמְפָרְשִׁים כִּי עִם אַבְרָהָם יְדַבֵּר – It is also the opinion of all the other **commentators that [God] was speaking with Abraham. וּלְפִי זֶה הַנָּכוֹן בַּפָּסוּק ״וַיִּפְנוּ מִשָּׁם הָאֲנָשִׁים״, לוֹמַר – According to this, the soundest interpretation of the verse *The men turned from there* ...** (v. 22) **is to say כִּי כַּאֲשֶׁר אָמַר הַשֵּׁם לְאַבְרָהָם בִּנְסֹעַ הָאֲנָשִׁים מִמֶּנּוּ ״זַעֲקַת סְדוֹם וַעֲמֹרָה כִּי רָבָּה״ – that when God said to Abraham as the men were traveling away from him, *“The outcry of Sodom and Gomorrah that has become great,”***[147] **עָמַד אַבְרָהָם בִּתְפִלָּה וּתְחִנָּה לְפָנָיו לִמְחֹל לָהֶם וְלָתֵת לוֹ רְשׁוּת לְדַבֵּר – Abraham** immediately **stood** to prepare himself to engage **in prayer and supplication before [God]**[148] **that He should forgive [the people of Sodom and Gomorrah],** seeking **that He should grant [Abraham] permission to speak, וְהֶאֱרִיךְ בִּתְפִלָּתוֹ עַד שֶׁבָּאוּ הָאֲנָשִׁים סְדוֹמָה – and he prolonged his prayer** for several hours, **until the men arrived in Sodom. וְאָז נִגַּשׁ אַבְרָהָם וְאָמַר ״הַאַף תִּסְפֶּה״ – At that point, *Abraham came forward and said, “Will You also stamp out . . .”***[149]

[Ramban now provides an alternative explanation of the sequence of verses 22 and 23:]

אוֹ יִהְיֶה פֵּירוּשׁוֹ שֶׁשָּׁב לְבָאֵר ״עוֹדֶנּוּ עוֹמֵד לִפְנֵי ה׳״ – Alternatively, the explanation of this phrase (*Abraham came forward and said*) **is that** in verse 23 **[Scripture] goes back to elucidate** the phrase in verse 22, *[Abraham was]* ***still standing before Hashem,*** **כִּי נִגַּשׁ אַבְרָהָם וְאָמַר ״הַאַף תִּסְפֶּה״** – and explains that this means **that Abraham came forward and said, *“Will you also stamp out ...”***

146. We are told in 19:1, *the two angels came to Sodom in the evening.* According to Ibn Ezra, 18:22 tells us that God informed Abraham about Sodom at the time of the angels' arrival in Sodom. It should thus be translated: *It was when the men had turned from there and gone to Sodom that Abraham was still standing before Hashem [and talking with Him].* According to Ibn Ezra, then, 18:22 and 19:1 refer to the same event (the arrival of the angels in Sodom). Its proper place is in Chapter 19, but it is also mentioned in 18:22 in passing, in order to identify the time frame of the conversation between God and Abraham.

146a. Ibn Ezra's interpretation cannot, however, be used to explain Rashi's approach, for Rashi (on 19:1, s.v., בָּעֶרֶב) states that they delayed their arrival to give Abraham a chance to mount a defense for the people of Sodom.

146b. This is in contradistinction to *Targum Yonasan ben Uzziel,* which reads: *So Hashem said to the ministering angels* ... In his next comment, however, Ramban explains that God was speaking to Himself (see note 165 below).

147. According to Ramban, God's statement to Abraham (vv. 20-21) took place as the angels were leaving his house, not (as Ibn Ezra says) when they arrived in Sodom. Abraham's response to God's statement (vv. 23-32), however, took place as the angels entered Sodom, in the evening. Ramban now fills in the details of what transpired from the time God told Abraham that He was thinking of destroying Sodom until the evening, when Abraham pleaded for the Sodomites.

148. This sentence is Ramban's interpretation of the passage, *Abraham was still standing before Hashem* (v. 22). It means: All that time – from when the angels left him until they arrived in Sodom – Abraham remained standing in prayer before God. These hours of preparatory prayer were a prerequisite for Abraham to be able to present his arguments on behalf of Sodom (vv. 23-32) to God.

149. Ramban splits the beginning phrase of verse 22, *the men turned from there and went to Sodom,* into two parts: The first component (*the men turned from there*) relates to what precedes it – God's statement (vv. 20-21); and the second (*and they went to Sodom*) relates to what follows it – Abraham's arguments (vv. 23-32). The closing phrase of verse 22, *Abraham was still standing before Hashem,* depicts what transpired in between.

[The advantage of Ramban's interpretation over Ibn Ezra's is that it better explains the need to interrupt the narrative of God's conversation with Abraham with the seemingly misplaced account of the angels' journey. Verse 22 begins with the time frame of the preceding verses and ends with the time frame of the subsequent verses; its placement is therefore perfectly appropriate.]

רמב״ן

וְהִנֵּה הֶאֱרִיךְ בִּתְחִנָּה לְפָנָיו בְּכָל פַּעַם לֵאמֹר אַל יִחַר אַף ה׳[151,152], וְהָיָה עוֹד מְכַוֵּן דַּעְתּוֹ בְּכָל פַּעַם לִנְבוּאָה עַד שֶׁשָּׁמַע תְּשׁוּבָה לִדְבָרָיו מִפִּיו שֶׁל הַקָּדוֹשׁ בָּרוּךְ הוּא[152a], וְהֶאֱרִיכוּ כָּל הַיּוֹם בָּזֶה, "וַיֵּלֶךְ ה׳" בָּעֶרֶב "כַּאֲשֶׁר כִּלָּה לְדַבֵּר אֶל אַבְרָהָם", וּבָאוּ שְׁנֵי הַמַּלְאָכִים סְדוֹמָה[153].

□ **זַעֲקַת סְדֹם וַעֲמֹרָה.** הִיא זַעֲקַת עֲשׁוּקִים יִזְעֲקוּ וִישַׁוְּעוּ מִזְּרוֹעַ רְשָׁעִים[154]. וְהָיָה רָאוּי שֶׁיֹּאמַר הַכָּתוּב זַעֲקַת סְדוֹם וַעֲמֹרָה שָׁמַעְתִּי כִּי רָבָּה, אוֹ שֶׁיֹּאמַר זַעֲקַת סְדוֹם וַעֲמֹרָה רַבָּה וְחַטָּאתָם כָּבְדָה מְאֹד. אֲבָל עִנְיַן הַכָּתוּב זַעֲקַת סְדוֹם וַעֲמוֹרָה וְחַטָּאתָם - שֶׁגָּדְלוּ מְאֹד - אֵרֵד וְאֶרְאֶה[155].

RAMBAN ELUCIDATED

(v. 23).[150] וְהִנֵּה הֶאֱרִיךְ בִּתְחִנָּה לְפָנָיו בְּכָל פַּעַם לֵאמֹר אַל יִחַר אַף ה׳ – **Now, he drew out his supplications before [God] each time, saying, "Let not my Lord's anger burn,"**[151] and this prolonged Abraham's presentation of his arguments for several hours,[152] until the angels arrived in Sodom. וְהָיָה עוֹד מְכַוֵּן דַּעְתּוֹ בְּכָל פַּעַם לִנְבוּאָה עַד שֶׁשָּׁמַע תְּשׁוּבָה לִדְבָרָיו מִפִּיו שֶׁל הַקָּדוֹשׁ בָּרוּךְ הוּא – **Furthermore, [Abraham] prepared himself mentally for prophecy**[152a] **each time** God was about to respond to him, until he heard the reply to his words from the mouth of the Holy One, Blessed is He, וְהֶאֱרִיכוּ כָּל הַיּוֹם בָּזֶה – **and [God and Abraham]** thus **drew out this** conversation over **the entire day,** until evening, when the angels arrived in Sodom. "וַיֵּלֶךְ ה׳" בָּעֶרֶב "כַּאֲשֶׁר כִּלָּה לְדַבֵּר אֶל אַבְרָהָם," וּבָאוּ שְׁנֵי הַמַּלְאָכִים סְדוֹמָה – **Then,** ***Hashem departed*** **in the evening,** ***when He had finished speaking to Abraham ...*** (v. 33), **and the two angels came to Sodom** (see 19:1).[153]

□ **זַעֲקַת סְדֹם וַעֲמֹרָה** – *THE OUTCRY OF SODOM AND GOMORRAH*

[Ramban explains both the nature of this outcry and just who it was that cried out:]

הִיא זַעֲקַת עֲשׁוּקִים יִזְעֲקוּ וִישַׁוְּעוּ מִזְּרוֹעַ רְשָׁעִים – This refers to **the crying out of "the oppressed people who cry out and plead because of the brutality of the wicked."**[154]

[Our verse records God's words as an incomplete sentence: *The outcry of Sodom and Gomorrah that has become great, and their sin that has become very grave.* Moreover, its intention is unclear. Ramban explains:]

וְהָיָה רָאוּי שֶׁיֹּאמַר הַכָּתוּב זַעֲקַת סְדוֹם וַעֲמֹרָה שָׁמַעְתִּי כִּי רָבָּה – It would have been fitting for [Scripture] to have said, "The outcry of Sodom and Gomorrah ***I have heard,*** **for it has become great,"** for it would then be a complete sentence. אוֹ שֶׁיֹּאמַר זַעֲקַת סְדוֹם וַעֲמֹרָה רַבָּה וְחַטָּאתָם כָּבְדָה מְאֹד – **Alternatively,** it would have been fitting for Scripture **to have said, "The outcry of Sodom and Gomorrah has become great, and their sin has become very grave,"** omitting the word **כִּי**, *that,* which it now uses twice. This, too, would have been a complete sentence. **אֲבָל עִנְיַן הַכָּתוּב זַעֲקַת סְדוֹם וַעֲמוֹרָה וְחַטָּאתָם, שֶׁגָּדְלוּ מְאֹד, אֵרֵד וְאֶרְאֶה – However, the intention of the verse is: "The outcry of Sodom**

150. According to this explanation, "Abraham was standing before Hashem" does not describe a lengthy, unspecified prayer uttered by Abraham in preparation for his arguments (as explained in the previous interpretation). Rather, it refers to the very prayers and arguments recorded in verses 23-32. That is, verse 22 makes a general statement that Abraham stood (in prayer) before God, and verses 23-32 elaborate on the nature of that prayer.

151. Each time Abraham proceeded a step in his arguments in defense of Sodom, he preceded his remark with an apology, using the words "Let not my Lord be angry" (cf. vv. 30,32) or some other statement expressing the same sentiment (vv. 27,31).

152. Apparently Abraham said much more than just, "Let not my Lord be angry," but the Torah records his statement in this abbreviated manner.

152a. See Ramban's first comment to this *parashah,* with note 30.

153. To summarize the various interpretations:

According to Ibn Ezra: The angels left Abraham and arrived in Sodom in the evening; at this time God told Abraham of His intentions in Sodom, and Abraham pleaded on their behalf.

According to Ramban's first interpretation: As soon as the angels left Abraham, God told him of His intentions, and Abraham began to engage in prayer to prepare himself to plead with God on behalf of the Sodomites. When the angels arrived in Sodom in the evening, Abraham finally approached God and pleaded his case.

According to Ramban's second interpretation: As soon as the angels left Abraham, God told him of His intentions, and Abraham began to plead on behalf of the Sodomites. This pleading took quite some time, and lasted until the angels arrived in Sodom in the evening.

154. Stylistic paraphrase of *Job* 35:9.

[This is in contradistinction to Ibn Ezra's first

וְאֶרְאֶה הַכְּצַעֲקָתָהּ הַבָּאָה אֵלַי
כב עָשׂוּ ׀ כָּלָה וְאִם־לֹא אֵדָעָה׃ וַיִּפְנוּ
מִשָּׁם הָאֲנָשִׁים וַיֵּלְכוּ סְדֹמָה
וְאַבְרָהָם עוֹדֶנּוּ עֹמֵד לִפְנֵי יהוה׃

וְאֶחֱזֵי הַכְקָבַלְתְּהוֹן דְּעָלַת לִקְדָמַי עֲבַדוּ אֶעְבֵּד עִמְּהוֹן גְּמִירָא (אִם לָא תָיְבִין) וְאִם תָּיְבִין לָא אֶתְפְּרַע׃ כב וְאִתְפְּנִיאוּ מִתַּמָּן גֻּבְרַיָּא וַאֲזַלוּ לִסְדוֹם וְאַבְרָהָם עַד כְּעַן מְשַׁמֵּשׁ בִּצְלוֹ קֳדָם יְיָ׃

רש״י

כא לסוף מעשיהם (מדרש אגדה): **הכצעקתה.** של מדינה (תרגום ירושלמי): **הבאה אלי עשו.** וכן עומדים במרדם, **כלה** אני עושה בהם, **ואם לא** יעמדו במרדם, **אדעה** מה אעשה, להפרע מהן ביסורין, ולא אכלה אותן (ב״ר שם ו). וכיוצא בו מצינו במקום אחר, ועתה הורד עדיך מעליך ואדעה מה אעשה לך (שמות לג:ה). ולפיכך יש הפסק נקודת פסיק בין עשו לכלה כדי להפריד תיבה מחברתה. ורבותינו דרשו, הכצעקתה, צעקת ריבה אחת שהרגוה במיתה משונה על שנתנה מזון לעני, כמפורש בחלק (סנהדרין קט:): **(כב) ויפנו משם.** ממקום שאברהם ליוום שם: **ואברהם עודנו עומד לפני ה׳.** והלא לא הלך לעמוד לפניו, אלא הקב״ה בא אצלו ואמר לו זעקת סדום ועמורה כי רבה, והיה לו לכתוב וה׳ עודנו עומד על אברהם, אלא תיקון סופרים הוא זה (ב״ר שם ז):

רמב״ן

[כא] הַכְּצַעֲקָתָהּ הַבָּאָה אֵלַי וְכוּ׳. אִם כֻּלָּם חָטְאוּ בָּהֶם[156]; ״וְאִם לֹא, אֵדָעָה״ מִי הַחוֹטְאִים.

וְעִנְיַן הַיְרִידָה וְהָרְאִיָּה אָמַר רַשִׁ״י בְּדֶרֶךְ הַדְּרָשׁ: לִמֵּד לְדַיָּנִין שֶׁלֹּא יִפְסְקוּ דִּינֵי נְפָשׁוֹת אֶלָּא בִּרְאִיָּה.

וְעַל דֶּרֶךְ הַפְּשָׁט, מִפְּנֵי שֶׁרָצָה הַקָּדוֹשׁ בָּרוּךְ הוּא לְגַלּוֹת לְאַבְרָהָם עִנְיַן סְדוֹם[157] וּלְהוֹדִיעוֹ כִּי אֵין בָּהֶם עוֹשֶׂה טוֹב[158], אָמַר אֵלָיו: ״זַעֲקַת סְדוֹם וַעֲמֹרָה כִּי רַבָּה אֵרֲד לִרְאוֹת״, כְּלוֹמַר בָּאתִי לִשְׁפֹּט אִם חָטְאוּ בָּהּ אֶעֱשֶׂה בָּהֶם

RAMBAN ELUCIDATED

and Gomorrah, and their sin – which have become very great – I will descend and see.”[155]

21. [הַכְּצַעֲקָתָהּ הַבָּאָה אֵלַי וְכוּ׳ – *IF IT IS IN ACCORDANCE WITH ITS OUTCRY WHICH HAS COME BEFORE ME* ...]

[Ramban explains this difficult verse:]

אִם כֻּלָּם חָטְאוּ בָּהֶם – This means, “[I will descend and see] **if all of them have sinned among them;**[156] **״וְאִם לֹא אֵדָעָה״ מִי הַחוֹטְאִים** – *and if not, I will know* **who the sinners are.”**

[Ramban now explains the meaning of the anthropomorphic expression, *I will descend and see.* He cites Rashi’s interpretation first:]

וְעִנְיַן הַיְרִידָה וְהָרְאִיָּה – Concerning **the concept of** God’s **descending and seeing: אָמַר רַשִׁ״י בְּדֶרֶךְ הַדְּרָשׁ: לִמֵּד לְדַיָּנִין שֶׁלֹּא יִפְסְקוּ דִּינֵי נְפָשׁוֹת אֶלָּא בִּרְאִיָּה** – **Rashi says, in the homiletical manner** of interpretation: **This teaches judges not to issue a verdict in capital cases except through seeing,** i.e., unless they have examined the issues carefully.

[Ramban presents his own interpretation:]

וְעַל דֶּרֶךְ הַפְּשָׁט – **In the manner of plain** (as opposed to homiletical) **interpretation,** this is its meaning: **מִפְּנֵי שֶׁרָצָה הַקָּדוֹשׁ בָּרוּךְ הוּא לְגַלּוֹת לְאַבְרָהָם עִנְיַן סְדוֹם וּלְהוֹדִיעוֹ כִּי אֵין בָּהֶם עוֹשֶׂה טוֹב** – **Because the Holy One, Blessed is He, wanted to reveal the matter of Sodom to Abraham**[157] **and to inform him that “there was no one among them** (the Sodomites) **who did good,”**[158] **אָמַר אֵלָיו ״זַעֲקַת סְדוֹם וַעֲמֹרָה כִּי רַבָּה אֵרֲד לִרְאוֹת״, כְּלוֹמַר בָּאתִי לִשְׁפֹּט** – **He said to him:** ***“The outcry of Sodom and Gomorrah that has become great*** **I will descend to see”** – with the term “to see” **meaning, “I have come to judge.” אִם חָטְאוּ בָּהּ אֶעֱשֶׂה בָּהֶם כָּלָה,** – **If they have sinned in [Sodom] I will bring destruction**

interpretation, that the Sodomites’ “outcry” consisted of words of blasphemy.]

155. Ramban solves the problem of the incomplete sentence by taking the first three words of the following verse (אֵרְדָה נָּא וְאֶרְאֶה – *I will descend and see*) and attaching them to our verse, thus using them to complete the sentence.

156. Ramban interprets the word כָּלָה to mean “altogether,” i.e., “all of them.” This interpretation is favored by Ibn Ezra as well. (Rashi – and Ramban himself below – interpret it to mean “destruction.”) We have translated the *Chumash* text in accordance with this interpretation – עָשׂוּ כָּלָה, *[that] they all act.*

157. See above, v. 17.

158. Stylistic paraphrase of *Psalms* 14:3.

and see; if it is in accordance with its outcry which has come before Me that they all act, and if not, I will know."

22 *The men turned from there and went to Sodom, while Abraham was still standing before HASHEM.*

רמב"ן

כָּלָה, "וְאִם לֹא[159] אֵדָעָה" מַה לַּעֲשׂוֹת בָּהֶם, "וּפָקַדְתִּי בְשֵׁבֶט פִּשְׁעָם וּבִנְגָעִים עֲוֹנָם [תהלים פט, לג]"[160]. הוֹדִיעוֹ כִּי עֲדַיִין לֹא נִגְמַר דִּינָם, וְכִי עַתָּה יִפְקֹד עֲוֹנָם וְיִשְׁפֹּט אוֹתָם. וְזֶה כִּלְשׁוֹן "ה' מִשָּׁמַיִם הִשְׁקִיף עַל בְּנֵי אָדָם לִרְאוֹת הֲיֵשׁ מַשְׂכִּיל דֹּרֵשׁ אֶת אֱלֹהִים הַכֹּל סָר יַחְדָּו נֶאֱלָחוּ" [תהלים יד, ב-ג][161].

וְרַבִּי אַבְרָהָם אָמַר בּוֹ סוֹד, מִיַּלְדֵי נָכְרִים יַסְפִּיקוּ בוֹ[162]. וַאֲנִי אֶרְמוֹז לְךָ דַּעַת מְקַבְּלֵי הָאֱמֶת[163]: דָּרְשׁוּ רַבּוֹתֵינוּ בַּפָּסוּק "כִּי הִנֵּה ה' יֹצֵא מִמְּקוֹמוֹ וְיָרַד וְדָרַךְ עַל בָּמֳתֵי אָרֶץ" [מיכה א, ג]: יוֹצֵא וּבָא לוֹ מִמִּדָּה לְמִדָּה, יוֹצֵא מִמִּדַּת רַחֲמִים וּבָא לוֹ לְמִדַּת הַדִּין [ירושלמי תענית ב, א][164]. וְכֵן הָעִנְיָן הַזֶּה: "וַיֹּאמֶר ה' " – אֶל לִבּוֹ[165], "זַעֲקַת סְדֹם וַעֲמֹרָה כִּי רָבָּה" ... "אֵרְדָה" מִמִּדַּת רַחֲמִים אֶל מִדַּת הַדִּין[166], "וְאֶרְאֶה"

RAMBAN ELUCIDATED

upon them, "וְאִם לֹא אֵדָעָה" מַה לַּעֲשׂוֹת בָּהֶם, "וּפָקַדְתִּי בְשֵׁבֶט פִּשְׁעָם וּבִנְגָעִים עֲוֹנָם" – ***and if not,***[159] ***I will know*** **what to do with them** – namely, ***I will deal with their transgression with the rod, and their iniquity with plagues*** (*Psalms* 89:33).[160] הוֹדִיעוֹ כִּי עֲדַיִין לֹא נִגְמַר דִּינָם וְכִי עַתָּה יִפְקֹד עֲוֹנָם וְיִשְׁפֹּט אוֹתָם – **He** thus **informed [Abraham] that their judgment had not yet concluded, and that He would examine their sins and judge them.** וְזֶה כִּלְשׁוֹן "ה' מִשָּׁמַיִם הִשְׁקִיף עַל בְּנֵי אָדָם לִרְאוֹת הֲיֵשׁ מַשְׂכִּיל דֹּרֵשׁ אֶת אֱלֹהִים. הַכֹּל סָר יַחְדָּו נֶאֱלָחוּ" – **This is like the term** לִרְאוֹת, *to see,* in the verse, ***From heaven HASHEM gazed down upon mankind, "to see" if there exists a reflective person who seeks out God. Everyone has gone astray, together they have become depraved*** (*Psalms* 14:2-3).[161]

[Ramban now refers to Ibn Ezra's interpretation of God's "descending and seeing," and dismisses it:]

וְרַבִּי אַבְרָהָם אָמַר בּוֹ סוֹד מִיַּלְדֵי נָכְרִים יַסְפִּיקוּ בוֹ – **Rabbi Avraham** Ibn Ezra **says that [our verse] is a secret,** but it is a secret **"obtained from the offspring of foreign [minds]."**[162]

[Ramban now presents a more profound interpretation:]

וַאֲנִי אֶרְמוֹז לְךָ דַּעַת מְקַבְּלֵי הָאֱמֶת – **I will now give you a hint of the opinion of the receivers of the truth.**[163] דָּרְשׁוּ רַבּוֹתֵינוּ בַּפָּסוּק "כִּי הִנֵּה ה' יֹצֵא מִמְּקוֹמוֹ וְיָרַד וְדָרַךְ עַל בָּמֳתֵי אָרֶץ" – **The Sages expounded on the verse,** ***For behold, HASHEM is going forth from His place, He will descend and trample the heights of the land*** (*Micah* 1:3): יוֹצֵא וּבָא לוֹ מִמִּדָּה לְמִדָּה, יוֹצֵא מִמִּדַּת רַחֲמִים וּבָא לוֹ לְמִדַּת הַדִּין – This means that **He is going out and entering from attribute to attribute; He is going out from the Attribute of Mercy and entering the Attribute of Strict Justice**[164] (*Yerushalmi, Taanis* 2:1). וְכֵן הָעִנְיָן הַזֶּה – **The same is true in this case.** "וַיֹּאמֶר ה' " אֶל לִבּוֹ – In light of this understanding, vv. 20-21 should be interpreted as follows: ***God said*** **– to His heart.**[165] "זַעֲקַת סְדֹם וַעֲמֹרָה כִּי רָבָּה" ... "אֵרְדָה" מִמִּדַּת רַחֲמִים אֶל מִדַּת הַדִּין – ***"The outcry of Sodom and Gomorrah, which has become great ... I will descend*** **– from the Attribute of Mercy**[166] **to the Attribute of Strict Justice.** "וְאֶרְאֶה"

159. That is, *if* I will decide *not* to punish them with complete destruction

160. Ramban now adopts Rashi's interpretation of כָּלָה as *destruction* (see above, note 156).

161. In that verse too, the expression "to see" means "to judge."

162. This is a stylistic citation from *Isaiah* 2:6, translated in light of Ibn Ezra's and Radak's interpretation of that verse. Ramban's point is that Ibn Ezra's "secret" is based on the teachings of non-Jewish philosophers. (The commentators refer to an idea as סוֹד, *a secret* or *a mystery,* when it is likely to be misunderstood by the uninitiated; they usually couch these "secrets" in vague or cryptic language.)

163. Ramban often refers to Kabbalistic ideas as "the truth."

164. God's "descending" or "leaving His place" is thus seen by the Sages as a metaphor for His movement from one Divine Attribute to another.

165. That is, to Himself, as opposed to the opinion of "all the commentators" mentioned by Ramban above (v. 20, s.v., וַיֹּאמֶר ה'), who say that God addressed His statement of verses 20-21 to Abraham. The difficulty of the "interruption" of verse 22 in the middle of God's conversation with Abraham (discussed above) is thus averted.

[The expression "God said to His heart" has additional Kabbalistic implications that are not within the purview of this elucidation. See *Maareches HaElokus*, Chap. 11.]

166. The verse begins with "So *HASHEM* said," using the

כג וַיִּגַּשׁ אַבְרָהָם וַיֹּאמַר הַאַף תִּסְפֶּה צַדִּיק עִם־רָשָׁע:

כג וּקְרֵב אַבְרָהָם וַאֲמַר הֲבִרְגַז תְּשֵׁיצֵי זַכָּאֵי עִם חַיָּב:

רש"י

(כג) ויגש אברהם. מצינו הגשה למלחמה, ויגש יואב וגו' (דברי הימים א יט:יד). הגשה לפיוס, ויגש אליו יהודה (להלן מד:יח). והגשה לתפלה, ויגש אליהו הנביא (מלכים א יח:לו). ולכל אלה נכנס אברהם, לדבר קשות ולפיוס ולתפלה (ב"ר שם ח): **האף תספה.** הגם תספה. ולתרגום של אונקלוס שתרגומו לשון רוגז כך פירושו, האף ישיאך שתספה צדיק עם רשע (שם; תנחומא ח):

רמב"ן

בְּרַחֲמִים[167] "אִם כְּצַעֲקָתָהּ הַבָּאָה אֵלַי" בְּמִדַּת הַדִּין[168] "עָשׂוּ, כָּלָה", "וְאִם לֹא, אֵדָעָה" וַאֲרַחֵם, כְּדֶרֶךְ "וַיֵּדַע אֱלֹהִים" [שמות ב, כה][169].

וְאַחַר שֶׁסִּפֵּר הַכָּתוּב דַּעַת הָעֶלְיוֹן[170], חָזַר אֶל הָעִנְיָן הָרִאשׁוֹן, וְסִפֵּר בַּמַּעֲשֶׂה כִּי הָאֲנָשִׁים אֲשֶׁר הִשְׁקִיפוּ עַל פְּנֵי סְדוֹם לָלֶכֶת שָׁמָּה - וְשִׁלְּחָם אַבְרָהָם - הִגִּיעוּ שָׁמָּה. וְאַבְרָהָם מֵעֵת הִפָּרְדָם מִמֶּנּוּ וְעַד הַגִּיעָם שָׁם, עוֹדֶנּוּ עוֹמֵד לְפָנָיו, כִּי קְרָאוֹ וְהִגִּיד לוֹ כִּי הַמַּלְאָכִים הֵם הַשְּׁלוּחִים הָאֵלֶּה אֲשֶׁר שְׁלָחָם לְהַשְׁחִית הַמָּקוֹם כַּאֲשֶׁר אָמַר. וְלֹא הוּצְרַךְ לְפָרֵשׁ מָתַי עָמַד לְפָנָיו[171], כִּי מֵעֵת שֶׁאָמַר "הַמְכַסֶּה אֲנִי מֵאַבְרָהָם" נוֹדַע שֶׁהִגִּיד לוֹ[172].

RAMBAN ELUCIDATED

בְּרַחֲמִים – ***And I will see*** – **with mercy.**[167] "אִם כְּצַעֲקָתָהּ הַבָּאָה אֵלַי" בְּמִדַּת הַדִּין "עָשׂוּ, כָּלָה", – ***If in accordance with the outcry which has come to Me*** – **through the Attribute of Strict Justice**[168] – ***they have acted, then destruction.*** "וְאִם לֹא, אֵדָעָה" וַאֲרַחֵם – ***And if not, I will know,*** i.e., **I will have mercy."** כְּדֶרֶךְ "וַיֵּדַע אֱלֹהִים" – The word "know," when used with God, refers to His showing of love and mercy, **similar to** the meaning of וַיֵּדַע in the phrase, *their outcry ... went up to God ...* ***and God knew,*** i.e., God had mercy (*Exodus* 2:25).[169]

[Ramban now applies this last interpretation[170] to the sequence of the verses:]

וְאַחַר שֶׁסִּפֵּר הַכָּתוּב דַּעַת הָעֶלְיוֹן, חָזַר אֶל הָעִנְיָן הָרִאשׁוֹן – Then, **after Scripture related the thought of the Supreme One** (in vv. 20-21), **it returned to the original topic,** וְסִפֵּר בַּמַּעֲשֶׂה כִּי הָאֲנָשִׁים אֲשֶׁר הִשְׁקִיפוּ עַל פְּנֵי סְדוֹם לָלֶכֶת שָׁמָּה, וְשִׁלְּחָם אַבְרָהָם, הִגִּיעוּ שָׁמָּה – **and related in that narrative that the men who had gazed down toward Sodom** (see v. 16) – in preparation **for going there** – **and whom Abraham had sent off, had arrived there.**

וְאַבְרָהָם מֵעֵת הִפָּרְדָם מִמֶּנּוּ וְעַד הַגִּיעָם שָׁם, עוֹדֶנּוּ עוֹמֵד לְפָנָיו – It related further that **from the time they took leave of [Abraham] until they arrived [in Sodom], Abraham was still standing before [God],** כִּי קְרָאוֹ וְהִגִּיד לוֹ כִּי הַמַּלְאָכִים הֵם הַשְּׁלוּחִים הָאֵלֶּה אֲשֶׁר שְׁלָחָם לְהַשְׁחִית הַמָּקוֹם כַּאֲשֶׁר אָמַר – **for [God] had called him and told him that the angels were** in fact **those messengers *whom He had sent* to destroy the place, as He had said** to Himself that He would do. וְלֹא הוּצְרַךְ לְפָרֵשׁ מָתַי עָמַד לְפָנָיו – Therefore **[Scripture] did not find it necessary to specify when it was that [Abraham]** first **stood** in prayer **before [God],**[171] כִּי מֵעֵת שֶׁאָמַר "הַמְכַסֶּה אֲנִי מֵאַבְרָהָם" נוֹדַע שֶׁהִגִּיד לוֹ – **for from the time that He said, *Shall I conceal from Abraham ...*** (v. 17), **it is known** to us **that He had told [Abraham]** about His intention to destroy Sodom,[172] and it was then that Abraham began to pray for them.

Name of God that denotes His Attribute of Mercy.

167. [The term בְּרַחֲמִים, *with mercy,* has additional Kabbalistic implications that are not within the purview of this elucidation. See *Tikkunei Zohar*, page 101a, ed. Warsaw; and Arizal's *Shaar HaKavanos*, דרושי תפילת השחר דרוש א.]

168. The word צְעָקָה is associated with the Attribute of Strict Justice (see Ramban on *Exodus* 3:9), which cries out in complaint before God (*Bi'ur* of Abu Sahula).

169. Ibn Ezra also cites this interpretation of "I will know," as well as the proof from *Exodus* 2:25.

170. That is, that God's words of vv. 21-22 were addressed to Himself.

171. We are told that from the time the angels left until they arrived in Sodom Abraham was "still" standing before God, implying that he had begun standing (in prayer) before the angels left. The exact time when he began standing is not related in Scripture, as Ramban explains.

172. Ramban is forced to explain all this because he is working with the assumption (see above, note 170) that when God declared His intention to judge Sodom (vv. 20-21), he was speaking to Himself and not to Abraham.

[23]*Abraham came forward and said, "Will Af stamp out the righteous along with the wicked?*

רמב"ן

[כג] וַיִּגַּשׁ אַבְרָהָם וַיֹּאמַר הַאַף תִּסְפֶּה צַדִּיק עִם רָשָׁע. אַפּוֹ[172a] שֶׁל הַקָּדוֹשׁ בָּרוּךְ הוּא הִיא מִדַּת דִּינוֹ, וְחָשַׁב אַבְרָהָם שֶׁהִיא תִּסְפֶּה צַדִּיק עִם רָשָׁע[173], לֹא יָדַע מַחְשְׁבוֹת ה' אֲשֶׁר חָשַׁב עֲלֵיהֶם בְּרַחֲמָיו כַּאֲשֶׁר פֵּרַשְׁתִּי, וְלָכֵן אָמַר כִּי הָגוּן וְטוֹב הוּא שֶׁיִּשָּׂא לְכָל הַמָּקוֹם לְמַעַן חֲמִשִּׁים הַצַּדִּיקִים. אֲבָל לֹא יִתָּכֵן גַּם בְּמִדַּת הַדִּין "לְהָמִית צַדִּיק עִם רָשָׁע," שֶׁאִם כֵּן יִהְיֶה "כַּצַּדִּיק כָּרָשָׁע", וְיֹאמְרוּ "שָׁוְא עֲבֹד אֱלֹהִים"[174]. וְכָל שֶׁכֵּן בְּמִדַּת רַחֲמִים שֶׁהוּא שׁוֹפֵט כָּל הָאָרֶץ, וְהוּא הָעוֹשֶׂה מִשְׁפָּט[175], כְּעִנְיַן "וַיִּגְבַּהּ ה' צְבָאוֹת בַּמִּשְׁפָּט," וְאָמְרֵנוּ "הַמֶּלֶךְ הַמִּשְׁפָּט"[176], וְזֶהוּ עִנְיַן הַכֵּפֶל "חָלִלָה לְּךָ"[177]. וְהַקָּדוֹשׁ בָּרוּךְ הוּא הוֹדָה שֶׁיִּשָּׂא לְכָל הַמָּקוֹם בַּעֲבוּרָם, כִּי בְּמִדַּת רַחֲמִים יִתְנַהֵג עִמָּהֶם[178].

RAMBAN ELUCIDATED

23. וַיִּגַּשׁ אַבְרָהָם וַיֹּאמַר הַאַף תִּסְפֶּה צַדִּיק עִם רָשָׁע – ***ABRAHAM CAME FORWARD AND SAID, "WILL AF[172a] STAMP OUT THE RIGHTEOUS ALONG WITH THE WICKED?"***

[Ramban continues his explanation of this section along Kabbalistic lines, involving God's Attributes of Mercy and Strict Justice:]

אַפּוֹ שֶׁל הַקָּדוֹשׁ בָּרוּךְ הוּא הִיא מִדַּת דִּינוֹ – The wrath of the Holy One, Blessed is He, is His Attribute of Strict Justice. וְחָשַׁב אַבְרָהָם שֶׁהִיא תִּסְפֶּה צַדִּיק עִם רָשָׁע – Abraham thought that it [this Attribute] would stamp out[173] the righteous along with the wicked, לֹא יָדַע מַחְשְׁבוֹת ה' אֲשֶׁר חָשַׁב עֲלֵיהֶם בְּרַחֲמָיו כַּאֲשֶׁר פֵּרַשְׁתִּי – for **he did not know the thoughts of God, Who thought about them in His Mercy, as I explained above** (regarding the preceding verse). **וְלָכֵן אָמַר כִּי הָגוּן וְטוֹב הוּא שֶׁיִּשָּׂא לְכָל הַמָּקוֹם לְמַעַן חֲמִשִּׁים הַצַּדִּיקִים – Therefore, he said that it would be proper and good if He would spare the whole place for the sake of fifty righteous people** who might be found there (v. 24). **אֲבָל לֹא יִתָּכֵן גַּם בְּמִדַּת הַדִּין "לְהָמִית צַדִּיק עִם רָשָׁע" – But it is not appropriate,** Abraham protested, **even under the Attribute of Strict Justice, *to bring death upon the righteous along with the wicked,* שֶׁאִם כֵּן יִהְיֶה "כַּצַּדִּיק כָּרָשָׁע," וְיֹאמְרוּ "שָׁוְא עֲבֹד אֱלֹהִים" – for if such a thing** were done ***the righteous would be*** punished ***like the wicked,* "and people would say, 'It is useless to serve God.'"[174] וְכָל שֶׁכֵּן בְּמִדַּת רַחֲמִים – All the more so** would such action be inappropriate **under the Attribute of Mercy, שֶׁהוּא שׁוֹפֵט כָּל הָאָרֶץ, וְהוּא הָעוֹשֶׂה מִשְׁפָּט – for [God] is the *Judge of all the earth;* He is the One Who does justice** [with compassion[175]]. **כְּעִנְיַן "וַיִּגְבַּהּ ה' צְבָאוֹת בַּמִּשְׁפָּט" – This is similar to the idea** expressed in the verse, ***HASHEM, Master of Legions, will become exalted through judgment*** (*Isaiah* 5:16), **וְאָמְרֵנוּ "הַמֶּלֶךְ הַמִּשְׁפָּט" – and** expressed in **what we say** in the prayers during the Ten Days of Repentance, **"the King of Justice."[176] וְזֶהוּ עִנְיַן הַכֵּפֶל "חָלִלָה לְּךָ" – This is the explanation for** Abraham's **doubling** of the words, ***far be it from You.***[177] **וְהַקָּדוֹשׁ בָּרוּךְ הוּא הוֹדָה שֶׁיִּשָּׂא לְכָל הַמָּקוֹם בַּעֲבוּרָם – The Holy One, Blessed is He, agreed to spare the entire place for the sake of [these righteous people]** (v. 26), **כִּי בְּמִדַּת רַחֲמִים יִתְנַהֵג עִמָּהֶם – for He was going to deal with them through the Attribute of Mercy.**[178]

172a. Unlike Rashi who interprets אַף as *even,* Ramban, like Onkelos, interprets אַף here as *wrath.*

173. The word תִּסְפֶּה is a verb form that is used for both second person masculine, *you will stamp out,* and third person feminine, *she* (or, *it*) *will stamp out.* According to Onkelos (see preceding note) it refers to God and הַאַף תִּסְפֶּה means, *Will You, in wrath, stamp out?* According to Ramban the feminine noun refers to the grammatically feminine term מִדַּת, *Attribute of,* and הַאַף תִּסְפֶּה means, *Will [the Attribute of] Strict Justice stamp out?*

174. Stylistic paraphrase of *Malachi* 3:14. Even without taking the factor of compassion into consideration, it is counterproductive to punish the righteous along with the wicked, for this will discourage people from making the effort to lead virtuous lives.

175. This interpretation is found in the *Tur's* paraphrase of Ramban.

176. These two quotes show that the expression "Judge of all the earth" refers to God's Attribute of Mercy (see Ramban on *Leviticus* 23:24).

177. The first time Abraham used this expression he meant, *"Far be it from You* under the Attribute of Strict Justice." The second time he meant, *"Far be it from You* under the Attribute of Mercy."

178. Employing the Attribute of Strict Justice, God would spare the righteous of the city, not killing them along with the wicked (as explained above). Employing the Attribute of Mercy, however, God would spare the

כד אוּלַ֥י יֵ֛שׁ חֲמִשִּׁ֥ים צַדִּיקִ֖ם בְּת֣וֹךְ הָעִ֑יר
הַאַ֤ף תִּסְפֶּה֙ וְלֹא־תִשָּׂ֣א לַמָּק֔וֹם לְמַ֛עַן
כה חֲמִשִּׁ֥ים הַצַּדִּיקִ֖ם אֲשֶׁ֥ר בְּקִרְבָּֽהּ׃ חָלִ֨לָה
לְּךָ֜ מֵעֲשֹׂ֣ת ׀ כַּדָּבָ֣ר הַזֶּ֗ה לְהָמִ֤ית צַדִּיק֙ עִם־
רָשָׁ֔ע וְהָיָ֥ה כַצַּדִּ֖יק כָּרָשָׁ֑ע חָלִ֣לָה לָּ֔ךְ
הֲשֹׁפֵט֙ כָּל־הָאָ֔רֶץ לֹ֥א יַעֲשֶׂ֖ה מִשְׁפָּֽט׃

כד מָאִים אִית חַמְשִׁין זַכָּאִין בְּגוֹ
קַרְתָּא הֲבִרְגַז תְּשֵׁיצֵי וְלָא
תִשְׁבּוֹק לְאַתְרָא בְּדִיל חַמְשִׁין
זַכָּאִין דִּי בְגַוַּהּ: כה קוּשְׁטָא אִנּוּן
דִּינָךְ מִלְּמֶעְבַּד כְּפִתְגָּמָא הָדֵין
לְקַטָּלָא זַכָּאָה עִם חַיָּבָא וִיהֵי
זַכָּאָה כְּחַיָּבָא קוּשְׁטָא אִנּוּן
דִּינָךְ דְּדָיִן (נ״א הֲדַיַּן) כָּל אַרְעָא
לָא (נ״א בְּרַם) יַעְבֵּד דִּינָא:

רש״י

(כד) אולי יש חמשים צדיקים. עשרה צדיקים לכל כרך וכרך כי חמשה מקומות יש (תרגום יונתן). וא״ת לא יצילו הצדיקים את הרשעים, למה תמית הצדיקים (ב״ר שם): **(כה) חלילה לך.** חולין הוא לך (ע״ז ד.; תרגום יונתן), יאמרו כך היא אומנותו, שוטף הכל, צדיקים ורשעים. כך עשית לדור המבול ולדור הפלגה (תנחומא שם): **כדבר הזה.** לא הוא ולא כיוצא בו (שם; ב״ר שם ט): **חלילה לך.** לעולם הבא (תנחומא ישן יח): **השופט כל הארץ.** נקוד בחט״ף פתח ה״א של השופט, לשון תמיה, וכי מי שהוא שופט **לא יעשה משפט** אמת (ב״ר שם):

רמב״ן

וּמַה שֶּׁיּוֹדִיעַ אֵלֶיךָ כָּל הָעִנְיָן, הֱיוֹת ״וַיֹּאמֶר ה׳״ כָּתוּב יוּ״ד הֵ״א, וְכָל אֲשֶׁר הִזְכִּיר אַבְרָהָם אָלֶ״ף דָּלֶ״ת. וְהִנֵּה זֶה מְבֹאָר[179].

[כד] חֲמִשִּׁים צַדִּיקִים. כָּתַב רַשִׁ״י עֲשָׂרָה לְכָל כְּרַךְ וּכְרַךְ[179a]. ״הֲתַשְׁחִית בַּחֲמִשָּׁה״, תִּשְׁעָה לְכָל כְּרַךְ וּכְרַךְ, וְאַתָּה צַדִּיקוֹ שֶׁל עוֹלָם תִּצְטָרֵף עִמָּהֶם[179b]. ״אוּלַי יִמָּצְאוּן שָׁם אַרְבָּעִים״, וְיִמָּלְטוּ אַרְבָּעָה כְּרַכִּים וְכֵן שְׁלֹשִׁים יַצִּילוּ שְׁלֹשָׁה, וְעֶשְׂרִים יַצִּילוּ שְׁנַיִם, וַעֲשָׂרָה יַצִּילוּ אֶחָד[179c] וְלֹא בִקֵּשׁ עַל פָּחוֹת מֵעֲשָׂרָה, שֶׁדּוֹר הַמַּבּוּל הָיוּ

RAMBAN ELUCIDATED

וּמַה שֶּׁיּוֹדִיעַ אֵלֶיךָ כָּל הָעִנְיָן, הֱיוֹת ״וַיֹּאמֶר ה׳״ כָּתוּב יוּ״ד הֵ״א – The thing that indicates to you this whole concept is the fact that the passage states ***HASHEM said*** (v. 26), where God's Name **is spelled with** the letters **י** and **ה** (i.e., י-ה-ו-ה), the Name associated with the Attribute of Mercy, **וְכָל אֲשֶׁר הִזְכִּיר אַבְרָהָם אָלֶ״ף דָּלֶ״ת – while each time Abraham mentions** the Name (vv. 27,30,31,32) it is spelled with the letters **א** and **ד** (i.e., אֲדֹנָי), which is associated with the Attribute of Strict Justice. **וְהִנֵּה זֶה מְבֹאָר – It is thus** quite **clear.**[179]

24. חֲמִשִּׁים צַדִּיקִם – ***FIFTY RIGHTEOUS PEOPLE.***

[Ramban cites Rashi's analysis of the various steps in Abraham's "negotiations" with God:]

כָּתַב רַשִׁ״י – Rashi writes the following four comments:

עֲשָׂרָה לְכָל כְּרַךְ וּכְרַךְ – Abraham mentioned *fifty righteous people* so that there would be **ten** righteous people **for each city ...**[179a]

״הֲתַשְׁחִית בַּחֲמִשָּׁה״, תִּשְׁעָה לְכָל כְּרַךְ וּכְרַךְ, וְאַתָּה צַדִּיקוֹ שֶׁל עוֹלָם תִּצְטָרֵף עִמָּהֶם – *If the fifty lack five,* ***would You destroy because of the five*** (v. 28), **nine for each city; and You, the Righteous One of the Universe, will join with** each nine of **them,** and then there will be ten for each city.[179b]

״אוּלַי יִמָּצְאוּן שָׁם אַרְבָּעִים״, וְיִמָּלְטוּ אַרְבָּעָה כְּרַכִּים – ***Perhaps forty would be found there*** – **And** then **four cities would escape** destruction. **וְכֵן שְׁלֹשִׁים יַצִּילוּ שְׁלֹשָׁה, וְעֶשְׂרִים יַצִּילוּ שְׁנַיִם, וַעֲשָׂרָה יַצִּילוּ אֶחָד** – **Similarly, thirty** righteous people **would save three** of them, **and twenty would save two, and ten would save one ....**[179c]

וְלֹא בִקֵּשׁ עַל פָּחוֹת מֵעֲשָׂרָה – But he did not seek God's mercy **for less than ten, שֶׁדּוֹר הַמַּבּוּל הָיוּ**

179. In summation: Abraham thought that God would deal with the Sodomites with the Attribute of Strict Justice (אדנ־י), and therefore asked that the righteous among them (if there were any) be spared. God answered him that He would judge them with the Attribute of Mercy (י-ה-ו-ה), and would spare the entire city in the merit of the righteous among them (if there were any).

entire place for the sake of the righteous among them.

179a. Rashi on v. 24. Five cities (mentioned above, 14:2) were to be destroyed. One of them, Zoar, was later spared, in response to Lot's request (see below, 19:20-22).

179b. Rashi on v. 28.

179c. Rashi on v. 29.

24 *What if there should be fifty righteous people in the midst of the*
city? Would You still stamp it out rather than spare the place for
the sake of the fifty righteous people within it? 25 *Far be it from You*
to do such a thing, to bring death upon the righteous along with
the wicked; so the righteous will be like the wicked. Far be it from
You! Shall the Judge of all the earth not do justice?"

רמב״ן

שְׁמֹנָה צַדִּיקִים וְלֹא הִצִּילוּ עַל דּוֹרָן, וְתִשְׁעָה עַל יְדֵי צֵרוּף כְּבָר בִּקֵּשׁ וְלֹא מָצָא[180].

כָּל אֵלּוּ דִּבְרֵי הָרַב זִכְרוֹנוֹ לִבְרָכָה. וַאֲנִי תָּמֵהַּ, אִם כֵּן מַה הַתְּפִלָּה וְהַתְּחִנָּה הַזֹּאת אֲשֶׁר הָיָה מִתְחַנֵּן בְּכָל פַּעַם וּפַעַם "אַל נָא יִחַר לַאדֹנָי", [פסוקים ל, לב] וְ"הִנֵּה נָא הוֹאַלְתִּי" [פסוקים כז, לא]? וַהֲלֹא רָאוּי הוּא שֶׁיִּהְיוּ אַרְבָּעִים מַצִּילִין אַרְבָּעָה, וּשְׁלֹשִׁים וְהָעֶשְׂרִים יַצִּילוּ לְפִי חֶשְׁבּוֹן, כַּאֲשֶׁר הַחֲמִשִּׁים יַצִּילוּ חָמֵשׁ! וְכֵן מַה שֶּׁאָמַר כִּי תִשְׁעָה עַל יְדֵי צֵרוּף כְּבָר בִּקֵּשׁ וְלֹא מָצָא, וַהֲלֹא לְאַרְבָּעִים וַחֲמִשָּׁה הָיָה מְבַקֵּשׁ הַצֵּירוּף וְלֹא הָיוּ שָׁם אַרְבָּעִים וַחֲמִשָּׁה, אֲבָל תִּשְׁעָה אוּלַי יִמָּצְאוּן שָׁם!

וְהִנֵּה דַּעַת הָרַב לוֹמַר שֶׁהָרַבִּים רְאוּיִין לְהַצָּלָה גְּדוֹלָה יוֹתֵר מֵאֲשֶׁר יַצִּילוּ הַמּוּעָטִים אֲפִילוּ הַצָּלָה מוּעֶטֶת[181],

RAMBAN ELUCIDATED

שְׁמֹנָה צַדִּיקִים וְלֹא הִצִּילוּ עַל דּוֹרָן – **for** he said, **"The** survivors of the **generation of the Flood were eight righteous people, and they could not save their generation."** וְתִשְׁעָה עַל יְדֵי צֵרוּף כְּבָר בִּקֵּשׁ וְלֹא מָצָא – **And for nine** righteous people **through joining** with God in order to arrive at a total of ten **he had already sought, but did not find** them.[180]

כָּל אֵלּוּ דִּבְרֵי הָרַב זִכְרוֹנוֹ לִבְרָכָה – **All these** four comments **are the words of the rabbi** (Rashi), **of blessed memory.**

[Ramban finds two difficulties with Rashi's analysis:]

וַאֲנִי תָּמֵהַּ – **But I am perplexed.** אִם כֵּן מַה הַתְּפִלָּה וְהַתְּחִנָּה הַזֹּאת אֲשֶׁר הָיָה מִתְחַנֵּן בְּכָל פַּעַם וּפַעַם "אַל נָא יִחַר לַאדֹנָי", וְ"הִנֵּה נָא הוֹאַלְתִּי" – For **if so, what was** the purpose of **this prayer and supplication that [Abraham] prayed each time,** ***"Let not my Lord be angry"*** (vv. 30, 32) **and** ***"Behold, now, I have undertaken to speak to my Lord"*** (vv. 27, 31)? וַהֲלֹא רָאוּי הוּא שֶׁיִּהְיוּ אַרְבָּעִים מַצִּילִין אַרְבָּעָה וּשְׁלֹשִׁים וְהָעֶשְׂרִים יַצִּילוּ לְפִי חֶשְׁבּוֹן כַּאֲשֶׁר הַחֲמִשִּׁים יַצִּילוּ חָמֵשׁ – **After all, it would be only fitting that forty** righteous men **should save four** cities **and that thirty and twenty should** also **save a proportionate number** of cities, **just as fifty** righteous people **were to save five** cities**!**

[The second difficulty:]

וְכֵן מַה שֶּׁאָמַר כִּי תִשְׁעָה עַל יְדֵי צֵרוּף כְּבָר בִּקֵּשׁ וְלֹא מָצָא – **Also,** I find difficulty with **what [Rashi] says, "for nine** righteous people **through joining** with God in order to arrive at a total of ten **he had already sought, but did not find** them." וַהֲלֹא לְאַרְבָּעִים וַחֲמִשָּׁה הָיָה מְבַקֵּשׁ הַצֵּירוּף – **But it was for forty-five** righteous people to save five cities **that he requested the joining** of God to the nine in each city to form a total of ten, וְלֹא הָיוּ שָׁם אַרְבָּעִים וַחֲמִשָּׁה – **but there were not forty-five people** such people. אֲבָל תִּשְׁעָה אוּלַי יִמָּצְאוּן שָׁם – **However,** although there were not *forty-five* righteous people, **perhaps there could be found** ***nine*** such people, enough to save one city!

[Ramban resolves both difficulties:]

וְהִנֵּה דַּעַת הָרַב לוֹמַר שֶׁהָרַבִּים רְאוּיִין לְהַצָּלָה גְּדוֹלָה יוֹתֵר מֵאֲשֶׁר יַצִּילוּ הַמּוּעָטִים אֲפִילוּ הַצָּלָה מוּעֶטֶת – **Now, it is** clearly **[Rashi's] opinion that a large group** of righteous people **is more capable of** bringing about **a great salvation than a small group** of such people **is of** bringing about **even a small salvation,**[181]

180. Rashi on v. 32. See Ramban's explanation of this last point below.

181. After receiving God's assurance that fifty people would save five cities, Abraham considered it a bold request on his part (requiring an apologetic introduction) that forty people should save four cities, although the proportion of righteous people to cities is exactly the same in both cases. We must conclude that Rashi considers the merit of twenty righteous people to be *more* than twice as potent as the merit of ten such people, etc., as Ramban proceeds to explain.

כו וַיֹּאמֶר יהוה אִם־אֶמְצָא בִסְדֹם חֲמִשִּׁים צַדִּיקִם בְּתוֹךְ הָעִיר וְנָשָׂאתִי לְכָל־הַמָּקוֹם בַּעֲבוּרָם׃

כו וַאֲמַר יְיָ אִם אַשְׁכַּח בִּסְדוֹם חַמְשִׁין זַכָּאִין בְּגוֹ קַרְתָּא וְאֶשְׁבּוֹק לְכָל אַתְרָא בְּדִילְהוֹן׃

רש״י

(כו) אם אמצא בסדום וגו׳ לכל המקום. לכל הכרכים. לפי שסדום היתה מטרפולין וחשובה מכולם תלה בה הכתוב:

רמב״ן

כְּמוֹ שֶׁאָמְרוּ [תו״כ כו, ח][182]: ״אֵינוֹ דוֹמֶה מוּעָטִין הָעוֹשִׂין אֶת הַתּוֹרָה לִמְרֻבִּים הָעוֹשִׂין אֶת הַתּוֹרָה״[183]. וְהִנֵּה הוֹדָה הַקָּדוֹשׁ בָּרוּךְ הוּא שֶׁיַּצִּילוּ אַרְבָּעִים וַחֲמִשָּׁה בְּצֵרוּף צַדִּיקוֹ שֶׁל עוֹלָם כָּל הַכְּרַכִּין כְּאִלּוּ הָיוּ חֲמִשִּׁים שְׁלֵמִין. וּמֵעַתָּה כְּשֶׁיִּהְיוּ אַרְבָּעִים צַדִּיקִים מַצִּילִין אַרְבָּעָה, אַף בְּצֵרוּף הַצַּדִּיק יִתְעַלֶּה יִנָּצְלוּ, וְכֵן הַשְּׁלשִׁים וְהָעֶשְׂרִים וְהָעֲשָׂרָה, שֶׁכְּבָר הוֹדָה בְּצֵרוּף הַזֶּה. וְאִם תֹּאמַר שֶׁהוֹדָה בּוֹ עִם אַרְבָּעִים וַחֲמִשָּׁה שֶׁהֵם רַבִּים, וְשֶׁמָּא לֹא יוֹדֶה בְּצֵרוּף עִם הַמּוּעָטִין כְּמוֹ שֶׁאָמַרְנוּ[184]. צִדְקַת ה׳ רְאוּיָה הִיא לְהִצְטָרֵף וּלְהַצִּיל כֵּיוָן שֶׁהוֹדָה שֶׁלֹּא יַבְדִּיל בֵּין רַב לִמְעַט[185]. זֶה דַּעַת הָרַב.

RAMBAN ELUCIDATED

כְּמוֹ שֶׁאָמְרוּ אֵינוֹ דוֹמֶה מוּעָטִין הָעוֹשִׂין אֶת הַתּוֹרָה לִמְרֻבִּים הָעוֹשִׂין אֶת הַתּוֹרָה – as [the Sages] say,[182] "A small group of people fulfilling the Torah cannot be compared to a large group of people fulfilling the Torah."[183]

וְהִנֵּה הוֹדָה הַקָּדוֹשׁ בָּרוּךְ הוּא שֶׁיַּצִּילוּ אַרְבָּעִים וַחֲמִשָּׁה בְּצֵרוּף צַדִּיקוֹ שֶׁל עוֹלָם כָּל הַכְּרַכִּין כְּאִלּוּ הָיוּ חֲמִשִּׁים שְׁלֵמִין – Now, the Holy One, Blessed is He, had already **agreed** (v. 28) **that forty-five people – by joining with the Righteous One of the Universe – would save all the** five **cities as if there were fully fifty** righteous people. **וּמֵעַתָּה כְּשֶׁיִּהְיוּ אַרְבָּעִים צַדִּיקִים מַצִּילִין אַרְבָּעָה – This being the case,** it follows that **when there would be forty righteous people to save four** cities (v. 29), **אַף בְּצֵרוּף הַצַּדִּיק יִתְעַלֶּה יִנָּצְלוּ** – these four cities **should be saved also** through thirty-six righteous people, **by joining the Righteous One, may He be exalted,** with them to make a total of ten for each city. **וְכֵן הַשְּׁלשִׁים וְהָעֶשְׂרִים וְהָעֲשָׂרָה – Similarly, the thirty, twenty and ten** righteous men mentioned in connection with saving three, two and one city, respectively, should be saved through only twenty-seven, eighteen and nine righteous men, respectively, **שֶׁכְּבָר הוֹדָה בְּצֵרוּף הַזֶּה – for [God] had already consented to this** principle of **joining** Himself to nine righteous men to make a total of ten. **וְאִם תֹּאמַר שֶׁהוֹדָה בּוֹ עִם אַרְבָּעִים וַחֲמִשָּׁה שֶׁהֵם רַבִּים – Now, you may argue that [God] consented** only to the concept of "joining" with nine to form a total of ten **in connection with forty-five** righteous people, **which is a** relatively **large group, וְשֶׁמָּא לֹא יוֹדֶה בְּצֵרוּף עִם הַמּוּעָטִין כְּמוֹ שֶׁאָמַרְנוּ – but perhaps he would not consent to "joining" with a small**er **group** of people, **as we noted above.[184] צִדְקַת ה׳ רְאוּיָה הִיא לְהִצְטָרֵף וּלְהַצִּיל** – The answer is that **it is fitting for God's righteousness to "join" and to save** one city just as much as it is fitting for it to "join" to save five cities, **כֵּיוָן שֶׁהוֹדָה שֶׁלֹּא יַבְדִּיל בֵּין רַב לִמְעַט** – since [God] had already **consented not to distinguish between many [people] and a few [people].[185] זֶה דַּעַת הָרַב – This is** the logical analysis of **[Rashi's] opinion.**

[Although Ramban has defended Rashi's understanding, he nevertheless goes on to give his own more direct interpretation:]

182. *Toras Kohanim* (*Leviticus* 26:8, cited in Rashi there) uses this principle to explain the inconsistency in ratios in that verse: [*If you will follow My decrees ...*] *five of you will pursue a hundred [enemies]* (1:20) *and a hundred of you will pursue ten thousand* (1:100).

183. This resolves Ramban's first difficulty with Rashi's interpretation.

184. A larger group of righteous people has a disproportionately higher amount of merit than a smaller group does.

185. God had already consented to two of Abraham's requests: (1) Just as fifty people could save five cities, so should ten be able to save one city, although their merits were less potent; (2) nine people should be considered tantamount to ten, through the principle of "joining." Putting these two concessions together, it emerges that God had already agreed that nine righteous people would be able to save one city. Abraham therefore did not find it necessary to request this explicitly.

26 And HASHEM said, "If I find in Sodom fifty righteous people in the midst of the city, then I would spare the entire place on their account."

רמב״ן

וְדֶרֶךְ פְּשַׁט הַכְּתוּבִים סְלוּלָה[186,187], שֶׁאָמַר תְּחִלָּה חֲמִשִּׁים לָתֵת חֶשְׁבּוֹן שָׁלֵם שֶׁל עֲשָׂרָה לְכָל אֶחָד וְאֶחָד, וְחָזַר וּפָחַת כְּמוֹ שֶׁיָּכֹל, וּלְהַצִּיל הַכֹּל הָיָה אוֹמֵר[188]. וְלֹא יָדַעְתִּי מִי הִכְנִיסוֹ לָרַב בַּמֶּה שֶׁאָמַר.

[כו] בְּתוֹךְ הָעִיר. פֵּרַשׁ רַבִּי אַבְרָהָם שֶׁיִּהְיוּ יְרֵאִים אֶת הַשֵּׁם בְּפַרְהֶסְיָא[189] וְכֵן "שׁוֹטְטוּ בְּחוּצוֹת יְרוּשָׁלַם" [ירמיה ה, א][190].

וְהַנָּכוֹן בְּעֵינַי כִּי אַבְרָהָם אָמַר "בְּתוֹךְ הָעִיר"[191] לֵאמֹר שֶׁאֲפִלּוּ יִהְיוּ נָכְרִים בְּתוֹכָהּ רָאוּי שֶׁיַּצִּילוּהָ. וְאָמַר זֶה בַּעֲבוּר לוֹט, וְחָשַׁב אוּלַי יֵשׁ אֲחֵרִים שָׁם.

RAMBAN ELUCIDATED

וְדֶרֶךְ פְּשַׁט הַכְּתוּבִים סְלוּלָה – But "there is a smooth road"[186] to the simple understanding of the verses:[187] **שֶׁאָמַר תְּחִלָּה חֲמִשִּׁים לָתֵת חֶשְׁבּוֹן שָׁלֵם שֶׁל עֲשָׂרָה לְכָל אֶחָד וְאֶחָד** – It is **that [Abraham] first said fifty** in order **to establish a round number of ten for each one** of the cities. **וְחָזַר וּפָחַת כְּמוֹ שֶׁיָּכֹל – He then proceeded to diminish** this number bit by bit **as much as he could,** **וּלְהַצִּיל הַכֹּל הָיָה אוֹמֵר – and he was saying** all these various numbers in order **to save *all*** the five cities.[188] **וְלֹא יָדַעְתִּי מִי הִכְנִיסוֹ לָרַב בַּמֶּה שֶׁאָמַר – I do not know who forced the rabbi** (Rashi) **to get involved in the** whole **matter that he presents.**

26. בְּתוֹךְ הָעִיר – *IN THE MIDST OF THE CITY.*

[Once God had stated, *"If I find in Sodom fifty righteous people,"* why did He add *"in the midst of the city"*?]

פֵּרַשׁ רַבִּי אַבְרָהָם שֶׁיִּהְיוּ יְרֵאִים אֶת הַשֵּׁם בְּפַרְהֶסְיָא – Rabbi Avraham Ibn Ezra **explains:** He meant **that [these]** righteous people **should be men who fear God in public.**[189] **וְכֵן "שׁוֹטְטוּ בְּחוּצוֹת יְרוּשָׁלַם" – And** this is **also** the intent in the verse, ***Go about in the streets of Jerusalem;*** *see and examine and search in its plazas; if you will find a man, if there is one who administers justice and seeks truth, then I will forgive her* (*Jeremiah* 5:1).[190]

[Ramban presents his own opinion:]

וְהַנָּכוֹן בְּעֵינַי כִּי אַבְרָהָם אָמַר "בְּתוֹךְ הָעִיר" – The soundest interpretation **in my opinion is that** God was responding to **Abraham** who **had said, *"in the midst of the city"***[191] (v. 24), **לֵאמֹר שֶׁאֲפִלּוּ יִהְיוּ נָכְרִים בְּתוֹכָהּ רָאוּי שֶׁיַּצִּילוּהָ** – by which he meant **to say that, even if there would be strangers** dwelling **in its midst, it would be proper for them to save it** through their merits. **וְאָמַר זֶה בַּעֲבוּר לוֹט, וְחָשַׁב אוּלַי יֵשׁ אֲחֵרִים שָׁם – [Abraham] had said this because of Lot,** who was a resident stranger in Sodom, **and he thought that perhaps there were others there** like him.

186. Stylistic paraphrase of *Jeremiah* 18:15.

187. I.e., it is unnecessary to travel on Rashi's complicated path, for the road to a simple interpretation is smooth and available for easy use.

188. Rashi says that when Abraham diminished his request from fifty to forty his intention was to abandon one city and have the other four saved. Ramban maintains that his intention was to save all five cities with the forty righteous men, and so too with the thirty, twenty, etc. Thus, he had to excuse himself each time, for his requests became progressively more "brazen."

189. They are not ashamed to exhibit reverence for God in the presence of others.

190. In this verse as well, the prophet does not mean to say that there was no individual in all of Jerusalem who was just and truthful; rather, there was no one who dared to speak out for justice *in public* – in the streets and the plazas.

191. Abraham (in v. 24) and God (in v. 26) both used the same expression, "in the midst of the city," in referring to Sodom. It is logical to assume that the phrase had the same intent in both instances. According to Ibn Ezra, both Abraham and God meant to limit the saving potential of the fifty righteous men to those who were God fearing in public as well as in private. As Ramban goes on to explain, his opinion is that both Abraham and God meant to *expand* the saving potential of the fifty righteous men to include even those who were not native Sodomites.

[The difficulty with Ibn Ezra's interpretation is that Abraham exerted such great effort in pleading on behalf of the people of Sodom; why, then, should

כז וַיַּעַן אַבְרָהָם וַיֹּאמַר הִנֵּה־נָא הוֹאַלְתִּי
כח לְדַבֵּר אֶל־אֲדֹנָי וְאָנֹכִי עָפָר וָאֵפֶר: אוּלַי
יַחְסְרוּן חֲמִשִּׁים הַצַּדִּיקִם חֲמִשָּׁה
הֲתַשְׁחִית בַּחֲמִשָּׁה אֶת־כָּל־הָעִיר וַיֹּאמֶר
לֹא אַשְׁחִית אִם־אֶמְצָא שָׁם אַרְבָּעִים
כט וַחֲמִשָּׁה: וַיֹּסֶף עוֹד לְדַבֵּר אֵלָיו וַיֹּאמַר
אוּלַי יִמָּצְאוּן שָׁם אַרְבָּעִים וַיֹּאמֶר לֹא
ל אֶעֱשֶׂה בַּעֲבוּר הָאַרְבָּעִים: וַיֹּאמֶר אַל־נָא
יִחַר לַאדֹנָי וַאֲדַבֵּרָה אוּלַי יִמָּצְאוּן שָׁם
שְׁלֹשִׁים וַיֹּאמֶר לֹא אֶעֱשֶׂה אִם־אֶמְצָא
לא שָׁם שְׁלֹשִׁים: וַיֹּאמֶר הִנֵּה־נָא הוֹאַלְתִּי
לְדַבֵּר אֶל־אֲדֹנָי אוּלַי יִמָּצְאוּן שָׁם עֶשְׂרִים
וַיֹּאמֶר לֹא אַשְׁחִית בַּעֲבוּר הָעֶשְׂרִים:
לב וַיֹּאמֶר אַל־נָא יִחַר לַאדֹנָי וַאֲדַבְּרָה אַךְ־
הַפַּעַם אוּלַי יִמָּצְאוּן שָׁם עֲשָׂרָה וַיֹּאמֶר
לג לֹא אַשְׁחִית בַּעֲבוּר הָעֲשָׂרָה: וַיֵּלֶךְ יהוה
כַּאֲשֶׁר כִּלָּה לְדַבֵּר אֶל־אַבְרָהָם וְאַבְרָהָם
שלישי **יט** א שָׁב לִמְקֹמוֹ: וַיָּבֹאוּ שְׁנֵי הַמַּלְאָכִים סְדֹמָה
בָּעֶרֶב וְלוֹט יֹשֵׁב בְּשַׁעַר־סְדֹם וַיַּרְא־לוֹט
וַיָּקָם לִקְרָאתָם וַיִּשְׁתַּחוּ אַפַּיִם אָרְצָה:

כז וַאֲתֵיב אַבְרָהָם וַאֲמַר הָא כְעַן שָׁרֵיתִי לְמַלָּלָא קֳדָם יְיָ וַאֲנָא עֲפַר וּקְטַם: כח מָאִים יַחְסְרוּן חַמְשִׁין זַכָּאִין חַמְשָׁא הַתְחַבֵּל בְּחַמְשָׁא יָת כָּל קַרְתָּא וַאֲמַר לָא אֲחַבֵּל אִם אַשְׁכַּח תַּמָּן אַרְבְּעִין וְחַמְשָׁא: כט וְאוֹסֵיף עוֹד לְמַלָּלָא קֳדָמוֹהִי וַאֲמַר מָאִים יִשְׁתַּכְחוּן תַּמָּן אַרְבְּעִין וַאֲמַר לָא אֶעְבֵּד גְּמִירָא בְּדִיל אַרְבְּעִין: ל וַאֲמַר לָא כְעַן יִתְקֵף קֳדָם (נ״א רוּגְזָא דַ)יְיָ וַאֲמַלֵּל מָאִים יִשְׁתַּכְחוּן תַּמָּן תְּלָתִין וַאֲמַר לָא אֶעְבֵּד גְּמִירָא אִם אַשְׁכַּח תַּמָּן תְּלָתִין: לא וַאֲמַר הָא כְעַן שָׁרֵיתִי לְמַלָּלָא קֳדָם יְיָ מָאִים יִשְׁתַּכְחוּן תַּמָּן עֶשְׂרִין וַאֲמַר לָא אֲחַבֵּל בְּדִיל עֶשְׂרִין: לב וַאֲמַר לָא כְעַן יִתְקֵף קֳדָם (נ״א רוּגְזָא דַ)יְיָ וַאֲמַלֵּל בְּרַם זִמְנָא הָדָא מָאִים יִשְׁתַּכְחוּן תַּמָּן עַשְׂרָא וַאֲמַר לָא אֲחַבֵּל בְּדִיל עַשְׂרָא: לג וְאִסְתַּלַּק יְקָרָא דַיְיָ כַּד שֵׁצִי לְמַלָּלָא עִם אַבְרָהָם וְאַבְרָהָם תָּב לְאַתְרֵהּ: א וְעָלוּ תְּרֵין מַלְאָכַיָּא לִסְדוֹם בְּרַמְשָׁא וְלוֹט יָתֵב בִּתְרְעָא (נ״א בִּתְרַע) דִסְדוֹם וַחֲזָא לוֹט וְקָם לְקַדָּמוּתְהוֹן וּסְגִיד עַל אַפּוֹהִי עַל אַרְעָא:

רש״י

(כז) **ואנכי עפר ואפר.** וכבר הייתי ראוי להיות עפר על ידי המלכים ואפר ע״י נמרוד לולי רחמיך אשר עמדו לי (ב״ר שם יא): (כח) **התשחית בחמשה.** והרי הן ט׳ לכל כרך, ואתה צדיקו של עולם תצטרף עמהם (ב״ר מט:ט): (כט) **אולי ימצאון שם ארבעים.** וימלטו ד׳ הכרכים, וכן שלשים יצילו ג׳ מהם או עשרים יצילו ב׳ מהם או עשרה יצילו אחד מהם (תרגום יונתן): (לא) **הואלתי.** רציתי, כמו ויואל משה (שמות ב:כא): (לב) **אולי ימצאון שם עשרה.** על פחות לא ביקש. אמר, דור המבול היו ח׳, נח ובניו ונשיהם, ולא הצילו על דורן (ב״ר מט:יג). ועל ט׳ ע״י צירוף כבר בקש ולא מצא: (לג) **וילך ה׳ וגו׳.** כיון שנשתתק הסניגור הלך לו הדיין (שם יד): **ואברהם שב למקומו.** נסתלק הדיין נסתלק הסניגור, והקטיגור מקטרג, לפיכך ויבואו שני המלאכים סדומה, להשחית (שם): (א) **שני המלאבים.** אחד להשחית את סדום ואחד להציל את לוט, הוא אותו שבא לרפאות את אברהם. והשלישי שבא לבשר את שרה כיון שעשה שליחותו נסתלק לו (ב״ר נ:ב; תנחומא ח): **המלאבים.** ולהלן קראם אנשים, כשהיתה שכינה עמהם קראם אנשים. ד״א, אצל אברהם שכחו גדול והיו המלאכים תדירין אצלו כאנשים קראם אנשים, ואצל לוט קראם מלאכים (ב״ר שם; תנחומא ישן כ): **בערב.** וכי כל כך שהו המלאכים מחברון לסדום, אלא מלאכי רחמים היו וממתינים שמא יוכל אברהם ללמד עליהם סנגוריא (ב״ר שם א): **ולוט ישב בשער סדום.** ישב כתיב, אותו היום מינוהו שופט עליהם [ס״א על השופטים] (ב״ר נ:ג): **וירא לוט וגו׳.** מבית אברהם למד לחזר על האורחים (שם ד; תנחומא ישן טו):

RAMBAN ELUCIDATED

28. לֹא אַשְׁחִית אִם אֶמְצָא שָׁם – ***I WILL NOT DESTROY IF I FIND THERE ...***

[God obviously knew that there were not fifty righteous people in Sodom. Why did He make it

[27] *Abraham responded and said, "Behold, now, I have*
undertaken to speak to my Lord although I am but dust
and ash. [28] *What if the fifty righteous people should lack*
five? Would You destroy the entire city because of the
five?" And He said, "I will not destroy if I find there forty-
five."
[29] *He further continued to speak to Him and he said,*
"What if forty would be found there?" And He said, "I will
not act on account of the forty."
[30] *And he said, "Let not my Lord be angry and I will*
speak: What if thirty would be found there?" And He said,
"I will not act if I find there thirty."
[31] *So he said, "Behold, now, I have undertaken to speak*
to my Lord: What if twenty would be found there?" And He
said, "I will not destroy on account of the twenty."
[32] *So he said, "Let not my Lord be angry and I will speak*
but this once: What if ten would be found there?" And He
said, "I will not destroy on account of the ten."
[33] *HASHEM departed when He had finished speaking to*
19 *Abraham, and Abraham returned to his place.*
[1] *The two angels came to Sodom in the evening and*
Lot was sitting at the gate of Sodom; now Lot saw and
stood up to meet them and he bowed, face to the ground.

רמב״ן

[כח] לֹא אַשְׁחִית אִם אֶמְצָא שָׁם. יַבְטִיחַ אוֹתוֹ שֶׁלֹּא יַשְׁחִית אִם יִמָּצְאוּן שָׁם כֵּן. וְלֹא הָיָה אוֹמֵר לוֹ ״דַּע שֶׁאֵין שָׁם כַּמִּסְפָּר הַזֶּה שֶׁאָמַרְתָּ״, לְפִי שֶׁעֲדַיִן לֹא נִגְמַר דִּינָם, כַּאֲשֶׁר אָמַר ״אֵרְדָה נָּא וְאֶרְאֶה״[192]. וְהִנֵּה אַבְרָהָם לֹא יָדַע מַה יֵּעָשֶׂה בָּהֶם, וְלָכֵן הִשְׁכִּים בַּבֹּקֶר וְהִשְׁקִיף עַל פְּנֵי סְדוֹם [לקמן יט,כז-כח]. וּבִרְאוֹתוֹ כִּי נִשְׁחֲתוּ, יָדַע שֶׁלֹּא הָיוּ שָׁם כֵּן.

RAMBAN ELUCIDATED

seem as if there really was a chance that He would save the cities because of these non-existent righteous men?]

יַבְטִיחַ אוֹתוֹ שֶׁלֹּא יַשְׁחִית אִם יִמָּצְאוּן שָׁם כֵּן – **[God] assured him that He would not destroy** Sodom **if there would be found** righteous men **there [as Abraham had stipulated].** **וְלֹא הָיָה אוֹמֵר לוֹ ״דַּע שֶׁאֵין שָׁם כַּמִּסְפָּר הַזֶּה שֶׁאָמַרְתָּ״** – **He did not say to him, "You should know: There are not** as many righteous people **there as this number that you have stated!"** **לְפִי שֶׁעֲדַיִן לֹא נִגְמַר דִּינָם** – The reason for this is **because their judgment was not yet finalized,** **כַּאֲשֶׁר אָמַר ״אֵרְדָה נָּא וְאֶרְאֶה״** – as [God] had said, ***"I will descend and see"*** (above, v. 21).[192] **וְהִנֵּה אַבְרָהָם לֹא יָדַע מַה יֵּעָשֶׂה בָּהֶם** – **Thus, Abraham did not know what would be done with them.** **וְלָכֵן הִשְׁכִּים בַּבֹּקֶר וְהִשְׁקִיף עַל פְּנֵי סְדוֹם** – **This is why he *arose early in the morning ... and gazed down upon Sodom ...*** (below, 19:27-28). **וּבִרְאוֹתוֹ כִּי נִשְׁחֲתוּ** – **And when he saw that [the cities] were destroyed,** **יָדַע שֶׁלֹּא הָיוּ שָׁם כֵּן** – **he knew** in fact **that [that number of righteous people] were not** found **there.**

---

he request that only exceptionally righteous people be counted?]

192. See Ramban's interpretation of these words ad loc.

ב וַיֹּאמֶר הִנֶּה נָּא־אֲדֹנַי סוּרוּ נָא אֶל־בֵּית
עַבְדְּכֶם וְלִינוּ וְרַחֲצוּ רַגְלֵיכֶם וְהִשְׁכַּמְתֶּם
וַהֲלַכְתֶּם לְדַרְכְּכֶם וַיֹּאמְרוּ לֹּא כִּי בָרְחוֹב
ג נָלִין׃ וַיִּפְצַר־בָּם מְאֹד וַיָּסֻרוּ אֵלָיו וַיָּבֹאוּ אֶל־
בֵּיתוֹ וַיַּעַשׂ לָהֶם מִשְׁתֶּה וּמַצּוֹת אָפָה וַיֹּאכֵלוּ׃

ב וַאֲמַר בְּבָעוּ כְעַן רִבּוֹנַי זוּרוּ
כְעַן לְבֵית עַבְדְּכוֹן וּבִיתוּ וְאַסְחוּ
רַגְלֵיכוֹן וּתְקַדְּמוּן וּתְהָכוּן לְאָרְחֲכוֹן
וַאֲמָרוּ לָא אֱלָהֵן בִּרְחוֹבָא
נְבִית׃ ג וְאַתְקֵף בְּהוֹן לַחֲדָא וְזָרוּ
לְוָתֵהּ וְעַלּוּ לְבֵיתֵהּ וַעֲבַד לְהוֹן
מִשְׁתְּיָא וּפַטִּיר אֲפָא לְהוֹן וַאֲכָלוּ׃

רש"י

(ב) **הנה נא אדני.** הנה נא אתם אדונים לי אחר שעברתם עלי. ד"א, הנה נא, צריכים אתם לתת לב על הרשעים הללו שלא יכירו בכם, וזו היא עצה נכונה, **סורו נא**, עקמו את הדרך לביתי דרך עקלתון, שלא יכירו שאתם נכנסים שם, לכך נאמר סורו. בראשית רבה (שם): **ולינו ורחצו רגליכם.** וכי דרכן של בני אדם ללון תחלה ואח"כ לרחוץ. ועוד, שהרי אברהם אמר להם תחלה רחצו רגליכם. אלא כך אמר לוט, אם [כש]יבואו אנשי סדום ויראו שכבר רחצו רגליהם, יעלילו עלי ויאמרו כבר עברו שני ימים או שלשה שבאו לביתך ולא הודעתנו, לפיכך אמר מוטב שיתעכבו כאן באבק רגליהם שיהיו נראין כמו שבאו עכשיו, לפיכך אמר לינו תחלה ואחר כך רחצו (שם): **ויאמרו לא.** ולאברהם אמרו כן תעשה, מכאן שמסרבין לקטן ואין מסרבין לגדול (ב"מ פז.; ב"ר שם; תנחומא יא): **כי ברחוב נלין.** הרי כי משמש בלשון אלא, שאמרו לא נסור אל ביתך אלא ברחובה של עיר נלין: (ג) **ויסרו אליו.** עקמו את הדרך לצד ביתו (ב"ר שם): **ומצות אפה.** פסח היה (ב"ר מח:יב; סדר עולם פ"ה; קדושתא ובכן

רמב"ן

יט [ב] הִנֵּה נָּא אֲדֹנַי. לְשׁוֹן רַשִׁ"י: הִנֵּה נָּא אַתֶּם אֲדוֹנִים לִי אַחַר שֶׁעֲבַרְתֶּם עָלַי[1].

וְהַנָּכוֹן שֶׁהוּא לְשׁוֹן תְּחִנָּה: אֲדֹנַי[2], הִנֵּה נָּא בֵּית עַבְדְּכֶם, סוּרוּ נָא אֵלַי. וּמִלַּת "סוּרוּ" כְּמוֹ "סוּרָה שְׁבָה פֹּה" [רות ד, א], "סוּרָה אֲדֹנִי סוּרָה אֵלַי אַל תִּירָא" [שופטים ד, יח][3].

RAMBAN ELUCIDATED

19.

2. הִנֵּה נָּא אֲדֹנַי – *BEHOLD, NOW, MY LORDS.*

[Ramban cites Rashi's interpretation of this phrase:]

לְשׁוֹן רַשִׁ"י – This is **a quote from Rashi:**

הִנֵּה נָּא אַתֶּם אֲדוֹנִים לִי אַחַר שֶׁעֲבַרְתֶּם עָלַי – Behold, now, you are lords to me, once you have passed my way.[1]

[Ramban presents his own interpretation:]

וְהַנָּכוֹן שֶׁהוּא לְשׁוֹן תְּחִנָּה – **The soundest** interpretation **is that it is an expression of supplication:** **אֲדֹנַי, הִנֵּה נָּא בֵּית עַבְדְּכֶם, סוּרוּ נָא אֵלַי – "My lords!**[2] **Here, if you please, is the house of your servant. Turn aside, please, to me."**

[The verb סור usually means *to veer, to turn away*, whereas in our verse Lot wanted the men to turn *toward* his house. Ramban shows that there are other examples of this usage as well:]

וּמִלַּת "סוּרוּ" כְּמוֹ "סוּרָה שְׁבָה פֹּה" – **The word** סוּרוּ, ***turn aside,*** is to be understood **like** the similar verb סוּרָה in the verse, ***Turn aside and sit down here*** (*Ruth* 4:1), and in **"סוּרָה אֲדֹנִי סוּרָה אֵלַי אַל תִּירָא"** – ***Turn aside, my lord, turn aside to me, do not fear*** (*Judges* 4:18).[3]

---

1. The expression, הִנֵּה נָא, *behold, now,* indicates that a person wishes to show or call attention to something that has happened or is happening. It is thus usually followed by a verb in the past tense (e.g., above, 12:11, 16:2, 18:27) or a statement of fact in the present tense (e.g., below, 19:8, 19:20). But here it is followed by אֲדֹנַי, *my lords,* and סוּרוּ נָא, *please turn aside.* What fact was Lot calling attention to? Rashi explains that it was the fact that Lot considered these men "lords."

2. Ramban maintains that it was his house that Lot wanted to show to the angels. He demonstrates this by paraphrasing the verse in such a manner as to juxtapose בֵּית עַבְדְּכֶם, *your servant's house,* to הִנֵּה נָא, *behold, now,* moving the other, intervening words out of the way. According to this interpretation, הִנֵּה נָא אֲדֹנַי is not a declaration of fact ("*You are my lords!*"), but an expression of request and supplication ("*My lords, please come to my house!*").

3. In those verses, too, סור means *to turn toward.* This interpretation is in agreement with Ibn Ezra, but is unlike Rashi, who interprets סוּרוּ in our verse in its more usual sense of *turn away.*

2 *And he said, "Behold now, my lords; turn aside, now, to your servant's house; spend the night and wash your feet, then wake up early and go on your way!" And they said, "No, rather we will spend the night in the square."*

3 *And he pleaded with them very much, so they turned toward him and came to his house; he made a feast for them and baked matzos, and they ate.*

רמב״ן

וְטַעַם **וְהִשְׁכַּמְתֶּם וַהֲלַכְתֶּם לְדַרְכְּכֶם** לְהַגִּיד לָהֶם שֶׁלֹּא יִתְעַכְּבוּ בָּעִיר אַחַר הַבֹּקֶר, כִּי יָדַע בְּעִנְיַן אַנְשֵׁי הָעִיר וְרִשְׁעָם; אֲבָל הָיָה חוֹשֵׁב כִּי בְּאוֹר הַבֹּקֶר יַעֲשׂוּהָ. אוֹ שֶׁרָאָה אוֹתָם כְּהוֹלְכֵי אֳרָחוֹת לֹא יִתְעַכְּבוּ בָּעִיר, וְאָמַר וְהִשְׁכַּמְתֶּם וַהֲלַכְתֶּם לְדַרְכְּכֶם אִם תִּרְצוּ[4].

[ג] **וַיִּפְצַר בָּם מְאֹד.** הָיָה לְלוֹט זְכוּת בְּהַפְצִירוֹ בָּהֶם וְהָיָה לוֹ חֵפֶץ טוֹב בְּהַכְנָסַת אוֹרְחִים, וְהָיוּ מְמָאֲנִים כְּדֵי לְזַכּוֹתוֹ, וְלָכֵן שָׁמְעוּ לוֹ בַּסּוֹף[5].

וְרַבּוֹתֵינוּ אָמְרוּ ״מְסָרְבִין לְקָטָן[6] וְאֵין מְסָרְבִין לְגָדוֹל״. וְאִם כֵּן, יִהְיֶה כְּדֶרֶךְ מוּסַר בְּנֵי אָדָם[7].

RAMBAN ELUCIDATED

□ [וְהִשְׁכַּמְתֶּם וַהֲלַכְתֶּם לְדַרְכְּכֶם – *THEN WAKE UP EARLY AND GO ON YOUR WAY.*]

[It seems impolite to inform one's new guests that they must leave the first thing in the morning. Ramban explains:]

וְטַעַם ״וְהִשְׁכַּמְתֶּם וַהֲלַכְתֶּם לְדַרְכְּכֶם״ – **The reason for** Lot's saying, ***"then wake up early and go on your way,"*** לְהַגִּיד לָהֶם שֶׁלֹּא יִתְעַכְּבוּ בָּעִיר אַחַר הַבֹּקֶר – **was to tell them that they should not tarry in the city after daybreak,** כִּי יָדַע בְּעִנְיַן אַנְשֵׁי הָעִיר וְרִשְׁעָם – **for he knew all about the men of the city and their evil practices;** אֲבָל הָיָה חוֹשֵׁב כִּי בְּאוֹר הַבֹּקֶר יַעֲשׂוּהָ – **however, he thought that they would do [their sinful deed]** only **at morning's light.** אוֹ שֶׁרָאָה אוֹתָם כְּהוֹלְכֵי אֳרָחוֹת לֹא יִתְעַכְּבוּ בָּעִיר – **Alternatively: He took [the angels] for wayfarers who would not** want to **be tarry in the city,** וְאָמַר וְהִשְׁכַּמְתֶּם וַהֲלַכְתֶּם לְדַרְכְּכֶם אִם תִּרְצוּ – **so he said, "Wake up early and go on your way** *if you wish*."[4]

3. וַיִּפְצַר בָּם מְאֹד – ***AND HE PLEADED WITH THEM VERY MUCH.***

[Why did the angels refuse Lot's offer until he had to urge them insistently?]

הָיָה לְלוֹט זְכוּת בְּהַפְצִירוֹ בָּהֶם – **It was a source of merit for Lot that he was insistent to them** וְהָיָה לוֹ חֵפֶץ טוֹב בְּהַכְנָסַת אוֹרְחִים – **and that he had** such **a benevolent desire to take in wayfarers.** וְהָיוּ מְמָאֲנִים כְּדֵי לְזַכּוֹתוֹ – **[The angels] demurred in order to bring him** this **merit;** וְלָכֵן שָׁמְעוּ לוֹ בַּסּוֹף – **this is why they acceded to him in the end.**[5]

[Ramban notes that the Sages had their own approach to this question:]

וְרַבּוֹתֵינוּ אָמְרוּ ״מְסָרְבִין לְקָטָן וְאֵין מְסָרְבִין לְגָדוֹל״ – **The Sages said:** "From here we learn that **we may decline** an offer **from a lesser person,**[6] **but we may not decline** an offer **from a great person"** (*Bava Metzia* 87a; see Rashi here). וְאִם כֵּן, יִהְיֶה כְּדֶרֶךְ מוּסַר בְּנֵי אָדָם – **If so, [their refusal] was in accordance with the manners of human beings.**[7]

---

4. In a similar manner, Abraham told the angels when he invited them to his house, *then go on* (above, 18:5) (*Radak*).

5. The fact that the angels did go into Lot's house in the end is an indication that they wanted to do so all along. They refused at first, only in order to compel Lot to urge them, thus earning more merit for his insistence. It was this merit that ultimately entitled Lot to be saved from the destruction of Sodom.

Some versions (e.g., Naples, 1490) have an additional sentence at this point: כִּי מִתְּחִלָּה לֹא הָיוּ רוֹצִים לָבֹא לְבֵיתוֹ, כִּי אֵינוֹ צַדִּיק תָּמִים – **For at first they did not want to go to his house, because he was not completely righteous.** According to that version, the "extra merit" Lot earned by being insistent with the angels was not what saved him from the destruction of Sodom. Rather, it raised him to the level of righteousness required to be able to host the angels in his house.

6. Such refusal is considered as a polite indication that one does not want to burden the other person.

7. The angels acted like human beings (see Rashi above, 18:8, ד״ה ויאכלו), and therefore politely refused Lot's offer.

ד טֶרֶם יִשְׁכָּבוּ וְאַנְשֵׁי הָעִיר אַנְשֵׁי סְדֹם נָסַבּוּ
עַל־הַבַּיִת מִנַּעַר וְעַד־זָקֵן כָּל־הָעָם מִקָּצֶה:
ה וַיִּקְרְאוּ אֶל־לוֹט וַיֹּאמְרוּ לוֹ אַיֵּה הָאֲנָשִׁים
אֲשֶׁר־בָּאוּ אֵלֶיךָ הַלָּיְלָה הוֹצִיאֵם אֵלֵינוּ וְנֵדְעָה
ו אֹתָם: וַיֵּצֵא אֲלֵהֶם לוֹט הַפֶּתְחָה וְהַדֶּלֶת
ז סָגַר אַחֲרָיו: וַיֹּאמַר אַל־נָא אַחַי תָּרֵעוּ:

ד עַד לָא שְׁכִיבוּ וַאֲנָשֵׁי קַרְתָּא אֱנָשֵׁי סְדוֹם אַקִּיפוּ עַל בֵּיתָא מֵעוּלֵימָא וְעַד סָבָא כָּל עַמָּא מִסּוֹפֵהּ: ה וּקְרוֹ לְלוֹט וַאֲמָרוּ לֵהּ אָן גֻּבְרַיָּא דִּי אֲתוֹ לְוָתָךְ לֵילְיָא אַפֵּקִנּוּן לְוָתַנָא וְנִדַּע יָתְהוֹן: ו וּנְפַק לְוָתְהוֹן לוֹט לְתַרְעָא וְדַשָּׁא אֲחַד בַּתְרוֹהִי: ז וַאֲמַר בְּבָעוּ כְעַן אַחַי לָא תַבְאִישׁוּן:

רש"י

ואמרתם זבח פסח): **(ד) טרם ישכבו ואנשי העיר אנשי סדום.** כך נדרש בב"ר (נ:ה), טרם ישכבו ואנשי העיר היו בפיהם של מלאכים, שהיו שואלים ללוט מה טיבם ומעשיהם, והוא אומר להם רובם רשעים. עודם מדברים בהם ואנשי סדום וגו'. ופשוטו של מקרא, ואנשי העיר אנשי רשע נסבו על הבית. ועל שהיו רשעים נקראים אנשי סדום, כמ"ש הכתוב ואנשי סדום רעים וחטאים (לעיל יג:יג; ב"ר מא:ז): **כל העם מקצה.** מקצה העיר עד הקצה, שאין אחד מוחה בידם, שאפי' צדיק אחד אין בהם (ב"ר נ:ה): **(ה) ונדעה אותם.** במשכב זכר, כמו אשר לא ידעו איש (ב"ר נ:ה):

רמב"ן

[ה] וְנֵדְעָה אֹתָם. כַּוָּנָתָם[8] לְכַלּוֹת אֶת הָרֶגֶל מִבֵּינֵיהֶם, כְּדִבְרֵי רַבּוֹתֵינוּ, כִּי חָשְׁבוּ שֶׁבַּעֲבוּר טוֹבַת אַרְצָם שֶׁהִיא "כְּגַן ה'" יָבֹאוּ שָׁם רַבִּים, וְהֵם הָיוּ מוֹאֲסֵי הַצְּדָקָה.[8a]

אֲבָל לוֹט בְּעָשְׁרוֹ וּבְמָמוֹנוֹ בָּא אֲלֵיהֶם, אוֹ שֶׁבִּקֵּשׁ מֵהֶם רְשׁוּת, אוֹ שֶׁקִּבְּלוּהוּ לִכְבוֹד אַבְרָהָם.

וְהַכָּתוּב מֵעִיד שֶׁזֹּאת כַּוָּנָתָם, שֶׁנֶּאֱמַר [יחזקאל טז, מט]: "הִנֵּה זֶה הָיָה עֲוֹן סְדֹם אֲחוֹתֵךְ גָּאוֹן שִׂבְעַת לֶחֶם וְשַׁלְוַת הַשְׁקֵט הָיָה לָהּ וְלִבְנוֹתֶיהָ וְיַד עָנִי וְאֶבְיוֹן לֹא הֶחֱזִיקָה". וּמַה שֶּׁאָמַר [לעיל יג, יג]: "רָעִים וְחַטָּאִים לַה' מְאֹד" – שֶׁהָיוּ

RAMBAN ELUCIDATED

5. וְנֵדְעָה אֹתָם – ***THAT WE MAY KNOW THEM.***

[Ramban discusses the root of the Sodomites' sinfulness: [8]]

כַּוָּנָתָם לְכַלּוֹת אֶת הָרֶגֶל מִבֵּינֵיהֶם, כְּדִבְרֵי רַבּוֹתֵינוּ – **[The Sodomites'] intention** in their immoral behavior **was to bring an end to travelers** coming **among them, as the Sages say,** **כִּי חָשְׁבוּ שֶׁבַּעֲבוּר טוֹבַת אַרְצָם שֶׁהִיא "כְּגַן ה'" יָבֹאוּ שָׁם רַבִּים** – **for they thought that because of the goodness of their land, which was** ***like the garden of Hashem*** (above, 13:10), **many** people **would come there** to settle among them, to share their wealth and prosperity. **וְהֵם הָיוּ מוֹאֲסֵי הַצְּדָקָה** – **And** they wanted to avoid this because **they were despisers of charity.**[8a]

[If the Sodomites' salient trait was the hatred of strangers, why did they allow Lot to settle in their town? Ramban suggests three possibilities:]

אֲבָל לוֹט בְּעָשְׁרוֹ וּבְמָמוֹנוֹ בָּא אֲלֵיהֶם – **However, Lot** *was* allowed to settle among them because **he came to them with his** considerable **wealth and money.** **אוֹ שֶׁבִּקֵּשׁ מֵהֶם רְשׁוּת** – **Alternatively: He asked them permission** before coming into town, unlike the angels who came without asking. **אוֹ שֶׁקִּבְּלוּהוּ לִכְבוֹד אַבְרָהָם** – **Alternatively: [The Sodomites] accepted him out of honor for** his uncle **Abraham.**

[Ramban sets out to prove that the Sodomites' basic sin was greed and not perversity:]

וְהַכָּתוּב מֵעִיד שֶׁזֹּאת כַּוָּנָתָם – **Scripture** itself **testifies that their intent was [selfishness]** as opposed to perversity, **שֶׁנֶּאֱמַר: "הִנֵּה זֶה הָיָה עֲוֹן סְדֹם אֲחוֹתֵךְ** – **as it says,** ***Behold, this was the sin of Sodom, your sister:*** **גָּאוֹן שִׂבְעַת לֶחֶם וְשַׁלְוַת הַשְׁקֵט הָיָה לָהּ וְלִבְנוֹתֶיהָ** – ***She and her villages had pride, surfeit of bread and peaceful serenity,*** **וְיַד עָנִי וְאֶבְיוֹן לֹא הֶחֱזִיקָה"** – ***but the hand of the poor and needy she did not strengthen*** (*Ezekiel* 16:49). **וּמַה שֶּׁאָמַר: "רָעִים וְחַטָּאִים לַה' מְאֹד"** – **And that which [Scripture] says** that the Sodomites were ***wicked and sinful toward Hashem, exceedingly*** (above, 13:13), suggesting sins toward God rather than sins toward their fellow men – **שֶׁהָיוּ**

8. The Scriptural phrase used as the rubric for this comment refers to sexual perversion. Ramban maintains that such perversion was a manifestation of Sodom's sinfulness, but was not the root cause.

8a. This is Ramban's interpretation of the word צְדָקָה as expounded in his commentary above, 6:9.

[4] They had not yet lain down when the townspeople, Sodomites, converged upon the house, from young to old, all the people from every quarter. [5] And they called to Lot and said to him, "Where are the men who came to you tonight? Bring them out to us that we may know them."

[6] Lot went out to them to the entrance, and shut the door behind him. [7] And he said, "I beg you, my brothers, do not act wickedly.

רמב"ן

מַכְעִיסִים וּמוֹרְדִים בְּשַׁלְוָתָם[9], וּבְעִנּוּי הָאֶבְיוֹנִים. וְהוּא שֶׁאָמַר [יחזקאל שם נ]: "וַתִּגְבְּהֶינָה וַתַּעֲשֶׂינָה תוֹעֵבָה לְפָנָי[10] וָאָסִיר אֶתְהֶן כַּאֲשֶׁר רָאִיתִי".

וְעַל דַּעַת רַבּוֹתֵינוּ הָיוּ בָּהֶם כָּל מִדּוֹת רָעוֹת, אֲבָל נִגְמַר דִּינָם עַל אוֹתוֹ הֶעָוֹן מִפְּנֵי שֶׁלֹּא הֶחֱזִיקוּ יַד עָנִי וְאֶבְיוֹן, כִּי הָיוּ תְּדִירִים בְּאוֹתוֹ עָוֹן יוֹתֵר מִכֻּלָּם. וְגַם כִּי כָּל הָעַמִּים עוֹשִׂים צְדָקוֹת עִם רֵעֵיהֶם וְעִם עֲנִיֵּיהֶם; לֹא הָיָה בְּכָל הַגּוֹיִם כִּסְדוֹם לְאַכְזָרִיּוּת[11].

וְדַע כִּי מִשְׁפַּט סְדוֹם הָיָה לְמַעֲלַת אֶרֶץ יִשְׂרָאֵל, כִּי הִיא מִכְּלַל נַחֲלַת ה׳ וְאֵינָהּ סוֹבֶלֶת אַנְשֵׁי תוֹעֵבוֹת. וְכַאֲשֶׁר תָּקִיא אֶת הַגּוֹי כֻּלּוֹ מִפְּנֵי תוֹעֲבוֹתָם, הִקְדִּימָה וְקָאֲתָה אֶת הָעָם הַזֶּה, שֶׁהָיוּ רָעִים מִכֻּלָּם, לַשָּׁמַיִם וְלַבְּרִיּוֹת. וְשָׁמְמוּ עֲלֵיהֶם הַשָּׁמַיִם וְהָאָרֶץ, וְהָשְׁחֲתָה הָאָרֶץ בְּלֹא רְפוּאָה לְעוֹלָם, מִפְּנֵי שֶׁבַּעֲבוּר טוֹבָה נִתְגָּאוּ, וְרָאָה הַקָּדוֹשׁ בָּרוּךְ הוּא שֶׁיִּהְיֶה "לְאוֹת לִבְנֵי מֶרִי"[12] לְיִשְׂרָאֵל הָעֲתִידִים לְיָרְשָׁהּ,

RAMBAN ELUCIDATED

מַכְעִיסִים וּמוֹרְדִים בְּשַׁלְוָתָם – this is **because they angered [God] and rebelled** against Him **with regard to their tranquility,**[9] **וּבְעִנּוּי הָאֶבְיוֹנִים** – **and with regard to afflicting the poor. וְהוּא שֶׁאָמַר: "וַתִּגְבְּהֶינָה וַתַּעֲשֶׂינָה תוֹעֵבָה לְפָנָי וָאָסִיר אֶתְהֶן כַּאֲשֶׁר רָאִיתִי"** – **This is** the meaning of **what is said:** ***They were haughty, and they committed abominations before Me,***[10] ***so I removed them in accordance with what I saw*** (*Ezekiel* 16:50).

וְעַל דַּעַת רַבּוֹתֵינוּ הָיוּ בָּהֶם כָּל מִדּוֹת רָעוֹת – **In the opinion of the Sages** (*Sanhedrin* 109a), **[the Sodomites] had within themselves all kinds of evil character traits** as well, **אֲבָל נִגְמַר דִּינָם עַל אוֹתוֹ הֶעָוֹן מִפְּנֵי שֶׁלֹּא הֶחֱזִיקוּ יַד עָנִי וְאֶבְיוֹן** – **but their judgment was sealed because of that offense,** namely, **because they did not strengthen the hand of the poor and needy** – **כִּי הָיוּ תְּדִירִים בְּאוֹתוֹ עָוֹן יוֹתֵר מִכֻּלָּם** – **because they were constant in** their commission of **that sin more than all the others. וְגַם כִּי כָּל הָעַמִּים עוֹשִׂים צְדָקוֹת עִם רֵעֵיהֶם וְעִם עֲנִיֵּיהֶם** – **Furthermore, all the nations show charitableness toward their neighbors and toward their poor; לֹא הָיָה בְּכָל הַגּוֹיִם כִּסְדוֹם לְאַכְזָרִיּוּת** – **there was no one among all the nations that was equal in cruelty to Sodom.**[11]

[Ramban discusses why Sodom was punished so severely:]

וְדַע כִּי מִשְׁפַּט סְדוֹם הָיָה לְמַעֲלַת אֶרֶץ יִשְׂרָאֵל – **You should know that the judgment of Sodom was due to the lofty** spiritual **level of *Eretz Yisrael*, כִּי הִיא מִכְּלַל נַחֲלַת ה׳ וְאֵינָהּ סוֹבֶלֶת אַנְשֵׁי תוֹעֵבוֹת** – **for [Sodom] is included in the heritage of Hashem, which does not tolerate people** who commit **abominations. וְכַאֲשֶׁר תָּקִיא אֶת הַגּוֹי כֻּלּוֹ מִפְּנֵי תוֹעֲבוֹתָם** – **And just as [this land] would** one day **disgorge the entire** Canaanite **nation because of their abominations** (see *Leviticus* 18:25, 20:22), **הִקְדִּימָה וְקָאֲתָה אֶת הָעָם הַזֶּה** – **it preceded** that **by disgorging this people** (the Sodomites) as well, **שֶׁהָיוּ רָעִים מִכֻּלָּם לַשָּׁמַיִם וְלַבְּרִיּוֹת** – **for they were more evil than all of [the other Canaanite nations],** both **toward Heaven** (God) **and toward** their fellow **human beings. וְשָׁמְמוּ עֲלֵיהֶם הַשָּׁמַיִם וְהָאָרֶץ וְהָשְׁחֲתָה הָאָרֶץ בְּלֹא רְפוּאָה לְעוֹלָם** – **Heaven and earth became desolate for them,** and their **land was destroyed without remedy, forever, מִפְּנֵי שֶׁבַּעֲבוּר טוֹבָה נִתְגָּאוּ** – **because they became haughty on account of** their **prosperity, וְרָאָה הַקָּדוֹשׁ בָּרוּךְ הוּא שֶׁיִּהְיֶה "לְאוֹת לִבְנֵי מֶרִי" לְיִשְׂרָאֵל הָעֲתִידִים לְיָרְשָׁהּ** – **and the Holy One, Blessed is He, saw fit that it should be "a** (warning)

9. Their greediness showed that they were unappreciative of God's blessing that they enjoyed in their prosperous, tranquil cities. This was a sin against God.

10. It was their haughtiness that led them to sin before God.

11. This is a second reason that, of all their sins, they

ח הִנֵּה־נָא לִי שְׁתֵּי בָנוֹת אֲשֶׁר לֹא־יָדְעוּ אִישׁ אוֹצִיאָה־נָּא אֶתְהֶן אֲלֵיכֶם וַעֲשׂוּ לָהֶן כַּטּוֹב בְּעֵינֵיכֶם רַק לָאֲנָשִׁים הָאֵל אַל־תַּעֲשׂוּ דָבָר כִּי־עַל־כֵּן בָּאוּ בְּצֵל קֹרָתִי:

ח הָא כְעַן לִי תַּרְתֵּין בְּנָן דִּי לָא יְדַעוּ גְּבַר אַפֵּק כְּעַן יָתְהֶן לְוָתְכוֹן וְעִיבִדוּ לְהֶן כִּדְתָקַן בְּעֵינֵיכוֹן לְחוֹד לְגֻבְרַיָּא הָאִלֵּין לָא תַעְבְּדוּן מִדָּעַם אֲרֵי עַל כֵּן עַלּוּ בִּטְלַל שֵׁרוּתִי:

רש״י

(ח) האל. כמו האלה: כי על כן באו. כי הטובה הזאת תעשו לכבודי על אשר באו בצל קורתי, [תרגום] בטלל שרותי (אונקלוס), תרגום של קורה שרותא:

רמב״ן

כַּאֲשֶׁר הִתְרָה בָהֶן [דברים כט, כב]: "גָּפְרִית וָמֶלַח שְׂרֵפָה כָל אַרְצָהּ ... כְּמַהְפֵּכַת סְדֹם וַעֲמֹרָה אַדְמָה וּצְבוֹיִם אֲשֶׁר הָפַךְ ה' בְּאַפּוֹ וּבַחֲמָתוֹ". כִּי יֵשׁ בָּאֻמּוֹת רָעִים וְחַטָּאִים מְאֹד, וְלֹא עָשָׂה בָּהֶם כָּכָה[12a]. אֲבָל לְמַעֲלַת הָאָרֶץ הַזֹּאת הָיָה הַכֹּל, כִּי שָׁם הֵיכַל ה'. וְעוֹד אֲנִי עָתִיד לְבָאֵר זֶה בְּסֵדֶר אַחֲרֵי מוֹת, אִם יְחַיֵּנִי הַמֵּמִית[13] וְהַמְחַיֶּה.

[ח] אוֹצִיאָה נָא אֶתְהֶן אֲלֵיכֶם. מִתּוֹךְ שִׁבְחוֹ שֶׁל הָאִישׁ הַזֶּה בָּאנוּ לִידֵי גְּנוּתוֹ. שֶׁהָיָה טוֹרֵחַ מְאֹד עַל אַכְסַנְיָא שֶׁלּוֹ לְהַצִּיל אוֹתָם מִפְּנֵי שֶׁבָּאוּ בְּצֵל קוֹרָתוֹ. אֲבָל שֶׁיְּפַיֵּס אַנְשֵׁי הָעִיר בְּהֶפְקֵר בְּנוֹתָיו – אֵין זֶה כִּי אִם רֹעַ לֵב, שֶׁלֹּא הָיָה עִנְיַן הַזִּמָּה בְּנָשִׁים מְרֻחָק בְּעֵינָיו, וְלֹא הָיָה עוֹשֶׂה לִבְנוֹתָיו חָמָס גָּדוֹל כְּפִי דַּעְתּוֹ. לְכָךְ אָמְרוּ רַבּוֹתֵינוּ [תנחומא, וירא יב]: בְּנֹהַג שֶׁבָּעוֹלָם אָדָם מוֹסֵר עַצְמוֹ עַל בְּנוֹתָיו וְעַל אִשְׁתּוֹ, וְהוֹרֵג אוֹ נֶהֱרָג,

RAMBAN ELUCIDATED

sign for rebellious people,"[12] **for** the people of **Israel who were destined to take possession of** ***[Eretz Yisrael]*** – כַּאֲשֶׁר הִתְרָה בָהֶן: "גָּפְרִית וָמֶלַח שְׂרֵפָה כָל אַרְצָהּ ... כְּמַהְפֵּכַת סְדֹם וַעֲמֹרָה אַדְמָה וּצְבוֹיִם אֲשֶׁר הָפַךְ ה' בְּאַפּוֹ וּבַחֲמָתוֹ" – **as He warned them:** [*The later generation will say ... when they will see the plagues of that Land,*] "... ***sulfur and salt, a conflagration of the entire Land ... like the upheaval of Sodom and Gomorrah, Admah and Zeboiim, which HASHEM overturned in His anger and in His wrath"*** (*Deuteronomy* 29:22). כִּי יֵשׁ בָּאֻמּוֹת רָעִים וְחַטָּאִים מְאֹד וְלֹא עָשָׂה בָּהֶם כָּכָה – We can show that the severity of their punishment was related to the land, **for there are among the nations**[12a] others **who are exceedingly wicked and sinful, and yet [God] did not perpetrate such [destruction] against them.** אֲבָל לְמַעֲלַת הָאָרֶץ הַזֹּאת הָיָה הַכֹּל, כִּי שָׁם הֵיכַל ה' – **However, it was because of the lofty** spiritual **level of this land** of *Eretz Yisrael* **that all this happened, for the Palace of God is there.** וְעוֹד אֲנִי עָתִיד לְבָאֵר זֶה בְּסֵדֶר אַחֲרֵי מוֹת, אִם יְחַיֵּנִי הַמֵּמִית וְהַמְחַיֶּה – **I will explain this further in the Torah portion *Acharei Mos*** (on *Leviticus* 18:25) – **if He Who brings death**[13] **and brings life will grant me life** to reach that point.

8. אוֹצִיאָה נָא אֶתְהֶן אֲלֵיכֶם – ***I SHALL BRING THEM OUT TO YOU.***

[Ramban analyzes Lot's intention in offering his daughters:]

מִתּוֹךְ שִׁבְחוֹ שֶׁל הָאִישׁ הַזֶּה בָּאנוּ לִידֵי גְּנוּתוֹ – **From the praise of this man [Lot] we recognize his reprehensibility.** שֶׁהָיָה טוֹרֵחַ מְאֹד עַל אַכְסַנְיָא שֶׁלּוֹ לְהַצִּיל אוֹתָם מִפְּנֵי שֶׁבָּאוּ בְּצֵל קוֹרָתוֹ – **For** on the one hand **he exerted himself greatly for the sake of his guests to save them because they had come under the shelter of his roof;** אֲבָל שֶׁיְּפַיֵּס אַנְשֵׁי הָעִיר בְּהֶפְקֵר בְּנוֹתָיו אֵין זֶה כִּי אִם רֹעַ לֵב – **but** the fact **that he** sought to **appease the men of the city by relinquishing his daughters** to promiscuity – **this was nothing but evilheartedness,** שֶׁלֹּא הָיָה עִנְיַן הַזִּמָּה בְּנָשִׁים מְרֻחָק בְּעֵינָיו – **for** it showed that **the matter of promiscuity with women was not considered repugnant in his eyes,** וְלֹא הָיָה עוֹשֶׂה לִבְנוֹתָיו חָמָס גָּדוֹל כְּפִי דַּעְתּוֹ – **and, in his opinion, he was not doing a great injustice to his daughters.** לְכָךְ אָמְרוּ רַבּוֹתֵינוּ: – **Thus our Sages say:** בְּנֹהַג שֶׁבָּעוֹלָם אָדָם מוֹסֵר עַצְמוֹ עַל בְּנוֹתָיו וְעַל אִשְׁתּוֹ וְהוֹרֵג אוֹ נֶהֱרָג – **The custom of the world is that a person gives himself over** (i.e., risks his life) to defend

were punished specifically for their cruelty to the poor; because in this they were unique among the nations.

12. Stylistic citation from *Numbers* 17:25.

12a. That is, among those that dwell outside the Land of Israel.

13. This is a play on the words *Acharei Mos,* literally, after the death.

8 See, now, I have two daughters who have never known a man. I shall bring them out to you and do to them as you please; but to these men do nothing inasmuch as they have come under the shelter of my roof."

רמב״ן

וְזֶה מוֹסֵר בְּנוֹתָיו לְהִתְעוֹלֵל בָּהֶן. אָמַר לוֹ הַקָּדוֹשׁ בָּרוּךְ הוּא: לְעַצְמְךָ אַתָּה מְשַׁמְּרָן[14]! וְהִנֵּה לוֹט הָיָה מִתְיָרֵא עֲלֵיהֶם כִּי הָיָה חוֹשֵׁב שֶׁהֵם אֲנָשִׁים. אֲבָל כַּאֲשֶׁר "הִכּוּ בַּסַּנְוֵרִים" אֶת אַנְשֵׁי הָעִיר וְאָמְרוּ לוֹ "כִּי מַשְׁחִיתִים אֲנַחְנוּ אֶת הַמָּקוֹם הַזֶּה ... וַיְשַׁלְּחֵנוּ ה׳ לְשַׁחֲתָהּ" – אָז הִכִּיר בָּהֶם, וְהֶאֱמִין לַעֲשׂוֹת כָּל אֲשֶׁר צִוּוּ.

וְדַע וְהָבֵן כִּי עִנְיַן פִּילֶגֶשׁ בַּגִּבְעָה [שופטים יט-כ][15], אַף עַל פִּי שֶׁהוּא נִדְמֶה לְעִנְיָן הַזֶּה – אֵינֶנּוּ כָּמוֹהוּ לְרַע[16]. כִּי הָרְשָׁעִים הָהֵם לֹא הָיָה דַעְתָּם לְכַלּוֹת הָרֶגֶל מִמְּקוֹמָם[17], אֲבָל הָיוּ שְׁטוּפֵי זִמָּה וְרָצוּ גַּם

RAMBAN ELUCIDATED

his daughters and wife, and is ready to **kill or be killed** for their sake, **וְזֶה מוֹסֵר בְּנוֹתָיו לְהִתְעוֹלֵל בָּהֶן – but this one** (Lot) **gives over his daughters** for others **to make sport with them. אָמַר לוֹ הַקָּדוֹשׁ בָּרוּךְ הוּא: לְעַצְמְךָ אַתָּה מְשַׁמְּרָן – So the Holy One, Blessed is He, said to him:** "In the end you will see that **you are preserving them for yourself!"** (*Midrash Tanchuma, Vayeira* 12).[14]

[When did Lot became aware of the fact that his "guests" were in fact angels?]

וְהִנֵּה לוֹט הָיָה מִתְיָרֵא עֲלֵיהֶם כִּי הָיָה חוֹשֵׁב שֶׁהֵם אֲנָשִׁים – Now, Lot was afraid for [the visitors], because he thought that they were ordinary **men. אֲבָל כַּאֲשֶׁר "הִכּוּ בַּסַּנְוֵרִים" אֶת אַנְשֵׁי הָעִיר – However, when *they struck* the men of the city *with blindness*** (v. 11) **וְאָמְרוּ לוֹ "כִּי מַשְׁחִתִים אֲנַחְנוּ אֶת הַמָּקוֹם הַזֶּה ... וַיְשַׁלְּחֵנוּ ה׳ לְשַׁחֲתָהּ" – and said to him, *"For we are about to destroy this place ... and HASHEM has sent us to destroy it*"** (v. 13) – **אָז הִכִּיר בָּהֶם וְהֶאֱמִין לַעֲשׂוֹת כָּל אֲשֶׁר צִוּוּ – then he recognized their** identity **and put his faith** in them, **doing all that they commanded** him to do.

[The remainder of this comment is a lengthy digression in which Ramban analyzes the narrative of "the concubine in Gibeah"[15] (*Judges* Chs. 19-20), comparing the wickedness recorded in that incident with the wickedness of Sodom. It is important to note that Ramban in no way seeks to condone or legitimatize any of the evil of the two incidents that he discusses – both narratives speak of wickedness that can be neither denied nor dismissed. Ramban's purpose in presenting this exposition is to explain why Sodom was destroyed in total, while Gibeah was spared that fate, despite the similarities inherent in the two incidents.]

וְדַע וְהָבֵן כִּי עִנְיַן פִּילֶגֶשׁ בַּגִּבְעָה – You should know and understand regarding the episode of the concubine in Gibeah, אַף עַל פִּי שֶׁהוּא נִדְמֶה לְעִנְיָן הַזֶּה – that **though it is similar to this episode, אֵינֶנּוּ כָּמוֹהוּ לְרַע – it is not comparable to it in** its **evil.**[16] **כִּי הָרְשָׁעִים הָהֵם לֹא הָיָה דַעְתָּם לְכַלּוֹת הָרֶגֶל מִמְּקוֹמָם – For it was not the intention of those wicked people [of Gibeah] to eradicate** the passage of **wayfarers from their place;**[17] **אֲבָל הָיוּ שְׁטוּפֵי זִמָּה – rather they were steeped in**

14. Lot ended up committing incest with the very same daughters that he had sought to abandon to promiscuity for others (see vv. 31-35 below).

15. The concubine in Gibeah was a shocking episode that took place in the time of the Judges (*Judges* Chs. 19-20). A Levite and his concubine were obliged to spend the night in Gibeah, a Benjamite city, where an elderly man offered them hospitality. A gang of ruffians demanded that the Levite be surrendered to them for the same reason that the Sodomites had demanded Lot's guests. Just as Lot had offered his two daughters in place of his guests, so did the old man offer his daughter and his guest's concubine in place of his guest. The ruffians eventually accepted the concubine and violated her through the night. She died soon after they released her. The Levite publicized the matter and all the other tribes converged on the tribe of Benjamin, declaring that such an injustice would not be tolerated in Israel. Superficially, the Gibeanites seem no better that the Sodomites, but Ramban now shows that the two incidents differ markedly.

It is advisable to familiarize oneself with the verses of that narrative and the events recounted in them before proceeding. Ramban's main concern in his analysis is to explain: (a) the nature of the sin of the people of Gibeah; and (b) why the Israelites had to seek God's advice three different times, the first two with disastrous results.

16. Thus, the people of Gibeah did not meet the same fate as the Sodomites.

17. This was the primary sin of the Sodomites, as Ramban explained above.

רמב״ן

בְּמִשְׁכַּב הָאִישׁ הָאוֹרֵחַ [שם פסוק כב], וְכַאֲשֶׁר הוֹצִיאוּ אֲלֵיהֶם פִּילַגְשׁוֹ נִתְפַּיְּסוּ בָּהּ. וְהָאִישׁ הַזָּקֵן שֶׁאָמַר לָהֶם "הִנֵּה בִתִּי הַבְּתוּלָה וּפִילַגְשֵׁהוּ אוֹצִיאָה נָּא אוֹתָם ... וַעֲשׂוּ לָהֶם הַטּוֹב בְּעֵינֵיכֶם" [שם פסוק כד], יוֹדֵעַ הָיָה שֶׁלֹּא יַחְפְּצוּ בְּבִתּוֹ[18] וְלֹא יַעֲשׂוּ עִמָּהּ רָעָה[19], וְעַל כֵּן לֹא אָבוּ לִשְׁמוֹעַ לוֹ[20], וְכַאֲשֶׁר הוֹצִיא אֶת פִּילַגְשׁוֹ לְבַדָּהּ - שָׁתְקוּ מִמֶּנּוּ[21]. וְהָאִישׁ בַּעַל הַבַּיִת, גַּם הָאוֹרֵחַ - כֻּלָּם הָיוּ חֲפֵצִים לְהַצִּיל אֶת הָאִישׁ בְּפִילַגְשׁוֹ כִּי פִּילֶגֶשׁ הָיְתָה לֹא אֵשֶׁת אִישׁ[22], וּכְבָר זָנְתָה עָלָיו [שם פסוק ב][23].

וּבַפֶּרֶץ הַהוּא עוֹד לֹא הָיוּ בוֹ כָּל אַנְשֵׁי הָעִיר, כַּאֲשֶׁר בִּסְדוֹם, שֶׁנֶּאֱמַר בּוֹ "מִנַּעַר וְעַד זָקֵן כָּל הָעָם מִקָּצֶה" [לעיל פסוק ד], אֲבָל בַּגִּבְעָה נֶאֱמַר "וְהִנֵּה אַנְשֵׁי הָעִיר אַנְשֵׁי בְנֵי בְלִיַּעַל" [שופטים יט, כב], מִקְצָתָם שֶׁהָיוּ שָׂרִים וְתַקִּיפִים

RAMBAN ELUCIDATED

promiscuity, **וְרָצוּ גַּם בְּמִשְׁכַּב הָאִישׁ הָאוֹרֵחַ** – to the extent that **they desired to have relations even with the man who was a guest** in the house (*Judges* 19:22), **וְכַאֲשֶׁר הוֹצִיאוּ אֲלֵיהֶם פִּילַגְשׁוֹ נִתְפַּיְּסוּ בָּהּ** – **but when they brought his concubine out to them** instead of the man, **they were appeased with her.**

וְהָאִישׁ הַזָּקֵן שֶׁאָמַר לָהֶם "הִנֵּה בִתִּי הַבְּתוּלָה וּפִילַגְשֵׁהוּ – **The old man** (the host) **who said to them, "Here are my virgin daughter and [my guest's] concubine;** **אוֹצִיאָה נָּא אוֹתָם ... וַעֲשׂוּ לָהֶם הַטּוֹב בְּעֵינֵיכֶם"** – **let me bring them out ... and you may do to them whatever you please"** (ibid. 19:24), **יוֹדֵעַ הָיָה שֶׁלֹּא יַחְפְּצוּ בְּבִתּוֹ וְלֹא יַעֲשׂוּ עִמָּהּ רָעָה** – **he knew that they would not desire his daughter**[18] **and would not do anything wrong with her,**[19] **וְעַל כֵּן לֹא אָבוּ לִשְׁמוֹעַ לוֹ** – **and therefore they refused to listen to him.**[20] **וְכַאֲשֶׁר הוֹצִיא אֶת פִּילַגְשׁוֹ לְבַדָּהּ שָׁתְקוּ מִמֶּנּוּ** – **But when he sent out [the guest's] concubine by herself, they stopped demanding** his guest **from him.**[21]

וְהָאִישׁ בַּעַל הַבַּיִת, גַּם הָאוֹרֵחַ, כֻּלָּם הָיוּ חֲפֵצִים לְהַצִּיל אֶת הָאִישׁ בְּפִילַגְשׁוֹ – **Now, the man who was the master of the house and the guest as well – both of them – desired to save the man** (the guest) **by** offering **his concubine** in his place. **כִּי פִּילֶגֶשׁ הָיְתָה לֹא אֵשֶׁת אִישׁ** – **For she was a concubine and not a married woman,**[22] **וּכְבָר זָנְתָה עָלָיו** – **and** furthermore, **she had** already **been unfaithful to him** (ibid. 19:2).[23]

וּבַפֶּרֶץ הַהוּא עוֹד לֹא הָיוּ בוֹ כָּל אַנְשֵׁי הָעִיר כַּאֲשֶׁר בִּסְדוֹם – **Furthermore, regarding that breach** of morality – **not all the men of the city were** involved **in it, as was** the case **in Sodom,** **שֶׁנֶּאֱמַר בּוֹ "מִנַּעַר וְעַד זָקֵן כָּל הָעָם מִקָּצֶה"** – **of which it is stated,** *the townspeople ...* ***from young to old, all the people from every quarter*** (above, v. 4), **אֲבָל בַּגִּבְעָה נֶאֱמַר "וְהִנֵּה אַנְשֵׁי הָעִיר אַנְשֵׁי בְנֵי בְלִיַּעַל", מִקְצָתָם שֶׁהָיוּ שָׂרִים וְתַקִּיפִים בָּעִיר** – **whereas with regard to Gibeah it is stated,** ***behold, people of the city, lawless people*** (*Judges* 19:22), implying that only **some [of the townspeople]**, namely, those **who**

18. Since the man knew his offer would be refused (his intention was only to demonstrate – by showing his willingness to sacrifice his own daughter instead – how wrong it would be to violate his guest), his behavior was not as reprehensible as that of Lot, who offered his daughters sincerely.

19. They would not harm her, presumably because she was "one of them," a local maiden.

20. Although he offered to send out two women – his own daughter and his guest's concubine – they rejected his offer altogether because one of these two women was unacceptable to them, as Ramban has explained.

21. In both the Gibeah and Sodom incidents, there were two guests. In Gibeah, the townsfolk were satisfied with violating one of the two guests, leaving the other one in peace, while in Sodom they insisted on violating both guests – and even the man (Lot) who "dared" to invite them into his home. This shows that the primary sin of the Sodomites was cruelty to strangers (see Ramban's comment on v. 5 above), while in Gibeah it was "only" sexual immorality.

22. Ramban's opinion (below, 25:6) is that a man's "concubine" (פִּילֶגֶשׁ) is a mistress, a woman to whom he is not married. Accordingly, adultery – one of the three cardinal sins – was not an issue.

The mass violation of a concubine is certainly a most deplorable sin, but it is nonetheless not as bad as mass homosexual violation of the guest. Ramban's point is that had the concubine been a legally married woman, the incident of Gibeah would have been considered adultery – a capital sin, and would have thus been much worse than what Lot tried to do by giving over his unmarried daughters to the mob. Since a concubine is not technically married, however, their sin was "limited" to cruelty and perversion.

23. After a concubine has acted unfaithfully, her bond to her "husband" is weakened, so that her having relations with other men is even less consequential than the case of a concubine who is still fully attached to her "husband."

רמב"ן

בָּעִיר, כְּמוֹ שֶׁאָמַר הָאִישׁ "וַיָּקֻמוּ עָלַי בַּעֲלֵי הַגִּבְעָה" [שם כ, ה][24], וְעַל כֵּן לֹא מִחוּ הָאֲחֵרִים בְּיָדָם.

וְהִנֵּה פִּנּוֹת כָּל הָעָם מִכֹּל שִׁבְטֵי יִשְׂרָאֵל[24a] רָצוּ לַעֲשׂוֹת גָּדֵר גָּדוֹל בַּדָּבָר[24b], לְהָמִית אוֹתָם, שֶׁנֶּאֱמַר "וְעַתָּה תְּנוּ אֶת הָאֲנָשִׁים בְּנֵי בְלִיַּעַל אֲשֶׁר בַּגִּבְעָה וּנְמִיתֵם". וְדָבָר בָּרוּר הוּא שֶׁלֹּא הָיוּ חַיָּבִין מִיתָה בְּדִין תּוֹרָה, שֶׁלֹּא עָשׂוּ מַעֲשֶׂה זוּלָתִי עִנּוּי הַפִּילֶגֶשׁ הַזּוֹנָה[25], וְלֹא נִתְכַּוְּנוּ לְמִיתָה שֶׁלָּהּ[26], וְגַם לֹא מֵתָה בְּיָדָם, וַיְשַׁלְּחוּהָ מֵאִתָּם כַּעֲלוֹת הַשַּׁחַר, וְהָלְכָה מֵאִתָּם לְבֵית אֲדוֹנֶיהָ[27] וְאַחַר כָּךְ מֵתָה – אוּלַי נֶחְלְשָׁה מֵרֹב הַבִּיאוֹת, וְנִתְקָרְרָה בַּפֶּתַח עַד הָאוֹר, וּמֵתָה שָׁם. אֲבָל[28] מִפְּנֵי שֶׁהָיוּ חֲפֵצִים וְאוֹמְרִים לַעֲשׂוֹת נְבָלָה כְּאַנְשֵׁי סְדוֹם, רָאוּ הַשְּׁבָטִים לַעֲשׂוֹת סְיָג לַתּוֹרָה[29], שֶׁלֹּא יֵעָשֶׂה וְלֹא יֵאָמֵר כֵּן בְּיִשְׂרָאֵל, כְּמוֹ שֶׁאָמְרוּ "וּנְבַעֲרָה רָעָה מִיִּשְׂרָאֵל".

וְזֶה הַדִּין הוּא מִמַּה שֶּׁאָמְרוּ רַבּוֹתֵינוּ [יבמות צ, ב]: "בֵּית דִּין מַכִּין וְעוֹנְשִׁין שֶׁלֹּא מִן הַתּוֹרָה, וְלֹא לַעֲבֹר עַל דִּבְרֵי הַתּוֹרָה אֶלָּא לַעֲשׂוֹת סְיָג לַתּוֹרָה".

RAMBAN ELUCIDATED

were officials and strongmen in the city, were involved, כְּמוֹ שֶׁאָמַר הָאִישׁ "וַיָּקֻמוּ עָלַי בַּעֲלֵי הַגִּבְעָה" – **as the [guest]** later **said,** ***"The masters[24] of Gibeah rose up against me"*** (ibid. 20:5). וְעַל כֵּן לֹא מִחוּ הָאֲחֵרִים בְּיָדָם – **For this reason,** because the offenders were the powerful men of the town, **the other [inhabitants] did not protest against them.**

[Ramban now discusses the nature of the sin committed by the people of Gibeah, and the other Israelites' response to it:]

וְהִנֵּה פִּנּוֹת כָּל הָעָם מִכֹּל שִׁבְטֵי יִשְׂרָאֵל רָצוּ לַעֲשׂוֹת גָּדֵר גָּדוֹל בַּדָּבָר – **At this point, the chiefs of all the people, of all the tribes of Israel,[24a] desired to build a great fence[24b]** – i.e., to repair this breach of morality – **over the affair,** לְהָמִית אוֹתָם – **to put [the perpetrators] to death,** שֶׁנֶּאֱמַר "וְעַתָּה תְּנוּ אֶת הָאֲנָשִׁים בְּנֵי בְלִיַּעַל אֲשֶׁר בַּגִּבְעָה וּנְמִיתֵם" – **as it says,** [the messengers of the tribes of Israel said,] ***"Now turn over the lawless men who are in Gibeah, and we will put them to death"*** (ibid. 20:13). וְדָבָר בָּרוּר הוּא שֶׁלֹּא הָיוּ חַיָּבִין מִיתָה בְּדִין תּוֹרָה – **Now, it is clear that they had not incurred the death penalty according to Torah law,** שֶׁלֹּא עָשׂוּ מַעֲשֶׂה זוּלָתִי עִנּוּי הַפִּילֶגֶשׁ הַזּוֹנָה – **for they did not do any act other than to violate the unfaithful concubine,[25]** וְלֹא נִתְכַּוְּנוּ לְמִיתָה שֶׁלָּהּ – **and they did not intend** to cause **her death.[26]** וְגַם לֹא מֵתָה בְּיָדָם – **Furthermore, she did not die** directly **at their hands,** וַיְשַׁלְּחוּהָ מֵאִתָּם כַּעֲלוֹת הַשַּׁחַר – **rather, they sent her away from them at daybreak** (see ibid. 19:25), וְהָלְכָה מֵאִתָּם לְבֵית אֲדוֹנֶיהָ – **and she left them to** return to **her master's household,[27]** וְאַחַר כָּךְ מֵתָה – **and,** only **afterwards, she died.** אוּלַי נֶחְלְשָׁה מֵרֹב הַבִּיאוֹת – **Perhaps she had become weakened from the many violations** to which she was subjected, וְנִתְקָרְרָה בַּפֶּתַח עַד הָאוֹר – **and then she was overcome by the cold** as she waited **at the door** of the house (ibid. 19:26) **until the** morning **light,** וּמֵתָה שָׁם – **where she died** while waiting. אֲבָל מִפְּנֵי שֶׁהָיוּ חֲפֵצִים וְאוֹמְרִים לַעֲשׂוֹת נְבָלָה כְּאַנְשֵׁי סְדוֹם – **Nevertheless,[28] because [the men of Gibeah] desired and proposed to act indecently** on a scale **similar to that of the men of Sodom,** רָאוּ הַשְּׁבָטִים לַעֲשׂוֹת סְיָג לַתּוֹרָה, שֶׁלֹּא יֵעָשֶׂה וְלֹא יֵאָמֵר כֵּן בְּיִשְׂרָאֵל – **the tribes** of Israel **saw fit to make a fence for the Torah,[29] that such things should never** again **be done or said in Israel,** כְּמוֹ שֶׁאָמְרוּ "וּנְבַעֲרָה רָעָה מִיִּשְׂרָאֵל" – **as they said,** ***"We will eliminate the evil from Israel"*** (ibid. 20:13).

וְזֶה הַדִּין הוּא מִמַּה שֶּׁאָמְרוּ רַבּוֹתֵינוּ: – **Such legal action is based on what the Sages have stated:** בֵּית דִּין מַכִּין וְעוֹנְשִׁין שֶׁלֹּא מִן הַתּוֹרָה – **"The court** has the right to **impose corporal punishment or** capital **punishment,** even when such action is **not specified by the Torah,** וְלֹא לַעֲבֹר עַל דִּבְרֵי הַתּוֹרָה אֶלָּא לַעֲשׂוֹת סְיָג לַתּוֹרָה – **not** that such action may be undertaken **to override the words of the Torah, rather,** it may be done **to make a fence for the Torah"** (*Yevamos* 90b).

24. Ramban interprets בַּעֲלֵי in its usual sense, *masters;* some commentaties, however, follow *Targum,* which renders בַּעֲלֵי as יָתְבֵי, *inhabitants.*

24a. Paraphrase of *Judges* 20:2.

24b. See note 29 below.

25. This is certainly a heinous crime, but it is not punishable by death according to Torah law (see note 22 above).

26. Thus, they could not be held accountable for murder.

27. That is, to the house where her master was staying as a guest.

28. Though they were not technically in violation of any capital crime.

29. This expression (found in *Avos* 1:1) denotes instituting extra precautions, beyond those required

רמב"ן

וְשֵׁבֶט בִּנְיָמִין לֹא הִסְכִּימוּ בַּדָּבָר, שֶׁלֹּא הָיָה בָהֶם חִיּוּב מִיתָה בְּעִנּוּי הַפִּילֶגֶשׁ. וְאוּלַי הִקְפִּידוּ עוֹד בְּנֵי בִנְיָמִין עַל אֲשֶׁר לֹא שָׁלְחוּ לָהֶם מִתְּחִלָּה, וְעָשׂוּ הַהַסְכָּמָה[30] שֶׁלֹּא מִדַּעְתָּם. וּלְפִי דַעְתִּי שֶׁזֶּה עָנְשָׁם שֶׁל יִשְׂרָאֵל לְהִנָּגֵף בִּתְחִלָּה, מִפְּנֵי שֶׁלֹּא הָיְתָה הַמִּלְחָמָה נַעֲשֵׂית מִן הַדִּין. וְהַגֶּדֶר עַצְמוֹ עַל שֵׁבֶט בִּנְיָמִין הָיָה מֻטָּל לַעֲשׂוֹתוֹ, וְלֹא עֲלֵיהֶם, שֶׁמִּצְוָה עַל הַשֵּׁבֶט לָדוּן אֶת שִׁבְטוֹ[31].

וְהִנֵּה שְׁתֵּי הַכִּתּוֹת רְאוּיוֹת לְהֵעָנֵשׁ: כִּי בִנְיָמִין מַרְשִׁיעַ שֶׁאֵינוֹ חוֹשֵׁשׁ לְיַסֵּר הָרָעִים וְלֹא לִגְעֹר בָּהֶם כְּלָל; וְיִשְׂרָאֵל עוֹשִׂין מִלְחָמָה שֶׁלֹּא מִן הַדִּין. וְגַם אֶת פִּי ה' לֹא שָׁאֲלוּ בָּזֶה, אֲבָל אָמְרוּ [שופטים כ, יח]: "מִי יַעֲלֶה לָּנוּ בַתְּחִלָּה לַמִּלְחָמָה עִם בְּנֵי בִנְיָמִן?"[32], כִּי מֵעַצְמָם הִסְכִּימוּ לְמִלְחָמָה עַל כָּל פָּנִים. וְכֵן לֹא שָׁאֲלוּ בְּעִנְיַן הַנִּצּוּחַ "אִם תִּתְּנֵם בְּיָדִי"[33], כִּי בָטְחוּ בִ"זְרוֹעַ בָּשָׂר"[34] שֶׁהָיוּ רַבִּים מְאֹד, כִּי עַתָּה כְּמוֹהֶם עֲשָׂרָה פְּעָמִים וְיוֹתֵר[35]. וְלֹא שָׁאֲלוּ אֶלָּא "מִי יַעֲלֶה לָּנוּ בַתְּחִלָּה?", וְהוּא כְּמוֹ גּוֹרָל בֵּינֵיהֶם[36].

RAMBAN ELUCIDATED

[Ramban explains why the Benjamites resisted the Israelites' attempt at punishing the perpetrators:]

וְשֵׁבֶט בִּנְיָמִין לֹא הִסְכִּימוּ בַּדָּבָר – The tribe of Benjamin, however, **did not consent to this matter,** and refused to deliver the perpetrators (*Judges* 20:13), **שֶׁלֹּא הָיָה בָהֶם חִיּוּב מִיתָה בְּעִנּוּי הַפִּילֶגֶשׁ – because [the perpetrators] had not incurred the death penalty** technically **by violating the concubine**, as explained above. **וְאוּלַי הִקְפִּידוּ עוֹד בְּנֵי בִנְיָמִין עַל אֲשֶׁר לֹא שָׁלְחוּ לָהֶם מִתְּחִלָּה, וְעָשׂוּ הַהַסְכָּמָה שֶׁלֹּא מִדַּעְתָּם – It is also possible that the people of Benjamin were upset because [the other tribes] had not sent** word **to them first, but** instead **came to an agreement**[30] **without their knowledge.**

[Ramban explains the reasons for the mutually destructive outcome of the intertribal war that ensued:]

וּלְפִי דַעְתִּי שֶׁזֶּה עָנְשָׁם שֶׁל יִשְׂרָאֵל לְהִנָּגֵף בִּתְחִלָּה – In my opinion, this is the reason for **the punishment of Israel, that they were initially struck down** (ibid. 20:21) – **מִפְּנֵי שֶׁלֹּא הָיְתָה הַמִּלְחָמָה נַעֲשֵׂית מִן הַדִּין – is because the war was not undertaken legally.** **וְהַגֶּדֶר עַצְמוֹ – And** as for **the fence** to reinforce morality **itself** – **עַל שֵׁבֶט בִּנְיָמִין הָיָה מֻטָּל לַעֲשׂוֹתוֹ, וְלֹא עֲלֵיהֶם – it was the responsibility of the tribe of Benjamin to institute** such a safeguard, **not theirs.** **שֶׁמִּצְוָה עַל הַשֵּׁבֶט לָדוּן אֶת שִׁבְטוֹ – For it is a commandment** for each **tribe to judge** the members of **its own tribe.**[31]

וְהִנֵּה שְׁתֵּי הַכִּתּוֹת רְאוּיוֹת לְהֵעָנֵשׁ – Thus, both parties deserved to be punished: **כִּי בִנְיָמִין מַרְשִׁיעַ שֶׁאֵינוֹ חוֹשֵׁשׁ לְיַסֵּר הָרָעִים וְלֹא לִגְעֹר בָּהֶם כְּלָל – For Benjamin acted wrongly by not concerning themselves with penalizing the evildoers, and** by **not reprimanding them at all;** **וְיִשְׂרָאֵל עוֹשִׂין מִלְחָמָה שֶׁלֹּא מִן הַדִּין – and** the other tribes of **Israel** acted wrongly **by waging an illegal war.** **וְגַם אֶת פִּי ה' לֹא שָׁאֲלוּ בָּזֶה – Furthermore, they did not ask for the word of God regarding** the propriety of **this** plan of theirs, **אֲבָל אָמְרוּ: "מִי יַעֲלֶה לָּנוּ בַתְּחִלָּה לַמִּלְחָמָה עִם בְּנֵי בִנְיָמִן" – rather, they said** only, ***"Who among us should go up first to wage war against the people of Benjamin?"*** (ibid. 20:18).[32] **כִּי מֵעַצְמָם הִסְכִּימוּ לְמִלְחָמָה עַל כָּל פָּנִים – For they had** already **agreed on their own to** wage **war under any circumstances.**

וְכֵן לֹא שָׁאֲלוּ בְּעִנְיַן הַנִּצּוּחַ "אִם תִּתְּנֵם בְּיָדִי" – Similarly, they did not ask God **concerning victory, "Will You deliver them into our hands?"**[33] **כִּי בָטְחוּ בִ"זְרוֹעַ בָּשָׂר" שֶׁהָיוּ רַבִּים מְאֹד, כִּי עַתָּה כְּמוֹהֶם עֲשָׂרָה פְּעָמִים וְיוֹתֵר – For they trusted in human might,**[34] **because they were very numerous, for now they were more than ten times** as numerous **as [the Benjamites].**[35] **וְלֹא שָׁאֲלוּ אֶלָּא "מִי יַעֲלֶה לָּנוּ בַתְּחִלָּה" – They asked only, *"Who among us should go up first?"*** (ibid. 20:18), **וְהוּא כְּמוֹ גּוֹרָל בֵּינֵיהֶם – and**

by the Torah, in order to "fence in" and safeguard the Torah laws themselves.

30. That is, they all consented to attack the Benjamites if they would not comply with their demands.

31. See Ramban on *Deuteronomy* 16:18.

32. They did not ask God *if* they should go to war at all, they asked merely, "Who should go first?"

33. Not only did they not seek God's consent to wage war, they did not even ask Him if they would be victorious in their war – so confident were they in their own superior might.

34. Lit., "the arm of flesh," a stylistic citation from *II Chronicles* 32:8.

35. The Benjamite warriors numbered 26,700, while the Israelite army stood at 400,000 (*Judges* 20:15, 17).

רמב״ן

אולַי הָיָה כָּל שֵׁבֶט אוֹמֵר ״לֹא אֶעֱלֶה אֲנִי תְּחִלָּה״, אוֹ אוֹמֵר ״אֲנִי רִאשׁוֹן״. וְהַקָּדוֹשׁ בָּרוּךְ הוּא הֵשִׁיב כְּפִי שְׁאֵלָתָם ״יְהוּדָה בַתְּחִלָּה״ [שם], לֵאמֹר כִּי יְהוּדָה הוּא בָּרֹאשׁ לְעוֹלָם[37], כִּי בִּיהוּדָה בָּחַר ה׳ לְנָגִיד[38]. וּלְכָךְ לֹא אָמַר ״יְהוּדָה יַעֲלֶה״ כְּשְׁאָר הַמְּקוֹמוֹת, כִּי לֹא הִרְשָׁה אוֹתָם אֲבָל לֹא מְנָעָם, וְלֹא אָמַר לָהֶם ״לֹא תַעֲלוּ וְלֹא תִלָּחֲמוּ״[38a], מִפְּנֵי עָנְשׁוֹ שֶׁל בִּנְיָמִין. וְהִנֵּה הָלַךְ הַשֵּׁם עִם שְׁנֵיהֶם בְּקֶרִי, וְהִנִּיחָם לְמִקְרִים[38b]. וּבְנֵי בִנְיָמִין הָיוּ גִבּוֹרִים, וְעָרֵיהֶם בְּצוּרוֹת, וְהִשְׁחִיתוּ בְּיִשְׂרָאֵל הַבּוֹטְחִים בִּ״זְרוֹעַ בָּשָׂר״[38c] וְהוֹסִיפוּ עֹנֶשׁ עַל עָנְשָׁם, כִּי דַי הָיָה לָהֶם לְהַבְרִיחַ יִשְׂרָאֵל מִן הַגִּבְעָה[39], וְהֵם הִכּוּ בָּהֶם לְמַשְׁחִית, ״אֵיבַת עוֹלָם״[40], וְהִפִּילוּ מֵהֶם עַם רַב וְעָצוּם כ״ב אֲלָפִים [שם פסוק כא].

וְהִנֵּה יִשְׂרָאֵל, כַּאֲשֶׁר הֻכּוּ מַכָּה רַבָּה – נוֹדְעָה לָהֶם שִׁגְגָתָם, כִּי עָשׂוּ מִלְחָמָה עִם אֲחֵיהֶם שֶׁלֹּא בִּרְשׁוּת גָּבוֹהַּ

RAMBAN ELUCIDATED

the posing of **this** question **was** merely **something like a lottery among them,** to determine which of the eleven tribes would be chosen to initiate the battle.[36] **אולַי הָיָה כָּל שֵׁבֶט אוֹמֵר ״לֹא אֶעֱלֶה אֲנִי תְּחִלָּה״** – For **perhaps each tribe was saying, "I will not go up first!"** **אוֹ אוֹמֵר ״אֲנִי רִאשׁוֹן״** – **Or** perhaps, on the contrary, each **was saying, "I will be first!"**

וְהַקָּדוֹשׁ בָּרוּךְ הוּא הֵשִׁיב כְּפִי שְׁאֵלָתָם – **So the Holy One, Blessed is He, answered them according to their question,** **״יְהוּדָה בַתְּחִלָּה״** – ***"Judah first"*** (ibid. 20:18), **לֵאמֹר כִּי יְהוּדָה הוּא בָּרֹאשׁ לְעוֹלָם, כִּי בִּיהוּדָה בָּחַר ה׳ לְנָגִיד** – **meaning that Judah should always be at the head** of the people, in general,[37] **for "Hashem chose Judah to be the ruler."**[38] **וּלְכָךְ לֹא אָמַר ״יְהוּדָה יַעֲלֶה״ כְּשְׁאָר הַמְּקוֹמוֹת, כִּי לֹא הִרְשָׁה אוֹתָם** – **Therefore He did not say, *"Judah shall go up,"*** as He said **elsewhere** (ibid. 1:2) in response to an identical question, **for He did not** in fact **give them permission** to go to war. **אֲבָל לֹא מְנָעָם, וְלֹא אָמַר לָהֶם ״לֹא תַעֲלוּ וְלֹא תִלָּחֲמוּ״** – **But He neither stopped them nor said to them, "Do not go up and do not wage war,"** as He said elsewhere,[38a] to prevent a fratricidal war, **מִפְּנֵי עָנְשׁוֹ שֶׁל בִּנְיָמִין** – **because of the punishment** deserved **by the Benjamites** for not punishing the perpetrators in the episode of the concubine. **וְהִנֵּה הָלַךְ הַשֵּׁם עִם שְׁנֵיהֶם בְּקֶרִי וְהִנִּיחָם לְמִקְרִים** – **Thus God dealt with both [parties] with indifference, and left them to** random **circumstance.**[38b]

[Having explained the nature of the Israelites' first inquiry and God's reponse, Ramban now explains their second inquiry:]

וּבְנֵי בִנְיָמִין הָיוּ גִבּוֹרִים, וְעָרֵיהֶם בְּצוּרוֹת – **Now, the people of Benjamin were mighty, and their cities were fortified,** **וְהִשְׁחִיתוּ בְּיִשְׂרָאֵל הַבּוֹטְחִים בִּ״זְרוֹעַ בָּשָׂר״** – **so they wreaked destruction among** the forces of the other tribes of **Israel who** complacently **put their trust in human might.**[38c] **וְהוֹסִיפוּ עֹנֶשׁ עַל עָנְשָׁם** – By doing so, **[the Benjamites] added** another cause for **punishment to** the original reason for **their punishment.** **כִּי דַי הָיָה לָהֶם לְהַבְרִיחַ יִשְׂרָאֵל מִן הַגִּבְעָה** – **For it would have been enough for them to repulse the** other **Israelites from Gibeah,**[39] **וְהֵם הִכּוּ בָּהֶם לְמַשְׁחִית ״אֵיבַת עוֹלָם״ וְהִפִּילוּ מֵהֶם עַם רַב וְעָצוּם כ״ב אֲלָפִים** – **but they struck against them "with destruction of ceaseless hatred,"**[40] **and struck down a great and large number of people, twenty-two thousand** men (ibid. 20:21).

וְהִנֵּה יִשְׂרָאֵל כַּאֲשֶׁר הֻכּוּ מַכָּה רַבָּה, נוֹדְעָה לָהֶם שִׁגְגָתָם, כִּי עָשׂוּ מִלְחָמָה עִם אֲחֵיהֶם שֶׁלֹּא בִּרְשׁוּת גָּבוֹהַּ וְשֶׁלֹּא

36. And it was not intended in any way to be an effort at seeking Divine sanction for their actions.

37. God did not mean, "Judah should lead the others in *going up* (i.e., *waging war*) against Benjamin." Rather, He meant, "Judah is the leader," in a vague, general sense. There was thus no Divine sanction for this war.

38. Ramban is paraphrasing *I Chronicles* 28:4. Ramban does not mean that it was at this point in time that the tribe of Judah was chosen by God to lead Israel; rather, he means that God's statement here corroborated the pre-existing leadership role of that tribe. According to Ramban (below, 49:10), Jacob had appointed the tribe of Judah to its position of leadership.

38a. *II Chronicles* 11:4.

38b. Ramban discussed this concept earlier (see his comment on 18:20 with footnote 34 there).

38c. See footnote 34 above.

39. This would have been sufficient to counteract the injustice of Israel's waging war without due cause. But because the Benjamites slaughtered so many Israelites without justification, God later permitted Israel to retaliate (see below, with footnote 41).

40. Stylistic citation from *Ezekiel* 25:15.

רמב"ן

וְשֶׁלֹּא כְּדִין תּוֹרָה, וְעַל כֵּן שָׁאֲלוּ בַּיּוֹם הַשֵּׁנִי "הַאוֹסִיף לָגֶשֶׁת לַמִּלְחָמָה עִם בְּנֵי בִנְיָמִן אָחִי" [שם פסוק כג] וְהִזְכִּירוּ עַתָּה הָאַחֲוָה, לִשְׁאֹל אִם הוּא אוֹסֵר עֲלֵיהֶם הַמִּלְחָמָה. וְהַשֵּׁם הִרְשָׁה אוֹתָם עַתָּה בַּיּוֹם הַשֵּׁנִי, וְאָמַר "עֲלוּ אֵלָיו" [שם], כִּי עַתָּה מֻתָּר לָהֶם לִדְרֹשׁ דַּם אֲחֵיהֶם הַשָּׁפוּךְ[41]. וְהֵם לֹא שָׁאֲלוּ הַנִּצּוּחַ, כִּי עֲדַיִן הָיוּ בּוֹטְחִים בְּרֻבָּם לְנַצֵּחַ עַל כָּל פָּנִים, וְהַשֵּׁם לֹא בֵּאֵר לָהֶם רַק כִּי הַמִּלְחָמָה מוּתֶּרֶת לָהֶם. וּמִפְּנֵי שֶׁעֲדַיִן לֹא נִתְכַּפֵּר עָנְשָׁם הָרִאשׁוֹן נָפְלוּ מֵהֶם גַּם בַּיּוֹם הַשֵּׁנִי י"ח אֲלָפִים.

וּבַיּוֹם הַשְּׁלִישִׁי גָּזְרוּ תַּעֲנִית, וַיָּצוּמוּ וַיִּבְכּוּ לִפְנֵי ה', וְהִקְרִיבוּ עוֹלוֹת לְכַפֵּר עַל הִרְהוּרֵי הַלֵּב[42] אֲשֶׁר בָּטְחוּ בִּזְרוֹעָם; וְהִקְרִיבוּ שְׁלָמִים, וְהֵם שַׁלְמֵי תוֹדָה[43], כִּי רָאוּ עַצְמָם כְּאִלּוּ כֻּלָּם פְּלִיטִים מֵחֶרֶב בִּנְיָמִן, וְזֶה מִשְׁפַּט כָּל הַנִּמְלָטִים לְהַקְרִיב תּוֹדָה, כְּעִנְיָן שֶׁנֶּאֱמַר [תהלים קז, כב]: "וְיִזְבְּחוּ זִבְחֵי תוֹדָה וִיסַפְּרוּ מַעֲשָׂיו בְּרִנָּה", וְכָתוּב [שם כז, ו]: "וְעַתָּה יָרוּם רֹאשִׁי עַל אֹיְבַי סְבִיבוֹתַי וְאֶזְבְּחָה בְאָהֳלוֹ זִבְחֵי תְרוּעָה אָשִׁירָה וַאֲזַמְּרָה לַה'".

וְהִנֵּה הָיוּ בִּשְׁנֵי הַיָּמִים הַמֵּתִים מִיִּשְׂרָאֵל אַרְבָּעִים אֶלֶף[44] וּמִבִּנְיָמִן נָפְלוּ בַּסּוֹף כ"ה אֲלָפִים אַנְשֵׁי חַיִל

RAMBAN ELUCIDATED

כְּדִין תּוֹרָה – **Now, the Israelites, when they were stricken with this great blow, realized their mistake in waging war against their brothers without Divine sanction, and not in accordance with Torah law.** וְעַל כֵּן שָׁאֲלוּ בַּיּוֹם הַשֵּׁנִי "הַאוֹסִיף לָגֶשֶׁת לַמִּלְחָמָה עִם בְּנֵי בִנְיָמִן אָחִי" – **Therefore they asked on the second day, "*Should I once again approach for war with my brothers, the people of Benjamin?*"** (ibid. 20:23). וְהִזְכִּירוּ עַתָּה הָאַחֲוָה, לִשְׁאֹל אִם הוּא אוֹסֵר עֲלֵיהֶם הַמִּלְחָמָה – **This time they mentioned "brotherhood,"** meaning **to ask if that** consideration **should forbid them** from going to **war** against the Benjamites. וְהַשֵּׁם הִרְשָׁה אוֹתָם עַתָּה בַּיּוֹם הַשֵּׁנִי, וְאָמַר "עֲלוּ אֵלָיו" – **And God permitted them** to wage war **at this time, on the second day, and said, "*Go up against him*"** (ibid.), כִּי עַתָּה מֻתָּר לָהֶם לִדְרֹשׁ דַּם אֲחֵיהֶם הַשָּׁפוּךְ – **for now it was permitted for them to avenge their brothers' blood that had been spilled** in battle the previous day.[41] וְהֵם לֹא שָׁאֲלוּ הַנִּצּוּחַ – **They** still **did not ask** God **about victory,** however, כִּי עֲדַיִן הָיוּ בּוֹטְחִים בְּרֻבָּם לְנַצֵּחַ עַל כָּל פָּנִים – **for they still trusted in their own large numbers to triumph in any event.** וְהַשֵּׁם לֹא בֵּאֵר לָהֶם רַק כִּי הַמִּלְחָמָה מוּתֶּרֶת לָהֶם – **So God did not clarify to them** whether or not they would be victorious, but said **only that warfare was** now **permissible for them.** וּמִפְּנֵי שֶׁעֲדַיִן לֹא נִתְכַּפֵּר עָנְשָׁם הָרִאשׁוֹן – **And because** the guilt of **their first punishment had not yet atoned for them,** נָפְלוּ מֵהֶם גַּם בַּיּוֹם הַשֵּׁנִי י"ח אֲלָפִים – **many of them fell on the second day as well – eighteen thousand** men (ibid. 20:25).

וּבַיּוֹם הַשְּׁלִישִׁי גָּזְרוּ תַּעֲנִית וַיָּצוּמוּ וַיִּבְכּוּ לִפְנֵי ה' – **Then, on the third day, they decreed a fast day, and they fasted and wept before God** (see ibid. 20:26), וְהִקְרִיבוּ עוֹלוֹת לְכַפֵּר עַל הִרְהוּרֵי הַלֵּב אֲשֶׁר בָּטְחוּ בִּזְרוֹעָם – **and they brought burnt-offerings** (ibid.), **to atone for the** sinful **thoughts of their hearts,**[42] namely, **that they had trusted in their own might;** וְהִקְרִיבוּ שְׁלָמִים וְהֵם שַׁלְמֵי תוֹדָה כִּי רָאוּ עַצְמָם כְּאִלּוּ כֻּלָּם פְּלִיטִים מֵחֶרֶב בִּנְיָמִן – **and they brought peace-offerings** (ibid.), which were thanksgiving peace-offerings,[43] **for they considered themselves as if they were all survivors of the sword of Benjamin,** וְזֶה מִשְׁפַּט כָּל הַנִּמְלָטִים לְהַקְרִיב תּוֹדָה – **and this is the proper thing for anyone who escapes injury, to bring a thanksgiving-offering,** כְּעִנְיָן שֶׁנֶּאֱמַר: "וְיִזְבְּחוּ זִבְחֵי תוֹדָה וִיסַפְּרוּ מַעֲשָׂיו בְּרִנָּה" – **as it is said,** ***They will bring thanksgiving-offerings and relate His works with joyful song*** (*Psalms* 107:22), וְכָתוּב "וְעַתָּה יָרוּם רֹאשִׁי עַל אֹיְבַי סְבִיבוֹתַי וְאֶזְבְּחָה בְאָהֳלוֹ זִבְחֵי תְרוּעָה אָשִׁירָה וַאֲזַמְּרָה לַה'" – **and as it is written,** ***Now my head is raised above my enemies around me, and I will bring offerings in His Tent accompanied by joyous song; I will sing and chant praise to Hashem*** (ibid. 27:6).

וְהִנֵּה הָיוּ בִּשְׁנֵי הַיָּמִים הַמֵּתִים מִיִּשְׂרָאֵל אַרְבָּעִים אֶלֶף – **Now, the** number of **dead on the two days from**

41. At this point in time the war against the Benjamites became justified, but only in response to the loss of life that had been inflicted upon the other tribes by the Benjamites (see above, with footnote 39).

42. Rabbi Shimon bar Yochai said: The burnt-offering comes only [to atone] for sinful thoughts (*Vayikra Rabbah* 7).

43. Thanksgiving-offerings are in the category of peace-offerings (see *Leviticus* 7:11-12).

רמב״ן

[שם פסוק מו], ו״מֵעִיר מְתֹם ... עַד כָּל הַנִּמְצָא״ בָּהֶם [שם פסוק מח]. וְיִתָּכֵן שֶׁיִּהְיוּ ט״ו אֲלָפִים בֵּין אֲנָשִׁים וְנָשִׁים וְהַטָּף, וְהָיָה עֹנֶשׁ שְׁתֵּי הַכִּתּוֹת בְּשָׁוֶה[45].

וּמַה נִּכְבְּדוּ דִּבְרֵי רַבּוֹתֵינוּ, שֶׁאָמְרוּ שֶׁהָיָה הַקֶּצֶף עַל כָּל הָעֵדָה בְּפִסְלוֹ שֶׁל מִיכָה[46]. אָמַר הַקָּדוֹשׁ בָּרוּךְ הוּא ״בִּכְבוֹדִי לֹא מְחִיתֶם[47]; בִּכְבוֹד בָּשָׂר וָדָם[48] מְחִיתֶם?!״ לוֹמַר, בִּכְבוֹדִי לֹא מְחִיתֶם - בִּמְחֻיְּבֵי מִיתָה וּפוֹשְׁטִים יְדֵיהֶם בָּעִקָּר, בִּכְבוֹד בָּשָׂר וָדָם מְחִיתֶם יוֹתֵר מִשּׁוּרַת הַדִּין! וְעַל כֵּן סִכֵּל עֲצַת שְׁתֵּי הַכִּתּוֹת וְאִמֵּץ אֶת לְבָבָם, ״וְלֹא זָכְרוּ בְּרִית אַחִים״[49]. וְאַחַר הַמַּעֲשֶׂה נִתְחָרְטוּ, כְּמוֹ שֶׁנֶּאֱמַר [שם כא, ב-ג]: ״וַיָּבֹא הָעָם בֵּית אֵל וַיֵּשְׁבוּ שָׁם עַד הָעֶרֶב לִפְנֵי הָאֱלֹהִים ... וַיִּבְכּוּ בְּכִי גָדוֹל וַיֹּאמְרוּ לָמָה ה׳ אֱלֹהֵי יִשְׂרָאֵל הָיְתָה זֹּאת בְּיִשְׂרָאֵל לְהִפָּקֵד הַיּוֹם מִיִּשְׂרָאֵל שֵׁבֶט אֶחָד״, כִּי הִכִּירוּ טָעוּתָם וְעָנְשָׁם.

וְהִנֵּה בְּדֶרֶךְ גְּרָרָא פֵּרַשְׁנוּ עִנְיָן מְסֻתָּם וְאֵינוֹ מְבֹאָר[50], וְהִזְכַּרְנוּ סִבּוֹתָיו.

RAMBAN ELUCIDATED

וּמִבִּנְיָמִין נָפְלוּ בְּסוֹף כ״ה אֲלָפִים אַנְשֵׁי חַיִל, ו״מֵעִיר מְתֹם ... עַד כָּל הַנִּמְצָא״ בָּהֶם **the Israelites was 40,000,**[44] **– and by the** war's **end 25,000 soldiers had fallen from Benjamin** (*Judges* 20:46), **besides** the Israelites' destruction of everything in Benjamin, ***from the people of the cities ... to everything that was found*** **in them** (ibid. 20:48). וְיִתָּכֵן שֶׁיִּהְיוּ ט״ו אֲלָפִים בֵּין אֲנָשִׁים וְנָשִׁים וְהַטָּף **– And it is possible that between the men and women and children** thus killed **there were fifteen thousand** people, making a total of 40,000 Benjamite casualties of war, וְהָיָה עֹנֶשׁ שְׁתֵּי הַכִּתּוֹת בְּשָׁוֶה **– so that the punishment of both parties was equal.**[45]

[Ramban cites the Sages' comment on the incident of Gibeah, and analyzes it:]

וּמַה נִּכְבְּדוּ דִּבְרֵי רַבּוֹתֵינוּ, שֶׁאָמְרוּ שֶׁהָיָה הַקֶּצֶף עַל כָּל הָעֵדָה בְּפִסְלוֹ שֶׁל מִיכָה **– How esteemed are the words of the Sages, who say that** the reason for God's **anger against the whole congregation** in this incident **was because of the idol of Micah:**[46] אָמַר הַקָּדוֹשׁ בָּרוּךְ הוּא ״בִּכְבוֹדִי לֹא מְחִיתֶם, בִּכְבוֹד בָּשָׂר וָדָם מְחִיתֶם״ **– The Holy One, Blessed is He, said, "For** ***My*** **honor you did not protest;**[47] **for the honor of flesh and blood**[48] **you** ***did*** **protest?!"** (*Sanhedrin* 103b). לוֹמַר, בִּכְבוֹדִי לֹא מְחִיתֶם בִּמְחֻיְּבֵי מִיתָה וּפוֹשְׁטִים יְדֵיהֶם בָּעִקָּר – By this they mean **to say:** God said, **"For My honor you did not protest against those who were** actually **deserving of the death penalty and who lifted their hands against the fundamental principle** of belief in One God, בִּכְבוֹד בָּשָׂר וָדָם מְחִיתֶם יוֹתֵר מִשּׁוּרַת הַדִּין – yet **for the honor of flesh and blood you protested** even **beyond the letter of the law!"** וְעַל כֵּן סִכֵּל עֲצַת שְׁתֵּי הַכִּתּוֹת וְאִמֵּץ אֶת לְבָבָם וְלֹא זָכְרוּ בְּרִית אַחִים **– Therefore, He confounded the plans of both parties and He emboldened their hearts** against each other, **and "they did not remember the covenant of brotherhood."**[49] וְאַחַר הַמַּעֲשֶׂה נִתְחָרְטוּ – Only **after the event did they regret** their not recalling this bond of brotherhood, כְּמוֹ שֶׁנֶּאֱמַר ״וַיָּבֹא הָעָם בֵּית אֵל וַיֵּשְׁבוּ שָׁם עַד הָעֶרֶב לִפְנֵי הָאֱלֹהִים ... וַיִּבְכּוּ בְּכִי גָדוֹל. וַיֹּאמְרוּ לָמָה ה׳ אֱלֹהֵי יִשְׂרָאֵל הָיְתָה זֹּאת בְּיִשְׂרָאֵל לְהִפָּקֵד הַיּוֹם מִיִּשְׂרָאֵל שֵׁבֶט אֶחָד״ **– as it is said:** ***The people came to Beth El; they sat there until evening before God, ... and they wept bitterly. They said, "Why, Hashem, God of Israel, has this happened in Israel, that one tribe of Israel should be missing in Israel?"*** (ibid. 21:2-3). כִּי הִכִּירוּ טָעוּתָם וְעָנְשָׁם **– For they recognized their mistake and** the justness of **their punishment.**

וְהִנֵּה בְּדֶרֶךְ גְּרָרָא פֵּרַשְׁנוּ עִנְיָן מְסֻתָּם וְאֵינוֹ מְבֹאָר, וְהִזְכַּרְנוּ סִבּוֹתָיו **– So there, tangentially, we have explained a difficult and unclear topic,**[50] **and we have mentioned its underlying causes.**

44. 22,000 were killed on the first day (*Judges* 20:21) and 18,000 on the second day (v. 25).

45. This is because, as Ramban noted earlier, both parties were equally wrong.

46. Micah was a young man who served as the priest for a silver idol that was commissioned by his mother. A group of men from the tribe of Dan was traveling in search of a site where they could establish a village. They came across Micah and took him and the idol with them. They set up a temple in the northern part of the country, where the tribes allowed it to remain in operation for many years. The story of Micah's idol is related in *Judges* Chs. 17-18, just prior to the story of the concubine in Gibeah.

47. No one was outraged over the idolatry of Micah.

48. This refers to the incident of the concubine in Gibeah.

49. Stylistic citation from *Amos* 1:9.

50. That is, the story of the concubine in Gibeah.

ט וַיֹּאמְרוּ ׀ גֶּשׁ־הָלְאָה וַיֹּאמְרוּ הָאֶחָד בָּא־לָגוּר
וַיִּשְׁפֹּט שָׁפוֹט עַתָּה נָרַע לְךָ מֵהֶם וַיִּפְצְרוּ בָאִישׁ
י בְּלוֹט מְאֹד וַיִּגְּשׁוּ לִשְׁבֹּר הַדָּלֶת: וַיִּשְׁלְחוּ
הָאֲנָשִׁים אֶת־יָדָם וַיָּבִיאוּ אֶת־לוֹט אֲלֵיהֶם
יא הַבָּיְתָה וְאֶת־הַדֶּלֶת סָגָרוּ: וְאֶת־הָאֲנָשִׁים אֲשֶׁר־
פֶּתַח הַבַּיִת הִכּוּ בַּסַּנְוֵרִים מִקָּטֹן וְעַד־גָּדוֹל וַיִּלְאוּ
יב לִמְצֹא הַפָּתַח: וַיֹּאמְרוּ הָאֲנָשִׁים אֶל־לוֹט עֹד
מִי־לְךָ פֹה חָתָן וּבָנֶיךָ וּבְנֹתֶיךָ וְכֹל אֲשֶׁר־לְךָ
יג בָּעִיר הוֹצֵא מִן־הַמָּקוֹם: כִּי־מַשְׁחִתִים אֲנַחְנוּ

ט וַאֲמָרוּ קְרֵב לְהַלָּא וַאֲמָרוּ חַד
אֲתָא לְאִתּוֹתָבָא וְהָא דָיִין דִּינָא
כְּעַן נַבְאֵשׁ לָךְ מִדִּילְהוֹן וּתְקִיפוּ
בְגַבְרָא בְלוֹט לַחֲדָא וּקְרִיבוּ
לְמִתְבַּר דַּשָׁא: י וְאוֹשִׁיטוּ גֻבְרַיָּא
יָת יְדֵיהוֹן וְאַיְתִיאוּ יָת לוֹט
לְוָתְהוֹן לְבֵיתָא וְיָת דַּשָׁא אֲחָדוּ:
יא וְיָת גֻּבְרַיָּא דִּבְתְרַע בֵּיתָא מְחוֹ
בְּשַׁבְרִירַיָּא מִזְּעֵירָא וְעַד רַבָּא
וּלְאִיוּ לְאַשְׁכָּחָא תַרְעָא:
יב וַאֲמָרוּ גֻבְרַיָּא לְלוֹט עוֹד מָן
לָךְ הָכָא חַתְנָא וּבְנָיךְ וּבְנָתָךְ
וְכֹל דִּי לָךְ בְּקַרְתָּא אַפֵּיק מִן
אַתְרָא: יג אֲרֵי מְחַבְּלִין אֲנַחְנָא

רש"י

(ט) **ויאמרו גש הלאה.** קרב להלאה (שם; ב"ר שם ז) כלומר, התקרב לצדדין ותתרחק ממנו, וכן כל הלאה שבמקרא לשון רחוק כמו זרה הלאה (במדבר יז:ב) הנה החצי ממך והלאה (ש"א כ:כב). גש הלאה, המשך להלן, בלשון לע"ז טריטידנו"ש. ודבר נזיפה הוא (ילק"ש ויגש קנא) לומר, אין אנו חוששין לך. ודומה לו, קרב אליך אל תגש בי (ישעיה סה:ה), וכן גשה לי ואשבה (שם מט:ב), המשך לצדדין בעבורי ואשב אצלך. אתה מליץ על האורחים, איך מלאך לבך (ב"ר שם). על שאמר להם על הבנות אמרו לו גש הלאה, לשון נחת, ועל שהיה מליץ על האורחים אמרו: **האחד בא לגור.** אדם נכרי יחידי אתה בינינו שבאת לגור: **וישפוט שפוט.** שנעשית מוכיח אותנו (שם ג; סדר א"ר פל"א): **דלת.** הסובבת לנעול ולפתוח: (יא) **פתח.** הוא החלל שבו נכנסין ויוצאין: **בסנורים.** מכת עורון (פדר"א כה): **מקטן ועד גדול.** הקטנים התחילו בעבירה תחלה שנאמר מנער ועד זקן (לעיל פסוק ד) לפיכך התחילה הפורענות מהם (ב"ר שם ח): (יב) **עוד מי לך פה.** פשוטו של מקרא, מי יש לך עוד בעיר הזאת חוץ מאשתך ובנותיך שבבית: **חתן ובניך ובנתיך.** אם יש לך חתן או בנים ובנות הוצא מן המקום: **ובניך.** בני בנותיך הנשואות. ומ"א, עוד, מאחר שעושין נבלה כזאת מי לך פתחון פה ללמד סנגוריא עליהם, שכל הלילה היה מליץ עליהם טובות. קרי ביה מי לך פֶּה (שם ה):

רמב"ן

[ט] **וַיִּפְצְרוּ**[51] **בָּאִישׁ בְּלוֹט.** לֹא מָצָאתִי הַמִּלָּה הַזֹּאת רַק בְּדִבְרֵי הַפִּיּוּסִים[52]. אִם כֵּן נְפָרֵשׁ זֶה שֶׁפִּיְּסוּ מִמֶּנּוּ הַרְבֵּה שֶׁיִּפְתַּח לָהֶם הַדֶּלֶת, וְכַאֲשֶׁר לֹא רָצָה לַעֲשׂוֹת כֵּן, נִגְּשׁוּ לִשְׁבֹּר אוֹתוֹ. אוֹ שֶׁהָיָה עוֹמֵד בִּפְנֵי הַדֶּלֶת וְלֹא הָיָה מַנִּיחָם לְקָרְבָה אֵלָיו, וְהֵם פִּיְּסוּ מִמֶּנּוּ לָסוּר מִפְּנֵיהֶם, כִּי לֹא הָיוּ רוֹצִים לִפְגֹּעַ בּוֹ[53]. וְזֶה טַעַם "גֶּשׁ הָלְאָה", שֶׁיִּגַּשׁ לְמָקוֹם אַחֵר[54].

RAMBAN ELUCIDATED

9. וַיִּפְצְרוּ בָאִישׁ בְּלוֹט – *THEY PLEADED WITH THE MAN, WITH LOT.*

[Ramban discusses the meaning of the word וַיִּפְצְרוּ:][51]

לֹא מָצָאתִי הַמִּלָּה הַזֹּאת רַק בְּדִבְרֵי הַפִּיּוּסִים – I have not found this word in any context **except in instances of conciliatory request.**[52] **אִם כֵּן נְפָרֵשׁ זֶה שֶׁפִּיְּסוּ מִמֶּנּוּ הַרְבֵּה שֶׁיִּפְתַּח לָהֶם הַדֶּלֶת – If so, we must explain this** verse by saying **that [the Sodomites]** at first **repeatedly requested politely of [Lot] that he should open the door for them, וְכַאֲשֶׁר לֹא רָצָה לַעֲשׂוֹת כֵּן, נִגְּשׁוּ לִשְׁבֹּר אוֹתוֹ – and** only afterwards, **when he did not consent to do so,** their manner changed and **they approached to break [the door]. אוֹ שֶׁהָיָה עוֹמֵד בִּפְנֵי הַדֶּלֶת וְלֹא הָיָה מַנִּיחָם לְקָרְבָה אֵלָיו – Alternatively: He was standing in front of the door and was not allowing them to go near it, וְהֵם פִּיְּסוּ מִמֶּנּוּ לָסוּר מִפְּנֵיהֶם – and they requested politely of him that he move away from** where he was standing **in front of them, כִּי לֹא הָיוּ רוֹצִים לִפְגֹּעַ בּוֹ – for they did not want to hurt him.**[53] **וְזֶה טַעַם "גֶּשׁ הָלְאָה", שֶׁיִּגַּשׁ לְמָקוֹם אַחֵר –**

51. Onkelos translates וּתְקִיפוּ, *they attacked.* In a similar vein, Radak explains the word as, *they spoke very threateningly.* Ramban takes issue with those meanings.

52. The terms וַיִּפְצַר and וַיִּפְצְרוּ appear six times in the *Tanach* – twice in this portion, 19:3 and 9; *Genesis* 33:11; *Judges* 19:7, *II Kings* 2:17 and 5:16 – each time referring to a plea or a request.

53. According to both explanations, the Sodomites at first acted in a conciliatory manner, and at a later stage changed to violent tactics when he ignored their pleas. The difference is that according to the first interpretation they asked him to open the door, while according to the second interpretation they asked him

9 *And they said, "Move away!" Then they said, "This fellow came to sojourn and would act as a judge? Now we will treat you worse than them!" They pleaded with the man, with Lot, and they approached to break the door.*
10 *The men stretched out their hand and brought Lot into the house with them, and closed the door.* 11 *And the men who were at the entrance of the house they struck with blindness, from small to great; and they tried vainly to find the entrance.* 12 *Then the men said to Lot, "Whom else do you have here — a son-in-law, your sons and your daughters? All that you have in the city remove from the place,* 13 *for we are about to destroy*

רמב"ן

[יב] חָתָן וּבָנֶיךָ וּבְנוֹתֶיךָ. לְשׁוֹן רַשִׁ"י: מִי מִשֶּׁלְּךָ עוֹד בָּעִיר חוּץ מֵאִשְׁתְּךָ וּבְנוֹתֶיךָ שֶׁבַּבַּיִת? אִם יֵשׁ לְךָ חָתָן אוֹ בָּנִים וּבָנוֹת הוֹצֵא מִן הַמָּקוֹם[55].

וְאִם כֵּן יִהְיֶה דִּבּוּרָם כְּדֶרֶךְ בְּנֵי אָדָם[56], שֶׁהוּא לֹא הָיָה לוֹ בָּנִים, כִּי אִם בָּנוֹת[57].

וְרַבִּי אַבְרָהָם אָמַר: "חָתָן וּבָנֶיךָ", חֲתָנִים שֶׁהֵם כְּבָנֶיךָ[58].

וְיִתָּכֵן שֶׁהָיוּ לוֹ בָּנִים גְּדוֹלִים נְשׂוּאֵי נָשִׁים, וְדִבֵּר עִם חֲתָנָיו תְּחִלָּה, כִּי הָיָה סָבוּר שֶׁבָּנָיו יִשְׁמְעוּ לוֹ.

RAMBAN ELUCIDATED

This is the explanation of the words ***"move away"*** – **that he should move over to a different place.**[54]

12. חָתָן וּבָנֶיךָ וּבְנֹתֶיךָ – ***A SON-IN-LAW, YOUR SONS AND YOUR DAUGHTERS.***

[Did Lot have sons? And if he did not, why did the angels mention this possibility? Ramban notes several approaches to this issue:]

לְשׁוֹן רַשִׁ"י: – **This is a quote from Rashi:**

מִי מִשֶּׁלְּךָ עוֹד בָּעִיר חוּץ מֵאִשְׁתְּךָ וּבְנוֹתֶיךָ שֶׁבַּבַּיִת – The angels asked Lot, **"Who else of yours is there in this city besides your wife and your daughters who are** living **at home? אִם יֵשׁ לְךָ חָתָן אוֹ בָּנִים וּבָנוֹת הוֹצֵא מִן הַמָּקוֹם** – **If you have a son-in-law or sons or** other **daughters, remove** them **from the place."**[55]

וְאִם כֵּן יִהְיֶה דִּבּוּרָם כְּדֶרֶךְ בְּנֵי אָדָם – **If so, [the angels'] speech was in the manner of human beings,**[56] **שֶׁהוּא לֹא הָיָה לוֹ בָּנִים, כִּי אִם בָּנוֹת** – **for [Lot] had no sons, but only daughters.**[57]

[Ramban now cites a second opinion:]

וְרַבִּי אַבְרָהָם אָמַר: "חָתָן וּבָנֶיךָ", חֲתָנִים שֶׁהֵם כְּבָנֶיךָ – **Rabbi Avraham** Ibn Ezra **said:** ***A son-in-law and your sons,*** meaning **sons-in-law who are like sons** to you.[58]

[Ramban now offers his own interpretation:]

וְיִתָּכֵן שֶׁהָיוּ לוֹ בָּנִים גְּדוֹלִים נְשׂוּאֵי נָשִׁים – **It is possible that [Lot] did have adult, married sons, וְדִבֵּר עִם חֲתָנָיו תְּחִלָּה, כִּי הָיָה סָבוּר שֶׁבָּנָיו יִשְׁמְעוּ לוֹ** – **but he spoke to his sons-in-law first, because he**

to move away and stop blocking it.

54. In the first interpretation (according to which Lot was not blocking the door at all), however, גֶּשׁ הָלְאָה would be understood to mean *"go away from us,"* i.e., "leave Sodom if you don't like our rules" (see Rashbam, Radak) or, "don't bother us with your arguments" (see Rashi).

55. Most editions of Rashi continue: וּבָנֶיךָ – **and your sons,** refers to בְּנֵי בְנוֹתֶיךָ הַנְּשׂוּאוֹת – **the sons of your married daughters.** It seems that Ramban's version of Rashi did not include that comment, which is not found in all editions of Rashi.

56. They included "sons" in their question, as an unknowing human being would do, although, as angels, they surely knew that Lot had no sons.

57. If he had sons, he would have tried to take them along with him to be saved, as he tried to take his married daughters and his sons-in-law (v. 14).

58. According to this interpretation, the angels did not ask Lot if he had sons, but whether he had sons-in-law who were dear to him like sons.

אֶת־הַמָּקוֹם הַזֶּה כִּי־גָדְלָה צַעֲקָתָם אֶת־
יד פְּנֵי יהוה וַיְשַׁלְּחֵנוּ יהוה לְשַׁחֲתָהּ: וַיֵּצֵא
לוֹט וַיְדַבֵּר ׀ אֶל־חֲתָנָיו ׀ לֹקְחֵי בְנֹתָיו
וַיֹּאמֶר קוּמוּ צְּאוּ מִן־הַמָּקוֹם הַזֶּה כִּי־
מַשְׁחִית יהוה אֶת־הָעִיר וַיְהִי כִמְצַחֵק
טו בְּעֵינֵי חֲתָנָיו: וּכְמוֹ הַשַּׁחַר עָלָה וַיָּאִיצוּ
הַמַּלְאָכִים בְּלוֹט לֵאמֹר קוּם קַח אֶת־אִשְׁתְּךָ
וְאֶת־שְׁתֵּי בְנֹתֶיךָ הַנִּמְצָאֹת פֶּן־תִּסָּפֶה
טז בַּעֲוֺן הָעִיר: וַיִּתְמַהְמָהּ ׀ וַיַּחֲזִיקוּ הָאֲנָשִׁים
בְּיָדוֹ וּבְיַד־אִשְׁתּוֹ וּבְיַד שְׁתֵּי בְנֹתָיו

יָת אַתְרָא הָדֵין אֲרֵי סְגִיאַת קְבִלְתְּהוֹן קֳדָם יְיָ וְשַׁלְּחָנָא יְיָ לְחַבָּלוּתַהּ: יד וּנְפַק לוֹט וּמַלִּיל עִם חַתְנוֹהִי נָסְבֵי בְנָתֵהּ וַאֲמַר קוּמוּ פּוּקוּ מִן אַתְרָא הָדֵין אֲרֵי מְחַבֵּל יְיָ יָת קַרְתָּא וַהֲוָה כְּמְחָיֵיךְ בְּעֵינֵי חַתְנוֹהִי: טו וּכְמִסַּק צַפְרָא הֲוָה וּדְחִיקוּ מַלְאֲכַיָּא בְּלוֹט לְמֵימָר קוּם דְּבַר יָת אִתְּתָךְ וְיָת תַּרְתֵּין בְּנָתָךְ דְּאִשְׁתְּכַחַן מְהֵימְנַן עִמָּךְ דִּילְמָא תִלְקֵי בְּחוֹבֵי קַרְתָּא: טז וְאִתְעַכַּב וְאַתְקִיפוּ גֻבְרַיָּא בִּידֵהּ וּבִידָא דְאִתְּתֵהּ וּבְיַד תַּרְתֵּין בְּנָתֵהּ

רש"י

(יד) חתניו. שתי בנות נשואות היו לו בעיר: **לקחי בנותיו.** שאותן שבבית ארוסות להם (ב"ר שם ט): **(טו) ויאיצו.** כתרגומו, ודחיקו, מהרוהו: **הנמצאות.** המזומנות לך בבית להצילם. ומ"א יש, וזה ישובו של מקרא: **תספה.** תהיה כלה. עד תום כל הדור (דברים ב:יד) מתורגם עד דסף כל דרא: **(טז) ויתמהמה.** כדי להציל את ממונו (ב"ר שם יא): **ויחזיקו.** אחד מהם היה שליח להצילו וחברו להפוך את סדום, לכך נאמר ויאמר המלט ולא נאמר ויאמרו (שם):

רמב"ן

וְכַאֲשֶׁר צָחֲקוּ עָלָיו חֲתָנָיו, וְאָרְכוּ הַדְּבָרִים בֵּינֵיהֶם, הַשַּׁחַר עָלָה, וְהַמַּלְאָכִים לֹא הִנִּיחוּהוּ לָקַחַת רַק הַנִּמְצָאִים אִתּוֹ בַּבַּיִת.

וְהִנֵּה זְכוּתוֹ שֶׁל לוֹט הָיָה מַצִּיל בָּנִים וּבָנוֹת וַחֲתָנִים, לֹא כַּאֲשֶׁר חָשַׁב אַבְרָהָם שֶׁיָּמִית צַדִּיק עִם רָשָׁע[59]. וּבָרוּר הוּא שֶׁהָיוּ הַמַּלְאָכִים יוֹדְעִים דַּעַת עֶלְיוֹן בָּזֶה[60], כִּי גַּם צֹעַר בִּתְפִלָּתוֹ נִמְלְטָה[61].

RAMBAN ELUCIDATED

thought that his sons would listen to him without the need for special persuasion. **וְכַאֲשֶׁר צָחֲקוּ עָלָיו חֲתָנָיו וְאָרְכוּ הַדְּבָרִים בֵּינֵיהֶם, הַשַּׁחַר עָלָה** – **Then, when his sons-in-law scoffed at him, and the words** they exchanged **between themselves became drawn out, dawn broke,** **וְהַמַּלְאָכִים לֹא הִנִּיחוּהוּ לָקַחַת רַק הַנִּמְצָאִים אִתּוֹ בַּבַּיִת** – **and the angels no** longer **allowed him to take** anyone else with him **except for those** – his wife and unmarried daughters – **who were found with him in the house.** Thus, Lot's married sons were not saved.

[Ramban explains how the angels were able to save some members of Lot's family:]

וְהִנֵּה זְכוּתוֹ שֶׁל לוֹט הָיָה מַצִּיל בָּנִים וּבָנוֹת וַחֲתָנִים – **Thus, Lot's merit was** sufficient **to save** his **sons, daughters and sons-in-law.** **לֹא כַּאֲשֶׁר חָשַׁב אַבְרָהָם שֶׁיָּמִית צַדִּיק עִם רָשָׁע** – This was **not as Abraham had thought** – **that [God] would bring death upon the righteous along with the wicked** (see above, 18:25).[59] **וּבָרוּר הוּא שֶׁהָיוּ הַמַּלְאָכִים יוֹדְעִים דַּעַת עֶלְיוֹן בָּזֶה** – For **it is clear that the angels knew the intentions of the Supreme One about this** matter and acted only in accordance with those wishes,[60] **כִּי גַּם צֹעַר בִּתְפִלָּתוֹ נִמְלְטָה** – **for they even saved Zoar because of [Lot's] prayer** (below, vv. 18-21).[61]

59. Not only did God not punish the righteous for the sins of the wicked, but He was prepared to save some of the wicked in the merit of the righteous.

60. Their sparing of Lot's family was surely not of their own initiative; rather they were acting on orders from God in doing so, although the Torah does not state this explicitly.

61. In that instance as well, the Torah does not explicitly state that the angels received God's command to spare Zoar, but it is clear that this was so, for they could not have changed God's plan without His consent. Radak (on v. 21), however, writes concerning the sparing of Zoar: "It would appear from this that when God sends angels on a mission, He gives them permission to add or detract slightly from their

this place; for their outcry has become great before HASHEM, *and*
HASHEM *has sent us to destroy it."*
14 *So Lot went out and spoke to his sons-in-law, [and] the*
betrothed of his daughters, and he said, "Get up and leave this
place, for HASHEM *is about to destroy the city!" But he seemed*
like a jester in the eyes of his sons-in-law.
15 *And just as dawn was breaking, the angels urged Lot on*
saying: "Get up — take your wife and your two daughters who
are present, lest you be swept away because of the sin of the
city!"
16 *Still he lingered — so the men grasped him by his hand, his*
wife's hand, and the hand of his two daughters in HASHEM*'s*

רמב"ן

וְיִתָּכֵן שֶׁהָיָה זֶה לִכְבוֹד הָאַכְסַנְיָא, כִּי כֵן דֶּרֶךְ מוּסָר לִשְׁלוּחִים לְהַצִּיל בַּעַל בֵּיתָם וְכָל אֲשֶׁר לוֹ, כַּאֲשֶׁר עָשׂוּ שְׁלוּחֵי יְהוֹשֻׁעַ שֶׁהִצִּילוּ גַּם כָּל מִשְׁפַּחַת בַּעֲלַת בֵּיתָם[62]. וּבִבְרֵאשִׁית רַבָּה [נ, יא]: לוֹט עַל יְדֵי שֶׁכִּבֵּד אֶת הַמַּלְאָךְ נָשָׂא לוֹ פָּנִים[63].

[טו] וַיַּחֲזִיקוּ הָאֲנָשִׁים. אָמַר רַבִּי אַבְרָהָם, כִּי "וַיַּחֲזִיקוּ" יְבָאֵר שֶׁפָּחַד וְאֵין בּוֹ כֹּחַ לִבְרֹחַ. וְהַנָּכוֹן, שֶׁהוּא כְּמוֹ "וַתֶּחֱזַק מִצְרַיִם עַל הָעָם לְמַהֵר לְשַׁלְּחָם מִן הָאָרֶץ" [שמות יב, לג] – אַף כָּאן הָיוּ מוֹשְׁכִים בָּהֶם בְּחָזְקָה לְמַהֵר לְשַׁלְּחָם[64].

RAMBAN ELUCIDATED

[Ramban suggests another possible explanation for the sparing of Lot's family:]

וְיִתָּכֵן שֶׁהָיָה זֶה לִכְבוֹד הָאַכְסַנְיָא – **It is** also **possible that this,** i.e., the angels' sparing of Lot's family, **was out of consideration for their host,** **כִּי כֵן דֶּרֶךְ מוּסָר לִשְׁלוּחִים לְהַצִּיל בַּעַל בֵּיתָם וְכָל אֲשֶׁר לוֹ** – **for this is the manner of proper behavior that messengers** who are sent for destruction **should spare their host and all those** associated **with him,**[62] **כַּאֲשֶׁר עָשׂוּ שְׁלוּחֵי יְהוֹשֻׁעַ שֶׁהִצִּילוּ גַּם כָּל מִשְׁפַּחַת בַּעֲלַת בֵּיתָם** – **as the messengers of Joshua did when they saved** not only their hostess but **also all** members **of their hostess' family** (*Joshua* 6:23) who were in her house (see ibid. 2:18-19).

וּבִבְרֵאשִׁית רַבָּה: לוֹט עַל יְדֵי שֶׁכִּבֵּד אֶת הַמַּלְאָךְ נָשָׂא לוֹ פָּנִים – **In** ***Bereishis Rabbah*** (50:11) it is stated: **Because Lot honored the angel** with his hospitality, **[the angel] showed consideration to him.**[63]

16. וַיַּחֲזִיקוּ הָאֲנָשִׁים – ***SO THE MEN GRASPED.***

[Why did the angels have to grasp Lot's hand?]

אָמַר רַבִּי אַבְרָהָם כִּי "וַיַּחֲזִיקוּ" יְבָאֵר שֶׁפָּחַד וְאֵין בּוֹ כֹּחַ לִבְרֹחַ – **Rabbi Avraham** Ibn Ezra **says that** the term ***so they grasped*** **implies that [Lot] was frightened and did not have the strength to flee.**

[Ramban now presents his own interpretation:]

וְהַנָּכוֹן שֶׁהוּא כְּמוֹ "וַתֶּחֱזַק מִצְרַיִם עַל הָעָם לְמַהֵר לְשַׁלְּחָם מִן הָאָרֶץ" – **But,** in my opinion, **the soundest interpretation is that [the word וַיַּחֲזִיקוּ] is similar** in meaning to the term וַתֶּחֱזַק, *she pressed,* in the verse, ***Egypt pressed the people, to hasten to send them out of the land*** (*Exodus* 12:33). **אַף כָּאן הָיוּ מוֹשְׁכִים בָּהֶם בְּחָזְקָה לְמַהֵר לְשַׁלְּחָם** – **Here, too, they pulled [Lot and his family] away forcefully, to hasten to send them away.**[64]

instructions as they see fit." (See also Rambam, *Moreh Nevuchim* II:7.)

62. According to this explanation, the angels acted on their own in saving Lot's family, in accordance with the view of Rambam and Radak (see previous footnote).

63. This lends support to Ramban's second interpretation, that the angels acted on their own in saving Lot's family, in return for Lot's kindness toward them. The Midrash refers to the angels' sparing of Zoar in light of Lot's request (v. 21).

64. According to Ibn Ezra, they *held onto* Lot to help him walk, for he was too frightened to go on his own. According to Ramban, they *pressured* him to escape quickly.

בְּחֶמְלַ֥ת יְהוָ֖ה עָלָ֑יו וַיֹּצִאֻ֥הוּ וַיַּנִּחֻ֖הוּ מִח֥וּץ
יז לָעִֽיר: וַיְהִי֩ כְהוֹצִיאָ֨ם אֹתָ֜ם הַח֗וּצָה וַיֹּ֙אמֶר֙
הִמָּלֵ֣ט עַל־נַפְשֶׁ֔ךָ אַל־תַּבִּ֣יט אַחֲרֶ֔יךָ וְאַל־
תַּעֲמֹ֖ד בְּכָל־הַכִּכָּ֑ר הָהָ֥רָה הִמָּלֵ֖ט פֶּן־תִּסָּפֶֽה:

כְּרְחַם (נ״א בִּדְחַס; נ״א כַּד חָס) יְיָ עֲלוֹהִי וְאַפְּקוּהִי וְאַשְׁרוּהִי מִבָּרָא לְקַרְתָּא: יז וַהֲוָה כַּד אַפִּיקוּ יָתְהוֹן לְבָרָא וַאֲמַר חוּס עַל נַפְשָׁךְ לָא תִסְתְּכֵי לַאֲחוֹרָךְ וְלָא תְקוּם בְּכָל מֵישְׁרָא לְטוּרָא אִשְׁתֵּזֵב דִּלְמָא תִלְקֵי:

רש"י

(יז) המלט על נפשך. דייך להציל נפשות, אל תחוס על הממון (תוספתא סנהדרין יד:א): **אל תביט אחריך.** אתה הרשעת עמהם (תנחומא יד) ובזכות אברהם אתה ניצול (פס"ר ג (י.); ב"ר שם) אינך כדאי לראות בפורענותם ואתה ניצול: **בכל הככר.** ככר הירדן: **ההרה המלט.** אצל אברהם ברח (שם ושם) שהוא יושב בהר, שנא' ויעתק משם ההרה (לעיל יב:ח), ואף עכשיו היה יושב שם, שנאמר עד המקום אשר היה שם אהלה בתחלה (שם יג:ג). אע"פ שכתוב ויאהל אברם וגו' (שם יח), אהלים הרבה היו לו ונמשכו עד חברון: **המלט.** ל' השמטה. וכן כל אמלטה שבמקרא, אשמולי"ר בלע"ז, וכן והמליטה זכר (ישעיה סו:ז) שנשמט העובר מן הרחם. כלפור נמלטה (תהלים קכד:ז) לא יכלו מלט משא (ישעיה מו:ב) להשמיט משא הרעי שבנקביהם:

רמב"ן

□ **בְּחֶמְלַת ה׳ עָלָיו.** לֹא בִּזְכוּתוֹ, רַק בְּחֶמְלַת הָאֵל וּבְרַחֲמָיו הָרַבִּים[65]. אוֹ יֹאמַר, שֶׁהֶחֱזִיקוּ בּוֹ לְמַהֵר לְהוֹצִיאָם בְּעוֹד הַחֶמְלָה[66], עָלָיו פֶּן "יֵצֵא הַקֶּצֶף מִלִּפְנֵי ה׳"[67] וְיִסָּפֶה.

[יז] אַל תַּבִּיט אַחֲרֶיךָ וְאַל תַּעֲמֹד בְּכָל הַכִּכָּר. שִׁעוּר הַכָּתוּב: אַל תַּעֲמֹד בְּכָל הַכִּכָּר, וְאַל תַּבִּיט אַחֲרֶיךָ אַחַר שֶׁתִּנָּצֵל – כִּי עַד הֱיוֹת לוֹט בָּהָר לֹא תֵרֵד עֲלֵיהֶם רָעָה[68]. וּבַעֲבוּר כֵּן[69] אָמַר "וְאָנֹכִי לֹא אוּכַל לְהִמָּלֵט הָהָרָה פֶּן תִּדְבָּקַנִי הָרָעָה" בִּהְיוֹתִי בַּכִּכָּר[70], כִּי אַתָּה לֹא תַאֲרִיךְ לִי רַק מְעַט, כַּאֲשֶׁר אָמַרְתָּ "מַהֵר הִמָּלֵט".

RAMBAN ELUCIDATED

□ **בְּחֶמְלַת ה׳ עָלָיו** – ***IN HASHEM'S MERCY ON HIM.***

[Ramban discusses the implications of the expression בְּחֶמְלַת ה׳, *in HASHEM's mercy*:]

לֹא בִּזְכוּתוֹ, רַק בְּחֶמְלַת הָאֵל וּבְרַחֲמָיו הָרַבִּים – **It was not in his** own **merit** that Lot was saved; **rather, it was in God's mercy and in His great compassion.**[65]

אוֹ יֹאמַר שֶׁהֶחֱזִיקוּ בּוֹ לְמַהֵר לְהוֹצִיאָם בְּעוֹד הַחֶמְלָה עָלָיו – **Alternatively: [Scripture] is saying that they grasped him to hasten to send him out** of the city **while** God's **mercy was still upon him,**[66] **פֶּן יֵצֵא הַקֶּצֶף מִלִּפְנֵי ה׳ וְיִסָּפֶה** – **lest "fury go forth from the presence of God"**[67] **and he perish.**

17. אַל תַּבִּיט אַחֲרֶיךָ וְאַל תַּעֲמֹד בְּכָל הַכִּכָּר – ***DO NOT LOOK BEHIND YOU AND DO NOT STOP ANYWHERE IN ALL THE PLAIN.***

שִׁעוּר הַכָּתוּב: אַל תַּעֲמֹד בְּכָל הַכִּכָּר וְאַל תַּבִּיט אַחֲרֶיךָ אַחַר שֶׁתִּנָּצֵל – The meaning of **the verse is equivalent to, "Do not stop anywhere in all the plain, and do not look behind you after you have been saved";** **כִּי עַד הֱיוֹת לוֹט בָּהָר לֹא תֵרֵד עֲלֵיהֶם רָעָה** – **for until Lot was in the mountain no evil would descend upon [the Sodomites].**[68] **וּבַעֲבוּר כֵּן אָמַר "וְאָנֹכִי לֹא אוּכַל לְהִמָּלֵט הָהָרָה פֶּן תִּדְבָּקַנִי הָרָעָה" בִּהְיוֹתִי בַּכִּכָּר** – **Because of this**[69] **[Lot] said** (v. 19), ***"I cannot escape to the mountain lest the evil attach itself to me*** **while I am still in the plain,**[70] **כִּי אַתָּה לֹא תַאֲרִיךְ לִי רַק מְעַט כַּאֲשֶׁר אָמַרְתָּ "מַהֵר הִמָּלֵט"** –

65. That is, Lot did not rightfully deserve to be saved. [This stands in contrast to what Ramban wrote above, on verse 12, that Lot's merit was so great that it enabled the salvation of his family members along with him. See also below, on verse 29.]

66. According to this interpretation, we should translate בְּחֶמְלַת ה׳ as *while HASHEM's mercy* and not, as in the first interpretation, *in HASHEM's mercy*. Note that according to this interpretation, we are not forced to conclude that Lot did not deserve to be saved in his own merit.

67. Stylistic citation from *Numbers* 17:11.

68. That is, the verse should be interpreted as if the clause *do not stop anywhere in all the plain* were written before the clause *do not look behind you.* Thus, while you are escaping, *do not stop;* once you have escaped, *do not look behind you.* This inversion is necessary, because there would be nothing harmful about looking back at Sodom before Lot arrived at the mountain, because, as the angels explain in verse 22, the destruction of Sodom could not begin until Lot was safely out of harm's way.

69. Because the angels had told Lot not to stop running until he arrived at the mountain, he understood that they would not wait for him indefinitely before beginning the destruction of Sodom.

70. Lot was afraid that he would not escape quickly enough and would be caught up in the destruction.

mercy on him; and they took him out and left him outside the city.
17 *And it was as they took them out that one said: "Flee for your life! Do not look behind you and do not stop anywhere in all the plain; flee to the mountain lest you be swept away."*

רמב"ן

וְאָמַר רַבִּי אַבְרָהָם: "אַל תַּבִּיט אַחֲרֶיךָ" – אַתָּה וְכָל אֲשֶׁר לָךְ[71], וְכֵן "לֹא תֹאכַל מִמֶּנּוּ" [לעיל ב, יז][72].

וּמָה צֹּרֶךְ לָזֶה וְאֵין הָעֹנֶשׁ בְּכָאן מִפְּנֵי שֶׁיַּעַבְרוּ עַל אַזְהָרַת הַמַּלְאָךְ,[73] אֲבָל הוּא הִזְהִירָם מִדַּעְתּוֹ[74] שֶׁיַּגִּיעַ לָהֶם עֹנֶשׁ בַּהַבָּטָה הַהִיא, וְהוּא הִזְהִיר אֶת לוֹט לִזְכוּתוֹ, וְכָל הַשּׁוֹמֵעַ וְנִזְהָר הוּא אֶת נַפְשׁוֹ הִצִּיל[75].

וְעִנְיַן אִסּוּר[75a] הַהַבָּטָה, אָמַר רַשִׁ"י: אַתָּה הִרְשַׁעְתָּ עִמָּהֶם, וּבִזְכוּת אַבְרָהָם אַתָּה נִצָּל, אֵינְךָ רַשַּׁאי[75b] לִרְאוֹת בְּפוּרְעָנוּתָן.

וְעוֹד בּוֹ עִנְיָן כִּי הָרְאוּת בַּאֲוִיר הַדֶּבֶר, וּבְכָל הֶחֳלָיִים הַנִּדְבָּקִים – יַזִּיק מְאֹד וְיַדְבִּיקֵם, וְכֵן הַמַּחֲשָׁבָה בָּהֶם.

RAMBAN ELUCIDATED

for I fear **you will not wait long enough for me** to escape, **as you said, *'Quickly flee'*** (v. 22)."

[The angel's warning against looking back was couched in the singular, indicating that he was speaking only to Lot. If so, what was the reason for Lot's wife's penalty when she looked back?]

וְאָמַר רַבִּי אַבְרָהָם – Rabbi Avraham Ibn Ezra **says:** **"אַל תַּבִּיט אַחֲרֶיךָ", אַתָּה וְכָל אֲשֶׁר לָךְ** – When the angel said to Lot, ***"Do not look behind you,"*** he meant, **you and all of yours.**[71] **וְכֵן "לֹא תֹאכַל מִמֶּנּוּ"** – **The same** may be said for the command to Adam, ***"You must not eat thereof"*** (above, 2:17); there, too, the warning was addressed to Eve as well.[72]

[Ramban questions Ibn Ezra's approach:]

וּמָה צֹּרֶךְ לָזֶה – But what is the need for this interpretation of the angel's words? **וְאֵין הָעֹנֶשׁ בְּכָאן מִפְּנֵי שֶׁיַּעַבְרוּ עַל אַזְהָרַת הַמַּלְאָךְ – The dire consequence here was not** a punishment **for transgressing the warning of the angel** not to look back.[73] **אֲבָל הוּא הִזְהִירָם מִדַּעְתּוֹ שֶׁיַּגִּיעַ לָהֶם עֹנֶשׁ בַּהַבָּטָה הַהִיא – Rather, he warned them on his own**[74] **that dire consequence would befall them as a result of such looking** back. **וְהוּא הִזְהִיר אֶת לוֹט לִזְכוּתוֹ – He warned** only **Lot, because of his merit,** **וְכָל הַשּׁוֹמֵעַ וְנִזְהָר הוּא אֶת נַפְשׁוֹ הִצִּיל – but anyone who might have heard** the warning **and exercised caution** not to look at Sodom **would save himself** as well.[75]

[Why was it wrong for Lot to look back at Sodom?]

וְעִנְיַן אִסּוּר הַהַבָּטָה, אָמַר רַשִׁ"י: – As far as **the idea behind the prohibition**[75a] to look at the destruction of Sodom, **Rashi states:** **אַתָּה הִרְשַׁעְתָּ עִמָּהֶם וּבִזְכוּת אַבְרָהָם אַתָּה נִצָּל – You did evil along with them, and** it is only **through the merit of Abraham** that **you are being saved.** **אֵינְךָ רַשַּׁאי לִרְאוֹת בְּפוּרְעָנוּתָן – You are not permitted**[75b] **to see their punishment.**

[Ramban offers another reason for Lot being warned not to look back:]

וְעוֹד בּוֹ עִנְיָן – There is another issue involved **in [the ban]** on looking back, **כִּי הָרְאוּת בַּאֲוִיר הַדֶּבֶר וּבְכָל הֶחֳלָיִים הַנִּדְבָּקִים, יַזִּיק מְאֹד וְיַדְבִּיקֵם – for looking at the air of a plague or of any** other **contagious disease is very harmful** to those who do so **and can transmit it to them.** **וְכֵן הַמַּחֲשָׁבָה בָּהֶם – The**

71. The warning was thus addressed to Lot's wife and daughters as well.

72. This must be so, for otherwise she would not have been punished.

[This is Ibn Ezra's opinion, as noted. However, Ramban (above, on 3:13) explains Eve's guilt in a different manncr.]

73. The harmful consequences of looking back at Sodom were not in punishment for transgressing the prohibition uttered by the angel. Those consequences were set to occur (for reasons discussed by Ramban shortly) regardless of whether the angel would warn Lot; the angel's words of caution were nothing more than benevolent advice.

74. That is, the angel was not relating a command from God.

75. Lot's wife either did not hear the warning or heard it and did not take heed; thus, she suffered the consequences.

75a. Even though Ramban interprets the angel's warning as good advice, he uses the term אִסּוּר, *prohibition,* in presenting Rashi's opinion, for that is how Rashi understands the warning.

75b. Extant editions of Rashi read: אֵינְךָ כְּדַאי, *you do not deserve* or *you are not worthy.*

יח־יט וַיֹּ֥אמֶר לֹ֖וט אֲלֵהֶ֑ם אַל־נָ֖א אֲדֹנָֽי׃ הִנֵּה־נָ֨א מָצָ֜א
עַבְדְּךָ֮ חֵן֮ בְּעֵינֶ֒יךָ֒ וַתַּגְדֵּ֣ל חַסְדְּךָ֗ אֲשֶׁ֤ר עָשִׂ֙יתָ֙
עִמָּדִ֔י לְהַחֲי֖וֹת אֶת־נַפְשִׁ֑י וְאָנֹכִ֗י לֹ֤א אוּכַל֙
כ לְהִמָּלֵ֣ט הָהָ֔רָה פֶּן־תִּדְבָּקַ֥נִי הָרָעָ֖ה וָמַֽתִּי׃ הִנֵּה־
נָ֠א הָעִ֨יר הַזֹּ֧את קְרֹבָ֛ה לָנ֥וּס שָׁ֖מָּה וְהִ֣וא מִצְעָ֑ר
אִמָּלְטָ֨ה נָּ֜א שָׁ֗מָּה הֲלֹ֥א מִצְעָ֛ר הִ֖וא וּתְחִ֥י
רביעי כא נַפְשִֽׁי׃ וַיֹּ֣אמֶר אֵלָ֔יו הִנֵּה֙ נָשָׂ֣אתִי פָנֶ֔יךָ גַּ֖ם
לַדָּבָ֣ר הַזֶּ֑ה לְבִלְתִּ֛י הָפְכִּ֥י אֶת־הָעִ֖יר אֲשֶׁ֥ר
כב דִּבַּֽרְתָּ׃ מַהֵר֙ הִמָּלֵ֣ט שָׁ֔מָּה כִּ֣י לֹ֤א אוּכַל֙ לַעֲשׂ֣וֹת
דָּבָ֔ר עַד־בֹּאֲךָ֖ שָׁ֑מָּה עַל־כֵּ֛ן קָרָ֥א שֵׁם־הָעִ֖יר
כג צֽוֹעַר׃ הַשֶּׁ֖מֶשׁ יָצָ֣א עַל־הָאָ֑רֶץ וְל֖וֹט בָּ֥א צֹֽעֲרָה׃

יח וַאֲמַר לוֹט לְוָתְהוֹן בְּבָעוּ כְעַן רִבּוֹנָי (נ״א יְיָ): יט הָא כְעַן אַשְׁכַּח עַבְדָּךְ רַחֲמִין קֳדָמָךְ וְאַסְגֵיתָא טֵיבוּתָךְ דִּי עֲבַדְתָּ עִמִּי לְקַיָּמָא יָת נַפְשִׁי וַאֲנָא לֵית אֲנָא יָכִיל לְאִשְׁתֵּזָבָא לְטוּרָא דִּילְמָא תְעַרְעִנַּנִי בִשְׁתָּא וְאֵימוּת: כ הָא כְעַן קַרְתָּא הָדָא קְרִיבָא לְמֵעֲרוֹק לְתַמָּן וְהִיא זְעֵירָא אִשְׁתֵּזֵב כְּעַן תַּמָּן הֲלָא זְעֵירָא הִיא וְתִתְקַיַּם נַפְשִׁי: כא וַאֲמַר לֵהּ הָא נְסֵיבִית אַפָּךְ אַף לְפִתְגָּמָא הָדֵין בְּדִיל דְּלָא לְמֶהְפַּךְ יָת קַרְתָּא דְּבְעֵיתָא עֲלַהּ: כב אוֹחִי לְאִשְׁתֵּזָבָא תַּמָּן אֲרֵי לָא אִכּוּל לְמֶעְבַּד פִּתְגָּמָא עַד מֵיתָךְ לְתַמָּן עַל כֵּן קְרָא שְׁמָא דְקַרְתָּא צוֹעַר: כג שִׁמְשָׁא נְפַק עַל אַרְעָא וְלוֹט עַל לְצוֹעַר:

רש״י

(יח) אל נא אדני. רבותינו אמרו שם זה קדש, שנאמר בו להחיות את נפשי, מי שיש בידו להמית ולהחיות (שבועות לה:). ותרגומו בבעו כען ה׳: **אל נא.** אל תאמרו אלי להמלט ההרה: **נא.** לשון בקשה: **(יט) פן תדבקני הרעה.** כשהייתי אצל אנשי סדום היה הקב״ה רואה מעשי ומעשי בני העיר והייתי נראה צדיק וכדאי להנצל, וכשאבא אצל צדיק אני כרשע. וכן אמרה הצרפית לאליהו, באת אלי להזכיר את עוני (מלכים א יז:יח) עד שלא באת אצלי היה הקב״ה רואה מעשי ומעשי עמי ואני צדקת ביניהם, ומשבאת אצלי, לפי מעשיך אני רשעה (ב״ר נ:יא): **(כ) העיר הזאת קרובה.** קרובה ישיבתה, נתיישבה מקרוב, לפיכך לא נתמלאה סאתה עדיין (שבת י:). ומה היא קריבתה, מדור הפלגה, שנתפלגו האנשים והתחילו להתיישב איש איש במקומו, והיא היתה בשנת מות פלג, ומשם עד כאן נ״ב שנה, שפלג מת בשנת מ״ח לאברהם. כיצד, פלג חי אחרי הולידו את רעו ר״ט שנה, לא מהם ל״ב כשנולד שרוג ומשרוג עד שנולד נחור ל׳ הרי ס״ב, ומנחור עד שנולד תרח כ״ט הרי צ״א, ומשם עד שנולד אברהם ע׳ הרי קס״א, תן להם מ״ח הרי ר״ט, ואותה שנה היתה שנת הפלגה. וכשנחרבה סדום היה אברהם בן צ״ט שנה, הרי מדור הפלגה עד כאן נ״ב שנה. וצוער איחרה ישיבתה אחר ישיבת סדום וחברותיה שנה אחת, הוא שנאמר **אמלטה נא,** נא בגימטריא נ״א (שם): **הלא מצער הוא.** והלא עוונותיה מועטין ויכול אתה להניחה: **ותחי נפשי.** בה. זהו מדרשו (שם). ופשוטו של מקרא, הלא עיר קטנה היא ואנשים בה מעט אין לך להקפיד אם תניחנה ותחי נפשי בה (שם): **(כא) גם לדבר הזה.** לא דייך שאתה ניצול אלא אף כל העיר אציל בגללך: **הפכי.** הופך אני כמו עד בואי (להלן מח:ה) אחרי רואי (לעיל טז:יג) מדי דברי בו (ירמיה לא:יט): **(כב) כי לא אוכל לעשות.** זה עונשן של מלאכים על שאמרו כי משחיתים אנחנו (לעיל פסוק יג) ותלו הדבר בעצמן (ב״ר נ:ט) לפיכך לא זזו משם עד שהוזקקו לומר שאין הדבר ברשותן: **כי לא אוכל.** לשון יחיד. מכאן אתה למד שהאחד הופך והאחד מציל, שאין ב׳ מלאכים נשלחים לדבר אחד (שם ב): **על כן קרא שם העיר צוער.** על שם והיא מצער:

רמב״ן

וְלָכֵן יִסָּגֵר הָאִישׁ הַמְּצֹרָע וְיֵשֵׁב בָּדָד[76], וְכֵן נְשׁוּכֵי חַיּוֹת הַשּׁוֹטוֹת, כַּכֶּלֶב הַשּׁוֹטֶה וְזוּלָתוֹ, כַּאֲשֶׁר יִרְאוּ הַמַּיִם וְכָל מַרְאָה – יֶחֱזוּ בָּהֶם דְּמוּת הַמַּזִּיק, וְיִשְׁתַּטּוּ וְיָמוּתוּ[77], כְּמוֹ שֶׁאָמְרוּ בְּמַסֶּכֶת יוֹמָא [פד, א], וְהִזְכִּירוּהוּ אַנְשֵׁי הַטֶּבַע.

RAMBAN ELUCIDATED

same is true for even **thinking about [such diseases].** וְלָכֵן יִסָּגֵר הָאִישׁ הַמְּצֹרָע וְיֵשֵׁב בָּדָד – **This is why a *metzora* is quarantined and** is required to **live in solitude** (see *Leviticus* 13:46).[76] וְכֵן נְשׁוּכֵי חַיּוֹת הַשּׁוֹטוֹת כַּכֶּלֶב הַשּׁוֹטֶה וְזוּלָתוֹ – **Similarly, people who have been bitten by rabid animals – such as a rabid dog or the like** – כַּאֲשֶׁר יִרְאוּ הַמַּיִם וְכָל מַרְאָה – **when they look into water or any reflective surface** יֶחֱזוּ בָּהֶם דְּמוּת הַמַּזִּיק, וְיִשְׁתַּטּוּ וְיָמוּתוּ – **they see in it an image of the [animal] that inflicted the damage, and they go insane and die,**[77] כְּמוֹ שֶׁאָמְרוּ בְּמַסֶּכֶת יוֹמָא – **as [the Sages] state in Tractate *Yoma*** (84a), וְהִזְכִּירוּהוּ אַנְשֵׁי הַטֶּבַע – **and this** phenomenon **is mentioned by those**

76. He is set apart lest other people see him or think about him and thereby contract the disease themselves.

77. In that case, too, looking at the rabid animal causes the person to become adversely affected. See Ramban on *Numbers* 21:9 for a fuller discussion of this phenomenon.

18 Lot said to them: "Please, no! My Lord — 19 See, now, Your servant has found grace in Your eyes and Your kindness was great which You did with me to save my life; but I cannot escape to the mountain lest the evil attach itself to me and I die. 20 Behold, please, this city is near enough to escape there and it is small; I shall flee there. Is it not small? — and I will live."

21 And He replied to him: "Behold, I have granted you consideration even regarding this, that I not overturn the city about which you have spoken. 22 Hurry, flee there, for I cannot do a thing until you arrive there." He therefore called the name of the city Zoar.

23 The sun rose upon the earth and Lot arrived at Zoar.

רמב״ן

וְלָכֵן הָיְתָה אִשְׁתּוֹ שֶׁל לוֹט נְצִיב מֶלַח, כִּי בָאֲתָה הַמַּכָּה בְּמַחֲשַׁבְתָּהּ כַּאֲשֶׁר רָאֲתָה גָּפְרִית וָמֶלַח הַיּוֹרֵד עֲלֵיהֶן מִן הַשָּׁמַיִם, וְדָבְקָה בָהּ.

וְקָרוֹב אֲנִי לוֹמַר כִּי בְּהַשְׁחִית ה׳ אֶת הֶעָרִים הָאֵלֶּה הָיָה הַמַּלְאָךְ הַמַּשְׁחִית ״עֹמֵד בֵּין הָאָרֶץ וּבֵין הַשָּׁמַיִם״ [דה״א כא, טז], נִרְאָה בְּלַהַב הָאֵשׁ, כְּעִנְיָן בַּמַּלְאָךְ הַמַּשְׁחִית אֲשֶׁר רָאָה דָוִד, וְלָכֵן אָסַר לָהֶן הַהַבָּטָה. וּבְפִרְקֵי דְּרַבִּי אֱלִיעֶזֶר [כה] כְּעִנְיָן הַזֶּה: אָמְרוּ לָהֶם, ״אַל תַּבִּיטוּ לַאֲחוֹרֵיכֶם, שֶׁהֲרֵי יָרְדָה שְׁכִינָתוֹ שֶׁל הַקָּדוֹשׁ בָּרוּךְ הוּא לְהַמְטִיר עַל סְדוֹם וְעַל עֲמוֹרָה גָּפְרִית וָאֵשׁ״. עִירִית אִשְׁתּוֹ שֶׁל לוֹט נִכְמְרוּ רַחֲמֶיהָ עַל בְּנוֹתֶיהָ הַנְּשׂוּאוֹת בִּסְדוֹם, וְהִבִּיטָה לַאֲחֲרֶיהָ לִרְאוֹת אִם הוֹלְכוֹת הֵן אַחֲרֶיהָ, וְרָאֲתָה אֲחוֹרֵי הַשְּׁכִינָה, וְנַעֲשֵׂית ״נְצִיב מֶלַח״[77a].

RAMBAN ELUCIDATED

knowledgeable about nature. וְלָכֵן הָיְתָה אִשְׁתּוֹ שֶׁל לוֹט נְצִיב מֶלַח – **This is why [Lot's] wife became a pillar of salt** – כִּי בָאֲתָה הַמַּכָּה בְּמַחֲשַׁבְתָּהּ כַּאֲשֶׁר רָאֲתָה גָּפְרִית וָמֶלַח הַיּוֹרֵד עֲלֵיהֶן מִן הַשָּׁמַיִם וְדָבְקָה בָהּ – **because this plague entered her thoughts when she saw the sulfur and salt that was descending upon [the Sodomites] from heaven, and it infected her.**

[Ramban suggests yet another approach as to why Lot was told not to look at Sodom as it was being destroyed:]

וְקָרוֹב אֲנִי לוֹמַר כִּי בְּהַשְׁחִית ה׳ אֶת הֶעָרִים הָאֵלֶּה – **However, I prefer to say that when God destroyed these cities** הָיָה הַמַּלְאָךְ הַמַּשְׁחִית ״עֹמֵד בֵּין הָאָרֶץ וּבֵין הַשָּׁמַיִם״ נִרְאָה בְּלַהַב הָאֵשׁ – **the Destroying Angel was *standing between the earth and the heavens*** (*I Chronicles* 21:16), **appearing in a flame of fire,** כְּעִנְיָן בַּמַּלְאָךְ הַמַּשְׁחִית אֲשֶׁר רָאָה דָוִד – **similar to** what transpired **with the Destroying Angel that David saw** (ibid.), וְלָכֵן אָסַר לָהֶן הַהַבָּטָה – **and this is why [the angel]** speaking to Lot **forbade them to look.**

[Ramban notes that this last interpretation of the events is found in the words of the Sages as well:]

וּבְפִרְקֵי דְּרַבִּי אֱלִיעֶזֶר כְּעִנְיָן הַזֶּה: – **In *Pirkei DeRabbi Eliezer*** (Chap. 25), it is explained **in this manner:** אָמְרוּ לָהֶם, ״אַל תַּבִּיטוּ לַאֲחוֹרֵיכֶם, שֶׁהֲרֵי יָרְדָה שְׁכִינָתוֹ שֶׁל הַקָּדוֹשׁ בָּרוּךְ הוּא לְהַמְטִיר עַל סְדוֹם וְעַל עֲמוֹרָה גָּפְרִית וָאֵשׁ״ – **They said to them, "Do not look behind you, for the *Shechinah* of the Holy One, Blessed is He, has descended to rain sulfur and fire upon Sodom and Gomorrah."** עִירִית אִשְׁתּוֹ שֶׁל לוֹט נִכְמְרוּ רַחֲמֶיהָ עַל בְּנוֹתֶיהָ הַנְּשׂוּאוֹת בִּסְדוֹם – But **the compassion that Irith, Lot's wife, had for her married daughters,** who remained **in Sodom, stirred within her,** וְהִבִּיטָה לַאֲחֲרֶיהָ לִרְאוֹת אִם הוֹלְכוֹת הֵן אַחֲרֶיהָ – **and she looked back to see if they were following her.** וְרָאֲתָה אֲחוֹרֵי הַשְּׁכִינָה וְנַעֲשֵׂית ״נְצִיב מֶלַח״ – **She saw the back of the *Shechinah***[77a] **and,** consequently, **became *a pillar of salt*** (below, v. 26).

77a. The term אֲחוֹרֵי הַשְּׁכִינָה, *the back of the Shechinah,* is a Kabbalistic reference (not within the scope of this elucidation or these notes).

כד וַיהוָֹה הִמְטִיר עַל־סְדֹם וְעַל־עֲמֹרָה גָּפְרִית
כה וָאֵשׁ מֵאֵת יְהוָֹה מִן־הַשָּׁמָיִם: וַיַּהֲפֹךְ אֶת־
הֶעָרִים הָאֵל וְאֵת כָּל־הַכִּכָּר וְאֵת כָּל־יֹשְׁבֵי
כו הֶעָרִים וְצֶמַח הָאֲדָמָה: וַתַּבֵּט אִשְׁתּוֹ

כד וַייָ אַמְטַר עַל סְדוֹם וְעַל
עֲמוֹרָה גָּפְרִיתָא וְאֶשָּׁתָא מִן
קֳדָם יְיָ מִן שְׁמַיָּא: כה וַהֲפַךְ יָת
קִרְוַיָּא הָאִלֵּין וְיָת כָּל מֵישְׁרָא
וְיָת כָּל יָתְבֵי קִרְוַיָּא וְצִמְחָא
דְאַרְעָא: כו וְאִסְתְּכִיאַת אִתְּתֵהּ

רש"י

(כד) וה' המטיר. כל מקום שנאמר וה', הוא ובית דינו (שם נא:ב): **המטיר על סדום.** בעלות השחר, כמ"ש וכמו השחר עלה (לעיל פסוק טו). שעה שהלבנה עומדת ברקיע עם החמה לפי שהיו מהם עובדין לחמה ומהם ללבנה, אמר הקב"ה, אם אפרע מהם ביום יהיו עובדי לבנה אומרים אילו היה בלילה שהלבנה מושלת לא היינו חרבין, ואם אפרע מהם בלילה יהיו עובדי החמה אומרים אילו היה ביום כשהחמה מושלת לא היינו חרבין, לכך כתיב וכמו השחר עלה, ונפרע מהם בשעה שהחמה והלבנה מושלים (ב"ר נ:יב): **המטיר וגו' גפרית ואש.** בתחלה מטר ונעשה גפרית ואש (מכילתא בשלח שירה פ"ה): **מאת ה'.** דרך המקראות לדבר כן, כמו נשי למך (לעיל ד:כג) ולא אמר נשיי, וכן אמר דוד קחו עמכם את עבדי אדוניכם (מלכים א א:לג) ולא אמר את עבדיי, וכן אמר אחשורוש בשם המלך (אסתר ח:ח) ולא אמר בשמי. אף כאן אמר מאת ה' ולא אמר מאתו (סנהדרין לח:; ב"ר נא:ב): **מן השמים.** הוא שאמר הכתוב כי בם ידין עמים וגו' (איוב לו:לא). כשבא ליסר הבריות מביא עליהם אש מן השמים כמו שעשה לסדום, וכשבא להוריד המן [מן השמים], הנני ממטיר לכם לחם מן השמים (שמות טז:ד; תנחומא ישן בשלח כ; תנחומא י): **(כה) ויהפך את הערים וגו'.** ארבעתן יושבות בסלע אחד והפכן מלמעלה למטה, שנאמר בחלמיש שלח ידו וגו' (איוב כח:ט; ב"ר נא:ד):

רמב"ן

[כד] וַה' הִמְטִיר עַל סְדֹם. כָּתַב רַשִׁ"י: בְּכָל מָקוֹם שֶׁנֶּאֱמַר "וַה'" – הוּא וּבֵית דִּינוֹ "מֵאֵת ה'", וְלֹא כָּתַב "מֵאִתּוֹ"[78] – דֶּרֶךְ מִקְרָאוֹת לְדַבֵּר כֵּן: "נְשֵׁי לֶמֶךְ" [לעיל ד, כג], וְלֹא אָמַר "נָשַׁי". וְדָוִד אָמַר [מלכים-א א, לג]: "קְחוּ עִמָּכֶם (מֵעַבְדֵי) [אֶת עַבְדֵי] אֲדֹנֵיכֶם", וְלֹא אָמַר "מֵעֲבָדַי". וַאֲחַשְׁוֵרוֹשׁ [אסתר ח, ח]: "כִּתְבוּ ... בְּשֵׁם הַמֶּלֶךְ", וְלֹא אָמַר "בִּשְׁמִי".

וַאֲנִי תָּמֵהַּ עַל הָרַב זִכְרוֹנוֹ לִבְרָכָה, שֶׁכָּתַב מִן הַהַגָּדוֹת[79] דֵּעוֹת חֲלוּקוֹת וּמַשְׁוֶה אוֹתָם, שֶׁזֶּה מַחֲלוֹקֶת הוּא

RAMBAN ELUCIDATED

24. וַה' הִמְטִיר עַל סְדֹם – ***AND HASHEM RAINED DOWN UPON SODOM [... FROM HASHEM, FROM OUT OF HEAVEN].***

[Why does the Torah repeat the Name HASHEM at the end of the verse? Ramban begins his answer by citing two of Rashi's comments, both of which are from the Midrash *Bereishis Rabbah* 51:2):]

כָּתַב רַשִׁ"י: – Rashi (s.v., וַה', *And HASHEM*) **writes:**

בְּכָל מָקוֹם שֶׁנֶּאֱמַר "וַה'" הוּא וּבֵית דִּינוֹ – Wherever [the verse] states וַה', ***and HASHEM,*** it refers to **Him and His court ...**

[Rashi's second comment (s.v., מֵאֵת ה', *From HASHEM*) states:]

"מֵאֵת ה'" – ***From HASHEM*** – **וְלֹא כָּתַב "מֵאִתּוֹ"** – **[Scripture] did not write, "from Him."**[78] **דֶּרֶךְ מִקְרָאוֹת לְדַבֵּר כֵּן – It is the way of** Scriptural **verses to speak in this manner,** i.e., using a noun when a pronoun could have been used; **"נְשֵׁי לֶמֶךְ", וְלֹא אָמַר "נָשַׁי"** – for instance, *[Lamech said:]* "... ***wives of Lamech"*** (above, 4:23) **and he did not say, "my wives." וְדָוִד אָמַר "קְחוּ עִמָּכֶם אֶת עַבְדֵי אֲדֹנֵיכֶם", וְלֹא אָמַר "מֵעֲבָדַי" – And** similarly **David said,** *"Take with you the slaves of your master"* (*I Kings* 1:33), **and he did not say, "my slaves." וַאֲחַשְׁוֵרוֹשׁ "... כִּתְבוּ ... בְּשֵׁם הַמֶּלֶךְ", וְלֹא אָמַר "בִּשְׁמִי" –** Similarly, **Ahasuerus** said, ***"... write ... in the name of the king"*** (*Esther* 8:8), **and he did not say, "in my name."**

[Ramban takes issue with Rashi's presentation of the Sages' words:]

וַאֲנִי תָּמֵהַּ עַל הָרַב זִכְרוֹנוֹ לִבְרָכָה – I am perplexed at the rabbi (Rashi), **of blessed memory, שֶׁכָּתַב מִן הַהַגָּדוֹת דֵּעוֹת חֲלוּקוֹת וּמַשְׁוֶה אוֹתָם – for he records conflicting opinions from the Aggados**[79]

78. The use of the pronoun "Him" would have been more appropriate, since "HASHEM" had already been mentioned in this verse.

In extant versions of Rashi, this phrase appears at the end of the comment and reads: אַף כַּאן אָמַר "מֵאֵת ה'" וְלֹא אָמַר "מֵאִתּוֹ", *Here, too, it says, "from HASHEM" and it does not say "from Him."*

79. I.e., Midrashic literature.

24 And HASHEM rained down upon Sodom and Gomorrah sulfur and fire from HASHEM, from out of heaven. 25 He overturned these cities and the entire plain, with all the inhabitants of the cities and the vegetation of the soil. 26 His wife peered

רמב״ן

בִּבְרֵאשִׁית רַבָּה [נא, ב]. וְשָׁם עוֹד דַּעַת שְׁלִישִׁית: אַבָּא חָלְפִּי[79a] בְּרַבִּי סָמְקִי בְּשֵׁם רַבִּי יְהוּדָה בַּר רַבִּי סִימוֹן: ״וַה׳ הִמְטִיר עַל סְדֹם״ – זֶה גַּבְרִיאֵל; ״מֵאֵת ה׳ מִן הַשָּׁמַיִם״ – זֶה הַקָּדוֹשׁ בָּרוּךְ הוּא. אָמַר רַבִּי אֶלְעָזָר: כָּל מָקוֹם שֶׁנֶּאֱמַר ״וַה׳ ״ – הוּא וּבֵית דִּינוֹ. אָמַר רַבִּי יִצְחָק: בַּתּוֹרָה בַּנְּבִיאִים וּבַכְּתוּבִים מָצִינוּ שֶׁהַהֶדְיוֹט מַזְכִּיר שְׁמוֹ שְׁנֵי פְּעָמִים בְּפָסוּק אֶחָד[79b]: בַּתּוֹרָה – ״וַיֹּאמֶר לֶמֶךְ לְנָשָׁיו״ וגו׳.

הִנֵּה אֵלּוּ שָׁלֹשׁ מַחֲלוֹקוֹת בַּדָּבָר: שֶׁרַבִּי יְהוּדָה בַּר רַבִּי סִימוֹן יִחֵס הַשֵּׁם הָרִאשׁוֹן לְגַבְרִיאֵל, שֶׁהוּא הַשָּׁלִיחַ לְשַׁחֵת, וְנִקְרָא הַשָּׁלִיחַ בְּשֵׁם הַשּׁוֹלֵחַ[80]. וְרַבִּי אֶלְעָזָר אָמַר כִּי הוּא וּבֵית דִּינוֹ הִסְכִּימוּ בַּמִּשְׁפָּט[81], וּמֵאִתּוֹ בָּא[82]. וְרַבִּי יִצְחָק אָמַר שֶׁהוּא דֶּרֶךְ הַלָּשׁוֹן[83].

RAMBAN ELUCIDATED

and makes them appear **equivalent** to each other. **שֶׁזֶּה מַחֲלוֹקֶת הוּא בִּבְרֵאשִׁית רַבָּה** – **For this** matter **is** the subject of **a dispute in** Midrash ***Bereishis Rabbah*** (51:2). **וְשָׁם עוֹד דַּעַת שְׁלִישִׁית:** – **And there is,** in fact, **a third opinion there** as well. That Midrash states: **אַבָּא חָלְפִּי בְּרַבִּי סָמְקִי בְּשֵׁם רַבִּי יְהוּדָה בַּר רַבִּי סִימוֹן:** – **Abba Chalfi**[79a] **son of Rabbi Samki, in the name of Rabbi Yehudah son of Rabbi Simon,** says: **״וַה׳ הִמְטִיר עַל סְדֹם״, זֶה גַּבְרִיאֵל** – The phrase, ***And HASHEM rained down upon Sodom,*** **refers to Gabriel; ״מֵאֵת ה׳ מִן הַשָּׁמַיִם״, זֶה הַקָּדוֹשׁ בָּרוּךְ הוּא** – but the phrase, ***from HASHEM, from out of heaven,*** **refers to the Holy One, Blessed is He,** Himself. **אָמַר רַבִּי אֶלְעָזָר: כָּל מָקוֹם שֶׁנֶּאֱמַר ״וַה׳ ״ הוּא וּבֵית דִּינוֹ** – **Rabbi Elazar said: Wherever it says** וַה׳, ***And HASHEM,*** it refers to **Him and His court. אָמַר רַבִּי יִצְחָק: בַּתּוֹרָה בַּנְּבִיאִים וּבַכְּתוּבִים מָצִינוּ שֶׁהַהֶדְיוֹט מַזְכִּיר שְׁמוֹ שְׁנֵי פְּעָמִים בְּפָסוּק אֶחָד:** – **Rabbi Yitzchak said: In the Torah, in the Prophets and in the Writings,** i.e., in all three sections of the *Tanach,* **we find that an ordinary person sometimes mentions his name twice in one sentence.**[79b] **בַּתּוֹרָה, ״וַיֹּאמֶר לֶמֶךְ לְנָשָׁיו״ וגו׳** – **In the Torah: *Lamech said to his wives,"*** **etc.**

הִנֵּה אֵלּוּ שָׁלֹשׁ מַחֲלוֹקוֹת בַּדָּבָר: – **So you see that these are three distinct** opposing **opinions** about the matter: **שֶׁרַבִּי יְהוּדָה בַּר רַבִּי סִימוֹן יִחֵס הַשֵּׁם הָרִאשׁוֹן לְגַבְרִיאֵל, שֶׁהוּא הַשָּׁלִיחַ לְשַׁחֵת** – **For Rabbi Yehudah son of Rabbi Simon ascribes the first** appearance of God's **Name** in the verse (וַה׳, *And HASHEM*) **to Gabriel, who was the agent** appointed **to destroy** Sodom, **וְנִקְרָא הַשָּׁלִיחַ בְּשֵׁם הַשּׁוֹלֵחַ** – **and the agent is called by the name of the Sender.**[80] **וְרַבִּי אֶלְעָזָר אָמַר כִּי הוּא וּבֵית דִּינוֹ הִסְכִּימוּ בַּמִּשְׁפָּט** – **And Rabbi Elazar says that He and His court agreed on the sentence,**[81] **וּמֵאִתּוֹ בָּא** – **but [the** execution of the **punishment] came from [God]** alone.[82] **וְרַבִּי יִצְחָק אָמַר שֶׁהוּא דֶּרֶךְ הַלָּשׁוֹן** – **And Rabbi Yitzchak says that it is the** ordinary **manner of speech** to repeat a name instead of using a pronoun.[83]

79a. In extant editions the passage begins: Rabbi Chelbo son of Rabbi Chilfi son of ...

79b. Even though the verse has already identified the speaker, so that we would expect him to refer to himself with a pronoun, the speaker nevertheless refers to himself by name or title. (The Midrash's three examples, also cited by Rashi, are: Lamech said, "*wives of Lamech,*" instead of "my wives"; David referred to himself as "*your master*" and Ahasuerus used the term "*the king*" rather than "me.")

80. But the second appearance of HASHEM in the verse refers to God Himself.

81. This is why the phrase begins with "*And*" *HASHEM rained down upon Sodom* ... It was God in conjunction with His court that decided upon that punishment.

82. This is why the verse states מֵאֵת ה׳, *from HASHEM.* The punishment was administered by God Himself.

83. There is therefore no significance to the repetition of the Name HASHEM in the verse.

[Ramban clearly understands that the three opinions in the Midrash are all addressing the same problem of the repetition of God's Name in the verse, and it is on the basis of this assumption that he rejects Rashi. It is quite possible, however, that Rashi understands that Rabbi Elazar and Rabbi Yitzchak are addressing two distinct issues. See Sapirstein edition of Rashi (ArtScroll/Mesorah Publications), note 8.]

כו מֵאַחֲרָיו וַתְּהִי נְצִיב מֶלַח: וַיַּשְׁכֵּם אַבְרָהָם
בַּבֹּקֶר אֶל־הַמָּקוֹם אֲשֶׁר־עָמַד שָׁם אֶת־פְּנֵי
כח יְהוָה: וַיַּשְׁקֵף עַל־פְּנֵי סְדֹם וַעֲמֹרָה וְעַל כָּל־פְּנֵי
אֶרֶץ הַכִּכָּר וַיַּרְא וְהִנֵּה עָלָה קִיטֹר הָאָרֶץ
כט כְּקִיטֹר הַכִּבְשָׁן: וַיְהִי בְּשַׁחֵת אֱלֹהִים אֶת־עָרֵי
הַכִּכָּר וַיִּזְכֹּר אֱלֹהִים אֶת־אַבְרָהָם וַיְשַׁלַּח אֶת־
לוֹט מִתּוֹךְ הַהֲפֵכָה בַּהֲפֹךְ אֶת־הֶעָרִים אֲשֶׁר־
ל יָשַׁב בָּהֵן לוֹט: וַיַּעַל לוֹט מִצּוֹעַר וַיֵּשֶׁב בָּהָר
וּשְׁתֵּי בְנֹתָיו עִמּוֹ כִּי יָרֵא לָשֶׁבֶת בְּצוֹעַר וַיֵּשֶׁב

מִבַּתְרוֹהִי וַהֲוַת קָמָא דְמִלְחָא: כז וְאַקְדֵּים אַבְרָהָם בְּצַפְרָא לְאַתְרָא דִּי שַׁמֵּשׁ תַּמָּן בִּצְלוֹ קֳדָם יְיָ: כח וְאִסְתְּכִי עַל אַפֵּי סְדוֹם וַעֲמוֹרָה וְעַל כָּל אַפֵּי אַרְעָא דְמֵישְׁרָא וַחֲזָא וְהָא סְלִיק תְּנָנָא דְאַרְעָא כִּתְנָנָא דְאַתּוּנָא: כט וַהֲוָה בְּחַבָּלוּת (נ״א כַּד חֲבַל) יְיָ יָת קִרְוֵי מֵישְׁרָא וּדְכִיר יְיָ יָת אַבְרָהָם וְשַׁלַּח יָת לוֹט מִגּוֹ הֲפֵכְתָּא כַּד הֲפַךְ יָת קִרְוַיָּא דִּי הֲוָה יָתֵב בְּהֵין לוֹט: ל וּסְלֵק לוֹט מִצּוֹעַר וִיתֵב בְּטוּרָא וְתַרְתֵּין בְּנָתֵהּ עִמֵּהּ אֲרֵי דְחֵיל לְמִתַּב בְּצוֹעַר וִיתֵב

רש״י

(כו) ותבט אשתו מאחריו. מאחריו של לוט: **ותהי נציב מלח.** במלח חטאה ובמלח לקתה (ב״ר נא:ה). אמר לה תני מעט מלח לאורחים הללו. אמרה לו אף המנהג הרע הזה אתה בא להנהיג במקום הזה (שם נ:ד): **(כח) קיטור.** תימור של עשן, טורק״א בלע״ז: **הכבשן.** חפירה ששורפין בה את האבנים לסיד, וכן כל כבשן שבתורה: **(כט) ויזכור אלהים את אברהם.** מהו זכירתו של אברהם על לוט, נזכר שהיה לוט יודע ששרה אשתו של אברהם, ושמע שאמר אברהם במצרים על שרה אחותי היא (לעיל יב:יט) ולא גלה הדבר שהיה חס עליו, לפיכך חס הקב״ה עליו (ב״ר נא:ו): **(ל) כי ירא לשבת בצוער.** לפי שהיתה קרובה לסדום:

רמב״ן

וְאִם הֲבִינוֹתָ מַה שֶּׁכָּתַבְתִּי לְמַעְלָה [יח, יא, ב; כ] תֵּדַע כַּוָּנָתָם בְּ״הוּא וּבֵית דִּינוֹ״, וְיִהְיֶה פְּשׁוּטוֹ שֶׁל מִקְרָא בָּרוּר לְפָנֶיךָ. וְכֵן ״וַה׳ אָמָר״ [לעיל יח, יז], ״וְשָׁמְרוּ דֶּרֶךְ ה׳ ״ [שם פסוק יט], ״לְמַעַן הָבִיא ה׳ ״ [שם] שֶׁלֹּא אָמַר ״שָׁמְרוּ דַּרְכִּי לְמַעַן אָבִיא״. וְכֵן אָמַר ״כִּי גָדְלָה צַעֲקָתָם אֶת פְּנֵי ה׳ וַיְשַׁלְּחֵנוּ ה׳ ״ [לעיל יט, יג]. וְכֵן ״וַיְהִי בְּשַׁחֵת אֱלֹהִים״ וְגוֹ׳ [להלן פסוק כט].

[כו] מֵאַחֲרָיו. מֵאַחֲרֵי לוֹט שֶׁהָיָה הוֹלֵךְ אַחֲרֵיהֶם[84], מְאַסֵּף לְכָל בֵּיתוֹ, מְמַהֲרָם לְהִמָּלֵט.

[כט] וַיִּזְכֹּר אֱלֹהִים אֶת אַבְרָהָם וַיְשַׁלַּח אֶת לוֹט. עִנְיַן הַכָּתוּב הַזֶּה, כִּי לוֹט נִתְחַסֵּד עִם הַצַּדִּיק

RAMBAN ELUCIDATED

[The next part of this comment discusses the deep Kabbalistic concepts implicit in the phrase הוּא וּבֵית דִּינוֹ and is not within the scope of this elucidation. In the Hebrew text, Ramban's words appear in the paragraph beginning וְאִם הֲבִינוֹתָ and ending וַיְהִי בְּשַׁחֵת אֱלֹהִים וְגוֹ׳.]

26. מֵאַחֲרָיו – ***[HIS WIFE PEERED] BEHIND HIM.***

מֵאַחֲרֵי לוֹט שֶׁהָיָה הוֹלֵךְ אַחֲרֵיהֶם מְאַסֵּף לְכָל בֵּיתוֹ מְמַהֲרָם לְהִמָּלֵט – *Behind him* means **behind Lot, who was walking in back of them,**[84] **bringing up the rear** behind **all** the members of **his household, hurrying them to escape.**

29. וַיִּזְכֹּר אֱלֹהִים אֶת אַבְרָהָם וַיְשַׁלַּח אֶת לוֹט – ***GOD REMEMBERED ABRAHAM; SO HE SENT LOT . . .***

[How did the salvation of Lot from the destruction of Sodom reflect God's remembrance of Abraham?[85]]

עִנְיַן הַכָּתוּב הַזֶּה, כִּי לוֹט נִתְחַסֵּד עִם הַצַּדִּיק – **The idea of this verse is that Lot acted kindly with the**

84. One would have expected Lot to be leading the way, at the head of his family group. But if that were the case, when the Torah tells us that Lot's wife looked *behind him* it would not be necessarily indicating that she looked behind "herself," toward Sodom. Ramban therefore explains that Lot was at the rear, and his wife, by looking behind him, would be looking at Sodom.

[Ramban's interpretation is in contradistinction to that of Radak, who explains the phrase, *She, who was behind [Lot], peered.*]

85. See Rashi and other commentators.

behind him and she became a pillar of salt.
27 Abraham arose early in the morning to the place where he
had stood before HASHEM. 28 And he gazed down upon Sodom and
Gomorrah and the entire surface of the land of the plain; and saw —
and behold! the smoke of the earth rose like the smoke of a kiln.
29 And so it was when God destroyed the cities of the plain that God
remembered Abraham; so He sent Lot from amidst the upheaval
when He overturned the cities in which Lot had lived.
30 Now Lot went up from Zoar and settled on the mountain, his two
daughters with him, for he was afraid to remain in Zoar; he dwelt

רמב״ן

לָלֶכֶת עִמּוֹ לָשׁוּט בָּאָרֶץ בַּאֲשֶׁר יֵלֵךְ, וְהוּא שֶׁנֶּאֱמַר ״וַיֵּלֶךְ אִתּוֹ לוֹט״, כִּי לְצַוֶּת שֶׁלּוֹ הָלַךְ. וְלָכֵן הָיָה לוֹ זְכוּת לְהַצִּילוֹ בִּזְכוּת אַבְרָהָם, כִּי בַּעֲבוּרוֹ הוּא גָּר בִּסְדוֹם, וְלוּלֵי אַבְרָהָם עוֹדֶנּוּ הָיָה בְּחָרָן עִם מוֹלַדְתּוֹ[86], וְלֹא יִתָּכֵן שֶׁתָּבֹא אֵלָיו רָעָה בַּעֲבוּר אַבְרָהָם שֶׁיָּצָא בְּמִצְוַת קוֹנוֹ וְגַם זֶה הָיָה הָעִנְיָן שֶׁשָּׂם אַבְרָהָם נַפְשׁוֹ בְּכַפּוֹ[86a] לִרְדֹּף הַמְּלָכִים בַּעֲבוּרוֹ[87].

[ל] כִּי יָרֵא לָשֶׁבֶת בְּצוֹעַר. כָּתַב רַשִׁ״י: לְפִי שֶׁהִיא קְרוֹבָה לִסְדוֹם.

וְאֵינוֹ כֵן[88]. אֲבָל מִפְּנֵי שֶׁהִיא מִן הַמְּקוֹמוֹת שֶׁנִּגְזְרָה עֲלֵיהֶם הַהַשְׁחָתָה[89], וּבִתְחִנָּתוֹ שֶׁל לוֹט הִנִּיחָהּ הַמַּלְאָךְ, בַּעֲבוּר שֶׁלֹּא יוּכַל לְהִמָּלֵט הָהָרָה בּוֹ בַּיּוֹם - חָשַׁב בְּלִבּוֹ כִּי לֹא יַאֲרִיךְ לוֹ עוֹד, אַחֲרֵי שֶׁיֵּשׁ לוֹ

RAMBAN ELUCIDATED

righteous [Abraham], לָלֶכֶת עִמּוֹ לָשׁוּט בָּאָרֶץ בַּאֲשֶׁר יֵלֵךְ – **traveling with him, wandering throughout the land wherever [Abraham] would go.** וְהוּא שֶׁנֶּאֱמַר ״וַיֵּלֶךְ אִתּוֹ לוֹט״, כִּי לְצַוֶּת שֶׁלּוֹ הָלַךְ – **This is** the meaning of **what is said, *and Lot went "with him"*** (above, 12:4), **that he went** for the purpose **of keeping [Abraham] company.** וְלָכֵן הָיָה לוֹ זְכוּת לְהַצִּילוֹ בִּזְכוּת אַבְרָהָם – **This is why he had** sufficient **merit** for God **to save him on Abraham's account;** כִּי בַּעֲבוּרוֹ הוּא גָּר בִּסְדוֹם – **for it was** only **because of [Abraham] that [Lot] dwelled in Sodom** in the first place; וְלוּלֵי אַבְרָהָם עוֹדֶנּוּ הָיָה בְּחָרָן עִם מוֹלַדְתּוֹ – **and if not for Abraham he would still be in Haran, with his family.**[86] וְלֹא יִתָּכֵן שֶׁתָּבֹא אֵלָיו רָעָה בַּעֲבוּר אַבְרָהָם שֶׁיָּצָא בְּמִצְוַת קוֹנוֹ – **It was** thus **unthinkable that any harm should befall him on account of Abraham, who left** Haran **by the command of His Creator.** וְגַם זֶה הָיָה הָעִנְיָן שֶׁשָּׂם אַבְרָהָם נַפְשׁוֹ בְּכַפּוֹ לִרְדֹּף הַמְּלָכִים בַּעֲבוּרוֹ – **This was the same reason that Abraham "put his life in his hand"**[86a] **to pursue the** four **kings for [Lot's] sake** (above, Chap. 14).[87]

30. **כִּי יָרֵא לָשֶׁבֶת בְּצוֹעַר** – ***FOR HE WAS AFRAID TO REMAIN IN ZOAR.***

[Why was Lot afraid that disaster might strike Zoar? Ramban cites Rashi:]

כָּתַב רַשִׁ״י: לְפִי שֶׁהִיא קְרוֹבָה לִסְדוֹם – **Rashi writes:** He was afraid to remain in Zoar, **because it was near Sodom.**

[Ramban disagrees with Rashi:]

וְאֵינוֹ כֵן – **But this is not so.**[88] אֲבָל מִפְּנֵי שֶׁהִיא מִן הַמְּקוֹמוֹת שֶׁנִּגְזְרָה עֲלֵיהֶם הַהַשְׁחָתָה – **Rather,** it was **because [Zoar] was** one **of the places upon which destruction had been decreed,**[89] וּבִתְחִנָּתוֹ שֶׁל לוֹט הִנִּיחָהּ הַמַּלְאָךְ – **and only because of Lot's supplication did the angel spare it** as a place of refuge for Lot, בַּעֲבוּר שֶׁלֹּא יוּכַל לְהִמָּלֵט הָהָרָה בּוֹ בַּיּוֹם – **because** of the fact that **he could not flee** all the way **to the mountain on that very day.** חָשַׁב בְּלִבּוֹ כִּי לֹא יַאֲרִיךְ לוֹ עוֹד – So **[Lot] thought to himself that [the angel] would not postpone** the destruction of Zoar **for him any longer,** אַחֲרֵי שֶׁיֵּשׁ לוֹ

86. See Ramban above, on 11:28, where he explains that Abraham and his entire family (including Lot) were native Haranites.

86a. Stylistic paraphrase from *I Samuel* 19:5.

87. Abraham felt responsible for Lot's wellbeing because Abraham's demand that Lot part company from him led to Lot's living in Sodom and his subsequent capture by the four kings.

88. Why should Lot think that God intended to destroy Zoar, simply because of its proximity to Sodom?

89. This is clear from verse 21 above.

לא בַּמְּעָרָ֔ה ה֖וּא וּשְׁתֵּ֥י בְנֹתָֽיו׃ וַתֹּ֧אמֶר
הַבְּכִירָ֛ה אֶל־הַצְּעִירָ֖ה אָבִ֣ינוּ זָקֵ֑ן וְאִ֨ישׁ
אֵ֥ין בָּאָ֙רֶץ֙ לָב֣וֹא עָלֵ֔ינוּ כְּדֶ֖רֶךְ כָּל־הָאָֽרֶץ׃
לב לְכָ֨ה נַשְׁקֶ֧ה אֶת־אָבִ֛ינוּ יַ֖יִן וְנִשְׁכְּבָ֣ה עִמּ֑וֹ
לג וּנְחַיֶּ֥ה מֵאָבִ֖ינוּ זָֽרַע׃ וַתַּשְׁקֶ֧יןָ אֶת־אֲבִיהֶ֛ן
יַ֖יִן בַּלַּ֣יְלָה ה֑וּא וַתָּבֹ֤א הַבְּכִירָה֙ וַתִּשְׁכַּ֣ב
אֶת־אָבִ֔יהָ וְלֹֽא־יָדַ֥ע בְּשִׁכְבָ֖הּ °וּבְקוּמָֽהּ׃

° נקוד על ו׳ בתרא

בִּמְעַרְתָּא הוּא וְתַרְתֵּין בְּנָתֵהּ: לא וַאֲמֶרֶת רַבְּתָא לִזְעֶרְתָּא אֲבוּנָא סִיב וּגְבַר לֵית בְּאַרְעָא לְמֵיעַל עֲלָנָא כְּאוֹרַח כָּל אַרְעָא: לב אִיתָא נַשְׁקֵי יָת אֲבוּנָא חַמְרָא וְנִשְׁכּוּב עִמֵּהּ וּנְקַיֵּם מֵאֲבוּנָא בְּנִין: לג וְאַשְׁקִיאָה יָת אֲבוּהֶן חַמְרָא בְּלֵילְיָא הוּא וְעַלַּת רַבְּתָא וּשְׁכִיבָא עִם אֲבוּהָא וְלָא יְדַע בְּמִשְׁכְּבַהּ וּבְקִימַהּ:

רש״י

(לא) **אבינו זקן.** ואם לא עכשיו אימתי, שמא ימות או יפסוק מלהוליד: **ואיש אין בארץ.** סבורות היו שכל העולם נחרב כמו בדור המבול (שם ח): **(לג) ותשקין וגו׳.** יין נזדמן להם במערה להוציא מהן שני אומות (שם; ספרי עקב מג; מכילתא בשלח שירה פ״ב): **ותשכב את אביה.** ובצעירה כתיב ותשכב עמו. צעירה לפי שלא פתחה בזנות אלא אחותה לימדתה, חיסך עליה הכתוב ולא פירש גנותה, אבל בכירה שפתחה בזנות פרסמה הכתוב במפורש (תנחומא בלק יז). **ובקומה** של בכירה נקוד, הרי כאילו לא נכתב, לומר שבקומה ידע, ואעפ״כ לא נשמר ליל שני מלשתות (נזיר כג.). [א״ר לוי, כל מי שהוא להוט אחר בולמוס של עריות

רמב״ן

זְמַן רַב לְהִמָּלֵט הָהָרָה[90]. וּלְכָךְ אָמְרָה בִּתּוֹ "וְאִישׁ אֵין בָּאָרֶץ"[91], שֶׁחָשְׁבָה כִּי בְּצֵאת אָבִיהָ מִשָּׁם נִשְׁחֲתָה צוֹעַר.

[לא] וַתֹּאמֶר הַבְּכִירָה. אָמַר רַבִּי אַבְרָהָם: יִתָּכֵן שֶׁהָיְתָה לוֹ אִשָּׁה אַחֶרֶת וּמֵתָה בִּתְחִלָּה[92].

וְאֵין צֹרֶךְ, כִּי "הַבְּכִירָה" הֵפֶךְ "צְעִירָה": כָּל גָּדוֹל בְּאַחֲוָה – יִקָּרֵא "בְּכוֹר"[92a], וְכָל קָטָן מִמֶּנּוּ – צָעִיר לוֹ.

RAMBAN ELUCIDATED

זְמַן רַב לְהִמָּלֵט הָהָרָה – for he now **had enough time to flee to the mountain.**[90] **וּלְכָךְ אָמְרָה בִּתּוֹ "וְאִישׁ אֵין בָּאָרֶץ", שֶׁחָשְׁבָה כִּי בְּצֵאת אָבִיהָ מִשָּׁם נִשְׁחֲתָה צוֹעַר – This is why his daughter said, "*There is no man in the land*"** (below, 19:31),[91] **for she thought that when her father left [Zoar], Zoar was destroyed.**

31. וַתֹּאמֶר הַבְּכִירָה – ***THE FIRSTBORN ONE SAID.***

[Lot had at least two married daughters (above, v. 14). Presumably they were older than his unmarried daughters (v. 15), who were now living with him in a cave. If so, neither daughter staying with Lot was a "firstborn"! Ramban addresses this issue, beginning with citing Ibn Ezra:]

אָמַר רַבִּי אַבְרָהָם: – Rabbi Avraham Ibn Ezra **says:** **יִתָּכֵן שֶׁהָיְתָה לוֹ אִשָּׁה אַחֶרֶת וּמֵתָה בִּתְחִלָּה – It is possible that [Lot] had another wife, who died previously,**[92] and the two daughters with him in the cave were from a second wife, one of them being "firstborn" to this second wife, though not firstborn to Lot.

[Ramban proposes a different solution to the problem:]

וְאֵין צֹרֶךְ – But there is no need to resort to such presumptions. **כִּי "הַבְּכִירָה" הֵפֶךְ "צְעִירָה" – For** the term **הַבְּכִירָה**, as used in our verse, is not an absolute,[92a] rather it is used as **the opposite of *the younger one;*** **כָּל גָּדוֹל בְּאַחֲוָה יִקָּרֵא "בְּכוֹר"** – for **anyone who is older than** some of **his siblings may be called "firstborn,"** even when he or she is not the oldest, **וְכָל קָטָן מִמֶּנּוּ צָעִיר לוֹ – and anyone**

90. Although the angels promised to spare Zoar on Lot's request, he thought that this was only a temporary reprieve to allow him a closer place of refuge than the mountain. Now that he was able to move on to the mountain, he thought that the angels would resume their original plan and destroy Zoar.

91. How could they think that there were no men in the world? They had just left Zoar, which surely had many men! The answer, as Ramban goes on to explain, is that they, like their father, thought that Zoar was kept intact only for their sake, and was therefore surely destroyed after their departure.

92. And that previous wife was the mother of Lot's older, married daughters.

92a. That is, it does not mean that she was Lot's firstborn child.

in a cave, he with his two daughters. [31] *The firstborn one said to the younger, "Our father is old and there is no man in the land to marry us in the usual manner.* [32] *Come, let us ply our father with wine and lie with him and we will give life to offspring through our father."*

[33] *So they plied their father with wine on that night; and the older one came and lay with her father, and he was not aware of her lying down and of her getting up.*

רמב״ן

וְהַפְּרִי הָרִאשׁוֹן בַּשָּׁנָה יִקָּרֵא "בִּכּוּרִים"[93]. וְכֵן "בְּכוֹרֵי דַלִּים" – הַמְּקֻדָּמִים בְּדַלּוּת, שֶׁהֵם דַּלֵּי הַדַּלִּים. וְכֵן "בִּבְכֹרוֹ יְיַסְּדֶנָּה וּבִצְעִירוֹ יַצִּיב דְּלָתֶיהָ"[94]. וְכֵן תִּרְגֵּם אוּנְקְלוֹס "רַבְּתָא"[94a].

[לב] וְטַעַם **"וּנְחַיֶּה מֵאָבִינוּ זָרַע"** – בְּאוּלַי, כִּי אָמְרוּ: "נַעֲשֶׂה אֲנַחְנוּ הַמַּעֲשֶׂה הָרָאוּי לָנוּ, כִּי יְרַחֵם הָאֱלֹהִים וְנוֹלִיד זָכָר וּנְקֵבָה וְיִתְקַיֵּם הָעוֹלָם מֵהֶם, כִּי "עוֹלָם חֶסֶד יִבָּנֶה"[95], וְלֹא לְחִנָּם הִצִּילָנוּ ה'".

RAMBAN ELUCIDATED

who is his junior is called **"younger" than him.** **וְהַפְּרִי הָרִאשׁוֹן בַּשָּׁנָה יִקָּרֵא "בִּכּוּרִים"** – Similarly, **the first fruit of the year is called** בִּכּוּרִים, ***first fruit,***[93] although it is not the tree's first fruits. **וְכֵן "בְּכוֹרֵי דַלִּים", הַמְּקֻדָּמִים בְּדַלּוּת שֶׁהֵם דַּלֵּי הַדַּלִּים** – **Similarly,** we find the expression בְּכוֹרֵי דַלִּים, ***the foremost of the poor*** (*Isaiah* 14:30), which means **those who are first in poverty, i.e., the poorest of the poor.** **וְכֵן "בִּבְכֹרוֹ יְיַסְּדֶנָּה וּבִצְעִירוֹ יַצִּיב דְּלָתֶיהָ"** – **And similarly,** we find, ***With his firstborn child he will lay its foundation and with his youngest he will set up its gates*** (*Joshua* 6:26).[94]

[Ramban proves his interpretation by citing Onkelos:]

וְכֵן תִּרְגֵּם אוּנְקְלוֹס – **And this is how Onkelos translates** the word as well – **רַבְּתָא** – ***the bigger,*** rather than בּוּכְרְתָא, *the firstborn.*[94a]

32. [וּנְחַיֶּה מֵאָבִינוּ זָרַע – *AND WE WILL GIVE LIFE TO OFFSPRING THOUGH OUR FATHER.*]

[How could Lot's daughters assume that they would conceive and bear children? Ramban explains:]

וְטַעַם "וּנְחַיֶּה מֵאָבִינוּ זָרַע" בְּאוּלַי – **The meaning of** ***and we will give life to offspring through our father*** **is** to be understood **with** the additional word **"perhaps."** **כִּי אָמְרוּ נַעֲשֶׂה אֲנַחְנוּ הַמַּעֲשֶׂה הָרָאוּי לָנוּ** – **For they said, "Let us do that which is in our power,** **כִּי יְרַחֵם הָאֱלֹהִים וְנוֹלִיד זָכָר וּנְקֵבָה** – **for God will** then **have mercy and** see to it that **we will bear a male and female** offspring, **וְיִתְקַיֵּם הָעוֹלָם מֵהֶם** – **and the world will be preserved through them.** **כִּי "עוֹלָם חֶסֶד יִבָּנֶה,"** – **For** ***the world is built through kindness***[95] (*Psalms* 89:3), **וְלֹא לְחִנָּם הִצִּילָנוּ ה'** – **and surely God did not save us for naught!"**

[Ramban turns to another question: Why did Lot's daughters resort to subterfuge? They could have discussed their plan with him. After all, the weighty issue of the survival of mankind was at stake! Surely their father would approve of their idea! Ramban explains:]

93. The words בְּכוֹר, *firstborn child,* and בִּכּוּרִים, *first fruits,* are of the same root – בכר.

94. With these words Joshua cursed any man, who would dare to rebuild the city of Jericho, with the death of all his children. Clearly, when he said "*his firstborn child*" he did not mean to curse only the firstborn of the person's children; rather, he meant all that man's children would die, "from his *oldest child* to *his youngest.*"

94a. See *Targum Onkelos* to 46:8 below and *Deuteronomy* 21:15.

95. *Sifra* on *Leviticus* 20:17 (see also Rashi ad loc.) expounds, based on this verse, that although a brother marrying a sister is forbidden as incest, in the case of Cain – who could have married only his sister – this arrangement was a special kindness (exemption) allowed by God, for the preservation of mankind. Here, too, though intimate relations between a father and daughter is reprehensible (though not technically prohibited in this case; see Ramban's next paragraph), the daughters reasoned that God would surely approve under the circumstances.

לד וַיְהִי֙ מִֽמָּחֳרָ֔ת וַתֹּ֤אמֶר הַבְּכִירָה֙ אֶל־הַצְּעִירָ֔ה
הֵן־שָׁכַ֥בְתִּי אֶ֖מֶשׁ אֶת־אָבִ֑י נַשְׁקֶ֨נּוּ יַ֜יִן גַּם־
הַלַּ֗יְלָה וּבֹ֙אִי֙ שִׁכְבִ֣י עִמּ֔וֹ וּנְחַיֶּ֥ה מֵאָבִ֖ינוּ זָֽרַע׃
לה וַתַּשְׁקֶ֜יןָ גַּ֣ם בַּלַּ֧יְלָה הַה֛וּא אֶת־אֲבִיהֶ֖ן יָ֑יִן
וַתָּ֨קָם הַצְּעִירָ֜ה֙ וַתִּשְׁכַּ֣ב עִמּ֔וֹ וְלֹֽא־יָדַ֥ע
לו בְּשִׁכְבָ֖הּ וּבְקֻמָֽהּ׃ וַתַּֽהֲרֶ֛יןָ שְׁתֵּ֥י בְנֽוֹת־ל֖וֹט
לז מֵאֲבִיהֶֽן׃ וַתֵּ֤לֶד הַבְּכִירָה֙ בֵּ֔ן וַתִּקְרָ֥א שְׁמ֖וֹ
לח מוֹאָ֑ב ה֥וּא אֲבִֽי־מוֹאָ֖ב עַד־הַיּֽוֹם׃ וְהַצְּעִירָ֤ה
גַם־הִוא֙ יָ֣לְדָה בֵּ֔ן וַתִּקְרָ֥א שְׁמ֖וֹ בֶּן־עַמִּ֑י ה֛וּא
כ א אֲבִ֥י בְנֵֽי־עַמּ֖וֹן עַד־הַיּֽוֹם׃ ס וַיִּסַּ֨ע מִשָּׁ֤ם
אַבְרָהָם֙ אַ֣רְצָה הַנֶּ֔גֶב וַיֵּ֥שֶׁב בֵּין־קָדֵ֖שׁ וּבֵ֣ין
ב שׁ֑וּר וַיָּ֖גָר בִּגְרָֽר׃ וַיֹּ֧אמֶר אַבְרָהָ֛ם אֶל־שָׂרָ֥ה
אִשְׁתּ֖וֹ אֲחֹ֣תִי הִ֑וא וַיִּשְׁלַ֗ח אֲבִימֶ֙לֶךְ֙ מֶ֣לֶךְ גְּרָ֔ר

לד וַהֲוָה בְּיוֹמָא דְבַתְרוֹהִי וַאֲמֶרֶת רַבְּתָא לִזְעֶרְתָּא הָא שְׁכֵיבִית רַמְשָׁא עִם אַבָּא נַשְׁקִנֵּהּ חַמְרָא אַף בְּלֵילְיָא וְעוּלִי שְׁכִיבִי עִמֵּהּ וּנְקַיֵּם מֵאֲבוּנָא בְּנִין: לה וְאַשְׁקִיאָה אַף בְּלֵילְיָא הַהוּא יָת אֲבוּהֶן חַמְרָא וְקָמַת זְעֶרְתָּא וּשְׁכֵיבַת עִמֵּהּ וְלָא יְדַע בְּמִשְׁכְּבַהּ וּבִקִימַהּ: לו וְעַדִּיאָה תַּרְתֵּין בְּנַת לוֹט מֵאֲבוּהֶן: לז וִילִידַת רַבְּתָא בַּר וּקְרַת שְׁמֵהּ מוֹאָב הוּא אֲבוּהוֹן דְּמוֹאָבָא עַד יוֹמָא דֵין: לח וּזְעֶרְתָּא אַף הִיא יְלִידַת בַּר וּקְרַת שְׁמֵהּ בַּר עַמִּי הוּא אֲבוּהוֹן דִּבְנֵי עַמּוֹן עַד יוֹמָא דֵין: א וּנְטַל מִתַּמָּן אַבְרָהָם לְאַרְעָא דָרוֹמָא וִיתֵב בֵּין רְקַם וּבֵין חַגְרָא וְאִתּוֹתַב בִּגְרָר: ב וַאֲמַר אַבְרָהָם עַל שָׂרָה אִתְּתֵהּ אֲחָתִי הִיא וּשְׁלַח אֲבִימֶלֶךְ מַלְכָּא דִגְרָר

רש"י

לסוף מאכילין אותו מבשרו (ב"ר שם ט; תנחומא יב)]: **(לו) ותהרין וגו'.** אע"פ שאין האשה מתעברת מביאה ראשונה, אלו שלטו בעצמן והוציאו ערותן [ס"א עדותן (ערוך, עד ג')] [לחוץ] ונתעברו מביאה ראשונה (ב"ר שם): **(לז) מואב.** זו שלא היתה צנועה פירשה שמאביה הוא, אבל צעירה קראתו בלשון נקיה [בן עמי], וקבלה שכר בימי משה, שנאמר בבני עמון אל תתגר בם (דברים ב:יט) כלל, ובמואב לא הזהיר אלא שלא ילחמו בם אבל לצערן התיר לו [ס"א להם] (ב"ר שם יא; ב"ק לח:): **(א) ויסע משם אברהם.** כשראה שחרבו הכרכים ופסקו העוברים והשבים נסע לו משם (ב"ר נב:ג). ד"א, להתרחק מלוט שיצא עליו שם רע שבא על בנותיו (שם ד): **(ב) ויאמר אברהם.** כאן לא נטל רשות, אלא על כרחה שלא בטובתה, לפי שכבר לוקחה לבית פרעה ע"י כן (שם): **אל שרה אשתו.** על שרה אשתו, וכיוצא בו אל הלקח ארון וגו' ואל מות חמיה (שמואל א ד:כא) שניהם בלשון על:

רמב"ן

וְהִנֵּה הָיוּ צְנוּעוֹת וְלֹא רָצוּ לֵאמֹר לַאֲבִיהֶם שֶׁיִּשָּׂא אוֹתָן, כִּי בֶּן נֹחַ[96] מֻתָּר בְּבִתּוֹ: אוֹ שֶׁהָיָה הַדָּבָר מְכֹעָר מְאֹד בְּעֵינֵי הַדּוֹרוֹת הָהֵם, וְלֹא נַעֲשָׂה כֵּן מֵעוֹלָם[97]. וְכֵן רַבּוֹתֵינוּ בַּהַגָּדוֹת[98] מְגַנִּים אֶת לוֹט מְאֹד[99].

RAMBAN ELUCIDATED

וְהִנֵּה הָיוּ צְנוּעוֹת – **Now, they were modest** וְלֹא רָצוּ לֵאמֹר לַאֲבִיהֶם שֶׁיִּשָּׂא אוֹתָן כִּי בֶן נֹחַ מֻתָּר בְּבִתּוֹ – **so they did not want to tell their father that he should marry them, for a "son of Noah"**[96] **is permitted to** marry **his daughter.** אוֹ שֶׁהָיָה הַדָּבָר מְכֹעָר מְאֹד בְּעֵינֵי הַדּוֹרוֹת הָהֵם – **Alternatively, the matter was** considered **very repulsive in the eyes of those generations,** וְלֹא נַעֲשָׂה כֵּן מֵעוֹלָם – **and such a thing had never been done,**[97] although technically it was permissible. וְכֵן רַבּוֹתֵינוּ בַּהַגָּדוֹת מְגַנִּים אֶת לוֹט מְאֹד – **The Sages, in their homiletical comments,**[98] **also disparage Lot greatly.**[99]

96. "Children of Noah" (or "Noahides") is a rabbinical term used to describe all of mankind (with the exception of Israel), who are not bound by the 613 commandments of the Torah, but by the universal "seven Noahide laws."

97. According to this explanation, it was the repulsiveness of the idea that discouraged Lot's daughters from explicitly discussing their plan with their father, and not their modesty.

98. *Bereishis Rabbah* 51:8-9, *Nazir* 23b.

99. This proves that they consider his behavior reprehensible, although, as a "son of Noah," it was technically permissible to him.

[34]*And it was on the next day that the older one said to the younger, "Behold, I lay with my father last night; let us ply him with wine tonight as well, and you come lie with him that we may give life to offspring through our father."*

[35]*So they plied their father with wine that night also; and the younger one got up and lay with him, and he was not aware of her lying down and of her getting up.*

[36]*Thus, Lot's two daughters conceived from their father.*

[37]*The older bore a son and she called his name Moab;
he is the ancestor of Moab until this day.* [38]*And the
younger one also bore a son and she called his name Ben-Ammi; he is the ancestor of the children of Ammon until this day.*

20 [1]*Abraham journeyed from there to the region of the
south and settled between Kadesh and Shur, and he
sojourned in Gerar.* [2]*Abraham said of Sarah his wife,
"She is my sister"; so Abimelech, king of Gerar, sent,*

רמב״ן

כ [ב] וַיֹּאמֶר אַבְרָהָם אֶל שָׂרָה אִשְׁתּוֹ אֲחֹתִי הִוא. לֹא הָיָה זֶה כְּמוֹ בְּמִצְרַיִם[1]. כִּי שָׁם, בְּבוֹאָם מִצְרַיְמָה, "וַיִּרְאוּ הַמִּצְרִים אֶת הָאִשָּׁה כִּי יָפָה הִיא" [לעיל יב, יד], וַיְהַלְלוּ אוֹתָהּ אֶל הַשָּׂרִים וְאֶל הַמֶּלֶךְ[2], כִּי אַנְשֵׁי זִמָּה הֵם[3]. אֲבָל הַמֶּלֶךְ הַזֶּה תָּם וְיָשָׁר, גַּם אֲנָשָׁיו טוֹבִים, רַק אַבְרָהָם חָשַׁד אוֹתָם וְהָיָה אוֹמֵר לַכֹּל "אֲחֹתִי הִוא".

RAMBAN ELUCIDATED

20.

2. וַיֹּאמֶר אַבְרָהָם אֶל שָׂרָה אִשְׁתּוֹ אֲחֹתִי הִוא – ***ABRAHAM SAID OF SARAH HIS WIFE, "SHE IS MY SISTER."***

[Ramban compares the arrival of Abraham and Sarah in Gerar and what transpired between them and Abimelech with their arrival in Egypt and their encounter with Pharaoh (above, 12:11-20).]

לֹא הָיָה זֶה כְּמוֹ בְּמִצְרַיִם – **This was not like** the incident that occurred **in Egypt.**[1] **כִּי שָׁם בְּבוֹאָם מִצְרַיְמָה** – **For there, when [Sarah and Abraham] arrived in Egypt,** **"וַיִּרְאוּ הַמִּצְרִים אֶת הָאִשָּׁה כִּי יָפָה הִוא..."** – ***The Egyptians saw that the woman was beautiful, ...*** (above 12:14) **וַיְהַלְלוּ אוֹתָהּ אֶל הַשָּׂרִים וְאֶל הַמֶּלֶךְ** – **and they lauded her for the officials and for the king,**[2] **כִּי אַנְשֵׁי זִמָּה הֵם** – **for they were promiscuous people.**[3] **אֲבָל הַמֶּלֶךְ הַזֶּה תָּם וְיָשָׁר, גַּם אֲנָשָׁיו טוֹבִים** – **However, this king,** Abimelech, **was honest and upright, and his subjects were good** people **as well,** **רַק אַבְרָהָם חָשַׁד אוֹתָם** – **but Abraham,** who was not yet acquainted with them, **was suspicious of them;** **וְהָיָה אוֹמֵר לַכֹּל "אֲחֹתִי הִוא"** – therefore **he would tell everyone, *"She is my sister."***

1. There too, Sarah posed as Abraham's sister in order to protect him from being harmed if she were to be coveted by the Egyptians (which was indeed the case). The incident here between Abimelech and Sarah, however, was not as serious as that one, as Ramban proceeds to explain.

2. This is a paraphrase of 12:15 above (see Ramban's comment there).

3. The Egyptians recommended Sarah as a wife for Pharaoh after having only seen her, without first inquiring about her marital status (as Ramban explains above on 12:11). Here, however, *Abraham said of Sarah* – in response to the inquiries he received – that she was his sister.

ג וַיִּקַּח אֶת־שָׂרָה: וַיָּבֹא אֱלֹהִים אֶל־אֲבִימֶלֶךְ
בַּחֲלוֹם הַלָּיְלָה וַיֹּאמֶר לוֹ הִנְּךָ מֵת עַל־הָאִשָּׁה
ד אֲשֶׁר־לָקַחְתָּ וְהִוא בְּעֻלַת בָּעַל: וַאֲבִימֶלֶךְ לֹא
קָרַב אֵלֶיהָ וַיֹּאמַר אֲדֹנָי הֲגוֹי גַּם־צַדִּיק תַּהֲרֹג:
ה הֲלֹא הוּא אָמַר־לִי אֲחֹתִי הִוא וְהִיא־גַם־הִוא
אָמְרָה אָחִי הוּא בְּתָם־לְבָבִי וּבְנִקְיֹן כַּפַּי עָשִׂיתִי
ו זֹאת: וַיֹּאמֶר אֵלָיו הָאֱלֹהִים בַּחֲלֹם גַּם אָנֹכִי
יָדַעְתִּי כִּי בְתָם־לְבָבְךָ עָשִׂיתָ זֹּאת וָאֶחְשֹׂךְ גַּם־
אָנֹכִי אוֹתְךָ מֵחֲטוֹ־לִי עַל־כֵּן לֹא־נְתַתִּיךָ לִנְגֹּעַ
ז אֵלֶיהָ: וְעַתָּה הָשֵׁב אֵשֶׁת־הָאִישׁ כִּי־נָבִיא הוּא
וְיִתְפַּלֵּל בַּעַדְךָ וֶחְיֵה וְאִם־אֵינְךָ מֵשִׁיב דַּע כִּי־
ח מוֹת תָּמוּת אַתָּה וְכָל־אֲשֶׁר־לָךְ: וַיַּשְׁכֵּם
אֲבִימֶלֶךְ בַּבֹּקֶר וַיִּקְרָא לְכָל־עֲבָדָיו וַיְדַבֵּר אֶת־
כָּל־הַדְּבָרִים הָאֵלֶּה בְּאָזְנֵיהֶם וַיִּירְאוּ הָאֲנָשִׁים
ט מְאֹד: וַיִּקְרָא אֲבִימֶלֶךְ לְאַבְרָהָם וַיֹּאמֶר לוֹ מֶה־
עָשִׂיתָ לָּנוּ וּמֶה־חָטָאתִי לָךְ כִּי־הֵבֵאתָ עָלַי וְעַל־
מַמְלַכְתִּי חֲטָאָה גְדֹלָה מַעֲשִׂים אֲשֶׁר לֹא־
י יֵעָשׂוּ עָשִׂיתָ עִמָּדִי: וַיֹּאמֶר אֲבִימֶלֶךְ אֶל־
אַבְרָהָם מָה רָאִיתָ כִּי עָשִׂיתָ אֶת־הַדָּבָר הַזֶּה:

וּדְבַר יָת שָׂרָה: ג וַאֲתָא מֵימַר מִן קֳדָם יְיָ לְוַת אֲבִימֶלֶךְ בְּחֶלְמָא דְלֵילְיָא וַאֲמַר לֵהּ הָא אַתְּ מִית עַל עֵיסַק אִתְּתָא דִי דְבַרְתָּא וְהִיא אִתַּת גְּבָר: ד וַאֲבִימֶלֶךְ לָא קְרֵב לְוָתַהּ וַאֲמַר יְיָ הַעַם אַף זַכַּאי תִּקְטוֹל: ה הֲלָא הוּא אֲמַר לִי אֲחָתִי הִיא וְהִיא אַף הִיא אֲמֶרֶת אָחִי הוּא בְּקַשִׁיטוּת לִבִּי וּבְזַכָּאוּת יְדַי עֲבָדִית דָּא: ו וַאֲמַר לֵהּ מֵימַר מִן קֳדָם יְיָ בְּחֶלְמָא אַף קֳדָמַי גְּלֵי אֲרֵי בְּקַשִׁיטוּת לִבָּךְ עֲבַדְתְּ דָּא וּמְנָעִית אַף אֲנָא יָתָךְ מִלְּמֶחֱטֵי קֳדָמָי עַל כֵּן לָא שְׁבַקְתָּךְ לְמִקְרַב לְוָתַהּ: ז וּכְעַן אֲתֵיב אִתַּת גַּבְרָא אֲרֵי נְבִיָּא הוּא וִיצַלֵּי עֲלָךְ וְתֵחֵי וְאִם לֵיתָךְ מָתִיב דַּע אֲרֵי מֵימַת תְּמוּת אַתְּ וְכָל דִּי לָךְ: ח וְאַקְדֵּים אֲבִימֶלֶךְ בְּצַפְרָא וּקְרָא לְכָל עַבְדוֹהִי וּמַלִּיל יָת כָּל פִּתְגָמַיָּא הָאִלֵּין קֳדָמֵיהוֹן וּדְחִילוּ גּוּבְרַיָּא לַחֲדָא: ט וּקְרָא אֲבִימֶלֶךְ לְאַבְרָהָם וַאֲמַר לֵהּ מָא עֲבַדְתְּ לָנָא וּמָא חָבִית (נ״א חָטֵית) לָךְ אֲרֵי אֵיתֵיתָא עֲלַי וְעַל מַלְכוּתִי חוֹבָא רַבָּא עוֹבָדִין דִּי לָא כָשְׁרִין לְאִתְעֲבָדָא עֲבַדְתְּ עִמִּי: י וַאֲמַר אֲבִימֶלֶךְ לְאַבְרָהָם מָא חֲזֵיתָ אֲרֵי עֲבַדְתְּ יָת פִּתְגָמָא הָדֵין:

רש״י

(ד) לא קרב אליה. המלאך מנעו (ב״ר נב:יג) כמו שנאמר לא נתתיך לנגוע אליה: **הגוי גם צדיק תהרוג.** אף אם הוא צדיק תהרגנו, שמא כך דרכך לאבד האומות חנם. כך עשית לדור המבול [ולדור הפלגה], אף [הם] אני אומר שהרגתם על לא דבר כמו שאתה אומר להרגני (שם ו): **(ה) גם היא.** לרבות עבדים וגמלים וחמרים, את כולם שאלתי ואמרו לי אחיה הוא (שם): **בתם לבבי.** שלא דמיתי לחטוא (שם): **ובנקיון כפי.** נקי אני מן החטא, שלא נגעתי בה (שם):

רמב״ן

☐ **וַיִּשְׁלַח אֲבִימֶלֶךְ... וַיִּקַּח אֶת שָׂרָה.** הִנֵּה זֶה פֶּלֶא[3a], שֶׁהָיְתָה שָׂרָה אַחֲרֵי בְלוֹתָהּ[4] יָפָה עַד מְאֹד, יִקָּחוּהָ הַמְּלָכִים. כִּי בְּהִלָּקְחָהּ אֶל פַּרְעֹה, אִם הָיְתָה בַּת שִׁשִּׁים וְחָמֵשׁ[5] – אֶפְשָׁר שֶׁהָיָה עָלֶיהָ תָּאֳרָהּ;

RAMBAN ELUCIDATED

☐ **וַיִּשְׁלַח אֲבִימֶלֶךְ... וַיִּקַּח אֶת שָׂרָה** – *ABIMELECH SENT ... AND TOOK SARAH.*

הִנֵּה זֶה פֶּלֶא – **Now, this is a** source of **wonder,**[3a] **שֶׁהָיְתָה שָׂרָה אַחֲרֵי בְלוֹתָהּ יָפָה עַד מְאֹד יִקָּחוּהָ הַמְּלָכִים** – **that Sarah, after she had withered,**[4] **should be** so **exceptionally beautiful** that **kings would** desire to **take her** as a wife. **כִּי בְּהִלָּקְחָהּ אֶל פַּרְעֹה, אִם הָיְתָה בַּת שִׁשִּׁים וְחָמֵשׁ אֶפְשָׁר שֶׁהָיָה עָלֶיהָ תָּאֳרָהּ** – **For when she was taken to Pharaoh, even though she was** already **sixty-five** years **old,**[5] **it is**

3a. That is, Sarah's attractiveness in the eyes of Abimelech was even more amazing than her attractiveness in Pharaoh's eyes, as Ramban goes on to explain.

4. This is how Sarah described herself above, 18:12.

5. Abraham was seventy-five years old at that time (above, 12:4), and Sarah was ten years younger than he (above, 17:17).

and took Sarah. 3 *And God came to Abimelech in a dream by night and said to him, "Behold you are to die because of the woman you have taken; moreover she is a married woman."*

4 *Now Abimelech had not approached her; so he said, "O my Lord, will You slay a nation even though it is righteous?* 5 *Did not he himself tell me: 'She is my sister'? And she, too, herself said: 'He is my brother!' In the innocence of my heart and integrity of my hands have I done this."*

6 *And God said to him in the dream, "I, too, knew that it was in the innocence of your heart that you did this, and I, too, prevented you from sinning against Me; that is why I did not permit you to touch her.* 7 *But now, return the man's wife for he is a prophet, and he will pray for you and you will live, but if you do not return her, be aware that you shall surely die: you and all that is yours."*

8 *Abimelech arose early next morning; he summoned all his servants and told them all of these things in their ears, and the people were very frightened.* 9 *Then Abimelech summoned Abraham and said to him, "What have you done to us? How have I sinned against you that you brought upon me and my kingdom such great sin? Deeds that ought not to be done have you done to me!"* 10 *And Abimelech said to Abraham, "What did you see that you did such a thing?"*

רש"י

(ו) **ידעתי כי בתם לבבך וגו'**. אמת שלא דמית מתחלה לחטוא, אבל נקיות כפים אין כאן [הדא אמרה משמוש ידים יש כאן] (שם): **לא נתתיך**. לא ממך היה שלא נגעת בה, אלא חשכתי אני אותך מחטוא ולא נתתי לך כח, וכן ולא נתנו אלהים (להלן לא:ז), וכן לא נתנה אביה לבוא (שופטים טו:א; ב"ר שם ז): (ז) **השב אשת האיש**. ואל תהא סבור שמא תתגנה בעיניו ולא יקבלנה, או ישנאך ולא יתפלל עליך. [א"ל אבימלך ומי מפייסו שלא נגעתי בה. א"ל]: **כי נביא הוא**. ויודע שלא נגעת בה, לפיכך ויתפלל בעדך (ב"ר שם ח): (ט) **מעשים אשר לא יעשו**. מכה אשר לא הורגלה לבא על בריה באה לנו על ידך, עצירת כל נקבים, של זרע ושל קטנים ורעי ואזנים וחוטם (שם יג; פס"ר מב (קעו:, קעח.); ב"ק צב.):

רמב"ן

אֲבָל אַחֲרֵי בְלוֹתָהּ וְחָדַל מִמֶּנָּה הָאוֹרַח – פֶּלֶא הוּא! וְאוּלַי חָזְרָה לְנַעֲרוּתָהּ כַּאֲשֶׁר בִּשְּׂרָהּ הַמַּלְאָךְ, כְּדִבְרֵי רַבּוֹתֵינוּ[6].

RAMBAN ELUCIDATED

conceivable that she still **had her** handsome **appearance; אֲבָל אַחֲרֵי בְלוֹתָהּ וְחָדַל מִמֶּנָּה הָאוֹרַח, פֶּלֶא הוּא – but once she had withered and the manner** of women **ceased from her** (see above, 18:11-12), and nevertheless she retained her exceptional beauty – **that is** really **a** source of **wonder.** **וְאוּלַי חָזְרָה לְנַעֲרוּתָהּ כַּאֲשֶׁר בִּשְּׂרָהּ הַמַּלְאָךְ – Perhaps she regained** her beauty along with **her youthfulness when the angel informed her** that she would have a child (above, 18:10), **כְּדִבְרֵי רַבּוֹתֵינוּ – as the Sages have stated.**[6]

6. Sarah's menses returned during the angel's visit (*Bava Metzia* 87a; see also Rashi above, on 18:8).

יא וַיֹּ֙אמֶר֙ אַבְרָהָ֔ם כִּ֣י אָמַ֗רְתִּי רַ֚ק אֵין־יִרְאַ֣ת
אֱלֹהִ֔ים בַּמָּק֖וֹם הַזֶּ֑ה וַהֲרָג֖וּנִי עַל־דְּבַ֥ר אִשְׁתִּֽי׃
יב וְגַם־אָמְנָ֗ה אֲחֹתִ֤י בַת־אָבִי֙ ה֔וא אַ֖ךְ לֹ֣א בַת־
יג אִמִּ֑י וַתְּהִי־לִ֖י לְאִשָּֽׁה׃ וַיְהִ֞י כַּאֲשֶׁ֣ר הִתְע֣וּ

יא וַאֲמַר אַבְרָהָם אֲרֵי אֲמָרִית לְחוֹד לֵית דַּחַלְתָּא דַייָ בְּאַתְרָא הָדֵין וְיִקְטְלֻנַּנִי עַל עֵיסַק אִתְּתִי: יב וּבְרַם בְּקוּשְׁטָא אֲחָתִי בַת אַבָּא הִיא בְּרַם לָא בַת אִמָּא וַהֲוַת לִי לְאִנְתּוּ: יג וַהֲוָה כַּד טָעוֹ

רש"י

(יא) רק אין יראת אלהים. אכסנאי שבא לעיר, על עסקי אכילה ושתיה שואלין אותו או על עסקי אשתו שואלין אותו, אשתך היא או אחותך היא (ב"ק שם): (יב) אחותי בת אבי היא. ובת אב מותרת לבן נח שאין אבות לגוי (יבמות צח.; תנחומא ישן כו). וכדי לאמת דבריו השיבו כן. ואם תאמר, והלא בת אחיו היתה (סנהדרין נח:). בני בנים הרי הן כבנים (יבמות סב:) והרי היא בתו של תרח. וכן הוא אומר ללוט כי אנשים אחים אנחנו (לעיל יג:ח; פדר"א לו): אך לא בת אמי. הרן מאם אחרת היה: (יג) ויהי כאשר התעו אותי וגו'. אונקלוס תרגם מה שתרגם. ויש ליישב עוד דבר דבור על אפניו. כשהוציאני הקב"ה מבית

רמב"ן

[יב] וְגַם אָמְנָה אֲחֹתִי בַת אָבִי. לֹא יָדַעְתִּי טַעַם לַהִתְנַצְּלוּת הַזֶּה. כִּי גַּם אִם אֱמֶת הַדָּבָר שֶׁהָיְתָה אֲחוֹתוֹ וְאִשְׁתּוֹ, וּבִרְצוֹתָם בָּאִשָּׁה אָמַר לָהֶם "אֲחֹתִי הִוא", לְהַטְעוֹתָם בַּדָּבָר – כְּבָר חָטָא בָּהֶם לְהָבִיא עֲלֵיהֶם "חֲטָאָה גְדֹלָה", וְאֵין חִלּוּק וְהֶפְרֵשׁ כְּלָל בֵּין שֶׁהַדָּבָר אֱמֶת אוֹ שֶׁקֶר!

וְאוּלַי מִפְּנֵי שֶׁאָמַר אֲבִימֶלֶךְ "מָה רָאִיתָ כִּי עָשִׂיתָ אֶת הַדָּבָר הַזֶּה" [פסוק י], לוֹמַר: מָה רָאִיתָ בִּי חֵטְא אוֹ רֶשַׁע שֶׁפָּחַדְתָּ וְעָשִׂיתָ כֵּן? כִּי אֲנִי לֹא נִסִּיתִי לָקַחַת נָשִׁים מִבַּעֲלֵיהֶן![7] אָז עָנָה אַבְרָהָם: אֲנִי לֹא יָדַעְתִּי אֶתְכֶם, אַךְ חָשַׁבְתִּי אוּלַי "אֵין יִרְאַת אֱלֹהִים בַּמָּקוֹם הַזֶּה", כִּי רוֹב מְקוֹמוֹת הָעוֹלָם אֵין בָּהֶם יִרְאַת אֱלֹהִים[8] וְלָכֵן מֵעַט

RAMBAN ELUCIDATED

12. וְגַם אָמְנָה אֲחֹתִי בַּת אָבִי – ***MOREOVER, SHE IS INDEED MY SISTER.***

[Abimelech had accused Abraham of leading him to sin by acquiescing to Abimelech's taking Sarah in marriage. Abraham now excuses himself by noting that Sarah is in fact his sister. But how does the fact that Sarah was Abraham's sister mitigate his role in causing the immorality involved in Abimelech's marrying her?]

לֹא יָדַעְתִּי טַעַם לַהִתְנַצְּלוּת הַזֶּה – I do know an explanation for this excuse. כִּי גַּם אִם אֱמֶת הַדָּבָר שֶׁהָיְתָה אֲחוֹתוֹ וְאִשְׁתּוֹ – For even if it is true that [Sarah] was his sister in addition to being his wife, וּבִרְצוֹתָם בָּאִשָּׁה – nevertheless, **when they expressed a desire for the woman** to be a wife for the king, **אָמַר לָהֶם "אֲחֹתִי הִוא", לְהַטְעוֹתָם בַּדָּבָר – [Abraham] told them, "*She is my sister*"** (v. 2), **in order to mislead them about the matter,** leading them to think that Abraham and Sarah were siblings, but not spouses – כְּבָר חָטָא בָּהֶם לְהָבִיא עֲלֵיהֶם "חֲטָאָה גְדֹלָה" – and by withholding the critical information that she was also his wife, **he had already sinned against them, bringing upon them,** i.e., opening the way for them, the opportunity to commit ***a great sin*** (v. 9), even though it was unintentional. וְאֵין חִלּוּק וְהֶפְרֵשׁ כְּלָל בֵּין שֶׁהַדָּבָר אֱמֶת אוֹ שֶׁקֶר – **And there is no difference or distinction at all whether the matter** that Sarah was his sister **was true or false!**

[Ramban proposes a possible explanation of Abimelech's accusations and Abraham's responses:]

וְאוּלַי מִפְּנֵי שֶׁאָמַר אֲבִימֶלֶךְ "מָה רָאִיתָ כִּי עָשִׂיתָ אֶת הַדָּבָר הַזֶּה" – **Perhaps** it was **because** of what **Abimelech said, "*What did you see that you did such a thing?*"** (v. 10) לוֹמַר: מָה רָאִיתָ בִּי חֵטְא אוֹ רֶשַׁע שֶׁפָּחַדְתָּ וְעָשִׂיתָ כֵּן – **meaning, "What sin or wickedness did you see in me that you were** so **afraid and that you acted this way?** כִּי אֲנִי לֹא נִסִּיתִי לָקַחַת נָשִׁים מִבַּעֲלֵיהֶן – **For I am not accustomed to taking women from their husbands!"**[7] אָז עָנָה אַבְרָהָם: אֲנִי לֹא יָדַעְתִּי אֶתְכֶם – **Then Abraham responded, "I do not know you** people. אַךְ חָשַׁבְתִּי אוּלַי "אֵין יִרְאַת אֱלֹהִים בַּמָּקוֹם הַזֶּה" – **However, I thought that perhaps** ***there is no fear of God in this place*** (v. 11), כִּי רוֹב מְקוֹמוֹת הָעוֹלָם אֵין בָּהֶם יִרְאַת אֱלֹהִים – **for,** after all, **in most places in the world there is no fear of God!**[8] וְלָכֵן מֵעַט

7. This is Ramban's elaboration on Abimelech's question of verse 10.

8. Ramban explains that when Abraham said, "*But there is no fear of God in this place*" (v. 11), he did not mean to imply that he had particular grounds to suspect a lack of fear of God in Gerar (cf., however, Rashi). Rather, he meant "*Perhaps* there is no fear of God here, just as there is none in most other places in

[11] *And Abraham said, "Because I said, 'But there is no fear of God in this place and they will slay me because of my wife.'* [12] *Moreover, she is indeed my sister, my father's daughter, though not my mother's daughter; and she became my wife.* [13] *And so it was, when God caused me to wander*

רמב"ן

צֵאתִי מֵאַרְצִי וְלֶכְתִּי בָּעַמִּים כְּאִישׁ תּוֹעֶה, וְלֹא יָדַעְתִּי אֶל אֵיזֶה מָקוֹם נָבוֹא, הִתְנֵיתִי עִמָּהּ לֵאמֹר כֵּן בְּכָל מָקוֹם[9]. כִּי הַדָּבָר אֱמֶת, וְחִשַּׁבְתִּי לִי בּוֹ הַצָּלַת נֶפֶשׁ, וְלֹא הַחִלּוֹתִי בַּדָּבָר בְּבוֹאִי בְּאַרְצְכֶם, כִּי לֹא רָאִיתִי בָּכֶם "עָוֹן אֲשֶׁר חֵטְא"[10].

"וְגַם אָמְנָה אֲחֹתִי בַת אָבִי", טַעֲנָה אַחֶרֶת[11]. אָמַר: אֲנִי לְפִי דַּרְכִּי אָמַרְתִּי כֵּן, שֶׁהוּא אֱמֶת, וְחָשַׁבְתִּי אִם אוּלַי יַחְפְּצוּ בָהּ, יִשְׁאֲלוּנִי אִם הִיא גַּם אִשְׁתִּי. כֵּיוָן שֶׁלְּקָחוּהָ עֲבָדֶיךָ וְלֹא שְׁאָלוּנִי דָּבָר, אָמַרְתִּי גַּם בַּמָּקוֹם הַזֶּה אֵין יִרְאַת אֱלֹהִים, וְהֶחֱרַשְׁתִּי[12].

וְיִתָּכֵן שֶׁהָיָה הַתְּנַאי הַזֶּה דְּבָרוֹ עִמָּהּ בְּבוֹאָם בְּמִצְרַיִם [לעיל יב, יג], אַף עַל פִּי שֶׁאָמַר "כַּאֲשֶׁר הִתְעוּ

RAMBAN ELUCIDATED

צֵאתִי מֵאַרְצִי וְלֶכְתִּי בָּעַמִּים כְּאִישׁ תּוֹעֶה – **Therefore, from the time I left my land and** began **traveling among the nations as an aimless wanderer,** וְלֹא יָדַעְתִּי אֶל אֵיזֶה מָקוֹם נָבוֹא – **without my knowing to which place we would come,** הִתְנֵיתִי עִמָּהּ לֵאמֹר כֵּן בְּכָל מָקוֹם – **I made this agreement with [Sarah], that** we **should say this wherever** we may be.[9] כִּי הַדָּבָר אֱמֶת – **For the matter** of Sarah's being my sister **is true,** וְחִשַּׁבְתִּי לִי בּוֹ הַצָּלַת נֶפֶשׁ – **and I thought that by this** measure I would succeed in **saving** my **life.** וְלֹא הַחִלּוֹתִי בַּדָּבָר בְּבוֹאִי בְּאַרְצְכֶם – **I did not begin this practice in your land,** כִּי לֹא רָאִיתִי בָּכֶם עָוֹן אֲשֶׁר חֵטְא – **indeed, I did not see in you any 'iniquity which is a sin.'"**[10]

"וְגַם אָמְנָה אֲחֹתִי בַת אָבִי", טַעֲנָה אַחֶרֶת – Abraham's statement, ***"Moreover, she is indeed my sister, my father's daughter,"*** **was a different argument.**[11] אָמַר: אֲנִי לְפִי דַּרְכִּי אָמַרְתִּי כֵּן שֶׁהוּא אֱמֶת – **[Abraham] was saying** here, **"I, following my routine, said this** – that Sarah is my sister – **which is a true** statement, וְחָשַׁבְתִּי אִם אוּלַי יַחְפְּצוּ בָהּ, יִשְׁאֲלוּנִי אִם הִיא גַּם אִשְׁתִּי – **and I thought that should [people] desire her, they would ask me if she is also my wife,** besides being my sister. כֵּיוָן שֶׁלְּקָחוּהָ עֲבָדֶיךָ וְלֹא שְׁאָלוּנִי דָּבָר – But **once your servants took her without asking me anything,** אָמַרְתִּי גַּם בַּמָּקוֹם הַזֶּה אֵין יִרְאַת אֱלֹהִים וְהֶחֱרַשְׁתִּי – **I said** to myself, **'In this place, too, there is no fear of God!' and I remained silent."**[12]

[Here Abraham asserts that he and Sarah had employed this plan ever since *"God caused me to wander from my father's house."* However, Abraham's words to Sarah as they approached Egypt (above, 12:11-13) imply that they first developed their plan at that time, yet they had made several journeys between the time they left Abraham's father's house and the time they went to Egypt!]

וְיִתָּכֵן שֶׁהָיָה הַתְּנַאי הַזֶּה דְּבָרוֹ עִמָּהּ בְּבוֹאָם בְּמִצְרַיִם – **It is possible that** the inception of **this arrangement** came with **his words to her when they arrived in Egypt** (above, 12:13), אַף עַל פִּי שֶׁאָמַר "כַּאֲשֶׁר הִתְעוּ

---

the world." It is interesting to note that in Rav Saadiah Gaon's Arabic translation of the Torah (*Tafsir*), he renders the word אַךְ (of our verse) as לעל, *perhaps.*

9. This is Ramban's elaboration of verse 13. It is a continuation of verse 11 (where Abraham explained to Abimelech that he did not see anything particularly reprehensible about the Gerarites), in which Abraham seeks to prove to Abimelech that his and Sarah's conduct did not necessarily reflect poorly on Gerar. After all, he explained, they did this in all places, not only in Gerar.

10. Stylistic citation from *Hosea* 12:9. Abraham meant, "Had this not been my previous practice, I would not have started doing it here, for I did not see sinfulness here."

11. Although these words (v. 12) interrupt Abraham's other point (v. 11 and v. 13), it represents an additional, independent argument.

12. Abraham's argument was thus: "I told your men part of the story, which was true. If they were indeed moral people they would have made further inquiries before taking Sarah. Since they did not, my suspicion that there is no fear of God in this place was vindicated!"

אֹתִי אֱלֹהִים מִבֵּית אָבִי וָאֹמַר לָהּ זֶה
חַסְדֵּךְ אֲשֶׁר תַּעֲשִׂי עִמָּדִי אֶל כָּל־הַמָּקוֹם
אֲשֶׁר נָבוֹא שָׁמָּה אִמְרִי־לִי אָחִי הוּא:
יד וַיִּקַּח אֲבִימֶלֶךְ צֹאן וּבָקָר וַעֲבָדִים וּשְׁפָחֹת
וַיִּתֵּן לְאַבְרָהָם וַיָּשֶׁב לוֹ אֵת שָׂרָה אִשְׁתּוֹ:
טו וַיֹּאמֶר אֲבִימֶלֶךְ הִנֵּה אַרְצִי לְפָנֶיךָ בַּטּוֹב
טז בְּעֵינֶיךָ שֵׁב: וּלְשָׂרָה אָמַר הִנֵּה נָתַתִּי
אֶלֶף כֶּסֶף לְאָחִיךְ הִנֵּה הוּא־לָךְ כְּסוּת
עֵינַיִם לְכֹל אֲשֶׁר אִתָּךְ וְאֵת כֹּל וְנֹכָחַת:

עַמְמַיָּא בָּתַר עוֹבָדֵי יְדֵיהוֹן יָתִי קָרִיב יְיָ לְדַחַלְתֵּהּ מִבֵּית אַבָּא וַאֲמָרִית לַהּ דֵּין (נ״א דָּא) טִיבוּתִיךְ דִּי תַעְבְּדִי עִמִּי לְכָל אַתְרָא דִּי נְהַךְ לְתַמָּן אֱמָרִי עֲלַי אָחִי הוּא: יד וּדְבַר אֲבִימֶלֶךְ עָאן וְתוֹרִין וְעַבְדִין וְאַמְהָן וִיהַב לְאַבְרָהָם וַאֲתֵיב לֵהּ יָת שָׂרָה אִתְּתֵהּ: טו וַאֲמַר אֲבִימֶלֶךְ הָא אַרְעִי קֳדָמָךְ בִּדְתַקִּין בְּעֵינָיךְ תִּיב: טז וּלְשָׂרָה אֲמַר הָא יְהָבִית אֶלֶף סַלְעִין דִּכְסַף לְאָחִיךְ הָא הוּא לִיךְ כְּסוּת דִּיקָר (עַיְנִין) חֲלַף דִּשְׁלָחִית דְּבַרְתִּיךְ וַחֲזֵית יָתִיךְ וְיָת כָּל דְּעִמָּךְ וְעַל (נ״א הֲלָא עַל) כָּל מָה דַּאֲמַרְתְּ וְאִתּוֹכַחַת:

רש״י

אבי להיות משוטט ונד ממקום למקום ידעתי שאעבור במקום רשעים, **ואומר לה זה חסדך: כאשר התעו.** לשון רבים, ואל תתמה, כי הרבה מקומות לשון אלהות ולשון מרות קרוי ל׳ רבים. אשר הלכו אלהים (שמואל ב ז:כג) אלהים חיים (דברים ה:כג) אלהים קדושים (יהושע כד:יט), וכל לשון אלהים ל׳ רבים. וכן ויקח אדני יוסף (להלן לט:כ) אדוני האדונים (דברים י:יז) אדוני הארץ (להלן מב:לג) וכן בעליו עמו (שמות כב:יד) והועד בבעליו (שם כא:כט). וא״ת, מהו ל׳ התעו. כל הגולה ממקומו ואינו מיושב קרוי תועה, כמו ותלך ותתע (להלן כא:יד) תעיתי כשה אובד (תהלים קיט:קעו) יתעו לבלי אוכל (איוב לח:מא) ילאו ויתעו לבקש אכלם: **אמרי לי.** עלי, (אונקלוס), וכן וישאלו אנשי המקום לאשתו (להלן כו:ז) על אשתו, וכן ואמר פרעה לבני ישראל (שמות יד:ג) כמו על בני ישראל, פן יאמרו לי אשה הרגתהו (שופטים ט:נד): **(יד) ויתן לאברהם.** כדי שיתפייס ויתפלל עליו (פס״ר מב (קעז.)): **(טו) הנה ארצי לפניך.** אבל פרעה א״ל הנה אשתך קח ולך (לעיל יב:יט), לפי שנתירא, שהמצרים שטופי זמה (מדרש אגדה לעיל יב:יט): **(טז) ולשרה אמר.** אבימלך לכבודה, כדי לפייסה, הנה עשיתי לך כבוד זה, **נתתי** ממון **לאחיך**, שאמרת עליו אחי הוא, **הנה** הממון והכבוד הזה **לך כסות עינים: לכל אשר אתך.** יכסו עיניהם שלא יקילוך. שאילו השיבותיך ריקנית יש להם לומר לאחר שנתעלל בה החזירה, עכשיו שהוצרכתי לבזבז ממון ולפייסך יהיו יודעים שעל כרחי השיבותיך, וע״י נס: **ואת כל.** ועם כל באי עולם: **ונכחת.** יהא לך פתחון פה להתוכח ולהראות דברים נכרים הללו. ול׳ הוכחה בכל מקום ברור דברים, ובלע״ז אשפרובי״ר. ואונקלוס תרגם בפנים אחרים, ולשון המקרא כך הוא נופל על התרגום, הנה הוא לך כסות של

רמב״ן

אתִי אֱלֹהִים מִבֵּית אָבִי" [פסוק יג][13]. אוֹ שֶׁחָזַר וְזֵרֵז אוֹתָהּ שָׁם בְּמִצְרַיִם בִּשְׁעַת מַעֲשֶׂה כַּאֲשֶׁר פֵּירַשְׁתִּי [לעיל יב, יא][14].

וְדַעַת רַבִּי אַבְרָהָם כִּי כָּל אֵלֶּה דְּבָרִים לִדְחוֹת אֶת אֲבִימֶלֶךְ[15].

RAMBAN ELUCIDATED

"אוֹתִי אֱלֹהִים מִבֵּית אָבִי" – even though he said here, ***"When God caused me to wander from my father's house"*** (v. 13).[13] **אוֹ שֶׁחָזַר וְזֵרֵז אוֹתָהּ שָׁם בְּמִצְרַיִם בִּשְׁעַת מַעֲשֶׂה כַּאֲשֶׁר פֵּירַשְׁתִּי – Alternatively: [Abraham] reviewed and prompted her** to follow their prearranged plan **there, in Egypt, when it was time** to put the plan into **practice, as I have explained** (above, on 12:11).[14]

[Ramban now cites a different explanation for Abraham's words:]

וְדַעַת רַבִּי אַבְרָהָם כִּי כָּל אֵלֶּה דְּבָרִים לִדְחוֹת אֶת אֲבִימֶלֶךְ – The opinion of Rabbi Avraham Ibn Ezra, however, **is that all these words were** spoken by Abraham **to push Abimelech off.**[15]

13. By this statement Abraham did not mean "immediately, upon leaving my father's house"; rather, he meant, "when God had already caused me to wander from my father's house," i.e., sometime later. As a matter of fact, they developed the plan when they were approaching Egypt.

14. According to this explanation, the plan was actually devised as soon as they left Haran. However, the Torah first records it in the narrative of their journey to Egypt, when Abraham reminded Sarah of the agreed-upon procedure, because that was the first time that their plan had to be implemented.

15. Abraham claimed that Sarah was "*my father's* (Terah's) *daughter.*" According to Rashi, Sarah was in fact Terah's granddaughter but Scripture often refers to one's grandchildren as his children. Ibn Ezra (on 11:29 above), however, states that Sarah was not Abraham's sister. Accordingly, Abraham's words here were a ruse to avoid confrontation with Abimelech, and all the questions concerning the accuracy of Abraham's

from my father's house, I said to her, 'Let this be your kindness which you shall do for me — to whatever place we come, say of me: He is my brother.' "

14 *So Abimelech took flocks and cattle and servants and maid-servants and gave to Abraham; and he returned his wife Sarah to him.*

15 *And Abimelech said, "Behold, my land is before you: settle wherever you see fit."* 16 *And to Sarah he said, "Behold, I have given your brother a thousand pieces of silver. Behold! Let it be for you an eye-covering for all who are with you; and to all you will be vindicated."*

רמב״ן

[טז] הִנֵּה נָתַתִּי אֶלֶף כֶּסֶף לְאָחִיךְ.

הָיוּ הַצֹּאן וְהַבָּקָר וְהָעֲבָדִים שֶׁנָּתַן לוֹ שָׁוִים אֶלֶף כֶּסֶף[16]. וְאָמַר לְשָׂרָה: הִנֵּה נָתַתִּי מָמוֹן רַב לְאָחִיךְ הִנֵּה הַכֶּסֶף לָךְ כְּסוּת עֵינֵי כָּל הַמַּבִּיטִים בְּיָפְיֵךְ. כִּי אֶת עֵינֵיהֶם וְאֶת רָאשֵׁיהֶם הַחוֹזִים יְכַסּוּ[17] מֵהַבִּיט בָּךְ, וּמֵהַבִּיט בְּכָל אֲשֶׁר אִתָּךְ, אֲפִילוּ בְּנַעֲרוֹתַיִךְ וְשִׁפְחוֹתַיִךְ[18]. וְהִנֵּה לְטוֹבָתֵךְ נִתְפַּשְׂתְּ בְּבֵיתִי[19], כִּי יִירְאוּ מִמֵּךְ וִיכַסּוּ עֵינֵיהֶם מֵרְאוֹת בָּךְ, בְּאָמְרָם: הַמֶּלֶךְ פָּדָה נַפְשׁוֹ עַל שָׁלְחוֹ יָד בְּאֵשֶׁת הַנָּבִיא[20]!

וְהִגִּיד הַכָּתוּב שֶׁפִּיֵּס אֶת אַבְרָהָם בְּמָמוֹן וְאֶת שָׂרָה בִּדְבָרִים, שֶׁלֹּא יֵעָנֵשׁ בְּאֶחָד מֵהֶם. וְאָמַר כִּי שָׂרָה

RAMBAN ELUCIDATED

16. הִנֵּה נָתַתִּי אֶלֶף כֶּסֶף לְאָחִיךְ – *BEHOLD, I HAVE GIVEN YOUR BROTHER A THOUSAND PIECES OF SILVER;* *BEHOLD! LET IT BE FOR YOU AN EYE-COVERING FOR ALL WHO ARE WITH YOU]*

[Verse 14 describes Abimelech's gift to Abraham as *flocks and cattle and servants and maidservants,* but does not mention silver. What *pieces of silver* did Abimelech refer to in our verse?]

הָיוּ הַצֹּאן וְהַבָּקָר וְהָעֲבָדִים שֶׁנָּתַן לוֹ שָׁוִים אֶלֶף כֶּסֶף – **The flocks and cattle and servants that [Abimelech] gave [Abraham]** (v. 14) **were worth a thousand pieces of silver.**[16] וְאָמַר לְשָׂרָה: הִנֵּה נָתַתִּי מָמוֹן רַב לְאָחִיךְ – **He said to Sarah,** in effect, **"Behold, I have given a great deal of money to your brother.** הִנֵּה הַכֶּסֶף לָךְ כְּסוּת עֵינֵי כָּל הַמַּבִּיטִים בְּיָפְיֵךְ – **Behold, this money shall be for you an eye-covering of all those who look at your beauty.** כִּי אֶת עֵינֵיהֶם וְאֶת רָאשֵׁיהֶם הַחוֹזִים יְכַסּוּ מֵהַבִּיט בָּךְ – **For [the money] will 'cover up their eyes and their peering heads'**[17] and prevent them **from gazing at you** וּמֵהַבִּיט בְּכָל אֲשֶׁר אִתָּךְ – **and from gazing at all who are with you,** אֲפִילוּ בְּנַעֲרוֹתַיִךְ וְשִׁפְחוֹתַיִךְ – **even at your maids and women servants.**[18] וְהִנֵּה לְטוֹבָתֵךְ נִתְפַּשְׂתְּ בְּבֵיתִי – **So you see, it was for your** own **good that you were held in my house**[19] כִּי יִירְאוּ מִמֵּךְ וִיכַסּוּ עֵינֵיהֶם מֵרְאוֹת בָּךְ – **for** now **[people] will be afraid of you and will cover their eyes from looking at you,** בְּאָמְרָם הַמֶּלֶךְ פָּדָה נַפְשׁוֹ עַל שָׁלְחוֹ יָד בְּאֵשֶׁת הַנָּבִיא – **saying, 'The king** himself had to **give ransom for his life for having stretched out his hand toward the wife of the prophet!' "**[20]

וְהִגִּיד הַכָּתוּב שֶׁפִּיֵּס אֶת אַבְרָהָם בְּמָמוֹן וְאֶת שָׂרָה בִּדְבָרִים שֶׁלֹּא יֵעָנֵשׁ בְּאֶחָד מֵהֶם – **Scripture tells** us **that [Abimelech] appeased Abraham with money** (v. 14) **and Sarah with words** (v. 16), so that he

statement become irrelevant.

16. Abimelech did not mean that he had actually given Abraham the silver; he meant that he had given him gifts valued at a thousand pieces of silver.

17. Stylistic paraphrase of *Isaiah* 29:10.

18. According to Ramban, the phrase וְכֹל אֲשֶׁר אִתָּךְ, *all who are with you,* means that people's eyes would be covered against looking disrespectfully upon Sarah's servants as well. [Rashi, however, interprets it to mean that the *eye-covering* was so that the servants should not look disrespectfully upon Sarah.]

19. This was the underlying message of Abimelech's depiction of his gifts to Abraham as *an eye-covering.*

20. Abimelech's expensive gifts would cause people to realize that if they looked at Sarah disrespectfully they would have to pay a price for their impropriety.

[This differs from Rashi's interpretation of the expression; according to him the expensive gifts

יז וַיִּתְפַּלֵּל אַבְרָהָם אֶל־הָאֱלֹהִים וַיִּרְפָּא אֱלֹהִים אֶת־אֲבִימֶלֶךְ וְאֶת־אִשְׁתּוֹ וְאַמְהֹתָיו וַיֵּלֵדוּ:

יז וְצַלִּי אַבְרָהָם קֳדָם יְיָ וְאַסִּי יְיָ יָת אֲבִימֶלֶךְ וְיָת אִתְּתֵהּ וְאַמְהָתֵהּ וְאִתְרְוָחוּ:

רש"י

כבוד על העינים שלי שסלטו בך ובכל אשר אתך, ועל כן תרגמו וחזית יתך וית כל דעמך. ויש מדרש אגדה, אבל ישוב לשון המקרא פירשתי: (יז) וילדו. כתרגומו, ואתרוחו, נפתחו נקביהם והוליאו, והיא לידה שלהם:

רמב"ן

לֹא נִתְפַּיְּסָה לוֹ; אֲבָל עִם כָּל זֶה הָיְתָה מִתְוַכַּחַת עִמּוֹ בִּטְעָנוֹת, לֵאמֹר שֶׁלֹּא תִּמְחוֹל לוֹ[21]. וּבְשִׁבְחָהּ דִּבֵּר הַכָּתוּב[22]. וְאַבְרָהָם נִתְפַּיֵּס, וַיִּתְפַּלֵּל עָלָיו.

וְהוּא כִּלְשׁוֹן "וְעִם יִשְׂרָאֵל יִתְוַכָּח" [מיכה ו, ב]; "אַךְ דְּרָכַי אֶל פָּנָיו אוֹכִיחַ" [איוב יג, טו]; "שָׁם יָשָׁר נוֹכָח עִמּוֹ" [שם כג, ז]. וְיִתָּכֵן שֶׁיִּהְיֶה "אֶלֶף כֶּסֶף" אַלְפֵי כֶּסֶף, מָמוֹן רַב "כְּיַד הַמֶּלֶךְ"[22a]. וְכֵן "הַקָּטֹן יִהְיֶה לָאֶלֶף" [ישעיה ס, כב], לְעַם רַב. וְכֵן "הָשִׁיבוּ נָא לָהֶם כְּהַיּוֹם שְׂדֹתֵיהֶם כַּרְמֵיהֶם זֵיתֵיהֶם וּבָתֵּיהֶם וּמְאַת הַכֶּסֶף וְהַדָּגָן הַתִּירוֹשׁ וְהַיִּצְהָר אֲשֶׁר אַתֶּם נֹשִׁים בָּהֶם" [נחמיה ה, יא], מֵאוֹת רַבּוֹת, מָמוֹן גָּדוֹל.

[יז] וַיֵּלֵדוּ. אִם הַלָּשׁוֹן כִּפְשׁוּטוֹ, וְשָׁב לְאִשְׁתּוֹ וְאַמְהֹתָיו כִּי עָצַר ה' בְּעַד רֶחֶם – תְּמִיהָ הוּא. כִּי נִרְאֶה

RAMBAN ELUCIDATED

should not be punished on account of either of them. וְאָמַר כִּי שָׂרָה לֹא נִתְפַּיְּסָה לוֹ – **And** then **it says that Sarah was not appeased toward him;** אֲבָל עִם כָּל זֶה הָיְתָה מִתְוַכַּחַת עִמּוֹ בִּטְעָנוֹת, לֵאמֹר שֶׁלֹּא תִּמְחוֹל לוֹ – **rather, despite all [his attempts] she contended with him with** various **arguments, saying that she would not forgive him** (v. 16).[21] וּבְשִׁבְחָהּ דִּבֵּר הַכָּתוּב – **It is of her praise that Scripture speaks** when it relates this fact.[22] וְאַבְרָהָם נִתְפַּיֵּס וַיִּתְפַּלֵּל עָלָיו – **Abraham,** on the other hand, **was appeased, and** even **prayed for [Abimelech]** (v. 17).

[Ramban adduces other instances of the root וכח that refer to argumentation:]

וְהוּא כִּלְשׁוֹן "וְעִם יִשְׂרָאֵל יִתְוַכָּח" – **[This word** וְנֹכָחַת**]** is to be understood **like the expression** יִתְוַכָּח, in, ***He has an argument with Israel*** (*Micah* 6:2); "אַךְ דְּרָכַי אֶל פָּנָיו אוֹכִיחַ" – and like אוֹכִיחַ in, ***Nevertheless, I shall present my argument before Him*** (*Job* 13:15); "שָׁם יָשָׁר נוֹכָח עִמּוֹ" – and like נוֹכָח in, ***There my uprightness would be argued before Him*** (ibid. 23:7).

[Ramban now returns to the phrase אֶלֶף כֶּסֶף, *a thousand [pieces of] silver*:]

וְיִתָּכֵן שֶׁיִּהְיֶה "אֶלֶף כֶּסֶף" אַלְפֵי כֶּסֶף – **It is possible that *a thousand pieces of silver*** means **"*thousands*** (plural) **of pieces of silver,"** מָמוֹן רַב כְּיַד הַמֶּלֶךְ – i.e., **a great deal of money, "in accordance with the king's wealth."**[22a] וְכֵן "הַקָּטֹן יִהְיֶה לָאֶלֶף", לְעַם רַב – **And similarly** we find the phrase, ***The smallest*** *tribe* ***will become a thousand*** *people* (*Isaiah* 60:22), in which לָאֶלֶף means **"will become a great nation** of thousands." וְכֵן "הָשִׁיבוּ נָא לָהֶם כְּהַיּוֹם שְׂדֹתֵיהֶם כַּרְמֵיהֶם זֵיתֵיהֶם וּבָתֵּיהֶם וּמְאַת הַכֶּסֶף וְהַדָּגָן הַתִּירוֹשׁ וְהַיִּצְהָר אֲשֶׁר אַתֶּם נֹשִׁים בָּהֶם" – **And likewise,** the verse, ***Restore to them now, this very day, their fields, their vineyards, their olive orchards and their homes; as well as [their] hundred silver pieces, and the grain, the wine and the oil that you hold claim against them*** (*Nehemiah* 5:11), מֵאוֹת רַבּוֹת, מָמוֹן גָּדוֹל – in which *hundred pieces of silver* really means ***many hundreds,*** i.e., **"a great deal of money."**

17. וַיֵּלֵדוּ – *GOD HEALED ABIMELECH, HIS WIFE AND HIS MAIDS,* ***AND THEY GAVE BIRTH.***

[Our verse states *they gave birth;* the next verse states that God *had restrained every womb.* Who had been restrained? And for how long?:]

אִם הַלָּשׁוֹן כִּפְשׁוּטוֹ, וְשָׁב לְאִשְׁתּוֹ וְאַמְהֹתָיו כִּי עָצַר ה' בְּעַד רֶחֶם – **If this expression is** meant to be

were a proof that Abimelech never touched Sarah, thus preventing people from looking down at her.]

21. This, according to Ramban, is the meaning of the words וְאֵת כֹּל וְנֹכָחַת, *Despite everything, she argued.*

[This is a radically different approach from that of Rashi, who sees those words as a continuation of the quote of Abimelech, and interprets them: *and toward all people you will be vindicated.*]

22. The Torah's point in relating Sarah's refusal to be appeased is to demonstrate her virtue and purity, not to show her meanness of spirit.

22a. Stylistic citation from *Esther* 1:7.

[17] *Abraham prayed to God, and God healed Abimelech, his wife and his maids, and they gave birth;*

רמב״ן

כִּי גַּם בַּלַּיְלָה הָרִאשׁוֹן אֲשֶׁר לֻקְּחָה שָׂרָה לְבֵית אֲבִימֶלֶךְ, וְלֹא קָרַב אֵלֶיהָ עֲדַיִן, בָּא אֵלָיו הָאֱלֹהִים בַּחֲלוֹם, וּבַבֹּקֶר הִשְׁכִּים וְקָרָא לַעֲבָדָיו גַּם לְאַבְרָהָם, וּמָתַי הָיָה לָהֶם עֹצֶר רָחַם? אוּלַי הָיוּ עַל פִּרְקָן וַאֲחָזוּם חֶבְלֵי יוֹלֵדָה, וְלֹא יָכְלוּ לְהַמְלִיט. וְאוּלַי אַבְרָהָם אֵחַר תְּפִלָּתוֹ יָמִים רַבִּים.

וְהִנֵּה רְפוּאַת אֲבִימֶלֶךְ גַּם חָלְיוֹ לֹא נִתְפָּרְשׁוּ.

וּלְשׁוֹן רַשִׁ״י: ״וַיֵּלֵדוּ״, וְאִתְרְוָחוּ נִתְפַּתְּחוּ נִקְבֵיהֶם וְהוֹצִיאוּ, וְהוּא לֵדָה שֶׁלָּהֶן. ״בְּעַד כָּל רֶחֶם״, כְּנֶגֶד כָּל פֶּתַח[23].

וְאֵין זֶה נָכוֹן. כִּי אִם נֹאמַר בְּ״וַיֵּלֵדוּ״ שֶׁהוּא יְצִיאַת הַחוּץ. שֶׁמָּצִינוּ לֵידָה בְּעִנְיָנִים רַבִּים, כְּגוֹן: ״וְהָרָה עָמָל וְיָלַד שָׁקֶר״ [תהלים ז, טו]; ״לֶדֶת חֹק״ [צפניה ב, ב]; ״מַה יֵּלֶד יוֹם״ [משלי כז, א], מַה יּוֹלִידוּ וִיחַדְּשׁוּ הַיָּמִים;

RAMBAN ELUCIDATED

taken **in its literal sense**, i.e., *they gave birth,* **and the antecedent** of "they" **is the phrase *his wife and his maids,* for, *Hashem had completely restrained their wombs*** **(v. 18),** **תְּמִיהָה הוּא** – **it is perplexing.** **כִּי נִרְאֶה כִּי גַּם בַּלַּיְלָה הָרִאשׁוֹן אֲשֶׁר לֻקְּחָה שָׂרָה לְבֵית אֲבִימֶלֶךְ** – **For it seems that even on the very first night that Sarah was taken to Abimelech's house,** **וְלֹא קָרַב אֵלֶיהָ עֲדַיִן** – **and he had not yet approached her,** **בָּא אֵלָיו הָאֱלֹהִים בַּחֲלוֹם** – **God** already **came to him in a dream** (vv. 3-4), **וּבַבֹּקֶר הִשְׁכִּים וְקָרָא לַעֲבָדָיו גַּם לְאַבְרָהָם** – **and the** next **morning [Abimelech] woke up early and called his servants, and also** called **Abraham** (vv. 8-9). **וּמָתַי הָיָה לָהֶם עֹצֶר רָחַם** – **When, then, did [Abimelech's wife and maids] experience** this **restraining of the womb?** **אוּלַי הָיוּ עַל פִּרְקָן וַאֲחָזוּם חֶבְלֵי יוֹלֵדָה וְלֹא יָכְלוּ לְהַמְלִיט** – **Perhaps they had** just then **arrived at their term** for birth **and had been in the grip of labor pains, but could not deliver.** **וְאוּלַי אַבְרָהָם אֵחַר תְּפִלָּתוֹ יָמִים רַבִּים** – **Or, perhaps Abraham delayed his prayer** for their recovery for **a long time**, and the punishment or restraint of the womb continued throughout that delay.

[Having explained that *they gave birth* refers to Abimelech's wife and maidservants, Ramban now turns to Abimelech's own illness and cure, which are also mentioned in the verse:]

וְהִנֵּה רְפוּאַת אֲבִימֶלֶךְ גַּם חָלְיוֹ לֹא נִתְפָּרְשׁוּ – **Now,** the exact nature of **the healing process of Abimelech and also** the nature of **his illness are not specified** by the Torah.

וּלְשׁוֹן רַשִׁ״י: – The following is **a quote from Rashi:** **״וַיֵּלֵדוּ״, וְאִתְרְוָחוּ** – The term **וַיֵּלֵדוּ** literally, ***and they gave birth,*** is to be understood as Onkelos renders it, **וְאִתְרְוָחוּ**, ***they were relieved;*** **נִתְפַּתְּחוּ נִקְבֵיהֶם וְהוֹצִיאוּ** – i.e., **their bodily orifices opened and they were able to expel** waste from their bodies, **וְהוּא לֵדָה שֶׁלָּהֶן** – **and this is** what Scripture refers to as **their "giving birth."**

[Rashi comments further:]

״בְּעַד כָּל רֶחֶם״, כְּנֶגֶד כָּל פֶּתַח״ – The phrase, **בְּעַד כָּל רֶחֶם**, literally, *opposite every womb* (v. 18), means ***opposite every opening***.[23]

[Ramban disagrees with Rashi's interpretation:]

וְאֵין זֶה נָכוֹן – **But this** interpretation **is not sound.** **כִּי אִם נֹאמַר בְּ״וַיֵּלֵדוּ״ שֶׁהוּא יְצִיאַת הַחוּץ** – **For** even **if we** agree to **say that** **וַיֵּלֵדוּ**, literally, **they gave birth,** refers to something **going out**, and not necessarily to actual birth, **שֶׁמָּצִינוּ לֵידָה בְּעִנְיָנִים רַבִּים** – **as we find** the expression **"giving birth"** used **in many senses,** **כְּגוֹן: ״וְהָרָה עָמָל וְיָלַד שָׁקֶר״** – **such as** **וְיָלַד** in the verse, ***He conceives iniquity and gives birth to falsehood*** (*Psalms* 7:15), **״לֶדֶת חֹק״** – and **לֶדֶת** in, ***before the birth of the decree*** (*Zephaniah* 2:2), and **״מַה יֵּלֶד יוֹם״** – and **יֵּלֶד** in ***what the day may bring forth*** (*Proverbs* 27:1), which means, **מַה יּוֹלִידוּ וִיחַדְּשׁוּ הַיָּמִים** – **what the days will "give birth to" and bring about;**

23. The advantage of this interpretation is that the word וַיֵּלֵדוּ, *and they gave birth,* or, *and they were opened up,* can now apply to all the parties mentioned in the verse, including Abimelech.

יח כִּי־עָצֹר עָצַר יהוה בְּעַד כָּל־רֶחֶם לְבֵית אֲבִימֶלֶךְ
כא א עַל־דְּבַר שָׂרָה אֵשֶׁת אַבְרָהָם: ס וַיהוָה

יח אֲרֵי מֵיחַד אֲחַד יְיָ בְּאַפֵּי כָּל פְּתַח וַלְדָא לְבֵית אֲבִימֶלֶךְ עַל עֵיסַק שָׂרָה אִתַּת אַבְרָהָם: א וַייָ

רש"י

(יח) בעד כל רחם. כנגד כל פתח: על דבר שרה. ע"פ דבורה של שרה (ב"ר נב:יג):

רמב"ן

אֲבָל מִלַּת "רֶחֶם" לֹא תָבֹא עַל פֶּתַח אַחֵר. וְאֵין טַעֲנָה מִן "בְּגִיחוֹ מֵרֶחֶם יֵצֵא" [איוב לח, ח], שֶׁהוּא כִּנּוּי, כְּמוֹ "בֶּטֶן הָאֲדָמָה"[24]. וְדַעַת אוּנְקְלוֹס אֵינֶנָּה כְּדִבְרֵי הָרַב, כִּי הוּא שֶׁתִּרְגֵּם "וְאִתְרְוָחוּ" עָשָׂה "רֶחֶם" כִּפְשׁוּטוֹ, "פְּתַח וַלְדָא" אֶלָּא שֶׁרָצָה לִכְלוֹל גַּם אֲבִימֶלֶךְ[24a] בְּמִלַּת "וַיֵּלֵדוּ"[25].

וּלְשׁוֹן בְּרֵאשִׁית רַבָּה [נב, יג]: "כִּי עָצֹר עָצַר ה' " עֲצִירָה בַּפֶּה, עֲצִירָה בַּגָּרוֹן, עֲצִירָה בָּעַיִן, עֲצִירָה בָּאוֹזֶן, עֲצִירָה מִלְמַעְלָה, עֲצִירָה מִלְּמַטָּה[26]. וְהַמִּדְרָשׁ הַזֶּה לָהֶם מִיִּתּוּר לְשׁוֹן הַכֶּפֶל, "עָצֹר עָצַר", לֹא שֶׁיְּפָרְשׁוּ כָּל רֶחֶם כָּל נֶקֶב.

RAMBAN ELUCIDATED

אֲבָל מִלַּת "רֶחֶם" לֹא תָבֹא עַל פֶּתַח אַחֵר – nevertheless, the word רֶחֶם, literally, **womb, never refers to any other opening** besides that of the womb. **וְאֵין טַעֲנָה מִן "בְּגִיחוֹ מֵרֶחֶם יֵצֵא" – And there is no argument** against this assertion **from** the verse, ***when [the sea] was brought out of its "womb" from which it emerged*** (*Job* 38:8), where רֶחֶם is used to describe something other than an actual womb. **שֶׁהוּא כִּנּוּי, כְּמוֹ "בֶּטֶן הָאֲדָמָה" – For that is a figure of speech, as** in the expression, **"the belly of the earth."**[24]

[Having stated his objection to Rashi's interpretation, which is based on Onkelos, Ramban explains Onkelos in a different way:]

וְדַעַת אוּנְקְלוֹס אֵינֶנָּה כְּדִבְרֵי הָרַב – Furthermore, Onkelos' opinion is not as the rabbi (Rashi) **says, כִּי הוּא שֶׁתִּרְגֵּם "וְאִתְרְוָחוּ" עָשָׂה "רֶחֶם" כִּפְשׁוּטוֹ "פְּתַח וַלְדָא" – for [Onkelos], who translated** וַיֵּלֵדוּ as **וְאִתְרְוָחוּ**, ***they were relieved,*** **rendered** רֶחֶם in its literal sense, פְּתַח וַלְדָא, ***the opening for the baby,*** i.e., the womb, **אֶלָּא שֶׁרָצָה לִכְלוֹל גַּם אֲבִימֶלֶךְ בְּמִלַּת וַיֵּלֵדוּ – except that he wanted to also include Abimelech's** orifices[24a] **in the word וַיֵּלֵדוּ**, *and they gave birth.*[25]

[Ramban now cites a Midrash that agrees with Rashi's understanding that all the bodily orifices of the people in Abimelech's household were restrained, not just the wombs. But that Midrash derives this fact through a different exegesis:]

וּלְשׁוֹן בְּרֵאשִׁית רַבָּה – This is **a quote from *Bereishis Rabbah*** (52:13): **"כִּי עָצֹר עָצַר ה' " – *For Hashem had completely stopped up* – עֲצִירָה בַּפֶּה, עֲצִירָה בַּגָּרוֹן, עֲצִירָה בָּעַיִן, עֲצִירָה בָּאוֹזֶן, עֲצִירָה מִלְמַעְלָה, עֲצִירָה מִלְּמַטָּה –** This includes **stopping up of the mouth, stopping up of the throat, stopping up of the eye, stopping up of the ear, stopping up in the upper part** of the body, **stopping up in the lower part** of the body.[26] **וְהַמִּדְרָשׁ הַזֶּה לָהֶם מִיִּתּוּר לְשׁוֹן הַכֶּפֶל "עָצֹר עָצַר"** – But the Sages of **the Midrash derived this explanation from the redundant double expression** "עָצֹר עָצַר", literally, ***stopped up [with] stopping up,*** **לֹא שֶׁיְּפָרְשׁוּ "כָּל רֶחֶם" כָּל נֶקֶב – not** because **they inter-pret *every womb*** to mean **"every orifice,"** as Rashi does.

24. It is not known where this expression is found. (It is not a direct Biblical quote.) It is possible that Ramban refers to *Job 1:21: Naked I emerged from my mother's belly, and naked will I return there.* Ramban (ibid.) explains "there" to mean "the belly of the earth," to which man returns when he dies (*Zichron Yitzchak*).

24a. This in light of the Midrash that Ramban goes on to quote.

25. Rashi's interpretation is based upon translating two words very loosely – וַיֵּלֵדוּ, *they were opened up* or *relieved,* in place of *they gave birth;* and רֶחֶם as *bodily orifice,* in place of *womb.* Ramban notes that Onkelos rendered the word וַיֵּלֵדוּ loosely (for the reason explained above, in note 23), but not the word רֶחֶם.

26. The Midrash thus agrees with Rashi's assertion that all orifices, and not just wombs, were "restrained" in Abimelech's house.

[18] *for* Hashem *had completely stopped up opposite every womb of the household of Abimelech, because of Sarah, the wife of Abraham.*

רמב״ן

וְהַנָּכוֹן בְּעֵינַי כִּי מִיּוֹם אֲשֶׁר נִלְקְחָה שָׂרָה לָקָה אֲבִימֶלֶךְ בְּאֵבְרֵי הַתַּשְׁמִישׁ, וְלֹא יוּכַל לְשַׁמֵּשׁ. וְזֶהוּ ״לֹא נְתַתִּיךָ לִנְגֹּעַ אֵלֶיהָ״, כִּי הַנְּגִיעָה וְהַקְּרִיבָה בְּנָשִׁים הוּא עַל הַתַּשְׁמִישׁ, כְּעִנְיַן ״אַל תִּגְּשׁוּ אֶל אִשָּׁה״ [שמות יט, טו], ״וָאֶקְרַב אֶל הַנְּבִיאָה״ [ישעיה ח, ג]. וְאִשְׁתּוֹ וְאַמְהֹתָיו שֶׁהֵן מְעֻבָּרוֹת עָצַר בְּעַד רַחְמָן, וְלֹא יָכְלוּ לְהַמְלִיט כִּי ״עֲצִירַת רֶחֶם״ הוּא שֶׁלֹּא תַּהַר, כְּדֶרֶךְ ״וה׳ סָגַר רַחְמָהּ״ [שמואל־א א, ה], אֲבָל ״עֲצִירָה בְּעַד הָרֶחֶם״ הוּא שֶׁלֹּא תֵּלֵד, כִּלְשׁוֹן ״גָּדַר בַּעֲדִי וְלֹא אֵצֵא״ [איכה ג, ז][27].

וְעָמְדָה שָׂרָה בְּבֵיתוֹ יָמִים, וְלֹא שָׁב אֲבִימֶלֶךְ מִדַּרְכּוֹ הָרָעָה, כִּי לֹא הֵבִין, עַד שֶׁבָּא אֵלָיו הָאֱלֹהִים בַּחֲלוֹם וְהוֹדִיעוֹ. וְלֹא פֵּרֵשׁ הַכָּתוּב חוֹלִי אֲבִימֶלֶךְ, וְהִזְכִּירוֹ בְּרֶמֶז, דֶּרֶךְ מוּסָר וְכָבוֹד לְשָׂרָה. וְאַחֲרֵי תְּפִלַּת אַבְרָהָם נִרְפָּא אֲבִימֶלֶךְ וְאִשְׁתּוֹ וְאַמְהֹתָיו, וַיֵּלֵדוּ הַנָּשִׁים[28].

RAMBAN ELUCIDATED

[Ramban now presents his own interpretation of the two words under discussion, one of which retains its literal meaning:]

וְהַנָּכוֹן בְּעֵינַי כִּי מִיּוֹם אֲשֶׁר נִלְקְחָה שָׂרָה – The soundest interpretation **in my opinion is that from the day Sarah was taken, לָקָה אֲבִימֶלֶךְ בְּאֵבְרֵי הַתַּשְׁמִישׁ וְלֹא יוּכַל לְשַׁמֵּשׁ – Abimelech was stricken in his reproductive organs, and was not able to cohabit. וְזֶהוּ ״לֹא נְתַתִּיךָ לִנְגֹּעַ אֵלֶיהָ״ – And this is** what is meant by, ***I did not permit you to touch her*** (v. 6), **כִּי הַנְּגִיעָה וְהַקְּרִיבָה בְּנָשִׁים הוּא עַל הַתַּשְׁמִישׁ – for** the expression **"touching" or "approaching"** (v. 4), when referring to women, denotes cohabitation, **כְּעִנְיַן ״אַל תִּגְּשׁוּ אֶל אִשָּׁה״ – like the concept** expressed by the term תִּגְּשׁוּ in, ***Do not draw near a woman*** (*Exodus* 19:15), and **״וָאֶקְרַב אֶל הַנְּבִיאָה״** – by the term וָאֶקְרַב in ***I approached the prophetess*** (*Isaiah* 8:3). **וְאִשְׁתּוֹ וְאַמְהֹתָיו שֶׁהֵן מְעֻבָּרוֹת עָצַר בְּעַד רַחְמָן וְלֹא יָכְלוּ לְהַמְלִיט – [God] restrained opposite the womb of [Abimelech's] wife and maids who were pregnant,** and at the end of their terms, **so that they could not deliver. כִּי ״עֲצִירַת רֶחֶם״ הוּא שֶׁלֹּא תַּהַר, כְּדֶרֶךְ ״וַה׳ סָגַר רַחְמָהּ״ – For** the expression, **"restraining of the womb"** refers to **not** being able to **conceive, similar to *Hashem had closed her womb*** (*I Samuel* 1:5). **אֲבָל ״עֲצִירָה בְּעַד הָרֶחֶם״ הוּא שֶׁלֹּא תֵּלֵד – But** the expression, **"restraining *opposite* the womb" refers to not** being able to **give birth, כִּלְשׁוֹן ״גָּדַר בַּעֲדִי וְלֹא אֵצֵא״ – as** in **the expression, *He has fenced in opposite me so I cannot escape*** (*Lamentations* 3:7).[27]

וְעָמְדָה שָׂרָה בְּבֵיתוֹ יָמִים וְלֹא שָׁב אֲבִימֶלֶךְ מִדַּרְכּוֹ הָרָעָה כִּי לֹא הֵבִין – Sarah stayed in [Abimelech's] house for several days, but Abimelech did not repent from his evil way, for he did not understand why he was being afflicted, **עַד שֶׁבָּא אֵלָיו הָאֱלֹהִים בַּחֲלוֹם וְהוֹדִיעוֹ – until God came to him in a dream and informed him. וְלֹא פֵּרֵשׁ הַכָּתוּב חוֹלִי אֲבִימֶלֶךְ וְהִזְכִּירוֹ בְּרֶמֶז דֶּרֶךְ מוּסָר וְכָבוֹד לְשָׂרָה – [The verse] did not specify the illness of Abimelech, but mentioned it** only **by allusion, in the manner of propriety and respect for Sarah. וְאַחֲרֵי תְּפִלַּת אַבְרָהָם נִרְפָּא אֲבִימֶלֶךְ וְאִשְׁתּוֹ וְאַמְהֹתָיו וַיֵּלֵדוּ הַנָּשִׁים – And after Abraham's prayer, Abimelech was healed, along with his wife and maids, and the women were able to give birth** again.[28]

27. That verse shows that the word בְּעַד, when used with a verb denoting "closing," refers to preventing something or someone from leaving the closed area. Thus, in our verse, it refers to the inability of a baby to leave the womb.

28. Ramban believes that the "soundest explanation" interprets the words of our verse according to their simple, literal meaning: וַיֵּלֵדוּ, *they gave birth,* and רֶחֶם, *womb.* But if it was only the wombs in Abimelech's household that had been "restrained," why does Scripture tell us, *Hashem healed Abimelech*? Ramban therefore explains that in addition to the punishment of the stopping up of the wombs, there was an additional affliction that was experienced by Abimelech as well: a disease that affected his reproductive organs.

פָּקַד אֶת־שָׂרָה כַּאֲשֶׁר אָמָר וַיַּעַשׂ יְהֹוָה
ב לְשָׂרָה כַּאֲשֶׁר דִּבֵּר: וַתַּהַר וַתֵּלֶד שָׂרָה
לְאַבְרָהָם בֵּן לִזְקֻנָיו לַמּוֹעֵד אֲשֶׁר־דִּבֶּר אֹתוֹ
ג אֱלֹהִים: וַיִּקְרָא אַבְרָהָם אֶת־שֶׁם־בְּנוֹ הַנּוֹלַד־
ד לוֹ אֲשֶׁר־יָלְדָה־לּוֹ שָׂרָה יִצְחָק: וַיָּמָל אַבְרָהָם
אֶת־יִצְחָק בְּנוֹ בֶּן־שְׁמֹנַת יָמִים כַּאֲשֶׁר צִוָּה
ה אֹתוֹ אֱלֹהִים: וְאַבְרָהָם בֶּן־מְאַת שָׁנָה חמישי
ו בְּהִוָּלֶד לוֹ אֵת יִצְחָק בְּנוֹ: וַתֹּאמֶר שָׂרָה

דְּכִיר יָת שָׂרָה כְּמָא דִּי אֲמַר וַעֲבַד יְיָ לְשָׂרָה כְּמָא דִּי מַלִּיל: ב וְעַדִּיאַת וִילִידַת שָׂרָה לְאַבְרָהָם בַּר לְסֵיבְתוּהִי לִזְמַן דִּי מַלִּיל יָתֵהּ יְיָ: ג וּקְרָא אַבְרָהָם יָת שׁוּם בְּרֵהּ דְּאִתְיְלִיד לֵהּ דִּילִידַת לֵהּ שָׂרָה יִצְחָק: ד וּגְזַר אַבְרָהָם יָת יִצְחָק בְּרֵהּ בַּר תְּמַנְיָא יוֹמִין כְּמָא דִּי פַּקִּיד יָתֵהּ יְיָ: ה וְאַבְרָהָם בַּר מְאָה שְׁנִין כַּד אִתְיְלִיד לֵהּ יָת יִצְחָק בְּרֵהּ: ו וַאֲמֶרֶת שָׂרָה

רש"י

(א) וה' פקד את שרה וגו'. סמך פרשה זו לכאן ללמדך שכל המבקש רחמים על חבירו והוא צריך לאותו דבר הוא נענה תחלה, שנאמר ויתפלל וגו' וסמיך ליה וה' פקד את שרה, שפקדה כבר קודם שריפא את אבימלך (בבא קמא צב.): **כאשר אמר.** בהריון: **כאשר דבר.** בלידה. והיכן היא אמירה והיכן הוא דבור. אמירה ויאמר אלהים אבל שרה אשתך וגו' (לעיל יז:יט). דבור היה דבר ה' אל אברם בברית בין הבתרים (לעיל טו:א) ושם נאמר לא יירשך זה וגו' (שם ד) והביא היורש משרה (מכילתא בא פי"ג): **ויעש ה' לשרה כאשר דבר.** לאברהם: **(ב) [לזקוניו.** שהיה זיו איקונין שלו דומה לו (ב"ר נג:ו): **למועד אשר דבר.** ר' יודן ורבי חמא. רבי יודן אומר מלמד שנולד לט' חדשים, שלא יאמרו מביתו של אבימלך הוא. ר' חמא אומר לשבעה חדשים (שם):] **למועד אשר דבר אתו.** דמליל יתיה (אונקלוס), את המועד אשר דבר וקבע, כשא"ל למועד אשוב אליך (לעיל יח:יד) שרט לו שריטה בכותל, אמר לו כשתגיע חמה לשריטה זו בשנה האחרת תלד (תנחומא ישן לו):

רמב"ן

כא [א] וַה' פָּקַד אֶת שָׂרָה כַּאֲשֶׁר אָמַר. [פָּקַד אֶת שָׂרָה –]* בְּהֵרָיוֹן כַּאֲשֶׁר דִּבֵּר – בְּלֵידָה. לְשׁוֹן רַשִׁ"י.

RAMBAN ELUCIDATED

21.

1. וַה' פָּקַד אֶת שָׂרָה כַּאֲשֶׁר אָמַר – ***HASHEM REMEMBERED SARAH AS HE HAD SAID.***

[The verse seems to speak of two separate things that God did concerning Sarah: (1) He *remembered Sarah as He had said,* and (2) *He did for Sarah as He had spoken.* What two things did God do? Or did He, in fact, do only one thing for Sarah? Ramban begins his discussion by citing Rashi:]

[פָּקַד אֶת שָׂרָה – *(HASHEM) remembered Sarah* –]* **בְּהֵרָיוֹן – with conception. כַּאֲשֶׁר דִּבֵּר** – *[HASHEM did for Sarah]* **as He had spoken** – **בְּלֵידָה – with childbirth.**
לְשׁוֹן רַשִׁ"י – This is **a quote from Rashi.**

*[Ramban omits Rashi's rubric. Virtually all contemporary editions of Rashi have two comments: The rubric of the first is either פָּקַד אֶת שָׂרָה כַּאֲשֶׁר אָמָר or, simply, כַּאֲשֶׁר אָמָר, and the rest of the comment is the one word בְּהֵרָיוֹן, *with conception;* the rubric of the second is כַּאֲשֶׁר דִּבֵּר, and its first word is בְּלֵידָה, *with childbirth.* Accordingly, Rashi's two comments explain why Scripture uses the seemingly redundant כַּאֲשֶׁר אָמָר ... כַּאֲשֶׁר דִּבֵּר, *as He had said ... as He had spoken*: The term אָמָר refers to the time God said to Abraham that his wife would conceive; the term דִּבֵּר refers to when God spoke to Abraham about his son born of Sarah. If so, Rashi does not comment on the word פָּקַד (and that is how the supercommentary *Mizrachi* explains Rashi's comments). Yet Ramban states that Rashi interprets פָּקַד as בְּהֵרָיוֹן, *with conception,* and objects to that interpretation of the word.

To understand Ramban, let us turn to the earliest printed editions of Rashi. Each of the four editions of Rashi's commentary printed in the 15th century – Guadalajara 1476; Rome pre-1480; Soncino 1487; and Zamora 1492 – uses either פָּקַד or פָּקַד אֶת שָׂרָה as the rubric for Rashi's comment בְּהֵרָיוֹן, *with conception.* Accordingly, בְּהֵרָיוֹן is Rashi's explanation of פָּקַד. Ramban's manuscript copy of Rashi's commentary most likely had one of those readings. Thus, Ramban's objection to Rashi's interpretation. And that explains the bracketed rubric interpolated into Ramban's text in the present edition.

The inclusion of the term כַּאֲשֶׁר אָמָר in Rashi's

21 [1]*Hashem remembered Sarah as He had said; and Hashem did for*
Sarah as He had spoken. [2]*Sarah conceived and bore a son unto*
Abraham in his old age, at the appointed time which God had
spoken. [3]*Abraham called the name of his son who was born to*
him — whom Sarah had borne him — Isaac.
[4]*Abraham circumcised his son Isaac at the age of eight days*
as God had commanded him. [5]*And Abraham was one hundred*
years old when his son Isaac was born to him. [6]*Sarah said,*

רמב״ן

וְאֵין ״פְּקִידָה״ אֶלָּא לְשׁוֹן זְכִירָה וְהַשְׁגָּחָה עַל הַנִּפְקָד, כְּגוֹן: ״פָּקֹד יִפְקֹד אֱלֹהִים אֶתְכֶם״ [להלן נ, כה]; ״פָּקֹד פָּקַדְתִּי אֶתְכֶם וְאֶת הֶעָשׂוּי לָכֶם״ [שמות ג, טז]; ״וַיִּפְקֹד שִׁמְשׁוֹן אֶת אִשְׁתּוֹ בִּגְדִי עִזִּים״ [שופטים טו, א]. אַף כָּאן ״וַה׳ פָּקַד אֶת שָׂרָה״, זָכַר אֶת שָׂרָה וְעָשָׂה לָהּ כַּאֲשֶׁר דִּבֵּר[1]. וְכֵן הַלָּשׁוֹן בְּכָל הָעֲקָרוֹת הַיּוֹלְדוֹת: בְּרָחֵל ״וַיִּזְכֹּר אֱלֹהִים אֶת רָחֵל״ [להלן ל, כב], וּבְחַנָּה ״וַיִּזְכְּרֶהָ ה׳ ״ [שמואל־א א, יט]. וְכָךְ אָמְרוּ [ראש השנה לב, ב]: פִּקְדוֹנוֹת הֲרֵי הֵן כִּזְכְרוֹנוֹת[2].

RAMBAN ELUCIDATED

[Ramban takes issue with Rashi's interpretation:]

וְאֵין ״פְּקִידָה״ אֶלָּא לְשׁוֹן זְכִירָה וְהַשְׁגָּחָה עַל הַנִּפְקָד – But the root פקד, represented by its gerund form **פְּקִידָה, is nothing but an expression** denoting **"remembering** something (or someone) **and turning one's attention to that which is remembered,"** **כְּגוֹן: ״פָּקֹד יִפְקֹד אֱלֹהִים אֶתְכֶם״ – such as** in the verses, ***God will indeed remember and turn His attention to you*** (below, 50:25), **״פָּקֹד פָּקַדְתִּי אֶתְכֶם וְאֶת הֶעָשׂוּי לָכֶם״ – *I have surely remembered and turned My attention to you and to what is being done to you*** (*Exodus* 3:16), and **״וַיִּפְקֹד שִׁמְשׁוֹן אֶת אִשְׁתּוֹ בִּגְדִי עִזִּים״ – *Samson remembered and turned his attention to his wife with a goat kid*** (*Judges* 15:1). **אַף כָּאן ״וַה׳ פָּקַד אֶת שָׂרָה״, זָכַר אֶת שָׂרָה וְעָשָׂה לָהּ כַּאֲשֶׁר דִּבֵּר – Here, too, "*Hashem* פָּקַד *Sarah"*** means **He remembered Sarah and did for her as He had spoken.**[1] **וְכֵן הַלָּשׁוֹן בְּכָל הָעֲקָרוֹת הַיּוֹלְדוֹת: – And such is the expression** used **for all** erstwhile **barren women who** eventually **bear children:** **בְּרָחֵל ״וַיִּזְכֹּר אֱלֹהִים אֶת רָחֵל״ – Concerning Rachel** it says, ***God remembered Rachel*** (below, 30:22), **וּבְחַנָּה ״וַיִּזְכְּרֶהָ ה׳ ״ – and concerning Hannah, *Hashem remembered her*** (*I Samuel* 1:19). **וְכָךְ אָמְרוּ: פִּקְדוֹנוֹת הֲרֵי הֵן כִּזְכְרוֹנוֹת – Similarly, [the Sages] said: Verses containing a word of the root פקד are equivalent to verses containing a word of the root זכר** (*Rosh Hashanah* 32b).[2]

rubric seems to have begun with the publication of Rabbi Eliyahu Mizrachi's supercommentary on Rashi, which he published in 1527, and which reads: כַּאֲשֶׁר אָמַר בְּהֵרָיוֹן כַּאֲשֶׁר דִּבֵּר בְּלֵידָה. It is not known, however, if Mizrachi's text was based on a variant manuscript or if he emended the rubric himself in response to Ramban's objection.]

1. According to Ramban, the two halves of the verse do not refer to two separate things (unlike Rashi, who maintains that the first part of the verse alludes to conception and the second part to birth); rather, the second half elaborates on the first. The verse begins by saying that God "remembered and turned his attention to Sarah" and then goes on to explain how this "attention" expressed itself: God did for Sarah as He had spoken, i.e., He gave her a child.

2. In the Mussaf prayer of Rosh Hashanah, there is a section called זִכְרוֹנוֹת, *Remembrances,* in which ten Scriptural verses, each containing a word with the root זכר, *to remember,* must be cited. The adduced Talmudic statement teaches that a verse containing פקד instead of זכר is also acceptable. This proves Ramban's assertion that פקד means the same as זכר, i.e., *remember* (except that פקד has the additional connotation of turning one's attention to the remembered party and dealing with him or her).

[Rashi maintains that the root פקד means *to do [something for someone],* so that the phrase וַיַּעַשׂ ה׳ לְשָׂרָה כַּאֲשֶׁר דִּבֵּר is an exact repetition of the phrase וַה׳ פָּקַד אֶת שָׂרָה כַּאֲשֶׁר אָמָר. He is therefore forced to account for the seeming redundancy by asserting that the two statements refer to two different events, i.e., conception and birth.

Ramban, however, holds that פקד means *to remember,* as he proves from the Talmud, so the problem of redundancy no longer exists. Both halves of the verse can be referring to Sarah's conceiving and giving birth; the first half refers to God's turning His attention to her plight, and the second to the actual conception and birth.]

ז צְחֹק עָשָׂה לִי אֱלֹהִים כָּל־הַשֹּׁמֵעַ יִֽצְחַק־לִֽי:
וַתֹּאמֶר מִי מִלֵּל לְאַבְרָהָם הֵינִיקָה בָנִים שָׂרָה
ח כִּֽי־יָלַדְתִּי בֵן לִזְקֻנָיו: וַיִּגְדַּל הַיֶּלֶד וַיִּגָּמַל וַיַּעַשׂ
ט אַבְרָהָם מִשְׁתֶּה גָדוֹל בְּיוֹם הִגָּמֵל אֶת־יִצְחָק:
וַתֵּרֶא שָׂרָה אֶת־בֶּן־הָגָר הַמִּצְרִית אֲשֶׁר־יָלְדָה
י לְאַבְרָהָם מְצַחֵק: וַתֹּאמֶר לְאַבְרָהָם גָּרֵשׁ

חֶדְוָא עֲבַד לִי יְיָ כָּל דִּשְׁמַע יֶחְדֵי לִי: ז וַאֲמֶרֶת מָאן מְהֵימָן דַּאֲמַר לְאַבְרָהָם וְקַיָּם דְּתוֹנִיק בְּנִין שָׂרָה אֲרֵי יְלֵידִית בַּר לְסִיבְתוֹהִי: ח וּרְבָא רַבְיָא וְאִתְחֲסִיל וַעֲבַד אַבְרָהָם מִשְׁתְּיָא רַבָּא בְּיוֹמָא דְּאִתְחֲסִיל יָת יִצְחָק: ט וַחֲזַת שָׂרָה יָת בַּר הָגָר מִצְרֵיתָא דִּילִידַת לְאַבְרָהָם מְחָיֵיךְ: י וַאֲמֶרֶת לְאַבְרָהָם תָּרֵךְ

רש"י

(ו) יצחק לי. ישמח עלי (אונקלוס). ומדרש אגדה, הרבה עקרות נפקדו עמה, הרבה חולים נתרפאו בו ביום, הרבה תפלות נענו עמה ורב שחוק היה בעולם (ב"ר שם ח): (ז) **מי מלל לאברהם.** לשון שבח וחשיבות [כמו מי פעל ועשה (ישעיה מא:ד) מי ברא אלה (שם מ:כו)]. ראו מה הוא ומי הוא שומר הבטחתו, הקב"ה מבטיח ועושה: **מלל.** שינה הכתוב ולא אמר דבר, גימטריא שלו ק', כלומר לסוף מאה לאברהם (ב"ר נג:ט): **היניקה בנים שרה.** ומהו בנים לשון רבים, ביום המשתה הביאו השרות בניהן עמהן והיניקה אותם, שהיו אומרות לא ילדה שרה, אלא אסופי הביאו מן השוק (ב"מ פז.): (ח) **ויגמל.** לסוף כ"ד חודש (ב"ר שם י; כתובות ס.): **משתה גדול.** שהיו שם גדולי הדור, שם ועבר ואבימלך (תנחומא ישן וישלח כג): (ט) **מצחק.** לשון עבודת כוכבים, כמו שנאמר ויקומו לצחק (שמות לב:ו; ב"ר נג:יא). ד"א, ל' גילוי עריות, כמה דתימא לצחק בי (להלן לט:יז). ד"א, ל' רציחה,

רמב"ן

[ז] מִי מִלֵּל לְאַבְרָהָם. לְשׁוֹן שֶׁבַח וַחֲשִׁיבוּת הוּא: רְאוּ מִי הוּא וְכַמָּה הוּא גָּדוֹל וְשׁוֹמֵר הַבְטָחָתוֹ וּמַבְטִיחַ וְעוֹשֶׂה. לְשׁוֹן רַשִׁ"י.

וְלֹא מָצִינוּ מִלַּת "מִי" בְּעֵרֶךְ כָּזֶה לְמַעְלָה וְכָבוֹד, רַק לְבִזָּיוֹן: "מִי אֲבִימֶלֶךְ וּמִי שְׁכֶם" [שופטים ט, כח]; "מִי דָוִד וּמִי בֶן יִשָׁי" [שמואל־א כה, י][3].

וְהַנָּכוֹן בְּעֵינַי כִּי אָמְרָה "צְחֹק עָשָׂה לִי אֱלֹהִים, כָּל הַשֹּׁמֵעַ יִצְחַק לִי" [לעיל פסוק ו], לְמַלְאוֹת פִּיו בְּרִנָּה וּשְׂחוֹק בַּפֶּלֶא הַנַּעֲשָׂה לִי[4]. כִּי מִי בְּכָל הַשּׁוֹמְעִים שֶׁאָמַר לְאַבְרָהָם מִתְּחִלָּה תָּנִיק בָּנִים שָׂרָה?

RAMBAN ELUCIDATED

7. מִי מִלֵּל לְאַבְרָהָם – *WHO IS THE ONE WHO SAID TO ABRAHAM.*

[What did Sarah mean by this question? Ramban begins his discussion by citing Rashi:]

לְשׁוֹן שֶׁבַח וַחֲשִׁיבוּת הוּא – This is an expression of praise and attribution of **importance**, as if to say: **רְאוּ מִי הוּא וְכַמָּה הוּא גָּדוֹל וְשׁוֹמֵר הַבְטָחָתוֹ וּמַבְטִיחַ וְעוֹשֶׂה – See Who He is, and how He is great, keeps His promise, and promises** things **and carries** them **out!**

לְשׁוֹן רַשִׁ"י – This is a quote from Rashi.

[Ramban takes issue with Rashi's interpretation:]

וְלֹא מָצִינוּ מִלַּת "מִי" בְּעֵרֶךְ כָּזֶה לְמַעְלָה וְכָבוֹד – But we do not find the word מִי, **who,** used elsewhere in Scripture **in this** kind of rhetorical **context** with regard to **distinction and honor, רַק לְבִזָּיוֹן – but only for derision,** as in, **"מִי אֲבִימֶלֶךְ וּמִי שְׁכֶם" –** ***Who is Abimelech and who is Shechem?*** (*Judges* 9:28), and **"מִי דָוִד וּמִי בֶן יִשָׁי" –** ***Who is David and who is the son of Jesse?*** (*I Samuel* 25:10).[3]

[Ramban now presents his own opinion:]

וְהַנָּכוֹן בְּעֵינַי – The soundest interpretation **in my opinion is כִּי אָמְרָה "צְחֹק עָשָׂה לִי אֱלֹהִים כָּל הַשֹּׁמֵעַ יִצְחַק לִי" – that [Sarah] said, *"God has made laughter for me; whoever hears will laugh for me*"** (v. 6), **– לְמַלְאוֹת פִּיו בְּרִנָּה וּשְׂחוֹק בַּפֶּלֶא הַנַּעֲשָׂה לִי – filling his mouth with gladness and laughter over the wonder that was done for me.**[4] **כִּי מִי בְּכָל הַשּׁוֹמְעִים שֶׁאָמַר לְאַבְרָהָם מִתְּחִלָּה תָּנִיק בָּנִים שָׂרָה – For who was there among all** the people **who heard** about my childbirth **who would have said to**

3. In some editions of Rashi, he actually adduces two verses in which מִי is used as an expression of praise and importance (*Isaiah* 41:4 and 40:26). Unlike in our verse, however, in those verses the question מִי is not asked rhetorically, but as a real question (see *Kur Zahav*).

4. According to Rashi, Sarah's two statements, in v. 6 and v. 7, were two unrelated remarks. The first was an expression of joy; the second was a statement of thanksgiving to God. Ramban here, however, connects the two verses. They form one long statement of wonderment: People will be filled with laughter in amazement (v. 6), because what happened was so

"God has made laughter for me; whoever hears will laugh for me." 7 *And she said, "Who is the One Who said to Abraham, 'Sarah would nurse children'? For I have borne a son in his old age!"*
8 *The child grew and was weaned. Abraham made a great feast on the day Isaac was weaned.*
9 *Sarah saw the son of Hagar, the Egyptian, whom she had borne to Abraham, scoffing.* 10 *So she said to Abraham, "Drive out*

רמב״ן

אין בָּעוֹלָם שֶׁיֹּאמַר אֵלָיו כֵּן אֲפִלּוּ לְנַחֲמוֹ, כִּי לֹא עָלָה זֶה עַל לֵב אִישׁ מֵעוֹלָם.

וּלְשׁוֹן אוּנְקְלוֹס קָרוֹב לָזֶה: ״מְאן מְהֵימָן דַּאֲמַר לְאַבְרָהָם וְקַיָּם דְּתוֹנִיק בְּנִין שָׂרָה?״ כְּלוֹמַר: ״כָּל הַשֹּׁמֵעַ יִצְחַק לִי״, כִּי אֵין אָדָם שֶׁיִּהְיֶה נֶאֱמָן גַּם בְּעֵינֵי אַבְרָהָם אִם הִגִּיד לוֹ זֶה הַפֶּלֶא.

[ט] מְצַחֵק. לְשׁוֹן עֲבוֹדָה זָרָה, לְשׁוֹן רְצִיחָה, לְשׁוֹן גִּלּוּי עֲרָיוֹת, מֵרִיב עִם יִצְחָק עַל הַיְרֻשָּׁה וְאוֹמֵר אֲנִי בְּכוֹר וְיוֹרֵשׁ פִּי שְׁנַיִם[4a]. וְיוֹצְאִין לַשָּׂדֶה וְנוֹטֵל קַשְׁתּוֹ וְיוֹרֶה בּוֹ חִצִּים כְּמָה דְּתֵימַר ״כְּמִתְלַהְלֵהַּ הַיֹּרֶה זִקִּים חִצִּים וָמָוֶת כֵּן אִישׁ רִמָּה אֶת רֵעֵהוּ וְאָמַר הֲלֹא מְשַׂחֵק אָנִי״ [משלי כו, יח-יט]. וּמִתְּשׁוּבַת שָׂרָה אַתָּה לָמֵד: ״כִּי לֹא יִירַשׁ בֶּן הָאָמָה הַזֹּאת וְגוֹ׳״. כָּל זֶה לְשׁוֹן רַשִׁ״י[5].

RAMBAN ELUCIDATED

Abraham beforehand, 'Sarah would nurse children'? אֵין בָּעוֹלָם שֶׁיֹּאמַר אֵלָיו כֵּן אֲפִלּוּ לְנַחֲמוֹ – **There was no one in the world who would have told him such a thing, even** if only **to comfort him,** כִּי לֹא עָלָה זֶה עַל לֵב אִישׁ מֵעוֹלָם – **for this never entered anyone's mind** at all."

[Ramban shows that his interpretation is echoed in Onkelos as well:]

וּלְשׁוֹן אוּנְקְלוֹס קָרוֹב לָזֶה: – **The language of Onkelos is close to this** interpretation, for he translates: מְאן מְהֵימָן דַּאֲמַר לְאַבְרָהָם וְקַיָּם דְּתוֹנִיק בְּנִין שָׂרָה – **"Who would have been believed if he had said to Abraham and given an assurance that Sarah would nurse children?"** כְּלוֹמַר ״כָּל הַשֹּׁמֵעַ יִצְחַק לִי״ – **That is,** Sarah said, ***"Everyone who hears will laugh for me,*** כִּי אֵין אָדָם שֶׁיִּהְיֶה נֶאֱמָן גַּם בְּעֵינֵי אַבְרָהָם אִם הִגִּיד לוֹ זֶה הַפֶּלֶא – **for there is no person who would have been believed even by Abraham if he had told him about this wonder** beforehand."

9. מְצַחֵק – *SCOFFING.*

[What was the nature of Ishmael's "scoffing"? Ramban begins his treatment of this issue by citing Rashi:]

לְשׁוֹן עֲבוֹדָה זָרָה ... לְשׁוֹן רְצִיחָה ... לְשׁוֹן גִּלּוּי עֲרָיוֹת ... – **This is an expression of idolatry ... an expression of murder ... an expression of sexual immorality ....** מֵרִיב עִם יִצְחָק עַל הַיְרֻשָּׁה, וְאוֹמֵר אֲנִי בְּכוֹר וְיוֹרֵשׁ פִּי שְׁנַיִם – **He would argue with Isaac over the inheritance** they would receive at Abraham's death, **and say, "I am** my father's **firstborn son, and** therefore am entitled to **inherit a double share."**[4a] וְיוֹצְאִין לַשָּׂדֶה וְנוֹטֵל קַשְׁתּוֹ וְיוֹרֶה בּוֹ חִצִּים – **And they would go out to the field, and [Ishmael] would take his bow and shoot arrows at [Isaac],** כְּמָה דְּתֵימַר ״כְּמִתְלַהְלֵהַּ הַיֹּרֶה זִקִּים חִצִּים וָמָוֶת – **as** if **you** would **say** that he is the subject of the verse, ***Like one who tires himself shooting firebrands, arrows and lethal objects,*** כֵּן אִישׁ רִמָּה אֶת רֵעֵהוּ וְאָמַר הֲלֹא מְשַׂחֵק אָנִי״ – ***so is a man who deceives his fellow and says, "Behold, I am only joking!"*** (*Proverbs* 26:18-19). וּמִתְּשׁוּבַת שָׂרָה אַתָּה לָמֵד ״כִּי לֹא יִירַשׁ בֶּן הָאָמָה הַזֹּאת וְגוֹ׳ ״ – **And you can derive** that there was contention between the brothers over the inheritance **from Sarah's reaction: *For the son of that slavewoman shall not inherit*** [*with my son*].
כָּל זֶה לְשׁוֹן רַשִׁ״י – **All this is a quote from Rashi.**[5]

unbelievable and non-predictable (v. 7).

[According to Rashi, the implied answer to the question, *Who told Abraham?*, is "God." According to Ramban, the question is a rhetorical expression of amazement; the implied answer is "No one, of course!"]

4a. See *Deuteronomy* 21:15-17.

5. The last sentence cited by Ramban ("And you can derive") does not appear in many editions of Rashi. One early printed edition places that sentence earlier in the comment, before "He would argue with Isaac ..."

הָאָמָה הַזֹּאת וְאֶת־בְּנָהּ כִּי לֹא יִירַשׁ בֶּן־הָאָמָה הַזֹּאת עִם־בְּנִי עִם־יִצְחָק׃

אַמְתָא הָדָא וְיָת בְּרַהּ אֲרֵי לָא יֵרַת בַּר אַמְתָא הָדָא עִם בְּרִי עִם יִצְחָק׃

רש"י

כמ"ד יקומו נא הנערים וישחקו לפנינו וגו' (שמואל ב ב:יד): (י) **עם בני וגו'.** [מתשובת שרה כי לא יירש בן האמה הזאת עם בני אתה למד] שהיה מריב עם יצחק על הירושה ואומר אני בכור ונוטל פי שנים, ויוצאים לשדה ונוטל קשתו ויורה בו חצים, כמה דאת אמר כמתלהלה היורה זקים וגו' ואמר הלא משחק אני (משלי כו:יח-יט; ב"ר שם): **עם בני עם יצחק.** מכיון שהוא בני אפי' אם אינו הגון כיצחק, או הגון כיצחק אפי' אינו בני אין זה כדאי לירש עמו, ק"ו עם בני עם יצחק, ששתיהן בו (שם):

רמב"ן

וְאַף כָּאן[6] הָרַב כּוֹתֵב הַמַּחֲלוֹקוֹת כֻּלָּם[7] דְּתַנְיָא [תוספתא סוטה ו, ג]: אָמַר רַבִּי שִׁמְעוֹן בֶּן אֶלְעָזָר אַרְבָּעָה דְבָרִים הָיָה רַבִּי עֲקִיבָא דּוֹרֵשׁ וְאֵינִי דּוֹרֵשׁ כְּמוֹתוֹ, וְנִרְאִין דְּבָרַי מִדְּבָרָיו. דָּרַשׁ רַבִּי עֲקִיבָא: "וַתֵּרֶא שָׂרָה אֶת בֶּן הָגָר הַמִּצְרִית אֲשֶׁר יָלְדָה לְאַבְרָהָם מְצַחֵק", אֵין צְחוֹק אֶלָּא לְשׁוֹן עֲבוֹדָה זָרָה וְכוּ'. וַאֲנִי אוֹמֵר: חַס וְשָׁלוֹם שֶׁיְּהֵא בְּבֵיתוֹ שֶׁל צַדִּיק כָּךְ! אֶיפְשָׁר מִי שֶׁכָּתוּב בּוֹ "כִּי יְדַעְתִּיו לְמַעַן אֲשֶׁר יְצַוֶּה אֶת בָּנָיו וְאֶת בֵּיתוֹ וְגוֹ'" [לעיל יח, יט] יְהֵא בְּבֵיתוֹ עֲבוֹדָה זָרָה וְגִלּוּי עֲרָיוֹת וּשְׁפִיכַת דָּמִים?! אֶלָּא אֵין צְחוֹק הָאָמוּר כָּאן אֶלָּא לְשׁוֹן יְרֻשָּׁה. שֶׁמִּשָּׁעָה שֶׁנּוֹלַד יִצְחָק הָיוּ הַכֹּל שְׂמֵחִין, אָמַר לָהֶם יִשְׁמָעֵאל: שׁוֹטִים! אֲנִי בְּכוֹר וַאֲנִי נוֹטֵל פִּי שְׁנַיִם! שֶׁמִּתְּשׁוּבָה שֶׁאָמְרָה שָׂרָה אִמֵּנוּ לְאַבְרָהָם אַתָּה לָמֵד וְכוּ'[8]. וְנִרְאִין דְּבָרַי מִדְּבָרָיו[9].

וְכֵן הַלָּשׁוֹן שֶׁאָמַר הָרַב "מֵרִיב עִם יִצְחָק עַל הַיְרֻשָּׁה" אֵינוֹ נִרְאֶה נָכוֹן. שֶׁאִם כֵּן, יִהְיֶה זֶה לְאַחַר יָמִים רַבִּים,

RAMBAN ELUCIDATED

[Ramban objects to Rashi's presentation of the Sages' comments on this verse:]

וְאַף כָּאן הָרַב כּוֹתֵב הַמַּחֲלוֹקוֹת כֻּלָּם – Here again[6] the rav (Rashi) **writes all the dissenting opinions** as if they were one. **דְּתַנְיָא: אָמַר רַבִּי שִׁמְעוֹן בֶּן אֶלְעָזָר – For it is taught in a Baraisa:[7] Rabbi Shimon ben Elazar said: אַרְבָּעָה דְבָרִים הָיָה רַבִּי עֲקִיבָא דּוֹרֵשׁ וְאֵינִי דּוֹרֵשׁ כְּמוֹתוֹ, וְנִרְאִין דְּבָרַי מִדְּבָרָיו – There are four things that Rabbi Akiva used to expound** from various verses, **and I do not expound as he does, and my words appear more** correct **than his words. דָּרַשׁ רַבִּי עֲקִיבָא: "וַתֵּרֶא שָׂרָה אֶת בֶּן הָגָר הַמִּצְרִית אֲשֶׁר יָלְדָה לְאַבְרָהָם מְצַחֵק" – Rabbi Akiva expounded** on the verse, ***Sarah saw the son of Hagar, the Egyptian, whom she had borne to Abraham, scoffing,*** **אֵין צְחוֹק אֶלָּא לְשׁוֹן עֲבוֹדָה זָרָה וְכוּ'** – that the term **scoffing is** used here as **nothing other than an expression of idolatry, etc. וַאֲנִי אוֹמֵר: חַס וְשָׁלוֹם שֶׁיְּהֵא בְּבֵיתוֹ שֶׁל צַדִּיק כָּךְ – But I say: Heaven forbid that there should be such a thing** (idolatry, etc.) **in the house of the righteous one** (Abraham)! **אֶיפְשָׁר מִי שֶׁכָּתוּב בּוֹ "כִּי יְדַעְתִּיו לְמַעַן אֲשֶׁר יְצַוֶּה אֶת בָּנָיו וְאֶת בֵּיתוֹ וְגוֹ'" – Is it possible that the one of whom it is written, *because he commands his children and his household*** *after him that they keep the way of* HASHEM (above, 18:19) **יְהֵא בְּבֵיתוֹ עֲבוֹדָה זָרָה וְגִלּוּי עֲרָיוֹת וּשְׁפִיכַת דָּמִים – should have idolatry, sexual immorality and murder in his house?! אֶלָּא אֵין צְחוֹק הָאָמוּר כָּאן אֶלָּא לְשׁוֹן יְרֻשָּׁה – Rather, the scoffing spoken of here is nothing but an expression** denoting **inheritance. שֶׁמִּשָּׁעָה שֶׁנּוֹלַד יִצְחָק הָיוּ הַכֹּל שְׂמֵחִין – For from the moment Isaac was born, everyone rejoiced. אָמַר לָהֶם יִשְׁמָעֵאל: שׁוֹטִים, אֲנִי בְּכוֹר וַאֲנִי נוֹטֵל פִּי שְׁנַיִם – Ishmael** then **said to them, "Fools! I am the firstborn son, and I will take a double share of the inheritance!" שֶׁמִּתְּשׁוּבָה שֶׁאָמְרָה שָׂרָה אִמֵּנוּ לְאַבְרָהָם אַתָּה לָמֵד וְכוּ' – For from the reaction with which our matriarch Sarah spoke to Abraham you can learn** that the "scoffing" had to do with the inheritance.[8] **וְנִרְאִין דְּבָרַי מִדְּבָרָיו – And my words appear more** correct **than his words** (*Tosefta, Sotah* 6:3).[9]

[Ramban presents a second objection to the way Rashi cited the Sages' comments:]

וְכֵן הַלָּשׁוֹן שֶׁאָמַר הָרַב "מֵרִיב עִם יִצְחָק עַל הַיְרֻשָּׁה" אֵינוֹ נִרְאֶה נָכוֹן – Similarly, the language that the rabbi (Rashi) **used, "he would argue with Isaac over the inheritance" does not appear sound. שֶׁאִם כֵּן יִהְיֶה זֶה לְאַחַר יָמִים רַבִּים – For if this were so, it would have to have taken place many years**

6. See Ramban above, 19:24.

7. That is, a teaching of the Sages of the Mishnah that is not included in the Mishnah itself.

8. For immediately after this verse, Sarah told Abraham, "*The son of that slavewoman shall not inherit with my son, with Isaac*" – as Rashi (cited by Ramban above) explains.

9. It is clear from Rabbi Akiva's statement, "And my words appear more correct than his words," that the two interpretations are incompatible.

this slavewoman with her son, for the son of that slavewoman shall not inherit with my son, with Isaac!"

רמב"ן

וִיהְיֶה יִשְׁמָעֵאל גָּדוֹל מְאֹד מִשְּׂאֵת אוֹתוֹ אִמּוֹ עַל שִׁכְמָהּ[10]. וְכֵן אָמְרוּ חז"ל[11] שֶׁהָיָה בֶּן שְׁבַע עֶשְׂרֵה שָׁנָה, אִם כֵּן הָיָה בַּשָּׁנָה שֶׁנִּגְמַל יִצְחָק[12,13]. וְרַבִּי אַבְרָהָם אָמַר עַל דֶּרֶךְ הַפְּשָׁט, כִּי "מְצַחֵק", מִשְׁתַּעְשֵׁעַ כְּדֶרֶךְ כָּל נַעַר, וַתְּקַנֵּא בּוֹ בַּעֲבוּר הֱיוֹתוֹ גָּדוֹל מִבְּנָהּ[14].

וְהַנָּכוֹן בְּעֵינַי, שֶׁהָיָה זֶה בְּיוֹם הִגָּמֵל אֶת יִצְחָק, וְרָאֲתָה אוֹתוֹ מַלְעִיג עַל יִצְחָק אוֹ עַל הַמִּשְׁתֶּה הַגָּדוֹל. וּלְכָךְ אָמַר הַכָּתוּב "אֶת בֶּן הָגָר הַמִּצְרִית" וְלֹא אָמַר אֶת יִשְׁמָעֵאל "מְצַחֵק"[15], וְכֵן אָמְרָה "גָּרֵשׁ אֶת הָאָמָה הַזֹּאת וְאֶת בְּנָהּ"[16], כִּי אָמְרָה: הָעֶבֶד הַמַּלְעִיג עַל אֲדוֹנָיו חַיָּב הוּא לָמוּת אוֹ לְהַלְקוֹתוֹ, וְאֵינִי רוֹצָה רַק שֶׁתְּגָרֵשׁ אוֹתוֹ מֵאִתִּי, וְלֹא יִירַשׁ בִּנְכָסֶיךָ כְּלָל עִם בְּנִי שֶׁהוּא בֶּן גְּבִירָה[17].

RAMBAN ELUCIDATED

later, when Isaac was no longer a baby and could participate in an argument, **וִיהְיֶה יִשְׁמָעֵאל גָּדוֹל מְאֹד מִשְּׂאֵת אוֹתוֹ אִמּוֹ עַל שִׁכְמָהּ – and Ishmael would have been far too big for his mother to carry on her shoulders** (as in v. 14).[10] **וְכֵן אָמְרוּ [חז"ל] שֶׁהָיָה בֶּן שְׁבַע עֶשְׂרֵה שָׁנָה – And, in truth, [the Sages] have stated**[11] **that [Ishmael] was seventeen years old** at the time of his scoffing. **אִם כֵּן הָיָה בַּשָּׁנָה שֶׁנִּגְמַל יִצְחָק – If so, it took place in the year of Isaac's weaning,**[12] which was mentioned in the previous verse (v. 8).[13]

[Ramban now cites Ibn Ezra's interpretation of the scoffing:]

וְרַבִּי אַבְרָהָם אָמַר עַל דֶּרֶךְ הַפְּשָׁט כִּי "מְצַחֵק", מִשְׁתַּעְשֵׁעַ כְּדֶרֶךְ כָּל נַעַר – Rabbi Avraham Ibn Ezra **says, by way of the plain interpretation** of the word, **that** מְצַחֵק means **"playing," the way all boys do. וַתְּקַנֵּא בּוֹ בַּעֲבוּר הֱיוֹתוֹ גָּדוֹל מִבְּנָהּ – And Sarah was jealous of him because he was older than her son,** who was not yet old enough to play.[14]

[Ramban now provides his own interpretation:]

וְהַנָּכוֹן בְּעֵינַי – The soundest interpretation **in my view is שֶׁהָיָה זֶה בְּיוֹם הִגָּמֵל אֶת יִצְחָק – that this happened on the day of Isaac's weaning,** which was mentioned in the preceding verse, **וְרָאֲתָה אוֹתוֹ מַלְעִיג עַל יִצְחָק אוֹ עַל הַמִּשְׁתֶּה הַגָּדוֹל – and [Sarah] saw [Ishmael] scoffing at Isaac, or at the great feast** that Abraham made on the occasion of Isaac's weaning (v. 8). **וּלְכָךְ אָמַר הַכָּתוּב "אֶת בֶּן הָגָר הַמִּצְרִית" וְלֹא אָמַר אֶת יִשְׁמָעֵאל "מְצַחֵק" – And this is why Scripture said,** [*Sarah saw*] ***the son of Hagar the Egyptian*** **– and it did not say "Ishmael" –** ***scoffing.***[15] **וְכֵן אָמְרָה "גָּרֵשׁ אֶת הָאָמָה הַזֹּאת וְאֶת בְּנָהּ" – And similarly she said, *"Drive out this slavewoman and her son,"***[16] and she did not say, "Drive out Ishmael." **כִּי אָמְרָה הָעֶבֶד הַמַּלְעִיג עַל אֲדוֹנָיו חַיָּב הוּא לָמוּת אוֹ לְהַלְקוֹתוֹ – For she said,** in effect, **"A slave who scoffs at his master should** by right **die or** at least **be flogged. וְאֵינִי רוֹצָה רַק שֶׁתְּגָרֵשׁ אוֹתוֹ מֵאִתִּי וְלֹא יִירַשׁ בִּנְכָסֶיךָ כְּלָל עִם בְּנִי שֶׁהוּא בֶּן גְּבִירָה – But I want only that you should drive him away from me, and that he should not inherit your property at all together *with my son,* who is the son of the lady of the house."**[17]

10. Ramban says this in accordance with Rashi's understanding of that incident. Ramban himself (on v. 14 below) maintains that Hagar did not carry Ishmael on her shoulders.

11. There is a Midrash to this effect cited in *Yalkut Shimoni*, 95. Its source is apparently in *Pirkei DeRabbi Eliezer*, Chap. 29 (cf. *Hagahos Radal* on *Pirkei DeRabbi Eliezer* 30:30).

12. Ishmael was born when Abraham was eighty-six years old (above, 16:16). He was thus fourteen when Isaac was born to Abraham at age one hundred. Assuming Isaac was weaned at the age of two years, Ishmael would then have been sixteen. Later that year he would have turned seventeen.

13. And at that age Isaac would have been too young to get into an argument over inheritance.

14. It was this jealousy that prompted her to seek to have Ishmael driven away from her house.

15. Scripture's reference to Ishmael as simply *the son of Hagar* seems to be to stress that he was only a slave, and, as such, was acting with flagrant insubordination.

16. Here, too, Sarah's choice of words connote the element of insubordination on the part of the slave Ishmael.

17. Sarah referred to Isaac as *my son, Isaac*, although it is obvious that Isaac was her son, to stress the reason for her objection to allowing Ishmael to remain in the

יא וַיֵּרַע הַדָּבָר מְאֹד בְּעֵינֵי אַבְרָהָם עַל אוֹדֹת בְּנוֹ:
יב וַיֹּאמֶר אֱלֹהִים אֶל־אַבְרָהָם אַל־יֵרַע בְּעֵינֶיךָ
עַל־הַנַּעַר וְעַל־אֲמָתֶךָ כֹּל אֲשֶׁר תֹּאמַר אֵלֶיךָ
שָׂרָה שְׁמַע בְּקֹלָהּ כִּי בְיִצְחָק יִקָּרֵא לְךָ זָרַע:
יג וְגַם אֶת־בֶּן־הָאָמָה לְגוֹי אֲשִׂימֶנּוּ כִּי זַרְעֲךָ הוּא:
יד וַיַּשְׁכֵּם אַבְרָהָם | בַּבֹּקֶר וַיִּקַּח־לֶחֶם וְחֵמַת מַיִם
וַיִּתֵּן אֶל־הָגָר שָׂם עַל־שִׁכְמָהּ וְאֶת־הַיֶּלֶד
וַיְשַׁלְּחֶהָ וַתֵּלֶךְ וַתֵּתַע בְּמִדְבַּר בְּאֵר שָׁבַע:
טו וַיִּכְלוּ הַמַּיִם מִן־הַחֵמֶת וַתַּשְׁלֵךְ אֶת־הַיֶּלֶד

יא וּבְאֵישׁ פִּתְגָּמָא לַחֲדָא בְּעֵינֵי
אַבְרָהָם עַל עֵיסַק בְּרֵהּ: יב וַאֲמַר
יְיָ לְאַבְרָהָם לָא יַבְאֵשׁ בְּעֵינָךְ
עַל עוּלֵימָא וְעַל אַמְתָךְ כֹּל דִּי
תֵימַר לָךְ שָׂרָה קַבֵּל מִנַּהּ אֲרֵי
בְיִצְחָק יִתְקְרוּן לָךְ בְּנִין: יג וְאַף
יָת בַּר אַמְתָא לְעַם אֲשַׁוִּנֵּהּ אֲרֵי
בְנָךְ הוּא: יד וְאַקְדֵּים אַבְרָהָם
בְּצַפְרָא וּנְסִיב לַחְמָא וְרָקְבָא
דְמַיָּא וִיהַב לְהָגָר שַׁוִּי עַל
כַּתְפַּהּ וְיָת רַבְיָא וְשַׁלְּחַהּ
וַאֲזַלַת וְתָעַת בְּמַדְבְּרָא (נ״א
בְּמַדְבַּר) בְּאֵר שָׁבַע: טו וּשְׁלִימוּ
מַיָּא מִן רָקְבָא וּרְמַת יָת רַבְיָא

רש״י

(יא) על אודות בנו. ששמע שילא לתרבות רעה (תנחומא שמות א; שמות רבה א:א). ופשוטו, על שאומרת לו לשלחו: **(יב) שמע בקלה.** [בקול רוה״ק שבה (עי׳ רש״י לעיל טז:ב)] למדנו שהיה אברהם טפל לשרה בנביאות (שם ושם): **(יד) לחם וחמת מים.** ולא כסף וזהב, לפי שהיה שונאו על שילא לתרבות רעה (שם ושם): **ואת הילד.** אף הילד שם על שכמה, שהכניסה בו שרה עין רעה ואחזתו חמה ולא יכול לילך ברגליו (ב״ר שם יג): **ותלך ותתע.** חזרה לגלולי בית אביה (פדר״א פ״ל): **(טו) ויכלו המים.** לפי שדרך

רמב״ן

וְאָמְרָה שֶׁיְּגָרֵשׁ גַּם אִמּוֹ, כִּי לֹא יוּכַל הַנַּעַר לַעֲזֹב אֶת אִמּוֹ, וְעָזַב אֶת אִמּוֹ וָמֵת[17a].

[יא] עַל אוֹדֹת בְּנוֹ. שֶׁיָּצָא לְתַרְבּוּת רָעָה[17b]. וּפְשׁוּטוֹ, עַל שֶׁאוֹמֶרֶת לוֹ לְשַׁלְּחוֹ. זֶה לְשׁוֹן רַשִׁ״י.

וְהַנָּכוֹן בְּעֵינַי, כִּי הַכָּתוּב סִפֵּר בִּכְבוֹד אַבְרָהָם: וְאָמַר שֶׁלֹּא הָיָה הַדָּבָר רַע מְאֹד בְּעֵינָיו מִפְּנֵי חֵשֶׁק פִּלַגְשׁוֹ וְחֶפְצוֹ בָּהּ, וְאִלּוּ אָמְרָה לוֹ שֶׁתְּגָרֵשׁ הָאָמָה בִּלְבַד הָיָה עוֹשֶׂה כִּרְצוֹן שָׂרָה. אֲבָל מִפְּנֵי בְּנוֹ חָרָה לוֹ מְאֹד וְלֹא רָצָה

RAMBAN ELUCIDATED

[According to all these interpretations, it was only Ishmael who acted improperly. Why, then, was Hagar banished as well? Ramban explains:]

וְאָמְרָה שֶׁיְּגָרֵשׁ גַּם אִמּוֹ – **[Sarah] said** further **that [Abraham] should drive out [Ishmael's] mother as well,** although she had done no wrong, **כִּי לֹא יוּכַל הַנַּעַר לַעֲזֹב אֶת אִמּוֹ וְעָזַב אֶת אִמּוֹ וָמֵת** – **because "the boy would not be able to leave his mother, for, if he would leave his mother, he would die."**[17a]

11. עַל אוֹדֹת בְּנוֹ – *[THE MATTER GREATLY DISTRESSED ABRAHAM]* ***REGARDING HIS SON.***

[Why exactly was Abraham distressed? Ramban cites Rashi:]

שֶׁיָּצָא לְתַרְבּוּת רָעָה – He was distressed, for he had heard[17b] **that [Ishmael] had gone forth to,** i.e., adopted, **evil behavior. וּפְשׁוּטוֹ** – **But its simple meaning is עַל שֶׁאוֹמֶרֶת לוֹ לְשַׁלְּחוֹ** – he was distressed **because [Sarah] told him to send [Ishmael] away.**

זֶה לְשׁוֹן רַשִׁ״י – **This is a quote from Rashi.**

וְהַנָּכוֹן בְּעֵינַי – **The soundest** interpretation **in my view is כִּי הַכָּתוּב סִפֵּר בִּכְבוֹד אַבְרָהָם** – **that Scripture speaks in praise of Abraham: וְאָמַר שֶׁלֹּא הָיָה הַדָּבָר רַע מְאֹד בְּעֵינָיו מִפְּנֵי חֵשֶׁק פִּלַגְשׁוֹ וְחֶפְצוֹ בָּהּ** – Thus **it says that the reason for his distress was not a longing for his concubine and his desire for her, וְאִלּוּ אָמְרָה לוֹ שֶׁתְּגָרֵשׁ הָאָמָה בִּלְבַד** – **and if [Sarah] had told him that only the maidservant alone should be driven away הָיָה עוֹשֶׂה כִּרְצוֹן שָׂרָה** – **he would have fulfilled Sarah's wish** unhesitatingly. **אֲבָל מִפְּנֵי בְּנוֹ חָרָה לוֹ מְאֹד וְלֹא רָצָה לִשְׁמוֹעַ אֵלֶיהָ** – **However, because of his son he became very upset and did not want to listen to her** demand that he drive him

house – he could not inherit together with "her son," who was, unlike Ishmael, the son of the mistress of the house.

17a. Stylistic citation from 44:22 below.

17b. Extant versions of Rashi begin with the word שֶׁשָּׁמַע, *For he heard.*

[11] *The matter greatly distressed Abraham regarding his son.* [12] *So God said to Abraham, "Be not distressed over the youth or your slavewoman: Whatever Sarah tells you, heed her voice, since through Isaac will offspring be considered yours.* [13] *But the son of the slave-woman as well will I make into a nation, for he is your offspring."*

[14] *So Abraham awoke early in the morning, took bread and a skin of water, and gave them to Hagar. He placed them on her shoulder along with the boy, and sent her off. She departed, and strayed in the wilderness of Beer-sheba.*

[15] *When the water of the skin was consumed, she cast off the boy*

רמב״ן

לִשְׁמוֹעַ אֵלֶיהָ. וְהַקָּדוֹשׁ בָּרוּךְ הוּא אָמַר לוֹ שֶׁלֹּא יֵרַע בְּעֵינָיו עַל הַנַּעַר וְלֹא עַל הָאָמָה כְּלָל, וְיִשְׁמַע לְקוֹל שָׂרָה, כִּי בְּיִצְחָק לְבַדּוֹ יִקָּרֵא לוֹ שְׁמוֹ, וְיִשְׁמָעֵאל לֹא יִקָּרֵא לוֹ זֶרַע. וּמִפְּנֵי שֶׁהָיָה אַבְרָהָם מְפַחֵד עָלָיו שֶׁלֹּא יִקְרָאֶנּוּ אָסוֹן בְּשַׁלְּחוֹ אוֹתוֹ מִמֶּנּוּ, אָמַר כִּי יְשִׂימֶנּוּ לוֹ לְגוֹי וִיבָרְכֶנּוּ מִפְּנֵי שֶׁהוּא זַרְעוֹ בֶּאֱמֶת[18].

[יד] וְאֶת הַיֶּלֶד וַיְשַׁלְּחֶהָ. נִמְשָׁךְ לְמַעְלָה: ״וַיִּתֵּן אֶל הָגָר... וְאֶת הַיֶּלֶד״[19], כִּי גַּם הַיֶּלֶד נָתַן לָהּ שֶׁיֵּלֵךְ עִמָּהּ בַּאֲשֶׁר תֵּלֵךְ.

[טו] וַתַּשְׁלֵךְ אֶת הַיֶּלֶד[20]. גָּבְרָה עָלָיו הַצְּמָאָה וְלֹא יָכוֹל לָלֶכֶת, וְהִשְׁכִּיבַתּוּ אִמּוֹ תַּחַת הָאִילָן מֻשְׁלָךְ

RAMBAN ELUCIDATED

away. **וְהַקָּדוֹשׁ בָּרוּךְ הוּא אָמַר לוֹ שֶׁלֹּא יֵרַע בְּעֵינָיו עַל הַנַּעַר וְלֹא עַל הָאָמָה כְּלָל** – **But the Holy One, Blessed is He, said to him that he should not be distressed at all,** neither **about the boy nor about the maidservant,** **וְיִשְׁמַע לְקוֹל שָׂרָה** – and that **he should listen to Sarah's voice,** **כִּי בְּיִצְחָק לְבַדּוֹ יִקָּרֵא לוֹ שְׁמוֹ, וְיִשְׁמָעֵאל לֹא יִקָּרֵא לוֹ זֶרַע** – **for through Isaac alone would his name be called,** i.e., he would be known to all only as the father of Isaac, and Ishmael would not be called "offspring" for him. **וּמִפְּנֵי שֶׁהָיָה אַבְרָהָם מְפַחֵד עָלָיו שֶׁלֹּא יִקְרָאֶנּוּ אָסוֹן בְּשַׁלְּחוֹ אוֹתוֹ מִמֶּנּוּ** – **And because Abraham was afraid for [Ishmael], lest some mishap occur to him as a result of his sending him off,** **אָמַר כִּי יְשִׂימֶנּוּ לוֹ לְגוֹי וִיבָרְכֶנּוּ מִפְּנֵי שֶׁהוּא זַרְעוֹ בֶּאֱמֶת** – **[God] told him that He would make [Ishmael]** also **into a nation and would bless him, for he was, in fact, his offspring.**[18]

14. וְאֶת הַיֶּלֶד וַיְשַׁלְּחֶהָ – ***ALONG WITH THE BOY, AND SENT HER OFF.***

[The verse states: *Abraham took bread ... and water and gave them to Hagar; he placed them on her shoulder – along with the boy – and sent her off.* The phrase "along with the boy" is ambiguous. Does it refer to "he gave" or "he placed"?]

נִמְשָׁךְ לְמַעְלָה – **[The phrase "along with the boy"] refers to** what was written **at the top** of the verse: **״וַיִּתֵּן אֶל הָגָר ... וְאֶת הַיֶּלֶד״** – **He gave to Hagar** the bread and water, **and** also **the boy.**[19] **כִּי גַּם הַיֶּלֶד נָתַן לָהּ שֶׁיֵּלֵךְ עִמָּהּ בַּאֲשֶׁר תֵּלֵךְ** – **For he gave her the boy also, that he should go with her wherever she might go.**

15. וַתַּשְׁלֵךְ אֶת הַיֶּלֶד – ***SHE CAST OFF THE BOY.***

[The verb הַשְׁלֵךְ usually means "to throw" or "to release something from one's grip." But Hagar was not holding Ishmael in the first place,[20] that she should now "release" him!]

גָּבְרָה עָלָיו הַצְּמָאָה וְלֹא יָכוֹל לָלֶכֶת – **He was overcome with thirst and could not walk** any longer, **וְהִשְׁכִּיבַתּוּ אִמּוֹ תַּחַת הָאִילָן מֻשְׁלָךְ וְנֶעֱזָב** – **so his mother laid him down under the tree, "cast off" and**

18. Ishmael was not considered Abraham's offspring to the extent that Abraham should be upset over losing him. Nevertheless, as Abraham's offspring, he *was* given special consideration and protection from harm.

19. According to Ramban, the phrase *along with the boy* should not be seen as a continuation of the phrase that immediately precedes it, *he placed on her shoulder*, as Rashi interprets the verse. Ramban maintains that Abraham could not have placed Ishmael – who was at least sixteen years old at that time – on Hagar's shoulder.

20. See above, v. 14, with note 19.

טז תַּחַת אַחַד הַשִּׂיחִם: וַתֵּלֶךְ וַתֵּשֶׁב לָהּ מִנֶּגֶד
הַרְחֵק כִּמְטַחֲוֵי קֶשֶׁת כִּי אָמְרָה אַל־אֶרְאֶה
בְּמוֹת הַיָּלֶד וַתֵּשֶׁב מִנֶּגֶד וַתִּשָּׂא אֶת־קֹלָהּ וַתֵּבְךְּ:
יז וַיִּשְׁמַע אֱלֹהִים אֶת־קוֹל הַנַּעַר וַיִּקְרָא מַלְאַךְ
אֱלֹהִים ׀ אֶל־הָגָר מִן־הַשָּׁמַיִם וַיֹּאמֶר לָהּ מַה־
לָּךְ הָגָר אַל־תִּירְאִי כִּי־שָׁמַע אֱלֹהִים אֶל־קוֹל
יח הַנַּעַר בַּאֲשֶׁר הוּא־שָׁם: קוּמִי שְׂאִי אֶת־הַנַּעַר
וְהַחֲזִיקִי אֶת־יָדֵךְ בּוֹ כִּי־לְגוֹי גָּדוֹל אֲשִׂימֶנּוּ:
יט וַיִּפְקַח אֱלֹהִים אֶת־עֵינֶיהָ וַתֵּרֶא בְּאֵר מָיִם

תְּחוֹת חַד מִן אִילָנַיָּא: טז וַאֲזַלַת וִיתִיבַת לַהּ מִקֳּבֵל אַרְחֵיקַת (נ״א אַרְחִיק) כְּמֵיגַד קַשְׁתָּא אֲרֵי אֲמֶרֶת לָא אֶחֱזֵי בְּמוֹתָא דְרַבְיָא וִיתִיבַת מִקֳּבֵל וַאֲרִימַת יָת קָלַהּ וּבְכָת: יז וּשְׁמִיעַ קֳדָם יְיָ יָת קָלֵהּ דְרַבְיָא וּקְרָא מַלְאֲכָא דַייָ לְהָגָר מִן שְׁמַיָּא וַאֲמַר לַהּ מָא לִיךְ הָגָר לָא תִדְחֲלִי אֲרֵי שְׁמִיעַ קֳדָם יְיָ יָת קָלֵהּ דְרַבְיָא בַּאֲתַר דְּהוּא תַמָּן: יח קוּמִי טוּלִי יָת רַבְיָא וְאַתְקִיפִי יָת יְדֵךְ בֵּהּ אֲרֵי לְעַם סַגִּי אֲשַׁוְּנֵהּ: יט וּגְלָא יְיָ יָת עֵינַהָא וַחֲזַת בֵּירָא דְמַיָּא

רש״י

חולים לשתות הרבה (ב״ר שם יג): **(טז) מנגד.** מרחוק: **כמטחוי קשת.** כשתי טיחות (שם). והוא לשון יריית חץ, בלשון משנה, שהטיח באשתו (סנהדרין מו.) על שם שהזרע יורה כחץ. ואי״ת, היה לו לכתוב כמטחי קשת, משפט הוי״ו ליכנס לכאן, כמו בחגוי הסלע (שיר השירים ב:יד) מגזרת והיתה אדמת יהודה למצרים לחגא (ישעיה יט:יז), ומגזרת יחוגו וינועו כשכור (תהלים קז:כז), וכן קצוי ארץ (שם סה:ו) מגזרת קצה: **ותשב מנגד.** כיון שקרב למות הוסיפה להתרחק: **(יז) את קול הנער.** מכאן שיפה תפלת החולה מתפלת אחרים עליו, והיא קודמת להתקבל (ב״ר שם יד): **באשר הוא שם.** לפי מעשים שהוא עושה עכשיו הוא נדון, ולא לפי מה שהוא עתיד לעשות (ראש השנה טז:). לפי שהיו מלאכי השרת מקטרגים ואומרים, רבש״ע, מי שעתיד זרעו להמית בניך בצמא אתה מעלה לו באר. והוא משיבם, עכשיו מה הוא, צדיק או רשע. אמרו לו, צדיק. אמר להם, לפי מעשיו של עכשיו אני דנו,

רמב״ן

וְנֶעֱזָב[21]. אוֹ כְּעִנְיַן "וַיַּשְׁלִכֵם אֶל אֶרֶץ אַחֶרֶת" [דברים כט, כז], "אַל תַּשְׁלִיכֵנִי מִלְּפָנֶיךָ" [תהלים נא, יג], עִנְיַן שִׁלּוּחַ[22]. וְרַבִּי אַבְרָהָם אָמַר "וַתַּשְׁלֵךְ", כִּי לְקָחַתּוּ בְּחֵיקָהּ בְּעֵת שֶׁנֶּחֱלַשׁ בַּצָּמָא.

וְרַבּוֹתֵינוּ אָמְרוּ [ב״ר נג, יג] שֶׁהָיָה חוֹלֶה בְּעֵת שֶׁשִּׁלְּחוֹ, וְשָׂם עַל שִׁכְמָהּ אֶת הַיֶּלֶד[23], וְזֶה הַטַּעַם "וַתַּשְׁלֵךְ".

וְהָיָה כָּל הָעִנְיָן הַזֶּה לְאַבְרָהָם מִפְּנֵי שֶׁצֻּוָּה לַעֲשׂוֹת כְּכֹל אֲשֶׁר תֹּאמַר שָׂרָה [לעיל פסוק יב], וְהִיא צִוְּתָה לְהוֹצִיאוֹ מִיָּד, וּבְמִצְוָתָהּ לֹא נָתַן לָהֶם כֶּסֶף וְזָהָב וַעֲבָדִים וּגְמַלִּים נוֹשְׂאִים אוֹתָם[24].

RAMBAN ELUCIDATED

forsaken.[21] **אוֹ כְּעִנְיַן "וַיַּשְׁלִכֵם אֶל אֶרֶץ אַחֶרֶת"** – **Alternatively, it is like the idea** in the verse, ***He cast them to another land*** (*Deuteronomy* 29:27), and **"אַל תַּשְׁלִיכֵנִי מִלְּפָנֶיךָ"** – ***Do not cast me off from before You*** (*Psalms* 51:13), **עִנְיַן שִׁלּוּחַ** – in which הַשְׁלֵךְ expresses **the concept of sending someone off.**[22]

וְרַבִּי אַבְרָהָם אָמַר "וַתַּשְׁלֵךְ" – **Rabbi Avraham** Ibn Ezra **says** regarding the word וַתַּשְׁלֵךְ, ***she cast off,*** **כִּי לְקָחַתּוּ בְּחֵיקָהּ בְּעֵת שֶׁנֶּחֱלַשׁ בַּצָּמָא** – **that she had taken him into her bosom when he became weak from thirst.** Now, when she thought he was dying, she released him.

וְרַבּוֹתֵינוּ אָמְרוּ שֶׁהָיָה חוֹלֶה בְּעֵת שֶׁשִּׁלְּחוֹ – **Our Sages said** (*Bereishis Rabbah* 53:13) **that [Ishmael] was sick when [Abraham] sent him away,** **וְשָׂם עַל שִׁכְמָהּ אֶת הַיֶּלֶד** – **so [Abraham] placed the boy on her shoulder,**[23] **וְזֶה הַטַּעַם "וַתַּשְׁלֵךְ"** – **and this would be the explanation of *she cast*** [*him*] ***off.***

[Why did Abraham send off his son – over whose loss he had just been distressed – so empty-handed as to nearly cause his death? Ramban explains:]

וְהָיָה כָּל הָעִנְיָן הַזֶּה לְאַבְרָהָם – **This whole event occurred to** Abraham **מִפְּנֵי שֶׁצֻּוָּה לַעֲשׂוֹת כְּכֹל אֲשֶׁר תֹּאמַר שָׂרָה** – **because he was commanded to do according to all that Sarah would say** (v. 12), **וְהִיא צִוְּתָה לְהוֹצִיאוֹ מִיָּד** – **and she commanded** Abraham **to send him out immediately,** **וּבְמִצְוָתָהּ לֹא נָתַן לָהֶם כֶּסֶף וְזָהָב וַעֲבָדִים וּגְמַלִּים נוֹשְׂאִים אוֹתָם** – **and** thus, **by her command he did not give them**

21. According to this interpretation, וַתַּשְׁלֵךְ means, *she abandoned [him].*

22. According to this interpretation, וַתַּשְׁלֵךְ means, *she sent [him] away.*

23. This is in contradistinction to Ramban's interpretation of the phrase *along with the boy* above, in v. 14.

beneath one of the trees. [16] *She went and sat herself down at a dis-*
tance, some bowshots away, for she said, "Let me not see the death
of the child." And she sat at a distance, lifted her voice, and wept.
[17] *God heard the cry of the youth, and an angel of God called to*
Hagar from heaven and said to her, "What troubles you, Hagar? Fear
not, for God has heeded the cry of the youth as he is there. [18] *Arise,*
lift up the youth and grasp your hand upon him, for I will make a
great nation of him."
[19] *Then God opened her eyes and she perceived a well of water;*

רמב"ן

[יז] בַּאֲשֶׁר הוּא שָׁם. לְפִי מַעֲשִׂים שֶׁהוּא עוֹשֶׂה עַכְשָׁיו הוּא נִדּוֹן, וְלֹא לְפִי מַעֲשִׂים שֶׁהוּא עָתִיד לַעֲשׂוֹת. לְפִי שֶׁהָיוּ מַלְאֲכֵי הַשָּׁרֵת מְקַטְרְגִין וְכוּ׳. לְשׁוֹן רַבֵּינוּ שְׁלֹמֹה, מִדִּבְרֵי רַבּוֹתֵינוּ [בראשית רבה נג, יד].

וְהַנָּכוֹן בְּעֵינַי בְּדֶרֶךְ הַפְּשָׁט, שֶׁיֹּאמַר כִּי שָׁמַע אֱלֹהִים אֶל קוֹל הַנַּעַר בַּמָּקוֹם אֲשֶׁר הוּא שָׁם: הוֹדִיעַ אוֹתָהּ שֶׁלֹּא יִצְטָרֵךְ לָלֶכֶת מִשָּׁם אֶל מַעְיָן וָבוֹר, כִּי בַּמָּקוֹם הַהוּא יִרְוֶה צְמָאוֹ מִיָּד. וְאָמַר לָהּ "קוּמִי שְׂאִי אֶת הַנַּעַר" אַחֲרֵי שְׁתוֹתוֹ[25], "כִּי לְגוֹי גָּדוֹל אֲשִׂימֶנּוּ" [להלן פסוק יח]. וְכָמוֹהוּ "בַּאֲשֶׁר כָּרַע שָׁם נָפַל שָׁדוּד" [שופטים ה, כז]; "וּבַאֲשֶׁר חֲלָלִים שָׁם הוּא" [איוב לט, ל]; יִרְמוֹז לַמָּקוֹם[26].

RAMBAN ELUCIDATED

silver, gold, slaves or camels to carry them.[24]

17. בַּאֲשֶׁר הוּא שָׁם – *[GOD HAS HEEDED THE CRY OF THE YOUTH]* ***AS HE IS, THERE.***

[Ramban cites Rashi's interpretation of this vague phrase:]

לְפִי מַעֲשִׂים שֶׁהוּא עוֹשֶׂה עַכְשָׁיו הוּא נִדּוֹן – **In accordance with the deeds that he does at present he is judged, וְלֹא לְפִי מַעֲשִׂים שֶׁהוּא עָתִיד לַעֲשׂוֹת** – **and not in accordance with what he is destined to do** in the future. **לְפִי שֶׁהָיוּ מַלְאֲכֵי הַשָּׁרֵת מְקַטְרְגִין וְכוּ׳** – **For the ministering angels were impugning** [Ishmael], **etc.**

לְשׁוֹן רַבֵּינוּ שְׁלֹמֹה מִדִּבְרֵי רַבּוֹתֵינוּ – This is **a quote from Rabbi Shlomo** (Rashi), taken **from the words of our Sages** (*Bereishis Rabbah* 53:14).

[Having cited Rashi's Midrashic interpretation, Ramban presents his opinion of what the simple explanation of the verse is:]

וְהַנָּכוֹן בְּעֵינַי בְּדֶרֶךְ הַפְּשָׁט – **The soundest** interpretation **in my view, following the simple explanation, שֶׁיֹּאמַר כִּי שָׁמַע אֱלֹהִים אֶל קוֹל הַנַּעַר בַּמָּקוֹם אֲשֶׁר הוּא שָׁם** – **is that [Scripture] is saying that God heard the voice of the youth, in the place where he was** in the following sense: **הוֹדִיעַ אוֹתָהּ שֶׁלֹּא יִצְטָרֵךְ לָלֶכֶת מִשָּׁם אֶל מַעְיָן וָבוֹר** – **[God] informed her that [Ishmael] would not have to walk from there to a spring or cistern, כִּי בַּמָּקוֹם הַהוּא יִרְוֶה צְמָאוֹ מִיָּד** – **for in that very place he would quench his thirst, immediately. וְאָמַר לָהּ "קוּמִי שְׂאִי אֶת הַנַּעַר" אַחֲרֵי שְׁתוֹתוֹ** – **And He said to her, *"Arise, lift up the youth,* after he drinks, ...**[25] **"כִּי לְגוֹי גָּדוֹל אֲשִׂימֶנּוּ"** – ***for I will make a great nation of him"*** (v. 18) **וְכָמוֹהוּ** – **Similar to this** we find, **"בַּאֲשֶׁר כָּרַע שָׁם נָפַל שָׁדוּד"** – ***Right where he knelt, there he fell, vanquished*** (*Judges* 5:27), and **"וּבַאֲשֶׁר חֲלָלִים שָׁם הוּא"** – ***wherever there are corpses, there he is found*** (*Job* 39:30); **יִרְמוֹז לַמָּקוֹם** – here, as in those two verses, the phrase **בַּאֲשֶׁר...שָׁם refers to a place.**[26]

24. Since Abraham was commanded to do exactly as Sarah told him, he did not give them ample water and supplies, for Sarah did not tell him to do so.

25. The words *lift up the youth and grasp your hand upon him* seem to suggest that Hagar was being told to take Ishmael by the hand and lead him to the water. But Ramban has just asserted that God had said that He would provide water to Ishmael right where he was, so there was no need to take him to the water. Ramban therefore explains that *lift up the youth and grasp your hand upon him* were instructions to be followed *after* Ishmael would finish drinking.

26. It does not refer to a personal situation, as Rashi here interprets it.

וַתֵּלֶךְ וַתְּמַלֵּא אֶת־הַחֵמֶת מַיִם וַתַּשְׁקְ אֶת־
כ הַנָּעַר: וַיְהִי אֱלֹהִים אֶת־הַנַּעַר וַיִּגְדָּל וַיֵּשֶׁב
כא בַּמִּדְבָּר וַיְהִי רֹבֶה קַשָּׁת: וַיֵּשֶׁב בְּמִדְבַּר פָּארָן
וַתִּקַּח־לוֹ אִמּוֹ אִשָּׁה מֵאֶרֶץ מִצְרָיִם: פ
ששי כב וַיְהִי בָּעֵת הַהִוא וַיֹּאמֶר אֲבִימֶלֶךְ וּפִיכֹל שַׂר־
צְבָאוֹ אֶל־אַבְרָהָם לֵאמֹר אֱלֹהִים עִמְּךָ בְּכֹל
כג אֲשֶׁר־אַתָּה עֹשֶׂה: וְעַתָּה הִשָּׁבְעָה לִּי בֵאלֹהִים
הֵנָּה אִם־תִּשְׁקֹר לִי וּלְנִינִי וּלְנֶכְדִּי כַּחֶסֶד אֲשֶׁר־
עָשִׂיתִי עִמְּךָ תַּעֲשֶׂה עִמָּדִי וְעִם־הָאָרֶץ אֲשֶׁר־
כד גַּרְתָּה בָּהּ: וַיֹּאמֶר אַבְרָהָם אָנֹכִי אִשָּׁבֵעַ:

וַאֲזָלַת וּמְלַת יָת רָקְבָא מַיָּא וְאַשְׁקִיאַת יָת רַבְיָא: כ וַהֲוָה מֵימְרָא דַייָ בְּסַעֲדֵהּ דְּרַבְיָא וּרְבָא וִיתֵב בְּמַדְבְּרָא וַהֲוָה רָבֵי קַשְׁתָּא: כא וִיתֵב בְּמַדְבְּרָא דְפָארָן וּנְסִיבַת לֵהּ אִמֵּהּ אִתְּתָא מֵאַרְעָא דְמִצְרָיִם: כב וַהֲוָה בְּעִדָּנָא הַהִיא וַאֲמַר אֲבִימֶלֶךְ וּפִיכֹל רַב חֵילֵהּ לְאַבְרָהָם לְמֵימָר מֵימְרָא דַייָ בְּסַעֲדָךְ בְּכֹל דִּי אַתְּ עָבֵד: כג וּכְעַן קַיֵּם לִי בְּמֵימְרָא דַייָ הָכָא דְּלָא תְשַׁקַּר בִּי וּבִבְרִי וּבְבַר בְּרִי כְּטִיבוּתָא דִּי עֲבָדִית עִמָּךְ תַּעְבֵּד עִמִּי וְעִם אַרְעָא דְאִתּוֹתַבְתָּא בַהּ: כד וַאֲמַר אַבְרָהָם אֲנָא אֲקַיֵּם:

רש"י

וזהו באשר הוא שם (ב"ר שם). והיכן המית את ישראל בצמא, כשהגלם נבוכדנצר, שנאמר משא בערב וגו' לקראת צמא התיו מים וגו' (ישעיה כא:יג-יד). כשהיו מוליכין אותם אצל ערביים היו ישראל אומרים לשבאים, בבקשה מכם, הוליכונו אצל בני דודנו ישמעאל וירחמו עלינו, שנא' אורחות דדנים (שם). [אל תקרי דדנים אלא דודים.] ואלו יוצאים לקראתם ומביאין להם בשר ודג מלוח ונודות נפוחים. כסבורים ישראל שמלאים מים, וכשמכניסו לתוך פיו ופותחו, הרוח נכנס בגופו ומת (תנחומא יתרו ה; איכ"ר ב:ד): **(כ) רובה קשת.** יורה חצים בקשת (פדר"א ל): **קַשָּׁת.** על שם האומנות, כמו חַמָּר, גַּמָּל, צַיָּיד, לפיכך השי"ן מודגשת. היה יושב במדבר ומלסטם את העוברים, הוא שנאמר ידו בכל וגו' (לעיל טז:יב; תנחומא שמות א; ש"ר א:א): **(כא) מארץ מצרים.** ממקום גדוליה, שנאמר ולה שפחה מצרית וגו' (לעיל טז:א). היינו דאמרי אינשי, זרוק חוטרא לאוירא אעיקריה קאי (ב"ר נג:טו): **(כב) אלהים עמך.** לפי שראה שיצא משכונת סדום בשלום, ועם המלכים נלחם ונפלו בידו, ונפקדה אשתו לזקוניו (ב"ר נד:ב): **(כג) ולניני ולנכדי.** עד כאן רחמי האב על הבן (שם): **כחסד אשר עשיתי עמך תעשה עמדי.** שאמרתי לך הנה ארצי לפניך (לעיל כ:טו; ב"ר שם):

רמב"ן

[כ] רֹבֶה קַשָּׁת. בַּעֲבוּר הֱיוֹת "קַשָּׁת" תֹּאַר[27], אָמְרוּ[28] כִּי "רֹבֶה" הוּא הַמּוֹרֶה הַחִצִּים, מִלְּשׁוֹן "יָסֹבּוּ עָלַי רַבָּיו" [איוב טז, יג]; "וַיְמָרְרֻהוּ וָרֹבּוּ" [להלן מט, כג], וְ"קַשָּׁת" הוּא הָעוֹשֶׂה הַקְּשָׁתוֹת[29].

וְיוֹתֵר נָכוֹן[30] שֶׁרֹבֶה הוּא הַמּוֹרֶה, וְיֵאָמֵר עַל הַמּוֹרֶה הַחִצִּים וְעַל מַשְׁלִיךְ הָאֲבָנִים וְזוּלָתָם

RAMBAN ELUCIDATED

20. רֹבֶה קַשָּׁת – ***A SHOOTER, AN ARCHER.***

[The two words רֹבֶה and קַשָּׁת seem to refer to the same thing – an archer. Ramban explains why Scripture uses a double expression:]

בַּעֲבוּר הֱיוֹת "קַשָּׁת" תֹּאַר – Because קַשָּׁת is a descriptive word,[27] **אָמְרוּ כִּי "רֹבֶה" הוּא הַמּוֹרֶה הַחִצִּים – [some commentators]**[28] **say that רֹבֶה is one who shoots arrows, מִלְּשׁוֹן "יָסֹבּוּ עָלַי רַבָּיו" – from** the same root as **the** similar **expression, *His archers surrounded me*** (*Job* 16:13), and **וַיְמָרְרֻהוּ וָרֹבּוּ" – *they embittered him and shot at him*** (below, 49:23), **וְ"קַשָּׁת" הוּא הָעוֹשֶׂה הַקְּשָׁתוֹת – and a קַשָּׁת is one who makes bows.**[29]

וְיוֹתֵר נָכוֹן שֶׁרֹבֶה הוּא הַמּוֹרֶה – But it is sounder[30] to say **that** the word **רֹבֶה refers to the shooter, וְיֵאָמֵר עַל הַמּוֹרֶה הַחִצִּים וְעַל מַשְׁלִיךְ הָאֲבָנִים וְזוּלָתָם – and can be used for one who shoots arrows or**

27. Radak mentions the possibility that קַשָּׁת should be translated "bow," as if it were vocalized קֶשֶׁת. Ramban rejects this possibility, accepting the more prevalent explanation that relates קַשָּׁת to such descriptive words as גַּנָּב, *thief*, חַמָּר, *donkey driver*, צַיָּד, *trapper*, etc., which describe a person's occupation – thus, קַשָּׁת, *archer*. This being the case, the difficulty arises that רֹבֶה, too, means *one who shoots*, so there is an obvious redundancy in the phrase רֹבֶה קַשָּׁת, *a shooter, an archer*.

28. See Radak.

29. In order to avoid the redundancy, these commentators suggest that קַשָּׁת does not mean "archer," but "bow-maker." The phrase is thus no longer redundant, for it now means *a shooter [and] a bow-maker*.

30. The disadvantage of the first interpretation is that it requires the insertion of the word "and" (see previous note).

she went and filled the skin with water and gave the youth to drink.

20 *God was with the youth and he grew up; he dwelt in the wilderness and became a shooter, an archer.* 21 *He lived in the wilderness of Paran, and his mother took a wife for him from the land of Egypt.*

22 *At that time, Abimelech and Phicol, general of his legion, said to Abraham, "God is with you in all that you do.* 23 *Now swear to me here by God that you will not deal falsely with me nor with my child nor with my grandchild; according to the kindness that I have done with you, do with me, and with the land in which you have sojourned."* 24 *And Abraham said, "I will swear."*

רמב״ן

כַּאֲשֶׁר יֵאָמֵר ״אֲשֶׁר יָרִיתִי בֵּינִי וּבֵינֶךָ״ [להלן לא, נא][31]. וְלָכֵן יְתָאֵר אוֹתוֹ פַּעַם אַחֶרֶת כִּי הוּא ״קַשָּׁת״[32], וְכֵן ״וַיִּמְצָאֻהוּ הַמּוֹרִים אֲנָשִׁים בַּקָּשֶׁת״ [שמואל-א לא, ג][33].

[כג] הִשָּׁבְעָה לִּי בֵאלֹהִים הֵנָּה אִם תִּשְׁקֹר לִי. מִלַּת ״אִם״ בְּכָל מָקוֹם מְסֻפֶּקֶת, אַל תַּחְשֹׁב בָּהּ בִּלְתִּי זֶה[34]. וְהִיא בָּאָה בְּרֹב מְקוֹמוֹת הַשְּׁבוּעָה: ״אִם תִּשְׁקֹר לִי״; ״לָכֵן נִשְׁבַּעְתִּי לְבֵית עֵלִי אִם יִתְכַּפֵּר עֲוֹן בֵּית עֵלִי״ [שמואל-א ג, יד]; ״אַחַת נִשְׁבַּעְתִּי בְקָדְשִׁי אִם לְדָוִד אֲכַזֵּב״ [תהלים פט, לו]; ״אִם יְבֹאוּן אֶל מְנוּחָתִי״ [שם צה, יא];

RAMBAN ELUCIDATED

for one who casts stones and other such things, **כַּאֲשֶׁר יֵאָמֵר ״אֲשֶׁר יָרִיתִי בֵּינִי וּבֵינֶךָ״** – **just as it says,** ***which I have cast between me and you*** (below, 31:51).[31] **וְלָכֵן יְתָאֵר אוֹתוֹ פַּעַם אַחֶרֶת כִּי הוּא ״קַשָּׁת״** – **Therefore, it describes him an additional time,** specifying **that he was** ***an archer.***[32] **וְכֵן ״וַיִּמְצָאֻהוּ הַמּוֹרִים אֲנָשִׁים בַּקָּשֶׁת״** – **Similarly,** we find, ***The shooters, men with bows, found him*** (*I Samuel* 31:3).[33]

23. הִשָּׁבְעָה לִּי בֵאלֹהִים הֵנָּה אִם תִּשְׁקֹר לִי – ***SWEAR TO ME HERE BY GOD THAT YOU WILL NOT DEAL FALSELY WITH ME.***

[The phrase אִם תִּשְׁקֹר, here translated, *that you will not deal falsely,* literally means, *if you will deal falsely.* Ramban explains that this syntax is often employed idiomatically in oaths, and goes on to adduce four other such verses:]

מִלַּת ״אִם״ בְּכָל מָקוֹם מְסֻפֶּקֶת, אַל תַּחְשֹׁב בָּהּ בִּלְתִּי זֶה – **The word אִם,** usually translated *if,* **expresses doubt wherever** it appears; **do not think otherwise about [this word].**[34] **וְהִיא בָּאָה בְּרֹב מְקוֹמוֹת הַשְּׁבוּעָה** – **It appears in most places where oaths** are recorded, in the sense of "not," such as in our verse, **״אִם תִּשְׁקֹר לִי״** – literally, *if you will deal falsely with me,* but idiomatically, ***you will not deal falsely with me;*** **״לָכֵן נִשְׁבַּעְתִּי לְבֵית עֵלִי** – ***Therefore, I have sworn concerning the house of Eli*** **אִם יִתְכַּפֵּר עֲוֹן בֵּית עֵלִי״** – ***if the sin of the house of Eli will be atoned for*** (*I Samuel* 3:14), but idiomatically, *that the sin of the house of Eli will not be atoned for;* **״אַחַת נִשְׁבַּעְתִּי בְקָדְשִׁי** – ***One thing I have sworn by My holiness:*** **אִם לְדָוִד אֲכַזֵּב״** – literally, ***If I will be deceitful to David*** (*Psalms* 89:36), but idiomatically, *that I will not be deceitful to David;* **״אִם יְבֹאוּן אֶל מְנוּחָתִי״** – literally, *[I have sworn in My anger]* ***if they will enter My land of contentment*** (ibid. 95:11), but

31. רֹבֶה is a synonym for יוֹרֶה (or מוֹרֶה); each means *to shoot*. Ramban shows that יוֹרֶה can also mean *to cast [stones]*. He proves from this that רֹבֶה as well can mean both *to shoot* and *to cast [stones]*.

32. Since רֹבֶה can refer to either *an archer* or *a stone thrower,* the Torah had to add קַשָּׁת to specify that Ishmael was רֹבֶה קַשָּׁת, *an archer* and not a stone thrower. [According to this interpretation there is no need to insert the word "and" into the verse.]

33. In this verse, as in our verse, the ambiguous term מוֹרִים, *shooters* or *throwers,* is further elaborated by the addition of another expression, אֲנָשִׁים בַּקָּשֶׁת, *men with bows.*

34. Onkelos translates אִם as דְּלָא, *that [you will] not,* and that is its connotation in our verse. Ramban explains that nevertheless אִם actually retains its basic meaning of *if.*

כה וְהוֹכִ֥חַ אַבְרָהָ֖ם אֶת־אֲבִימֶ֑לֶךְ עַל־אֹדוֹת֙ בְּאֵ֣ר
כו הַמַּ֔יִם אֲשֶׁ֥ר גָּזְל֖וּ עַבְדֵ֥י אֲבִימֶֽלֶךְ׃ וַיֹּ֣אמֶר
אֲבִימֶ֔לֶךְ לֹ֣א יָדַ֔עְתִּי מִ֥י עָשָׂ֖ה אֶת־הַדָּבָ֣ר הַזֶּ֑ה
וְגַם־אַתָּ֞ה לֹא־הִגַּ֣דְתָּ לִּ֗י וְגַ֧ם אָנֹכִ֛י לֹ֥א שָׁמַ֖עְתִּי
כז בִּלְתִּ֥י הַיּֽוֹם׃ וַיִּקַּ֤ח אַבְרָהָם֙ צֹ֣אן וּבָקָ֔ר וַיִּתֵּ֖ן
כח לַאֲבִימֶ֑לֶךְ וַיִּכְרְת֥וּ שְׁנֵיהֶ֖ם בְּרִֽית׃ וַיַּצֵּ֣ב אַבְרָהָ֗ם
כט אֶת־שֶׁ֛בַע כִּבְשֹׂ֥ת הַצֹּ֖אן לְבַדְּהֶֽן׃ וַיֹּ֥אמֶר
אֲבִימֶ֖לֶךְ אֶל־אַבְרָהָ֑ם מָ֣ה הֵ֗נָּה שֶׁ֤בַע כְּבָשֹׂת֙
ל הָאֵ֔לֶּה אֲשֶׁ֥ר הִצַּ֖בְתָּ לְבַדָּֽנָה׃ וַיֹּ֕אמֶר כִּ֚י אֶת־
שֶׁ֣בַע כְּבָשֹׂ֔ת תִּקַּ֖ח מִיָּדִ֑י בַּעֲבוּר֙ תִּֽהְיֶה־לִּ֣י לְעֵדָ֔ה
לא כִּ֥י חָפַ֖רְתִּי אֶת־הַבְּאֵ֥ר הַזֹּֽאת׃ עַל־כֵּ֗ן קָרָ֛א

כה וְאוֹכַח אַבְרָהָם יָת אֲבִימֶלֶךְ עַל עֵיסַק בֵּירָא דְמַיָּא דִּי אַנִּיסוּ עַבְדֵי אֲבִימֶלֶךְ: כו וַאֲמַר אֲבִימֶלֶךְ לָא יְדָעִית מָאן עֲבַד יָת פִּתְגָמָא הָדֵין וְאַף אַתְּ לָא חַוֵּיתָ לִי וְאַף אֲנָא לָא שְׁמָעִית אֶלָּהֵן יוֹמָא דֵין: כז וּדְבַר אַבְרָהָם עָאן וְתוֹרִין וִיהַב לַאֲבִימֶלֶךְ וּגְזָרוּ תַרְוֵיהוֹן קְיָם: כח וַאֲקֵים אַבְרָהָם יָת שְׁבַע חוּרְפַן דְּעָאן בִּלְחוֹדֵיהֶן: כט וַאֲמַר אֲבִימֶלֶךְ לְאַבְרָהָם מָה אִנּוּן שְׁבַע חוּרְפַן אִלֵּין דַּאֲקֵימְתָּא בִּלְחוֹדֵיהֶן: ל וַאֲמַר אֲרֵי יָת שְׁבַע חוּרְפַן תְּקַבֵּל מִן יְדִי בְּדִיל דִּתְהֵי לִי לְסַהֲדוּ אֲרֵי חֲפָרִית יָת בֵּירָא הָדֵין (נ״א הָדָא): לא עַל כֵּן קְרָא

רש״י

(כה) והוכח. נתוכח עמו על כך (תרגום יונתן): **(ל) בעבור תהיה לי.** זאת: **לעדה.** לשון עדות של נקבה, כמו ועדה המצבה (להלן לא:נב): **כי חפרתי את הבאר.** מריבים היו עליה רועי אבימלך ואומרים אנחנו חפרנוה. אמרו ביניהם, כל מי שיתראה

רמב״ן

״וַיִּקְצֹף וַיִּשָּׁבַע לֵאמֹר אִם יִרְאֶה אִישׁ בָּאֲנָשִׁים הָאֵלֶּה״ [דברים א, לד-לה].

וְהָעִנְיָן, כִּי בַּעֲבוּר הֱיוֹת הַשְּׁבוּעוֹת בְּאָלָה יֹאמַר הִשָּׁבְעָה לִי לֵאמֹר, כֹּה יַעֲשֶׂה לִי אֱלֹהִים וְכֹה יוֹסִיף אִם תִּשְׁקֹר לִי, וְכֵן אָמַר ״תְּהִי נָא אָלָה בֵּינוֹתֵינוּ״ [להלן כו, כח]. וּבְעִנְיַן הַגָּבוֹהַּ[35]: ״נִשְׁבַּעְתִּי בְקָדְשִׁי אִם לְדָוִד אֲכַזֵּב״ [תהלים פט, לו], וְ״אִם יִתְכַּפֵּר עֲוֹן בֵּית עֵלִי״ [שמואל-א ג:יד], כְּלוֹמַר אִם יִהְיֶה כֵּן - אֵין דִּבְרֵי אֱמֶת! וְכַיּוֹצֵא בָּזֶה. שֶׁלֹּא יִרְצֶה לְפָרֵשׁ הַתְּנַאי, וְהַכָּתוּב יְכַנֶּה וִיקַצֵּר בָּהֶן.

RAMBAN ELUCIDATED

idiomatically, *that they will not enter My land of contentment;* ״וַיִּקְצֹף וַיִּשָּׁבַע לֵאמֹר – ***And He was incensed and He swore, saying,*** אִם יִרְאֶה אִישׁ בָּאֲנָשִׁים הָאֵלֶּה״ – literally, ***"If any man of these people, this evil generation, shall see** [the good Land]"* (*Deuteronomy* 1:34-35), but idiomatically, *that no man of these people shall see [the good Land.]*

[Ramban explains why the term אִם, an expression of doubt, is used in oaths:]

וְהָעִנְיָן כִּי בַּעֲבוּר הֱיוֹת הַשְּׁבוּעוֹת בְּאָלָה – The idea underlying this mode of expression **is that because oaths are** implicitly associated **with an imprecation** for not upholding the oath, **יֹאמַר – [the one demanding the oath] is saying,** as it were, **הִשָּׁבְעָה לִי לֵאמֹר, כֹּה יַעֲשֶׂה לִי אֱלֹהִים וְכֹה יוֹסִיף אִם תִּשְׁקֹר לִי – "Swear to me, saying, 'Such and such may God do to me, and such may He do again,' if you will lie to me." וְכֵן אָמַר ״תְּהִי נָא אָלָה בֵּינוֹתֵינוּ״ – And this,** in fact, is what [Abimelech] said explicitly to Isaac: ***Let there be an oath*** (lit., ***imprecation***) ***between us*** (below, 26:28). **וּבְעִנְיַן הַגָּבוֹהַּ ״נִשְׁבַּעְתִּי בְקָדְשִׁי אִם לְדָוִד אֲכַזֵּב״ – And concerning the Supreme One,**[35] when He says, ***I have sworn by My holiness: If I will be deceitful to David*** (*Psalms* 89:36), **וְ״אִם יִתְכַּפֵּר עֲוֹן בֵּית עֵלִי״ – and,** ***if the sin of the house of Eli will be atoned for*** (*I Samuel* 3:14), **כְּלוֹמַר אִם יִהְיֶה כֵּן אֵין דִּבְרֵי אֱמֶת וְכַיּוֹצֵא בָּזֶה – it means, "If it will be so, there is no truth in My words!" or something similar to that. שֶׁלֹּא יִרְצֶה לְפָרֵשׁ הַתְּנַאי, וְהַכָּתוּב יְכַנֶּה וִיקַצֵּר בָּהֶן – For [Scripture] does not want to state the consequence** of the oath not being fulfilled **explicitly, so Scripture speaks obliquely and in an abbreviated fashion in [these cases].**

35. When it comes to oaths made by God, it is impossible to interpret them in the manner explained above by Ramban: "May such and such a thing happen to Me if I do not fulfill this oath."

25 *Then Abraham disputed with Abimelech regarding the well of water that Abimelech's servants had seized.* 26 *But Abimelech said, "I do not know who did this thing; furthermore, you have never told me, and moreover I myself have heard nothing of it except for today."*

27 *So Abraham took flocks and cattle and gave them to Abimelech; and the two of them entered into a covenant.*
28 *Abraham set seven ewes of the flock by themselves.*
29 *And Abimelech said to Abraham, "What are these seven ewes which you have set by themselves?"*

30 *And he replied, "Because you are to take these seven ewes from me, that it may serve me as testimony that I dug this well."* 31 *Therefore that place was called*

רמב״ן

וּכְמוֹתָם בְּחֶסְרוֹן הַתְּנַאי[36]: ״וַיִּקְרָא יַעְבֵּץ לֵאלֹהֵי יִשְׂרָאֵל ... אִם בָּרֵךְ תְּבָרְכֵנִי וְהִרְבִּיתָ אֶת גְּבוּלִי וְגוֹ׳ וְעָשִׂיתָ מֵּרָעָה לְבִלְתִּי עָצְבִּי! וַיָּבֵא אֱלֹהִים אֵת אֲשֶׁר שָׁאָל״ [דה״י־א ד, י], יֶחְסַר הַתְּנַאי כֻּלּוֹ[37].

וְכֵן ״אִם יִרְאוּ אֶת הָאָרֶץ״ [במדבר יד, כג][38], יַחֲזוֹר לְפָסוּק רִאשׁוֹן, ״חַי אָנִי[39] וְיִמָּלֵא כְבוֹד ה׳ אֶת כָּל הָאָרֶץ״ [שם פסוק כא][40], וִיקַצֵּר הַשְּׁבוּעָה.

RAMBAN ELUCIDATED

[Ramban shows that this manner of speech is occasionally found even not in the context of oaths:] וּכְמוֹתָם בְּחֶסְרוֹן הַתְּנַאי – **Similar to [these cases]** we find **the consequence**[36] of a conditional statement **omitted,** as in, ״וַיִּקְרָא יַעְבֵּץ לֵאלֹהֵי יִשְׂרָאֵל ... אִם בָּרֵךְ תְּבָרְכֵנִי וְהִרְבִּיתָ אֶת גְּבוּלִי וְגוֹ׳ וְעָשִׂיתָ מֵּרָעָה לְבִלְתִּי עָצְבִּי וַיָּבֵא אֱלֹהִים אֵת אֲשֶׁר שָׁאָל״ – ***Jabez called out to the God of Israel ..., "If You bless me and enlarge my borders and You keep me from harm that I not experience sadness." And God granted him that which he requested*** (*I Chronicles* 4:10), יֶחְסַר הַתְּנַאי כֻּלּוֹ – where **the consequence is entirely omitted.**[37]

[Ramban presents an example of a similar phenomenon:]

וְכֵן ״אִם יִרְאוּ אֶת הָאָרֶץ״ – **And similarly,** regarding the Israelites and their negative reaction to the land, after hearing the spies' slanderous report, we find, ***If they will see the land*** [*that I have sworn to give their forefathers*][38] (*Numbers* 14:23), יַחֲזוֹר לְפָסוּק רִאשׁוֹן, ״חַי אָנִי וְיִמָּלֵא כְבוֹד ה׳ אֶת כָּל הָאָרֶץ״ – which **refers back to the earlier verse** (ibid. v. 21), ***As I live,***[39] ***and the glory of HASHEM will fill the entire world,***[40] וִיקַצֵּר הַשְּׁבוּעָה – **and** having already stated the consequence, **[Scripture] abbreviates the oath.**

[Ramban returns to our narrative, to the substance of the oath, that Abraham would not "deal falsely" with Abimelech or his descendants. About what false dealings was Abimelech apprehensive?]

36. A conditional sentence usually consists of one clause that spells out the condition [in the terminology of grammar – the protasis] and another clause that spells out the consequence or result [the apodosis]. Scripture occasionally omits the apodosis, leaving the consequence unstated.

37. We are not told what it was that Jabez vowed to do for God in return for his prayer being answered.

38. Here, too, we are not told what would happen *if they will see the land* This verse, too, is an example of an oath whose apodosis is not spelled out.

39. "As I live" is an expression of oath used by God (see below, v. 28; *Isaiah* 49:18).

40. By saying, *the glory of HASHEM will fill the entire world*, God implied that that would be the consequence of the oath: "If they will see the land, then the glory of HASHEM does *not* fill the entire world" (Heaven forbid!). In that case, then, the apodosis is not omitted entirely; rather it is recorded before the protasis (to avoid the sacrilege that emerges from the statement when it is written in its proper sequence). See Rashi and Ramban ad loc.

לַמָּקוֹם הַהוּא בְּאֵר שָׁבַע כִּי שָׁם נִשְׁבְּעוּ
לב שְׁנֵיהֶם: וַיִּכְרְתוּ בְרִית בִּבְאֵר שָׁבַע וַיָּקָם
אֲבִימֶלֶךְ וּפִיכֹל שַׂר־צְבָאוֹ וַיָּשֻׁבוּ אֶל־אֶרֶץ
לג פְּלִשְׁתִּים: וַיִּטַּע אֶשֶׁל בִּבְאֵר שָׁבַע וַיִּקְרָא־שָׁם
לד בְּשֵׁם יהוה אֵל עוֹלָם: וַיָּגָר אַבְרָהָם בְּאֶרֶץ
פְּלִשְׁתִּים יָמִים רַבִּים: פ

לְאַתְרָא הַהוּא בְּאֵר שָׁבַע אֲרֵי תַמָּן קַיָּמוּ תַּרְוֵיהוֹן: לב וּגְזָרוּ קְיָם בִּבְאֵר שָׁבַע וְקָם אֲבִימֶלֶךְ וּפִיכֹל רַב חֵילֵהּ וְתָבוּ לְאַרַע פְּלִשְׁתָּאֵי: לג וּנְצִיב נִצְבָּא (נ״א אִילָנָא) בִּבְאֵר שָׁבַע וְצַלִּי תַמָּן בִּשְׁמָא דַייָ אֱלָהָא דְעָלְמָא: לד וְאִתּוֹתַב אַבְרָהָם בְּאַרַע פְּלִשְׁתָּאֵי יוֹמִין סַגִּיאִין:

רש״י

על הבאר ויעלו המים לקראתו שלו הוא, ועלו לקראת אברהם (ב״ר שם ה): (לג) **אשל.** רב ושמואל, חד אמר פרדס להביא ממנו פירות לאורחים בסעודה, וחד אמר פונדק לאכסניא ובו כל מיני מאכל [ס״א פירות]. ומצינו לשון נטיעה באהלים שנאמר ויטע אהלי אפדנו (דניאל יא:מה; ב״ר נד:ו; סוטה י.): **ויקרא שם וגו׳.** על ידי אותו אשל נקרא שמו של הקב״ה אלוה לכל העולם. לאחר שאוכלין ושותין אומר להם, ברכו למי שאכלתם משלו. סבורים אתם שמשלי אכלתם, משל מי שאמר והיה העולם אכלתם (סוטה י:): (לד) **ימים רבים.** מרובים על של חברון. בחברון עשה כ״ה שנה וכאן כ״ו, שהרי בן ע״ה שנה היה בצאתו מחרן, אותה שנה ויבא וישב באלוני ממרא (לעיל יג:יח). שלא מצינו קודם לכן שנתיישב אלא שם, שבכל מקומותיו היה כאורח, חונה ונוסע והולך, שנאמר ויעבור אברם (שם יב:ו) ויעתק משם (שם ח) ויהי רעב וירד אברם מצרימה (שם י). ובמצרים לא עשה אלא שלשה חדשים, שהרי שלחו פרעה מיד. וילך למסעיו (שם יג:ג) עד ויבא וישב באלוני ממרא אשר בחברון (שם יח), ושם ישב עד שנהפכה סדום. מיד, ויסע משם אברהם (שם כ:א) מפני בושה של לוט, ובא לארץ פלשתים, ובן צ״ט שנה היה, שהרי בשלישי למילתו באו אלו המלאכים. הרי כ״ה שנה, וכאן כתיב ימים רבים, מרובים על הראשונים, ולא בא הכתוב לסתום אלא לפרש, ואם היו מרובים עליהם שתי שנים או יותר היה מפרשם, וע״כ אינם יתרים יותר משנה, הרי כ״ו שנה. מיד יצא משם וחזר לחברון, ואותה שנה קדמה לפני עקידתו של יצחק י״ב שנים. כך שנויה בסדר עולם (פ״א; ב״ר נד:ו):

רמב״ן

וּלְשׁוֹן ״תִּשְׁקֹר לִי״ בַּעֲבוּר הֱיוֹתוֹ מֶלֶךְ וְהוּא גֵּר בְּאַרְצוֹ[41]. אוֹ שֶׁיִּהְיֶה מְשַׁקֵּר בְּאַהֲבָתוֹ, כִּי אוֹהֵב נֶאֱמָן הָיָה לוֹ לְכַבְּדוֹ וְלַעֲשׂוֹת כִּרְצוֹנוֹ. הֲלֹא תִרְאֶה שֶׁלֹּא מָצָא בוֹ דָּבָר זוּלָתִי בְּאֵר הַמַּיִם אֲשֶׁר גָּזְלוּ עֲבָדָיו, וְהוּא אוֹמֵר לוֹ [לקמן פסוק כה]: ״כַּחֶסֶד אֲשֶׁר עָשִׂיתִי עִמְּךָ״[42].

[לב] וַיָּשֻׁבוּ אֶל אֶרֶץ פְּלִשְׁתִּים. עִנְיָנוֹ וַיָּשׁוּבוּ אֶל עִירָם אֲשֶׁר בְּאֶרֶץ פְּלִשְׁתִּים. כִּי בְּאֶרֶץ פְּלִשְׁתִּים הָיוּ, אֲבָל הֵם יוֹשְׁבִים בִּגְרָר, שֶׁהִיא מְדִינַת הַמֶּלֶךְ, וְהוּא יוֹשֵׁב בִּבְאֵר שָׁבַע, שֶׁהִיא בְּאֶרֶץ פְּלִשְׁתִּים בְּנַחַל גְּרָר[43].

RAMBAN ELUCIDATED

וּלְשׁוֹן ״תִּשְׁקֹר לִי״ – **The expression** ***you will deal falsely with me*** was used **בַּעֲבוּר הֱיוֹתוֹ מֶלֶךְ וְהוּא גֵּר בְּאַרְצוֹ** – **because of [Abimelech's] being a king and [Abraham] a sojourner in his land.**[41] **אוֹ שֶׁיִּהְיֶה מְשַׁקֵּר בְּאַהֲבָתוֹ** – **Alternatively:** Abimelech was concerned that Abraham **would be deceitful in** response to **[Abimelech's] friendship toward him,** **כִּי אוֹהֵב נֶאֱמָן הָיָה לוֹ לְכַבְּדוֹ וְלַעֲשׂוֹת כִּרְצוֹנוֹ** – **for [Abimelech] was a faithful friend to [Abraham], honoring him and fulfilling his will.** **הֲלֹא תִרְאֶה שֶׁלֹּא מָצָא בוֹ דָּבָר זוּלָתִי בְּאֵר הַמַּיִם אֲשֶׁר גָּזְלוּ עֲבָדָיו** – **See, now, that [Abraham] did not find any matter** of complaint **against [Abimelech] except for** the incident of **the well of water that his servants stole** (below, v. 25), **וְהוּא אוֹמֵר לוֹ ״כַּחֶסֶד אֲשֶׁר עָשִׂיתִי עִמְּךָ״** – **and** that **he said to him,** ***according to the kindness that I have done with you.***[42]

32. וַיָּשֻׁבוּ אֶל אֶרֶץ פְּלִשְׁתִּים – ***AND THEY RETURNED TO THE LAND OF THE PHILISTINES.***

[Abraham lived in the land of the Philistines (above, 20:15); why, then, did Abimelech have to "return" to that land after his visit with Abraham?]

עִנְיָנוֹ וַיָּשׁוּבוּ אֶל עִירָם אֲשֶׁר בְּאֶרֶץ פְּלִשְׁתִּים – **The meaning [of this phrase] is, "and [Abimelech and Phicol] returned to their city, which was in the land of the Philistines."** **כִּי בְּאֶרֶץ פְּלִשְׁתִּים הָיוּ** – **For they** already **were in the land of the Philistines,** **אֲבָל הֵם יוֹשְׁבִים בִּגְרָר שֶׁהִיא מְדִינַת הַמֶּלֶךְ** – **but [Abimelech and Phicol] lived in Gerar, which was the king's province,** **וְהוּא יוֹשֵׁב בִּבְאֵר שָׁבַע שֶׁהִיא בְּאֶרֶץ פְּלִשְׁתִּים בְּנַחַל גְּרָר** – **while [Abraham] lived in Beer-sheba, which was** elsewhere

41. Being an unfaithful subject to one's ruler is also called "being false."

42. This shows that Abimelech treated Abraham with great courtesy and respect. The concept of "falsehood"

Beer-sheba, because there the two of them took an oath.
32 Thus, they entered into a covenant at Beer-sheba; Abi-
melech then arose, with Phicol, general of his legion, and
they returned to the land of the Philistines.
33 He planted an "eshel" in Beer-sheba, and there he
proclaimed the Name of Hashem, God of the Universe. 34 And
Abraham sojourned in the land of the Philistines many
years.

רמב״ן

[לג] וַיִּקְרָא שָׁם בְּשֵׁם ה׳ אֵל עוֹלָם. פֵּירַשׁ הַכָּתוּב שֶׁקָּרָא בְּשֵׁם ה׳ הַמַּנְהִיג בְּכֹחוֹ הַזְּמָן[44]. אוֹ שֶׁיִּקָּרְאוּ הַשָּׁמַיִם וְהָאָרֶץ ״עוֹלָם״, כַּלָּשׁוֹן הַבָּא תָּמִיד בְּדִבְרֵי רַבּוֹתֵינוּ[45]. וְהוֹדִיעַ בָּזֶה שֶׁקָּרָא אַבְרָהָם וְהוֹדִיעַ לַבְּרִיּוֹת סוֹד הַנְהָגַת הָעוֹלָם בִּכְלָלוֹ[46], שֶׁהוּא בְּשֵׁם ה׳, הֶחָסִין בְּכֹחַ, שֶׁיֵּשׁ לוֹ אֱיָלוּת בְּכֻלָּם.

וְהָרַב אָמַר בְּמוֹרֵה הַנְּבוּכִים [ב, יג] שֶׁהוּא רוֹמֵז לְקַדְמוּת הָאֵל, כִּי הוֹדִיעַ הֱיוֹתוֹ קֹדֶם לַזְּמָן.

אֲבָל אוּנְקְלוֹס אָמַר בְּ״וַיִּקְרָא״ שֶׁהוּא תְּפִלָּה[46a].

RAMBAN ELUCIDATED

in the land of the Philistines, in the valley of Gerar.[43]

33. וַיִּקְרָא שָׁם בְּשֵׁם ה׳ אֵל עוֹלָם – ***AND THERE HE PROCLAIMED THE NAME OF HASHEM, GOD OF THE UNIVERSE.***

[What is meant by *Abraham proclaimed*, and what does the designation *Hashem, God of the Universe* signify? Ramban explains:]

פֵּירַשׁ הַכָּתוּב שֶׁקָּרָא בְּשֵׁם ה׳ הַמַּנְהִיג בְּכֹחוֹ הַזְּמָן – Scripture specifies that [Abraham] proclaimed the Name of Hashem, Who controls time through His power.[44] **אוֹ שֶׁיִּקָּרְאוּ הַשָּׁמַיִם וְהָאָרֶץ ״עוֹלָם״ – Alternatively: Heaven and earth are called עוֹלָם, *universe*, כַּלָּשׁוֹן הַבָּא תָּמִיד בְּדִבְרֵי רַבּוֹתֵינוּ – like the expression that frequently appears in the words of the Sages.**[45] **וְהוֹדִיעַ בָּזֶה שֶׁקָּרָא אַבְרָהָם וְהוֹדִיעַ לַבְּרִיּוֹת סוֹד הַנְהָגַת הָעוֹלָם בִּכְלָלוֹ – [Scripture] informs** us **with this that Abraham proclaimed and made known**[46] **to the people the secret of the control of the Universe as a whole, שֶׁהוּא בְּשֵׁם ה׳, הֶחָסִין בְּכֹחַ, שֶׁיֵּשׁ לוֹ אֱיָלוּת בְּכֻלָּם – which is through the Name of Hashem, the One Who is mighty in power, Who has power over all of them.**

[Ramban presents another opinion as to which concept it was that Abraham taught to the people:]

וְהָרַב אָמַר בְּמוֹרֵה הַנְּבוּכִים – The rav (Rambam) **says in *Moreh Nevuchim*** (II:13) **שֶׁהוּא רוֹמֵז לְקַדְמוּת הָאֵל – that [this expression] alludes to the infinitely primordial existence of God, כִּי הוֹדִיעַ הֱיוֹתוֹ קֹדֶם לַזְּמָן – for he informed** people **of [God's] existing before time.**

[Ramban now cites an opinion according to which the term וַיִּקְרָא, *he proclaimed,* does not indicate that Abraham "taught" anything at all:]

אֲבָל אוּנְקְלוֹס אָמַר בְּ״וַיִּקְרָא״ שֶׁהוּא תְּפִלָּה – Onkelos, however, says that וַיִּקְרָא is an expression denoting prayer,[46a] i.e., he called out in prayer; it does not refer to instruction.

can be applied to being unfaithful in a friendship as well.

43. See Ramban below, 23:2 and 23:19, where he discusses the relationship between Beer-sheba and Gerar.

44. אֵל means "Powerful One" (see Ramban above, 14:18), and עוֹלָם means "time" (see Ramban on *Exodus* 21:6).

45. In Biblical Hebrew עוֹלָם generally means *a long time* or *all time.* In later Hebrew it is used to mean *the whole world, the universe.* Ramban suggests that this latter usage is its meaning in our verse as well; thus, the phrase means, "Hashem, Who controls the universe through His power."

46. *Proclaimed* here, then, means that Abraham taught and explained this concept to others.

46a. Onkelos renders וַיִּקְרָא as וְצַלִּי, *he prayed.*

שביעי **כב** א וַיְהִ֗י אַחַר֙ הַדְּבָרִ֣ים הָאֵ֔לֶּה וְהָ֣אֱלֹהִ֔ים נִסָּ֖ה אֶת־
אַבְרָהָ֑ם וַיֹּ֣אמֶר אֵלָ֔יו אַבְרָהָ֖ם וַיֹּ֥אמֶר הִנֵּֽנִי׃
ב וַיֹּ֡אמֶר קַח־נָ֠א אֶת־בִּנְךָ֙ אֶת־יְחִֽידְךָ֤ אֲשֶׁר־
אָהַ֙בְתָּ֙ אֶת־יִצְחָ֔ק וְלֶךְ־לְךָ֔ אֶל־אֶ֖רֶץ הַמֹּרִיָּ֑ה

א וַהֲוָה בָּתַר פִּתְגָּמַיָּא הָאִלֵּין וַייָ נַסִּי יָת אַבְרָהָם וַאֲמַר לֵהּ אַבְרָהָם וַאֲמַר הָא אֲנָא׃ ב וַאֲמַר דְּבַר כְּעַן יָת בְּרָךְ יָת יְחִידָךְ דִּי רְחֵמְתָּ יָת יִצְחָק וְאִיזֵיל לָךְ לְאַרְעָא פּוּלְחָנָא

רש"י

(א) **אחר הדברים האלה.** יש מרבותינו אומרים אחר דבריו של שטן, שהיה מקטרג ואומר מכל סעודה שעשה אברהם לא הקריב לפניך פר א' או איל א'. אמר לו, כלום עשה אלא בשביל בנו, אילו הייתי אומר לו זבח אותו לפני לא היה מעכב. וי"א אחר דבריו של ישמעאל, שהיה מתפאר על יצחק שמל בן י"ג שנה ולא מיחה. אמר לו יצחק, באבר אחד אתה מייראני, אילו אמר לי הקב"ה זבח עצמך לפני לא הייתי מעכב (סנהדרין פט:; ב"ר נה:ד): **הנני.** כך היא ענייתם של חסידים, לשון ענוה הוא ולשון זימון (תנחומא כב): (ב) **קח נא.** אין נא אלא לשון בקשה, אמר לו בבקשה ממך עמוד לי בזה הנסיון, שלא יאמרו הראשונות לא היה בהן ממש (שם; סנהדרין שם): **את בנך.** אמר לו שני בנים יש לי. אמר לו את יחידך. אמר לו זה יחיד לאמו וזה יחיד לאמו. אמר לו אשר אהבת. אמר לו שניהם אני אוהב. אמר לו את יצחק. ולמה לא גילה לו מתחלה, שלא לערבבו פתאום ותזוח דעתו עליו ותטרף. וכדי לחבב עליו את המצוה וליתן לו שכר על כל דבור ודבור (שם ושם;ב"ר שם ז): **ארץ המוריה.** ירושלים. וכן בדברי הימים (ב ג:א) לבנות את בית ה' בירושלים בהר המורי'. ורבותינו ז"ל פירשו על שם שמשם הוראה יוצאה לישראל (תענית טז.; ב"ר נה:ז). ואונקלוס תרגמו על שם עבודת הקטרת, שיש בו מור, נרד ושאר בשמים (ב"ר שם):

רמב"ן

כב [א] וְהָאֱלֹהִים נִסָּה אֶת אַבְרָהָם. עִנְיַן הַנִּסָּיוֹן הוּא, לְדַעְתִּי:[1] בַּעֲבוּר הֱיוֹת מַעֲשֵׂה הָאָדָם רְשׁוּת מוּחְלֶטֶת בְּיָדוֹ, אִם יִרְצֶה – יַעֲשֶׂה, וְאִם לֹא יִרְצֶה – לֹא יַעֲשֶׂה, יִקָּרֵא "נִסָּיוֹן" מִצַּד הַמְנוּסֶּה. אֲבָל הַמְנַסֶּה יִתְבָּרֵךְ יְצַוֶּה בּוֹ לְהוֹצִיא הַדָּבָר מִן הַכֹּחַ אֶל הַפּוֹעַל, לִהְיוֹת לוֹ שְׂכַר מַעֲשֶׂה טוֹב, לֹא שְׂכַר לֵב טוֹב בִּלְבַד.

וְדַע כִּי "הַשֵּׁם צַדִּיק יִבְחָן" [תהלים יא, ה]: כְּשֶׁהוּא יוֹדֵעַ בַּצַּדִּיק שֶׁיַּעֲשֶׂה רְצוֹנוֹ וְחָפֵץ לְהַצְדִּיקוֹ – יְצַוֶּה אוֹתוֹ בְּנִסָּיוֹן, וְלֹא יִבְחַן אֶת הָרְשָׁעִים אֲשֶׁר לֹא יִשְׁמְעוּ. וְהִנֵּה כָּל הַנִּסְיוֹנוֹת שֶׁבַּתּוֹרָה[2] לְטוֹבַת הַמְנֻסֶּה[3].

RAMBAN ELUCIDATED

22.

1. וְהָאֱלֹהִים נִסָּה אֶת אַבְרָהָם – *GOD TESTED ABRAHAM.*

[The idea of God putting a man to a test is a difficult concept. Surely God knows the extent of a person's righteousness without having to resort to testing him![1] Ramban explains:]

עִנְיַן הַנִּסָּיוֹן הוּא לְדַעְתִּי – The following is, **in my opinion,** how we should understand **the matter of** God subjecting a person to **a test:** בַּעֲבוּר הֱיוֹת מַעֲשֵׂה הָאָדָם רְשׁוּת מוּחְלֶטֶת בְּיָדוֹ – **Whereas a person's actions are completely within his own control,** אִם יִרְצֶה יַעֲשֶׂה וְאִם לֹא יִרְצֶה לֹא יַעֲשֶׂה – i.e., **if he wants** to do a certain act, **he will do it, and if he does not want** to do it, **he will not,** יִקָּרֵא "נִסָּיוֹן" מִצַּד הַמְנוּסֶּה – **[God's command to a particular person] is called a "test" from the point of view of the tested party.** אֲבָל הַמְנַסֶּה יִתְבָּרֵךְ יְצַוֶּה בּוֹ לְהוֹצִיא הַדָּבָר מִן הַכֹּחַ אֶל הַפּוֹעַל – **But the Tester, Blessed be He, commands [the tested party]** to perform a certain act in order **to bring forth the matter** of that person's righteousness **from the potential to the actual,** לִהְיוֹת לוֹ שְׂכַר מַעֲשֶׂה טוֹב לֹא שְׂכַר לֵב טוֹב בִּלְבַד – **so that he should have the reward of** having done **a good deed, and not only the reward of** having had **a good heart.**

[Since man's actions are completely optional for him, there is a chance that an individual might fail a test to which he is subjected. Why would God want that person tested, then, if it might prove detrimental to him? Ramban explains:]

וְדַע כִּי "הַשֵּׁם צַדִּיק יִבְחָן" – **You should know that "Hashem examines** only **the righteous man"** (*Psalms* 11:5). כְּשֶׁהוּא יוֹדֵעַ בַּצַּדִּיק שֶׁיַּעֲשֶׂה רְצוֹנוֹ וְחָפֵץ לְהַצְדִּיקוֹ – **When He knows about a righteous person that he will fulfill His will, and He wants to grant him merit,** יְצַוֶּה אוֹתוֹ בְּנִסָּיוֹן – **He commands him** to do some difficult act **as a test.** וְלֹא יִבְחַן אֶת הָרְשָׁעִים אֲשֶׁר לֹא יִשְׁמְעוּ – **He does not, however, examine the wicked, who would not listen** to Him. וְהִנֵּה כָּל הַנִּסְיוֹנוֹת שֶׁבַּתּוֹרָה לְטוֹבַת הַמְנֻסֶּה – **Thus,**

1. Rambam discusses this topic at length in *Moreh Nevuchim,* III:24.

22

[1] *And it happened after these things that God tested Abra-*
ham and said to him, "Abraham," and he replied, "Here I am."
[2] *And He said, "Please take your son, your only one,*
whom you love — Isaac — and go to the land of Moriah;

רמב״ן

[ב] קַח נָא אֶת בִּנְךָ אֶת יְחִידְךָ. בַּעֲבוּר הֱיוֹתוֹ בֶּן הַגְּבִירָה, וְהוּא לְבַדּוֹ אֲשֶׁר יִקָּרֵא לוֹ זֶרַע - קְרָאוֹ יְחִידוֹ. וּבָא הַלָּשׁוֹן לְהַגְדִּיל הַמִּצְוָה. אָמַר: קַח נָא אֶת בִּנְךָ הַיָּחִיד הָאָהוּב יִצְחָק וְהַעֲלֵהוּ עוֹלָה לְפָנַי.

הַמֹּרִיָּה. לְשׁוֹן רַשִׁ״י: הִיא יְרוּשָׁלַיִם. וְכֵן בְּדִבְרֵי הַיָּמִים [דה״ב ג, א]: ״לִבְנוֹת אֶת בֵּית ה׳ בִּירוּשָׁלַיִם בְּהַר הַמּוֹרִיָּה״. וְרַבּוֹתֵינוּ פֵּרְשׁוּ שֶׁמִּשָּׁם יָצְאָה הוֹרָאָה לָעוֹלָם[3a]. וְאוּנְקְלוֹס תִּרְגְּמוֹ עַל שֵׁם הַקְּטֹרֶת, שֶׁיֵּשׁ בּוֹ מוֹר וְסַמִּים[4].

וְאִם כֵּן יִהְיֶה פֵּרוּשׁוֹ אֶל הָאָרֶץ אֲשֶׁר תִּהְיֶה מוֹרִיָּה[5]. אוֹ שֶׁנִּקְרֵאת כֵּן מֵעוֹלָם עַל שֵׁם הֶעָתִיד.

RAMBAN ELUCIDATED

all tests mentioned **in the Torah**[2] **are for the benefit of the tested party.**[3]

2. קַח נָא אֶת בִּנְךָ אֶת יְחִידְךָ – ***PLEASE TAKE YOUR SON, YOUR ONLY ONE.***

[Abraham had two sons. Why, then, is Isaac referred to as *your only one*? Ramban explains:]

בַּעֲבוּר הֱיוֹתוֹ בֶּן הַגְּבִירָה – **Due to [Isaac's] being the son of the lady of the house** as opposed to Ishmael, who was the son of the servant woman, **וְהוּא לְבַדּוֹ אֲשֶׁר יִקָּרֵא לוֹ זֶרַע** – **and** due to the fact that **he alone was the one who would be considered "offspring" [for Abraham]** (above, 21:12), **קְרָאוֹ יְחִידוֹ** – **[God] called him the only one.** **וּבָא הַלָּשׁוֹן לְהַגְדִּיל הַמִּצְוָה** – **This expression was used** here, although Isaac is explicitly mentioned by name in any event, **to increase the magnitude** of the challenge **of the commandment**, and hence to increase its reward. **אָמַר: קַח נָא אֶת בִּנְךָ הַיָּחִיד הָאָהוּב יִצְחָק וְהַעֲלֵהוּ עוֹלָה לְפָנַי** – **[God] was saying,** in effect, **"Please take your son, the only, the beloved Isaac, and offer him up as a burnt-offering before Me."**

□ **הַמֹּרִיָּה** – ***MORIAH.***

[Ramban discusses the origin of the place name Moriah:]

לְשׁוֹן רַשִׁ״י – **This is a quote from Rashi:**

הִיא יְרוּשָׁלַיִם – **[Moriah] is Jerusalem.** **וְכֵן בְּדִבְרֵי הַיָּמִים ״לִבְנוֹת אֶת בֵּית ה׳ בִּירוּשָׁלַיִם בְּהַר הַמּוֹרִיָּה״** – **Similarly, in Chronicles** (*II Chronicles* 3:1) **it says,** ***to build the Temple of HASHEM in Jerusalem at Mount Moriah.*** **וְרַבּוֹתֵינוּ פֵּרְשׁוּ שֶׁמִּשָּׁם יָצְאָה הוֹרָאָה לָעוֹלָם** – **Our Sages** (*Taanis* 16a) **explained** that Jerusalem is called Moriah because **from there instruction** in the ways of the Torah **emanates to the world.**[3a] **וְאוּנְקְלוֹס תִּרְגְּמוֹ עַל שֵׁם הַקְּטֹרֶת שֶׁיֵּשׁ בּוֹ מוֹר וְסַמִּים** – **Onkelos**, however, **interpreted [Moriah]** as referring to Jerusalem **because of the incense** offered in the Temple, **which contains in it myrrh** (מוֹר) and other **spices.**[4]

[Ramban makes an observation about Rashi's explanations of the name Moriah:]

וְאִם כֵּן יִהְיֶה פֵּרוּשׁוֹ אֶל הָאָרֶץ אֲשֶׁר תִּהְיֶה מוֹרִיָּה – **If this is so, the interpretation [of the phrase]** *to the land of Moriah* is **"to the land which will be** called **Moriah."**[5] **אוֹ שֶׁנִּקְרֵאת כֵּן מֵעוֹלָם עַל שֵׁם הֶעָתִיד** – **Alternatively: It was always called [Moriah]**, even in Abraham's time, **because of** the events that

2. Rambam (ibid.) lists six such tests: (1) Our verse; (2) the Revelation at Mount Sinai, in *Exodus* 20:16; (3) the false prophet in *Deuteronomy* 13:4; and (4-6) regarding the manna (*Exodus* 16:4, *Deuteronomy* 8:2 and 8:16).

3. That is, in order to increase their merit by bringing their righteous potential into concrete action. [See Ramban on *Exodus* 16:4 and *Deuteronomy* 13:4 for further explanation regarding the tests of the manna and the false prophet.]

3a. According to this interpretation, the name מוֹרִיָּה is a compound of מוֹרֶה, *instructor,* and the Divine Name, and means either *God is my Instructor* or *God's instructions.*

4. Then name הַמֹּרִיָּה then means the *myrrh of God.* Onkelos' translation of *the land of Moriah* is אֲרַע פּוּלְחָנָא, *the land of worship*. Rashi explains how, in his opinion, Onkelos arrived at this translation. The connection between "Moriah" and "worship," he asserts, is the incense offering, which contained מוֹר, *myrrh.*

5. If אֶרֶץ הַמֹּרִיָּה, *the land of Moriah,* is interpreted as "the land of God's instructions" (as the Midrash

וְהַעֲלֵהוּ שָׁם לְעֹלָה עַל אַחַד הֶהָרִים אֲשֶׁר
ג אֹמַר אֵלֶיךָ: וַיַּשְׁכֵּם אַבְרָהָם בַּבֹּקֶר וַיַּחֲבֹשׁ

וְאַסְקֵהּ (קֳדָמַי) תַּמָּן לַעֲלָתָא עַל חַד (מִן) טוּרַיָּא דִּי אֵימַר לָךְ: ג וְאַקְדֵּים אַבְרָהָם בְּצַפְרָא וְזָרֵז

רש"י

והעלהו [שם]. לא אמר לו שחטהו, לפי שלא היה חפץ הקדוש ב"ה לשחטו אלא להעלותו להר [על מנת] לעשותו עולה, ומשהעלהו אמר לו הורידהו (ב"ר נו:ח): **אחד ההרים.** הקב"ה מתהא הצדיקים [ס"א משהא לצדיקים] ואח"כ מגלה להם, וכל זה כדי להרבות שכרן. וכן אל הארץ אשר אראך (לעיל יב:א), וכן ביונה (ג:ב) וקרא עליה את הקריאה (ב"ר נה:ז): **(ג) וישכם.** נזדרז למצוה (פסחים ד.; תנחומא שם): **ויחבש.** הוא בעצמו, ולא צוה לאחד מעבדיו, שהאהבה מקלקלת השורה (ב"ר שם ח):

רמב"ן

וּבִבְרֵאשִׁית רַבָּה [נה, ז] כָּךְ אָמְרוּ: רַבָּנִין אָמְרִין לְמָקוֹם שֶׁהַקְּטֹרֶת קְרֵבָה, כְּמָה דְּתֵימַר "אֵלֶךְ לִי אֶל הַר הַמּוֹר" [שיר השירים ד, ו].

אֲבָל דַּעַת אוּנְקְלוּס שֶׁאָמַר "אֲרַע פּוּלְחָנָא" אֵינוֹ נִרְאֶה כֵּן עַל הַמּוֹר שֶׁבַּקְּטֹרֶת, שֶׁאֵין לְשׁוֹן "פּוּלְחָנָא" עַל סַם אֶחָד מִסַּמֵּי אַחַת הָעֲבוֹדוֹת. וְלָמָּה לֹא אָמַר "לְאַרְעָא דִקְטֹרֶת בֻּסְמִין"? אֲבָל דַּעְתּוֹ לוֹמַר בָּאָרֶץ אֲשֶׁר יַעַבְדוּ שָׁם הָאֱלֹהִים, וְיִתְכַּוֵּן בָּזֶה לְמַה שֶּׁדָּרְשׁוּ בְּפִרְקֵי רַבִּי אֱלִיעֶזֶר [לא]. אָמְרוּ: בְּאֶצְבַּע הֶרְאָה הַקָּדוֹשׁ בָּרוּךְ הוּא לְאַבְרָהָם אָבִינוּ אֶת הַמִּזְבֵּחַ. אָמַר לוֹ: זֶהוּ הַמִּזְבֵּחַ – הוּא הַמִּזְבֵּחַ שֶׁהָיָה אָדָם הָרִאשׁוֹן מַקְרִיב בּוֹ; הוּא הַמִּזְבֵּחַ שֶׁהִקְרִיבוּ בּוֹ קַיִן וְהֶבֶל; הוּא הַמִּזְבֵּחַ שֶׁהִקְרִיבוּ בּוֹ נֹחַ וּבָנָיו. שֶׁנֶּאֱמַר [פסוק ט]: "וַיִּבֶן שָׁם אַבְרָהָם אֶת הַמִּזְבֵּחַ", מִזְבֵּחַ אֵין כָּתוּב כָּאן, אֶלָּא "הַמִּזְבֵּחַ", הוּא הַמִּזְבֵּחַ שֶׁהִקְרִיבוּ בּוֹ הָרִאשׁוֹנִים. עַד כָּאן.

RAMBAN ELUCIDATED

would take place there in **the future.**

[Ramban shows that as Rashi maintains the Sages of the Midrash make the connection between the name Moriah and the Temple incense, he takes issue however, with the way Rashi applied this idea:] **וּבִבְרֵאשִׁית רַבָּה כָּךְ אָמְרוּ:** – **In** ***Bereishis Rabbah*** (55:7), **this is what they said:** **רַבָּנִין אָמְרִין לְמָקוֹם שֶׁהַקְּטֹרֶת קְרֵבָה, כְּמָה דְּתֵימַר "אֵלֶךְ לִי אֶל הַר הַמּוֹר"** – **The rabbis say** that *to the land of Moriah* means **"to the place where the incense is offered," as you say** in reading the verse, ***I will go to the mountain of myrrh*** (*Song of Songs* 4:6).

אֲבָל דַּעַת אוּנְקְלוּס שֶׁאָמַר "אֲרַע פּוּלְחָנָא" אֵינוֹ נִרְאֶה כֵּן עַל הַמּוֹר שֶׁבַּקְּטֹרֶת – **However, the opinion of Onkelos – who renders** אֶרֶץ הַמֹּרִיָּה as אֲרַע פּוּלְחָנָא, ***the land of worship*** – **does not appear to be in accord with this** Midrash, that Moriah is **referring to the myrrh in the incense**, as Rashi asserts. **שֶׁאֵין לְשׁוֹן "פּוּלְחָנָא" עַל סַם אֶחָד מִסַּמֵּי אַחַת הָעֲבוֹדוֹת** – **For the** general **expression "worship" is not** appropriate here simply **because of one spice out of the** many **spices of** just **one of the** aspects of **Temple service.** **וְלָמָּה לֹא אָמַר "לְאַרְעָא דִקְטֹרֶת בֻּסְמִין"** – **Why,** if this was really Onkelos' intention, **did he not say "to the land of incense spices"?**

[Ramban now presents his own explanation of the basis for Onkelos' rendering Moriah as "the land of worship":]

אֲבָל דַּעְתּוֹ לוֹמַר בָּאָרֶץ אֲשֶׁר יַעַבְדוּ שָׁם הָאֱלֹהִים – **Rather, [Onkelos'] intention is to say "in the land where they would serve God"** in general. **וְיִתְכַּוֵּן בָּזֶה לְמַה שֶּׁדָּרְשׁוּ בְּפִרְקֵי רַבִּי אֱלִיעֶזֶר** – **By this he intends what [the Sages] expounded in** the Midrash ***Pirkei Rabbi Eliezer*** (31). **אָמְרוּ:** – **They said** there: **בְּאֶצְבַּע הֶרְאָה הַקָּדוֹשׁ בָּרוּךְ הוּא לְאַבְרָהָם אָבִינוּ אֶת הַמִּזְבֵּחַ** – **The Holy One, Blessed is He, pointed out the altar with** His **finger** (as it were), **to our patriarch Abraham.** **אָמַר לוֹ: זֶהוּ הַמִּזְבֵּחַ** – **He said to him, "This is the altar.** **הוּא הַמִּזְבֵּחַ שֶׁהָיָה אָדָם הָרִאשׁוֹן מַקְרִיב בּוֹ** – **It is the altar upon which Adam, the first** man, **used to sacrifice;** **הוּא הַמִּזְבֵּחַ שֶׁהִקְרִיבוּ בּוֹ קַיִן וְהֶבֶל** – **it is the altar upon which Cain and Abel sacrificed;** **הוּא הַמִּזְבֵּחַ שֶׁהִקְרִיבוּ בּוֹ נֹחַ וּבָנָיו** – **it is the altar upon which Noah and his sons sacrificed."** **שֶׁנֶּאֱמַר "וַיִּבֶן שָׁם אַבְרָהָם אֶת הַמִּזְבֵּחַ", מִזְבֵּחַ אֵין כָּתוּב כָּאן, אֶלָּא "הַמִּזְבֵּחַ"** – **As it says,** ***Abraham built the altar there*** (v. 9). **It is not written** ***"an" altar,*** but ***"the" altar,*** referring to a specific, previously identified altar, meaning, **הוּא הַמִּזְבֵּחַ שֶׁהִקְרִיבוּ בּוֹ הָרִאשׁוֹנִים** – **this is the altar upon which the ancient ones sacrificed.** **עַד כָּאן** – **End of quote** from the Midrash.

explains) or "the land of myrrh" (as Rashi interprets Onkelos) – both of which allude to the Temple period – that land was yet not called by this name at the time God spoke to Abraham.

and offer him up there as an offering upon one of the mountains which I shall tell you."

3 *So Abraham woke up early in the morning and he saddled*

רמב״ן

וְשֵׁם מֹרִיָּה עֲשָׂאוֹ מִן מוֹרָא, שֶׁשָּׁם יָרְאוּ הָאֱלֹהִים וְעָבְדוּ לְפָנָיו[5a].

וְהַנָּכוֹן עַל דֶּרֶךְ הַפְּשָׁט, שֶׁהוּא כְּמוֹ "אֶל הַר הַמּוֹר וְאֶל גִּבְעַת הַלְּבוֹנָה" [שיר השירים ד, ו] כִּי יִמָּצְאוּן שָׁם בָּהָר הַהוּא מוֹר[6] וַאֲהָלִים וְקִנָּמוֹן[6a], כְּעִנְיָן שֶׁאָמְרוּ [ירושלמי פאה ז, ג]: קִנָּמוֹן הָיָה גָּדֵל בְּאֶרֶץ יִשְׂרָאֵל, וְהָיוּ עִזִּים וּצְבָאִים אוֹכְלִים מִמֶּנּוּ. אוֹ שֶׁנִּקְרָא כֵּן לְשֶׁבַח[7,7a].

וְהִנֵּה בְּכָאן קוֹרֵא שֵׁם הָאָרֶץ "אֶרֶץ מוֹרִיָּה", וְשָׁם[7b] נִרְאֶה כִּי הַר הַבַּיִת לְבַדּוֹ יִקָּרֵא "הַר הַמּוֹרִיָּה". וְאוּלַי נִקְרֵאת הָאָרֶץ עַל שֵׁם הָהָר הַהוּא אֲשֶׁר בְּתוֹכָהּ[8], הָאָרֶץ אֲשֶׁר בָּהּ הַמּוֹרִיָּה - וְהָהָר לְבַדּוֹ הוּא נִקְרָא מוֹרִיָּה. וְאַבְרָהָם יָדַע אֶת הָאָרֶץ וְלֹא יָדַע אֶת הָהָר, וְלָכֵן אָמַר לוֹ שֶׁיֵּלֵךְ אֶל אֶרֶץ הַמּוֹרִיָּה, וְהוּא יַרְאֶנּוּ אַחַד הֶהָרִים שֶׁשָּׁם שֶׁנִּקְרָא כָּכָה.

RAMBAN ELUCIDATED

וְשֵׁם מֹרִיָּה עֲשָׂאוֹ מִן מוֹרָא – **[Onkelos] took the name Moriah** as coming **from** מוֹרָא, ***fear,*** שֶׁשָּׁם יָרְאוּ הָאֱלֹהִים וְעָבְדוּ לְפָנָיו – **for there** the ancient ones **feared God and worshiped before Him.**[5a]

[Ramban now explains what he sees as the simple, non-Midrashic meaning of Moriah:]

וְהַנָּכוֹן עַל דֶּרֶךְ הַפְּשָׁט שֶׁהוּא כְּמוֹ "אֶל הַר הַמּוֹר וְאֶל גִּבְעַת הַלְּבוֹנָה" – **The soundest** interpretation, **according to the simple meaning, is that [the name Mount Moriah] is similar** in meaning to the term הַר הַמּוֹר, *the mountain of myrrh,* in the verse, ***I will go to the mountain of myrrh and to the hill of frankincense*** (*Song of Songs* 4:6). כִּי יִמָּצְאוּן שָׁם בָּהָר הַהוּא מוֹר וַאֲהָלִים וְקִנָּמוֹן – **For there can be found there, on that mountain** of Moriah, **myrrh**[6] **and aloes and cinnamon,**[6a] כְּעִנְיָן שֶׁאָמְרוּ: קִנָּמוֹן הָיָה גָּדֵל בְּאֶרֶץ יִשְׂרָאֵל וְהָיוּ עִזִּים וּצְבָאִים אוֹכְלִים מִמֶּנּוּ – **as [the Sages] said** (*Yerushalmi, Pe'ah* 7:3), **"Cin-namon used to grow in *Eretz Yisrael*, and the goats and deer used to eat from it,** so plentiful was it." אוֹ שֶׁנִּקְרָא כֵּן לְשֶׁבַח – **Alternatively, it was called this as** an expression **of praise.**[7,7a]

[Ramban now seeks to ascertain whether Moriah is the name of a mountainous geographical area that included the specific mountain to which God sent Abraham or the name of that mountain:]

וְהִנֵּה בְּכָאן קוֹרֵא שֵׁם הָאָרֶץ "אֶרֶץ מוֹרִיָּה" – **Now, here [Scripture] calls the name of the land, *the land of Moriah,*** וְשָׁם נִרְאֶה כִּי הַר הַבַּיִת לְבַדּוֹ יִקָּרֵא הַר הַמּוֹרִיָּה – **while there,** in *Chronicles,*[7b] **it appears that the Temple Mount alone is called "Mount Moriah."** וְאוּלַי נִקְרֵאת הָאָרֶץ עַל שֵׁם הָהָר הַהוּא אֲשֶׁר בְּתוֹכָהּ[8], הָאָרֶץ אֲשֶׁר בָּהּ הַמּוֹרִיָּה – **Perhaps the land was called by the name of that mountain that lay within it – "the land within which is** Mount **Moriah"** – וְהָהָר לְבַדּוֹ הוּא נִקְרָא מוֹרִיָּה – **but it was** in fact **only the mountain that was** primarily **called Moriah.** וְאַבְרָהָם יָדַע אֶת הָאָרֶץ וְלֹא יָדַע אֶת הָהָר – **Abraham was familiar** only with the name of **the land, and did not know** the name of **the mountain,** וְלָכֵן אָמַר לוֹ שֶׁיֵּלֵךְ אֶל "אֶרֶץ הַמּוֹרִיָּה" – **and that is why [God] said to him that he should go to the *land of Moriah,*** וְהוּא יַרְאֶנּוּ אַחַד הֶהָרִים שֶׁשָּׁם שֶׁנִּקְרָא כָּכָה – **and He would** then **show him one of the mountains there that was called by this** name.

5a. According to this interpretation, the name מוֹרִיָּה is a compound of מוֹרָא, *fear,* and the Divine Name, and means *fear of God.*

6. Ramban agrees with the Midrash's interpretation that Moriah comes from מוֹר, *myrrh*, but he maintains that this association with myrrh is not on account of the Temple incense (which was a future event as of the time of Abraham), but on account of the natural growth of myrrh on the Temple mount, which was true even in Abraham's day.

6a. Stylistic citation from *Proverbs* 7:17.

7. Even if myrrh did not actually grow on Mount Moriah, it was called by this name as an expression of praise, indicating that it was a precious and pleasant place, just as myrrh is a precious and fragrant spice.

7a. Some editions read, לְשֶׁבַח יִשְׂרָאֵל, *in praise of Israel,* or לְשֶׁבַח אֶרֶץ יִשְׂרָאֵל, *in praise of the Land of Israel.*

7b. See beginning of Ramban's comment.

8. The text has been emended in accordance with the reading found in *Tur* and *Kesef Mezukak*.

אֶת־חֲמֹרוֹ וַיִּקַּח אֶת־שְׁנֵי נְעָרָיו אִתּוֹ וְאֵת
יִצְחָק בְּנוֹ וַיְבַקַּע עֲצֵי עֹלָה וַיָּקָם וַיֵּלֶךְ אֶל־
ד הַמָּקוֹם אֲשֶׁר־אָמַר־לוֹ הָאֱלֹהִים: בַּיּוֹם הַשְּׁלִישִׁי
וַיִּשָּׂא אַבְרָהָם אֶת־עֵינָיו וַיַּרְא אֶת־הַמָּקוֹם
ה מֵרָחֹק: וַיֹּאמֶר אַבְרָהָם אֶל־נְעָרָיו שְׁבוּ־לָכֶם
פֹּה עִם־הַחֲמוֹר וַאֲנִי וְהַנַּעַר נֵלְכָה עַד־כֹּה

יָת חֲמָרֵהּ וּדְבַר יָת תְּרֵין עוּלֵימוֹהִי עִמֵּהּ וְיָת יִצְחָק בְּרֵהּ וְצַלַּח אָעֵי דַעֲלָתָא וְקָם וַאֲזַל לְאַתְרָא דִּי אֲמַר לֵהּ יְיָ: ד בְּיוֹמָא תְלִיתָאָה וּזְקַף אַבְרָהָם יָת עֵינוֹהִי וַחֲזָא יָת אַתְרָא מֵרָחִיק: ה וַאֲמַר אַבְרָהָם לְעוּלֵימוֹהִי אוֹרִיכוּ לְכוֹן הָכָא עִם חֲמָרָא וַאֲנָא וְעוּלֵימָא נִתְמְטֵי עַד כָּא

רש"י

את שני נעריו. ישמעאל ואליעזר, שאין אדם חשוב רשאי לצאת לדרך בלא ב׳ אנשים, שאם יצטרך האחד לנקביו ויתרחק יהיה השני עמו (שם; ויק"ר כו:ז; תנחומא בלק ח): **ויבקע.** תרגומו וצלח, כמו וצלחו הירדן (שמואל ב יט:יח), לשון ביקוע, פינדר"א בלע"ז: **(ד) ביום השלישי.** למה איחר מלהראותו מיד, כדי שלא יאמרו הממו וערבבו פתאום וטרף דעתו, ואילו היה לו שהות להמלך אל לבו לא היה עושה (תנחומא כב): **וירא את המקום.** ראה ענן קשור על ההר (שם כג; ב"ר נו:א):

רמב"ן

וְצִוָּהוּ לְהַעֲלוֹתוֹ בַּמָּקוֹם הַהוּא כִּי הוּא "הָהָר חָמַד אֱלֹהִים לְשִׁבְתּוֹ" [תהלים סח, יז][9], וְרָצָה שֶׁתִּהְיֶה זְכוּת הָעֲקֵדָה בַּקָּרְבָּנוֹת לְעוֹלָם, כַּאֲשֶׁר אָמַר אַבְרָהָם "ה׳ יִרְאֶה" [פסוק יד][10]. וְעוֹד, כִּי לְמַעַן צִדְקוֹ הִגְדִּיל טָרְחוֹ וְרָצָה שֶׁיַּעֲשֶׂה זֶה אַחֲרֵי מַהֲלַךְ שְׁלֹשָׁה יָמִים[10a], כִּי אִלּוּ יַעֲשֶׂה כֵּן בְּפֶתַע פִּתְאֹם בִּמְקוֹמוֹ – הָיְתָה פְּעֻלָּתוֹ בִּמְהִירוּת וּבֶהָלָה אֲבָל כְּשֶׁיִּהְיֶה אַחַר מַהֲלַךְ יָמִים – כְּבָר נַעֲשָׂה בְּיִשּׁוּב דַּעַת וְעֵצָה וְכָךְ אָמְרוּ בִּבְרֵאשִׁית רַבָּה [נה, ו]: רַבִּי עֲקִיבָא אוֹמֵר: נִסָּה אוֹתוֹ בְּוַדַּאי[11], שֶׁלֹּא יִהְיוּ אוֹמְרִין "הִמְמוֹ וְעִרְבְּבוֹ, וְלֹא הָיָה יוֹדֵעַ מַה לַּעֲשׂוֹת".

RAMBAN ELUCIDATED

[Why did God tell Abraham to journey for three days to Moriah? Why could he not offer Isaac as a sacrifice closer to home? Ramban explains:]

וְצִוָּהוּ לְהַעֲלוֹתוֹ בַּמָּקוֹם הַהוּא – God commanded [Abraham] to offer [Isaac] up in that particular **place** **כִּי הוּא "הָהָר חָמַד אֱלֹהִים לְשִׁבְתּוֹ" – because that was "the mountain that God desired for His abode"** (*Psalms* 68:17),[9] **וְרָצָה שֶׁתִּהְיֶה זְכוּת הָעֲקֵדָה בַּקָּרְבָּנוֹת לְעוֹלָם – and He wanted the merit of the *Akeidah* (*the binding*** of Isaac on the altar, in preparation for sacrificing him) to be applicable **to the offerings** that would be brought in the Temple on that site, **for all time,** **כַּאֲשֶׁר אָמַר אַבְרָהָם "ה׳ יִרְאֶה" – as Abraham** himself **said, *May Hashem see*** (v. 14).[10] **וְעוֹד כִּי לְמַעַן צִדְקוֹ הִגְדִּיל טָרְחוֹ – Furthermore, in order to enhance** the merit of **[Abraham's] righteousness, He increased his toil** **וְרָצָה שֶׁיַּעֲשֶׂה זֶה אַחֲרֵי מַהֲלַךְ שְׁלֹשָׁה יָמִים – and wanted that [Abraham] should do this** act **after a three-day journey,**[10a] **כִּי אִלּוּ יַעֲשֶׂה כֵּן בְּפֶתַע פִּתְאֹם בִּמְקוֹמוֹ – because if [Abraham] would do so** – i.e., offer his son on an altar – **suddenly, in his own place,** **הָיְתָה פְּעֻלָּתוֹ בִּמְהִירוּת וּבֶהָלָה – his action would be** done **with haste and confusion.** **אֲבָל כְּשֶׁיִּהְיֶה אַחַר מַהֲלַךְ יָמִים – However, if it would be** done **after a journey of** several **days,** **כְּבָר נַעֲשָׂה בְּיִשּׁוּב דַּעַת וְעֵצָה – it would be done with deliberation and forethought.** **וְכָךְ אָמְרוּ בִּבְרֵאשִׁית רַבָּה: – And so they said in *Bereishis Rabbah*** (55:6): **רַבִּי עֲקִיבָא אוֹמֵר: נִסָּה אוֹתוֹ בְּוַדַּאי – Rabbi Akiva says: [God] tested him in the literal sense,**[11] **שֶׁלֹּא יִהְיוּ אוֹמְרִין הִמְמוֹ וְעִרְבְּבוֹ וְלֹא הָיָה יוֹדֵעַ מַה לַּעֲשׂוֹת – so that [people] should not say, "He confounded him and mixed him up, and he did not** fully **know what he was doing."**

9. That is, one day the Temple would be built there.

10. This was the name that Abraham gave to the place of the *Akeidah*: "Hashem Yireh," meaning "May Hashem See." That is, "May Hashem see, in the future, what has taken place here now." (See Rabbeinu Bachya on v. 14 below.)

10a. [It is possible that this interpretation follows Ramban's understanding that the point of a test is to provide reward for the testee. Ramban now suggests that Abraham's reward was enhanced by the fact that the *Akeidah* was to take place at a three-day journey from his home, for the reason that Ramban explains here.]

11. Rabbi Akiva says this in response to another opinion presented in the Midrash, that interprets נִסָּה in our verse as *made a miracle,* related to the noun נֵס, *a miracle.*

his donkey; he took his two young men with him and Isaac, his son; he chopped the wood for the offering, and stood up and went to the place of which God had spoken to him.
4 *On the third day, Abraham raised his eyes and saw the place from afar.* 5 *And Abraham said to his young men, "Stay here by yourselves with the donkey, while I and the lad will go yonder;*

רמב״ן

[ג] וַיְבַקַּע עֲצֵי עֹלָה. זְרִיזוּתוֹ בַּמִּצְוָה, אוּלַי לֹא יִמָּצֵא שָׁם בַּמָּקוֹם הַהוּא עֵצִים, וְהוֹלִיכָם שְׁלֹשָׁה יָמִים. אוֹ שֶׁהָיָה אַבְרָהָם פּוֹסֵל לַקָּרְבָּן עֵץ שֶׁנִּמְצָא בּוֹ תּוֹלַעַת, כְּדִין הַתּוֹרָה, וְלָקַח מִבֵּיתוֹ עֵצִים טוֹבִים לְעוֹלָה. וְכֵן אָמַר: "וַיְבַקַּע עֲצֵי עוֹלָה"[12].

[ד] וַיַּרְא אֶת הַמָּקוֹם מֵרָחֹק. רָאָה עָנָן קָשׁוּר עַל הָהָר [ב״ר נו, א], וְנִתְקַיֵּם[13] בָּזֶה[14] "אֲשֶׁר אֹמַר אֵלֶיךָ".
וְיִתָּכֵן עַל דֶּרֶךְ הַפְּשָׁט "וַיַּרְא אֶת הַמָּקוֹם מֵרָחֹק" שֶׁרָאָה אֶרֶץ הַמּוֹרִיָּה, כִּי כָּל הָאָרֶץ הַהִיא הָיָה יוֹדֵעַ. "וַיָּבֹאוּ אֶל הַמָּקוֹם אֲשֶׁר אָמַר לוֹ הָאֱלֹהִים" עַתָּה[15], הוּא הַר הַמּוֹרִיָּה, שֶׁאָמַר לוֹ "הִנֵּה זֶה הָהָר אֲשֶׁר אָמַרְתִּי לְךָ".

RAMBAN ELUCIDATED

3. וַיְבַקַּע עֲצֵי עֹלָה – ***HE CHOPPED THE WOOD FOR THE OFFERING*** (lit., He chopped wood of a burnt-offering).

[Why did Abraham have to prepare the wood before leaving, thus necessitating him to carry such a heavy burden for such a long way? Ramban explains:]

זְרִיזוּתוֹ בַּמִּצְוָה – He did this because of **his alacrity in** fulfilling God's **command.** **אוּלַי לֹא יִמָּצֵא שָׁם בַּמָּקוֹם הַהוּא עֵצִים** – He thought that **perhaps he might not find wood in that place** to which he was going, **וְהוֹלִיכָם שְׁלֹשָׁה יָמִים** – **so he carried them for three days.** **אוֹ שֶׁהָיָה אַבְרָהָם פּוֹסֵל לַקָּרְבָּן עֵץ שֶׁנִּמְצָא בּוֹ תּוֹלַעַת כְּדִין הַתּוֹרָה** – **Alternatively: Abraham considered wood in which a maggot is found to be disqualified for** altar **offerings, in accordance with the Torah law** (see *Middos* 2:5), **וְלָקַח מִבֵּיתוֹ עֵצִים טוֹבִים לְעוֹלָה** – **so he took good-quality wood from his house for the burnt-offering.** **וְכֵן אָמַר "וַיְבַקַּע עֲצֵי עוֹלָה"** – **And so it says:** ***He chopped wood of a burnt-offering.***[12]

4. וַיַּרְא אֶת הַמָּקוֹם מֵרָחֹק – ***AND [ABRAHAM] SAW THE PLACE FROM AFAR.***

[God said that He would show Abraham the desired place for the offering. But we do not find that God actually did so. Ramban explains:]

רָאָה עָנָן קָשׁוּר עַל הָהָר – **He saw a cloud affixed to the mountain** (*Bereishis Rabbah* 56:1), **וְנִתְקַיֵּם בָּזֶה "אֲשֶׁר אֹמַר אֵלֶיךָ"** – **and** God's statement, *"Offer him up on one of the mountains* ***which I shall tell you"*** **was fulfilled**[13] **in this manner.**[14]

וְיִתָּכֵן עַל דֶּרֶךְ הַפְּשָׁט "וַיַּרְא אֶת הַמָּקוֹם מֵרָחֹק" – **It is possible, in the manner of simple** interpretation, that ***he saw the place from afar*** means **שֶׁרָאָה אֶרֶץ הַמּוֹרִיָּה כִּי כָּל הָאָרֶץ הַהִיא הָיָה יוֹדֵעַ** – **that he saw the land of Moriah, for he was familiar with that whole area.** According to this interpretation, verse 9 means, **"וַיָּבֹאוּ אֶל הַמָּקוֹם אֲשֶׁר אָמַר לוֹ הָאֱלֹהִים" עַתָּה** – ***They arrived at the place that God told him,*** **just then.**[15] **הוּא הַר הַמּוֹרִיָּה** – **That was Mount Moriah.** **שֶׁאָמַר לוֹ "הִנֵּה זֶה הָהָר אֲשֶׁר אָמַרְתִּי לְךָ"** – **For He said to him, "Here, this is the mountain I told you about."**

12. *The wood of a burnt-offering* has the connotation that it describes wood that is particularly suited to an offering – i.e., free of maggots, etc. – rather than ordinary firewood.

13. Although God did not "show" Abraham the exact place explicitly, by affixing a cloud to the place, He caused Abraham to realize that that was the proper place.

14. God told Abraham two things concerning the location of the *Akeidah* – that he should go to the land of Moriah, and that upon his arrival at Moriah, God would show him the desired place. According to this first interpretation, *[Abraham] saw the place from afar* refers to the exact location of the *Akeidah*; and *they arrived at the place that God told him* (v. 9) means that they reached that exact place.

15. See note 14. According to this second interpretation, *[Abraham] saw the place from afar* refers to the

ו וְנִשְׁתַּחֲוֶה וְנָשׁוּבָה אֲלֵיכֶם: וַיִּקַּח אַבְרָהָם אֶת־
עֲצֵי הָעֹלָה וַיָּשֶׂם עַל־יִצְחָק בְּנוֹ וַיִּקַּח בְּיָדוֹ אֶת־
ז הָאֵשׁ וְאֶת־הַמַּאֲכֶלֶת וַיֵּלְכוּ שְׁנֵיהֶם יַחְדָּו: וַיֹּאמֶר
יִצְחָק אֶל־אַבְרָהָם אָבִיו וַיֹּאמֶר אָבִי וַיֹּאמֶר
הִנֶּנִּי בְנִי וַיֹּאמֶר הִנֵּה הָאֵשׁ וְהָעֵצִים וְאַיֵּה הַשֶּׂה
ח לְעֹלָה: וַיֹּאמֶר אַבְרָהָם אֱלֹהִים יִרְאֶה־לּוֹ הַשֶּׂה
ט לְעֹלָה בְּנִי וַיֵּלְכוּ שְׁנֵיהֶם יַחְדָּו: וַיָּבֹאוּ אֶל־הַמָּקוֹם
אֲשֶׁר אָמַר־לוֹ הָאֱלֹהִים וַיִּבֶן שָׁם אַבְרָהָם אֶת־
הַמִּזְבֵּחַ וַיַּעֲרֹךְ אֶת־הָעֵצִים וַיַּעֲקֹד אֶת־יִצְחָק
בְּנוֹ וַיָּשֶׂם אֹתוֹ עַל־הַמִּזְבֵּחַ מִמַּעַל לָעֵצִים:
י וַיִּשְׁלַח אַבְרָהָם אֶת־יָדוֹ וַיִּקַּח אֶת־הַמַּאֲכֶלֶת
יא לִשְׁחֹט אֶת־בְּנוֹ: וַיִּקְרָא אֵלָיו מַלְאַךְ יהוה מִן־
הַשָּׁמַיִם וַיֹּאמֶר אַבְרָהָם ׀ אַבְרָהָם וַיֹּאמֶר הִנֵּנִי:
יב וַיֹּאמֶר אַל־תִּשְׁלַח יָדְךָ אֶל־הַנַּעַר וְאַל־תַּעַשׂ
לוֹ מְאוּמָה כִּי ׀ עַתָּה יָדַעְתִּי כִּי־יְרֵא אֱלֹהִים
אַתָּה וְלֹא חָשַׂכְתָּ אֶת־בִּנְךָ אֶת־יְחִידְךָ מִמֶּנִּי:

וְנִסְגּוּד וּנְתוּב לְוָתְכוֹן: ו וּנְסֵיב אַבְרָהָם יָת אָעֵי דַעֲלָתָא וְשַׁוִּי עַל יִצְחָק בְּרֵהּ וּנְסֵיב בִּידֵהּ יָת אֶשָּׁתָא וְיָת סַכִּינָא וַאֲזָלוּ תַּרְוֵיהוֹן כַּחֲדָא: ז וַאֲמַר יִצְחָק לְאַבְרָהָם אֲבוּהִי וַאֲמַר אַבָּא וַאֲמַר הָא אֲנָא בְרִי וַאֲמַר הָא אֶשָּׁתָא וְאָעַיָּא וְאָן אִימְּרָא לַעֲלָתָא: ח וַאֲמַר אַבְרָהָם קֳדָם יְיָ גְּלֵי לֵהּ אִימְּרָא לַעֲלָתָא בְּרִי וַאֲזָלוּ תַּרְוֵיהוֹן כַּחֲדָא: ט וַאֲתוֹ לְאַתְרָא דִּי אֲמַר לֵהּ יְיָ וּבְנָא תַמָּן אַבְרָהָם יָת מַדְבְּחָא וְסַדַּר יָת אָעַיָּא וַעֲקַד יָת יִצְחָק בְּרֵהּ וְשַׁוִּי יָתֵהּ עַל מַדְבְּחָא עֵיל מִן אָעַיָּא: י וְאוֹשִׁיט אַבְרָהָם יָת יְדֵהּ וּנְסֵיב יָת סַכִּינָא לְמִיכַס יָת בְּרֵהּ: יא וּקְרָא לֵהּ מַלְאֲכָא דַייָ מִן שְׁמַיָּא וַאֲמַר אַבְרָהָם אַבְרָהָם וַאֲמַר הָא אֲנָא: יב וַאֲמַר לָא תוֹשֵׁיט יְדָךְ לְעוּלֵימָא וְלָא תַעְבֵּד לֵהּ מִדָּעַם אֲרֵי כְעַן יְדַעְנָא (נ״א יְדָעִית) אֲרֵי דַחֲלָא דַייָ אַתְּ וְלָא מְנַעְתָּ יָת בְּרָךְ יָת יְחִידָךְ מִנִּי:

רש״י

(ה) **עד כה.** כלומר, דרך מועט למקום אשר לפנינו. ומדרש אגדה, אראה היכן הוא מה שאמר לי המקום כה יהיה זרעך (לעיל טו:ה; שם ושם): **ונשובה.** נתנבא שישובו שניהם (שם ושם; מועד קטן יח.): (ו) **המאכלת.** סכין על שם שאוכלת את הבשר, כמה דתימא וחרבי תאכל בשר (דברים לב:מב), ושמכשרת בשר לאכילה. דבר אחר, זאת נקראת מאכלת, על שם שישראל אוכלים מתן שכרה (ב״ר שם ג): **וילכו שניהם יחדו.** אברהם שהיה יודע שהולך לשחוט את בנו היה הולך ברצון ושמחה כיצחק שלא היה מרגיש בדבר: (ח) **יראה לו השה.** כלומר יראה ויבחר לו השה (תרגום יונתן) ואם אין שה, **לעולה בני.** ואע״פ שהבין יצחק שהוא הולך להשחט, **וילכו שניהם יחדו,** בלב שוה (ב״ר שם ד; תרגום ירושלמי): (ט) **ויעקד.** ידיו ורגליו מאחוריו. הידים והרגלים ביחד היא עקידה (שבת נד.). והוא לשון עקודים (להלן ל:לט) שהיו קרסוליהם לבנים, מקום שעוקדים אותן בו היה ניכר (תרגום יונתן להלן ל:לט): (יא) **אברהם אברהם.** לשון חבה הוא, שכופל את שמו (ב״ר שם ז; ת״כ ויקרא א:א): (יב) **אל תשלח.** לשחוט. אמר לו א״כ לחנם באתי לכאן, אעשה בו חבלה ואוציא ממנו מעט דם. א״ל אל תעש לו מאומה, אל תעש בו מום (ב״ר שם): [**כי עתה ידעתי.** א״ר אבא, א״ל אברהם, אפרש לפניך את שיחתי. אתמול אמרת לי כי ביצחק יקרא לך זרע, וחזרת ואמרת קח נא את בנך, עכשיו אתה אומר לי אל תשלח ידך אל הנער. אמר לו הקב״ה, לא אחלל בריתי ומוצא שפתי לא אשנה (תהלים פט:לה). כשאמרתי לך קח, מוצא שפתי לא אשנה, לא אמרתי לך שחטהו אלא העלהו. אסקתיה, אחתיה (ב״ר שם ח):] **כי עתה ידעתי.** מעתה יש לי מה להשיב לשטן (סנהדרין פט:) ולאומות התמהים מה היא חיבתי אצלך. יש לי פתחון פה עכשיו, שרואים כי ירא אלהים אתה (תנחומא ישן מו, בחוקותי ז):

RAMBAN ELUCIDATED

12. כִּי עַתָּה יָדַעְתִּי – ***FOR NOW I KNOW.***

[God, of course, knew this beforehand as well. Ramban explains what He meant by, "*Now I know*":[16]]

general area of the land of Moriah, a location with which Abraham was already familiar, but not the exact spot within that land at which he was to offer Isaac. The verse, *they arrived at the place that God told him,* then means, that God just then told them that they were at the exact place to which they were headed.

16. See also Rambam, *Moreh Nevuchim* III:24.

we will worship and we will return to you."
6 *And Abraham took the wood for the offering, and*
placed it on Isaac, his son. He took in his hand the fire and
the knife, and the two of them went together. 7 *Then Isaac*
spoke to Abraham his father and said, "Father — "
And he said, "Here I am, my son."
And he said, "Here are the fire and the wood, but where
is the lamb for the offering?"
8 *And Abraham said, "God will seek out for Himself the*
lamb for the offering, my son." And the two of them went
together.
9 *They arrived at the place that God told him; Abraham*
built the altar there, and arranged the wood; he bound
Isaac, his son, and he placed him on the altar atop the
wood. 10 *Abraham stretched out his hand, and took the*
knife to slaughter his son.
11 *And an angel of* Hashem *called to him from heaven,*
and said, "Abraham! Abraham!"
And he said, "Here I am."
12 *And he said, "Do not stretch out your hand against*
the lad nor do any thing to him for now I know that you
are a God-fearing man, since you have not withheld your
son, your only one, from Me."

רמב״ן

[יב] כִּי עַתָּה יָדַעְתִּי[16]. מִתְּחִלָּה הָיְתָה יִרְאָתוֹ בְּכֹחַ[16a], לֹא יָצָא לַפּוֹעַל בְּמַעֲשֶׂה הַגָּדוֹל הַזֶּה[16b]. וְעַתָּה נוֹדְעָה בְּמַעֲשֶׂה, וְהָיָה זְכוּתוֹ שָׁלֵם, וּתְהִי מַשְׂכֻּרְתּוֹ שְׁלֵמָה מֵעִם ה׳ אֱלֹהֵי יִשְׂרָאֵל[17].

וְדַעַת הַפָּרָשָׁה שֶׁ״הָאֱלֹהִים״ הוּא הַמְנַסֶּה וּמְצַוֶּה בַּעֲקֵדָה, וּ״מַלְאַךְ ה׳״ הוּא הַמּוֹנֵעַ [להלן פסוקים יא-יב] וְהַמַּבְטִיחַ [להלן פסוקים טו-יח]– יִתְבָּרֵר בַּפָּסוּק ״הַמַּלְאָךְ הַגּוֹאֵל אֹתִי״ [להלן מח, טו-טז].

RAMBAN ELUCIDATED

מִתְּחִלָּה הָיְתָה יִרְאָתוֹ בְּכֹחַ, לֹא יָצָא לַפּוֹעַל בְּמַעֲשֶׂה הַגָּדוֹל הַזֶּה – **At first [Abraham's] fear** of God **was** still **latent:**[16a] it had not yet **emerged into actuality by means of this great deed.**[16b] **וְעַתָּה נוֹדְעָה בְּמַעֲשֶׂה** – **But now,** with the performance of this deed, **it became known in deed,** **וְהָיָה זְכוּתוֹ שָׁלֵם, וּתְהִי מַשְׂכֻּרְתּוֹ שְׁלֵמָה מֵעִם ה׳ אֱלֹהֵי יִשְׂרָאֵל** – **and his merit became complete, and "his reward was full from Hashem, the God of Israel."**[17]

וְדַעַת הַפָּרָשָׁה – **The concept** expressed in **this section,** **שֶׁ״הָאֱלֹהִים״ הוּא הַמְנַסֶּה וּמְצַוֶּה בַּעֲקֵדָה** – **that it was *God* Who was testing** Abraham **and commanding** him **concerning the binding** of Isaac, **וּ״מַלְאַךְ ה׳״ הוּא הַמּוֹנֵעַ וְהַמַּבְטִיחַ** – **and it was "the angel of Hashem" who was preventing it** (vv. 11-12) **and promising** Abraham that he would be blessed (vv. 15-18), **יִתְבָּרֵר בַּפָּסוּק ״הַמַּלְאָךְ הַגּוֹאֵל אֹתִי״** – **will be elaborated upon in** my commentary on **the verse, *The angel who redeems me*** *from all evil* (below, 48:15-16).

16a. That is, although Abraham embodied that trait of "fear of God," he had never had the opportunity to exhibit that trait openly.

16b. That is, it had not yet emerged, because this great deed – which marked its emergence – had not yet been performed.

17. Stylistic paraphrase from *Ruth* 2:12.

יג וַיִּשָּׂא אַבְרָהָם אֶת־עֵינָיו וַיַּרְא וְהִנֵּה־אַיִל
אַחַר נֶאֱחַז בַּסְּבַךְ בְּקַרְנָיו וַיֵּלֶךְ אַבְרָהָם
וַיִּקַּח אֶת־הָאַיִל וַיַּעֲלֵהוּ לְעֹלָה תַּחַת בְּנוֹ:
יד וַיִּקְרָא אַבְרָהָם שֵׁם־הַמָּקוֹם הַהוּא יהוה ׀
יִרְאֶה אֲשֶׁר יֵאָמֵר הַיּוֹם בְּהַר יהוה יֵרָאֶה:
טו וַיִּקְרָא מַלְאַךְ יהוה אֶל־אַבְרָהָם שֵׁנִית מִן־
טז הַשָּׁמָיִם: וַיֹּאמֶר בִּי נִשְׁבַּעְתִּי נְאֻם־יהוה כִּי
יַעַן אֲשֶׁר עָשִׂיתָ אֶת־הַדָּבָר הַזֶּה וְלֹא חָשַׂכְתָּ
יז אֶת־בִּנְךָ אֶת־יְחִידֶךָ: כִּי־בָרֵךְ אֲבָרֶכְךָ וְהַרְבָּה
אַרְבֶּה אֶת־זַרְעֲךָ כְּכוֹכְבֵי הַשָּׁמַיִם וְכַחוֹל
אֲשֶׁר עַל־שְׂפַת הַיָּם וְיִרַשׁ זַרְעֲךָ אֵת שַׁעַר
יח אֹיְבָיו: וְהִתְבָּרְכוּ בְזַרְעֲךָ כֹּל גּוֹיֵי הָאָרֶץ עֵקֶב
יט אֲשֶׁר שָׁמַעְתָּ בְּקֹלִי: וַיָּשָׁב אַבְרָהָם אֶל־נְעָרָיו
וַיָּקֻמוּ וַיֵּלְכוּ יַחְדָּו אֶל־בְּאֵר שָׁבַע וַיֵּשֶׁב
אַבְרָהָם בִּבְאֵר שָׁבַע: פ
מפטיר כ וַיְהִי אַחֲרֵי הַדְּבָרִים הָאֵלֶּה וַיֻּגַּד לְאַבְרָהָם
לֵאמֹר הִנֵּה יָלְדָה מִלְכָּה גַם־הִוא בָּנִים לְנָחוֹר

יג וּזְקַף אַבְרָהָם יָת עֵינוֹהִי בָּתַר אִלֵּין וַחֲזָא וְהָא דִכְרָא בָּתַר אֲחִיד בְּאִילָנָא בְּקַרְנוֹהִי וַאֲזַל אַבְרָהָם וּנְסֵיב יָת דִּכְרָא וְאַסְקֵהּ לַעֲלָתָא חֳלַף בְּרֵהּ: יד וּפְלַח וְצַלִּי אַבְרָהָם תַּמָּן בְּאַתְרָא הַהוּא וַאֲמַר קֳדָם יְיָ הָכָא יְהוֹן פָּלְחִין דָּרַיָּא בְּכֵן יִתְאַמַּר בְּיוֹמָא הָדֵין בְּטוּרָא הָדֵין אַבְרָהָם קֳדָם יְיָ פְּלָח: טו וּקְרָא מַלְאֲכָא דַייָ לְאַבְרָהָם תִּנְיָנוּת מִן שְׁמַיָּא: טז וַאֲמַר בְּמֵימְרִי קַיֵּמִית אֲמַר יְיָ אֲרֵי חֲלָף דִּי עֲבַדְתָּא יָת פִּתְגָּמָא הָדֵין וְלָא מְנַעְתָּא יָת בְּרָךְ יָת יְחִידָךְ: יז אֲרֵי בָרָכָא אֲבָרְכִנָּךְ וְאַסְגָּאָה אַסְגֵּי יָת בְּנָיךְ כְּכוֹכְבֵי שְׁמַיָּא וּכְחָלָא דִּי עַל כֵּיף יַמָּא וְיִרְתוּן בְּנָיךְ יָת קִרְוֵי סַנְאֵיהוֹן: יח וְיִתְבָּרְכוּן בְּדִיל בְּנָיךְ כֹּל עַמְמֵיָּא דְאַרְעָא חֲלָף דִּי קַבֵּלְתָּא בְּמֵימְרִי: יט וְתָב אַבְרָהָם לְעוּלֵימוֹהִי וְקָמוּ וַאֲזָלוּ כַּחֲדָא לִבְאֵר שָׁבַע וִיתֵיב אַבְרָהָם בִּבְאֵר שָׁבַע: כ וַהֲוָה בָּתַר פִּתְגָּמַיָּא הָאִלֵּין וְאִתְחֲוָא לְאַבְרָהָם לְמֵימָר הָא יְלֵידַת מִלְכָּה אַף הִיא בְּנִין לְנָחוֹר

רש"י

(יג) והנה איל. מוכן היה לכך מששת ימי בראשית (אבות ה:ו): **אחר.** אחרי שאמר לו המלאך אל תשלח ידך ראהו כשהוא נאחז, והוא שמתרגמינן וזקף אברהם עיניהי בתר אלין. [ס"א, לפי האגדה, אחר כל דברי המלאך והשכינה ואחר טענותיו של אברהם]: **בסבך.** אילן (אונקלוס): **בקרניו.** שהיה רץ אצל אברהם והשטן סובכו ומערבבו באילנות [כדי לעכבו] (פדר"א פל"א): **תחת בנו.** מאחר שכתוב ויעלהו לעולה לא חסר המקרא כלום, ומהו תחת בנו, על כל עבודה שעשה ממנו היה מתפלל ואומר יה"ר שתהא זו כאילו היא עשויה בבני. כאילו בני שחוט, כאילו דמו זרוק, כאילו בני מופשט, כאילו הוא נקטר ונעשה דשן (ב"ר נו:ט; תנחומא שלח יד): **(יד) ה' יראה.** פשוטו כתרגומו, ה' יבחר ויראה לו את המקום הזה להשרות בו שכינתו ולהקריב כאן קרבנות: **אשר יאמר היום.** שיאמרו לימי הדורות עליו בהר זה יראה הקב"ה לעמו: **היום.** הימים העתידין, כמו עד היום הזה שבכל המקרא, שכל הדורות הבאים הקוראים את המקרא הזה אומרים עד היום הזה על היום שעומדים בו (סוטה מו:). ומ"א, ה' יראה עקידה זו לסלוח לישראל בכל שנה ולהצילם מן הפורענות, כדי שיאמר היום הזה בכל דורות הבאים בהר ה' יראה אפרו של יצחק צבור ועומד לכפרה (תנחומא כג; ירושלמי תענית ב:ה): **(יז) ברך אברכך.** אחת לאב ואחת לבן (ב"ר נו:יא): **והרבה ארבה.** אחת לאב ואחת לבן (שם): **(יט) וישב אברהם בבאר שבע.** לא ישיבה ממש, שהרי בחברון היה יושב, י"ב שנים לפני עקידתו של יצחק יצא מבאר שבע והלך לו לחברון, כמו שנא' ויגר אברהם בארץ פלשתים ימים רבים (לעיל כא:לד) מרובים משל חברון הראשונים, והם כ"ו שנה כמו שפירשנו למעלה (כא:לד): **(כ) אחרי הדברים האלה ויוגד וגו'.** בשובו מהר המוריה היה אברהם מהרהר ואומר אילו היה בני שחוט כבר היה הולך בלא בנים, היה לי להשיאו אשה מבנות ענר אשכול וממרא. בשרו הקב"ה שנולדה רבקה בת זוגו, וזהו הדברים האלה, הרהורי דברים שהיו ע"י עקידה (ב"ר נז:ג): **גם הוא.** אף היא השוותה משפחותיה למשפחות אברהם י"ב. מה אברהם י"ב שבטים, שיצאו מיעקב ח' בני הגבירות וד' בני שפחות, אף אלו ח' בני גבירות וד' בני פלגש (שם):

RAMBAN ELUCIDATED

16. יַעַן אֲשֶׁר עָשִׂיתָ אֶת הַדָּבָר הַזֶּה – ***BECAUSE YOU HAVE DONE THIS THING*** *... [I shall ... greatly increase your offspring like the stars ... and like the sand].*

[Abraham had earlier received this promise from God. What was changed now "because he had done this thing"? Ramban explains:]

*13 And Abraham raised his eyes and saw — behold, a ram! —
afterwards, caught in the thicket by its horns; so Abraham went
and took the ram and offered it up as an offering instead of his
son. 14 And Abraham called the name of that site "HASHEM Yireh,"
as it is said this day, on the mountain of HASHEM He will be seen.*

*15 The angel of HASHEM called to Abraham a second time from
heaven. 16 And he said, "By Myself I swear — the word of HASHEM
— that because you have done this thing, and have not withheld
your son, your only one, 17 that I shall surely bless you and greatly
increase your offspring like the stars of the heavens and like the
sand on the seashore; and your offspring shall inherit the gate of
his enemies. 18 And all the nations of the earth shall bless them-
selves by your offspring, because you have listened to My voice."*

*19 Abraham returned to his young men, and they stood up and
went together to Beer-sheba, and Abraham stayed in Beer-sheba.*

*20 It came to pass after these things, that Abraham was
told, saying: Behold, Milcah too has borne children to Nahor,*

רמב״ן

[טז] יַעַן אֲשֶׁר עָשִׂיתָ אֶת הַדָּבָר הַזֶּה. גַּם מִתְּחִלָּה הִבְטִיחוֹ כִּי יַרְבֶּה אֶת זַרְעוֹ כְּכוֹכְבֵי הַשָּׁמַיִם וְכַעֲפַר הָאָרֶץ, אֲבָל עַתָּה הוֹסִיף לוֹ - יַעַן אֲשֶׁר עָשִׂיתָ הַמַּעֲשֶׂה הַגָּדוֹל הַזֶּה - שֶׁנִּשְׁבַּע בִּשְׁמוֹ הַגָּדוֹל, וְשֶׁיִּירַשׁ זַרְעוֹ אֵת שַׁעַר אוֹיְבָיו. וְהִנֵּה הֻבְטַח שֶׁלֹּא יִגְרֹם שׁוּם חֵטְא שֶׁיִּכְלֶה זַרְעוֹ, אוֹ שֶׁיִּפֹּל בְּיַד אוֹיְבָיו וְלֹא יָקוּם[18]. וְהִנֵּה זוֹ הַבְטָחָה שְׁלֵמָה בַּגְּאֻלָּה הָעֲתִידָה לָנוּ.

[כ] מִלְכָּה גַם הִוא. בַּעֲבוּר הֱיוֹתָהּ בַּת הָרָן אָחִיו[19], הָיְתָה בְּשׂוֹרָה לְאַבְרָהָם שֶׁנִּפְקַד אָחִיו הַגָּדוֹל[20] בְּבָנִים רַבִּים מִבַּת אָחִיו הַמֵּת[21].

RAMBAN ELUCIDATED

גַּם מִתְּחִלָּה הִבְטִיחוֹ כִּי יַרְבֶּה אֶת זַרְעוֹ כְּכוֹכְבֵי הַשָּׁמַיִם וְכַעֲפַר הָאָרֶץ – **Beforehand God had also promised [Abraham] that He would multiply his offspring like the stars of heaven** (above, 15:5) **and like the dust of the earth** (above, 13:16). אֲבָל עַתָּה הוֹסִיף לוֹ, יַעַן אֲשֶׁר עָשִׂיתָ הַמַּעֲשֶׂה הַגָּדוֹל הַזֶּה, שֶׁנִּשְׁבַּע בִּשְׁמוֹ הַגָּדוֹל – **Now, however, He added for him – because you have done this great deed – that He swore to him by His great Name.** וְשֶׁיִּירַשׁ זַרְעוֹ אֵת שַׁעַר אוֹיְבָיו – **And** God also added **that [Abraham's] offspring shall inherit the gates of his enemies.** וְהִנֵּה הֻבְטַח שֶׁלֹּא יִגְרֹם שׁוּם חֵטְא שֶׁיִּכְלֶה זַרְעוֹ – **So now [Abraham] was assured that no sin** of his **could bring about that his offspring might perish,** אוֹ שֶׁיִּפֹּל בְּיַד אוֹיְבָיו וְלֹא יָקוּם – **or that they might fall into the hands of their enemies and not rise** again.[18] וְהִנֵּה זוֹ הַבְטָחָה שְׁלֵמָה בַּגְּאֻלָּה הָעֲתִידָה לָנוּ – **And now this is a complete promise for the redemption destined for us** to experience.

20. מִלְכָּה גַם הִוא – ***MILCAH TOO.***

[Why is the name of Nahor's wife Milcah mentioned here, in the description of his offspring? Ramban explains:]

בַּעֲבוּר הֱיוֹתָהּ בַּת הָרָן אָחִיו – **Because [Milcah] was the daughter of [Abraham's]** deceased **brother Haran,**[19] הָיְתָה בְּשׂוֹרָה לְאַבְרָהָם שֶׁנִּפְקַד אָחִיו הַגָּדוֹל בְּבָנִים רַבִּים מִבַּת אָחִיו הַמֵּת – **it was good news for Abraham that the older brother** of his two younger brothers[20] **was blessed with many sons**

18. God's original blessings to Abraham were conditional upon him and his offspring remaining righteous enough to deserve those blessings. Now that God had sworn to him that he would have numerous offspring, the blessing was no longer conditional. (See Ramban above, 15:2 ff.)

19. Above, 11:29.

20. Abraham was the oldest of Terah's three sons (above, 11:26). Thus, when Ramban refers to Nahor

כא אָחִיךָ: אֶת־עוּץ בְּכֹרוֹ וְאֶת־בּוּז אָחִיו וְאֶת־
כב קְמוּאֵל אֲבִי אֲרָם: וְאֶת־כֶּשֶׂד וְאֶת־חֲזוֹ וְאֶת־
כג פִּלְדָּשׁ וְאֶת־יִדְלָף וְאֵת בְּתוּאֵל: וּבְתוּאֵל יָלַד
אֶת־רִבְקָה שְׁמֹנָה אֵלֶּה יָלְדָה מִלְכָּה לְנָחוֹר
כד אֲחִי אַבְרָהָם: וּפִילַגְשׁוֹ וּשְׁמָהּ רְאוּמָה וַתֵּלֶד
גַּם־הוּא אֶת־טֶבַח וְאֶת־גַּחַם וְאֶת־תַּחַשׁ וְאֶת־
מַעֲכָה: פ פ פ

קמ״ז פסוקים. אמנו״ן סימן.

אָחוּךְ: כא יָת עוּץ בּוּכְרֵהּ וְיָת בּוּז אֲחוּהִי וְיָת קְמוּאֵל אֲבוּהִי דַאֲרָם: כב וְיָת כֶּשֶׂד וְיָת חֲזוֹ וְיָת פִּלְדָּשׁ וְיָת יִדְלָף וְיָת בְּתוּאֵל: כג וּבְתוּאֵל אוֹלִיד יָת רִבְקָה תְּמָנְיָא אִלֵּין יְלֵידַת מִלְכָּה לְנָחוֹר אֲחוּהִי דְאַבְרָהָם: כד וּלְחֵינְתֵהּ וּשְׁמַהּ רְאוּמָה וִילֵידַת אַף הִיא יָת טֶבַח וְיָת גַּחַם וְיָת תַּחַשׁ וְיָת מַעֲכָה:

רש״י

(כג) ובתואל ילד את רבקה. כל היחוסין הללו לא נכתבו אלא בשביל פסוק זה (שם):

רמב״ן

וּמִלְּשׁוֹן הַכָּתוּב נִרְאֶה שֶׁלֹּא יָדַע בְּאֶחָד מֵהֶם בִּלְתִּי הַיּוֹם. וְאִם הָיְתָה פְּקִדָתָם בִּימֵי בַחֲרוּתָם – אִי אֶפְשָׁר שֶׁלֹּא שָׁמְעוּ עַד הַיּוֹם, כִּי אֵין הַמֶּרְחָק רַב בֵּין אֲרַם נַהֲרַיִם וּבֵין אֶרֶץ כְּנַעַן. וְהִנֵּה אַבְרָהָם בְּצֵאתוֹ מֵחָרָן בֶּן ע״ה שָׁנָה, וְגַם נָחוֹר זָקֵן, וְאִשְׁתּוֹ אֵינֶנָּה בַחוּרָה. אֲבָל עָשָׂה ה׳ לָהֶם נֵס, שֶׁנִּפְקְדוּ בִּימֵי הַזִּקְנָה. וְזֶה טַעַם ״מִלְכָּה גַם הִוא״[22] וּבְדִבְרֵי רַבּוֹתֵינוּ[23] נֶאֱמַר שֶׁנִּפְקְדָה כַּאֲחוֹתָהּ[24].

[כג] וּבְתוּאֵל יָלַד אֶת רִבְקָה. לֹא הִזְכִּיר הַכָּתוּב לָבָן, וְאִם הוּא גָּדוֹל מֵרִבְקָה[25], כִּי לֹא בָא לְהַזְכִּיר רַק

RAMBAN ELUCIDATED

through the daughter of his dead brother.[21]

וּמִלְּשׁוֹן הַכָּתוּב נִרְאֶה שֶׁלֹּא יָדַע בְּאֶחָד מֵהֶם בִּלְתִּי הַיּוֹם – **From the language of the verse it would appear that [Abraham] did not know about any of these** nephews **until that day.** **וְאִם הָיְתָה פְקִדָתָם בִּימֵי בַחֲרוּתָם אִי אֶפְשָׁר שֶׁלֹּא שָׁמְעוּ עַד הַיּוֹם** – **Now, if [Nahor's and Milcah's] being granted** children **took place during their youth, it is impossible that [Abraham and Sarah] did not hear** about it **until that day,** **כִּי אֵין הַמֶּרְחָק רַב בֵּין אֲרַם נַהֲרַיִם וּבֵין אֶרֶץ כְּנַעַן** – **for the distance between Aram Naharaim and the land of Canaan is not so great.** **וְהִנֵּה אַבְרָהָם בְּצֵאתוֹ מֵחָרָן בֶּן ע״ה שָׁנָה וְגַם נָחוֹר זָקֵן** – **Now, when Abraham left Charan he was seventy-five years old** (above, 12:4), **and Nahor was also old** at that time, **וְאִשְׁתּוֹ אֵינֶנָּה בַחוּרָה** – **and his wife was not a young woman** either. **אֲבָל עָשָׂה ה׳ לָהֶם נֵס שֶׁנִּפְקְדוּ בִּימֵי הַזִּקְנָה** – **However, God performed a miracle for them, that they were granted** children **in their old age.** **וְזֶה טַעַם ״מִלְכָּה גַם הִוא״** – **This is the explanation for** the expression ***Milcah* "*also*."**[22]

וּבְדִבְרֵי רַבּוֹתֵינוּ נֶאֱמַר שֶׁנִּפְקְדָה כַּאֲחוֹתָהּ – **In the words of our Sages**[23] as well **it is said that [Milcah] was granted** special **attention** from God **like her sister** Sarah.[24]

23. וּבְתוּאֵל יָלַד אֶת רִבְקָה – ***AND BETHUEL BEGOT REBECCA.***

[Why does the Torah not mention Bethuel's other child, Laban?]

לֹא הִזְכִּיר הַכָּתוּב לָבָן – **Scripture does not mention** Rebecca's brother **Laban,** **וְאִם הוּא גָּדוֹל מֵרִבְקָה**

(the middle son) as "the older brother," he means the older of Terah's two remaining sons.

21. Abraham was glad to hear about the birth of all of these nephews not only because they were his brother Nahor's children, but because they were also the grandchildren of his deceased brother Haran (through Haran's daughter, Milcah).

22. Just as Sarah was miraculously blessed with children in her old age, "Milcah too" was similarly blessed.

23. This Midrash is found in *Yalkut Shimoni,* 766.

24. Just as Sarah was barren and was granted attention from God and conceived, so too Milcah.

See Rashi above, 11:29, who explains that Sarah was Milcah's sister.

your brother: 21 *Uz, his firstborn; Buz, his brother; Kemuel, the*
father of Aram; 22 *and Chesed, Hazo, Pildash, Jidlaph and*
Bethuel; 23 *And Bethuel begot Rebecca. These eight Milcah bore to*
Nahor, Abraham's brother. 24 *And his concubine, whose name*
was Reumah, also bore children: Tebah, Gaham, Tahash and
Maachah.

THE HAFTARAH FOR VAYEIRA APPEARS ON PAGE 579.

רמב״ן

הַשְּׁמוֹנָה שֶׁיָּלְדָה מִלְכָּה לְנָחוֹר. אֲבָל הִזְכִּיר רִבְקָה, כִּי לְהוֹדִיעַ יִחוּסָהּ בָּאָה הַפָּרָשָׁה. וְטַעַם "אֲבִי אֲרָם": לֹא הִזְכִּיר אֲרָם רַק לְהוֹדִיעַ וּלְהַכִּיר קְמוּאֵל, כִּי אֲרָם הָיָה נִכְבָּד מֵאָבִיו[26]. וְאוּלַי קְמוּאֵל אַחֵר הָיָה בְּדוֹרָם, וְזֶה אֲבִי אֲרָם.

[כד] וּפִילַגְשׁוֹ וּשְׁמָהּ רְאוּמָה[27]. יְסַפֵּר הַכָּתוּב כָּל הַבְּשׂוֹרָה שֶׁבִּשְּׂרוּ אֶת אַבְרָהָם בִּבְנֵי אֶחָיו[28]. וְיִתָּכֵן שֶׁנִּכְתַּב זֶה לְהוֹדִיעַ כָּל יִחוּס נָחוֹר, כִּי כֻּלָּם רְאוּיִים לְהִדָּבֵק בְּזַרְעוֹ שֶׁל אַבְרָהָם, וְעַל כֻּלָּם אָמַר [להלן כד, לח]: "אִם לֹא אֶל בֵּית אָבִי תֵּלֵךְ וְאֶל מִשְׁפַּחְתִּי" [להלן כב, לח].

RAMBAN ELUCIDATED

כִּי לֹא בָא לְהַזְכִּיר רַק הַשְּׁמוֹנָה שֶׁיָּלְדָה מִלְכָּה לְנָחוֹר – **although he was older than Rebecca,**[25] **because [the verse] does not come** to give any information **except for the eight** children **that Milcah bore to Nahor.** **אֲבָל הִזְכִּיר רִבְקָה, כִּי לְהוֹדִיעַ יִחוּסָהּ בָּאָה הַפָּרָשָׁה** – **However, it did mention Rebecca, for** the main point of **the** whole **section is to inform** us **of [Rebecca's] lineage.**

וְטַעַם "אֲבִי אֲרָם" – **The reason** Scripture mentions that Kemuel was ***the father of Aram,*** although Aram was not one of Nahor's children, is that: **לֹא הִזְכִּיר אֲרָם רַק לְהוֹדִיעַ וּלְהַכִּיר קְמוּאֵל** – **[Scripture] mentions Aram only in order to explain and identify Kemuel,** **כִּי אֲרָם הָיָה נִכְבָּד מֵאָבִיו** – **for Aram was more esteemed than his father.**[26] **וְאוּלַי קְמוּאֵל אַחֵר הָיָה בְּדוֹרָם, וְזֶה אֲבִי אֲרָם** – **Or, perhaps, there was another Kemuel in their generation, and this one is** therefore identified as Kemuel **the father of Aram.**

24. וּפִילַגְשׁוֹ וּשְׁמָהּ רְאוּמָה – ***AND HIS CONCUBINE, WHOSE NAME WAS REUMAH.***

[Why does Scripture mention the names of Nahor's four children through his concubine?[27] Ramban explains:]

יְסַפֵּר הַכָּתוּב כָּל הַבְּשׂוֹרָה שֶׁבִּשְּׂרוּ אֶת אַבְרָהָם בִּבְנֵי אֶחָיו – **Scripture relates the entire report that Abraham was told concerning his brothers' children.**[28] **וְיִתָּכֵן שֶׁנִּכְתַּב זֶה לְהוֹדִיעַ כָּל יִחוּס נָחוֹר** – **It is** also **possible that this was written to inform** us **the entire lineage of Nahor,** **כִּי כֻּלָּם רְאוּיִים לְהִדָּבֵק בְּזַרְעוֹ שֶׁל אַבְרָהָם** – intimating **that all of them were fitting to become attached to the offspring of Abraham** through marriage. **וְעַל כֻּלָּם אָמַר "אִם לֹא אֶל בֵּית אָבִי תֵּלֵךְ וְאֶל מִשְׁפַּחְתִּי"** – **It was in regard to all of [these people] that [Abraham] said, *"Unless you go to my father's house and to my family*** *and take a wife for my son from my family and my father's house" (below, 24:38).*

25. Thus, it cannot be suggested that Laban had not yet been born at the time of this report.

26. People at the time would more readily recognize who Kemuel was if they were told that he was the father of the more well-known Aram.

27. We can understand why the rest of the lineage presented in this section is written; it is, as Ramban explained above, to elaborate on the lineage of Rebecca. But the mention of the four children of the concubine seems extraneous.

28. Although our main interest is in Rebecca and her family line, the Torah records the report received by Abraham in its entirety.

פרשת חיי שרה
Parashas Chayei Sarah

כג
א וַיִּהְיוּ֙ חַיֵּ֣י שָׂרָ֔ה מֵאָ֥ה שָׁנָ֛ה וְעֶשְׂרִ֥ים שָׁנָ֖ה
ב וְשֶׁ֣בַע שָׁנִ֑ים שְׁנֵ֖י חַיֵּ֥י שָׂרָֽה׃ וַתָּ֣מָת שָׂרָ֗ה
בְּקִרְיַ֥ת אַרְבַּ֛ע הִ֥וא חֶבְר֖וֹן בְּאֶ֣רֶץ כְּנָ֑עַן
°כ׳ זעירא וַיָּבֹא֙ אַבְרָהָ֔ם לִסְפֹּ֥ד לְשָׂרָ֖ה °וְלִבְכֹּתָֽהּ׃

א וַהֲווֹ חַיֵּי שָׂרָה מְאָה וְעֶשְׂרִין וּשְׁבַע שְׁנִין שְׁנֵי חַיֵּי שָׂרָה: ב וּמִיתַת שָׂרָה בְּקִרְיַת אַרְבַּע הִיא חֶבְרוֹן בְּאַרְעָא דִכְנָעַן וַאֲתָא אַבְרָהָם לְמִסְפְּדָהּ לְשָׂרָה וּלְמִבְכַּהּ:

רש״י

(א) **ויהיו חיי שרה מאה שנה ועשרים שנה ושבע שנים.** לכך נכתב שנה בכל כלל וכלל, לומר לך שכל אחד נדרש לעצמו. בת ק׳ כבת כ׳ לחטא, מה בת כ׳ לא חטאה, שהרי אינה בת עונשין, אף בת ק׳ בלא חטא, ובת כ׳ כבת ז׳ ליופי (ב״ר נח:א): **שני חיי שרה.** כלן שוין לטובה: (ב) **בקרית ארבע.** על שם ארבעה ענקים שהיו שם, אחימן ששי ותלמי ואביהם (ב״ר נח:ד). דבר אחר, על שם ארבעה זוגות שנקברו שם איש ואשתו, אדם וחוה. אברהם ושרה, יצחק ורבקה, יעקב ולאה (פדר״א פ״כ): **ויבא אברהם.** מבאר שבע: **לספוד לשרה ולבכתה.** ונסמכה מיתת שרה לעקידת יצחק, לפי שע״י בשורת העקידה שנזדמן בנה לשחיטה וכמעט שלא נשחט, פרחה נשמתה ממנה ומתה (תנחומא סוף וירא; פדר״א פל״ב):

רמב״ן

כג [א] מֵאָה שָׁנָה וְעֶשְׂרִים שָׁנָה. לְשׁוֹן רַשִׁ״י: ״לְכָךְ נִכְתַּב שָׁנָה בְּכָל כְּלָל וּכְלָל, לוֹמַר לְךָ שֶׁכָּל אֶחָד נִדְרָשׁ לְעַצְמוֹ: בַּת מֵאָה כְּבַת עֶשְׂרִים לְחֵטְא, וּבַת עֶשְׂרִים כְּבַת שֶׁבַע לְיוֹפִי.

וְכֵן כָּתַב בִּשְׁנֵי חַיֵּי אַבְרָהָם[1].

וְאֵין מִדְרָשׁוֹ זֶה נָכוֹן. שֶׁהֲרֵי בִּשְׁנֵי חַיֵּי יִשְׁמָעֵאל נֶאֱמַר כִּשְׁנֵי חַיֵּי אַבְרָהָם בְּשָׁוֶה, וְלֹא הָיוּ שָׁוִים בְּטוֹבָה, אֲבָל הָיָה מִתְּחִלָּה רָשָׁע וְעָשָׂה תְּשׁוּבָה בַּסּוֹף[2]. וְעוֹד, כִּי ״שָׁנָה״ ״שָׁנָה״ לְחַלֵּק מַשְׁמַע, וְאֵינֶנּוּ נִדְרָשׁ לְהַשְׁווֹתָן.

RAMBAN ELUCIDATED

23.

1. מֵאָה שָׁנָה וְעֶשְׂרִים שָׁנָה – ***ONE HUNDRED YEARS, TWENTY YEARS,*** *[AND SEVEN YEARS].*

[Why is the word שָׁנָה (*years*) repeated three times in this phrase? It would have been much simpler to have written, "one hundred twenty-seven years." Ramban begins by citing Rashi:]

לְשׁוֹן רַשִׁ״י – The following is **a quote from Rashi:**

"לְכָךְ נִכְתַּב שָׁנָה בְּכָל כְּלָל וּכְלָל – **This is why** the word **שָׁנָה, *years,* was written after each component** of this number, i.e., after the hundreds, the tens and the units, **לוֹמַר לְךָ שֶׁכָּל אֶחָד נִדְרָשׁ לְעַצְמוֹ:** – **to tell you that each one** of these components **is to be expounded as a separate entity,** as follows: **בַּת מֵאָה כְּבַת עֶשְׂרִים לְחֵטְא, וּבַת עֶשְׂרִים כְּבַת שֶׁבַע לְיוֹפִי** – When Sarah was **one hundred years old she was like a twenty-year-old [with respect] to** innocence from **sin, and when she was twenty years old she was like a seven-year-old [with regard] to beauty.**

[Ramban notes that Rashi applies the same method of exposition to another, similar verse:]

וְכֵן כָּתַב בִּשְׁנֵי חַיֵּי אַבְרָהָם – **He writes the same** explanation **concerning** the similar phrase used by the Torah in enumerating **the years of Abraham's life.**[1]

[Ramban now presents two objections to Rashi's interpretation of the Midrash:]

וְאֵין מִדְרָשׁוֹ זֶה נָכוֹן – **But [Rashi's] Midrashic interpretation** here **is not sound. שֶׁהֲרֵי בִּשְׁנֵי חַיֵּי יִשְׁמָעֵאל נֶאֱמַר כִּשְׁנֵי חַיֵּי אַבְרָהָם בְּשָׁוֶה** – **For in** enumerating **the years of Ishmael's life** (below, 25:17), **the Torah uses the** exact **same expression as** it does **in** enumerating **the years of Abraham's life, וְלֹא הָיוּ שָׁוִים בְּטוֹבָה, אֲבָל הָיָה מִתְּחִלָּה רָשָׁע וְעָשָׂה תְּשׁוּבָה בַּסּוֹף** – **although** in Ishmael's case **[the years]** of his life **were *not* all equal to each other in goodness, for at first he was wicked and** he **repented** only **at the end** of his life.[2] **וְעוֹד, כִּי ״שָׁנָה״ ״שָׁנָה״ לְחַלֵּק מַשְׁמַע, וְאֵינֶנּוּ נִדְרָשׁ לְהַשְׁווֹתָן** – **Furthermore, the repetition of the word שָׁנָה**, if anything, **implies** that the three components of the number should be viewed as ***distinctly separate*** **entities, and should not be expounded** in a manner **that *equates* them** to one another.

1. Rashi (below, 25:7) offers the same explanations for the Torah's repeating the word שָׁנָה when enumerating Abraham's years, viz., he was at one hundred as at seventy, at seventy as at five, without sin.

2. If Rashi seeks to apply the Midrash's lesson to every case where שָׁנָה is repeated for each component of the number of years of life, he would have to do the same for Ishmael, saying that Ishmael lived righteously *all*

23

[1] *Sarah's lifetime was one hundred years, twenty years, and seven years; the years of Sarah's life.* [2] *Sarah died in Kiriath-arba which is Hebron in the land of Canaan; and Abraham came to eulogize Sarah and to bewail her.*

רמב״ן

אֲבָל "שָׁנָה" "שָׁנָה" וְ"שָׁנִים" דֶּרֶךְ הַלָּשׁוֹן הוּא[3]. וּמַה שֶּׁאָמְרוּ בִּבְרֵאשִׁית רַבָּה [נח, א] בַּת מֵאָה כְּבַת עֶשְׂרִים לְחֵטְא – לֹא דָרְשׁוּ כֵן אֶלָּא מִיִּתּוּר הַלָּשׁוֹן, שֶׁחָזַר וְאָמַר "שְׁנֵי חַיֵּי שָׂרָה", שֶׁכְּלָלָן וְהִשְׁוָה אוֹתָן. וְלֹא יִדְרְשׁוּ כֵן בְּאַבְרָהָם[4].

[ב] וַיָּבֹא אַבְרָהָם. לְשׁוֹן רַשִׁ״י: מִבְּאֵר שָׁבַע.

וְאֵין זֶה לוֹמַר שֶׁהָיָה עוֹמֵד שָׁם מִמַּה שֶּׁכָּתוּב "וַיֵּשֶׁב אַבְרָהָם בִּבְאֵר שָׁבַע", כִּי אֵיךְ תִּהְיֶה שָׂרָה בְּחֶבְרוֹן? אֲבָל הַכַּוָּנָה לוֹמַר שֶׁהָלַךְ שָׁם בַּיּוֹם לְצָרְכּוֹ, וְשָׁמַע בְּמִיתַת שָׂרָה, וּבָא מִשָּׁם לִסְפּוֹד לָהּ וְלִבְכֹּתָהּ.

וּלְשׁוֹן רַבּוֹתֵינוּ [ב״ר נח, ה]: מֵהַר הַמּוֹרִיָּה בָּא.

וְכֵן הוּא לְפִי הַמִּדְרָשׁ שֶׁכְּתָבוֹ הָרַב, שֶׁשָּׁמְעָה בָּעֲקֵידָה וּפָרְחָה נִשְׁמָתָהּ[5].

RAMBAN ELUCIDATED

[Ramban now presents his own opinion on the matter:]

אֲבָל "שָׁנָה" "שָׁנָה" וְ"שָׁנִים" דֶּרֶךְ הַלָּשׁוֹן הוּא – **Rather, the repetition of the word** שָׁנָה does not have any linguistic significance – here or elsewhere – for this **is the normal manner of the** Hebrew **language.**[3] וּמַה שֶּׁאָמְרוּ בִּבְרֵאשִׁית רַבָּה בַּת מֵאָה כְּבַת עֶשְׂרִים לְחֵטְא – **And when [the Sages] said in** ***Bereishis Rabbah*** (58:1) **that** "When Sarah was **a hundred years old** she was **like a twenty-year-old [with respect] to** innocence from **sin,** etc.," לֹא דָרְשׁוּ כֵן אֶלָּא מִיִּתּוּר הַלָּשׁוֹן – **they did not derive this** from the repetition of the word **שָׁנָה, but from the extraneous expression** found at the end of the verse, שֶׁחָזַר וְאָמַר "שְׁנֵי חַיֵּי שָׂרָה", שֶׁכְּלָלָן וְהִשְׁוָה אוֹתָן – **where [the Torah] repeats,** ***the years of Sarah's life,*** **by which it combines** her **[years] into one category and suggests an equivalence between them.** וְלֹא יִדְרְשׁוּ כֵן בְּאַבְרָהָם – **And [the Sages]** therefore **did** ***not*** **expound in this manner in Abraham's** case.[4]

2. וַיָּבֹא אַבְרָהָם – ***AND ABRAHAM CAME.***

[From where did Abraham come? Why was he not with Sarah when she died? Ramban begins his discussion of these questions by citing Rashi's comment and elucidating it:]

לְשׁוֹן רַשִׁ״י – The following is **a quote from Rashi:**

מִבְּאֵר שָׁבַע – *And Abraham came* **from Beer-sheba.**

וְאֵין זֶה לוֹמַר שֶׁהָיָה עוֹמֵד שָׁם מִמַּה שֶּׁכָּתוּב "וַיֵּשֶׁב אַבְרָהָם בִּבְאֵר שָׁבַע" – **Now, this does not mean to say that Abraham had been residing there** in Beer-sheba **based on what is written** (above, 22:19), ***Abraham stayed in Beer-sheba.*** כִּי אֵיךְ תִּהְיֶה שָׂרָה בְּחֶבְרוֹן – **For how would Sarah then be in Hebron** if Abraham were living in Beer-sheba? אֲבָל הַכַּוָּנָה לוֹמַר שֶׁהָלַךְ שָׁם בַּיּוֹם לְצָרְכּוֹ – **Rather,** Rashi's **intention is to say that [Abraham] had gone [to Beer-sheba] for the day, for** some **purpose,** וְשָׁמַע בְּמִיתַת שָׂרָה, וּבָא מִשָּׁם לִסְפּוֹד לָהּ וְלִבְכֹּתָהּ – **and** while there **he heard of Sarah's death, and he came from there** ***to eulogize her and to bewail her.***

[Ramban now cites the Midrash's opinion of where Abraham had been:]

וּלְשׁוֹן רַבּוֹתֵינוּ: – **But the wording of our Sages** (*Bereishis Rabbah* 58:5) **is:** מֵהַר הַמּוֹרִיָּה בָּא – **"He came from Mount Moriah."** וְכֵן הוּא לְפִי הַמִּדְרָשׁ שֶׁכְּתָבוֹ הָרַב – **And so it** must be understood – that Abraham was in fact coming from Mount Moriah – **according to the Midrash that the Rav** (Rashi) himself **cites** in our verse, שֶׁשָּׁמְעָה בָּעֲקֵידָה וּפָרְחָה נִשְׁמָתָהּ – which is **that [Sarah] heard about the**

---

the years of his life – but that was not the case!

3. Hence, it is not the repetition of שָׁנָה that led the Midrash to equate the various phases of Sarah's life with one another.

4. I.e., since regarding Abraham there is no parallel phrase: שְׁנֵי חַיֵּי אַבְרָהָם – *the years of Abraham's life.* This is an implied critique of Rashi's understanding of the Sages' exposition: Why would they not similarly comment on the repetition of שָׁנָה with regard to Abraham (as Rashi does)?

רמב״ן

וְהַנִּרְאֶה בַּעֲקֵידָה[6] שֶׁהָיְתָה הַצַּוָּאָה בָּהּ בִּבְאֵר שָׁבַע, כִּי שָׁם הָיָה דָר וְשָׁם חָזַר. כִּי כֵן כָּתוּב בַּתְּחִלָּה [לעיל כא, לג]: ״וַיִּטַּע אֶשֶׁל בִּבְאֵר שָׁבַע, וַיִּקְרָא שָׁם בְּשֵׁם ה׳ אֵל עוֹלָם״. וְאָמַר [שם פסוק לד] ״וַיָּגָר אַבְרָהָם בְּאֶרֶץ פְּלִשְׁתִּים יָמִים רַבִּים״, וְהִיא גְּרוּתוֹ בִּבְאֵר שֶׁבַע שֶׁהִיא בְּאֶרֶץ פְּלִשְׁתִּים[7]. וְשָׁם נִצְטַוָּה בַּעֲקֵידָה, וְעַל כֵּן שָׁהָה בַּדֶּרֶךְ שְׁלֹשָׁה יָמִים, שֶׁאֶרֶץ פְּלִשְׁתִּים רְחוֹקָה מִירוּשָׁלַיִם, שֶׁאִילוּ חֶבְרוֹן בְּהַר יְהוּדָה הִיא, כִּי כֵן כָּתוּב [יהושע כ, ז], וְקָרוֹב לִירוּשָׁלַיִם[8]. וּבְשׁוּבוֹ מִן הָעֲקֵידָה - לִבְאֵר שֶׁבַע חָזַר, כְּמוֹ שֶׁנֶּאֱמַר [לעיל כב, יט]: ״וַיָּשָׁב אַבְרָהָם אֶל נְעָרָיו, וַיָּקֻמוּ וַיֵּלְכוּ יַחְדָּו אֶל בְּאֵר שָׁבַע, וַיֵּשֶׁב אַבְרָהָם בִּבְאֵר שָׁבַע״,

RAMBAN ELUCIDATED

Akeidah (the "Binding" and near-sacrifice of Isaac) **and** as a result of the shock **her soul departed from her.**[5]

[The following exposition is a later addendum to Ramban's Commentary. It was added by him in his final years, when he lived in *Eretz Yisrael*. In it Ramban departs from the account given by the Midrash and presents his own understanding of the events of the *Akeidah* and Sarah's death:]

וְהַנִּרְאֶה בַּעֲקֵידָה שֶׁהָיְתָה הַצַּוָּאָה בָּהּ בִּבְאֵר שָׁבַע – What seems most likely **concerning the *Akeidah*[6] is that the command to** perform **it was received in Beer-sheba, כִּי שָׁם הָיָה דָר וְשָׁם חָזַר – for that was where [Abraham] was living** before the *Akeidah*, as I will soon show, **and it was to there that he returned** after the *Akeidah,* as the Torah states in 22:19. **כִּי כֵן כָּתוּב בַּתְּחִלָּה ״וַיִּטַּע אֶשֶׁל בִּבְאֵר שָׁבַע וַיִּקְרָא שָׁם בְּשֵׁם ה׳ אֵל עוֹלָם״ – For so it is written before** the *Akeidah* (above, 21:33): ***He planted an eshel in Beer-sheba, and there he called out in the Name of Hashem, God of the Universe*.** **וְאָמַר ״וַיָּגָר אַבְרָהָם בְּאֶרֶץ פְּלִשְׁתִּים יָמִים רַבִּים״ – And it says** further in the very next verse, ***Abraham sojourned in the land of the Philistines many years,*** (above, 21:34); **וְהִיא גְּרוּתוֹ בִּבְאֵר שֶׁבַע שֶׁהִיא בְּאֶרֶץ פְּלִשְׁתִּים – [his sojourn]** in the land of the Philistines **is referring to his sojourning in Beer-sheba, which is in the land of the Philistines.**[7] **וְשָׁם נִצְטַוָּה בַּעֲקֵידָה – And it was there** in Beer-sheba **that he was commanded to perform the *Akeidah*.** **עַל כֵּן שָׁהָה בַּדֶּרֶךְ שְׁלֹשָׁה יָמִים, שֶׁאֶרֶץ פְּלִשְׁתִּים רְחוֹקָה מִירוּשָׁלַיִם – This is** also **why he spent three days on the road, for the land of the Philistines is far from Jerusalem** (the location of Mount Moriah), **שֶׁאִילוּ חֶבְרוֹן בְּהַר יְהוּדָה הִיא, כִּי כֵן כָּתוּב, וְקָרוֹב לִירוּשָׁלַיִם – whereas Hebron is in the Judean mountains, for it is so written** (*Joshua* 20:7), **and is** thus **close to Jerusalem.**[8] **וּבְשׁוּבוֹ מִן הָעֲקֵידָה לִבְאֵר שֶׁבַע חָזַר –** Furthermore, **when he turned back from the *Akeidah* it was to** his home **in Beer-sheba that he returned, כְּמוֹ שֶׁנֶּאֱמַר ״וַיָּשָׁב אַבְרָהָם אֶל נְעָרָיו וַיָּקֻמוּ וַיֵּלְכוּ יַחְדָּו אֶל בְּאֵר שָׁבַע וַיֵּשֶׁב אַבְרָהָם בִּבְאֵר שָׁבַע״ – as it is written, *Abraham***

5. Rashi, who maintains that Sarah's death was a consequence of the *Akeidah* at Mount Moriah, must agree with the Midrash that says that Abraham was returning from Mount Moriah at the time of Sarah's death. As for Rashi's comment, that Abraham came "from Beer-sheba," he means that Abraham was returning to Hebron *after stopping briefly* in Beer-sheba ("for the day"), as Ramban explained above.

Ramban, in the addendum below, points out further that though the Midrash writes that Ab-raham "came from Mount Moriah," it must also agree that Abraham did so by way of Beer-sheba, for the Torah says explicitly that Abraham went directly from the *Akeidah* to Beer-sheba (above 22:19). Thus, when the Midrash says that Abra-ham came to Hebron from Mount Moriah, it must mean that Abraham went from Mount Moriah to Hebron through Beer-sheba. According to Ramban, then, both the Midrash and Rashi agree that Abraham was not in Hebron at the time of Sarah's death.

6. Ramban takes issue with the opinion of Rashi and the Midrash, that Abraham remained only a short while at Beer-sheba after the *Akeidah*, but actually lived in Hebron at the time. Ramban now sets out to prove that Abraham lived in Beer-sheba when the *Akeidah* took place.

7. Accordingly, Scripture is telling us that Abraham lived in *Beer-sheba* for many years. Ramban makes this assertion as part of his attempt to show that at the time of the *Akeidah*, Abraham lived in Beer-sheba, not in Hebron.

[Ramban's assumption that Beer-sheba is in the land of the Philistines is based on the juxtaposition of the two verses: *He planted an eshel in Beer-sheba .... **And** he lived in the land of the Philistines many years.* The implication is: "He planted an *eshel* in Beer-sheba, *and so he continued* to live in the land of the Philistines for many years thereafter." However, there are commentators who maintain that Beer-sheba is not in the land of the Philistines (see *Radak* 21:32 and 25).]

8. It would not have taken Abraham three days to travel from Hebron to Jerusalem. Hence, his three day journey to the *Akeidah* must have been from Beer-sheba to Jerusalem.

רמב״ן

לְהוֹרוֹת שֶׁנִּתְעַכֵּב שָׁם וְיָשַׁב בּוֹ שָׁנִים[9]. וְאִם כֵּן לֹא מֵתָה שָׂרָה בְּאוֹתוֹ זְמַן, כִּי לֹא הָיָה אַבְרָהָם דָּר בִּבְאֵר שֶׁבַע וְשָׂרָה דָּרָה בְּחֶבְרוֹן[10]!

וְכֵן נִרְאֶה כִּי יִצְחָק נוֹלַד בִּבְאֵר שֶׁבַע[11]. כִּי כָּתוּב תְּחִילָּה [לעיל כ, א]: "וַיִּסַּע מִשָּׁם אַבְרָהָם אַרְצָה הַנֶּגֶב וַיֵּשֶׁב בֵּין קָדֵשׁ וּבֵין שׁוּר וַיָּגָר בִּגְרָר", וַאֲבִימֶלֶךְ אָמַר אֵלָיו [שם פסוק טו]: "הִנֵּה אַרְצִי לְפָנֶיךָ בַּטּוֹב בְּעֵינֶיךָ שֵׁב", וְנִתְיַשֵּׁב שָׁם בָּאָרֶץ הַהִיא בִּבְאֵר שֶׁבַע. שֶׁכֵּן כָּתוּב [לעיל כא, כב ולב]: "וַיְהִי בָּעֵת הַהִיא וַיֹּאמֶר אֲבִימֶלֶךְ וּפִיכֹל שַׂר צְבָאוֹ אֶל אַבְרָהָם לֵאמֹר", וְאֵין כָּתוּב שֶׁהָלְכוּ אֵלָיו מִגְּרָר וַיִּכְרְתוּ שָׁם הַבְּרִית בִּבְאֵר שֶׁבַע[12].

RAMBAN ELUCIDATED

returned to his young men, and they arose and went together to Beer-sheba, and Abraham stayed in Beer-sheba (above, 22:19), לְהוֹרוֹת שֶׁנִּתְעַכֵּב שָׁם וְיָשַׁב בּוֹ שָׁנִים – **implying,** with the word "stayed," **that he remained there and lived there for years.**[9] וְאִם כֵּן לֹא מֵתָה שָׂרָה בְּאוֹתוֹ זְמַן – **If this is the case, then Sarah did not die at that time** as a result of the *Akeidah,* כִּי לֹא הָיָה אַבְרָהָם דָּר בִּבְאֵר שֶׁבַע וְשָׂרָה דָּרָה בְּחֶבְרוֹן – **for Abraham would not have been living in Beer-sheba while Sarah was living in Hebron!**[10]

[Having stated that Abraham lived in Beer-sheba at the time of the *Akeidah,* Ramban elaborates on the question of when Abraham moved there. He begins by showing that Abraham moved to Beer-sheba before Isaac was born:]

וְכֵן נִרְאֶה כִּי יִצְחָק נוֹלַד בִּבְאֵר שֶׁבַע – **It also appears that Isaac was born in Beer-sheba.**[11] כִּי כָּתוּב תְּחִילָּה "וַיִּסַּע מִשָּׁם אַבְרָהָם אַרְצָה הַנֶּגֶב וַיֵּשֶׁב בֵּין קָדֵשׁ וּבֵין שׁוּר וַיָּגָר בִּגְרָר" – **For it is written at first,** before Isaac was born, ***Abraham journeyed from [Hebron] to the region of the south and settled between Kadesh and Shur, and he sojourned in Gerar*** (above, 20:1), וַאֲבִימֶלֶךְ אָמַר אֵלָיו "הִנֵּה אַרְצִי לְפָנֶיךָ בַּטּוֹב בְּעֵינֶיךָ שֵׁב" – **and** subsequently, **Abimelech said to him, *Behold, my land is before you; settle wherever you see fit*** (above, 20:15), וְנִתְיַשֵּׁב שָׁם בָּאָרֶץ הַהִיא בִּבְאֵר שֶׁבַע – **and** indeed **Abraham** accepted Abimelech's offer and **settled there, in that land** of the Philistines, **in Beer-sheba.** שֶׁכֵּן כָּתוּב "וַיְהִי בָּעֵת הַהִיא וַיֹּאמֶר אֲבִימֶלֶךְ וּפִיכֹל שַׂר צְבָאוֹ אֶל אַבְרָהָם לֵאמֹר" – This, too, presumably took place before Isaac was born, **for it is written, *At that time,*** [when Isaac was weaned], ***Abimelech and Phicol his general said to Abraham, etc.*** *and they entered into a covenant at Beer-sheba* (above 21:22,32), וְאֵין כָּתוּב שֶׁהָלְכוּ אֵלָיו מִגְּרָר וַיִּכְרְתוּ שָׁם הַבְּרִית בִּבְאֵר שֶׁבַע – **and it is not written that "[Abraham, Abimelech and Phicol] went to [Beer-sheba] from Gerar and made the covenant there, in Beer-sheba."**[12]

---

9. This is unlike the interpretation of this word favored by Rashi and the Midrash, according to which Abraham went to Beer-sheba from the *Akeidah* for only a brief period.

10. If Abraham lived in Beer-sheba at the time of the *Akeidah,* Sarah obviously also lived there. Since, at the time of her death, Sarah was living in Hebron – and not Beer-sheba, her death was in no way connected with the *Akeidah,* as the Midrash (cited by Rashi in our verse) asserts.

It should be noted that Rashi and Ramban agree that Abraham moved from Hebron (where he lived at the time of his circumcision – 18:1) to the land of the Philistines (Gerar) shortly before Isaac's birth (20:1), and moved back to Hebron some time before Sarah's death (see Rashi above, 21:34). The difference between them is that according to Rashi (based on *Seder Olam*) the *Akeidah* took place after the move to Hebron, immediately prior to Sarah's death, while Ramban maintains that the *Akeidah* took place well before Sarah's death, before the family moved back to Hebron.

11. This is in contrast to Ibn Ezra (on 21:14) and Radak (21:32), who maintain that Abraham was living in Gerar when Isaac was born.

[According to *Tur HaAroch* the proper understanding of this phrase of Ramban: וְכֵן נִרְאֶה כִּי יִצְחָק נוֹלַד בִּבְאֵר שֶׁבַע is: *And so it appears* that Abraham's longtime residence was in Beer-sheba, *for Isaac was born in Beer-sheba.*]

12. If the narrative there had said that "they went to Beer-sheba from Gerar and made the covenant there, in Beer-sheba," then one could argue that Abraham actually lived in Gerar, but that the covenant took place away from his home, in Beer-sheba (the site of their dispute). But since it does *not* say this, the implication is that the entire conversation between Abraham and Abimelech *including* the covenant took place at a single location – at Abraham's home – which, according to this, was in Beer-sheba. Since this episode took place shortly after the day Isaac was weaned (see above, 21:8 and 21:22), it is reasonable to say that Isaac was also born there, in Beer-sheba.

[Ramban thus disagrees with Radak's approach to

רמב״ן

וְכֵן תִּרְאֶה, כִּי הָגָר, כַּאֲשֶׁר הוֹצִיאוּ אוֹתָהּ מִבֵּית אַבְרָהָם בְּיוֹם הִגָּמֵל אֶת יִצְחָק [לעיל כא, יד] - הָלְכָה בְּמִדְבַּר בְּאֵר שֶׁבַע, שֶׁשָּׁם הָיוּ דָּרִים. אֲבָל אַחַר יָמִים רַבִּים נָסַע מֵאֶרֶץ פְּלִשְׁתִּים וּבָא לְחֶבְרוֹן, וְנִפְטְרָה שָׁם הַצַּדֶּקֶת[13].

אֲבָל לְפִי הַמִּדְרָשׁ, צְרִיכִין אָנוּ לוֹמַר כִּי אַבְרָהָם וְשָׂרָה בִּזְמַן הָעֲקֵידָה הָיוּ דָּרִים בְּחֶבְרוֹן, וְשָׁם נִצְטַוָּה. וּמַה שֶּׁאָמַר [לעיל כב, ד]: "בַּיּוֹם הַשְּׁלִישִׁי וַיִּשָּׂא אַבְרָהָם אֶת עֵינָיו וַיַּרְא אֶת הַמָּקוֹם מֵרָחוֹק"[14] - כִּי לֹא נִגְלָה לוֹ "הָהָר חָמַד אֱלֹהִים לְשִׁבְתּוֹ"[15] עַד הַיּוֹם הַשְּׁלִישִׁי; וְהָיָה בִּשְׁנֵי הַיָּמִים הוֹלֵךְ בִּסְבִיבֵי יְרוּשָׁלַיִם, וְלֹא הָיָה הָרָצוֹן לְהֵרָאוֹת לוֹ. וְאַבְרָהָם אַחַר הָעֲקֵידָה לֹא שָׁב לִמְקוֹמוֹ לְחֶבְרוֹן, אֲבָל הָלַךְ תְּחִלָּה אֶל בְּאֵר שֶׁבַע, מְקוֹם הָאֵשֶׁל שֶׁלּוֹ, לָתֵת הוֹדָאָה עַל נִסּוֹ[16], וְשָׁם שָׁמַע בְּמִיתַת שָׂרָה, וּבָא.

RAMBAN ELUCIDATED

[Ramban now continues with a second proof that Isaac was born in Beer-sheba:]

וְכֵן תִּרְאֶה כִּי הָגָר, כַּאֲשֶׁר הוֹצִיאוּ אוֹתָהּ מִבֵּית אַבְרָהָם בְּיוֹם הִגָּמֵל אֶת יִצְחָק – Likewise, you see that when Hagar was expelled from Abraham's house on the day of Isaac's weaning (21:14), **הָלְכָה בְּמִדְבַּר בְּאֵר שֶׁבַע, שֶׁשָּׁם הָיוּ דָּרִים – she walked in the *wilderness of Beer-sheba* – for that is where they lived. אֲבָל אַחַר יָמִים רַבִּים נָסַע מֵאֶרֶץ פְּלִשְׁתִּים וּבָא לְחֶבְרוֹן, וְנִפְטְרָה שָׁם הַצַּדֶּקֶת – However, after many days [Abraham] departed from the land of the Philistines and came to Hebron, and there the righteous** Sarah **passed away.**[13]

[Having presented his own outline of the events of the *Akeidah* and Sarah's death, Ramban now presents the Midrash's view:]

אֲבָל לְפִי הַמִּדְרָשׁ – However, according to the Midrash, צְרִיכִין אָנוּ לוֹמַר כִּי אַבְרָהָם וְשָׂרָה בִּזְמַן הָעֲקֵידָה הָיוּ דָּרִים בְּחֶבְרוֹן, וְשָׁם נִצְטַוָּה – we must say that Abraham and Sarah, at the time of the *Akeidah,* were living in Hebron, and it was there that [Abraham] was commanded to perform the *Akeidah.* **וּמַה שֶּׁאָמַר "בַּיּוֹם הַשְּׁלִישִׁי וַיִּשָּׂא אַבְרָהָם אֶת עֵינָיו וַיַּרְא אֶת הַמָּקוֹם מֵרָחוֹק" – And the fact that it says** (above, 22:4), ***On the third day Abraham raised his eyes, and saw the place from afar,***[14] **כִּי לֹא נִגְלָה לוֹ הָהָר חָמַד אֱלֹהִים לְשִׁבְתּוֹ עַד הַיּוֹם הַשְּׁלִישִׁי – this was because the "mountain that God desired as His dwelling"**[15] **was not revealed to him until the third day; וְהָיָה בִּשְׁנֵי הַיָּמִים הוֹלֵךְ בִּסְבִיבֵי יְרוּשָׁלַיִם וְלֹא הָיָה הָרָצוֹן לְהֵרָאוֹת לוֹ – for during the** first **two days** of his search for "the place" **[Abraham] was walking about in the environs of Jerusalem, for it was not the will** of God **to show him** which mountain was the chosen one until the third day. **וְאַבְרָהָם אַחַר הָעֲקֵידָה לֹא שָׁב לִמְקוֹמוֹ לְחֶבְרוֹן** – Furthermore, according to the Midrash, **Abraham did not return to his place** of residence **after the *Akeidah;*** that is, he did not return **to Hebron. אֲבָל הָלַךְ תְּחִלָּה אֶל בְּאֵר שֶׁבַע מְקוֹם הָאֵשֶׁל שֶׁלּוֹ, לָתֵת הוֹדָאָה עַל נִסּוֹ – Instead, he went first to Beer-sheba, the location of his *eshel,*** in order **to give thanks for the miracle** that had occurred **to him.**[16] **וְשָׁם שָׁמַע בְּמִיתַת שָׂרָה, וּבָא – While there he heard of Sarah's death, and then he came** to Hebron.

---

this episode: According to Radak (as mentioned above), Abraham lived in Gerar when Abimelech came to speak to him. After they made a covenant of friendship there, Abraham rebuked Abimelech about the well that had been stolen from him in Beer-sheba. They then traveled to Beer-sheba to clarify the matter, and there they made another covenant. Ramban rejects this interpretation, because the Torah makes it seem as if the entire conversation between Abraham and Abimelech took place in the same place; it does not say that in the middle of their discussion "they went to Beer-sheba from Gerar and made a covenant there" (*Beis HaYayin*).]

Alternatively: וְאֵין כָּתוּב שֶׁהָלְכוּ אֵלָיו מִגְּרָר – *Though it does not say that they* (i.e., Abimelech and Phicol) *went to him* (i.e., Abraham) *from Gerar* – which would seem to indicate that they were all in Gerar. Consequently, we would have been forced to conclude that Abraham's residence was not in Beer-sheba. Nevertheless, this is not the case because: וַיִּכְרְתוּ שָׁם הַבְּרִית בִּבְאֵר שָׁבַע – *they forged their covenant there in Beer-sheba.* We may thus assume that the discussion and the covenant took place in Beer-sheba – Abraham's residence (R' Chavel, *Pnei Yerushalayim*).

13. This is a further indication that Sarah's death did not immediately follow the *Akeidah.*

14. One of the proofs Ramban had adduced for his own opinion was that it does not take three days to travel from Hebron to Jerusalem. Here he defends the Midrash against this question.

15. Stylistic citation from *Psalms* 68:17.

16. See Ramban below, 24:62, that the site of Abraham's *eshel* was particularly suited for prayer.

רמב״ן

ומי שאמר מהר המוריה בא, ומי שאמר מבאר שבע בא - הכל טעם אחד[17]. ולפי זה מה שאמר הכתוב ״וישב אברהם בבאר שבע״ [לעיל כב, יט] יהיה ענינו כי בשובו מן העקידה שב אל באר שבע, ומשם הלך לקבר את שרה, ואחר הקבורה מיד חזר לבאר שבע, ונתישב שם שנים[18]. והשלים הכתוב ענין באר שבע כאחד, ואחרי כן ספר בקבורה[19]. ושם בבאר שבע נשא יצחק את רבקה, כמו שנאמר [להלן כד, סב]: ״והוא יושב בארץ הנגב״[20].

RAMBAN ELUCIDATED

ומי שאמר מהר המוריה בא, ומי שאמר מבאר שבע בא, הכל טעם אחד – Thus **the one** (i.e., the Midrash) **who says that** Abraham **came from Mount Moriah and the one** (i.e., Rashi) **who says that he came from Beer-sheba – are** both expressing **the same idea.**[17] **ולפי זה מה שאמר הכתוב ״וישב אברהם בבאר שבע״** – Accordingly, **when Scripture says,** *Abraham went to Beer-sheba, and* ***Abraham stayed in Beer-sheba*** (above, 22:19), **יהיה ענינו כי בשובו מן העקידה שב אל באר שבע** – **its intent is that when he returned from the** ***Akeidah*** **he turned** temporarily **to Beer-sheba, ומשם הלך לקבר את שרה – and from there he went to bury Sarah, ואחר הקבורה מיד חזר לבאר שבע, ונתישב שם שנים – and imme-diately after the burial he returned to Beer-sheba, and settled there for** many **years.**[18] **והשלים הכתוב ענין באר שבע כאחד, ואחרי כן ספר בקבורה** – **Scripture**, however, **concludes the topic of Beer-sheba as a unit, and afterwards relates about the burial** of Sarah.[19] **ושם בבאר שבע נשא יצחק את רבקה, כמו שנאמר ״והוא יושב בארץ הנגב״** – Furthermore, we can see that Abraham moved back to Beer-sheba after Sarah's death from the fact that it was **there, in Beer-sheba,** that **Isaac married Rebecca, as it states in** the context of Rebecca's marriage to Isaac, ***he dwelt in the south country*** (below, 24:62).[20]

17. The explanation of Rashi and the Midrash of the events are essentially one and the same. See above, footnote 5.

18. The verse (22:19) states: *Abraham returned to his young men, and they arose and went together to Beer-sheba, and Abraham stayed at Beer-sheba.* Ramban explains that this verse describes two separate events: *Abraham went to Beer-sheba* immediately following the *Akeidah* for a short time, and then, some time after Sarah's death, he went back and *Abraham stayed in Beer-sheba,* which he made his permanent residence.

19. Ramban has just asserted that the end of 22:19 (*Abraham stayed in Beer-sheba*) refers to Abraham's permanent relocation to Beer-sheba, which took place after Sarah's death. The implied question is: Why, then, is his settling in Beer-sheba recorded *before* Sarah's death is mentioned, in 23:1? Ramban answers: Since Scripture began to discuss Abraham's visit to Beer-sheba before Sarah's death (for that is where he went after the *Akeidah*), it finishes the discussion of Abraham and Beer-sheba by telling us that Abraham ultimately settled there permanently, describing the events in a topical (rather than chronological) order.

20. As explained above (in footnote 10), all agree that Abraham was living in Hebron at the time of Sarah's death when Abraham was 137 years old. However, we find that three years later Isaac's bride Rebecca was brought to him in *the land of the south* (below, 24:62), an apt description for Beer-sheba (which is in the south of *Eretz Yisrael*), but not for Hebron (which is further north). Now, Isaac presumably lived with his father (see 24:67: *Isaac brought Rebecca into the tent of his mother Sarah*), so we must conclude that Abraham moved once again to Beer-sheba after Sarah's death. [Ramban maintains that he did so quite soon after her death, and that this is what Scripture refers to when it says, *Abraham stayed in Beer-sheba.* It does not refer to a temporary stopover in Beer-sheba – as Rashi maintains (above, 22:19) – but to a permanent resettlement there.]

SUMMARY OF ABRAHAM'S SOJOURNINGS, ACCORDING TO RAMBAN:

Abraham's Location	Hebron (1st time)	Philistia (1st time) — (includes Beer-sheba)	Hebron (2nd time)	Philistia (2nd time) —
Abraham's Age There (*Seder Olam*)	75-99	99-125	125-137+	Not Specified
Abraham's Age at Prominent Event(s)	Abraham's Circumcision / 99	Isaac's Birth / 100 Akeidah / Not Specified	*Akeidah* (Rashi) / 137 Sarah's Death / 137	Abraham resettles in Beer-sheba / Not Specified Isaac's Marriage / 140

ג וַיָּקָם֙ אַבְרָהָ֔ם מֵעַ֖ל פְּנֵ֣י מֵת֑וֹ וַיְדַבֵּ֥ר אֶל־
ד בְּנֵי־חֵ֖ת לֵאמֹֽר: גֵּר־וְתוֹשָׁ֥ב אָנֹכִ֖י עִמָּכֶ֑ם תְּנ֨וּ
לִ֤י אֲחֻזַּת־קֶ֙בֶר֙ עִמָּכֶ֔ם וְאֶקְבְּרָ֥ה מֵתִ֖י מִלְּפָנָֽי:

ג וְקָם אַבְרָהָם מֵעַל אַפֵּי מִיתֵהּ וּמַלֵּל
עִם בְּנֵי חִתָּאָה לְמֵימָר: ד דַּיָּר וְתוֹתָב
אֲנָא עִמְּכוֹן הָבוּ לִי אַחְסָנַת קְבוּרָא
עִמְּכוֹן וְאִקְבַּר מִיתִי מִן קֳדָמָי:

רש״י

(ד) גר ותושב אנכי עמכם. גר מארץ אחרת ונתישבתי עמכם. ומדרש אגדה, אם תרצו הריני גר, ואם לאו אהיה תושב ואטלנה מן הדין, שאמר לי הקב״ה לזרעך אתן את הארץ הזאת (לעיל יב:ז; ב״ר נח:ו): אחזת קבר. אחוזת קרקע לבית הקברות:

רמב״ן

וְזֶה דַּעַת כָּל הַמְפָרְשִׁים[21] - כִּי אַבְרָהָם הָיָה בְּמָקוֹם אַחֵר וּבָא מִשָּׁם. וּלְפִי דַעְתִּי[22], כִּי הָיָה לְשָׂרָה אֹהֶל, שָׁם עוֹמֶדֶת, וְאַמְהוֹתֶיהָ לְפָנֶיהָ. וְכֵן כָּתוּב [להלן לא, לג]: ״בְּאֹהֶל יַעֲקֹב וּבְאֹהֶל לֵאָה וּבְאֹהֶל שְׁתֵּי הָאֲמָהוֹת״[23]. וְהִנֵּה שָׂרָה מֵתָה בָּאֹהֶל אֲשֶׁר לָהּ, וְנִכְנַס אַבְרָהָם[24] בָּאֹהֶל עִם אֲחֻזַּת מֵרֵעָיו לִסְפּוֹד אוֹתָהּ. אוֹ שֶׁיִּהְיֶה לְשׁוֹן ״וַיָּבֹא״ לֵאמֹר שֶׁנִּתְעוֹרֵר אַבְרָהָם לְהֶסְפֵּד הַזֶּה, וְהִתְחִיל לַעֲשׂוֹתוֹ, כִּי כָּל מִתְעוֹרֵר וּמַתְחִיל בִּמְלָאכָה יִקָּרֵא ״בָּא אֵלֶיהָ״. וְזֶה לְשׁוֹן מֻרְגָּל בְּדִבְרֵי חֲכָמִים, כְּמוֹ שֶׁשָּׁנִינוּ בְּתָמִיד [ד, ג]: ״בָּא לוֹ לַגֵּרָה וְהִנִּיחַ בָּהּ שְׁתֵּי צְלָעוֹת מִכָּאן; בָּא לוֹ לַדּוֹפֶן הַשְּׂמָאלִית; בָּא לוֹ לָעוֹקֶץ״[25]. וְאָמְרָם [ברכות כ, א]: ״אֲנִי לֹא בָאתִי לִידֵי הַמִּדָּה הַזּוֹ״[26]. וְכֵן בַּכָּתוּב [שמות כב, יד]: ״בָּא בִּשְׂכָרוֹ״, שֶׁבָּא לַמְּלָאכָה הַהִיא[27] וְעָשָׂה אוֹתָהּ בַּעֲבוּר שְׂכָרוֹ.

RAMBAN ELUCIDATED

[This is the end of Ramban's addendum. Now he returns to his original discussion of the phrase, *Abraham came* and the question, "From where did Abraham come?":]

וְזֶה דַּעַת כָּל הַמְפָרְשִׁים, כִּי אַבְרָהָם הָיָה בְּמָקוֹם אַחֵר וּבָא מִשָּׁם – **This is the opinion** not only of Rashi and the Midrash but also **of all the commentators**[21] – **that Abraham was elsewhere** when Sarah died **and from there he came** to Hebron. **וּלְפִי דַעְתִּי כִּי הָיָה לְשָׂרָה אֹהֶל, שָׁם עוֹמֶדֶת, וְאַמְהוֹתֶיהָ לְפָנֶיהָ** – **But in my opinion,**[22] **Sarah had** her own **tent where she would stay, with her maidservants** in attendance **before her.** **וְכֵן כָּתוּב ״בְּאֹהֶל יַעֲקֹב וּבְאֹהֶל לֵאָה וּבְאֹהֶל שְׁתֵּי הָאֲמָהוֹת״** – **For** it was common for women to have their own tents, as **it is written,** *Laban came **into Jacob's tent and into Leah's tent and into the tent of the two maidservants*** (below, 31:33).[23] **וְהִנֵּה שָׂרָה מֵתָה בָּאֹהֶל אֲשֶׁר לָהּ** – **Now, Sarah died in her own tent,** **וְנִכְנַס אַבְרָהָם בָּאֹהֶל עִם אֲחֻזַּת מֵרֵעָיו לִסְפּוֹד אוֹתָהּ** – **and Abraham entered**[24] **that tent with a group of his friends to eulogize her.**

אוֹ שֶׁיִּהְיֶה לְשׁוֹן ״וַיָּבֹא״ לֵאמֹר שֶׁנִּתְעוֹרֵר אַבְרָהָם לְהֶסְפֵּד הַזֶּה וְהִתְחִיל לַעֲשׂוֹתוֹ – **Alternatively, the expression "he came"** does not mean that he arrived from some other place; it merely **tells us that Abraham was stirred to** deliver **this eulogy, and he set out to do so.** **כִּי כָּל מִתְעוֹרֵר וּמַתְחִיל בִּמְלָאכָה יִקָּרֵא בָּא אֵלֶיהָ** – **For any person who rouses himself and sets out to do a** particular **task is referred to** in idiomatic Hebrew **as** one who **"comes to [that task]."** **וְזֶה לְשׁוֹן מֻרְגָּל בְּדִבְרֵי חֲכָמִים** – **This is also a common expression in the words of the Sages,** **כְּמוֹ שֶׁשָּׁנִינוּ בְּתָמִיד: ״בָּא לוֹ לַגֵּרָה וְהִנִּיחַ בָּהּ שְׁתֵּי צְלָעוֹת מִכָּאן; בָּא לוֹ לַדּוֹפֶן הַשְּׂמָאלִית, בָּא לוֹ לָעוֹקֶץ״** – **as we learn in** ***Tamid*** (4:3): **"He** ***came to*** **the throat** [of the offering] **and left on it two ribs on one side; he** ***came to*** **the left flank, he** ***came to*** **the tail."**[25] **וְאָמְרָם ״אֲנִי לֹא בָאתִי לִידֵי הַמִּדָּה הַזּוֹ״** – The same may be said of **their statement** (*Bechoros* 20a): **"I did not** ***come to*** **this criterion."**[26] **וְכֵן בַּכָּתוּב** – **There is also** an example of this expression **in Scripture:** **״בָּא בִּשְׂכָרוֹ״, שֶׁבָּא לַמְּלָאכָה הַהִיא וְעָשָׂה אוֹתָהּ בַּעֲבוּר שְׂכָרוֹ** – ***He has come for his wage***

21. Ibn Ezra, Radak. Cf., however, Rashbam.

22. Ramban now asserts that it is possible that Abraham was indeed in Hebron with Sarah when she died, and he did not "come" from some other place after hearing of her death. Ramban must therefore account for the use of the word וַיָּבֹא (usually translated as, "he came").

23. Scripture distinguishes between "Jacob's tent" and "Leah's tent," thereby demonstrating that it was common for a wife to have her own tent.

24. The root בוא can mean either "to come" or "to enter." Ramban, unlike Rashi and "all the commentators," interprets וַיָּבֹא אַבְרָהָם to mean "Abraham *entered* [Sarah's tent]," not "Abraham *came* [from somewhere else]." (Radak also mentions this possibility.)

25. In this example, "he came to ..." does not mean that he physically came closer to that part of the animal but that "he *began* to process" that part.

26. In this example, "I did not come to ..." means, "I am not *ready* to concur with this criterion."

[3] Abraham rose up from the presence of his dead, and spoke to the children of Heth, saying: [4] "I am a stranger and a resident among you; grant me an estate for a burial site with you, that I may bury my dead from before me."

רמב״ן

וְלֹא יִתָּכֵן בְּעֵינַי שֶׁבָּא מֵעִיר אַחֶרֶת אֶל חֶבְרוֹן[28], שֶׁאִלּוּ הָיָה כֵן הָיָה מַזְכִּיר אוֹתוֹ הַמָּקוֹם, וְהָיָה הַכָּתוּב מְפָרֵשׁ: וַיִּשְׁמַע אַבְרָהָם וַיָּבֹא מִמָּקוֹם פְּלוֹנִי.

[ד] גֵּר וְתוֹשָׁב אָנֹכִי עִמָּכֶם. הָיָה הַמִּנְהָג לִהְיוֹת לָהֶם בָּתֵּי קְבָרוֹת, אִישׁ לְבֵית אֲבוֹתָיו, וּשְׂדֵה קְבוּרָה אֶחָד יִקְבְּרוּ בוֹ כָּל הַגֵּרִים. וְהִנֵּה אַבְרָהָם אָמַר אֶל בְּנֵי חֵת: אֲנִי גֵר מֵאֶרֶץ אַחֶרֶת, וְלֹא הִנְחַלְתִּי מֵאֲבוֹתַי בֵּית הַקְּבָרוֹת בָּאָרֶץ הַזֹּאת. וְהִנֵּה עַתָּה אֲנִי תוֹשָׁב עִמָּכֶם, כִּי חָפַצְתִּי לָשֶׁבֶת בָּאָרֶץ הַזֹּאת, וְלָכֵן תְּנוּ קֶבֶר לִהְיוֹת לִי לַאֲחֻזַּת עוֹלָם כְּאֶחָד מִכֶּם.

וּמִפְּנֵי שֶׁאָמַר ״תְּנוּ״, חָשְׁבוּ שֶׁבִּקֵּשׁ אוֹתָהּ מֵהֶם בְּמַתָּנָה[29]. וְעָנוּ אוֹתוֹ [פסוק ו]: אֵינְךָ נֶחְשָׁב בְּעֵינֵינוּ כְּגֵר וְתוֹשָׁב! אֲבָל אַתָּה מֶלֶךְ, הַמְלִיכְךָ הָאֱלֹהִים עָלֵינוּ, וַאֲנַחְנוּ וְאַדְמָתֵנוּ עֲבָדִים לְךָ[30] - תִּקַּח כָּל בֵּית הַקְּבָרוֹת שֶׁתַּחְפֹּץ בּוֹ

RAMBAN ELUCIDATED

(*Exodus* 22:14), **meaning that the man came to that job**[27] **and undertook it for the sake of** receiving **his wage.**

[Ramban now reinforces his position that Abraham was in Hebron at the time of Sarah's passing:]

וְלֹא יִתָּכֵן בְּעֵינַי שֶׁבָּא מֵעִיר אַחֶרֶת אֶל חֶבְרוֹן – It does not seem plausible, in my opinion, that [Abraham] came from some other city to Hebron,[28] **שֶׁאִלּוּ הָיָה כֵן הָיָה מַזְכִּיר אוֹתוֹ הַמָּקוֹם – for it that were so, [Scripture] would have mentioned that other place, וְהָיָה הַכָּתוּב מְפָרֵשׁ: וַיִּשְׁמַע אַבְרָהָם וַיָּבֹא מִמָּקוֹם פְּלוֹנִי – and [the verse] would have specified, "Abraham heard, and he came from such-and-such a place."**

4. גֵּר וְתוֹשָׁב אָנֹכִי עִמָּכֶם – *I AM A STRANGER AND A RESIDENT.*

["Stranger" and "resident" are somewhat contradictory terms (see Rashi). What exactly did Abraham mean by these words, and what was their relevance to his procuring a burial site for Sarah? Ramban explains:]

הָיָה הַמִּנְהָג לִהְיוֹת לָהֶם בָּתֵּי קְבָרוֹת, אִישׁ לְבֵית אֲבוֹתָיו – It was customary at that time and place **that [people] would have** private **burial sites, each person with his family, וּשְׂדֵה קְבוּרָה אֶחָד יִקְבְּרוּ בוֹ כָּל הַגֵּרִים – and** there was **one** separate **cemetery in which they would bury all strangers. וְהִנֵּה אַבְרָהָם אָמַר אֶל בְּנֵי חֵת: – Thus, Abraham said to the children of Heth, אֲנִי גֵר מֵאֶרֶץ אַחֶרֶת, וְלֹא הִנְחַלְתִּי מֵאֲבוֹתַי בֵּית הַקְּבָרוֹת בָּאָרֶץ הַזֹּאת – "I am a stranger from another land, and** hence **I was not bequeathed a burial ground from my forefathers in this land. וְהִנֵּה עַתָּה אֲנִי תוֹשָׁב עִמָּכֶם, כִּי חָפַצְתִּי לָשֶׁבֶת בָּאָרֶץ הַזֹּאת – But,** on the other hand, **now I am a resident among you, for I have desired to dwell in this land** permanently. **וְלָכֵן תְּנוּ קֶבֶר לִהְיוֹת לִי לַאֲחֻזַּת עוֹלָם כְּאֶחָד מִכֶּם – Therefore, grant me a burial site to be for me an everlasting possession, as though [I were] one of you."**

[Ramban now explains the Hittites' response to Abraham:]

וּמִפְּנֵי שֶׁאָמַר ״תְּנוּ״, חָשְׁבוּ שֶׁבִּקֵּשׁ אוֹתָהּ מֵהֶם בְּמַתָּנָה – Now, because [Abraham] said, "*Grant* *me an estate for a burial,* **they thought that he was requesting it from them as a gift.**[29] **וְעָנוּ אוֹתוֹ: אֵינְךָ נֶחְשָׁב בְּעֵינֵינוּ כְּגֵר וְתוֹשָׁב – And,** with respect to Abraham's humble description of himself, **they responded to him** (v. 6), **"You are not regarded as a *stranger and resident* in our eyes! אֲבָל אַתָּה מֶלֶךְ, הַמְלִיכְךָ הָאֱלֹהִים עָלֵינוּ, וַאֲנַחְנוּ וְאַדְמָתֵנוּ עֲבָדִים לְךָ – Rather, you are a king, whom God has crowned over us, and we and our land are in your service,**[30] **תִּקַּח כָּל בֵּית הַקְּבָרוֹת שֶׁתַּחְפֹּץ**

27. That is, "he *committed* himself" to do something.

28. As "all the commentators" hold.

29. And that Abraham intended this gift to be dependent on the Hittites' beneficence and generosity.

30. "And you are therefore entitled to whatever you choose."

ה־ו וַיַּעֲנ֧וּ בְנֵי־חֵ֛ת אֶת־אַבְרָהָ֖ם לֵאמֹ֥ר לֽוֹ: שְׁמָעֵ֣נוּ ׀
אֲדֹנִ֗י נְשִׂ֨יא אֱלֹהִ֤ים אַתָּה֙ בְּתוֹכֵ֔נוּ בְּמִבְחַ֣ר
קְבָרֵ֔ינוּ קְבֹ֖ר אֶת־מֵתֶ֑ךָ אִ֣ישׁ מִמֶּ֗נּוּ אֶת־קִבְר֛וֹ
ז לֹֽא־יִכְלֶ֥ה מִמְּךָ֖ מִקְּבֹ֥ר מֵתֶֽךָ: וַיָּ֧קָם אַבְרָהָ֛ם
ח וַיִּשְׁתַּ֥חוּ לְעַם־הָאָ֖רֶץ לִבְנֵי־חֵֽת: וַיְדַבֵּ֥ר אִתָּ֖ם
לֵאמֹ֑ר אִם־יֵ֣שׁ אֶֽת־נַפְשְׁכֶ֗ם לִקְבֹּ֤ר אֶת־מֵתִי֙
מִלְּפָנַ֔י שְׁמָע֕וּנִי וּפִגְעוּ־לִ֖י בְּעֶפְר֥וֹן בֶּן־צֹֽחַר:
ט וְיִתֶּן־לִ֗י אֶת־מְעָרַ֤ת הַמַּכְפֵּלָה֙ אֲשֶׁר־ל֔וֹ אֲשֶׁ֖ר

ה וְאָתִיבוּ בְנֵי חִתָּאָה יָת אַבְרָהָם לְמֵימַר לֵהּ: ו קַבֵּל מִנָּנָא רִבּוֹנָנָא רַב קֳדָם יְיָ אַתְּ בֵּינָנָא בִּשְׁפַר קִבְרָנָא קְבַר יָת מִיתָךְ אֱנָשׁ מִנָּנָא יָת קִבְרֵהּ לָא יִכְלֵי (נ״א יִמְנַע) מִנָּךְ מִלְּמִקְבַּר מִיתָךְ: ז וְקָם אַבְרָהָם וּסְגִיד לְעַמָּא דְאַרְעָא לִבְנֵי חִתָּאָה: ח וּמַלִּיל עִמְּהוֹן לְמֵימַר אִם אִית רַעֲוָא (בְ)נַפְשְׁכוֹן לְמִקְבַּר יָת מִיתִי מִן קֳדָמַי קַבִּילוּ מִנִּי וּבְעוּ לִי מִן עֶפְרוֹן בַּר צוֹחַר: ט וְיִתֵּן לִי יָת מְעָרַת כָּפֶלְתָּא דִּי לֵהּ דִּי

רש״י

(ו) לא יכלה. לא ימנע (אונקלוס), כמו לא תכלא רחמיך (תהלים מ:יב), וכמו ויכלא הגשם (לעיל ח:ב): (ח) נפשכם. רצונכם: ופגעו לי. לשון בקשה, כמו אל תפגעי בי (רות א:טז): (ט) המכפלה. בית ועלייה על גביו. ד״א, שכפולה בזוגות (עירובין

רמב״ן

וּקְבֹר מֵתְךָ שָׁם, וְיִהְיֶה לְךָ לַאֲחֻזַּת קֶבֶר לְעוֹלָם, כִּי אִישׁ מִמֶּנּוּ לֹא יִמְנָעֵהוּ מִמְּךָ!

[ח] **אִם יֵשׁ אֶת נַפְשְׁכֶם לִקְבֹּר אֶת מֵתִי מִלְּפָנָי.** טַעְמוֹ: אֲנִי לֹא אֶקְבּוֹר מֵתִי בְּקֶבֶר אַחֵר[31]. אֲבָל אִם רְצוֹנְכֶם שֶׁאֶקְבּוֹר מֵתִי - פִּגְעוּ לִי בְּעֶפְרוֹן, שֶׁיֵּשׁ לוֹ מְעָרָה בִּקְצֵה שָׂדֵהוּ, וְאֵינֶנָּה לוֹ בֵּית קְבָרוֹת אֲבוֹתָיו, כִּי לְשָׂדֶה הִיא לָהֶם.

וְטַעַם "מִלְּפָנָי", כִּי אִם לֹא תַעֲשׂוּ כֵּן - אֶקְבְּרֶנּוּ בְּאָרוֹן[32]. אוֹ יִהְיֶה טַעְמוֹ: מֵתִי אֲשֶׁר הוּא לְפָנַי וַאֲנִי צָרִיךְ לְמַהֵר לְקָבְרוֹ[33].

RAMBAN ELUCIDATED

בּוֹ וּקְבֹר מֵתְךָ שָׁם – so **take any burial site that you desire and bury your dead there,** **וְיִהְיֶה לְךָ לַאֲחֻזַּת קֶבֶר לְעוֹלָם** – **and it will be a burial estate for you forever,** **כִּי אִישׁ מִמֶּנּוּ לֹא יִמְנָעֵהוּ מִמְּךָ** – **for none of us will withhold it from you!"**

8. אִם יֵשׁ אֶת נַפְשְׁכֶם לִקְבֹּר אֶת מֵתִי מִלְּפָנָי – ***IF IT IS TRULY YOUR WILL TO BURY MY DEAD FROM BEFORE ME.***

[Ramban now explains Abraham's second request to the Hittites:]

טַעְמוֹ: אֲנִי לֹא אֶקְבּוֹר מֵתִי בְּקֶבֶר אַחֵר – **The explanation of [this statement] is: "I will not bury my dead in a grave** intended for **another.**[31] **אֲבָל אִם רְצוֹנְכֶם שֶׁאֶקְבּוֹר מֵתִי, פִּגְעוּ לִי בְּעֶפְרוֹן** – **But, if it is** truly **your desire that I should bury my dead, intercede for me with Ephron,** **שֶׁיֵּשׁ לוֹ מְעָרָה "בִּקְצֵה שָׂדֵהוּ"** – **for he has a cave *at the edge of his field,*** **וְאֵינֶנָּה לוֹ בֵּית קְבָרוֹת אֲבוֹתָיו, כִּי לְשָׂדֶה הִיא לָהֶם** – **which is not an ancestral burial site for him, but** merely **as a 'field' for them."**

[Why did Abraham add the words מִלְּפָנָי – *from before me*? The Hittites surely knew that Sarah's body was in Abraham's house! Ramban explains:]

וְטַעַם "מִלְּפָנָי" – **The explanation of** the word מִלְּפָנָי, ***from before me,*** is: **כִּי אִם לֹא תַעֲשׂוּ כֵּן, אֶקְבְּרֶנּוּ בְּאָרוֹן** – **"Because if you do not do so I will inter [Sarah] in a sarcophagus,** and not in the ground."[32] **אוֹ יִהְיֶה טַעְמוֹ: מֵתִי אֲשֶׁר הוּא לְפָנַי וַאֲנִי צָרִיךְ לְמַהֵר לְקָבְרוֹ** – **Alternatively, its explanation is** that Abraham was saying, **"**[Grant me a grave because it is] for **my deceased that is** yet **before me, and I must hurry to bury."**[33]

31. The Hittites had told him, *None of us will withhold his burial place from you*, meaning that they offered him one of their existent burial grounds.

32. If Abraham would not be successful in procuring Ephron's cave, he would leave Sarah interred above ground, i.e., מִלְּפָנַי – *before him* (in his presence). Hence, if the Hittites truly wished him to bury Sarah *from before him* and in the ground, they would intercede with Ephron.

[Note: Ramban, in his "Toras HaAdam" rules that halachically, it is Biblically obligatory to bury the dead in the ground. All later halachic authorities concur.]

33. According to this interpretation, Abraham added the words *before me* to stress the sense of urgency in

5 *And the children of Heth answered Abraham, saying to*
him: 6 *"Hear us, my lord: You are a prince of God in our midst; in the choicest of our burial places bury your dead, any of us will not withhold his burial place from you, from burying your dead."*
7 *Then Abraham rose up and bowed down to the members of the council, to the children of Heth.* 8 *He spoke to them say-*
ing: "If it is truly your will to bury my dead from before me, heed me, and intercede for me with Ephron son of Zohar. 9 *Let*
him grant me the Cave of Machpelah which is his, on the

רמב״ן

□ וְטַעַם **וּפִגְעוּ לִי:** כִּי הָיָה עֶפְרוֹן עָשִׁיר וְנִכְבָּד, כַּאֲשֶׁר אָמַר [פסוק טו]: ״בֵּינִי וּבֵינְךָ מַה הִיא״[34], וְלֹא יִהְיֶה לוֹ לְכָבוֹד לִמְכּוֹר נַחֲלַת אֲבוֹתָיו, כְּעִנְיַן נָבוֹת הַיִּזְרְעֵאלִי [מלכים־א פרק כא][35]. עַל כֵּן לֹא הָלַךְ אַבְרָהָם אֵלָיו לְהַרְבּוֹת לוֹ מְחִיר הַשָּׂדֶה, וּבִקֵּשׁ מֵאַנְשֵׁי הָעִיר שֶׁיִּפְגְּעוּ בַּעֲבוּרוֹ דֶּרֶךְ כָּבוֹד.

[ט] וְטַעַם **וְיִתֶּן לִי, וְיִתְּנֶנָּה לִי:** שֶׁאֶחְשׁוֹב אוֹתָהּ כְּמַתָּנָה, אִם בְּכֶסֶף מָלֵא אֶקְחֶנָּה מִמֶּנּוּ[36]; וְעַל כֵּן לֹא הִזְכִּיר לְשׁוֹן מְכִירָה. וְכֵן[37]: ״אֹכֶל בַּכֶּסֶף תַּשְׁבִּרֵנִי וּמַיִם בַּכֶּסֶף תִּתֶּן לִי״ [דברים ב, כח][38],

RAMBAN ELUCIDATED

□ [וּפִגְעוּ לִי בְּעֶפְרוֹן – *AND INTERCEDE FOR ME WITH EPHRON.*]

[Why did Abraham ask the Hittites to intercede for him, rather than approach Ephron himself? Ramban explains:]

וְטַעַם ״וּפִגְעוּ לִי״ – **The reason** that Abraham requested: ***intercede for me*** **is:** כִּי הָיָה עֶפְרוֹן עָשִׁיר וְנִכְבָּד – **Because Ephron was wealthy and distinguished,** כַּאֲשֶׁר אָמַר ״בֵּינִי וּבֵינְךָ מַה הִיא״ – **as** evidenced by the fact that **he said,** ***between me and you – what is it*** (v. 15),[34] וְלֹא יִהְיֶה לוֹ לְכָבוֹד לִמְכּוֹר נַחֲלַת אֲבוֹתָיו – **and it would** therefore **not have been honorable for him to sell his ancestral inheritance,** כְּעִנְיַן נָבוֹת הַיִּזְרְעֵאלִי – **as in the story of Naboth the Jezreelite** (*I Kings* 21).[35] עַל כֵּן לֹא הָלַךְ אַבְרָהָם אֵלָיו לְהַרְבּוֹת לוֹ מְחִיר הַשָּׂדֶה – **Therefore Abraham did not go** directly **to him to offer an inflated price for the field,** וּבִקֵּשׁ מֵאַנְשֵׁי הָעִיר שֶׁיִּפְגְּעוּ בַּעֲבוּרוֹ דֶּרֶךְ כָּבוֹד – **but** instead **requested of the townspeople to intercede for him, in a** more **respectful manner.**

9. [וְיִתֶּן לִי אֶת מְעָרַת הַמַּכְפֵּלָה... יִתְּנֶנָּה לִי – *LET HIM GRANT ME THE CAVE OF MACHPELAH ... LET HIM GRANT IT TO ME.*]

וְטַעַם ״וְיִתֶּן לִי״, וְ״יִתְּנֶנָּה לִי״ – **The explanation of** the expressions ***let him grant*** [lit. *give*] ***me*** **and *let him grant it to me,*** which suggest that Abraham was speaking of receiving a free gift rather than arranging a purchase, **is:** שֶׁאֶחְשׁוֹב אוֹתָהּ כְּמַתָּנָה, אִם בְּכֶסֶף מָלֵא אֶקְחֶנָּה מִמֶּנּוּ – **"I shall consider it a gift,** even **if I buy it from him for the full price."**[36] וְעַל כֵּן לֹא הִזְכִּיר לְשׁוֹן מְכִירָה – **This is why he did not use an expression of "selling,"** but of "giving." וְכֵן ״אֹכֶל בַּכֶּסֶף תַּשְׁבִּרֵנִי וּמַיִם בַּכֶּסֶף תִּתֶּן לִי״ – **Similarly,** we find,[37] ***Food you shall sell me and you will "give" me water for money***[38] (*Deuteron-*

having Sarah (who still lay *before him*) buried immediately.

34. Ephron equated himself with Abraham, who was, in the Hittites' eyes, a "prince of God." Ephron would not have done so if he were not an exceptionally esteemed person.

35. Naboth refused to trade his vineyard to King Ahab, saying, "Far be it from me before HASHEM that I should give you my ancestors' heritage."

36. Even if he sells it to me I appreciate the fact that it is difficult for him to do so. This sale therefore constitutes an act of such kindness that I consider it as a "gift" to me.

37. Moses, when leading the Israelites through the Wilderness, offered to purchase food and water from Sihon, King of Heshbon.

38. Although Moses explicitly spoke of paying money for the water, which amounts to buying it, he used the word "give" rather than "sell," for the reason presented now by Ramban.

בִּקְצֵה שָׂדֵהוּ בְּכֶסֶף מָלֵא יִתְּנֶנָּה לִּי בְּתוֹכְכֶם
י לַאֲחֻזַּת־קָבֶר: וְעֶפְרוֹן יֹשֵׁב בְּתוֹךְ בְּנֵי־חֵת וַיַּעַן
עֶפְרוֹן הַחִתִּי אֶת־אַבְרָהָם בְּאָזְנֵי בְנֵי־חֵת לְכֹל
יא בָּאֵי שַׁעַר־עִירוֹ לֵאמֹר: לֹא־אֲדֹנִי שְׁמָעֵנִי
הַשָּׂדֶה נָתַתִּי לָךְ וְהַמְּעָרָה אֲשֶׁר־בּוֹ לְךָ
נְתַתִּיהָ לְעֵינֵי בְנֵי־עַמִּי נְתַתִּיהָ לָּךְ קְבֹר מֵתֶךָ:

בִּסְטַר חַקְלֵהּ בְּכַסְפָּא שְׁלִים יִתְּנִנַּהּ לִי בֵּינֵיכוֹן לְאַחְסָנַת קְבוּרָא: י וְעֶפְרוֹן יָתֵב בְּגוֹ בְּנֵי חִתָּאָה וַאֲתֵיב עֶפְרוֹן חִתָּאָה יָת אַבְרָהָם קֳדָם בְּנֵי חִתָּאָה לְכָל עָלֵי תְּרַע קַרְתֵּהּ לְמֵימָר: יא לָא רִבּוֹנִי קַבֵּיל מִנִּי חַקְלָא יְהָבִית לָךְ וּמְעַרְתָּא דִּי בֵהּ לָךְ יְהָבִיתַהּ לְעֵינֵי בְנֵי עַמִּי יְהָבִיתַהּ לָךְ קְבַר מִיתָךְ:

רש"י

כג.): **בכסף מלא.** שלם, [ס"א אשלם] כל שוויה, וכן דוד אמר לארונה בכסף מלא (דברי הימים א כא:כד): **(י) ועפרון ישב.** כתיב חסר, אותו היום מנוהו שוטר עליהם, מפני חשיבותו של אברהם שהיה צריך לו עלה לגדולה (ב"ר נח:ז): **לכל באי שער עירו.** שכולן בטלו ממלאכתן ובאו לגמול חסד לשרה (שם): **(יא) לא אדני.** לא תקנה אותה בדמים: **נתתי לך.** הרי היא כמו

רמב"ן

שֶׁהַמַּיִם הַנִּתָּנִים בְּמַתָּנָה אֶתֵּן בָּהֶם כֶּסֶף. אוֹ שֶׁהוּא דֶּרֶךְ הַלָּשׁוֹן לְהַזְכִּיר כֵּן בִּמְכִירוֹת.

☐ **מְעָרַת הַמַּכְפֵּלָה.** לְשׁוֹן רַשִׁ"י: בַּיִת וַעֲלִיָּה עַל גַּבָּיו[39]. דָּבָר אַחֵר שֶׁכְּפוּלָה בְּזוּגוֹת.

וְאֵינֶנּוּ נָכוֹן[40]. כִּי הַכָּתוּב אָמַר "שְׂדֵה עֶפְרוֹן אֲשֶׁר בַּמַּכְפֵּלָה" [פסוק יז], וְהִנֵּה הוּא שֵׁם הַמָּקוֹם אֲשֶׁר בּוֹ הַשָּׂדֶה, וְאֵין צוֹרֶךְ לְבַקֵּשׁ טַעַם לְשֵׁם הַמְּקוֹמוֹת.

וּבִבְרֵאשִׁית רַבָּה [נח:ח] אָמְרוּ: שֶׁכָּפַל הַקָּדוֹשׁ בָּרוּךְ הוּא קוֹמָתוֹ שֶׁל אָדָם הָרִאשׁוֹן וּקְבָרוֹ בְּתוֹכָהּ[41]. וְעַל דַּעְתָּם הָיָה כָּל הַמָּקוֹם הַהוּא נִקְרָא כֵּן מֵעוֹלָם[42], וְהֵם לֹא יָדְעוּ טַעְמוֹ[43]. כִּי עֶפְרוֹן בִּדְמֵי הַשָּׂדֶה מָכַר לוֹ הַכֹּל, עַל דַּעְתּוֹ שֶׁאֵין שָׁם קֶבֶר.

RAMBAN ELUCIDATED

omy 2:28). שֶׁהַמַּיִם הַנִּתָּנִים בְּמַתָּנָה אֶתֵּן בָּהֶם כֶּסֶף – He meant **that** "even for **water, which is** normally **given as a gift, I will pay."** אוֹ שֶׁהוּא דֶּרֶךְ הַלָּשׁוֹן לְהַזְכִּיר כֵּן בִּמְכִירוֹת – **Alternatively, it is the** normal **manner of the** Hebrew **language to use** the word **["giving"]** even **in regard to sales.**

☐ **מְעָרַת הַמַּכְפֵּלָה** – ***THE CAVE OF MACHPELAH.***

[What significance, if any, does the name "Machpelah" have? Ramban begins his discussion by citing Rashi:]

לְשׁוֹן רַשִׁ"י – The following is **a quote from Rashi:** **בַּיִת וַעֲלִיָּה עַל גַּבָּיו** – It consisted of **a lower floor with an upper floor above it.**[39] **דָּבָר אַחֵר שֶׁכְּפוּלָה בְּזוּגוֹת** – **Alternatively, because it is doubled with couples.**

[Ramban disagrees with Rashi:]

וְאֵינֶנּוּ נָכוֹן – **But this is not** a **satisfactory** interpretation.[40] **כִּי הַכָּתוּב אָמַר "שְׂדֵה עֶפְרוֹן אֲשֶׁר בַּמַּכְפֵּלָה", וְהִנֵּה הוּא שֵׁם הַמָּקוֹם אֲשֶׁר בּוֹ הַשָּׂדֶה** – **For Scripture says, *Ephron's field, which was in Machpelah*** (v. 17), **so it is the name of the place in which the field was** located. **וְאֵין צוֹרֶךְ לְבַקֵּשׁ טַעַם לְשֵׁם הַמְּקוֹמוֹת** – **And there is no need to seek reasons for the names of places.**

[Ramban notes, however, that there is a Midrash that *does* suggest a reason for the name Machpelah:]

וּבִבְרֵאשִׁית רַבָּה אָמְרוּ: – **[The Sages]** in ***Bereishis Rabbah*** (58:8) **said:** **שֶׁכָּפַל הַקָּדוֹשׁ בָּרוּךְ הוּא קוֹמָתוֹ שֶׁל אָדָם הָרִאשׁוֹן וּקְבָרוֹ בְּתוֹכָהּ** – "The field is called Machpelah **because the Holy One, Blessed is He, folded over** (כָּפַל) **the full length of Adam, the first** man, **and buried him inside [that field]."**[41] **וְעַל דַּעְתָּם הָיָה כָּל הַמָּקוֹם הַהוּא נִקְרָא כֵּן מֵעוֹלָם, וְהֵם לֹא יָדְעוּ טַעְמוֹ** – **According to their opinion, the**

39. Rashi understands מַכְפֵּלָה from the root כפל – *double.*

40. Rashi's comment is taken from the Talmud (*Eruvin* 53a). Ramban understands the Talmudic interpretation to be homiletical in nature, not intended to provide an actual explanation for the name. This is evidenced by the fact that Machpelah was the name of the entire district that contained the field with the cave, and not of the cave itself, as Ramban shows.

41. Adam was exceedingly tall according to the Midrash (see Rashi on *Deuteronomy* 4:32).

edge of his field; let him grant it to me for its full price, in your
midst, as an estate for a burial site."
10 *Now, Ephron was sitting in the midst of the children of Heth;*
and Ephron the Hittite responded to Abraham in the hearing of
the children of Heth, for all who come to the gate of his city,
saying: 11 *"No, my lord; heed me! I have given you the field, and*
as for the cave that is in it, I have given it to you; In the view of the
children of my people have I given it to you; bury your dead."

רמב״ן

וְהִנֵּה אַבְרָהָם לֹא הָיָה מְבַקֵּשׁ רַק לִמְכּוֹר לוֹ הַמְּעָרָה, כִּי הִיא בִּקְצֵה הַשָּׂדֶה, וְיִשָּׁאֵר הַשָּׂדֶה לְעֶפְרוֹן[44]. וְהוּא אָמַר לוֹ דֶּרֶךְ מוּסָר[45] - אוֹ מִרְמָה[46] - שֶׁיִּתֵּן לוֹ הַשָּׂדֶה וְהַמְּעָרָה אֲשֶׁר בּוֹ[47], כִּי לֹא יִתָּכֵן לְאָדָם נִכְבָּד כָּמוֹהוּ שֶׁתִּהְיֶה לוֹ הַמְּעָרָה לַאֲחֻזַּת קֶבֶר וְהַשָּׂדֶה יִהְיֶה לְאַחֵר. וְאַבְרָהָם שָׂמַח בְּכָךְ וְקָנָה הַכֹּל בַּדָּמִים שֶׁהִזְכִּיר לוֹ.

[יא] וְטַעַם **לְעֵינֵי בְנֵי עַמִּי,** לֵאמֹר: הִנֵּה כָּל הָעָם הֵנָּה, וְהֵם הַיּוֹדְעִים וְעֵדִים, וְאַל תָּחוּשׁ לִכְפִירָה אוֹ לַחֲזָרָה, וּקְבֹר מִתֹּךְ שָׁם מֵעַתָּה, כִּי שֶׁלְּךָ הִיא וְלֹא אוּכַל לָשׁוּב. וְאַבְרָהָם לֹא עָשָׂה כֵן. כִּי גַם אַחֲרֵי

RAMBAN ELUCIDATED

entire area was always called this,[42] **but [people] did not know the reason.**[43] **כִּי עֶפְרוֹן בִּדְמֵי הַשָּׂדֶה מָכַר לוֹ הַכֹּל, עַל דַּעְתּוֹ שֶׁאֵין שָׁם קֶבֶר** – **For Ephron sold it all to him for the** ordinary **price of the field, for he assumed that there was no grave there.**

[Ramban now clarifies whether Abraham was interested in buying only the cave or the entire field:]

וְהִנֵּה אַבְרָהָם לֹא הָיָה מְבַקֵּשׁ רַק לִמְכּוֹר לוֹ הַמְּעָרָה – **Now, Abraham requested only that he should sell him the cave,** **כִּי הִיא בִּקְצֵה הַשָּׂדֶה** – **for it was at the edge of the field,** **וְיִשָּׁאֵר הַשָּׂדֶה לְעֶפְרוֹן** – **and the** rest of the **field would remain Ephron's.**[44] **וְהוּא אָמַר לוֹ דֶּרֶךְ מוּסָר אוֹ מִרְמָה שֶׁיִּתֵּן לוֹ הַשָּׂדֶה וְהַמְּעָרָה אֲשֶׁר בּוֹ** – **But [Ephron] said to [Abraham], as a courtesy**[45] – **or** perhaps in **deceit**[46] – **that he would give him the field along with the cave that was in it,**[47] **כִּי לֹא יִתָּכֵן לְאָדָם נִכְבָּד כָּמוֹהוּ שֶׁתִּהְיֶה לוֹ הַמְּעָרָה לַאֲחֻזַּת קֶבֶר וְהַשָּׂדֶה יִהְיֶה לְאַחֵר** – **for it is inconceivable that a distinguished man such as [Abraham] should own a cave for a burial ground while the field** surrounding the cave **would belong to someone else.** **וְאַבְרָהָם שָׂמַח בְּכָךְ וְקָנָה הַכֹּל בַּדָּמִים שֶׁהִזְכִּיר לוֹ** – **Abraham,** in fact, **was glad about this, and** so **he bought the whole [lot] for the price that [Ephron] had mentioned to him.**

11. [לְעֵינֵי בְנֵי עַמִּי – *IN THE VIEW OF THE CHILDREN OF MY PEOPLE.*]

[Why did Ephron stress that he was giving the field to Abraham *in the view* of his people? Furthermore, why did he add after this, *Bury your dead*? It was quite clear that this was what Abraham intended to do! Ramban explains:]

וְטַעַם "לְעֵינֵי בְנֵי עַמִּי" – **The meaning of** ***in the view of the children of my people*** is **לֵאמֹר: הִנֵּה כָּל הָעָם הֵנָּה, וְהֵם הַיּוֹדְעִים וְעֵדִים** – **to say, "Look! All the people are here; they know** what I said **and** they **are witnesses** to this transaction, **וְאַל תָּחוּשׁ לִכְפִירָה אוֹ לַחֲזָרָה** – **so do not be concerned about** the possibility of any **denial or retraction** on my part. **וּקְבֹר מִתֹּךְ שָׁם מֵעַתָּה, כִּי שֶׁלְּךָ הִיא וְלֹא אוּכַל לָשׁוּב** – **So** you can **bury your dead there as of now, for it is** already considered **yours and I will be unable to retract** my offer. **וְאַבְרָהָם לֹא עָשָׂה כֵן** – **Abraham,** however, **did not do so.** **כִּי גַם אַחֲרֵי**

42. The Midrash makes its comment about the word *Machpelah* in v. 17, where it describes the area that contained Ephron's field, not the cave.

43. If the field obtained its name from Adam, who was buried there, this name had been in use for many centuries already, but people had long ago forgotten what the name signified.

44. Thus he said, *Let him grant me the Cave of Machpelah* (v. 9).

45. In which case it was a sincere offer.

46. In which case Ephron attempted to dissuade Abraham by attaching what he thought was an extreme condition that the field must be purchased together with the cave. To Ephron's chagrin, Abraham gladly accepted the condition.

47. Thus he said, *I have given you* **the** *field* (v. 11).

יב־יג וַיִּשְׁתַּחוּ֙ אַבְרָהָ֔ם לִפְנֵ֖י עַ֥ם־הָאָֽרֶץ׃ וַיְדַבֵּ֨ר אֶל־
עֶפְר֜וֹן בְּאָזְנֵ֤י עַם־הָאָ֙רֶץ֙ לֵאמֹ֔ר אַ֛ךְ אִם־אַתָּ֥ה ל֖וּ
שְׁמָעֵ֑נִי נָתַ֜תִּי כֶּ֤סֶף הַשָּׂדֶה֙ קַ֣ח מִמֶּ֔נִּי וְאֶקְבְּרָ֥ה
יד אֶת־מֵתִ֖י שָֽׁמָּה׃ וַיַּ֧עַן עֶפְר֛וֹן אֶת־אַבְרָהָ֖ם לֵאמֹ֥ר
טו לֽוֹ׃ אֲדֹנִ֣י שְׁמָעֵ֔נִי אֶ֠רֶץ אַרְבַּ֨ע מֵאֹ֧ת שֶֽׁקֶל־
כֶּ֛סֶף בֵּינִ֥י וּבֵֽינְךָ֖ מַה־הִ֑וא וְאֶת־מֵתְךָ֖ קְבֹֽר׃

יב וּסְגִיד אַבְרָהָם קֳדָם עַמָּא דְאַרְעָא: יג וּמַלֵּיל עִם עֶפְרוֹן קֳדָם עַמָּא דְאַרְעָא לְמֵימַר בְּרַם אִם אַתְּ עָבֵד לִי טֵיבוּ קַבֵּל מִנִּי אֶתֵּן כַּסְפָּא דְמֵי חַקְלָא סַב מִנִּי וְאֶקְבַּר יָת מִיתִי תַּמָּן: יד וַאֲתֵיב עֶפְרוֹן יָת אַבְרָהָם לְמֵימַר לֵהּ: טו רִבּוֹנִי קַבֵּל מִנִּי אַרְעָא שָׁוְיָא אַרְבַּע מְאָה סִלְעִין דִּכְסַף בֵּינָא וּבֵינָךְ מַה הִיא וְיָת מִיתָךְ קְבַר:

רש"י

נתתיה לך: (יג) אך אם אתה לו שמעני. אתה אומר לי שמעני, הלואי ותשמעני: נתתי. דוני"ש בלע"ז, מוכן הוא אצלי לשמוע לך וליקח בהנם, אני אי אפשי בכך. אך אם אתה לו והלואי נתתי לך כבר: (טו) ביני ובינך. בין שני אוהבים כמונו

רמב"ן

שֶׁפָּרַע הַכֶּסֶף מָלֵא - הֶחֱזִיק תְּחִלָּה בַּשָּׂדֶה וּבַמְּעָרָה וְהֶקִימָם בִּרְשׁוּתוֹ[48] לְעֵינֵי בְּנֵי הָעִיר וְכָל בָּאֵי שַׁעַר הָעִיר [פסוק יח], הַסּוֹחֲרִים וְהַגֵּרִים הַנִּמְצָאִים שָׁם, וְאַחַר כֵּן קָבַר אוֹתָהּ[49].

[יג] אִם אַתָּה לוּ שְׁמָעֵנִי. שִׁעוּרוֹ: "אִם אַתָּה, אִם[50] תִּשְׁמָעֵנִי," וְעִנְיָנוֹ כְּמוֹ "אִם אַתָּה תִּשְׁמָעֵנִי". וּבָא הַכֵּפֶל לְנַחֵץ הָעִנְיָן, כְּמוֹ "סוּרָה אֲדֹנִי סוּרָה אֵלַי" [שופטים ד, יח]; "הֲטוֹב טוֹב אַתָּה" [שם יא, כה], וְכֵן "וְלֵאמֹר עָלָיו לֵאמֹר" [דה"י־ב לב, יז], וְכֵן "וַאֲנִי אָנָה אֲנִי בָא" [להלן לז, ל]; "וּפָנִיתִי אֲנִי, וְרָאִיתִי אָנִי" [קהלת ב, יב-יג]; "כִּי כָל הָעֵדָה כֻּלָּם קְדֹשִׁים" [במדבר טז, ג] - כֻּלָּם רִידּוּף הָעִנְיָן. וְכֵן עַל דַּעְתִּי "אִם מִחוּט וְעַד שְׂרוֹךְ נַעַל וְאִם אֶקַּח" [לעיל יד, כג], שִׁעוּרוֹ: "אִם מִחוּט וְעַד שְׂרוֹךְ נַעַל אֶקַּח מִכָּל אֲשֶׁר לָךְ"[51].

RAMBAN ELUCIDATED

שֶׁפָּרַע הַכֶּסֶף מָלֵא – **For even after he paid the full price,** הֶחֱזִיק תְּחִלָּה בַּשָּׂדֶה וּבַמְּעָרָה וְהֶקִימָם בִּרְשׁוּתוֹ – **he first took** legal **ownership of the field and the cave and established them in his possession**[48] לְעֵינֵי בְּנֵי הָעִיר וְכָל בָּאֵי שַׁעַר הָעִיר – **in full view of the citizens of the city and** ***all*** **those who came to the gate of the city** (v. 18) – הַסּוֹחֲרִים וְהַגֵּרִים הַנִּמְצָאִים שָׁם – i.e., **the merchants and strangers who happened to be there** at the time. וְאַחַר כֵּן קָבַר אוֹתָהּ – **And only after** doing **this** to guarantee that the cave legally belonged to him **did he bury her.**[49]

13. אִם אַתָּה לוּ שְׁמָעֵנִי – ***IF ONLY YOU WOULD HEED ME!***

[Ramban's opinion is that לוּ always means *if*.[50] Accordingly, the literal translation of this phrase is: *If you, if you heed me!* Ramban explains:]

שִׁעוּרוֹ: אִם אַתָּה, אִם תִּשְׁמָעֵנִי – **This is equivalent to, "If you, if you would listen to me,"** וְעִנְיָנוֹ כְּמוֹ אִם אַתָּה תִּשְׁמָעֵנִי – **but** nevertheless **its meaning is** as though it were written with only one *if*: **"If you would listen to me"** etc. וּבָא הַכֵּפֶל לְנַחֵץ הָעִנְיָן – **The double expression,** i.e., the repetition of the word *if* – **comes to emphasize the matter.** כְּמוֹ "סוּרָה אֲדֹנִי סוּרָה אֵלַי" – It is **like** the double expression in ***Turn aside, my lord, turn aside to me*** (*Judges* 4:18), and "הֲטוֹב טוֹב אַתָּה" – ***Are you better, better*** *than Balak* (ibid. 11:25). "וְכֵן "וְלֵאמֹר עָלָיו לֵאמֹר – **Similarly,** we find, ***saying about Him saying*** (*II Chronicles* 32:17), "וְכֵן "וַאֲנִי אָנָה אֲנִי בָא – **and similarly,** ***And I, where can I go?*** (below, 37:30), "וּפָנִיתִי אֲנִי, וְרָאִיתִי אָנִי" – ***And I turned my attention and I saw*** (*Ecclesiastes* 2:12-13), and "כִּי כָל הָעֵדָה כֻּלָּם קְדֹשִׁים" – ***For the entire assembly, all of them, are holy*** (*Numbers* 16:3). כֻּלָּם רִדּוּף הָעִנְיָן – **All of these are** examples of a **reiteration of an idea** for emphasis. וְכֵן עַל דַּעְתִּי "אִם מִחוּט וְעַד שְׂרוֹךְ נַעַל וְאִם אֶקַּח" – **Similarly, in my opinion,** the phrase ***"if" so much as a thread to a shoestrap; or "if" I shall take*** *from anything of yours* (above, 14:23) שִׁעוּרוֹ: אִם מִחוּט וְעַד שְׂרוֹךְ נַעַל אֶקַּח מִכָּל אֲשֶׁר לָךְ – **is equivalent to "if so much as a thread to a shoestrap I will take**

48. This is what is meant by, *Ephron's field ... was confirmed as Abraham's as a purchase in the view of the children of Heth* (vv. 17-18).

49. As stated in v. 19: *Afterwards Abraham buried Sarah*.

50. See above, 17:18.

[12] *So Abraham bowed down before the members of the council.*
[13] *He spoke to Ephron in the hearing of the members of the council, saying: "Rather, if only you would heed me! I give the price of the field, accept it from me, that I may bury my dead there."*
[14] *And Ephron replied to Abraham, saying to him:* [15] *"My lord, heed me! Land of four hundred silver shekels; between me and you — what is it? Bury your dead."*

רמב״ן

אוֹ יֹאמַר: "אִם אַתָּה כַּאֲשֶׁר אָמַרְתָּ," כְּלוֹמַר שֶׁפִּיךָ וְלִבְּךָ שָׁוִים בָּעִנְיָן[52], "וְאִם תִּשְׁמָעֵנִי"[53]. וְכֵן[54] "וַיֹּאמְרוּ לָהֶם אֲחֵיהֶם מָה אַתֶּם" [שופטים יח, ח]. וְדוֹמֶה לַלָּשׁוֹן הַזֶּה, עַל דַּעְתִּי: "לָמָּה זֶּה אָנֹכִי" [לקמן כה, כב][55]. אוּלַי זֶה דַּעַת אוּנְקְלוֹס שֶׁאָמַר "אִם אַתְּ עָבֵד לִי טִיבוּ", שֶׁתַּעֲשֶׂה רְצוֹנִי כַּאֲשֶׁר אָמַרְתָּ[56].

[טו] וְטַעַם **אֶרֶץ אַרְבַּע מֵאוֹת שֶׁקֶל כֶּסֶף** עַל דַּעַת אוּנְקְלוֹס, שֶׁהִיא שָׁוָה כֵּן[57]. אוּלַי רָצָה לוֹמַר שֶׁהָיוּ

RAMBAN ELUCIDATED

from anything of yours ..." – without the second *if.*[51]

[Ramban suggests an alternative explanation of the repetitious phrase, *If you, if only you would heed me*:]

אוֹ יֹאמַר, אִם אַתָּה כַּאֲשֶׁר אָמַרְתָּ – **Alternatively, [Abraham] was saying, "If you are** in thought **as you have said,"** **כְּלוֹמַר שֶׁפִּיךָ וְלִבְּךָ שָׁוִים בָּעִנְיָן** – **meaning, "if your mouth and your heart are consistent in this matter,"**[52] **וְאִם תִּשְׁמָעֵנִי** – **"and if you will heed me."**[53]

[Ramban now proceeds with similar examples of where אַתָּה – *you,*[54] or other personal pronouns refer to the person's thoughts or attitudes:]

וְכֵן "וַיֹּאמְרוּ לָהֶם אֲחֵיהֶם מָה אַתֶּם" – **Similarly**, we find, ***And their brothers said to them, "What are you?"*** (*Judges* 18:8), which means, "What are your true thoughts?" **וְדוֹמֶה לַלָּשׁוֹן הַזֶּה עַל דַּעְתִּי "לָמָּה זֶּה אָנֹכִי"** – **Another similar expression, in my opinion, is** the phrase, ***Why am I this?*** (below, 25:22), which means "Why is my pregnancy like this?"[55] **אוּלַי זֶה דַּעַת אוּנְקְלוֹס שֶׁאָמַר "אִם אַתְּ עָבֵד לִי טִיבוּ"** – **Perhaps this is** also **the opinion of Onkelos, who says** in his translation of אִם אַתָּה לוּ שְׁמָעֵנִי in our verse, **אִם אַתְּ עָבֵד לִי טִיבוּ** ("if you will do kindness for me"), **שֶׁתַּעֲשֶׂה רְצוֹנִי כַּאֲשֶׁר אָמַרְתָּ** – which is another way of saying "[if] **you will do what I want, as you have said,** etc."[56]

15. [אֶרֶץ אַרְבַּע מֵאוֹת שֶׁקֶל כֶּסֶף – *LAND OF FOUR HUNDRED SILVER SHEKELS.*]

[What is meant by *Land of four hundred silver shekels*? Ramban cites three possible explanations:]

וְטַעַם "אֶרֶץ אַרְבַּע מֵאוֹת שֶׁקֶל כֶּסֶף" – **The explanation of *land of four hundred silver shekels,*** **עַל דַּעַת אוּנְקְלוֹס שֶׁהִיא שָׁוָה כֵּן** – **in Onkelos' opinion, is that [the field] was worth that amount.**[57] **אוּלַי רָצָה**

51. Here, too, as in our verse, the word "if" is repeated for emphasis.

52. If you are sincere, and your words represent what you truly think.

53. In this interpretation, Ramban splits up the words אִם אַתָּה לוּ שְׁמָעֵנִי into two distinct parts. The first is אִם אַתָּה ("if you"), which he explains to mean "If you really mean this." The second is לוּ שְׁמָעֵנִי, "if you will heed me." According to this interpretation, the word "if" is no longer repetitive.

54. As in our case: "If you" means "if your thoughts [correspond to what you say]."

55. See, however, Ramban on 25:22, where this verse is explained in a different manner.

56. The phrase אִם אַתָּה לוּ שְׁמָעֵנִי, usually understood to mean "if only you would heed me," is rendered by Onkelos as "if you will do kindness for me." How did Onkelos arrive at such a rendering? Ramban suggests that he interpreted אִם אַתָּה לוּ שְׁמָעֵנִי as he (Ramban) did: "If you really mean what you say," and paraphrased the idea of this statement by writing, "If you will do kindness for me [by doing what you yourself said]."

57. Onkelos translates the phrase: אַרְעָא שָׁוְיָא אַרְבַּע מְאָה סִלְעִין, *land worth four hundred selas.* A *sela* is another word for *shekel.*

טז וַיִּשְׁמַע אַבְרָהָם אֶל־עֶפְרוֹן וַיִּשְׁקֹל אַבְרָהָם
לְעֶפְרֹן אֶת־הַכֶּסֶף אֲשֶׁר דִּבֶּר בְּאָזְנֵי בְנֵי־חֵת
יז אַרְבַּע מֵאוֹת שֶׁקֶל כֶּסֶף עֹבֵר לַסֹּחֵר׃ וַיָּקָם ׀ שני
שְׂדֵה עֶפְרוֹן אֲשֶׁר בַּמַּכְפֵּלָה אֲשֶׁר לִפְנֵי
מַמְרֵא הַשָּׂדֶה וְהַמְּעָרָה אֲשֶׁר־בּוֹ וְכָל־הָעֵץ
אֲשֶׁר בַּשָּׂדֶה אֲשֶׁר בְּכָל־גְּבֻלוֹ סָבִיב׃
יח לְאַבְרָהָם לְמִקְנָה לְעֵינֵי בְנֵי־חֵת בְּכֹל בָּאֵי
יט שַׁעַר־עִירוֹ׃ וְאַחֲרֵי־כֵן קָבַר אַבְרָהָם אֶת־
שָׂרָה אִשְׁתּוֹ אֶל־מְעָרַת שְׂדֵה הַמַּכְפֵּלָה
עַל־פְּנֵי מַמְרֵא הִוא חֶבְרוֹן בְּאֶרֶץ כְּנָעַן׃

טז וְקַבֵּל אַבְרָהָם מִן עֶפְרוֹן וּתְקַל אַבְרָהָם לְעֶפְרוֹן יָת כַּסְפָּא דְּמַלֵּיל קֳדָם בְּנֵי חִתָּאָה אַרְבַּע מְאָה סִלְעִין דִּכְסַף מִתְקַבֵּל סְחוֹרָא (נ״א דְּמִתְקַבֵּל (בִּ)סְחוֹרְתָא) בְּכָל מְדִינְתָּא׃ יז וְקָם חֲקַל עֶפְרוֹן דִּי בְּכָפֶלְתָּא דִּי קֳדָם מַמְרֵא חַקְלָא וּמְעַרְתָּא דִּי בֵהּ וְכָל אִילָנֵי דִּי בְחַקְלָא דִּי בְּכָל תְּחוּמֵהּ סְחוֹר סְחוֹר׃ יח לְאַבְרָהָם לְזְבִינוֹהִי לְעֵינֵי בְּנֵי חִתָּאָה בְּכֹל עָלֵי תְּרַע קַרְתֵּהּ׃ יט וּבָתַר כֵּן קְבַר אַבְרָהָם יָת שָׂרָה אִתְּתֵהּ לִמְעַרְתָּא חֲקַל כָּפֶלְתָּא עַל אַפֵּי מַמְרֵא הִיא חֶבְרוֹן בְּאַרְעָא דִּכְנָעַן׃

רש״י

מה היא חשובה לכלום, אלא הנח את המכר ואת מתך קבור: **(טז) וישקל אברהם לעפרן.** חסר וי״ו, לפי שאמר הרבה ואפילו מעט לא עשה, שנטל ממנו שקלים גדולים שהן קנטרין, שנאמר עובר לסוחר, שמתקבלים בשקל בכל מקום ויש מקום ששקליהן גדולים שהן קנטרין, גינטינא״ר בלע״ז (ב״ר נח:ז; ב״מ פז.): **(יז) ויקם שדה עפרון.** תקומה היתה לו שיצא מיד הדיוט ליד מלך (ב״ר נח:ח). ופשוטו של מקרא ויקם השדה והמערה אשר בו וכל העץ לאברהם למקנה וגו׳: **(יח) בכל באי שער עירו.** בקרב כולם ובמעמד כולם הקנהו לו:

רמב״ן

דָּמֶיהָ קְצוּבִים כֵּן בַּמָּקוֹם הַהוּא[58], כִּי כֵן הַמִּנְהָג בְּרֹב הָאֲרָצוֹת לִהְיוֹת מְחִיר שָׂדֶה קָצוּב לְפִי מִדָּתוֹ. וּכְדִבְרֵי רַבּוֹתֵינוּ [בבא מציעא פז, ב]: עֶפְרוֹן קָצַב דָּמִים כִּרְצוֹנוֹ, בְּיוֹקֶר גָּדוֹל[59]; וְאַבְרָהָם, בְּנִדְבַת לִבּוֹ, שָׁמַע וְעָשָׂה כִּרְצוֹנוֹ - וְהִגְדִּיל.

וְעַל דֶּרֶךְ הַפְּשָׁט: "אֶרֶץ אַרְבַּע מֵאוֹת שֶׁקֶל כֶּסֶף" שֶׁקָּנָה אוֹתָהּ בְּכָךְ עֶפְרוֹן אוֹ אֲבוֹתָיו הַקַּדְמוֹנִים[60].

RAMBAN ELUCIDATED

לוֹמַר שֶׁהָיוּ דָּמֶיהָ קְצוּבִים כֵּן בַּמָּקוֹם הַהוּא – Perhaps he means to say that the price of [the field] as quoted by Ephron **was the standard** price for fields **in that place,**[58] **כִּי כֵן הַמִּנְהָג בְּרֹב הָאֲרָצוֹת לִהְיוֹת מְחִיר שָׂדֶה קָצוּב לְפִי מִדָּתוֹ – for this is the usual practice in most countries, that there is a standard price for a field according to its size.**

וּכְדִבְרֵי רַבּוֹתֵינוּ עֶפְרוֹן קָצַב דָּמִים כִּרְצוֹנוֹ בְּיוֹקֶר גָּדוֹל – According to our Sages (*Bava Metzia* 87b), however, **Ephron set an arbitrarily inflated price,**[59] **וְאַבְרָהָם בְּנִדְבַת לִבּוֹ שָׁמַע וְעָשָׂה כִּרְצוֹנוֹ, וְהִגְדִּיל – yet Abraham willingly accepted and did as [Ephron] wanted** of him – **and more.**

וְעַל דֶּרֶךְ הַפְּשָׁט "אֶרֶץ אַרְבַּע מֵאוֹת שֶׁקֶל כֶּסֶף" – According to the plain explanation, *Land of four hundred silver shekels* שֶׁקָּנָה אוֹתָהּ בְּכָךְ עֶפְרוֹן אוֹ אֲבוֹתָיו הַקַּדְמוֹנִים – means **that Ephron or his early forebears had bought it for that** amount of money.[60]

19. [וְאַחֲרֵי כֵן קָבַר אַבְרָהָם אֶת שָׂרָה אִשְׁתּוֹ אֶל מְעָרַת שְׂדֵה הַמַּכְפֵּלָה עַל פְּנֵי מַמְרֵא הִוא חֶבְרוֹן בְּאֶרֶץ כְּנָעַן – *AND AFTERWARDS ABRAHAM BURIED SARAH HIS WIFE IN THE CAVE OF THE FIELD OF MACHPELAH, FACING MAMRE, WHICH IS HEBRON, IN THE LAND OF CANAAN.*]

[Why is the location of the cave described in such detail, including the known fact that Hebron is in Canaan? Ramban explains:]

58. Real estate does not usually have an objective market price. On what basis, then, did Ephron decide that his field was worth four hundred *shekels*? Ramban explains that in that place and time there was indeed an objective, set price for vacant fields.

59. According to this interpretation, the phrase means, "land *for which I am asking* four hundred *shekels*."

60. According to this interpretation, the phrase means, "land *that cost me* four hundred *shekels*."

16 Abraham heeded Ephron, and Abraham weighed out to Ephron the price which he had mentioned in the hearing of the children of Heth, four hundred silver shekels in negotiable currency. 17 And Ephron's field, which was in Machpelah, facing Mamre, the field and the cave within it and all the trees in the field, within all its surrounding boundaries, was confirmed 18 as Abraham's as a purchase in the view of the children of Heth, among all who came to the gate of his city. 19 And afterwards Abraham buried Sarah his wife in the cave of the field of Machpelah, facing Mamre, which is Hebron, in the land of Canaan.

רמב״ן

[יט] וְטַעַם **וְאַחֲרֵי כֵן קָבַר אַבְרָהָם אֶת שָׂרָה אִשְׁתּוֹ אֶל מְעָרַת שְׂדֵה הַמַּכְפֵּלָה וגו׳ הִיא חֶבְרוֹן בְּאֶרֶץ כְּנָעַן**, כִּי שָׁב לְבָאֵר הַשָּׂדֶה וְהַמָּקוֹם וְהָאָרֶץ, בַּעֲבוּר כִּי כָל הַפָּרָשָׁה הִזְכִּירָה בְּנֵי חֵת וְעֶפְרוֹן הַחִתִּי[61], לְפִיכָךְ הִזְכִּיר בַּסּוֹף כִּי הוּא ״בְּאֶרֶץ כְּנָעַן״, אֲשֶׁר הִיא אֶרֶץ יִשְׂרָאֵל. וְכֵן אָמַר בִּתְחִלַּת הַפָּרָשָׁה: ״בְּקִרְיַת אַרְבַּע הִיא חֶבְרוֹן בְּאֶרֶץ כְּנָעַן״. וְכָל זֶה לְבָאֵר כִּי הַצַּדֶּקֶת מֵתָה בְּאֶרֶץ יִשְׂרָאֵל וְשָׁם נִקְבְּרָה, כִּי הַחִתִּים מִמִּשְׁפְּחוֹת כְּנַעַן [לעיל י, טו].

וּלְפִי דַּעְתִּי[62], כִּי טַעַם הַכְּתוּבִים אֵינוֹ אֶלָּא לְהַזְכִּיר כִּי הִיא אֶרֶץ כְּנַעַן, לֹא אֶרֶץ פְּלִשְׁתִּים. כִּי מִפְּנֵי שֶׁאָמַר ״וַיָּגָר אַבְרָהָם בְּאֶרֶץ פְּלִשְׁתִּים יָמִים רַבִּים״ [לעיל כא, לד], וְכָל מְגוּרָיו בָּאָרֶץ הַהִיא - בִּגְרָר, וְנַחַל גְּרָר, וּבְאֵר שֶׁבַע, וּמִשָּׁם לְחֶבְרוֹן וּמֵחֶבְרוֹן לְשָׁם[63], עַל כֵּן הִזְכִּיר כִּי חֶבְרוֹן הִיא בְּאֶרֶץ ״הַכְּנַעֲנִי הַיּוֹשֵׁב בָּהָר הַהוּא״[64],

RAMBAN ELUCIDATED

וְטַעַם ״וְאַחֲרֵי כֵן קָבַר אַבְרָהָם אֶת שָׂרָה אִשְׁתּוֹ אֶל מְעָרַת שְׂדֵה הַמַּכְפֵּלָה וגו׳ הִיא חֶבְרוֹן בְּאֶרֶץ כְּנָעַן״ – The explanation of *And afterwards Abraham buried Sarah his wife in the cave of the field of Machpelah, etc., which is Hebron, in the land of Canaan* is כִּי שָׁב לְבָאֵר הַשָּׂדֶה וְהַמָּקוֹם וְהָאָרֶץ – that [Scripture] return to describe the field and the place and the land, בַּעֲבוּר כִּי כָל הַפָּרָשָׁה הִזְכִּירָה בְּנֵי חֵת וְעֶפְרוֹן הַחִתִּי – because the entire section refers to *the children of Heth* and *Ephron the Hittite;*[61] לְפִיכָךְ הִזְכִּיר בַּסּוֹף כִּי הוּא ״בְּאֶרֶץ כְּנַעַן״ אֲשֶׁר הִיא אֶרֶץ יִשְׂרָאֵל – therefore [Scripture] clarifies and **mentions at the end that it was *in the land of Canaan,* which is the land of Israel. וְכֵן אָמַר בִּתְחִלַּת הַפָּרָשָׁה: ״בְּקִרְיַת אַרְבַּע הִיא חֶבְרוֹן בְּאֶרֶץ כְּנָעַן״ – Similarly, it said at the beginning of the section, *in Kiriath-arba, which is Hebron, in the land of Canaan.* וְכָל זֶה לְבָאֵר כִּי הַצַּדֶּקֶת מֵתָה בְּאֶרֶץ יִשְׂרָאֵל וְשָׁם נִקְבְּרָה – And** the reason for **all of this is to make it clear that the righteous** Sarah **died in *Eretz Yisrael* and was buried there, כִּי הַחִתִּים מִמִּשְׁפְּחוֹת כְּנַעַן – for,** in fact, **the Hittites were one of the Canaanite families** (above, 10:15).

[Ramban proposes a second explanation as to why Scripture records that Hebron is in the land of Canaan:[62]]

וּלְפִי דַּעְתִּי כִּי טַעַם הַכְּתוּבִים אֵינוֹ אֶלָּא לְהַזְכִּיר כִּי הִיא אֶרֶץ כְּנַעַן, לֹא אֶרֶץ פְּלִשְׁתִּים – In my opinion the reason for these verses is only to note that that the location where all **this** took place **was in the land of Canaan, and *not* in the land of the Philistines. כִּי מִפְּנֵי שֶׁאָמַר ״וַיָּגָר אַבְרָהָם בְּאֶרֶץ פְּלִשְׁתִּים יָמִים רַבִּים״ – For, since [Scripture] says, *Abraham sojourned in the land of the Philistines many years*** (above, 21:34), **וְכָל מְגוּרָיו בָּאָרֶץ הַהִיא בִּגְרָר וְנַחַל גְּרָר וּבְאֵר שֶׁבַע – and all of his sojournings were in that land** of the Philistines – **in Gerar, the Gerar Valley, and** in **Beer-sheba – וּמִשָּׁם לְחֶבְרוֹן וּמֵחֶבְרוֹן לְשָׁם – and** since he moved **from there to Hebron and from Hebron** back **to there;**[63] **עַל כֵּן הִזְכִּיר כִּי חֶבְרוֹן הִיא בְּאֶרֶץ הַכְּנַעֲנִי הַיּוֹשֵׁב בָּהָר הַהוּא – therefore [Scripture] mentions**

61. One might therefore incorrectly conclude that the land of the Hittites is not the land of Canaan.

62. This second explanation is an addendum, added by Ramban toward the end of his life, when he lived in *Eretz Yisrael.*

63. One might therefore get the false impression that Hebron, too, is in the land of the Philistines and not in *Eretz Yisrael.*

As Ramban explained above (v. 2), Abraham lived in Beer-sheba at the time of the *Akeidah*, moved to

כ וַיָּקָם הַשָּׂדֶה וְהַמְּעָרָה אֲשֶׁר־בּוֹ לְאַבְרָהָם
כד א לַאֲחֻזַּת־קָבֶר מֵאֵת בְּנֵי־חֵת: ס וְאַבְרָהָם
זָקֵן בָּא בַּיָּמִים וַיהוָה בֵּרַךְ אֶת־אַבְרָהָם בַּכֹּל:

כ וְקָם חַקְלָא וּמְעַרְתָּא דִּי בֵהּ לְאַבְרָהָם לְאַחֲסָנַת קְבוּרָא מִן בְּנֵי חִתָּאָה: א וְאַבְרָהָם סִיב עָל בְּיוֹמִין וַיְיָ בָּרִיךְ יָת אַבְרָהָם בְּכֹלָּא:

רש"י

(א) **ברך את אברהם בכל.** בכל עולה בגימטריא בן (תנחומא ישן ו) ומאחר שהיה לו בן היה צריך להשיאו אשה (תנחומא נח יב):

רמב"ן

לֹא בְּאֶרֶץ פְּלִשְׁתִּים הַנִּזְכֶּרֶת לְאַבְרָהָם. וְהוֹסִיף בַּסּוֹף לְהוֹדִיעַ הַמְּעָרָה שֶׁהִיא בִּשְׂדֵה הַמַּכְפֵּלָה עַל פְּנֵי מַמְרֵא, שֶׁזֶּה הַשֵּׁם הַנּוֹדָע אֵלֶיהָ.

וְנִכְתְּבָה זֹאת הַפָּרָשָׁה לְהוֹדִיעַ חַסְדֵי הַשֵּׁם עִם אַבְרָהָם שֶׁהָיָה נְשִׂיא אֱלֹהִים [פסוק ו] בָּאָרֶץ אֲשֶׁר בָּא לָגוּר שָׁם, וְהָיָה יָחִיד[65], וְכָל הָעָם הָיוּ קוֹרְאִין לוֹ "אֲדוֹנִי", [פסוקים ו, יא, טו] וְהוּא לֹא אָמַר לָהֶם כֵּן שֶׁהָיָה שַׂר וְגָדוֹל[66]. וְגַם בְּחַיָּיו קִיֵּם לוֹ "וַאֲגַדְּלָה שְׁמֶךָ וֶהְיֵה בְּרָכָה" [לעיל יב, ב]. וְאִשְׁתּוֹ מֵתָה וְנִקְבְּרָה בְּנַחֲלַת ה'. וְעוֹד, כִּי רָצָה לְהוֹדִיעֵנוּ מְקוֹם קְבוּרַת הָאָבוֹת, בַּאֲשֶׁר אֲנַחְנוּ חַיָּבִים לְכַבֵּד מְקוֹם קְבוּרַת אֲבוֹתֵינוּ הַקְּדוֹשִׁים.

וְרַבּוֹתֵינוּ אָמְרוּ [בבא בתרא טו, א], שֶׁגַּם זֶה מִן הַנִּסְיוֹנוֹת שֶׁל אַבְרָהָם שֶׁבִּקֵּשׁ מָקוֹם לִקְבֹּר אֶת שָׂרָה וְלֹא מָצָא, עַד שֶׁקָּנָה אוֹתוֹ[67].

RAMBAN ELUCIDATED

that Hebron is in the land of "the Canaanite who dwells in that mountain"[64] לֹא בְּאֶרֶץ פְּלִשְׁתִּים הַנִּזְכֶּרֶת לְאַבְרָהָם – **and not in the land of the Philistines, which is** often **mentioned** in connection **with Abraham.** וְהוֹסִיף בַּסּוֹף לְהוֹדִיעַ הַמְּעָרָה שֶׁהִיא בִּשְׂדֵה הַמַּכְפֵּלָה "עַל פְּנֵי מַמְרֵא" – Then, **at the end** of the verse, **[Scripture] adds** a description of where the cave was, **to inform** us **that the cave, which was in the field of Machpelah, was** ***facing Mamre,*** שֶׁזֶּה הַשֵּׁם הַנּוֹדָע אֵלֶיהָ – **for this name** (i.e. Mamre) **for [Hebron] was** its better **known** name at the time.

[Ramban now discusses why the Torah sees fit to recount this entire episode of the purchase of the Cave of Machpelah:]

וְנִכְתְּבָה זֹאת הַפָּרָשָׁה לְהוֹדִיעַ חַסְדֵי הַשֵּׁם עִם אַבְרָהָם – **This passage was written in order to inform** us **of the many acts of kindness that God did for Abraham.** שֶׁהָיָה נְשִׂיא אֱלֹהִים בָּאָרֶץ אֲשֶׁר בָּא לָגוּר שָׁם וְהָיָה יָחִיד – **For he became a "prince of God"** (v. 6) **in the land** despite the fact that **he had come** there only **to sojourn, and** despite the fact that **he was a** lone **individual** without a following.[65] וְכָל הָעָם הָיוּ קוֹרְאִין לוֹ "אֲדוֹנִי" – Furthermore, **all the people called him "my lord"** (vv. 6,11,15), וְהוּא לֹא אָמַר לָהֶם כֵּן שֶׁהָיָה שַׂר וְגָדוֹל – **though he did not refer to himself this [way],** for he never claimed **to them that he was a prince or an important person.**[66] וְגַם בְּחַיָּיו קִיֵּם לוֹ "וַאֲגַדְּלָה שְׁמֶךָ וֶהְיֵה בְּרָכָה" – **Also, in his lifetime, [God] fulfilled for him** the promise of ***I will make your name great and you shall be a blessing*** (above, 12:2). וְאִשְׁתּוֹ מֵתָה וְנִקְבְּרָה בְּנַחֲלַת ה' – And another kindness that God did for Abraham was that **[when] his wife died she was buried in the "heritage-land of Hashem."**

[Ramban offers a second reason why the Torah tells us about the purchase of the Cave of Machpelah:]

וְעוֹד כִּי רָצָה לְהוֹדִיעֵנוּ מְקוֹם קְבוּרַת הָאָבוֹת – **Furthermore, [Scripture] wanted to inform us of the place of** our **forefathers' burial,** בַּאֲשֶׁר אֲנַחְנוּ חַיָּבִים לְכַבֵּד מְקוֹם קְבוּרַת אֲבוֹתֵינוּ הַקְּדוֹשִׁים – **being that we are obliged to honor the site of our saintly forefathers' burial.**

[Ramban cites a third reason for the Torah's relating the story of the Cave of Machpelah:]

וְרַבּוֹתֵינוּ אָמְרוּ שֶׁגַּם זֶה מִן הַנִּסְיוֹנוֹת שֶׁל אַבְרָהָם – **Our Sages** (*Bava Basra* 15a) **say that this, too, was one of the trials of Abraham,** שֶׁבִּקֵּשׁ מָקוֹם לִקְבֹּר אֶת שָׂרָה וְלֹא מָצָא עַד שֶׁקָּנָה אוֹתוֹ – **that he sought a**

Hebron some time before Sarah's death, and then moved back to Beer-sheba some time before Isaac's marriage three years after Sarah died.

64. Stylistic citation from *Numbers* 14:45.

65. He was not part of a large, powerful clan, and yet he achieved such distinction for himself.

66. Abraham referred to himself humbly as "a stranger and resident," but the Hittites protested that he was "a

[20] *Thus, the field with its cave was confirmed as Abraham's as an estate for a burial site, from the children of Heth.*

24 [1] *Now Abraham was old, well on in years, and HASHEM had blessed Abraham with everything.*

רמב״ן

וְלֹא יָדַעְתִּי טַעַם לְדִבְרֵי רַבִּי אַבְרָהָם, שֶׁאוֹמֵר: לְהוֹדִיעַ מַעֲלַת אֶרֶץ יִשְׂרָאֵל לַחַיִּים וְלַמֵּתִים, וְעוֹד, לְקַיֵּם לוֹ דְּבַר הַשֵּׁם לִהְיוֹת לוֹ נַחֲלָה.

כִּי מַה מַּעֲלָה לָאָרֶץ בָּזֶה? כִּי לֹא יוֹלִיכֶנָּה אֶל אֶרֶץ אַחֶרֶת לְקָבְרָהּ[68]! וּדְבַר הַשֵּׁם לְאַבְרָהָם עַל כָּל הָאָרֶץ הָיָה, וְנִתְקַיֵּם רַק בְּזַרְעוֹ[69].

כא [א] וְאַבְרָהָם זָקֵן בָּא בַּיָּמִים. חָזַר הַכָּתוּב לֵאמֹר כֵּן [ראה לעיל יח, יא][1] לְהוֹדִיעַ הַסִּבָּה שֶׁבַּעֲבוּרָהּ הִשְׁבִּיעַ אֶת עַבְדּוֹ[2]. וְאָמַר כִּי רָאָה עַצְמוֹ זָקֵן מְאֹד, וְחָשַׁב בְּלִבּוֹ שֶׁאִם יִשְׁלַח לְאֶרֶץ מוֹלַדְתּוֹ, אוּלַי טֶרֶם יַחֲזֹר הַשָּׁלִיחַ יֵלֵךְ לוֹ אֶל בֵּית עוֹלָמוֹ. וְלָכֵן הִשְׁבִּיעַ אֶת עַבְדּוֹ אֲשֶׁר יֵלֵךְ יִצְחָק אַחֲרֵי עֲצָתוֹ, כִּי הוּא ״הַמֹּשֵׁל״ בְּכָל אֲשֶׁר

RAMBAN ELUCIDATED

place in which to bury Sarah, and did find one **until he bought it.**[67]

[Ramban finds Ibn Ezra's two reasons for this incident being recorded, difficult to understand:]

וְלֹא יָדַעְתִּי טַעַם לְדִבְרֵי רַבִּי אַבְרָהָם – I do not know any explanation for the words of Rabbi Avraham Ibn Ezra, **שֶׁאוֹמֵר לְהוֹדִיעַ מַעֲלַת אֶרֶץ יִשְׂרָאֵל לַחַיִּים וְלַמֵּתִים – who says, "**[This section was written] **to inform** us **of the eminence of *Eretz Yisrael* for the living and for the dead** alike, **וְעוֹד, לְקַיֵּם לוֹ דְּבַר הַשֵּׁם לִהְיוֹת לוֹ נַחֲלָה – and also to** show the **fulfillment of God's word to [Abraham] that *[Eretz Yisrael]* would be his heritage-land." כִּי מַה מַּעֲלָה לָאָרֶץ בָּזֶה – For what eminence of *Eretz Yisrael*** do we see **in this** passage? **כִּי לֹא יוֹלִיכֶנָּה אֶל אֶרֶץ אַחֶרֶת לְקָבְרָהּ – For [Abraham] was** surely **not going to transport [Sarah's body] to another land to bury her!**[68] **וּדְבַר הַשֵּׁם לְאַבְרָהָם עַל כָּל הָאָרֶץ הָיָה וְנִתְקַיֵּם רַק בְּזַרְעוֹ** – Ibn Ezra's second reason is also difficult to understand because **God's promise to Abraham extended to the entire Land** of Israel whereas in this incident he merely acquired a single burial cave and its field, **so** it is clear that **[God's promise] was fulfilled only for his** future **offspring.**[69]

24.

1. וְאַבְרָהָם זָקֵן בָּא בַּיָּמִים – ***NOW ABRAHAM WAS OLD, WELL ON IN YEARS*** (lit., *he came in years*).

[Scripture has already told us that *Abraham and Sarah were old, well on in years* (18:11).[1] Why is this repeated here? Ramban explains:]

חָזַר הַכָּתוּב לֵאמֹר כֵּן לְהוֹדִיעַ הַסִּבָּה שֶׁבַּעֲבוּרָהּ הִשְׁבִּיעַ אֶת עַבְדּוֹ – Scripture repeats this in order to inform us **of the reason for which [Abraham] instructed his servant to take an oath.**[2] **וְאָמַר כִּי רָאָה עַצְמוֹ זָקֵן מְאֹד – It** thus **says that [Abraham] viewed himself as very old, וְחָשַׁב בְּלִבּוֹ שֶׁאִם יִשְׁלַח לְאֶרֶץ מוֹלַדְתּוֹ, אוּלַי טֶרֶם יַחֲזֹר הַשָּׁלִיחַ יֵלֵךְ לוֹ אֶל בֵּית עוֹלָמוֹ – and he thought to himself that if he were to send** a messenger **to his** distant **land of birth** to find a wife for Isaac **he might go to his eternal rest before the messenger could return. וְלָכֵן הִשְׁבִּיעַ אֶת עַבְדּוֹ אֲשֶׁר יֵלֵךְ יִצְחָק אַחֲרֵי עֲצָתוֹ, כִּי הוּא ״הַמֹּשֵׁל בְּכָל אֲשֶׁר לוֹ״ – He therefore adjured his servant** – the one **whose counsel Isaac would**

prince of God" in their eyes. (See Ramban above, verse 4.) Abraham's position of esteem and honor was not the result of any self-aggrandizement, which makes it all the more remarkable.

67. Abraham's trust in God was severely tested here. God had promised him the entire land and yet now he had to negotiate to purchase a small parcel of that land to bury Sarah. See *Bava Basra* 16a.

68. Thus, we cannot derive any lesson concerning the eminence of *Eretz Yisrael* from the fact that Abraham put such effort into burying Sarah there.

69. With this comment, Ramban rejects Ibn Ezra's second point.

1. And that was when Abraham was some forty years younger (see footnote 4).

2. We already know that Abraham was *old and well on in years*, but Scripture repeats this as an introduction to the story that follows: It was because of his advanced age that Abraham had his servant swear to fulfill his wishes. The servant would then feel bound by the oath in the event of Abraham's death.

רמב״ן

לו[3], שֶׁלֹּא יִקַּח לוֹ אִשָּׁה מִבְּנוֹת כְּנַעַן.

וּבִבְרֵאשִׁית רַבָּה [מח, טז] אָמְרוּ: ״כָּאן [יח, יא] זִקְנָה שֶׁיֵּשׁ בָּהּ לִכְלוּכִית[3a], וּלְהַלָּן [פסוקנו] זִקְנָה שֶׁאֵין בָּהּ לִכְלוּכִית״[4].

יִרְצוּ לְפָרֵשׁ, כִּי ״בָּאִים בַּיָּמִים״ - מַתְחִילִים בִּימֵי הַזִּקְנָה, כִּי ״בָּאִים״ מוֹרֶה עַל זְמַן עוֹמֵד[5], כְּמוֹ ״הַבָּאִים בַּשְּׁעָרִים הָאֵלֶּה״ [ירמיה ז, ב], וְכָאן אָמַר שֶׁהָיָה זָקֵן מְאֹד, שֶׁכְּבָר בָּא בַּיָּמִים, כְּמוֹ ״בָּא אָחִיךָ בְּמִרְמָה״ [להלן כז, לה].

□ **בֵּרַךְ אֶת אַבְרָהָם בַּכֹּל.** בְּעֹשֶׁר וּנְכָסִים וְכָבוֹד וְאֹרֶךְ יָמִים וּבָנִים, וְזֹאת כָּל חֶמְדַּת הָאָדָם[6]. וְהִזְכִּיר הַכָּתוּב זֶה לֵאמֹר כִּי הָיָה שָׁלֵם בַּכֹּל, לֹא חָסֵר דָּבָר, זוּלָתִי שֶׁיִּרְאֶה בָּנִים לִבְנוֹ שֶׁיִּנְחֲלוּ מַעֲלָתוֹ וּכְבוֹדוֹ, וְלָכֵן הִתְאַוָּה לָזֶה.

וּלְרַבּוֹתֵינוּ בָּזֶה עִנְיָן נִפְלָא. אָמְרוּ: [בבא בתרא טז, ב] ״וַה׳ בֵּרַךְ אֶת אַבְרָהָם בַּכֹּל״ - רַבִּי מֵאִיר אוֹמֵר:

RAMBAN ELUCIDATED

follow in the event of Abraham's death, **for he was the one *who controlled all that was his***[3] **שֶׁלֹּא יִקַּח לוֹ אִשָּׁה מִבְּנוֹת כְּנַעַן** – making him swear **that he would not take a wife for [Isaac] from among the daughters of Canaan.**

[Ramban notes that the Midrash has a different approach to answer the question posed above:]

וּבִבְרֵאשִׁית רַבָּה אָמְרוּ: – However, **in *Bereishis Rabbah*** (48:16) **[the Sages] said** on the verse, וְאַבְרָהָם וְשָׂרָה זְקֵנִים בָּאִים בַּיָּמִים, – *Abraham and Sarah were old, well on in years* (above, 18:11): **כָּאן זִקְנָה שֶׁיֵּשׁ בָּהּ לִכְלוּכִית[3a] וּלְהַלָּן זִקְנָה שֶׁאֵין בָּהּ לִכְלוּכִית** – **"Here** (18:11) it refers to **old age that** still **has** some of the **vitality** of youth; later on (our verse: וְאַבְרָהָם זָקֵן בָּא בַּיָּמִים, *Abraham was old, well on in years*) it refers to **old age that has no vitality** of youth."[4] **יִרְצוּ לְפָרֵשׁ כִּי ״בָּאִים בַּיָּמִים״ מַתְחִילִים בִּימֵי הַזִּקְנָה** – **Their intent is to explain that** בָּאִים בַּיָּמִים means **"beginning the days of one's old age," כִּי ״בָּאִים״ מוֹרֶה עַל זְמַן עוֹמֵד** – **for** בָּאִים **indicates present tense,**[5] **כְּמוֹ ״הַבָּאִים בַּשְּׁעָרִים הָאֵלֶּה״** – **as in** the phrase ***who come*** [הַבָּאִים] ***through these gates*** (*Jeremiah* 7:2), **וְכָאן אָמַר שֶׁהָיָה זָקֵן מְאֹד, שֶׁכְּבָר בָּא בַּיָּמִים** – **whereas here [Scripture] is saying that [Abraham] was *very* old, for he had already entered the days** of old age, for בָּא here is in the past tense, **כְּמוֹ ״בָּא אָחִיךָ בְּמִרְמָה״** – **as in, *Your brother came*** [בָּא] ***with cleverness*** (below, 27:35).

□ **בֵּרַךְ אֶת אַבְרָהָם בַּכֹּל** – ***HAD BLESSED ABRAHAM WITH EVERYTHING.***

[What is meant by *everything*? How is it possible to have *everything*? Furthermore, how is the fact that Abraham was so abundantly blessed relevant to the story that follows, in which Abraham seeks a wife for Isaac? Ramban explains:]

בְּעֹשֶׁר וּנְכָסִים וְכָבוֹד וְאֹרֶךְ יָמִים וּבָנִים, וְזֹאת כָּל חֶמְדַּת הָאָדָם – This means that God blessed him **with wealth, property, prestige, longevity and children – for this is all of a man's desires.**[6] **וְהִזְכִּיר הַכָּתוּב זֶה לֵאמֹר כִּי הָיָה שָׁלֵם בַּכֹּל** – **Scripture mentions this to tell** us **that [Abraham] was complete in every respect, לֹא חָסֵר דָּבָר זוּלָתִי שֶׁיִּרְאֶה בָּנִים לִבְנוֹ שֶׁיִּנְחֲלוּ מַעֲלָתוֹ וּכְבוֹדוֹ** – **not lacking anything except for seeing children born to his son, who would inherit his distinction and his honor, וְלָכֵן הִתְאַוָּה לָזֶה** – **and therefore he desired this** last thing as well – to ensure a proper wife for his son.

[Ramban now cites an Aggadic passage from the Talmud and analyzes it:]

וּלְרַבּוֹתֵינוּ בָּזֶה עִנְיָן נִפְלָא – **Our Sages expressed a remarkable idea regarding this** verse. **אָמְרוּ: ״וַה׳ בֵּרַךְ אֶת אַבְרָהָם בַּכֹּל״** – **They said** (*Bava Basra* 16b): ***"And Hashem had blessed Abraham with***

3. Here Ramban is explaining why Scripture describes the servant as the one *who controlled all that was his* in this particular context. Below, Ramban suggests an additional explanation.

3a. In the text of the Midrash the word appears as לַחְלוּחִית, from לַח, *moist, fresh.*

4. According to the Midrash, our verse is not a repetition of 18:11, but a description of a different stage of old age. [While the earlier verse serves as an introduction to the events leading to Isaac's birth, our verse introduces the events leading to his marriage some forty years later (see below, 25:20).]

5. While בָּא can sometimes also be in the present tense, here the Midrash contrasts it with הַבָּאִים which comes *only* in the present tense.

6. This is a quote from Ibn Ezra, which Ramban cites

רמב״ן

שֶׁלֹּא הָיְתָה לוֹ בַּת[7]. רַבִּי יְהוּדָה אוֹמֵר: בַּת הָיְתָה לוֹ. אֲחֵרִים אוֹמְרִים: בַּת הָיְתָה לוֹ וּבַכֹּל שְׁמָהּ.

דָּרַשׁ רַבִּי מֵאִיר שֶׁלֹּא הָיְתָה לוֹ בַּת לְאַבְרָהָם, וְזֶה לוֹ לִבְרָכָה, כִּי לֹא הָיָה יָכוֹל לְהַשִּׂיאָהּ רַק לִבְנֵי כְּנַעַן הָאֲרוּרִים. וְאִם יְשַׁלְּחֶנָּה לְאַרְצוֹ – גַּם כֵּן תַּעֲבֹד שָׁם עֲבוֹדָה זָרָה כְּמוֹתָם, כִּי הָאִשָּׁה בִּרְשׁוּת בַּעְלָהּ. וְאַבְרָהָם לֹא יַחְפֹּץ שֶׁיֵּצֵא זַרְעוֹ הַכָּשֵׁר מִשָּׂרָה אִשְׁתּוֹ חוּצָה לָאָרֶץ, וְאַף כִּי יַעֲבֹד עֲבוֹדָה זָרָה!

וְרַבִּי יְהוּדָה דָּרַשׁ כִּי בַּת הָיְתָה לוֹ, דַּאֲפִילוּ בְּרַתָּא לֹא חַסְּרֵיהּ רַחֲמָנָא. וְהִיא הַבְּרָכָה בַּכֹּל, כִּי הָיָה לוֹ כָּל אֲשֶׁר יַחְמְדוּ הָאֲנָשִׁים, לֹא חָסֵר דָּבָר. וּבָאוּ אֲחֵרִים וְהִזְכִּירוּ שֵׁם הַבַּת.

וּבֶאֱמֶת שֶׁאֵין הַכַּוָּנָה לַאֲחֵרִים וְהַמַּחֲלוֹקֶת לָהֶם עִם רַבִּי יְהוּדָה לְהוֹדִיעַ אוֹתָנוּ שֵׁם הַבַּת הַזֹּאת בִּלְבַד, וְחָלִילָה לָהֶם שֶׁיּוֹצִיאוּ בִּרְכָתוֹ שֶׁל אַבְרָהָם, שֶׁהִיא גְּדוֹלָה וּכְלָלִית, לְעִנְיָן זֶה שֶׁיֹּאמַר הַכָּתוּב כִּי בֵּרַךְ אוֹתוֹ הַשֵּׁם בְּבַת אַחַת שֶׁשְּׁמָהּ כָּךְ[8]. אֲבָל אֲחֵרִים חִדְּשׁוּ בְּפֵרוּשׁ הַכָּתוּב הַזֶּה עִנְיָן עָמֹק מְאֹד וְדָרְשׁוּ בָּזֶה סוֹד מִסּוֹדוֹת הַתּוֹרָה.

RAMBAN ELUCIDATED

everything: רַבִּי מֵאִיר אוֹמֵר: שֶׁלֹּא הָיְתָה לוֹ בַּת – **Rabbi Meir says:** He blessed him in **that he did** *not* have a daughter.[7] רַבִּי יְהוּדָה אוֹמֵר: בַּת הָיְתָה לוֹ – **Rabbi Yehudah says:** He blessed him in that **he** ***did*** **have a daughter.** אֲחֵרִים אוֹמְרִים: בַּת הָיְתָה לוֹ וּבַכֹּל שְׁמָהּ – **Others say: he had a daughter and her name was 'Bakol'** ('With Everything')."

[Ramban analyzes the positions of these Tannaim:]

דָּרַשׁ רַבִּי מֵאִיר שֶׁלֹּא הָיְתָה לוֹ בַּת לְאַבְרָהָם – **Rabbi Meir expounds that Abraham did not have a daughter,** וְזֶה לוֹ לִבְרָכָה כִּי לֹא הָיָה יָכוֹל לְהַשִּׂיאָהּ רַק לִבְנֵי כְּנַעַן הָאֲרוּרִים – **and this was** considered **a blessing for him, for he would not have been able to marry her** to anyone **but the cursed children of Canaan.** וְאִם יְשַׁלְּחֶנָּה לְאַרְצוֹ גַּם כֵּן תַּעֲבֹד שָׁם עֲבוֹדָה זָרָה כְּמוֹתָם – **And if he would send her to his** home **land** to marry one of his relatives, **she too would worship idols, just as they did,** כִּי הָאִשָּׁה בִּרְשׁוּת בַּעְלָהּ – **for a wife is under the jurisdiction of her husband.** וְאַבְרָהָם לֹא יַחְפֹּץ שֶׁיֵּצֵא זַרְעוֹ הַכָּשֵׁר מִשָּׂרָה אִשְׁתּוֹ חוּצָה לָאָרֶץ – **Abraham would not want that his worthy offspring from his wife Sarah should go outside the land** (i.e., Eretz Yisrael), וְאַף כִּי יַעֲבֹד עֲבוֹדָה זָרָה – **and all the more so if, as a result, [that offspring] would worship idols!**

וְרַבִּי יְהוּדָה דָּרַשׁ כִּי בַּת הָיְתָה לוֹ – **And Rabbi Yehudah expounds that [Abraham] did have a daughter,** דַּאֲפִילוּ בְּרַתָּא לֹא חַסְּרֵיהּ רַחֲמָנָא – meaning **that God** [lit., the Merciful One] **did not cause him to be lacking even a daughter.** וְהִיא הַבְּרָכָה "בַּכֹּל", כִּי הָיָה לוֹ כָּל אֲשֶׁר יַחְמְדוּ הָאֲנָשִׁים, לֹא חָסֵר דָּבָר – **And this was the blessing of** ***With everything,*** **that he had everything that people desire** in life; **he lacked nothing.** וּבָאוּ אֲחֵרִים וְהִזְכִּירוּ שֵׁם הַבַּת – **Then the "Others"** in the Midrash **came** forward **and** accepted Rabbi Yehudah's interpretation, and they also **mentioned the name of the daughter** (Bakol).

וּבֶאֱמֶת שֶׁאֵין הַכַּוָּנָה לַאֲחֵרִים וְהַמַּחֲלוֹקֶת לָהֶם עִם רַבִּי יְהוּדָה – **In truth, the intent of "Others" and their point of disagreement with Rabbi Yehudah is not** לְהוֹדִיעַ אוֹתָנוּ שֵׁם הַבַּת הַזֹּאת בִּלְבַד – **simply to inform us the name of this daughter** of Abraham. וְחָלִילָה לָהֶם שֶׁיּוֹצִיאוּ בִּרְכָתוֹ שֶׁל אַבְרָהָם, שֶׁהִיא גְּדוֹלָה וּכְלָלִית – **Far be it from them that they should exhaust Abraham's blessing, which was great and all-encompassing,** לְעִנְיָן זֶה שֶׁיֹּאמַר הַכָּתוּב כִּי בֵּרַךְ אוֹתוֹ הַשֵּׁם בְּבַת אַחַת שֶׁשְּׁמָהּ כָּךְ – **in this matter, that Scripture is** only **saying that God blessed him with one daughter whose name was [Bakol]!**[8] אֲבָל אֲחֵרִים חִדְּשׁוּ בְּפֵרוּשׁ הַכָּתוּב הַזֶּה עִנְיָן עָמֹק מְאֹד – **Rather, "Others" introduced into the interpretation of this verse a very deep idea,** וְדָרְשׁוּ בָּזֶה סוֹד מִסּוֹדוֹת הַתּוֹרָה – **and, based on it, they expounded one of the secret mysteries of the Torah.**

anonymously with obvious agreement.

7. Ramban will explain shortly why not having a daughter was a blessing for Abraham.

8. Rabbi Yehudah interpreted בַּכֹּל to mean that God blessed Abraham with everything a person could want – *including* a daughter. "Others," however, by seeing בַּכֹּל as the name of the daughter, negate the all-encompassing, comprehensive force of the word "everything." The verse, then, tells us nothing about God's blessing of Abraham except that he had one daughter. This, Ramban objects, is not a plausible understanding of the "Others'" position.

ב וַיֹּ֣אמֶר אַבְרָהָ֗ם אֶל־עַבְדּוֹ֙ זְקַ֣ן בֵּית֔וֹ
הַמֹּשֵׁ֖ל בְּכָל־אֲשֶׁר־ל֑וֹ שִֽׂים־נָ֥א יָדְךָ֖ תַּ֥חַת
ג יְרֵכִֽי׃ וְאַשְׁבִּ֣יעֲךָ֔ בַּֽיהוה֙ אֱלֹהֵ֣י הַשָּׁמַ֔יִם
וֵֽאלֹהֵ֖י הָאָ֑רֶץ אֲשֶׁ֨ר לֹֽא־תִקַּ֤ח אִשָּׁה֙ לִבְנִ֔י
מִבְּנוֹת֙ הַֽכְּנַעֲנִ֔י אֲשֶׁ֥ר אָנֹכִ֖י יוֹשֵׁ֥ב בְּקִרְבּֽוֹ׃

ב וַאֲמַר אַבְרָהָם לְעַבְדֵּהּ סָבָא
דְבֵיתֵהּ דְּשַׁלִּיט בְּכָל דִּי לֵהּ שַׁוִּי
כְעַן יְדָךְ תְּחוֹת יַרְכִּי: ג וַאֲקַיֵּם
עֲלָךְ בְּמֵימְרָא דַייָ אֱלָהָא
דִשְׁמַיָּא וֵאלָהָא דְאַרְעָא דְלָא
תִסַּב אִתְּתָא לִבְרִי מִבְּנָת
כְּנַעֲנָאֵי דִּי אֲנָא יָתֵב בֵּינֵיהוֹן:

רש"י

(ב) **זקן ביתו.** לפי שהוא דבוק, נקוד זְקַן: **תחת ירכי.** לפי שהנשבע צריך שיטול בידו חפץ של מצוה כגון ספר תורה או תפילין (שבועות לח:), והמילה היתה מצוה ראשונה לו ובאה לו ע"י צער והיתה חביבה עליו, ונטלה (ב"ר נט:ח):

רמב"ן

וְאָמְרוּ כִּי "בַּכֹּל" תִּרְמֹז עַל עִנְיָן גָּדוֹל, וְהוּא שֶׁיֵּשׁ לְהַקָּדוֹשׁ בָּרוּךְ הוּא מִדָּה, תִּקָּרֵא "כֹּל", מִפְּנֵי שֶׁהִיא יְסוֹד הַכֹּל, וּבָהּ נֶאֱמַר [ישעיה מד כד] "אָנֹכִי ה' עוֹשֶׂה כֹּל", וְהוּא שֶׁנֶּאֱמַר [קהלת ה ח] "וְיִתְרוֹן אֶרֶץ בַּכֹּל הוּא", יֹאמַר כִּי יִתְרוֹן הָאָרֶץ וְטוֹבָהּ הַגְּדוֹלָה הַשּׁוֹפֵעַ עַל כָּל בָּאֵי עוֹלָם בַּעֲבוּר כִּי בַּכֹּל הִיא, וְהִיא הַמִּדָּה הַשְּׁמִינִית מִי"ג מִדּוֹת. וּמִדָּה אַחֶרֶת תִּקָּרֵא "בַּת" נֶאֱצֶלֶת מִמֶּנָּה, וּבָהּ הוּא מַנְהִיג אֶת הַכֹּל, וְהִיא בֵּית דִּינוֹ שֶׁל הַקָּדוֹשׁ בָּרוּךְ הוּא הַנִּרְמָז בְּמִלַּת "וה'" בְּכָל מָקוֹם [ב"ר נא ב], וְהִיא שֶׁנִּקְרֵאת "כַּלָּה" בְּסֵפֶר שִׁיר הַשִּׁירִים, בַּעֲבוּר שֶׁהִיא כְּלוּלָה מִן הַכֹּל, וְהִיא שֶׁחֲכָמִים מְכַנִּים שְׁמָהּ "כְּנֶסֶת יִשְׂרָאֵל" בִּמְקוֹמוֹת רַבִּים, בַּעֲבוּר שֶׁהִיא כְּנוּסַת הַכֹּל. וְהַמִּדָּה הַזֹּאת הָיְתָה לְאַבְרָהָם כְּבַת, כִּי הוּא אִישׁ הַחֶסֶד וְיִתְנַהֵג בְּזוֹ, וּלְכָךְ אָמְרוּ אֲחֵרִים כִּי אֵין הַבְּרָכָה הַזֹּאת שֶׁנִּתְבָּרֵךְ בַּכֹּל רוֹמֶזֶת עַל שֶׁהוֹלִיד בַּת מִשָּׂרָה אִשְׁתּוֹ, אוֹ שֶׁלֹּא הוֹלִיד, אֲבָל הִיא רוֹמֶזֶת עִנְיָן גָּדוֹל שֶׁבֵּרַךְ אוֹתוֹ בַּמִּדָּה שֶׁהִיא בְּתוֹךְ מִדַּת הַכֹּל, וְלָכֵן תִּקָּרֵא גַּם הִיא "כֹּל", כִּלְשׁוֹן כִּי שְׁמִי בְּקִרְבּוֹ [שְׁמוֹת כג כא] וְהִנֵּה הוּא מְבֹרָךְ בַּשָּׁמַיִם וּבָאָרֶץ, וּלְכָךְ אָמַר "בַּה' אֱלֹהֵי הַשָּׁמַיִם וֵאלֹהֵי הָאָרֶץ".

וְהָעִנְיָן הַזֶּה נִמְצָא לְרַבּוֹתֵינוּ רָמוּז בְּהַגָּדוֹת בִּמְקוֹמוֹת רַבִּים, כָּעִנְיָן שֶׁאָמְרוּ בְּמִדְרַשׁ חָזִיתָ [שהש"ר ג כא]:

שָׁאַל רַבִּי שִׁמְעוֹן בֶּן יוֹחַאי אֶת רַבִּי אֶלְיעֶזֶר בְּרַבִּי יוֹסֵי: אֶפְשָׁר שֶׁשָּׁמַעְתָּ מֵאָבִיךְ מַהוּ "בָּעֲטָרָה שֶׁעִטְּרָה לוֹ אִמּוֹ" [שה"ש ג יא]? אָמַר לוֹ: הֵן. אָמַר לוֹ: הֵיאַךְ? אָמַר לוֹ: מָשָׁל לְמֶלֶךְ שֶׁהָיְתָה לוֹ בַּת יְחִידָה, וְהָיָה מְחַבְּבָהּ יוֹתֵר מִדַּאי, וְהָיָה קוֹרֵא אוֹתָהּ "בִּתִּי"; לֹא זָז מְחַבְּבָהּ עַד שֶׁקָּרָא אוֹתָהּ "אֲחוֹתִי"; וְלֹא זָז מְחַבְּבָהּ עַד שֶׁקָּרָא אוֹתָהּ "אִמִּי". כָּךְ, בַּתְּחִלָּה חִבֵּב הַקָּדוֹשׁ בָּרוּךְ הוּא אֶת יִשְׂרָאֵל וּקְרָאָן "בִּתִּי", הָדָא הוּא דִּכְתִיב [תהלים מה יא]: "שִׁמְעִי־בַת וּרְאִי"; וְלֹא זָז מְחַבְּבָן עַד שֶׁקְּרָאָן "אֲחוֹתִי", שֶׁנֶּאֱמַר [שה"ש ה ב] "פִּתְחִי לִי אֲחוֹתִי רַעְיָתִי"; וְלֹא זָז מְחַבְּבָן עַד שֶׁקְּרָאָן "אִמִּי", שֶׁנֶּאֱמַר [ישעיה נא ד]: "הַקְשִׁיבוּ אֵלַי עַמִּי וּלְאוּמִּי", "לְאִמִּי" כְּתִיב. עָמַד רַבִּי שִׁמְעוֹן בֶּן יוֹחַאי וּנְשָׁקוֹ עַל רֹאשׁוֹ. אָמַר לוֹ: אִלּוּ לֹא בָאתִי אֶלָּא לִשְׁמוֹעַ זֶה הַדָּבָר מִפִּיךְ - דַּיִּי:

וּמְבֹאָר זֶה בְּמִדְרָשׁוֹ שֶׁל ר' נְחוּנְיָא בֶּן הַקָּנֶה [סֵפֶר הַבָּהִיר כב]. אָמְרוּ בַּפָּסוּק "אָנֹכִי ה' עוֹשֶׂה כֹּל, נוֹטֶה שָׁמַיִם לְבַדִּי, רוֹקַע הָאָרֶץ מִי אִתִּי" [ישעיה מד כד]: אֲנִי כְּשֶׁנָּטַעְתִּי אִילָן זֶה לְהִשְׁתַּעְשֵׁעַ בּוֹ כָּל הָעוֹלָם, וְרָקַעְתִּי בּוֹ הַכֹּל, וְקָרָאתִי שְׁמוֹ "כֹּל", שֶׁהַכֹּל תָּלוּי בּוֹ וְהַכֹּל מִמֶּנּוּ יוֹצֵא, וְהַכֹּל צְרִיכִין לוֹ, וּבוֹ צוֹפִין וְלוֹ מְחַכִּים, וּמִשָּׁם פּוֹרְחִים נְשָׁמוֹת, לְבַדִּי הָיִיתִי כְּשֶׁעָשִׂיתִי אוֹתוֹ, וְלֹא יִגְדַּל עָלָיו מַלְאָךְ לֵאמֹר "אֲנִי קָדַמְתִּי לְךָ". גַּם בְּעֵת שֶׁרָקַעְתִּי אַרְצִי שֶׁבָּהּ נָטַעְתִּי וְשֵׁרַשְׁתִּי אִילָן זֶה וְשִׂמַּחְתִּים בְּיַחַד וְשָׂמַחְתִּי בָּהֶם, "מִי אִתִּי" שֶׁגִּלִּיתִי לוֹ סוֹדִי זֶה. עַד כָּאן.

וְעוֹד שָׁם מְבֹאָר: מַאי "בְּרֹגֶז רַחֵם תִּזְכּוֹר" [חבקוק ג ב]? אָמַר, בְּעֵת שֶׁחָטְאוּ לְךָ בָּנֶיךָ וְתִכְעַס עֲלֵיהֶם - רַחֵם תִּזְכֹּר. וּמַאי "רַחֵם תִּזְכּוֹר"? זְכֹר אוֹתוֹ שֶׁאָמַר "אֶרְחָמְךָ ה' חִזְקִי" [תהלים יח ב], וְנָתַתָּ לוֹ הַמִּדָּה הַזֹּאת שֶׁהִיא שְׁכִינָתָן שֶׁל יִשְׂרָאֵל; וּזְכֹר בְּנוֹ שֶׁיְּרָשָׁהּ וְנָתַתָּ לוֹ הַמִּדָּה הַזֹּאת, שֶׁהִיא שְׁכִינָתוֹ שֶׁל יִשְׂרָאֵל, דִּכְתִיב [מלכים־א ה, כו]: "וַה' נָתַן חָכְמָה לִשְׁלֹמֹה"; וּזְכֹר אֲבִיהֶם אַבְרָהָם, דִּכְתִיב [יְשַׁעְיָה מא ח]: "זֶרַע אַבְרָהָם אֹהֲבִי", "וּבְקֶרֶב שָׁנִים תּוֹדִיעַ" [חבקוק ג ב]. וּמֵהֵיכָן הָיְתָה בַּת לְאַבְרָהָם? הֵן, דִּכְתִיב "וַה' בֵּרַךְ אֶת אַבְרָהָם בַּכֹּל", וּכְתִיב [ישעיה

RAMBAN ELUCIDATED

Ramban continues to elaborate on the deep Kabbalistic concept alluded to by the "Others" mentioned by the Talmud. [This part of Ramban's comment is beyond the scope of this elucidation. In the Hebrew text, Ramban's words appear in the paragraphs beginning וְאָמְרוּ כִּי "בַּכֹּל" and ending עַל הַצַּדִּיקִים עָתָק.]

2 And Abraham said to his servant, the elder of his household who controls all that is his: "Place now your hand under my thigh. 3 And I will have you swear by HASHEM, God of heaven and God of the land, that you not take a wife for my son from the daughters of the Canaanites, among whom I dwell.

רמב״ן

מג ז]: ״כל הַנִּקְרָא בִשְׁמִי וְלִכְבוֹדִי בְּרָאתִיו״, הַהִיא בְּרָכָה הָיְתָה בִתּוֹ. אוֹ לֹא הָיְתָה אֶלָּא אִמּוֹ? הֵן, בִּתּוֹ הָיְתָה. מָשָׁל לְאָדוֹן שֶׁהָיָה לוֹ עֶבֶד שָׁלֵם תָּמִים לְפָנָיו, וְנִסָּהוּ בְּכַמָּה נִסְיוֹנוֹת, וְעָמַד בְּכֻלָּן. אָמַר הָאָדוֹן: מָה אֶתֵּן לְעֶבֶד זֶה, אוֹ מָה אֶעֱשֶׂה לוֹ? אֶלָּא אֲצַוֶּנּוּ לְאָחִי הַגָּדוֹל לְיָעֲצוֹ וּלְשָׁמְרוֹ וּלְכַבְּדוֹ. חָזַר הָעֶבֶד עִם אָחִיו הַגָּדוֹל וְלָמַד מִדּוֹתָיו. אֲהָבוֹ הָאָח וּקְרָאוֹ אוֹהֲבִי, דִּכְתִיב [ישעיה מא, ח]: ״זֶרַע אַבְרָהָם אֹהֲבִי״. אָמַר: מָה אֶתֵּן לוֹ אוֹ מָה אֶעֱשֶׂה לוֹ? הִנֵּה כְּלִי נָאֶה עָשִׂיתִי, וּבוֹ מַרְגָּלִיּוֹת נָאוֹת וְאֵין כְּמוֹתָן, וְהֵם סְגֻלַּת מְלָכִים - אֶתְּנֶנָּה לוֹ וְיִזְכֶּה בִּמְקוֹמִי. הָדָא הוּא דִכְתִיב: ״וַה׳ בֵּרַךְ אֶת אַבְרָהָם בַּכֹּל״, עַד כָּאן:

וְאִם תָּבִין מַה שֶּׁכָּתַבְתִּי, תֵּדַע מַאֲמַר הַנָּשִׁים הָאֲרוּרוֹת שֶׁאָמְרוּ [ירמיה מד יח]: ״וּמִן אָז חָדַלְנוּ לְקַטֵּר לִמְלֶכֶת הַשָּׁמַיִם חָסַרְנוּ כל״, וְלָמָּה נִכְתְּבָה הַמִּלָּה חַסְרַת הָאָלֶ״ף, וְתַשְׂכִּיל דְּבָרִים רַבִּים סְתוּמִים בַּתּוֹרָה וּמִקְרָא. וְאִלּוּ יָדַע זֶה הַמִּתְהַדֵּר בְּסוֹדוֹתָיו - תֵּאָלַמְנָה שְׂפָתָיו מֵהַלְעִיג עַל דִּבְרֵי רַבּוֹתֵינוּ, וְלָכֵן כָּתַבְתִּי זֶה לִסְכּוֹר פִּי הַדּוֹבְרִים עַל הַצַּדִּיקִים עָתָק:

[ג] **וְאַשְׁבִּיעֲךָ בַּה׳.** הָיָה רָאוּי לְאַבְרָהָם שֶׁיְּצַוֶּה אֶת יִצְחָק בְּנוֹ שֶׁלֹּא יִקַּח אִשָּׁה מִבְּנוֹת כְּנַעַן, אֲבָל הָיָה רְצוֹנוֹ לִשְׁלֹחַ בְּחַיָּיו אֶל אַרְצוֹ וּמִשְׁפַּחְתּוֹ, וְהִשְׁבִּיעַ הָעֶבֶד לַעֲשׂוֹת כֵּן בְּחַיָּיו אוֹ בְּמוֹתוֹ[9]. וְלָכֵן הוּצְרַךְ עַל כָּל פָּנִים לְהַשְׁבִּיעַ לָעֶבֶד לָלֶכֶת שָׁם[9a], וְהוּצְרַךְ לֵאמֹר לוֹ: ״אֲנִי מְצַוְּךָ שֶׁלֹּא תִּקַּח אִשָּׁה לִבְנִי מִבְּנוֹת כְּנַעַן, וְשֶׁתֵּלֵךְ אֶל אַרְצִי וְתִקַּח לוֹ אִשָּׁה מִבֵּית אָבִי.״ וְכֵיוָן שֶׁהִשְׁבִּיעַ אֶת הָעֶבֶד עַל זֶה, לֹא הוּצְרַךְ לְצַוּוֹת אֶת יִצְחָק דָּבָר, כִּי יוֹדֵעַ בּוֹ שֶׁלֹּא יַעֲבוֹר עַל רְצוֹן אָבִיו וְעַל הַשְּׁבוּעָה שֶׁהִשְׁבִּיעַ אֶת עַבְדּוֹ, כִּי הָיָה הָעִנְיָן נוֹדָע לְיִצְחָק בֶּאֱמֶת.

RAMBAN ELUCIDATED

3. וְאַשְׁבִּיעֲךָ בַּה׳ – ***AND I WILL HAVE YOU SWEAR BY HASHEM.***

[Isaac was a grown man (forty years old) at this time. Why did Abraham not directly instruct Isaac that he not marry a Canaanite woman? Why did he address his concerns to his servant instead? Ramban explains:]

הָיָה רָאוּי לְאַבְרָהָם שֶׁיְּצַוֶּה אֶת יִצְחָק בְּנוֹ שֶׁלֹּא יִקַּח אִשָּׁה מִבְּנוֹת כְּנַעַן – It would have been more **fitting that Abraham command his son Isaac** directly **not to take a wife from the daughters of Canaan, אֲבָל הָיָה רְצוֹנוֹ לִשְׁלֹחַ בְּחַיָּיו אֶל אַרְצוֹ וּמִשְׁפַּחְתּוֹ – but it was his wish to send** an agent **in his lifetime to his** home**land and his family** to find a wife for Isaac **וְהִשְׁבִּיעַ הָעֶבֶד לַעֲשׂוֹת כֵּן בְּחַיָּיו אוֹ בְּמוֹתוֹ – so he adjured the servant to do so,** whether **in his lifetime or after his death.**[9] **וְלָכֵן הוּצְרַךְ עַל כָּל פָּנִים לְהַשְׁבִּיעַ לָעֶבֶד לָלֶכֶת שָׁם – Thus he was required in any event to adjure the servant to go there,**[9a] **וְהוּצְרַךְ לֵאמֹר לוֹ ״אֲנִי מְצַוְּךָ שֶׁלֹּא תִּקַּח אִשָּׁה לִבְנִי מִבְּנוֹת כְּנַעַן, – and it was necessary to tell him, "I command you that you not take a wife for my son from the daughters of Canaan, וְשֶׁתֵּלֵךְ אֶל אַרְצִי וְתִקַּח לוֹ אִשָּׁה מִבֵּית אָבִי״ – and that you go** instead **to my land and take a wife for him from my family." וְכֵיוָן שֶׁהִשְׁבִּיעַ אֶת הָעֶבֶד עַל זֶה, לֹא הוּצְרַךְ לְצַוּוֹת אֶת יִצְחָק דָּבָר – And once he** had already **adjured the servant regarding this, it was no** longer **necessary for him to command anything to Isaac, כִּי יוֹדֵעַ בּוֹ שֶׁלֹּא יַעֲבוֹר עַל רְצוֹן אָבִיו וְעַל הַשְּׁבוּעָה שֶׁהִשְׁבִּיעַ אֶת עַבְדּוֹ – for [Abraham] knew of [Isaac] that he would not transgress his father's wish and the oath that he had administered to his servant. כִּי הָיָה הָעִנְיָן נוֹדָע לְיִצְחָק בֶּאֱמֶת – For the matter** of the servant and the oath **was surely known to Isaac.**

9. As Ramban explained above, Abraham was concerned that he might not live long enough to see the servant's return from his homeland.

9a. I.e., since he *could* have told Isaac directly not to take a Canaanite woman, the only oath that was actually required of the servant was to go to his homeland and his family. The additional oath administered to the servant that the wife not be a Canaanite was only incidental to the first oath.

ד כִּ֣י אֶל־אַרְצִ֤י וְאֶל־מֽוֹלַדְתִּי֙ תֵּלֵ֔ךְ וְלָקַחְתָּ֥ אִשָּׁ֖ה
ה לִבְנִ֥י לְיִצְחָֽק׃ וַיֹּ֤אמֶר אֵלָיו֙ הָעֶ֔בֶד אוּלַי֙ לֹֽא־
תֹאבֶ֣ה הָֽאִשָּׁ֔ה לָלֶ֥כֶת אַחֲרַ֖י אֶל־הָאָ֣רֶץ הַזֹּ֑את
הֶֽהָשֵׁ֤ב אָשִׁיב֙ אֶת־בִּנְךָ֔ אֶל־הָאָ֖רֶץ אֲשֶׁר־יָצָ֥אתָ
ו מִשָּֽׁם׃ וַיֹּ֥אמֶר אֵלָ֖יו אַבְרָהָ֑ם הִשָּׁ֣מֶר לְךָ֔ פֶּן־
ז תָּשִׁ֥יב אֶת־בְּנִ֖י שָֽׁמָּה׃ יְהוָ֣ה ׀ אֱלֹהֵ֣י הַשָּׁמַ֗יִם
אֲשֶׁ֨ר לְקָחַ֜נִי מִבֵּ֣ית אָבִ֘י וּמֵאֶ֣רֶץ מֽוֹלַדְתִּי֒

ד אֱלָהֵין לְאַרְעִי וּלְיַלָּדוּתִי
תֵּיזִיל וְתִסַּב אִתְּתָא לִבְרִי
לְיִצְחָק: ה וַאֲמַר לֵהּ עַבְדָּא
מָאִים לָא תֵיבֵי אִתְּתָא
לְמֵיתֵי בַתְרַי לְאַרְעָא הָדָא
הַאֲתָבָא אָתֵיב יָת בְּרָךְ
לְאַרְעָא דִּי נְפַקְתָּא מִתַּמָּן:
ו וַאֲמַר לֵהּ אַבְרָהָם אִסְתַּמַּר
לָךְ דִּילְמָא תָתֵיב יָת בְּרִי תַּמָּן:
ז יְיָ אֱלָהָא דִשְׁמַיָּא דִּי דַבְּרַנִי
מִבֵּית אַבָּא וּמֵאֲרַע יַלְדוּתִי

רש"י

(ז) ה' אלהי השמים אשר לקחני מבית אבי. ולא אמר ואלהי הארץ, ולמעלה (פסוק ג) הוא אומר ואשביעך בה' אלהי השמים ואלהי הארץ. אמר לו, עכשיו הוא אלהי השמים ואלהי הארץ שהרגלתיו בפי הבריות, אבל כשלקחני מבית אבי היה אלהי השמים ולא אלהי הארץ, שלא היו באי עולם מכירים בו ושמו לא היה רגיל בארץ (ב"ר נט ח; ספרי האזינו שיג): מבית אבי. מחרן: ומארץ מולדתי. מאור כשדים:

רמב"ן

גַּם יִתָּכֵן שֶׁהָיָה הָעֶבֶד אַפּוֹטְרוֹפּוֹס עַל נְכָסָיו, וְצִוָּה אוֹתוֹ שֶׁיַּשִּׂיא יִצְחָק לִרְצֹנוֹ וְיַנְחִיל אוֹתוֹ נְכָסָיו עַל מְנַת כֵּן[10]. וְזֶה טַעַם "הַמּוֹשֵׁל בְּכָל אֲשֶׁר לוֹ"[11].

☐ **אֱלֹהֵי הַשָּׁמַיִם וֵאלֹהֵי הָאָרֶץ**[12]. הַקָּדוֹשׁ בָּרוּךְ הוּא יִקָּרֵא אֱלֹהֵי אֶרֶץ יִשְׂרָאֵל[13], כִּדְכְתִיב [מלכים־ב יז, כו]: "לֹא יָדְעוּ אֶת מִשְׁפַּט אֱלֹהֵי הָאָרֶץ", וְכָתוּב "וַיְדַבְּרוּ אֶל אֱלֹהֵי יְרוּשָׁלַיִם כְּעַל אֱלֹהֵי עַמֵּי הָאָרֶץ" [דברי הימים־ב לב, יט]. וְיֵשׁ בָּזֶה סוֹד, עוֹד אֶכְתְּבֶנּוּ בְּעֶזְרַת הַשֵּׁם[14].

RAMBAN ELUCIDATED

[Ramban now proposes another reason why Abraham conveyed his wishes to his servant rather than directly to Isaac:]

גַּם יִתָּכֵן שֶׁהָיָה הָעֶבֶד אַפּוֹטְרוֹפּוֹס עַל נְכָסָיו – It is also plausible that the servant was the trustee for [Abraham's] estate, וְצִוָּה אוֹתוֹ שֶׁיַּשִּׂיא יִצְחָק לִרְצֹנוֹ וְיַנְחִיל אוֹתוֹ נְכָסָיו עַל מְנַת כֵּן – so he commanded him to have Isaac marry according to his wishes, and that he should make [Isaac's] inheritance of his estate contingent on this condition.[10] **וְזֶה טַעַם "הַמּוֹשֵׁל בְּכָל אֲשֶׁר לוֹ" – And this is the explanation of** the words, ***who controlled all that was his.***[11]

☐ **אֱלֹהֵי הַשָּׁמַיִם וֵאלֹהֵי הָאָרֶץ** – *GOD OF HEAVEN AND GOD OF THE LAND.*

[This phrase is often translated as *God of heaven and God of* **earth**.[12] Ramban explains that this is not an accurate interpretation:]

הַקָּדוֹשׁ בָּרוּךְ הוּא יִקָּרֵא אֱלֹהֵי אֶרֶץ יִשְׂרָאֵל – The Holy One, Blessed is He, is called "the God of the Land of Israel,"[13] **כִּדְכְתִיב "לֹא יָדְעוּ אֶת מִשְׁפַּט אֱלֹהֵי הָאָרֶץ" – as it is written,** ***They did not know the law of "the God of the Land"*** (*II Kings* 17:26), **וְכָתוּב "וַיְדַבְּרוּ אֶל אֱלֹהֵי יְרוּשָׁלַיִם כְּעַל אֱלֹהֵי עַמֵּי הָאָרֶץ" – and it is written,** ***They spoke of "the God of Jerusalem" as of the gods of the peoples of the earth*** (*II Chronicles* 32:19). **וְיֵשׁ בָּזֶה סוֹד עוֹד אֶכְתְּבֶנּוּ בְּעֶזְרַת הַשֵּׁם – There is a mystical concept involved in this, which I shall yet write about further, God willing.**[14]

[Ramban now focuses on what led him to this interpretation:]

---

10. That is, Isaac was not to inherit Abraham's wealth unless he married a woman from Abraham's family.

11. Ramban is explaining that Scripture describes the servant as the one *who controlled all that was his* in this particular context because Isaac's marriage and inheritance were dependent upon Eliezer who *controlled all that was his.* (See also above, note 3.)

12. This is indeed its meaning according to most commentators (see Rashi, Ibn Ezra, Radak).

13. אֱלֹהֵי הָאָרֶץ does not mean *God of earth* here, but *God of the Land [of Israel].*

14. See Ramban on *Leviticus* 18:25, where he explains that each country has a "supervising angel" that represents it and guides its affairs from heaven. *Eretz Yisrael*, however, is guided directly by God Himself, without an angel to act as intermediary. This is why God is called *the God of the Land [of Israel].*

4 *Rather, to my land and to my birthplace shall you go and take a wife for my son for Isaac."*
5 *The servant said to him: "Perhaps the woman shall not wish to follow me to this land; shall I take your son back to the land from which you departed?"* 6 *Abraham answered him, 'Beware not to return my son to there.* 7 *HASHEM, God of heaven, Who took me from the house of my father and from the land of my birth;*

רמב"ן

אֲבָל בַּפָּסוּק [ז] "לְקָחַנִי מִבֵּית אָבִי" לֹא נֶאֱמַר בּוֹ אֱלֹהֵי הָאָרֶץ[15], כִּי הָיָה בְּחָרָן אוֹ בְּאוּר כַּשְׂדִּים[16]. וְכֵן אָמְרוּ [כתובות קי,ב]: הַדָּר בְּחוּצָה לָאָרֶץ דּוֹמֶה כְּמִי שֶׁאֵין לוֹ אֱלוֹהַּ, שֶׁנֶּאֱמַר [שמואל-א כו, יט]: "כִּי גֵרְשׁוּנִי הַיּוֹם מֵהִסְתַּפֵּחַ בְּנַחֲלַת ה' לֵאמֹר לֵךְ עֲבֹד אֱלֹהִים אֲחֵרִים"[17].

[ה] וְטַעַם **אוּלַי לֹא תֹאבֶה הָאִשָּׁה** - הָאִשָּׁה אֲשֶׁר אֲדַבֵּר בָּהּ מִכָּל הַנָּשִׁים אֲשֶׁר שָׁם, אוֹ הָרְאוּיָה לְיִצְחָק.

[ז] מִבֵּית אָבִי[18] **וּמֵאֶרֶץ מוֹלַדְתִּי.** לְשׁוֹן רַשִׁ"י: מִבֵּית אָבִי - מֵחָרָן. וּמֵאֶרֶץ מוֹלַדְתִּי - מֵאוּר כַּשְׂדִּים[19].

RAMBAN ELUCIDATED

אֲבָל בַּפָּסוּק "לְקָחַנִי מִבֵּית אָבִי" לֹא נֶאֱמַר בּוֹ אֱלֹהֵי הָאָרֶץ – **However, in the verse** (v. 7) which states, *HASHEM, "God of heaven," **Who took me from the house of my father** and from the land of my birth ...,* **it does not state, *God of*** *heaven and God of **the Land,*** but only *God of heaven,*[15] כִּי הָיָה בְּחָרָן אוֹ בְּאוּר כַּשְׂדִּים – **because** that verse describes God as Abraham knew Him while he was still **in Haran or in Ur-kasdim.**[16]

[Ramban now cites a consequence of the fact that God is more directly involved in guiding the affairs of *Eretz Yisrael:*]

וְכֵן אָמְרוּ: הַדָּר בְּחוּצָה לָאָרֶץ דּוֹמֶה כְּמִי שֶׁאֵין לוֹ אֱלוֹהַּ – **And so, [the Sages] said** (*Kesubos* 110b), **"One who lives outside of *Eretz Yisrael* is as if he has no God,** שֶׁנֶּאֱמַר "כִּי גֵרְשׁוּנִי הַיּוֹם מֵהִסְתַּפֵּחַ בְּנַחֲלַת ה' לֵאמֹר לֵךְ עֲבֹד אֱלֹהִים אֲחֵרִים" – **as it says, *For they have driven me away this day from having any connection to the heritage-land of HASHEM, saying: Go, and worship alien gods!*** (*I Samuel* 26:19)."[17]

5. [אוּלַי לֹא תֹאבֶה הָאִשָּׁה – *PERHAPS THE WOMAN SHALL NOT WISH.*]

[*"The" woman* seems to refer to a specific woman, while in fact Abraham did not direct him to any particular person. The servant should have said, *Perhaps no woman will wish to follow me ...* Ramban offers two possible explanations for the servant's choice of words:]

וְטַעַם "אוּלַי לֹא תֹאבֶה הָאִשָּׁה" – **The meaning of *Perhaps "the" woman shall not wish*** *to follow me to this land* **is** הָאִשָּׁה אֲשֶׁר אֲדַבֵּר בָּהּ מִכָּל הַנָּשִׁים אֲשֶׁר שָׁם – **"the woman to whom I shall speak, out of all the women who are there,"** אוֹ הָרְאוּיָה לְיִצְחָק – **or** "the woman **who is** found particularly **suitable for Isaac."**

7. מִבֵּית אָבִי וּמֵאֶרֶץ מוֹלַדְתִּי – *FROM THE HOUSE OF MY FATHER*[18] *AND FROM THE LAND OF MY BIRTH.*

[Ramban discusses the meaning of these two terms – בֵּית אָבִי and אֶרֶץ מוֹלַדְתִּי (*the house of my father* and *the land of my birth,* respectively) – and compares them with the two terms (אַרְצִי and מוֹלַדְתִּי, *my land* and *my birthplace,* respectively) used by Abraham above (v. 4) for the land to which he was sending the servant:]

לְשׁוֹן רַשִׁ"י – The following is **a quote from Rashi:**

מִבֵּית אָבִי – ***From the house of my father*** – מֵחָרָן – **from Haran.** וּמֵאֶרֶץ מוֹלַדְתִּי – ***And from the***

15. This supports Ramban's view that wherever the subject is specifically not of *Eretz Yisrael*, it says only אֱלֹהֵי הַשָּׁמַיִם and omits אֱלֹהֵי הָאָרֶץ.

16. There God had set up intermediaries to direct its affairs, so that Abraham did not know Him as אֱלֹהֵי הָאָרֶץ. [Ramban will discuss below (on v. 7) which of these two places (Haran or Ur Kasdim) is intended by *house of my father* and *land of my birth.*]

17. According to Ramban, one who lives outside *Eretz Yisrael* is "as if he has no God" because he is outside of God's direct administration.

18. It should be noted that בֵּית אָב ("father's house") is a

רמב"ן

אִם כֵּן, "אֶל אַרְצִי וְאֶל מוֹלַדְתִּי תֵּלֵךְ" [פסוק ד] יִהְיֶה אוּר כַּשְׂדִּים - וְחָלִילָה שֶׁיִּתְעָרֵב זֶרַע הַקֹּדֶשׁ בִּבְנֵי חָם הַפּוֹשֵׁעַ[20]!

אוּלַי יֹאמַר שֶׁהָיָה לוֹ מִשְׁפָּחָה שָׁם מִזַּרְעוֹ שֶׁל שֵׁם[21], אֲבָל הָעֶבֶד לְחָרָן הָלַךְ, כַּאֲשֶׁר דִּבֵּר אֲדֹנָיו[22]. וְאוּלַי יַחְשֹׁב הָרַב כִּי "אֶרֶץ מוֹלַדְתִּי" אוּר כַּשְׂדִּים, אֲבָל "מוֹלַדְתִּי" הִיא מִשְׁפַּחְתִּי[23], וְ"אַרְצִי" - חָרָן אֲשֶׁר גָּר בָּהּ[24].

וְכָל אֵלֶּה דְּבָרִים בְּטֵלִים. כִּי בְּכָאן אָמַר "וְלָקַחְתָּ אִשָּׁה לִבְנִי מִשָּׁם"[25]. וְעוֹד, כִּי יָמִים רַבִּים עָמַד בְּאֶרֶץ כְּנַעַן יוֹתֵר מֵחָרָן[26], וְלָמָּה תִּקָּרֵא חָרָן אַרְצוֹ בַּעֲבוּר שֶׁגָּר בָּהּ יָמִים?

RAMBAN ELUCIDATED

***land of my birth* – מֵאוּר כַּשְׂדִּים – from Ur-kasdim.**[19]

[Ramban disagrees with Rashi's interpretation:]

אִם כֵּן "אֶל אַרְצִי וְאֶל מוֹלַדְתִּי תֵּלֵךְ" יִהְיֶה אוּר כַּשְׂדִּים – If this is so, that אֶרֶץ מוֹלַדְתִּי refers to Ur-kasdim, then when Abraham said (v. 4), ***to my land and to my birthplace shall you go*** and take a wife for my son **it means,** *Go to* ***Ur-kasdim.*** **וְחָלִילָה שֶׁיִּתְעָרֵב זֶרַע הַקֹּדֶשׁ בִּבְנֵי חָם הַפּוֹשֵׁעַ – But far be it that the holy seed** of Abraham **should become intermingled with the sons of the sinner Ham!**[20]

[Ramban proposes a possible defense of Rashi's position, but finds it flawed:]

אוּלַי יֹאמַר שֶׁהָיָה לוֹ מִשְׁפָּחָה שָׁם מִזַּרְעוֹ שֶׁל שֵׁם – Perhaps [Rashi] would say that [Abraham] had some family there in Ur-kasdim **from the descendants of Shem,** who lived there among the Hamites.[21] **אֲבָל הָעֶבֶד לְחָרָן הָלַךְ כַּאֲשֶׁר דִּבֵּר אֲדֹנָיו – However, it was to Haran that the servant went, as his master had told him!**[22]

[Ramban proposes another possible defense of Rashi's position, and again finds it flawed:]

וְאוּלַי יַחְשֹׁב הָרַב כִּי "אֶרֶץ מוֹלַדְתִּי" אוּר כַּשְׂדִּים – Alternatively, **perhaps the Rav** (Rashi) **thinks that** אֶרֶץ מוֹלַדְתִּי, ***"the land" of my birth*** in our verse **refers to Ur-kasdim, אֲבָל "מוֹלַדְתִּי" הִיא מִשְׁפַּחְתִּי – but מוֹלַדְתִּי,** when it is not preceded by אֶרֶץ, as in v. 4, **means "my family,"** and not "my birthplace,"[23] **וְ"אַרְצִי" חָרָן אֲשֶׁר גָּר בָּהּ – and *my land*** (the other term in v. 4) means **Haran, where [Abraham] had dwelled.**[24]

וְכָל אֵלֶּה דְּבָרִים בְּטֵלִים – But all of these words are unfounded. כִּי בְּכָאן אָמַר "וְלָקַחְתָּ אִשָּׁה לִבְנִי מִשָּׁם" – For here in our verse **he said, *you will take a wife for my son from "there."***[25] **וְעוֹד כִּי יָמִים רַבִּים עָמַד בְּאֶרֶץ כְּנַעַן יוֹתֵר מֵחָרָן – Furthermore, [Abraham] had been residing in the land of Canaan** by this time **many more years than in Haran,**[26] **וְלָמָּה תִּקָּרֵא חָרָן אַרְצוֹ בַּעֲבוּר שֶׁגָּר בָּהּ יָמִים – then why should Haran be called "his land"** just **because he dwelt there for** a few **years?**

Hebrew expression denoting "family."

19. Rashi's opinion is that Abraham was born in Ur Kasdim. Ramban, however, maintains that he was born in Haran. (See above, 11:28 and 12:1, where Ramban discusses this subject at length.)

20. According to Ramban, Ur Kasdim was in Ham's territory (see Ramban above, 11:28).Thus by telling the servant to go to Ur Kasdim, Abraham would in effect be telling him to take a wife from the cursed Hamites.

21. The servant could thus look for a wife in Ur Kasdim without considering any Hamite women.

22. If Abraham told the servant to go to Ur Kasdim (*the land of my birth*), as Rashi would have it, why did he go to Haran instead? Surely the servant followed his master's orders!

[Note: Ramban's assumption that the servant went to Haran is based on v. 10: וַיֵּלֶךְ אֶל אֲרַם נַהֲרַיִם אֶל עִיר נָחוֹר, ... *and he* (i.e., the servant) *made his way to Aram Naharaim to the city of Nahor,* which Ramban earlier (11:28) identified as Haran.]

23. If this is what Rashi meant, then Abraham, in fact, never told the servant (in v. 4) to go to his *birthplace* (which in Rashi's opinion is Ur Kasdim), but to his *family*.

24. Accordingly, Abraham was referring to a single location (Haran) when he instructed his servant to go *to my land* [אַרְצִי] *and to my kindred* [מוֹלַדְתִּי] (v. 4).

25. When Abraham said *Take a wife from* ***there*** he was referring to the places he had just mentioned, which, according to Rashi, were Ur Kasdim and Haran. This implies that Abraham *did* tell the servant to go to Ur Kasdim. Consequently, Ramban's second approach to defend Rashi's position cannot be valid, for, as mentioned above, the servant went to Haran.

26. Abraham came to the land of Canaan at age 75 (above, 12:4), and he was now 140 (for he was 100 when Isaac was born [above, 21:5], and Isaac was now 40 [see below, 25:20]). Thus, at the time of this episode Abraham had been in the land of Canaan for 65 years. His stay in Haran (on his way from Ur Kasdim, where he was born and raised, to the land of Canaan) was certainly of much shorter duration.

רמב״ן

אֲבָל ״אֶל אַרְצִי וְאֶל מוֹלַדְתִּי״ - אַרְצִי שֶׁשָּׁם מוֹלַדְתִּי[27], כִּי שָׁם עָמַד וּמִשָּׁם הָיוּ אֲבוֹתָיו מֵעוֹלָם[28], וּכְבָר נִתְבָּאֵר[29].

וּבִבְרֵאשִׁית רַבָּה [נט, י]: ״מִבֵּית אָבִי״ - זוֹ בֵּיתוֹ שֶׁל אָבִיו. ״וּמֵאֶרֶץ מוֹלַדְתִּי״ - זוֹ שְׁכוּנָתוֹ[30].

וְיִתָּכֵן שֶׁיִּהְיֶה טַעַם ״אֶל אַרְצִי וְאֶל מוֹלַדְתִּי״ אַרְצִי וּמִשְׁפַּחְתִּי[31], כִּי גַם בְּאַנְשֵׁי אַרְצוֹ לֹא יַחְפֹּץ, רַק בְּמִשְׁפַּחְתּוֹ[32].

RAMBAN ELUCIDATED

[Having disagreed with Rashi's interpretation, Ramban presents his own:]

אֲבָל ״אֶל אַרְצִי וְאֶל מוֹלַדְתִּי״ – **Rather,** ***to my land and to my*** מוֹלֶדֶת (v. 4) means אַרְצִי שֶׁשָּׁם מוֹלַדְתִּי – *to* ***my land, where my birthplace is***, i.e., Haran.[27] כִּי שָׁם עָמַד וּמִשָּׁם הָיוּ אֲבוֹתָיו מֵעוֹלָם, וּכְבָר נִתְבָּאֵר – **For there he had lived, and it was from there that his forefathers originated,**[28] **as has already been explained.**[29]

[Ramban now cites the Midrash's interpretation of our phrase:]

וּבִבְרֵאשִׁית רַבָּה: – **In** ***Bereishis Rabbah*** (59:10) it says: מִבֵּית אָבִי, זוֹ בֵּיתוֹ שֶׁל אָבִיו, וּמֵאֶרֶץ מוֹלַדְתִּי זוֹ שְׁכוּנָתוֹ – The words מִבֵּית אָבִי **refer to the house of his father;** וּמֵאֶרֶץ מוֹלַדְתִּי **refers to its vicinity.**[30]

[Ramban now proposes a new interpretation, translating מוֹלֶדֶת as "family" instead of "birthplace":]

וְיִתָּכֵן שֶׁיִּהְיֶה טַעַם ״אֶל אַרְצִי וְאֶל מוֹלַדְתִּי״ אַרְצִי וּמִשְׁפַּחְתִּי – **It is** also **possible that the explanation of** אֶל אַרְצִי וְאֶל מוֹלַדְתִּי in v. 4 **is** ***my land and my "family."***[31] כִּי גַם בְּאַנְשֵׁי אַרְצוֹ לֹא יַחְפֹּץ, רַק בְּמִשְׁפַּחְתּוֹ – **For even** from **among the people of his land [Abraham] did not want** anyone chosen for a wife **except from** someone **in his family.**[32]

27. Haran was Abraham's birthplace according to Ramban (see above, note 19).

28. This is why it is called, *my land*.

29. See Ramban above, 11:28 and 12:1.

According to Ramban, both מוֹלַדְתִּי in v. 4 and אֶרֶץ מוֹלַדְתִּי in v. 7 refer to Haran.

30. *Beis HaYayin* suggests that Abraham's mentioning to the servant that God had taken him from his father's house *and* from its vicinity was an allusion to when God told him (12:1): לֶךְ לְךָ מֵאַרְצְךָ וּמִמּוֹלַדְתְּךָ וּמִבֵּית אָבִיךָ, *Go for yourself from your land, from your relatives, and from your father's house.* Ramban there explained that Abraham trusted in God and immediately obeyed despite the triple hardship of abandoning one's country, one's environs, and one's immediate family.

31. אֶרֶץ מוֹלַדְתִּי in v. 7, as well, would thus mean: *the land of* ***my family***.

32. The following chart summarizes the various opinions cited by Ramban regarding our verse and verse 4:

	Verse 4 *Go and take a wife for my son [from ...]*		Verse 7 HASHEM *... Who took me from ...*	
RASHI (I): (Ramban's initial understanding)	... *my* ***land*** (Ur-kasdim)	... *my* ***birthplace*** (Ur-kasdim)	... *the* **house of my father** (Haran)	... *the* ***land of my birth*** (Ur-kasdim)
RASHI (II): (Ramban's first attempt)	... *my* ***land*** [but only from my family] (Ur-kasdim)	...*my* ***birthplace*** [but only from my family] (Ur-kasdim)	...*the* **house of my father** (Haran)	...*the* ***land of my birth*** (Ur-kasdim)
RASHI (III): (Ramban's second attempt)	... *the land* ***where I lived*** (Haran)	... *my* ***family*** [not referring to a place]	... *the* **house of my father** (Haran)	... *the* ***land of my birth*** (Ur-kasdim)
BEREISHIS RABBAH:			... *my* ***family*** [not referring to a place]	... *my* ***dwelling place*** (Haran)
RAMBAN (II):	... *my* ***land*** (Haran)	... *my* ***family*** [not referring to a place]	... *my* ***family*** [not referring to a place]	... *the* ***land of my birth*** (Haran)

וַאֲשֶׁר דִּבֶּר־לִי וַאֲשֶׁר נִשְׁבַּע־לִי לֵאמֹר לְזַרְעֲךָ
אֶתֵּן אֶת־הָאָרֶץ הַזֹּאת הוּא יִשְׁלַח מַלְאָכוֹ לְפָנֶיךָ
ח וְלָקַחְתָּ אִשָּׁה לִבְנִי מִשָּׁם: וְאִם־לֹא תֹאבֶה
הָאִשָּׁה לָלֶכֶת אַחֲרֶיךָ וְנִקִּיתָ מִשְּׁבֻעָתִי זֹאת

וְדִי מַלֵּיל לִי וְדִי קַיֵּים לִי לְמֵימַר לִבְרָךְ אֶתֵּן יָת אַרְעָא הָדָא הוּא יִשְׁלַח מַלְאֲכֵהּ קֳדָמָךְ וְתִסַּב אִתְּתָא לִבְרִי מִתַּמָּן: ח וְאִם לָא תֵיבֵי אִתְּתָא לְמֵיתֵי בָתְרָךְ וּתְהֵי זַכָּאָה מִמּוֹמָתִי דָּא

רש"י

ואשר דבר לי. לצרכי, כמו אשר דבר עלי (מלכים א ב:ד). וכן כל לי ולו ולהם הסמוכים אצל דבור מפורשים בלשון על, ותרגום שלהם עלי עלוהי עליהון, שאין נופל אצל דיבור לשון לי ולו ולהם, אלא אלי אליו אליהם, ותרגום שלהם עמי עמיה עמהון. אבל אצל אמירה נופל לשון לי ולו ולהם: **ואשר נשבע לי.** בין הבתרים (ב"ר שם י; ילק"ש קז): **(ח) ונקית משבעתי וגו'.** וקח לו

רמב"ן

וְכֵן "וְלָקַחְתָּ אִשָּׁה לִבְנִי מִשָּׁם" רָמַז אֶל "מִבֵּית אָבִי"[33]. וְכֵן יֹאמַר הָעֶבֶד "וְלָקַחְתָּ אִשָּׁה לִבְנִי מִמִּשְׁפַּחְתִּי וּמִבֵּית אָבִי" [לקמן פסוק מ]. וְאָמַר "כִּי תָבוֹא אֶל מִשְׁפַּחְתִּי" [פסוק מא]. אוֹ שֶׁהָיָה הָעֶבֶד אוֹמֵר כֵּן לְכַבְּדָם שֶׁיִּשְׁמְעוּ לוֹ.

☐ **וַאֲשֶׁר דִּבֶּר לִי.** לְשׁוֹן רַשִׁ"י: לְצָרְכִּי, כְּמוֹ עָלַי[34]. וְכֵן כָּל "לִי" וְ"לוֹ" וְ"לָהֶם" הַסְּמוּכִים אֵצֶל דִּבּוּר, מְפֹרָשִׁים בִּלְשׁוֹן "עַל", שֶׁאֵין נוֹפֵל בִּלְשׁוֹן דִּבּוּר אֶלָּא "אֵלַי", "אֵלָיו", "אֲלֵיהֶם", וְתַרְגּוּמָם: עִמִּי, עִמֵּהּ, עִמְּהוֹן; אֲבָל אֵצֶל אֲמִירָה נוֹפֵל "לִי" וְ"לוֹ" וְ"לָהֶם"[35].

וּבְפָרָשַׁת וַיֵּצֵא יַעֲקֹב הֵבִיא רְאָיָה מִמַּה שֶּׁכָּתוּב שָׁם [כח, טו]: "אֵת אֲשֶׁר דִּבַּרְתִּי לָךְ"[36], שֶׁהֲרֵי עִם

RAMBAN ELUCIDATED

[Ramban now adduces three sources to show that Abraham indeed told the servant to seek Isaac's wife only among the members of his family:]

וְכֵן "וְלָקַחְתָּ אִשָּׁה לִבְנִי מִשָּׁם" רָמַז אֶל "מִבֵּית אָבִי" – **And similarly** in our verse, ***you will take a wife for my son from there," there*** **refers to** the words that appear earlier in the verse, namely, ***from my father's house***.[33] **וְכֵן יֹאמַר הָעֶבֶד "וְלָקַחְתָּ אִשָּׁה לִבְנִי מִמִּשְׁפַּחְתִּי וּמִבֵּית אָבִי"** – **And similarly** we find that **the servant says,** quoting Abraham to Rebecca's family, ***and you will take a wife for my son from "my family" and from my father's house*** (below, v. 40). **וְאָמַר "כִּי תָבוֹא אֶל מִשְׁפַּחְתִּי"** – **And [the servant] said** also, ***when you have come to "my family"*** (v. 41). **אוֹ שֶׁהָיָה הָעֶבֶד אוֹמֵר כֵּן לְכַבְּדָם שֶׁיִּשְׁמְעוּ לוֹ** – **Alternatively,** it is possible that **the servant said this** only **to accord them honor,** and not as a quote of Abraham, **so that they would** be more inclined to **listen to him.**

☐ **וַאֲשֶׁר דִּבֶּר לִי** – ***AND WHO SPOKE CONCERNING*** (lit., *to*) ***ME.***

[Ramban discusses the meaning of לִי (lit., *to me*) in this verse, beginning with a citation from Rashi:]

לְשׁוֹן רַשִׁ"י: – The following is **a quote from Rashi:**

לְצָרְכִּי, כְּמוֹ עָלַי – [*To me*] – This means ***for my sake,*** **as** if it had said **עָלַי** *("concerning me")*.[34] **וְכֵן כָּל "לִי" וְ"לוֹ" וְ"לָהֶם" הַסְּמוּכִים אֵצֶל דִּבּוּר מְפֹרָשִׁים בִּלְשׁוֹן "עַל"** – **And similarly, all instances of** the words **לִי** and **לוֹ** and **לָהֶם** that are next to forms of the verb **דבר** ***(to speak)*** **are explained as meaning "concerning."** **שֶׁאֵין נוֹפֵל בִּלְשׁוֹן דִּבּוּר אֶלָּא "אֵלַי" "אֵלָיו" "אֲלֵיהֶם"** – **For only the words** אֵלַי ***(unto me),*** אֵלָיו ***(unto him),*** and אֲלֵיהֶם ***(unto them)*** **can be used with forms of the verb** דבר to indicate the person who is being addressed. **וְתַרְגּוּמָם: עִמִּי עִמֵּהּ עִמְּהוֹן** – **The Aramaic translation of** [**such instances**] **are** עִמִּי ***(with me),*** עִמֵּהּ ***(with him),*** and עִמְּהוֹן ***(with them),*** respectively. **אֲבָל אֵצֶל אֲמִירָה נוֹפֵל "לִי" וְ"לוֹ" וְ"לָהֶם"** – **However, with forms of the verb** אמר, לִי ***(to me)*** **and** לוֹ ***(to him)*** **and** לָהֶם ***(to them)*** **are used.**[35]

[Ramban notes that Rashi states this rule elsewhere as well, where he proves it:]

וּבְפָרָשַׁת וַיֵּצֵא יַעֲקֹב הֵבִיא רְאָיָה מִמַּה שֶּׁכָּתוּב שָׁם "אֵת אֲשֶׁר דִּבַּרְתִּי לָךְ" – **And in the Torah-portion of**

33. See above, note 18.

34. I.e., God spoke *regarding* Abraham, not *to* Abraham.

35. ...דִּבֶּר אֶל and ...אָמַר לְ mean "[he] spoke *to*," and "[he] said *to*." But ...דִּבֶּר לְ means, "[he] spoke *concerning* ...."

Who spoke concerning me, and Who swore to me saying, 'To your offspring will I give this land,' He will send His angel before you, and you will take a wife for my son from there. 8 *But if the woman will not wish to follow you, you shall then be absolved of this oath*

רמב"ן

יַעֲקֹב לֹא דִבֵּר קֹדֶם לָכֵן[37].

וְאֵין הַחִלּוּק הַזֶּה אֱמֶת. כִּי הִנֵּה מָצָאנוּ "וְעַתָּה לֵךְ נְחֵה אֶת הָעָם אֶל אֲשֶׁר דִּבַּרְתִּי לָךְ" [שמות לב, לד][38]; "וַיְדַבְּרוּ הַכַּשְׂדִּים לַמֶּלֶךְ אֲרָמִית" [דניאל ב, ד]; "וְהוֹרַשְׁתָּם וְהַאֲבַדְתָּם מַהֵר כַּאֲשֶׁר דִּבֶּר ה' אֱלֹהֶיךָ לָךְ" [דברים ט, ג][39]. וְכֵן הָאֲמִירָה בִּשְׁנֵיהֶם[40]: "וְאָמְרוּ לִי מַה שְּׁמוֹ מָה אֹמַר אֲלֵיהֶם" [שמות ג, יג].

וְ"אֵת אֲשֶׁר דִּבַּרְתִּי לָךְ", פֵּירוּשׁוֹ: שֶׁאָמַרְתִּי לְךָ עַתָּה - שֶׁאֶתֵּן לְךָ אֶת הָאָרֶץ וּלְזַרְעֲךָ וַאֲבָרֵךְ אוֹתְךָ[41].

RAMBAN ELUCIDATED

Veyeitzei Yaakov **[Rashi] brings a proof** for this rule **from what is written there,** ***what I have spoken about*** (lit., *to*) ***you*** (below, 28:15).[36] שֶׁהֲרֵי עִם יַעֲקֹב לֹא דִבֵּר קֹדֶם לָכֵן – **For [God] had never before spoken with Jacob.**[37]

[Ramban questions Rashi's rule:]

וְאֵין הַחִלּוּק הַזֶּה אֱמֶת – But this distinction is not correct. **כִּי הִנֵּה מָצָאנוּ "וְעַתָּה לֵךְ נְחֵה אֶת הָעָם אֶל אֲשֶׁר דִּבַּרְתִּי לָךְ" – For we find** many counter-examples, such as when God said to Moses, ***Now go and lead the people to the place of which I have spoken "to" you*** [לָךְ] (*Exodus* 32:34);[38] "וַיְדַבְּרוּ הַכַּשְׂדִּים לַמֶּלֶךְ אֲרָמִית" – ***The [stargazers] spoke "to" the king*** [לַמֶּלֶךְ] ***in Aramaic*** (*Daniel* 2:4); "וְהוֹרַשְׁתָּם וְהַאֲבַדְתָּם מַהֵר כַּאֲשֶׁר דִּבֶּר ה' אֱלֹהֶיךָ לָךְ" – ***you will drive them out and cause them to perish quickly, as Hashem spoke "to" you*** [לָךְ] (*Deuteronomy* 9:3).[39] **וְכֵן הָאֲמִירָה בִּשְׁנֵיהֶם: – And similarly, forms of the verb אמר are found with both [prepositions],**[40] as in: "וְאָמְרוּ לִי מַה שְּׁמוֹ מָה אֹמַר אֲלֵיהֶם" – ***and they say*** [וְאָמְרוּ] ***"to" me*** [לִי], ***"What is His Name?" What shall I say*** [אֹמַר] ***"unto" them*** [אֲלֵיהֶם] (*Exodus* 3:13).

[Having challenged Rashi's rule, Ramban explains how Rashi's proof can be refuted:]

וְ"אֵת אֲשֶׁר דִּבַּרְתִּי לָךְ" – Concerning the phrase, ***what I have spoken to you***, from which Rashi brought his proof, **פֵּירוּשׁוֹ: שֶׁאָמַרְתִּי לְךָ עַתָּה שֶׁאֶתֵּן לְךָ אֶת הָאָרֶץ וּלְזַרְעֲךָ וַאֲבָרֵךְ אוֹתְךָ – its explanation is: "what I said to you just now,** namely, **that I will give this land to you and to your offspring and that I will bless you".**[41]

8. וְנִקִּיתָ מִשְּׁבֻעָתִי זֹאת – *YOU SHALL THEN BE ABSOLVED OF THIS OATH OF MINE.*

[Abraham had the servant swear that he will not take a wife for Isaac from the Canaanites, and instructed him to take that wife from Abraham's land and kindred. When Eliezer asked for instructions in the event that the woman refuses to follow him to the land of Canaan, Abraham responded, "You shall be absolved of this oath." One might conclude that if the oath no longer applies, the servant may then be permitted to take a woman from the Canaanites. Ramban rejects

36. When God appeared to Jacob in his dream of the ascending and descending angels, God promised to watch over him until "I will have done *what I have spoken 'about' you.*"

37. Hence, we are forced to interpret לְךָ not as *to you* but as *for you*.

38. In this case, לָךְ cannot mean *concerning you*, as Rashi's rule would have it, for *The place* referred to is *Eretz Yisrael*, and God was speaking of giving that land to all of the Jewish people, not just to Moses. If that verse had meant *concerning*, it should have said *concerning* ***them*** (i.e., the Jewish people).

[It should be noted that Rashi himself calls attention to this exception in his commentary on that verse.]

39. In this verse, as well (see previous footnote), if the Torah had meant to say *concerning* it should have said *concerning* ***them***, the Canaanites, for it is to them that the statement refers.

40. Rashi never doubted this fact; there are many examples of both prepositions being used with verbs of the root אמר. What Ramban means to say is that just as אמר can be followed by either אֶל or לְ, so too can דבר be followed by either preposition.

41. Rashi's proof was based on the fact that God had never spoken to Jacob before this vision. Ramban explains that God *did* speak to Jacob previously – earlier in this same vision!

ט רַק אֶת־בְּנִי לֹא תָשֵׁב שָׁמָּה: וַיָּשֶׂם הָעֶבֶד
אֶת־יָדוֹ תַּחַת יֶרֶךְ אַבְרָהָם אֲדֹנָיו וַיִּשָּׁבַע לוֹ
שלישי י עַל־הַדָּבָר הַזֶּה: וַיִּקַּח הָעֶבֶד עֲשָׂרָה גְמַלִּים

לְחוֹד יָת בְּרִי לָא תָתֵב לְתַמָּן: ט וְשַׁוִּי עַבְדָּא יָת יְדֵהּ תְּחוֹת יַרְכָּא דְאַבְרָהָם רִבּוֹנֵהּ וְקַיֵּים לֵהּ עַל פִּתְגָּמָא הָדֵין: י וּדְבַר עַבְדָּא עַשְׂרָא גַמְלִין

רש״י

אשה מבנות ענר אשכול וממרא: **רק את בני וגו׳.** רק מיעוט הוא, בני אינו חוזר אבל יעקב בן בני סופו לחזור (ב״ר נט):

רמב״ן

[ח] וְנִקִּיתָ מִשְּׁבֻעָתִי זֹאת. לֹא הִרְשָׁה אוֹתוֹ לָקַחַת לוֹ אִשָּׁה מִבְּנוֹת כְּנַעַן, אֲבָל שֶׁיִּהְיֶה הוּא פָּטוּר, וַה׳ הַטּוֹב בְּעֵינָיו יַעֲשֶׂה[42]. וְרַשִׁ״י כָּתַב: וְקַח לוֹ אִשָּׁה מִבְּנוֹת עָנֵר אֶשְׁכֹּל וּמַמְרֵא[43].

וְאִם כְּנַעֲנִים הֵם - חָלִילָה לוֹ[43a]! וּבֶאֱמֶת שֶׁהֵם מִזֶּרַע כְּנַעַן, שֶׁהַכָּתוּב אוֹמֵר ״מַמְרֵא הָאֱמֹרִי[44] אֲחִי אֶשְׁכֹּל וַאֲחִי עָנֵר״ [לעיל יד, יג].

וּבִבְרֵאשִׁית רַבָּה [נט, ח] אָמְרוּ: ״אֲשֶׁר לֹא תִקַּח אִשָּׁה וְגוֹ׳ ״ [פסוק ג], הִזְהִירוֹ בִּבְנוֹת כְּנַעַן עָנֵר אֶשְׁכֹּל וּמַמְרֵא״[44a]. כִּי עֲלֵיהֶם אָמַר ״אֲשֶׁר אָנֹכִי יוֹשֵׁב בְּקִרְבּוֹ״[44b], כִּי הוּא לֹא הָיָה יוֹשֵׁב בְּכָל הַכְּנַעֲנִי, כִּי עַמִּים רַבִּים הָיוּ[44c],

RAMBAN ELUCIDATED

this notion. What did Abraham expect the servant to do if he could not find a woman who would be willing to move to the land of Canaan? Ramban discusses this issue:]

לֹא הִרְשָׁה אוֹתוֹ לָקַחַת לוֹ אִשָּׁה מִבְּנוֹת כְּנַעַן – **[Abraham] was not granting permission to him** with these words that in such a case **he should take a wife for [Isaac] from the daughters of Canaan.** **אֲבָל שֶׁיִּהְיֶה הוּא פָּטוּר, וַה׳ הַטּוֹב בְּעֵינָיו יַעֲשֶׂה** – **Rather,** he meant that in such a case **[the servant] would be absolved** from finding a wife for Isaac altogether, **"and God would do as He saw fit."**[42]

[Ramban notes Rashi's opinion on the matter:]

וְרַשִׁ״י כָּתַב – **Rashi writes,** however: **וְקַח לוֹ אִשָּׁה מִבְּנוֹת עָנֵר אֶשְׁכֹּל וּמַמְרֵא** – **And take a wife for him from the daughters of Aner, Eshcol and Mamre.**[43]

[Ramban questions Rashi's view:]

וְאִם כְּנַעֲנִים הֵם ,חָלִילָה לוֹ – **But if these people were Canaanites, it would be sacrilege for [Isaac]** to marry into their families![43a] **וּבֶאֱמֶת שֶׁהֵם מִזֶּרַע כְּנַעַן** – **And the truth is that they *were* from the offspring of Canaan,** **שֶׁהַכָּתוּב אוֹמֵר ״מַמְרֵא הָאֱמֹרִי אֲחִי אֶשְׁכֹּל וַאֲחִי עָנֵר״** – **for Scripture says, *Mamre the Amorite,*[44] *the brother of Eshcol and the brother of Aner*** (above, 14:13).

[Ramban notes that the Midrash makes this very point:]

וּבִבְרֵאשִׁית רַבָּה אָמְרוּ – **In *Bereishis Rabbah*** (59:8) **they said:** **״אֲשֶׁר לֹא תִקַּח אִשָּׁה וְגוֹ׳ ״, הִזְהִירוֹ בִּבְנוֹת כְּנַעַן עָנֵר אֶשְׁכֹּל וּמַמְרֵא** – ***That you not take a wife** for my son, etc.*(v. 3) – **"[Abraham]** thereby **warned him *against*** taking one of **the daughters of Canaan,** such as **Aner, Eshcol and Mamre."**[44a] **כִּי עֲלֵיהֶם אָמַר ״אֲשֶׁר אָנֹכִי יוֹשֵׁב בְּקִרְבּוֹ״** – **For it was** specifically **about them that he said,** *[do] not take a wife for my son from the daughters of the Canaanites* ***among whom I dwell***[44b] (v. 3). **כִּי הוּא לֹא הָיָה יוֹשֵׁב בְּכָל הַכְּנַעֲנִי, כִּי עַמִּים רַבִּים הָיוּ** – **For he did not dwell among *all* the Canaanites, for [the Canaanites] consisted of many peoples!**[44c]

42. Stylistic citation from *I Chronicles* 19:13.

43. According to Rashi, then, Abraham wanted the servant to seek a wife from among the families of these three men if a wife could not be found in Abraham's own family.

43a. And therefore, suggests Ramban, Rashi must have been of the opinion that Aner, Eshcol and Mamre were not Canaanites. However, Rashi's opinion is untenable for, as Ramban now demonstrates, they indeed were Canaanites (Abohab).

44. And the Amorites were Canaanites (above, 10:16).

44a. Though Abraham used the general term (v. 3) *from the Canaanite daughters,* he was specifically referring to his close Canaanite associates, Aner, Eshcol and Mamre.

44b. "Among whom I dwell" indicates that he was referring to those in his immediate vicinity, i.e., the above-mentioned three families.

However, one may argue that "among whom I dwell" is a reference to *all* the Canaanites. Ramban counters that such a suggestion is unworthy of consideration, as he goes on to explain.

44c. One dwells among the people of his immediate

of mine. However, do not return my son to there."
9 *So the servant placed his hand under the thigh of*
Abraham his master and swore to him regarding this
matter. 10 *Then the servant took ten camels of his master's*

רמב"ן

אֲבָל הִזְהִיר עַל אֵלֶּה בַּעֲלֵי בְרִיתוֹ, וְכָל שֶׁכֵּן עַל הָאֲחֵרִים [לעיל יד, יג].

אֲבָל "וְנִקִּיתָ מִשְּׁבֻעָתִי", שֶׁיִּהְיֶה הוּא פָּטוּר. וְאַבְרָהָם הוּא הַיּוֹדֵעַ בְּיִצְחָק הַצַּדִּיק שֶׁיִּשְׁמַע לְאָבִיו, וְשֶׁיִּזָּהֵר בָּהֶם, וְיֵלֵךְ לוֹ אֶל יִשְׁמָעֵאל אוֹ לְלוֹט וְיֶתֶר הָעַמִּים.

וְיִתָּכֵן כִּי "מִשְּׁבֻעָתִי זֹאת", יִרְמֹז לְמַה שֶּׁאָמַר "וְלָקַחְתָּ אִשָּׁה לִבְנִי מִשָּׁם", [פסוק ז] כִּי אוּלַי הָיְתָה הַשְּׁבוּעָה עַל הַכֹּל[45], וְלֹא יִרְמֹז לַאֲשֶׁר אָמַר לוֹ "לֹא תִקַּח אִשָּׁה לִבְנִי מִבְּנוֹת הַכְּנַעֲנִי" [פסוק ג][46]. וְזֶה טַעַם "זֹאת"[47]. וּלְכָךְ אָמַר הָעֶבֶד "וְאֶפְנֶה עַל יָמִין אוֹ עַל שְׂמֹאל" [להלן פסוק מט], וְלֹא אָמַר "אָשׁוּבָה לִי"[48].

RAMBAN ELUCIDATED

אֲבָל הִזְהִיר עַל אֵלֶּה בַּעֲלֵי בְרִיתוֹ וְכָל שֶׁכֵּן עַל הָאֲחֵרִים – **Rather, he was warning** the servant **about** even **these** particular men, Aner, Eshcol and Mamre, who were **his allies** (above, 14:13), **and** it is self-evident that **all the more so** was he, in effect, warning **about the other** Canaanites.

[Ramban gives his own interpretation:]

אֲבָל "וְנִקִּיתָ מִשְּׁבֻעָתִי", שֶׁיִּהְיֶה הוּא פָּטוּר – **Rather, *"You shall be absolved of my oath"*** means **that he would be absolved** from the responsibility of finding Isaac a wife altogether. **וְאַבְרָהָם הוּא הַיּוֹדֵעַ בְּיִצְחָק הַצַּדִּיק שֶׁיִּשְׁמַע לְאָבִיו וְשֶׁיִּזָּהֵר בָּהֶם** – **And Abraham knew** with certainty, **concerning the righteous Isaac, that he would heed his father**'s wishes **and beware of** marrying one of **[the Canaanites]**, **וְיֵלֵךְ לוֹ אֶל יִשְׁמָעֵאל אוֹ לְלוֹט וְיֶתֶר הָעַמִּים** – **and** that he would **go** instead **to Ishmael or to Lot or to any of the other peoples** of the world to seek a wife.

[Ramban now suggests a second interpretation:]

וְיִתָּכֵן כִּי "מִשְּׁבֻעָתִי זֹאת", יִרְמֹז לְמַה שֶּׁאָמַר "וְלָקַחְתָּ אִשָּׁה לִבְנִי מִשָּׁם" – **It is** also **possible that** *"you shall be absolved" **from this oath of mine*** **refers to what he said, *"And you will take a wife for my son from there"*** (v. 7). **כִּי אוּלַי הָיְתָה הַשְּׁבוּעָה עַל הַכֹּל** – **For perhaps the oath** extended **over all** Abraham's instructions.[45] **וְלֹא יִרְמֹז לַאֲשֶׁר אָמַר לוֹ "לֹא תִקַּח אִשָּׁה לִבְנִי מִבְּנוֹת הַכְּנַעֲנִי"** – **And it does not refer to what he had said to him, *you will not take a wife for my son from the daughters of the Canaanites*** (v. 3).[46] **וְזֶה טַעַם "זֹאת"** – **And this is the meaning of** the word ***this*** in *"this" oath of mine.*[47] **וּלְכָךְ אָמַר הָעֶבֶד "וְאֶפְנֶה עַל יָמִין אוֹ עַל שְׂמֹאל", וְלֹא אָמַר "אָשׁוּבָה לִי"** – **And this is why the servant said** later that if Rebecca would not come with him, ***I will turn to the right or to the left*** (below, v. 49), **and he did not say, *I will return*** *home.*[48]

vicinity. One does not dwell among many peoples. Hence, "among whom I dwell" refers to Aner, Eshcol and Mamre.

45. Abraham's instructions to his servant included two points (vv. 3-4):

(1) *I will have you swear that you not take a wife for my son from the daughters of the Canaanites.*

(2) *Rather, to my land and to my birthplace shall you go, and take a wife for my son.*

Until now Ramban had assumed that Abraham's oath only included the first instruction – that the servant not take a wife for Isaac from the Canaanites. The instruction that the woman be from Haran was only a request. Thus, when Abraham absolved the servant from the oath, it must have meant that the servant no longer needed to seek a wife for Isaac (for in no way would Abraham have countenanced a wife from the Canaanites).

Now Ramban considers the possibility that both instructions were included in the oath. Hence when Abraham absolved the servant of *"this* oath" ("this" implying the existence of a second oath), he meant only that the wife would not need to be from Haran and could come from another people. The oath against a wife from the Canaanites still remained in effect.

Thus, the servant was still charged with finding a wife for Isaac, only not from the Canaanites.

[See also *Tosafos* to *Kiddushin* 61b, ד"ה בשלמא.]

46. That is, that part of the oath remains in effect.

47. By *this* Abraham meant that it was only ***this*** part of the oath, which he had just reiterated, from which the servant would be absolved.

48. The servant thus intimated that if Rebecca would not come with him he would search elsewhere for Isaac's wife, and would not "return home" and remove himself from the matter altogether.

מִגְּמַלֵּי אֲדֹנָיו וַיֵּלֶךְ וְכָל־טוּב אֲדֹנָיו בְּיָדוֹ וַיָּקָם
יא וַיֵּלֶךְ אֶל־אֲרַם נַהֲרַיִם אֶל־עִיר נָחוֹר: וַיַּבְרֵךְ
הַגְּמַלִּים מִחוּץ לָעִיר אֶל־בְּאֵר הַמָּיִם לְעֵת עֶרֶב

מִגַּמְלֵי רִבּוֹנֵהּ וַאֲזַל וְכָל שְׁפַר רִבּוֹנֵהּ בִּידֵהּ וְקָם וַאֲזַל לַאֲרַם דִּי עַל פְּרָת לְקַרְתָּא דְנָחוֹר: יא וְאַשְׁרֵי גַמְלַיָּא מִבְּרָא לְקַרְתָּא עִם בֵּירָא דְמַיָּא לְעִדָּן רַמְשָׁא

רש״י

(י) מגמלי אדניו. נכרין היו משאר גמלים, שהיו יוצאין זמומין מפני הגזל שלא ירעו בשדות אחרים (שם יא): וכל טוב אדניו בידו. שטר מתנה כתב ליצחק על כל אשר לו, כדי שיקפצו לשלוח לו בתם (שם): ארם נהרים. בין שתי נהרות יושבת: (יא) ויברך הגמלים. הרביצם (שם):

רמב״ן

[י] וְכָל טוּב אֲדֹנָיו בְּיָדוֹ. לְשׁוֹן רַשִׁ״י: שְׁטַר מַתָּנָה, שֶׁכָּתַב לְיִצְחָק כָּל אֲשֶׁר לוֹ[49] כְּדֵי שֶׁיִּקְפְּצוּ לִשְׁלֹחַ לוֹ בִּתָּם.

וְכֵן בִּבְרֵאשִׁית רַבָּה [נט, יא]: דַּיְיתִיקִי.

וּלְדַעַת זוֹ, מַה שֶּׁכָּתוּב [להלן כה, ה]: ״וַיִּתֵּן אַבְרָהָם אֶת כָּל אֲשֶׁר לוֹ לְיִצְחָק״[50] - לוֹמַר שֶׁהֶחֱזִיק אוֹתוֹ בַּנְּכָסִים בִּשְׁעַת פְּטִירָתוֹ שֶׁלֹּא יְעַרְעֲרוּ בוֹ[51], כְּמוֹ שֶׁאָמַר [שם פסוק ו]: ״וַיְשַׁלְּחֵם מֵעַל יִצְחָק בְּנוֹ בְּעוֹדֶנּוּ חַי״[52].

וְאִם כֵּן[53], תִּהְיֶה מִלַּת הַלְּקִיחָה מוּשֶׁכֶת[54]: ״וְכָל טוּב אֲדוֹנָיו בְּיָדוֹ״ [פסוק י] - לָקַח בְּיָדוֹ[55]. אוֹ, ״וַיִּקַּח

RAMBAN ELUCIDATED

10. וְכָל טוּב אֲדֹנָיו בְּיָדוֹ – ***AND ALL THE BOUNTY OF HIS MASTER WAS IN HIS HAND.***

[To what does *all the bounty of his master* refer? Ramban cites Rashi's explanation:]

לְשׁוֹן רַשִׁ״י – The following is **a quote from Rashi:**

שְׁטַר מַתָּנָה, שֶׁכָּתַב לְיִצְחָק כָּל אֲשֶׁר לוֹ כְּדֵי שֶׁיִּקְפְּצוּ לִשְׁלֹחַ לוֹ בִּתָּם – This refers to a **gift-document, for [Abraham] had deeded to Isaac all that he possessed,**[49] **so that [people] should be eager to send him their daughter.**

וְכֵן בִּבְרֵאשִׁית רַבָּה – **The same** is found **in *Bereishis Rabbah*** (59:11): **דַּיְיתִיקִי** – "He sent with him **a gift-document** giving everything to Isaac."

[Ramban notes a difficulty with Rashi's explanation and resolves it:]

וּלְדַעַת זוֹ מַה שֶּׁכָּתוּב ״וַיִּתֵּן אַבְרָהָם אֶת כָּל אֲשֶׁר לוֹ לְיִצְחָק״ – **And according to this opinion, that which is written** that at the end of his life, ***Abraham gave all that he had to Isaac*** (below, 25:5),[50] **לוֹמַר שֶׁהֶחֱזִיק אוֹתוֹ בַּנְּכָסִים בִּשְׁעַת פְּטִירָתוֹ שֶׁלֹּא יְעַרְעֲרוּ בוֹ** – **means to say that just before his death, [Abraham] saw to it that [Isaac]** physically **take possession of the property, so that [people] would not contest [his ownership],**[51] **כְּמוֹ שֶׁאָמַר ״וַיְשַׁלְּחֵם מֵעַל יִצְחָק בְּנוֹ בְּעוֹדֶנּוּ חַי״** – **just as it says** in the following verse, ***then he sent [the sons]*** of his concubines ***away from Isaac his son, while he was still alive*** (ibid. 25:6).[52]

[Ramban raises and resolves another difficulty with Rashi's interpretation:[53]]

וְאִם כֵּן תִּהְיֶה מִלַּת הַלְּקִיחָה מוּשֶׁכֶת: – **If this is so,** i.e., that he took the gift-document, **the verb of "taking" relates** to a second clause in the sentence as well,[54] so that **״וְכָל טוּב אֲדֹנָיו בְּיָדוֹ״ לָקַח בְּיָדוֹ** – ***and all the bounty of his master "in his hand"*** (v. 10) should be understood as if it were written, *and all the bounty of his master* **לָקַח בְּיָדוֹ** ***"he took" in his hand,***[55] **אוֹ, ״וַיִּקַּח הָעֶבֶד**

49. *All the bounty of his master*, then, is meant literally: The servant had a deed of title to *all* of Abraham's possessions.

50. The implied question is: Why would Abraham, at the end of his life, give to Isaac the possessions that he had already given him many years earlier?

51. The Torah's mention of Abraham's gift to Isaac in 25:25 does not mean that the gift was *made* at that time, but that it was *reinforced* then.

52. This, too, was done in order to strengthen Isaac's position as Abraham's sole heir.

53. Here, too, we are confronted with an implied question: According to Rashi, the servant had a tangible document in his hand to show that Isaac was master of Abraham's wealth. Then why does the verse say that he "took ten camels" and not specifically also say that he "*took*" *all the bounty,* i.e., the all-important document?

54. The grammatical concept of מוּשֶׁכֶת עַצְמָהּ וְאַחֵר עִמָּהּ involves viewing a single word in a verse as if it were written twice. See above, 2:19, note 136, and on 6:13, note 49.

55. According to this interpretation, although *took* is

camels and went, and all the bounty of his master was in his hand, and he arose and went to Aram Naharaim to the city of Nahor. [11] *He made the camels kneel down outside the city towards a well of water at evening time,*

רמב״ן

הָעֶבֶד עֲשָׂרָה גְמַלִּים... וְכָל טוּב אֲדוֹנָיו בְּיָדוֹ... וַיֵּלֶךְ״[56].

וַאֲחֵרִים[57] מְפָרְשִׁים, כִּי הָעֶבֶד כַּאֲשֶׁר נִשְׁבַּע מִיַּד הָלַךְ מֵעַצְמוֹ וְלָקַח עֲשָׂרָה גְמַלִּים מִגְּמַלֵּי אֲדוֹנָיו[57a], כִּי כָּל טוּב אֲדוֹנָיו הָיָה בְיָדוֹ[57b], וְהוּא פָּקִיד וְנָגִיד עַל הַכֹּל לָקַחַת מִמֶּנּוּ כַּאֲשֶׁר יִרְצֶה, כְּמוֹ שֶׁאָמַר [פסוק ב]: ״הַמּוֹשֵׁל בְּכָל אֲשֶׁר לוֹ״ [פסוק ב][58].

וְהַנָּכוֹן בְּעֵינַי כִּי טַעַם הַפָּסוּק הַזֶּה כְּטַעַם הַכָּתוּב בַּחֲזָאֵל [מלכים־ב ח, ט]: ״וַיֵּלֶךְ חֲזָאֵל לִקְרָאתוֹ וַיִּקַּח מִנְחָה בְיָדוֹ[59] - וְכָל טוּב דַּמֶּשֶׂק, מַשָּׂא אַרְבָּעִים גָּמָל״. אַף כָּאן אָמַר כִּי לָקַח כָּל טוּב אֲדוֹנָיו בְּיָדוֹ, מַשָּׂא עֲשָׂרָה גְמַלִּים[60]. וְהָעִנְיָן כִּי כָּל הַטּוֹב וְהַמְעֻלֶּה בְּמִינִים הָהֵם[61] - פֵּרוֹת וּמִגְדָּנוֹת, מִכָּל הַנִּמְצָא בְּדַמֶּשֶׂק אוֹ בְּבֵית אֲדוֹנָיו

RAMBAN ELUCIDATED

״עֲשָׂרָה גְמַלִּים... וְכָל טוּב אֲדֹנָיו בְּיָדוֹ... וַיֵּלֶךְ״ – or ***Then the servant took ten camels and all the bounty of his master in his hand, and he went ...***[56]

[Ramban cites another source that explains the verse in a manner that avoids these two problems:]

וַאֲחֵרִים מְפָרְשִׁים – Others[57] explain כִּי הָעֶבֶד כַּאֲשֶׁר נִשְׁבַּע מִיַּד הָלַךְ מֵעַצְמוֹ וְלָקַח עֲשָׂרָה גְמַלִּים מִגְּמַלֵּי אֲדוֹנָיו **– that the servant, as soon as he swore** to Abraham, **immediately went on his own** authority, **and took ten of his master's camels,** כִּי כָּל טוּב אֲדוֹנָיו הָיָה בְיָדוֹ ***– "because"[57a] all the bounty of his master was in his hand,***[57b] וְהוּא פָּקִיד וְנָגִיד עַל הַכֹּל לָקַחַת מִמֶּנּוּ כַּאֲשֶׁר יִרְצֶה **– since he was the administrator and trustee over all** of Abraham's property, enabling him **to take** any item **from it as he wished,** כְּמוֹ שֶׁאָמַר ״הַמּוֹשֵׁל בְּכָל אֲשֶׁר לוֹ״ **– as it says,** *his servant ...* ***who controlled all that was his*** (v. 2).[58]

[Ramban now presents his own explanation:]

וְהַנָּכוֹן בְּעֵינַי – The most satisfactory interpretation **in my view is** כִּי טַעַם הַפָּסוּק הַזֶּה כְּטַעַם הַכָּתוּב בַּחֲזָאֵל **– that the meaning of this verse is the same as the meaning of that which is written regarding Hazael** (*II Kings* 8:9): ״וַיֵּלֶךְ חֲזָאֵל לִקְרָאתוֹ וַיִּקַּח מִנְחָה בְיָדוֹ, וְכָל טוּב דַּמֶּשֶׂק מַשָּׂא אַרְבָּעִים גָּמָל״ ***– Hazael went to meet [Elisha], taking a tribute in his hand***[59] ***– all the bounty of Damascus, forty camel-loads.*** אַף כָּאן אָמַר כִּי לָקַח כָּל טוּב אֲדוֹנָיו בְּיָדוֹ מַשָּׂא עֲשָׂרָה גְמַלִּים **– Here, too, it** means to **say that he took all the bounty of his master in his hand** (i.e., along with him), a load for ten camels.[60] וְהָעִנְיָן כִּי כָּל הַטּוֹב וְהַמְעֻלֶּה בְּמִינִים הָהֵם, פֵּרוֹת וּמִגְדָּנוֹת, מִכָּל הַנִּמְצָא בְּדַמֶּשֶׂק אוֹ בְּבֵית אֲדוֹנָיו **– The**

---

not written in connection with the document, the concept of מוֹשְׁכֶת וכו׳ allows us to regard it as if it *were* written in that connection.

56. According to this interpretation, the first וַיֵּלֶךְ (*and he went*) of the verse is understood as if it appears later in the verse, so that וַיִּקַּח (*and he took*) applies to the document as well, without the need to invoke the concept of מוֹשְׁכֶת וכו׳ and to imagine that the word "took" is repeated.

57. This interpretation is also found in the commentary of Rabbi Yosef Bechor-Shor.

57a. The ו׳ prefix, which generally means "and," here should be understood as "because."

57b. I.e., "in his hand" is not to be understood literally, but as "in his control." Accordingly, וַיִּקַּח הָעֶבֶד עֲשָׂרָה גְמַלִּים, *the servant took ten camels,* means exactly that – he took ten camels and nothing more.

58. This latter explanation avoids the difficulties that Ramban raised with Rashi's interpretation: There was no early deed of title to Abraham's possessions [this explains why Abraham had to give *all that he had* to Isaac close to his death (he had *not* given it to him earlier)] and there was thus no tangible object "*in his hands*" for which Scripture should have written *he took* a second time (avoiding the second difficulty).

59. According to Ramban (unlike Rashi), *in his hand* is a figure of speech, for Hazael obviously did not carry forty camel-burden's worth of food in his own hand. Rather, it means that he took this tribute along with him.

60. According to Ramban, then, the עֲשָׂרָה גְמַלִּים, *ten camels,* and וְכָל טוּב אֲדֹנָיו, *all the bounty of his master,* refers to one and the same thing – ten camel-loads of gifts.

יב לְעֵת צֵאת הַשֹּׁאֲבֹת: וַיֹּאמַר ׀ יְהוָה אֱלֹהֵי אֲדֹנִי
אַבְרָהָם הַקְרֵה־נָא לְפָנַי הַיּוֹם וַעֲשֵׂה־חֶסֶד עִם
יג אֲדֹנִי אַבְרָהָם: הִנֵּה אָנֹכִי נִצָּב עַל־עֵין הַמָּיִם וּבְנוֹת
יד אַנְשֵׁי הָעִיר יֹצְאֹת לִשְׁאֹב מָיִם: וְהָיָה °הנער אֲשֶׁר °הַנַּעֲרָה ק'
אֹמַר אֵלֶיהָ הַטִּי־נָא כַדֵּךְ וְאֶשְׁתֶּה וְאָמְרָה
שְׁתֵה וְגַם־גְּמַלֶּיךָ אַשְׁקֶה אֹתָהּ הֹכַחְתָּ לְעַבְדְּךָ
לְיִצְחָק וּבָהּ אֵדַע כִּי־עָשִׂיתָ חֶסֶד עִם־אֲדֹנִי:

לְעִדָּן דְּנָפְקָן מַלְיָתָא: יב וַאֲמַר יְיָ
אֱלָהֵהּ דְּרִבּוֹנִי אַבְרָהָם זַמֵּין כְּעַן
קֳדָמַי יוֹמָא דֵין וַעֲבֵד טִיבוּ עִם
רִבּוֹנִי אַבְרָהָם: יג הָא אֲנָא קָאֵם
עַל עֵינָא דְמַיָּא וּבְנַת אֱנָשֵׁי
קַרְתָּא נָפְקָן לְמִמְלֵי מַיָּא: יד וִיהֵי
עוּלֵמְתָּא דְּאֵימַר לַהּ אַרְכִינִי כְעַן
קוּלְתִיךְ וְאֶשְׁתֵּי וְתֵימַר אִשְׁתְּ וְאַף
גַּמְלָיךְ אַשְׁקֵי יָתַהּ זַמֶּנְתָּא
לְעַבְדָּךְ לְיִצְחָק וּבַהּ אִידַע
אֲרֵי עֲבַדְתְּ טִיבוּ עִם רִבּוֹנִי:

רש"י

(יד) אתה הכחת. ראויה היא לו, שתהא גומלת חסדים וכדאי היא ליכנס בביתו של אברהם (עי' יבמות עט.). ולשון הוכחת בררת, אפרובי"ר בלע"ז: **ובה אדע.** לשון תחינה, הודע לי בה **כי עשית חסד.** אם תהיה ממשפחתו והוגנת לו אדע כי עשית

רמב"ן

- לָקְחוּ מַשָּׂא הַגְּמַלִּים, וְהוֹלִיכוּ מִנְחָה בְּיָדָם. וְכֵן: "עֲשָׂרָה חֲמֹרִים נוֹשְׂאִים מִטּוּב מִצְרָיִם" [להלן מה, כג]. וְהַמִּקְרָאוֹת יְקַצְּרוּ לְשׁוֹנָם בַּמּוּבָן[62].

[יד] אַתָּה הוֹכַחְתָּ לְעַבְדְּךָ לְיִצְחָק. לְשׁוֹן רַשִׁ"י: רְאוּיָה הִיא לוֹ, שֶׁהִיא גּוֹמֶלֶת חֲסָדִים וּרְאוּיָה לִכָּנֵס בְּבֵיתוֹ שֶׁל אַבְרָהָם[63]. "וּבָהּ אֵדַע" - לְשׁוֹן תְּחִנָּה: הוֹדִיעֵנִי בָּהּ שֶׁעָשִׂיתָ חֶסֶד עִם אֲדוֹנִי.

וְאִם כֵּן, יֹאמַר: יָדַעְתִּי כִּי בֶּאֱמֶת אוֹתָהּ הוֹכַחְתָּ לְעַבְדְּךָ לְיִצְחָק[64]. וְאֵינוֹ נִקְשָׁר יָפֶה[65].

RAMBAN ELUCIDATED

idea is that of **all the best and superior kinds** of food[61] – **fruits and delicacies** – **from all that was to be found in Damascus** in the case of Hazael, **or in the house of his master** in the case of Abraham's servant, **לָקְחוּ מַשָּׂא הַגְּמַלִּים** – **they took** enough samples of those items to constitute **a load for the camels, וְהוֹלִיכוּ מִנְחָה בְּיָדָם** – **and they brought** this **tribute** with them **"in their hands." וְכֵן: "עֲשָׂרָה חֲמֹרִים נוֹשְׂאִים מִטּוּב מִצְרָיִם"** – **Similar** to this we find, ***Ten he-donkeys laden with the best of Egypt"*** (below, 45:23). **וְהַמִּקְרָאוֹת יְקַצְּרוּ לְשׁוֹנָם בַּמּוּבָן** – **However, the verses** of Scripture **keep their expressions brief in that which is** self-**understood.**[62]

14. אַתָּה הוֹכַחְתָּ לְעַבְדְּךָ לְיִצְחָק – ***HER WILL YOU HAVE DESIGNATED FOR YOUR SERVANT, FOR ISAAC.***

[What exactly did the servant mean by these words? Ramban begins his discussion with Rashi's interpretation:]

לְשׁוֹן רַשִׁ"י – The following is **a quote from Rashi:**

רְאוּיָה הִיא לוֹ – *Her will you have designated* – **She is fitting for him, שֶׁהִיא גּוֹמֶלֶת חֲסָדִים וּרְאוּיָה לִכָּנֵס בְּבֵיתוֹ שֶׁל אַבְרָהָם** – **for she performs acts of kindness and is worthy of entering the household of Abraham.**[63] **"וּבָהּ אֵדַע"** – ***And may I know through her*** – **לְשׁוֹן תְּחִנָּה, הוֹדִיעֵנִי בָּהּ שֶׁעָשִׂיתָ חֶסֶד עִם אֲדוֹנִי** – This is **an expression of supplication: "Let me know through her that you have done kindness with my master."**

[Ramban explains Rashi's interpretation, and challenges it:]

וְאִם כֵּן יֹאמַר: יָדַעְתִּי כִּי בֶּאֱמֶת אוֹתָהּ הוֹכַחְתָּ לְעַבְדְּךָ לְיִצְחָק – **If so, he is saying: "I know that in truth You**

61. Ramban thus explains that ***all** the bounty of his master* does not mean "everything his master owned" as Rashi interprets it, but rather "*a representative sample of **all*** the best foods and delicacies of his master's house."

62. The verse just cited (*ten he-donkeys laden with the best of Egypt*) expresses the idea most clearly: there were ten donkeys, and these donkeys were carrying fine-quality gifts. Our verse mentions the camels and the gifts, but does not explicitly state that the camels were laden with the gifts. This is because "the verses keep their expressions brief in that which is self-understood."

63. According to Rashi, the words אֹתָהּ הֹכַחְתָּ (*her will You have designated*) were not part of the servant's request, but rather the conclusion he would reach

the time when the women who draw come out. 12 *And he said,*
"HASHEM, God of my master Abraham, may You so arrange it for me this day that You do kindness with my master Abraham. 13 *Behold, I am standing by the spring of water and the daughters of the townsmen come out to draw water.* 14 *Let it be that the maiden to whom I shall say, 'Please tip over your jug so I may drink,' and who replies, 'Drink, and I will even water your camels,' her will You have designated for Your servant, for Isaac; and may I know through her that You have done kindness with my master."*

רמב״ן

אֲבָל פֵּרוּשׁוֹ: הַקְרֵה נָא לְפָנַי הַיּוֹם הַזֶּה הַמִּקְרֶה, שֶׁתִּהְיֶה "הַנַּעֲרָה אֲשֶׁר אֹמַר אֵלֶיהָ" "אוֹתָהּ שֶׁהוֹכַחְתָּ לְעַבְדְּךָ לְיִצְחָק"[66], "וַעֲשֵׂה בָּזֶה חֶסֶד עִם אֲדוֹנִי אַבְרָהָם" כִּי "בָהּ אֵדַע כִּי עָשִׂיתָ חֶסֶד" עִמּוֹ, אִם תִּהְיֶה מִמִּשְׁפַּחְתּוֹ וְטוֹבַת שֵׂכֶל וִיפַת מַרְאֶה. וְכֵן אָמַר [פסוקים מג־מד]: "וְהָיָה הָעַלְמָה ... הִיא הָאִשָּׁה אֲשֶׁר הוֹכִיחַ ה׳ "[67].

RAMBAN ELUCIDATED

have designated her for Your servant, for Isaac."[64] **וְאֵינוֹ נִקְשָׁר יָפֶה** – **But [the** various **parts]** of the verse **do not go together well** according to this.[65]

[Ramban presents his own interpretation whereby the servant's entire statement is one continuous prayer:]

אֲבָל פֵּרוּשׁוֹ: – **Rather, its** correct **interpretation is** that the servant said as follows: **הַקְרֵה נָא לְפָנַי הַיּוֹם הַזֶּה הַמִּקְרֶה, שֶׁתִּהְיֶה הַנַּעֲרָה אֲשֶׁר אֹמַר אֵלֶיהָ, אוֹתָהּ שֶׁהוֹכַחְתָּ לְעַבְדְּךָ לְיִצְחָק** – **"May You so arrange it for me this day this occurrence: that the girl to whom I say,** *Please tip over the jug...* **should be the one whom You have designated for Your servant, for Isaac,**[66] **וַעֲשֵׂה בָּזֶה חֶסֶד עִם אֲדוֹנִי אַבְרָהָם** – **and thereby do kindness with my master Abraham. כִּי בָהּ אֵדַע כִּי עָשִׂיתָ חֶסֶד עִמּוֹ, אִם תִּהְיֶה מִמִּשְׁפַּחְתּוֹ וְטוֹבַת שֵׂכֶל וִיפַת מַרְאֶה** – **For through her I will know that You have done kindness with him, if she will be from his family and will be a girl of good sense and beautiful appearance."** **וְכֵן אָמַר "וְהָיָה הָעַלְמָה... הִיא הָאִשָּׁה אֲשֶׁר הוֹכִיחַ ה׳ "** – **And so he said** in his later recapitulation (vv. 43-44), ***"Let it be that the young woman ... she shall be the woman whom HASHEM has designated*** *for my master*'s son".[67]

should his request be met. The request was, "Send me a girl who will draw water for my camels." If that request would be met, the servant would conclude that this girl had been designated for Isaac by God.

64. Accordingly, "I know that ... You have designated her ..." is a statement of fact.

65. The various parts of the verse do not go together well because there is an interruption in the servant's prayer, viz., he begins with: ... הַקְרֵה נָא לְפָנַי, *may You so arrange it for me* ... (v. 12). He follows this with (v. 14): אֹתָהּ הֹכַחְתָּ לְעַבְדְּךָ לְיִצְחָק, her will *You have designated for Your servant, for Isaac* ... which is not part of his prayer. He then concludes (ibid.), וּבָהּ אֵדַע כִּי עָשִׂיתָ חֶסֶד עִם אֲדֹנִי, *and may I know through her that You have done kindness with my master* – which is a continuation of his prayer.

66. According to Ramban, the servant's request was not simply that a girl with refined manners should happen to come to the spring. There was an additional aspect to the request – namely, that that very girl should be the one who was designated by God as Isaac's mate – a member of Abraham's family, a girl with good sense and beautiful appearance, etc.

In summary: According to Ramban אֹתָהּ הֹכַחְתָּ, *her will you have designated,* was part of the servant's request, while according to Rashi it was the servant's conclusion drawn from the fulfillment of the request.

67. When the servant recounts his experiences at the well (vv. 43-44) to Rebecca's family, he paraphrases his statement to God beginning with, ... ה׳ אֱלֹהֵי אֲדֹנִי אַבְרָהָם, *HASHEM, God of my master Abraham* ... What follows in vv. 43-44 is all part of his prayer. In it he includes: הִיא הָאִשָּׁה אֲשֶׁר הוֹכִיחַ ה׳ לְבֶן אֲדֹנִי, *She shall be the woman whom HASHEM had designated for my master's son.* This is obviously a paraphrase of our אֹתָהּ הֹכַחְתָּ לְעַבְדְּךָ לְיִצְחָק, *her will You have designated for your servant, Isaac.* Hence, Ramban concludes, this demonstrates that אֹתָהּ הֹכַחְתָּ, *her will You have designated,* is also part of the uninterrupted prayer (based on *Tur HaAroch's* apparent understanding of Ramban).

טו וַיְהִי־הוּא טֶרֶם כִּלָּה לְדַבֵּר וְהִנֵּה רִבְקָה
יֹצֵאת אֲשֶׁר יֻלְּדָה לִבְתוּאֵל בֶּן־מִלְכָּה אֵשֶׁת
°וְהַנַּעֲרָה ק טז נָחוֹר אֲחִי אַבְרָהָם וְכַדָּהּ עַל־שִׁכְמָהּ: °והנער
טֹבַת מַרְאֶה מְאֹד בְּתוּלָה וְאִישׁ לֹא יְדָעָהּ
יז וַתֵּרֶד הָעַיְנָה וַתְּמַלֵּא כַדָּהּ וַתָּעַל: וַיָּרָץ
הָעֶבֶד לִקְרָאתָהּ וַיֹּאמֶר הַגְמִיאִינִי נָא מְעַט־
יח מַיִם מִכַּדֵּךְ: וַתֹּאמֶר שְׁתֵה אֲדֹנִי וַתְּמַהֵר

טו וַהֲוָה הוּא עַד לָא שֵׁיצֵי לְמַלָּלָא וְהָא רִבְקָה נְפָקַת דְּאִתְיְלִידַת לִבְתוּאֵל בַּר מִלְכָּה אִתַּת נָחוֹר אֲחוּהִי דְאַבְרָהָם וְקוּלְתַהּ עַל כַּתְפַהּ: טז וְעוּלֶמְתָּא שַׁפִּירַת חֵיזוּ (נ״א שַׁפִּירָא לְמֶחֱזֵי) לַחֲדָא בְּתֻלְתָּא וּגְבַר לָא יַדְעַהּ וּנְחָתַת לְעֵינָא וּמְלַת קוּלְתַהּ וּסְלֵקַת: יז וּרְהַט עַבְדָּא לְקֳדָמוּתַהּ וַאֲמַר אַשְׁקִינִי (נ״א אַטְעֲמִנִי) כְּעַן זְעֵיר מַיָּא מִקּוּלְתִיךְ: יח וַאֲמֶרֶת אֵשְׁתְּ רִבּוֹנִי וְאוֹחִיאַת

רש״י

חסד: (טז) **בתולה.** ממקום בתולים: **ואיש לא ידעה.** שלא כדרכה. לפי שבנות הכנענים היו משמרות מקום בתוליהן ומפקירות עצמן ממקום אחר, העיד על זו שנקייה מכל (ב״ר ס:ה): (יז) **וירץ העבד לקראתה.** לפי שראה שעלו המים לקראתה (שם): **הגמיאיני נא.** לשון גמיעה (שבת עז.), הומי״ר בלע״ז: (יח) **ותרד כדה.** מעל שכמה:

רמב״ן

[טו] **אֲשֶׁר יֻלְּדָה לִבְתוּאֵל בֶּן מִלְכָּה.** בַּעֲבוּר שֶׁהָיָה לְנָחוֹר בָּנִים מִפִּלַגְשׁוֹ רְאוּמָה [לעיל כב, כד], יְחַסוֹ לְעוֹלָם בְּתוּאֵל בֶּן מִלְכָּה.

וּבַעֲבוּר שֶׁהַנַּעֲרָה הִזְכִּירָה אֵם אָבִיהָ תְּחִלָּה: ״בַּת בְּתוּאֵל אָנֹכִי בֶּן מִלְכָּה״ [להלן פסוק ד], כִּי כֵן דֶּרֶךְ הַנְּעָרוֹת, כְּדֶרֶךְ ״וַתַּגֵּד לְבֵית אִמָּהּ״ [פסוק כח], לָכֵן יַזְכִּירֶנּוּ הַכָּתוּב כִּי הוּא בֶּן מִלְכָּה אֵשֶׁת נָחוֹר. אֲבָל הָעֶבֶד אָמַר ״וַתֹּאמֶר בַּת בְּתוּאֵל בֶּן נָחוֹר״ [פסוק מז], כִּי תִּקֵּן הַדָּבָר בְּדֶרֶךְ מוּסָר[68]. אֲבָל אָמַר ״אֲשֶׁר יָלְדָה לּוֹ מִלְכָּה״[69], לוֹמַר שֶׁהוּא בֶּן הַגְּבִירָה[70].

RAMBAN ELUCIDATED

15. אֲשֶׁר יֻלְּדָה לִבְתוּאֵל בֶּן מִלְכָּה – ***SHE WHO HAD BEEN BORN TO BETHUEL THE SON OF MILCAH*** *[THE WIFE OF NAHOR, BROTHER OF ABRAHAM].*

[The point of this verse appears to be the identification of Rebecca as the granddaughter of Abraham's brother Nahor. Why, then, is her grandmother (Milcah) mentioned as well? Ramban explains:]

בַּעֲבוּר שֶׁהָיָה לְנָחוֹר בָּנִים מִפִּלַגְשׁוֹ רְאוּמָה, יְחַסוֹ לְעוֹלָם בְּתוּאֵל בֶּן מִלְכָּה – Because Nahor had children from his concubine Reumah (above, 22:24), **[Scripture] always mentions [Bethuel's] parentage** as ***Bethuel, the son of Milcah*** to stress that he was born to Nahor from his wife (Milcah) and not from his concubine (Reumah).

[Bethuel is identified by his parentage three times in this story – in vv. 15, 24 and 47. The first two times his mother (Milcah) is mentioned first, before his father (Nahor), while the third time the order is reversed. Ramban explains why this is so:]

וּבַעֲבוּר שֶׁהַנַּעֲרָה הִזְכִּירָה אֵם אָבִיהָ תְּחִלָּה: – And because the maiden herself **mentioned her father's mother first,** before her father's father, saying, **״בַּת בְּתוּאֵל אָנֹכִי בֶּן מִלְכָּה״ – *I am the daughter of Bethuel the son of Milcah*** *whom she bore to Nahor* (below, v. 24), **כִּי כֵן דֶּרֶךְ הַנְּעָרוֹת, כְּדֶרֶךְ ״וַתַּגֵּד לְבֵית אִמָּהּ״ – for such is the manner of young maidens** to have a closer relationship with their mother than with their father, **as** can be seen below, ***She told her mother's household*** (v. 28), **לָכֵן יַזְכִּירֶנּוּ הַכָּתוּב כִּי הוּא בֶּן מִלְכָּה אֵשֶׁת נָחוֹר – therefore, Scripture mentions** in our verse as well **that he was *the son of Milcah, the wife of Nahor,"*** in that order. **אֲבָל הָעֶבֶד אָמַר ״וַתֹּאמֶר בַּת בְּתוּאֵל בֶּן נָחוֹר״ – The servant, however, said, *And she said, "The daughter of Bethuel, son of Nahor,*** *whom Milcah bore to him"* (v. 47), purposely reversing the order, **כִּי תִּקֵּן הַדָּבָר בְּדֶרֶךְ מוּסָר – for he corrected the matter out of propriety.**[68] **אֲבָל אָמַר ״אֲשֶׁר יָלְדָה לּוֹ מִלְכָּה״, לוֹמַר שֶׁהוּא בֶּן הַגְּבִירָה – But he** too **said** further, ***whom Milcah bore to him,***[69] **to indicate that he was the son of the wife** and

68. It is more proper to mention a person's father before mentioning his mother. Therefore, the servant altered Rebecca's words when he quoted her, to conform to etiquette.

69. Ramban's implied question is: Rebecca had reason to mention who her grandmother was, "for such is the

[15] *And it was when he had not yet finished speaking that suddenly Rebecca was coming out — she who had been born to Bethuel the son of Milcah the wife of Nahor, brother of Abraham — with her jug upon her shoulder.* [16] *Now the maiden was very fair to look upon; a virgin whom no man had known. She descended to the spring, filled her jug and ascended.* [17] *The servant ran toward her and said, "Let me sip, if you please, a little water from your jug."* [18] *She said, "Drink, my lord," and quickly*

רמב״ן

[יז] וַיָּרָץ הָעֶבֶד לִקְרָאתָהּ. לְשׁוֹן רַשִׁ״י: לְפִי שֶׁרָאָה שֶׁעָלוּ הַמַּיִם לִקְרָאתָהּ.

וּבִבְרֵאשִׁית רַבָּה [ס, ה]: ״וַתְּמַלֵּא כַדָּהּ וַתָּעַל״ - כָּל הַנָּשִׁים יוֹרְדוֹת וּמְמַלְּאוֹת מִן הָעַיִן, וְזוֹ כֵּיוָן שֶׁרָאוּ אוֹתָהּ הַמַּיִם - מִיָּד עָלוּ. אָמַר לָהּ הַקָּדוֹשׁ בָּרוּךְ הוּא: אַתְּ סִימָן בְּרָכָה לְבָנַיִךְ[71].

נִרְאֶה שֶׁדִּקְדְּקוּ כֵּן מִלְּשׁוֹן ״וַתְּמַלֵּא כַדָּהּ וַתָּעַל״ שֶׁלֹּא אָמַר ״וַתִּשְׁאַב וַתְּמַלֵּא״[72]. וְנַעֲשָׂה לָהּ הַנֵּס בַּפַּעַם הָרִאשׁוֹנָה[72a], כִּי אַחֲרֵי כֵן כָּתוּב ״וַתִּשְׁאַב״. וְהָעֶבֶד כְּשֶׁסִּפֵּר לָהֶם אָמַר ״וַתֵּרֶד הָעַיְנָה וַתִּשְׁאָב״ [פסוק מה], אוּלַי לֹא יַאֲמִינוּ[72b].

RAMBAN ELUCIDATED

not the concubine.[70]

17. וַיָּרָץ הָעֶבֶד לִקְרָאתָהּ – ***THE SERVANT RAN TOWARDS HER.***

[Ramban cites Rashi's comment and discusses it:]

לְשׁוֹן רַשִׁ״י – The following is **a quote from Rashi:**

לְפִי שֶׁרָאָה שֶׁעָלוּ הַמַּיִם לִקְרָאתָהּ – **Because he saw that the water rose** miraculously **towards her.**

[Ramban cites the Midrashic source:]

וּבִבְרֵאשִׁית רַבָּה: – **And in** ***Bereishis Rabbah*** (60:5) **it says:** **״וַתְּמַלֵּא כַדָּהּ וַתָּעַל״, כָּל הַנָּשִׁים יוֹרְדוֹת וּמְמַלְּאוֹת מִן הָעַיִן** – ***She filled her jug and ascended*** – **"All the** other **women were going down and filling up** their jugs **from the spring,** **וְזוֹ כֵּיוָן שֶׁרָאוּ אוֹתָהּ הַמַּיִם, מִיָּד עָלוּ** – **but this one** (Rebecca)**, as soon as the water saw her it immediately rose** towards her. **אָמַר לָהּ הַקָּדוֹשׁ בָּרוּךְ הוּא:** – **The Holy One, Blessed is He, said to her,** **אַתְּ סִימָן בְּרָכָה לְבָנַיִךְ** – **'You are an omen of blessing for your descendants.' "**[71]

[Ramban analyzes what prompted the Sages of the Midrash to arrive at this conclusion:]

נִרְאֶה שֶׁדִּקְדְּקוּ כֵּן מִלְּשׁוֹן ״וַתְּמַלֵּא כַדָּהּ וַתָּעַל״ – **It appears that they derived this from the expression,** ***She filled her jug and ascended*** (v. 16), **שֶׁלֹּא אָמַר ״וַתִּשְׁאַב וַתְּמַלֵּא״** – **for it did not say,** ***She "drew*** *water"* ***and filled*** her jug.[72] **וְנַעֲשָׂה לָהּ הַנֵּס בַּפַּעַם הָרִאשׁוֹנָה** – If this is so,[72a] **the miracle occurred to her the first time** only, **כִּי אַחֲרֵי כֵן כָּתוּב ״וַתִּשְׁאַב״** – **for afterwards it** ***is*** **written,** ***and she drew*** *water* (v. 20) indicating that she indeed lowered the jug to the water. **וְהָעֶבֶד כְּשֶׁסִּפֵּר לָהֶם אָמַר ״וַתֵּרֶד הָעַיְנָה וַתִּשְׁאָב״, אוּלַי לֹא יַאֲמִינוּ** – **But the servant, when he recounted to [Rebecca's family]** what had happened at the well, **did say,** ***she descended to the spring*** ***"and drew*** *water"* (v. 45), using the verb שאב, **lest they not believe** him if he would tell them about the water rising toward her.[72b]

manner of young girls." But why did the servant mention this fact?

70. Ramban answers that the servant, perhaps out of politeness, wanted to stress that Bethuel was the son of the wife and not the concubine.

71. They, too, will one day merit to have the waters of a spring rise toward them, as in *Numbers* 21:17 – Midrash (ibid.).

72. The verb שאב ("to draw") implies having to lower a jug or pail to the water to draw up the water. Since the Torah omits this verb in its otherwise detailed description of Rebecca's actions (*she descended, she filled, she ascended*) the Midrash understood that she did not have to bend or lower a jug to reach the water, indicating that it rose toward her.

72a. I.e., that the omission of שאב, *draw*, indicates the miracle.

72b. They might therefore also doubt the rest of the story that he would tell them (*Pnei Yerushalayim*).

יט וַתֹּרֶד כַּדָּהּ עַל־יָדָהּ וַתַּשְׁקֵהוּ: וַתְּכַל לְהַשְׁקֹתוֹ
וַתֹּאמֶר גַּם לִגְמַלֶּיךָ אֶשְׁאָב עַד אִם־כִּלּוּ
כ לִשְׁתֹּת: וַתְּמַהֵר וַתְּעַר כַּדָּהּ אֶל־הַשֹּׁקֶת וַתָּרָץ
עוֹד אֶל־הַבְּאֵר לִשְׁאֹב וַתִּשְׁאַב לְכָל־גְּמַלָּיו:
כא וְהָאִישׁ מִשְׁתָּאֵה לָהּ מַחֲרִישׁ לָדַעַת הַהִצְלִיחַ
כב יְהוָה דַּרְכּוֹ אִם־לֹא: וַיְהִי כַּאֲשֶׁר כִּלּוּ הַגְּמַלִּים
לִשְׁתּוֹת וַיִּקַּח הָאִישׁ נֶזֶם זָהָב בֶּקַע מִשְׁקָלוֹ
וּשְׁנֵי צְמִידִים עַל־יָדֶיהָ עֲשָׂרָה זָהָב מִשְׁקָלָם:
כג וַיֹּאמֶר בַּת־מִי אַתְּ הַגִּידִי נָא לִי הֲיֵשׁ בֵּית־
כד אָבִיךְ מָקוֹם לָנוּ לָלִין: וַתֹּאמֶר אֵלָיו בַּת־
בְּתוּאֵל אָנֹכִי בֶּן־מִלְכָּה אֲשֶׁר יָלְדָה לְנָחוֹר:
כה וַתֹּאמֶר אֵלָיו גַּם־תֶּבֶן גַּם־מִסְפּוֹא רַב עִמָּנוּ
כו גַּם־מָקוֹם לָלוּן: וַיִּקֹּד הָאִישׁ וַיִּשְׁתַּחוּ לַיהוָה:
רביעי כז וַיֹּאמֶר בָּרוּךְ יהוה אֱלֹהֵי אֲדֹנִי אַבְרָהָם אֲשֶׁר
לֹא־עָזַב חַסְדּוֹ וַאֲמִתּוֹ מֵעִם אֲדֹנִי אָנֹכִי בַּדֶּרֶךְ

וַאֲחֵיתַת קוּלְתַהּ עַל יְדַהּ וְאַשְׁקְתֵהּ: יט וְשֵׁיצִיאַת לְאַשְׁקָיוּתֵהּ וַאֲמֶרֶת אַף לְגַמְלָךְ אַמְלֵי עַד דִּי סַפְקוּן לְמִשְׁתֵּי: כ וְאוֹחִיאַת וּנְפָצַת קוּלְתַהּ לְבֵית שַׁקְיָא וּרְהָטַת עוֹד לְבֵירָא לְמִמְלֵי וּמְלַת לְכָל גַּמְלוֹהִי: כא וְגַבְרָא שָׁהֵי בַהּ מִסְתַּכֵּל שָׁתִיק לְמֵידַע הַאַצְלַח יְיָ אָרְחֵהּ אִם לָא: כב וַהֲוָה כַּד סַפִּיקוּ גַמְלַיָּא לְמִשְׁתֵּי וּנְסֵיב גַּבְרָא קָדָשָׁא דְדַהֲבָא תִּקְלָא מַתְקְלֵהּ וּתְרֵין שֵׁירִין עַל יְדָהָא מַתְקַל עֲשַׂר סִלְעִין דִּדְהֲבָא מַתְקַלְהוֹן: כג וַאֲמַר בַּת מָן אַתְּ חַוִּי כְעַן לִי הַאִית בֵּית אֲבוּךְ אֲתַר כָּשַׁר לָנָא לִמְבָת: כד וַאֲמֶרֶת לֵהּ בַּת בְּתוּאֵל אֲנָא בַּר מִלְכָּה דִּילֵידַת לְנָחוֹר: כה וַאֲמֶרֶת לֵהּ אַף תִּבְנָא אַף כִּסָּתָא סַגִּי עִמָּנָא אַף אֲתַר כָּשַׁר לִמְבָת: כו וּכְרַע גַּבְרָא וּסְגִיד קֳדָם יְיָ: כז וַאֲמַר בְּרִיךְ יְיָ אֱלָהָא דְרִבּוֹנִי אַבְרָהָם דִּי לָא מְנַע טִיבוּתֵהּ וְקוּשְׁטֵהּ מִן רִבּוֹנִי אֲנָא בְּאוֹרַח

רש"י

(יט) **עד אם כלו.** הרי אם משמש בלשון אשר: **אם כלו.** ת"א די ספקון, שזו היא גמר שתייתן כששתו די ספוקן: (כ) **ותער.** לשון נפילה (אונקלוס). והרבה יש בלשון משנה, המערה מכלי אל כלי (עבודה זרה עב.). ובמקרא יש לו דומה, אל תער נפשי (תהלים קמא:ח) אשר הערה למות נפשו (ישעיה נג:יב): **השקת.** אבן חלולה ששותים בה הגמלים: (כא) **משתאה.** לשון שאיה, כמו שאו ערים, תשאה שממה (שם ו:יא): **משתאה.** משתומם ומתבהל על שראה דברו קרוב להצליח, אבל אינו יודע אם ממשפחת אברהם היא אם לאו. ואל תתמה בתי"ו של משתאה, שאין לך תיבה שתחלת יסודה שי"ן ומדברת בלשון מתפעל שאין תי"ו מפרידה בין שתי אותיות של עיקר היסוד, כגון משתאה [מגזרת שאה], משתולל (ישעיה נט:טו) מגזרת שולל, וישתומם (שם טז) מגזרת שממה, וישתמר חקות עמרי (מיכה ו:טז) מגזרת וישמר, אף כאן משתאה מגזרת תשאה. וכשם שאתה מוצא לשון שמום באדם נבהל ונאלם ובעל מחשבות, כמו על יומו נשמו אחרונים (איוב יח:כ) שומו שמים (ירמיה ב:יב) אשתומם כשעה חדא (דניאל ד:טז), כך תפרש לשון שאייה באדם בהול ובעל מחשבות. ואונקלוס תרגם לשון שהייה, וגברא שהי, שוהא ועומד במקום אחד לראות ההצליח ה' דרכו. ואין לתרגם שתי, שהרי אינו לשון שתיה, שאין אל"ף נופלת בלשון שתיה: **משתאה לה.** משתומם עליה, כמו אמרי לי אחי הוא (לעיל כ:יג), וכמו וישאלו אנשי המקום לאשתו (להלן כו:ז): (כב) **בקע.** רמז לשקלי ישראל בקע לגלגלת (תרגום יונתן): **ושני צמידים.** רמז לשני לוחות מצומדות (ב"ר ס:ו): **עשרה זהב משקלם.** רמז לעשרת הדברות שבהן (שם): (כג) **ויאמר בת מי את.** לאחר שנתן לה שאלה, לפי שהיה בטוח בזכותו של אברהם שהצליח הקב"ה דרכו (ברב"ת): **ללין.** לינה אחת, לין שם דבר. והיא אמרה [גם מקום] ללון, כמה לינות (ב"ר שם): (כד) **בת בתואל.** השיבתו על ראשון ראשון ועל אחרון אחרון (כלה רבתי פ"ד): (כה) **מספוא.** כל מאכל הגמלים קרוי מספוא, כגון עצה (שבת עו.) ושעורים (סוטה ט.): (כז) **בדרך.** דרך המזומן [ס"א המיומן], דרך הישר (אונקלוס), באותו דרך שהייתי צריך. וכן כל בי"ת ולמ"ד וה"א המשמשים בראש התיבה ונקודים בפת"ח מדברים בדבר הפשוט שנזכר כבר במקום אחר או שהוא מבורר וניכר באיזו הוא מדבר:

רמב"ן

[כב] וַיִּקַּח הָאִישׁ נֶזֶם זָהָב... וּשְׁנֵי צְמִידִים עַל יָדֶיהָ. הַכָּתוּב הַזֶּה יְחַסֵּר הַמַּעֲשֶׂה, שֶׁהָיָה צָרִיךְ שֶׁיֹּאמַר

RAMBAN ELUCIDATED

22. וַיִּקַּח הָאִישׁ נֶזֶם זָהָב ... וּשְׁנֵי צְמִידִים עַל יָדֶיהָ – ***THE MAN TOOK A GOLDEN NOSE RING ... AND TWO BRACELETS ON HER ARMS***

[According to Rashi (below, v. 47), the verse implies that the servant *placed* the ring on her nose and the bracelets on her arms, as related below, in v. 47. Ramban disagrees:]

הַכָּתוּב הַזֶּה יְחַסֵּר הַמַּעֲשֶׂה – **This verse is missing the act** of the placing of the ring and bracelets.

she lowered her jug to her hand and gave him drink.
19 When she finished giving him drink, she said, "I will
draw water even for your camels until they have finished
drinking." 20 So she hurried and emptied her jug into the
trough and kept running to the well to draw water; and
she drew for all his camels. 21 The man was astonished
at her, reflecting silently to know whether HASHEM
had made his journey successful or not. 22 And it was,
when the camels had finished drinking, the man took
a golden nose ring, its weight was a beka, and two
bracelets on her arms, ten gold shekels was their weight.
23 And he said, "Whose daughter are you? Pray tell me.
Is there room in your father's house for us to spend the
night?"
24 She said to him, "I am the daughter of Bethuel the son of
Milcah whom she bore to Nahor." 25 And she said to him,
"Even straw and feed are plentiful with us as well as place to
lodge."
26 So the man bowed low and prostrated himself to
HASHEM. 27 He said, "Blessed is HASHEM, God of my master
Abraham, Who has not withheld His kindness and truth from
my master. As for me, HASHEM has guided me on the way

רמב״ן

״וַיִּקַּח הָאִישׁ נֶזֶם זָהָב וַיִּתֵּן עַל אַפָּהּ וּשְׁנֵי צְמִידִים עַל יָדֶיהָ״. וּלְכָךְ אֲנִי אוֹמֵר כִּי פֵּירוּשׁוֹ: וַיִּקַּח הָאִישׁ נֶזֶם זָהָב וּשְׁנֵי צְמִידִים שֶׁיִּהְיוּ עַל יָדֶיהָ[73], וַיֹּאמֶר לָהּ ״בַּת מִי אַתְּ?״ [פסוק כג]. וְאַחֲרֵי שֶׁאָמְרָה אֵלָיו ״בַּת בְּתוּאֵל אָנֹכִי״ [פסוק כד], שָׂם הַנֶּזֶם עַל אַפָּהּ וְהַצְּמִידִים עַל יָדֶיהָ, כַּאֲשֶׁר אָמַר לָהֶם [פסוק מז][74], אֲבָל חִסֵּר כָּאן [פסוק כב] הַנְּתִינָה וְכֵן בִּמְקוֹמוֹת רַבִּים[75].

RAMBAN ELUCIDATED

שֶׁהָיָה צָרִיךְ שֶׁיֹּאמַר ״וַיִּקַּח הָאִישׁ נֶזֶם זָהָב וַיִּתֵּן עַל אַפָּהּ וּשְׁנֵי צְמִידִים עַל יָדֶיהָ״ – **For it should have said, "The man took a golden nose ring, 'and he placed it' on her nose, and two bracelets on her arms."** וּלְכָךְ אֲנִי אוֹמֵר כִּי פֵּירוּשׁוֹ: וַיִּקַּח הָאִישׁ נֶזֶם זָהָב וּשְׁנֵי צְמִידִים שֶׁיִּהְיוּ עַל יָדֶיהָ – **Therefore I say that the explanation of [this verse] is: "The man took a golden nose ring and two bracelets 'to be' upon her arms,**[73] וַיֹּאמֶר לָהּ ״בַּת מִי אַתְּ״ – **and he said to her, *Whose daughter are you?*** (v. 23). וְאַחֲרֵי שֶׁאָמְרָה אֵלָיו ״בַּת בְּתוּאֵל אָנֹכִי״ – Only **then, after she said to him, *I am the daughter of Bethuel*** (v. 24), שָׂם הַנֶּזֶם עַל אַפָּהּ וְהַצְּמִידִים עַל יָדֶיהָ – **did he place the nose ring on her nose and the bracelets on her arms,** כַּאֲשֶׁר אָמַר לָהֶם – **as he said to [Rebecca's family]** later (v. 47).[74] אֲבָל חִסֵּר כָּאן הַנְּתִינָה – **However, it omitted** any mention of **the giving** of the ornaments to Rebecca **here** (v. 22), although it is mentioned later (v. 47). וְכֵן בִּמְקוֹמוֹת רַבִּים – **And so** we find **in many places** that the Torah omits a detail in one place when it is mentioned in another.[75]

73. In other words, *He took two bracelets on her arms* does not mean *he took two bracelets* ***and placed them*** *on her arms*, but, *he took two bracelets* ***for*** *her arms*. He did not give them to her just yet, until he ascertained her identity, as Ramban goes on to explain.

74. In that verse, the servant relates that he gave the ornaments to Rebecca after asking her who she was. Ramban explains that this is what our verse means as well. This is in contradistinction to Rashi's explanation on v. 47, who maintains that he actually gave her the jewelry before asking who she is. [See also *Tosafos* on *Chullin* 95b, ד״ה כאליעזר.]

75. See Ramban below, 42:21 and 42:34, and *Numbers* 16:5 and *Deuteronomy* 12:6.

כח נָחַנִי יהוה בֵּית אֲחֵי אֲדֹנִי: וַתָּרָץ °הנער
כט וַתַּגֵּד לְבֵית אִמָּהּ כַּדְּבָרִים הָאֵלֶּה: וּלְרִבְקָה
אָח וּשְׁמוֹ לָבָן וַיָּרָץ לָבָן אֶל־הָאִישׁ הַחוּצָה
ל אֶל־הָעָיִן: וַיְהִי ׀ כִּרְאֹת אֶת־הַנֶּזֶם וְאֶת־
הַצְּמִדִים עַל־יְדֵי אֲחֹתוֹ וּכְשָׁמְעוֹ אֶת־דִּבְרֵי
רִבְקָה אֲחֹתוֹ לֵאמֹר כֹּה־דִבֶּר אֵלַי הָאִישׁ
וַיָּבֹא אֶל־הָאִישׁ וְהִנֵּה עֹמֵד עַל־הַגְּמַלִּים עַל־
לא הָעָיִן: וַיֹּאמֶר בּוֹא בְּרוּךְ יהוה לָמָּה תַעֲמֹד
בַּחוּץ וְאָנֹכִי פִּנִּיתִי הַבַּיִת וּמָקוֹם לַגְּמַלִּים:
לב וַיָּבֹא הָאִישׁ הַבַּיְתָה וַיְפַתַּח הַגְּמַלִּים וַיִּתֵּן
תֶּבֶן וּמִסְפּוֹא לַגְּמַלִּים וּמַיִם לִרְחֹץ רַגְלָיו

°הַנַּעֲרָה ק׳

תַּקְנָא דַּבְּרַנִי יְיָ לְבֵית אֲחֵי רִבּוֹנִי: כח וּרְהָטַת עוּלֶמְתָּא וְחַוִּיאַת לְבֵית אִמַּהּ כְּפִתְגָּמַיָּא הָאִלֵּין: כט וּלְרִבְקָה אָחָא וּשְׁמֵהּ לָבָן וּרְהַט לָבָן לְגַבְרָא לְבָרָא לְעֵינָא: ל וַהֲוָה כַּד חֲזָא יָת קָדָשָׁא וְיָת שֵׁירַיָּא עַל יְדֵי אֲחָתֵהּ וְכַד שְׁמַע יָת פִּתְגָּמֵי רִבְקָה אֲחָתֵהּ לְמֵימַר כְּדֵין מַלֵּיל עִמִּי גַּבְרָא וַאֲתָא לְוַת גַּבְרָא וְהָא קָאֵם עִלָּוֵי גַּמְלַיָּא עַל עֵינָא: לא וַאֲמַר עוּל בְּרִיכָא דַייָ לְמָא אַתְּ קָאֵם בְּבָרָא וַאֲנָא פַּנֵּיתִי בֵיתָא וַאֲתַר כְּשַׁר לְגַמְלַיָּא: לב וְעַל גַּבְרָא לְבֵיתָא וּשְׁרָא גַּמְלַיָּא וִיהַב תִּבְנָא וְכִסָּתָא לְגַמְלַיָּא וּמַיָּא לְאַסְחָאָה רַגְלוֹהִי

רש״י

(כח) **לבית אמה.** דרך הנשים היתה להיות להן בית לישב בו למלאכתן, ואין הבת מגדת אלא לאמה (ב״ר ס:ז): (כט) **וירץ.** למה רץ ועל מה רץ, **ויהי כראת את הנזם,** אמר, עשיר הוא זה, ונתן עיניו בממון: (ל) **[עמד] על הגמלים.** לשמרן, כמו והוא עומד עליהם (לעיל יח:ח) לשמשם: (לא) **פניתי הבית.** מעבודת כוכבים (ב״ר שם): (לב) **ויפתח.** התיר זמם שלהם, שהיה סותם את פיהם שלא ירעו בדרך בשדות אחרים (ב״ר ס:ח):

רמב״ן

[לב] וַיָּבֹא הָאִישׁ הַבַּיְתָה. אֱלִיעֶזֶר[76] הוּא הָאִישׁ הַבָּא. ״וַיְפַתַּח הַגְּמַלִּים״ יַחֲזוֹר עַל לָבָן, שֶׁעָשָׂה עִם אוֹרְחָיו דֶּרֶךְ מוּסָר, וַיְפַתַּח גְּמַלֵּיהֶם וַיִּתֵּן לָהֶם תֶּבֶן וּמִסְפּוֹא, וְנָתַן מַיִם לִרְחֹץ רַגְלֵי אֱלִיעֶזֶר וְרַגְלֵי הָאֲנָשִׁים אֲשֶׁר אִתּוֹ. כִּי רָחוֹק הוּא שֶׁיִּהְיֶה אֱלִיעֶזֶר הוּא הַנּוֹתֵן מַיִם לִרְחֹץ רַגְלָיו וְרַגְלֵי אֲנָשָׁיו[77].

וְכֵן ״וַיַּעַבְרוּ אֲנָשִׁים מִדְיָנִים סֹחֲרִים וַיִּמְשְׁכוּ וַיַּעֲלוּ אֶת יוֹסֵף מִן הַבּוֹר״ [להלן לז, כח], כִּי ״וַיִּמְשְׁכוּ״

RAMBAN ELUCIDATED

32. וַיָּבֹא הָאִישׁ הַבַּיְתָה – *SO THE MAN ENTERED THE HOUSE*

[Scripture does not tell us which "man" entered the house; it could be a reference either to the servant or to Laban, both of whom are mentioned in the previous verse. The same ambiguity exists for every occurrence of the pronoun "he" in this verse. Ramban elucidates this matter:]

אֱלִיעֶזֶר הוּא הָאִישׁ הַבָּא – Eliezer[76] **is *the man* who *entered.*** **וַיְפַתַּח הַגְּמַלִּים יַחֲזוֹר עַל לָבָן** – But ***and "he" untied the camels* refers back to Laban, שֶׁעָשָׂה עִם אוֹרְחָיו דֶּרֶךְ מוּסָר וַיְפַתַּח גְּמַלֵּיהֶם – who acted politely towards his guests and untied their camels** for them, **וַיִּתֵּן לָהֶם תֶּבֶן וּמִסְפּוֹא וְנָתַן מַיִם לִרְחֹץ רַגְלֵי אֱלִיעֶזֶר וְרַגְלֵי הָאֲנָשִׁים אֲשֶׁר אִתּוֹ – and** it was **he** (Laban), too, who **gave [the camels] straw and feed and placed water to bathe Eliezer's feet and the feet of the men who were with him.** **כִּי רָחוֹק הוּא שֶׁיִּהְיֶה אֱלִיעֶזֶר הוּא הַנּוֹתֵן מַיִם לִרְחֹץ רַגְלָיו וְרַגְלֵי אֲנָשָׁיו – For it is unlikely that Eliezer would be the one who placed water to bathe his** own **feet and the feet of the men who were with him.**[77]

[Ramban shows that there are other examples of this grammatical structure in Scripture:]

וְכֵן ״וַיַּעַבְרוּ אֲנָשִׁים מִדְיָנִים סֹחֲרִים וַיִּמְשְׁכוּ וַיַּעֲלוּ אֶת יוֹסֵף מִן הַבּוֹר״ – Similarly, we find, ***Midianite men, traders, passed by; they drew Joseph up and lifted him out of the pit*** (below, 37:28), **כִּי ״וַיִּמְשְׁכוּ״**

76. Ramban here identifies the anonymous servant of our story with Eliezer for the first time. The Sages (*Yoma* 28b, *Taanis* 4a, etc.) also assumed that this servant was the same Eliezer mentioned by Abraham above, in 15:2, as *the steward of his house.*

77. According to Ramban, then, the first pronoun of the verse refers to Eliezer ("*the man*"), while the rest apply to Laban, although Scripture does not inform us of this change.

to the house of my master's brothers."

[28] *The maiden ran and told her mother's household according to these events.* [29] *Rebecca had a brother whose name was Laban: Laban ran to the man, outside to the spring.* [30] *For upon seeing the nose ring, and the bracelets on his sister's hands, and upon his hearing his sister Rebecca's words, saying, "Thus has the man spoken to me," he approached the man, who was still standing by the camels by the spring.* [31] *He said, "Come, O blessed of* HASHEM*! Why should you stand outside when I have cleared the house, and place for the camels?"*

[32] *So the man entered the house, and untied the camels. He gave straw and feed for the camels, and water to bathe his feet*

רמב״ן

חוֹזֵר אֶל אֶחָיו הַנִּזְכָּרִים בַּפָּסוּק הָרִאשׁוֹן[78]. וְכֵן "וַיֹּאמֶר צִיבָא אֶל הַמֶּלֶךְ כְּכֹל אֲשֶׁר יְצַוֶּה אֲדוֹנִי הַמֶּלֶךְ אֶת עַבְדּוֹ כֵּן יַעֲשֶׂה עַבְדֶּךָ. וּמְפִיבֹשֶׁת אֹכֵל עַל שֻׁלְחָנִי כְּאַחַד מִבְּנֵי הַמֶּלֶךְ" [שמואל-ב ט, יא], וְהֵם דִּבְרֵי דָּוִד[79]. וְרַבִּים כֵּן.

□ וְעִנְיַן **וַיְפַתַּח הַגְּמַלִּים** שֶׁפָּתַח מוֹסְרֵי צַוָּארָם, כִּי הַמִּנְהָג לְהוֹלִיכָם קְשׁוּרִים. אוֹ שֶׁהָיוּ הוֹלְכִים חֲגוּרִים בְּמוֹשַׁב הַמֶּרְכָּבָה אֲשֶׁר עֲלֵיהֶם, כִּלְשׁוֹן "אַל יִתְהַלֵּל חֹגֵר כִּמְפַתֵּחַ"! [מלכים-א כ, יא]; "הִתְפַּתְּחִי מוֹסְרֵי צַוָּארֵךְ" [ישעיה נב, ב][80].

וְרַשִׁ"י כָּתַב: הִתִּיר זְמָם שֶׁלָּהֶם, שֶׁהָיָה סוֹתֵם פִּיהֶם שֶׁלֹּא יִרְעוּ בְּשָׂדוֹת אֲחֵרִים.

RAMBAN ELUCIDATED

חוֹזֵר אֶל אֶחָיו הַנִּזְכָּרִים בַּפָּסוּק הָרִאשׁוֹן – for *they drew up* refers to [Joseph's] brothers who were mentioned in the previous verse.[78] **וְכֵן "וַיֹּאמֶר צִיבָא אֶל הַמֶּלֶךְ כְּכֹל אֲשֶׁר יְצַוֶּה אֲדוֹנִי הַמֶּלֶךְ אֶת עַבְדּוֹ כֵּן יַעֲשֶׂה עַבְדֶּךָ – Similarly,** we find, ***And Ziba said to the king, "According to all that my lord the king commands his servant, so shall your servant do.*** **וּמְפִיבֹשֶׁת אֹכֵל עַל שֻׁלְחָנִי כְּאַחַד מִבְּנֵי הַמֶּלֶךְ" – *And Mephibosheth will be eating at my table, like one of the king's sons,"*** (*II Samuel* 9:11) **וְהֵם דִּבְרֵי דָּוִד – and those** last few words (*And Mephibosheth ...*) are **the words of David,** not Ziba.[79] **וְרַבִּים כֵּן – And there are many** others **like this.**

□ [וַיְפַתַּח הַגְּמַלִּים – *AND [HE] UNTIED THE CAMELS.*]

[Why were Abraham's camels tied up in the first place, that they had to be untied? Ramban explains:]

וְעִנְיַן "וַיְפַתַּח הַגְּמַלִּים" – The idea of untying the camels was שֶׁפָּתַח מוֹסְרֵי צַוָּארָם – that he opened up the harnesses on their necks. כִּי הַמִּנְהָג לְהוֹלִיכָם קְשׁוּרִים – For it is the common practice to lead [camels] while they are tied. אוֹ שֶׁהָיוּ הוֹלְכִים חֲגוּרִים בְּמוֹשַׁב הַמֶּרְכָּבָה אֲשֶׁר עֲלֵיהֶם – Alternatively, [the camels] were walking with fastened saddle seats on them, and it was these seats that were untied now. **כִּלְשׁוֹן "אַל יִתְהַלֵּל חֹגֵר כִּמְפַתֵּחַ" –** It is **like the expression, *Let the one who girds*** his sword ***not boast like one who unfastens*** *it!* (*I Kings* 20:11), and **"הִתְפַּתְּחִי מוֹסְרֵי צַוָּארֵךְ" – *Undo the straps of your neck*** (*Isaiah* 52:2).[80]

[Ramban now presents Rashi's view on this matter:]

וְרַשִׁ"י כָּתַב: – But Rashi writes:

הִתִּיר זְמָם שֶׁלָּהֶם, שֶׁהָיָה סוֹתֵם פִּיהֶם שֶׁלֹּא יִרְעוּ בְּשָׂדוֹת אֲחֵרִים – He untied their muzzle; for he would muzzle their mouths so that they would not graze in fields belonging to others.

---

78. In this case, too, the first pronoun of the verse refers to the Midianites, who are mentioned explicitly, while the subsequent pronouns refer to others, not mentioned explicitly in the verse.

79. Here, too, the verse begins with "my" referring to one speaker, and then, without notice, uses the word "my" to refer to another speaker.

80. In these two examples, the verb לְפַתֵּחַ also means

וַיּוּשַׂם ק׳

לג וְרַגְלֵ֥י הָאֲנָשִׁ֖ים אֲשֶׁ֥ר אִתּֽוֹ׃ °ויישם לְפָנָיו֙ לֶֽאֱכֹ֔ל
וַיֹּ֙אמֶר֙ לֹ֣א אֹכַ֔ל עַ֥ד אִם־דִּבַּ֖רְתִּי דְּבָרָ֑י וַיֹּ֖אמֶר
לד־לה דַּבֵּֽר׃ וַיֹּאמַ֑ר עֶ֥בֶד אַבְרָהָ֖ם אָנֹֽכִי׃ וַֽיהוָ֞ה בֵּרַ֧ךְ
אֶת־אֲדֹנִ֛י מְאֹ֖ד וַיִּגְדָּ֑ל וַיִּתֶּן־ל֞וֹ צֹ֤אן וּבָקָר֙ וְכֶ֣סֶף
לו וְזָהָ֔ב וַעֲבָדִם֙ וּשְׁפָחֹ֔ת וּגְמַלִּ֖ים וַחֲמֹרִֽים׃ וַתֵּ֡לֶד
שָׂרָה֩ אֵ֨שֶׁת אֲדֹנִ֥י בֵן֙ לַֽאדֹנִ֔י אַחֲרֵ֖י זִקְנָתָ֑הּ וַיִּתֶּן־
לז ל֖וֹ אֶת־כָּל־אֲשֶׁר־לֽוֹ׃ וַיַּשְׁבִּעֵ֥נִי אֲדֹנִ֖י לֵאמֹ֑ר
לֹֽא־תִקַּ֤ח אִשָּׁה֙ לִבְנִ֔י מִבְּנוֹת֙ הַֽכְּנַעֲנִ֔י אֲשֶׁ֥ר
לח אָנֹכִ֖י יֹשֵׁ֥ב בְּאַרְצֽוֹ׃ אִם־לֹ֧א אֶל־בֵּֽית־אָבִ֛י תֵּלֵ֖ךְ
לט וְאֶל־מִשְׁפַּחְתִּ֑י וְלָקַחְתָּ֥ אִשָּׁ֖ה לִבְנִֽי׃ וָאֹמַ֖ר אֶל־
מ אֲדֹנִ֑י אֻלַ֛י לֹא־תֵלֵ֥ךְ הָאִשָּׁ֖ה אַחֲרָֽי׃ וַיֹּ֖אמֶר אֵלָ֑י
יְהוָ֞ה אֲשֶׁר־הִתְהַלַּ֣כְתִּי לְפָנָ֗יו יִשְׁלַ֨ח מַלְאָכ֤וֹ
אִתָּךְ֙ וְהִצְלִ֣יחַ דַּרְכֶּ֔ךָ וְלָקַחְתָּ֤ אִשָּׁה֙ לִבְנִ֔י
מא מִמִּשְׁפַּחְתִּ֖י וּמִבֵּ֥ית אָבִֽי׃ אָ֤ז תִּנָּקֶה֙ מֵאָ֣לָתִ֔י כִּ֥י
תָב֖וֹא אֶל־מִשְׁפַּחְתִּ֑י וְאִם־לֹ֤א יִתְּנוּ֙ לָ֔ךְ וְהָיִ֥יתָ
מב נָקִ֖י מֵאָלָתִֽי׃ וָאָבֹ֥א הַיּ֖וֹם אֶל־הָעָ֑יִן וָֽאֹמַ֗ר יְהוָה֙
אֱלֹהֵי֙ אֲדֹנִ֣י אַבְרָהָ֔ם אִם־יֶשְׁךָ־נָּא֙ מַצְלִ֣יחַ
מג דַּרְכִּ֔י אֲשֶׁ֥ר אָנֹכִ֖י הֹלֵ֥ךְ עָלֶֽיהָ׃ הִנֵּ֛ה אָנֹכִ֥י נִצָּ֖ב
עַל־עֵ֣ין הַמָּ֑יִם וְהָיָ֤ה הָֽעַלְמָה֙ הַיֹּצֵ֣את לִשְׁאֹ֔ב

וְרַגְלֵי גֻּבְרַיָּא דְּעִמֵּהּ: לג וְשַׁוִּיאוּ קֳדָמוֹהִי לְמֵיכַל וַאֲמַר לָא אֵיכוּל עַד דַּאֲמַלֵּל פִּתְגָּמָי וַאֲמַר מַלֵּל: לד וַאֲמַר עַבְדָּא דְאַבְרָהָם אֲנָא: לה וַייָ בָּרֵיךְ יָת רִבּוֹנִי לַחֲדָא וּרְבָא וִיהַב לֵהּ עָאן וְתוֹרִין וּכְסַף וּדְהַב וְעַבְדִּין וְאַמְהָן וְגַמְלִין וַחֲמָרִין: לו וִילֵידַת שָׂרָה אִתַּת רִבּוֹנִי בַּר לְרִבּוֹנִי בָּתַר דְּסֵיבַת וִיהַב לֵהּ יָת כָּל דִּילֵהּ: לז וְקַיֵּים עֲלַי רִבּוֹנִי לְמֵימַר לָא תִסַּב אִתְּתָא לִבְרִי מִבְּנָת כְּנַעֲנָאֵי דִּי אֲנָא יָתֵב בְּאַרְעֲהוֹן: לח אֱלָהֵן לְבֵית אַבָּא תֵּיזִיל וּלְזַרְעִיתִי וְתִסַּב אִתְּתָא לִבְרִי: לט וַאֲמָרִית לְרִבּוֹנִי מָאִים לָא תֵיזִיל אִתְּתָא בַּתְרָי: מ וַאֲמַר לִי יְיָ דִּי פְלַחִית קֳדָמוֹהִי יִשְׁלַח מַלְאֲכֵהּ עִמָּךְ וְיַצְלַח אָרְחָךְ וְתִסַּב אִתְּתָא לִבְרִי מִזַּרְעִיתִי וּמִבֵּית אַבָּא: מא בְּכֵן תְּהֵי זַכַּי (נ״א זַכָּא) מִמּוֹמָתִי אֲרֵי תְהָךְ לְזַרְעִיתִי וְאִם לָא יִתְּנוּן לָךְ וּתְהֵי זַכַּי מִמּוֹמָתִי: מב וְאָתֵית (נ״א וַאֲתֵיתִי) יוֹמָא דֵין לְעֵינָא וַאֲמָרִית יְיָ אֱלָהָא דְּרִבּוֹנִי אַבְרָהָם אִם אִית כְּעַן רַעֲוָא קֳדָמָךְ לְאַצְלָחָא אָרְחִי דִּי אֲנָא אָזֵיל עֲלַהּ: מג הָא אֲנָא קָאֵם עַל עֵינָא דְמַיָּא וּתְהֵי עוּלֶמְתָּא דְּתִפּוּק לְמִמְלֵי

רש״י

(לג) עד אם דברתי. הרי אם משמש בלשון אשר ובלשון כי, כמו עד כי יבא שילה (להלן מט:י). וזהו שאמרו חז״ל כי משמש בד׳ לשונות, והאחד אי, והוא אם (ר״ה ג.): **(לו) ויתן לו את כל אשר לו.** שטר מתנה הראה להם (פדר״א פט״ז): **(לז) לא תקח אשה לבני מבנות הכנעני.** אם לא תלך תחלה אל בית אבי ולא תאבה ללכת אחריך (קדושין סא:): **(לט) אלי לא תלך האשה.** אלי כתיב, בת היתה לו לאליעזר, והיה מחזר למצוא עילה שיאמר [לו] אברהם לפנות אליו להשיאו בתו. אמר לו אברהם בני ברוך ואתה ארור ואין ארור מדבק בברוך (ב״ר נט:ט): **(מב) ואבא היום.** היום יצאתי והיום באתי. מכאן שקפצה לו הארץ (סנהדרין צה.; ב״ר שם יא). אמר רבי אחא, יפה שיחתן של עבדי אבות לפני המקום מתורתן של בנים, שהרי פרשה של אליעזר כפולה בתורה, והרבה גופי תורה לא נתנו אלא ברמיזה (ב״ר ס:ח):

רמב״ן

וּלְשׁוֹן בְּרֵאשִׁית רַבָּה [ס, ח]: הִתִּיר זְמָמֵיהֶם. רַבִּי הוּנָא וְרַבִּי יִרְמְיָה שָׁאַל לְרַבִּי חִיָּא בְּרַבִּי אַבָּא: לֹא הָיוּ גְּמַלָּיו שֶׁל אַבְרָהָם אָבִינוּ דּוֹמִים לַחֲמוֹרוֹ שֶׁל רַבִּי פִּנְחָס בֶּן יָאִיר וְכוּ׳[81]?

RAMBAN ELUCIDATED

[Ramban cites the Midrashic source for this comment:]

וּלְשׁוֹן בְּרֵאשִׁית רַבָּה – The language of *Bereishis Rabbah* (60:8) is this: הִתִּיר זְמָמֵיהֶם – "He untied their muzzles. רַבִּי הוּנָא וְרַבִּי יִרְמְיָה שָׁאַל לְרַבִּי חִיָּא בְּרַבִּי אַבָּא: – Rabbi Huna and Rabbi Yirmiyah asked Rabbi Chiyya son of Rabbi Abba: לֹא הָיוּ גְּמַלָּיו שֶׁל אַבְרָהָם אָבִינוּ דּוֹמִים לַחֲמוֹרוֹ שֶׁל רַבִּי פִּנְחָס בֶּן יָאִיר וְכוּ׳ – Were the camels of our forefather Abraham not similar to the donkey of Rabbi

"to untie."

and the feet of the men who were with him. 33 *Food was set before*
him, but he said, "I will not eat until I have spoken my piece."
And he said, "Speak."
34 *Then he said, "A servant of Abraham am I.* 35 *HASHEM has*
greatly blessed my master, and he prospered; He has given him
flocks, cattle, silver and gold, servants and maidservants, camels
and donkeys. 36 *Sarah, my master's wife, bore my master a son*
after she had grown old, and he gave him all that he
possesses. 37 *And my master had me take an oath saying, 'Do not*
take a wife for my son from the daughters of the Canaanites in
whose land I dwell. 38 *Unless you go to my father's house and to*
my family and take a wife for my son.' 39 *And I said to my master,*
'Perhaps the woman will not follow me?' 40 *He replied to me,*
'HASHEM, before Whom I have walked, will send His angel with you
and make your journey successful, and you will take a wife for my
son from my family and from my father's house. 41 *Then will you*
be absolved from my oath when you have come to my family; and
if they will not give her to you, then, you shall be absolved from
my oath.'
42 *"I came today to the spring and said, 'HASHEM, God of my*
master Abraham, if You would graciously make successful
the way on which I go. 43 *Behold, I am standing by the spring*
of water; let it be that the young woman who comes out to draw

רמב"ן

וְזוּ שְׁאֵלָה לִסְתּוֹר פִּתּוּחַ הַזְּמָם, כִּי אִי אֶפְשָׁר שֶׁיִּהְיֶה הַחֲסִידוּת בְּבֵיתוֹ שֶׁל רַבִּי פִּנְחָס בֶּן יָאִיר גָּדוֹל יוֹתֵר מִבֵּיתוֹ שֶׁל אַבְרָהָם אָבִינוּ. וְכַאֲשֶׁר חֲמוֹרוֹ שֶׁל רַבִּי פִּנְחָס בֶּן יָאִיר אֵינֶנּוּ צָרִיךְ לְהִשְׁתַּמֵּר מִן הַדְּבָרִים הָאֲסוּרִים לִבְעָלָיו לְהַאֲכִילוֹ, כָּל שֶׁכֵּן גְּמַלָּיו שֶׁל אַבְרָהָם אָבִינוּ, וְאֵין צָרִיךְ לְזָמְמָם, כִּי "לֹא יְאֻנֶּה לַצַּדִּיק כָּל אָוֶן" [משלי יב, כא][82].

RAMBAN ELUCIDATED

Pinchas ben Yair, which refrained on its own accord from eating forbidden food,[81] **etc.?"**

[Ramban disagrees with Rashi because of this very Midrash:]

וְזוּ שְׁאֵלָה לִסְתּוֹר פִּתּוּחַ הַזְּמָם – But **this is a question** through which Rabbi Huna and Rabbi Yirmiyah intended **to refute the** Midrash's interpretation that the "untying" mentioned in our verse is referring to **untying of the muzzle! כִּי אִי אֶפְשָׁר שֶׁיִּהְיֶה הַחֲסִידוּת בְּבֵיתוֹ שֶׁל רַבִּי פִּנְחָס בֶּן יָאִיר גָּדוֹל יוֹתֵר מִבֵּיתוֹ שֶׁל אַבְרָהָם אָבִינוּ – For it is inconceivable that the piousness** practiced **in the house of Rabbi Pinchas ben Yair should be greater than** that practiced in **the house of our forefather Abraham. וְכַאֲשֶׁר חֲמוֹרוֹ שֶׁל רַבִּי פִּנְחָס בֶּן יָאִיר אֵינֶנּוּ צָרִיךְ לְהִשְׁתַּמֵּר מִן הַדְּבָרִים הָאֲסוּרִים לִבְעָלָיו לְהַאֲכִילוֹ – So that if Rabbi Pinchas ben Yair's donkey did not need to be guarded against** eating of **things that its owners are forbidden to feed it, כָּל שֶׁכֵּן גְּמַלָּיו שֶׁל אַבְרָהָם אָבִינוּ – all the more so** for **the camels of our forefather Abraham. וְאֵין צָרִיךְ לְזָמְמָם, כִּי "לֹא יְאֻנֶּה לַצַּדִּיק כָּל אָוֶן" – There would** therefore **be no need to muzzle them, for "No iniquity befalls a righteous man"!** (*Proverbs* 12:21).[82]

81. The Midrash relates that Rabbi Pinchas ben Yair's donkey was stolen and held by thieves for three days, and it refused to eat any of their food because the thieves were not sufficiently stringent in their standards of tithing the food that they gave it.

82. Ramban's point is that Rashi should not have cited this interpretation from the Midrash, since it was refuted.

וְאָמַרְתִּ֣י אֵלֶ֔יהָ הַשְׁקִֽינִי־נָ֥א מְעַט־מַ֖יִם מִכַּדֵּֽךְ׃
מד וְאָ֧מְרָ֣ה אֵלַ֗י גַּם־אַתָּ֣ה שְׁתֵ֔ה וְגַ֥ם לִגְמַלֶּ֖יךָ
אֶשְׁאָ֑ב הִ֣וא הָֽאִשָּׁ֔ה אֲשֶׁר־הֹכִ֥יחַ יְהוָ֖ה לְבֶן־
מה אֲדֹנִֽי׃ אֲנִי֩ טֶ֨רֶם אֲכַלֶּ֜ה לְדַבֵּ֣ר אֶל־לִבִּ֗י וְהִנֵּ֨ה
רִבְקָ֤ה יֹצֵאת֙ וְכַדָּ֣הּ עַל־שִׁכְמָ֔הּ וַתֵּ֥רֶד הָעַ֖יְנָה
מו וַתִּשְׁאָ֑ב וָאֹמַ֥ר אֵלֶ֖יהָ הַשְׁקִ֥ינִי נָֽא׃ וַתְּמַהֵ֗ר
וַתּ֤וֹרֶד כַּדָּהּ֙ מֵֽעָלֶ֔יהָ וַתֹּ֣אמֶר שְׁתֵ֔ה וְגַם־גְּמַלֶּ֖יךָ
מז אַשְׁקֶ֑ה וָאֵ֕שְׁתְּ וְגַ֥ם הַגְּמַלִּ֖ים הִשְׁקָֽתָה׃ וָאֶשְׁאַ֣ל
אֹתָ֗הּ וָאֹמַר֮ בַּת־מִ֣י אַתְּ֒ וַתֹּ֗אמֶר בַּת־בְּתוּאֵל֙
בֶּן־נָח֔וֹר אֲשֶׁ֥ר יָֽלְדָה־ל֖וֹ מִלְכָּ֑ה וָאָשִׂ֤ם הַנֶּ֙זֶם֙
מח עַל־אַפָּ֔הּ וְהַצְּמִידִ֖ים עַל־יָדֶֽיהָ׃ וָאֶקֹּ֥ד
וָאֶֽשְׁתַּחֲוֶ֖ה לַֽיהוָ֑ה וָאֲבָרֵ֗ךְ אֶת־יְהוָה֙ אֱלֹהֵי֙
אֲדֹנִ֣י אַבְרָהָ֔ם אֲשֶׁ֤ר הִנְחַ֙נִי֙ בְּדֶ֣רֶךְ אֱמֶ֔ת לָקַ֛חַת
מט אֶת־בַּת־אֲחִ֥י אֲדֹנִ֖י לִבְנֽוֹ׃ וְעַתָּ֡ה אִם־יֶשְׁכֶ֩ם
עֹשִׂ֨ים חֶ֧סֶד וֶֽאֱמֶ֛ת אֶת־אֲדֹנִ֖י הַגִּ֣ידוּ לִ֑י וְאִם־
לֹ֕א הַגִּ֣ידוּ לִ֔י וְאֶפְנֶ֥ה עַל־יָמִ֖ין א֥וֹ עַל־שְׂמֹֽאל׃
נ וַיַּ֨עַן לָבָ֤ן וּבְתוּאֵל֙ וַיֹּ֣אמְר֔וּ מֵיְהוָ֖ה יָצָ֣א הַדָּבָ֑ר
נא לֹ֥א נוּכַ֛ל דַּבֵּ֥ר אֵלֶ֖יךָ רַ֥ע אוֹ־טֽוֹב׃ הִנֵּֽה־רִבְקָ֥ה
לְפָנֶ֖יךָ קַ֣ח וָלֵ֑ךְ וּתְהִ֤י אִשָּׁה֙ לְבֶן־אֲדֹנֶ֔יךָ כַּאֲשֶׁ֖ר
נב דִּבֶּ֥ר יְהוָֽה׃ וַיְהִ֕י כַּאֲשֶׁ֥ר שָׁמַ֛ע עֶ֥בֶד אַבְרָהָ֖ם
חמישי נג אֶת־דִּבְרֵיהֶ֑ם וַיִּשְׁתַּ֥חוּ אַ֖רְצָה לַֽיהוָֽה׃ וַיּוֹצֵ֨א
הָעֶ֜בֶד כְּלֵי־כֶ֨סֶף וּכְלֵ֤י זָהָב֙ וּבְגָדִ֔ים וַיִּתֵּ֖ן
לְרִבְקָ֑ה וּמִ֨גְדָּנֹ֔ת נָתַ֥ן לְאָחִ֖יהָ וּלְאִמָּֽהּ׃
נד וַיֹּאכְל֣וּ וַיִּשְׁתּ֗וּ ה֛וּא וְהָאֲנָשִׁ֥ים אֲשֶׁר־עִמּ֖וֹ
וַיָּלִ֑ינוּ וַיָּק֣וּמוּ בַבֹּ֔קֶר וַיֹּ֖אמֶר שַׁלְּחֻ֥נִי לַֽאדֹנִֽי׃

וְאֵימַר לַהּ אַשְׁקִינִי כְעַן זְעֵיר מַיָּא מִקּוּלְתִיךְ: מד וְתֵימַר לִי אַף אַתְּ אִשְׁתְּ וְאַף לְגַמְלָיךְ אַמְלֵי הִיא אִתְּתָא דְּזַמִּין יְיָ לְבַר רִבּוֹנִי: מה אֲנָא עַד לָא שֵׁיצִיתִי לְמַלָּלָא עִם לִבִּי וְהָא רִבְקָה נְפָקַת וְקוּלְתַהּ עַל כַּתְפַּהּ וּנְחָתַת לְעֵינָא וּמְלָת וַאֲמָרִית לַהּ אַשְׁקִינִי כְעָן: מו וְאוֹחִיאַת וַאֲחִיתַת קוּלְתַהּ מִנַּהּ וַאֲמֶרֶת אִשְׁתְּ וְאַף גַּמְלָיךְ אַשְׁקֵי וּשְׁתֵיתִי וְאַף גַּמְלַיָּא אַשְׁקִיאַת: מז וּשְׁאֵלִית יָתַהּ וַאֲמָרִית בַּת מָן אַתְּ וַאֲמֶרֶת בַּת בְּתוּאֵל בַּר נָחוֹר דִּילֵידַת לֵהּ מִלְכָּה וְשַׁוֵּיתִי קָדָשָׁא עַל אַפַּהּ וְשֵׁירַיָּא עַל יְדָהָא: מח וּכְרָעִית וּסְגָדִית קֳדָם יְיָ וּבָרֵכִית יָת יְיָ אֱלָהֵהּ דְּרִבּוֹנִי אַבְרָהָם דְּדַבְּרַנִי בְּאוֹרַח קְשׁוֹט לְמִסַּב יָת בַּת אֲחוּהִי דְּרִבּוֹנִי לִבְרֵהּ: מט וּכְעַן אִם אִיתֵיכוֹן עָבְדִין טִיבוּ וּקְשׁוֹט עִם רִבּוֹנִי חַווֹ לִי וְאִם לָא חַווֹ לִי וְאֶתְפְּנֵי עַל יַמִּינָא אוֹ עַל שְׂמָאלָא: נ וַאֲתֵיב לָבָן וּבְתוּאֵל וַאֲמַרוּ מִן קֳדָם יְיָ נְפַק פִּתְגָמָא לֵית אֲנַחְנָא יָכְלִין לְמַלָּלָא עִמָּךְ בִּישׁ אוֹ טָב: נא הָא רִבְקָה קֳדָמָךְ דְּבַר וְאִיזֵיל וּתְהֵי אִתְּתָא לְבַר רִבּוֹנָךְ כְּמָא דִי מַלֵּיל יְיָ: נב וַהֲוָה כַּד שְׁמַע עַבְדָּא דְאַבְרָהָם יָת פִּתְגָמֵיהוֹן וּסְגֵיד עַל אַרְעָא קֳדָם יְיָ: נג וְאַפֵּיק עַבְדָּא מָנִין דִּכְסַף וּמָנִין דִּדְהַב וּלְבוּשִׁין וִיהַב לְרִבְקָה וּמִגְדָּנִין יְהַב לַאֲחוּהָא וּלְאִמַּהּ: נד וַאֲכַלוּ וּשְׁתִיאוּ הוּא וְגוּבְרַיָּא דִּי עִמֵּהּ וּבִיתוּ וְקָמוּ בְצַפְרָא וַאֲמַר שַׁלְּחוּנִי לְוָת רִבּוֹנִי:

רש"י

(מד) גם אתה. גם, לרבות אנשים שעמו: **הכיח.** בירר והודיע, וכן כל הוכחה שבמקרא בירור דבר: **(מה) טרם אכלה.** טרם שאני מכלה. וכן כל לשון הווה פעמים שהוא מדבר בלשון עבר, ויכול לכתוב טרם כליתי, ופעמים שמדבר בלשון עתיד, כמו כי אמר איוב (איוב א:ה) הרי לשון עבר, ככה יעשה איוב (שם) הרי לשון עתיד, ופירוש שניהם לשון הווה, כי אומר היה איוב אולי חטאו בני וגו' (שם) והיה עושה כך: **(מז) ואשאל. ואשם.** שנה הסדר, שהרי הוא תחלה נתן ואח"כ שאל. אלא שלא יתפשוהו בדבריו ויאמרו היאך נתת לה ועדיין אינך יודע מי היא: **(מט) על ימין.** מבנות ישמעאל: **על שמאל.** מבנות לוט שהיה יושב לשמאלו של אברהם. ב"ר (שם ט): **(נ) ויען לבן ובתואל.** רשע היה וקפץ להשיב לפני אביו (פסיקתא זוטרתא): **לא נוכל דבר אליך.** למאן בדבר הזה, לא ע"י תשובת דבר רע ולא ע"י תשובת דבר הגון, לפי שניכר שמה' יצא הדבר לפי דבריך שזימנה לך: **(נב) וישתחו ארצה.** מכאן שמודים על בשורה טובה (ב"ר ס:ו): **(נג) ומגדנת.** לשון מגדים, שהביא עמו מיני פירות (שם יא) של א"י: **(נד) וילינו.** כל לינה שבמקרא לינת לילה [א'] (ב"מ קי:):

and to whom I shall say, "Please give me some water to drink
from your jug," 44 and who will answer, "You may also drink
and I will draw water for your camels, too," she shall be the
woman whom HASHEM has designated for my master's son.' 45 I
had not yet finished speaking in my heart when suddenly
Rebecca came out with a jug on her shoulder, and descended to
the spring and drew water.

Then I said to her, 'Please give me a drink.' 46 She hurried and
lowered her jug from upon herself and said, 'Drink, and I will
even water your camels.' So I drank and she watered the
camels also.

47 "Then I questioned her and said, 'Whose daughter are you?'
And she said, 'The daughter of Bethuel, son of Nahor, whom
Milcah bore to him.' And I placed the ring on her nose and the
bracelets on her arms. 48 Then I bowed and prostrated myself to
HASHEM and blessed HASHEM, God of my master Abraham, Who
led me on a true path to take the daughter of my master's
brother for his son. 49 And now, if you intend to do kindness and
truth with my master, tell me; and if not, tell me, and I will turn
to the right or to the left."

50 Then Laban and Bethuel answered and said, "The matter
stemmed from HASHEM! We can say to you neither bad nor
good. 51 Here, Rebecca is before you; take her and go, and let
her be a wife to your master's son as HASHEM has spoken."
52 And it was, when Abraham's servant heard their words, he
prostrated himself to the ground unto HASHEM. 53 The servant
brought out objects of silver and gold, and garments, and gave
them to Rebecca; and delicious fruits he gave to her brother and
her mother. 54 They ate and drank, he and the men who were
with him, and they spent the night; when they arose next morn-
ing, he said, "Send me to my master."

רמב״ן

[מה] וְטַעַם **וְהִנֵּה רִבְקָה יֹצֵאת וְכַדָּהּ עַל שִׁכְמָהּ**, כִּי בִּהְיוֹתוֹ בְּבֵיתָהּ שָׁמַע אֶת שְׁמָהּ, אוֹ מִתְּחִלָּה הִגִּידָה לוֹ שְׁמָהּ אַף עַל פִּי שֶׁלֹּא נִזְכַּר.

RAMBAN ELUCIDATED

45. [וְהִנֵּה רִבְקָה יֹצֵאת וְכַדָּהּ עַל שִׁכְמָהּ – *SUDDENLY REBECCA CAME OUT WITH A JUG ON HER SHOULDER.*]

[Rebecca had introduced herself to the servant only as *the daughter of Bethuel* without mentioning her name. How, then, did the servant know that her name was "Rebecca"? Ramban explains:]

וְטַעַם "וְהִנֵּה רִבְקָה יֹצֵאת וְכַדָּהּ עַל שִׁכְמָהּ" – **The explanation of** the servant's words, ***suddenly "Rebecca" came out with a jug on her shoulder*** **is** כִּי בִּהְיוֹתוֹ בְּבֵיתָהּ שָׁמַע אֶת שְׁמָהּ – **that while he was in her house he heard her name** mentioned, and this is how he how he came to know her name. אוֹ מִתְּחִלָּה הִגִּידָה לוֹ שְׁמָהּ אַף עַל פִּי שֶׁלֹּא נִזְכַּר – **Alternatively, at the outset she told him her name,** when she first met him at the spring, **though this** fact is **not mentioned** in Scripture.

°הַנַּעֲרָ ק׳
°לַנַּעֲרָ ק׳

נה וַיֹּאמֶר אָחִיהָ וְאִמָּהּ תֵּשֵׁב °הנער אִתָּנוּ יָמִים
נו אוֹ עָשׂוֹר אַחַר תֵּלֵךְ: וַיֹּאמֶר אֲלֵהֶם אַל־
תְּאַחֲרוּ אֹתִי וַיהוָה הִצְלִיחַ דַּרְכִּי שַׁלְּחוּנִי
נז וְאֵלְכָה לַאדֹנִי: וַיֹּאמְרוּ נִקְרָא °לנער וְנִשְׁאֲלָה
נח אֶת־פִּיהָ: וַיִּקְרְאוּ לְרִבְקָה וַיֹּאמְרוּ אֵלֶיהָ
הֲתֵלְכִי עִם־הָאִישׁ הַזֶּה וַתֹּאמֶר אֵלֵךְ:
נט וַיְשַׁלְּחוּ אֶת־רִבְקָה אֲחֹתָם וְאֶת־מֵנִקְתָּהּ
ס וְאֶת־עֶבֶד אַבְרָהָם וְאֶת־אֲנָשָׁיו: וַיְבָרְכוּ אֶת־
רִבְקָה וַיֹּאמְרוּ לָהּ אֲחֹתֵנוּ אַתְּ הֲיִי לְאַלְפֵי
סא רְבָבָה וְיִירַשׁ זַרְעֵךְ אֵת שַׁעַר שֹׂנְאָיו: וַתָּקָם
רִבְקָה וְנַעֲרֹתֶיהָ וַתִּרְכַּבְנָה עַל־הַגְּמַלִּים
וַתֵּלַכְנָה אַחֲרֵי הָאִישׁ וַיִּקַּח הָעֶבֶד אֶת־רִבְקָה
סב וַיֵּלַךְ: וְיִצְחָק בָּא מִבּוֹא בְּאֵר לַחַי רֹאִי וְהוּא

נה וַאֲמַר אֲחוּהָא וְאִמַּהּ תֵּתֵיב עוּלֶמְתָּא עִמָּנָא עִדַּן בְּעִדַּן אוֹ עַסְרָא יַרְחִין בָּתַר כֵּן תֵּיזִיל: נו וַאֲמַר לְהוֹן לָא תְאַחֲרוּן יָתִי וַייָ אַצְלַח אָרְחִי שַׁלְּחוּנִי וְאֵיהַךְ לְוַת רִבּוֹנִי: נז וַאֲמַרוּ נִקְרֵי לְעוּלֶמְתָּא וְנִשְׁמַע מַה דְּהִיא אָמְרָה: נח וּקְרוֹ לְרִבְקָה וַאֲמַרוּ לַהּ הֲתֵיזְלִי עִם גַּבְרָא הָדֵין וַאֲמֶרֶת אֵיזִיל: נט וְאַלְוִיאוּ (נ״א וְשַׁלַּחוּ) יָת רִבְקָה אֲחַתְהוֹן וְיָת מֵנִקְתַּהּ וְיָת עַבְדָּא דְאַבְרָהָם וְיָת גַּבְרוֹהִי: ס וּבָרִיכוּ יָת רִבְקָה וַאֲמַרוּ לַהּ אֲחָתָנָא אַתְּ הֲוִי לְאַלְפִין וּלְרִבְוָן וְיִרְתוּן בְּנַיְכִי יָת קִרְוֵי סַנְאֵיהוֹן: סא וְקָמַת רִבְקָה וְעוּלֶמְתָהָא וּרְכִיבָא עַל גַּמְלַיָּא וַאֲזַלָא בָּתַר גַּבְרָא וּדְבַר עַבְדָּא יָת רִבְקָה וַאֲזָל: סב וְיִצְחָק אֲתָא מִמֵּתוֹהִי (נ״א עַל בְּמֵתוֹהִי) מִבֵּירָא דְמַלְאַךְ קַיָּמָא אִתְחֲזִי עֲלַהּ וְהוּא

רש״י

(נה) ויאמר אחיה ואמה. ובתואל היכן היה. הוא היה רוצה לעכב ובא מלאך והמיתו (ב״ר שם יב): ימים. שנה (כתובות נז:) כמו ימים תהיה גאולתו (ויקרא כה:כט), שכך נותנין לבתולה זמן י״ב חדש לפרנס את עצמה בתכשיטים (כתובות נז.; ב״ר שם יב): או עשור. י׳ חדשים (אונקלוס). וא״ת ימים ממש, אין דרך המבקשים לבקש דבר מועט ואם לא תרצה תן לנו מרובה מזה (כתובות נז:): (נז) ונשאלה את פיה. [מכאן] שאין משיאין את האשה אלא מדעתה (ב״ר שם): (נח) ותאמר אלך. מעצמי, ואף אם אינכם רוצים (שם): [(ס) את היי לאלפי רבבה. את וזרעך תקבלו אותה ברכה שנאמר לאברהם בהר המוריה והרבה ארבה את זרעך וגו׳ (לעיל כב:יז), יהי רצון שיהא אותו הזרע ממך ולא מאשה אחרת:] (סב) מבוא באר לחי ראי. שהלך להביא הגר לאברהם אביו

רמב״ן

[סא] וַתָּקָם רִבְקָה וְנַעֲרֹתֶיהָ[83]. סִפֵּר הַכָּתוּב, כִּי אַחַר שֶׁנָּתְנוּ רְשׁוּת[84] שֶׁתֵּלֵךְ רִבְקָה וּמֵינִקְתָּהּ וְעֶבֶד אַבְרָהָם וַאֲנָשָׁיו - קָמָה רִבְקָה וְקָרְאָה נַעֲרוֹתֶיהָ[85] "וַתִּרְכַּבְנָה עַל הַגְּמַלִּים וַתֵּלַכְנָה אַחֲרֵי הָאִישׁ"[86], כִּי הוּא מוֹרֶה הַדֶּרֶךְ לִפְנֵיהֶם.

RAMBAN ELUCIDATED

61. וַתָּקָם רִבְקָה וְנַעֲרֹתֶיהָ – *THEN REBECCA AROSE WITH HER MAIDENS.*

[Verse 59 apparently relates that Rebecca's family sent her off with her nurse. If they had already sent her off, why is she described in v. 61 as *arising and riding upon the camel,* indicating that she had *not* been sent off earlier? Furthermore, in v. 59 we are told that Rebecca's family sent her off along with her *nurse*. Who, then, are these "maidens" that now accompanied Rebecca?[83] Ramban explains:]

סִפֵּר הַכָּתוּב כִּי אַחַר שֶׁנָּתְנוּ רְשׁוּת שֶׁתֵּלֵךְ רִבְקָה וּמֵינִקְתָּהּ וְעֶבֶד אַבְרָהָם וַאֲנָשָׁיו – **Scripture relates that after [Rebecca's family] gave permission**[84] **to Rebecca and her nursemaid and Abraham's servant and his men to leave,** קָמָה רִבְקָה וְקָרְאָה נַעֲרוֹתֶיהָ "וַתִּרְכַּבְנָה עַל הַגְּמַלִּים וַתֵּלַכְנָה אַחֲרֵי הָאִישׁ" – **Rebecca arose and called her maidens**[85] **and then *they rode upon the camels and followed the man,***[86] כִּי הוּא מוֹרֶה הַדֶּרֶךְ לִפְנֵיהֶם – **for he led the way before them.**

83. Radak raises these questions as well.

84. Ramban explains the word וַיְשַׁלְּחוּ to mean not *they sent her off* (as Radak interprets it), but *they gave her permission to leave*. Hence, our verse relating that Rebecca arose and rode upon the camel is not repetitious. This anwers the first question posed in the preface to this comment.

85. This explains why the "maidens" were not mentioned previously; they had not yet been summoned.

86. Ramban here alludes to what appears to be a grammatical inconsistency in this verse: וַתָּקָם, *she arose,* is in the singular, whereas וַתִּרְכַּבְנָה, *they rode,* and וַתֵּלַכְנָה אַחֲרֵי, *they followed,* are in the plural! Ramban therefore explains that וַתָּקָם, *she arose,*

[55] *Her brother and mother said, "Let the maiden remain with us a year or ten [months]; then she will go."* [56] *He said to them, "Do not delay me now that* HASHEM *had made my journey successful. Send me, and I will go to my master."* [57] *And they said, "Let us call the maiden and ask her decision."*

[58] *They called Rebecca and said to her, "Will you go with this man?"*

And she said, "I will go."

[59] *So they sent off Rebecca their sister, and her nurse, as well as Abraham's servant and his men.* [60] *They blessed Rebecca and said to her, "Our sister, may you come to be thousands of myriads, and may your offspring inherit the gate of its foes."*

[61] *Then Rebecca arose with her maidens; they rode upon the camels and went after the man; the servant took Rebecca and went.*

[62] *Now Isaac came from having gone to Beer-lahai-roi, for he*

רמב״ן

□ וְטַעַם **וַיִּקַּח הָעֶבֶד אֶת רִבְקָה וַיֵּלַךְ** - לְסַפֵּר בִּזְרִיזוּתוֹ. כִּי אַחֲרֵי צֵאתוֹ מִן הָעִיר, וַתֵּלַכְנָה כָּל הַנָּשִׁים אַחֲרָיו - לָקַח הָעֶבֶד אֶת רִבְקָה עִמּוֹ, לֹא יִפָּרֵד מִמֶּנָּה, לְשָׁמְרָהּ בַּדֶּרֶךְ מִכָּל מִכְשׁוֹל[87].

וְרַבִּי אַבְרָהָם אָמַר, כִּי טַעְמוֹ שֶׁהָיָה הוֹלֵךְ עִם רִבְקָה וְלֹא הִרְגִּישׁ, עַד שֶׁבָּא יִצְחָק וּפָגַע בּוֹ[87a].

RAMBAN ELUCIDATED

□ [וַיִּקַּח הָעֶבֶד אֶת רִבְקָה וַיֵּלַךְ – *THE SERVANT TOOK REBECCA AND WENT.*]

[Rebecca was accompanied by a large entourage; why, then, does the verse speak of the servant taking "Rebecca" specifically? Furthermore, we have already been told in the beginning of the verse that Rebecca and her maidens *followed the man*, implying that they had already set out on their journey, yet now we are told that *the servant took Rebecca and went*, implying that the journey started only at this point. Ramban explains:]

וְטַעַם "וַיִּקַּח הָעֶבֶד אֶת רִבְקָה וַיֵּלַךְ" – **The reason for** stating ***The servant took Rebecca and went*** לְסַפֵּר בִּזְרִיזוּתוֹ – **is to tell** us **about his conscientiousness.** כִּי אַחֲרֵי צֵאתוֹ מִן הָעִיר וַתֵּלַכְנָה כָּל הַנָּשִׁים אַחֲרָיו – **For after he left the city, with all the women following him,** לָקַח הָעֶבֶד אֶת רִבְקָה עִמּוֹ לֹא יִפָּרֵד מִמֶּנָּה לְשָׁמְרָהּ בַּדֶּרֶךְ מִכָּל מִכְשׁוֹל – **the servant took Rebecca with him, so that he would not be separated from her** during the trip, **to guard her from any hazard along the way.**[87]

וְרַבִּי אַבְרָהָם אָמַר – **Rabbi Avraham** Ibn Ezra **says** כִּי טַעְמוֹ שֶׁהָיָה הוֹלֵךְ עִם רִבְקָה וְלֹא הִרְגִּישׁ עַד שֶׁבָּא יִצְחָק וּפָגַע בּוֹ – **that the reason** for stating, *The servant took Rebecca and went* **is** to tell us **that** because **he was walking with Rebecca he** was preoccupied in attending to her and **did not notice** the length and difficulty of the journey, **until Isaac came and encountered him.**[87a]

62. בָּא מִבּוֹא בְּאֵר לַחַי רֹאִי – ***CAME FROM HAVING GONE TO BEER-LAHAI-ROI.***

[The Phrase, *He was coming from having gone to Beer-lahai-roi* (lit., "He was coming from coming from Beer-lahai-roi") seems unnecessarily wordy. Why did Scripture not say simply, *He was coming from Beer-lahai-roi*? Ramban explains:]

---

refers only to Rebecca, i.e., she arose to summon her maidservants. Then, following this, וַתִּרְכַּבְנָה, *they mounted* the camels, וַתֵּלַכְנָה אַחֲרֵי, *and they followed* the servant.

87. The verse uses the word *went* twice because there were two "departures": At first Rebecca and all her maidens *went after the man*. Then, after leaving the city and beginning their journey on the open road that was fraught with danger, the servant *took Rebecca [under his direct watch] and went*. This also explains why only Rebecca is mentioned in the second part of the verse.

87a. Thus the end of our verse: *The servant took Rebecca and went* leads directly into the next verse: וְיִצְחָק בָּא מִבּוֹא בְּאֵר לַחַי רֹאִי, *Now Isaac came from having gone to Beer-lahai-roi.*

יוֹשֵׁב בְּאֶרֶץ הַנֶּגֶב: סג וַיֵּצֵא יִצְחָק לָשׂוּחַ בַּשָּׂדֶה
לִפְנוֹת עָרֶב וַיִּשָּׂא עֵינָיו וַיַּרְא וְהִנֵּה גְמַלִּים
בָּאִים: סד וַתִּשָּׂא רִבְקָה אֶת־עֵינֶיהָ וַתֵּרֶא אֶת־יִצְחָק

יָתֵב בְּאַרְעָא דָּרוֹמָא: סג וּנְפַק יִצְחָק לְצַלָּאָה בְחַקְלָא לְמִפְנֵי רַמְשָׁא וּזְקַף עֵינוֹהִי וַחֲזָא וְהָא גַמְלַיָּא אָתָן: סד וּזְקָפַת רִבְקָה יָת עֵינָהָא וַחֲזַת יָת יִצְחָק

רש"י

שישאנה (ב"ר שם יד): **יושב בארץ הנגב.** קרוב לאותו באר שנאמר ויסע משם אברהם ארצה הנגב וישב בין קדש ובין שור (לעיל כ:א), ושם היה הבאר, שנא' הנה בין קדש ובין ברד (שם טז:יד): **(סג) לשוח.** לשון תפלה, כמו ישפך שיחו (תהלים קב:א; ברכות כו:; ב"ר ס:יד): **(סד) ותרא את יצחק.** ראתה אותו הדור ותוהא [ס"א ונתביישה ס"א ותמהה] מפניו (ב"ר ס:טו):

רמב"ן

[סב] בָּא מִבּוֹא בְּאֵר לַחַי רֹאִי. יֹאמַר כִּי יִצְחָק בָּא עַתָּה מִבּוֹא בְּאֵר לַחַי רֹאִי, שֶׁשָּׁב מִבְּאֵר לַחַי שֶׁבָּא שָׁמָּה, שֶׁאִלּוּ אָמַר "בָּא מִבְּאֵר לַחַי רֹאִי" הָיָה נִרְאֶה שֶׁהָיָה דָּר שָׁם, וּלְכָךְ הֻצְרַךְ לְפָרֵשׁ כִּי הוּא שָׁב לְעִירוֹ מִבִּיאָתוֹ שֶׁבָּא אֶל בְּאֵר לַחַי רֹאִי לְפִי שָׁעָה, כִּי הוּא יוֹשֵׁב בְּאֶרֶץ הַנֶּגֶב וְחוֹזֵר לְעִירוֹ.

וְיִתָּכֵן, בַּעֲבוּר הֱיוֹת "מִבּוֹא" מָקוֹר[88], שֶׁהָיָה יִצְחָק הוֹלֵךְ תָּמִיד אֶל הַמָּקוֹם הַהוּא, כִּי הוּא לוֹ מְקוֹם תְּפִלָּה בַּעֲבוּר הֵרָאוֹת שָׁם הַמַּלְאָךְ [ראה לעיל טז, ז-יד][89], "וְהוּא יוֹשֵׁב בְּאֶרֶץ הַנֶּגֶב" - קָרוֹב מִשָּׁם[90].

וְכֵן תִּרְגֵּם אוּנְקְלוּס[91]: "אֲתָא מִמֵּיתוֹהִי"[92].

וְעַל דַּעְתּוֹ הוּא בְּאֵר שֶׁבַע, שֶׁתִּרְגֵּם "בֵּין קָדֵשׁ וּבֵין שׁוּר" [לעיל כ, א], וּ"בֵין קָדֵשׁ וּבֵין בָּרֶד" [לעיל טז, יד] -

RAMBAN ELUCIDATED

יֹאמַר כִּי יִצְחָק בָּא עַתָּה מִבּוֹא בְּאֵר לַחַי רֹאִי – [Scripture] is saying that Isaac came now from having gone to Beer-lahai-roi, שֶׁשָּׁב מִבְּאֵר לַחַי שֶׁבָּא שָׁמָּה – meaning **that he returned from Beer-lahai-**roi, **to where he had gone.** שֶׁאִלּוּ אָמַר "בָּא מִבְּאֵר לַחַי רֹאִי" הָיָה נִרְאֶה שֶׁהָיָה דָּר שָׁם – **For if it had said** simply, **"he came from Beer-lahai-roi", it would have appeared that he lived there.** וּלְכָךְ הֻצְרַךְ לְפָרֵשׁ כִּי הוּא שָׁב לְעִירוֹ מִבִּיאָתוֹ שֶׁבָּא אֶל בְּאֵר לַחַי רֹאִי לְפִי שָׁעָה – **Therefore [Scripture] was obliged to specify that he *returned* to his city from his having gone to Beer-lahai-roi for a** short **time.** כִּי "הוּא יוֹשֵׁב בְּאֶרֶץ הַנֶּגֶב" וְחוֹזֵר לְעִירוֹ – **For,** as Scripture notes here, ***he lived in the south country,*** an area distinct from Beer-lahai-roi, **and he was** now **returning to his city.**

[Ramban offers a second possible interpretation:]

וְיִתָּכֵן, בַּעֲבוּר הֱיוֹת "מִבּוֹא" מָקוֹר – It is plausible, because of the fact that מִבּוֹא ***(he was "coming")*** **is a gerund,** indicating repeated action,[88] שֶׁהָיָה יִצְחָק הוֹלֵךְ תָּמִיד אֶל הַמָּקוֹם הַהוּא – **that Isaac would continually,** i.e., frequently, **go to that place,** כִּי הוּא לוֹ מְקוֹם תְּפִלָּה בַּעֲבוּר הֵרָאוֹת שָׁם הַמַּלְאָךְ – **for it was a place of prayer for him because of the** fact that **the angel appeared** to Hagar **there** (above, 16:7-14),[89] "וְהוּא יוֹשֵׁב בְּאֶרֶץ הַנֶּגֶב" קָרוֹב מִשָּׁם – **and furthermore, *he lived in the south country,* close to there** (to Beer-lahai-roi).[90]

[Ramban cites Onkelos as corroboration for his interpretation:]

וְכֵן תִּרְגֵּם אוּנְקְלוּס "אֲתָא מִמֵּיתוֹהִי" – And this is how Onkelos translated as well: אֲתָא מִמֵּיתוֹהִי[91] ("he came from his going").[92]

[Ramban continues to discuss Onkelos' view of this incident:]

וְעַל דַּעְתּוֹ הוּא בְּאֵר שֶׁבַע – And in his opinion [Beer-lahai-roi] is the same place as **Beer-sheba,** שֶׁתִּרְגֵּם "בֵּין קָדֵשׁ וּבֵין שׁוּר", וּ"בֵין קָדֵשׁ וּבֵין בָּרֶד", "רְקַם וְחַגְרָא" – **for he translates *between Kadesh and***

88. See Rambam's (Maimonides) commentary on the Mishnah, *Bava Metzia* 2:9, where he explains that the gerund (or infinitive) form of the verb can indicate repeated action.

89. And it was there that the angel told her, *HASHEM has heard your prayer* (above, 16:11), indicating that it was a place conducive for prayer.

90. According to this interpretation, the verse's point in stating, *And he dwelt in the south country*, is that he lived in close proximity to Beer-lahai-roi (see above, 16:14 and 20:1), and therefore he often visited there to pray. [This is in contradistinction to Radak, who writes that the "south country" where Isaac lived was Hebron.]

91. Many versions of Onkelos have עַל בְּמֵיתוֹהִי. Nevertheless, this does not appreciably change the meaning of the phrase.

92. *He came from* **his** *coming* implies that this was a trip that Isaac made often, for otherwise it would have said, *He came from coming*. (Compare "I just came from

lived in the south country. 63 Isaac went out to supplicate in the field toward evening and he raised his eyes and saw, and behold! camels were coming. 64 And Rebecca raised her eyes and saw Isaac;

רמב״ן

״רְקָם וְחַגְרָא״[93]. וְאִם כֵּן הַמָּקוֹם הַהוּא מְקוֹם אֵשֶׁל אַבְרָהָם [ראה לעיל כא, לג], רָאוּי לִתְפִלָּה[94].

וְהִנֵּה יִצְחָק בָּא מִן הַבְּאֵר הַהִיא[95] אֶל עִיר אַחֶרֶת אֲשֶׁר הָיְתָה בְּדֶרֶךְ עִירוֹ[96], וְיָצָא לִפְנוֹת עֶרֶב לָשׂוּחַ[97] בַּשָּׂדֶה [פסוק סג] עִם רֵעָיו וְאוֹהֲבָיו אֲשֶׁר שָׁם, וּמָצָא אֶת הָעֶבֶד וְרִבְקָה, וְהָלְכוּ כֻּלָּם יַחְדָּו אֶל עִירוֹ, ״וַיְבִיאֶהָ הָאֹהֱלָה שָׂרָה אִמּוֹ״ [פסוק סז].

[סד] וַתֵּרֶא אֶת יִצְחָק. לְשׁוֹן רַשִׁ״י: רָאֲתָה אוֹתוֹ הָדוּר, וְנִתְבַּיְּשָׁה[98] מִמֶּנּוּ[99].

וְרַבִּי אַבְרָהָם פֵּרֵשׁ, כִּי הַפָּסוּק הָאַחֲרוֹן מֻקְדָּם. כִּי ״וַתֹּאמֶר אֶל הָעֶבֶד״ - וּכְבָר אָמְרָה אֶל הָעֶבֶד. וְרַבִּים בַּתּוֹרָה כֵּן, עַל דַּעְתּוֹ.

RAMBAN ELUCIDATED

Shur – Scripture's description for the location of Gerar (above, 20:1) – **and *between Kadesh and Bered*** – the location of Beer-lahai-roi (above 16:14) – both **as "between Rekam and Hagra."**[93] **וְאִם כֵּן הַמָּקוֹם הַהוּא מְקוֹם אֵשֶׁל אַבְרָהָם רָאוּי לִתְפִלָּה – If so, that place was the place of Abraham's *eshel*** (see above, 21:33), **and was** particularly **suited for prayer.**[94]

[If Isaac had already departed Beer-lahai-roi but had not yet reached the city where he lived, then from where had he come when he *went out to the field* (v. 63)? Ramban explains:]

וְהִנֵּה יִצְחָק בָּא מִן הַבְּאֵר הַהִיא אֶל עִיר אַחֶרֶת אֲשֶׁר הָיְתָה בְּדֶרֶךְ עִירוֹ – Now, Isaac went from that well[95] **to another city that was on the way to his city** of residence,[96] **וְיָצָא לִפְנוֹת עֶרֶב לָשׂוּחַ בַּשָּׂדֶה עִם רֵעָיו וְאוֹהֲבָיו אֲשֶׁר שָׁם – and he went out towards evening to converse**[97] **in the field with his acquaintances and friends who were there, וּמָצָא אֶת הָעֶבֶד וְרִבְקָה וְהָלְכוּ כֻּלָּם יַחְדָּו אֶל עִירוֹ – and** that is where **he met the servant and Rebecca, and they all went together to his city** of residence, **״וַיְבִיאֶהָ הָאֹהֱלָה שָׂרָה אִמּוֹ״** – where ***he brought her into the tent of Sarah, his mother*** (v. 67).

64. וַתֵּרֶא אֶת יִצְחָק – *AND [SHE] SAW ISAAC; [AND SHE INCLINED FROM UPON THE CAMEL.]*

[Why did Rebecca incline upon seeing Isaac, especially since she did not even know who he was (as seen in the following verse – v. 65)? Ramban explains:]

לְשׁוֹן רַשִׁ״י – The following is **a quote from Rashi:**

רָאֲתָה אוֹתוֹ הָדוּר וְנִתְבַּיְּשָׁה מִמֶּנּוּ – She saw that he was resplendent, and she was embarrassed[98] **before him.**[99]

וְרַבִּי אַבְרָהָם פֵּרֵשׁ – And Rabbi Avraham Ibn Ezra **explains כִּי הַפָּסוּק הָאַחֲרוֹן מֻקְדָּם – that the latter verse** (v. 65) should be seen as **preceding** the former (v. 64). **כִּי ״וַתֹּאמֶר אֶל הָעֶבֶד״, וּכְבָר אָמְרָה אֶל הָעֶבֶד – For *and she said to the servant*** means ***she had "already" said to the servant,*** "Who is that man?" before inclining upon the camel. **וְרַבִּים בַּתּוֹרָה כֵּן עַל דַּעְתּוֹ – There are many** other examples **like this in the Torah, in his opinion,** where a subsequent verse refers to an earlier event.

---

a trip to Jerusalem" with "I came from *my* trip to Jerusalem." The latter statement has the implication that I go to Jerusalem regularly.)

93. The two verses which give the locations of Gerar (*between Kadesh and Shur*) and Beer-lahai-roid (*between Kadesh and Bered*) are both translated identically by Onkelos as: *between Rekam and Hagra.* Hence Gerar and Beer-lahai-roi are – at the least – near each other, or, as Ramban suggests, one and the same.

94. The idea that the *eshel* was an auspicious place for prayer was mentioned by Ramban above, 23:2. It was where Abraham went to pray after the *Akeidah.*

95. I.e., from Beer-lahai-roi ("The *Well* of the Living One Appearing to Me" – above, 16:14).

96. Isaac stopped in an unnamed city on his way home, and it was from that city that he *went out ... [to] the field* (v. 63).

97. This is unlike Rashi's opinion, that לָשׂוּחַ means that Isaac went to the field "to pray."

98. This wording differs slightly from our texts of Rashi.

99. She saw that this man was an eminent and saintly ("resplendent") person, so she inclined as a gesture of modesty.

סה וַתִּפֹּל מֵעַל הַגָּמָל: וַתֹּאמֶר אֶל־הָעֶבֶד מִי־
הָאִישׁ הַלָּזֶה הַהֹלֵךְ בַּשָּׂדֶה לִקְרָאתֵנוּ

וְאִתְרְכִינַת מֵעַל גַּמְלָא: סה וַאֲמָרַת לְעַבְדָּא מָן גַּבְרָא דֵיכִי דִּמְהַלֵּךְ בְּחַקְלָא לְקַדָּמוּתָנָא

רש"י

ותפל. השמיטה עלמה לארץ, כתרגומו ואתרכינת, הטתה לארץ. ודומה לו, כי יפול לא יוטל (תהלים לז:כד) כלומר, אם יטה עלמה לארץ ולא הגיעה עד הקרקע, כמו הטי נא כדך (לעיל פסוק יד) ארכיני, ויט שמים (שמואל ב כב:י) וארכין, ל' מוטה

רמב"ן

וּבֶאֱמֶת שֶׁיִּמָּצְאוּ מֵהֶם, אֲבָל בְּכָאן אֵינֶנּוּ נָכוֹן, שֶׁיִּצְטָרֵךְ לְעָרֵב שְׁתֵּי הַמִּקְרָאוֹת: "וַתִּשָּׂא רִבְקָה אֶת עֵינֶיהָ וַתֵּרֶא אֶת יִצְחָק" [פסוק סד], "וַתֹּאמֶר אֶל הָעֶבֶד מִי הָאִישׁ הַלָּזֶה הַהוֹלֵךְ בַּשָּׂדֶה לִקְרָאתֵנוּ? וַיֹּאמֶר הָעֶבֶד הוּא אֲדוֹנִי" [פסוק סה] "וַתִּפֹּל מֵעַל הַגָּמָל" [פסוק סד] "וַתִּקַּח הַצָּעִיף וַתִּתְכָּס" [פסוק סה].

וּלְדַעְתִּי, בִּרְאוֹת רִבְקָה אִישׁ הוֹלֵךְ לִקְרָאתָהּ בַּשָּׂדֶה, שֶׁיָּרַט הַדֶּרֶךְ וְהָלַךְ בַּשָּׂדֶה לְעֻמָּתָם, יָדְעָה כִּי הוּא בָּא לִרְאוֹתָם וְלִקְרוֹא לְשָׁלוֹם, אוֹ לְהַכְנִיסָם אֶל בֵּיתוֹ לָלוּן - עָשְׂתָה כְּדֶרֶךְ מוּסַר הַנָּשִׁים, לַעֲמֹד בְּהַצְנֵעַ.

וַתִּפֹּל מֵעַל הַגָּמָל. לְשׁוֹן רַשִׁ"י: הִשְׁמִיטָה עַצְמָהּ לָאָרֶץ, כְּתַרְגּוּמוֹ: וְאִתְרְכִינַת, כְּמוֹ "הַטִּי נָא כַדֵּךְ" [לעיל פסוק יד] - אַרְכִינִי, "וַיֵּט שָׁמַיִם וַיֵּרַד" [שמואל-ב כב, י] - וְאַרְכֵּין. וְדוֹמֶה לוֹ: "כִּי יִפֹּל לֹא יוּטָל" [תהלים לז, כד] - אִם יַטֶּה לָאָרֶץ לֹא יַגִּיעַ לַקַּרְקַע.

RAMBAN ELUCIDATED

[Ramban disagrees with Ibn Ezra's interpretation:]

וּבֶאֱמֶת שֶׁיִּמָּצְאוּ מֵהֶם, אֲבָל בְּכָאן אֵינֶנּוּ נָכוֹן – There are, in truth, such cases where words or phrases must be interpreted as if they had been written in a different order, **but here** in our case **it is not so, שֶׁיִּצְטָרֵךְ לְעָרֵב שְׁתֵּי הַמִּקְרָאוֹת: – for** in order to understand the verse this way, **it would be necessary to** thoroughly **intermingle the two verses,** as follows: "וַתִּשָּׂא רִבְקָה אֶת עֵינֶיהָ וַתֵּרֶא אֶת יִצְחָק", "וַתֹּאמֶר אֶל הָעֶבֶד מִי הָאִישׁ הַלָּזֶה הַהוֹלֵךְ בַּשָּׂדֶה לִקְרָאתֵנוּ, וַיֹּאמֶר הָעֶבֶד הוּא אֲדוֹנִי", "וַתִּפֹּל מֵעַל הַגָּמָל" "וַתִּקַּח הַצָּעִיף וַתִּתְכָּס" – ***And Rebecca raised her eyes and saw Isaac*** (v. 64), ***and she said to the servant, "Who is that man who is walking in the field toward us?" And the servant said, "He is my master"*** (v. 65) ***And she inclined from upon the camel*** (v. 64). ***She then took the veil and covered herself*** (v. 65).

[Ramban now offers his own explanation:]

וּלְדַעְתִּי, בִּרְאוֹת רִבְקָה אִישׁ הוֹלֵךְ לִקְרָאתָהּ בַּשָּׂדֶה, שֶׁיָּרַט הַדֶּרֶךְ וְהָלַךְ בַּשָּׂדֶה לְעֻמָּתָם – In my opinion, when Rebecca saw a man walking toward her in the field – someone **who had gone out of his way to walk in the field in their direction, יָדְעָה כִּי הוּא בָּא לִרְאוֹתָם וְלִקְרוֹא לְשָׁלוֹם אוֹ לְהַכְנִיסָם אֶל בֵּיתוֹ לָלוּן – she knew that he was coming to see them and to call out a greeting, or** perhaps offer **to bring them into his house for lodging, עָשְׂתָה כְּדֶרֶךְ מוּסַר הַנָּשִׁים לַעֲמֹד בְּהַצְנֵעַ** – so **she acted in accordance with the etiquette of women, standing modestly.**

☐ **וַתִּפֹּל מֵעַל הַגָּמָל** – *AND SHE INCLINED FROM UPON THE CAMEL.*

[These words literally mean "she fell off the camel." It does not seem that Rebecca was startled; what then caused her to suddenly fall? The commentators therefore interpret the word וַתִּפֹּל here in a non-standard sense. Ramban begins his discussion of this issue by citing Rashi:]

לְשׁוֹן רַשִׁ"י – The following is **a quote from Rashi:**

הִשְׁמִיטָה עַצְמָהּ לָאָרֶץ – She let herself slip down to the ground, כְּתַרְגּוּמוֹ: וְאִתְרְכִינַת, כְּמוֹ "הַטִּי נָא כַדֵּךְ", אַרְכִינִי, "וַיֵּט שָׁמַיִם וַיֵּרַד" וְאַרְכֵּין – **as Targum** Onkelos **renders it, וְאִתְרְכִינַת** ("she inclined herself"), **as in, *please tip over* [הַטִּי] *your jug*** (above, v. 14), where הַטִּי is translated by Onkelos as **אַרְכִינִי** ("lower"), and ***He bent down* [וַיֵּט] *the heavens and descended*** (*II Samuel* 22:10), where וַיֵּט is translated into Aramaic by the Targum as **וְאַרְכֵּין** ("He lowered"). **וְדוֹמֶה לוֹ "כִּי יִפֹּל לֹא יוּטָל"** – **Resembling** [וַתִּפֹּל] of our verse **is *if he will slip,* [יִפֹּל] *he will not fall down*** (*Psalms* 37:24), **אִם יַטֶּה לָאָרֶץ לֹא יַגִּיעַ לַקַּרְקַע** – meaning, **"if he will lean toward the earth he will** nevertheless **not reach the ground."**

and she inclined from upon the camel. [65] *And she said to the servant, "Who is that man who is walking in the field toward us?"*

רמב״ן

וְאֵין דַּעַת אוּנְקְלוּס שֶׁהִשְׁמִיטָה עַצְמָהּ מִן הַגָּמָל לָאָרֶץ, שֶׁאִם כֵּן הִנֵּה הִיא נוֹפֶלֶת מֵעַל הַגָּמָל מַמָּשׁ, לֹא מֻטָּה מֵעָלָיו[100]. וְכֵן כָּל לְשׁוֹן "הַרְכָּנָה" הַטָּיָה לְצַד אֶחָד בִּלְבַד. אֲבָל כַּוָּנָתוֹ כִּי מֵעַל הַגָּמָל אֲשֶׁר הִיא רוֹכֶבֶת עָלָיו הִטַּת עַצְמָהּ לְצַד אֶחָד לְהָסֵב פָּנֶיהָ מִמֶּנּוּ. וְכָמוֹהוּ לְדַעְתִּי "וַיִּרְאֶה נַעֲמָן רָץ אַחֲרָיו וַיִּפֹּל מֵעַל הַמֶּרְכָּבָה לִקְרָאתוֹ וַיֹּאמֶר הֲשָׁלוֹם" [מלכים־ב ה,כא], שֶׁאֵין עִנְיָנוֹ רַק שֶׁהִשְׁפִּיל עַצְמוֹ בַּמֶּרְכָּבָה לִקְרַאת הָרָץ אֲשֶׁר הָיָה בָּאָרֶץ, לִשְׁאֹל לוֹ בְּשָׁלוֹם. וְכֵן אָמַר [שם פסוק כו]: "כַּאֲשֶׁר הָפַךְ אִישׁ מֵעַל מֶרְכַּבְתּוֹ לִקְרָאתֶךָ"[101].

אוֹ יִהְיֶה אֵצֶל אוּנְקְלוּס "מֵעַל הַגָּמָל" כְּמוֹ "עַל הַגָּמָל"[102]. וְכֵן "מֵעַל שָׁמַיִם חַסְדֶּךָ" [תהלים קח, ה]. וְכָזוֹ הַמֵּ"ם, "לֹא יִהְיֶה מִשָּׁם עוֹד עוּל יָמִים וְזָקֵן" [ישעיה סה, כ], וְכֵן "הַמַּיִם אֲשֶׁר מֵעַל הַשָּׁמָיִם" [תהלים קמח, ד], עַל דֶּרֶךְ הַפְּשָׁט[103]. אוֹ כְּמוֹ "וְהִנֵּה עַם רַב הוֹלְכִים מִדֶּרֶךְ אַחֲרָיו" [שמואל־ב יג, לד][104]. וְכֵן רַבִּים.

RAMBAN ELUCIDATED

[Ramban disagrees with Rashi's interpretation of Onkelos:]

וְאֵין דַּעַת אוּנְקְלוּס שֶׁהִשְׁמִיטָה עַצְמָהּ מִן הַגָּמָל לָאָרֶץ – But it is not Onkelos' opinion that she let herself completely **slip down from the camel to the ground, שֶׁאִם כֵּן הִנֵּה הִיא נוֹפֶלֶת מֵעַל הַגָּמָל מַמָּשׁ, לֹא מֻטָּה מֵעָלָיו – for if so, she would actually be falling off the camel, not** merely **inclining herself from upon it.**[100] **וְכֵן כָּל לְשׁוֹן "הַרְכָּנָה" הַטָּיָה לְצַד אֶחָד בִּלְבַד – Similarly, every expression of** הַרְכָּנָה means **only leaning to one side,** not lowering oneself to the ground. **אֲבָל כַּוָּנָתוֹ כִּי מֵעַל הַגָּמָל אֲשֶׁר הִיא רוֹכֶבֶת עָלָיו הִטַּת עַצְמָהּ לְצַד אֶחָד לְהָסֵב פָּנֶיהָ מִמֶּנּוּ – Rather, [Onkelos'] intention is that from her position atop the camel upon which she was riding, she inclined herself to one side, turning her face away from him. וְכָמוֹהוּ לְדַעְתִּי "וַיִּרְאֶה נַעֲמָן רָץ אַחֲרָיו וַיִּפֹּל מֵעַל הַמֶּרְכָּבָה לִקְרָאתוֹ וַיֹּאמֶר הֲשָׁלוֹם" – Similar to [our verse], in my opinion, is *Naaman saw someone running after him, and he* וַיִּפֹּל** (lit., *fell*) ***from the chariot to greet him, and said, "Is all well?"*** (*II Kings* 5:21), **שֶׁאֵין עִנְיָנוֹ רַק שֶׁהִשְׁפִּיל עַצְמוֹ בַּמֶּרְכָּבָה לִקְרַאת הָרָץ אֲשֶׁר הָיָה בָּאָרֶץ לִשְׁאֹל לוֹ בְּשָׁלוֹם – which can only mean that he bent down inside the chariot toward the one who was running, who was on the ground, in order to inquire of his welfare. וְכֵן אָמַר "כַּאֲשֶׁר הָפַךְ אִישׁ מֵעַל מֶרְכַּבְתּוֹ לִקְרָאתֶךָ" – And similarly [Elisha] said,** referring to this same incident, ***when a man turned aside from upon his chariot to greet you*** (ibid. 5:26).[101]

[Ramban presents a second interpretation of Onkelos:]

אוֹ יִהְיֶה אֵצֶל אוּנְקְלוּס "מֵעַל הַגָּמָל" כְּמוֹ "עַל הַגָּמָל" – Alternatively, *from upon the camel* is understood **by Onkelos as** simply **"*upon* the camel."**[102] **וְכֵן "מֵעַל שָׁמַיִם חַסְדֶּךָ" – Similar** to this **is, *from above*** [מֵעַל] ***the heavens is Your kindness*** (*Psalms* 108:5), where *from above the heavens*, means *above the heavens*. **וְכָזוֹ הַמֵּ"ם, "לֹא יִהְיֶה מִשָּׁם עוֹד עוּל יָמִים וְזָקֵן" – Similar to this** letter ***mem*** in *me'al* also **is** the letter *mem* in, ***There will never again be from there*** (מִשָּׁם) ***a young child or old man*** (*Isaiah* 65:20), where "*from* there" means just "*there*" [and *from* is disregarded]. **וְכֵן "הַמַּיִם אֲשֶׁר מֵעַל הַשָּׁמָיִם" עַל דֶּרֶךְ הַפְּשָׁט – And similarly, *the waters that are from*** [מֵ] ***above the heavens*** (*Psalms* 148:4), where *from above* means just *above*, **according to the simple meaning** of this verse.[103] **אוֹ כְּמוֹ "וְהִנֵּה עַם רַב הוֹלְכִים מִדֶּרֶךְ אַחֲרָיו" – Alternatively, it is like, *And there was a large group of people traveling on*** [מִ] (lit., *from*) ***the road behind him*** (*II Samuel* 13:34).[104] **וְכֵן רַבִּים – And there are many** other examples **like this,** where the prefix מ does not actually mean "from."

100. And if that were the case, Onkelos would have said וּנְפָלַת ("she fell"), just like the Hebrew. But he used the word אִתְרְכִינַת, which is the word he consistently uses for the Hebrew root נטה (as Rashi himself showed), which means "to lean" or "to incline."

101. This indicates that Naaman did not actually alight from the chariot, but only turned himself toward the runner.

102. According to Ramban's first interpretation of Onkelos, Rebecca lowered herself partially, suspending herself from the camel, while she turned away from Isaac. According to this interpretation, however, Rebecca simply turned aside, without lowering herself from the camel at all.

103. In these examples, the מ prefix is ignored altogether.

104. In this example, the prefix מִ means "on." Accordingly, מֵעַל means "on עַל," or "on on." Concerning such doubling of words, see Ramban above, 23:13.

וַיֹּ֣אמֶר הָעֶ֔בֶד ה֖וּא אֲדֹנִ֑י וַתִּקַּ֥ח הַצָּעִ֖יף וַתִּתְכָּֽס:
סו וַיְסַפֵּ֥ר הָעֶ֖בֶד לְיִצְחָ֑ק אֵ֥ת כָּל־הַדְּבָרִ֖ים אֲשֶׁ֥ר
סז עָשָֽׂה: וַיְבִאֶ֣הָ יִצְחָ֗ק הָאֹ֙הֱלָה֙ שָׂרָ֣ה אִמּ֔וֹ וַיִּקַּ֧ח
אֶת־רִבְקָ֛ה וַתְּהִי־ל֥וֹ לְאִשָּׁ֖ה וַיֶּאֱהָבֶ֑הָ וַיִּנָּחֵ֥ם
יִצְחָ֖ק אַחֲרֵ֥י אִמּֽוֹ: פ
ששי **כה** א־ב וַיֹּ֧סֶף אַבְרָהָ֛ם וַיִּקַּ֥ח אִשָּׁ֖ה וּשְׁמָ֥הּ קְטוּרָֽה: וַתֵּ֣לֶד ל֗וֹ
אֶת־זִמְרָן֙ וְאֶת־יָקְשָׁ֔ן וְאֶת־מְדָ֖ן וְאֶת־מִדְיָ֑ן וְאֶת־
ג יִשְׁבָּ֖ק וְאֶת־שֽׁוּחַ: וְיָקְשָׁ֣ן יָלַ֔ד אֶת־שְׁבָ֖א וְאֶת־
דְּדָ֑ן וּבְנֵ֣י דְדָ֔ן הָי֛וּ אַשּׁוּרִ֥ם וּלְטוּשִׁ֖ם וּלְאֻמִּֽים:

וַאֲמַר עַבְדָּא הוּא רִבּוֹנִי וּנְסֵיבַת עֵיפָא וְאִתְכַּסִּיאַת: סו וְאִשְׁתְּעִי עַבְדָּא לְיִצְחָק יָת כָּל פִּתְגָמַיָּא דִּי עֲבַד: סז וְאַעֲלַהּ יִצְחָק לְמַשְׁכְּנָא וַחֲזָא וְהָא תַּקְנִין עוֹבָדַהָא כְּעוֹבָדֵי שָׂרָה אִמֵּהּ וּנְסֵיב יָת רִבְקָה וַהֲוָת לֵהּ לְאִנְתּוּ וְרַחֲמַהּ וְאִתְנְחֵם יִצְחָק בָּתַר דְּמִיתַת אִמֵּהּ: א וְאוֹסֵיף אַבְרָהָם וּנְסֵיב אִתְּתָא וּשְׁמַהּ קְטוּרָה: ב וִילֵידַת לֵהּ יָת זִמְרָן וְיָת יָקְשָׁן וְיָת מְדָן וְיָת מִדְיָן וְיָת יִשְׁבָּק וְיָת שׁוּחַ: ג וְיָקְשָׁן אוֹלִיד יָת שְׁבָא וְיָת דְּדָן וּבְנֵי דְדָן הֲווֹ לְמַשִּׁרְיָן וְלִשְׁכוּנִין וּלְנַגְוָן:

רש"י

לארץ לא יגיע עד הקרקע (ב"ר שם): **(סה) ותתכס.** לשון ותתפעל, כמו ותקבר (להלן לה:ח) ותשבר (ש"א ד:יח): **(סו) ויספר העבד.** גלה לו נסים שנעשו לו, שקפלה לו הארץ ושנזדמנה לו רבקה בתפלתו (ב"ר שם): **(סז) האהלה שרה אמו.** ויביאה האהלה והרי היא שרה אמו, כלומר, ונעשית דוגמת שרה אמו. שכל זמן ששרה קיימת היה נר דלוק מע"ש לע"ש וברכה מצויה בעיסה וענן קשור על האהל, ומשמתה פסקו, וכשבאת רבקה חזרו. ב"ר (שם טז): **אחרי אמו.** דרך ארץ, כל זמן שאמו של אדם קיימת כרוך הוא אצלה, ומשמתה הוא מתנחם באשתו (פדר"א פל"ב): **(א) קטורה.** זו הגר, ונקראת קטורה על שם שנאים מעשיה כקטרת. ושקשרה פתחה, שלא נזדווגה לאדם מיום שפירשה מאברהם (תנחומא ח; ב"ר סא:ד): **(ג) אשורם ולטושם.** שם ראשי אומות (ב"ר שם ה). ותרגום של אונקלוס אין לי לישבו עם לשון המקרא [שפירש למשרין לשון מחנה. וא"ת שאינו כן

רמב"ן

[סז] וַיְבִאֶהָ יִצְחָק הָאֹהֱלָה שָׂרָה אִמּוֹ. חָסֵר הַנִּסְמָךְ[105], וְכָמוֹהוּ רַבִּים[106].

וְטַעַם הַכָּתוּב, כִּי יְסַפֵּר בַּכָּבוֹד שֶׁנָּהַג יִצְחָק בְּאִמּוֹ, כִּי מֵעֵת שֶׁמֵּתָה שָׂרָה לֹא נָטוּ אָהֳלָהּ[107], כִּי אָמְרוּ: לֹא תָבֹא אִשָּׁה אַחֶרֶת אֶל אֹהֶל הַגְּבִירָה הַנִּכְבֶּדֶת. וְכַאֲשֶׁר בָּאָה רִבְקָה הֱבִיאָהּ אֶל הָאֹהֶל הַהוּא לִכְבוֹדָהּ וְשָׂם לְקָחָהּ.

RAMBAN ELUCIDATED

67. וַיְבִאֶהָ יִצְחָק הָאֹהֱלָה שָׂרָה אִמּוֹ – ***AND ISAAC BROUGHT HER INTO THE TENT OF SARAH*** (lit., *into the tent Sarah*) ***HIS MOTHER.***

[What is the meaning of *the tent Sarah*? Ramban explains:]

חָסֵר הַנִּסְמָךְ, וְכָמוֹהוּ רַבִּים – **The connecting word is missing,**[105] **and there are many** examples **like this.**[106]

[Ramban now addresses the relevance and the import of this statement:]

וְטַעַם הַכָּתוּב, כִּי יְסַפֵּר בַּכָּבוֹד שֶׁנָּהַג יִצְחָק בְּאִמּוֹ – **The reason for this verse is that it relates** to us **the honor that Isaac accorded his mother,** **כִּי מֵעֵת שֶׁמֵּתָה שָׂרָה לֹא נָטוּ אָהֳלָהּ, כִּי אָמְרוּ לֹא תָבֹא אִשָּׁה אַחֶרֶת אֶל אֹהֶל הַגְּבִירָה הַנִּכְבֶּדֶת** – **for** it shows that during **all the time since Sarah died they did not pitch her tent,**[107] **for they said, "Let no other woman come into the tent of the esteemed mistress."** **וְכַאֲשֶׁר בָּאָה רִבְקָה הֱבִיאָהּ אֶל הָאֹהֶל הַהוּא לִכְבוֹדָהּ וְשָׂם לְקָחָהּ** – **However, when Rebecca**

105. In Hebrew there is a grammatical phenomenon (known as סְמִיכוּת, "the construct state") in which two nouns are connected to each other in such a manner that the second noun modifies or describes the first noun. (For instance, in בֵּית יוֹסֵף [below, 43:18] the noun "house" is connected to "Joseph," and the combination yields "Joseph's house.") Ramban explains here that in our phrase one of the *connecting words* is left unstated; that is, הָאֹהֱלָה שָׂרָה (*into the tent Sarah*), should be understood as if it were written הָאֹהֱלָה אֹהֶל שָׂרָה (*into the tent – Sarah's tent*).

106. Radak elaborates on this topic in his *Sefer HaMichlol.* To cite just two examples noted by Radak in his *Tanach* commentary (on the respective verses): כָּל הָעָם הַמִּלְחָמָה (*All the people the war – Joshua* 8:11) should be understood as כָּל הָעָם, עַם הַמִּלְחָמָה (*All the people – the people of the war*). הַנְּבוּאָה עוֹדֵד (*the prophecy Oded – II Chronicles* 15:8) should be understood as הַנְּבוּאָה, נְבוּאַת עוֹדֵד (*The prophecy – Oded's prophecy*).

107. I.e., it was unused and was set aside disassembled. This is in contrast to Radak's opinion, which

And the servant said, "He is my master." She then took the
veil and covered herself. [66] *The servant told Isaac all the things*
he had done. [67] *And Isaac brought her into the tent of Sarah his*
mother; he married Rebecca, she became his wife, and he loved
her; and thus was Isaac consoled after his mother.

25 [1] *Abraham proceeded and took a wife whose name was*
Keturah. [2] *She bore him Zimran, Jokshan, Medan, Midian,*
Ishbak and Shuah. [3] *Jokshan begot Sheba and Dedan, and the*
children of Dedan were Asshurim, Letushim and Leummim.

רמב״ן

וְזֶה טַעַם ״וַיֶּאֱהָבֶהָ וַיִּנָּחֵם״ - יִרְמוֹז שֶׁהָיָה מִצְטַעֵר מְאֹד עַל אִמּוֹ, ״וְרָחַק מִמֶּנּוּ מְנַחֵם״[108], עַד שֶׁנִּחַם בְּאִשְׁתּוֹ בְּאַהֲבָתוֹ אוֹתָהּ[109]. כִּי מַה טַּעַם שֶׁיַּזְכִּיר הַכָּתוּב אַהֲבַת הָאִישׁ בְּאִשְׁתּוֹ?

וְאוּנְקְלוּס פֵּרֵשׁ: ״וַיְבִיאֶהָ יִצְחָק הָאֹהֱלָה, וְהִנֵּה הִיא כְּשָׂרָה אִמּוֹ״[110]. וְלָכֵן הִזְכִּיר הָאַהֲבָה[111], כִּי מִפְּנֵי צִדְקָתָהּ וְכִשְׁרוֹן מַעֲשֶׂיהָ אֲהֵבָהּ וְנִחַם בָּהּ.

וְכָךְ הִזְכִּירוּ בִּבְרֵאשִׁית רַבָּה [ס, טז]: עַד שֶׁלֹּא מֵתָה שָׂרָה הָיְתָה בְּרָכָה מְצוּיָה בָעִסָּה[112].

כה [ג] אַשּׁוּרִים וּלְטוּשִׁים וּלְאֻמִּים. לְשׁוֹן רַשִׁ״י: שֵׁם רָאשֵׁי אֻמּוֹת[1]. וְתַרְגּוּמוֹ שֶׁל אוּנְקְלוּס[2] אֵין לִי לְיַשְּׁבוֹ

RAMBAN ELUCIDATED

arrived, he brought her to that tent, out of honor for her, and there he took her for a wife. וְזֶה טַעַם ״וַיֶּאֱהָבֶהָ וַיִּנָּחֵם״ – **And this is the meaning of** ***he loved her and he was consoled***: יִרְמוֹז שֶׁהָיָה מִצְטַעֵר מְאֹד עַל אִמּוֹ וְרָחַק מִמֶּנּוּ מְנַחֵם – **It alludes** to the fact **that he was very distressed over** the loss of **his mother and "a comforter had been far from him,"**[108] עַד שֶׁנִּחַם בְּאִשְׁתּוֹ בְּאַהֲבָתוֹ אוֹתָהּ – **until he found comfort with his wife, in his love for her.**[109] כִּי מַה טַּעַם שֶׁיַּזְכִּיר הַכָּתוּב אַהֲבַת הָאִישׁ בְּאִשְׁתּוֹ – **For** otherwise **what reason would there be for [Scripture] to mention a man's love for his wife?**

[Ramban notes that Onkelos interprets the words *into the tent Sarah his mother* differently:]

וְאוּנְקְלוּס פֵּרֵשׁ וַיְבִיאֶהָ יִצְחָק הָאֹהֱלָה וְהִנֵּה הִיא כְּשָׂרָה אִמּוֹ – **Onkelos**, however, **explains** this phrase to mean, ***Isaac brought her to the tent, and behold she was like Sarah his mother.***[110] וְלָכֵן הִזְכִּיר הָאַהֲבָה, כִּי מִפְּנֵי צִדְקָתָהּ וְכִשְׁרוֹן מַעֲשֶׂיהָ אֲהֵבָהּ וְנִחַם בָּהּ – **And this is why it mentions the love** of Isaac for his wife,[111] **for it was because of her righteousness and her fitting deeds that he loved her and found comfort in her.**

[Ramban shows that the Midrash has a similar interpretation:]

וְכָךְ הִזְכִּירוּ בִּבְרֵאשִׁית רַבָּה; עַד שֶׁלֹּא מֵתָה שָׂרָה הָיְתָה בְּרָכָה מְצוּיָה בָעִסָּה – **And so they mentioned in** ***Bereishis Rabbah*** (60:16): **"Before Sarah had died blessing was** always to be **found in the dough."**[112]

25.

3. אַשּׁוּרִים וּלְטוּשִׁים וּלְאֻמִּים – *ASSHURIM, LETUSHIM AND LEUMMIM.*

[These names all have the plural ending ־ִים (*-im*). How can a proper name be in the plural? Ramban explains, and begins by citing Rashi:]

---

is that Sarah's tent was left pitched in Hebron, where she was living at the time of her death, and that Isaac took Rebecca from their meeting point near Beer-lahai-roi all the way to Hebron, which is *the south country* mentioned in v. 62. (Ramban above, however, wrote that *the south country* refers to Beer-sheba.)

108. Stylistic citation from *Lamentations* 1:16.

109. This, too, was written to show the great esteem in which Isaac held his mother.

110. Onkelos' words are וְאַעֲלַהּ יִצְחָק לְמַשְׁכְּנָא וְהָא תַקְנִין עוֹבָדָהָא כְּעוֹבָדֵי שָׂרָה אִמֵּהּ: "Isaac brought her into the tent, and behold, her deeds were proper like the deeds of Sarah his mother." Ramban explains that Onkelos interpreted the Hebrew of our verse as follows: *Isaac brought her into the tent – [and behold, there was] Sarah, his mother!*

[See also Rashi here.]

111. As Ramban mentioned above, it seems unnecessary for the Torah to inform us that a man loved his wife.

112. See Rashi here for a fuller citation of the Midrash.

ד וּבְנֵ֤י מִדְיָן֙ עֵיפָ֣ה וָעֵ֔פֶר וַחֲנֹ֖ךְ וַאֲבִידָ֣ע
ה וְאֶלְדָּעָ֑ה כָּל־אֵ֖לֶּה בְּנֵ֥י קְטוּרָֽה׃ וַיִּתֵּ֧ן
ו אַבְרָהָ֛ם אֶת־כָּל־אֲשֶׁר־ל֖וֹ לְיִצְחָֽק׃ וְלִבְנֵ֤י

ד וּבְנֵי מִדְיָן עֵיפָה וָעֵפֶר וַחֲנוֹךְ וַאֲבִידָע וְאֶלְדָּעָה כָּל אִלֵּין בְּנֵי קְטוּרָה׃ ה וִיהַב אַבְרָהָם יָת כָּל דִּילֵהּ לְיִצְחָק׃ ו וְלִבְנֵי

רש״י

מפני האל״ף שאינה יסודית. הרי לנו תיבות שאין בראשם אל״ף ונתוספה אל״ף בראשם, כמו חומת אנך (עמוס ז:ז) שהוא מן נכה רגלים (שמואל ב ד:ד). וכמו אסוך שמן (מלכים ב ד:ב) שהוא מן ורחצת וסכת (רות ג:ג): **ולטושם.** הם בעלי אהלים המתפזרים אנה ואנה ונוסעים איש באהלי אפדנו. וכן הוא אומר והנה נטושים על פני כל הארץ (שמואל א ל:טז). שכן למ״ד ונו״ן מתחלפות זו בזו: **(ה) ויתן אברהם וגו׳.** אמר ר׳ נחמיה ברכה דיאתיקי [שלו] נתן לו. שאמר לו הקב״ה לאברהם והיה ברכה (לעיל יב:ב) הברכות מסורות בידך לברך את מי שתרצה, ואברהם מסרן ליצחק (ב״ר סא:ו):

רמב״ן

עִם לְשׁוֹן הַמִּקְרָא[2a].

וְלִי נִרְאֶה, שֶׁסָּבַר אוּנְקְלוּס בְּ״אַשּׁוּרִם״ שֶׁהֵם הַמַּחֲנוֹת שַׁיָּרוֹת הוֹלְכֵי דֶּרֶךְ מֵעִיר לְעִיר, כְּמוֹ שֶׁאָמַר ״אוֹרְחַת יִשְׁמְעֵאלִים״ [להלן לז, כה][3], עֲשָׂאוֹ מִלְּשׁוֹן ״בַּאֲשֻׁרוֹ אָחֲזָה רַגְלִי״ [איוב כג, יא], ״לֹא תִמְעַד אֲשׁוּרָיו״ [תהלים לז, לא].

וְסָבַר בִּ״לְטוּשִׁים״, שֶׁהֵם הַשּׁוֹכְנִים בְּאֹהָלִים שֶׁהֵם נְטוּשִׁים עַל פְּנֵי כָל הָאָרֶץ[4], הַיּוֹם יִשְׁכְּנוּ בְּמָקוֹם הַזֶּה וּלְמָחָר בְּמָקוֹם אַחֵר. כִּי הַלָּמֶ״ד וְהַנּוּ״ן יוּמְרוּ בִּמְקוֹמוֹת רַבִּים[5], כְּמוֹ לִשְׁכָּה וְנִשְׁכָּה[6], ״וַיִּפָּקְדוּ בַּיּוֹם הַהוּא

RAMBAN ELUCIDATED

לְשׁוֹן רַשִׁ״י – The following is **a quote from Rashi:**

שֵׁם רָאשֵׁי אֻמּוֹת – These are **names of heads** (i.e., progenitors) **of nations.**[1] **וְתַרְגּוּמוֹ שֶׁל אוּנְקְלוּס אֵין לִי לְיַשְּׁבוֹ עִם לְשׁוֹן הַמִּקְרָא** – **And** as for **Onkelos' translation** of the phrase,[2] **I cannot fit it into the wording of the verse.**[2a]

[Ramban suggests a theory as to how Onkelos arrived at his translation, discussing each of the three words individually. The first word:]

וְלִי נִרְאֶה שֶׁסָּבַר אוּנְקְלוּס בְּ״אַשּׁוּרִם״ – **It appears to me that regarding אַשּׁוּרִים Onkelos maintained שֶׁהֵם הַמַּחֲנוֹת שַׁיָּרוֹת הוֹלְכֵי דֶּרֶךְ מֵעִיר לְעִיר** – **that they are the camps of caravans of people traveling** together **on the road from city to city, כְּמוֹ שֶׁאָמַר ״אוֹרְחַת יִשְׁמְעֵאלִים״** – **just as it says,** ***a caravan of Ishmaelites*** (below, 37:25).[3] **עֲשָׂאוֹ מִלְּשׁוֹן ״בַּאֲשֻׁרוֹ אָחֲזָה רַגְלִי״** – **He rendered** [אַשּׁוּרִים] as being derived **from the word** אֲשׁוּר in the verses, ***My foot has followed in His "path"*** [בַּאֲשֻׁרוֹ] (*Job* 23:11), and **״לֹא תִמְעַד אֲשׁוּרָיו״** – ***his "footsteps"*** [אֲשׁוּרָיו] ***will not falter*** (*Psalms* 37:31).

[The second word:]

וְסָבַר בִּ״לְטוּשִׁים״ – **And regarding** לְטוּשִׁים [Onkelos] **maintained שֶׁהֵם הַשּׁוֹכְנִים בְּאֹהָלִים שֶׁהֵם נְטוּשִׁים עַל פְּנֵי כָל הָאָרֶץ** – **that they are** people **who dwell in tents, who are "spread out** (נְטוּשִׁים) **upon the face of the entire land,"**[4] **הַיּוֹם יִשְׁכְּנוּ בְּמָקוֹם הַזֶּה וּלְמָחָר בְּמָקוֹם אַחֵר** – **today living in a certain place, and tomorrow in a different place. כִּי הַלָּמֶ״ד וְהַנּוּ״ן יוּמְרוּ בִּמְקוֹמוֹת רַבִּים** – **For** ***lamed*** **and** ***nun*** **are interchanged in many places,**[5] **כְּמוֹ לִשְׁכָּה וְנִשְׁכָּה, ״וַיִּפָּקְדוּ בַּיּוֹם הַהוּא**

1. The name "Asshurim," then, is the name of a people (known as the "Asshurites"), not of an individual; and the names of nations regularly appear in Scripture in plural form (e.g., *Mizraim ... Ludim, Anamim,* etc. [above, 10:13). Likewise, Letushim and Leummim are the names of nations.

2. Onkelos renders the words *Asshurim, Letushim and Leumim* as לְמַשְׁרְיָן ("[dwellers of] nomadic encampments"), לִשְׁכוּנִין ("[dwellers of] dwelling areas"), and לְנַגְוָן ("[dwellers of] islands"), respectively. According to Onkelos, then, the plural form of these words is justified because the verse is referring to people who were "[*dwellers of*] encampments, dwelling areas and islands."

2a. Rashi does not understand how Onkelos derived this from the text (ArtScroll Sapirstein edition of Rashi, p. 266).

3. אֹרְחָה ("caravan") is derived from the word אֹרַח, meaning "road" or "way." Similarly, Ramban suggests, אַשּׁוּרִים can be understood as a derivative of אֲשׁוּר, which, as he proceeds to show, means "path" or "footsteps." Hence, אַשּׁוּרִים, too, can be interpreted as "caravan."

4. Stylistic citation from *I Samuel* 30:16.

5. This allowed Onkelos to interpret לְטוּשִׁים as if it had said נְטוּשִׁים.

[4] And the children of Midian: Ephah [and] Epher, Hanoch, Abida,
and Eldaah; all these were the descendants of Keturah. [5] Abra-
ham gave all that he had to Isaac. [6] But to Abraham's children

רמב"ן

אֲנָשִׁים עַל הַנְּשָׁכוֹת" [נחמיה יב, מד]. וּמִזֶּה "חֶרֶב נְטוּשָׁה" [ישעיה כא, טו], כְּמוֹ לְטוּשָׁה[7].

וְאָמַר בְּ"לְאֻמִּים" "וּלְנַגְוָן", בִּלְשׁוֹן אִיִּים[8].

וּמִלַּת "הָיוּ" עוֹרְרָה אוֹתוֹ בָּזֶה, שֶׁהָיָה רָאוּי[8a] שֶׁיֹּאמַר כְּמוֹ שֶׁאָמַר [לעיל י, יג]: "וּמִצְרַיִם יָלַד אֶת לוּדִים וְאֶת עֲנָמִים וְאֶת לְהָבִים וְאֶת נַפְתֻּחִים"[9].

וּבִבְרֵאשִׁית רַבָּה [סא, ה]: רַבִּי שְׁמוּאֵל בַּר רַב נַחְמָן אָמַר: אַף עַל גַּב דְּאִינּוּן מְתַרְגְּמִין וְאָמְרִין "תַּגָּרִין וְלַפָּדִין וְרָאשֵׁי אֻמִּים"[10], כֻּלָּם רָאשֵׁי אֻמּוֹת הֵן[10a].

וְהָעִנְיָן כְּמוֹ שֶׁפֵּרַשְׁתִּי[11], כִּי הָיוּ הַמְתַרְגְּמִין עוֹשִׂים "אַשּׁוּרִים" תַּגָּרִין הוֹלְכֵי דֶרֶךְ. וְהָיוּ עוֹשִׂין מִן

RAMBAN ELUCIDATED

"אֲנָשִׁים עַל הַנְּשָׁכוֹת" – **as in** the interchangeable words **לִשְׁכָּה** and **נִשְׁכָּה** ("chamber"),[6] as found in the verse ***On that day men were appointed over the chambers*** [נְשָׁכוֹת] (*Nehemiah* 12:44). **וּמִזֶּה "חֶרֶב נְטוּשָׁה", כְּמוֹ לְטוּשָׁה** – **And from this** principle we may understand the word נְטוּשָׁה in the phrase, ***sharpened*** [נְטוּשָׁה] ***sword*** (*Isaiah* 21:15), **as** לְטוּשָׁה ***(sharpened).***[7]

[The third word:]

וְאָמַר בְּ"לְאֻמִּים" "וּלְנַגְוָן" בִּלְשׁוֹן אִיִּים – **And [Onkelos] said for** לְאֻמִּים the Aramaic word וּלְנַגְוָן, understanding it **as a term for "islands."**[8]

[Ramban now explains what led Onkelos to translate these three words as descriptive common nouns rather than regard them as proper nouns, names of nations:]

וּמִלַּת "הָיוּ" עוֹרְרָה אוֹתוֹ בָּזֶה – **It was the word** הָיוּ (*they were*) **that prompted [Onkelos] in this** matter. **שֶׁהָיָה רָאוּי שֶׁיֹּאמַר כְּמוֹ שֶׁאָמַר "וּמִצְרַיִם יָלַד אֶת לוּדִים וְאֶת עֲנָמִים וְאֶת לְהָבִים וְאֶת נַפְתֻּחִים"** – **For it would have been** more **fitting**[8a] for **[Scripture] to say,** *Dedan "begot" Asshurim, Letushim and Leummim,* **as it said** (above 10:13), ***And Mizraim begot Ludim, Anamim, Lehabim and Naphtuhim.***[9]

[Ramban notes that a discussion concerning the proper way of translating this phrase into Aramaic is already found in the Midrash:]

וּבִבְרֵאשִׁית רַבָּה – **In *Bereishis Rabbah*** (61:5) we find: **רַבִּי שְׁמוּאֵל בַּר רַב נַחְמָן אָמַר:** – **"Rabbi Shmuel son of Rav Nachman said:** **אַף עַל גַּב דְּאִינּוּן מְתַרְגְּמִין וְאָמְרִין "תַּגָּרִין וְלַפָּדִין וְרָאשֵׁי אֻמִּים"** – **Even though they translate** these words into Aramaic **and say** that אַשּׁוּרִים וּלְטוּשִׁים וּלְאֻמִּים, mean **'merchants, torch-like men, and heads of nations,'**[10] **כֻּלָּם רָאשֵׁי אֻמּוֹת הֵן** – in reality, **they were *all* heads of nations."**[10a] **וְהָעִנְיָן כְּמוֹ שֶׁפֵּרַשְׁתִּי** – **The explanation** of this Midrash **is as I have** just **explained.**[11] **כִּי הָיוּ הַמְתַרְגְּמִין עוֹשִׂים "אַשּׁוּרִים" תַּגָּרִין הוֹלְכֵי דֶרֶךְ** – **For the** Aramaic **translators used**

6. The word for "chamber" is usually לִשְׁכָּה (see *Nehemiah* 13:5, 13:8), but, as Ramban proceeds to show, it appears as נְשָׁכוֹת (plural of נִשְׁכָּה) as well, with a *nun* instead of a *lamed.*

7. Just as לְטוּשִׁים is understood as נְטוּשִׁים, "spread out," in our verse (where the *lamed* takes the place of a *nun*), so, conversely, נְטוּשָׁה of *Isaiah* 21:15 can be understood as לְטוּשָׁה, "whetted," (where the *nun* takes the place of a *lamed*).

[Many commentators, however, translate נְטוּשָׁה in the verse in *Isaiah* as "widespread," rather than seeing it as an alteration of לְטוּשָׁה.]

8. Though אִיִּים is usually translated as "islands" (see Radak, *Shorashim* s.v. אי), some commentators prefer "faraway lands" or "lands bordering the sea" (see *Machberes Menachem* s.v. אי). Onkelos here took לְאֻמִּים ("nations") to mean "faraway nations," or "dwellers of lands by the sea."

8a. I.e., if these had been proper names of nations.

9. This verse is parallel to ours, for Ludim, Anamim, etc. are names of nations. By veering from the language of 10:13, and saying that *the children of Dedan **were** Asshurim, Letushim and Leummim*, our verse intimates that it is *describing* Dedan's children, not naming them.

10. This is similar, but not identical, to today's versions of *Targum Yerushalmi* (see above, 14:6, note 16).

10a. I.e., though the Aramaic translation attributed descriptive terms to these names, they were, nevertheless, only proper names of Dedan's sons, as Ramban will soon explain.

11. I.e., Ramban is saying: Just as he explained

הַפִּילַגְשִׁים֙ אֲשֶׁ֣ר לְאַבְרָהָ֔ם נָתַ֥ן אַבְרָהָ֖ם מַתָּנֹ֑ת וַֽיְשַׁלְּחֵ֞ם מֵעַ֨ל יִצְחָ֤ק בְּנוֹ֙ בְּעוֹדֶ֣נּוּ חַ֔י קֵ֖דְמָה

לְחֵינָתָא דִּי לְאַבְרָהָם יְהַב אַבְרָהָם מַתְּנָן וְשַׁלְּחִנּוּן מֵעַל יִצְחָק בְּרֵהּ עַד דְּהוּא קַיָּם קִידוּמָא

רש"י

(ו) **הפילגשים.** חסר כתיב שלא היתה אלא פלגש אחת, היא הגר היא קטורה (שם ד). נשים בכתובה, פלגשים בלא כתובה, כדאמרי' בסנהדרין (כא.) בנשים ופלגשים דדוד: [**נתן אברהם מתנת.** פירשו רבותינו, שם טומאה מסר להם (שם נא.). ד"א, מה שניתן לו על אודות שרה ושאר מתנות שנתנו לו, הכל נתן להם, שלא רצה ליהנות מהם:]

רמב"ן

"לְטוּשִׁים" אַנְשֵׁי רֶשַׁע, פְּנֵיהֶם פְּנֵי לְהָבִים, בּוֹעֲרִים כְּלַפִּידִים, מִן "לִלְטוֹשׁ אֶת מַחֲרַשְׁתּוֹ וְאֶת אֵתוֹ" [שמואל-א יג, כ], "יִלְטוֹשׁ עֵינָיו לִי" [איוב טז, ט]. וְאָמַר רַבִּי שְׁמוּאֵל בַּר רַב נַחְמָן שֶׁאַף עַל פִּי שֶׁנָּהֲגוּ לְתַרְגֵּם כֵּן - אֵינָם אֶלָּא רָאשֵׁי אֻמּוֹת, אֵין בָּהֶם שֵׁם תּוֹאַר כְּלָל. וְכָךְ הַדָּבָר[12].

[ו] **וְלִבְנֵי הַפִּילַגְשִׁים[12a,13] אֲשֶׁר לְאַבְרָהָם.** עַל דֶּרֶךְ הַפְּשָׁט[13a], בַּעֲבוּר שֶׁנֶּאֱמַר לוֹ "כִּי בְיִצְחָק יִקָּרֵא לְךָ זָרַע", לֹא בְּזֶרַע אַחֵר [לעיל כא, יב], הָיוּ כָּל נָשָׁיו אֶצְלוֹ פִּילַגְשִׁים[14], לֹא הָיוּ נֶחְשָׁבוֹת לְנָשִׁים, שֶׁאֵין זַרְעָן בְּיוֹרְשָׁיו[15].

RAMBAN ELUCIDATED

to render אֲשׁוּרִים as **"merchants," people who travel on the road.** וְהָיוּ עוֹשִׂין מִן "לְטוּשִׁים" אַנְשֵׁי רֶשַׁע, פְּנֵיהֶם פְּנֵי לְהָבִים, בּוֹעֲרִים כְּלַפִּידִים – **And they used to render** לְטוּשִׁים as **"wicked men, whose faces were aflame, burning like torches,"** מִן "לִלְטוֹשׁ אֶת מַחֲרַשְׁתּוֹ וְאֶת אֵתוֹ" – **from the** word לִלְטוֹשׁ in ***to shine*** [לִלְטוֹשׁ] ***his plow and his spade*** (*I Samuel* 13:20), "יִלְטוֹשׁ עֵינָיו לִי" – and, ***he casts fiery glances*** [יִלְטוֹשׁ] ***at me*** (*Job* 16:9). וְאָמַר רַבִּי שְׁמוּאֵל בַּר רַב נַחְמָן שֶׁאַף עַל פִּי שֶׁנָּהֲגוּ לְתַרְגֵּם כֵּן אֵינָם אֶלָּא רָאשֵׁי אֻמּוֹת – About this **Rabbi Shmuel son of Rav Nachman commented that even though [people] were accustomed to translate** these words **in this manner, [these]** three people named here **were none other than progenitors of nations,** אֵין בָּהֶם שֵׁם תּוֹאַר כְּלָל – and **they are not descriptive terms at all.** וְכָךְ הַדָּבָר – **And so it is** indeed.[12]

6. וְלִבְנֵי הַפִּילַגְשִׁים אֲשֶׁר לְאַבְרָהָם – ***BUT TO ABRAHAM'S CHILDREN FROM THE CONCUBINES.***

[Our verse speaks of the *children of his concubines*. But Abraham had only one concubine (Hagar),[12a] and she had only one son (Ishmael). Who, then, are these *children* (pl.) from *concubines* (pl.)?[13] Ramban explains:]

עַל דֶּרֶךְ הַפְּשָׁט – **In the manner of plain interpretation**[13a] the explanation is as follows: בַּעֲבוּר שֶׁנֶּאֱמַר לוֹ "כִּי בְיִצְחָק יִקָּרֵא לְךָ זָרַע", לֹא בְּזֶרַע אַחֵר – **Because it was said to [Abraham],** ***since through Isaac will offspring be considered yours*** (above, 21:12), meaning only the offspring of Isaac will be considered "Abraham's offspring," and **not of any other offspring,** הָיוּ כָּל נָשָׁיו אֶצְלוֹ פִּילַגְשִׁים – **he** therefore **considered all of his** other **wives** – except for Sarah – **concubines.**[14] לֹא הָיוּ נֶחְשָׁבוֹת לְנָשִׁים, שֶׁאֵין זַרְעָן בְּיוֹרְשָׁיו – **They were not considered** full-fledged **wives, because their offspring would not be among his heirs.**[15]

Onkelos, that אֲשׁוּרִים, וּלְטוּשִׁים, וּלְאֻמִּים are descriptive words of various peoples, the translators in the Midrash also render them as descriptive, albeit somewhat differently from Onkelos.

12. As Rabbi Shmuel taught.

12a. Ramban now assumes that Keturah was a wife to Abraham, as v. 1 states: וַיִּקַּח אִשָּׁה וּשְׁמָהּ קְטוּרָה, [*Abraham*] *took a wife whose name was Keturah.* Later, Ramban cites the Sages' opinion that Keturah, too, was a concubine.]

13. Rashi, Rashbam and Radak all address this question.

13a I.e., that Hagar and Keturah were two different people.

14. Keturah was thus considered a "concubine" in this sense.

15. Ramban interprets *through Isaac* (to the exclusion of other sons) *will offspring be considered yours* to mean that Abraham's other sons were not entitled to receive any inheritance from him. (Note that these words [above, 21:12] appear immediately after Sarah's demand [21:10] that Abraham disinherit Ishmael.)

As Ramban writes later, the children of a concubine do not inherit their father. Thus our verse refers to Keturah as a concubine, even though she was fully married to Abraham, because her children were disinherited like those of a concubine.

[In the Jewish laws of inheritance, *any* male child – whether legitimate or illegitimate, whether he is born

from the concubines, Abraham gave gifts; then he sent them away from Isaac his son, while he was still alive, eastward

רמב״ן

כִּי הָגָר שִׁפְחַת שָׂרָה פִּילַגְשׁוֹ הָיְתָה[16], אֲבָל קְטוּרָה לְאִשָּׁה לָקַח לוֹ[17]. וְאִם הָיְתָה שִׁפְחָה בְּבֵיתוֹ[17a] וּלְקָחָהּ לְפִילֶגֶשׁ - לֹא הָיָה אוֹמֵר ״וַיִּקַּח אִשָּׁה וּשְׁמָהּ קְטוּרָה״ [לעיל פסוק א]. רַק תִּקָּרֵא פִּילֶגֶשׁ בַּכָּתוּב מִפְּנֵי הַטַּעַם שֶׁפֵּירַשְׁתִּי. וּבְדִבְרֵי הַיָּמִים [דה״י־א א, לב] כָּתוּב: ״וּבְנֵי קְטוּרָה פִּילֶגֶשׁ אַבְרָהָם״[18].

וְהִנֵּה אַבְרָהָם לָקַח לוֹ אִשָּׁה מִבְּנוֹת כְּנַעַן [לעיל פרק כד]. וְאִם תֹּאמַר שֶׁהָיְתָה מִצְרִית אוֹ מֵאֶרֶץ פְּלִשְׁתִּים[19] - הִנֵּה לֹא שָׁלַח אֶל אַרְצוֹ וְאֶל מוֹלַדְתּוֹ כַּאֲשֶׁר עָשָׂה בִּבְנוֹ. כִּי אֵינֶנּוּ שׁוֹמֵר רַק זֶרַע יִצְחָק, כִּי עָלָיו נִכְרַת הַבְּרִית[20]. וְעוֹד, שֶׁלֹּא אָמַר הַכָּתוּב ״וַיִּקַּח אִשָּׁה קְטוּרָה בַּת פְּלוֹנִי הַחִוִּי״[21] אוֹ ״הַפְּלִשְׁתִּי וְהַמִּצְרִי מֵאֶרֶץ פְּלוֹנִית״

RAMBAN ELUCIDATED

[Ramban continues to explain who these "concubines" were:]

כִּי הָגָר שִׁפְחַת שָׂרָה פִּילַגְשׁוֹ הָיְתָה, אֲבָל קְטוּרָה לְאִשָּׁה לָקַח לוֹ – For Hagar, Sarah's maidservant, was indeed **[Abraham's] concubine;**[16] **Keturah, however, he had taken as a** full-fledged **wife.**[17] **וְאִם הָיְתָה שִׁפְחָה בְּבֵיתוֹ וּלְקָחָהּ לְפִילֶגֶשׁ לֹא הָיָה אוֹמֵר ״וַיִּקַּח אִשָּׁה וּשְׁמָהּ קְטוּרָה״ – For if [Keturah] had** originally **been a maidservant in [Abraham's] house,**[17a] and he subsequently **took her for a concubine, [Scripture] would not have said, *And he took a "wife" whose name was Keturah*** (above, v. 1). Keturah was therefore certainly never a maidservant, and was fully a wife to Abraham. **רַק תִּקָּרֵא פִּילֶגֶשׁ בַּכָּתוּב מִפְּנֵי הַטַּעַם שֶׁפֵּירַשְׁתִּי – Nevertheless, she is called a "concubine" by Scripture for the reason that I have explained. וּבְדִבְרֵי הַיָּמִים כָּתוּב: ״וּבְנֵי קְטוּרָה פִּילֶגֶשׁ אַבְרָהָם״ – And in *I Chronicles*** (1:32), too, **it is written, *And the sons of Keturah, the "concubine" of Abraham.***[18]

[Having demonstrated that Keturah was a full wife of Abraham, Ramban notes a difficulty that this fact raises:]

וְהִנֵּה אַבְרָהָם לָקַח לוֹ אִשָּׁה מִבְּנוֹת כְּנַעַן – Accordingly, Abraham took a wife from among **the daughters of Canaan!** This is problematic, in light of the great care Abraham took to ensure that his son should not marry a Canaanite woman (above, Chap. 24). **וְאִם תֹּאמַר שֶׁהָיְתָה מִצְרִית אוֹ מֵאֶרֶץ פְּלִשְׁתִּים – And** even **if you should argue that she was an Egyptian or from the land of the Philistines** and not a Canaanite,[19] **הִנֵּה לֹא שָׁלַח אֶל אַרְצוֹ וְאֶל מוֹלַדְתּוֹ כַּאֲשֶׁר עָשָׂה בִּבְנוֹ** – nevertheless, **we see that he did not** bother to **send** an emissary **to his land and to his birthplace** to find himself a wife **as he had done with his son** Isaac.

[Ramban answers this question:]

כִּי אֵינֶנּוּ שׁוֹמֵר רַק זֶרַע יִצְחָק, כִּי עָלָיו נִכְרַת הַבְּרִית – This was **because he** took precautions to **protect only** the purity of **Isaac's offspring, for it was with that** offspring **that** God's **covenant had been forged.**[20]

[Ramban finds support for his assertion that Keturah was a Canaanite:]

וְעוֹד, שֶׁלֹּא אָמַר הַכָּתוּב וַיִּקַּח אִשָּׁה קְטוּרָה בַּת פְּלוֹנִי הַחִוִּי אוֹ הַפְּלִשְׁתִּי וְהַמִּצְרִי מֵאֶרֶץ פְּלוֹנִית – Furthermore, Scripture did not say, "And he took a wife, Keturah daughter of So-and-so the Hivvite"[21] **or**

---

to a wife or a concubine, is an heir to his father's estate (see *Yevamos* 22b). Ramban maintains that for Noahides, Torah law does not consider children of concubines to be heirs (*Zichron Yitzchak*; cf. Maharsha on *Sanhedrin* 91a, ד״ה ויתן, and *Chochmas Shlomo* on *Shulchan Aruch, Choshen Mishpat* 282).]

16. Hagar is nowhere explicitly referred to as a "concubine." Nevertheless, Ramban explains that it may be assumed that she was not a full wife because she was, after all, a maidservant before Abraham "married" her.

17. According to Ramban, then, Abraham had two concubines: Hagar (who was a "true" concubine) and Keturah (who was actually a wife but was *considered* a "concubine"). Their children were thus the *children of the concubines*.

17a. As was Hagar, and Abraham would under no circumstances marry a maidservant.

18. [This is in contradistinction to Radak, who says that the *concubines* cannot possibly refer to Hagar or Keturah, who, in his opinion, were full wives. In his commentary to *Chronicles* (loc. cit.), however, Radak agrees with Ramban here.]

19. As Radak maintains.

20. See above, 17:19 – *I will fulfill My covenant with [Isaac] as an everlasting covenant for* **his** offspring after him.

21. The Hivvites were a Canaanite tribe (above, 10:17).

ז אֶל־אֶרֶץ קֶדֶם: וְאֵלֶּה יְמֵי שְׁנֵי־חַיֵּי אַבְרָהָם אֲשֶׁר־חָי מְאַת שָׁנָה וְשִׁבְעִים שָׁנָה וְחָמֵשׁ שָׁנִים:

לַאֲרַע מָדִינְחָא: ז וְאִלֵּין יוֹמֵי שְׁנֵי חַיֵּי אַבְרָהָם דַּחֲיָא מְאָה וְשִׁבְעִין וְחָמֵשׁ שְׁנִין:

רש"י

(ז) מאת שנה ושבעים שנה וחמש שנים. בן ק' כבן ע' [לכח], ובן ע' כבן ה' בלא חטא:

רמב"ן

כַּאֲשֶׁר אָמַר בִּנְשֵׁי עֵשָׂו וְזוּלָתָן[22]. אֲבָל הִזְכִּיר שְׁמָהּ בִּלְבַד, כִּי הִיא כְּנַעֲנִית, וְקִצֵּר בְּיִחוּסָהּ[23]. וְכֵן יַעֲשֶׂה בִּמְקוֹמוֹת רַבִּים כְּשֶׁלֹּא יַקְפִּיד בְּיִיחוּס שֶׁלָּהֶן.

וְאוּלַי תִּקָּרֵא פִּילֶגֶשׁ בַּעֲבוּר הֱיוֹתָהּ שִׁפְחָה מִמִּשְׁפַּחַת הָעֲבָדִים[24]. וְאִם הָיְתָה שִׁפְחָה בְּבֵיתוֹ וּבָא אֵלֶיהָ - לֹא יַזְכִּיר יִיחוּסָהּ, כִּי אֵין דֶּרֶךְ הַכָּתוּב לְהַזְכִּיר בָּאֲמָהוֹת רַק שְׁמָן, כְּעִנְיַן בְּזִלְפָּה [להלן כט, כד] וּבִלְהָה [שם כט, כט].

וְרַשִׁ"י כָּתַב: נָשִׁים בִּכְתֻבָּה[25], פִּילַגְשִׁים שֶׁלֹּא בִּכְתֻבָּה, כִּדְאָמַר בְּנָשִׁים וּפִילַגְשִׁים דְּדָוִד, בְּסַנְהֶדְרִין [כא, א][26].

RAMBAN ELUCIDATED

"the Philistine" or **"the Egyptian,"** or **"from the land of Such-and-such,"** כַּאֲשֶׁר אָמַר בִּנְשֵׁי עֵשָׂו וְזוּלָתָן – **as it said regarding the wives of Esau** (below, 36:2-3) **and others.**[22] אֲבָל הִזְכִּיר שְׁמָהּ בִּלְבַד כִּי הִיא כְּנַעֲנִית וְקִצֵּר בְּיִחוּסָהּ – **Rather, it mentioned her name only** and not the name of her father and her nationality, **for she was a Canaanite, and it** therefore **was brief regarding** (i.e., omitted) **her lineage.**[23] וְכֵן יַעֲשֶׂה בִּמְקוֹמוֹת רַבִּים כְּשֶׁלֹּא יַקְפִּיד בְּיִיחוּס שֶׁלָּהֶן – **And this is what [Scripture] does in many places when it is not particular about [people's] lineage.**

[Ramban has proposed a reason why Keturah is referred to as a "concubine" (although she was in reality a full wife) and why her lineage is not given. He now suggests another explanation that accounts for both of these facts:]

וְאוּלַי תִּקָּרֵא פִּילֶגֶשׁ בַּעֲבוּר הֱיוֹתָהּ שִׁפְחָה מִמִּשְׁפַּחַת הָעֲבָדִים – **Perhaps she is called a "concubine" because she was a maidservant,** born **from a family of slaves.**[24] וְאִם הָיְתָה שִׁפְחָה בְּבֵיתוֹ וּבָא אֵלֶיהָ – So that **if she *was* a maidservant in his house and he had relations with her,** לֹא יַזְכִּיר יִיחוּסָהּ – **[Scripture] would not mention her lineage,** כִּי אֵין דֶּרֶךְ הַכָּתוּב לְהַזְכִּיר בָּאֲמָהוֹת רַק שְׁמָן – **for it is not the manner of Scripture to mention** anything **about maidservants other than their name,** כְּעִנְיַן בְּזִלְפָּה וּבִלְהָה – **as is the case with Zilpah** (below, 29:24) **and Bilhah** (ibid. 29:29), both of whom were maidservants.

[Ramban now discusses the distinction between a concubine and a wife:]

וְרַשִׁ"י כָּתַב – **Rashi writes:**

נָשִׁים בִּכְתֻבָּה, פִּילַגְשִׁים שֶׁלֹּא בִּכְתֻבָּה – **Wives** are consorts **with a *kesubah*;**[25] **concubines** are consorts **without a *kesubah*,** כִּדְאָמַר בְּנָשִׁים וּפִילַגְשִׁים דְּדָוִד בְּסַנְהֶדְרִין – **as [the Talmud] says concerning the wives and concubines of David, in *Sanhedrin*** (21a).[26]

The Torah tells us that Esau's wife was a Hivvite (below, 36:2).

22. Scripture nearly always mentions the parentage and nationality of women who marry the men that are the subject of the narrative. See below, 38:2, 41:45; *Exodus* 6:23; *Numbers* 26:59; etc.

23. The Canaanites were a despised and cursed nation; hence, when Scripture mentions Keturah's marriage to our patriarch Abraham, it did not see fit to dwell on her ancestry, nor even mention her nationality.

24. According to this interpretation, Keturah is referred to as a "concubine" because of her *previous* status of slave-woman, and not because her marriage to Abraham was in some way incomplete. (See Ibn Ezra on v. 1, who writes that the simple meaning of the word פִּילֶגֶשׁ is, "slave-woman.")

25. Literally, "a [marriage] contract"; more broadly, the set of laws governing monetary and other obligations of a husband to a wife.

26. Rashi does not mention the requirement of *kiddushin* ("betrothal," see below, footnote 33) as being unique to wives. We may therefore assume that according to Rashi *kiddushin* applies to concubines as well. Thus, according to Rashi, a concubine does have *kiddushin* but not a *keusubah* (i.e., she is legally married to the man, but they have no contractual obligations toward each other).

to the land of the east.

7 Now these are the days of the years of Abraham's life which he lived: one hundred years, seventy years, and five years.

רמב"ן

וְאֵין הַדָּבָר כֵּן[27,28]. כִּי לֹא תִקָּרֵא פִּילֶגֶשׁ אֶלָּא כְּשֶׁהִיא בְּלֹא קִדּוּשִׁין[29], כִּי הַכְּתֻבָּה מִדִּבְרֵי סוֹפְרִים[30]. וְהַגִּרְסָא בְּסַנְהֶדְרִין: פִּילֶגֶשׁ בְּלֹא כְתֻבָּה וְקִדּוּשִׁין[31]. אֲבָל אֶפְשָׁר שֶׁגַּם בְּנֵי נֹחַ[32], כַּאֲשֶׁר יִשְּׂאוּ לָהֶם נָשִׁים כְּמִשְׁפָּטָן בִּבְעִילָה[33] – הָיוּ נוֹהֲגִים לִכְתֹּב לָהֶן מֹהַר וּמַתָּן. וַאֲשֶׁר רְצוֹנָם שֶׁתִּהְיֶה לָהֶם פִּילֶגֶשׁ, וִישַׁלַּח אוֹתָהּ כַּאֲשֶׁר יִרְצֶה[34], וְלֹא יִהְיוּ בָנֶיהָ בְּנוֹחֲלִים אֶת שֶׁלּוֹ[35] – לֹא הָיָה כּוֹתֵב לָהּ כְּלוּם[36].

RAMBAN ELUCIDATED

[Ramban disagrees with Rashi:[27]]

וְאֵין הַדָּבָר כֵּן – **But the matter is not so,**[28] כִּי לֹא תִקָּרֵא פִּילֶגֶשׁ אֶלָּא כְּשֶׁהִיא בְּלֹא קִדּוּשִׁין – **for [a woman] is not called a "concubine" unless she** lives with a man **without *kiddushin* (betrothal**[29]). כִּי הַכְּתֻבָּה מִדִּבְרֵי סוֹפְרִים – **For the** whole concept of ***kesubah* is** only **of rabbinical** origin.[30] וְהַגִּרְסָא בְּסַנְהֶדְרִין פִּילֶגֶשׁ בְּלֹא כְתֻבָּה וְקִדּוּשִׁין – **The** correct **reading in *Sanhedrin*** is: **"A concubine is** a consort **without a *kesubah* and** without **betrothal."**[31]

[Ramban now shows how Rashi's definition might be correct, i.e., that a "concubine" in Scripture is a woman without *kesubah* rights.]

אֲבָל אֶפְשָׁר שֶׁגַּם בְּנֵי נֹחַ כַּאֲשֶׁר יִשְּׂאוּ לָהֶם נָשִׁים כְּמִשְׁפָּטָן בִּבְעִילָה, הָיוּ נוֹהֲגִים לִכְתֹּב לָהֶן מֹהַר וּמַתָּן – **However, it is possible that Noahides**[32] **as well, when they married women in accordance with the rule that applies to them** – i.e., **through marital relations**[33] – **had the custom to write** documents attesting to **marriage endowments and gifts.** וַאֲשֶׁר רְצוֹנָם שֶׁתִּהְיֶה לָהֶם פִּילֶגֶשׁ וִישַׁלַּח אוֹתָהּ כַּאֲשֶׁר יִרְצֶה – **But if they wanted to have a concubine,** with the understanding **that [the man] could send her away whenever he so desired,**[34] וְלֹא יִהְיוּ בָנֶיהָ בְּנוֹחֲלִים אֶת שֶׁלּוֹ – **and that her sons would not be among his heirs,**[35] לֹא הָיָה כּוֹתֵב לָהּ כְּלוּם – **he would not write any** documents **for her.**[36]

27. According to Rashi (see previous note), it is possible that Keturah was *married* to Abraham (and is thus termed his "wife" in v. 1) yet was a concubine as well; it is not a contradiction in terms to be a concubine and a wife. Ramban disagrees with Rashi, however, as he proceeds to discuss, and he therefore offers other solutions to explain how the verse seems to refer to Keturah, who was a wife, as a concubine.

28. I.e., this cannot be Scripture's distinction between the two.

29. See below, footnote 33.

30. The definition of the term "concubine" as it appears in Scripture cannot possibly be based on concepts that are rabbinical in origin and were instituted after the Torah was given.

[Actually, there is a dispute in the Talmud as to whether the *kesubah* is Biblical or rabbinical in origin. Ramban here accepts the opinion that it is rabbinical (as he does in his Talmud commentary on *Kesubos* 110b).]

31. This is indeed the reading found in our editions of the Talmud, thereby clearly indicating that what distinguishes a concubine from a wife is the lack of betrothal.

32. Noahides are not bound by the laws of the Torah, but only by "the seven Noahide laws." They are: (1) They must institute a court system. (2) They are prohibited from reviling God's Name. (3) They are prohibited from idol-worship. (4) They are prohibited from illicit marital relations. (5) They are prohibited from committing murder. (6) They are prohibited from robbing. (7) They are prohibited from eating from a live animal.

33. In Jewish law, a man "betroths" (מְקַדֵּשׁ) a woman before consummating his marriage with her. After this betrothal the woman is legally the man's wife, and the union cannot be dissolved without a full divorce. The Talmud (*Sanhedrin* 57b) teaches that this concept applies only to Jewish marriages. The Torah does not recognize betrothal for non-Jewish couples, and they are considered legally married only when they have had marital relations.

34. That is, he wants to reserve the right to send her away summarily, without the divorce procedures or settlements customary in his place (cf. *Zichron Yitzchak*).

35. As mentioned above (footnote 15), Ramban considers this one of the hallmarks of a concubine relationship.

36. Though *kesubah* did not exist in Biblical times, as Ramban has earlier asserted, there was, nevertheless, a common practice akin to *kesubah*: Upon marriage the husband would draw up a contract granting the woman certain rights – including her children becoming heirs to his estate equal to his other children.

ח וַיִּגְוַ֧ע וַיָּ֛מָת אַבְרָהָ֛ם בְּשֵׂיבָ֥ה טוֹבָ֖ה זָקֵ֣ן וְשָׂבֵ֑עַ
ט וַיֵּאָ֖סֶף אֶל־עַמָּֽיו׃ וַיִּקְבְּר֨וּ אֹת֜וֹ יִצְחָ֤ק וְיִשְׁמָעֵאל֙
בָּנָ֔יו אֶל־מְעָרַ֖ת הַמַּכְפֵּלָ֑ה אֶל־שְׂדֵ֞ה עֶפְרֹ֤ן בֶּן־
י צֹ֙חַר֙ הַחִתִּ֔י אֲשֶׁ֖ר עַל־פְּנֵ֥י מַמְרֵֽא׃ הַשָּׂדֶ֛ה
אֲשֶׁר־קָנָ֥ה אַבְרָהָ֖ם מֵאֵ֣ת בְּנֵי־חֵ֑ת שָׁ֛מָּה
יא קֻבַּ֥ר אַבְרָהָ֖ם וְשָׂרָ֥ה אִשְׁתּֽוֹ׃ וַיְהִ֗י אַחֲרֵי֙
מ֣וֹת אַבְרָהָ֔ם וַיְבָ֥רֶךְ אֱלֹהִ֖ים אֶת־יִצְחָ֣ק בְּנ֑וֹ

ח וְאִתְנְגִיד וּמִית אַבְרָהָם
בְּסֵיבוּ טָבָא סִיב וּשְׂבַע יוֹמִין
(נ״א וּשְׂבָע) וְאִתְכְּנִישׁ לְעַמֵּהּ:
ט וּקְבַרוּ יָתֵהּ יִצְחָק וְיִשְׁמָעֵאל
בְּנוֹהִי בִּמְעַרְתָּא דְכָפֶלְתָּא
לַחֲקַל עֶפְרוֹן בַּר צֹחַר
חִתָּאָה דִּי עַל אַפֵּי מַמְרֵא:
י חַקְלָא דִּי זְבַן אַבְרָהָם מִן
בְּנֵי חִתָּאָה תַּמָּן אִתְקְבַר
אַבְרָהָם וְשָׂרָה אִתְּתֵהּ:
יא וַהֲוָה בָּתַר דְּמִית אַבְרָהָם
וּבָרִיךְ יְיָ יָת יִצְחָק בְּרֵהּ

רש״י

(ט) יצחק וישמעאל. מכאן שעשה ישמעאל תשובה והוליך את יצחק לפניו (בבא בתרא טז:) והיא שיבה טובה שנאמרה באברהם (ב"ר לח:יב): **(יא) ויהי אחרי מות אברהם ויברך וגו'.** נחמו תנחומי אבלים (סוטה יד.). ד"א, אע"פ שמסר הקדוש ברוך הוא את הברכות לאברהם נתיירא לברך את יצחק, מפני שצפה את עשו יוצא ממנו, אמר, יבא בעל הברכות ויברך את אשר ייטב בעיניו. ובא הקב"ה וברכו (תנחומא לך לך ד; ב"ר סא:ו):

רמב״ן

וְעַל דַּעַת רַבּוֹתֵינוּ שֶׁהִיא הָגָר - הִנֵּה הִיא פִּילֶגֶשׁ וַדַּאי[37].

[ח] זָקֵן וְשָׂבֵעַ. שֶׁרָאָה כָּל מִשְׁאֲלוֹת לִבּוֹ, וְשָׂבַע כָּל טוֹבָה. וְכֵן וּשְׂבַע יָמִים [להלן לה, כט], שֶׁשָּׂבְעָה נַפְשׁוֹ בַּיָּמִים, וְלֹא יִתְאַוֶּה שֶׁיְּחַדְּשׁוּ בּוֹ הַיָּמִים דָּבָר[38]. וְכָעִנְיָן שֶׁנֶּאֱמַר בְּדָוִד [דה״י־א כט, כח]: "וַיָּמָת בְּשֵׂיבָה טוֹבָה, שְׂבַע יָמִים, עֹשֶׁר וְכָבוֹד". וְהוּא סִפּוּר חַסְדֵי הַשֵּׁם בַּצַּדִּיקִים וּמִדָּה טוֹבָה בָּהֶם, שֶׁלֹּא יִתְאַוּוּ בְּמוֹתָרוֹת, כָּעִנְיָן שֶׁנֶּאֱמַר בָּהֶם [תהלים כא, ג]: "תַּאֲוַת לִבּוֹ נָתַתָּ לוֹ"[39], וְלֹא כְּמוֹ שֶׁנֶּאֱמַר בִּשְׁאָר הָאֲנָשִׁים [קהלת ה, ט]:

RAMBAN ELUCIDATED

[After dealing with the problem of classifying Keturah as a concubine, Ramban notes the Sages' opinion on the matter:]

וְעַל דַּעַת רַבּוֹתֵינוּ שֶׁהִיא הָגָר – In the opinion of our Sages (*Bereishis Rabbah* 61:4; see Rashi here)**, that [Keturah] was Hagar, הִנֵּה הִיא פִּילֶגֶשׁ וַדַּאי – then [Keturah] was certainly a concubine.**[37]

8. זָקֵן וְשָׂבֵעַ – ***OLD AND CONTENT.***

[The verse does not tell us the cause of Abraham's contentment:]

שֶׁרָאָה כָּל מִשְׁאֲלוֹת לִבּוֹ וְשָׂבַע כָּל טוֹבָה – This means **that he had realized all the desires of his heart, and was sated with all good** things. **וְכֵן וּשְׂבַע יָמִים – And similarly** the expression used in connection with Isaac, ***and sated with days*** (below, 35:29), **שֶׁשָּׂבְעָה נַפְשׁוֹ בַּיָּמִים** – means **that his soul was sated with** his **days, וְלֹא יִתְאַוֶּה שֶׁיְּחַדְּשׁוּ בּוֹ הַיָּמִים דָּבָר – and he had no desire for** his **days to provide anything new for him.**[38] **וְכָעִנְיָן שֶׁנֶּאֱמַר בְּדָוִד "וַיָּמָת בְּשֵׂיבָה טוֹבָה שְׂבַע יָמִים עֹשֶׁר וְכָבוֹד"** – It is **like the matter that is said regarding David, *He then died in a good old age, sated with days, wealth and honor*** (*I Chronicles* 29:28). **וְהוּא סִפּוּר חַסְדֵי הַשֵּׁם בַּצַּדִּיקִים וּמִדָּה טוֹבָה בָּהֶם – This is a description of God's kindness toward the righteous and of His benevolence toward them, שֶׁלֹּא יִתְאַוּוּ בְּמוֹתָרוֹת – that** He sees to it that **they should not crave extravagances, כָּעִנְיָן שֶׁנֶּאֱמַר בָּהֶם "תַּאֲוַת לִבּוֹ נָתַתָּ לוֹ" – as is said regarding them, *You have given him his heart's desire*** (*Psalms* 21:3).[39]

However, if they agreed on a concubinal relationship, they would be married through marital relations, but with the stipulation that the woman ceded the rights of the above-mentioned contract.

Accordingly, Keturah, being married to Abraham, can be referred to as his "wife," and, having ceded the rights of her children to inherit, can be his "concubine."

37. As for Ramban's original question as to why if there was only one concubine, Scripture writes *concubines* in the plural, see Rashi here s.v. הפילגשים.

38. Ramban is explaining that the expression *sated with days* does not mean that the person had had enough of life and did not desire to live any longer. Rather, it means that the person was satisfied with the events of his life.

39. Ramban interprets *You have given him his heart's*

[8] *And Abraham expired and died at a good old age, old and content, and he was gathered to his people.* [9] *His sons Isaac and Ishmael buried him in the cave of Machpelah, in the field of Ephron the son of Zohar the Hittite, facing Mamre.* [10] *The field that Abraham had bought from the children of Heth, there Abraham was buried, and Sarah his wife.* [11] *And it was after the death of Abraham that God blessed Isaac his son,*

רמב״ן

"אוֹהֵב כֶּסֶף לֹא יִשְׂבַּע כֶּסֶף". וְאָמְרוּ בּוֹ [קהלת רבה א, יג]: אֵין אָדָם יוֹצֵא מִן הָעוֹלָם וַחֲצִי תַּאֲוֹתָיו בְּיָדוֹ. יֵשׁ בְּיָדוֹ מָנֶה - מִתְאַוֶּה מָאתַיִם; הִשִּׂיגָה יָדוֹ לְמָאתַיִם - מִתְאַוֶּה לַעֲשׂוֹתָן אַרְבַּע מֵאוֹת, שֶׁנֶּאֱמַר: 'אוֹהֵב כֶּסֶף לֹא יִשְׂבַּע כֶּסֶף'."

וּבִבְרֵאשִׁית רַבָּה [סב, ב] אָמְרוּ: הַקָּדוֹשׁ בָּרוּךְ הוּא מַרְאֶה לָהֶם לַצַּדִּיקִים מַתַּן שְׂכָרָן שֶׁהוּא עָתִיד לִתֵּן לָהֶם לָעוֹלָם הַבָּא, וְנַפְשָׁם שְׂבֵעָה וְהֵם יְשֵׁנִים.

נִתְעוֹרְרוּ הַחֲכָמִים בָּזֶה[40], וּפֵרְשׁוּ הַכָּתוּב שֶׁאוֹמֵר וְשָׂבֵעַ בַּמַּרְאָה הַזּוֹ.

[ט] וַיִּקְבְּרוּ אוֹתוֹ יִצְחָק וְיִשְׁמָעֵאל בָּנָיו.

לְשׁוֹן בְּרֵאשִׁית רַבָּה [סב, ג]: כָּאן בֶּן הָאָמָה חוֹלֵק כָּבוֹד לְבֶן הַגְּבִירָה[41].

RAMBAN ELUCIDATED

וְלֹא כְּמוֹ שֶׁנֶּאֱמַר בִּשְׁאָר הָאֲנָשִׁים "אוֹהֵב כֶּסֶף לֹא יִשְׂבַּע כֶּסֶף" – **This is unlike what is said regarding other,** common **people:** ***He who loves money shall never be sated with money*** (*Ecclesiastes* 5:9), **וְאָמְרוּ בּוֹ אֵין אָדָם יוֹצֵא מִן הָעוֹלָם וַחֲצִי תַּאֲוֹתָיו בְּיָדוֹ** – and **about which [the Sages] said** (*Koheles Rabbah* 1:13): **"No man leaves** this **world with** even **half of his desires fulfilled: יֵשׁ בְּיָדוֹ מָנֶה מִתְאַוֶּה מָאתַיִם, הִשִּׂיגָה יָדוֹ לְמָאתַיִם מִתְאַוֶּה לַעֲשׂוֹתָן אַרְבַּע מֵאוֹת** – **If he possesses a hundred dinars he desires two hundred; if he has attained two hundred, he desires to make them into four hundred, שֶׁנֶּאֱמַר "אוֹהֵב כֶּסֶף לֹא יִשְׂבַּע כֶּסֶף"** – **as it says, *He who loves money shall never be sated with money*.**"

[Ramban cites another interpretation of the word "content" in our verse:]

וּבִבְרֵאשִׁית רַבָּה אָמְרוּ – **[The Sages] in *Bereishis Rabbah*** (62:2) **said: הַקָּדוֹשׁ בָּרוּךְ הוּא מַרְאֶה לָהֶם לַצַּדִּיקִים מַתַּן שְׂכָרָן שֶׁהוּא עָתִיד לִתֵּן לָהֶם לָעוֹלָם הַבָּא** – **"The Holy One, Blessed is He, shows the righteous** a vision of **their reward that He is going to give them in the Next World, וְנַפְשָׁם שְׂבֵעָה וְהֵם יְשֵׁנִים** – **and their souls** thereby **become content and they** go to their eternal **rest." נִתְעוֹרְרוּ הַחֲכָמִים בָּזֶה, וּפֵרְשׁוּ הַכָּתוּב שֶׁאוֹמֵר וְשָׂבֵעַ בַּמַּרְאָה הַזּוֹ** – **The Sages,** then, **were stirred by this** question,[40] and **explained the verse as saying "*satisfied* through this vision."**

9. וַיִּקְבְּרוּ אוֹתוֹ יִצְחָק וְיִשְׁמָעֵאל בָּנָיו – ***HIS SONS ISAAC AND ISHMAEL BURIED HIM.***

[Ramban explains why Isaac is mentioned here before his older brother Ishmael (see Rashi):]

לְשׁוֹן בְּרֵאשִׁית רַבָּה: – The following is **a quote from *Bereishis Rabbah*** (62:3):

כָּאן בֶּן הָאָמָה חוֹלֵק כָּבוֹד לְבֶן הַגְּבִירָה – **"Here the son of the maidservant shows respect toward the son of the mistress."**[41]

desire to mean, *You have placed under his control the desires of his heart.* That is: "You have made him master over his passions, so that he does not desire anything that he does not have."

40. Namely: What was the cause of Abraham's contentment?

41. Rashi cites this Midrash as follows: "From here we see that Ishmael repented, and let Isaac go ahead of him." Ramban, by citing the actual language of the Midrash, is perhaps alluding to a disagreement with Rashi over the Sages' intent. For the wording would seem to indicate that Ishmael's deference to Isaac was due to the fact that he recognized that he (Isaac) was, after all, the son of Abraham's true wife, the mistress of his own mother Hagar, and it does not necessarily indi-cate that he repented (see מהרז״ו on Midrash, ad loc.).

[The Midrash (*Bereishis Rabbah* 38:12) does indeed state that Ishmael repented at some point in his life, but not in connection with our verse.]

וַיֵּשֶׁב יִצְחָק עִם־בְּאֵר לַחַי רֹאִי: פ
שביעי יב וְאֵלֶּה תֹּלְדֹת יִשְׁמָעֵאל בֶּן־אַבְרָהָם אֲשֶׁר
יָלְדָה הָגָר הַמִּצְרִית שִׁפְחַת שָׂרָה לְאַבְרָהָם:
יג וְאֵלֶּה שְׁמוֹת בְּנֵי יִשְׁמָעֵאל בִּשְׁמֹתָם
לְתוֹלְדֹתָם בְּכֹר יִשְׁמָעֵאל נְבָיֹת וְקֵדָר
יד־טו וְאַדְבְּאֵל וּמִבְשָׂם: וּמִשְׁמָע וְדוּמָה וּמַשָּׂא: חֲדַד
מפטיר טז וְתֵימָא יְטוּר נָפִישׁ וָקֵדְמָה: אֵלֶּה הֵם
בְּנֵי יִשְׁמָעֵאל וְאֵלֶּה שְׁמֹתָם בְּחַצְרֵיהֶם
וּבְטִירֹתָם שְׁנֵים־עָשָׂר נְשִׂיאִם לְאֻמֹּתָם:
יז וְאֵלֶּה שְׁנֵי חַיֵּי יִשְׁמָעֵאל מְאַת שָׁנָה
וּשְׁלֹשִׁים שָׁנָה וְשֶׁבַע שָׁנִים וַיִּגְוַע וַיָּמָת וַיֵּאָסֶף

וִיתֵב יִצְחָק עִם בֵּירָא דְמַלְאַךְ קַיָּמָא אִתְחֲזֵי עֲלַהּ: יב וְאִלֵּין תּוּלְדַת יִשְׁמָעֵאל בַּר אַבְרָהָם דִּי יְלֵידַת הָגָר מִצְרֵתָא אַמְתָא דְשָׂרָה לְאַבְרָהָם: יג וְאִלֵּין שְׁמָהַת בְּנֵי יִשְׁמָעֵאל בִּשְׁמָהַתְהוֹן לְתוּלְדַתְהוֹן בּוּכְרָא דְיִשְׁמָעֵאל נְבָיוֹת וְקֵדָר וְאַדְבְּאֵל וּמִבְשָׂם: יד וּמִשְׁמָע וְדוּמָה וּמַשָּׂא: טו חֲדַד וְתֵימָא יְטוּר נָפִישׁ וָקֵדְמָה: טז אִלֵּין אִנּוּן בְּנֵי יִשְׁמָעֵאל וְאִלֵּין שְׁמָהַתְהוֹן בְּפַצְחֵיהוֹן וּבִכְרַכֵּיהוֹן תְּרֵין עֲסַר רַבְרְבִין לְאֻמֵּיהוֹן: יז וְאִלֵּין שְׁנֵי חַיֵּי יִשְׁמָעֵאל מְאָה וּתְלָתִין וּשְׁבַע שְׁנִין וְאִתְנְגִיד וּמִית וְאִתְכְּנִישׁ

רש״י

(יג) בשמתם לתולדתם. סדר לידתן זה אחר זה: **(טז) בחצריהם.** כרכים שאין להם חומה. ותרגומו בפצחיהון שהם מפולשים, לשון פתיחה, כמו פצחו ורננו (תהלים צח:ד): **(יז) ואלה שני חיי ישמעאל וגו׳.** אמר רבי חייא בר אבא למה נמנו שנותיו של ישמעאל כדי לייחס בהם שנותיו של יעקב. משנותיו של ישמעאל למדנו ששמש יעקב בבית עבר י״ד שנה כשפירש מאביו קודם שבא אצל לבן. שהרי כשפירש יעקב מאביו מת ישמעאל שנא׳ וילך עשו אל ישמעאל וגו׳ (להלן כח:ט) כמו שמפורש בסוף מגלה נקראת (טז:-יז:; יבמות סד.): **ויגוע.** לא נאמרה גויעה [ואסיפה] אלא בצדיקים (בבא בתרא טז:):

רמב״ן

[יא] וַיֵּשֶׁב יִצְחָק עִם בְּאֵר לַחַי רֹאִי. קָרוֹב[42] אֶל הַמָּקוֹם הַהוּא[43]. אוֹ בַּעֲבוּר שֶׁאֵינֶנּוּ עִיר, אָמַר כִּי נָטָה אָהֳלוֹ אֵצֶל הַבְּאֵר[44].

[יז] וְאֵלֶּה שְׁנֵי חַיֵּי יִשְׁמָעֵאל. הַקָּרוֹב בְּדֶרֶךְ הַפְּשָׁט, כִּי הַכָּתוּב יְסַפֵּר בִּבְנֵי הַצַּדִּיקִים תּוֹלְדוֹתָם וּמִסְפַּר חַיֵּיהֶם, לְהוֹדִיעַ כִּי זֶרַע צַדִּיקִים יְבֹרָךְ[45].

RAMBAN ELUCIDATED

11. וַיֵּשֶׁב יִצְחָק עִם בְּאֵר לַחַי רֹאִי – ***AND ISAAC SETTLED NEAR*** (lit., *WITH*) ***BEER-LAHAI-ROI.***

[Ramban explains the unusual use of the word עִם [lit., *with*] in connection with a place[42]:]

קָרוֹב אֶל הַמָּקוֹם הַהוּא – *With* here means ***close to*** **that place.**[43] **אוֹ בַּעֲבוּר שֶׁאֵינֶנּוּ עִיר אָמַר כִּי נָטָה אָהֳלוֹ אֵצֶל הַבְּאֵר** – **Alternatively, because [Beer-lahai-roi] was not a city,** but a well, **[Scripture] says that he pitched his tent next to the well.**[44]

17. וְאֵלֶּה שְׁנֵי חַיֵּי יִשְׁמָעֵאל – ***THESE WERE THE YEARS OF ISHMAEL'S LIFE.***

[Why does Scripture see fit to record the descendants and lifespan of Ishmael? Ramban explains:]

הַקָּרוֹב בְּדֶרֶךְ הַפְּשָׁט – **The** most **likely** explanation **according to the plain interpretation,** **כִּי הַכָּתוּב יְסַפֵּר בִּבְנֵי הַצַּדִּיקִים תּוֹלְדוֹתָם וּמִסְפַּר חַיֵּיהֶם** – **is that Scripture** generally **relates,** when speaking of **the children of the righteous,** the names of **their offspring and the number of** years of **their life,** **לְהוֹדִיעַ כִּי זֶרַע צַדִּיקִים יְבֹרָךְ** – **in order to inform** us **that "the offspring of the righteous shall be blessed."**[45]

[If Scripture deems it important to relate us the life spans of the children of the righteous, why did it not do so for Esau? Ramban explains:]

42. Radak writes simply that עִם should be understood as *in*. Ramban, however, prefers to provide a reason for this unusual choice of word.

43. Isaac lived in a place that was not far from this well.

44. According to this explanation, Isaac actually lived adjacent to the well.

45. Stylistic citation based on *Proverbs* 11:21 and *Psalms* 112:2.

and Isaac settled near Beer-lahai-roi.
12 *These are the descendants of Ishmael, Abraham's son, whom*
Hagar the Egyptian, Sarah's maidservant, bore to Abraham.
13 *These are the names of the sons of Ishmael by their names, in*
order of their birth: Ishmael's first born Nebaioth, Kedar, Adbeel
and Mibsam, 14 *Mishma, Dumah, and Massa,* 15 *Hadad and Tema,*
Jetur, Naphish and Kedem. 16 *These are the sons of Ishmael, and*
these are their names by their open cities and by their strongholds,
twelve chieftains for their nations.
17 *These were the years of Ishmael's life: one hundred and*
thirty-seven years, when he expired and died, and was gathered

רמב״ן

וְלֹא סִפֵּר יְמֵי עֵשָׂו, כִּי חָיָה יוֹתֵר מִיַּעֲקֹב[46], וּכְבָר נִשְׁלַם הַסִּפּוּר בְּמוֹת יַעֲקֹב, וְלֹא רָצָה לַחֲזוֹר "אֵלֶּה חַיֵּי עֵשָׂו" שֶׁכְּבָר הִזְכִּיר תּוֹלְדוֹתָיו בַּמָּקוֹם הָרָאוּי לָהֶם[47].

וּבְמִדְרַשׁ רַבּוֹתֵינוּ[48] בְּסִפּוּר יְמֵי יִשְׁמָעֵאל טְעָמִים רַבִּים. וְהַנָּכוֹן שֶׁבָּהֶם, שֶׁהָיָה צַדִּיק בַּעַל תְּשׁוּבָה, וְסִפֵּר בּוֹ כְּדֶרֶךְ הַצַּדִּיקִים[49].

וַיִּגְוַע. לְשׁוֹן רַשִׁ״י: לֹא נֶאֶמְרָה גְּוִיעָה אֶלָּא בַּצַּדִּיקִים [בבא בתרא טז, ב].

וּבַגְּמָרָא [שם] הִקְשׁוּ: וְהָא דוֹר הַמַּבּוּל נֶאֱמַר בָּהֶם גְּוִיעָה - "וַיִּגְוַע כָּל בָּשָׂר הָרֹמֵשׂ עַל הָאָרֶץ וְגוֹ׳ וְכֹל

RAMBAN ELUCIDATED

וְלֹא סִפֵּר יְמֵי עֵשָׂו – It did not, however, **relate the number of days of Esau**'s life, **כִּי חָיָה יוֹתֵר מִיַּעֲקֹב – for [Esau] lived longer than Jacob,**[46] **וּכְבָר נִשְׁלַם הַסִּפּוּר בְּמוֹת יַעֲקֹב – and** by then the Scripture's **narrative** of the forefathers' lives **had already been concluded with the death of Jacob, וְלֹא רָצָה לַחֲזוֹר "אֵלֶּה חַיֵּי עֵשָׂו" – and [Scripture] did not want to go back** just to write: ***These were the*** *days of* ***Esau's life ...,*** **שֶׁכְּבָר הִזְכִּיר תּוֹלְדוֹתָיו בַּמָּקוֹם הָרָאוּי לָהֶם – for it had already mentioned his offspring in the place that was appropriate for them.**[47]

[Ramban notes that the Sages discuss this question as well:]

וּבְמִדְרַשׁ רַבּוֹתֵינוּ בְּסִפּוּר יְמֵי יִשְׁמָעֵאל טְעָמִים רַבִּים – In the teachings of our Sages,[48] **many reasons** are given **for the reporting of Ishmael's life**span. **וְהַנָּכוֹן שֶׁבָּהֶם שֶׁהָיָה צַדִּיק בַּעַל תְּשׁוּבָה וְסִפֵּר בּוֹ כְּדֶרֶךְ הַצַּדִּיקִים – The most satisfying of them is that [Ishmael] became a righteous** and **repentant** person, **and [the Torah]** therefore **recounted** this biographical information **about him, as it does for** all **the** other **righteous men.**[49]

☐ **וַיִּגְוַע** – *AND HE EXPIRED.*

[Ramban explains the significance of the term וַיִּגְוַע, beginning with Rashi's comment, which is based on the Talmud (*Bava Basra* 16b):]

לְשׁוֹן רַשִׁ״י – The following is **a quote from Rashi:**

לֹא נֶאֶמְרָה גְּוִיעָה אֶלָּא בַּצַּדִּיקִים – The word גְּוִיעָה, **expiring, is not stated** in Scripture **except with regard to the righteous.**

[Ramban notes that Rashi did not fully quote his source:]

וּבַגְּמָרָא הִקְשׁוּ: וְהָא דוֹר הַמַּבּוּל נֶאֱמַר בָּהֶם גְּוִיעָה – In the Gemara (ibid.), **they ask** regarding this assertion: **"But 'expiring' was said of the generation of the Flood,** as it is written, **"וַיִּגְוַע כָּל בָּשָׂר**

46. As taught in *Sotah* 13a. And, as a result, it would have been necessary to record Esau's lifespan after Jacob's death.

47. The Torah might have returned to the story of Esau after Jacob's death if it had the need to relate the names of his offspring. However, since these were already recorded in a different context (see below, Chap. 36), the Torah did not return to the topic of Esau solely to inform us of his age at death.

48. See *Bereishis Rabbah* 62:2, cited by Rashi here, and *Megillah* 17a.

49. This reason also explains why the Torah does not recount the years of Esau's life.

אֶל־עַמָּיו: יח וַיִּשְׁכְּנוּ מֵחֲוִילָה עַד־שׁוּר אֲשֶׁר עַל־
פְּנֵי מִצְרַיִם בֹּאֲכָה אַשּׁוּרָה עַל־פְּנֵי כָל־אֶחָיו
נָפָל: פ פ פ

ק"ה פסוקים. יהויד"ע סימן.

לְעַמֵּהּ: יח וּשְׁרוֹ מֵחֲוִילָה עַד חַגְרָא דִּי עַל אַפֵּי מִצְרַיִם מָטֵי לְאָתוּר עַל אַפֵּי כָל אֲחוֹהִי שְׁרָא:

רש"י

(יח) נפל. שכן (אונקלוס). כמו ומדין ועמלק וכל בני קדם נופלים בעמק (שופטים ז:יב). כאן הוא אומר לשון נפילה ולהלן אומר על פני כל אחיו ישכון (לעיל טז:יב). עד שלא מת אברהם, ישכון. משמת אברהם, נפל (ב"ר סב:ה):

רמב"ן

הָאָדָם" [לעיל ז, כא]; "כֹּל אֲשֶׁר בָּאָרֶץ יִגְוָע" [שם ו, יז]! וּמְתָרֵץ: גְּוִיעָה וַאֲסִיפָה קָאַמְרִינָן[50].

כַּוָּנָתָם, כִּי הַגְּוִיעָה מִיתָה בְּלֹא חֳלִי מַכְאִיב וּבְלֹא יִסּוּרִין[51], וְאֵין זוֹכִין לָהּ אֶלָּא הַצַּדִּיקִים. וְאַנְשֵׁי דּוֹר הַמַּבּוּל "הַהֲפוּכִים כְּמוֹ רָגַע וְלֹא חָלוּ בָהֶם יָדַיִם"[52], וְכֵן מֵתֵי מִדְבָּר, וְעַל כֵּן אָמַר בָּהֶם גְּוִיעָה - "בִּגְוַע אַחֵינוּ" [במדבר כ, ג]. וְכֵן: "וְהוּא אִישׁ אֶחָד לֹא גָוַע בַּעֲוֹנוֹ" [יהושע כב, כ], שֶׁלֹּא הֵמִית אוֹתוֹ עֲוֹנוֹ פִּתְאֹם[53]. אֲבָל כְּשֶׁיַּזְכִּיר הַכָּתוּב כֵּן עִם זִכְרוֹן הַמִּיתָה, כְּמִלַּת "וַיֵּאָסֶף" אוֹ "וַיָּמָת" - תִּרְמֹז לְמִיתַת הַצַּדִּיקִים[54].

RAMBAN ELUCIDATED

הָרֹמֵשׂ עַל הָאָרֶץ וְגוֹ׳ וְכֹל הָאָדָם" – ***And all flesh that moves upon the earth expired and all mankind*** (above, 7:21), and "כֹּל אֲשֶׁר בָּאָרֶץ יִגְוָע" – ***Everything that is in the earth shall expire*** (above, 6:17). And the people who died in the Flood were certainly not righteous!" וּמְתָרֵץ: גְּוִיעָה וַאֲסִיפָה קָאַמְרִינָן – **And it answers: "We** mean to **say** that the expressions **'expiring' and 'being gathered** to one's people,' written together, are only used with regard to the righteous."[50]

[Ramban analyzes the deeper meaning of the Sages' statement:]

כַּוָּנָתָם כִּי הַגְּוִיעָה מִיתָה בְּלֹא חֳלִי מַכְאִיב וּבְלֹא יִסּוּרִין – **Their intention** with this comment **is that "expiring" refers to death without painful sickness and without suffering,**[51] וְאֵין זוֹכִין לָהּ אֶלָּא הַצַּדִּיקִים – **and except for the righteous, people do not merit this** peaceful death. וְאַנְשֵׁי דּוֹר הַמַּבּוּל הַהֲפוּכִים כְּמוֹ רָגַע וְלֹא חָלוּ בָהֶם יָדַיִם – **Now, the men of the generation of the Flood were "overturned in a moment, and no** mortal **hands were laid on them."**[52] וְכֵן מֵתֵי מִדְבָּר, וְעַל כֵּן אָמַר בָּהֶם גְּוִיעָה "בִּגְוַע אַחֵינוּ" – **Likewise, those who died** in a plague **in the Wilderness** died suddenly, **and that is why [Scripture] said regarding them "expiring":** ***as our brethren expired*** (*Numbers* 20:3). וְכֵן "וְהוּא אִישׁ אֶחָד לֹא גָוַע בַּעֲוֹנוֹ" – **And similarly,** we find, ***And he, this one man, did not expire for his sin*** (*Joshua* 22:20), שֶׁלֹּא הֵמִית אוֹתוֹ עֲוֹנוֹ פִּתְאֹם – meaning **that his sin did not bring about his death suddenly** and painlessly, but violently and agonizingly.[53] אֲבָל כְּשֶׁיַּזְכִּיר הַכָּתוּב כֵּן עִם זִכְרוֹן הַמִּיתָה כְּמִלַּת "וַיֵּאָסֶף" אוֹ "וַיָּמָת" – **However, when Scripture mentions this** expression **along with the mention of** a word denoting **"death," such as the word "he was gathered** to his people" **or "he died,"** תִּרְמֹז לְמִיתַת הַצַּדִּיקִים – **this alludes to the** manner of **death** said **of righteous people.**[54]

[Having analyzed the Sages' opinion on the word גוע in the Talmud, Ramban proceeds to show that the Sages of the Midrash have a different view:]

50. Thus the term "expiring" alone is not applied exclusively to the righteous, as Rashi writes.

51. This is how Ibn Ezra and Radak (on v. 8) explain the term as well.

52. Stylistic paraphrase of *Lamentations* 4:6. Thus, the term "expiring," indicating sudden death, is applicable to them as well, although they were not righteous.

53. This is not the usual interpretation given for this verse by the commentators.

54. When *he expired* is accompanied by *he died*, the connotation is, "His death was swift and painless." When "he expired" appears alone, however, it indicates dying suddenly but traumatically.

to his people. [18] *They dwelt from Havilah to Shur — which is near Egypt — toward Assyria; over all his brothers he dwelt.*

THE HAFTARAH FOR CHAYEI SARAH APPEARS ON PAGE 583.

רמב״ן

וּלְשׁוֹן בְּרֵאשִׁית רַבָּה [סב, ב]: ״וַיִּגְוַע וַיָּמָת אַבְרָהָם״ [לעיל פסוק ח]. אָמַר רַבִּי יְהוּדָה בַּר אִלְעַי: הַחֲסִידִים הָרִאשׁוֹנִים הָיוּ מִתְיַסְּרִין בָּחֳלִי מֵעַיִם כַּעֲשָׂרָה וּכְעֶשְׂרִים יוֹם, לוֹמַר שֶׁהַחֹלִי מְמָרֵק. רַבִּי יְהוּדָה אוֹמֵר: כָּל מִי שֶׁנֶּאֶמְרָה בּוֹ גְּוִיעָה - מֵת בָּחֳלִי מֵעַיִם[55].

וְשָׁם [לא, יב] אָמְרוּ: ״וְכֹל אֲשֶׁר בָּאָרֶץ יִגְוָע״ [לעיל ו, יח]- יִצְמֹק.

וְיֵרָאֶה שֶׁמִּלַּת גְּוִיעָה אֶצְלָם ״הָמֵק בְּשָׂרוֹ וְהוּא עוֹמֵד עַל רַגְלָיו״ [זכריה יד, יב]. וְכֵן דַּעַת אוּנְקְלוֹס שֶׁתִּרְגֵּם בְּכָאן ״וְאִתְנְגִיד,״ וְהוּא הָעִלּוּף, כִּלְשׁוֹן ״אִתְנְגִיד וְאִתְּפַּח״[56]; ״יָכוֹל יְשַׁלֵּם חֲמִשָּׁה נְגִידִים״[57]. וְנֶאֱמַר כֵּן בַּמַּבּוּל, כְּמוֹ שֶׁאָמַר [לעיל ז, כג]: ״וַיִּמַח אֶת כָּל הַיְקוּם״[58]. וְנֶאֱמַר ״וַיִּגְוַע וַיָּמָת״, כְּ״גֶבֶר יֶחֱלַשׁ וְיָמוּת״[59], וְהִיא מִיתָה בַּצַּדִּיקִים.

RAMBAN ELUCIDATED

וּלְשׁוֹן בְּרֵאשִׁית רַבָּה: – The following is **a quote from *Bereishis Rabbah*** (62:2):

אָמַר רַבִּי יְהוּדָה בַּר אִלְעַי: **״וַיִּגְוַע וַיָּמָת אַבְרָהָם״** – ***And Abraham expired and died*** (above, v. 8) – **הַחֲסִידִים הָרִאשׁוֹנִים הָיוּ מִתְיַסְּרִין בָּחֳלִי מֵעַיִם כַּעֲשָׂרָה וּכְעֶשְׂרִים יוֹם** – **Rabbi Yehudah son of Illai said: The righteous people of ancient times would suffer with stomach ailments for ten or twenty days** prior to their deaths, **לוֹמַר שֶׁהַחֹלִי מְמָרֵק** – which **teaches** you **that illness atones** for one's sins. **רַבִּי יְהוּדָה אוֹמֵר: כָּל מִי שֶׁנֶּאֶמְרָה בּוֹ גְּוִיעָה מֵת בָּחֳלִי מֵעַיִם** – **Rabbi Yehudah said: Anyone of whom it is said 'expiring'** in Scripture **died from stomach ailments."**[55]

[Ramban cites a second comment from *Bereishis Rabbah*:]

וְשָׁם אָמְרוּ: ״וְכֹל אֲשֶׁר בָּאָרֶץ יִגְוָע״, יִצְמֹק – **And there** (31:12) **they** also **said: *"Everything that is in the earth shall expire*** (above, 6:18) – This means **"it will shrivel up."**

[Ramban explains the view of the Sages of the Midrash:]

וְיֵרָאֶה שֶׁמִּלַּת גְּוִיעָה אֶצְלָם – **It appears that the word** גויעה **according to them** **״הָמֵק בְּשָׂרוֹ וְהוּא עוֹמֵד עַל רַגְלָיו״** – refers to a situation of ***one's flesh melting away while he is standing on his feet*** (*Zechariah* 14:12), i.e., to wasting away until death. **וְכֵן דַּעַת אוּנְקְלוֹס** – **This is also the opinion of Onkelos,** **שֶׁתִּרְגֵּם בְּכָאן ״וְאִתְנְגִיד״** – **for he translated** [וַיִּגְוַע] into Aramaic as **וְאִתְנְגִיד**, **וְהוּא הָעִלּוּף, כִּלְשׁוֹן ״אִתְנְגִיד וְאִתְּפַּח״** – **and that** word **refers to becoming overcome with faintness, as in the expression "he fainted** [אִתְנְגִיד] and **recovered,"**[56] **״יָכוֹל יְשַׁלֵּם חֲמִשָּׁה נְגִידִים״** – and as in, **"I might think that he should pay five sickly** [נְגִידִים] **animals."**[57] **וְנֶאֱמַר כֵּן בַּמַּבּוּל, כְּמוֹ שֶׁאָמַר ״וַיִּמַח אֶת כָּל הַיְקוּם״** – **This** expression **was** appropriately **said in connection with the Flood, for it says, *And He blotted out all existence*** (above, 7:23).[58] **וְנֶאֱמַר ״וַיִּגְוַע וַיָּמָת״, כְּגֶבֶר יֶחֱלַשׁ וְיָמוּת** – **And it is said** concerning Abraham and Ishmael, etc., ***he expired and died***, because their death was **like** that of **a man who becomes feeble and dies**[59] without suffering, **וְהִיא מִיתָה בַּצַּדִּיקִים** – **and this is death among the righteous.**

55. According to this Midrash (and the next one cited by Ramban), גוע is not a kind of death (i.e., sudden death), as it is according to the Talmud, but refers to a situation that *precedes* death.

56. *Megillah* 16a, *Kesubos* 62a, etc. (The texts in our editions of the Talmud differ somewhat.)

57. *Bava Kamma* 67b. (The quote is approximate.)

58. Thus describing their death as "melting away" is appropriate.

59. Stylistic paraphrase of *Job* 14:10. This part of the verse there precedes the conclusion: וַיִּגְוַע אָדָם וְאַיּוֹ, thus proving the Ramban's explanation.

ההפטרות
The Haftaros

BLESSINGS OF THE HAFTARAH / ברכות ההפטרה

After the Torah Scroll has been tied and covered, the *Maftir* recites the *Haftarah* blessings.

בָּרוּךְ אַתָּה יהוה אֱלֹהֵינוּ מֶלֶךְ הָעוֹלָם, אֲשֶׁר בָּחַר בִּנְבִיאִים טוֹבִים, וְרָצָה בְדִבְרֵיהֶם הַנֶּאֱמָרִים בֶּאֱמֶת, בָּרוּךְ אַתָּה יהוה, הַבּוֹחֵר בַּתּוֹרָה וּבְמֹשֶׁה עַבְדּוֹ, וּבְיִשְׂרָאֵל עַמּוֹ, וּבִנְבִיאֵי הָאֱמֶת וָצֶדֶק. (קהל – אָמֵן)

Blessed are You, HASHEM, our God, King of the universe, Who has chosen good prophets and was pleased with their words that were uttered with truth. Blessed are You, HASHEM, Who chooses the Torah; Moses, His servant; Israel, His nation; and the prophets of truth and righteousness. (Cong. – *Amen.*)

The *Haftarah* is read, after which the *Maftir* recites the following blessings.

בָּרוּךְ אַתָּה יהוה אֱלֹהֵינוּ מֶלֶךְ הָעוֹלָם, צוּר כָּל הָעוֹלָמִים, צַדִּיק בְּכָל הַדּוֹרוֹת, הָאֵל הַנֶּאֱמָן הָאוֹמֵר וְעֹשֶׂה, הַמְדַבֵּר וּמְקַיֵּם, שֶׁכָּל דְּבָרָיו אֱמֶת וָצֶדֶק. נֶאֱמָן אַתָּה הוּא יהוה אֱלֹהֵינוּ, וְנֶאֱמָנִים דְּבָרֶיךָ, וְדָבָר אֶחָד מִדְּבָרֶיךָ אָחוֹר לֹא יָשׁוּב רֵיקָם, כִּי אֵל מֶלֶךְ נֶאֱמָן (וְרַחֲמָן) אָתָּה. בָּרוּךְ אַתָּה יהוה, הָאֵל הַנֶּאֱמָן בְּכָל דְּבָרָיו. (קהל – אָמֵן)

Blessed are You, HASHEM, our God, King of the universe, Rock of all eternities, Righteous in all generations, the trustworthy God, Who says and does, Who speaks and fulfills, all of Whose words are true and righteous. Trustworthy are You HASHEM, our God, and trustworthy are Your words, not one of Your words is turned back to its origin unfulfilled, for You are God, trustworthy (and compassionate) King. Blessed are You, HASHEM, the God Who is trustworthy in all His words. (Cong. – *Amen.*)

רַחֵם עַל צִיּוֹן כִּי הִיא בֵּית חַיֵּינוּ, וְלַעֲלוּבַת נֶפֶשׁ תּוֹשִׁיעַ בִּמְהֵרָה בְיָמֵינוּ. בָּרוּךְ אַתָּה יהוה, מְשַׂמֵּחַ צִיּוֹן בְּבָנֶיהָ. (קהל – אָמֵן)

Have mercy on Zion for it is the source of our life; to the one who is deeply humiliated bring salvation speedily, in our days. Blessed are You, HASHEM, Who gladdens Zion through her children. (Cong. – *Amen.*)

שַׂמְּחֵנוּ יהוה אֱלֹהֵינוּ בְּאֵלִיָּהוּ הַנָּבִיא עַבְדֶּךָ, וּבְמַלְכוּת בֵּית דָּוִד מְשִׁיחֶךָ, בִּמְהֵרָה יָבֹא וְיָגֵל לִבֵּנוּ, עַל כִּסְאוֹ לֹא יֵשֵׁב זָר וְלֹא יִנְחֲלוּ עוֹד אֲחֵרִים אֶת כְּבוֹדוֹ, כִּי בְשֵׁם קָדְשְׁךָ נִשְׁבַּעְתָּ לּוֹ, שֶׁלֹּא יִכְבֶּה נֵרוֹ לְעוֹלָם וָעֶד. בָּרוּךְ אַתָּה יהוה, מָגֵן דָּוִד. (קהל – אָמֵן)

Gladden us, HASHEM, our God, with Elijah the prophet Your servant, and with the kingdom of the House of David, Your anointed, may he come speedily and cause our heart to exult. On his throne let no stranger sit nor let others continue to inherit his honor, for by Your holy Name You swore to him that his lamp will not be extinguished forever and ever. Blessed are You, HASHEM, Shield of David. (Cong. – *Amen.*)

עַל הַתּוֹרָה, וְעַל הָעֲבוֹדָה, וְעַל הַנְּבִיאִים, וְעַל יוֹם הַשַּׁבָּת הַזֶּה, שֶׁנָּתַתָּ לָּנוּ יהוה אֱלֹהֵינוּ, לִקְדֻשָּׁה וְלִמְנוּחָה, לְכָבוֹד וּלְתִפְאָרֶת. עַל הַכֹּל יהוה אֱלֹהֵינוּ, אֲנַחְנוּ מוֹדִים לָךְ, וּמְבָרְכִים אוֹתָךְ, יִתְבָּרַךְ שִׁמְךָ בְּפִי כָּל חַי תָּמִיד לְעוֹלָם וָעֶד. בָּרוּךְ אַתָּה יהוה, מְקַדֵּשׁ הַשַּׁבָּת. (קהל – אָמֵן)

For the Torah reading, for the prayer service, for the reading from the Prophets and for this Sabbath day that You, HASHEM, our God, have given us for holiness and contentment, for glory and splendor — for all this, HASHEM, our God, we gratefully thank You and bless You. May Your Name be blessed by the mouth of all the living always, for all eternity. Blessed are You, HASHEM, Who sanctifies the Sabbath. (Cong. – *Amen.*)

HAFTARAS BEREISHIS / הפטרת בראשית

Isaiah 42:5-43:10 / ישעיה מב:ה־מג:י

42 5 *So said the God,* HASHEM, *Who creates the heavens and stretches them forth, spreads out the earth and what grows from it, gives a soul to the people upon it, and a spirit to those who walk on it:*

6 *I am* HASHEM; *in righteousness have I called you and taken hold of your hand; I have protected you and appointed you to bring the people to the covenant, to be a light for the nations;* 7 *to open blinded eyes, to remove a prisoner from confinement, dwellers in darkness from a dungeon.*

8 *I am* HASHEM; *that is My Name, and I shall not give over My glory to another nor My praise to the graven idols.* 9 *Behold! the early prophecies have come about; now I relate new ones, before they sprout I shall let you hear [them].*

10 *Sing to* HASHEM *a new song, His praise from the end of the earth, those who go down to the sea and those that fill it, the islands and their inhabitants.* 11 *Let the desert and its cities raise [their] voice, the open places where Kedar dwells, let those who dwell on bedrock sing out, from mountain summits shout.* 12 *Let them render glory to* HASHEM *and declare His glory in the islands.* 13 HASHEM *shall go forth like a warrior, like a man of wars He shall arouse His vengeance, He shall shout triumphantly, even roar, He shall overpower His enemies.*

14 *I have long kept silent, been quiet, restrained Myself — I will cry out like a woman giving birth; I will both lay waste and swallow up.* 15 *I will destroy mountains and hills and wither all their herbage, I will turn rivers into islands and I will dry up marshes.* 16 *I will lead the blind on a way they did not know, on paths they did not know will I have them walk; I will turn darkness to light before them and make the crooked places straight — these things shall I have done and not neglected them.* 17 *They will be driven back and deeply shamed, those who trust in graven idols; those who say to molten idols, "You are our gods."*

18 *O deaf ones, listen; and blind ones, gaze to see!* 19 *Who is blind but My servant, or as deaf as My agent whom I dispatch; who is blind as the perfect one and blind as the servant of* HASHEM? 20 *Seeing much but heeding not, opening ears but hearing not.* 21 HASHEM *desires for the sake of its righteousness that the Torah be made great and glorious.*

מב ה כֹּה־אָמַר הָאֵל ׀ יְהוָה בּוֹרֵא הַשָּׁמַיִם
וְנוֹטֵיהֶם רֹקַע הָאָרֶץ וְצֶאֱצָאֶיהָ נֹתֵן נְשָׁמָה
לָעָם עָלֶיהָ וְרוּחַ לַהֹלְכִים בָּהּ: ו אֲנִי יְהוָה
קְרָאתִיךָ בְצֶדֶק וְאַחְזֵק בְּיָדֶךָ וְאֶצָּרְךָ וְאֶתֶּנְךָ
לִבְרִית עָם לְאוֹר גּוֹיִם: ז לִפְקֹחַ עֵינַיִם עִוְרוֹת
לְהוֹצִיא מִמַּסְגֵּר אַסִּיר מִבֵּית כֶּלֶא יֹשְׁבֵי
חֹשֶׁךְ: ח אֲנִי יְהוָה הוּא שְׁמִי וּכְבוֹדִי לְאַחֵר
לֹא־אֶתֵּן וּתְהִלָּתִי לַפְּסִילִים: ט הָרִאשֹׁנוֹת
הִנֵּה־בָאוּ וַחֲדָשׁוֹת אֲנִי מַגִּיד בְּטֶרֶם
תִּצְמַחְנָה אַשְׁמִיעַ אֶתְכֶם: י שִׁירוּ לַיהוָה שִׁיר
חָדָשׁ תְּהִלָּתוֹ מִקְצֵה הָאָרֶץ יוֹרְדֵי הַיָּם
וּמְלֹאוֹ אִיִּים וְיֹשְׁבֵיהֶם: יא יִשְׂאוּ מִדְבָּר וְעָרָיו
חֲצֵרִים תֵּשֵׁב קֵדָר יָרֹנּוּ יֹשְׁבֵי סֶלַע מֵרֹאשׁ
הָרִים יִצְוָחוּ: יב יָשִׂימוּ לַיהוָה כָּבוֹד וּתְהִלָּתוֹ
בָּאִיִּים יַגִּידוּ: יג יְהוָה כַּגִּבּוֹר יֵצֵא כְּאִישׁ
מִלְחָמוֹת יָעִיר קִנְאָה יָרִיעַ אַף־יַצְרִיחַ עַל־
אֹיְבָיו יִתְגַּבָּר: יד הֶחֱשֵׁיתִי מֵעוֹלָם אַחֲרִישׁ
אֶתְאַפָּק כַּיּוֹלֵדָה אֶפְעֶה אֶשֹּׁם וְאֶשְׁאַף יָחַד:
טו אַחֲרִיב הָרִים וּגְבָעוֹת וְכָל־עֶשְׂבָּם אוֹבִישׁ
וְשַׂמְתִּי נְהָרוֹת לָאִיִּים וַאֲגַמִּים אוֹבִישׁ:
טז וְהוֹלַכְתִּי עִוְרִים בְּדֶרֶךְ לֹא יָדָעוּ בִּנְתִיבוֹת
לֹא־יָדְעוּ אַדְרִיכֵם אָשִׂים מַחְשָׁךְ לִפְנֵיהֶם
לָאוֹר וּמַעֲקַשִּׁים לְמִישׁוֹר אֵלֶּה הַדְּבָרִים
עֲשִׂיתִם וְלֹא עֲזַבְתִּים: יז נָסֹגוּ אָחוֹר יֵבֹשׁוּ
בֹשֶׁת הַבֹּטְחִים בַּפָּסֶל הָאֹמְרִים לְמַסֵּכָה
אַתֶּם אֱלֹהֵינוּ: יח הַחֵרְשִׁים שְׁמָעוּ וְהַעִוְרִים
הַבִּיטוּ לִרְאוֹת: יט מִי עִוֵּר כִּי אִם־עַבְדִּי וְחֵרֵשׁ
כְּמַלְאָכִי אֶשְׁלָח מִי עִוֵּר כִּמְשֻׁלָּם וְעִוֵּר
כְּעֶבֶד יְהוָה: כ רָאוֹת [ראית כ׳] רַבּוֹת וְלֹא
תִשְׁמֹר פָּקוֹחַ אָזְנַיִם וְלֹא יִשְׁמָע: כא יְהוָה
חָפֵץ לְמַעַן צִדְקוֹ יַגְדִּיל תּוֹרָה וְיַאְדִּיר:

Sephardim and the community of Frankfurt am Main conclude the *Haftarah* here. Others continue.

22 *But it is a looted, downtrodden people, all of them trapped in holes, and hidden away in prisons; they are looted without rescuer, downtrodden with no one saying, "Give back!"* 23 *Who among you will give ear to this, will hearken and hear what will happen later?* 24 *Who delivered Jacob to plunder and Israel to looters, was it not* HASHEM *— the One against Whom we sinned — not willing to go in His ways,*

כב וְהוּא עַם־בָּזוּז וְשָׁסוּי הָפֵחַ בַּחוּרִים כֻּלָּם
וּבְבָתֵּי כְלָאִים הָחְבָּאוּ הָיוּ לָבַז וְאֵין מַצִּיל
מְשִׁסָּה וְאֵין־אֹמֵר הָשַׁב: כג מִי בָכֶם יַאֲזִין זֹאת
יַקְשִׁב וְיִשְׁמַע לְאָחוֹר: כד מִי־נָתַן לִמְשִׁסָּה
[למשוסה כ׳] יַעֲקֹב וְיִשְׂרָאֵל לְבֹזְזִים הֲלוֹא
יְהוָה זוּ חָטָאנוּ לוֹ וְלֹא־אָבוּ בִדְרָכָיו הָלוֹךְ

וְלֹא שָׁמְעוּ בְּתוֹרָתוֹ: כה וַיִּשְׁפֹּךְ עָלָיו חֵמָה
אַפּוֹ וֶעֱזוּז מִלְחָמָה וַתְּלַהֲטֵהוּ מִסָּבִיב
וְלֹא יָדָע וַתִּבְעַר־בּוֹ וְלֹא־יָשִׂים עַל־לֵב:
מג א וְעַתָּה כֹּה־אָמַר יהוה בֹּרַאֲךָ יַעֲקֹב
וְיֹצֶרְךָ יִשְׂרָאֵל אַל־תִּירָא כִּי גְאַלְתִּיךָ
קָרָאתִי בְשִׁמְךָ לִי־אָתָּה: ב כִּי־תַעֲבֹר בַּמַּיִם
אִתְּךָ אָנִי וּבַנְּהָרוֹת לֹא יִשְׁטְפוּךָ כִּי־תֵלֵךְ
בְּמוֹ־אֵשׁ לֹא תִכָּוֶה וְלֶהָבָה לֹא תִבְעַר־בָּךְ:
ג כִּי אֲנִי יהוה אֱלֹהֶיךָ קְדוֹשׁ יִשְׂרָאֵל מוֹשִׁיעֶךָ
נָתַתִּי כָפְרְךָ מִצְרַיִם כּוּשׁ וּסְבָא תַּחְתֶּיךָ:
ד מֵאֲשֶׁר יָקַרְתָּ בְעֵינַי נִכְבַּדְתָּ וַאֲנִי אֲהַבְתִּיךָ
וְאֶתֵּן אָדָם תַּחְתֶּיךָ וּלְאֻמִּים תַּחַת נַפְשֶׁךָ:
ה אַל־תִּירָא כִּי אִתְּךָ אָנִי מִמִּזְרָח אָבִיא
זַרְעֶךָ וּמִמַּעֲרָב אֲקַבְּצֶךָּ: ו אֹמַר לַצָּפוֹן תֵּנִי
וּלְתֵימָן אַל־תִּכְלָאִי הָבִיאִי בָנַי מֵרָחוֹק
וּבְנוֹתַי מִקְצֵה הָאָרֶץ: ז כֹּל הַנִּקְרָא בִשְׁמִי
וְלִכְבוֹדִי בְּרָאתִיו יְצַרְתִּיו אַף־עֲשִׂיתִיו:
ח הוֹצִיא עַם־עִוֵּר וְעֵינַיִם יֵשׁ וְחֵרְשִׁים וְאָזְנַיִם
לָמוֹ: ט כָּל־הַגּוֹיִם נִקְבְּצוּ יַחְדָּו וְיֵאָסְפוּ
לְאֻמִּים מִי בָהֶם יַגִּיד זֹאת וְרִאשֹׁנוֹת
יַשְׁמִיעֻנוּ יִתְּנוּ עֵדֵיהֶם וְיִצְדָּקוּ וְיִשְׁמְעוּ
וְיֹאמְרוּ אֱמֶת: י אַתֶּם עֵדַי נְאֻם־יהוה וְעַבְדִּי
אֲשֶׁר בָּחָרְתִּי לְמַעַן תֵּדְעוּ וְתַאֲמִינוּ לִי
וְתָבִינוּ כִּי־אֲנִי הוּא לְפָנַי לֹא־נוֹצַר אֵל
וְאַחֲרַי לֹא יִהְיֶה:

and not hearkening to His Torah? 25 *So He poured His fiery wrath upon it and the power of war, and He set it on fire all around — but he would not know; it burned within him — but he did not take it to heart.*

43 1 *And now, so says* HASHEM, *your Creator, O Jacob; the One Who fashioned you, O Israel: Fear not, for I have redeemed you, I have called you by name, for you are Mine.* 2 *When you pass through water, I am with you; and through rivers, they will not flood you; when you walk through fire, you will not be burned; and a flame will not burn among you.* 3 *For I am* HASHEM *your God, the Holy One of Israel, your Savior; I gave Egypt as your ransom, and Kush and Seba instead of you.*

4 *Because you were worthy in My eyes you were honored and I loved you, so I gave a person instead of you and regimes instead of your soul.* 5 *Fear not, for I am with you; from the east will I bring your offspring and from the west will I gather you.* 6 *I shall say to the north, "Give [back]," and to the south, "Do not withhold, bring My sons from afar and My daughters from the end of the earth";* 7 *everyone who is called by My Name and whom I have created for My glory, whom I have fashioned, even perfected;* 8 *to remove the blind people though there are eyes, and deaf though they have ears.*

9 *Were all the nations gathered together and all the regimes assembled — who among them could have declared this, could have let us hear the early prophecies? Let them bring their witnesses and they will be vindicated; else let them hear and they will say, "It is true."*

10 *You are My witnesses — the words of* HASHEM *— and My servant, whom I have chosen, so that you will know and believe in Me, and understand that I am He; before Me nothing was created by a god and after Me it shall not be!*

HAFTARAS NOACH / הפטרת נח

Isaiah 54:1-55:5 / ישעיה נד:א-נה:ה

נד א רָנִּי עֲקָרָה לֹא יָלָדָה פִּצְחִי רִנָּה
וְצַהֲלִי לֹא־חָלָה כִּי־רַבִּים בְּנֵי־שׁוֹמֵמָה
מִבְּנֵי בְעוּלָה אָמַר יהוה: ב הַרְחִיבִי | מְקוֹם
אָהֳלֵךְ וִירִיעוֹת מִשְׁכְּנוֹתַיִךְ יַטּוּ אַל־
תַּחְשֹׂכִי הַאֲרִיכִי מֵיתָרַיִךְ וִיתֵדֹתַיִךְ חַזֵּקִי:
ג כִּי־יָמִין וּשְׂמֹאול תִּפְרֹצִי וְזַרְעֵךְ גּוֹיִם
יִירָשׁ וְעָרִים נְשַׁמּוֹת יוֹשִׁיבוּ: ד אַל־
תִּירְאִי כִּי־לֹא תֵבוֹשִׁי וְאַל־תִּכָּלְמִי כִּי־לֹא
תַחְפִּירִי כִּי בֹשֶׁת עֲלוּמַיִךְ תִּשְׁכָּחִי וְחֶרְפַּת
אַלְמְנוּתַיִךְ לֹא תִזְכְּרִי־עוֹד: ה כִּי בֹעֲלַיִךְ
עֹשַׂיִךְ יהוה צְבָאוֹת שְׁמוֹ וְגֹאֲלֵךְ קְדוֹשׁ
יִשְׂרָאֵל אֱלֹהֵי כָל־הָאָרֶץ יִקָּרֵא: ו כִּי־כְאִשָּׁה

54 1 *Sing out, O barren one, who has not given birth, break out into glad song and be jubilant, O one who had no labor pains, for the children of the desolate [Jerusalem] outnumber the children of the inhabited [city], said* HASHEM. 2 *Broaden the place of your tent and stretch out the curtains of your dwellings, stint not; lengthen your cords and strengthen your pegs.* 3 *For southward and northward you shall spread out mightily, your offspring will inherit nations, and they will settle desolate cities.* 4 *Fear not, for you will not be shamed, do not feel humiliated for you will not be mortified; for you will forget the shame of your youth, and the mortification of your widowhood you will remember no more.* 5 *For your Master is your Maker —* HASHEM, *Master of Legions is His Name; your Redeemer is the Holy One of Israel — God of all the world shall He be called.* 6 *For like a wife*

עֲזוּבָ֛ה וַעֲצ֥וּבַת ר֖וּחַ קְרָאָ֣ךְ יְהוָ֑ה וְאֵ֧שֶׁת
נְעוּרִ֛ים כִּ֥י תִמָּאֵ֖ס אָמַ֥ר אֱלֹהָֽיִךְ׃ ז בְּרֶ֥גַע קָטֹ֖ן
עֲזַבְתִּ֑יךְ וּבְרַחֲמִ֥ים גְּדֹלִ֖ים אֲקַבְּצֵֽךְ׃ ח בְּשֶׁ֣צֶף
קֶ֗צֶף הִסְתַּ֨רְתִּי פָנַ֥י רֶ֙גַע֙ מִמֵּ֔ךְ וּבְחֶ֥סֶד עוֹלָ֖ם
רִֽחַמְתִּ֑יךְ אָמַ֥ר גֹּאֲלֵ֖ךְ יְהוָֽה׃ ט כִּי־מֵ֤י נֹ֙חַ֙ זֹ֣את
לִ֔י אֲשֶׁ֣ר נִשְׁבַּ֗עְתִּי מֵעֲבֹ֛ר מֵי־נֹ֛חַ ע֖וֹד עַל־
הָאָ֑רֶץ כֵּ֥ן נִשְׁבַּ֛עְתִּי מִקְּצֹ֥ף עָלַ֖יִךְ וּמִגְּעָר־בָּֽךְ׃
י כִּ֤י הֶֽהָרִים֙ יָמ֔וּשׁוּ וְהַגְּבָע֖וֹת תְּמוּטֶ֑ינָה
וְחַסְדִּ֞י מֵאִתֵּ֣ךְ לֹֽא־יָמ֗וּשׁ וּבְרִ֤ית שְׁלוֹמִי֙ לֹ֣א
תָמ֔וּט אָמַ֥ר מְרַחֲמֵ֖ךְ יְהוָֽה׃

who had been forsaken and of melancholy spirit will HASHEM *have called you, and like a wife of one's youth who had become despised — said your God.* 7 *For but a brief moment have I forsaken you, and with abundant mercy shall I gather you in.* 8 *With a slight wrath have I concealed My countenance from you for a moment, but with eternal kindness shall I show you mercy, said your Redeemer,* HASHEM.

9 *For like the waters of Noah shall this be to Me: As I have sworn never again to pass the waters of Noah over the earth, so have I sworn not to be wrathful with you or rebuke you.* 10 *For the mountains may be moved and the hills may falter, but My kindness shall not be removed from you and My covenant of peace shall not falter, says the One Who shows you mercy,* HASHEM.

Sephardim conclude the *Haftarah* here. *Ashkenazim* continue.

יא עֲנִיָּ֥ה סֹעֲרָ֖ה לֹ֣א נֻחָ֑מָה הִנֵּ֨ה אָנֹכִ֜י מַרְבִּ֤יץ
בַּפּוּךְ֙ אֲבָנַ֔יִךְ וִיסַדְתִּ֖יךְ בַּסַּפִּירִֽים׃ יב וְשַׂמְתִּ֤י
כַּֽדְכֹד֙ שִׁמְשֹׁתַ֔יִךְ וּשְׁעָרַ֖יִךְ לְאַבְנֵ֣י אֶקְדָּ֑ח
וְכָל־גְּבוּלֵ֖ךְ לְאַבְנֵי־חֵֽפֶץ׃ יג וְכָל־בָּנַ֖יִךְ לִמּוּדֵ֣י
יְהוָ֑ה וְרַ֖ב שְׁל֥וֹם בָּנָֽיִךְ׃ יד בִּצְדָקָ֖ה תִּכּוֹנָ֑נִי
רַחֲקִ֤י מֵעֹ֙שֶׁק֙ כִּי־לֹ֣א תִירָ֔אִי וּמִ֨מְּחִתָּ֔ה
כִּ֥י לֹא־תִקְרַ֖ב אֵלָֽיִךְ׃ טו הֵ֣ן גּ֥וֹר יָג֛וּר אֶ֖פֶס
מֵאוֹתִ֑י מִי־גָ֥ר אִתָּ֖ךְ עָלַ֥יִךְ יִפּֽוֹל׃ טז הִנֵּה֩ [הן כ׳]
אָנֹכִ֨י בָּרָ֜אתִי חָרָ֗שׁ נֹפֵ֙חַ֙ בְּאֵ֣שׁ פֶּחָ֔ם וּמוֹצִ֥יא
כְלִ֖י לְמַעֲשֵׂ֑הוּ וְאָנֹכִ֛י בָּרָ֥אתִי מַשְׁחִ֖ית לְחַבֵּֽל׃
יז כָּל־כְּלִ֞י יוּצַ֤ר עָלַ֙יִךְ֙ לֹ֣א יִצְלָ֔ח וְכָל־לָשׁ֛וֹן
תָּקוּם־אִתָּ֥ךְ לַמִּשְׁפָּ֖ט תַּרְשִׁ֑יעִי זֹ֡את נַחֲלַת֩
עַבְדֵ֨י יְהוָ֧ה וְצִדְקָתָ֛ם מֵאִתִּ֖י נְאֻם־יְהוָֽה׃
נה א ה֤וֹי כָּל־צָמֵא֙ לְכ֣וּ לַמַּ֔יִם וַאֲשֶׁ֥ר אֵין־ל֖וֹ
כָּ֑סֶף לְכ֤וּ שִׁבְרוּ֙ וֶֽאֱכֹ֔לוּ וּלְכ֣וּ שִׁבְר֗וּ בְּלוֹא־
כֶ֛סֶף וּבְל֥וֹא מְחִ֖יר יַ֥יִן וְחָלָֽב׃ ב לָ֤מָּה תִשְׁקְלוּ־
כֶ֙סֶף֙ בְּלוֹא־לֶ֔חֶם וִיגִיעֲכֶ֖ם בְּל֣וֹא לְשָׂבְעָ֑ה
שִׁמְע֨וּ שָׁמ֤וֹעַ אֵלַי֙ וְאִכְלוּ־ט֔וֹב וְתִתְעַנַּ֥ג בַּדֶּ֖שֶׁן
נַפְשְׁכֶֽם׃ ג הַטּ֤וּ אָזְנְכֶם֙ וּלְכ֣וּ אֵלַ֔י שִׁמְע֖וּ
וּתְחִ֣י נַפְשְׁכֶ֑ם וְאֶכְרְתָ֤ה לָכֶם֙ בְּרִ֣ית עוֹלָ֔ם
חַסְדֵ֥י דָוִ֖ד הַנֶּאֱמָנִֽים׃ ד הֵ֛ן עֵ֥ד לְאוּמִּ֖ים נְתַתִּ֑יו
נָגִ֥יד וּמְצַוֵּ֖ה לְאֻמִּֽים׃ ה הֵ֣ן גּ֤וֹי לֹֽא־תֵדַע֙
תִּקְרָ֔א וְג֛וֹי לֹא־יְדָע֥וּךְ אֵלַ֖יִךְ יָר֑וּצוּ לְמַ֗עַן
יְהוָ֤ה אֱלֹהַ֙יִךְ֙ וְלִקְד֣וֹשׁ יִשְׂרָאֵ֔ל כִּ֖י פֵאֲרָֽךְ׃

11 *O afflicted, storm-tossed, unconsoled one, behold! I shall lay your floor stones upon pearls and make your foundation of sapphires.* 12 *I shall make your sun windows of rubies and your gates of garnets, and your entire boundary of precious stones.* 13 *All your children will be students of* HASHEM, *and abundant will be your children's peace.* 14 *Establish yourself through righteousness, distance yourself from oppression for you need not fear it, and from panic for it will not come near you.* 15 *One need fear indeed if he has nothing from Me; whoever aggressively opposes you will fall because of you.*

16 *Behold! I have created the smith who blows on a charcoal flame and withdraws a tool for his labor, and I have created the destroyer to ruin.* 17 *Any weapon sharpened against you shall not succeed, and any tongue that shall rise against you in judgment shall you condemn; this is the heritage of the servants of* HASHEM, *and their righteousness is from Me, the words of* HASHEM.

55 1 *Ho, everyone who is thirsty, go to the water, even one who has no money; go buy and eat, go and buy without money, and without barter wine and milk.* 2 *Why do you weigh out money for that which is not bread and [fruit of] your toil for that which does not satisfy? Listen well to Me and eat what is good, and let your soul delight in abundance.* 3 *Incline your ear and come to Me, listen and your soul will rejuvenate; I shall seal an eternal covenant with you, the enduring kindnesses [promised] David.* 4 *Behold! I have appointed him a witness to the regimes, a prince and a commander to the regimes.* 5 *Behold! a nation that you did not know will you call, and a nation that knew you not will run to you, for the sake of* HASHEM, *your God, the Holy One of Israel, for He has glorified you!*

HAFTARAS LECH LECHA / הפטרת לך לך

Isaiah 40:27 — 41:16 / ישעיה מ:כז — מא:טז

מ כז לָ֤מָּה תֹאמַר֙ יַֽעֲקֹ֔ב וּתְדַבֵּ֖ר יִשְׂרָאֵ֑ל
נִסְתְּרָ֤ה דַרְכִּי֙ מֵֽיְהוָ֔ה וּמֵאֱלֹהַ֖י מִשְׁפָּטִ֥י
יַעֲבֽוֹר׃ כח הֲל֨וֹא יָדַ֜עְתָּ אִם־לֹ֣א שָׁמַ֗עְתָּ

40 27 *Why do you say, O Jacob, and declare, O Israel: "My way is hidden from* HASHEM, *and my cause has been passed over by my God?"* 28 *Could you not have known even if you had not heard, that*

אֱלֹהֵי עוֹלָם ׀ יהוה בּוֹרֵא קְצוֹת הָאָרֶץ לֹא
יִיעַף וְלֹא יִיגָע אֵין חֵקֶר לִתְבוּנָתוֹ:
כט נֹתֵן לַיָּעֵף כֹּחַ וּלְאֵין אוֹנִים עָצְמָה יַרְבֶּה:
ל וְיִעֲפוּ נְעָרִים וְיִגָעוּ וּבַחוּרִים כָּשׁוֹל יִכָּשֵׁלוּ:
לא וְקוֵֹי יהוה יַחֲלִיפוּ כֹחַ יַעֲלוּ אֵבֶר כַּנְּשָׁרִים
יָרוּצוּ וְלֹא יִיגָעוּ יֵלְכוּ וְלֹא יִיעָפוּ:
מא א הַחֲרִישׁוּ אֵלַי אִיִּים וּלְאֻמִּים יַחֲלִיפוּ
כֹחַ יִגְּשׁוּ אָז יְדַבֵּרוּ יַחְדָּו לַמִּשְׁפָּט
נִקְרָבָה: ב מִי הֵעִיר מִמִּזְרָח צֶדֶק יִקְרָאֵהוּ
לְרַגְלוֹ יִתֵּן לְפָנָיו גּוֹיִם וּמְלָכִים יַרְדְּ יִתֵּן
כֶּעָפָר חַרְבּוֹ כְּקַשׁ נִדָּף קַשְׁתּוֹ: ג יִרְדְּפֵם
יַעֲבוֹר שָׁלוֹם אֹרַח בְּרַגְלָיו לֹא יָבוֹא:
ד מִי־פָעַל וְעָשָׂה קֹרֵא הַדֹּרוֹת מֵרֹאשׁ אֲנִי
יהוה רִאשׁוֹן וְאֶת־אַחֲרֹנִים אֲנִי־הוּא: ה רָאוּ
אִיִּים וְיִירָאוּ קְצוֹת הָאָרֶץ יֶחֱרָדוּ קָרְבוּ
וַיֶּאֱתָיוּן: ו אִישׁ אֶת־רֵעֵהוּ יַעְזֹרוּ וּלְאָחִיו
יֹאמַר חֲזָק: ז וַיְחַזֵּק חָרָשׁ אֶת־צֹרֵף מַחֲלִיק
פַּטִּישׁ אֶת־הוֹלֶם פָּעַם אֹמֵר לַדֶּבֶק טוֹב
הוּא וַיְחַזְּקֵהוּ בְמַסְמְרִים לֹא יִמּוֹט: ח וְאַתָּה
יִשְׂרָאֵל עַבְדִּי יַעֲקֹב אֲשֶׁר בְּחַרְתִּיךָ זֶרַע
אַבְרָהָם אֹהֲבִי: ט אֲשֶׁר הֶחֱזַקְתִּיךָ מִקְצוֹת
הָאָרֶץ וּמֵאֲצִילֶיהָ קְרָאתִיךָ וָאֹמַר לְךָ
עַבְדִּי־אַתָּה בְּחַרְתִּיךָ וְלֹא מְאַסְתִּיךָ: י אַל־
תִּירָא כִּי־עִמְּךָ אָנִי אַל־תִּשְׁתָּע כִּי־אֲנִי
אֱלֹהֶיךָ אִמַּצְתִּיךָ אַף־עֲזַרְתִּיךָ אַף־תְּמַכְתִּיךָ
בִּימִין צִדְקִי: יא הֵן יֵבֹשׁוּ וְיִכָּלְמוּ כֹּל הַנֶּחֱרִים
בָּךְ יִהְיוּ כְאַיִן וְיֹאבְדוּ אַנְשֵׁי רִיבֶךָ:
יב תְּבַקְשֵׁם וְלֹא תִמְצָאֵם אַנְשֵׁי מַצֻּתֶךָ
יִהְיוּ כְאַיִן וּכְאֶפֶס אַנְשֵׁי מִלְחַמְתֶּךָ: יג כִּי
אֲנִי יהוה אֱלֹהֶיךָ מַחֲזִיק יְמִינֶךָ הָאֹמֵר
לְךָ אַל־תִּירָא אֲנִי עֲזַרְתִּיךָ: יד אַל־
תִּירְאִי תּוֹלַעַת יַעֲקֹב מְתֵי יִשְׂרָאֵל אֲנִי
עֲזַרְתִּיךְ נְאֻם־יהוה וְגֹאֲלֵךְ קְדוֹשׁ יִשְׂרָאֵל:
טו הִנֵּה שַׂמְתִּיךְ לְמוֹרַג חָרוּץ חָדָשׁ בַּעַל
פִּיפִיּוֹת תָּדוּשׁ הָרִים וְתָדֹק וּגְבָעוֹת כַּמֹּץ
תָּשִׂים: טז תִּזְרֵם וְרוּחַ תִּשָּׂאֵם וּסְעָרָה תָּפִיץ
אֹתָם וְאַתָּה תָּגִיל בַּיהוה בִּקְדוֹשׁ יִשְׂרָאֵל
תִּתְהַלָּל:

the eternal God is HASHEM, Creator of the ends of the earth, Who neither wearies nor tires, Whose discernment is beyond investigation? [29] *He gives strength to the weary, and for the powerless, He gives abundant might.* [30] *Youths may weary and tire and young men may constantly falter.* [31] *but those whose hope is in HASHEM will have renewed strength, they will grow a wing like eagles; they will run and not grow tired, they will walk and not grow weary.*

41 [1] *Listen silently to me, O islands, and let the regimes renew strength; let them approach, then let them speak — together we will approach for judgment.* [2] *Who aroused [Abraham] from the east, who would proclaim His righteousness at every footstep? Let Him place nations before him, and may he dominate kings, may his sword make [victims] like dust, and his bow like shredded straw.* [3] *Let him pursue them and pass on safely, on a path where his feet have never come.*

[4] *Who wrought and accomplished it? He Who called the generations from the beginning — I am HASHEM the first, and with the last ones, I will be the same.* [5] *The islands saw and feared, the ends of the earth shuddered, they approached and came —* [6] *but a man would help his fellow [worship idols], and to his brother he would say, "Be strong."* [7] *The carpenter encourages the goldsmith, the finishing hammerer [encourages] the one who pounds from the start; he would say of the glue that it is good, strengthen it with nails that it not falter.*

[8] *But you, Israel, My servant, Jacob, whom I have chosen, offspring of Abraham, who loved Me:* [9] *whom I have grasped from the ends of the earth, I have summoned you from its leaders, and I have said to you, "You are My servant, I have chosen you and not despised you."* [10] *Fear not for I am with you, do not go astray for I am your God; I have strengthened you, even helped you, even supported you with My righteous right hand.* [11] *Behold! all who are angry with you shall be shamed and humiliated, those who contend with you shall be like nothing and shall perish.* [12] *You shall seek them but not find them, the men who struggle with you; they shall be like utter nothingness, the men who battle with you.* [13] *For I, HASHEM, your God, grasp your right hand, the One Who says to you: "Fear not, for I help you."*

[14] *Fear not, O worm-weak Jacob, O people of Israel, for I shall be your help — the words of HASHEM — and your Redeemer, [I am] the Holy One of Israel.* [15] *Behold! I have made you a new, sharp threshing tool with many blades; you shall thresh mountains and grind them small, and make the hills like chaff.* [16] *You shall winnow them and the wind will carry them off, the storm will scatter them — but you will rejoice in HASHEM, in the Holy One of Israel will you glory!*

HAFTARAS VAYEIRA / הפטרת וירא

II Kings 4:1-37 / מלכים ב ד:א-לז

4 [1] *A certain woman from among the wives of the disciples of the prophets cried out to Elisha, saying, "Your servant, my husband, has died and you know that your servant was God fearing — now the creditor has come to take my two sons to be his slaves."*

[2] *Elisha said to her, "What can I do for you? — Tell me, what have you in the house?"*

She answered, "Your maidservant has nothing in the house except for a cruse of oil."

[3] *He said, "Go borrow vessels for yourself from the outside — from all your neighbors — empty vessels, do not be sparing.* [4] *Then go in and shut the door behind you and behind your children; pour into all these vessels and remove each full one."*

[5] *She left him and shut the door behind her and behind her children. They brought her [vessels] and she poured.* [6] *When all the vessels were full she said to her son, "Bring me another vessel."*

He said to her, "There is not another vessel," and the oil stopped.

[7] *She came and told the man of God, and he said, "Go sell the oil and pay your creditors, and you and your sons will live on the remainder."*

[8] *It happened one day that Elisha traveled to Shunem. A prominent woman was there and she importuned him to eat a meal; so it was that whenever he passed by, he would turn there to eat a meal.* [9] *She said to her husband, "Behold now! — I know that he is a holy man of God who passes by us regularly.* [10] *Let us now make a small walled attic and place there for him a bed, a table, a chair, and a lamp, so whenever he comes to us, he can turn there."*

[11] *It happened one day that he came there, and turned to the attic and lay down there.* [12] *He said to Gehazi his attendant, "Summon this Shunammite woman." He summoned her and she stood before him.* [13] *He said to him, "Say to her now, 'Behold! — you have shown us this great solicitude; what can be done for you? Can something be said on your behalf to the king or the army commander?' "*

She said, "I dwell among my people."

[14] *So he said, "What can be done for her?"*

Gehazi said, "But she has no child, and her husband is old."

[15] *He said, "Summon her," so he summoned her and she stood in the doorway.* [16] *He said, "At this season next year you will be embracing a son."*

She said, "Do not, my master, O man of God, do not deceive your maidservant!"

[17] *The woman conceived and bore a son at that season the next year, of which Elisha had spoken to her.*

ד א וְאִשָּׁה אַחַת מִנְּשֵׁי בְנֵי־הַנְּבִיאִים צָעֲקָה
אֶל־אֱלִישָׁע לֵאמֹר עַבְדְּךָ אִישִׁי מֵת וְאַתָּה
יָדַעְתָּ כִּי עַבְדְּךָ הָיָה יָרֵא אֶת־יהוה וְהַנֹּשֶׁה
בָּא לָקַחַת אֶת־שְׁנֵי יְלָדַי לוֹ לַעֲבָדִים:
ב וַיֹּאמֶר אֵלֶיהָ אֱלִישָׁע מָה אֶעֱשֶׂה־לָּךְ הַגִּידִי
לִי מַה־יֶּשׁ־לָךְ [לכי כ׳] בַּבָּיִת וַתֹּאמֶר אֵין
לְשִׁפְחָתְךָ כֹל בַּבַּיִת כִּי אִם־אָסוּךְ שָׁמֶן:
ג וַיֹּאמֶר לְכִי שַׁאֲלִי־לָךְ כֵּלִים מִן־הַחוּץ מֵאֵת
כָּל־שְׁכֵנָיִךְ [שכניכי כ׳] כֵּלִים רֵקִים אַל־
תַּמְעִיטִי: ד וּבָאת וְסָגַרְתְּ הַדֶּלֶת בַּעֲדֵךְ וּבְעַד־
בָּנַיִךְ וְיָצַקְתְּ עַל כָּל־הַכֵּלִים הָאֵלֶּה וְהַמָּלֵא
תַּסִּיעִי: ה וַתֵּלֶךְ מֵאִתּוֹ וַתִּסְגֹּר הַדֶּלֶת בַּעֲדָהּ
וּבְעַד בָּנֶיהָ הֵם מַגִּישִׁים אֵלֶיהָ וְהִיא מוֹצָקֶת
[מיצקת כ׳]: ו וַיְהִי | כִּמְלֹאת הַכֵּלִים וַתֹּאמֶר
אֶל־בְּנָהּ הַגִּישָׁה אֵלַי עוֹד כֶּלִי וַיֹּאמֶר אֵלֶיהָ
אֵין עוֹד כֶּלִי וַיַּעֲמֹד הַשָּׁמֶן: ז וַתָּבֹא וַתַּגֵּד
לְאִישׁ הָאֱלֹהִים וַיֹּאמֶר לְכִי מִכְרִי אֶת־הַשֶּׁמֶן
וְשַׁלְּמִי אֶת־נִשְׁיֵךְ [נשיכי כ׳] וְאַתְּ וּבָנַיִךְ
[בניכי כ׳] תִּחְיִי בַּנּוֹתָר: ח וַיְהִי הַיּוֹם וַיַּעֲבֹר
אֱלִישָׁע אֶל־שׁוּנֵם וְשָׁם אִשָּׁה גְדוֹלָה וַתַּחֲזֶק־
בּוֹ לֶאֱכָל־לָחֶם וַיְהִי מִדֵּי עָבְרוֹ יָסֻר שָׁמָּה
לֶאֱכָל־לָחֶם: ט וַתֹּאמֶר אֶל־אִישָׁהּ הִנֵּה־נָא
יָדַעְתִּי כִּי אִישׁ אֱלֹהִים קָדוֹשׁ הוּא עֹבֵר עָלֵינוּ
תָּמִיד: י נַעֲשֶׂה־נָּא עֲלִיַּת־קִיר קְטַנָּה וְנָשִׂים לוֹ
שָׁם מִטָּה וְשֻׁלְחָן וְכִסֵּא וּמְנוֹרָה וְהָיָה בְּבֹאוֹ
אֵלֵינוּ יָסוּר שָׁמָּה: יא וַיְהִי הַיּוֹם וַיָּבֹא שָׁמָּה
וַיָּסַר אֶל־הָעֲלִיָּה וַיִּשְׁכַּב־שָׁמָּה: יב וַיֹּאמֶר אֶל־
גֵּיחֲזִי נַעֲרוֹ קְרָא לַשּׁוּנַמִּית הַזֹּאת וַיִּקְרָא־לָהּ
וַתַּעֲמֹד לְפָנָיו: יג וַיֹּאמֶר לוֹ אֱמָר־נָא אֵלֶיהָ
הִנֵּה חָרַדְתְּ | אֵלֵינוּ אֶת־כָּל־הַחֲרָדָה הַזֹּאת
מֶה לַעֲשׂוֹת לָךְ הֲיֵשׁ לְדַבֶּר־לָךְ אֶל־הַמֶּלֶךְ
אוֹ אֶל־שַׂר הַצָּבָא וַתֹּאמֶר בְּתוֹךְ עַמִּי אָנֹכִי
יֹשָׁבֶת: יד וַיֹּאמֶר וּמֶה לַעֲשׂוֹת לָהּ וַיֹּאמֶר
גֵּיחֲזִי אֲבָל בֵּן אֵין־לָהּ וְאִישָׁהּ זָקֵן: טו וַיֹּאמֶר
קְרָא־לָהּ וַיִּקְרָא־לָהּ וַתַּעֲמֹד בַּפָּתַח: טז וַיֹּאמֶר
לַמּוֹעֵד הַזֶּה כָּעֵת חַיָּה אַתְּ [אתי כ׳] חֹבֶקֶת בֵּן
וַתֹּאמֶר אַל־אֲדֹנִי אִישׁ הָאֱלֹהִים אַל־תְּכַזֵּב
בְּשִׁפְחָתֶךָ: יז וַתַּהַר הָאִשָּׁה וַתֵּלֶד בֵּן לַמּוֹעֵד
הַזֶּה כָּעֵת חַיָּה אֲשֶׁר־דִּבֶּר אֵלֶיהָ אֱלִישָׁע:

יח וַיִּגְדַּל הַיָּלֶד וַיְהִי הַיּוֹם וַיֵּצֵא אֶל־אָבִיו אֶל־
הַקֹּצְרִים: יט וַיֹּאמֶר אֶל־אָבִיו רֹאשִׁי ׀ רֹאשִׁי
וַיֹּאמֶר אֶל־הַנַּעַר שָׂאֵהוּ אֶל־אִמּוֹ: כ וַיִּשָּׂאֵהוּ
וַיְבִיאֵהוּ אֶל־אִמּוֹ וַיֵּשֶׁב עַל־בִּרְכֶּיהָ עַד־
הַצָּהֳרַיִם וַיָּמֹת: כא וַתַּעַל וַתַּשְׁכִּבֵהוּ עַל־מִטַּת
אִישׁ הָאֱלֹהִים וַתִּסְגֹּר בַּעֲדוֹ וַתֵּצֵא: כב וַתִּקְרָא
אֶל־אִישָׁהּ וַתֹּאמֶר שִׁלְחָה נָא לִי אֶחָד מִן־
הַנְּעָרִים וְאַחַת הָאֲתֹנוֹת וְאָרוּצָה עַד־אִישׁ
הָאֱלֹהִים וְאָשׁוּבָה: כג וַיֹּאמֶר מַדּוּעַ אַתְּ הֹלֶכֶת
[אתי הלכתי כ׳] אֵלָיו הַיּוֹם לֹא־חֹדֶשׁ וְלֹא
שַׁבָּת וַתֹּאמֶר שָׁלוֹם:

18 *The child grew up, and it happened one day that he went out to his father to the reapers.* 19 *He said to his father, "My head! My head!"*

His father said to the attendant, "Carry him to his mother." 20 *He carried him and brought him to his mother; he sat on her lap until noon, and he died.* 21 *She went up and laid him on the bed of the man of God, shut the door upon him and left.*

22 *Then she called to her husband and said, "Please send me one of the attendants and one of the asses so that I can hurry to the man of God and return."*

23 *He said, "Why are you going to him today? It is not a New Moon or a Sabbath!"*

She said, "All is well."

Sephardim and the community of Frankfurt am Main conclude the *Haftarah* here. Others continue.

כד וַתַּחֲבֹשׁ הָאָתוֹן וַתֹּאמֶר אֶל־נַעֲרָהּ נְהַג וָלֵךְ
אַל־תַּעֲצָר־לִי לִרְכֹּב כִּי אִם־אָמַרְתִּי לָךְ:
כה וַתֵּלֶךְ וַתָּבוֹא אֶל־אִישׁ הָאֱלֹהִים אֶל־הַר
הַכַּרְמֶל וַיְהִי כִּרְאוֹת אִישׁ־הָאֱלֹהִים אוֹתָהּ
מִנֶּגֶד וַיֹּאמֶר אֶל־גֵּיחֲזִי נַעֲרוֹ הִנֵּה הַשּׁוּנַמִּית
הַלָּז: כו עַתָּה רוּץ־נָא לִקְרָאתָהּ וֶאֱמָר־לָהּ
הֲשָׁלוֹם לָךְ הֲשָׁלוֹם לְאִישֵׁךְ הֲשָׁלוֹם לַיָּלֶד
וַתֹּאמֶר שָׁלוֹם: כז וַתָּבֹא אֶל־אִישׁ הָאֱלֹהִים
אֶל־הָהָר וַתַּחֲזֵק בְּרַגְלָיו וַיִּגַּשׁ גֵּיחֲזִי לְהָדְפָהּ
וַיֹּאמֶר אִישׁ הָאֱלֹהִים הַרְפֵּה־לָהּ כִּי־נַפְשָׁהּ
מָרָה־לָהּ וַיהוָה הֶעְלִים מִמֶּנִּי וְלֹא הִגִּיד לִי:
כח וַתֹּאמֶר הֲשָׁאַלְתִּי בֵן מֵאֵת אֲדֹנִי הֲלֹא
אָמַרְתִּי לֹא תַשְׁלֶה אֹתִי: כט וַיֹּאמֶר לְגֵיחֲזִי
חֲגֹר מָתְנֶיךָ וְקַח מִשְׁעַנְתִּי בְיָדְךָ וָלֵךְ כִּי
תִמְצָא־אִישׁ לֹא תְבָרְכֶנּוּ וְכִי־יְבָרֶכְךָ אִישׁ לֹא
תַעֲנֶנּוּ וְשַׂמְתָּ מִשְׁעַנְתִּי עַל־פְּנֵי הַנָּעַר:
ל וַתֹּאמֶר אֵם הַנַּעַר חַי־יְהוָה וְחֵי־נַפְשְׁךָ אִם־
אֶעֶזְבֶךָּ וַיָּקָם וַיֵּלֶךְ אַחֲרֶיהָ: לא וְגֵחֲזִי עָבַר
לִפְנֵיהֶם וַיָּשֶׂם אֶת־הַמִּשְׁעֶנֶת עַל־פְּנֵי הַנַּעַר
וְאֵין קוֹל וְאֵין קָשֶׁב וַיָּשָׁב לִקְרָאתוֹ וַיַּגֶּד־לוֹ
לֵאמֹר לֹא הֵקִיץ הַנָּעַר: לב וַיָּבֹא אֱלִישָׁע
הַבַּיְתָה וְהִנֵּה הַנַּעַר מֵת מֻשְׁכָּב עַל־מִטָּתוֹ:
לג וַיָּבֹא וַיִּסְגֹּר הַדֶּלֶת בְּעַד שְׁנֵיהֶם וַיִּתְפַּלֵּל
אֶל־יְהוָה: לד וַיַּעַל וַיִּשְׁכַּב עַל־הַיֶּלֶד וַיָּשֶׂם פִּיו
עַל־פִּיו וְעֵינָיו עַל־עֵינָיו וְכַפָּיו עַל־כַּפָּו וַיִּגְהַר
עָלָיו וַיָּחָם בְּשַׂר הַיָּלֶד: לה וַיָּשָׁב וַיֵּלֶךְ בַּבַּיִת
אַחַת הֵנָּה וְאַחַת הֵנָּה וַיַּעַל וַיִּגְהַר עָלָיו וַיְזוֹרֵר
הַנַּעַר עַד־שֶׁבַע פְּעָמִים וַיִּפְקַח הַנַּעַר אֶת־
עֵינָיו: לו וַיִּקְרָא אֶל־גֵּיחֲזִי וַיֹּאמֶר קְרָא אֶל־

24 *She saddled the ass and said to her attendant, "Drive and go, and do not impede me from riding unless I tell you."* 25 *She went and came to the man of God at Mount Carmel.*

When the man of God saw her from afar, he said to Gehazi, his attendant, "Behold! — it is that Shunammite woman. 26 *Now, please run toward her and say to her, 'Is it well with you? Is it well with your husband? Is it well with the child?' "*

And she said, "All is well."

27 *She came to the man of God at the mountain and grasped his legs; Gehazi approached to push her off, but the man of God said, "Leave her for her soul is embittered, but* H*ASHEM has hidden it from me and not told me."*

28 *She said, "Did I request a son of my master? Did I not say, 'Do not mislead me!'?"*

29 *He said to Gehazi, "Gird you loins — take my staff in your hand and go; if you meet a man, do not greet him, and if a man greets you, do not respond to him. Place my staff upon the lad's face."*

30 *The lad's mother said, "As* H*ASHEM lives and as you live, I will not leave you!" So he stood up and followed her.*

31 *Gehazi went before them and placed the staff on the lad's face, but there was no sound and nothing was heard. He returned toward him and told him, saying, "The lad has not awakened."*

32 *Elisha came into the house and behold! — the lad was dead, laid out on his bed.* 33 *He entered and shut the door behind them both, and prayed to* H*ASHEM.* 34 *Then he went up and lay upon the lad, and placed his mouth upon his mouth, his eyes upon his eyes, his palms upon his palms, and prostrated himself upon him, and he warmed the flesh of the lad.* 35 *He withdrew and walked about the house, once this way and once that way, then he went up and prostrated himself upon him; the lad sneezed seven times, and the lad opened his eyes.*

36 *He called to Gehazi and said, "Summon this*

Shunammite woman." He summoned her and she came to him; he said, *"Pick up your son!"* [37] She came and fell at his feet and bowed down to the ground; she picked up her son and left.

הַשֻּׁנַמִּ֣ית הַזֹּ֔את וַיִּקְרָאֶ֙הָ֙ וַתָּבֹ֣א אֵלָ֔יו וַיֹּ֖אמֶר שְׂאִ֣י בְנֵ֑ךְ: לז וַתָּבֹא֙ וַתִּפֹּ֣ל עַל־רַגְלָ֔יו וַתִּשְׁתַּ֖חוּ אָ֑רְצָה וַתִּשָּׂ֥א אֶת־בְּנָ֖הּ וַתֵּצֵֽא:

HAFTARAS CHAYEI SARAH / הפטרת חיי שרה

I Kings 1:1-31 / מלכים א א:א-לא

1 [1] **K**ing David was old, advanced in years; they covered him with garments, but he did not become warm. [2] His servants said to him, "Let there be sought for my lord, the king, a virgin girl, who will stand before the king and be his attendant; she will lie in your bosom and my lord the king will be warmed." [3] They sought a beautiful girl throughout the boundary of Israel, and they found Abishag the Shunammite and brought her to the king.

[4] The girl was exceedingly beautiful, and she became the king's attendant and she served him, but the king was not intimate with her.

[5] Adonijah son of Haggith exalted himself, saying, "I shall reign!" He provided himself with a chariot and riders, and fifty men running before him.

[6] All his life his father had never saddened him by saying, "Why do you do this?" Moreover, he was very handsome and he was born after Absalom.

[7] He held discussions with Joab son of Zeruiah and with Abiathar the Kohen; and they supported and followed Adonijah.

[8] But Zadok the Kohen, Benaiahu son of Jehoiada, Nathan the prophet, Shimi, Rei, and David's mighty men were not with Adonijah.

[9] Adonijah slaughtered sheep, cattle, and fatted bulls at the Zoheleth stone that was near Ein-rogel, and he invited all of his brothers, the sons of the king; and all the men of Judah, the king's servants. [10] But Nathan the prophet, Benaiahu, the mighty men, and his brother Solomon he did not invite.

[11] Nathan spoke to Bathsheba, Solomon's mother, saying, "Have you not heard that Adonijah son of Haggith has reigned? — and our lord David does not know. [12] So now come, I will counsel you now; save your life and the life of your son Solomon. [13] Go and come to King David and say to him, 'Have you, my lord, the king, not sworn to your maidservant saying, "Your son Solomon will reign after me and he will sit on my throne?" Why has Adonijah reigned?'

[14] "Behold! — while you are still speaking there with the king, I will come in after you and supplement your words."

[15] So Bathsheba came to the king in the chamber; the king was very old and Abishag the Shunammite served the king. [16] Bathsheba bowed and prostrated herself to the king; and the king said, "What concerns you?"

א א וְהַמֶּ֤לֶךְ דָּוִד֙ זָקֵ֔ן בָּ֖א בַּיָּמִ֑ים וַיְכַסֻּ֨הוּ֙ בַּבְּגָדִ֔ים וְלֹ֥א יִחַ֖ם לֽוֹ: ב וַיֹּ֧אמְרוּ ל֣וֹ עֲבָדָ֗יו יְבַקְשׁ֞וּ לַאדֹנִ֤י הַמֶּ֙לֶךְ֙ נַעֲרָ֣ה בְתוּלָ֔ה וְעָֽמְדָ֖ה לִפְנֵ֣י הַמֶּ֑לֶךְ וּתְהִי־ל֖וֹ סֹכֶ֑נֶת וְשָׁכְבָ֣ה בְחֵיקֶ֔ךָ וְחַ֖ם לַאדֹנִ֥י הַמֶּֽלֶךְ: ג וַיְבַקְשׁוּ֙ נַעֲרָ֣ה יָפָ֔ה בְּכֹ֖ל גְּב֣וּל יִשְׂרָאֵ֑ל וַיִּמְצְא֗וּ אֶת־אֲבִישַׁג֙ הַשּׁ֣וּנַמִּ֔ית וַיָּבִ֥אוּ אֹתָ֖הּ לַמֶּֽלֶךְ: ד וְהַֽנַּעֲרָ֖ה יָפָ֣ה עַד־מְאֹ֑ד וַתְּהִ֨י לַמֶּ֤לֶךְ סֹכֶ֙נֶת֙ וַתְּשָׁ֣רְתֵ֔הוּ וְהַמֶּ֖לֶךְ לֹ֥א יְדָעָֽהּ: ה וַאֲדֹנִיָּ֧ה בֶן־חַגִּ֛ית מִתְנַשֵּׂ֥א לֵאמֹ֖ר אֲנִ֣י אֶמְלֹ֑ךְ וַיַּ֣עַשׂ ל֗וֹ רֶ֚כֶב וּפָ֣רָשִׁ֔ים וַחֲמִשִּׁ֥ים אִ֖ישׁ רָצִ֥ים לְפָנָֽיו: ו וְלֹֽא־עֲצָב֨וֹ אָבִ֤יו מִיָּמָיו֙ לֵאמֹ֔ר מַדּ֖וּעַ כָּ֣כָה עָשִׂ֑יתָ וְגַם־ה֗וּא טֽוֹב־תֹּ֙אַר֙ מְאֹ֔ד וְאֹת֥וֹ יָלְדָ֖ה אַחֲרֵ֥י אַבְשָׁלֽוֹם: ז וַיִּהְי֣וּ דְבָרָ֔יו עִ֚ם יוֹאָ֣ב בֶּן־צְרוּיָ֔ה וְעִ֖ם אֶבְיָתָ֣ר הַכֹּהֵ֑ן וַֽיַּעְזְר֔וּ אַחֲרֵ֖י אֲדֹנִיָּֽה: ח וְצָד֣וֹק הַ֠כֹּהֵן וּבְנָיָ֨הוּ בֶן־יְהֽוֹיָדָ֜ע וְנָתָ֣ן הַנָּבִ֗יא וְשִׁמְעִ֣י וְרֵעִ֔י וְהַגִּבּוֹרִ֖ים אֲשֶׁ֣ר לְדָוִ֑ד לֹ֥א הָי֖וּ עִם־אֲדֹנִיָּֽהוּ: ט וַיִּזְבַּ֣ח אֲדֹנִיָּ֗הוּ צֹ֚אן וּבָקָ֣ר וּמְרִ֔יא עִ֚ם אֶ֣בֶן הַזֹּחֶ֔לֶת אֲשֶׁר־אֵ֖צֶל עֵ֣ין רֹגֵ֑ל וַיִּקְרָ֗א אֶת־כָּל־אֶחָיו֙ בְּנֵ֣י הַמֶּ֔לֶךְ וּלְכָל־אַנְשֵׁ֥י יְהוּדָ֖ה עַבְדֵ֥י הַמֶּֽלֶךְ: י וְאֶת־נָתָן֩ הַנָּבִ֨יא וּבְנָיָ֜הוּ וְאֶת־הַגִּבּוֹרִ֛ים וְאֶת־שְׁלֹמֹ֥ה אָחִ֖יו לֹ֥א קָרָֽא: יא וַיֹּ֣אמֶר נָתָ֗ן אֶל־בַּת־שֶׁ֤בַע אֵם־שְׁלֹמֹה֙ לֵאמֹ֔ר הֲל֣וֹא שָׁמַ֔עַתְּ כִּ֥י מָלַ֖ךְ אֲדֹנִיָּ֣הוּ בֶן־חַגִּ֑ית וַאֲדֹנֵ֥ינוּ דָוִ֖ד לֹ֥א יָדָֽע: יב וְעַתָּ֕ה לְכִ֛י אִיעָצֵ֥ךְ נָ֖א עֵצָ֑ה וּמַלְּטִי֙ אֶת־נַפְשֵׁ֔ךְ וְאֶת־נֶ֖פֶשׁ בְּנֵ֥ךְ שְׁלֹמֹֽה: יג לְכִ֞י וּבֹ֣אִי ׀ אֶל־הַמֶּ֣לֶךְ דָּוִ֗ד וְאָמַ֤רְתְּ אֵלָיו֙ הֲלֹֽא־אַתָּ֞ה אֲדֹנִ֣י הַמֶּ֗לֶךְ נִשְׁבַּ֤עְתָּ לַאֲמָֽתְךָ֙ לֵאמֹ֔ר כִּֽי־שְׁלֹמֹ֤ה בְנֵךְ֙ יִמְלֹ֣ךְ אַחֲרַ֔י וְה֖וּא יֵשֵׁ֣ב עַל־כִּסְאִ֑י וּמַדּ֖וּעַ מָלַ֥ךְ אֲדֹנִיָּֽהוּ: יד הִנֵּ֗ה עוֹדָ֛ךְ מְדַבֶּ֥רֶת שָׁ֖ם עִם־הַמֶּ֑לֶךְ וַאֲנִי֙ אָב֣וֹא אַחֲרַ֔יִךְ וּמִלֵּאתִ֖י אֶת־דְּבָרָֽיִךְ: טו וַתָּבֹ֣א בַת־שֶׁ֣בַע אֶל־הַמֶּלֶךְ֘ הַחַ֒דְרָה֒ וְהַמֶּ֖לֶךְ זָקֵ֣ן מְאֹ֑ד וַֽאֲבִישַׁג֙ הַשּׁ֣וּנַמִּ֔ית מְשָׁרַ֖ת אֶת־הַמֶּֽלֶךְ: טז וַתִּקֹּ֣ד בַּת־שֶׁ֔בַע וַתִּשְׁתַּ֖חוּ לַמֶּ֑לֶךְ וַיֹּ֥אמֶר הַמֶּ֖לֶךְ מַה־לָּֽךְ:

יז וַתֹּאמֶר לוֹ אֲדֹנִי אַתָּה נִשְׁבַּעְתָּ בַּיהוָה
אֱלֹהֶיךָ לַאֲמָתֶךָ כִּי־שְׁלֹמֹה בְנֵךְ יִמְלֹךְ אַחֲרָי
וְהוּא יֵשֵׁב עַל־כִּסְאִי: יח וְעַתָּה הִנֵּה אֲדֹנִיָּה
מָלָךְ וְעַתָּה אֲדֹנִי הַמֶּלֶךְ לֹא יָדָעְתָּ: יט וַיִּזְבַּח
שׁוֹר וּמְרִיא־וְצֹאן לָרֹב וַיִּקְרָא לְכָל־בְּנֵי
הַמֶּלֶךְ וּלְאֶבְיָתָר הַכֹּהֵן וּלְיֹאָב שַׂר הַצָּבָא
וְלִשְׁלֹמֹה עַבְדְּךָ לֹא קָרָא: כ וְאַתָּה אֲדֹנִי
הַמֶּלֶךְ עֵינֵי כָל־יִשְׂרָאֵל עָלֶיךָ לְהַגִּיד לָהֶם מִי
יֵשֵׁב עַל־כִּסֵּא אֲדֹנִי־הַמֶּלֶךְ אַחֲרָיו: כא וְהָיָה
כִּשְׁכַב אֲדֹנִי־הַמֶּלֶךְ עִם־אֲבֹתָיו וְהָיִיתִי אֲנִי
וּבְנִי שְׁלֹמֹה חַטָּאִים: כב וְהִנֵּה עוֹדֶנָּה מְדַבֶּרֶת
עִם־הַמֶּלֶךְ וְנָתָן הַנָּבִיא בָּא: כג וַיַּגִּידוּ לַמֶּלֶךְ
לֵאמֹר הִנֵּה נָתָן הַנָּבִיא וַיָּבֹא לִפְנֵי הַמֶּלֶךְ
וַיִּשְׁתַּחוּ לַמֶּלֶךְ עַל־אַפָּיו אָרְצָה: כד וַיֹּאמֶר
נָתָן אֲדֹנִי הַמֶּלֶךְ אַתָּה אָמַרְתָּ אֲדֹנִיָּהוּ יִמְלֹךְ
אַחֲרָי וְהוּא יֵשֵׁב עַל־כִּסְאִי: כה כִּי ׀ יָרַד הַיּוֹם
וַיִּזְבַּח שׁוֹר וּמְרִיא־וְצֹאן לָרֹב וַיִּקְרָא
לְכָל־בְּנֵי הַמֶּלֶךְ וּלְשָׂרֵי הַצָּבָא וּלְאֶבְיָתָר
הַכֹּהֵן וְהִנָּם אֹכְלִים וְשֹׁתִים לְפָנָיו וַיֹּאמְרוּ יְחִי
הַמֶּלֶךְ אֲדֹנִיָּהוּ: כו וְלִי אֲנִי־עַבְדֶּךָ וּלְצָדֹק
הַכֹּהֵן וְלִבְנָיָהוּ בֶן־יְהוֹיָדָע וְלִשְׁלֹמֹה עַבְדְּךָ
לֹא קָרָא: כז אִם מֵאֵת אֲדֹנִי הַמֶּלֶךְ נִהְיָה
הַדָּבָר הַזֶּה וְלֹא הוֹדַעְתָּ אֶת־עַבְדְּךָ [עבדיך כ׳]
מִי יֵשֵׁב עַל־כִּסֵּא אֲדֹנִי־הַמֶּלֶךְ אַחֲרָיו:
כח וַיַּעַן הַמֶּלֶךְ דָּוִד וַיֹּאמֶר קִרְאוּ־לִי לְבַת־
שָׁבַע וַתָּבֹא לִפְנֵי הַמֶּלֶךְ וַתַּעֲמֹד לִפְנֵי הַמֶּלֶךְ:
כט וַיִּשָּׁבַע הַמֶּלֶךְ וַיֹּאמַר חַי־יְהוָה אֲשֶׁר־פָּדָה
אֶת־נַפְשִׁי מִכָּל־צָרָה: ל כִּי כַּאֲשֶׁר נִשְׁבַּעְתִּי
לָךְ בַּיהוָה אֱלֹהֵי יִשְׂרָאֵל לֵאמֹר כִּי־שְׁלֹמֹה
בְנֵךְ יִמְלֹךְ אַחֲרַי וְהוּא יֵשֵׁב עַל־כִּסְאִי תַּחְתָּי
כִּי כֵּן אֶעֱשֶׂה הַיּוֹם הַזֶּה: לא וַתִּקֹּד בַּת־שֶׁבַע
אַפַּיִם אֶרֶץ וַתִּשְׁתַּחוּ לַמֶּלֶךְ וַתֹּאמֶר יְחִי אֲדֹנִי
הַמֶּלֶךְ דָּוִד לְעֹלָם:

17 She said to him, "My lord, you swore to your maidservant by HASHEM, your God, that 'Solomon, your son, will reign after me, and he will sit on my throne.' 18 But now, behold! — Adonijah has reigned — and now my lord, the king, does not know! 19 He has slaughtered oxen, fatted bulls, and sheep in abundance, and invited all the king's sons, as well as Abiathar the Kohen and Joab the general of the army — but he has not invited your servant Solomon. 20 And you, my lord, the king, the eyes of all Israel are upon you, to tell them who will sit on the throne of my lord, the king, after him. 21 It will happen that when my lord, the king, sleeps with his ancestors, I and my son Solomon will be missing."

22 Behold! — she was still speaking with the king when Nathan the prophet arrived. 23 They told the king saying, "Behold — Nathan the prophet!"

He came before the king and prostrated himself to the king with his face to the ground. 24 Nathan said, "My lord, the king, have you said, 'Adonijah will reign after me and he will sit on my throne?' 25 For he has gone down today and slaughtered oxen, fatted bulls, and sheep in abundance, and he has invited all the king's sons, the generals of the army, and Abiathar the Kohen, and behold they are eating and drinking before him — and they said, 'Long live King Adonijah.' 26 But me — I, who am your servant — Zadok the Kohen, Benaiahu son of Jehoiada, and your servant Solomon he did not invite. 27 If this matter came from my lord, the king, would you not have informed your servant who should sit on the throne of my lord, the king, after him?"

28 King David answered and said, "Summon Bathsheba to me." She came before the king and stood before the king. 29 The king swore and said, "As HASHEM lives, Who has redeemed my life from every trouble — 30 as I have sworn to you by HASHEM, the God Of Israel, saying, 'Solomon your son will reign after me and he will sit on my throne in my place,' so shall I fulfill this very day."

31 Bathsheba bowed with her face to the ground and prostrated herself to the king; and she said, "May my lord, King David, live forever!"

HAFTARAS SHABBAS EREV ROSH CHODESH / הפטרת שבת ערב ראש חודש

I Samuel 20:18-42 / שמואל א כ:יח־מב

20 18 *Jonathan said to [David], "Tomorrow is the New Moon, and you will be missed because your seat will be empty.* 19 *For three days you are to go far down and come to the place where you hid on the day of the deed, and remain near the marker stone.* 20 *I will shoot three arrows in that direction as if I were shooting at a target.* 21 *Behold! — I will then send the lad, 'Go, find the arrows.' If I call out to the lad, 'Behold! — the arrows are on this side of you!' then you should take them and return, for it is well with you and there is no concern, as* HASHEM *lives.* 22 *But if I say this to the boy, 'Behold! — the arrows are beyond you!' then go, for* HASHEM *will have sent you away.* 23 *This matter of which we have spoken, I and you, behold! —* HASHEM *remains [witness] between me and you forever."*

24 *David concealed himself in the field. It was the New Moon and the king sat at the feast to eat.* 25 *The king sat on his seat as usual, on the seat by the wall; and Jonathan stood up so that Abner could sit at Saul's side, and David's seat was empty.* 26 *Saul said nothing on that day, for he thought, "It is a coincidence, he must be impure, for he has not been cleansed."*

27 *It was the day after the New Moon, the second day, and David's place was empty; Saul said to Jonathan, his son, "Why did the son of Jesse not come to the feast yesterday or today?"*

28 *Jonathan answered Saul, "David asked me for permission to go Bethlehem.* 29 *He said, 'Please send me away, for we have a family feast in the city, and he, my brother, ordered me [to come]; so now, if I have found favor in your eyes, excuse me, please, and let me see my brothers.' Therefore, he has not come to the king's table."*

30 *Saul's anger flared up at Jonathan, and he said to him, "Son of a pervertedly rebellious woman, do I not know that you prefer the son of Jesse, for your own shame and the shame of your mother's nakedness!* 31 *For all the days that the son of Jesse is alive on the earth, you and your kingdom will not be secure! And now send and bring him to me, for he is deserving of death."*

32 *Jonathan answered his father Saul and he said to him, "Why should he die; what has he done?"*

33 *Saul hurled his spear at him to strike him; so Jonathan realized that it was decided by his father to kill David.* 34 *Jonathan arose from the table in a burning anger; he did not partake of food on that second day of the month, for he was saddened over David because his father had humiliated him.*

כ יח וַיֹּאמֶר־לוֹ יְהוֹנָתָן מָחָר חֹדֶשׁ וְנִפְקַדְתָּ כִּי
יִפָּקֵד מוֹשָׁבֶךָ: יט וְשִׁלַּשְׁתָּ תֵּרֵד מְאֹד וּבָאתָ
אֶל־הַמָּקוֹם אֲשֶׁר־נִסְתַּרְתָּ שָּׁם בְּיוֹם הַמַּעֲשֶׂה
וְיָשַׁבְתָּ אֵצֶל הָאֶבֶן הָאָזֶל: כ וַאֲנִי שְׁלֹשֶׁת
הַחִצִּים צִדָּה אוֹרֶה לְשַׁלַּח־לִי לְמַטָּרָה:
כא וְהִנֵּה אֶשְׁלַח אֶת־הַנַּעַר לֵךְ מְצָא אֶת־
הַחִצִּים אִם־אָמֹר אֹמַר לַנַּעַר הִנֵּה הַחִצִּים ׀
מִמְּךָ וָהֵנָּה קָחֶנּוּ וָבֹאָה כִּי־שָׁלוֹם לְךָ וְאֵין
דָּבָר חַי־יהוה: כב וְאִם־כֹּה אֹמַר לָעֶלֶם הִנֵּה
הַחִצִּים מִמְּךָ וָהָלְאָה לֵךְ כִּי שִׁלַּחֲךָ יהוה:
כג וְהַדָּבָר אֲשֶׁר דִּבַּרְנוּ אֲנִי וָאָתָּה הִנֵּה יהוה
בֵּינִי וּבֵינְךָ עַד־עוֹלָם: כד וַיִּסָּתֵר דָּוִד בַּשָּׂדֶה
וַיְהִי הַחֹדֶשׁ וַיֵּשֶׁב הַמֶּלֶךְ אֶל־ [עַל־ כ׳] הַלֶּחֶם
לֶאֱכוֹל: כה וַיֵּשֶׁב הַמֶּלֶךְ עַל־מוֹשָׁבוֹ כְּפַעַם ׀
בְּפַעַם אֶל־מוֹשַׁב הַקִּיר וַיָּקָם יְהוֹנָתָן וַיֵּשֶׁב
אַבְנֵר מִצַּד שָׁאוּל וַיִּפָּקֵד מְקוֹם דָּוִד: כו וְלֹא־
דִבֶּר שָׁאוּל מְאוּמָה בַּיּוֹם הַהוּא כִּי אָמַר
מִקְרֶה הוּא בִּלְתִּי טָהוֹר הוּא כִּי־לֹא טָהוֹר:
כז וַיְהִי מִמָּחֳרַת הַחֹדֶשׁ הַשֵּׁנִי וַיִּפָּקֵד מְקוֹם
דָּוִד וַיֹּאמֶר שָׁאוּל אֶל־יְהוֹנָתָן בְּנוֹ מַדּוּעַ לֹא־
בָא בֶן־יִשַׁי גַּם־תְּמוֹל גַּם־הַיּוֹם אֶל־הַלָּחֶם:
כח וַיַּעַן יְהוֹנָתָן אֶת־שָׁאוּל נִשְׁאֹל נִשְׁאַל דָּוִד
מֵעִמָּדִי עַד־בֵּית לָחֶם: כט וַיֹּאמֶר שַׁלְּחֵנִי נָא
כִּי זֶבַח מִשְׁפָּחָה לָנוּ בָּעִיר וְהוּא צִוָּה־לִי אָחִי
וְעַתָּה אִם־מָצָאתִי חֵן בְּעֵינֶיךָ אִמָּלְטָה נָּא
וְאֶרְאֶה אֶת־אֶחָי עַל־כֵּן לֹא־בָא אֶל־שֻׁלְחַן
הַמֶּלֶךְ: ל וַיִּחַר־אַף שָׁאוּל בִּיהוֹנָתָן וַיֹּאמֶר לוֹ
בֶּן־נַעֲוַת הַמַּרְדּוּת הֲלוֹא יָדַעְתִּי כִּי־בֹחֵר אַתָּה
לְבֶן־יִשַׁי לְבָשְׁתְּךָ וּלְבֹשֶׁת עֶרְוַת אִמֶּךָ: לא כִּי
כָל־הַיָּמִים אֲשֶׁר בֶּן־יִשַׁי חַי עַל־הָאֲדָמָה
לֹא תִכּוֹן אַתָּה וּמַלְכוּתֶךָ וְעַתָּה שְׁלַח
וְקַח אֹתוֹ אֵלַי כִּי בֶן־מָוֶת הוּא: לב וַיַּעַן יְהוֹנָתָן
אֶת־שָׁאוּל אָבִיו וַיֹּאמֶר אֵלָיו לָמָּה יוּמַת
מֶה עָשָׂה: לג וַיָּטֶל שָׁאוּל אֶת־הַחֲנִית עָלָיו
לְהַכֹּתוֹ וַיֵּדַע יְהוֹנָתָן כִּי־כָלָה הִיא מֵעִם אָבִיו
לְהָמִית אֶת־דָּוִד: לד וַיָּקָם יְהוֹנָתָן מֵעִם
הַשֻּׁלְחָן בָּחֳרִי־אָף וְלֹא־אָכַל בְּיוֹם־הַחֹדֶשׁ
הַשֵּׁנִי לֶחֶם כִּי נֶעְצַב אֶל־דָּוִד כִּי הִכְלִמוֹ אָבִיו:

לה וַיְהִי בַבֹּקֶר וַיֵּצֵא יְהוֹנָתָן הַשָּׂדֶה לְמוֹעֵד דָּוִד
וְנַעַר קָטֹן עִמּוֹ: לו וַיֹּאמֶר לְנַעֲרוֹ רֻץ מְצָא־
נָא אֶת־הַחִצִּים אֲשֶׁר אָנֹכִי מוֹרֶה הַנַּעַר רָץ
וְהוּא־יָרָה הַחֵצִי לְהַעֲבִרוֹ: לז וַיָּבֹא הַנַּעַר עַד־
מְקוֹם הַחֵצִי אֲשֶׁר יָרָה יְהוֹנָתָן וַיִּקְרָא יְהוֹנָתָן
אַחֲרֵי הַנַּעַר וַיֹּאמֶר הֲלוֹא הַחֵצִי מִמְּךָ וָהָלְאָה:
לח וַיִּקְרָא יְהוֹנָתָן אַחֲרֵי הַנַּעַר מְהֵרָה חוּשָׁה
אַל־תַּעֲמֹד וַיְלַקֵּט נַעַר יְהוֹנָתָן אֶת־הַחִצִּים
[החצי כ׳] וַיָּבֹא אֶל־אֲדֹנָיו: לט וְהַנַּעַר לֹא־יָדַע
מְאוּמָה אַךְ יְהוֹנָתָן וְדָוִד יָדְעוּ אֶת־הַדָּבָר:
מ וַיִּתֵּן יְהוֹנָתָן אֶת־כֵּלָיו אֶל־הַנַּעַר אֲשֶׁר־לוֹ
וַיֹּאמֶר לוֹ לֵךְ הָבֵיא הָעִיר: מא הַנַּעַר בָּא וְדָוִד
קָם מֵאֵצֶל הַנֶּגֶב וַיִּפֹּל לְאַפָּיו אַרְצָה וַיִּשְׁתַּחוּ
שָׁלֹשׁ פְּעָמִים וַיִּשְּׁקוּ ׀ אִישׁ אֶת־רֵעֵהוּ וַיִּבְכּוּ
אִישׁ אֶת־רֵעֵהוּ עַד־דָּוִד הִגְדִּיל: מב וַיֹּאמֶר
יְהוֹנָתָן לְדָוִד לֵךְ לְשָׁלוֹם אֲשֶׁר נִשְׁבַּעְנוּ שְׁנֵינוּ
אֲנַחְנוּ בְּשֵׁם יהוה לֵאמֹר יהוה יִהְיֶה ׀ בֵּינִי
וּבֵינֶךָ וּבֵין זַרְעִי וּבֵין זַרְעֲךָ עַד־עוֹלָם:

*35 It happened in the morning that Jonathan went
out to the field for the meeting with David, and a
young lad was with him. 36 He said to his lad, "Run —
please find the arrows that I shoot." The lad ran, and
he shot the arrow to make it go further. 37 The lad
arrived at the place of the arrow that Jonathan had
shot, and Jonathan called out after the lad, and he
said, "Is not the arrow beyond you?"*

*38 And Jonathan called out after the lad, "Quickly,
hurry, do not stand still!" The lad gathered the arrows
and came to his master. 39 The lad knew nothing, only
Jonathan and David understood the matter.
40 Jonathan gave his equipment to his lad and said to
him, "Go bring it to the city."*

*41 The lad went and David stood up from near the
south [side of the stone], and he fell on his face to the
ground and prostrated himself three times. They
kissed one another and they wept with one another,
until David [wept] greatly.*

*42 Jonathan said to David, "Go to peace. What the
two of us have sworn in the Name of HASHEM — saying,
'HASHEM shall be between me and you, and between
my children and your children' — shall be
forever!"*

MAFTIR OF SHABBAS ROSH CHODESH / מפטיר לשבת ראש חודש

Numbers 28:9-15 / במדבר כח:ט-טו

כח ט וּבְיוֹם הַשַּׁבָּת שְׁנֵי־כְבָשִׂים בְּנֵי־שָׁנָה
תְּמִימִם וּשְׁנֵי עֶשְׂרֹנִים סֹלֶת מִנְחָה בְּלוּלָה
בַשֶּׁמֶן וְנִסְכּוֹ: י עֹלַת שַׁבַּת בְּשַׁבַּתּוֹ עַל־עֹלַת
הַתָּמִיד וְנִסְכָּהּ: יא וּבְרָאשֵׁי חָדְשֵׁיכֶם תַּקְרִיבוּ
עֹלָה לַיהוה פָּרִים בְּנֵי־בָקָר שְׁנַיִם וְאַיִל אֶחָד
כְּבָשִׂים בְּנֵי־שָׁנָה שִׁבְעָה תְּמִימִם: יב וּשְׁלֹשָׁה
עֶשְׂרֹנִים סֹלֶת מִנְחָה בְּלוּלָה בַשֶּׁמֶן לַפָּר
הָאֶחָד וּשְׁנֵי עֶשְׂרֹנִים סֹלֶת מִנְחָה בְּלוּלָה
בַשֶּׁמֶן לָאַיִל הָאֶחָד: יג וְעִשָּׂרֹן עִשָּׂרוֹן סֹלֶת
מִנְחָה בְּלוּלָה בַשֶּׁמֶן לַכֶּבֶשׂ הָאֶחָד עֹלָה רֵיחַ
נִיחֹחַ אִשֶּׁה לַיהוה: יד וְנִסְכֵּיהֶם חֲצִי הַהִין
יִהְיֶה לַפָּר וּשְׁלִישִׁת הַהִין לָאַיִל וּרְבִיעִת הַהִין
לַכֶּבֶשׂ יָיִן זֹאת עֹלַת חֹדֶשׁ בְּחָדְשׁוֹ לְחָדְשֵׁי
הַשָּׁנָה: טו וּשְׂעִיר עִזִּים אֶחָד לְחַטָּאת לַיהוה
עַל־עֹלַת הַתָּמִיד יֵעָשֶׂה וְנִסְכּוֹ:

28 *9 And on the Sabbath day: two male lambs in
their first year, unblemished, two tenth-
ephah of fine flour for a meal offering, mixed with oil,
and its libation. 10 The elevation-offering of each Sabbath
on its own Sabbath, in addition to the continual
elevation-offering and its libation.*

*11 On your New Moons, you shall bring an elevation-
offering to HASHEM: two young bulls, one ram, seven
male lambs in their first year, unblemished. 12 And
three tenth-ephah of fine flour for a meal-offering
mixed with oil, for each bull; and two tenth-ephah of
fine flour mixed with oil, for the one ram; 13 and a
tenth-ephah of fine flour for a meal-offering, mixed
with oil, for each lamb — an elevation-offering, a satisfying
aroma, a fire-offering to HASHEM. 14 And their libations:
a half-hin for each bull, a third-hin for the ram,
a quarter-hin for each lamb — of wine. This is the elevation-offering
of each month in its own month for the
months of the year. 15 And one male of the goats for a
sin-offering to HASHEM. In addition to the continual elevation-offering
shall it be made, and its libation.*

HAFTARAS SHABBAS ROSH CHODESH / הפטרת שבת ראש חודש

Isaiah 66:1-24 / ישעיה סו:א-כד

סו א כֹּה אָמַר יהוה הַשָּׁמַיִם כִּסְאִי וְהָאָרֶץ הֲדֹם
רַגְלָי אֵי־זֶה בַיִת אֲשֶׁר תִּבְנוּ־לִי וְאֵי־זֶה מָקוֹם
מְנוּחָתִי: ב וְאֶת־כָּל־אֵלֶּה יָדִי עָשָׂתָה וַיִּהְיוּ

66 *1 So said HASHEM, the heaven is My throne
and the earth is My footstool; what House
could you build for Me, and what could be My resting
place? 2 My hand made all these and thus they came*

into being, the words of HASHEM *— but it is to this that I look: to the poor and broken-spirited person who is zealous regarding My Word.*

3 *He who slaughters an ox is as if he slays a man; he who offers a sheep is as if he breaks a dog's neck; he who brings up a meal-offering is as if he offers a swine's blood; one who brings a frankincense remembrance is as if he brings a gift of extortion; they have even chosen their ways, and their souls have desired their abominations.*

4 *I, too, will choose to mock them and what they dread I will bring upon them — because I have called, but no one responded; I have spoken, but they did not hear; they did what is evil in My eyes and what I did not desire they chose.*

5 *Listen to the Word of* HASHEM, *those who are zealous regarding His Word; your brethren who hate you and distance themselves from you say, "*HASHEM *is glorified because of my reputation" — but we shall see your gladness and they will be shamed.* 6 *A tumultuous sound comes from the city, a sound from the Sanctuary, the sound of* HASHEM *dealing retribution to His enemies.* 7 *When she has not yet felt her labor, she will have given birth! When the pain has not yet come to her, she will have delivered a son!* 8 *Who has heard such a thing? Who has seen its like? Has a land gone through its labor in one day? Has a nation been born at one time, as Zion went through labor and gave birth to her children?* 9 *Shall I bring [a woman] to the birthstool and not have her give birth? says* HASHEM. *Shall I, Who causes birth, hold it back? says your God.*

10 *Be glad with Jerusalem and rejoice in her, all who love her; exult with her exultation, all who mourned for her;* 11 *so that you may nurse and be sated from the breast of her consolations; so that you may suck and delight from the glow of her glory.* 12 *For so said* HASHEM, *Behold! — I shall direct peace to her like a river, and the honor of nations like a surging stream and you shall suckle; you will be carried on a shoulder and dandled on knees.* 13 *Like a man whose mother consoled him, so will I console you, and in Jerusalem will you be consoled.* 14 *You shall see and your heart will exult, and your bones will flourish like grass; the hand of* HASHEM *will be known to His servants, and He will be angry with His enemies.* 15 *For behold! —* HASHEM *will arrive in fire and His chariots like the whirlwind, to requite His anger with wrath, and His rebuke with flaming fire.* 16 *For with fire* HASHEM *will judge, and with His sword against all flesh; many will be those slain by* HASHEM.

17 *Those who prepare and purify themselves [to storm] the gardens go one after another to the midst [of the fray]; together will be consumed those who eat the flesh of swine, of abominable creatures and rodents — the words of* HASHEM. 18 *I [am aware of] their deeds and their thoughts; [the time] has come to gather in all the nations and tongues; they shall come*

כָּל־אֵ֖לֶּה נְאֻם־יְהֹוָ֑ה וְאֶל־זֶ֣ה אַבִּ֔יט אֶל־עָנִי֙
וּנְכֵה־ר֔וּחַ וְחָרֵ֖ד עַל־דְּבָרִֽי׃ ג שׁוֹחֵ֨ט הַשּׁ֜וֹר
מַכֵּה־אִ֗ישׁ זוֹבֵ֤חַ הַשֶּׂה֙ עֹ֣רֵֽף כֶּ֔לֶב מַעֲלֵ֤ה
מִנְחָה֙ דַּם־חֲזִ֔יר מַזְכִּ֥יר לְבֹנָ֖ה מְבָ֣רֵֽךְ אָ֑וֶן
גַּם־הֵ֗מָּה בָּֽחֲרוּ֙ בְּדַרְכֵיהֶ֔ם וּבְשִׁקּוּצֵיהֶ֖ם
נַפְשָׁ֥ם חָפֵֽצָה׃ ד גַּם־אֲנִ֞י אֶבְחַ֣ר בְּתַעֲלֻלֵיהֶ֗ם
וּמְגֽוּרֹתָם֙ אָבִ֣יא לָהֶ֔ם יַ֤עַן קָרָ֙אתִי֙ וְאֵ֣ין עוֹנֶ֔ה
דִּבַּ֖רְתִּי וְלֹ֣א שָׁמֵ֑עוּ וַיַּעֲשׂ֤וּ הָרַע֙ בְּעֵינַ֔י וּבַאֲשֶׁ֥ר
לֹֽא־חָפַ֖צְתִּי בָּחָֽרוּ׃ ה שִׁמְעוּ֙ דְּבַר־יְהֹוָ֔ה
הַחֲרֵדִ֖ים אֶל־דְּבָר֑וֹ אָמְרוּ֩ אֲחֵיכֶ֨ם שֹׂנְאֵיכֶ֜ם
מְנַדֵּיכֶ֗ם לְמַ֤עַן שְׁמִי֙ יִכְבַּ֣ד יְהֹוָ֔ה וְנִרְאֶ֥ה
בְשִׂמְחַתְכֶ֖ם וְהֵ֥ם יֵבֹֽשׁוּ׃ ו ק֤וֹל שָׁאוֹן֙ מֵעִ֔יר ק֖וֹל
מֵהֵיכָ֑ל ק֣וֹל יְהֹוָ֔ה מְשַׁלֵּ֥ם גְּמ֖וּל לְאֹיְבָֽיו׃
ז בְּטֶ֥רֶם תָּחִ֖יל יָלָ֑דָה בְּטֶ֨רֶם יָב֥וֹא חֵ֛בֶל לָ֖הּ
וְהִמְלִ֥יטָה זָכָֽר׃ ח מִֽי־שָׁמַ֣ע כָּזֹ֗את מִ֤י רָאָה֙
כָּאֵ֔לֶּה הֲי֤וּחַל אֶ֙רֶץ֙ בְּי֣וֹם אֶחָ֔ד אִם־יִוָּ֥לֵֽד גּ֖וֹי
פַּ֣עַם אֶחָ֑ת כִּי־חָ֛לָה גַּם־יָלְדָ֥ה צִיּ֖וֹן אֶת־בָּנֶֽיהָ׃
ט הַאֲנִ֥י אַשְׁבִּ֛יר וְלֹ֥א אוֹלִ֖יד יֹאמַ֣ר יְהֹוָ֑ה
אִם־אֲנִ֧י הַמּוֹלִ֛יד וְעָצַ֖רְתִּי אָמַ֥ר אֱלֹהָֽיִךְ׃
י שִׂמְח֤וּ אֶת־יְרוּשָׁלַ֙͏ִם֙ וְגִ֣ילוּ בָ֔הּ כָּל־אֹהֲבֶ֑יהָ
שִׂ֤ישׂוּ אִתָּהּ֙ מָשׂ֔וֹשׂ כָּל־הַמִּֽתְאַבְּלִ֖ים עָלֶֽיהָ׃
יא לְמַ֤עַן תִּֽינְקוּ֙ וּשְׂבַעְתֶּ֔ם מִשֹּׁ֖ד תַּנְחֻמֶ֑יהָ
לְמַ֧עַן תָּמֹ֛צּוּ וְהִתְעַנַּגְתֶּ֖ם מִזִּ֥יז כְּבוֹדָֽהּ׃ יב כִּי־
כֹ֣ה ׀ אָמַ֣ר יְהֹוָ֗ה הִנְנִ֣י נֹטֶֽה־אֵ֠לֶיהָ כְּנָהָ֨ר שָׁל֜וֹם
וּכְנַ֧חַל שׁוֹטֵ֛ף כְּב֥וֹד גּוֹיִ֖ם וִֽינַקְתֶּ֑ם עַל־צַד֙
תִּנָּשֵׂ֔אוּ וְעַל־בִּרְכַּ֖יִם תְּשָׁעֳשָֽׁעוּ׃ יג כְּאִ֕ישׁ
אֲשֶׁ֥ר אִמּ֖וֹ תְּנַחֲמֶ֑נּוּ כֵּ֤ן אָנֹכִי֙ אֲנַ֣חֶמְכֶ֔ם
וּבִירוּשָׁלַ֖͏ִם תְּנֻחָֽמוּ׃ יד וּרְאִיתֶם֙ וְשָׂ֣שׂ לִבְּכֶ֔ם
וְעַצְמוֹתֵיכֶ֖ם כַּדֶּ֣שֶׁא תִפְרַ֑חְנָה וְנוֹדְעָ֤ה יַד־
יְהֹוָה֙ אֶת־עֲבָדָ֔יו וְזָעַ֖ם אֶת־אֹיְבָֽיו׃ טו כִּֽי־הִנֵּ֤ה
יְהֹוָה֙ בָּאֵ֣שׁ יָב֔וֹא וְכַסּוּפָ֖ה מַרְכְּבֹתָ֑יו לְהָשִׁ֤יב
בְּחֵמָה֙ אַפּ֔וֹ וְגַעֲרָת֖וֹ בְּלַהֲבֵי־אֵֽשׁ׃ טז כִּ֤י בָאֵשׁ֙
יְהֹוָ֣ה נִשְׁפָּ֔ט וּבְחַרְבּ֖וֹ אֶת־כָּל־בָּשָׂ֑ר וְרַבּ֖וּ
חַלְלֵ֥י יְהֹוָֽה׃ יז הַמִּתְקַדְּשִׁ֨ים וְהַמִּֽטַּהֲרִ֜ים אֶל־
הַגַּנּ֗וֹת אַחַ֤ר אַחַת֙ [אחד כ׳] בַּתָּ֔וֶךְ אֹֽכְלֵי֙ בְּשַׂ֣ר
הַחֲזִ֔יר וְהַשֶּׁ֖קֶץ וְהָעַכְבָּ֑ר יַחְדָּ֥ו יָסֻ֖פוּ נְאֻם־
יְהֹוָֽה׃ יח וְאָנֹכִ֗י מַעֲשֵׂיהֶם֙ וּמַחְשְׁבֹ֣תֵיהֶ֔ם
בָּאָ֕ה לְקַבֵּ֥ץ אֶת־כָּל־הַגּוֹיִ֖ם וְהַלְּשֹׁנ֑וֹת וּבָ֖אוּ

וְרָא֖וּ אֶת־כְּבוֹדִֽי׃ יט וְשַׂמְתִּ֨י בָהֶ֜ם א֗וֹת
וְשִׁלַּחְתִּ֣י מֵהֶ֣ם ׀ פְּלֵיטִ֡ים אֶל־הַגּוֹיִ֡ם תַּרְשִׁ֞ישׁ
פּ֥וּל וְל֛וּד מֹ֥שְׁכֵי קֶ֖שֶׁת תֻּבַ֣ל וְיָוָ֑ן הָאִיִּ֣ים
הָֽרְחֹקִ֗ים אֲשֶׁ֨ר לֹא־שָׁמְע֤וּ אֶת־שִׁמְעִי֙ וְלֹא־
רָא֣וּ אֶת־כְּבוֹדִ֔י וְהִגִּ֥ידוּ אֶת־כְּבוֹדִ֖י בַּגּוֹיִֽם׃
כ וְהֵבִ֣יאוּ אֶת־כָּל־אֲחֵיכֶ֣ם מִכָּל־הַגּוֹיִ֣ם ׀ מִנְחָ֣ה
׀ לַיהוָ֡ה בַּסּוּסִ֡ים וּ֠בָרֶכֶב וּבַצַּבִּ֨ים וּבַפְּרָדִ֜ים
וּבַכִּרְכָּר֗וֹת עַ֣ל הַ֥ר קָדְשִׁ֛י יְרוּשָׁלַ֖͏ִם אָמַ֣ר יְהוָ֑ה
כַּאֲשֶׁ֣ר יָבִ֣יאוּ בְנֵ֧י יִשְׂרָאֵ֛ל אֶת־הַמִּנְחָ֛ה בִּכְלִ֥י
טָה֖וֹר בֵּ֥ית יְהוָֽה׃ כא וְגַם־מֵהֶ֥ם אֶקַּ֛ח לַכֹּהֲנִ֥ים
לַלְוִיִּ֖ם אָמַ֥ר יְהוָֽה׃ כב כִּ֣י כַאֲשֶׁ֣ר הַשָּׁמַ֣יִם
הַ֠חֲדָשִׁים וְהָאָ֨רֶץ הַחֲדָשָׁ֜ה אֲשֶׁ֨ר אֲנִ֥י עֹשֶׂ֛ה
עֹמְדִ֥ים לְפָנַ֖י נְאֻם־יְהוָ֑ה כֵּ֛ן יַעֲמֹ֥ד זַרְעֲכֶ֖ם
וְשִׁמְכֶֽם׃ כג וְהָיָ֗ה מִֽדֵּי־חֹ֙דֶשׁ֙ בְּחָדְשׁ֔וֹ וּמִדֵּ֥י
שַׁבָּ֖ת בְּשַׁבַּתּ֑וֹ יָב֧וֹא כָל־בָּשָׂ֛ר לְהִשְׁתַּחֲוֺ֥ת לְפָנַ֖י
אָמַ֥ר יְהוָֽה׃ כד וְיָצְא֣וּ וְרָא֔וּ בְּפִגְרֵי֙ הָאֲנָשִׁ֔ים
הַפֹּשְׁעִ֖ים בִּ֑י כִּ֣י תוֹלַעְתָּ֞ם לֹ֣א תָמ֗וּת וְאִשָּׁם֙ לֹ֣א
תִכְבֶּ֔ה וְהָי֥וּ דֵרָא֖וֹן לְכָל־בָּשָֽׂר׃

and see My glory.

[19] I shall put a sign upon them and send some as survivors to the nations: Tarshish, Pul, and Lud, the bow-drawers, Tubal, and Yavan; the distant islands, who have not heard of My fame and not seen My glory, and they will declare My glory among the nations. [20] They will bring all your brethren from all the nations as an offering to HASHEM, on horses, on chariot, on covered wagons, on mules, and with joyful dances upon My holy mountain, Jerusalem, said HASHEM; just as the Children of Israel bring their offering in a pure vessel to the House of HASHEM. [21] From them, too, will I take to be Kohanim and Levites, said HASHEM.

[22] For just as the new heavens and the new earth that I will make will endure before Me — the words of HASHEM — so will your offspring and your name endure. [23] And it shall be that, from New Moon to New Moon, and from Sabbath to Sabbath, all flesh shall come to prostrate themselves before Me, said HASHEM.

[24] They shall go out and see the corpses of those who rebel against Me, for their worms will not die and their fire will not go out, and they shall be a disgrace for all flesh.

When the second day Rosh Chodesh falls on Sunday, some congregations add the first and last verses of the *Haftarah* for *Shabbas* Erev Rosh Chodesh:

וְהָיָ֗ה מִֽדֵּי־חֹ֙דֶשׁ֙ בְּחָדְשׁ֔וֹ וּמִדֵּ֥י שַׁבָּ֖ת בְּשַׁבַּתּ֑וֹ
יָב֧וֹא כָל־בָּשָׂ֛ר לְהִשְׁתַּחֲוֺ֥ת לְפָנַ֖י אָמַ֥ר יְהוָֽה׃
וַיֹּֽאמֶר־ל֥וֹ יְהוֹנָתָ֖ן מָחָ֣ר חֹ֑דֶשׁ וְנִפְקַ֕דְתָּ כִּ֥י יִפָּקֵ֖ד מוֹשָׁבֶֽךָ׃
וַיֹּ֧אמֶר יְהוֹנָתָ֛ן לְדָוִ֖ד לֵ֣ךְ לְשָׁל֑וֹם אֲשֶׁר֩ נִשְׁבַּ֨עְנוּ שְׁנֵ֜ינוּ
אֲנַ֗חְנוּ בְּשֵׁ֤ם יְהוָה֙ לֵאמֹ֔ר יְהוָ֞ה יִהְיֶ֣ה ׀ בֵּינִ֣י וּבֵינֶ֗ךָ וּבֵ֥ין
זַרְעִ֛י וּבֵ֥ין זַרְעֲךָ֖ עַד־עוֹלָֽם׃

And it shall be that, from New Moon to New Moon, and from Sabbath to Sabbath, all flesh shall come to prostrate themselves before Me, said HASHEM.

Jonathan said to [David], "Tomorrow is the New Moon, and you will be missed because your seat will be empty." Jonathan said to David, "Go to peace. What the two of us have sworn in the Name of HASHEM — saying, 'HASHEM shall be between me and you, and between my children and your children' — shall be forever!"

Appendix
Bibliography

CHRONOLOGY/TIME LINE — ADAM TO JACOB

NAME	YEARS	BORN-DIED
ADAM	930	1-930
SETH	912	130-1042
ENOSH	905	235-1140
KENAN	910	325-1235
MAHALALEL	895	395-1290
YERED	962	460-1422
ENOCH	365	622-987
METHUSELAH	969	687-1656
LAMECH	777	874-1651
NOAH	950	1056-2006
SHEM	600	1558-2158
ARPACHSHAD	438	1658-2096
SHELAH	433	1693-2126
EBER	464	1723-2187
PELEG	239	1757-1996
REU	239	1787-2026
SERUG	230	1819-2049
NAHOR	148	1849-1997
TERAH	205	1878-2083
ABRAHAM	175	1948-2123
ISAAC	180	2048-2228
JACOB	147	2108-2255

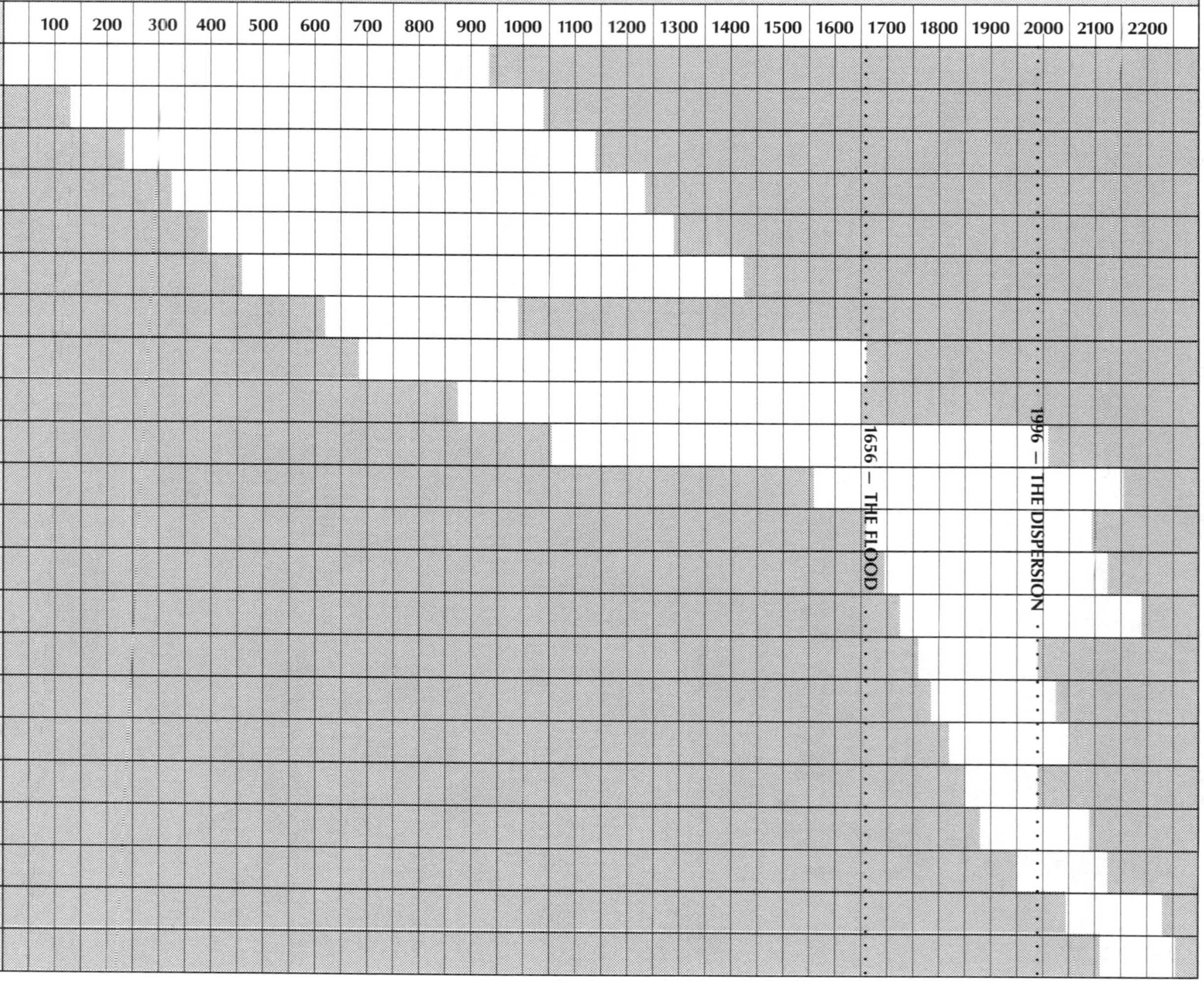

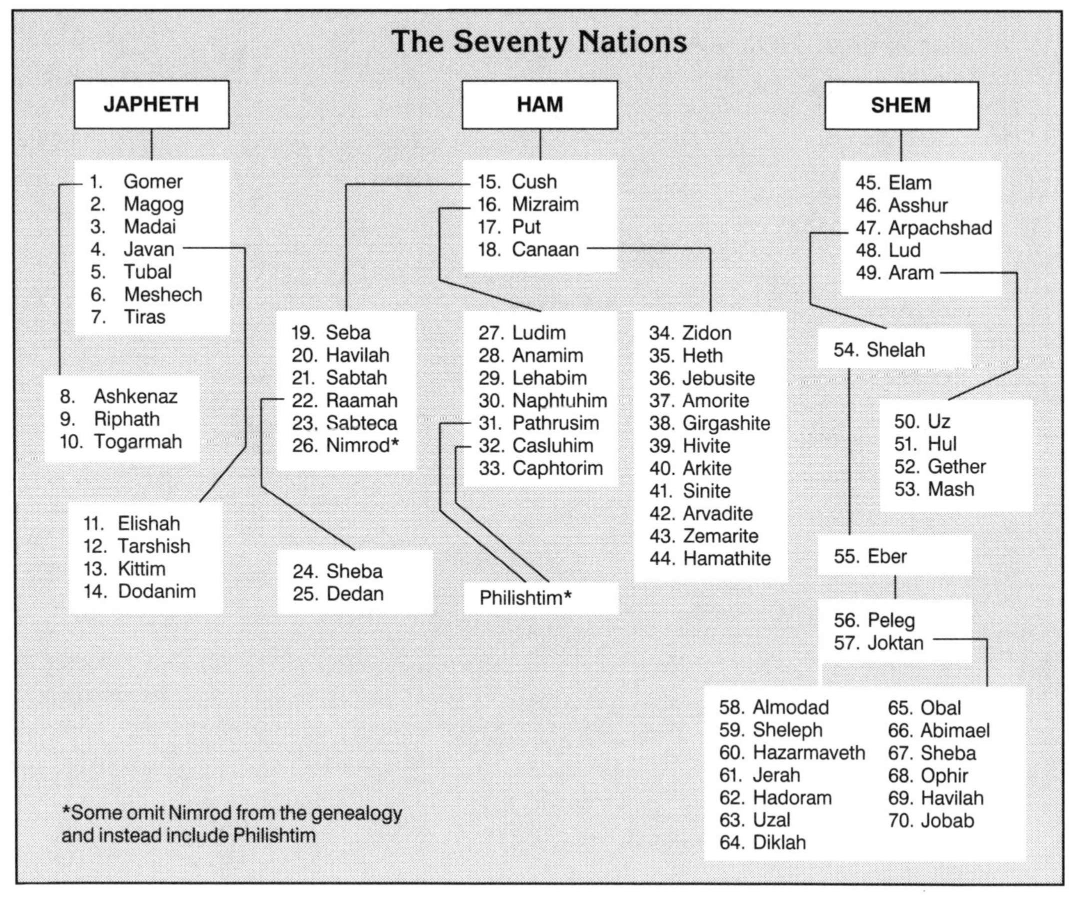
The Seventy Nations
JAPHETH
HAM
SHEM
1. Gomer
2. Magog
3. Madai
4. Javan
5. Tubal
6. Meshech
7. Tiras
8. Ashkenaz
9. Riphath
10. Togarmah
11. Elishah
12. Tarshish
13. Kittim
14. Dodanim
15. Cush
16. Mizraim
17. Put
18. Canaan
19. Seba
20. Havilah
21. Sabtah
22. Raamah
23. Sabteca
26. Nimrod*
24. Sheba
25. Dedan
27. Ludim
28. Anamim
29. Lehabim
30. Naphtuhim
31. Pathrusim
32. Casluhim
33. Caphtorim
Philishtim*
34. Zidon
35. Heth
36. Jebusite
37. Amorite
38. Girgashite
39. Hivite
40. Arkite
41. Sinite
42. Arvadite
43. Zemarite
44. Hamathite
45. Elam
46. Asshur
47. Arpachshad
48. Lud
49. Aram
54. Shelah
50. Uz
51. Hul
52. Gether
53. Mash
55. Eber
56. Peleg
57. Joktan
58. Almodad
59. Sheleph
60. Hazarmaveth
61. Jerah
62. Hadoram
63. Uzal
64. Diklah
65. Obal
66. Abimael
67. Sheba
68. Ophir
69. Havilah
70. Jobab
*Some omit Nimrod from the genealogy and instead include Philishtim

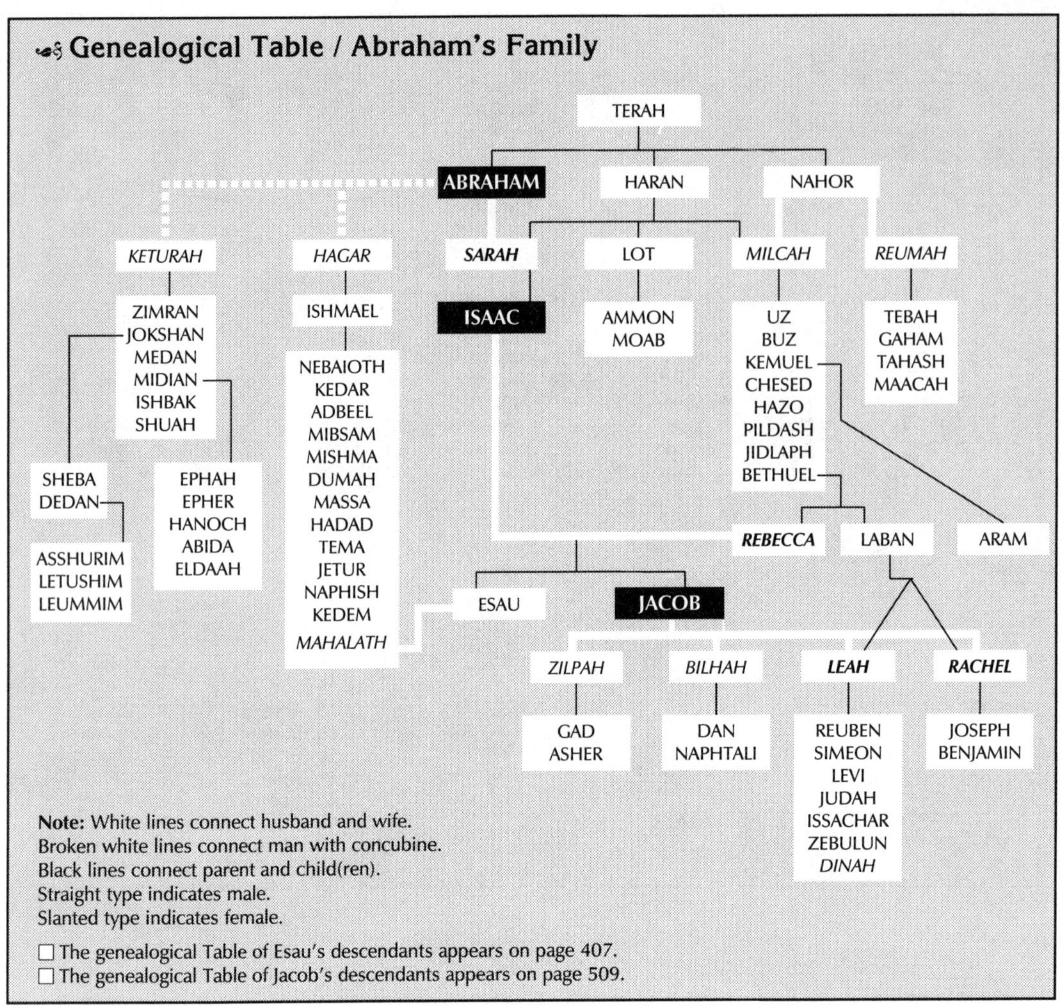

Genealogical Table / Abraham's Family
TERAH
ABRAHAM
HARAN
NAHOR
KETURAH
HAGAR
SARAH
LOT
MILCAH
REUMAH
ZIMRAN
JOKSHAN
MEDAN
MIDIAN
ISHBAK
SHUAH
ISHMAEL
ISAAC
AMMON
MOAB
UZ
BUZ
KEMUEL
CHESED
HAZO
PILDASH
JIDLAPH
BETHUEL
TEBAH
GAHAM
TAHASH
MAACAH
NEBAIOTH
KEDAR
ADBEEL
MIBSAM
MISHMA
DUMAH
MASSA
HADAD
TEMA
JETUR
NAPHISH
KEDEM
MAHALATH
SHEBA
DEDAN
EPHAH
EPHER
HANOCH
ABIDA
ELDAAH
ASSHURIM
LETUSHIM
LEUMMIM
REBECCA
LABAN
ARAM
ESAU
JACOB
ZILPAH
BILHAH
LEAH
RACHEL
GAD
ASHER
DAN
NAPHTALI
REUBEN
SIMEON
LEVI
JUDAH
ISSACHAR
ZEBULUN
DINAH
JOSEPH
BENJAMIN
Note: White lines connect husband and wife.
Broken white lines connect man with concubine.
Black lines connect parent and child(ren).
Straight type indicates male.
Slanted type indicates female.
☐ The genealogical Table of Esau's descendants appears on page 407.
☐ The genealogical Table of Jacob's descendants appears on page 509.

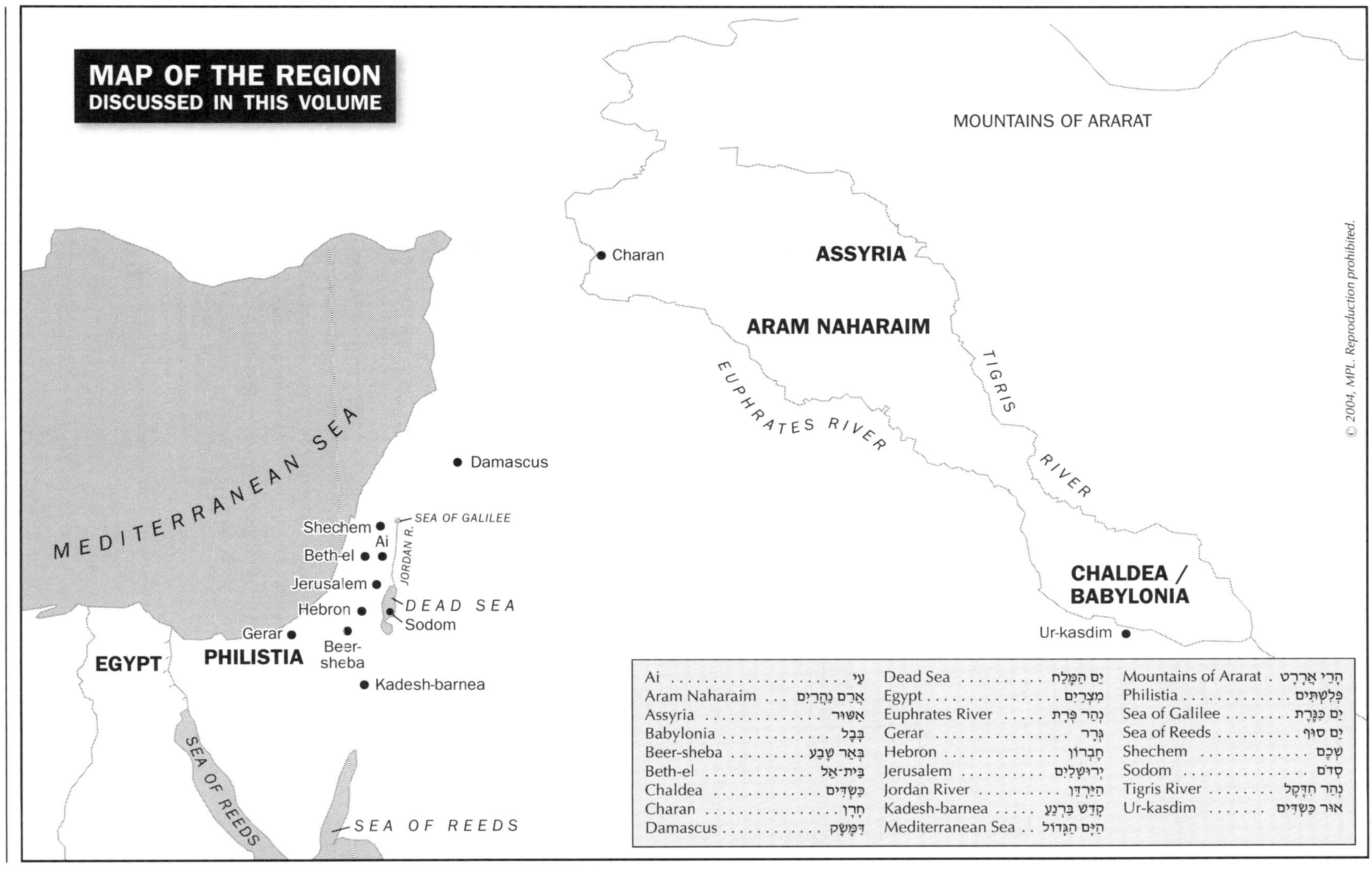

Ai	עַי	Dead Sea	יַם הַמֶּלַח	Mountains of Ararat	הָרֵי אֲרָרָט
Aram Naharaim	אֲרַם נַהֲרַיִם	Egypt	מִצְרַיִם	Philistia	פְּלִשְׁתִּים
Assyria	אַשּׁוּר	Euphrates River	נְהַר פְּרָת	Sea of Galilee	יַם כִּנֶּרֶת
Babylonia	בָּבֶל	Gerar	גְּרָר	Sea of Reeds	יַם סוּף
Beer-sheba	בְּאֵר שֶׁבַע	Hebron	חֶבְרוֹן	Shechem	שְׁכֶם
Beth-el	בֵּית-אֵל	Jerusalem	יְרוּשָׁלַיִם	Sodom	סְדֹם
Chaldea	כַּשְׂדִּים	Jordan River	הַיַּרְדֵּן	Tigris River	נְהַר חִדֶּקֶל
Charan	חָרָן	Kadesh-barnea	קָדֵשׁ בַּרְנֵעַ	Ur-kasdim	אוּר כַּשְׂדִּים
Damascus	דַּמֶּשֶׂק	Mediterranean Sea	הַיָּם הַגָּדוֹל		

Bibliography

Abarbanel, Rabbi Don Yitzchak (1437-1508) – Spanish/Portuguese Bible commentator, statesman, philosopher. One of the most illustrious Jews who suffered the Spanish expulsion (1492), turning down a royal offer for a personal exemption.

Abohab, Rabbi Yitzchak (or Mahari) (1433-1493) – Spanish rabbi and author of a supercommentary on Ramban (Jerusalem, 1973). (Not to be confused with author of *Menoras HaMaor*, by the same name.)

Abu Sahula, Rabbi Meir (13th-14th century) – Spanish Kabbalist. Author of supercommentary on Ramban's Kabbalistic comments (Warsaw, 1875).

Akeidas Yitzchak – A philosophical-homiletical commentary on the Torah, by Rabbi Yitzchak Arama (Spain, 1420-1494).

Albo, Rabbi Yosef (c. 1380-1444) – Spanish philosopher, author of *Sefer HaIkkarim* on the basic theological principles of Judaism.

Avi Ezri – A halachic work by Rabbi Eliezer ben Yoel Halevy ("Raaviyah," Germany, c. 1160-1235).

Avraham bar Chiya Hanasi (d. c. 1136) (also known by his Arabic title Sahib al-Shurta, or the Latin corruption thereof, Savasorda.) – Spanish philosopher and author. He was very influential and is cited by many commentators and writers. One of his best known works is *Megillas HaMegalleh,* in which, among other things, he expounds on the Creation narrative in *Bereishis* and attempts to foretell the time of the Messiah's arrival. In addition to being a great Torah scholar, Rav Avraham was also a world-renowned mathematician, astronomer and translator.

Bachya, Rabbeinu – see Rabbeinu Bachya.

Bechor-Shor, Rabbi Yosef (12th century) – French Tosafist, Biblical commentator, and author of liturgical poems. He was a disciple of Rabbeinu Tam.

Beis HaYayin – Contemporary commentary on Ramban (Jerusalem, 2000), by Rabbi Yehudah Meir Dvir.

Beis Shmuel – Commentary on the *Even HaEzer* section of *Shulchan Aruch* (q.v.), by Rabbi Shmuel ben Uri (Poland, 17th century).

Ben Sira – One of the books of the apocrypha (also known as "Ecclesiasticus"). Although its study is forbidden by one opinion in the Talmud (*Sanhedrin* 100b), it is cited by the Talmud itself.

Bereishis Rabbah – A compilation, by the Talmudic Sages, of Aggadic comments on the book of *Bereishis*. It is the first book of the collection of Midrashim known as *Midrash Rabbah.*

Chasam Sofer – The name of two works – Responsa and Talmud commentary – by Rabbi Moshe Sofer, celebrated German/Austro-Hungarian rabbinic leader, teacher, and halachic decisor, whose influence remains profound (1763-1839).

Chavel, Rabbi Chaim Dov – Contemporary scholar (1906-1982) and the first to publish many of Ramban's works with accurate, annotated texts. He published the first complete annotated edition of Ramban's Torah commentary (Mosad HaRav Kook, 1959).

Chochmas Shlomo – Commentary on *Shulchan Aruch* (q.v.) by prolific Galician halachist, Rabbi Shlomo Kluger (1783-1869), who is best known as the rabbi of Broide.

Daas Chochmah U'Mussar – see Levovitz, Rabbi Yerucham.

Dessler, Rabbi Eliyahu (d. 1954) – Lithuanian *mussar* thinker and teacher, who subsequently lived in England and Israel. His lectures and writings are collected in *Michtav MeEliyahu*, which is one of the most influential works of its kind in modern times.

Emes LeYaakov – Comments and discourses on the Torah by Rabbi Yaakov Kamenecki (Kamenetsky), rabbi of Tzitevian, Lithuania and in Toronto, Canada; subsequently Rosh Yeshivah of Torah Vodaath in New York and guiding figure of the American yeshivah world (1891-1986).

HaLevi, Rabbi Yehudah (c. 1085-1140) – Famed Spanish philosopher and Hebrew liturgical poet. Author of *Kuzari*, a classic of Jewish philosophy.

Ibn Ezra, Rabbi Avraham (1090-1167) – Spanish Biblical commentator. There are two versions of his commentary on *Bereishis*, one printed in standard *Chumashim*, the other (on the first three Torah-portions only) known as *Shittah Acheres*, or "Alternate Version" (Mosad HaRav Kook, 1977).

Ibn Janach, Rabbi Yonah (c. 983-1040) – One of the greatest Spanish philologists. Author of *Sefer HaShorashim*, a Hebrew dictionary.

Ibn Tibbon, Rabbi Shmuel (c. 1150-1230) – Spanish philosopher and translator from Arabic into Hebrew of such classics as Rambam's *Moreh Nevuchim, Peirush HaMishnayos,* and *Shemoneh Perakim.*

Kesef Mezukak – Supercommentary on Ramban by Rabbi Avraham Lieblein (published Lemberg, 1897).

Kimchi, Rabbi David – see Radak

Kimchi, Rabbi Yosef (c. 1105-1170) – Spanish grammarian, Biblical commentator, and translator. Father of Radak (q.v.), who often quotes him.

Kur Zahav – Supercommentary on Ramban by Rabbi Aryeh Leib Steinhardt (published Jerusalem, 1936).

Kuzari – see HaLevi, Rabbi Yehudah.

Levovitz, Rabbi Yerucham (d. 1936) – Mashgiach in several Lithuanian yeshivos, notably Mir. One of the great masters of *mussar,* he had a profound influence on his students. *Daas Chochmah U'Mussar* is a collection of his *mussar* essays.

Maharsha (Moreinu Harav Shlomo Aidels, 1555-1631) – Polish Talmudist. He wrote a twofold commentary on the Talmud, one portion of which deals with the Talmud's halachic discussions, and the other portion of which treats the Aggados (homiletical sections) of the Talmud.

Maimonides – see Rambam.

Megillas HaMegalleh – see Avraham bar Chiya Hanasi.

Michtav MeEliyahu – see Dessler, Rabbi Eliyahu.

Midrash Tanchuma – A compilation, by Sages of the Talmud, of Aggadic comments on the Torah.

***Midrash Tanchuma*-Buber (or "*Tanchuma Yashan*")** – Another version of *Midrash Tanchuma* (q.v.), considered to be somewhat older than the standard version.

Mizrachi, Rabbi Eliyahu (1455-1525) – Author of a major supercommentary on Rashi's Torah commentary. He often defends Rashi against Ramban's objections.

Nefesh HaChaim – See Volozhiner, Rabbi Chaim.

Onkelos (or Unkelus) – Roman convert and author of the authoratative, best-known Targum (q.v.) on the Torah. He was a disciple of the great Mishnaic Sages, R' Eliezer and R' Yehoshua.

Pnei Yerushalayim – see *Tuv Yerushalayim.*

Pirkei deRabbi Eliezer – A Midrashic work attributed to the Tanna Rabbi Eliezer ("the Great") ben Hyrcanus.

Rabbeinu Bachya (ben Asher) (c. 1260 – 1340) – Spanish Bible commentator, whose commentary includes four modes of interpretation: plain meaning of the text, and midrashic, philosophical and Kabbalistic exegesis. He cites Ramban often and elaborates on his comments.

Radak (Rabbi David Kimchi) (1160-1235) – French (Provencal) grammarian and Bible commentator. Of his commentary on Scripture, only the sections on *Genesis, Prophets, Psalms, Proverbs,* and *Chronicles* have survived.

Radal (Rabbi David Luria) (1797-1855) – Author of glosses on *Talmud Bavli,* Midrashim and *Zohar.*

Ralbag (Rabbi Levi ben Gershon) (1288-1344) – French philosopher and Bible commentator. (He was a grandson or great-grandson of Ramban.)

Rambam (Rabbi Moshe ben Maimon) (1135-1204) – Also known as Maimonides. He was born in Spain and later lived in Egypt. Perhaps the foremost and most influential of Jewish philosophers and halachists. *Mishneh Torah* (or *Yad HaChazakah*) is an unsurpassed halachic work, codifying the entire corpus of

Talmudic law. *Moreh HaNevuchim* is a classic work of Jewish philosophy, although some of its positions have been considered somewhat controversial. His Mishnah commentary and *Sefer HaMitzvos* are classics.

Ran (Rabbi Nissim [ben Reuven]) (c. 1290-1375) – Spanish Talmudist, known especially for his commentary on Alfasi's *Halachos*. Several of his discourses are collected in *Derashos HaRan*.

Rashba (Rabbi Shlomo ben Avraham, surnamed Aderes) (1235-1310) – Spanish Talmudist and halachist. Probably the greatest Sephardic rabbinic authority of his times. He was a disciple of Ramban.

Rashi (Rabbi Shlomo Yitzchaki) (1040-1105) – Considered *the* commentator *par excellence*. His unsurpassed commentaries on the Torah and the Talmud are indispensable study tools to this very day.

Rosh (Rabbeinu Asher [ben Yechiel]) (1250-1328) – Prolific and authoratative German Talmudist, halachist and Biblical commentator. He was forced to flee to Spain, where he continued to flourish. One of the most influential of Ashkenazic halachists.

Saadiah Gaon (882-942) – Rosh Yeshivah at Sura in Babylonia. He is best known for his classic philosophical work *Emunos VeDeos* and for his Arabic translation (*Tafsir*) of the Torah.

Savasorda – Latin corruption of Sahib Al-Shurta. See Avraham bar Chiya Hanasi.

Seder Olam – A chronological work authored by R' Yosi ben Chalafta, one of the Sages of the Mishnah. It is cited in the Talmud, and is often cited by Rashi and other commentators.

Sefer HaBris – Compendium of scientific data integrated with Jewish thought, by Rabbi Pinchas Eliyahu Hurwitz, first published by author in Brunn, Moravia (1797).

Sefer Yetzirah – Ancient Kabbalistic work. It is referred to by the Talmud and is ascribed to the Patriarch Abraham.

Shemos Rabbah – A compilation, by the Talmudic Sages, of Aggadic comments on the book of *Shemos*. It is one of the Midrashim that comprise the *Midrash Rabbah* compilation.

Shenos Eliyahu – A Mishnah commentary by Rabbi Eliyahu of Vilna, the "Vilna Gaon" (1720-1797), one of the greatest minds and most influential Torah commentators of his epoch.

Shulchan Aruch – Authoritative halachic compendium, by Rabbi Yosef Karo (1488-1575). It contains four sections – *Orach Chaim* (laws pertaining to prayers, everyday ritual conduct, Sabbath and holidays), *Yoreh Deah* (laws of kashrus, family purity and many technical matters), *Even HaEzer* (laws of marriage, divorce, etc.), and Choshen Misphat (monetary laws).

Smag (*Sefer Mitzvos Gadol*) – Halachic work, formulated as expositions on the 613 mitzvos of the Torah, by Rabbi Moshe of Coucy, a French Tosafist (early 13th century).

Targum – An Aramaic translation of the Bible. The best known of *Targumim* is that of Onkelos (q.v.), on the Five Books of the Torah. There is also a later *Targum,* which is written in the *Eretz Yisrael* dialect of Aramaic. Ramban and other *Rishonim* refer to this as *Targum Yerushalmi,* though it later became known as "Targum Yonasan ben Uzziel," and is often printed under that name. There are several versions of this *Targum,* which vary considerably from one another.

Techeiles Mordechai – Supercommentary on Ramban by Lithuanian scholar Rabbi Mordechai Gimpel Yaffe (d. 1892).

Tikkunei Zohar – One of the books of the *Zohar,* the primary work of Kabbalah, based on the teachings of the Talmudic Sages.

Toras Chaim – A compilation of Torah commentators, published by Mosad HaRav Kook (1986).

Tosafos – An in-depth commentary on the Talmud, written by French and German Torah scholars (called "Tosafists") in the 12th-14th century. There are many different *Tosafos* commentaries on each tractate, one of which is always printed alongside the Talmud text in standard editions.

Tur (or *Arba'ah Turim*) – A classic halachic compendium by Rabbi Yaakov, a son of Rosh (q.v.), it forms the basis for the *Shulchan Aruch* (q.v.). Rabbi Yaakov is commonly known as the "*Baal HaTurim*" ("Author of the *Turim*"), or simply "the Tur."

He wrote two commentaries on the Torah. One (commonly referred to as "*Baal HaTurim*") is brief and laconic. The other, known as "*Peirush HaTur HaAroch*" ("The Greater Commentary of the Tur"), is a synopsis of earlier commentators (notably Rashi, Ibn Ezra and Ramban), followed by the Tur's own original comments.

Tuv Yerushalayim – Contemporary paraphrase of Ramban (Jerusalem, 1997), by Rabbi Pinchas Yehudah Lieberman. The footnotes in the work are a commentary called *Pnei Yerushalayim*.

Tzelach (*Tziyun Lenefesh Chayah*) – A commentary on several Talmudic tractates, by Rabbi Yechezkel Landau (1713-1793), chief rabbi of Prague, and author of *Responsa Noda BiYehudah.*

Toras Kohanim – Halachic commentary to the book of *Leviticus,* by the Sages of the Mishnah. (Also known as *Sifra.*)

Vayikra Rabbah – A compilation, by the Talmudic Sages, of Aggadic comments on the book of *Vayikra*. It is the third book of the collection of Midrashim known as *Midrash Rabbah*.

Volozhiner, Rabbi Chaim (1749-1821) – Foremost disciple of Vilna Gaon and founder of the famous Yeshivah of Volozhin, which was the prototype of the "modern" yeshivah and produced most of the great Lithuanian-Talmudic sages in its time. His essays on Jewish thought were published posthumously by his son and named *Nefesh HaChaim*.

Yedei Moshe – Commentary on *Midrash Rabbah*, by Rabbi Yaakov Moshe Helin (Poland, 1625-1700).

Yefei Toar – Commentary on *Midrash Rabbah*, by Rabbi Shmuel Yaffe Ashkenazi, leader of the Ashkenazi community of Istanbul in the 16th century. The *Yefei Toar* commentary that is printed in the standard Vilna editions of *Midrash Rabbah* consists of mere excerpts from the original work.

Yekev Ephraim – Contemporary commentary on Ramban, by Rabbi Yaakov Kopel Schwartz (New York, 5761).

Zichron Yitzchak – One of the best of the contemporary Ramban supercommentaries, by Rabbi Menachem Zvi Eisenstadt (New York, 1958-1962). Only the commentary to *Bereishis* was published.

This volume is part of
THE ARTSCROLL SERIES®
an ongoing project of
translations, commentaries and expositions
on Scripture, Mishnah, Talmud, Halachah,
liturgy, history, the classic Rabbinic writings,
biographies and thought.

For a brochure of current publications
visit your local Hebrew bookseller
or contact the publisher:

Mesorah Publications, ltd
4401 Second Avenue
Brooklyn, New York 11232
(718) 921-9000
www.artscroll.com

RAMBAN
פירוש הרמב"ן על התורה